"왕대 밭에 왕대 납니다"

한글은 표음(表音)문자이고,
한자는 표의(表意)문자입니다.

한글은 음을 잘 알게 하고,
한자는 뜻을 잘 알게 합니다.

한글은 읽기를 잘 하게 하고,
한자는 생각을 잘 하게 합니다.

한글만 알면 불리(不利)하고,
한자도 알면 유리(有利)합니다.

한글만 알면,
한 쪽 눈으로만 보고,
한 쪽 발로만 걷고,
한 쪽 손만 쓰는 것과 같습니다.

두 눈,
두 발,
두 손이 다 필요 하듯이
두 가지 문자,
둘 다 필요 합니다.

한자 알면 한글로 쓰도 틀리지 않지만,
한자 몰라 한글로 쓰면 틀리기 십상입니다.

'문서 결제'라 쓴다거나, (決裁≠決濟),
'쉽상이다'라 쓴다면
한자 모른 탓 입니다.
창피 당하기 십상이지요.

한글이 숟가락이라면
한자는 젓가락입니다.

한글만 쓰는 것은
숟가락만으로 식사를 하는 것과 같습니다.

둘 다 사용하면 좋을 텐데….
한글만 아는 사람과
한자도 아는 사람은
생각의 '깊이'가 다르고
성공의 '높이'가 다릅니다.

선생님! 한자 모르면,
제자들이,
"뱀을 왜 '파충류'라고 해요?"라며
따져 묻는 말에 답을 못하고,

부모님! 한자 모르면,
자녀들이,
"저걸 왜 '형광등'이라고 해요?"라며
캐묻는 말에 애만 탑니다.

선생님!
한자도 잘 알면,
제자들이 잘 되고,

부모님!
한자도 잘 알면,
자녀들이 잘 됩니다.

한마디로,
"왕대밭에 왕대 납니다."

그래서
HANJA BIBLE FOR TEACHERS!
《선생님 한자책》을 엮었답니다.

선생님을 위하여!
부모님을 위하여!

全廣鎭 2019년 3월 17일

선생님 한자책

HANJA BIBLE FOR TEACHERS

2013년 1월 1일 제1판 1쇄 발행
2013년 3월 25일 제1판 2쇄 발행
2019년 4월 15일 제2판 1쇄 발행
2023년 5월 15일 제3판 1쇄 발행

편저자_전광진
편집·교정_최영록, 권민서, 최수안, 손동한
표지디자인_조의환

발행인_이숙자
발행처_(주)속뜻사전교육출판사
등록_263-86-02753
주소_경기도 하남시 덕풍북로 110, 103-101
Tel. 031-794-2096
Fax. 031-793-2096
www.LBHedu.com
lbhedu@lbhedu.com

ISBN 978-89-93858-49-5 03710

값 110,000원

HANJA BIBLE FOR TEACHERS

선생님 한자책

문학박사·성균관대 교수
전광진 엮음

(주)속뜻사전교육출판사

차례

추천사

이 책은 저자인 全廣鎭 교수(성균관대학교 중어중문학과)가 해박한 문자학(文字學)의 지식과 중국 문화에 대한 깊은 조예(造詣)를 바탕으로 해서 저술한 것이다. 전 교수는 이러한 지식을 활용하여 조선일보 지상에 12년(1999~2010) 동안 독자들의 큰 호응 속에 '생활한자' 칼럼을 3,300 여회에 걸쳐 연재한 바 있다. 이 칼럼의 내용은 기초적인 한자어를 고르되, 한자 해득의 기본이 되는 자형(字形), 자음(字音), 자의(字義)를 자세히 밝히고 새로운 세대의 이해를 돕기 위하여 영어로 간략한 뜻을 보이기도 하였다.

이 저술은 정통 학술에 기초를 두고 있으면서도 내용이 쉽고 다양한 부록이 실려 있다. 따라서 한자를 새롭게 익히는 초보자뿐만 아니라 이미 어느 수준까지 한자를 학습해 온 사람들에게도 큰 도움이 될 것이다. 그리고 일상적인 언어생활과 깊이 있는 연구생활이나 한문 학습에도 일조(一助)가 될 것이다. 특히 선생님과 학부모를 위하여 편찬한 한자책을 韓國語文會가 정한 한자 급수를 중심으로 엮어 놓았기 때문에 실용성이 가일층 높아졌고, 한자 시험을 한 권으로 대비할 수 있는 장점도 지니고 있다.

원래 한자(漢字)는 중국대륙에 사는 한족(漢族)이 자기들의 언어인 한어(漢語, 흔히 말하는 중국어)를 기록하기 위하여 만들어낸 글자였다. 그러나 글자가 없던 이웃나라들에도 전파(傳播)되어 한국 · 일본 · 월남 등에서도 한족과 마찬가지로 한자와 한문을 사용하여 찬란한 동양의 문화를 꽃피워 왔다. 우리나라 말은 이러한 한자와 한문을 이용하여 우리의 사상과 감정을 표현하는 사이에 한어의 영향을 받게 되었다. 언어의 3대 요소인 어음·어휘·어법 가운데 특히 어휘면에서 한어 계통의 단어, 즉 한자어가 우리말 전체에서 상당히 많은 자리를 차지하게 되었다. 그 결과 오늘날 우리의 언어생활에서 추상적인 단어나 지적 수준이 높은 한자어가 고유어(固有語)계통의 어휘와 함께 요긴하게 쓰이고 있다.

우리는 우리말의 어휘를 분명히 이해하고 지적(知的)으로 수준 높은 언어생활을 영위하기 위하여, 더 나아가 우리의 전통문화를 계승·발전시키기 위하여 한자 학습이 반드시 필요하다. 한글만 아는 사람에 비하여 한자도 아는 사람이 사회적으로 크게 각광(脚光)받고 환영(歡迎)받는 것은 물론, 사회적 지위도 더 높을 수밖에 없음은 명약관화(明若觀火)하다. 새는 한 쪽 날개로는 날 수 없다. "우리나라의 모든 지성인에게 '한글'에 아울러 '한자'라는 또 하나의 날개를 달아줌으로써 창공(蒼空)을 향하여 힘차게 비상(飛翔)하도록 하겠다."는 전 교수의 꿈과 신념에 적극 찬동하며, 그의 이 역저(力著)를 흔쾌한 마음으로 강력 추천하는 바이다.

2012年 11月 5日

姜信沆

성균관대 명예교수

사단법인 韓國語文會 명예이사장

머리말 (1)

초판 서문

〈선생님의 교수 역량, 한자 지식에 달려있다〉

우리가 한글전용의 글을 쉽게 읽을 수 있게 된 것은 순전히 세종대왕의 한글(훈민정음) 창제 덕분입니다. 이 말에 대하여는 이론(異論)이 있을 수 없습니다. 누구나 찬동합니다. 그렇다고 읽을 줄만 알면 된다고 생각한다면, 그것은 대단한 착각(錯覺)이자 화근(禍根)입니다. 실제로 그렇게 오판(誤判)하는 경우를 많이 봅니다. 초등학교 교육 과정에서 '한자 교육'이 빠져 있는 것이 그러한 착각의 대표적인 실례(實例)입니다. 한자를 몰라도 된다, 즉 한글만 알아도 된다는 생각이 학력(學力) 붕괴(崩壞)라는 참상(慘狀)을 빚었습니다. 학생들은 뜻도 모른 채 소리만 내는 '앵무새'로 전락(轉落)하고 말았습니다. 학술부문 노벨상 수상 실적이 일본과 우리나라가 '18:0'입니다. 이러한 참담(慘憺)한 현실을 초래하게 된 원초적인 이유가 바로 초등학교 한자 교육의 부재(不在)에 있습니다. 초등학교 때부터 한자 교육을 철저하게 하는 일본의 예에 견주어 보면 더더욱 잘 알 수 있습니다. 이 문제점을 조금이나마 해결하기 위하여 《초등한자 창인교육》 이란 책을 엮어 놓았기 때문에 초등학생의 한자 교육 문제에 대해서는 더 이상의 언급을 생략합니다.

독서 지도는 한글만 알아도 되지만,
독해 지도는 한자도 알아야 되지요.

사실 알고 보면, 초등학생보다 선생님이 더 딱한 실정입니다. 초등교사 양성기관인 교육대학에서 한자를 필수 과목으로 가르치는 곳은 총 10개 교대(教大) 가운데 단 한 곳도 없다고 합니다. 한자를 몰라도, 즉 한글만 알아도 학생을 잘 가르칠 수 있다고 판단하였기 때문이라고 생각됩니다. 그것이 과연 현명한 결정일까요? 학생들이 읽을 줄 알도록 가르치기만 한다면 괜찮은 결정입니다. 그러나 읽고 뜻을 알도록 가르치자면 그것은 대단한 오산(誤算)이자 착오(錯誤)입니다. 초등학교 선생님들의 교육 활동은 읽기 위주의 '독서(讀書) 지도'가 아니라, 읽고 나서 내용과 의미를 이해(理解)하도록 하는 '독해(讀解) 지도'가 되어야 한다면 한자지식(HQ : Hint Quotient : 우리말 한자어 속뜻 인지능력)은 필수불가결한 것입니다. 즉, 독서 지도는 한글만 알아도 되지만, 독해 지도는 한자도 알아야 됩니다. 배우지 아니한 것을 알아야 하고, 나아가 가르치는 직무에 활용해야 하는 형편이니 선생님들의 처지가 어찌 더 딱하지 않습니까. 그래서 이 책을 엮었습니다. 초등학교 선생님들의 역량과 품격을 높여 주는 것이 이 책의 기본 목적입니다. 이 책을 교탁에 펼쳐 두고 수시로 찾아보기만 해도 한자박사처럼 능수능란하게 한자지식(HQ)을 활용할 수 있도록 해야겠다는 생각을 하였습니다.

우리나라의 문자 역사는 (1)문자가 없던 시대, (2)표의문자인 한자만 사용하던 시대, (3)표음문자인 한글을 창제하여 한자와 더불어 혼용하던 시대, (4)표음문자인 한글만 사용하는, 이른바 '한글전용' 시대로 대별 됩니다. 여기에서 두 가지 질문이 있을 수 있습니다.

첫째, 한글전용 시대에는 한자를 몰라도 될까요? 즉 한글만 알아도 될까요? 답은 '아닙니다.' '한글전용'의 참뜻을 알기 위해서 한자 지식이 필요하기 때문입니다. 예를 들어 '한글 전용'이 '예산 전용'과 의미상 연관이 없음을 알자면, 한자 지식(專用≠轉用, 오로지 전 ≠ 구를 전)을 동원하지 않고는 불가능하기 때문입니다. 단도직입(單刀直入)적으로 말하자면, 한글전용은 한자도 잘 아는 사람에게 매우 유리하고, 한글만 아는 사람에게는 절대적으로 불리합니다. 한글만 아는 사람은 일반 어휘의 70% 전문 학술어휘의 90% 이상인 한자어의 주인이 되기가 어렵기 때문입니다.

자동차는 바퀴를 많이 달수록 안전하고,
지식인은 문자를 많이 알수록 유리하다.

둘째, 한글전용 시대가 앞으로도 계속 될까요? 급작스럽게 중단되지는 않겠지만, 점차 한자 혼용 시대로 돌아갈 공산(公算)이 큽니다. 한글과 한자를 양자택일의 대립적인 관계로 보았던 몰지각(沒知覺)이 올바른 인식으로 전환될 가능성이 높기 때문입니다. 표음문자인 한글과 표의문자인 한자는 상호 보완적인 관계입니다. 표음문자는 음을 빨리 적을 수 있는 장점이 있고, 표의문자는 뜻을 잘 나타낼 수 있는 장점이 있습니다. 우리가 표음문자와 표의문자를 혼용할 수 있는 것은 분명 표의문자만 쓸 수밖에 없는 중국에 비하여 훨씬 좋은 여건입니다. 그러한 환경은 우리 조상님들의 예지가 결집된 대단한 문화유산입니다. 중국에서 만들어진 한자를 주체적으로 수용하여 우리식으로 읽을 수 있고(한국 한자음, Sino-Korean), 속뜻을 우리말로 풀이할 수 있으며(예, 學 '배울 학', 國 '나라 국' - 중국은 이렇게 할 수 없음), 한글을 음절 단위로 표기하도록 함으로써 한자와 더불어 쓰기 편하게 해 놓았기 때문입니다. 그런데도 표의문자는 배제하고 표음문자만 가르치는 것은 한쪽 날개로만 날라고 하는 것만큼, 한쪽 바퀴로만 달리라고 하는 것만큼 어리석은 일입니다. 자동차는 바퀴를 많이 달수록 안전하고, 지식인은 문자를 많이 알수록 유리합니다.

한글전용이 한자도 잘 아는 사람에게 절대적으로 유리하다는 사실, 표음문자와 표의문자를 새의 양쪽 날개나 수레의 두 바퀴같이 상호 보완적으로 활용하는 것이 현명한 처사라는 인식 하에서 이 책을 알뜰살뜰 엮어 보았습니다. 총 2,355개 한자에 대하여 이단사설(異端邪說), 억측파자(臆測破字) 같은 폐단을 없애고 정통 학설에 근거하여 바르게 풀이하고자 각고의 노력을 기울였지만 문제점이 전혀 없지는 않을 것입니다. 곳곳에 쌓여있는 문제점을 밝혀내어 바로잡아 주는 분들에게는 최대한의 예우로 후사(厚謝)할 것입니다. 강호 제현의 많은 질정(叱正) 있기를 기원합니다.

교향곡의 선율이 귀를 즐겁게 하는 것은 합주의 화음 때문이라고 합니다. 이 책이 만약 우리나라 어문교육 발전에 조금이라도 이바지하게 된다면 그것은 바로 협조와 조언을 아낌없이 베풀어 주신 분들의 덕분일 것입니다. 한국어문교육연구회 이사장을 역임한 강신항 성균관대 명예교수님께서 백망 중에 추천사를 흔쾌히 써주심에 깊이 감사드립니다. 교육 관련 자문에 자상하게 응해주신 이돈희(前 교육부 장관, 민사고 교장), 김승호(함평교육지원청 교육장), 성명제(前 목동초 교장), 홍석영(前 금북초 교장), 원정환(행현초 교장), 정운필(은평초 교장), 양민종(정목초 교장), 추성범(길음초 교장), 김윤숙(송원초 교장), 박인화(재동초 교장), 이은권(숭덕초 교장), 최순옥(연은초 교장) 제위께 경의와 더불어 감사의 뜻을 길이길이 아로새겨 둡니다. 초등학생들을 직접 지도하고 있는 김봉우(행현초), 민기식(선사초), 문성환(탑동초) 선생님이 초등교육에 어두운 저를 많이 도와주었습니다. 그리고 최고의 디자인으로 명품 도서가 될 수 있도록 표지를 꾸며준 前 조선일보 디자인부장 조의환님, 힘들고 따분한 교열 작업을 열정적으로 도와준 최영록님(前 동아일보 교열기자, 현 성균관대 홍보전문위원), 두 분에 대한 고마움은 몰치불망(沒齒不忘)입니다. 자료 수집과 정리에서 편집과 교정을 도맡아 해준 LBH교육연구소의 권민서 팀장 그리고 최수안, 손동한 두 조교의 열과 성을 다한 도움도 가슴 깊이 간직해 둡니다. 한자 애호가와 독지가들의 큰 사랑을 받았던 졸저 《뿌리를 찾는 한자 2350》 (전2권, 2000년 조선일보사)가 몇 해 전 구조조정으로 동 사의 출판부가 해체되는 바람에 절판되는 비운을 맞았습니다. 그 책의 구입을 위하여 백방으로 찾아 헤매던 독자분들께서 저에게 전화를 주어 다시 출간해 줄 것을 여러 차례 간청하였습니다. 그 분들의 성원과 격려 덕분에 만난(萬難)을 극복하고 환골탈태(換骨奪胎)한 이 책이 탄생되었습니다. 그 분들의 방명(芳名)은 잊었지만 깊은 감사의 뜻을 이에 적어 오래오래 기리고자 합니다.

새는 두 날개가 튼튼해야 높이 날고,
사람은 한자도 잘 알아야 높이 된다.

끝으로 다시 한 번 강조해 두고 싶습니다. '독서 지도는 한글만 알아도 되지만, 독해 지도는 한자도 알아야 합니다.' 선생님의 교수 역량은 읽기 지도 능력이 아니라 독해 지도 능력에 의하여 높아집니다. 그리고 독해 지도 능력은 한자 지식(HQ)에 달려 있습니다. 유능한 선생님을 위하여 엮은 이 책이 한자 지도사나 초등생 학부모에게도 널리 활용되기를 바랍니다. 선생님과 학부모가 한자에 도통하면 학생과 자녀가 득을 봅니다. '왕대밭에 왕대 난다'라는 속담이 결코 빈말이 아닙니다. 새는 두 날개가 튼튼해야 높이 날고, 사람은 한자도 알아야 높이 됩니다. 한글만 아는 사람과 한자도 아는 사람은 생각의 깊이가 다르기 때문입니다. 보잘것없는 이 책이 우리나라의 모든 지성인에게 '한글'에 아울러 '한자'라는 또 하나의 날개를 달아줌으로써 창공(蒼空)을 향하여 힘차게 날아오르는 새처럼 '사고(思考)의 바다' 위를 높이 비상(飛翔)하게 되기를 바랍니다. 나아가 우리나라에서도 학술 부문 노벨상 수상자가 속출되는 한 받침돌이 되기를 소망합니다. 감사합니다.

2012년 10월 10일

북악기슭의 서재에서

全 廣 鎭 씀

저자 전광진 교수는...

성균관대학교 중어중문학과를 졸업하고 National Taiwan Normal University에서 문학석사를, National Taiwan University에서 문학박사를 취득하였습니다. 경희대 중어중문학과 조교수 및 부교수, 성균관대학교 중문학과 교수, 문과대학 학장을 역임하였으며, 현재에는 성균관대 명예교수로 있습니다. 전문 저술(역서 포함) 20종과 학술 논문 50여 편이 있으며, 특히 중국에서 출판된 전문 저서 2종이 전 세계 유명 대학 도서관에는 모두 다 소장되어 있을 정도로 국제적인 지명도가 있는 저명 언어학자이며, 북경 대학(Peking University) 대학원 초빙교수로 초청되기도 하였습니다. 조선일보의 '생활한자' 칼럼을 12년에 걸쳐 3300회나 연재한 공전절후의 기록을 세운 바 있습니다. 그리고 로바족·어원키족·부눈족 등 무문민족의 언어에 대한 한글 서사체계를 선구적으로 연구하여 '한글 서사학'이라는 새로운 학문 영역을 개척하였고, 이 분야에서 가장 많은 논문을 쓴 학자로도 널리 알려져 있으며, 세종대왕의 애민정신을 선양하는 데 이바지 하였습니다. 아울러, 우리나라 학생들의 학력 증진을 위하여, 'LBH교수학습법'을 창안하였으며 동 학습법 활용을 위한 '속뜻사전'(3종)을 편찬하는 데 전력을 기울였습니다. 암기에서 이해로 우리나라 학습 혁명을 이룩하고 노벨학술상 수상에 필요한 학습 인프라를 구축하는 데 심혈을 기울이고 있습니다. - 편집자

머리말 (2)

증보 서문

〈한글을 잘 알아야 교육이 바로 선다〉

'한글', 그것은 우리나라 사람이라면 누구나 가장 자랑스럽게 여기는 낱말입니다. 그리고 가장 존경하는 인물은 '세종대왕'일 것입니다. 세종대왕께서 '한글'을 창제하였기 때문입니다. 이 점에 대해서는 단 한명의 이견이나 반대도 없을 것입니다. 그런데 세종대왕께서는 '한글'이란 낱말을 모릅니다. 그 당시에는 없었던 말이니까요. '한글 창제'를 더 정확하게 말하자면 '훈민정음(訓民正音) 창제'입니다. 일반인들은 '훈민정음'이란 원래 이름 보다는 '한글'이란 새 명칭에 더 애착을 느끼고 있으며, 너나없이 '한글 사랑'을 부르짖고 있습니다.

그러함에도 불구하고 오용(誤用) 사례가 가장 많은 낱말이 바로 '한글'이라면 아연실색(啞然失色)! 크게 놀랄 것입니다. 누구나 '한글 사랑'을 표방하면서도 '한글'이 뭔지? '한글 사랑'은 구체적으로 무엇을 어떻게 하는 것인지를 물어보면 우물쭈물 대답을 못합니다. 그러다 용기를 내어 대뜸 "바른 말, 고운 말을 쓰자는 것이 아니에요?" 라고 답하는 학생들을 가끔 봅니다. 바른 말, 고운 말 문제는 한글이 아니라 국어, 즉 한국어를 말하는 것입니다. 한글과는 아무런 상관이 없습니다. '한글 사랑'과 '국어 사랑'을 혼동하면 안 됩니다.

'한글'을 제대로 잘 가르쳐야 합니다. '한글'이 뭔지 확실하게 알게 하여야 합니다. 그래서 더 이상 '한글 번역', '한글 이름' 같은 '한글 오용 사례'가 없도록 해야 합니다. 한글날만 되면 각종 언론 매체에서 '한글 파괴' 운운하며, '한글'을 바로 쓰자며, 비속어(卑俗語), 신조어(新造語) 남용 사례를 앞 다투어 보도하고 방영합니다. 이것도 한글을 국어(한국어)로 오인한 결과입니다. 한글은 파괴될 리가 없고 파괴 될 수도 없습니다. '한글'은 한국어를 서사(書寫, writing)하는 자모 체계(문자)이기 때문입니다. 한글은 문자이고, 한국어는 언어입니다. 한글은 ㄱ, ㄴ, ㄷ 같은 14개의 자음, ㅏ, ㅑ, ㅓ, ㅕ 같은 모음 10개, 합쳐서 24개 밖에 되지 않습니다. 그래서 쉽습니다.

그러나 한국어는 대단히 어렵습니다. 한국어의 어음은 한글로 쉽게 적을 수 있습니다. 그런데 한국어 어휘는 수십만에 달하기에, 한국어는 대단히 어렵습니다. 그토록 많은 한국어 어휘의 뜻을 쉽게 알자면 한자도 잘 알아야 합니다. 한자 지식이 있어야 '무궁화'의 {궁}이 무슨 뜻인지 알 수 있습니다. 아무튼 알파벳과 영어가 다른 것처럼, 한글과 한국어는 크게 다릅니다. 이토록 지극히 상식적인 개념조차 제대로 모르고, '한글 사랑'을 부르짖다간 한글을 모독(冒瀆)하여 자칫 망신을 당할 수 도 있습니다.

한글을 한국어로 오인하든(예, '한글 번역', '한글학회'), 한글을 순우리말, 즉 고유어로 오용하든(예, '한글이름') 이러한 문제보다 더욱 심각한 해약을 초래하는 것은 바로 '한국 사람은 한글만 알아도 된다.'는 착각입니다. 이러한 오해로 말미암아, 초등학생들에게 '한글'만 가르치고, '한자'는 한 글자도 가르치지 않고 있으며, 중·고교 학생들에겐 '한자'를 건너뛰고, '한문'을 가르치고 있습니다. 그것도 필수가 아니라, 선택 과목으로. 학생들이 한글만 알아도 된다는 착각이 우리나라 학교교육의 부실화와 황폐화의 가장 근본적인 요인입니다. 학생들의 어휘력이 날로 떨어지고, 학업 능력 저하, 기초 학력 부족 사태가 심각해지고 있습니다. 공부의 암이라고 할 수 있는 빈어증(貧語症)으로 시달리고 있는 학생들이 폭증하고, 공부를 포기한 공포자(工拋者)가 속출하고 있음에도 이에 대해 수수방관하고 있는 교육 당국이 참으로 안타깝습니다. 그래서 이 책을 썼습니다.

'한글'이 과학적이고 뛰어나지만, 표음(表音) 문자라는 한계를 벗을 수는 없습니다. 뜻을 나타내는 표의(表意) 기능은 전혀 할 수 없습니다. 이러한 사실은 감추고, 한글의 위대성을 침소봉대 과대포장하고 있는 한글 교육이 참으로 큰 문제입니다. 한글이 표음 문자임을 초등학교 때부터 제대로 가르쳐야 합니다. 그래야 한글을 제대로 알고, 어문 교육의 첫 단추를 제대로 끼울 수 있습니다. 그래야 표의 문자를 배워야할 필요성을 느끼고, 어휘력 증진을 통한 학업 능력 향상 방안을 도모 할 수 있습니다.

요약하자면, 표음문자인 한글과 표의문자인 한자, 둘 다 잘 알아야 지성인이 될 수 있습니다. 한글은 읽기를 잘 하게 하고, 한자는 생각을 잘 하게 합니다. 한글은 독서를 잘하게 하고, 한자는 독해를 잘하게 합니다. 따라서 한국인에게 있어서 한자 지식은 선택이 아니라 필수 입니다. 특히 초등·중등·고등 교육을 담당하는 교육자가 되자면 한자도 잘 알아야 합니다. 선생님의 필수 지식인 한자에 관한 모든 문제를 이 한 권의 책으로 다 해결할 수 있도록 하였습니다. 이번에 새로 선보일 증보판은 내용을 더욱 알차게 꾸몄습니다. 이론, 실제, 상식(부록) 이상 3부 체재로 나누어 체계화하였습니다. 영어 명칭(*Hanja* Bible for Teachers)과 같이 명실상부한 "선생님의 위한 한자 경전"이 되도록 새롭게 개편하고 보완하였습니다. 사랑스럽고 장한 자녀들에게 한자를 직접 가르치고픈 학부모에게도 유용한 보배가 되도록 배려하였습니다.

한글만 아는 사람과 한자도 아는 사람은 생각의 깊이가 다르고, 성공의 높이가 다릅니다. 한쪽 발만 튼튼해서는 훌륭한 축구 선수가 될 수 없습니다. 우리 학생, 우리 자녀로 하여금 표음(表音)문자라는 오른쪽 발, 그리고 표의(表意)문자라는 왼쪽 발, 두 발로 힘차게 달리며 공을 잘 찰 수 있도록 합시다. 한글을 제대로 가르쳐 표음 기능을 잘 알게 하면, 한자도 배워 표의 기능을 잘 활용할 필요성을 저절로 알게 될 것입니다. 한글과 한자는 우리의 문화를 가꾸어갈 두 개의 공용(共用) 문자입니다. 한글이 숟가락 이라면, 한자는 젓가락입니다. 둘 다 잘 사용해야 식사를 잘 할 수 있고, 둘 다 잘 알아야 공부를 잘 할 수 있습니다. 어줍잖은 글을 끝까지 읽어 주셔서 대단히 감사합니다.

2019년 3월 10일 아침에

全 廣 鎭

제1부 이 론

제1장 한자학 기초 지식

제1장 한자학 기초 지식

우리나라 초등학생들이 반드시 한자를 배워야 하는 까닭은 교과서에 한자어가 무수히 많이 쓰이고 있고, 한자어의 뜻을 잘 알자면 한자 지식이 꼭 필요하기 때문이다. 한자어라는 자물통은 한자라는 열쇠가 있으면 쉽게 열 수 있다. 한자라는 열쇠를 가지려면 한자학 기초 지식이 있어야 한다. 본 장에서는 총 5 가지 주제로 나누어 한자 지도에 필요한 기초 지식을 상세히 설명해 보기로 하겠다. 전 과목에 걸쳐 만물박사에 되어야하는 초등학생 선생님들은 이를 숙지해 두면 교수 역량을 높이는 데 큰 도움이 될 것이다. 표음문자인 한글만 아는 선생님과 표의문자인 한자도 잘 아는 사람은 지도 역량이 크게 다를 수밖에 없다.

1. 편견을 버려야 한자가 쉬워진다.

"한자 = 어렵다."는 말을 많이 한다. 사실, 한자가 어렵기는 하다. 그러나 한자를 바르게 평가하고 바르게 인식하면 어렵다는 생각이 줄어들고 대신 '재미있다'. '아! 그렇구나!' 같은 생각이 들어 저절로 친근해 진다. 한자가 어렵다고 생각하는 데에는 면은 偏見(편견)이나 誤解(오해)에서 비롯된 것이 예상 외로 매우 많다. 지성인들조차 한자에 관련된 편견이나 잘못된 생각을 갖고 있는 경우가 흔하다. 따라서 이러한 문제점에 대하여 미리 낱낱이 살펴봄으로써, 한자의 진상을 올바로 평가함으로써 한자 공부가 재미있고 매우 유익한 것임을 스스로 느낄 수 있도록 지도해야 할 것이다.

(1) 한자의 임자는?

한자의 임자는 누구냐? 라는 것은 문제가 되지 않음에도 불구하고, 이와 관련된 일로 신경을 곤두세우거나 불필요한 논쟁을 일삼는 사람들을 자주 본다. 즉, 중국 사람들이 만든 것을 왜 우리가 써야 하느냐? 한자를 쓰면 우리의 주체성이나 정체성에 손상을 입는 것은 아니냐? 라는 등의 문제를 제기하기도 한다. 그러한 사람들의 문제 제기는 모두 '한자의 임자는 누구냐'라는 것에 대한 오해에 뿌리를 두고 있다.

결론부터 말하자면, 이 세상의 모든 문자가 그렇듯이 한자 또한 만든 사람이 아니라 쓰는 사람이 임자이다. 알파벳을 예로 들어보자. 이것은 약 200여종의 언어를 기록하는 데 활용되고 있다. 영국, 미국, 프랑스, 독일 사람들이 그들의 언어를 적는 데 알파벳을 사용하고 있지만, 그것이 자신들의 주체성에 손상이 간다고 말하는 사람은 아무도 없다. 알파벳을 만든 사람(민족)에 대하여는 지금까지 '페니키아인說'이 유력했는데, 최근 고고학계의 발굴에 따르면 알파벳의 最古(최:고) 원형이 이집트에서 발견되었다고 한다. 그렇다면 알파벳은 페니키아인이나 이집트 사람들이 임자니, 다른 나라 사람들이 사용하면 안 된다는 말인가? 알파벳뿐만 아니라 아라비아문자나 키릴자모

또한 여러 민족의 언어를 서사하는 데 활용되고 있지만, 그것이 하나의 민족만을 위한 것이라고 생각하는 사람은 없다.

한자는 三皇五帝(삼황오제) 시기 黃帝(황제) 때 史官(사:관)이었던 倉頡(=蒼頡, 창힐)이 만들었다는 설, 이른바 '倉頡造字說'(창힐조자설)은 중국사람들에 의하여 가장 오랫동안 信奉(신:봉)되어 오고 있다. 그러나 창힐은 實存(실존) 인물이 아니라 傳說(전설)상의 인물이라는 점, 각 시기 각 지역마다 형체가 다른 한자가 발굴되고 있는 사실로 보면 그러한 설은 하나의 전설에 불과하다는 것이 중국 문자학계의 정설이다.

한자를 만든 사람, 시기, 장소를 꼭 꼬집어서 말할 수는 없기 때문에 문자학계에서는 막연하나마 '非一人一時一地'(비일인일시일지)라는 말로 대신하고 있다. 어느 특정 인물 한 사람에 의하여 어느 날 어디에서 만들어 진 것이 아니라, 여러 사람들에 의하여 오랜 세월에 걸쳐 여러 지역에서 만들어졌다고 보고 있다. 지역적으로 보면, 중국에서 만들어진 한자가 대부분이긴 하지만, 우리나라나 일본, 월남에서 만들어진 한자도 많다. 우리나라에서 만들어진 한자를 예로 들어보자. '논'을 뜻하는 한자인 「畓」(답)은 우리나라에서 고안된 것이다. 중국에서는 '논'을 두 글자를 써서 '水田'이라 한다. 이후에 중국 사람들이 「畓」이란 글자를 쓴다면 우리 것이니 돌려달라고 해야 한다는 말인가?

한자를 포함한 이 지구상의 모든 문자가 창안될 당시에는 어떤 특정 민족의 언어를 기록하기 위하여 고안된 것은 사실이다. 그러나 고안된 후에는 다른 언어를 書寫(서사)하는 데에도 활용될 수 있다. 따라서 문자와 민족은 1 대 1로 대응되는 관계가 성립되지 않는다. 동일한 문자를 사용하면서도 민족적으로 크게 다른 경우를 쉽게 찾아 볼 수 있다. 언어와 민족은 불가분의 관계이지만, 문자와 민족은 그렇지 않다. 문자는 민족 주체성이나 정체성을 위해서 고안된 것은 아니기 때문이다.

한자에 대하여 배타적으로 생각하는 우리의 편협성이 한글의 세계화에 눈을 돌리지 못한 결과가 되었는지에 대해서도 자성해 보아야 한다. 이 지구상에는 아직도 문자생활을 하지 못하고 있는 소수민족들이 무수히 많다. 진정한 '한글 사랑'은 '한글 전용'이 아니라 그들에게 한글을 보급하는 방안을 강구하는 것이다.

한자는 다른 모든 문자가 그런 것처럼, 만들어낸 사람이 임자가 아니고 사용하는 사람이 임자다. 법률적으로 보자면, 無主物(무주물)은 先占取得(선점취득)한 사람이 임자인 셈이다. 한자 사용이 百害無益(백해무익)하다면 몰라도, 많은 利點(이:점)이 있다면 마땅히 適材適所(적재적소)에 잘 활용하는 것이 현명한 일일 것이다. 지나친 國粹主義(국수주의)는 우리 것을 위해서도 좋지 않다.

(2) 한자는 어렵고 알파벳은 쉽다! 정말?

“한글은 24개이고 알파벳은 26개인데 비하여, 한자는 수천 개나 되니 공부하기가 너무 힘들어요!”라는 하소연을 자주 듣는다. 그런데 이 말은 과연 맞는 것일까? 한글(Korean alphabet)의 /ㄱ/·/ㄴ/…과 영어 알파벳의 /a/·/b/…에 대응되는 한자는 있을까? 없다. /ㄱ/·/ㄴ/이나 /a/·/b/는 음소(phoneme)의 음을 나타내는 것인데 비하여, 한자는 음절(syllable)의 뜻을 나타내는 것이니 1 대 1로 대응될 수 없기 때문이다.

그러면 한자 「山」에 대응되는 한글은 무엇이며 영어는 무엇일까? 한글 /ㅅ/ 영어 /m/에 대응된다고 답할 사람은 아무도 없을 것이다. 그러나 한자 「山」에 대응되는 것은 한국어 ‘뫼’와 영어 ‘mountain’이라고 하면 옳은 답이다. 그렇다. 한자 낱낱은 하나의 단어(word; vocabulary)이므로 이에 상응한 한국어와 영어 가운데 뜻이 같은 단어를 찾아 대비해 보아야 마땅하다. 즉 「美」라는 글자(총 9획)가 획수가 많아 쓰기 어렵다고 하면, 한국어 ‘아름답다’(21획)와 영어 ‘beautiful’(16획, beauty 11획)과 대비하여 어느 것이 획수가 많고 공간을 많이 차지하는가에 따라 판단해 보아야 할 것이다. 따라서 영어의 알파벳이나 한국어의 한글에 비하여 한자는 어렵다는 말은 성립되지 않는 잘못된 판단이다.

또 어떤 사람은 이런 질문을 한다. “영어 ‘mountain’에 비하여 한자 「山」에는 표음 정보가 하나도 없어서 읽기가 힘들지 않습니까?” 물론 한자 「山」에는 [산]이라 읽어야할 정보나 힌트가 들어있지 않다. 그런데, 영어 ‘mountain’의 발음 정보는 완벽한 것일까? 어처구니없게도 이것은 [모운타인]이라 적어 놓고 [마운틴]이라 읽어야 하는 것이다. 읽기 어렵기로 말하자면 彼此(피:차) 큰 차이가 없다. 게다가 모든 한자에 표음 정보가 전혀 없는 것도 아니다. 白(흰 백)이라는 글자의 음을 안다면 伯(맏 백)·柏(나무 이름 백)·佰(일백 백)·粨(헥터메트르 백) 등의 글자의 음을 아는 데 큰 도움이 된다. 이런 유형의 한자, 즉 形聲(형성)자가 전체의 80%에 달한다.

한자 26개를 익히면 단어 26개를 알게 되는 동시에 그것이 하나의 구성 요소로 쓰인 수백, 수천 개 단어에 대하여 상당한 힌트를 확보한 것이나 마찬가지이다. 뿐만 아니라 새로 학습한 한자가 부수로도 쓰이는 것이라면 그것이 표의요소로 쓰인 수많은 한자의 뜻을 암시 받을 수 있는 근거를 확보하게 된다. 이를테면 ‘나무 목’(木)자를 배웠다면 松(소나무 송)·柏(잣나무 백)·林(수풀 림) 등의 글자를 아는 데 필요한 의미 정보를 확보한 셈이 된다. 이에 비하여 26개 알파벳을 익히면 영어 단어 몇 개를 아는 셈일까? 기껏해야 부정사 ‘a’나 1인칭 대명사 ‘I’정도가 고작일 것이다. 따라서 영어의 알파벳과 한자를 그대로 대비하여 그 어려움을 논하는 것은 語不成說(어불성설)이 아니고 무엇인가.

지금까지 단 한 번이라도 쓰인 적이 있는 한자를 모두 모은다면 약 5만 자 정도이다. 그렇다고 해서 일반 교양인들이 그 모두를 알 필요는 없다. 일상 어문에 쓰이는 것으로는 2,000자 정도면 충분하다. 한자 2,000자 정도를 학습하는 것은 영어 단어 2,000개를 익히는 정도의 어려움과 기본적으로 똑같다. 대학생 수준의 영어 어휘력이 약 2만 단어라고 볼 때, 이에 대비하여 한자 2,000자를 익히는 것은 너무나 간단하고 쉬운 일이다.

각도를 달리하여 보면, 한자 2,000자의 위력은 영어 단어 2,000개를 훨씬 능가한다. 한자 하나하나는 그 자체로 단어가 되는 동시에 다른 글자와 더불어 단어를 형성하는 造語力이 강하기 때문이다. 따라서 한자어에서 합성어휘의 수는 영어의 경우에 비하여 훨씬 더 많다. 美(아름다울 미)자를 알면, 美術(미:술)·美人(미:인) 같은 유형의 합성어휘 72개, 優美(우미)·讚美(찬:미) 같은 유형의 합성어휘 43개, 총 115개 어휘의 의미 정보를 얻게 된다. 반면에 영어 'beauty'와 결합되는 것은 'beauty art'(미용술)·'beauty sleep'(조저녁잠) 같은 유형의 합성어휘 9개에 불과할 따름이다.

종합적으로 말하면, 알파벳 자모에 비하여 한자가 어렵다는 생각은 크게 잘못된 것이다. 「山」과 'mountain', 「美」와 'beauty', 「一」과 'one', 「二」와 'two', 「三」과 'three'를 대비하면 한자의 획수가 결코 많은 것이 아니기 때문에 쓰는 데 따른 시간적 경제성과 쓰는 장소의 넓이 따른 공간적 경제성에 있어서 영어를 훨씬 능가한다. 상용한자는 1,800자 - 2,000자 정도에 불과하기 때문에 이것을 익히는 것은 영어 단어 2,000개를 익히는 정도의 힘과 노력이면 쉽게 익힐 수 있다. 영어 2,000개 정도의 어휘력을 기르는 것이 얼마나 쉬운 것인가는 영문과 학생이 아닌 일반 대학생의 영어 실력이 20,000개 정도이어야 한다는 것과 대비해 보면 금방 알 수 있다. 요약건대, 한자 학습은 생각 여하에 따라 '식은 죽 먹기'이다.

2. 차이를 알아야 공부가 수월해진다.

(1) 한자와 한문

漢字(한:자)와 漢文(한:문)이 다른 것임을 모르는 사람들이 의외로 많다. 그래서 한자 공부와 한문 공부가 똑같은 것으로 착각하는 사람들이 많다. 이 자리를 빌어 차이점을 분명히 알아보자. 무슨 차이가 있는 말인지 알아야, 잘못된 판단을 미연에 방지할 수 있고, 일반 지성인들에게 꼭 필요한 것이 한자 지식인지 아니면 한문 지식인지를 명확하게 알 수 있기 때문이다.

한자는 낱낱의 글자 그 자체를 말하며, 한문은 낱낱의 한자로 이루어진 文章(문장, sentence)을 말한다. 하나의 한자는 하나의 낱말(word)이 되기도 하고, 다른 글자와 더불어 새로운 낱말을 구성하는 요소, 즉 형태소(morpheme)로 쓰이기도 한다. 이를테면 '山'이라는 글자는 그 자체로 '뫼'(mountain)라는 낱말이 되는가 하면, '脈'(맥)이라는 글자와 더불어 '山脈'(산맥, mountain range)이라는 또 하나의 낱말을 구성하기도 한다.

한문은 한자로 이루어진 문장을 말한다. 예를 들어보자, 知行合一說(지행합일설)을 주장한 것으로 널리 알려진 명나라 때의 철학자 王陽明(왕양명)이 쓴 책인 ≪傳習錄≫(전습록)의 上卷(상:권)에 유명한 구절이 있다. "知是行之始, 行是知之成"(지시행지시, 행시지지성), 이것은 한자가 아니라 한문이다. 한자로 이루어진 문장, 즉 漢文(한:문)이다. 이 한문을 해석하는 데에는 한자 지식만 있어서 되는 것은 아니다. 문장의 짜임과 성분 분석 등에 관한 지식이 있어야 무슨 말(뜻)인지를 알 수 있다. 바꾸어 말하면, 한문 공부를 많이 한 사람이어야 비로소 이 문장을 "앎은 실행의 시작이고, 실행은 앎의 완성이다"로 번역할 수 있다. 그런 후에 지식과 실천이 둘이 아니라 하나임을 주장한 것임을 알 수 있다. 또한, 나아가 실천에 옮기지 아니한 지식은 어쩌면 아무런 소용이 없을 것이라는 사실을 깨닫게 될 것이다. 그런데 이러한 일은, 한문학과나 중문학과 등 전공분야 학생이 아닌 일반 대학생들은 몰라도 큰 문제가 없다. 전문가인 한문학자들이 우리말로 옮겨 놓으면, 일반 교양인들은 그것을 활용하는 것으로 족하다. 이 땅의 모든 지성인이 한문학자가 될 필요는 없다.

한문 공부는 한자로만 이루어진 문장(≪論語≫·≪孟子≫·≪朝鮮王朝實錄≫ 등의 원문)을 해석하는 데 필요한 것인 반면에, 한자 공부는 우리의 국어에 약 70~80%에 달하는 한자어의 정확한 뜻을 파악하는 데 필요한 것이다. 한문이 고전 문헌을 연구하는 전문가에게 필요한 것이라면, 한자는 우리말에 쓰이는 한자어의 말뜻을 정확하게 알아야 하는 일반 교양인·지성인이면 누구나 꼭 필요한 것이다. 따라서 한문 전문가가 아닌 일반인들이 꼭 알아 두어야 할 것은 '漢文'이 아니라 '漢字'다.

한자 공부와 한문 공부의 차이를 알기 쉽게 도표로 대비하면 다음과 같다.

〈표1〉 : 한자 공부와 한문 공부의 비교 분석

	한자 공부	한문 공부
공부 대상	한자(character) 또는 한자말(word)	한자로 이루어진 문장(sentence)
공부 목적	한자 학습을 통한 어휘력(한자말) 확보	한문 학습을 통한 고전(한문) 문헌에 대한 독해력 확보
공부해야할 사람	격조 있는 문장력을 필요로 하는 모든 사람(교양인·지성인)	고전 국역 등 관련 전문 분야에 종사하고자 하는 사람(국역 전문가)

위의 도표 가운데 세 번째 항목에서 보는 바와 같이, 이 땅의 교양인·지성인임을 자부하고 싶은 모든 사람은 반드시 한자를 익혀야 한다. 우리나라 글말에 쓰이는 어휘들 가운데 80% 이상이 한자어이고, 한자어의 의미를 올바로 파악하고 적재적소에 활용할 수 있는 능력, 즉 격조 있는 문장력을 보유하려면 한자에 대한 지식이 없이는 거의 불가능한 일이다. 법학·의학·경제학·공학 등에 쓰이는 학술 전문어는 90% 이상이 한자어일 정도로 그 비중이 높다. 따라서 대학에서 어떤 분야를 전공하더라도 기본적으로 꼭 필요한 것은 한문 지식이 아니라 한자 지식이다.

(2) 한자와 한자어

현행 우리나라 초중고 교과서에서는 한자를 거의 찾아 볼 수 없다. 가뭄에 콩 나는 것보다도 훨씬 더 드물다. 그래서 한자를 몰라도 된다고 생각하는 사람들이 갈수록 많아지고 있다. 읽을 줄 아는 것을 뜻을 아는 것으로 착각하는 '수박 겉핥기'식 공부로 말미암아 학업성취도와 수업이해도가 갈수록 낮아지는 문제점이 날로 심각해지고 있다. 그런데 한자어는 무수히 많이 쓰이고 있다. 석류 알처럼 송송 박혀 있다. 그토록 많은 한자어가 교과서에서는 한글로만 적혀 있기 때문에 그러한 착각이 생긴 것이다. '해식애'처럼 한글로 써놓아도 그것이 한자어라는 속성은 변함이 없다(참고 海蝕崖, 바다 해, 좀 먹을 식, 벼랑 애). 더 이상 '눈 가리고 아웅'하는 식의 속임수에 속지 않기 위하여 한자어의 중요성을 잘 알아야 하므로, 아래에서는 이에 대하여 양적으로 접근해 본다.

우리나라 학생들이 교과서를 통하여 접하는 어휘는 고유어, 한자어, 외래어 이상 세 종류로 나누어진다. '집안', '돌다리', '늦더위' 같은 고유어, '가스'(gas)나 '에너지'(energy) 같은 외래어는 수적으로 많지 않을 뿐만 아니라 학력(學力) 연관성이 상대적으로 낮다. 즉 고유어와 외래어를 몰라서 수업 이해도가 낮아질 가능성은 그리 높지 않다. 문제는 한자어다. 이를테면, '사행천' '해식애' '파식동' '몰골법' '집적' '대사' 같은 한자어가 모든 과목에 걸쳐 무수히 많이 쓰이고 있다. 한자어의 비중을 먼저 양적으로 살펴보면 〈표2〉와 같다.

〈표2〉 : 국어 어휘별 구성 비율

	큰사전 (한글학회, 1957)	국어대사전 (이희승 편, 1961)
고유어	74,612 (46%)	62,912 (24%)
한자어	85,527 (52%)	178,745 (69%)
외래어	3,986 (2%)	16,196 (6%)
합계	164,125(100%)	164,125 (100%)

※출처: 김광해(1989:106) 과거 통계의 종합 재작성

〈표 2〉의 통계는 약 50년 전의 것이다. 이 통계를 근거로 우리나라 어휘의 70%는 한자어라는 말이 널리 퍼지게 되었다. 최근의 추세는 국립국어원(2002, 60)의 발표를 참고하면 상세히 알 수 있다. 이에 따르면 2002년 현재 어종별 점유율은 다음과 같다.

〈표3〉 : 《표준국어대사전》(2002)의 어종별 통계

	한자어(A)	외래어(B)	한+외(C)	한+고(D)	외+고(E)	한+외+고(F)	고유어(G)	총계(H)
어휘수	252,755	24,050	14,480	36,664	1,323	720	112,157	442,149
점유율	57.2%	5.4%	3.2%	8.3%	0.3%	0.2%	25.4%	100%

이 가운데 (C)(D)(E)(F)는 이른바 '혼종어'(混種語)이다. 따라서 순수 한자어는 57%로, 외래어의 약 10배, 고유어의 2배나 차지 할 정도로 많다. 한자가 섞여 있는 혼종어를 포함한 광의(廣義)의 한자어(ACDF)는 69%가 된다. 상식적으로 널리 퍼져 있는 '70%설'이 최근까지도 근거가 있음을 이로써 여실히 알 수 있다.

한자어 어휘력이 학력 신장에 미치는 영향과 그 중요성을 파악하려면 이상과 같은 통계로는 다소 미흡한 점이 있다. 김광해(1997-2008, 315-320)는 1994년부터 1997년까지 5년간 수능 시험에 출제된 어휘력 평가 문제에 출현된 단어를 분석하였다. 고빈도어, 학술도구어, 전문어, 저빈도어 등 4종류로 열거하고 이를 다시 고유어와 한자어로 나누어 통계를 냄으로써 다음과 같이 매우 의미 있는 결과가 도출됐다.

〈표4〉 수능 어휘력 평가에 출제된 어휘의 종류별 현황

	고유어	한자어	계 (점유율)
고빈도어	6 (40%)	9 (60%)	15 (100%/ 10%)
학술도구어	1 (1%)	91 (99%)	92 (100%/ 64%)
전문어	0 (0%)	23 (100%)	23 (100%/ 16%)
저빈도어	11 (79%)	3 (21%)	14 (100%/ 10%)
계	18 (12%)	126 (88%)	144 (100%/100%)

위의 표에 대한 분석을 통하여 우리는 다음 몇 가지 중요한 사실을 발견할 수 있다.

첫째, 수능 어휘력 평가 문제에 출현된 어휘 가운데 88%가 한자어이다.
둘째, 학술도구어는 99%가 한자어이다.
셋째, 전문어는 사자성어를 말하는 것이므로, 당연히 100% 한자어이다.
넷째, 학술도구어와 전문어가 전체 문제의 80%를 차지하는데, 그 중 고유어는 1%밖에 안 되며, 99%가 한자어다.

이상과 같은 사실로 미루어 보면, 학력 신장에 있어서 한자어가 차지하는 비중은 평균 88%에서 최대 99%인 셈이니, 그 중요성은 아무리 강조해도 지나치지 않다.

한자어의 중요성을 점유율이라는 통계학적 접근을 통하여 관찰하였는데, 서면언어의 문장에서 핵심어휘가 무엇인지를 한 눈에 파악할 수 있는 일목요연한 가시적(可視的)인 접근이 훨씬 더 설득력이 있을 것 같다. 〈한글 전용에 관한 법률〉을 폐지하는 대신에 제정된 〈국어기본법〉(2005년

1월 27일, 법률 제7368호)의 제1조(목적)의 규정이 한글 전용으로 표기되어 있는데, 그 가운데 출현되는 한자어를 역상으로 처리하여 대조해 보면 다음과 같다.

〈표 5〉 : 한자어 조견표(早見表)

이 법은 국어의 사용을 촉진하고 국어의 발전과 보전의 기반을 마련 하여 국민의 창조적 사고력의 증진 을 도모함으로써 국민의 문화적 삶 의 질을 향상하고 민족문화의 발전 에 이바지함을 목적으로 한다.	이 [redacted]은 [redacted]의 [redacted]을 [redacted]하고 [redacted]의 [redacted]과 [redacted]의 [redacted]을 마련 하여 [redacted]의 [redacted]의 [redacted] 을 [redacted]함으로써 [redacted]의 [redacted] 삶 의 [redacted]을 [redacted]하고 [redacted]의 [redacted] 에 이바지함을 [redacted]으로 한다.

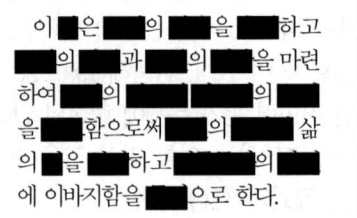

조사만 뺀 나머지는 모두 한자어라고 해도 무방할 정도로 한자어가 많이 쓰이고 있음을 한눈에 알 수 있다. 까만 역상부분을 빼놓으면 아무런 뜻도 추측할 수 없다. 그리고 한자어가 핵심어(key-word)로 쓰인 것임도 쉽게 알 수 있다. 바꾸어 말하면 한자어에 대한 의미 파악이 문장의 뜻을 푸는 열쇠(key) 역할을 하는 것이다. 위의 도표는 학습자의 머릿속을 연상하게 해준다. 한자 지식이 없는 학생, 즉 한자어에 대하여 해당 한자의 뜻을 대입할 수 없는 학생, 이를테면 '하느님이 보우하사...'의 '보우'이라는 한자어에 대하여 {보}가 '지키다'는 뜻이고[保], {우}가 '돕다'는 뜻임[佑]을 모르는 학생의 머릿속에는 그 한자어가 새까만 상태 일 것이다.

한글 전용의 문장은 한자 지식이 있는 학생, 즉 HQ(Hint Quotient : 우리말 한자어 속뜻 인지능력 지수)가 높은 학생에게는 유리하고, 그렇지 못한 학생에게는 모르스 부호를 나열해 놓은 것만큼이나 어지러울 따름이다. 한자어가 석류 알처럼 송송 박혀 있는 교과서 문장에 현기증을 느끼는 문제점에 대한 대책을 강구하기는커녕 그 실정 자체를 외면하고 있는 교육 당국이 안타깝기 그지없다.

한자어의 중요성에 대한 또 하나의 접근 방법은 고유어와 한자어의 일대다(一對多) 대응관계에 토대를 두는 것이다. 김광해(1997:2008 306-312)는 어휘력의 가치를 논하면서 "어휘력은 사고능력"임을 강조하고 있다. '생각'이라는 고유어에 대응되는 한자어를 무려 61개나 제시하고 있는데, 이를 도표로 나타내면 〈표6〉과 같다.

'생각'이라는 단어를 다양하게 표현하는 방법은 총 61개가 있을 수 있는데, 100% 한자어임을 위의 표를 통하여 여실히 알 수 있다. 다른 각도에서 말하면 한자어를 많이 알아야 사고의 영역을 넓힐 수 있음을 이로써 객관적이고 과학적으로 증명할 수 있다. 이토록 중요한 한자어를 그동안 우리가 냉대(冷待)하고 홀시(忽視)한 것 같다. 바꾸어 말하면, 한자를 위한 한자어 공부가 아니라 한자어를 위한 한자 공부가 매우 절실함을 이로써 확실히 알 수 있다.

〈표6〉 : 고유어와 한자어의 일대다 대응 관계

고유어 (1)	생각
한자어 (61)	思考(사고), 思索(사색), 思惟(사유), 思辨(사변), 冥想(명상), 默想(묵상), 觀照(관조), 考慮(고려), 考察(고찰), 熟考(숙고), 思料(사료), 思量(사량), 所望(소망), 所願(소원), 希望(희망), 創案(창안), 考案(고안), 窮理(궁리), 研究(연구), 着想(착상), 着眼(착안), 具案(구안), 案出(안출), 計劃(계획), 設計(설계), 記憶(기억), 追憶(추억), 回想(회상), 思慕(사모), 愛慕(애모), 戀慕(연모), 覺悟(각오), 決心(결심), 決意(결의), 推測(추측), 推定(추정), 推量(추량), 想定(상정), 想念(상념), 思想(사상), 理念(이념), 意識(의식), 見解(견해), 意見(의견), 意中(의중), 心中(심중), 所見(소견), 意思(의사), 意向(의향), 意圖(의도), 意慾(의욕), 意志(의지), 心算(심산), 胸中(흉중), 主觀(주관), 主見(주견), 所感(소감), 想像(상상), 構想(구상), 發想(발상), 聯想(연상)

※ 출처 : 김광해(1997:2008, 306-312)

(원문에서는 65개를 제시하고 있는데, 그 가운데 중복되는 4개를 삭제하였음).

이상과 같은 검토를 통하여 도출한 한자어의 중요성을 요약하자면 다음과 같다.

첫째, 국어사전에 수록된 어휘 가운데 70% 정도가 한자어이다. 이러한 통계는 1950년대에 나온 국어사전이나 비교적 최근(2002년)에 편찬된 것에서도 별 차이가 없다.

둘째, 학술도구어는 99%가 한자어이다. 수능 시험의 어휘력 평가 문제에 출현된 것에 대한 통계이므로 매우 신빙성 있는 사실이다. 이를 통하여 보면 한자어에 대한 어휘력이 학술 발달에 있어서 가장 중요한 발판이다.

셋째, 법률 조문이나 교과서 문장 같은 서면 언어의 핵심어는 대부분 한자어이다. 따라서 한자어 어휘력이 학습의 열쇠가 된다. 한자어에 대한 효과적인 학습법을 강구하는 것이 우리나라 어문 교육 발전의 관건이다.

넷째, 고유어와 한자어는 일대다 대응관계를 지닌다. 예를 들어, '생각'이라는 고유어는 총 61개 한자어와 대응되고 있다. 사고 영역을 양적으로 확장하자면 한자어 지식이 필수불가결함을 알 수 있다.

(3) 한자 병기와 한글 전용

한자와 한글은 우리나라 말을 서사(書寫, writing)하는 주요 수단이다. 이 둘은 각각 나름대로의 장단점이 있다. 우선 한자로는 한국어를 완벽하게 서사할 수 없다. 약 70%에 달하는 특별한 종류의 어휘를 서사하는 데에만 매우 효과적일 뿐이다. 이에 비하여 한글은 한국어를 완벽하게 서사할 수 있는 장점이 있다. 그러나 약 70%에 달하는 특별한 종류의 어휘의 경우에는 한글로만 적어

놓으면 그 뜻을 알기 어렵다는 단점이 있다. 특히 한자 지식이 없는 사람에게는 결과적으로 매우 불리하게 작용한다. 따라서 다음에서는 한자어를 어떻게 서사하느냐에 따른 장단점에 대하여 논의해 본다.

한자어는 우리나라에서 사용되는 단어 가운데 해당 한자를 대입함으로써 그 의미가 밝혀질 수 있는 것을 말한다. '바람'이란 단어는 한국어 어휘이지만, 한자를 대입하여 그 의미를 밝혀 낼 수 없다. 그래서 한자어가 아니다. '풍속'이라는 단어는 한국어 어휘인 동시에 한자에 의하여 그 뜻을 확실하게 밝혀 낼 수 있다. 즉, 風(바람 풍)과 速(빠를 속)이라는 두 글자를 통하여 '바람의 빠르기'라는 뜻임을 정확하게 알 수 있다. 절대 다수의 한자어는 합성법(compounding)에 의하여 만들어진 단어이기 때문에 형태소(morpheme)로 쓰인 낱낱 글자의 의미를 통하여 해당 단어의 의미를 거의 정확하게 파악할 수 있는 특성이 있다. 앞에서 본 바와 같이, 「風」자와 「速」자의 뜻을 알면 '風速'이라는 단어의 뜻을 파악하는 것은 '식은 죽 먹기'나 마찬가지이다.

그런데 '風速'이라는 단어를 기록하는 방법은 여러 가지가 있을 수 있다. ①풍속(風速), ②風速(풍속), ③풍속, ④風速 등 네 가지가 있다. 1980년대에만 해도 ④번 방식을 취한 신문이 많았는데, 한자로만 쓰인 한자어를 읽기조차 어려움을 겪는 사람들이 많아서인지 요즘은 완전히 자취를 감추고 말았다. 오늘날 각종 출판물에서 가장 보편적으로 쓰이고 있는 것은 ③번 방식이다. 이른바 '한글 專用(전용)'이라는 美名(미:명)하에서 탄생된 미봉책이다. 이러한 방식의 표기가 너무나 보편적인데도 그것의 장단점에 대하여 정확하게 진단한 글은 거의 없다.

'바람의 빠르기'(wind speed)란 뜻의 단어를 '風速'이 아니라 '풍속'으로만 적는 것의 가장 큰 장점은 한글만 읽을 줄 알면 누구나 쉽게 읽을 수 있다는 것이다. 정확한 발음 정보를 제공하고 있기 때문이다. 그러나 의미 정보는 아무 것도 제공하고 있지 않고 있기 때문에 뜻을 알기 어렵다는 큰 결함이 있다. 의미 파악의 곤란성뿐만 아니라 同音異義(동음이:의) 어휘와의 혼동 가능성이라는 위험도 도사리고 있다. '옛날부터 그 사회에 전해 오는 생활 전반에 걸친 습관 따위를 이르는 말'(manners; customs)을 가리키는 단어('風俗')와 표기법 상 아무런 차이가 없고 완전히 동일하기 때문이다.

예를 더 들어 보자. '한글 전용 표기'의 '전용'은, ① '온전히 씀', ② '전체 모습', ③ '위엄 있는 태도나 차림새를 갖추어 얼굴빛을 고침', ④ '남과 공동으로 쓰지 아니하고 혼자서만 씀'/ '오로지 한 가지만을 씀'/'일정한 부문에만 한하여 씀', ⑤ '예정되어 있는 곳에 쓰지 아니하고 다른 데로 돌려서 씀', 이상 다섯 가지의 다른 의미를 나타내는 것과 동일하게 표기한 것이기 때문에 의미 혼동 가능성이 매우 크다는 사실을 부인할 수 없다(참고, 全用/全容/悛容/專用/轉用). 혹자는 전후 맥락에 의하여 어떤 '전용'을 말하는 것인지 알 수 있기 때문에 문제가 되지 않는다고 항변한다. '버스 전용 차선'과 '한글 전용 표기'의 '전용'이 같은지 다른지를 알 수 있다는 것이다. 과연 한자 지식이 전혀 없는 사람도 그렇게 할 수 있을까. 한자 공부를 많이 하여 HQ(우리말 한자어 속뜻 인지능력 지수)가 높은 사람에게는 한글 전용이 유리할 수 있다. 그렇지 않은 사람은 앵무새가 되기 쉽다. 따라서 한글 전용 시대라고 해서 한자 공부를 하지 않는 것은 어리석기 짝이 없는 일이다. 수박의 겉만 핥는 것과 진배없다.

한자어에 대한 한글 전용 표기는 발음 정보만 제시한 것일 따름으로 의미 정보는 완전히 무시한 것이라는 사실을 잘 모르고 있다. 각종 출판물에 쓰인 문장은 쉽게 읽도록 하는 것은 주요 목적이 아니라 부차적인 것일 따름이다. 글은 의미 전달, 말은 의사 소통이 근본적인 목적이다. 그럼에도 불구하고 부차적인 목적에만 충실하고 주요 목적은 도외시한다면 本末顚倒(본말전:도)의 극치가 아니고 무엇이란 말인가!

현행 초·중·고등학교 및 대학교 교재는 거의 모든 한자어에 대하여 한자를 混用(혼:용)하거나 併記(병:기)하지 않고 한글로만 표기하고 있기 때문에 학습 효과와 학력이 갈수록 떨어지는 큰 문제점을 낳고 있다. 학생들에게 정작 필요한 것은 의미 정보인데, 그것은 주지 않고 발음 정보만 제공하고 있는 현실이 안타깝다. 한글 전용 방식으로 표기된 문장은 한자 지식(HQ)이 있는 사람에게는 아무런 문제점이 없으나, 한자 지식이 없는 사람들에게는 오히려 그 폐단이 더 크다는 사실을 알아야겠다. 그리고 한자어는 한자를 대입시켜 그 뜻을 이해하면 어휘력이 크게 향상되고, 이것을 토대로 모든 분야에 걸친 학력이 크게 신장될 수 있다.

단어의 오용 사례가 가장 많은 것이 '한글'이라는 사실은 우리를 부끄럽게 한다. 원래 28개였으나 현재 사용되고 있는 한글은 24개 밖에 없다. 따라서 '한글 이름', '한글 사전', '법률 용어 한글화 사업' 등의 '한글'은 잘못 사용한 대표적인 사례이다. 한글은 24개 밖에 안 되는데 그것으로 어떻게 이름을 지으며, 사전을 편찬하며, 법률 용어를 만든다는 말인가? 한글을 '한국어' 또는 '국어', '고유어' 또는 '순우리말'로 착각한 결과이다. 한글을 영어로 옮기면 'Korean Language'가 아니라 'Korean Alphabet'이다. 한글을 한국어로 착각한 한 법대 교수가 그 대학 언어학과 교수를 찾아와 묻기를 "세종대왕께서 한글을 창조하기 이전에 우리나라 사람들은 무슨 말을 사용하였습니까?"라고 하였다는 어이없는 일화를 들은 적이 있다. 한글의 참뜻을 잘 알고 사용하여야 한다.

종합하자면, 한자는 表意(표의)문자이니 뜻을 나타내기 좋은 장점이 있고, 한글은 表音(표음)문자이니 음을 나타내기 좋은 장점이 있다. 두 가지 장점을 함께 취하는 叡智(예지)가 필요하다. 어느 하나만 盲信(맹신)하는 것은 합리적이지 못하다. 한글과 한자 두 문자 체계는 상호 배타적인 것이 아니라 상호 보완적인 관계이다. 그렇기 때문에 그 중 어느 하나만 사용하는 것에 비하여 둘 다 적절하게 잘 활용하는 것이 훨씬 더 효과적일 수 있다.

3. 기초 이론을 알아야 한자가 보인다.

(1) 한자의 3대 성질

1) 표의문자(seme-graph)

한자가 表意文字(표의문자)라는 사실은 널리 알려져 있다. 국내에서는 '뜻글자'란 용어로 바꾸어 부르기도 한다. 표의문자를 영어로 'ideograph'라고 하기 때문에 낱말의 뜻이 아니라 '개념'(ideas)을 기록한 것이라 잘못 이해하기 쉽다는 지적을 한 미국 학자가 있었다. '表意'의 '意'는 낱말이나 형태소의 의미를 지칭하는 것임을 명심해야겠다. 예를 들면 「山」이란 글자는 'mountain' 이란 낱말을 그 실물 모양과 관련시켜 가시적인 형태로 나타낸 것이다. '산은 세 봉우리로 구성되어 있다'거나 '산봉우리는 뾰족하다' 등 의 개념적 의미를 나타내는 것이 결코 아니다.

한자가 표의문자라는 성질을 가지는 것은, 글자의 모양[形]이 그 글자가 나타내는 의미[義/意]와 불가분의 관계를 지니고 있기 때문이다. 그러나 모든 의미가 字形(자형)과 관련이 있는 것은 아니다. 이른바 假借義(가:차의)는 자형과 무관하다. '脫(탈)-표의' 또는 '非(비)-표의'라는 현상이 있으나, 그것은 예외적이고 양적으로 주종을 이루는 것은 아니기 때문에 표의문자의 성질을 규정하는 데 큰 무리는 없다.

표의문자의 성질이 있다는 사실은, 한자 학습 측면에서는 자형의 중요성을 일깨워주는 대목이다. 한자 학습에 있어서 자형을 눈여겨봐야 한다. 그러나 현대의 자형을 토대로 字形(자형)과 字義(자의)의 관계를 臆測(억척)하는 것은 좋지 않다. 오랜 기간의 각종 변화를 고려하여야 하며, 언어학적 관점에서 과학적으로 접근해야 한다.

2) 형태소문자(morpheme-graph)

각각의 한자에 의하여 기록되는 것은 단음절 어휘 또는 단음절 형태소에 해당된다. 바꾸어 말하면, 다음절 어휘나 다음절 형태소를 하나의 한자로 나타낸 예는 없다. 예를 들어 「江」이라는 한자는 'river'라는 단어를 기록한 것인 동시에 江山(rivers and mountains)이라는 낱말의 한 요소(형태소)가 된다. 그런데, 한자를 '어휘문자'라 하지 않고, '형태소문자'라고 한 것은 무엇 때문일까? 「江」'river'은 '1형태소 = 1어휘'이며 「江山」은 '2형태소 = 1어휘'이므로, '어휘문자'라고 하면 'river'를 가리키는 「江」은 설명할 수 있으나, 「江山」의 「江」은 설명할 수 없다. 「江山」의 「江」은 '어휘'가 아니라 '형태소'이고, 'river'를 가리키는 「江」은 형태소이자 어휘이기 때문에 '형태소 문자'라 규정하면 모든 경우를 포괄할 수 있다.

한자가 형태소 문자라는 성질을 갖는 것은, 한자 지식이 어휘력을 크게 증진시킬 수 있다는 점에서 큰 의의를 지닌다. 한자 학습은 종국적으로 어휘 학습으로 완결된다. 낱낱 한자 그 자체에 대한 학습으로 그칠 것이 아니라, 그것이 한 요소로 쓰인 어휘들을 두루 학습함으로써 완성된다는 뜻이다.

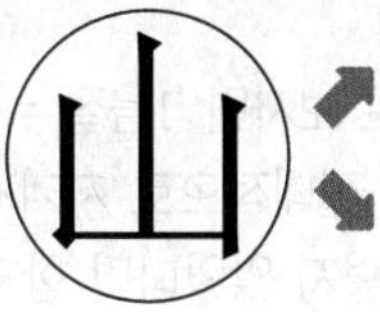

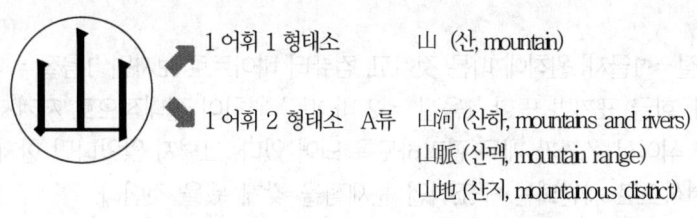

1 어휘 1 형태소 山 (산, mountain)

1 어휘 2 형태소 A류 山河 (산하, mountains and rivers)
山脈 (산맥, mountain range)
山地 (산지, mountainous district)

B류 氷山 (빙산, iceberg)
江山 (강산, rivers and mountains)
名山 (명산, well-known mountain)

3) 음절문자(syllable-graph)

모든 한자는 하나의 음절을 대표한다는 점에서 한자는 전형적인 음절문자이다. 다만, 이 경우의 '음절'은 순수표음문자의 일종인 "음절자모"의 '음절'과는 다른 차원의 개념이다. 즉, 서사 단위(writing unit)를 말하는 것이므로, '음절의 음'으로 혼동하지 않아야 한다.

대표적인 순수 음절문자인 일본의 가나자모의 경우에는 '음절의 음'이 동일하면 동일한 서사형식으로 나타내지만, 한자의 경우에는 '음절의 음'이 동일하더라도 의미에 따라 서사 형식이 달라진다.

가나		
ka^1	'좋음' (good)	→ か【可】
ka^2	'덧셈' (adition)	→ か【加】
ka^3	'적음' (lack)	→ か【寡】
ka^4	'결과' (result)	→ か【果】
ka^5	'분과' (department)	→ か【科】
ka^6	'겉꾸밈' (affectation)	→ か【華】
ka^7	'향기' (fragrance)	→ か【香】
ka^8	'모기' (mosquito)	→ か【蚊】

한자		
[가]^1	'옳음' (right)	→「可」
[가]^2	'집' (house)	→「家」
[가]^3	'값' (price)	→「價」
[가]^4	'노래' (song)	→「歌」
[가]^5	'거리' (street)	→「街」
[가]^6	'더하다' (add)	→「加」
[가]^7	'거짓' (imitation)	→「假」
[가]^8	'겨를' (free time)	→「暇」

위의 예에서 보는 바와 같이, 일본 가나의 경우 뜻과 상관없이 음절의 음이 같으면 모두 동일한 서사 형태를 취하고 있다. 반면에 한자의 경우에는 음절 음이 동일하더라도 뜻이 다르면, 그 모양을 달리하는 원칙에 따르고 있다. 일본의 경우에는 음절 음은 같은데 뜻이 다를 경우가 많아 혼동 가능성이 높기 때문에 한자를 혼용하여 그러한 문제점을 보완하고 있다.

우리나라의 한글은 음절을 기본 단위로 하는 음절자모가 아니라, 음소를 서사 단위로 삼고 있는 음소자모이다. 그럼에도 불구하고 음절을 단위로 모아쓰기를 하는 것은, 즉 [국가]를 'ㄱㅜㄱㄱㅏ'가 아니라 음절을 단위로 모아서 '국가'로 표기하고 있기 때문에 음절문자인 한자와 혼용이 매우 쉽도록 되어 있다. 한글 표기법을 創案(창:안)할 때 그러한 점을 고려했는지는 몰라도 결과적으로 그렇다는 말이다.

한자는 '1음절 = 1글자' 원칙에 따른 것이고, 컴퓨터 바이트로 보자면 '1음절 = 2 바이트' 원칙이 적용되고 있다. 한글 표기법 또한 '1음절 = 2 바이트' 원칙이 절대적으로 지켜지고 있기 때문에 한자와 한글을 섞어서 쓰기가 매우 편리하도록 되어 있다. 그렇지 않았다면 한자와 한글의 混用(혼:용)은 원천적으로 차단되는 구조적인 문제점을 갖게 됐을 것이다.

(2) 한자의 3대 요소와 그 특질

한자의 3대 요소는 자형, 자음, 자의 등 세 가지이다. 이 3대 요소 각각에 있어서 개별적으로 나타나는 특질에 대하여 서술하면 다음과 같다.

1) 字形(자형) 특질

한자 자형은 獨立性(독립성)과 依存性(의존성)을 동시에 갖고 있다. 독립성은 字音(자음)과 字義(자의), 두 측면에서 찾아볼 수 있다. 字音(자음)으로부터의 독립성은 상당수의 한자가 그것의 음과 무관하다는 점을 가리킨다. 이를테면 象形(상형)·指事(지사)·會意(회:의)라는 방식으로 고안된 한자는 그것이 대표하는 형태소나 낱말의 발음과 관련된 요소가 없다. 이러한 사실은 音義(음의) 복합체인 언어를 書寫(서사)함에 있어서 문제점이 전혀 없는 것은 아니다. 그러나 그것을 장점으로 볼 수도 있다. 즉, 古今(고:금)의 음운 변화에 따른 제약을 받지 않아도 된다. 바꾸어 말하면 음이 아무리 크게 변화되었어도 자형이 바뀔 필요는 없다는 것이다. 음운 변화에 독립적으로 대처할 수 있었다는 사실은 표음문자에 비하여 큰 장점이 된다. 그리고 지역적 음운 차이에 대해서도 의연하게 대처할 수 있었다. 방언음이 크게 다른 경우에도 의미가 같거나 비슷한 형태소나 낱말을 서사하는 데 활용할 수 있었으니 이것 또한 장점으로 꼽을 수 있다.

자형의 독립성은 字義(자의) 측면에서도 찾아볼 수 있다. 한자가 표의문자인 이상 자형은 字義(자의) 의존성이 매우 높은 것이 사실이다. 그렇다고 독립성이 전혀 없었던 것은 아니다. 裘錫圭(구석규 1988, 13)에 의하여 지적된 바 있듯이 한자는 초기의 表形(표형) 단계에서 表意(표의) 단계로 변화되어 왔다. 표의 단계에 있어서도 표의 정도가 갈수록 약화되어 부호나 기호에 불과할 정도로 변모되었다. 이를테면 '물'을 서사하기 위해서 고안된 초기 한자는 그것이 흐르는 모습을 본뜬 상형문자로서 表形(표형)이 강조되었으나, 이후에는 서사의 편리성을 위하여 표형 정도가 크게 약화되었다. 현재의 자형, 즉 「水」·「氵」·「氺」는 표의성이 매우 미약해져서 '물'을 상징하는 부호나 기호라고 해도 크게 틀리지 않게 되었다. 문자학에 있어서 本義(본의)와 初文(초문)을 중시하는 것은 잘못된 것이 아니라 할지라도, 현재의 자형을 너무 등한시하는 것은 지나친 점이 있다. 현재의 쓰이고 있는 자형을 근거로 삼는다면, 기호학적인 접근도 가능한 것은 자형이 지니고 있는 字義 독립성이라는 특질이 있기 때문이다. 한자가 자의와 전혀 무관하게 表音(표음) 기능만으로 쓰이는 이른바 假借(가차) 용례도 자형의 자의 독립성으로 이해할 수 있다.

자형이 지니는 의존성도 자음과 자의, 두 측면에서 고찰할 수 있다. 중국어가 音義(음의) 복합체의 언어인 이상, 그것을 서사하려고 고안된 한자의 자형이 서사 대상의 형태소나 낱말의 음을 고려하지 않을 수 없었다. 그래서 形聲(형성)이라는 방식이 창안되었다. 형성자의 聲符(성부)는 기본적으로 讀若(독약)·讀如(독여) 같은 直音法(직음법)과 다를 바 없다. 동음자가 제시되어 있는 형성자의 자형은 字音(자음) 제약성을 받을 수밖에 없었고, 따라서 古今異體(고:금이:체)나 方音異體(방음이:체) 현상이 생겨날 수밖에 없었다. 또한 음이 같은 것이라면 획수가 적은 성부를 選好(선:호)함에 따른 異體字(이:체자)도 생겨났다. 그리고 획수가 적은 것을 우선적으로 고려하다보니 同音性(동음성)을 포기한 결과 음이 일치되지 않는 현상도 있게 됐다.

표의문자인 한자의 자형에 보이는 字義(자의) 의존성은 지극히 당연한 결과이다. 쓰기 편함만을 추구하다 보니 자형이 수없이 많은 변화 과정을 거쳐 왔을지라도 자의 의존성이나 자의 연관성이 완전히 포기된 적은 결코 없었다. 그것을 포기한다는 것은 바로 한자를 폐기하고 더 이상 사용하지 않는다는 것이나 마찬가지다. 공식 書寫(서사) 工具(공구)로 한자 대신에 알파벳을 사용하자는 미증유의 운동이 20세기 초에 있기는 했다. 이른바 '拉丁化新文字' 운동이 생겨났으나 일시적·국지적에 불과하여 오래 가지 못하고 식어버렸다.

한자 자형이 지니는 字義(자의) 依存性(의존성)이라는 특질은, 문자학의 존립 근거를 집에 비유하자면 棟樑(동량)에 해당된다. 앞으로 문자학의 발달은 자형의 자의 의존성을 어떻게 체계적으로 잘 정리하느냐에 달려 있다. 이 점은 일찍이 한 나라 때 許愼(허신) 이래로 수많은 학자들이 추구해온 바이기도 하고, 미래 문자학자들의 영원한 과제이기도 하다.

2) 字音 특질

한자에 의하여 대표되는 字音이 하나의 음절임은, 한자가 지니는 음절문자의 성질에 관한 것이기 때문에 '특질' 문제를 다룰 때에는 논외 사항이므로, 이에 대하여는 더 이상 언급하지 않겠다. 다만 음절 음 그 자체가 자형에 어떻게 반영되어 있는가 라는 문제는 특질의 하나로 다룰 필요가 있을 것이다.

周法高(1974)와 北京大學(1989)을 통하여 알 수 있듯이, 한자 낱글자의 음이 古今(고:금)이라는 통시적 차이와 南北(남북)이라는 공시적 차이에 따라 크게 다름에도 불구하고, 이것이 자형을 통하여 반영된 예는 거의 없다. 한자는 고금 音變(음변)에 대한 불감증과 方言(방언) 差異(차이)에 대한 불감증을 갖고 있다. 그러나 그것이 단점보다 장점으로 작용해온 점이 더 많기 때문에 3 천 년을 훨씬 능가할 정도로 오랜 생명력을 그대로 유지하고 있다. 한자의 끈질긴 적응력과 폭넓은 통용력은 字音(자음) 변화에 대한 영향을 받지 않아도 되기 때문에 가능한 일이었다.

3) 字義 특질

한자의 字義(자의)는 자형을 통하여 표현되는 것은 너무 자명한 것이므로 재론의 여지가 없다. 다만 자형에 의하여 나타나는 자의가 어떤 특질을 지니고 있는지는, 지금까지 많은 학자들의 논저를 통하여 구체적으로 摘示(적시)되지 못하고 있다. 한자의 자의 특질을 한마디로 개괄하자면 暗示性(암:시성)을 꼽을 수 있다.

暗示性(암:시성)은 한자의 자형을 통하여 나타내는 자의는 형태소나 낱말을 막론하고 의미 전부를 고스란히 표현하고 있는 것이 아니라, 약간의 暗示(암:시, hint)를 제시하고 있을 따름이다. 이러한 점에서 보면 한자에 대하여 암시문자(hintograph-필자가 조어한 영문 용어)라는 또 하나의 명칭을 부여한 바 있다. 예를 들어보자. '쉬다'(rest)는 뜻을 나타내기 위하여 고안된 「休」자에 제시되어 있는 두 가지 의미정보, 즉 '나무'(木 tree)와 '사람'(人, person)은 나무 그늘 아래에서 쉬고 있는 사람을 흔히 볼 수 있으므로 그러한 연상을 통하여 '쉬다'는 의미를 위한 것임을 암시할 따름이다. 象形(상형) 방식에 의하여 고안된 글자들도 그것이 나타내고자 하는 의미를 암시할 뿐이지 그 전체를 나타내는 것은 아니다. '소'(cattle)를 나타내고자 고안된 「牛」가 소의 전체 모습을 본뜬 것이 아니라 소의 특징적인 면, 즉 하늘 쪽을 향하여 굽은 뿔과 머리만을 취하고 있는 까닭도 사실은 전체 모양을 다 나타내지 않아도 '소'를 암시할 수 있다면 그것으로 충분하다고 여겼기 때문일 것이다. 指事(지사) 문자의 상징적 암시성은 더욱 명백하기 때문에 더 이상 말할 필요가 없다. 形聲(형성) 문자에 있어서 形符(형부)의 암시성도 마찬가지다. 형부의 표의성은 암시적 기능을 할 뿐이다. 형성자의 형부로 사용된 「木」은 그 글자의 뜻이 '나무'와 관련이 있음을 암시하는 것이지, 그 이상도 이하도 아니다.

(3) 육서론의 허실

한자에 관한 탐구, 즉 한자학은 오랜 전통을 지닌 학문이다. 약 2,000년 전 중국 漢代(한:대) 때 이미 六書論(육서론)이라는 이론적 기초가 확립되었기 때문에 한자학이 하나의 학문 영역으로 자리매김할 수 있었다. 육서론이 2천년이 지난 요즘도 생명력을 유지하고 있다. 그렇다고 완전무결한 이론은 아니며, 학자들 마다 의견 차이가 큰 것도 많다. 따라서 육서론의 허실을 명확하게 정리하는 것이 한자 학습의 길잡이가 될 수 있기에 이를 정리해본다.

'六書'라는 용어가 처음 등장된 것은 周나라 때 각종 예법과 제도를 기록한 ≪周禮≫(주례)라는 책이다. 육서의 여섯 가지 명칭을 처음으로 언급한 저작은 西漢(서한) 말 고문경학자인 劉歆(유흠)이 지은 ≪七略≫(칠략)이다. 육서 하나 하나에 대하여 여덟 글자로 정의를 내리고 두 글자씩 예를 들어 놓은 학자는 許愼(허신, A.D. 58-147으로 추정)이었다. 허신에 의하여 확립된 육서론은 현재까지도 가장 유력한 문자학설로 자리 잡고 있다. 그는 이 이론에 입각하여 총 9,353자를 대상으로 本義(본의)를 밝히고, 구조를 분석하여 불멸의 대작을 남겼으니, 그것이 바로 문자학의 바이블인 ≪說文解字≫(설문해자)란 책이다.

육서론이 우리나라에 도입된 것은 구한말 때로 추정된다. 국문학계와 한문학계의 한자 연구가 육서론을 올바로 인식하지 못함에 따라 오늘날까지도 육서에 관한 오해와 오류가 한자 관련 교재에 산재되어 있다. 이에 대한 바른 이해가 한자 학습의 지름질이 될 수 있으므로 이를 바로 잡아 본다.

전통적으로 육서라 함은 象形(상형)·指事(지사)·會意(회:의)·形聲(형성)·假借(가:차)·轉注(전:주)를 말한다. 그런데 이 여섯 가지는 동일 층차에서 나온 말이 아니다. 앞의 4 종은 구조 범주에 관한 것이고, 뒤의 2종은 활용 범주에 관한 것이다. 따라서 가차와 전주는 어떤 글자가 이에 속한다고 할 수 있는 것은 아니다. 그럼에도 불구하고 우리나라에서 출간된 한자 교육과 관련된 저작에서는 대부분 그 여섯 가지 모두를 구조 방식으로 오인하고 있다. 육서 하나 하나에 대하여 간단하게 풀이해보기로 한다.

象形(상:형)은 한자로 표현하고자 하는 낱말이 구체적인 사물을 지칭하는 명사인 경우, 그 사물의 모습을 線條化(선조화)된 劃(획)으로 나타낸 것을 말한다. 초기의 한자들은 이러한 방식으로 만들어진 것이 많지만, 그 수가 수백 개를 넘지는 않는다. 그림 문자에서 발전된 이 방식은 선조화하기가 어려운 경우가 많을 뿐만 아니라, 그리는[쓰는] 데 많은 시간이 소요되는 단점으로 말미암아 일찍이 중단되었다. 상형에 속하는 한자라 하더라도 오랜 세월을 거치면서 많은 사람들의 손에 의해 간략화 된 결과의 산물인 오늘날의 자형은 본래의 것과 크게 달라졌다. 현대 한자에서는 상형 문자가 큰 의미를 지니지 못한다.

指事(지사)는 형상화할 수 없는 추상적인 의미를 부호로 나타내는 방식을 말한다. 상형 방식에 따라 만들어진 요소에 부호가 첨가되어 있는 것도 편의상 이에 포함하는 것이 상례이다. 「本」자는 '나무'를 가리키는 「木」과 「一」로 구성되어 있는데, 이 경우의 「一」이 '하나'의 의미라면 會意(회:의)에 속한다. 그러나 '하나'의 뜻을 나타내는 것이 아니라 뿌리의 위치를 가리키는 부호에 불과한 것이므로, 「本」자를 회의가 아니라 지사로 보는 것이 학계의 통설이다.

會意(회:의)는 상형 방식을 활용하여 이미 만들어진 2개 이상의 요소들을 조합하는 방식을 말한다. 예에 따라서는 사물이나 상황을 묘사하는 것이 상형과 유사한 경우가 있다. 그러나 상형은 의미를 단위로 더 이상 나눌 수 없는데 비하여, 회의는 의미를 단위로 2개 이상의 요소로 나뉠 수 있다는 것이 가장 큰 차이이다. 2개 이상의 요소들이 조합되었다는 점에서 形聲(형성)과 흡사하지만, 해당 글자의 음과 관련 있는 요소는 없으며, 모든 요소가 의미와 관련이 있다는 점이 다르다. 두 개 이상의 표의요소가 힌트 구실을 하고 있다는 점이 특색이다. 회의에 속하는 한자의 수는 지사나 상형에 비하여 많은 셈이나, 형성보다는 훨씬 적다.

形聲(형성)은 그 글자의 의미 범주를 암시하는 표의요소[形]와 해당 낱말[형태소]의 음을 나타내는 표음요소[聲]를 합성시키는 방식을 말한다. 표의요소에 의하여 나타난 뜻은 해당 낱말이 어떤 의미 범주에 속하는가를 암시하는 것일 뿐이지, 구체적인 의미를 확실하게 지시하는 것은 아니다. 표의요소와 표음요소가 1:1로 합성된 것이 대부분이지만, 2:1 또는 그 이상인 경우도 있을 수 있다. 표의요소와 표음요소가 동시에 합성된 경우가 없는 것은 아니나, 대개 표음요소에 해당되는 글자로 장기간 사용되어 오다가 후에 표의요소가 첨가된 예가 많다. 물론 그 반대인 경우도 많은 데, 이러한 문제는 학술적으로는 연구 가치가 매우 높은 것이나 실용적인 면에서는 몰라도 아무런 문제가 없다.

상형·지사·회의, 이 세 가지 방식보다 크게 발전된 것이 바로 형성이다. 특히 당시 언어의 음을 반영하고 있다는 점에서 큰 의의를 지닌다. 그러나 표음요소의 음이 완전히 일치되는 예는 비교적 소수에 불과하고 표음 기능이 불충분한 점, 표음요소의 위치가 글자마다 달라서 혼란이 야기된다는 점, 등의 문제점을 갖고 있다.

표의요소와 표음요소가 합성되는 방식을 이해가 쉽도록 정리해 보자면 다음과 같다.

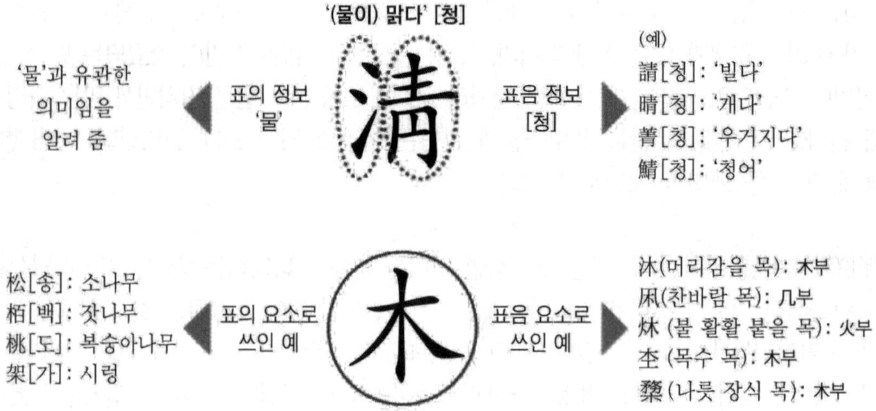

형성 방식을 취한 한자는 수적으로 매우 많다. 전체 한자의 80%가 이 방식을 취한 것이다. 형성 문자 가운데 표음요소가 표의요소를 겸하는 것도 있다. 전통적으로는 '회의 兼 형성' 또는 '형성 兼 회의'이라 명명하기도 했다. 표음요소가 표의요소를 겸하는 것은 극히 일부의 예외적인 것이니, 표음요소를 억지로 표의요소와 결부시키는 것은 금물이다. 한자 학습 교재 가운데 표음요소를 표의요소로 오인한 실수가 흔하게 보인다. 표음요소가 표의요소를 겸한다고 하자면, 해당 표음요소가 쓰인 다른 형성자들을 모두 찾아내어 공통된 의미를 적용할 수 있을 때에만 가능하다. 다른 모든 것이 그런 것처럼, 음 또한 시대의 변천에 따라 크게 달라진다. 따라서 형성자의 음이 그 표음요소의 음과 일치하지 않는 경우가 많은 점에 유의해야 한다. 잘못 읽기 쉬운 한자들은 이러한 경우에 속하는 것이 대부분이다. 이에 대하여는 해당 부록을 참고하기 바란다.

假借(가:차)는 의미를 可視的(가시적) 형태로 나타내기가 어려운 경우, 해당 낱말(형태소)의 음과 동일한 다른 글자를 빌려 나타내는 것을 말한다. 예를 들어 '그러하다'는 뜻의 낱말이 [연]으로 발음되었는데, 이 뜻을 위하여 글자를 만들어 내기가 어렵기 때문에 '사르다'는 뜻을 위하여 만든 글자, 즉 「然」자(肉→月 + 犬 + 火→灬 : 개고기를 장만하기 위하여 불에 태워 털을 없애는 모습에서 유래된 것임)가 마침 [연]으로 읽히므로 이것을 빌려 '그러하다'는 뜻을 나타내기로 하였다. 그런데 然자가 '사르다'는 本義(본의)보다는 '그러하다'는 假借義(가차의)로 많이 쓰이자, '사르다'는 뜻을 더욱 확실하게 나타내기 위하여 '불 화'(火)를 하나 더 보탠 燃(사를 연)자를 추가로 만들어 냈다. 따라서 然자를 문자 구조로 보자면 會意(회:의)에 속하는 것이지만, '그러하다'는 뜻에서 보자면 然자가 가차 용례에 속한다. 따라서 가차는 문자 구조가 아니라 활용에 관한 범주임을 이로써 확연하게 알 수 있다.

轉注(전:주)의 정의는 4~50종의 학설이 뒤얽혀 있다. 최초로 정의한 허신은 「轉注者建類一首, 同意相受, 考老是也。」라고 했다. '전주'라는 것은 「建類一首」하고 「同意相受」한 것인데, 「考」자와 「老」자가 이에 속한다는 것이다. 「建類一首」와 「同意相受」 두 구절에 대한 풀이는 수많은 설들이 난무하고 있다. 예시된 두 글자가 ≪설문해자≫에서 「考」자는 '老'라는 뜻이고, 「老」자는 '考'라는 뜻이라고 서로 맞바꾸어 훈을 하고 있는[互訓] 것으로 보아, 互訓(호훈)할 수 있을 만큼 의미상 유사성이 있는 두 글자를 轉注로 보는 것이 가장 무난한 해석일 것이다. 이것은 한자의 의미 범주에 관한 것이지, 문자 구조와는 무관하기 때문에 낱글자를 예시하여 설명할 수 없다. 따라서 가차와 전주, 이 두 가지는 교양인들이 알아 두어야 할 실용적 가치가 없는 것이다.

이상 육서 전반에 걸친 고찰을 통하여 우리는 육서가 학술적인 가치는 높지만, 실용적인 가치는 그다지 높지 않다. 그래서 이 책의 본문에서 약 2,000 여 자의 한자 하나하나에 대하여 자세히 풀이하면서 육서 가운데 어느 것에 속하는지를 구체적으로 언급하지는 않았다. 한자 연구자가 아닌 일반 학습자에게는 실용적인 필요성이 없다고 판단했기 때문이다. 풀이 자체는 학술적으로 확실한 근거에 입각하되, 학술적인 용어는 가급적 피하여 누구나 쉽게 이해할 수 있도록 했다.

4. 한자 학습의 지름길 : 부수는 무엇인가?

(1) 부수의 정의는?

部首(radicals)는 중국 문자학의 아버지 許愼(허신, A.D. 58-147 추정)이 수많은 한자들을 어떻게 분류할 것인가를 두고 고민한 끝에 생각해낸 것이다. 즉, 여러 글자들에 공통적으로 쓰여 있는 요소를 찾아낸 것에서 유래됐다. 이를테면 朴(후박나무 박)·杜(팥배나무 두)·材(재목 재)·槿(무궁화나무 근) 등 4 글자에는 木(나무 목)이 공통적으로 들어 있다. 그래서 字典(자전)을 만들 때 이런 글자들을 한 군데 모아 놓으면 편리하겠다는 생각을 하게 된 것이다. 또 자세히 살펴보면 위의 4 글자는 공통적인 의미를 지니고 있음을 알 수 있다. 즉, '나무'와 관련 있는 의미를 공통적으로 갖고 있다. 그러니 같은 부수(표의요소)를 가진 글자들은 동일 의미 범주에 속하는 것이다. 부수는 대부분이 표의요소(semantic element; semantic indicator; sinific)를 겸하기 때문에 어떤 글자의 의미를 짐작할 수 있는 힌트 구실을 한다. 수학 문제를 풀 때 주어진 힌트를 활용하면 문제를 쉽게 풀 수 있듯이, 부수의 의미를 알아두면 한자 학습이 용이할 수 있다. 부수를 장악하는 것이 한자 학습의 지름길이라 할 수 있다.

(2) 부수의 종류는?

약 2,000년 전 부수가 처음 創案(창:안)되었을 때에는 540개나 달할 정도로 많았다. 540개의 부수를 외운다는 것은 매우 부담스런 일이므로 이후에 자전을 편찬하려는 사람들은 그 수를 최대한 줄이기 위하여 노력했다. 그 결과, 1615년 梅膺祚(매응조)가 편찬한 ≪字彙≫(자휘)란 자전에서는 214개로 대폭 감축됐다. 중국에서는 그것보다 더 줄여 놓은 것(189개)도 있지만, 대부분 이 214 개 부수 체계를 그대로 따르고 있다. 청나라 황제의 명령으로 1716년에 편찬된 ≪康熙字典≫(강희자전)도 214개 부수 체계를 취하고 있고, 우리나라에서 나온 자전들도 214개 부수 체계를 따르게 되었다. 다음은 214개 부수자를 획수별로 정리한 것이다.

	번호	부수	뜻	음
*	[001]	一	한	일
	[002]	丨	뚫을	곤
	[003]	丶	점	주
	[004]	丿(乀)	삐칠	별
	[005]	乙	새	을
	[006]	亅	갈고리	궐
2획				
*	[007]	二	두	이
	[008]	亠	두돼지	해
*	[009]	人(亻)	사람	인
	[010]	儿	어진사람	인
*	[011]	入	들	입
*	[012]	八	여덟	팔
	[013]	冂	먼데	경
	[014]	冖	덮을	멱
	[015]	冫	얼음	빙
	[016]	几	안석	궤
	[017]	凵	입벌릴	감
*	[018]	刀(刂)	칼	도
*	[019]	力	힘	력
	[020]	勹	쌀	포
	[021]	匕	비수	비
	[022]	匚	상자	방
	[023]	匸	감출	혜
*	[024]	十	열	십
*	[025]	卜	점	복
	[026]	卩(㔾)	병부	절
	[027]	厂	언덕	한
	[028]	厶	사사	사
*	[029]	又	또	우
3획				
	[030]	囗	에워쌀	위
*	[031]	口	입	구
*	[032]	土	흙	토
*	[033]	士	선비	사
	[034]	夂	뒤져올	치
	[035]	夊	천천히걸을	쇠
*	[036]	夕	저녁	석
*	[037]	大	큰	대
*	[038]	女	여자	녀
*	[039]	子	아이	자
	[040]	宀	집	면
*	[041]	寸	마디	촌
*	[042]	小	작을	소
	[043]	尢	절름발이	왕
	[044]	尸	주검	시
	[045]	屮	싹날	철
*	[046]	山	뫼	산
	[047]	巛(川)	내	천
*	[048]	工	장인	공
*	[049]	己	몸	기
	[050]	巾	수건	건
*	[051]	干	방패	간
	[052]	幺	작을	요
	[053]	广	집	엄
	[054]	廴	끌	인
	[055]	廾	받들	공
	[056]	弋	주살	익
*	[057]	弓	활	궁
	[058]	彐(彑)	돼지머리	계
	[059]	彡	터럭	삼
	[060]	彳	자축거릴	척
4획				
*	[061]	心(忄 㣺)	마음	심
*	[062]	戈	창	과
*	[063]	戶	지게	호
*	[064]	手(扌)	손	수
*	[065]	支	지탱할	지
	[066]	攴(攵)	칠	복
*	[067]	文	글월	문
*	[068]	斗	말	두
*	[069]	斤	도끼	근
*	[070]	方	모	방
*	[071]	无(旡)	없을	무
*	[072]	日	날	일
*	[073]	曰	가로	왈
*	[074]	月	달	월
*	[075]	木	나무	목
	[076]	欠	하품	흠
*	[077]	止	그칠	지
	[078]	歹(歺)	뼈	알

	번호	부수	훈	음
	[079]	殳	창	수
	[080]	毋	말	무
*	[081]	比	견줄	비
*	[082]	毛	터럭	모
*	[083]	氏	각시	씨
*	[084]	气	기운	기
*	[085]	水(氵)	물	수
*	[086]	火(灬)	불	화
	[087]	爪(爫)	손톱	조
*	[088]	父	아비	부
	[089]	爻	점괘	효
	[090]	爿	나무조각	장
*	[091]	片	조각	편
*	[092]	牙	어금니	아
*	[093]	牛	소	우
*	[094]	犬(犭)	개	견

5획 ··························

	번호	부수	훈	음
*	[095]	玄	검을	현
*	[096]	玉(王)	구슬	옥
*	[097]	瓜	오이	과
*	[098]	瓦	기와	와
*	[099]	甘	달	감
*	[100]	生	날	생
*	[101]	用	쓸	용
*	[102]	田	밭	전
	[103]	疋	발	소
	[104]	疒	병들	녁
	[105]	癶	어그러질	발
*	[106]	白	흰	백
*	[107]	皮	가죽	피
	[108]	皿	그릇	명
*	[109]	目	눈	목
*	[110]	矛	창	모
*	[111]	矢	화살	시
*	[112]	石	돌	석
*	[113]	示(礻)	보일	시
	[114]	禸	발자국	유
*	[115]	禾	벼	화
*	[116]	穴	구멍	혈
*	[117]	立	설	립

6획 ··························

	번호	부수	훈	음
*	[118]	竹	대	죽
*	[119]	米	쌀	미
	[120]	糸	실	사
	[121]	缶	장군	부
	[122]	网(罒罓)	그물	망
*	[123]	羊	양	양
*	[124]	羽	깃	우
*	[125]	老(耂)	늙을	로
*	[126]	而	말이을	이
	[127]	耒	쟁기	뢰
*	[128]	耳	귀	이
	[129]	聿	붓	율
*	[130]	肉(月)	고기	육
*	[131]	臣	신하	신
*	[132]	自	스스로	자
*	[133]	至	이를	지
	[134]	臼	절구	구
*	[135]	舌	혀	설
	[136]	舛	어그러질	천
*	[137]	舟	배	주
	[138]	艮	괘이름	간
*	[139]	色	빛	색
	[140]	艸(艹)	풀	초
	[141]	虍	호랑이	호
	[142]	虫	벌레	충
*	[143]	血	피	혈
*	[144]	行	다닐	행
*	[145]	衣(衤)	옷	의
	[146]	襾	덮을	아

7획 ··························

	번호	부수	훈	음
*	[147]	見	볼	견
*	[148]	角	뿔	각
*	[149]	言	말씀	언
*	[150]	谷	골	곡
*	[151]	豆	콩	두
	[152]	豕	돼지	시
	[153]	豸	발없는벌레	치
*	[154]	貝	조개	패
*	[155]	赤	붉을	적
*	[156]	走	달릴	주
*	[157]	足	발	족
*	[158]	身	몸	신
*	[159]	車	수레	거
*	[160]	辛	매울	신
*	[161]	辰	별	진
	[162]	辵(辶)	쉬엄쉬엄갈	착
*	[163]	邑(阝)	고을	읍
*	[164]	酉	닭	유
	[165]	釆	분별할	변
*	[166]	里	마을	리

8획 ··························

	번호	부수	훈	음
*	[167]	金	쇠	금
*	[168]	長	길	장
*	[169]	門	문	문
	[170]	阜(阝)	언덕	부
	[171]	隶	미칠	대
	[172]	隹	새	추
*	[173]	雨	비	우
*	[174]	靑	푸를	청
*	[175]	非	아닐	비

9획 ··························

	번호	부수	훈	음
*	[176]	面	얼굴	면
*	[177]	革	가죽	혁
	[178]	韋	가죽	위
	[179]	韭	부추	구
*	[180]	音	소리	음
	[181]	頁	머리	혈
*	[182]	風	바람	풍
*	[183]	飛	날	비
*	[184]	食	밥	식
*	[185]	首	머리	수
*	[186]	香	향기	향

10획 ··························

	번호	부수	훈	음
*	[187]	馬	말	마
*	[188]	骨	뼈	골
*	[189]	高	높을	고
	[190]	髟	머리털	표
*	[191]	鬥	싸울	투
	[192]	鬯	술	창
	[193]	鬲	솥	력
*	[194]	鬼	귀신	귀

11획

*	[195]	魚	고기	어
*	[196]	鳥	새	조
	[197]	鹵	소금	로
*	[198]	鹿	사슴	록
*	[199]	麥	보리	맥
	[200]	麻	삼	마

12획

	[201]	黃	누를	황
	[202]	黍	기장	서
*	[203]	黑	검을	흑
	[204]	黹	바느질할	치

13획

	[205]	黽	맹꽁이	맹
*	[206]	鼎	솥	정
*	[207]	鼓	북	고
	[208]	鼠	쥐	서

14획

*	[209]	鼻	코	비
*	[210]	齊	가지런할	제

15획

*	[211]	齒	이	치

16획

*	[212]	龍	용	룡
*	[213]	龜	거북	귀

17획

	[214]	龠	피리	약

※ 번호 앞에 '*'표시가 있는 것(총 132 개)은 낱글자로 쓰이는 빈도가 비교적 높은 것이다. 이 214개 한자, 혹은 적어도 132개 한자만 알아도 대단한 위력을 지닌다. 수백, 수천의 한자들이 이것에서 비롯됐기 때문이다.

(3) 부수를 장악하는 비결

부수를 장악하는 비결은 없을까? 그 실마리는 먼저 부수의 명칭과 의미에서 찾을 수 있다. 부수 명칭은 크게 나누어 두 가지 배경이 있다. 하나는, 낱글자의 訓(훈)과 音(음)에 바탕을 둔 것이다. 다른 하나는 모양을 쉽게 익히기 위한 방편에서 붙여진 것이다. '宀'을 '집 면'이라고 하는 것은 전자에 속하고, '갓 머리'라고 부르는 것은 후자에 속한다. 앞의 것은 의미 연관성이 높아서 그것이 부수(표의요소)로 쓰인 글자들의 뜻을 쉽게 파악할 수 있다는 장점이 있다. 뒤의 것은 그렇지 못하다는 단점이 있다. 따라서 이 책은 訓과 音을 바탕으로 한 명칭을 사용하고 있다. 214개의 부수는 가급적 훈과 음을 외워 두는 것이 부수를 장악하는 지름길이다.

그런데 훈과 음을 근거로 한 것일지라도 의미 연관성이 없을 수도 있다. 주로 낱 글자 그 자체로 쓰일 때의 의미와 부수(표의요소)로 쓰였을 때의 의미가 큰 차이를 보이는 경우가 그렇다. 사용빈도가 매우 낮은 것이라면 별 문제가 없겠으나, 그렇지 않고 사용빈도가 높은 것 가운데 그런 것이 있다면 문제다. 이를테면 '又'가 낱글자로 쓰일 때의 의미에 근거한 '또 우'라는 훈과 음을 외워봤자, 이것이 표의요소로 쓰인 글자들의 뜻을 파악하는 데에는 도움이 되지 않는다. 예를 한 가지 더 들어보자. '示'자를 흔히들 '보일 시'라고 하지만, 이것이 부수(표의요소)로 쓰인 글자들을 보면 '보다' 또는 '보이다'는 뜻과 아무런 상관이 없으며 '제사' 또는 제사와 관련된 의미를 공통적으로 갖고 있다. 이러한 유형에 속하는 글자는 대략 11개에 달한다. 쉽게 알 수 있도록 표로 정리하면 아래의 표와 같다. 이것을 잘 알아두면 부수는 물론이고 한자를 장악하는 비결을 스스로 터득할 것이다.

번호		훈 음	부수(표의요소)로 쓰일 경우의 공통 의미	변경 명칭
029-02	又	또 우	손 또는 손으로 하는 행위와 관련된 의미	손 우
041-03	寸	마디 촌	위와 동일	잡을 촌
087-04	爪	손톱 조	위와 동일	집을 조
060-03	彳	(두인변)	길 또는 길과 관련된 의미	길 척
162-07	辵	(책받침)	길 또는 길을 간다는 의미	길갈 착
077-04	止	그칠 지	발자국과 관련된 의미	발자국 지
076-04	欠	하품 흠	크게 벌린 입과 관련된 의미	입벌릴 흠
113-05	示	보일 시	제사 또는 제사와 관련된 의미	제사 시
154-07	貝	조개 패	돈 또는 돈과 관련된 의미	돈 패
164-07	酉	닭 유	술 또는 술과 관련된 의미	술 유
132-06	自	스스로자	코와 관련된 의미	코 자

(4) 변 · 방은 무엇인가?

부수와 관련하여 'OO변'(邊), 'OO방'(旁) 하는 말을 자주 들어보았을 것이다. 이것들은 해당 부수가 어떤 글자들에 있어, 주로 놓이는 위치에 따라 이름을 달리한 것일 따름이다. 즉, '이 부수는 주로 어떤 위치에 놓인다'는 정보만 얻을 수 있을 따름이지, 부수 또는 해당 글자의 의미와 전혀 무관하다. 따라서 몰라도 큰 상관은 없다. 자세한 언급을 생략해도 무방하겠지만 말이 나온 김에 간단히 소개하면 다음과 같다.

- 邊(변) : 주로 글자의 왼쪽에 놓이는 부수
  - 土 흙토변 : 地(땅 지), 場(마당 장)
  - 石 돌석변 : 硬(굳을 경), 碑(돌기둥 비)
  - 糸 실사변 : 紡(실뽑을 방), 細(가늘 세)

- 旁(방) : 주로 글자의 오른쪽에 놓이는 부수
  - 邑 고을읍·우부방 : (阝으로 줄여 씀)
  - 鄭(나라 이름 정), 邦(나라 방), 郡(고을 군)

- 머리 : 주로 글자의 윗 부분에 놓이는 부수
  - 宀 갓머리 : 宇(집 우), 室(집 실), 宮(집 궁)
  - 竹 대죽머리 : 筆(붓 필), 管(피리 관), 節(마디 절)

- 밑 : 주로 글자의 아래 부분에 놓이는 부수
  皿 그릇명밑 : 盂(바리 우), 盆(동이 분), 盤(소반 반)

- 받침 : 주로 글자의 왼쪽과 밑 부분에 깔려 있는 부수
  廴 민책받침 : 廷(조정 정), 延(끌 연), 建(세울 건)
  辵 갖은책받침·책받침 : (辶으로 줄여 씀)
  迅(빠를 신), 近(가까울 근), 迎(맞이할 영)

이상과 같은 원칙에 맞지 않는 예외도 있으니 100% 믿을 수 있는 것은 아니다. 이를테면 广(엄호밑) · 癶(필발밑) · 穴(구멍혈밑) · 艸(초두밑)의 '밑'은 문제가 있다.

(5) 동일 부수가 여러 모양으로 쓰이는 까닭?

동일한 부수가 여러 가지 모양으로 달라지는 것이 있어 학습자들을 헷갈리게 하는 예도 있다. 모든 부수가 다 그런 것은 아니지만 일부의 부수는 쓰이는 위치에 따라 모양이 달라지거나, 낱글자로 쓰일 때와 부수로 쓰일 때가 모양이 다르기도 한다. 이러한 현상은 篆書(전:서)서체 시대가 끝나고, 약 2,000년 전인 한나라 때 隷書(예:서)서체가 일반화되면서 나타난 것이다. 그렇게 된 까닭은 쓰기 편리함을 위하거나, 또는 공간 배치의 균형적 아름다움을 위한 것이다. 모양이 달라진다고 의미가 달라지는 것은 아니다. 총 214개 부수 가운데 36개가 이러한 현상을 보이는데 사용빈도가 높은 것 몇 가지만 예로 들면 다음과 같다.

• 人(사람 인)	❶人 : 企(발돋움할 기)	❷亻 : 仙(신선 선)	
• 刀(칼 도)	❶刀 : 切(끊을 절)	❷刂 : 判(판가름할 판)	
• 卩(병부 절)	❶卩 : 卽(곧 즉)	❷㔾 : 危(위태할 위)	
• 手(손 수)	❶手 : 拏(붙잡을 나)	❷扌 : 扶(도울 부)	
• 心(마음 심)	❶心 : 忍(참을 인)	❷忄 : 性(성품 성)	❸㣺 : 恭(공손할 공)
• 水(물 수)	❶水 : 畓(논 답)	❷氵 : 汽(김 기)	❸氺 : 泰(클 태)
• 火(불 화)	❶火 : 炙(구울 자)	❷灬 : 烹(삶을 팽)	
• 攴(칠 복)	❶攴 : 敍(차례 서)	❷攵 : 效(본받을 효)	
• 犬(개 견)	❶犬 : 狀(형상 상)	❷犭 : 狗(개 구)	
• 艸(풀 초)	❶艹 : 草(풀 초)		
• 玉(옥 옥)	❶王 : 玟(옥돌 민)		

(6) 부수가 뜻과 무관한 경우도 있을까?

앞에서도 잠깐 언급했듯이, 부수가 의미와 전혀 무관하여 의미 파악에 도리어 걸림돌이 되는 경우가 있다. 물론, 수적으로 많은 것은 아니니 크게 우려할 것은 아니다. 다만 부수를 알면 모든 것이 다 해결된다는 안이한 생각은 금물이다. 왜 그런 문제점이 발생하였을까? 이유는 간단하다. 540개 부수 체계를 214개 부수 체계로 무리하여 줄이다보니 어쩔 수 없이 예외적인 현상이 발생하였다.

예를 들어 '알리다'는 뜻의 報(보)는 총 12획이고 '흙 토'(土)가 부수인데, 의미는 '흙'과 아무런 상관이 없다. 그리고 '말잘할 변'(辯)의 부수가 言(말씀 언)이 아니라 辛(매울 신)인 것도 이상하다. 또한 '숭상할 상'(尚)자는 '작을 소'(小)가 부수이지만 의미와 무관하다. 참고로 이 글자는 '나눌 팔'(八)이 표의요소이고, 向(향할 향)이 표음요소임은 恦(생각할 상)자를 통하여 알 수 있다. '八'을 '8'의 의미로 워낙 많이 쓰이다보니 '나누다'는 뜻임을 아는 사람이 드물 것이다. '八'은 원래 '나누다'는 뜻인데, 후에 '8'의 의미로 쓰이는 예가 많아지자, '나누다'는 의미를 위하여 따로 '分'자를 만들었다.

그리고 부수 가운데 독립 글자로 쓰이지 않거나, 어떤 필획의 모양에서 유래된 것들, 이를테면 '亅'(갈고리 궐), '丿'(삐침 별) 같은 것들은 근본적으로 의미와 무관하다. 이러한 것들은 수적으로 매우 적기 때문에 큰 문제는 아니다. 글자를 익히다 보면 자연적으로 알게 된다. 어쨌거나 부수(표의요소)가 漢字라는 자물쇠를 여는 '열쇠'인 것만큼은 사실이니 부수를 잘 알아 두자.

(7) 부수를 찾아내는 비법은?

자전(옥편)을 찾아보려고 할 때 부수를 잘 못 선택하면 허탕을 치는 일이 생긴다. 이러한 문제는 대개 두 가지 유형에서 빚어진 결과다. 첫 번째 유형은 글자의 구조를 잘못 파악한 경우이고, 둘째는 그 글자 자체가 부수에 해당되는 이른바 '제부수'임을 잘 모르고 있는 경우다.

첫 번째 유형의 착오는 대략 다음의 몇 가지 사실을 미리 알아두면 예방할 수 있다.

- **左右(좌:우) 구조** : 대개 왼쪽의 것 - **組**(끈 조; **糸**부), **語**(말씀 어; **言**부)

  예외 **放**(놓을 방; **支**부), **和**(화할 화; **口**부)

  鴨(오리 압; **鳥**부), **視**(볼 시; **見**부)

- **上下(상:하) 구조** : 대개 위쪽의 것 - **簡**(대쪽 간; **竹**부), **花**(꽃 화; **艸**부)

  예외 **吾**(나 오; **口**부), **帛**(비단 백; **巾**부), **斧**(도끼 부; **斤**부)

- **內外(내:외) 구조** 부수가 바깥쪽에 있든 아니면 안쪽에 있든 둘 다 오인하기 쉽다.

  바깥쪽의 것 - **匡**(바룰 광; **匚**부), **衷**(속마음 충; **衣**부)

  안쪽의 것 - **聞**(들을 문; **耳**부), **嬴**(찰 영; **女**부)

이와 같은 사실을 모른다고 하여 그러한 문제의 해결을 위한 비결이 전혀 없는 것은 아니다. 독음을 자세히 살펴보면 금방 알 수 있다. 좌우·상하·내외 가운데 어떤 구조이든 상관없이 발음이 조금이라도 비슷하면 99% 부수일 가능성이 없다. 예를 들어보자. '和'(화할 화)자를 들여다보면 '禾'(벼 화)와 '口'(입 구)가 좌우 구조로 되어 있음을 쉽게 알 수 있다. 다시 한 번 음을 비교해 보자. 和(화)·禾(화)·口(구), 가운데, 음과 관계가 없는 口(구)가 부수다. 이러한 방법을 위에 예시된 글자를 대상으로 검토해보면 확실하게 증명할 수 있을 것이다.

또 한 가지, 부수를 잘 몰라서 헤매는 경우는 대부분 '제부수'에 해당되는 글자다. '제부수'는 그 글자 자체가 부수인 것을 말한다. 麻(삼 마)를 자전에서 찾을 때 广(엄호/집 엄)에서 찾으면 허탕을 치게 마련이다. 广이 아니라 제부수, 즉 11획의 '麻'에서 찾아야 한다. 획수가 비교적 많은 부수자의 경우에 그러한 실수를 범하기 쉽다. 참으로 다행하게도, 11획 이상인 부수자는 기껏해야 17자 밖에 되지 않으니 몽땅 외어 두는 것이 비법이다. 종이 사전의 음순 색인이 생겨나고 전자 사전과 인터넷 사전 등이 출현됨에 따라 부수에 의하여 한자를 찾는 일이 갈수록 적어지는 것은 사실이다. 그러나 부수용 한자가 기본적인 것이라는 특성은 변함은 없으니, 알아두어서 해가 될 일은 없다.

鹵(소금 로)	**黍**(기장 서)	**鼓**(북 고)	**龜**(거북 귀)
鹿(사슴 록)	**黑**(검을 흑)	**鼻**(코 비)	**龠**(피리 약)
麥(보리 맥)	**黹**(바느질할 치)	**齊**(가지런할 제)	
麻(삼 마)	**黽**(맹꽁이 맹)	**齒**(이 치)	
黃(누를 황)	**鼎**(솥 정)	**龍**(용 룡)	

5. 한자학 관련 토막 상식

(1)'한자의 수'가 지니는 진정한 의미는?

'한자의 수'가 너무 많다느니, 그래서 너무 어렵다느니, 등의 불평을 하는 사람들을 자주 보게 된다. 한자의 수가 지니는 진정한 의미를 모르기 때문에 그렇다. '한자의 수'를 한글이나 알파벳 같은 표음문자의 '자모 수'와 비교하니까 너무 많다는 말을 하게 된다. 한글이나 알파벳 자모는 음을 나타내는 기능만 할 뿐, 어휘(word)로 쓰이지 못한다. 그러나 한자의 낱낱 글자들은 뜻을 나타내는 기능을 수행하고 있기 때문에 그것이 바로 어휘에 해당되는 것이다. 예를 들어 '山'이나 '江'이라는 한자는 알파벳의 어느 한 자모에 대응되는 것이 아니라 영어 어휘 'mountain'이나 'river'에 대응되는 것이다. 따라서 '한자의 수'가 많다는 것은 '영어 어휘의 수'가 많다는 것과 똑같은 의미임을 알아야겠다. 영어 공부를 하면서 '영어 어휘의 수'가 많다고 불평하지 않으면서, 한자 공부를 하면서 '한자의 수'가 많다고 불만스럽게 여긴다면 어리석기 짝이 없는 일이다.

영어를 잘하자면 아는 영어 어휘의 수가 많아야 하듯이, 국어를 잘하자면 아는 한자의 수가 많아야 한다. 대학생 수준이면 대체로 영어 어휘 2만 개를 알고 있어야 함은 상식으로 통한다. 그렇다면 아는 한자의 수가 2만 개 정도이면 얼마만한 위력이 있을까? 중국 사람 중에도 2만 개의 한자를 알고 있는 사람은 거의 없을 것이다. 중국에서는 '常用字'(상용자) 2,500자를, '次常用字'(차상용자) 1,000자를 정하여 집중적으로 교육하고 있다. 일본은 2010년 5월 19일에 '常用漢字表'(상용한자표)를 개정하여 종래의 1,945자를 2,136자로 늘리고, 초등학교 때 1,006자를 중학교 때 1,130자를 반드시 익히도록 법으로 규정하고 있다. 우리나라는 '한문 교육용 기초한자'로 1,800자를 지정하여 중학교 때부터 선택적으로 가르치고 있다.

한자의 수가 총 5만~6만 개라는 통계는 유사 이래 단 한 번이라도 쓰인 적이 있는 한자라면 다 포함한 것이다. 일반 지성인이나 교양인으로서 마땅히 알아야 하는 한자의 수를 가리키는 것은 결코 아니다. 우리가 일상 어문 생활에 흔히 사용되고 있는 한자어나 고사성어가 무슨 뜻인지를 아는 데에는 2,000 자나 1,800 자 정도면 충분하다. 영어 어휘는 2만개 정도를 외워야 하는 데 비하여, 한자는 그것의 10분의 1 정도로도 충분하다면 얼마나 쉽고 간단한 것인가! 잘못된 판단으로 어렵다고만 여기는 것이 문제다. 영어 공부의 10분 1만 투자하면 효력이 영어 공부보다 몇 배 높을 수 있는 것이 바로 한자 공부다. 한자 실력은 모든 교과목에 수없이 많이 쓰이고 있는 한자어에 대한 의미 파악에 있어서 실마리(hint)가 되기 때문이다.

(2) 한자의 장단음을 판별하는 비결은?

한자의 독음은 토박이말(배/배:, 밤/밤:)과 마찬가지로 짧게 읽는 것(短音 단:음)과 길게 읽는 것(長音 장음)에 따라 그 뜻이 달라질 수 있다. 이를테면 '불을 놓다'는 뜻과 '불을 끄다'는 뜻의 한자어 음이 공교롭게 모두 「방화」이다. 그런데 '불을 놓다'는 것은 [방:화](放火)같이 길게 읽고,

'불을 끄다' '불을 미리 방지하다'는 뜻은 [방화](防火)로 짧게 읽는다. '딴 나라 것이라면 무조건 배척함'과 '딴 나라 것을 무턱대고 숭배함'같이 서로 반대되는 뜻의 한자말도 그렇다. 둘 다 [배외]라 읽는데, 장단에 따라 뜻이 달라진다. 즉 배척하는 것은 「배외」(排外)로 짧게 읽고, 숭배하는 것은 [拜外](배:외)로 길게 읽는다. 이렇듯 한자의 장단음은 의미 차이를 수반하기 때문에 매우 중요한 자질(feature)이다.

한자급수시험에서도 4급 이상에서는 장단음 문제가 반드시 출제된다. 그렇다면 장단음을 어떻게 익혀야 할 것인가? 음운론적으로 말하면, 上聲(상:성)과 去聲(거:성)에 속하는 한자는 길게 읽고, 平聲(평성)과 入聲(입성)에 속하는 것은 짧게 읽는다. 그러나 일반인들은 이 四聲(사:성)을 이해하기 어렵다. 그래서 다음과 같이 정리해두면 한자의 장단음 문제를 쉽게 맞힐 수 있다. 한자 장단음을 판별하는 비결이 되기 때문에 반드시 알아두어야 하겠다.

첫째, 받침에 /ㄱ/, /ㄹ/, /ㅂ/이 쓰인 음을 가진 한자는 모두 짧게 읽는다. 이러한 한자가 첫음절에 쓰인 낱말들은 모두 단음이다. 길게 장음으로 읽어 보면 어색함을 쉽게 느낄 수 있다.
(예) 覺醒[각성] · 樂園[낙원], 末世[말세] · 發생[발생], 法學[법학] · 合格[합격]

둘째, 평소에 장단음이 표기된 예를 보면, 그에 따라 한두 번씩 읽어 보는 습관을 기르는 것이 중요하다. 장음은 단음으로, 단음은 장음으로 읽어보면서 자연스러움과 어색함을 몸으로 체득하는 것이 좋다.
(예) 防火[방화], 放火[방:화], 平聲[평성], 上聲[상:성], 去聲[거:성], 入聲[입성]

셋째, 시험을 칠 때에는 한 번은 길게, 한 번은 짧게 읽어 보면 그 가운데 자연스러운 것이 있음을 알 수 있다. 이를테면 '漢字'의 첫 음절이 장음인지 단음인지를 알아보려면, 먼저 짧게 [한자]로 읽어 본 다음 다시 길게 [한:자]로 읽어 보면 뒤의 것이 자연스러운 것을 알 수 있다. 그렇다면 답은 [한:자]이다.

그런데 2음절 단어에서는 끝 음절에도 장음이 있을 수 있으나 첫 음절의 장음에 비하여 상대적으로 짧게 읽으므로, 통상 장음 표시는 첫 음절에만 하는 것이 원칙이다. 이를테면, 拜外를 [배:외:]로, 放火[방:화:]로 표기해야 하지만 원칙상 [배:외] · [방:화]로 표기하는 것이 관례다. 장음 표시는 국제음성기호(IPA)인 [ː]로 해야 원칙이나 편의상 [:]로 한다.

(3) 한자의 필순은?

한자를 멋있게 쓰자면 어떻게 해야 할까? 물론 많이 써보는 것이 최상의 방법이다. 그렇지만 무턱대고 많이 쓴다고 다 되는 것은 아니다. 수영을 잘하자면 물속에 많이 뛰어든다고 되는 것은 아니다. 헤엄을 잘 치자면 요령이 있어야 하듯이 한자를 잘 쓰자면 筆順(필순)에 익숙해야 한다.

한자의 필순은 점과 획을 어떤 순서로 쓰는지를 말하는 것인데, 전체적인 원칙은 '쓰기의 경제성'에 입각하여 자연스레 형성된 것이다. 어떻게 해야 빨리, 쉽게 그리고 자연스럽게 쓸 수 있을까? 라는 측면에서 오랜 시간에 걸쳐 많은 사람들이 실제로 써오는 동안에 몇 가지 원칙이 발견됐다. 대체로 다음과 같은 5개 원칙으로 집약된다.

- 上下(상:하) 구조의 것은 위에서부터 아래로 쓴다. (예: '석 삼')

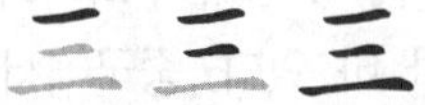

- 左右(좌:우) 구조의 것은 왼쪽에서부터 오른쪽으로 쓴다. (예: '수풀 림')

- 좌우 對稱形(대칭형)의 것은 가운데 획을 먼저 쓰고, 좌우의 것은 나중에 쓴다. (예: '작을 소')

- 內外(내:외) 구조의 것은 바깥의 것을 먼저 쓰고 안의 것은 나중에 쓴다. (예: '넉 사')

- 글자 전체를 관통하는 세로 획은 맨 마지막에 쓴다. (예: '가운데 중')

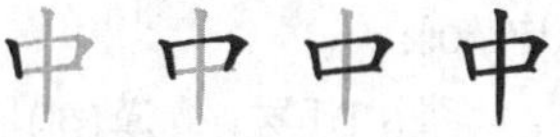

이 다섯 가지 원칙에 따른 순서를 거꾸로 해보면 어떨까? 그렇게 써보면 원칙에 어긋난 방법은 자연스럽지 못할 뿐만 아니라 매우 불편하고 시간도 많이 걸리는 것을 알게 될 것이다. 따라서 이상의 다섯 가지만 습득해 두면 필순 문제는 비교적 쉽게 해결된다. 물론, 획수가 많은 것 가운데는 일부의 예외가 있을 수도 있겠으나 그리 큰 문제가 되지 않는다. 모든 한자의 필순이 100% 확정되어 있는 것은 아니기 때문이다. 필순을 반드시 외워 둘 필요는 없다. '쉽고도 빠른' 경제성 원칙에 따라 많이 쓰다보면 저절로 익혀지게 마련이다.

필순을 지나치게 강조하는 것이 한자 공부를 짜증스럽게 만들 수 있다. 한자 나고 필순 났지, 필순 나고 한자 난 것은 결코 아니다. 흐르는 물을 따라 내려가면서 헤엄을 배우면 얼마나 쉬운가! 하필이면 처음부터 냇물을 거슬러 올라가며 헤엄을 배울 필요가 있으랴! 앞에서 말한 다섯 가지 기본 원칙만 잘 알아두는 것만으로도 충분하다.

(4) 중국식 약자 : 간화자란?

略字(약자)는 본래 한자의 획수를 간략하게 줄여 쓰는 자형을 말한다. 획수가 많아 쓰기 힘든 한자의 획수를 줄여서 쓰는 예는 예전부터 매우 많았다. 이러한 약자는 대개 俗字(속자)에서 유래한 것이다. 正字(정:자)에 대하여 속자의 획수가 적으면 그러한 속자를 일러 약자라 불렀다. 약자가 민간 차원에서 많이 쓰이다보니, 이에 대하여 문자 정책적으로 공식 지위를 부여하지 않을 수 없었다.

일본에서는 1946년 정부가 131개 약자를 공식 발표(내각 훈령)했으며, 우리나라에서는 1983년 4월 26일 정부가 아니라 ≪조선일보≫가 90개 약자를 발표한 바 있다. 중국에서는 1956년 1월 31일 약 500여 개 약자를 발표하였다(1964년과 1986년 일부 수정함). 중국은 정부가 공인한 약자를 "簡化字"(간화자-공식명칭은 簡體字가 아니라 簡化字임)라 했다. 현재 중국에서는 그 약자가 공식적으로 쓰이고 있다. 정자에 익숙한 사람은 그러한 약자를 쉽게 익힐 수 있다. 그러나 처음부터 약자를 학습한 중국 학생들이 정자 익히기가 매우 힘들다고 한다. 다음과 같은 몇 가지 간략화 유형을 알아두면 정자를 아는 학생들이 현대 중국 약자를 쉽게 익힐 수 있다. 중국식 약자(簡化字)는 중국어를 공부할 때 필수적으로 알아야 하지만, 그렇지 아니한 경우는 몰라도 된다.

- 옛 글자(古文)를 다시 채택한 예:
  從(종)「从」· 衆(중)「众」· 禮(례)「礼」· 無(무)「无」
- 초서체를 근거로 또박또박 정리한 예:
  專(전)「专」· 東(동)「东」· 樂(락)「乐」· 當(당)「当」· 買(매)「买」
- 필획을 간략하게 생략시킨 예:
  魚(어)「鱼」· 單(단)「单」· 變(변)「变」· 沖(충)「冲」· 勞(로)「劳」
- 원래 글자의 일부를 간단한 부호로 대체시킨 예:
  對(대)「对」· 區(구)「区」· 歲(세)「岁」· 羅(라)「罗」· 漢(한)「汉」
- 본래 글자의 일부분만을 취하여 쓴 예:
  習(습)「习」· 聲(성)「声」· 務(무)「务」· 條(조)「条」· 廣(광)「广」
- 음이 같은 다른 글자로 대체 시킨 예:
  幾(기)「几」· 後(후)「后」· 繫(계)「系」· 嚮(향)「向」· 穀(곡)「谷」
- 표음요소를 간단한 것으로 바꾼 예:
  遷(천)「迁」· 階(계)「阶」· 運(운)「运」· 遠(원)「远」· 猶(유)「犹」

제1부 이 론

제2장 한자어 지도 이론

1. 교과서 한자어 실태 및 중요성

한자어란, “해당되는 한자(漢字) 하나하나가 뜻을 나타내는 낱말[語]”(≪속뜻풀이 초등국어사전≫)을 말한다. 이러한 단어가 현행 초등학교 교과서에서는 한글 전용(專用) 표기 원칙에 따라 한글로만 적혀 있다. 이를테면 초등학교 5학년 과학 교재의 ‘태양계와 별’ 단원에 다음과 같은 문단이 있다. (가)는 교과서의 것을 그대로 따온 것이고, (나)는 그 가운데 한자어는 역상 모양으로 까맣게 칠한 것이다. 이로써 한자어가 얼마나 많은지를 한 눈에 알아 볼 수 있을 것이다.

(가)

> 태양의 영향이 미치는 공간과 그 공간에 있는 구성원을 통틀어 태양계라고 합니다. 태양계 구성원에는 태양과 그 주위를 돌고 있는 여덟 개의 행성, 그리고 위성, 소행성, 혜성 등이 있습니다.

(나)

> [redacted]의 [redacted]이 미치는 [redacted]과 그 [redacted]에 있는 [redacted]을 통틀어 [redacted]라고 합니다. [redacted] [redacted]에는 [redacted]과 그 [redacted]를 돌고 있는 여덟 [redacted]의 [redacted], 그리고 [redacted], [redacted], [redacted] [redacted]이 있습니다.

조사만 빼고 모두 한자어라고 해도 무방할 정도로 한자어가 많이 쓰이고 있다. 까맣게 칠한 부분을 빼놓으면 아무런 뜻도 추측할 수 없다. 그래서 한자어가 핵심어(key-word)로 쓰인 것임도 쉽게 알 수 있을 것이다.

한자어가 석류 알처럼 송송 박혀 있는 교과서 문장을 읽을 줄 몰라서가 공부를 싫어하는 학생은 거의 없다. 한글을 깨친 학생이라면 읽기에 곤란을 느끼는 일도 없다. 그러나 읽어도 뜻을 몰라 머리가 어지러운 현기증을 느끼는 학생들은 너무나 많다. 이러한 문제점을 교육 당국은 근 50년간 외면하고 방치해 왔다. 2014년에 이러한 문제점의 심각성을 인식하기 시작한 교육부가 교과서 한자어에 대한 선별적 한자 병기 방안을 강구하였고, 2년간 다각적으로 심도 있게 검토한 결과 2016년 말에 ‘초등 교과서 한자어에 대한 선별적 한자 표기 정책’을 발표하였다. 그러나 안타깝게도 이마저 2018년 초에 폐지하였다.

초등학생들이 6년 간 학습하는 교재는 총 18종이라고 한다. 이 18종 교과서에 등장되는 한자어는 모두 얼마나 될까? 이것을 조사하는 일은 간단한 일이 아니다. 방대하고 복잡한 연구를 해 낸 분은 바로 서울대학교 국어교육과 교수이자 국립국어원 원장을 역임한 바 있는 민현식 교수이다. 그의 연구(2004, 2012)에 따르면, 초등학교 교과서의 한자어에 쓰이는 총 개별 한자 수는 2,687자이며, 누적 한자 수는 422,062자라고 한다. 그리고 초등학교 1~6학년 교과서 18종에 나온 개별 한자어의 총수는 12,787개 단어라고 하는데, 이를 누적 개념으로 과목별로 집계해 보자면 다음 표와 같다.

〈표1〉 초등학교 전학년 전과목 교과서에 쓰인 한자어 현황

과목별	개별 한자어 총수	한자어 출현 누적 회수	비고
국어과	6,389	58,974	
수학과	1,676	43,539	
사회과	6,002	50,112	
과학과	2,411	21,363	
생활과	4,129	32,758	
체 육	908	5,600	
음 악	356	1,616	
미 술	590	3,177	
실 과	1,254	5,484	
영 어	216	877	
합 계	12,787	223,500	

위의 표로 보자면, 한자어가 모든 과목에 걸쳐서 골고루 많이 쓰이고 있음을 알 수 있다. 심지어 영어 과목에도 많이 등장되고 있다. 따라서 한자어의 뜻을 잘 아는 것이 모든 과목 공부를 잘하게 되는 비결임을 알게 된다. 실태가 이러함에도 한자어 교육 전략이 부재하였다는 것은 우리나라 초등교육이 그동안 얼마나 부실하였는지를 방증하는 자료이기도 하다.

초등학교 교과서에 출현하는 한자어의 누적회수가 총 223,500번이라는 것은 한 학생이 매년 37,250번, 매월 3,104번, 매일 102번이나 될 정도로 한자어를 많이 그리고 자주 접하는 셈이 된다. 한자어가 이렇게 많이 쓰이고 있다면 이에 대한 정책적 배려가 반드시 필요하다. 몇 년 전에 교과서 한자어가 학습의 관건임을 인지한 교육부가 중요 한자어를 선별하여 한자를 병기(倂記)해야겠다는 방침을 세운 바 있다. 이를테면, '항성(恒星)', '행성(行星)' 같은 중요 한자어에 대하여 한글 표기 옆에 한자를 병기해주자는 것이었다. 이것이 바로 '선별적 한자 병기' 정책이었다. 이러한 교육부 방안이 발표되자, 한자 노출이 한글 사랑에 반한다는 몰지각하고 과격한 저항에 부딪히게 됐다. 교육부는 이에 굴복하여 당초 방안을 철회하고, 대신 '한자 표기' 정책으로 선회했다.

한자 표기 정책은 한자어의 뜻을 간단명료하게 설명해 주자는 것이 골자였다. 이를테면 '북두칠성은 항성이다'의 '항성'이란 한자어를 초등학생들이 이해하기 어렵기 때문에 "항상[恒, 항상 항] 같은 곳에서 빛나는 별[星, 별 성]"이라는 보충 설명을 교과서의 옆단이나 밑단에 넣어주자는 교과서 집필 방침을 정하고, 이를 2019년부터 시행하겠다고 2016년 연말에 언론에 대대적으로 공표한 바 있습니다. 그런데 2018년 초에 교육부가 '한자 표기 정책'을 전격 철회하는 불상사가 벌어졌다. 일개 학자로서 '정책'을 세우는 것은 불가능하지만, '대책'은 세울 수 있겠다는 생각과 의무감이 솟구쳤다. 그래서 교과서에 등장하는 한자어만을 대상으로 속뜻을 자상하게 풀이해 주는 사전을 편찬하기로 작정하였고, 그 결실이 2018년 5월 5일 어린이날을 기하여 간행된 ≪교과서 한자어 속뜻사전≫이다. 이 사전은 초등학교 전 학년 전 과목 교과서에 쓰이는 한자어 16,908 개를 수록함으로써 한자어 학습의 각종 편의를 제공하고 있다. 이로써 정책 철회에 따른 국민적 피해를 어느 정도는 줄일 수 있게 됐다.

2. 한자어 교육의 필요성 및 효과

초등학교 모든 과목 교과서에 걸쳐 한자어가 수없이 많이 등장함은 앞에서 충분히 잘 고찰해 보았다. 이러한 한자어의 의미를 아는 것이 모든 과목 기초 학력과 직결되는 것임은 너무나 자명한 것이다. 따라서 이에 대해서는 더 이상 상세히 언급할 필요가 없다. 이를 토대로 다시 한 걸음 더 나아가 사고력 함양(涵養)에 초점(焦點)을 맞추어 한자어 교육의 기대효과를 서술해 보기로 한다. 사고력을 '생각의 눈', '생각의 습관', '생각의 깊이' 이상 3가지 측면으로 나누어, 한자어 교육이 사고력 향상을 위해서 필수 요건임을 하나하나 짚어보자.

(1) '생각의 눈'을 뜨게 한다.

한글 전용 표기의 글은 읽기는 쉽지만 무슨 뜻인지를 생각할 여지가 없다는 것이 큰 흠이다. 이를테면, "태양계 행성에는 수성, 금성, 지구, 화성, 목성, 토성, 천왕성, 해왕성이 있습니다."(초등학교 5학년 과학 교과서)라는 문장이 있다. 이 글은 총 11개의 단어로 이루어져 있고, 그 가운데 10개(90.9%)가 한자어이다.

이 가운데 가장 핵심어인 '행성'만을 예로 들어 설명하자면, '행성'에 쓰인 한글 자모를 아무리 훑어봐도 뜻을 아는 실마리를 찾을 수 없다. 몇 해 전에 교육부가 해당 페이지 하단이나 측면에 "항성 주변의 정해진 길을 다니는[行 , 다닐 행] 별[星, 별 성]"이라는 설명을 덧붙이는 방식으로 한자를 표기해 주자는 방안을 세웠다가 철회하였다. 만약 이런 방식으로 교과서 한자어를 설명하면 학생들로 하여금 '생각의 눈'을 뜨게 해 줄 수 있는 효과를 기대할 수 있었다.

'아! 그런 뜻이었구나!' '아! 그래서 행성이라고 하는 구나!' '저녁에는 서쪽 하늘에서 볼 수 있는 금성을 새벽에는 동쪽 하늘에서 볼 수 있기 때문에 금성을 행성이라고 하구나!' 같은 생각이 꼬리에서 꼬리에 물게 되는 효과를 기대할 수 있었다. 이렇게 '생각의 눈'을 일단 뜨고 나면, 모든 것에 호기심이 발동하고, 이유가 궁금해진다. 이런 것을 하나하나 풀어가면서 학식이 쌓이고 학습 능력, 즉 학력이 신속하게 향상될 것이다. 교육부의 한자 표기 정책이 폐지됨에 따라, 이러한 기대효과는 속뜻사전 삼형제(≪우리말 한자어 속뜻사전≫·≪속뜻풀이 초등국어사전≫·≪교과서 한자어 속뜻사전≫와 이 책이 분담할 수밖에 없게 됐다.

(2) '생각의 습관'을 기른다.

한자어는 낱낱 글자의 뜻이 그 낱말의 의미와 관련성이 매우 높다는 것이 큰 특징이다. '부모'라는 한자어의 {부}(父)는 '아버지'를, {모}(母)는 '어머니'를 뜻하며, 둘을 합치면 '아버지와 어머니'를 뜻하는 낱말이 된다. 이런 분석 능력을 한자 표기를 통하여 익힌 다음, '모교' '모국' '모성' '모유' '유모' '조모' '유모' 같은 낱말을 만날 때 '어머니'와 관련 있는 뜻임을 연상한다면 생각하는 습관을 통하여 어휘력을 향상시키는 데 큰 도움이 될 것이다.

한자어 학습은 기본적으로 영어 합성어와 동일한 특징을 지닌다. '홈런'(home run), '포볼'(four ball), '골인'(goal in), '볼펜'(ball pen), '펜팔'(pen pal) 같은 영어 외래어는 분해 조립을 하면서 생각하는 습관을 기를 수 있다. 이를테면 홈런은 {home}과 {run}, 포볼은 {four}와 {ball}로 각각 나누어 뜻을 생각해보면 재미를 느낀다. '조심'은 {操}(잡다)와 {心}(마음)으로, '방심'은 {放}(놓다)와 {心}(마음)으로 분해하고 다시 조립해 보면 재미를 느낄 수 있다.

생각은 아무리 많이 해도 지나침이 없다. 숨 쉬듯이 많이 할수록 좋은 것이 바로 '생각'이다. 생각을 습관화해야 공부로 성공할 수 있다. 한자어는 생각하는 재미를 느끼고, 수많은 한자어에 하나씩 적용시켜 가면서 반복하다보면 '생각의 습관'을 기르게 한다. 이 책의 제2부 '실제' 편에서 해당 한자별로 한자어를 많이 수록해 놓고, 사전과 달리 역순(逆順) 어휘도 나열한 것은 반복적 분석을 통해 '생각의 습관'을 기르기 위한 배려이다.

(3) '생각의 깊이'를 깊게 한다.

과학 교과서에 "태양계 행성에는 수성, 금성, 지구, 화성, 목성, 토성, 천왕성, 해왕성이 있습니다."이라는 문장이 있다. 이 가운데 '해왕성'이란 단어가 궁금하여 국어사전을 찾아본다면 어떨까? 아래에 두 사전을 예로 들어 분석해 보자.

(가) 사전

해왕성 (海王星) [해 : 왕성]
[명] 태양계 여덟 행성 가운데 태양에서 여덟 번째로 떨어져 있는 행성. 지금까지 열세 개의 위성이 발견되었으며, 165년 걸려서 태양을 한 바퀴 돈다.

(나) 사전

해 : 왕-성 海王星 | 바다 해, 임금 왕, 별 성 [Neptune]
① 【속뜻】 바다[海]의 왕(王)을 상징하는 별[星]. 영문명 'Neptune'은 로마 신화 중 '바다의 신'을 뜻한다.
② 【천문】 태양계의 안쪽으로부터 여덟 번째의 행성. 공전 주기 164.8년인데, 태양에서 평균 거리는 약 45억 km이다.

위의 두 사전의 공통점은 초등학생들을 위하여 편찬한 ≪초등국어사전≫이라는 점이다. 그런데 내용은 크게 다르다. (가) 사전은 한자가 병기되어 있지만 한자를 배우지 아니한 학생에게는 아무런 도움이 되지 않는다. 의미 풀이에 틀린 점은 없지만 그러한 뜻풀이가 해왕성이란 세 글자와 어떤 의미 연관성이 있는지 알 수가 없다. 이에 비하여, (나) 사전은, 각 한자의 훈음을 달려 있어, 한자를 배우지 아니한 학생도 각 한자의 의미 정보를 활용할 수 있다는 점, 해당 한자의 뜻을 바탕으로 속뜻을 풀이해 놓음으로써 천문학적 정의를 이해하는 징검다리 역할을 한다는 점, 특히, 영어를 예시하고 있어 영어 공부에도 도움이 된다는 점, 등등 많은 장점이 있고, '생각의 깊이'를 깊게 하는 효과가 기대된다. 따라서 이 책의 제2부 '실제' 편에 열거된 한자어 풀이는 모두 (나)사전을 근거로 하였다. 이로써 한자어 지도가 '생각의 깊이'를 선도하는 효과를 누리게 될 것이다.

2. 한자어 기초 이론

앞에서는 한자어는 무엇이며, 교과서에 얼마나 많이 쓰이고 있으며, 그것에 대한 교육이 어떤 효과를 기대할 수 있는지를 살펴보았다. 이를 통하여 전 과목 학습에 있어서 한자어가 얼마나 중요한지를 알게 되었을 것이다. 그러면 이를 토대로 다시 한 걸음 더 나아가, '한자어'를 어떻게 분석할 수 있을지 그 이론적 기초를 간단하고도 쉽게 다져 보도록 한다.

(1) 한자어의 구성 요소

한자가 실제로 우리글과 말에 활용될 때에는 의미의 최소 단위인 형태소(morpheme)로 쓰인다. 따라서 한자 형태소의 종류에 대하여 알아두면 한자어 어휘력 향상에 큰 도움이 된다. 낱낱의 한자는 다른 한자의 도움 없이, 그 자체로 낱말(word)이 되는 예가 많다. 이를테면, 山(산)·江(강)·冊(책)·亡(망)·善(선) 등 같은 자립형태소(free morpheme)는 독립적으로 낱말을 형성하고 있다. 이러한 예들은 {-이}·{-가}·{-을/를}·{-하다}·{-한} 같은 조사나 어미를 붙여서 한 가지 경우라도 말이 성립되면 자립형태소로 단정할 수 있다. 이것들을 붙여서 어느 경우에도 말이 되지 않는 것은 자립형태소가 아니라 依存형태소(bound morpheme)에 해당된다. 즉 이들은, 다른 한자의 도움을 받아야 비로소 낱말이 된다. 이를테면, 學(학)자가 자립형태소가 될 수 없음은 {學이}·{學가}·{學을}·{學하다}·{學한} 같은 예가 성립되지 않는 것을 보아서 알 수 있다. 그 뒤에 問(문)이 붙거나(學問), 그 앞에 漢(한)이 붙어야(漢學) 비로소 낱말이 된다. 따라서 學은 자립형태소가 아니라 의존형태소이다.

자립형태소는 그 자체로 낱말이 되지만, 다른 것과 더불어 쓰일 수 없는 것은 결코 아니다. 대부분의 자립형태소는 다른 형태소와의 결합이 매우 자유로운 自在형태소(versatile morpheme)이기도 하다. 山자를 예로 들어보면 다음과 같다.

山	'山河' 류 2음절 어휘의 수 :	174개	➡ 총 219개
	'江山' 류 2음절 어휘의 수 :	45개	

물론, 의존-자재 형태소인 경우도 많다. 學자를 예로 들어보자면 다음과 같다.

學	'學生' 류 2음절 어휘의 수 :	72개	➡ 총 92개
	'獨學' 류 2음절 어휘의 수 :	20개	

위의 통계는 편의상 2음절 어휘로 국한한 것이다. 3음절 이상의 예를 포함시키면 그 수는 훨씬 더 많아질 것이다. 특히 學자는 거의 모든 2음절 어휘의 뒤에 첨가될 정도로 자재력이 뛰어나다. 이렇듯, 한자에 自立-自在형태소나 依存-自在형태소가 많다는 것은 造語力(word-formative ability)이

대단히 강하다는 것을 뒷받침해준다. 바꾸어 말하면, 한자 학습이 어휘력 증강에 있어서 매우 효과적이라는 것을 대변해주는 근거가 된다.

(2) 한자어의 생성 방식

한자 어휘는 2음절 어휘가 根幹(근간)을 이룬다. 2음절 어휘만 잘 파악해두면 3음절 이상의 多音節(다음절) 어휘는 그 구조를 저절로 알 수 있다. 2음절 한자 어휘의 생성은 대체로 派生法(파생법, derivation), 合成法(합성법, compounding), 重疊法(중첩법, reduplication) 등 세 가지 방식으로 되어 있다.

語根(어근, root) 형태소에 접두사나 접미사가 첨가됨으로써 낱말을 형성한 파생어는 수적으로 그리 많지 않다. 한자어에 쓰이고 접두사로는 序數(서수)를 나타내는 第(제)나, 假(가, 假-建物)·非(비, 非-道德), 沒(몰, 沒-廉恥)같은 소수의 準접두사(quasi-prefix)가 고작일 따름이다. 한자에는 접미사 발달도 매우 미미하다. 순수 접미사로는 子(자) 밖에 없다고 해도 과언이 아니다(예, 女子·男子·卓子·孔子 등).

어근 형태소가 중첩되어 있는 것으로는 微微(미미), 少少(소소), 疏疏(소소), 間間(간간) 등이 있다. 이러한 중첩어는 수적으로 많지 않을 뿐만 아니라 그 의미를 이해하는 데 크게 어려운 점은 없기 때문에 더 이상의 설명이 필요 없다. 파생어와 중첩어는 전체 한자 어휘의 3%도 안될 정도로 그 수가 매우 제한적이다. 반면, 합성법에 의하여 형성된, 즉 어근 형태소와 어근 형태소가 결합된 합성어는 97%에 달할 정도로 가장 많은 비율을 차지하고 있다. '한자어=합성어'라고 해도 과언이 아닐 정도로 합성어는 매우 중요하다. 그리고 그 구조 유형에 따라 의미가 달라질 수 있는 등 난해한 점이 많기 때문에 이에 대해서는 조목조목 잘 따져 보아야할 필요가 있다(이하에서 특별한 언급이 없는 일반적인 '한자어'는 모두 합성어를 가리킴).

(3) 한자어의 구조 유형

한자어 가운데 2음절 어휘가 대부분이고, 이것은 3음절, 4음절 등 다음절 한자어의 근간이 된다. 2음절 한자어의 의미는 그 구조를 파악해두면 의미를 분명하게 알 수 있다. 두 어근 형태소(AB)가 조합되어 있는 방식은 한문 문장에 보이는 것과 대체로 동일하다. 그 구조 방식과 유형은 세밀하게 보면 20여종이 넘을 수 있다. 그러나 크게 보면 다음 6종으로 구분할 수 있다.

❶ 竝列(병렬) 구조 : 土地, 河川, 有無, 大小
❷ 修飾(수식) 구조 : 雨衣, 果刀, 美人, 流水
❸ 主述(주술) 구조 : 天動, 地震, 夜深, 人造
❹ 副述(부술) 구조 : 豫測, 特定, 非凡, 當爲
❺ 述補(술보) 구조 : 擊破, 說明, 餓死, 縮小

❻ 述目(술목) 구조 : 讀書, 避難, 放火, 防火

6종의 구조 유형에 대하여 하나하나 살펴보면 다음과 같다. 구조 방식을 달리하면 엉뚱한 해석을 낳을 수 있기 때문에 각별한 주의를 요한다.

❶ 竝列 구조

竝列 구조 : A와 B, A 또는 B같이 두 어근 형태소가 나란히 제시되어 있는 것으로, 두 형태소간의 의미 상관성에 따라 對等관계와 對立관계의 두 가지 유형으로 나누어진다. 대등관계는 서로 동일하거나 매우 비슷한 어근 형태소가 병렬되어 있는 것을 말하며, 대립관계는 서로 상반되는 것이 병렬되어 있는 것을 말한다.

1) 對等관계

身體 | 몸 신, 몸 체 　사람의 몸[身=體].
生活 | 살 생, 살 활 　❶속뜻 살며[生] 활동(活動)함. ❷생계나 살림을 꾸려 나감.
平和 | 평안할 평, 화목할 화 　❶속뜻 평안(平安)하고 화목(和睦)함. ❷전쟁이 없이 세상이 평온함.
人民 | 사람 인, 백성 민 　국가나 사회를 구성하고 있는 사람들[人=民].
土地 | 흙 토, 땅 지 　❶속뜻 흙[土]과 땅[地]. ❷사람의 생활과 활동에 이용하는 땅.
河川 | 물 하, 내 천 　강[河]과 시내[川].
言語 | 말씀 언, 말씀 어 　생각, 느낌 따위를 나타내거나 전달하는 데에 쓰는 말[言=語].

2) 對立관계

是非 | 옳을 시, 아닐 비 　❶속뜻 옳고[是] 그름[非]. ❷옳고 그름을 따지는 말다툼.
有無 | 있을 유, 없을 무 　있음[有]과 없음[無].
大小 | 큰 대, 작을 소 　크고[大] 작음[小].
緩急 | 느릴 완, 급할 급 　❶속뜻 느림[緩]과 빠름[急]. ❷일의 급함과 급하지 않음.
異同 | 다를 이, 한 가지 동 　❶속뜻 다른[異] 것과 같은[同] 것. ❷서로 같지 아니함.
賣買 | 팔 매, 살 매 　팔고[賣] 삼[買].
左右 | 왼쪽 좌, 오른쪽 우 　❶속뜻 왼쪽[左]과 오른쪽[右]을 아울러 이르는 말. ❷어떤 일에 영향을 주어 지배함.

❷ 修飾 구조

수식어와 중심어(피수식어)로 구성되어 있다. 명사를 수식하는 것으로는 명사, 형용사, 동사, 수사 등 네 가지가 있는데, 각 종류별로 예를 들면 다음과 같다. 수식어와 중심어(피수식어)로 구성되어 있다. 명사를 수식하는 것으로는 명사, 형용사, 동사, 수사 등 네 가지가 있는데, 각 종류별로 예를 들면 다음과 같다.

1) 명사+명사

鐵路 | 쇠 철, 길 로 　쇠[鐵]로 만든 길[路].
電燈 | 전기 전, 등불 등 　전기(電氣)의 힘으로 밝은 빛을 내는 등(燈).
雨衣 | 비 우, 옷 의 　비[雨]가 올 때 입는 옷[衣]. ㊐우비(雨備).
果刀 | 열매 과, 칼 도 　과일[果]을 깎을 때 쓰는 작은 칼[刀].

2) 형용사+명사

美人 | 아름다울 미, 사람 인 　얼굴이 아름다운[美] 사람[人]. ㊊추녀(醜女).
尊顔 | 높을 존, 얼굴 안 　남의 얼굴[顔]을 높여[尊] 이르는 말.
朱門 | 붉을 주, 문 문 　붉은[朱] 문(門). 지위가 높은 벼슬아치의 집을 이르던 말.

3) 동사+명사

流水 | 흐를 류, 물 수 　흐르는[流] 물[水].
學生 | 배울 학, 사람 생 　❶속뜻 배우는[學] 사람[生]. ❷학교에 다니면서 공부하는 사람.

4) 수사+명사

四海 | 넉 사, 바다 해 　❶속뜻 사방(四方)의 바다[海]. ❷온 천하.
三綱 | 석 삼, 벼리 강 　유교 도덕의 기본이 되는 세[三] 가지 기본 강령(綱領). 곧 임금과 신하(君臣), 아버지와 자식(父子), 남편과 아내(夫婦) 사이에 지켜야 할 도리.

❸ 主述 구조

'A가 B하다.' 같이 두 어근 형태소가 각각 주어와 술어로 쓰인 방식을 취한다. 앞의 형태소가 주어가 되고 뒤의 형태소가 술어가 되는 형식을 취하며, 그 반대의 예는 없기 때문에 어순 혼동 가능성은 거의 없다.

天動 | 하늘 천, 움직일 동 　❶속뜻 하늘[天]이 움직임[動]. ❷하늘이 움직일 만큼 큰 소리나 울림.
地震 | 땅 지, 떨 진 　지리 땅[地]의 떨림[震]. 오랫동안 누적된 변형 에너지가 갑자기 방출되면서 일어난다.
家貧 | 집 가, 가난할 빈 　집안[家]이 가난함[貧].
日沒 | 해 일, 빠질 몰 　지평선이나 수평선 아래로 해[日]가 빠짐[沒]. ㊊일출(日出).

國立 | 나라 국, 설 립　　❶[속뜻] 나라[國]에서 세움[立]. ❷국가(國家)의 돈으로 설립(設立)하여 운영함. [비]공립(公立). [반]사립(私立).
夜深 | 밤 야, 깊을 심　　밤[夜]이 깊음[深].
人造 | 사람 인, 만들 조　　사람[人]이 만듦[造]. [비]인공(人工).

❹ 副述 구조

A가 부사어에 상당하고, B가 술어(동사, 형용사)에 상당하는 방식으로 짜여 있다. 조동사 + 동사와 부정부사 + 명사의 구조를 취한 것도 편의상 이에 포함시켰다. 별도의 구조 유형으로 분류해야 마땅하지만, 그러한 경우 대분류가 너무 많아져 이해에 장애가 될 수 있음을 감안한 부득이한 조치이다.

1) 부사+동사

豫測 | 미리 예, 헤아릴 측　　미리[豫] 헤아려 짐작함[測]. [비]예상(豫想).
特定 | 특별할 특, 정할 정　　특별(特別)히 정(定)함.
頻發 | 자주 빈, 일어날 발　　사건 따위가 자주[頻] 일어남[發].
周遊 | 두루 주, 놀 유　　여러 곳을 두루[周] 다니며 유람(遊覽)함. [비]주행(周行).
將來 | 장차 장, 올 래　　❶[속뜻] 장차(將次) 닥쳐 올[來] 날. ❷앞날의 전망이나 전도.

2) 조동사+동사

當爲 | 마땅할 당, 할 위　　마땅히[當] 해야 할[爲] 일이라고 요구되는 것.
可憐 | 가히 가, 가엾을 련　　가(可)히 가엽게[憐] 여길 만하다.
肯定 | 기꺼이 긍, 정할 정　　어떤 사실이나 생각 따위를 기꺼이[肯] 인정(認定)함. [반]부정(否定).

3) 명사+동사

毒殺 | 독할 독, 죽일 살　　독약이나 독침과 같은 독(毒)으로 사람을 죽임[殺].

4) 부사+형용사

最少 | 가장 최, 적을 소　　가장[最] 적음[少]. [반]최다(最多).
至急 | 지극할 지, 급할 급　　매우[至] 급(急)함. [비]절급(切急).

5) 부정부사+형용사

不安 | 아닐 불, 편안할 안　　편안(便安)하지 않음[不]. [반]평온(平穩), 평안(平安), 안녕(安寧).

莫大 | 없을 막, 큰 대　더할 수 없이[莫] 크다[大].
非凡 | 아닐 비, 평범할 범　평범(平凡)하지 않음[非]. 특히 뛰어남. [반]평범(平凡)하다.

6) 부정부사+명사

非禮 | 아닐 비, 예도 례　예의(禮儀)에 어긋남[非]. 또는 그런 일.
不孝 | 아닐 불, 효도 효　❶[속뜻]효도(孝道)를 하지 아니함[不]. ❷효성스럽지 못함. [반]효도(孝道).
非道 | 아닐 비, 길 도　도리(道理)가 아님[非]. 도리에 어긋남.

❺ 述補 구조 (술어 + 보어)

1) 결과 보어

① 동사+형용사

保全 | 지킬 보, 온전할 전　온전하게[全] 잘 지킴[保].
縮小 | 줄일 축, 작을 소　줄여서[縮] 작게[小] 함. [반]확대(擴大).
矯正 | 바로잡을 교, 바를 정　❶[속뜻]틀어지거나 삐뚤어진 것을 바르게[正] 바로잡음[矯]. ❷[법률]교도소나 소년원 따위에서 재소자의 잘못된 품성이나 행동을 바로잡음.
說明 | 말씀 설, 밝을 명　해설(解說)하여 분명(分明)하게 함.

② 동사+동사

餓死 | 굶주릴 아, 죽을 사　굶어[餓] 죽음[死].
擊破 | 칠 격, 깨뜨릴 파　주먹 따위로 쳐서[擊] 부숨[破].
震動 | 떨 진, 움직일 동　❶[속뜻]떨리어[震] 움직임[動]. ❷물체가 몹시 울리어 흔들림. ¶집이 심하게 진동하였다.

2) 정도 보어

激甚 | 거셀 격, 심할 심　거셀[激] 정도로 매우 심함[甚].
爽快 | 시원할 상, 기쁠 쾌　느낌이 산뜻하고[快] 마음이 기쁨[爽].

❻ 述目 구조

1) 지배 관계 : 'B를 A하다'의 형태.

讀書 | 읽을 독, 글 서　글[書]을 읽음[讀].

避難 | 피할 피, 어려울 난　재난(災難)을 피(避)함. 재난을 피하여 있는 곳을 옮김.
殺人 | 죽일 살, 사람 인　사람[人]을 죽임[殺]. 남을 죽임.
放火 | 놓을 방, 불 화　일부러 불[火]을 놓음[放].
防火 | 막을 방, 불 화　화재(火災)를 미리 막음[防].

2) 존현 관계 : (술어+목적어 = 술어 + 의미상의 주어)

① 존재 · 출현 · 소실

有力 | 있을 유, 힘 력　❶속뜻 힘[力]이나 세력이 있음[有]. ❷희망이나 전망이 있음.
有名 | 있을 유, 이름 명　이름[名]이 세상에 널리 알려져 있음[有]. ⓑ무명(無名).
無實 | 없을 무, 열매 실　❶속뜻 열매[實]가 달리지 않음[無]. ❷실속이 없음. ⓑ몰실(沒實).

② 자연 현상 등

立春 | 설 립, 봄 춘　봄[春]이 시작된다[立]고 하는 절기. 2월 4일경.
開花 | 열 개, 꽃 화　❶속뜻 꽃[花]을 피움[開]. ❷'문화의 발달'을 비유하여 이르는 말. ⓑ낙화(落花).
斷絃 | 끊을 단, 줄 현　❶속뜻 현악기의 줄[絃]이 끊어짐[斷]. ❷'배우자의 죽음'을 비유하여 이르는 말. ⓑ속현(續絃).

❼ 다음절 한자어

2 음절 이상의 多(다)음절 한자어를 처음 접하였을 때, 그것이 어떤 구조로 짜여 있는지, 그 語境(어경, word boundary)을 파악해 두면 의미를 파악하기 쉬울 뿐만 아니라 기억을 쉽게 할 수 있는 지름길이 된다.

1) 3음절 어휘

- 1+2 구조 : 大-辭典(대-사전), 過-保護(과-보호), 不-作爲(부-작위), 不-調和(부-조화), 非-課稅(비-과세), 諸-問題(제-문제), 微-生物(미-생물), 單-細胞(단-세포).
- 2+1 구조 : 偏執-症(편집-증), 傳染-病(전염-병), 不凍-港(부동-항), 僞證-罪(위증-죄), 亡命-客(망명-객), 懷古-談(회고-담), 家計-簿(가계-부), 症候-群(증후-군).

2) 4음절 어휘

- 2+2 구조 : 傳記-文學(전기-문학), 傷痍-軍警(상이-군경), 懷中-時計(회중-시계),

亡命-政府(망명-정부), 退學-處理(퇴학-처리), 關係-改善(관계-개선).

- 1+2+1 구조 : 南-回歸-線(남-회귀-선), 不-道德-性(부-도덕-성), 非-合理-的(비-합리-적), 北-太平-羊(북-태평-양).
- 2+1+1 구조 : 携帶-用-品(휴대-용-품), 成績-表-綴(성적-표-철), 精神-病-質(정신-병-질).

3) 5음절 어휘

- 2+2+1 구조 : 愛情-缺乏-症(애정-결핍-증), 書籍-都賣-商(서적-도매-상), 韓國-文學-史(한국-문학-사), 國際-裁判-所(국제-재판-소).
- 1+2+2 구조 : 不-定期-航路(부-정기-항로), 光-合成-裝置(광-합성-장치).

4. 한자어 교육 방법론

한자어에 대한 교육 방법은 기본적으로 세 가지가 있다. (1)문맥 접근법, (2)정의 학습법, (3)형태 분석법이 그것이다. 결론을 먼저 말하자면, 문맥 접근법은 너무 과신(過信), 과용(過用)해서 문제이고, 정의 학습법은 무시(無視)해서 문제이며, 형태 분석법은 무지(無知)해서 문제였다. 이 세 가지 방식을 삼위일체(三位一體)식으로 제때 잘 활용해야 일반 어휘는 물론 한자 어휘를 제대로 학습함으로써 기초 학력을 튼튼하게 쌓을 수 있을 것이다.

(1) 문맥 접근법

'문맥 접근법'(contextual approaches)은, '문맥 단서 활용법', '맥락 분석법', '맥락을 활용한 지도 방법' 등으로 불리기도 한다. 명칭은 다르지만 내용은 동일하다. 책을 읽다가 모르는 단어를 만났을 때 글 속의 문맥 가운데 있는 실마리를 참고하여 해당 단어의 의미를 추측해 보는 것을 말한다.

예를 들어, "깊은 샘에서 펌프로 물을 퍼 올리려면 한 바가지쯤의 마중물이 필요한 것이다."의 '마중물', "면도를 하다가 안면에 상처가 났다."의 '안면'은 문맥에 의하여 그 의미가 추측 가능하니 그런 단서를 활용하면 된다는 것이다. 이 경우 단서나 실마리가 되는 것으로는 "정의, 중심 개념과 상술, 대조, 관련 구나 절, 비유적 표현, 동의어와 반의어, 유의어, 접속어, 묘사, 어조나 분위기, 원인과 결과 등의 정보"(김봉순 2014, 207)가 있을 수 있으니 그것을 최대한 활용하면 된다는 것이다. 학생들이 읽게 되는 문장 속에 그러한 정보가 확실하게 제시 되어 있으면 더없이 좋겠지만, 그렇지 못한 경우에는 문제가 있을 수 있다. 설사 있다 하더라도 해당 단어의 의미를 정확하게 추측해 낼 수 있을지도 문제가 될 수 있다.

미국의 어휘학자(Nation)의 실험에 따르면 문맥에서 새로운 단어의 의미를 유추하기 위해서는 주어진 지문의 98퍼센트, 최소 95퍼센트의 단어를 이미 알고 있어야 가능하다는 결론을 도출한 바 있다. 즉, 한 개의 영어 문장이 보통 10개 단어를 구성되기 때문에 5개 문장(50개의 단어)당 새로운 어휘가 하나 정도만 있을 때 문장 또는 문단의 앞뒤 문맥에서 새로운 단어의 의미를 사전 도움 없이도 유추가 가능하다고 한다(신동광 2014, 573).

책을 읽을 때 항상 국어사전이 옆에 있을 수는 없다. 그럴 경우 문맥 접근법을 활용하지 않을 수 없다. 그러나 문맥 접근법은 어디까지나 임시방편일 수밖에 없음에도 이것을 너무 과신(過信)하고 과용(過用)한 것이 우리나라 초등 교육의 큰 병폐이다. 문맥 분석법은 매우 조건적이며, 대부분의 경우 사전 활용법으로의 보완이 필요하다. 특히 기초 학력이 튼튼하지 않는 초등학생의 경우는 사전 활용을 통한 보완이 필수적이다.

(2) 사전 활용법

학생들이 교과서를 보며 공부를 할 때 모르는 단어를 만나면 국어사전을 찾아서 그 뜻을 알아보는 자기 주도 어휘 학습 방법을 김봉순(2014, 206-207)은 '사전 활용법'이라 하였고, 이경화(2014, 347)는 '사전 찾기를 활용한 지도 방법'이라 풀어서 말하였다. 서혁(2014, 110)은 '정의법'이라 약칭한 것은 대부분 국어사전의 단어 의미 풀이가 정의(定意, definition) 중심으로 되어 있기에 그렇게 명명한 것 같다.

사전 활용법에 대하여, 김봉순(2014, 206)은 "새 단어를 학습할 수 있는 단서가 없거나 형태소 분석 등의 기존 지식을 활용할 수 없을 때에도 활용할 수 있으므로 가장 기본적이고도 필수적인 어휘 학습 전략으로 학습되어야 한다."고 하였다. 서혁(2014, 107)은 "전통적인 어휘 교수법 중에서 가장 널리 이용되어 온 '정의법(단어의 사전적 개념을 알고 기억하도록 하는 방법)'은 매우 기본적이고 직접적이며 필요불가결한 방법이다."라 평가하였다.

미국에서는 사전 활용법이 매우 중요하게 다루어지고 있다. '읽을 줄 알기 위한 학습'(Learning to read) 단계에서 '학습을 위한 읽기'(Reading to learn) 단계로 전환되는 초등학교 3학년 때 사전 활용 학습법을 집중적으로 가르치고 있으며, 전국 초등학교 3학생(약 4백만명)을 대상으로 사전을 무상으로 제공하는 국민운동이 전국적으로 펼쳐지고 있다고 한다(참고, www.dictionaryproject.org). 일본이나 중국에서도 사전 활용 학습이 전국적으로 대대적으로 펼쳐지고 있다고 한다.

우리나라에서도 초등학교 3학년과 4학년 때 국어과목에서 한 단원으로 채택되어 사전 활용 학습 열풍이 점차 살아나고 있다. "(1)국어사전 활용교육이 우리나라를 강대하게 한다. (2)국어사전 활용교육은 개천에서 용이 나게 한다. (3)국어사전 활용교육이 우리나라 학교교육을 살릴 수 있다." 이상 세 가지 목표를 가지고 우리나라 교육발전의 견인차(牽引車)가 될 전망이다(참고, ≪국어사전 활용교육≫ 8-20). 교과 교육, 영어 교육, 한자 교육, 창의 교육에 있어서 사전 활용 교육은 필수적이고 기본적이기 때문에 앞으로 우리나라 초등학생들에 대한 어문 교육의 성패가 이에 달려 있다고 해도 과언(過言)이 아니다.

그러나 “사전을 활용한 어휘 학습 전략은 문맥 단서 활용법 등에 비해 학생들이 그리 선호하지 않는 것으로 나타났다”(김봉순 2014, 206)는 지적이 있을 정도로 널리 쓰이지 못한 것은 사전의 정의식 풀이가 너무 어렵기 때문이다. 사전 활용법이 널리 활용되기 위해서는 사전의 일대 혁신이 필요하다. 이 점에 관해서는 ‘형태 분석법’에서 더욱 상세히 설명하기로 하겠다.

(3) 형태 분석법

형태소 분석법을 줄여서 ‘형태 분석법’이라고 한다. 이에 대해 서혁(2014, 111-112)은 “형태 분석법은 단어 형성법을 참조하여 접두사, 접미사, 어근, 어간, 파생과 합성 등의 개념을 이해하고 언어의 형성과 변화 등 생산적인 어휘 학습을 위한 것이다.”라고 하였으며, 김봉순(2014, 208)은 “형태소 분석법은 새 단어의 형태소를 어근, 접사, 어원, 한자어를 분석하는 것 등을 통해 그 의미를 추론하는 방법이다.”라고 설명하고 있다.

그런데 이런 형태 분석법에 초등 교육에서는 거의 활용되지 않는다. 이경화(2014, 347)는 초등학교에서 흔히 활용할 수 있는 일반적인 어휘 지도 방법에 대하여 1) 사전 찾기를 활용한 지도 방법, 2) 맥락을 활용한 지도 방법, 3) 의미 자질을 활용한 지도 방법, 4) 말놀이를 활용한 지도 방법, 이상 네 가지를 꼽으면서 ‘형태 분석법’은 빼 놓았다. 형태소 분석법을 “바탕으로 더욱 정확하고 효과적이며 창의적인 언어생활을 영위하는 데 한 발 더 나아가게” 될 만큼 효과적인 것이라면(서혁 2014, 112) 초등 교육에서도 형태 분석법을 교과 지도에 반드시 도입되어야 할 것이다.

형태 분석법은 합성어라는 특성을 지닌 한자어 학습에 적용하면 매우 효과적이다. ‘항성’이라는 한자어를 예시하여 설명해 보기로 한다. 먼저 국가(국립국어원)에서 편찬한 사전을 인용해 보면 다음과 같다.

≪표준국어대사전≫

항성(恒星) : [천문] 천구 위에서 서로의 상대 위치를 바꾸지 않고 별자리를 구성하는 별.

이 사전은 천문학적 정의만 제시하고 있기에, 초등학생들이 보고 이해하기란 매우 어렵다. 따라서 대표적인 초등국어사전(2종)에서는 ‘항성’이란 단어를 어떻게 설명하고 있는지 살펴보기로 하자.

≪초등국어사전≫(A)

항성(恒星) : [명] 스스로 빛을 내며, 일정한 자리에 있는 별. [반]행성.

앞의 사전에서 본 천문학적 정의를 ‘스스로 빛을 내며, 일정한 자리에 있는 별’이라고 조금은 쉽게 풀이하고 있지만, ‘항성’이란 두 글자(형태소)가 정의와 어떤 연관이 있는지, 즉 을 왜 ‘항성’이라고

하는지 그 이유를 알기 어렵다. 그리고 '恒星'이란 한자가 제시되어 있지만, 한자를 배우지 않아 그 뜻을 모르는 학생에게는 아무런 도움이 되지 않는다. 즉, 형태 분석법을 의미 풀이에 전혀 활용하지 않고 있어 여전히 '정의 분석법'에만 의존하고 있는 전통적인 폐단을 답습하고 있다.

≪초등국어사전≫(B)

항성 恒星 | 늘 항, 별 성 [permanent star] ①[속뜻]항상(恒常) 그 자리에 있는 별[星]. ②[천문]천구 위에서 서로의 상대 위치를 바꾸지 않고 별자리를 구성하는 별. 북극성, 북두칠성, 삼태성, 견우성, 직녀성 따위. [반]행성(行星).

(B)사전은 항성의 {항}이란 글자(형태소)는 '늘', '항상'이란 뜻이고, {성}이란 글자(형태소)는 '별'을 가리킨다는 형태 분석을 쉽게 할 수 있고, 한자를 배우지 않았어도 그것을 알 수 있는 정보가 제공되어 있다. 이러한 사전이 나옴으로써 교과서 한자어 학습에 형태 분석법을 활용할 수 있는 기반이 다져졌다. 이 사전이 출현되기 이전에는 '정의 학습법 = 사전 활용법'이란 등식이 성립되었는데, 형태 분석법이 도입된 사전이 있게 됨에 따라 '사전 활용법 = 정의 학습법 + 형태소 학습법'이란 공식으로 바뀌는 일대 혁신이 일어나게 됐다. 한자어 학습과 한자 학습을 동시에 할 수 있는 새로운 기반이 구축된 셈이다. 한글 전용 표기 교과서는 '형태 분석법'을 원천적으로 봉쇄한 문제점이 있다. 그래서 학생들이 책을 읽어도 뜻을 모르고, 어휘력이 날로 떨어져 기초학력 부족이 갈수록 심각해지고 있다. 이러한 폐단은 형태소 분석법을 활용한 국어사전이 나옴에 따라 극복 가능하게 됐다.

형태 법석법을 최초로 활용한 사전은 초등국어사전이 아니라 2007년 10월 3일 출간된 《우리말 한자어 속뜻사전》 이다. 이 사전 말미에 소개 되어 있는 도표가 있어 이를 인용해 본다.

		정의 학습법 LBD Learning by Definition	속뜻 학습법 LBH Learning by Hint
설명방식	내용	X는 Y이다.	① X는 Y이다. ② Y를 왜 X라 했을까? ③ Y에 대한 X의 힌트는?
	결과	학생이 X와 Y의 관계를 확실하게 이해하지 못함.	학생이 X와 Y의 쌍방 관계를 확실하게 이해하게 됨.
설명 특성		단순 주입식 설명	각각의 형태소에 담긴 힌트를 발굴하여 설명.
학습 과정		무작정 암기	용어에 담긴 힌트 학습을 통한 ① 이해 → ② 사고 → ③ 기억
교육자의 필요자질		Y에 대한 학술적 지식	① Y에 대한 학술적 지식 ② X에 대한 의미정보(한자) 지식
장 점		설명에 따른 시간이 절약됨.	학습자의 이해력·사고력·기억력 증진
단 점		학습자의 이해 부족 (소화 불량)	교육자의 부담이 증가 (한자 지식 추가 소요)
예 시		조도 : 단위 면적이 단위 시간에 받는 빛의 양	① 照(비출 조), 度(정도 도) ② 〈속뜻〉 밝게 비치는[照] 정도[度] ③ 단위 면적이 단위 시간에 받는 빛의 양

여기에서 '속뜻 학습법'이라 함은 곧 '형태 분석법을 통한 학습법'이라 할 수 있다. 이 학습법의 기대 효과를 '삼력(三力) 효과'라 하여 다음과 같이 설명하고 있다.

첫째, **이해력 증진** : 'X는 Y이다'는 명제에 대한 암기를 강요하는 학습이 아니라, 정의(Y)와 낱말(X)의 상관관계를 명확하게 이해할 수 있도록 설명해 줌으로써 학습자의 이해력이 증진되는 효과가 기대된다.

둘째, **사고력 함양** : 한자어(용어 X)에는 정의(Y)에 대한 의미 암시라는 힌트가 담겨 있는 바, 그것을 추정해 내는 과정을 통하여 학습자의 사고력을 함양시킬 수 있는 장점이 기대된다.

셋째, **기억력 배가** : 'X는 Y이다'는 명제를 무작정 억지로 암기해야하는 기존의 교수법에서는 지능이 계발될 수 없고, 기억력 향상을 기약할 수 없다. 반면, 정의(Y)와 낱말(X)의 관계에 대한 이해, 그리고 정의(Y)를 암시하는 낱말(X)의 힌트에 대한 사고와 추리가 선행되면 기억력이 배로 증가되는 배가 효과를 얻을 수 있을 것이다.

한자어 학습을 통한 삼력 효과가 우리나라 초등학생들의 기초 학력을 튼튼하게 할 수 있다. 한자어 학습은 선택 사항이 아니라 필수 요건이다. 한자어는 수박 같아서 속을 봐야 알 수 있다. 속뜻학습은 지름길이자 받침돌이다.

제1부 '이론' 편 【참고문헌】

강신항 2005 〈한글專用政策과 漢字語〉, ≪漢字教育과 漢字政策에 대한 研究≫(29-70). 도서출판 역락.
구본관 2014 〈한국어 어휘 교육론〉, ≪한국어 교육의 이론과 실제2≫(아카넷), 365-410.
구본관외 2014 ≪어휘교육론≫, 사회평론아카데미.
김광해 1993 ≪국어 어휘론 개설≫, 집문당
김광해 1997 〈어휘력과 어휘 평가〉, ≪선청어문≫ 25, 서울대학교 국어교육과, 1-29
김봉순 2014 〈독서 교육과 어휘 교육〉, ≪어휘교육론≫(사회평론아카데미). 189-232.
김승호외 2015 ≪국어사전 활용교육≫, LBH교육출판사
노명희 2005 ≪현대 국어 한자어 연구≫, 국어학회.
민현식 2012 〈초등학교 교과서 한자어 및 한자 분석 연구〉, ≪한자어휘교육론≫보고사, 138-179.
서 혁 2014 〈어휘 교육의 방법〉, ≪어휘교육론≫(사회평론아카데미). 100-130.
손영애 1992a 〈국어 어휘 지도 방법의 비교 연구: 한자 이용 여부를 중심으로〉 서울대학교 박사학위 논문
송영빈 2011 〈일본에서의 한자 교육-초등학교를 중심으로〉, ≪국어교육학연구≫ 40, 국어교육학회, 275-294
송영빈 2014 〈일본의 어휘 교육〉, ≪어휘교육론≫(사회평론아카데미). 485-505.
신기상 2005 ≪현대 국어 한자어≫, 북스힐.
신동광 2014 〈영어 교육에서의 어휘 교육〉, ≪어휘교육론≫(사회평론아카데미). 541-581.
신명선 2004a 〈어휘교육 목표로서의 어휘 능력에 대한 연구〉, ≪국어교육≫113, 한국어교육학회, 263-296
신명선 2004b 〈국어 사고 도구어 교육 연구〉, 서울대학교 박사학위 논문.
심재기 1987 〈한자어의 구조와 그 조어력〉, ≪국어생활≫(제8호) 25~39.
심재기 외 2011 ≪국어 어휘론 개설≫, (출)지식과 교양.
안경화 2014 〈언어교수 이론〉, ≪한국어 교육의 이론과 실제2≫(아카넷), 89-132.
이강로 1987 〈한자어의 기원적 계보〉, ≪국어생활≫(제8호) 15~24.
이경우 1998 ≪한국한자어에 관한 연구:어휘론의 기능을 중심으로≫, 삼영사.
이경화 2014 〈초등학교에서의 어휘 교육〉, ≪어휘교육론≫(사회평론아카데미). 329-352.
이기문 2005 〈漢字와 한글〉, ≪漢字教育과 漢字政策에 대한 研究≫(11-28). 도서출판 역락.
이동재 2013 ≪한자 어휘 교육론≫, 보고사.
이문규 2003 〈국어교육의 이념과 어휘교육의 방향〉 ≪배달말≫32. 배달말학회, 383-402.
이성은 등 2002 ≪초·중등 교실을 위한 새 교수법≫, 교육과학사.
이정모 등 2005 ≪인지심리학≫, 학지사.
이충우 2006 ≪좋은 국어 어휘 교육 어떻게 할 것인가≫, 교학사.
이현림 등 2005 ≪새롭게 보는 교육 심리학≫, 교육과학사.
전광진 2001a 〈교과서의 '표현·표기' 무엇이 문제인가?〉, ≪교과서연구≫(교과서연구재단) 제37권, 70-73.
전광진 2001b 〈한자의 성질에 관한 제 학설 탐구〉, ≪중국언어연구≫(한국중국언어학회) 제13집, 257-277.

전광진 2002 〈한자의 특질에 관한 제 학설 탐구〉, ≪중어중문학≫(한국중어중문학회) 제31집, 13-33.
전광진 2006 「한자의 특질을 통한 LBH 교수학습법 개발」, ≪중국문학연구≫ 제32집, pp.419-443. 2006. 6. 30.
전광진 2009 「한어와 한자의 관계에 관한 제 학설 탐구」, ≪중국언어연구≫ 제30집. pp.291-311.
전광진 2013 〈暗示性 理論으로 본 會意字〉, ≪중국언어연구≫ 제48집. pp29-54. 2013. 10. 31.
전광진 2013 〈초기한자에 보이는 그림문자의 특성과 그 변용〉, ≪중어중문학≫ 제56집. pp.525-567.
전광진 2015 〈한자병기에 관한 3종 이론 기초〉, ≪인문과학≫ 제59집. pp.317-353.
전광진 2016 〈한글전용 위헌소원 변론질문 검토소견〉, ≪한자한문교육≫ 제41집. pp.119-166.
전은주 2014 〈중학교에서의 어휘 교육〉, ≪어휘교육론≫(사회평론아카데미). 353-3384.
정진우 2001 ≪言語習得의 理論과 實相≫, 한국문화사.
조명한 2003 ≪언어심리학≫, 학지사.
주영희 1984 ≪유아를 위한 언어교육≫, 교문사.
하길종 2001 ≪언어 습득과 발달≫, 국학자료원.
홍종선 2011 ≪국어사전학 개론≫, (출)제이앤씨.
高更生 1999 ≪漢字研究≫, 山東教育出版社, 濟南.
裘錫圭 1985 〈漢字的性質〉, ≪中國語文≫ 1, 35-41.
北京大學 1989 ≪漢語方音字匯≫(第二版), 文字改革出版社, 北京.
蘇培成 1994 ≪現代漢字學綱要≫, 北京大學出版社.北京.
蘇新春 1994 〈漢字性質之爭背後的語言因素〉, ≪漢字語言功能論≫ 79-99.
楊潤陸등 1988 ≪文字學概要≫, 北京師範大學出版社, 北京.
張玉金·夏中華 2000 ≪漢字學概論≫, 廣西教育出版社.
鄭廷植 1997 ≪漢字學通論≫, 福建人民出版社, 福州.
周法高 1974 ≪漢字古今音彙≫, 中文大學出版社, 香港.
周有光 1987 〈文字類型學初探〉, ≪民族語文≫ 6, 5-19.
周有光 1998 ≪比較文字學初探≫, 語文出版社(北京).
許錟輝 1999 ≪文字學簡編≫, 萬卷樓圖書公司, 臺北.
胡雙寶 1998 ≪漢語·漢字·漢文化≫, 北京大學出版社, 北京.
胡雙寶 1988 〈關於漢字的性質和特點〉, ≪漢字問題學術討論會論文集≫ 14-119.
Berko, J. 1958. The Child's learning of English morphology. Word. 14.
Nation. I.S.P. 2001. How Good is Your Vocabulary Program? ESL Magazine(May/June) 22-24.
Nation. I.S.P. 2003. Effective Ways of Building Vocabulary Knowledge. ESL Magazine(July/August) 14-15.

제2부 실 제 (한자 및 한자어 지도)

【일러두기】

1. 목 적

(1) 선생님의 역량과 품격을 올려 주도록 한다.

모든 과목 교과서의 문장은 한글전용 표기 원칙에 따라 한자가 하나도 없다. 그러나 한자어는 무수히 많다. 학생들의 한자어 이해력과 활용 능력을 기르기 위하여 먼저 선생님들이 먼저 한자에 대한 해박한 지식이 있어야 한다. 따라서 초등 교사의 교과교육에 필요한 한자 및 한자어 지식을 함양하는 데 이바지하고자 한다. 독서(讀書) 지도는 한글만 알아도 되지만, 독해(讀解) 지도는 한자도 알아야 된다. 선생님의 역량은 한자 지식 활용 능력에 달려 있다. 이러한 수요에 부응할 수 있도록 만반의 준비를 갖추어 놓았다.

(2) 누구나 한자 선생님이 될 수 있도록 한다.

한자 급수 시험 대비용 서적은 무수히 많이 출간되었다. 그러나 한자 지도사(指導師)를 위한 책은 거의 없다. 한자 학습을 지도하는 훌륭한 지도서(指導書)가 될 수 있도록 이단사설(異端邪說)이나 억측파자(臆測破字) 같은 풀이는 배제하고 정통 학설에 입각하여 자형(字形)과 자의(字義)에 대한 풀이를 함에 있어서 학술성과 정확성을 기하였다. 따라서 학부모가 자녀를 직접 지도하는 경우에도 널리 활용될 수 있을 것이다. 바꾸어 말하자면, 이 책만 잘 활용하면 누구나 한자 선생님이 될 수 있도록 본문 내용과 각종 부록을 알차게 실어 놓았다. 학부모가 한자에 도통하면 학생이 덕을 본다. '왕대밭에 왕대 난다'는 속담을 이로써 실감하게 될 것이다.

(3) 한자 급수 대비를 한 권으로 끝낼 수 있도록 한다.

일반 지성인의 경우 한자 급수는 2급을 취득하는 것으로 충분하다. 대기업 취직에 있어서 그 이상의 급수에 대하여 특혜를 주는 예는 없다고 한다. 그런데 2급까지 한자 급수책이 기본서 12권, 수험서 12권으로 분권되어 있는 실정이다. 이 책은 8급에서 2급까지를 한 권으로 대비할 수 있도록 되어 있다.

2. 주요 내용 및 특징

(1) 한 권으로 총 2,355자의 한자를 익힌다.

≪선생님 한자책≫에 수록할 표제 한자의 수를 얼마로 할 것인가를 두고 많은 검토를 거쳤다. '한문 교육용 기초한자' 1,800자는 '한문 교육용'이기 때문에 어휘용이 아니라 문장용 한자가 많아서 어휘력과 무관한 글자가 많이 포함되어 있는 문제, 그리고 양적으로 다소 적은 편이기 때문에 고려 대상에서 제외되었다. 한국어문교육연구회에서 정한 2급까지의 한자를 대상으로 한 것은 양적 적정성과 실용성을 고려한 것이다. 참고로, 우리나라와 어문 환경이 비슷한 일본은 초등학교 때 총 1,006자를, 중학교 때 총 2,136자를 익히도록 법으로 규정하고 있다(송영빈 〈일본에서의 한자 교육〉). 이 책에 수록한 한자 2,355자는 일본의 2,136자에 비하여 219자가 많은 셈이니 충분하고도 남음이 있다.

(2) 한자 공부와 한자 급수 대비를 연계시킨다.

한자 2,355자를 자전 방식에 따르지 않고, 먼저 급수별로 나눈 다음에 부수의 획순으로 배열한 것은 한자 학습의 실용성과 효율성을 고려한 것이다. 한자 급수시험과 연계함으로써 한자 교학(教學)의 일석이조(一石二鳥) 효과를 겨냥하였다. 아울러 각종 색인을 부록에 실어 놓음으로써 한자 자전 기능도 완벽하게 수행할 수 있도록 하였다.

(3) 한자 지도가 학업 능력 향상으로 이어진다.

기존의 한자책들은 대부분 자원(字源), 부수(部首), 필순(筆順) 같은 자형(字形)을 중심으로 하였기 때문에 한자를 위한 한자 공부였지, 학업 능력을 위한 한자 공부와는 다소 거리가 멀었다. 이를 대폭 개선하여 '의미 연관성'(Morphological Motivation)이나 '속뜻 훈음' 같은 자의(字義) 중심의 풀이를 체계화함으로써 한자지식(HQ)이 한자어 어휘력을 높여 주고, 나아가 학업 능력을 향상시키는 데 이바지할 수 있도록 하였다.

(4) 전순 어휘와 역순 어휘를 동시에 열거한다.

국어사전이나 한자 자전에 열거된 한자어는 첫 글자를 중심으로 한 전순(前順) 어휘에 한정되어 있다. 이 책에서는 끝 글자를 기준으로 한 역순(逆順) 어휘도 함께 열거해 둠으로써 해당 한자의 조어력을 100% 파악할 수 있고, 어휘력 신장 효과를 두 배로 높일 수 있도록 하였다. 이것은 이 책에서 처음으로 시도된 것이다. 이에 수록된 예시 어휘가 많아 어렵게 느껴질 수 있겠으나, 이 단어들은 99%가 초등학교 교과서에 등장될 정도로 사용 빈도가 높은 상용(常用) 어휘이기 때문에 읽어 보기만 해도 쉽게 익숙해 질 수 있다.

(5) 한자 공부로 영어 어휘력까지 향상시킨다.

낱낱의 한자는 단음절 낱말 또는 단음절 형태소의 의미를 나타내기 위하여 만들어진 것이기 때문에 대응 영어 어휘를 찾아내어 제시할 수 있다. 따라서 한자의 의미를 익힐 때 상응한 영어 어휘를 제시함으로써 영어 학습과 연계되는 일거양득의 효과가 있도록 하였다. 한자 2,000자를 익히는 것이 어렵다고 한다면 영어 단어 2,000개를 익히는 것이 과연 어려운 일인지 생각해 보아야 한다. 영어 단어 2,000개를 익히는 것이 쉬운 일이라고 여긴다면, 한자 2,000자를 익히는 것도 쉬운 일인 셈이다. 영어 단어 2,000개를 익힌 효과는 어휘력 향상 지수가 '2,000 +알파(합성어휘의 수)'이지만, 한자 2,000자를 익힌 결과는 어휘력 향상 효과가 2음절 어휘로 제한하더라도 최대 3,998,000(2,000×2,000-2,000)이나 될 수 있다. 두 개의 한자를 무작위로 조합시키기만 해도 낱말이 될 수 있을 정도로 조어력이 높기 때문이다.

(6) 한자 지도로 창의 교육의 기초까지 다진다.

한자 공부가 한자어로 확장되는 것은 발산(發散)적 사고력의 기초가 된다. 반면에 수천 또는 수만 개의 한자어가 2,000 여 개의 한자로 집약되는 것은 수렴(收斂)적 사고력의 기반이 된다. 이러한 유형의 사고력이 창의력으로 이어지는 것은 창의 학계의 통설로 되어 있다. 그리고 각각의 한자가 처음 만들어질 당시의 아이디어를 체계적으로 추정해 놓음으로써 한자 지도를 통한 창의 교육의 기틀을 세우고자 노력하였다.

(7) 한자 지도로 인품 교육의 기반까지 다진다.

한자를 가르치다 보면 인품교육과 자연스럽게 연결된다. 이를테면 '두[二] 사람[人]'이 사이좋게 지내자면 '어진 마음씨'[仁]가 필요하다거나, '용서할 서'(恕)자에는 '마음[心]을 같이[如] 하는 뜻이 담긴 것을 통하여 '용서'의 깊은 의미를 배우게 되는 등이 그렇다. 낱낱의 글자를 풀이할 때 한자에 담긴 인품 교육적 요소를 최대한 상세히 발굴해 놓았다. 아울러 인품 교육 등에 널리 활용될 수 있는 한문 명언을 부록으로 소개해 놓았다.

3. 표제 한자

(1) 표제한자 2,355는 급수별로 배열하였다. 동일 급수 내에서는 가급적 부수(표의 요소)별로 모아 놓음으로써 의미 유사성을 기초로 한자를 효과적으로 익히게 하였다.

(2) 한자 급수는 한국어문교육연구회를 기준으로 삼았다. 각 한자별 고유번호를 부여하여 가나다순 색인을 마련하였으므로 찾아보기가 쉽고, 한자 자전의 기능도 갖게 하였다. 이 색인을 활용하면 한국어문교육연구회 이외의 다른 기관에서 시행하는 급수 시험에도 충분히 대비할 수 있다.

(3) 표제 한자는 '해서체'를 채택하여 4등분의 칸에 배치함으로써 구조 파악과 쓰기 연습이 편리하도록 하였다. 참고로 한자 공부는 '쓰기-읽기'순이 아니라 '읽기-쓰기'순으로 하는 것이 효과적이다. 읽기는 음만으로 읽는 것이 아니라 훈음을 동시에 읽는 것이 좋다. 예를 들어 '國'이란 한자에 대하여 [국]으로 읽기 보다는 '나라 국'이라고 읽는 것이 더욱 효과적이다.

(4) 표제한자에 대한 도표는 ①대표 훈음 ②부수 및 총 획수 ③중국식 약자와 독음 ④필순 등으로 구성되어 있다. '대표 훈음'은 한국어문교육연구회가 정한 것을 인용하였다. '필순'은 5급까지만 달아 놓았다. 급수 시험에서 필순이 5급까지만 나오기 때문이다.

4. 한자 풀이

(1) 각 글자에 대해서는 한자의 3대 요소인 자형(字形), 자음(字音), 자의(字義)에 대한 분석을 조자(造字) 원칙에 입각하여 알기 쉽도록 설명하였다. 아울러 그 글자를 창안한 사람의 생각이나 아이디어를 객관적으로 추정해 봄으로써 창의성 계발의 사례 학습에 도움이 되도록 하였다.

(2) 각 글자의 구조 분석과 뜻풀이에 있어서는 문자학(文字學), 설문학(說文學), 갑골학(甲骨學), 금문학(金文學), 어휘학(語彙學), 의미론(意味論) 등 정통 학설에 입각하되, 학술적 용어는 되도록 일반적인 말로 바꾸어 기술함으로써 지도 선생님은 물론 학생들도 쉽게 이해할 수 있도록 하였다. 六書(육서)와 문자학 용어를 풀어 쓴 예는 다음과 같다.

- ▣ 象形(상:형) ⇨ ~모양을 본뜬 것이다. ~모습을 그린 것이다.
- ▣ 指事(지사) ⇨ ~을 나타내는 부호(기호)일 따름이다.
- ▣ 會意(회:의) ⇨ ~과 ~두 표의요소가 합쳐진 것이다.
- ▣ 形聲(형성) ⇨ ~은 표의요소이고, ~은 표음요소이다.
- ▣ 假借(가:차) ⇨ ~은 뜻으로 빌려 쓰였다.
- ▣ 形符(형부)·義符(의:부) ⇨ 표의요소
- ▣ 聲符(성부)·音符(음부) ⇨ 표음요소.
- ▣ 本義(본의) ⇨ 본뜻, 본래 의미, 본래의 뜻.

▣ 引伸義(인:신의) ⇨ ~뜻으로 확대 사용됐다.
▣ 初文(초문) ⇨ 최초 자형(모양), 원형, 본래 글자
▣ 後起本字(후:기 본자) ⇨ 후에 ~자가 추가로 만들어졌다.
▣ 形態素(형태소) ⇨ 낱말의 구성 요소

(3) 각 글자 뜻풀이는 조자(造字) 원리에 입각하여 먼저 본래 의미와 자형의 상관성을 중심으로 풀이한 다음에 다른 뜻으로 쓰이는 예에 대하여 왜 그렇게 쓰이게 되었는지를 설명해 놓았다. 뜻풀이 내용은 해당 한자가 만들어질 당시의 상황을 이해하기 쉽도록 하였다. 한자 하나 하나에 담긴 창의성을 찾아냄으로써 창의 교육의 기틀이 되도록 하였다.

(4) 각 글자의 의미를 풀이함에 있어서는 이에 대응되는 영어를 부기(附記)해 놓았다. 그것을 통하여 우리말 뜻풀이를 더욱 정확하게 하고('묻다' ask / '묻다' bury / '묻다' be smeared), 나아가 영어 단어 공부도 동시에 할 수 있도록 일거양득(一擧兩得)의 효과를 겨냥한 것이다. 그렇다고 영어 단어를 다 외울 필요는 없다. 반복 학습을 통하여 영어에 더욱 친숙해지는 효과를 위한 것일 따름이다.

(5) 한자의 뜻은 크게 두 가지로 나누어진다. 단음절 어휘(자립 형태소)로 쓰였을 때의 의미와 복음절 어휘의 한 구성요소(의존 형태소)로 쓰였을 때의 의미로 나누어진다. 앞의 것은 '낱말'의 의미를, 뒤의 것은 '형태소'(形態素)의 의미를 말한다. 지금까지의 한자 자전류 서적에서는 이 두 가지를 구분하지 않았다. 이 책은 한자의 형태소적 의미를 최초로 추출하였다는 점에서 큰 역사적인 의의를 지닌다. 한문 문장을 잘 해석하기 위함이 아니라, 한자어의 뜻을 잘 알기 위함이라는 한자 지식의 현대적 필요성에 기인한 것이다. 앞에서(1-3) 말한 '대표훈음'은 한국어문교육연구회에서 정한 것이기 때문에 그 두 가지 경우를 구분한 것이 아니다. 한자 의미 풀이 하단에 약물로 표기한 '속뜻훈음'은 한자어의 형태소 해석에 적용될 수 있는 것으로 한정한 것이다. '속뜻훈음'에 포함되어 있지 아니한 '대표훈음'은 상용 한자어의 형태소적 의미에서 적용되지 아니하는 것으로 보면 된다. 한국어문회 급수 대비를 위해서는 '대표훈음'을, 한자어의 속뜻 인지 능력 지수(HQ = Hint Quotient) 향상을 위해서는 '속뜻훈음'을 중심으로 공부하기를 권장해 두고 싶다.

5. 용례 어휘

(1) 표제 한자에 대한 어휘 용례는 ≪속뜻풀이 초등국어사전≫에 쓰인 2음절 한자어를 대상으로 하였으며, 표제 한자가 앞쪽 첫 음절에 쓰인 전순(前順) 어휘는 물론 역순(逆順) 어휘도 함께 실어 놓았다. 이로써 창의적 어휘력의 유창성을 도모할 수 있는 터전이 확실하게 마련되었다.

(2) 용례 어휘는 해당 한자의 조어력(造語力)에 따라 그 수가 일정하지 않다. 많은 것은 100개가 넘을 수도 있다. 이러한 어휘를 모두 다 쓰고 외워 둘 필요는 없다. 무슨 뜻인지가 아니라

왜 그런 뜻이 되는지 그 이유를 알게 될 때 흥미가 느껴지기 때문에, 한 번씩 쭉 읽어 보면서 재미가 느껴지는 부분에 밑줄을 그어 두는 것으로 족하다.

(3) 한자어 의미 풀이의 방식 및 내용은 ≪속뜻풀이 초등국어사전≫의 것과 완전히 동일하다. '속뜻 훈음'이 달려 있고, 영어가 덧붙여 있다. 그래서 무슨 뜻인지에 앞서 왜 그런 뜻이 되는지 그 이유도 쉽게 알 수 있다. 따라서 읽어 보기만 해도 재미를 느낄 수 있고, 창의적 사고력의 자발성을 기대할 수 있다.

(4) 용례 어휘로 예시된 한자어에는 장단음이 표기되어 있다. 이를 토대로 장음은 길게, 단음은 짧게 읽는 습관을 평소에 길러 놓으면, 상급 과정에서 한자 독음의 장단음 문제를 따로 대비할 필요가 없고, 우리말 발음 실력도 크게 향상될 것이다.

6. 학습 지도

(1) 한자 학습 지도는 지나친 욕심, 즉 과욕(過慾)은 금물이다. 절대로 너무 많이 시킬 필요가 없다. 날마다 조금조금 야금야금 알뜰살뜰 꾸준하게 하는 것이 중요하다.

(2) 한자를 쓰기에 앞서, 표제 한자에 대한 풀이와 용례 어휘를 쭉쭉 훑어보게 시켜야 한다. 모르는 내용이 있더라도 신경 쓰지 말고, 알 수 있고 재미있게 느껴지는 부분만 읽게 하면 된다. 이 때 눈으로 보기만 하지 말고, 입으로 소리 내어 읽으면 더욱 좋다. 소리를 내어 낭독하다 보면 정신이 집중되고, 기억이 잘 되기 때문이다. 앞에서도 설명하였듯이, 한자 공부는 '쓰기'보다 '읽기'가 선행되어야 한다. 낱낱의 한자를 읽을 때에는 단독음으로 읽지 말고 훈음을 함께 읽는 방식이 효과적이다. 이를테면 '過'를 [과]라고만 읽지 말고, 반드시 '지날 과'로 읽는 습관이 한자 지식을 증대시키는 지름길이다.

(3) 소리 내어 읽어 보면서 관심이 더 가는 부분에 밑줄을 긋게 하는 습관은 대단히 중요하다. 책은 귀중품이기에 앞서 소모품이다. 많이 봐서 닳을수록 더욱 좋고, 새까맣게 밑줄이 많이 그어질수록 더욱 좋다. 뒤에 다시 복습할 때에는 줄을 친 부분만 읽어도 된다.

(4) 한자 쓰기는 필순에 따를수록 잘 써지고 모양도 좋아진다. 2음절 단어 가운데 한 글자는 표제 한자에 상당하는 것이니, 그 아래에 있는 필순을 참고하면 된다. 나머지 한 글자는 부록에 있는 〈필순 원칙〉을 참고하기 바란다. 한자 공부 초기에는 한자 모양이 삐뚤삐뚤하게 마련이니, 너무 신경 쓸 필요가 없다. 꾸준히 쓰다 보면 금세 좋아진다.

제2부

제2부 실 제 : 한자 및 한자어 지도

2장. 8급 배정한자 50

[0051-0100]

0001 [일]

一

한 일

部 一부 劃 1획 中 一 [yī]

一

一자는 '하나'(one)라는 의미를 나타내기 위하여 고안한 것이다. 약 3,400년 전에 글자를 만들 당시에 어떻게 만들까? 하고 고민하다가 한 줄을 옆으로 쭉 끌어 놓자는 제안이 받아들여져서 오늘날까지 그대로 통하고 있다. 앞으로도 영원히 그러할 것이다. 더 편리한 방안이 없겠기에. '하나'외에도 '첫째'(the first), '모두'(all), '어느'(some), '변함없는'(constant), '같다' (same), '함께'(together) 등을 나타내기도 한다.

속뜻훈음 ①한 일, ②첫째 일, ③모두 일, ④같을 일, ⑤함께 일.

일가 一家 | 한 일, 집 가 [family]
❶속뜻 한[一] 집안[家]. 한 가족. ¶최 씨 일가. ❷학문, 기술, 예술 등의 분야에서 독자적인 경지나 체계를 이룬 상태. ¶김정희는 서예에서 일가를 이루었다.

일거 一擧 | 한 일, 들 거 [one action; one effort]
❶속뜻 한[一]번에 들어 올림[擧]. 한 번의 동작. ❷단번에 일을 해치우는 모양을 이름. ¶그간의 실수를 일거에 만회했다.

일격 一擊 | 한 일, 칠 격 [stroke]
한[一] 번 세게 침[擊]. 한 번의 공격. ¶상대방이 일격을 가했다.

일관 一貫 | 한 일, 꿸 관
[run through; be consistent]
❶속뜻 하나[一]로 꿰맴[貫]. ❷하나의 방법이나 태도로써 처음부터 끝까지 똑같이 함. ¶그는 언제나 무뚝뚝한 태도로 일관했다.

일괄 一括 | 한 일, 묶을 괄 [bundle up]
낱낱의 것들을 하나[一]로 묶음[括]. ¶일괄 처리 / 세 개의 의안을 일괄하여 의제로 상정했다.

일급 一級 | 한 일, 등급 급 [first class]
❶속뜻 한[一] 계급(階級). ❷최고의 등급. ¶일급 호텔. ❸등급의 첫째. ¶나는 컴퓨터 활용 일급 자격증을 취득했다.

일념 一念 | 한 일, 생각 념 [concentrated mind]
한[一] 가지의 생각[念]. 또는 한결 같은 마음. ¶그는 북에 두고 온 아내를 만나겠다는 일념으로 반평생을 살아왔다.

일단 一旦 | 한 일, 아침 단 [first; in advance]
❶속뜻 하루[一] 아침[旦]. ❷우선 먼저. ¶일단 밥부터 먹고 하자. ❸우선 잠깐. ¶건널목에서는 일단 정지하시오.

일당 一黨 | 한 일, 무리 당 [ring; gang; party]
❶속뜻 목적과 행동을 함께 하는 하나[一]의 무리[黨]. ¶경찰은 일당 4명을 체포했다. ❷하나의 정당 또는 당파. ¶북한은 일당 독재체제를 고수하고 있다.

일대¹ 一代 | 한 일, 세대 대 [one generation]
사람의 한[一] 세대(世代). 비 일세(一世).

일대² 一帶 | 한 일, 띠 대 [area]
❶속뜻 하나[一]의 띠[帶]. 혹은 그러한 모양을 이루고 있는 것. ❷일정한 범위의 어느 지역 전부. ¶중부 지방 일대에 가뭄이 극심하다.

일동 一同 | 한 일, 같을 동 [all of them]
모두[一] 같이[同]. 그곳에 있는 모든 사람. 어떤 집단이나 단체에 든 모든 사람. ¶일동, 차렷!

일등 一等 | 한 일, 무리 등 [first class; first rank]
순위, 등급 따위에서 첫째[一] 무리[等].

일람 一覽 | 한 일, 볼 람 [peruse]
한[一] 번 봄[覽]. 또는 한 번 죽 훑어봄. ¶김 사장은 이달 지출 내역을 일람했다.

일련 一連 | 한 일, 이을 련 [series]
하나[一]로 이어짐[連]. 또는 그런 체계. ¶일련의 검사 / 일련의 사건은 1952년에 시작되었다.

일렬 一列 | 한 일, 줄 렬 [line]
한[一] 줄[列]. ¶일렬 종대 / 강당에는 좌석이 일렬로 배치되어 있었다.

일례 一例 | 한 일, 본보기 례 [example]
하나[一]의 예(例). 한 가지 실례(實例). ¶일례를 들면 다음과 같다.

일류 一流 | 첫째 일, 갈래 류 [first class]
어떤 분야에서 첫째[一] 가는 계층이나 갈래[流]. ¶일류 호텔 / 일류 기술자 / 일류 대학.

일리 一理 | 한 일, 이치 리 [some reason]
한[一] 가지 이치(理致). 이치에 합당함. ¶네 말도 일리가 있다.

일말 一抹 | 한 일, 바를 말 [touch of]
❶속뜻 한[一] 번 바를[抹] 정도 밖에 안 됨. ❷약간. 조금. ¶일말의 죄책감도 느끼지 않았다.

일맥 一脈 | 한 일, 맥 맥 [vein]
하나[一]로 이어진 줄기[脈].

일면 一面 | 한 일, 낯 면 [side; first page]
❶속뜻 물체나 사물의 한[一] 면(面). ¶사람을 일면만 보고 판단하면 안 된다. ❷신문의 첫째 면. ¶그 사건은 일면 기사로 보도되었다.

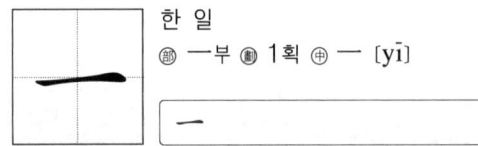

일명 一名 | 한 일, 이름 명 [second name]
❶속뜻 한[一] 사람[名]. ❷본이름 외에 따로 부르는 이름. ¶그는 일명 뽀빠이로 불린다.

일목 一目 | 한 일, 눈 목 [look; glance]
❶속뜻 한[一] 쪽 눈[目]. 또는 애꾸눈. ❷한 번 보는 일.

일미 一味 | 첫째 일, 맛 미 [good flavor]
첫째[一]가는 좋은 맛[味]. ¶그 집의 빈대떡은 천하 일미이다.

일박 一泊 | 한 일, 묵을 박 [stay overnight]
하루[一] 밤을 묵음[泊]. ¶일박 이일 / 우리는 목포에서 일박하고 제주로 떠났다.

일반 一般 | 한 일, 모두 반 [general]
❶속뜻 어떤 공통되는 한[一] 요소가 전반(全般)에 두루 미치고 있는 일. ¶일반 상식 / 일반 이론. ❷특별하지 아니하고 평범한 수준. ¶일반 가정 / 일반 국민. ⓑ보통(普通). ⓟ특수(特殊).

일방 一方 | 한 일, 모 방 [one side]
한[一] 쪽[方]. 한편. ¶강화도 조약은 조선을 일방으로 하고, 일본을 다른 일방으로 하여 체결되었다.

일병 一兵 | 한 일, 군사 병 [private first class]
❶속뜻 첫[一] 번째 등급의 병사(兵士). ❷군사 '일등병'(一等兵)의 준말. 처음 현대식 군대가 창설될 때, 일등병과 이등병 두 가지 계급밖에 없었기 때문에 이러한 이름이 유래된 것으로 추정된다.

일보 一步 | 한 일, 걸음 보 [step]
❶속뜻 한[一] 걸음[步]. ¶일보 앞으로! / 그 회사는 도산 일보 전에 있다. ❷첫걸음. 시작. 초보. ¶정부는 장애인 문제 해결을 향해 일보 전진했다.

일부 一部 | 한 일, 나눌 부 [part]
❶속뜻 한[一] 부분(部分). ❷전체의 한 부분. ¶여행 경비의 일부를 부담하다. ⓑ일부분. ⓟ전부(全部).

일색 一色 | 한 일, 빛 색 [single color]
❶속뜻 한[一] 가지 빛깔[色]. ❷한 가지로만 이루어진 특색이나 정경. ¶회색빛 일색의 도시 / 이번 여름옷은 온통 꽃무늬 일색이다.

일생 一生 | 한 일, 살 생 [one's whole life]
한[一] 생애(生涯). 살아 있는 동안. ¶행복한 일생 / 그는 일생에 한 번 있을까 말까 한 기회를 놓쳤다. ⓑ평생(平生).

일선 一線 | 한 일, 줄 선 [front line]
❶속뜻 하나[一]의 선(線). 또는 중요한 뜻이 담긴 뚜렷한 금. ¶일선을 긋다. ❷군사 최전선. ¶일선 부대 / 일선에서 물러나다 / 그녀는 일선 교사로 근무하고 있다.

일소 一掃 | 한 일, 쓸 소 [sweep away]
하나[一]도 남김없이 모조리 쓸어[掃]버림. ¶폭력배를 일소하다 / 정부는 부정부패 일소에 총력을 기울이고 있다.

일순 一瞬 | 한 일, 눈 깜짝일 순 [moment]
❶속뜻 한[一] 번 눈 깜짝할[瞬] 정도의 짧은 시간. ❷'일순간'(一瞬間)의 준말. ¶장내는 일순 조용해졌다. ⓑ삽시(霎時).

일시 一時 | 한 일, 때 시 [once]
❶속뜻 한[一] 때[時]. ❷같은 때. ¶일시에 외치다 / 일시에 그들의 시선이 내게로 쏠렸다.

일언 一言 | 한 일, 말씀 언 [single word; one word]
❶속뜻 한[一] 마디 글자나 말[言]. ❷간단한 말.

일엽 一葉 | 한 일, 잎 엽 [one leaf; tiny boat]
❶속뜻 한[一] 잎[葉]. ¶일엽이 연못에 떨어지다. ❷한 척의 작은 배를 비유하여 이르는 말.

일원 一員 | 한 일, 인원 원 [member]
어떤 단체나 사회를 이루는 한[一] 구성원(構成員). ¶국민의 일원으로 투표에 참여합시다.

일월 一月 | 첫째 일, 달 월 [January; Jan.]
1년의 첫[一] 번째 달[月]. ⓑ정월(正月).

일익 一翼 | 한 일, 날개 익 [part]
❶속뜻 한[一] 쪽 날개[翼]. ❷전체의 한 부분이나 역할을 이르는 말. ¶인터넷은 정보화시대의 일익을 담당한다.

일인 一人 | 한 일, 사람 인 [one person; one man]
한[一] 사람[人]. ¶일인 시위.

일일 一日 | 한 일, 날 일 [day]
한[一] 날[日]. 하루. ¶아버지가 우리 학교의 일일 교사로 나섰다.

일임 一任 | 한 일, 맡길 임 [leave entirely to]
하나[一]로 묶어 모두 맡김[任]. 모조리 맡김. ¶일임을 받다 / 모든 결정은 자네에게 일임하겠네.

일장 一場 | 한 일, 마당 장 [round]
한[一] 바탕[場]. 한 차례. 한 번. ¶사장님은 사원들에게 일장 연설을 했다.

일절 一切 | 한 일, 끊을 절 [entirely]
❶속뜻 한[一] 번에 끊음[切]. ❷아주. 전혀. 절대로. ¶출입을 일절 금하다 / 일절 간섭하지 마시오.

일정 一定 | 한 일, 정할 정 [fixation]
어떤 기준에 따라 모양이나 방향이 하나[一]로 정(定)해져 있어 바뀌거나 달라지지 않음. ¶일정 기간 / 쿠키는 크기가 일정하다.

일종 一種 | 한 일, 갈래 종 [kind]
❶속뜻 한[一] 종류(種類). 한 가지. ¶벼는 풀의 일종이

다. ❷어떤 종류. ¶그 아이를 보면 일종의 책임감을 느낀다.

일주 一周 | 한 일, 둘레 주 [travel around]
한[一] 바퀴[周]를 돎. 또는 그 한 바퀴. ¶세계 일주 / 지구가 자전하면서 행성이 일주하는 것처럼 보인다. (비)일순(一巡).

일차 一次 | 한 일, 차례 차 [one time]
❶속뜻 한[一] 차례(次例). 한 번. ¶내일 중에 일차 방문하겠습니다. ❷첫 번. ¶일차 시험.

일체¹ 一切 | 한 일, 온통 체 [whole]
하나[一]로 묶이는 모든[切] 것. 온갖 것. ¶오늘은 일체의 업무를 중단한다.

일체² 一體 | 한 일, 몸 체
[one body; single body]
한[一] 몸[體]. 한 덩어리. ¶국민 모두가 일체가 되어 위기를 극복했다 / 일체형(一體型) 오디오.

일치 一致 | 한 일, 이를 치 [agree]
하나[一]에 이름[致]. 서로 어긋나지 않고 꼭 맞음. 어긋나는 것이 없음. ¶의견 일치. (반)불일치(不一致).

일편 一片 | 한 일, 조각 편 [piece; bit; fragment]
❶속뜻 한[一] 조각[片]. ❷매우 작거나 적은 것.

일품 一品 | 첫째 일, 물건 품 [superior article]
품질이 첫[一] 번째로 꼽히는 아주 뛰어난 물품(物品). 가장 뛰어남. ¶이 식당은 연어 요리가 일품이다.

일행 一行 | 함께 일, 갈 행 [company]
길을 함께[一] 감[行]. 또는 함께 가는 사람. ¶일행이 몇 분이십니까?

일환 一環 | 한 일, 고리 환 [link in a chain]
❶속뜻 줄지어 있는 많은 고리[環] 가운데 하나[一]. ❷서로 밀접한 관계로 연결되어 있는 여러 것 가운데 한 부분. ¶고속도로 건설은 국토 개발의 일환이다.

• 역순어휘 ——————————— •

균일 均一 | 고를 균, 같을 일 [equality]
금액이나 수량 따위가 골고루[均] 똑같음[一]. 차이가 없음. ¶요금은 어른이나 아이나 균일하다. (비)균등(均等).

단일 單一 | 홑 단, 한 일 [single; simple]
❶속뜻 오직[單] 하나[一]. 혼자. ❷다른 것이 섞이지 않고 순수함. ¶단일 민족. ❸구성이나 구조가 복잡하지 않음. ¶남북한은 단일팀. (반)복합(複合).

동일 同一 | 같을 동, 모두 일 [same; identical]
❶속뜻 어떤 것과 비교하여 모두[一] 꼭 같음[同]. ¶조건이 동일하다. ❷각각 다른 것이 아니라 하나임. ¶영과 혼은 동일하다. (반)상이(相異).

만:일 萬一 | 일만 만, 한 일 [if; in case of]
만(萬) 가운데 하나[一]. 거의 없는 것이나 매우 드물게 있는 일. ¶만일의 경우에 대비하다. (비)만약(萬若), 만혹(萬或).

삼일 三一 | 석 삼, 한 일
3월[三] 1일[一]. ¶삼일 만세운동.

유일 唯一 | 오직 유, 한 일
[single; unique; solitary; sole]
오직[唯] 하나[一] 밖에 없음. ¶언니가 유일한 나의 혈육이다.

제:일 第一 | 차례 제, 첫째 일
[number one; first; best]
❶속뜻 여럿 가운데서 첫[一] 번째[第]. ¶건강이 제일이다. ❷여럿 가운데 가장. ¶나는 과일 중에 귤을 제일 좋아한다.

택일 擇一 | 고를 택, 한 일 [choose; select]
여럿 중에 하나[一]만 고름[擇]. ¶다음 문제 중에 택일하여 답하시오.

통:일 統一 | 묶을 통, 한 일
[unify; unite; become one]
나누어진 것들을 묶어[統] 하나[一]로 합침. ¶의견을 통일하다 / 남북은 반드시 통일이 되어야 한다.

획일 劃一 | 그을 획, 한 일 [consistent; uniform]
❶속뜻 '一'자를 긋듯[劃] 가지런하다. ❷모두 한결같다.

0002 [이]

二	두 이: (부) 二부 (획) 2획 (中) 二 [èr] 二 二

二자는 '둘'(two)이라는 의미를 나타내기 위하여 두 줄을 그어 놓은 것이다. 후에 '두 가지'(two kinds), '둘째'(the second), '다음'(next) 등의 뜻을 나타내는 데에도 쓰인다. '둘'을 뜻할 때 '두 이'라는 관례적인 방식으로 표기한다.
속뜻 훈음 ①두 이, ②둘째 이, ③다음 이.

이:등 二等 | 둘째 이, 무리 등 [second class]
둘째[二] 무리[等]. ¶그는 100미터 달리기에서 이등으로 들어왔다.

이:류 二流 | 둘째 이, 갈래 류
[second-class; minor; inferior]
❶속뜻 두[二] 번째 갈래[流]나 등급. ❷질, 정도, 지위 따위가 일류보다 약간 못함. 또는 그런 것. ¶이류 작가.

이:병 二兵 | 두 이, 군사 병 [private]

군사 '이등병'(二等兵)의 준말.

이:세 二世 | 다음 이, 세대 세
[second generation]
❶속뜻 외국에 이주해 간 세대의 다음[二] 세대(世代). ¶재일 동포 2세. ❷다음 세대.

이:중 二重 | 두 이, 겹칠 중 [duplication; double]
두[二] 겹[重]. 겹침. ¶이중 국적 / 이중으로 주차하지 마세요.

• 역순어휘 •

제:이 第二 | 차례 제, 두 이
[second; number two]
여럿 가운데서 두[二] 번째[第]. 둘째. ¶이곳은 나의 제이의 고향이다.

0003 [삼]

三

석 삼
部 一부 劃 3획 中 三 [sān]

三 三 三

三자는 '셋'(three)이라는 뜻을 나타내기 위해서 고안된 글자인데, '셋째'(the third)를 뜻하기도 한다. '셋'을 뜻할 때에는, '석 삼'이라는 관례적인 방식으로 표기 한다.
하나 더!! 一·二·三 세 글자(단어)를 영어 one, two, three에 비교해보면 한자가 훨씬 더 쓰기 쉽고 그 뜻도 이해하기 쉬움을 알 수 있다. 漢字(한:자) 하나하나를 알파벳 a, b, c, d에 비교하지 말고 각각의 해당 영어 단어를 생각해 보면 그러한 사실을 더욱 분명하다. '한자=어렵다'는 선입관이나 고정관념을 버리고 한 글자씩 흥미를 가지고 익히다 보면 누구나 쉽게 통달할 수 있다. 한 글자만 익혀도 그 글자가 다른 글자와 더불어 새로운 낱말을 구성하는 예가 많아 어휘 실력이 저절로 쑥쑥 는다.
속뜻 훈음 ①석 삼, ②셋째 삼.

삼각 三角 | 석 삼, 뿔 각 [triangularity]
❶속뜻 세[三] 모퉁이[角]. ❷수학 '삼각형'(三角形)의 준말.

삼강 三綱 | 석 삼, 벼리 강
유교 도덕의 기본이 되는 세[三] 가지 기본 강령(綱領). 곧 임금과 신하(君臣), 아버지와 자식(父子), 남편과 아내(夫婦) 사이에 지켜야 할 떳떳한 도리를 이른다.

삼경 三更 | 셋째 삼, 시각 경
[(around) midnight; dead of night]
하루의 밤을 다섯으로 나눈 중 셋째[三] 시각[更]. 밤 11시부터 이튿날 새벽 1시까지.

삼국 三國 | 석 삼, 나라 국 [three countries]
❶속뜻 세[三] 개의 나라[國]. ¶한, 중, 일 삼국. 역사 ❷고구려(高句麗), 백제(百濟), 신라(新羅)의 세 나라. ❸중국 후한(後漢) 말에 일어난 위(魏), 촉(蜀), 오(吳)의 세 나라.

삼권 三權 | 석 삼, 권리 권 [three powers]
❶속뜻 세[三] 종류의 권리(權利). ❷법률 입법권(立法權), 사법권(司法權), 행정권(行政權)을 아울러 이르는 말.

삼남 三南 | 석 삼, 남녘 남
[three southern provinces (of Korea)]
지리 한반도의 남(南)쪽에 있는 충청도, 전라도, 경상도 세[三] 지방을 통틀어 이르는 말. ¶삼남은 곡창지대이다. ㊥삼남삼도(三南三道).

삼대 三代 | 석 삼, 세대 대 [three generations]
아버지와 아들, 손자의 세[三] 대(代). ¶삼대가 함께 살다.

삼류 三流 | 셋째 삼, 갈래 류 [third class]
세 부류 중에서 가장 낮은 셋째[三] 등급이나 유파(流派). ¶삼류 영화.

삼매 三昧 | 석 삼, 새벽 매
[concentration; absorption]
❶불교 산스크리트어 '사마디'(Samadhi)의 한자 음역어. 잡념을 떠나서 오직 하나의 대상에만 정신을 집중하는 경지. 이 경지에서 바른 지혜를 얻고 대상을 올바르게 파악하게 된다. ❷다른 말 아래 쓰여 그 일에 열중하여 여념이 없음을 이르는 말.

삼복 三伏 | 석 삼, 엎드릴 복
초복(初伏), 중복(中伏), 말복(末伏)의 세[三] 복(伏)날을 통틀어 이르는 말. ¶삼복에 삼계탕을 먹었다.

삼수[1] 三水 | 석 삼, 물 수
지리 우리나라에서 가장 험한 산골이라는 함경남도(량강도) 삼수군 삼수면(三水面)을 줄인 말.

삼수[2] 三修 | 석 삼, 닦을 수
❶속뜻 배웠던 것을 세[三] 번 다시 배움[修]. ❷상급 학교의 입학시험에 두 번 실패하고 또다시 이듬해의 시험을 준비하는 일. ¶삼수로 겨우 대학에 들어갔다.

삼시 三時 | 석 삼, 때 시 [three daily meals]
❶속뜻 세[三] 번의 때[時]. ❷아침, 점심, 저녁의 세 끼니. 또는 그 끼니 때. ¶삼시 세 때를 챙겨 먹다.

삼신 三神 | 석 삼, 귀신 신
[three gods governing childbirth]
민속 아기를 점지하고 산모와 산아(産兒)를 돌보는 세[三] 신령(神靈). ¶삼신 할머니께 기도를 드렸다.

삼십 三十 | 석 삼, 열 십 [thirty]
십(十)의 세[三] 배가 되는 수. 30. (비)서른.

삼월 三月 | 셋째 삼, 달 월 [March]
한 해 가운데 셋째[三] 가 되는 달[月].

삼위 三位 | 석 삼, 자리 위
❶속뜻 세[三] 가지 지위(地位). ❷기독교 성부(聖父)와 성자(聖子)와 성신(聖神)을 아울러 이르는 말.

삼일 三日 | 석 삼, 날 일 [three days]
삼(三) 일(日). 사흘.

삼자 三者 | 석 삼, 사람 자
[three persons]
❶속뜻 세[三] 사람[者]. ¶삼자 간의 협상. ❷당사자가 아닌 사람. ¶이것은 우리 문제니 삼자는 나서지 마라.

삼중 三重 | 석 삼, 겹칠 중 [triple]
세[三] 가지가 겹치는[重] 일. 또는 세 번 거듭되는 일. ¶삼중으로 된 유리.

삼진 三振 | 석 삼, 떨칠 진
[strikeout; three strikes]
운동 야구의 타자가 스트라이크[振]를 세[三] 번 당하여 아웃되는 일.

삼척 三尺 | 석 삼, 자 척
석[三] 자[尺].

삼촌 三寸 | 석 삼, 관계 촌
[uncle (on the father's side)]
❶속뜻 친척 가운데 세[三]번째 관계[寸]. ❷아버지의 형제. (비)숙부(叔父), 작은아버지.

삼한 三韓 | 석 삼, 나라이름 한
❶속뜻 세[三] 개의 한(韓) 나라. ❷역사 상고 시대, 우리나라 남부에 존재했던 세 군장(君長) 국가. 곧 마한(馬韓), 진한(辰韓), 변한(弁韓)을 이른다.

삼행 三行 | 석 삼, 행할 행
부모를 섬기는 세[三] 가지 효행(孝行). 봉양하는 일, 상사(喪事)에 근신하는 일, 제사를 받드는 일을 이른다. (비)삼도(三道).

• 역순어휘

제:삼 第三 | 차례 제, 석 삼
[third; number three]
여럿 가운데서 세[三] 번째[第].

四자는 좀 특이한 배경을 지니고 있다. 원래는 '넷'(four)이라는 뜻을 나타내기 위하여, 一, 二, 三과 같은 이치로 네 가닥의 선을 그어서 나타냈다. 실제로 약 1,200년 동안 그렇게 써왔으나, 三과 헷갈리는 등 종종 문제가 되었다. 그래서 누군가 이러한 기발한 생각을 하였다. 즉, '창문의 일종'을 뜻하는 글자로 음이 [사]였던 '四'자로 나타내면 어떻겠느냐는 생각이었다. 그러한 생각(문자학에서는 假借라고 함)이 널리 받아들여져서 그 관행이 지금까지 이어져 '4'라는 숫자를 '四'로 나타내게 되었다. '넷'을 뜻할 때 '넷 사'라고 하지 않고 '넉 사'라고 한 것은 관례적인 방식을 따른 것이다.

사:각 四角 | 넉 사, 뿔 각 [four corners; square]
❶속뜻 네[四] 모퉁이[角]. ❷네 개의 모진 귀가 있는 모양. (비)네모.

사:계 四季 | 넉 사, 철 계 [four seasons]
봄·여름·가을·겨울의 네[四] 계절[季]. ¶우리나라는 사계가 뚜렷하다. (비)사시(四時), 사철, 춘하추동(春夏秋冬).

사:면 四面 | 넉 사, 낯 면 [four sides]
전후좌우(前後左右)의 네[四] 방면(方面). 모든 방면. ¶제주도는 사면이 바다로 둘러싸여 있다.

사:방 四方 | 넉 사, 모 방 [four quarters]
❶속뜻 동, 서, 남, 북의 네[四] 방향(方向). ¶사방이 산으로 둘러싸여 있다. ❷둘레의 여러 곳. ¶나는 사방으로 그를 찾아다녔다.

사:분 四分 | 넉 사, 나눌 분 [divide in four]
네[四] 가지로 나눔[分].

사:중 四重 | 넉 사, 겹칠 중
[quadruple; fourfold]
네[四] 겹[重]. ¶사중으로 에워싸다.

사:촌 四寸 | 넉 사, 관계 촌
[cousin (on the father's side)]
❶속뜻 친척 가운데 네[四]번째 관계[寸]. ❷나와 촌수가 4촌 관계인 아버지의 친형제의 아들딸. 속담 사촌이 땅을 사면 배가 아프다.

사:행 四行 | 넉 사, 행할 행
사람이 마땅히 지켜야 할 네[四] 가지 도덕적 행위(行爲). 충(忠), 효(孝), 우애(友愛), 신의(信義)를 이른다.

0004 [사]

四

넉 사:
(部) 口부 (획) 5획 ㊥ 四 [sì]

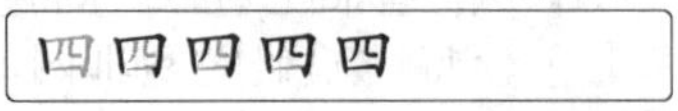

0005 [오]

五

다섯 오:
(部) 二부 (획) 4획 ㊥ 五 [wǔ]

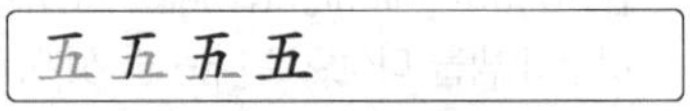

五자의 최초 원형은 '×' 모양이었다. 이것은 一, 二, 三과 달리 100% 임의적인 부호다. 즉, '다섯'(five)이라는 뜻과는 아무런 연관성이 없는 단순 부호에 불과했다. 후에 위와 아래에 한 줄씩을 더 그은 것으로 바뀌었다가 다시 지금의 형태로 바뀌었다.

오:각 五角 | 다섯 오, 뿔 각
[five angles; pentagon]
❶속뜻 각(角)이 다섯[五] 개 있는 것. ❷수학 오각형(五角形).

오:곡 五穀 | 다섯 오, 곡식 곡 [five grains]
다섯[五] 가지 중요한 곡식(穀食). 쌀, 보리, 콩, 조, 기장을 이른다.

오륙 五六 | 다섯 오, 여섯 륙
그 수량이 다섯[五]이나 여섯[六]임을 나타내는 말. ¶그는 오륙 년 동안 군에서 근무했다. ⓑ대여섯.

오:륜 五倫 | 다섯 오, 도리 륜
사람이 지켜야 할 다섯[五] 가지 도리[倫]. 부자유친(父子有親), 군신유의(君臣有義), 부부유별(夫婦有別), 장유유서(長幼有序), 붕우유신(朋友有信)을 이른다.

오:미 五味 | 다섯 오, 맛 미 [five tastes]
다섯[五] 가지 맛[味]. 신맛, 쓴맛, 매운맛, 단맛, 짠맛을 이른다.

오:복 五福 | 다섯 오, 복 복 [five blessings]
유교에서 이르는 다섯 가지[五]의 복(福). 수(壽), 부(富), 강녕(康寧), 유호덕(攸好德), 고종명(考終命)을 이른다.

오:색 五色 | 다섯 오, 빛 색
[five cardinal colors]
❶속뜻 다섯[五] 가지 빛깔[色]. 청색, 황색, 적색, 백색, 흑색을 이른다. ❷여러 가지 빛깔.

오:선 五線 | 다섯 오, 줄 선 [staffs; stave]
음악 악보를 그리기 위하여 가로로 그은 다섯[五] 개의 줄[線].

오:장 五臟 | 다섯 오, 내장 장 [five viscera]
한의 간장, 심장, 비장, 폐장, 신장의 다섯[五] 가지 내장(內臟)을 통틀어 이르는 말.

오:체 五體 | 다섯 오, 몸 체 [whole body]
몸을 이루는 다섯[五] 부분[體]. 머리, 두 팔, 두 다리를 말한다.

오:촌 五寸 | 다섯 오, 관계 촌
[one's cousin's son]
❶속뜻 친척 가운데 다섯[五]번째 관계[寸]. ❷다섯 개의 촌수를 사이에 두고 있는 친척. 아버지의 사촌이나 아들의 사촌 간을 이른다.

0006 [륙]

六 여섯 륙
部 八부 획 4획 ⊕ 六 [liù]

六 六 六 六

六자에 대해서는 이설이 많다. 갑골문이나 금문에서는 오두막 모양이었던 것으로 보아, 원래는 '오두막'(a hut; a cottage; a shanty)이란 뜻이었다. '여섯'(six)이란 숫자를 기록하는 데 빌려 쓰이는 예가 잦아지자 본래의 뜻을 위하여 廬(오두막집 려)자가 따로 만들어졌다는 설이 유력하다. 중국 사람들이 한 손으로 '6'을 나타낼 때 엄지와 새끼손가락(季指·계:지)은 펴고 가운데 세 손가락은 꾸부리는 手勢法(수세법)과 관련이 있다는 설도 있다.

육각 六角 | 여섯 륙, 뿔 각
[six angles; Six Musical Instruments]
❶속뜻 여섯[六] 개의 각(角)을 이루는 형상. ❷음악 국악에서 북, 장구, 해금, 피리, 태평소 한 쌍을 묶은 여섯 가지 악기를 통틀어 이르는 말. ¶삼현육각(三絃六角).

육순 六旬 | 여섯 륙, 열흘 순 [sexagenarianism]
❶속뜻 육(六)십 날[旬]. ❷예순 살. ¶오늘은 큰아버지가 육순이 되시는 날이다.

육조 六曹 | 여섯 륙, 관아 조
역사 고려, 조선 때 기능에 따라 나라 일을 분담하여 집행하던 여섯[六] 개의 중앙 관청[曹]. 이조(吏曹), 호조(戶曹), 예조(禮曹), 병조(兵曹), 형조(刑曹), 공조(工曹)를 이른다.

육진 六鎭 | 여섯 륙, 누를 진
역사 조선 세종 때 함경북도 경원·경흥·부령·온성·종성·회령 등 여섯[六] 곳에, 적군의 침입을 억누르기[鎭] 위하여 설치한 요새지.

육촌 六寸 | 여섯 륙, 관계 촌 [second cousin]
❶속뜻 친척 가운데 여섯[六]번째 관계[寸]. ❷여섯 개의 촌수를 사이에 두고 있는 친척. 사촌의 아들딸, 곧 재종간의 형제자매를 이른다. ⓑ재종(再從).

0007 [칠]

七 일곱 칠
部 一부 획 2획 ⊕ 七 [qī]

七 七

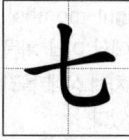

七자의 최초 원형(갑골문)은 직사각형으로 길게 뻗쳐진 '十' 모양의 것이었다. 후에 모든 글자들이 정사각형으로 정형화

되자 밑 부분을 옆으로 구부렸던 것이다. '일곱'(seven)이란 의미와 연관성이 없었으니 단순 부호에 불과하다.

칠보 七寶 | 일곱 칠, 보배 보 [Seven Treasures]
❶속뜻 일곱[七] 가지 보물(寶物). ❷수공 금은이나 구리의 바탕에 유리질의 유약을 발라 구워서 여러 가지 무늬를 나타낸 세공.

칠석 七夕 | 일곱 칠, 밤 석
❶속뜻 음력 칠월 초이렛날[七]의 밤[夕]. ❷칠석이 되는 날. 이때에 은하의 서쪽에 있는 직녀와 동쪽에 있는 견우가 오작교에서 일 년에 한 번 만난다는 전설이 있다. ¶칠석이 지나면 벼가 패기 시작한다.

칠순 七旬 | 일곱 칠, 열번 순 [seventy years]
❶속뜻 열[旬]의 일곱[七] 곱절. ❷일흔 살. ¶이번 토요일에 할머니 칠순 잔치를 한다.

0008 [팔]

八

여덟 팔
㊀ 八부 ㊁ 2획 ㊥ 八 [bā]

八 八

八자는 원래 '나누다'(divide)라는 의미를 위해서 만들어졌는데, 이것이 '여덟'(eight)이란 숫자를 나타내는 것으로 빌려 쓰이는 예가 많아지자, 원래 뜻은 '칼 도'(刀)를 덧붙인 分(나눌 분, #0151)자를 만들어 나타냈다.

팔각 八角 | 여덟 팔, 뿔 각 [eight angles]
여덟[八] 개의 모서리[角].

팔도 八道 | 여덟 팔, 길 도
❶속뜻 여덟[八] 개의 도(道). ❷역사 조선시대의 행정 구역. 경기도, 충청도, 경상도, 전라도, 강원도, 황해도, 평안도, 함경도를 이른다. ❸'우리나라의 전국'을 달리 이르는 말. ¶팔도에서 모인 사람들.

팔방 八方 | 여덟 팔, 모 방 [every side]
❶속뜻 여덟[八] 방향(方向). 동, 서, 남, 북, 동북, 동남, 서북, 서남을 말한다. ❷여러 방향. 또는 여러 방면. ¶소문이 팔방으로 퍼졌다.

팔삭 八朔 | 여덟 팔, 초하루 삭 [eight months]
❶속뜻 음력 팔월[八] 초하루[朔]. 농가에서 이날 처음으로 햇곡식을 벤다. ¶팔삭에 벤 햅쌀을 차례 상에 올리다. ❷여덟 달. ¶팔삭둥이의 아기를 낳았다.

팔순 八旬 | 여덟 팔, 열흘 순
[eighty years; four score years]
❶속뜻 여덟[八] 번 거듭된 열[旬], 즉 팔십. ❷여든 살. ¶팔순이 넘은 할머니.

팔월 八月 | 여덟 팔, 달 월 [August]
일 년 중의 여덟[八] 번째 달[月].

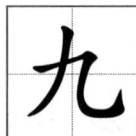

0009 [구]

九

아홉 구
㊀ 乙부 ㊁ 2획 ㊥ 九 [jiǔ]

九 九

九자는 원래 '팔꿈치'(an elbow)란 뜻을 위해서 고안된 글자였는데, '아홉'(nine)이란 숫자를 나타내는 것으로 차용되는 예가 많아지자 원래의 뜻은 肘(팔꿈치 주)자를 따로 만들어 나타냈다.

구구 九九 | 아홉 구, 아홉 구
[rules of multiplication]
수학 1에서 9[九]까지의 숫자를 1에서 9[九]까지 곱하는 셈 방법. '구구법'(九九法)의 준말.

0010 [십]

十

열 십
㊀ 十부 ㊁ 2획 ㊥ 十 [shí]

十 十

十자가 최초로 만들어진 아득한 옛날에는 '열'(ten)이란 수를 노끈에 매듭 하나를 엮어 놓은[結繩] 모양으로 나타냈다. 그 매듭부분이 옆으로 펼쳐져서 '十'같은 모습으로 바뀌었다. 참고로 '20'은 廿(입), '30'은 卅(삽), '40'은 卌(십) 같은 한자가 있었는데, 요즘은 잘 쓰이지 않는다.
하나 더!! 一, 二…十 등 한자 숫자는 획수가 적고 간단하여 외우기 쉽고 쓰기 쉽다는 장점이 있다. 그렇지만 다른 글자로 변조하기 쉽다는 단점이 있다. 그래서 계약서 등의 중요 문서에서는 음이 같고 획수가 많은 다른 글자, 이른바 '갖은자'로 바꾸어 쓴다. 다음의 것들이 그것이다. 壹(일), 貳(이), 參(삼), 肆(사), 伍(오), 陸(륙), 柒(칠), 捌(팔), 玖(구), 拾(십), 佰(백), 阡(천). 이런 글자들을 쓸 줄 알면 한자 실력이 대단한 셈이다.

십간 十干 | 열 십, 천간 간 [ten calendar signs]
민속 육십갑자의 첫 글자로 쓰이는 열[十] 개의 천간(天干). 갑(甲), 을(乙), 병(丙), 정(丁), 무(戊), 기(己), 경(庚), 신(申), 임(壬), 계(癸) 등 10개이다.

십년 十年 | 열 십, 해 년 [ten years; decade]

열 번[十] 째의 해[年]. 10년.

십대 十代 | 열 십, 세대 대 [one's teens]
❶속뜻 열[十] 번째의 세대(世代). ¶십대째 서울에 살다. ❷나이가 10세에서 19세까지의 시대. ¶십대의 소녀.

십분 十分 | 열 십, 나눌 분 [enough]
❶속뜻 열[十]로 나눔[分]. ❷아주 충분히. ¶너의 처지를 십분 이해한다.

십상 十常 | 열 십, 늘 상 [just; right]
❶속뜻 '열[十] 가운데 여덟[八]이나 아홉[九] 정도는 늘[常] 그러함'을 이르는 '십상팔구'(十常八九)의 준말. ❷그러할 가능성이 아주 높은 것. ¶생선은 여름에 상하기 십상이다.

십자 十字 | 열 십, 글자 자 [cross]
한자 '十' 이라는 글자[字]. 또는 그러한 모양을 가진 것.

십진 十進 | 열 십, 나아갈 진 [progressing by tens]
십(十)을 단위로 한 등급 올려[進] 계산함.

0011 [일]

日 날 일
부 日부 획 4획 중 日 [rì]

日 日 日 日

日자는 '해'(the sun)를 나타내기 위해서 고안된 것이다. 해는 달과 달리 늘 동그랗기에 둥근 원형을 그리고 그 안에 점을 하나 찍어 놓은 모양(⊙)으로 나타냈다. 그 점(·)은 태양의 흑점과는 아무런 관련이 없다. 안이 텅 빈 것이 못내 허전하게 느껴졌기에 심심풀이(?)로 찍어 놓은 것에 불과하다. 후에 쓰기 편리함을 위하여 네모꼴로 바뀌었고, 그 안의 점도 '一'로 변모됐다. 초기 한자 가운데 둥근 획(◎)이 많은 편이었으나 그것들이 모두 네모꼴(□)로 바뀐 것은 쓰기의 경제성과 모양의 균일성을 추구한 결과이다. 후에 日자가 '해'라는 본래 의미 말고도, '낮'(daytime) '하루'(one day) '날'(day) 같은 뜻으로도 쓰이게 됐다. '일본'(Japan)을 약칭하는 것으로도 많이 쓰인다.

속뜻 훈음 **①날 일, ②해 일, ③일본 일.**

일간 日刊 | 날 일, 책 펴낼 간 [daily publication]
날[日]마다 박아서 펴냄[刊]. 또는 그 간행물.

일과 日課 | 날 일, 매길 과 [daily task]
날[日]마다 일을 일정하게 매김[課]. 또는 그런 일. ¶그는 오전 여섯 시에 하루 일과를 시작한다.

일광 日光 | 해 일, 빛 광 [sunshine]
태양[日]에서 비추는 빛[光]. ⓑ햇빛.

일기¹ 日氣 | 날 일, 기운 기 [weather]
그날[日]의 기상(氣象) 상태. ¶일기가 좋다 / 요즘은 일기가 고르지 못하다. ⓑ날씨.

일기² 日記 | 날 일, 기록할 기 [diary]
그날그날[日] 겪은 일이나 감상 등을 적은 개인의 기록(記錄). ¶나는 하루도 빼지 않고 일기를 쓴다.

일몰 日沒 | 해 일, 빠질 몰 [sunset]
지평선이나 수평선 아래로 해[日]가 빠짐[沒]. ¶우리는 일몰을 보러 서해에 갔다. ⓑ일입(日入). ⓜ일출(日出).

일사 日射 | 해 일, 쏠 사 [insolate]
햇빛[日]이 내리쬠[射].

일상 日常 | 날 일, 늘 상 [every day]
날[日]마다 늘[常]. ¶바쁜 일상을 보내다. ⓑ평소(平素), 항상(恒常).

일성 日省 | 날 일, 살필 성
날[日]마다 자기 행실을 돌아보며 잘못을 살핌[省].

일수 日數 | 날 일, 셀 수 [number of days]
날[日]의 수(數). ¶출석 일수.

일어 日語 | 일본 일, 말씀 어 [Japanese language]
언어 일본(日本)에서 사용하는 언어(言語). '일본어'의 준말.

일용 日用 | 날 일, 쓸 용 [daily use]
날[日]마다 씀[用]. ¶일용할 양식.

일일 日日 | 날 일, 날 일 [every day]
날마다[日+日]. 나날. 매일. ¶일일 공부.

일자 日字 | 날 일, 글자 자 [date]
날[日]을 나타내는 글자나 숫자[字]. ¶수술 일자 / 기상 악화로 출발 일자를 늦추었다. ⓑ날짜.

일전 日前 | 날 일, 앞 전 [last time]
며칠[日] 전(前). 요전. ¶일전에 한 약속을 잊으면 안 돼.

일정 日程 | 날 일, 거리 정 [day's schedule]
❶속뜻 하루[日]에 가야할 거리[程]. ❷하루하루 해야 할 일. ¶나의 일정은 아침 7시부터 시작된다. ❸일정한 기간에 해야 할 일을 날짜별로 짜 놓은 것. 또는 그 계획. ¶대통령은 5일 간의 일정으로 미국을 공식 방문한다.

일제 日帝 | 일본 일, 임금 제 [Japanese imperialism]
역사 '일본제국주의'(日本帝國主義)의 준말. ¶일제 식민 통치 / 일제 치하의 조국 땅에는 절대로 돌아가지 않겠다.

일조 日照 | 해 일, 비칠 조 [sunshine]
해[日]가 비침[照]. ¶일조권(日照權) / 일조 시간은 울진과 대관령 지역이 가장 길다.

일지 日誌 | 날 일, 기록할 지 [diary]
그날그날[日]의 직무를 기록함[誌]. 또는 그 책. ¶학급 일지 / 일지를 작성하고 퇴근하다.

일직 日直 | 낮 일, 곧을 직 [be on day duty]
낮[日]이나 일요일에 당번이 되어 직장을 곧게[直] 지킴. 또는 그 사람.

일진 日辰 | 날 일, 간지 진 [day's luck]
❶[속뜻] 그날[日]의 간지[辰]. ¶오늘의 일진을 보니 경신일(庚申日)이다. ❷그날의 운세. ¶일진이 좋다 / 일진이 사납다.

일출 日出 | 해 일, 날 출 [sunrise]
해[日]가 돋음[出]. ¶일출 시간은 오전 5시 40분입니다. [반]일몰(日沒).

• 역순어휘 ——— •

금일 今日 | 이제 금, 날 일 [today]
오늘[今] 날[日]. ¶금일 휴업.

기일[1] 忌日 | 꺼릴 기, 날 일
[anniversary of (a person's) death]
❶[속뜻] 꺼려야[忌] 할 일이 많은 날[日]. ❷해마다 돌아오는 제삿날.

기일[2] 期日 | 기약할 기, 날 일
[(fixed) date; appointed day]
기약(期約)한 날짜[日]. 정해진 날짜. ¶기일 내에 일을 마치다. [비]약정일(約定日).

길일 吉日 | 길할 길, 날 일 [lucky]
❶[속뜻] 운이 좋은[吉] 날[日]. ¶길일을 택하여 혼례를 치르다. ❷매달 음력 초하룻날을 달리 이르는 말.

내일 來日 | 올 래, 날 일 [tomorrow]
오늘의 바로 다음[來] 날[日]. ¶내일은 금요일이다. [비]명일(明日). [반]오늘, 어제.

당일 當日 | 당할 당, 날 일
[on the day; on the appointed day]
바로 그[當] 날[日]. 그 날 하루. ¶서울에서 부산까지는 당일에 다녀올 수 있다. [비]즉일(卽日).

대:일 對日 | 대할 대, 일본 일 [toward Japan]
일본(日本)에 대(對)한. ¶대일 청구권.

말일 末日 | 끝 말, 날 일 [last day]
어느 기간의 마지막[末] 날[日]. ¶이달 말일까지 납부하십시오.

매:일 每日 | 마다 매, 날 일 [every day]
날[日] 마다[每]. 나날이. ¶엄마는 매일 가계부를 쓰신다. [비]만날, 연일(連日).

명일 明日 | 밝을 명, 날 일 [tomorrow]
밝아올[明] 다음 날[日]. ¶명일 오전 10시에 만나자. [비]내일(來日).

백일[1] 白日 | 흰 백, 해 일 [bright day]
❶[속뜻] 구름이 조금도 끼지 않은 맑은 날의 밝은[白] 해[日]. ❷환히 밝은 낮. 대낮. ¶그의 범죄가 백일하에 드러나다.

백일[2] 百日 | 일백 백, 날 일 [one hundred days]
아이가 태어난 날로부터 백(百) 번째 되는 날[日]. ¶백일 떡 / 백일 사진.

삼일 三日 | 석 삼, 날 일 [three days]
삼(三) 일(日). 사흘.

생일 生日 | 날 생, 날 일 [birthday; natal day]
세상에 태어난[生] 날[日]. 또는 태어난 날을 기리는 해마다의 그날. [비]생신(生辰).

소일 消日 | 사라질 소, 날 일 [pass time; kill time]
❶[속뜻] 별로 하는 일 없이 나날[日]을 보냄[消]. ❷어떤 일에 마음을 붙여 세월을 보냄. ¶그는 은퇴 후에 독서로 소일했다.

수:일 數日 | 셀 수, 날 일 [for a few days]
몇[數] 일(日). ¶수일 전에 그를 만났다.

시일 時日 | 때 시, 날 일 [day]
❶[속뜻] 때[時]와 날[日]. 날짜. ❷기일이나 기한. ¶시일을 늦추다.

양:일 兩日 | 두 량, 날 일
[two days; couple of days]
두[兩] 날[日]. ¶그 연극은 토요일과 일요일 양일간 공연한다.

연일 連日 | 이을 련, 날 일
[day after day; every day]
여러 날[日]을 계속함[連]. ¶연일 비가 내리고 있다. [비]날마다, 매일(每日).

요일 曜日 | 빛날 요, 해 일 [day of the week]
❶[속뜻] 빛나는[曜] 해[日]. ❷일주일의 각 날. ¶오늘은 무슨 요일입니까?

일일 一日 | 한 일, 날 일 [day]
한[一] 날[日]. 하루. ¶아버지가 우리 학교의 일일 교사로 나섰다.

재:일 在日 | 있을 재, 일본 일 [reside in Japan]
일본(日本)에 살고 있음[在]. ¶재일 교포 / 재일 거류민단 / 재일 유학생.

종일 終日 | 끝날 종, 날 일 [all the day]
하루[日]가 다 끝날[終] 때까지. ¶오늘은 종일 흐려서 빨래를 할 수 없었다. [비]온종일, 진종일.

주일[1] 主日 | 주인 주, 해 일 [Lord's day]
[기독교] '일요일'을 달리 이르는 말. 예수[主] 그리스도가

부활한 사건을 매주 기념하는 날[日]에서 유래한다. ¶주일에는 영업하지 않습니다.

주일² 週日 | 주일 주, 날 일 [week]
일요일부터 토요일까지의 한 주(週) 기간[日]. 7일. ¶이 편지를 몇 주일 뒤면 받을 수 있을까요?

청일 淸日 | 청나라 청, 일본 일
청(淸)나라와 일본(日本)을 아울러 이르는 말. ¶청일 양국의 관계는 급속도로 악화되었다.

친일 親日 | 친할 친, 일본 일 [pro-Japanese]
❶[속뜻] 일본(日本)과 친(親)함. ❷일제 강점기에, 일제와 야합하여 그들의 침략·약탈 정책을 지지·옹호하며 추종함. ¶친일 매국노. (반)배일(排日).

탄:일 誕日 | 태어날 탄, 날 일 [birthday]
태어난[誕] 날[日]. '생일'을 높여 이르는 말. 탄생일. ¶내일이 왕의 탄일이다.

평일 平日 | 보통 평, 날 일 [ordinary days]
보통[平] 날[日]. 휴일이나 기념일이 아닌 날. ¶우리는 평일은 물론이고 주말에도 일을 한다.

한:일 韓日 | 한국 한, 일본 일 [Korea and Japan]
한국(韓國)과 일본(日本). ¶한일 친선 경기.

항:일 抗日 | 겨룰 항, 일본 일 [resistance to Japan]
일본(日本) 제국주의에 항거(抗拒)함. ¶항일 운동.

후:일 後日 | 뒤 후, 날 일 [later days; the future]
뒷[後] 날[日]. ¶여행 가는 것을 후일로 미루다 / 후일 또 만나자. (비)훗날. (반)전일(前日).

휴일 休日 | 쉴 휴, 날 일 [holiday]
일을 하지 않고 쉬는[休] 날[日]. ¶오늘은 정기 휴일입니다.

0012 [월]

月

달 월
(部) 月부 (劃) 4획 (中) 月 [yuè]

月月月月

月자는 '달'(the moon)을 적기 위해서 만들어진 것이니 달 모양을 그린 것이다. 그런데 보름달 모양을 본떴더라면 어떻게 되었을까? 그렇게 했더라면 '해'를 나타내기 위한 글자와 같아질 수밖에 없었을 테니 좋은 방안이 아니었다. 그래서 반달이나 초승달 모양을 그렸던 것이다. 당시 사람들도 대단한 통찰력을 지니고 있었다.

월간 月刊 | 달 월, 책 펴낼 간 [monthly publication]
매월(每月) 발간(發刊)하는 일. 또는 그 간행물. ¶월간 잡지를 구독하다.

월경 月經 | 달 월, 지날 경 [menstruation; menses]
❶[속뜻] 매달[月] 겪음[經]. ❷[의학] 성숙기의 정상적인 여성에게 있는 생리 현상. 난소 기능으로 일어나는 자궁 점막의 출혈로 보통 28일 정도의 주기로 반복된다. (비)달거리, 생리(生理).

월급 月給 | 달 월, 줄 급 [monthly pay; monthly salary]
다달이[月] 받는 정해진 봉급(俸給). ¶이번 달부터 월급이 오른다. (비)봉급(俸給).

월말 月末 | 달 월, 끝 말 [end of the month]
어느 달[月]이 끝나 가는[末] 무렵. 곧, 말일 이전의 며칠 동안을 가리킨다. ¶숙제는 월말까지 제출하세요. (반)월초(月初).

월별 月別 | 달 월, 나눌 별
달[月]에 따라 구별(區別)함.

월부 月賦 | 달 월, 거둘 부 [monthly payments]
물건 값 등을 매달[月] 일정하게 나누어 거두어들임[賦]. ¶월부로 컴퓨터를 사다.

월세 月貰 | 달 월, 세놓을 세 [monthly rent]
다달이[月] 내는 집세[貰]. ¶월세로 점포를 얻다.

월식 月蝕 | 달 월, 갉아먹을 식 [eclipse of the moon; lunar eclipse]
❶[속뜻] 달[月]이 갉아 먹힌[蝕] 것처럼 보임. ❷[천문] 지구가 태양과 달 사이에 들어 달의 한쪽 또는 전체가 지구 그림자에 가려 보이지 않게 되는 현상. 개기 월식과 부분 월식이 있다.

월초 月初 | 달 월, 처음 초 [beginning of the month]
어느 달[月]이 시작되는[初] 무렵. ¶월초로 예정된 회합. (반)월말(月末).

• 역순어휘

개월 個月 | 낱 개, 달 월 [months]
낱낱[個]의 달[月]. 달의 수를 나타내는 말. ¶그들은 결혼한 지 2개월이 되었다.

만:월 滿月 | 찰 만, 달 월 [full moon]
원이 꽉 차도록[滿] 이지러진 데가 없이 생긴 달[月]. (비)보름달, 망월(望月), 영월(盈月). (반)휴월(虧月).

매:월 每月 | 마다 매, 달 월 [every month]
달[月] 마다[每]. (비)다달이, 매달.

명월 明月 | 밝을 명, 달 월 [bright moon]
❶[속뜻] 밝은[明] 달[月]. ❷보름달. 특히 음력 8월 보름

달. ¶청풍(清風) 명월.

세:월 歲月 | 해 세, 달 월 [time]
❶속뜻 해[歲]와 달[月]이 도는 주기로 한없이 흘러가는 시간. ¶그를 마지막으로 만난 후 5년 가까운 세월이 흘렀다. ❷살아가는 세상. ¶세월이 좋다.

전월 前月 | 앞 전, 달 월 [last month]
지난[前] 달[月]. 전달. ¶나는 전월보다 성적이 많이 올랐다.

정월 正月 | 바를 정, 달 월 [January; Jan]
한 해의 첫째날인 정삭(正朔)이 있는 달[月]. 음력으로 한 해의 첫째 달. ¶정월 초하루.

풍월 風月 | 바람 풍, 달 월 [beauties of nature]
❶속뜻 청풍(清風)과 명월(明月). ❷'자연의 아름다움'을 이르는 말.

0013 [화]

火

불 화(:)
部 火부 劃 4획 中 火 [huǒ]

火 火 火 火

火자는 '불'(fire)이란 뜻을 나타내기 위해서 활활 타오르는 불꽃 모양을 그린 것이다. 이것이 어떤 글자의 표의요소(부수)로 쓰이는 경우가 많은데, 그러한 글자들은 모두 '불'과 관련이 있다. 그런데 한 글자의 왼쪽 부분에 쓰일 때는 '火'로 쓰지만(煙 연기 연, #0635), 밑 부분에 쓰일 때에는 네 개의 점(灬)으로 쓴다(然 그러할 연, #0133). 그렇다고 한 자에 쓰인 네 개의 점(灬) 모두가 '火'의 변형은 아니다. 鳥(새 조, #0748), 爲(할 위, #0628) 등의 점(灬)은 '불'과 상관이 없다.

화:급 火急 | 불 화, 급할 급 [urgent; pressing]
걷잡을 수 없이 타는 불[火] 같이 매우 급(急)함. ¶그는 화급하게 밖으로 나갔다.

화:력 火力 | 불 화, 힘 력 [heating power]
불[火]이 탈 때에 내는 열의 힘[力]. ¶이 가스레인지는 화력이 세다.

화:로 火爐 | 불 화, 화로 로
[(charcoal) brazier; fire pot]
숯불[火]을 담아 놓는 그릇[爐]. ¶화로에 둘러앉아 불을 쪼이다.

화:산 火山 | 불 화, 메 산 [volcano]
지리 땅속의 마그마가 불[火]같이 밖으로 터져 나와 퇴적하여 이루어진 산(山). 활동의 유무에 따라 사(死)화산, 활(活)화산, 휴(休)화산으로 나뉜다.

화:상 火傷 | 불 화, 다칠 상 [(skin) burn]
뜨거운 열[火]에 다침[傷]. 또는 그렇게 입은 상처. ¶온몸에 화상을 입었다.

화:성 火星 | 불 화, 별 성 [Mars]
❶속뜻 불[火]을 상징하는 별[星]. ❷천문 태양계에서, 지구의 바로 바깥쪽에서 타원형의 궤도로 태양을 돌고 있는 네 번째 행성. 공전 주기는 1.8년이며 두 개의 위성을 가지고 있다.

화:약 火藥 | 불 화, 약 약 [(gun)powder]
❶속뜻 불[火]을 일으키는 기능을 하는 솜으로 만든 약(藥). ❷다이너마이트나 면화약 등과 같이 충격이나 열 따위를 가하면 격렬한 화학 반응을 일으켜, 가스와 열을 발생시키면서 폭발하는 물질. ¶화약 냄새 / 화약을 터뜨리다.

화:염 火焰 | 불 화, 불꽃 염 [flame; blaze]
❶속뜻 불[火]에서 이는 불꽃[焰]. ❷타는 불에서 일어나는 붉은 빛의 기운. ¶불이 나서 거리는 화염에 휩싸였다. ⓑ불꽃.

화:재 火災 | 불 화, 재앙 재 [fire; conflagration]
불[火]로 인한 재앙(災殃). ¶화재 신고는 119로 하세요.

화:전 火田 | 불 화, 밭 전
농업 농사를 짓기 위해 산이나 들에 불[火]을 질러 일군 밭[田]. ¶화전을 일구다.

화:차 火車 | 불 화, 수레 차
❶속뜻 전쟁 때 불[火]로 적을 공격하는 데 쓰던 수레[車]. ❷임진왜란 때 우리나라에서 사용한 전차(戰車)의 한 가지.

화:통 火筒 | 불 화, 대롱 통
[smokestack; funnel]
기차나 기선 따위에서 불[火]을 땔 때 연기가 나오게 한 굴뚝[筒].

화:포 火砲 | 불 화, 대포 포 [gun; firearm]
❶속뜻 화약(火藥)으로 쏘는 대포(大砲). ❷군사 대포 따위처럼 화약의 힘으로 탄환을 내쏘는 대형 무기. ¶화포 공격.

• 역순어휘

도:화 導火 | 이끌 도, 불 화 [fuze; direct cause]
❶속뜻 폭약이 터지도록 이끄는[導] 불[火]. ❷사건의 원인이나 동기를 비유하여 이르는 말.

발화 發火 | 일으킬 발, 불 화 [production of fire]
불[火]을 일으킴[發]. 불을 냄. ¶발화 원인을 조사하다.

방화¹ 防火 | 막을 방, 불 화 [fire prevention]
화재(火災)를 미리 막음[防]. ¶그 건물은 방화 시설을 갖추고 있다.

방:화² 放火 | 놓을 방, 불 화 [incendiary fire]
일부러 불[火]을 놓음[放]. ¶정신이상자가 지하철에서 방화했다. / 방화범을 잡다.

봉화 烽火 | 봉화 봉, 불 화 [signal fire]
역사 나라에 병란이나 사변이 있을 때 신호로 올리던 [烽] 불[火]. ㊊봉수(烽燧).

분:화 噴火 | 뿜을 분, 불 화 [erupt]
❶속뜻 불[火]을 내뿜음[噴]. ❷지리 화산의 화구에서 화산재, 수증기, 용암 따위를 내뿜는 일. ¶화산이 맹렬히 분화했다.

성화¹ 成火 | 이룰 성, 불 화
[torment; annoyance]
❶속뜻 마음대로 되지 않아 불[火]이 나는[成] 듯 몹시 애가 탐. 또는 그러한 상태. ¶여행을 못 가서 성화가 나다. ❷몹시 성가시게 구는 일. ¶장난감을 사 달라고 성화를 부리다.

성:화² 聖火 | 거룩할 성, 불 화 [sacred fire]
❶속뜻 신성(神聖)한 불[火]. ❷운동 올림픽 대회 때, 그리스의 올림피아에서 태양열로 채화(採火)한 불을 릴레이방식으로 운반하여 대회가 끝날 때까지 주경기장의 성화대에 켜 놓는 횃불. ¶성화를 봉송하다.

소화 消火 | 사라질 소, 불 화 [extinguish a fire]
불[火]을 끔[消].

열화 熱火 | 더울 열, 불 화 [blazing fire]
❶속뜻 뜨거운[熱] 불길[火]. ❷매우 격렬한 열정을 비유하여 이르는 말. ¶열화와 같은 성원을 보냈다.

울화 鬱火 | 답답할 울, 불 화
[pent up anger; resentment]
가슴이 꽉 막힌 듯 답답하여[鬱] 치밀어 오른 화(火). ¶그를 보자 울화가 치밀었다.

인화 引火 | 끌 인, 불 화 [ignite]
불[火]을 끌어옴[引]. ¶이 물질은 인화되기 쉽다 / 인화성 제품.

점화 點火 | 켤 점, 불 화
[ignite; light; fire]
불[火]을 켬[點]. ¶올림픽 성화를 점화하다.

진:화 鎭火 | 누를 진, 불 화
[extinguish a fire]
불길[火]을 진압(鎭壓)함. 화재를 끔. ¶비가 와서 불이 금방 진화됐다.

포화 砲火 | 대포 포, 불 화
[gunfire; shell fire]
총포(銃砲)를 쏠 때 일어나는 불[火].

0014 [수]

水

물 수
㊀水 4획 ㊥水 [shuǐ]
水水水水

水자는 '시냇물'(brook water; a stream)이란 뜻을 나타내기 위해서 시냇물이 굽이쳐 흐르는 모습을 그린 것이다. 후에 일반적 의미의 '물'(water)을 뜻하는 것으로 확대 사용됐다. 지금의 자형은 원형에서 크게 달라짐에 따라 '시냇물'이나 '물'을 연상하기 어렵게 돼, 상징적인 부호나 다름없게 됐다. 이것이 부수(표의요소)로 쓰인 글자들은 모두 '물'과 관련된 것들이다. 부수로 쓰일 경우 그 위치에 따라 氵, 水, 氺 등 세 가지로 각각 다른 모습을 취한다. 참고: 洗(씻을 세, #0351), 畓(논 답, #1707), 泰(클 태, #1220).

수경 水鏡 | 물 수, 거울 경 [swimming goggles]
물[水] 속에서 보기 위해 쓰는 안경(眼鏡). ¶수영을 할 때에는 수경을 껴야 한다.

수구 水球 | 물 수, 공 구 [water polo]
운동 각각 일곱 사람으로 이루어진 두 편이 물[水] 속에서 공[球]을 상대편 골에 넣어 득점의 많고 적음으로 승부를 겨루는 경기.

수군 水軍 | 물 수, 군사 군 [naval forces]
역사 배를 타고 바다[水]에서 싸우던 군대(軍隊). 지금의 해군(海軍)에 해당한다. ¶이순신 장군은 수군을 이끌고 왜구를 물리쳤다.

수궁 水宮 | 물 수, 집 궁
물[水] 속에 있다는 상상의 궁궐(宮闕). ¶자라는 토끼를 수궁으로 데려왔다. ㊊용궁(龍宮)

수달 水獺 | 물 수, 수달 달 [otter]
❶속뜻 물[水]을 좋아하는 짐승[獺]. ❷동물 족제빗과의 포유동물. 몸은 전체적으로 갈색을 띠고 있으며, 가죽은 옷을, 털은 붓을 만드는 데에 쓴다.

수도 水道 | 물 수, 길 도
[water course; piped water]
❶속뜻 물[水]이 흐르는 길[道]. ❷먹는 물이나 공업, 방화(防火) 따위에 쓰는 물을 관을 통하여 보내 주는 설비. ¶수도를 놓다.

수두 水痘 | 물 수, 천연두 두
[varicella; chickenpox]
의학 살갗에 돋은 붉은 발진[痘]이 얼마 안 가서 물집[水]으로 변하는 전염성 피부병. ¶그녀는 어려서 수두를 심하게 앓았다.

수라 水刺 | 물 수, 수라 라 [royal meal]

임금께 올리는 진지.

수력 水力 | 물 수, 힘 력 [water power]
❶[속뜻] 흐르거나 떨어지는 물[水]의 힘[力]. ❷[물리] 물이 가지고 있는 운동 에너지나 위치 에너지를 어떤 일에 이용하였을 때의 동력.

수로 水路 | 물 수, 길 로 [waterway; lane]
❶[속뜻] 물[水]이 흐르는 길[路]. ❷선박이 다닐 수 있는 물 위의 일정한 길. ¶네덜란드는 수로가 발달돼 있다. [반]육로(陸路).

수몰 水沒 | 물 수, 빠질 몰
[be flooded; go under water]
물[水]에 빠져[沒] 잠김. ¶댐의 건설로 이 지역은 곧 수몰된다.

수묵 水墨 | 물 수, 먹 묵 [India ink]
물[水]을 탄 먹물[墨]. 색이 엷게 표현된다.

수문 水門 | 물 수, 문 문 [floodgate; water gate]
[건설] 물[水]이 흐르는 양을 조절하기 위하여 설치한 문(門). ¶댐의 수문을 열어 물을 아래로 흘려보냈다.

수분 水分 | 물 수, 나눌 분 [water; moisture]
물[水]의 성분(成分). ¶이 과일은 수분이 많다. [비]물기.

수산 水産 | 물 수, 낳을 산 [marine products]
바다나 강 따위의 물[水]에서 남[産]. 또는 그런 산물(産物). ¶수산 식품의 판매량이 크게 늘었다.

수성 水星 | 물 수, 별 성 [Mercury]
❶[속뜻] 로마신화에서 저녁에 빛나는 별을 'mercury'라는 신에 비유한데서 유래. mercury를 화학에서는 '수은'(水銀), 천문학에서는 '수성'(水星)이라고 한다. ❷[천문] 태양계의 행성 가운데 가장 작고 태양에 가장 가까이 있는 별.

수세 水洗 | 물 수, 씻을 세 [rinse; wash by water]
물[水]로 씻음[洗].

수소 水素 | 물 수, 바탕 소 [hydrogen]
❶[속뜻] 태우면 물[水]이 생기는 원소(元素). ❷[화학] 빛깔과 냄새와 맛이 없고 불에 타기 쉬운 원소. 프랑스의 라부아지에는 수소를 태우면 물이 생기는 사실을 발견하여 그리스어로 '물'을 뜻하는 'hydro와 '생성하다'는 뜻의 'gennao'를 합쳐 'hydrogen'이라 명명하였다. 모든 물질 가운데 가장 가볍다. ¶수소는 공기보다 가볍다.

수압 水壓 | 물 수, 누를 압 [water pressure]
[물리] 물[水]의 압력(壓力). ¶이곳은 수압이 약해서 물이 잘 안 나온다.

수영 水泳 | 물 수, 헤엄칠 영 [swim]
[운동] 스포츠나 놀이로 물[水] 속을 헤엄치는 일[泳]. [비]헤엄.

수온 水溫 | 물 수, 따뜻할 온 [water temperature]
물[水]의 온도(溫度). ¶수온이 높아서 남해안에 적조(赤潮)가 발생했다.

수원 水源 | 물 수, 근원 원
[riverhead; head spring]
물[水]이 흘러나오기 시작한 근원(根源). ¶이 강의 수원은 안데스 산맥이다.

수은 水銀 | 물 수, 은 은 [mercury; quicksilver]
[화학] 상온에서 액체[水] 상태로 있는 은(銀). 전성(展性)·연성(延性)이 크고, 팽창률과 표면장력이 매우 큰 물질로 독성이 있으며 질산에 쉽게 녹는다. 원소기호는 'Hg'. ¶수은에 중독되다.

수재 水災 | 물 수, 재앙 재 [flood damage]
홍수나 범람 따위의 물[水]로 입는 재해(災害). ¶이번 홍수로 아랫마을은 큰 수재를 겪었다. [비]물난리, 수해(水害).

수조 水槽 | 물 수, 구유 조 [water tank; cistern]
물[水]을 담아 두는 큰 통[槽]. ¶수조를 깨끗이 청소했다.

수족 水族 | 물 수, 겨레 족 [aquatic animals]
물[水] 속에 사는 동물 종류[族]를 통틀어 이르는 말.

수준 水準 | 물 수, 평평할 준 [level; standard]
❶[속뜻] 수면(水面)처럼 평평함[準]. ❷사물의 가치, 등급, 품질 따위의 일정한 표준이나 정도. ¶수준이 낮다 / 수준 높은 작품.

수중 水中 | 물 수, 가운데 중
[underwater; submarine]
물[水] 가운데[中]. 물속. ¶이 카메라는 수중 촬영이 가능하다.

수질 水質 | 물 수, 바탕 질 [water quality]
어떤 물[水]의 성분이나 성질(性質). ¶정기적으로 수질을 검사하다.

수차 水車 | 물 수, 수레 차 [water mill]
❶[속뜻] 물[水]의 힘으로 수레[車]바퀴 모양의 물레를 돌려 곡식을 찧는 방아. 물레방아. ❷물을 자아올리는 기계.

수초 水草 | 물 수, 풀 초 [water weed]
[식물] 물[水]에서 서식하는 풀[草]. [비]물풀.

수통 水桶 | 물 수, 통 통 [water pail]
물[水]을 담거나 담겨 있는 통(桶). [비]물통.

수평 水平 | 물 수, 평평할 평 [horizontality]
❶[속뜻] 잔잔한 수면(水面)처럼 편평(扁平)한 모양. ¶물은 수평으로 되게 마련이다. ❷지구의 중력 방향과 직각을 이루는 방향. ¶팔을 다리와 수평이 되게 뻗으세요.

수해 水害 | 물 수, 해칠 해 [flood damage]
홍수(洪水)로 말미암은 재해(災害). ¶이 지역은 매년 여름 수해를 입는다. [비]수재(水災).

수협 水協 | 물 수, 합칠 협
[fisheries cooperative union]
사회 수산업(水産業)에 종사하는 사람들이 협력(協力)하기 위한 조직체. '수산업협동조합'(水産業協同組合)의 준말.

• 역순어휘 •

강:수 降水 | 내릴 강, 물 수 [rainfall; precipitation]
비, 눈, 우박 따위가 땅에 내린[降] 물[水]. ¶강수 예보

경수 輕水 | 가벼울 경, 물 수 [light water]
중수(重水)에 상대하여 '가벼운[輕] 물[水]'의 뜻으로 보통의 물을 이르는 말.

급수 給水 | 공급할 급, 물 수
[water supply; feed water]
물[水]을 공급(供給)함. 또는 그 물. ⊕배수(排水).

냉:수 冷水 | 찰 랭, 물 수 [cold water]
찬[冷] 물[水]. ¶냉수를 한 잔 마시다. ⊕온수(溫水).

누:수 漏水 | 샐 루, 물 수 [leak]
새어[漏] 나오는 물[水]. 물이 샘. ¶수도관이 누수하다.

단:수 斷水 | 끊을 단, 물 수 [cut off the water]
❶속뜻 물[水]길이 막힘[斷]. 또는 물길을 막음. ❷수도(水道)의 급수가 끊어짐. 또는 급수를 끊음. ¶수도관 공사로 단수되었다.

담:수 淡水 | 맑을 담, 물 수 [fresh water]
강이나 호수 따위와 같이 염분이 없는[淡] 물[水]. ⊕함수(鹹水).

방수 防水 | 막을 방, 물 수 [waterproof]
물[水]이 새거나 넘쳐흐르는 것을 막음[防]. ¶방수 설비 / 방수 대책.

배수 排水 | 밀칠 배, 물 수 [drainage]
불필요한 물[水]을 다른 곳으로 흘려버림[排]. ¶이 논은 배수가 잘 된다.

분수¹ 分水 | 나눌 분, 물 수 [diversion of water]
물[水]이 두 갈래 이상으로 갈라져[分] 흐름. 또는 갈라져 흐르는 물.

분:수² 噴水 | 뿜을 분, 물 수 [fountain]
물[水]을 뿜어내게[噴] 되어 있는 설비. 또는 뿜어내는 그 물. ¶분수에서 시원하게 물이 뿜어져 나온다.

빙수 氷水 | 얼음 빙, 물 수 [iced water]
❶속뜻 얼음[氷]을 넣어 차게 한 물[水]. ❷얼음을 눈처럼 간 다음 그 속에 삶은 팥, 설탕 따위를 넣어 만든 음식.

산수 山水 | 메 산, 물 수 [mountains and waters]
❶속뜻 산(山)과 물[水]. ❷자연의 경치. ¶산수가 아름답다.

삼수 三水 | 석 삼, 물 수
지리 우리나라에서 가장 험한 산골이라는 함경남도(량강도) 삼수군 삼수면(三水面)을 줄인 말.

상:수 上水 | 위 상, 물 수 [piped water]
음료수로 쓰기 위한 상급(上級)의 맑은 물[水]. ¶상수 시설을 갖추다. ⊕하수(下水).

생수 生水 | 날 생, 물 수 [natural water]
끓이거나 소독하지 않은 그대로[生]의 물[水].

식수 食水 | 먹을 식, 물 수 [drinking water]
먹는[食] 물[水]. ¶식수를 공급하다.

약수 藥水 | 약 약, 물 수
[medicinal waters; mineral waters]
약효(藥效)가 있는 샘물[水].

양수 揚水 | 오를 양, 물 수 [pump up water]
물[水]을 위로 퍼 올림[揚]. 또는 그 물.

온수 溫水 | 따뜻할 온, 물 수 [hot water]
따뜻한[溫] 물[水]. ¶보일러가 고장이 나서 온수가 나오지 않는다. ⊕냉수(冷水).

용:수 用水 | 쓸 용, 물 수 [water available for use]
❶속뜻 물[水]을 쓰는[用] 일. ❷방화·관개·공업·발전 따위를 위하여 먼 곳에서 물을 끌어옴. 또는 그 물. ¶공업 용수.

우:수 雨水 | 비 우, 물 수
❶속뜻 비[雨] 가 와서 고인 물[水]. ❷24절기의 하나. 입춘(立春)과 경칩(驚蟄) 사이에 들며 양력 2월 18일경이 된다. 태양의 황경(黃經)이 330도인 때에 해당한다.

유수 流水 | 흐를 류, 물 수
[running water; flowing stream]
흐르는[流] 물[水]. ¶세월은 유수와 같다.

잠수 潛水 | 잠길 잠, 물 수 [dive; go under water]
물[水]속으로 잠김[潛]. ¶해녀는 잠수하여 전복을 따왔다.

저:수 貯水 | 쌓을 저, 물 수
[storage of water; reservoir water]
산업용으로나 상수도용으로 물[水]을 가두어 모아 둠[貯]. 또는 그 물.

절수 節水 | 알맞을 절, 물 수 [economize water]
물[水]을 알맞게[節] 아껴 씀. ¶절수 운동.

정수 淨水 | 깨끗할 정, 물 수 [clean water]
물[水]을 깨끗하고[淨] 맑게 함. 또는 그 물. ¶이 물은 정수한 것이다 / 정수를 마시다.

조수 潮水 | 바닷물 조, 물 수 [tide; tidewater]
❶속뜻 바다에서 밀려들었다가 밀려나가는[潮] 물[水]. ❷지리 달, 태양 따위의 인력에 의하여 주기적으로 높아졌다 낮아졌다 하는 바닷물. 밀물과 썰물을 통틀어 이르

는 말. ¶서해안은 조수의 차가 심하다.

진ː수 進水 | 나아갈 진, 물 수 [launch]
❶속뜻 물[水]로 나아가게[進] 함. ❷새로 만든 배를 조선대(造船臺)에서 처음으로 물에 띄움. ¶거북선을 진수하다.

천수 天水 | 하늘 천, 물 수
하늘[天]에서 내려온 물[水]. ㊥빗물.

침ː수 浸水 | 잠길 침, 물 수
[be flooded; be waterlogged]
물[水]에 젖거나 잠김[浸]. ¶강물이 넘쳐 마을이 침수되었다.

탈수 脫水 | 벗을 탈, 물 수 [dehydrate]
어떤 물질 속에 들어 있는 수분(水分)을 제거함[脫]. ¶그녀는 심한 탈수 증세를 보였다 / 빨래를 탈수하다.

폐ː수 廢水 | 버릴 폐, 물 수 [waste water]
사용하고 내버린[廢] 물[水]. ¶강물이 공장 폐수로 인해 심하게 오염되었다.

풍수 風水 | 바람 풍, 물 수 [geomancy]
❶속뜻 바람[風]과 물[水]. ❷민속 집, 무덤 따위의 방위와 지형이 좋고 나쁨이 사람의 화복에 절대적 관계를 가진다는 학설.

하ː수 下水 | 아래 하, 물 수 [sewage]
빗물이나 집, 공장, 병원 따위에서 쓰고 아래[下]로 버리는 더러운 물[水]. ¶처리되지 않은 하수가 강을 더럽혔다.

해ː수 海水 | 바다 해, 물 수 [seawater]
바다[海]의 물[水].

향수 香水 | 향기 향, 물 수 [perfume]
❶속뜻 향기(香氣)가 나는 물[水]. ❷향료를 알코올 따위에 풀어서 만든 액체 화장품의 한 가지. ¶향수를 뿌리다.

호수 湖水 | 호수 호, 물 수 [lake]
❶속뜻 우묵하게 파인 호(湖)에 고인 물[水]. ❷지리 땅이 우묵하게 들어가 물이 괴어 있는 곳. ¶맑고 고요한 호수.

홍수 洪水 | 클 홍, 물 수 [flood; inundation]
❶속뜻 큰[洪] 물[水]. ❷비가 많이 내려 강과 시내의 물이 크게 불어나 넘치는 것. ¶마을의 집들이 홍수로 물에 잠겼다.

0015 [목]

木

나무 목
㊂ 木부 ㊀ 4획 ㊥ 木 [mù]

木木木木

木자는 '나무'(tree)라는 뜻을 나타내기 위하여 나무의 뿌리와 줄기 그리고 가지가 다 있는 모양을 본뜬 것이었다. 후에 가지 모양이 한 획의 '一'로 간략하게 변하였다. 지금의 자형은 뿌리 모양이 강조된 것이다(참고: 本 뿌리 본, #0249). 이것이 부수(표의요소)로 쓰인 글자들은 모두 '나무'와 관련이 있다.

목각 木刻 | 나무 목, 새길 각 [wood carving]
그림이나 글씨 따위를 나무[木]에 새김[刻]. ¶목각 활자.

목공 木工 | 나무 목, 장인 공
[carpenter; wood worker]
나무[木]로 물건을 만드는[工] 일. 혹은 그런 일을 하는 사람. ㊥목수(木手).

목관 木管 | 나무 목, 피리 관 [wooden pipe]
나무[木]로 만든 피리[管].

목기 木器 | 나무 목, 그릇 기 [wooden ware]
나무[木]로 만든 그릇[器].

목대 木臺 | 나무 목, 돈대 대 [board]
출판 인쇄할 때에 목판을 올려놓는[臺] 나무[木]쪽. ㊥판대(版臺).

목련 木蓮 | 나무 목, 연꽃 련 [magnolia]
식물 봄에 잎보다 먼저 흰빛 또는 자줏빛 꽃이 피는 나무. 또는 그 꽃. '나무[木]에서 피는 연꽃[蓮]'이라는 뜻에서 붙여진 이름이다.

목마 木馬 | 나무 목, 말 마 [wooden horse]
❶속뜻 나무[木]로 말[馬] 모양을 깎아 만든 물건. ¶목마를 타고 놀다. ❷운동 기계체조에 쓰는 말의 모양처럼 만든 기구의 하나.

목석 木石 | 나무 목, 돌 석
[trees and stones; insensibility]
❶속뜻 나무[木]와 돌[石]을 아우르는 말. ❷나무나 돌처럼 '감정이 무디고 무뚝뚝한 사람'을 비유하여 이르는 말. ¶그는 목석같은 사람이다.

목성 木星 | 나무 목, 별 성 [Jupiter]
천문 태양으로부터 다섯 번째로 가깝고 음양오행설에서 목(木)에 해당되는 행성(行星). 태양계의 행성 가운데 가장 크다. ㊥덕성(德星), 세성(歲星).

목수 木手 | 나무 목, 사람 수 [carpenter]
나무[木]로 집을 짓거나 기구를 만드는 일을 업으로 하는 사람[手]. ㊥목공(木工), 대목(大木).

목재 木材 | 나무 목, 재료 재 [wood; lumber]
건물이나 가구를 만드는 데 쓰이는 나무[木]로 된 재료(材料). ㊥재목(材木).

목제 木製 | 나무 목, 만들 제 [wooden]
나무[木]를 재료로 하여 만듦[製]. 또는 그 물건.

목조 木造 | 나무 목, 만들 조 [wooden manger]

나무[木]로 지음[造]. 또는 그 건축물. ¶목조 주택.

목침 木枕 | 나무 목, 베개 침 [wooden pillow]
나무[木] 토막으로 만든 베개[枕]. ¶목침을 베고 자다.

목탁 木鐸 | 나무 목, 방울 탁 [wooden gong]
불교 나무[木]를 둥글게 깎아 속을 파서 방울[鐸]처럼 만든 기구. 불공을 할 때나 사람들을 모이게 할 때 쓴다. ¶목탁 소리 / 목탁을 두드리다.

목탄 木炭 | 나무 목, 숯 탄 [charcoal]
나무[木]를 태워 만든 숯[炭].

목탑 木塔 | 나무 목, 탑 탑
나무[木]로 만든 탑(塔). ¶황룡사 9층 목탑 / 목탑은 돌로 쌓는 석탑보다 쉽게 세울 수 있다.

목판 木版 | 나무 목, 널빤지 판
[wood (printing) block]
출판 나무[木]에 글이나 그림을 새긴 인쇄용의 널빤지[版].

목화 木花 | 나무 목, 꽃 화 [cotton]
❶속뜻 솜이 나무[木]의 꽃[花]처럼 달리는 식물. ❷식물 아욱과의 한해살이풀. 솜털을 모아서 솜을 만들고 씨는 기름을 짠다. ¶목화를 틀어 솜을 만들다. ㊐면화(綿花).

• 역순어휘

각목 角木 | 뿔 각, 나무 목
[square wooden club]
각(角)이 지게 켠 나무토막[木]. ¶각목을 잘라 의자를 만들다.

갱목 坑木 | 구덩이 갱, 나무 목 [pit prop]
갱이 무너지지 않도록 갱내(坑內)나 갱도에 버티어 대는 통나무[木]. ¶갱목이 부러져 갱도(坑道)가 무너졌다.

거:목 巨木 | 클 거, 나무 목
[great tree; great man]
❶속뜻 매우 큰[巨] 나무[木]. ¶마을회관 앞에는 10미터 높이의 거목이 서 있다. ❷'큰 인물'을 비유하여 이르는 말. ¶그는 한국 경제계의 거목이다. ㊐위인(偉人).

고:목 古木 | 옛 고, 나무 목 [old tree]
오래[古] 묵은 나무[木]. ¶몇 백 년 된 고목에서 새싹이 돋다.

관:목 灌木 | 덥수룩할 관, 나무 목 [shrubs; bush]
식물 나무의 키가 작고 덥수룩하게[灌] 밑동에서 가지를 많이 치는 나무[木]. ㊐떨기나무. ㊥교목(喬木).

광:목 廣木 | 넓을 광, 나무 목
[white cotton cloth]
목화(木花)씨에 붙은 솜을 자아 만든 무명실로 서양목처럼 너비가 넓게[廣] 짠 베.

교목 喬木 | 높을 교, 나무 목 [tall tree]
식물 키가 큰[喬] 나무[木]. 소나무, 향나무, 감나무처럼 줄기가 곧고 굵으며 키가 크다. ㊥관목(灌木).

묘:목 苗木 | 어릴 묘, 나무 목
[seedling; young plant]
옮겨심기 위해 가꾼 어린[苗] 나무[木]. ¶묘목을 이식하다.

벌목 伐木 | 칠 벌, 나무 목
[cut down a tree; log]
나무[木]를 벰[伐]. ¶벌목을 금지하다 / 불법으로 벌목하다. ㊐간목(刊木).

수목 樹木 | 나무 수, 나무 목 [tree]
살아 있는 나무[樹=木]. ¶공원에는 수목이 울창하다.

식목 植木 | 심을 식, 나무 목
[plant trees; transplant trees]
나무[木]를 심음[植]. 또는 그 나무. ¶그는 식목하기 위해 산으로 올라갔다.

원목 原木 | 본디 원, 나무 목 [raw timber]
가공하지 아니한 원래(原來)의 통나무[木]. ¶이 침대는 원목으로 만들었다.

잡목 雜木 | 섞일 잡, 나무 목 [scrubs]
여러 종류가 뒤섞인[雜] 나무[木]. ¶그곳은 잡목이 무성하다.

재목 材木 | 재목 재, 나무 목
[wood; lumber]
❶속뜻 건축·토목·가구 따위의 재료(材料)로 쓰는 나무[木]. ¶이 건물은 좋은 재목을 써서 지었다. ❷큰일을 할 인물을 비유하여 이르는 말. ¶그 소년은 한국 야구를 이끌어 갈 재목이다.

접목 接木 | 이을 접, 나무 목
[graft trees together]
나무[木]를 접붙여 이음[接]. 또는 그 나무.

초목 草木 | 풀 초, 나무 목
[trees and plants; grass and trees]
풀[草]과 나무[木]. ¶산은 짙푸른 초목으로 우거져 있다.

토목 土木 | 흙 토, 나무 목 [public works]
❶속뜻 흙[土]과 나무[木]. ❷건설 '토목 공사'(土木工事)의 준말.

포목 布木 | 베 포, 나무 목
[linen and cotton; dry goods]
베[布]와 목면(木綿), 즉 무명. ¶포목을 세금으로 바치다.

0016 [금]

金

쇠 금, 성(姓) 김

[部] 金부 [劃] 8획 [中] 金 [jīn]

金자의 원형에 대하여는 여러 설이 있으나, 鑛石(광:석)을 녹여 쇠를 만드는 거푸집 모양과 관련이 있음은 확실하다. 이 글자는 '금속의 통칭'(쇠, metal) → '황금'(gold) → '돈'(money)이라는 의미 확대 적용과정을 거쳤다. 사람의 성씨로 쓰일 때에는 [김], 지명으로 쓰일 때에는 [김] 또는 [금]으로 읽는다(예, 金泉-김천, 金陵-금릉).

[속뜻 훈음] **①쇠 금, ②황금 금, ③돈 금, ⑤성 김.**

금강 金剛 | 쇠 금, 굳셀 강 [diamond]
❶[속뜻] '금강석'(金剛石)을 일상적으로 이르는 말. ❷'매우 단단하여 결코 부서지지 않는 것'을 비유하여 이르는 말.

금고 金庫 | 돈 금, 곳집 고 [safe; strongbox]
❶[속뜻] 돈[金]이나 귀중품 따위를 안전하게 보관하는 데 쓰이는 상자[庫]. ¶보석을 금고에 넣어 두다. ❷국가나 공공 단체의 현금 출납 기관. ¶상호신용 금고.

금관 金冠 | 황금 금, 갓 관 [gold crown]
황금(黃金)으로 만든 관(冠). ¶백제시대의 금관이 발굴됐다.

금광 金鑛 | 황금 금, 쇳돌 광 [gold mine]
금(金)이 들어 있는 광석(鑛石). 또는 그 광산.

금괴 金塊 | 황금 금, 덩어리 괴 [nugget of gold]
덩어리[塊]로 뭉쳐놓은 금(金). ¶집에 두었던 금괴를 도난당했다. [비]금덩어리.

금당 金堂 | 황금 금, 집 당 [main build a temple]
[불교] 금불상(金佛像)을 모신 절의 본당(本堂). [비]대웅전(大雄殿).

금동 金銅 | 황금 금, 구리 동 [gilt bronze]
금(金)으로 도금한 구리[銅].

금박 金箔 | 황금 금, 얇을 박
[(a piece of) gold leaf]
금(金)을 두드려 종이처럼 아주 얇게[箔] 늘인 물건.

금발 金髮 | 황금 금, 머리털 발 [golden hair]
황금(黃金)빛 나는 머리털[髮]. ¶금발 머리 / 금발의 서양인.

금상 金賞 | 황금 금, 상줄 상 [gold prize]
상(賞)의 등급을 금(金), 은(銀), 동(銅)으로 구분하였을 때의 일등상.

금색 金色 | 황금 금, 빛 색 [golden color]
황금(黃金)과 같이 광택이 나는 누런 색(色). ¶금색 단추.

금성 金星 | 쇠 금, 별 성
[Venus; Hesperus; daystar]
❶[속뜻] 금(金)을 상징하는 별[星]. ❷[천문] 태양에서 두 번째로 가깝고 지구에 가장 가까이 있는 행성. 크기는 지구와 비슷하다. [비]샛별, 태백성(太白星).

금속 金屬 | 쇠 금, 속할 속 [metal]
❶[속뜻] 쇠[金]에 속(屬)하는 물질. ❷열이나 전기를 잘 전도하고 펴지고 늘어나는 성질이 풍부하며 특수한 광택을 가진 물질을 이르는 말. [반]비금속(非金屬).

금액 金額 | 돈 금, 액수 액 [amount of money]
돈[金]의 액수(額數). ¶가격표에 적힌 금액을 확인하다. [비]값, 가격(價格).

금언 金言 | 황금 금, 말씀 언 [golden saying]
생활의 지침이 될 만한 금쪽[金]같이 귀중하고 짤막한 말[言]. [비]격언(格言).

금와 金蛙 | 황금 금, 개구리 와
[문학] 동부여의 왕으로, 부여 왕 해부루에게 발견될 때 온 몸이 금빛[金]으로 된 개구리[蛙]를 닮았었다고 한다.

금융 金融 | 돈 금, 녹을 융
[finance; circulation of money]
❶[속뜻] 돈[金]의 융통(融通). ❷[경제] 자금의 수요와 공급의 관계.

금은 金銀 | 황금 금, 은 은 [gold and silver]
금(金)과 은(銀).

금자 金字 | 황금 금, 글자 자 [gold letter]
금박을 올리거나 금빛 수실로 수를 놓거나 이금(泥金)으로 써서 금(金)빛이 나는 글자[字]. [비]금문자(金文字).

금잔 金盞 | 황금 금, 잔 잔 [gold cup]
금(金)으로 만든 술잔(盞).

금전 金錢 | 쇠 금, 돈 전 [money; cash]
❶[속뜻] 쇠붙이[金]로 만든 돈[錢]. ❷돈. [비]금화(金貨), 화폐(貨幣).

금제 金製 | 황금 금, 만들 제 [gold made product]
금(金)으로 만든 제품(製品).

금품 金品 | 돈 금, 물품 품
[money and other valuables]
돈[金]과 물품(物品)을 아울러 이르는 말. ¶금품을 요구하다 / 금품을 수수하다.

금화 金貨 | 황금 금, 돈 화
[gold coin; gold currency]
금(金)으로 만든 돈[貨].

• 역순어휘

거:금 巨金 | 클 거, 돈 금 [large sum of money]
거액(巨額)의 돈[金]. 큰돈. ¶불우 이웃을 위해 거액을 선뜻 내놓다. ㊐거액(巨額). ㊥푼돈.

공금 公金 | 관공서 공, 돈 금 [public money]
❶속뜻 국가나 공공단체[公]의 소유로 되어 있는 돈[金]. ❷단체나 회사의 돈. ¶공금을 제멋대로 써버리다. ㊥사비(私費).

기금 基金 | 터 기, 돈 금 [fund]
어떤 목적을 위하여 쓰는 기본(基本) 자금(資金). ¶행사에 쓸 기금을 모으다.

대:금 代金 | 대신할 대, 돈 금 [price; cost]
물건의 값 대신(代身)으로 치르는 돈[金]. ¶대금을 치르다. ㊐값, 대가(代價).

도:금 鍍金 | 도금할 도, 황금 금 [plate; gild]
공업 금속이나 비금속의 겉에 금(金)이나 은 따위를 얇게 입히는[鍍] 일.

모금 募金 | 모을 모, 돈 금 [raise; collect]
특별한 목적을 위하여 돈[金]을 모음[募]. ¶불우 이웃을 돕기 위해 모금하다.

백금 白金 | 흰 백, 쇠 금 [white gold]
화학 은백색(銀白色)의 금속(金屬) 원소. 은보다 단단하며 녹슬지 않는다.

벌금 罰金 | 벌할 벌, 돈 금
[fine; (monetary) penalty]
규약을 위반했을 때에 벌(罰)로 내게 하는 돈[金]. ¶모임에 늦어 벌금을 냈다. ㊥상금(賞金).

사금 沙金 | =砂金, 모래 사, 쇠 금 [alluvial gold]
광업 강바닥이나 해안의 모래[沙]에 섞여 있는 금(金). ¶사금을 채취하다.

상금 賞金 | 상줄 상, 돈 금 [prize; (cash) reward]
상(賞)으로 주는 돈[金]. ¶소설이 당선되어 상금을 받았다. ㊥벌금(罰金).

선금 先金 | 먼저 선, 돈 금 [prepayment]
값을 미리[先] 치르는 돈[金]. ¶선금을 걸고 물건을 샀다.

성금 誠金 | 정성 성, 돈 금
[donation; contribution]
정성(精誠)을 모아내는 돈[金]. ¶불우 이웃 돕기 성금.

세:금 稅金 | 구실 세, 돈 금 [tax]
법률 국가나 지방 공공단체가 구실[稅]로 징수하는 돈[金].

송:금 送金 | 보낼 송, 돈 금 [remit money]
돈[金]을 부침[送]. 또는 그 돈. ¶송금 수수료 / 월급의 반 이상을 동생에게 송금했다.

수금 收金 | 거둘 수, 돈 금 [collect money]
돈[金]을 거둠[收]. ¶외상값을 수금하다.

순금 純金 | 순수할 순, 황금 금 [solid gold]
불순물이 섞이지 않은 순수(純粹)한 황금(黃金). ¶순금은 쉽게 구부러진다.

시:금 試金 | 시험할 시, 황금 금 [assay]
금(金)의 품질을 시험(試驗)함.

연금 年金 | 해 년, 돈 금 [annuity; pension]
법률 국가나 사회에 특별한 공로가 있거나 일정 기간 국가기관에 복무한 사람에게 해[年]마다 주는 돈[金]. ¶국민 연금 / 올림픽에서 금메달을 따면 연금을 받는다.

예:금 預金 | 맡길 예, 돈 금 [deposit]
경제 일정한 계약에 의하여 은행, 우체국 따위에 돈[金]을 맡기는[預] 일. 또는 그 돈. ¶정기 예금 / 나는 은행에 돈을 예금했다.

요:금 料金 | 삯 료, 돈 금 [charge]
수수료(手數料) 따위에 상당하는 돈[金]. ¶택시 요금 / 요금을 올리다.

원금 元金 | 으뜸 원, 돈 금 [principal]
❶속뜻 밑천[元]으로 들인 돈[金]. ❷경제 꾸어 준 돈에서 이자를 붙이지 아니한 본디의 돈. ¶원금 50만 원에 대한 이자. ㊥이자(利子).

임:금 賃金 | 품삯 임, 돈 금 [pay]
일을 한 품삯[賃]으로 받는 돈[金]. ¶임금을 올려 달라고 애원하다. ㊐노임(勞賃), 삯.

입금 入金 | 들 입, 돈 금 [receipt of money]
돈[金]이 들어옴[入]. 또는 돈을 계좌에 넣음. ¶사장님은 월급 전액을 통장으로 입금해 주었다. ㊥출금(出金).

자금 資金 | 밑천 자, 돈 금 [capital]
사업 따위의 밑천[資]이 되는 돈[金]. ¶아버지는 사업 자금을 마련하기 위해 집을 팔았다.

잔금 殘金 | 남을 잔, 돈 금 [balance]
❶속뜻 남은[殘] 돈[金]. ❷갚다가 덜 갚은 돈. ¶잔금을 치르다.

저:금 貯金 | 쌓을 저, 돈 금 [save; deposit]
❶속뜻 돈[金]을 모아[貯] 둠. 또는 그 돈. ❷돈을 금융기관이나 우체국 등에 맡겨 저축(貯蓄)함. 또는 그 돈. ¶은행에 100만 원을 저금하다. ㊐저축(貯蓄).

적금 積金 | 쌓을 적, 돈 금
[save up by installment; deposit funds]
❶속뜻 돈[金]을 모아[積] 둠. 또는 그 돈. ❷경제 일정 기간 일정 금액을 불입한 다음 만기가 되면 찾기로 약속된, 은행 저금의 한 가지. ¶매달 십 만원씩 적금을 붓다.

천금 千金 | 일천 천, 돈 금 [lot of money]

❶속뜻 엽전 천(千) 냥의 돈[金]. ❷많은 돈. ¶일확천금(一攫千金) / 천금을 준다고 해도 목숨은 살 수 없다.

출금 出金 | 날 출, 돈 금 [pay; draw out]
돈[金]을 꺼냄[出]. 꺼낸 돈. ¶은행에 가서 10만원을 출금했다. ㊥입금(入金).

합금 合金 | 합할 합, 쇠 금 [alloy]
화학 여러 가지 금속(金屬)을 합(合)함. 또는 그렇게 만든 금속.

헌:금 獻金 | 바칠 헌, 돈 금 [donate]
돈[金]을 바침[獻]. 또는 그 돈. ¶헌금을 내다.

현:금 現金 | 지금 현, 돈 금 [cash]
❶속뜻 현재(現在) 가지고 있는 돈[金]. ❷어음·수표·채권 따위가 아닌 실지로 늘 쓰는 돈. ¶현금으로 물건 값을 지불하다. ㊥현찰(現札).

황금 黃金 | 누를 황, 쇠 금 [gold; money]
누른[黃] 빛깔의 금(金). ¶황금알을 낳는 거위.

후:금 後金 | 뒤 후, 쇠 금
역사 금나라가 멸망한 뒤[後], 1616년에 여진족이 금(金)나라를 계승하여 세운 나라. 1636년 이름을 청(淸)으로 바꾸었다.

0017 [토]

土

흙 토
㊀ 土부 ㊁ 3획 ㊥ 土 [tǔ]

土 土 土

土자는 '흙'(soil)을 뜻하기 위하여, 땅 위에 볼록하게 쌓아 올린 흙무더기 모양을 본뜬 것이었다. '十'은 흙무더기 모양이 바뀐 것이고, 맨 아래의 '一'은 지면을 가리키는 것이다. 이것이 부수(표의요소)로 활용되는 예가 많은데, 그러한 글자들은 모두 '흙'(clay) 또는 '땅'(land)과 관련된 의미를 나타낸다.

토굴 土窟 | 흙 토, 굴 굴 [dugout; large cave]
땅[土]속에 난 굴(窟). ¶아주 오래 전에는 토굴을 파고 살았다.

토기 土器 | 흙 토, 그릇 기
[earthen vessel; earthen ware]
수공 흙[土]으로 빚어 구운 그릇[器]. ¶이곳에서 선사시대의 토기가 출토되었다.

토대 土臺 | 흙 토, 돈대 대
[foundation; groundwork]
❶속뜻 흙[土]으로 쌓아 올린 높은 대(臺). ❷건설 건축물의 윗부분을 떠받치기 위해 밑바닥에 대는 나무. ¶그 빌딩은 견고한 토대 위에 지어졌다. ❸사업의 밑천. ¶경제 발전의 토대가 되다.

토란 土卵 | 흙 토, 알 란 [taro]
❶속뜻 흙[土]속에 알[卵]모양의 뿌리를 내리는 식물. ❷식물 잎은 두껍고 넓은 방패 모양의 잎이 나는 천남성과의 풀. 뿌리줄기는 잎자루와 함께 식용한다. ¶토란으로 국을 끓였다.

토목 土木 | 흙 토, 나무 목 [public works]
❶속뜻 흙[土]과 나무[木]. ❷건설 '토목 공사'(土木工事)의 준말.

토사 土沙 | =土砂, 흙 토, 모래 사
[earth and sand]
흙[土]과 모래[沙]. ¶강둑에 토사가 쌓이다.

토산 土産 | 흙 토, 낳을 산
어떤 지역[土]에서만 남[産].

토성¹ 土星 | 흙 토, 별 성 [Saturn]
❶속뜻 땅[土]을 관장하는 신을 상징하는 별[星]. 'Saturn'은 로마신화에서 농업의 신을 이르는 말이다. ❷천문 태양계의 안쪽에서 여섯 번째 행성. ¶토성에는 30개 이상의 위성이 있다.

토성² 土城 | 흙 토, 성곽 성
[wall of earth; mud wall]
흙[土]으로 쌓아 올린 성(城). ¶토성을 쌓다 / 몽촌토성.

토속 土俗 | 흙 토, 풍속 속
[local customs; folkways]
그 지방[土] 특유의 습관이나 풍속(風俗). ¶토속 음식을 특별히 좋아하다.

토양 土壤 | 흙 토, 흙 양 [soil]
❶속뜻 흙[土=壤]. ❷식물에 영양을 공급하여 자라게 할 수 있는 흙. ¶이 지역은 토양이 기름져서 농사가 잘 된다.

토인 土人 | 흙 토, 사람 인 [native; aboriginal]
❶속뜻 어떤 지방[土]에 대대로 붙박이로 사는 사람[人]. ❷미개한 지역에 정착하여 원시적인 생활을 하고 있는 종족을 얕잡아 이르는 말. ¶아프리카 토인을 교화하다.

토종 土種 | 흙 토, 씨 종
[native kind; local breed]
본디 그 지역[土]에서 나는 종자(種子). ¶토종 농산물이 우리 몸에 좋다. ㊥재래종(在來種).

토지 土地 | 흙 토, 땅 지 [land; ground]
❶속뜻 흙[土]과 땅[地]. ❷사람의 생활과 활동에 이용하는 땅. ¶이 토지는 어떤 용도로도 이용 가능하다.

토질 土質 | 흙 토, 바탕 질 [soil]
토지(土地)의 성질(性質). ¶이 지역은 토질이 비옥하다.

토착 土着 | 흙 토, 붙을 착 [settle]

❶속뜻 일정한 지역[土]에 눌러[着] 삶. ❷대를 이어 그 땅에서 삶. ¶이곳에는 예전에 토착화전민이 살았다.

• 역순어휘

강토 疆土 | 지경 강, 흙 토
[territory; domain]
국경[疆] 안에 있는 땅[土]. 나라의 영토. ¶아름다운 강토를 훌륭히 가꾸다. ⓑ강산(江山).

국토 國土 | 나라 국, 땅 토 [territory; realm]
나라[國]의 땅[土]. 한 나라의 통치권이 미치는 지역을 이른다. ¶국토 개발 계획.

농토 農土 | 농사 농, 흙 토 [farmland]
농사(農事)를 짓는 데 쓰이는 땅[土]. ⓑ농지(農地).

본토 本土 | 뿌리 본, 흙 토
[one's native country; mainland]
❶속뜻 섬이나 속국이 아닌 주[本]가 되는 국토(國土). ❷바로 그 지방. ¶미국 본토 출신.

영토 領土 | 거느릴 령, 흙 토
[territory; dominion]
❶속뜻 다스리는[領] 땅[土]. ¶광개토대왕은 고구려의 영토를 확장했다. ❷법률 국제법에서 국가의 통치권이 미치는 구역. ¶헌법에는 '한반도와 부속도서'(附屬島嶼)를 대한민국의 영토로 명시하고 있다. ⓑ국토(國土).

옥토 沃土 | 기름질 옥, 흙 토 [fertile soil]
비옥(肥沃)한 땅[土]. ¶이주민들은 밤낮없이 매달려 황무지를 옥토로 만들었다. ⓟ황무지(荒蕪地).

점토 粘土 | 끈끈할 점, 흙 토 [clay]
지리 작은 알갱이로 이루어진 부드럽고 끈끈한[粘] 흙[土]. ¶그녀는 점토로 그릇을 만들었다. ⓑ찰흙.

진토 塵土 | 티끌 진, 흙 토 [dust and dirt]
티끌[塵]과 흙[土]을 통틀어 이르는 말. ¶백골이 진토가 된들 어떻게 임금님의 은혜를 갚을까.

출토 出土 | 날 출, 흙 토
[be excavated; be unearthed]
땅[土]속에서 발굴되어 나옴[出]. ¶유물이 출토되다.

풍토 風土 | 바람 풍, 흙 토 [climate]
어떤 지방의 바람[風]과 땅[土]의 상태. ¶지역의 풍토에 맞게 농사를 지어야 한다.

향토 鄕土 | 시골 향, 흙 토
[one's native place]
자기가 태어나서 자란 시골[鄕] 땅[土]. ¶향토를 지키다.

황토 黃土 | 누를 황, 흙 토
[yellow soil; yellow ocher]
누런[黃] 흙[土].

0018 [부]

父 아비 부
ⓑ 父부 ⓗ 4획 ⓒ 父 [fù]

父 父 父 父

父자는 '문자학의 아버지'인 漢(한) 나라 許愼(허신)이 '몽둥이(회초리)를 들고 있는 모습'이라고 잘못 풀이하는 바람에 약 2천 년 간 많은 사람들이 '아버지=회초리'라는 관념으로 인식하게 됐다. 그 원형을 잘 보존하고 있는 金文(금문)에서는 '돌도끼(石斧·석부)를 들고 있는 모습'임을 분명하게 알 수 있다. '돌도끼'(stone axe)가 본뜻인데, '아버지'(father)란 뜻으로 빌려 쓰이는 사례가 많아지자 원래의 뜻은 斧(도끼 부)자를 추가로 만들어 나타냈다. 따라서 父자에 '아버지=회초리'라는 관념을 더 이상 부여하지 말자! '아비 부'라는 관례적 표현 방식으로 쓰이는 '아비'는 '아버지'의 낮춤말이기 때문에 '아버지 부'로 바꾸어 쓰는 것이 교육적으로도 좋을 것 같다.

속뜻훈음 **아버지 부.**

부계 父系 | 아버지 부, 이어 맬 계
[paternal side; male line]
아버지[父] 쪽의 혈통에 딸린 계통(系統). ¶부계 사회 / 호적제도가 바뀌어 기존의 부계 전통이 완화되었다. ⓟ모계(母系).

부모 父母 | 아버지 부, 어머니 모 [parents]
아버지[父]와 어머니[母]. ¶수술을 하기 전에 부모의 동의가 필요하다. ⓑ어버이, 양친(兩親).

부자 父子 | 아버지 부, 아들 자 [father and son]
아버지[父]와 아들[子]. ¶부자가 꼭 닮았다.

부친 父親 | 아버지 부, 어버이 친 [one's father]
❶속뜻 부계(父系) 친족(親族). ❷'아버지'를 정중히 일컫는 말. ¶그의 부친이 돌아가셨다고 한다. ⓟ모친(母親).

부형 父兄 | 아버지 부, 맏 형
[one's father and brothers; guardians]
❶속뜻 아버지[父]와 형[兄]. ❷학교에서 학생의 보호자를 두루 일컫는 말.

• 역순어휘

가부 家父 | 집 가, 아버지 부 [my father]
❶속뜻 한 집안[家]의 아버지[父]. ❷자기 아버지를 이르는 말. ⓑ가친(家親). ⓟ가모(家母).

국부 國父 | 나라 국, 아버지 부
[father of one's country]

❶속뜻 나라[國]의 아버지[父]. 임금. ❷나라를 세우는 데 공로가 많아 국민에게 존경받는 위대한 지도자를 이르는 말. ⓑ국모(國母).

대:부 代父 | 대신할 대, 아버지 부 [godfather]
❶속뜻 아버지[父] 역할을 대신[代]함. 또는 그런 사람. ❷가톨릭 영세나 견진성사(堅振聖事)를 받는 남자의 신앙생활을 돕는 남자 후견인을 이르는 말. ⓑ교부(教父). ⓑ대모(代母).

백부 伯父 | 맏 백, 아버지 부 [uncle]
큰[伯] 아버지[父]. 아버지의 형. ⓑ숙부(叔父).

사부 師父 | 스승 사, 아버지 부
[one's father and master]
스승[師]을 아버지[父]처럼 높여 이르는 말. ¶사부로부터 태권도를 전수받다.

생부 生父 | 날 생, 아버지 부 [one's real father]
자신을 낳아[生] 준 아버지[父]. ⓑ친아버지, 친부(親父).

숙부 叔父 | 아저씨 숙, 아버지 부 [uncle]
삼촌[叔]을 아버지[父]처럼 높여 이르는 말. 작은 아버지. ⓑ백부(伯父).

시부 媤父 | 시가 시, 아버지 부
[one's husband's father]
시가(媤家) 남편의 아버지[父]. 시아버지.

신부 神父 | 귀신 신, 아버지 부
[Catholic priest; Father]
❶속뜻 영적인[神] 아버지[父]. ❷가톨릭 사제로 임명받은 성직자. 성사를 집행하고 미사를 드리며 강론을 한다.

양:부 養父 | 기를 양, 아버지 부
[foster father]
자기를 데려다가 친자식처럼 길러준[養] 아버지[父]. ¶아버지는 양부지만 나를 친자식처럼 대해주었다.

어부 漁父 | =漁夫, 고기 잡을 어, 아버지 부
[fisherman]
고기잡이[漁]를 직업으로 하는 사람[父]. ¶우리 아버지는 어부이다. ⓑ어민(漁民).

조부 祖父 | 조상 조, 아버지 부
[grandfather]
선조(先祖)인 아버지의 아버지[父]. ¶아이는 조부께서 직접 만들어 주신 연을 신나게 날렸다. ⓑ조모(祖母).

0019 [모]

母	어미 모: ⓑ 母부 ⓗ 5획 ⓒ 母 [mǔ] 母母母母母

母자와 女자의 가로획은 '한 일'(一)자가 아니라 육체의 선 가운데, 머리에서 발끝까지의 곡선이 바뀐 것이다. 즉, 다리를 모으고 꿇어 앉아 있는 것을 그린 것이니 세로의 곡선이었는데, 秦漢(진한)시대 이후 쓰기 편리하게 하기위하여 가로의 직선으로 바뀜에 따라 원형과 크게 달라졌다. 母와 女(여자 녀, #0024), 이 두 글자는 원래 두 점이 있고 없고의 차이였다. 그것이 원래는 상하가 아니라 좌우의 점이었다. 커다란 그 두 점[乳頭·유두]이 어머니의 상징이라고 생각한 옛 사람들의 叡智(예:지)가 돋보인다. '어미 모'라는 관례적 표현 방식에 쓰인 '어미'는 '어머니'의 낮춤말이기 때문에 '어머니 모'로 모두 바꾸었다. 고운 말을 쓰도록 하는 교육적 효과를 위해서이다.

속뜻훈음 어머니 모.

모:계 母系 | 어머니 모, 이어 맬 계
[maternal line; mother's side]
혈연관계에서 어머니[母] 쪽의 계통(系統). ¶모계 유전 / 원시농경사회는 대부분 모계사회였다. ⓑ부계(父系).

모:교 母校 | 어머니 모, 학교 교
[one's old school]
❶속뜻 자기를 낳아 길러준 어머니[母] 같은 학교(學校). ❷자기가 다니거나 졸업한 학교.

모:국 母國 | 어머니 모, 나라 국
[mother country; homeland]
외국에 있는 사람이 자기가 태어난 나라를, 어머니[母] 같은 나라[國]라는 뜻으로 부르는 말. ⓑ고국(故國), 본국(本國), 조국(祖國). ⓑ이국(異國), 타국(他國).

모:녀 母女 | 어머니 모, 딸 녀
[mother and daughter]
어머니[母]와 딸[女]. ⓑ부자(父子).

모:선 母線 | 어머니 모, 줄 선 [parent line]
❶공업 개폐기를 거쳐 각 외선(外線)에 전류를 분배하는 모체(母體)가 되는 단면적이 큰 간선(幹線). ❷수학 뿔면에서 곡면을 만드는 직선.

모:성 母性 | 어머니 모, 성질 성
[motherhood; maternity]
여성이 어머니[母]로서 지니는 본능적인 성질(性質). ¶고래는 모성 본능이 강하다. ⓑ부성(父性).

모:유 母乳 | 어머니 모, 젖 유
[mother's milk; breast milk]
어머니[母]의 젖[乳]. ⓑ어미젖.

모:음 母音 | 어머니 모, 소리 음 [vowel (sound)]
❶속뜻 자음(子音)을 어미[母]처럼 도와주어 음절이 되도록 하는 소리[音]. ❷언어 성대의 진동을 받은 소리가 목, 입, 코를 막힘이 없이 거쳐 나오는 소리. ㅏ, ㅑ, ㅓ,

ㅕ 따위. [반]자음(子音).

모:자 母子 | 어머니 모, 아이 자
[mother and child]
어머니[母]와 아이[子]. ¶그 집은 모자간의 정이 깊다 / 모자 보건법. [반]부녀(父女).

모:정 母情 | 어머니 모, 마음 정
[maternal affection; mother's love]
자식에 대한 어머니[母]의 마음[情]. ¶모정보다 강한 것은 없다.

모:체 母體 | 어머니 모, 몸 체
[mother's body; base]
❶[속뜻]아이나 새끼를 밴 어미[母]의 몸[體]. ¶태아의 건강은 모체의 건강에 달려있다. ❷현재 형태의 기반이 되었던 것. ¶라틴어는 프랑스어의 모체이다.

모:친 母親 | 어머니 모, 어버이 친 [one's mother]
❶[속뜻]모계(母系) 친족(親族). ❷'어머니'의 높임 말. [반]부친(父親).

모:태 母胎 | 어머니 모, 아이 밸 태
[mother's womb; matrix]
❶[속뜻]어미[母]의 태(胎) 안. ❷사물이 발생하거나 발전하는 데 바탕이 된 토대. ¶로마는 서양 문명의 모태가 되었다.

• 역순어휘 •

계:모 繼母 | 이을 계, 어머니 모 [stepmother]
친어머니의 뒤를 이은[繼] 새어머니[母]. 아버지의 후처. ¶콩쥐는 계모에게 구박을 받았다. [비]의붓어머니, 새어머니. [반]친모(親母).

고모 姑母 | 고모 고, 어머니 모
[aunt; paternal aunt]
아버지의 누이[姑]로서 어머니[母] 같은 분. [반]이모(姨母).

국모 國母 | 나라 국, 어머니 모
[Mother of the State; Empress]
임금의 아내를 나라[國]의 어머니[母]라는 뜻으로 높여 부르는 말.

노:모 老母 | 늙을 로, 어머니 모
[one's old mother]
늙은[老] 어머니[母]. ¶그는 노모를 정성껏 모셨다.

백모 伯母 | 맏 백, 어머니 모 [aunt]
큰[伯] 어머니[母]. 아버지의 형수. [반]숙모(叔母).

부모 父母 | 아버지 부, 어머니 모 [parents]
아버지[父]와 어머니[母]. ¶수술을 하기 전에 부모의 동의가 필요하다. [비]어버이, 양친(兩親).

분모 分母 | 나눌 분, 어머니 모 [denominator]
❶[속뜻]무엇을 나누는[分] 모체(母體)가 되는 것. ❷[수학]분수 또는 분수식에서 가로줄의 아래에 적는 수 또는 식. [반]분자(分子).

산:모 産母 | 낳을 산, 어머니 모
[woman delivered of a child]
막 해산(解産)한 아이 어머니[母].

생모 生母 | 날 생, 어머니 모 [one's real mother]
자기를 낳은[生] 어머니[母]. [비]친어머니, 친모(親母).

성:모 聖母 | 거룩할 성, 어머니 모 [Holy Mother]
❶[속뜻]거룩한[聖] 어머니[母]. ❷지난날, 국모(國母)를 성스럽게 일컫던 말. ❸[가톨릭]예수의 어머니 '마리아'를 일컫는 말.

숙모 叔母 | 아저씨 숙, 어머니 모 [aunt]
삼촌[叔]의 아내를 어머니[母]처럼 높여 이르는 말. 작은 어머니. [반]백모(伯母).

식모 食母 | 밥 식, 어머니 모 [domestic helper]
남의 집에 고용되어 주로 부엌일과 음식(飮食)을 맡아 하는 여자[母]. ¶그녀는 5년 동안 식모를 살았다. [비]가정부(家政婦).

유모 乳母 | 젖 유, 어머니 모 [nanny]
어머니 대신 젖[乳]을 먹여 주는 어미[母]. ¶아기를 유모한테 맡기다.

이모 姨母 | 어머니 자매 이, 어머니 모
[one's mother's sister; maternal aunt]
어머니의 자매[姨]를 어머니[母] 같이 부르는 호칭. [반]고모(姑母).

자모 字母 | 글자 자, 어머니 모 [letter]
[언어]❶한 음절의 기본 바탕[母]이 되는 글자[字]. ㄱ·ㄴ·ㄷ이나 a·b·c 따위를 말한다. ❷전통 중국어 음운론에서 동일한 성모(聲母)를 가진 글자 가운데 하나를 골라 그 대표로 삼은 글자. 초성 자음에 해당한다. p-를 나타내는 [幫], k-를 나타내는 [見] 등을 말한다.

장:모 丈母 | 어른 장, 어머니 모
[one's wife's mother]
장인(丈人)의 부인을 어머니[母]에 비유한 말. [반]장인(丈人).

조모 祖母 | 할아버지 조, 어머니 모 [grandmother]
할아버지[祖]의 아내이자 아버지의 어머니[母]. [반]조부(祖父).

주모 酒母 | 술 주, 어머니 모 [barmaid]
술집에서 술[酒]을 파는 여자[母]. [비]주부(酒婦).

편모 偏母 | 치우칠 편, 어머니 모
[one's widowed mother]
아버지가 죽고 혼자 있는[偏] 어머니[母]. ¶그는 편모 슬하에서 자랐다.

현모 賢母 | 어질 현, 어머니 모 [wise mother]
어진[賢] 어머니[母]. 현명한 어머니.

효:모 酵母 | 발효 효, 어머니 모 [yeast; ferment]
❶속뜻 발효(醱酵)를 일으키는 모체(母體). ❷식물 엽록소가 없는 단세포로 이루어진 원형. 또는 타원형의 하등 식물. '효모균'(酵母菌)의 준말. ¶효모로 빵을 발효시킨다.

0020 [형]

兄

맏 형
부 儿부 획 5획 中 兄 [xiōng]

兄 兄 兄 兄 兄

兄자의 원형은 하늘을 향해 입[口]을 벌리고 무릎을 꿇고 앉아 축문을 읽는 사람[儿] 모습을 본뜬 것으로 '빌다'(pray)가 본뜻이었다. 제사 때 축문을 읽는 일은 으레 맏이가 하였기에 '(형제 가운데) 맏이'(elder brother)이라는 뜻으로도 쓰이는 예가 많아지자, 본래 의미는 따로 祝(빌 축, #0468)자를 만들어 나타냈다.

형부 兄夫 | 맏 형, 지아비 부
[girl's elder sister's husband]
언니[兄]의 남편[夫]. ¶내 조카는 언니와 형부를 조금씩 다 닮았다.

형수 兄嫂 | 맏 형, 부인 수 [one's sister-in-law]
형(兄)의 아내[嫂].

형제 兄弟 | 맏 형, 아우 제 [brother]
형[兄]과 아우[弟]. ¶사이좋은 형제.

• 역순어휘

매형 妹兄 | 누이 매, 맏 형
[one's elder sister's husband]
누이[妹]의 남편[兄]을 이르는 말. ⓑ매제(妹弟).

부형 父兄 | 아버지 부, 맏 형
[one's father and brothers; guardians]
❶속뜻 아버지[父]와 형[兄]. ❷학교에서 학생의 보호자를 두루 일컫는 말.

의:형 義兄 | 옳을 의, 맏 형 [sworn elder brother]
의리(義理)로 맺은 형(兄). ⓑ의제(義弟).

자형 姉兄 | 손윗누이 자, 맏 형
[one's elder sister's husband]
손윗누이[姉]의 남편[兄]. ⓗ매형(妹兄).

종:형 從兄 | 사촌 종, 맏 형 [older male cousin]
사촌[從] 형(兄).

처형 妻兄 | 아내 처, 맏 형
[one's wife's elder sister]
아내[妻]의 언니[兄].

친형 親兄 | 어버이 친, 맏 형
[one's real elder brother]
한 부모[親]에게서 난 형(兄).

0021 [제]

弟

아우 제:
부 弓부 획 7획 中 弟 [dì]

弟 弟 弟 弟 弟 弟 弟

弟자는 화살의 일종인 주살을 새끼줄로 묶은 것을 본뜬 것이다. 그렇게 묶을 때는 차례대로 하였으니, '차례'(order)가 본뜻이다. 형제간에도 차례가 있었으니, '아우'(younger brother)라는 뜻으로 쓰이는 예가 많아지자 후에 '차례'는 第(제 #0208)자를 만들어 나타냈다. '제자'(a disciple; a follower)를 뜻하는 것으로도 쓰인다.
속뜻훈음 ①아우 제, ②제자 제.

제:수 弟嫂 | 아우 제, 부인 수 [one's younger brother's wife; one's sister-in-law]
❶속뜻 남자 형제 사이에서 아우[弟]의 아내[嫂]를 이르는 말. ❷남남의 남자끼리 동생이 되는 남자의 아내를 이르는 말.

제:자 弟子 | 아우 제, 아이 자
[disciple; follower]
❶속뜻 아우[弟]나 자식[子]같은 사람. ❷스승의 가르침을 받거나 받은 사람. ¶스승의 날이면 제자들이 찾아온다. ⓑ스승.

• 역순어휘

사제 師弟 | 스승 사, 제자 제
[teacher and pupil]
스승[師]과 제자(弟子)를 아울러 이르는 말. ¶사제 관계가 친밀하다.

자제 子弟 | 아들 자, 아우 제 [children]
❶속뜻 아들[子]과 아우[弟]. ❷남을 높여 그의 아들을 일컫는 말. ¶자제분은 무슨 일을 하십니까?

처제 妻弟 | 아내 처, 아우 제
[one's wife's younger sister]
아내[妻]의 여동생[弟].

형제 兄弟 | 맏 형, 아우 제 [brother]
형[兄]과 아우[弟]. ¶사이좋은 형제.

0022 [인]

人

사람 인

[部] 人부 [劃] 2획 [中] 人 [rén]

人人

人자는 '사람'(person)을 뜻하기 위한 것이었으니, 사람이 서있는 자세의 측면 모습을 본뜬 것이다. 왼쪽 편방으로 쓰일 때의 모양인 '亻'이 원형에 더 가깝다. 두 사람이 협력해야 잘 살 수 있다는 의미에서 두 획이 서로 기울어져 기대어 있다는 俗說(속설)은 지금의 자형을 근거로 지어낸 학술적 근거가 없는 낭설이다. '남'(others), '딴 사람'(another person)을 뜻하기도 한다.

[속뜻 훈음] ①사람 인, ②남 인.

인가 人家 | 사람 인, 집 가 [human habitation]
사람[人]이 사는 집[家]. ¶이 부근에는 인가가 드물다. / 한때 허허벌판이던 이곳에 인가가 빽빽이 들어찼다.

인간 人間 | 사람 인, 사이 간 [human being]
❶[속뜻]사람들[人] 사이[間]. ❷언어를 가지고 사고할 줄 알고 사회를 이루며 사는 지구상의 고등 동물. ¶인간의 본성은 선하다. ❸사람의 됨됨이. ¶그는 인간이 덜 됐다. [비]사람.

인건 人件 | 사람 인, 구분할 건 [personal affairs]
❶[속뜻]사람[人]에 속하는 것으로 구분되는[件] 것. ❷인사(人事)에 관한 일.

인격 人格 | 사람 인, 품격 격 [personality]
❶[속뜻]말이나 행동 등에 나타나는 그 사람[人]의 품격(品格). ¶말은 그 사람의 인격을 보여 준다. ❷[사회]온갖 행위를 함에 있어서 스스로 책임을 질 자격을 가진 독립된 개인. ¶아동도 독립된 인격으로 인정해야 한다.

인공 人工 | 사람 인, 장인 공
[man-made; artificial]
자연물을 사람[人]이 직접 다르게 만들어[工] 놓는 일. ¶인공 색소 / 도시 중앙에 인공 호수를 만들었다. [비]인위(人爲). [반]자연(自然), 천연(天然).

인구 人口 | 사람 인, 입 구
[common talk; population]
❶[속뜻]세상 사람들[人]의 입[口]. ¶그의 무협담은 인구에 회자되고 있다. ❷일정한 지역에 사는 사람의 수. ¶인구 증가 / 도시로 인구가 집중되고 있다.

인권 人權 | 사람 인, 권리 권 [human rights]
[법률]사람[人]의 권리(權利). 사람이라면 누구에게나 주어진 생명·자유·평등 등에 관한 기본적인 권리. ¶외국인 노동자의 인권 문제가 심각하다.

인기 人氣 | 사람 인, 기개 기 [popularity]
❶[속뜻]사람[人]의 기개(氣槪). ❷어떤 대상에 쏠리는 많은 사람의 관심이나 호감. ¶인기를 끌다 / 최고의 인기를 얻다.

인도 人道 | 사람 인, 길 도 [sidewalk]
❶[속뜻]사람들[人]이 다니는 길[道]. ¶택시가 갑자기 인도로 돌진해 행인들이 다쳤다. ❷사람으로서 마땅히 지켜야 할 도리. ¶인도적 차원에서 난민을 구호했다. [비]보도(步道). [반]차도(車道).

인력 人力 | 사람 인, 힘 력 [man power]
사람[人]의 능력(能力). 사람의 힘. 사람의 노동력. ¶기술 인력 / 죽고 사는 일은 인력으로 안 된다.

인류 人類 | 사람 인, 무리 류 [mankind]
❶[속뜻]사람[人]의 무리[類]. ❷세계의 사람들 모두. ¶그는 인류 역사상 가장 뛰어난 지도자이다.

인륜 人倫 | 사람 인, 도리 륜 [morality]
사람[人]으로서 마땅히 지켜야 할 도리[倫]. ¶그는 인륜에 어긋나는 짓을 저질러 지탄을 받았다.

인명 人命 | 사람 인, 목숨 명 [human life]
사람[人]의 목숨[命]. ¶인명 피해 / 구급대원은 인명을 구조하기 위해 불속으로 뛰어든다.

인문 人文 | 사람 인, 글월 문 [humanity]
❶[속뜻]인류(人類)의 문화(文化). ❷인물과 문물. ¶인문과학 / 인문계(人文系).

인물 人物 | 사람 인, 만물 물
[person; able man; character]
❶[속뜻]인간(人間)과 물건(物件). ❷뛰어난 사람. ¶그는 큰 인물이 될 것이다. ❸생김새나 됨됨이로 본 사람. ¶그는 인물은 좋은데 키가 좀 작다.

인민 人民 | 사람 인, 백성 민 [people]
국가나 사회를 구성하고 있는 사람들[人=民]. [비]국민(國民).

인부 人夫 | 사람 인, 사나이 부 [workman]
품삯을 받고 일하는 사람[人=夫]. ¶공사장 인부 / 인부들이 도로를 보수하고 있다.

인분 人糞 | 사람 인, 똥 분 [human feces]
사람[人]의 똥[糞]. ¶이곳에서는 인분을 비료로 쓰고 있다.

인사[1] 人士 | 사람 인, 선비 사 [persons]
❶[속뜻]다른 사람[人]들의 추앙을 받는 명사(名士). ❷사회적인 지위나 명성 있는 사람을 높여 이르는 말. ¶유명 인사.

인사[2] 人事 | 사람 인, 일 사
[personnel management; greeting]
❶[속뜻]사람들[人] 사이에 지켜야 할 예의범절 같은 일

[事]. 혹은 사람들에 대한 일. ❷상대방에게 자기를 소개하거나, 안부를 물을 때 하는 예절. ¶작별 인사를 하다 / 우리는 오늘 처음 인사를 나누었다. ❸관리나 직원의 임용, 해임, 평가 따위와 관계되는 행정적인 일. ¶인사 발령 / 낙하산 인사.

인산 人山 | 사람 인, 메 산 [hordes of people]
❶속뜻 사람[人]으로 산(山)을 이룸. ❷사람이 매우 많음을 형용하는 말.

인삼 人蔘 | 사람 인, 인삼 삼 [ginseng]
식물 두릅나뭇과의 다년초로, 약용으로 재배하는 식물. 뿌리가 사람[人] 형상을 한 삼(蔘)이라 하여 붙여진 이름이다.

인상 人相 | 사람 인, 모양 상 [looks]
사람[人]의 얼굴 생김새[相]와 골격. ¶그는 인상이 참 좋다.

인생 人生 | 사람 인, 살 생 [one's life]
❶속뜻 목숨을 가지고 살아가는[生] 사람[人]. ❷이 세상에서의 삶. ¶돈이 인생의 전부는 아니다.

인심 人心 | 사람 인, 마음 심 [man's mind]
❶속뜻 다른 사람[人]을 생각해 주는 마음[心]. ❷남의 딱한 사정을 헤아려 주고 도와주는 마음. ¶인심이 박하다 / 이 마을은 예로부터 인심이 후하다. ㊐인정(人情).

인어 人魚 | 사람 인, 물고기 어 [mermaid]
상반신은 사람[人]의 몸이며 하반신은 물고기[魚]의 몸인 상상의 동물. ¶인어공주는 마녀에게 목소리를 주고 두 발을 얻었다.

인원 人員 | 사람 인, 수효 원 [number of persons]
❶속뜻 사람[人]의 수효[員]. ❷단체를 이룬 여러 사람. ¶인원을 줄이다 / 인원이 다 차서 신청할 수 없다.

인위 人爲 | 사람 인, 할 위
[human work; human power]
사람[人]의 힘으로 함[爲]. ㊀자연(自然), 천연(天然).

인재 人材 | 사람 인, 재목 재 [talented person]
학식과 능력이 뛰어나 어떤 분야에서 재목(材木)이 될 만한 사람[人]. ¶인재 양성 / 우리 학교는 70년간 우수한 인재를 배출했다. ㊐인물(人物).

인적 人跡 | =人迹, 사람 인, 발자취 적
[human traces]
사람[人]이 다닌 발자취[跡]. 사람의 왕래. ¶한참을 가니 인적이 드문 한적한 길이 나타났다.

인정 人情 | 남 인, 마음 정 [kindness]
❶속뜻 남[人]에 대한 따뜻한 마음[情]. ❷남을 생각하고 도와주는 따뜻한 마음씨. ¶인정을 베풀다 / 어디에 가나 인정에는 변함이 없다. ㊐인심(人心).

인조 人造 | 사람 인, 만들 조 [artificiality]
사람[人]이 만듦[造]. ¶인조 잔디. ㊐인공(人工).

인종 人種 | 사람 인, 갈래 종 [human race]
사람[人]의 종류(種類). 사람의 피부나 머리털의 빛깔, 골격 등 신체적인 여러 형질에 따라 구분한다. ¶인종 차별 / 소수 인종 / 정부는 인종 갈등을 해소할 방안을 내놓았다.

인중 人中 | 사람 인, 가운데 중 [philtrum]
사람[人] 얼굴의 한가운데[中]. 코와 윗입술 사이에 우묵하게 골이 진 부분. ¶그는 인중에 점이 있다.

인질 人質 | 사람 인, 볼모 질 [hostage]
사람[人]을 볼모[質]로 잡아 둠. ¶소말리아 해적은 돈을 받고 인질을 풀어주었다.

인체 人體 | 사람 인, 몸 체 [human body]
사람[人]의 몸[體]. ¶인체 구조 / 담배는 인체에 해롭다.

인파 人波 | 사람 인, 물결 파 [crowd]
❶속뜻 사람들[人]이 물결[波]같이 모임. ❷많이 모여 움직이는 사람의 모양을 파도에 비유하여 이르는 말. ¶전시회에는 많은 인파가 모여들었다. ㊐인산인해(人山人海).

인편 人便 | 사람 인, 쪽 편 [agency of a person]
오거나 가는 사람[人]의 편(便). ¶고향에 계신 부모님이 인편에 먹을 것을 보내 주셨다.

인품 人品 | 사람 인, 품격 품 [personality]
사람[人]의 품격(品格). 사람의 됨됨이. ¶그는 인품이 훌륭하다. ㊐인격(人格).

인형 人形 | 사람 인, 모양 형 [doll]
❶속뜻 사람[人]의 형상(形象). ❷사람의 형상을 본떠 만든 장난감. ¶소민이는 인형을 갖고 놀았다.

인화 人和 | 사람 인, 어울릴 화
[harmony among men]
다른 사람[人]과 잘 어울림[和]. ¶인화 단결 / 인화가 잘 되지 않는 조직은 오래가지 못한다.

• 역순어휘

개:인 個人 | 낱 개, 사람 인 [individual]
❶속뜻 단체 구성원인 낱낱[個]의 사람[人]. ❷단체의 제약에서 벗어난 한 인간. ¶개인의 권리를 보호하다. ㊐개체(個體). ㊀단체(團體), 전체(全體).

거:인 巨人 | 클 거, 사람 인 [giant; Titan]
❶속뜻 몸집이 유난히 큰[巨] 사람[人]. ¶그는 키가 2미터나 되는 거인이다. ❷신화, 전설, 동화 등에 나오는 초인간적인 힘을 가진 인물. ❸품성·재능 등이 뛰어난 인물. ㊐위인(偉人).

걸인 乞人 | 빌 걸, 사람 인 [beggar; mendicant]

빌어[乞] 먹는 사람[人]. ¶걸인에게 빵을 주다. 비거지.

고:인 故人 | 옛 고, 사람 인 [dead; deceased]
옛[故] 사람[人]. 죽은 사람. ¶고인의 무덤.

공인 公人 | 여럿 공, 사람 인 [public person]
❶속뜻 국가 또는 사회[公]를 위하여 일하는 사람[人]. ❷공직(公職)에 있는 사람. ¶공무원은 공인으로서 져야 할 책임이 있다. 반사인(私人).

광인 狂人 | 미칠 광, 사람 인 [madman]
미친[狂] 사람[人]. ¶고흐는 천재 아니면 광인일 것이다.

교:인 敎人 | 종교 교, 사람 인 [believer; follower]
종교(宗敎)를 가지고 있는 사람[人]. ¶기독교 교인.

구인 求人 | 구할 구, 사람 인 [job offer]
일할 사람[人]을 구(求)함. 반구직(求職).

군인 軍人 | 군사 군, 사람 인 [soldier]
군대(軍隊)에서 복무하는 사람[人]. 비군사(軍士), 병사(兵士).

귀:인 貴人 | 귀할 귀, 사람 인 [noble man]
❶속뜻 사회적 지위가 높은[貴] 사람[人]. ¶귀인을 만나다. ❷역사 조선 시대에, 왕의 후궁에게 내리던 종일품 내명부의 봉작. 반천인(賤人).

기인 奇人 | 기이할 기, 사람 인
[eccentric; strange person]
성질이나 언행이 기이(奇異)한 사람[人]. 반범인(凡人).

노:인 老人 | 늙을 로, 사람 인 [old person]
늙은[老] 사람[人]. ¶노인을 공경하다. 비늙은이. 반젊은이.

달인 達人 | 통달할 달, 사람 인 [expert; master]
❶속뜻 사물의 이치에 통달(通達)한 사람[人]. ❷학문이나 기예 따위에 뛰어난 사람. ¶달인의 경지. 비달자(達者).

대:인¹ 大人 | 큰 대, 사람 인 [adult; great man]
❶속뜻 다 큰[大] 사람[人]. ¶소인은 3천원, 대인은 5천원이다. ❷마음이 넓고 점잖은 사람. '대인군자'(大人君子)의 준말. 비성인(成人). 반소인(小人).

대:인² 對人 | 대할 대, 남 인
[toward (with) personnel]
남[人]을 대(對)함.

도:인 道人 | 길 도, 사람 인 [ascetic]
❶속뜻 도(道)를 닦는 사람[人]. ❷종교 천도교를 믿는 사람.

만:인 萬人 | 일만 만, 사람 인
[every man; all people]
아주 많은[萬] 사람[人]. 모든 사람. ¶그는 만인의 연인이다. 비만민(萬民).

맹인 盲人 | 눈멀 맹, 사람 인 [blind]
눈이 먼[盲] 사람[人]. ¶맹인을 위한 점자책을 만들다. 비봉사, 소경, 장님, 맹자(盲者).

명인 名人 | 이름 명, 사람 인
[master hand; expert]
어떤 기예(技藝) 등이 뛰어나 유명(有名)한 사람[人]. ¶이번 공연에 판소리의 명인들이 참가한다. 비달인(達人), 대가(大家), 명가(名家).

무:인¹ 武人 | 굳셀 무, 사람 인 [soldier; warrior]
무예(武藝)를 닦은 사람[人]. 비무사(武士). 반문인(文人).

무인² 無人 | 없을 무, 사람 인 [manless]
사람[人]이 없거나[無] 살지 않음. ¶무인 판매기 / 무인 우주선. 반유인(有人).

문인 文人 | 글월 문, 사람 인
[literary man; cultured person]
문필(文筆)이나 문예창작(文藝創作)에 종사하는 사람[人].

미:인 美人 | 아름다울 미, 사람 인 [beauty; belle]
얼굴이 아름다운[美] 사람[人]. 주로 여자를 말한다. ¶그녀는 동양적인 미인이다. 비미녀(美女), 가인(佳人), 여인(麗人). 반추녀(醜女).

백인 白人 | 흰 백, 사람 인 [white man]
피부색이 흰[白] 빛에 가까운 인종(人種). ¶그는 백인 어머니와 흑인 아버지 사이에서 태어났다.

범:인 犯人 | 범할 범, 사람 인 [criminal]
법률 죄를 저지른[犯] 사람[人]. ¶범인을 체포하다. 비범죄인(犯罪人), 범죄자(犯罪者).

본인 本人 | 뿌리 본, 사람 인 [person himself]
이[本] 사람[人]. ¶본인이 결정하는 게 중요하다 / 본인 소개. 비당사자(當事者). 자신(自身).

부인¹ 夫人 | 지아비 부, 사람 인 [Mrs.; Madam]
❶속뜻 지아비[夫]의 짝이 되는 사람[人]. ❷'남의 아내'를 높여 부르는 말. ¶부인은 안녕하십니까? / 부인과 함께 오십시오.

부인² 婦人 | 부인 부, 사람 인
[married woman; lady]
❶속뜻 결혼하여 남의 부인(婦人)이 된 사람[人]. ❷결혼한 여자. ¶동네 부인들이 모여 집안 이야기를 나누고 있다 / 부인병(婦人病) 전문 병원.

살인 殺人 | 죽일 살, 사람 인
[commit murder; kill]
사람[人]을 죽임[殺]. 남을 죽임. ¶살인을 저지르다.

상인 商人 | 장사 상, 사람 인 [merchant; trader]

장사[商]를 업으로 하는 사람[人]. ¶베니스의 상인. ㊥ 장수.

선인¹ 仙人 | 신선 선, 사람 인
선도(仙道)를 닦아 신통력을 얻은 사람[人].

선인² 先人 | 먼저 선, 사람 인
[one's predecessors]
옛날[先] 사람[人]. 전대(前代)의 사람. ¶이 책에는 선인의 지혜가 녹아있다. ㊥후인(後人).

성인¹ 成人 | 이룰 성, 사람 인 [adult]
이미 다 자란[成] 사람[人]. ¶성인이면 입장이 가능하다. ㊥대인(大人), 어른.

성:인² 聖人 | 거룩할 성, 사람 인 [sage; saint]
❶속뜻 거룩하여[聖] 본받을만한 사람[人]. 유교에서는 요(堯)·순(舜)·우(禹)·탕(湯) 및 문왕(文王)·무왕(武王)·공자(孔子) 등을 가리킨다. ❷가톨릭 신앙과 성덕(聖德)이 특히 뛰어난 사람에게 교회에서 시성식(諡聖式)을 통하여 내리는 칭호.

소:인 小人 | 작을 소, 사람 인 [little man; child]
❶속뜻 키나 몸집이 작은[小] 사람[人]. ❷나이가 어린 사람. ¶입장 요금은 대인 5000원, 소인 2000원이다. ❸도량이 좁고 간사한 사람. ❹신분이 낮은 사람이 자기보다 신분이 높은 사람에게 자신을 낮추어 하는 말. ㊥대인(大人).

시인 詩人 | 시 시, 사람 인 [poet]
전문적으로 시(詩)를 짓는 사람[人]. ¶여류 시인 / 원로 시인.

식인 食人 | 먹을 식, 사람 인
[eat people; cannibal]
사람[人] 고기를 먹는[食] 일. 또는 그러한 풍습. ¶마오리족은 식인 풍습이 있다.

신인 新人 | 새 신, 사람 인 [new man]
어떤 분야에 새로[新] 등장한 사람[人]. ¶신인 배우.

악인 惡人 | 악할 악, 사람 인 [bad man]
악(惡)한 사람[人]. ㊥선인(善人), 호인(好人).

애:인 愛人 | 사랑 애, 남 인 [lover; love]
❶속뜻 남[人]을 사랑함[愛]. ❷사랑하는 사람. ㊥연인(戀人).

여인¹ 女人 | 여자 녀, 사람 인 [woman]
성별이 여자(女子)인 사람[人].

여인² 旅人 | 나그네 려, 사람 인 [passenger]
여행(旅行)하는 사람[人].

연:인 戀人 | 그리워할 련, 사람 인 [lover; love]
❶속뜻 그리워하는[戀] 사람[人]. ❷이성으로서 그리며 사랑하는 사람. ¶그와 나는 연인 사이다. ㊥애인(愛人).

왜인 倭人 | 일본 왜, 사람 인 [Japanese]
일본[倭] 사람[人]의 낮춤말.

요인 要人 | 요할 요, 사람 인 [important person]
중요(重要)한 자리에 있는 사람[人]. 또는 윗자리에 있는 사람. ¶그는 정부(政府) 요인을 암살하려고 했다.

원인 猿人 | 원숭이 원, 사람 인
[apeman; pithecanthropus]
❶속뜻 원숭이[猿] 같은 생활을 하던 원시 시대의 사람[人]. ❷고적 가장 원시적이고, 가장 오래된 화석 인류의 총칭. 약 100만~300만 년 이전에 생존한 것으로 추정된다. ¶북경 원인 / 자바 원인.

위인 偉人 | 훌륭할 위, 사람 인
[great man; master mind]
훌륭한[偉] 사람[人]. ¶지폐 도안에 한국의 위인을 담았다.

은인 恩人 | 은혜 은, 사람 인 [benefactor; patron]
은혜(恩惠)를 베풀어 준 사람[人]. ¶그는 내 생명의 은인이다. ㊥원수(怨讐).

의:인¹ 義人 | 옳을 의, 사람 인 [righteous man]
옳은[義] 일을 위하여 나서는 사람[人]. ¶그는 아이를 구하려다 팔을 잃은 의인이다.

의인² 擬人 | 흉내낼 의, 사람 인
[personify; impersonate]
사람이 아닌 것을 사람[人]으로 흉내냄[擬].

일인 一人 | 한 일, 사람 인
[one person; one man]
한[一] 사람[人]. ¶일인 시위.

장:인¹ 丈人 | 어른 장, 사람 인 [wife's father]
아내의 친정 어른[丈]이 되는 사람[人]. 아내의 아버지.

장인² 匠人 | 기술자 장, 사람 인
[artisan; craftsman]
손으로 물건 만드는 기술[匠]을 업으로 하는 사람[人]. ¶이 도자기는 장인의 숨결이 느껴진다.

전인 全人 | 모두 전, 사람 인
[whole man; perfect person]
❶속뜻 모든[全] 자질을 두루 갖춘 사람[人]. ❷결함이 없이 완벽한 사람.

죄:인 罪人 | 허물 죄, 사람 인 [criminal]
죄(罪)를 지은 사람[人]. ¶죄인들을 풀어주기로 결정하다.

주인 主人 | 주될 주, 사람 인
[owner; host; employer]
❶속뜻 한 집안을 꾸려 나가는 주(主)되는 사람[人]. ❷물건을 소유한 사람. ¶이 땅의 주인은 누구입니까? ❸손을 맞이하는 사람. ¶주인은 손님들에게 반갑게 인사했다. ❹고용 관계에서의 고용주. ¶휴가를 달라고 주인에게

건의하다. [반]손님.

중인 中人 | 가운데 중, 사람 인
[역사] 조선 시대, 양반과 평민의 중간(中間) 계급에 있는 사람[人]을 이르던 말.

증인 證人 | 증거 증, 사람 인 [witness]
어떤 사실을 증명(證明)하는 사람[人]. ¶그는 이 사건의 산 증인이다. [비]증거인(證據人).

천:인 賤人 | 천할 천, 사람 인 [person of low origin; lowly man]
❶ [속뜻] 천(賤)한 사람[人]. ❷봉건사회에서 천한 일이 생업이었던 사람. 백정, 노비 따위.

철인 鐵人 | 쇠 철, 사람 인 [iron man]
쇠[鐵]처럼 강한 몸을 가진 사람[人]. ¶철인 3종 경기.

초인 超人 | 뛰어넘을 초, 사람 인 [superman]
보통 사람을 뛰어넘는[超] 능력이 있는 사람[人]. ¶내가 초인도 아니고 어떻게 그 일을 다 하겠니?

쾌인 快人 | 시원할 쾌, 사람 인
성격이 시원시원한[快] 사람[人].

타인 他人 | 다를 타, 사람 인 [other people]
다른[他] 사람[人]. 남. ¶타인에 대한 배려가 중요하다. [반]본인(本人), 자신(自身).

토인 土人 | 흙 토, 사람 인 [native; aboriginal]
❶ [속뜻] 어떤 지방[土]에 대대로 붙박이로 사는 사람[人]. ❷미개한 지역에 정착하여 원시적인 생활을 하고 있는 종족을 얕잡아 이르는 말. ¶아프리카 토인을 교화하다.

폐:인 廢人 | 버릴 폐, 사람 인 [disabled person; crippled person]
❶ [속뜻] 쓸모없이 된[廢] 사람[人]. ❷병이나 못된 버릇 따위로 몸을 망친 사람. ¶그는 술과 도박에 빠져 폐인이 됐다.

하:인 下人 | 아래 하, 사람 인 [servant]
❶ [속뜻] 아랫[下] 사람[人]. ❷남의 집에 매여 일을 하는 사람. ¶하인을 두다.

한:인 韓人 | 한국 한, 사람 인 [Korean]
외국에 나가 살고 있는 한국(韓國) 사람[人]. ¶한인 학교

행인 行人 | 다닐 행, 사람 인 [passerby]
길을 다니는[行] 사람[人]. ¶나는 행인에게 길을 물어 보았다.

호:인 好人 | 좋을 호, 사람 인 [good person]
좋은[好] 사람[人]. ¶그는 호인으로 소문이 나 있다.

흑인 黑人 | 검을 흑, 사람 인 [black; colored person]
❶ [속뜻] 털과 피부의 빛깔이 검은[黑] 사람[人]. ❷흑색 인종의 사람. ¶만델라는 최초의 흑인 대통령이다.

0023 [왕]

王

임금 왕
[部] 玉부 [획] 4획 [中] 王 [wáng]

王 王 王 王

王자는 '왕'(king)을 나타내기 위해 고안된 글자로, 고대 자형은 두 가지로 나뉜다. 도끼 모양의 병기 모습을 그린 것과, 땅[一] 위에 서있는 사람[大]의 꼭대기[一]를 가리키는 것이 그것이다. 하나는 왕권의 상징물을, 다른 하나는 왕의 지위를 착안하여 만든 것이다. 후에 이 자형이 쓰기 편하게 '王'으로 바뀌자 玉(구슬 옥, #0651)의 본래 글자인 '王'자와 모양이 같아져서 문제가 생겼다. 그래서 '옥'을 지칭하는 글자에는 점을 찍어서 그 둘을 구분하였다.

왕관 王冠 | 임금 왕, 갓 관 [crown]
임금[王]이나 경기의 일인자로 뽑힌 사람이 머리에 쓰는 관(冠). ¶그는 보석이 촘촘히 박혀 있는 왕관을 썼다 / 미스코리아는 왕관을 쓰고 천천히 걸었다.

왕국 王國 | 임금 왕, 나라 국 [kingdom]
임금[王]이 다스리는 나라[國]. ¶고대 왕국.

왕궁 王宮 | 임금 왕, 집 궁 [king's palace]
임금[王]이 거처하는 궁전(宮殿). ¶경복궁은 조선시대 왕궁 중 하나이다.

왕권 王權 | 임금 왕, 권력 권 [royal authority]
임금[王]이 지닌 권력(權力). ¶왕권 정치.

왕릉 王陵 | 임금 왕, 무덤 릉 [royal tomb]
임금[王]의 무덤[陵]. ¶천마총은 신라 지증왕의 왕릉으로 알려져 있다.

왕립 王立 | 임금 왕, 설 립 [royal]
국왕(國王)이나 왕족이 세움[立]. 또는 그런 것. ¶왕립 박물관.

왕명 王命 | 임금 왕, 명할 명 [king's order]
임금[王]의 명령(命令). ¶죽더라도 왕명을 받들겠습니다.

왕비 王妃 | 임금 왕, 왕비 비 [queen]
임금[王]의 아내[妃]. [비]왕후(王后).

왕실 王室 | 임금 왕, 집 실 [royal family]
임금[王]의 집안[室].

왕위 王位 | 임금 왕, 자리 위 [throne]
임금[王]의 자리[位]. ¶세조는 단종의 뒤를 이어 왕위를 계승했다. [비]왕좌(王座).

왕자¹ 王子 | 임금 왕, 아들 자 [royal prince]

임금[王]의 아들[子]. ¶왕비는 10년만에 왕자를 낳았다. (반)공주(公主).

왕자² 王者 | 임금 왕, 사람 자 [champion]
❶[속뜻]임금[王] 된 사람[者]. ❷각 분야에서 특히 뛰어난 사람을 비유하여 이르는 말. ¶고래는 바다의 왕자이다.

왕조 王朝 | 임금 왕, 조정 조 [dynasty]
❶[속뜻]임금[王]이 친히 다스리는 조정(朝廷). ❷한 왕가가 다스리는 시대. ¶조선 왕조 오백 년 / 왕조 실록. /세습 왕조

왕족 王族 | 임금 왕, 겨레 족 [royal family]
임금[王]의 일가[族]. ¶그녀는 스코틀랜드 왕족과 결혼한다.

왕좌 王座 | 임금 왕, 자리 좌 [throne]
임금[王]이 앉는 자리[座]. 또는 임금의 지위. (비)옥좌(玉座), 왕위(王位).

왕후 王后 | 임금 왕, 황후 후 [queen]
임금[王]의 아내[后]. (비)왕비(王妃).

• **역순어휘**

국왕 國王 | 나라 국, 임금 왕 [king; monarch]
나라[國]의 임금[王].

대:왕 大王 | 큰 대, 임금 왕 [great king]
❶[속뜻]훌륭하고 업적이 뛰어나게 큰[大] 임금[王]을 높여 일컫는 말. ❷'선왕'(先王)의 높임말.

선왕 先王 | 먼저 선, 임금 왕 [preceding king]
선대(先代)의 임금[王]. (비)망군(亡君), 선군(先君).

성:왕 聖王 | 거룩할 성, 임금 왕 [sage king]
어질고 거룩한[聖] 임금[王]. (비)성군(聖君).

여왕 女王 | 여자 녀, 임금 왕 [queen (regnant)]
여자(女子) 임금[王]. ¶선덕여왕은 신라 최초의 여왕이다.

용왕 龍王 | 용 룡, 임금 왕 [Dragon King]
[불교]바다에 살며 비와 물을 맡고 불법을 수호하는 용(龍) 가운데의 임금[王].

제:왕 帝王 | 임금 제, 임금 왕 [emperor; king]
황제(皇帝)와 국왕(國王).

천왕 天王 | 하늘 천, 임금 왕
[불교]욕계와 색계에 있다는 하늘[天]의 왕(王)을 통틀어 이르는 말.

0024 [녀]

女

계집 녀
(部) 女부 (劃) 3획 (中) 女 [nǚ]

女 女 女

女자의 가로획은 '한 일'(一)자가 아니라 육체의 선 가운데, 머리에서 발끝까지의 선을 나타낸 것이다. 다리를 모으고 꿇어앉아 있는 것을 그린 것이니 세로의 곡선이었다. 秦漢(진한)시대 이후로는 쓰기 편하도록 가로의 직선으로 변화됨에 따라 원형과 크게 달라졌다(참고 母, #0019). '여자'(a woman; a girl)가 본뜻인데, '딸'(a daughter)을 이르는 것으로도 쓰인다.

[속뜻훈음] ①여자 녀, ②딸 녀.

여고 女高 | 여자 녀, 높을 고 [girls' high school]
[교육]여자(女子) 학생들만 입학할 수 있는 고등학교(高等學校). ¶나는 여고를 나왔다.

여대 女大 | 여자 녀, 큰 대 [women's university]
[교육]여자(女子) 학생들이 다닐 수 있는 대학(大學). ¶나는 여대에 다닌다.

여류 女流 | 여자 녀, 갈래 류
[women in general; fair sex]
어떤 분야에서 여성(女性)의 유파(流派). ¶노천명은 당대의 뛰어난 여류 시인이었다.

여사 女史 | 여자 녀, 기록 사 [Mrs.; Madame]
❶[역사]고대 중국에서, 후궁을 섬기며 기록[史]과 문서를 맡아보던 여자[女] 관리. ❷결혼한 여자를 높여 이르는 말. ¶옆집의 이 여사가 오셨어요.

여성 女性 | 여자 녀, 성별 성 [woman; feminity]
성(性)의 측면에서 여자(女子)를 이르는 말. ¶여성 전용 주차장. (반)남성(男性).

여신 女神 | 여자 녀, 귀신 신 [goddess]
성별이 여자(女子)인 신(神). ¶행운의 여신 / 아프로디테는 사랑의 여신이다.

여아 女兒 | 여자 녀, 아이 아 [girl; daughter]
성별이 여자(女子)인 아이[兒]. (반)남아(男兒).

여왕 女王 | 여자 녀, 임금 왕 [queen (regnant)]
여자(女子) 임금[王]. ¶선덕여왕은 신라 최초의 여왕이다.

여자 女子 | 여자 녀, 접미사 자 [woman; girl]
여성(女性)으로 태어난 사람[子]. ¶여자 가수. (반)남자(男子).

여중 女中 | 여자 녀, 가운데 중
[girls'junior high school]
[교육]'여자중학교'(女子中學校)의 준말. ¶동생은 여중에 다닌다.

• **역순어휘**

궁녀 宮女 | 집 궁, 여자 녀
[court lady; lady of the court]

역사 궁궐(宮闕) 안에서 왕과 왕비를 가까이 모시는 여자[女]. ¶삼천 명의 궁녀.

남녀 男女 | 사내 남, 여자 녀
[male and female; both sexes]
남자(男子)와 여자(女子).

마녀 魔女 | 마귀 마, 여자 녀 [witch; sorceress]
❶속뜻 마귀(魔鬼)처럼 요사스러운 여자(女子). ❷악마처럼 성질이 사악한 여자. 유럽의 민간 전설에 자주 등장된다.

모:녀 母女 | 어머니 모, 딸 녀
[mother and daughter]
어머니[母]와 딸[女]. (반)부자(父子).

미:녀 美女 | 아름다울 미, 여자 녀
[beauty; beautiful woman]
얼굴이 아름다운[美] 여자(女子). ¶미녀와 야수. (비)미인(美人). (반)추녀(醜女).

부녀 父女 | 아버지 부, 딸 녀
[father and daughter]
아버지와[父] 딸[女]. ¶경기에 부녀가 함께 출전했다.

선녀 仙女 | 신선 선, 여자 녀 [fairy]
선경(仙境)에 산다는 여신(女神). ¶그녀는 선녀처럼 아름다웠다.

소:녀 少女 | 적을 소, 여자 녀
[young girl; maiden]
나이가 어린[少] 여자[女]. 아주 어리지도 않고 성숙하지도 않은 여자. (반)소년(少年).

손녀 孫女 | 손자 손, 딸 녀 [granddaughter]
딸이나 아들, 즉 자손(子孫)의 딸[女]. ¶할머니가 손녀를 품에 안고 자장가를 불러 주었다. (반)손자(孫子).

수녀 修女 | 닦을 수, 여자 녀 [nun; sister; Mother]
가톨릭 수도(修道)하는 여자(女子). 청빈·정결·복종을 서약하고 독신으로 수도원 등에서 지낸다. ¶그 수녀는 고아들에게 어머니와 같은 존재였다.

숙녀 淑女 | 정숙할 숙, 여자 녀 [lady]
❶속뜻 교양과 품격을 갖춘 정숙(貞淑)한 여자(女子). ¶신사 숙녀 여러분. ❷성년이 된 여자를 아름답게 이르는 말. ¶서희가 이젠 숙녀가 되었다. (반)신사(紳士).

시:녀 侍女 | 모실 시, 여자 녀 [waiting woman]
지위가 높은 사람을 모시던[侍] 여자(女子). ¶시녀가 시중을 들다.

아녀 兒女 | 아이 아, 여자 녀
[children and women; woman]
어린 아이[兒]와 여자(女子). '아녀자'의 준말.

양:녀 養女 | 기를 양, 딸 녀 [adopted daughter]
❶속뜻 남의 자식을 데려다 제 자식처럼 기른[養] 딸[女]. ❷법률 입양에 의하여 혼인 중 출생한 딸로서의 신분을 획득한 사람. (비)양딸, 수양딸. (반)양자(養子).

열녀 烈女 | 굳셀 렬, 여자 녀
절개가 굳은[烈] 여자(女子). ¶이 마을에서는 열녀를 기리는 비석을 세웠다. (비)열부(烈婦).

웅녀 熊女 | 곰 웅, 여자 녀
문학 단군 신화에 나오는 단군의 어머니. 단군 신화에 따르면 원래는 곰[熊]이었으나 동굴 속에서 햇빛을 보지 않고 쑥과 마늘만 먹는 시련을 견디어 여자(女子)로 환생한 후, 환웅과 혼인하여 단군을 낳았다고 한다.

자녀 子女 | 아들 자, 딸 녀 [children]
아들[子]과 딸[女]. 아들딸. ¶그는 결혼하여 두 자녀를 두고 있다. (비)자식(子息).

장:녀 長女 | 어른 장, 딸 녀 [eldest daughter]
맏[長] 딸[女]. ¶어머니가 돌아가시고 장녀인 언니는 집안 살림을 도맡았다. (비)큰딸. (반)장남(長男).

질녀 姪女 | 조카 질, 여자 녀 [niece]
조카[姪]인 여자(女子). 형제자매의 딸.

처:녀 處女 | 살 처, 여자 녀 [maiden; virgin]
❶속뜻 시집가기 전에 부모와 함께 사는[處] 여자[女]. ❷아직 결혼하지 않은 다 자란 여자. ¶다 큰 처녀가 저렇게 천방지축이라니. (반)총각(總角).

추녀 醜女 | 추할 추, 여자 녀 [ugly woman]
추하게[醜] 못생긴 여자(女子). (반)미녀(美女).

하:녀 下女 | 아래 하, 여자 녀 [maid servant]
하인(下人) 중 여자(女子)인 사람. ¶그는 하녀를 따라 응접실에 들어갔다.

해:녀 海女 | 바다 해, 여자 녀 [woman diver]
바다[海]에서 해산물 채취를 업으로 하는 여자(女子). ¶우리 할머니는 해녀이다.

효:녀 孝女 | 효도 효, 딸 녀 [filial daughter]
효성(孝誠)스러운 딸[女]. ¶그녀는 부모를 지극 정성으로 모시고 사는 효녀이다.

0025 [민]

民

백성 민
(部) 氏부 (획) 5획 (中) 民 [mín]

民民民民民

民자가 최초의 갑골문에서는 한쪽 눈이 바늘에 찔린 모습을 그린 것이었다. 그 때에는 전쟁 포로나 노예들의 반항을 두려워한 나머지 한쪽 눈을 멀게 했다. '포로'(a prisoner of war) → '노예'(slavers) → '평민'(the common people) → '서민'(the multitude) → '국민'(the people)

이라는 이 글자의 의미 변천 과정은 민주화와 인권의 역사를 대변하고 있다.

민가 民家 | 백성 민, 집 가 [private house]
일반 백성[民]들이 사는 살림집[家]. ¶배고픈 멧돼지가 민가로 내려왔다. [비]민호(民戶). [반]관가(官家).

민간 民間 | 백성 민, 사이 간 [private]
❶[속뜻]백성[民]들 사이[間]. ❷일반 서민(庶民)의 사회. ¶민간에 전승되다. ❸관(官)이나 군대에 속하지 않음. ¶민간 자본을 유치하다.

민권 民權 | 백성 민, 권리 권 [people's rights]
국민(國民)의 권리(權利). 신체와 재산 등을 보호받을 권리나 정치에 참여할 수 있는 권리 따위.

민단 民團 | 백성 민, 모일 단
[foreign settlement group]
[법률]남의 나라 영토에 머물러 사는 같은 민족(民族)끼리 조직한 자치 단체(團體). '거류민단'(居留民團)의 준말.

민담 民譚 | 백성 민, 이야기 담 [folk tale]
[문학]예로부터 민간(民間)에 전하여 내려오는 이야기[譚]. [비]민간설화(民間說話).

민란 民亂 | 백성 민, 어지러울 란
[popular uprising]
포악한 정치 따위에 반대하여 백성[民]이 일으킨 폭동[亂].

민박 民泊 | 백성 민, 머무를 박 [lodge at a house]
민가(民家)에 숙박(宿泊)함. ¶바닷가 근처에서 민박을 하다.

민법 民法 | 백성 민, 법 법 [civil law]
[법률]개인[民]의 권리와 관련된 법규(法規)를 통틀어 이르는 말.

민사 民事 | 백성 민, 일 사 [civil affairs]
❶[속뜻]일반 국민(國民)에 관한 일[事]. ❷[법률]사법상의 법률관계에 관련되는 사항. ¶그는 민사상 책임이 없다 / 민사 소송. [반]형사(刑事).

민생 民生 | 백성 민, 날 생 [public welfare]
❶[속뜻]국민(國民)의 생활(生活). ¶민생을 안정시키다. ❷일반 국민. [비]생민(生民).

민선 民選 | 백성 민, 뽑을 선 [popular election]
국민(國民)이 뽑음[選]. [반]관선(官選), 국선(國選).

민속 民俗 | 백성 민, 풍속 속 [folk customs]
민간(民間)의 풍속(風俗). ¶민속의 날. [비]민풍(民風).

민심 民心 | 백성 민, 마음 심 [popular feelings]
백성[民]의 마음[心]. ¶민심이 날로 흉흉해지다. [비]민정(民情).

민어 民魚 | 백성 민, 물고기 어 [croaker]
[동물]길고 납작하며 주둥이가 둔하게 생긴 바닷물고기. 식용으로 맛이 좋다.

민요 民謠 | 백성 민, 노래 요 [folk song]
[음악]민간(民間)에서 자연적으로 생겨나 오랫동안 전해 내려오는 노래[謠]. ¶배따라기는 서도 민요이다.

민원 民願 | 백성 민, 원할 원 [civil appeal]
국민(國民)의 소원(所願)이나 청원(請願). ¶민원을 제기하다.

민의 民意 | 백성 민, 뜻 의 [will of the people]
국민(國民)의 의사(意思). ¶정책에 민의를 반영하다.

민정[1] 民政 | 백성 민, 정치 정 [civil government]
❶[속뜻]국민(國民)의 안녕과 복리를 위한 정치적(政治的) 업무. ¶민정을 실시하다. ❷군인이 아닌 민간인이 하는 정치. 또는 그 정부. [반]군정(軍政).

민정[2] 民情 | 백성 민, 실상 정
[state of the people]
❶[속뜻]국민(國民)들이 살아가는 실상[情]. ¶민정을 두루 살피다. ❷민심(民心).

민족 民族 | 백성 민, 무리 족 [race; people]
❶[속뜻]같은 지역에 살고 있는 백성[民]의 무리[族]. ❷같은 지역에서 오랫동안 공동생활을 함으로써 언어나 풍속 따위 문화 내용을 함께 하는 사람들의 집단. ¶미국은 여러 민족으로 이루어진 나라이다.

민주 民主 | 백성 민, 주인 주 [popular rule]
❶[속뜻]주권(主權)이 국민(國民)에게 있음. ¶우리나라는 민주 국가이다. ❷[정치]'민주주의'(民主主義)의 준말.

민중 民衆 | 백성 민, 무리 중 [general public]
❶[속뜻]백성[民]의 무리[衆]. ❷국가나 사회를 구성하는 일반 국민. ¶민중의 지지를 받다 / 민중 심리.

민폐 民弊 | 백성 민, 나쁠 폐 [public harm]
민간(民間)에 끼치는 나쁨[弊]. ¶군대가 주둔하면서 민폐가 극심하다. [반]관폐(官弊).

민화 民畵 | 백성 민, 그림 화 [folk painting]
[미술]서민(庶民)들의 생활을 소재로 그린 그림[畵].

• 역순어휘

관민 官民 | 벼슬 관, 백성 민
[government and the people]
공무원[官]과 민간인[民]을 아울러 이르는 말. ¶관민 협동으로 추진하다. [비]민관(民官).

교민 僑民 | 더부살이 교, 백성 민
외국에 나가 살고 있는[僑] 자기 나라의 백성[民].

구민 區民 | 나눌 구, 백성 민
[inhabitants of a ward]

해당 구역(區域)에 사는 사람[民].

국민 國民 | 나라 국, 백성 민 [people; nation]
국가(國家)를 구성하는 사람[民]. 또는 그 나라의 국적을 가진 사람. ⓑ백성(百姓).

군민[1] 軍民 | 군사 군, 백성 민
[military and the people]
군인(軍人)과 민간인(民間人)을 아울러 이르는 말. ¶군민이 함께 구조하다.

군:민[2] 郡民 | 고을 군, 백성 민
[inhabitants of a county]
그 군(郡)에 사는 사람[民]. ¶금릉군 군민 체육대회.

난민 難民 | 어려울 난, 백성 민 [sufferers]
전쟁이나 재난으로 집을 잃고 떠돌아다니며 고생하는[難] 사람[民].

농민 農民 | 농사 농, 백성 민 [farmer]
농업(農業)에 종사하는 사람[民]. ⓑ농부(農夫).

도민[1] 島民 | 섬 도, 백성 민 [islanders]
섬[島]에 사는 그곳 출신의 사람[民]. ¶울릉도 도민.

도:민[2] 道民 | 길 도, 백성 민
[inhabitant of a province]
그 도(道)에 사는, 그곳에서 태어난 사람[民]. ¶강원도 도민.

만:민 萬民 | 일만 만, 백성 민 [all the people]
모든[萬] 백성[民]. 또는 사람들. ⓑ만성(萬姓), 만인(萬人), 조서(兆庶).

목민 牧民 | 다스릴 목, 백성 민 [govern the people]
백성[民]을 다스리는[牧] 일.

문민 文民 | 글월 문, 백성 민 [civilian]
직업 군인이 아닌[文] 일반 민간인(民間人). ¶문민 정부.

빈민 貧民 | 가난할 빈, 백성 민 [poor people]
가난한[貧] 사람들[民]. ¶빈민 지역에 공부방을 설치하다.

상민 常民 | 늘 상, 백성 민 [common people]
예전에, 양반이 아닌 보통[常] 백성[民]을 이르던 말. ⓑ평민(平民). ⓐ양반(兩班).

서:민 庶民 | 여러 서, 백성 민 [common people]
❶속뜻 여러[庶] 일반 국민(國民). ❷귀족이나 상류층이 아닌 보통 사람. ¶서민들의 생활이 점점 어려워지고 있다.

시:민 市民 | 저자 시, 백성 민
[citizens; townsmen]
❶속뜻 그 시(市)에 사는 사람[民]. ¶시민들이 축제에 참여했다. ❷국가의 일원으로서 독립하여 생계를 영위하는 자유민. ¶시민은 투표권이 있다.

식민 植民 | =殖民, 심을 식, 백성 민 [colonize]
정치 강대국이 빼앗은 땅에 자국민(自國民)을 무력으로 이주시키는[植] 일. 또는 그렇게 옮겨가서 사는 사람.

양민 良民 | 어질 량, 백성 민
[good citizens; peaceable people]
선량(善良)한 백성[民]. ¶해적은 무고한 양민을 학살했다.

어민 漁民 | 고기 잡을 어, 백성 민
[fishermen; fishing people]
고기 잡는[漁] 일을 하는 사람[民]. ¶이번 태풍으로 어민들은 큰 피해를 보았다. ⓑ어부(漁夫).

유민 流民 | 흐를 류, 백성 민
[drifting people; migrants]
고향을 떠나 이곳저곳으로 떠도는[流] 사람[民]. ⓑ유랑민(流浪民).

읍민 邑民 | 고을 읍, 백성 민
[inhabitants of a town]
읍내(邑內)에 사는 사람[民].

이민 移民 | 옮길 이, 백성 민 [emigrate]
다른 나라의 땅으로 옮겨가서[移] 사는 사람[民]. ¶그는 중국에서 캐나다로 이민했다.

인민 人民 | 사람 인, 백성 민 [people]
국가나 사회를 구성하고 있는 사람들[人=民]. ⓑ국민(國民).

주:민 住民 | 살 주, 백성 민
[inhabitant; residents]
일정한 지역에 머물며 사는[住] 백성[民]. '거주민'(居住民)의 준말. ¶나는 이 아파트 주민이다.

천:민 賤民 | 천할 천, 백성 민
[person of low birth]
신분이 천(賤)한 백성[民]. ¶그는 천민이었지만 재능이 뛰어나 높은 벼슬에 올랐다.

평민 平民 | 보통 평, 백성 민 [common people]
보통[平] 사람[民]. ¶왕자가 귀족이 아닌 평민 여성을 좋아하는 것은 수치스러운 일로 여겼다. ⓑ상민(常民), 서민(庶民). ⓐ귀족(貴族).

훈:민 訓民 | 가르칠 훈, 백성 민
[instruct the people]
백성[民]을 가르침[訓].

0026 [동]

東 동녘 동
部 木부 劃 8획 中 东 [dōng]

東 東 東 東 東 東 東 東

東자는 해(日)가 나무(木)에 걸려 있는 모양이라는 설이 약 2천 년간 통용되다가 갑골문의 발견(1899년)으로 빛을 잃게 되었다. 기다란 자루 모양을 본뜬 것으로 '자루'(sack)가 본뜻이었는데, 일찍이 '동쪽'(the east)을 지칭하는 것으로 빌려 쓰였다.

동경 東經 | 동녘 동, 날실 경 [east longitude]
[지리] 지구 동반구(東半球)의 경도(經度). 본초 자오선을 0도로 하여 동쪽으로 180도까지의 경선이다. ¶서울은 동경 127도에 위치해 있다. [반]서경(西經).

동국 東國 | 동녘 동, 나라 국 [eastern country]
중국의 동(東)쪽에 있는 나라[國]. 예전에 '우리나라'를 달리 이르던 말.

동궁 東宮 | 동녘 동, 집 궁 [Crown Prince]
❶[속뜻] 동(東)쪽에 있는 궁궐(宮闕). ❷[역사] 동쪽 궁궐에 살던 '황태자'나 '왕세자'를 달리 이르던 말. [비]춘궁(春宮).

동남 東南 | 동녘 동, 남녘 남 [southeast]
❶[속뜻] 동(東)쪽과 남(南)쪽을 아울러 이르는 말. ❷동쪽을 기준으로 동쪽과 남쪽을 아울러 이르는 말. ¶동남풍이 불다. [반]서북(西北).

동독 東獨 | 동녘 동, 독일 독 [Eastern Germany]
[역사] 제2차 세계대전 후 동부(東部) 독일(獨逸)에 수립된 공산주의 국가. 1990년 서독과 통일해 독일 연방 공화국이 되었다.

동문 東門 | 동녘 동, 문 문
동(東)쪽에 있는 문(門). ¶동문에서 기다리고 있겠다.

동방 東方 | 동녘 동, 모 방 [east; Orient]
❶[속뜻] 동부(東部) 지방(地方). 동쪽. ❷유럽과 아메리카 대륙의 동쪽에 있는 지역. 인도의 인더스강 서쪽에서 지중해 연안까지를 이른다. [반]서방(西方).

동부 東部 | 동녘 동, 나눌 부 [eastern part]
❶[속뜻] 어떤 지역의 동(東)쪽 부분(部分). ¶동부 유럽. ❷[역사] 조선 시대, 한성을 5부로 나눈 구역 중의 동쪽 지역. 또는 그 지역을 관할하던 관아를 이르던 말.

동북 東北 | 동녘 동, 북녘 북 [northeast]
❶[속뜻] 동(東)쪽과 북(北)쪽을 아울러 이르는 말. ❷동쪽을 기준으로 동쪽과 북쪽 사이의 범위. ¶동북 무역풍 / 동북아시아. [반]서남(西南).

동서 東西 | 동녘 동, 서녘 서 [east and west]
❶[속뜻] 동(東)쪽과 서(西)쪽. ❷동양과 서양. ¶실크로드는 아시아의 동서를 가로지르는 중요한 교역로였다.

동양 東洋 | 동녘 동, 큰바다 양 [East]
유럽 대륙을 중심으로 한 동부(東部) 지역. 명나라 때 중국에 들어온 유럽 선교사가 만든 세계 지도에서 북태평양 서쪽을 대동양(大東洋), 동쪽을 소동양(小東洋)이라고 한 데서 비롯되었다. 지금은 유럽지역을 가리키는 서양에 대응하여 아시아의 동부 및 남부의 한국, 중국, 일본, 인도, 미얀마, 태국, 인도네시아 등을 일컫는다. [반]서양(西洋).

동편 東便 | 동녘 동, 쪽 편 [east side]
동(東) 쪽[便]. 동쪽 방향. [비]동변(東邊). [반]서편.

동풍 東風 | 동녘 동, 바람 풍 [east wind]
❶[속뜻] 동(東)쪽에서 부는 바람[風]. ❷봄철에 불어오는 바람. 봄바람. [반]서풍(西風).

동학 東學 | 동녘 동, 배울 학
[역사] 서양에서 들어온 종교에 대항해 19세기 중엽에 최제우(崔濟愚)가 세운 우리나라[大東] 우리 민족의 순수 종교[學]. [비]제우교(濟愚教).

동해 東海 | 동녘 동, 바다 해 [East Sea]
❶[속뜻] 동(東)쪽에 있는 바다[海]. ¶동해에 솟아오르는 해. ❷[지리] 우리나라 동쪽의 바다. [반]서해(西海).

동향 東向 | 동녘 동, 향할 향 [eastern exposure]
동(東)쪽을 향(向)함. 또는 그 방향. [반]서향(西向).

동헌 東軒 | 동녘 동, 집 헌
❶[속뜻] 여러 채의 관사(官舍) 가운데 동(東)쪽에 있는 집[軒]. ❷[역사] 지방 관아에서 고을 원님이나 수령(守令)들이 공사(公事)를 처리하던 중심 건물.

• 역순어휘 ——— •

관동 關東 | 빗장 관, 동녘 동
❶[속뜻] 대관령(大關嶺) 동(東)쪽 지역. ❷금강산과 동해 일대. 강원도 일대. [비]영동(嶺東).

극동 極東 | 끝 극, 동녘 동 [Far East]
❶[속뜻] 동(東)쪽의 맨 끝[極]. ❷[지리] 아시아 대륙의 동쪽에 위치한 지역. ¶극동 아시아. [비]원동(遠東). [반]극서(極西).

남동 南東 | 남녘 남, 동녘 동 [southeast]
❶[속뜻] 남(南)쪽과 동(東)쪽을 아울러 이르는 말. ❷남쪽을 기준으로 남쪽과 동쪽 사이의 방위(方位). [비]동남.

대:동 大東 | 큰 대, 동녘 동
❶[속뜻] 동방(東方)의 큰[大] 나라. ❷'우리나라'를 달리 이르던 말.

북동 北東 | 북녘 북, 동녘 동 [northeast]
❶[속뜻] 북(北)쪽과 동(東)쪽을 아울러 이르는 말. ❷북쪽을 기준으로 북쪽과 동쪽 사이의 방위(方位). ¶북동 무역풍이 불다. [비]북동쪽.

영동 嶺東 | 고개 령, 동녘 동
[지리] 강원도에서 대관령(大關嶺) 동(東)쪽에 있는 지역을 이르는 말. [비]관동(關東).

중동 中東 | 가운데 중, 동녘 동 [Middle East]
지리 유럽을 기준으로 극동(極東)과 근동(近東)의 중간[中] 지역. 곧, 지중해 연안의 서남아시아 및 이집트를 포함한 지역을 이른다.

해:동 海東 | 바다 해, 동녘 동 [Korea]
❶속뜻 중국에서 바다[海]의 동(東)쪽에 있는 나라. ❷예전에 '우리나라'를 달리 이르던 말.

0027 [서]

西
서녘 서
(部) 襾부 (劃) 6획 ⊕ 西 [xī]

西 西 西 西 西 西

西자에 대하여는 여러 설이 있다. 새가 둥지에 깃들어 있는 모양을 그린 것으로 '둥지'(a nest)가 본뜻이었는데, 후에 '서녘'(the west)을 가리키는 말로 활용되는 예가 많아지자, 본래 의미는 棲(깃들 서) 또는 栖(깃들일 서)자를 만들어 나타냈다.

서경 西經 | 서녘 서, 날실 경 [west longitude]
지리 지구의 서반구(西半球)의 경도(經度). 본초 자오선을 0도로 하여 서쪽으로 180도까지의 사이를 이른다. ¶영국은 서경 9도에 위치해 있다. (반)동경(東經).

서구 西歐 | 서녘 서, 유럽 구 [West(ern) Europe]
지리 유럽[歐羅巴] 대륙의 서(西)쪽에 자리한 지역. '서구라파'(西歐羅巴)의 준말. ¶서구 문명. (유)서유럽.

서남 西南 | 서녘 서, 남녘 남 [southwest]
❶속뜻 서(西)쪽과 남(南)쪽을 아울러 이르는 말. ❷서쪽을 기준으로 서쪽과 남쪽 사이의 방위(方位).

서독 西獨 | 서녘 서, 독일 독 [West Germany]
지리 독일(獨逸)의 서부(西部) 지역에 있었던 연방공화국. 1990년에 동독과 통합하여 독일연방공화국을 이루었다.

서력 西曆 | 서녘 서, 책력 력 [Anno Domini]
그리스도가 탄생한 해를 기원원년(紀元元年)으로 하는, 서양(西洋)의 책력(冊曆).

서방 西方 | 서녘 서, 모 방 [west]
❶속뜻 서(西)쪽 방향(方向). ❷서쪽 지방. 서부 지역. ❸'서방세계'(世界)의 준말. ¶서방 7개국 정상들이 모여 세계 평화에 대해 논의했다. (반)동방(東方).

서부 西部 | 서녘 서, 나눌 부 [west]
어떤 지역의 서(西)쪽 부분(部分). ¶한반도의 서부에는 평야가 많다. (반)동부(東部).

서북 西北 | 서녘 서, 북녘 북 [northwest]
❶속뜻 서(西)쪽과 북(北)쪽을 아울러 이르는 말. ❷서쪽을 기준으로 서쪽과 북쪽 사이의 방위(方位).

서산 西山 | 서녘 서, 메 산 [western mountain]
서(西)쪽에 있는 산(山). ¶해가 너울너울 서산으로 넘어갔다.

서양 西洋 | 서녘 서, 큰바다 양 [West; Occident]
❶속뜻 서(西)쪽 큰바다[洋]. ❷동양에 대하여 유럽과 아메리카의 여러 나라를 이르는 말. ¶서양 역사. (유)구미(歐美), 서구(西歐). (반)동양(東洋).

서역 西域 | 서녘 서, 지경 역
[countries to the west of China]
역사 중국의 서(西)쪽 지역(地域)에 있던 여러 나라를 통틀어 이르는 말. ¶현장(玄奘)은 불경을 찾아 서역으로 떠났다.

서편 西便 | 서녘 서, 쪽 편 [west]
서(西) 쪽[便]. (반)동편(東便).

서풍 西風 | 서녘 서, 바람 풍 [west wind]
서(西)쪽에서 불어오는 바람[風]. (유)하늬바람. (반)동풍(東風).

서학 西學 | 서녘 서, 배울 학 [Western Learning]
❶속뜻 서양(西洋)의 학문(學問). ❷역사 조선 시대, 천주교를 이르던 말.

서해 西海 | 서녘 서, 바다 해 [western sea]
❶속뜻 서(西)쪽 바다[海]. ❷지리 '황해'(黃海)를 달리 이르는 말.

서향 西向 | 서녘 서, 향할 향 [facing west]
서(西)쪽을 향(向)함. 또는 서쪽 방향.

• 역순어휘

관서 關西 | 빗장 관, 서녘 서
❶속뜻 마천령을 관문(關門)으로 한 그 서(西)쪽 지방. ❷지리 평안도와 황해도 북부 지역.

남서 南西 | 남녘 남, 서녘 서 [southwest]
❶속뜻 남(南)쪽과 서(西)쪽을 아울러 이르는 말. ❷남쪽을 기준으로 남쪽과 서쪽 사이의 방위(方位). ¶남서풍(南西風).

동서 東西 | 동녘 동, 서녘 서 [east and west]
❶속뜻 동(東)쪽과 서(西)쪽. ❷동양과 서양. ¶실크로드는 아시아의 동서를 가로지르는 중요한 교역로였다.

북서 北西 | 북녘 북, 서녘 서 [northwest]
❶속뜻 북(北)쪽과 서(西)쪽을 아울러 이르는 말. ❷북쪽을 기준으로 북쪽과 서쪽 사이의 방위(方位).

호서 湖西 | 호수 호, 서녘 서
❶속뜻 호강(湖江, 지금의 錦江)의 서(西)쪽 지역. ❷지리 충청남도와 충청북도를 두루 이르는 말.

0028 [남]

南 남녘 남
㊌ 十부 ㊊ 9획 ㊥ 南 [nán]

南南南南南南南南南

南자는 방울 종류의 악기를 매달아 놓은 모양에서 유래됐다. 악기를 대개 남쪽에 진열해 놓았기 때문에 '남쪽'(the south)을 뜻하게 되었다고 한다.

남극 南極 | 남녘 남, 끝 극 [the South Pole]
지리 지구의 남(南)쪽 끝[極]. ㊙북극(北極).

남단 南端 | 남녘 남, 끝 단 [southern extremity]
남(南)쪽의 끝[端]. ¶한반도 남단에 위치한 부산.

남도 南道 | 남녘 남, 길 도
[southern provinces of]
❶속뜻 남과 북으로 되어 있는 도에서 남(南)쪽에 있는 도(道)를 이르는 말. ❷경기도 이남의 충청도와 전라도, 경상도, 제주도를 통틀어 이르는 말. ¶남도 가락을 좋아하다. ㊙북도(北道).

남동 南東 | 남녘 남, 동녘 동 [southeast]
❶속뜻 남(南)쪽과 동(東)쪽을 아울러 이르는 말. ❷남쪽을 기준으로 남쪽과 동쪽 사이의 방위(方位). ㊐동남.

남문 南門 | 남녘 남, 문 문 [south gate]
❶속뜻 남(南)쪽으로 난 문(門). ❷성곽의 남쪽에 있는 문. ㊙북문(北門).

남산 南山 | 남녘 남, 메 산
❶속뜻 남(南)쪽에 있는 산(山). ❷지리 서울특별시 중구와 용산구 사이에 있는 산. 예전에 한양의 궁성에서 남쪽에 있는 산이라는 데서 유래하였다.

남서 南西 | 남녘 남, 서녘 서 [southwest]
❶속뜻 남(南)쪽과 서(西)쪽을 아울러 이르는 말. ❷남쪽을 기준으로 남쪽과 서쪽 사이의 방위(方位). ¶남서풍(南西風).

남위 南緯 | 남녘 남, 가로 위 [south latitude]
지리 적도(赤道) 이남(以南)의 위도(緯度). 적도가 0도이고 남극이 90도이다. ¶아르헨티나는 남위 22도와 55도 사이에 위치해 있다. ㊙북위(北緯).

남중 南中 | 남녘 남, 가운데 중
[southing; culmination]
지리 태양이 남(南)쪽 하늘의 한가운데[中] 이르는 일.

남촌 南村 | 남녘 남, 마을 촌
남(南)쪽에 있는 마을[村]. ㊙북촌(北村).

남침 南侵 | 남녘 남, 쳐들어갈 침
[invade the south]
북쪽에 있는 나라가 남(南)쪽에 있는 나라를 쳐들어 옴[侵]. ¶1950년 6월 25일 북한이 남침했다. ㊙북침(北侵).

남파 南派 | 남녘 남, 보낼 파
[send (a spy) into the south]
남(南)쪽으로 파견(派遣)함. ¶북한은 간첩을 남파했다.

남풍 南風 | 남녘 남, 바람 풍 [south wind]
남(南)쪽에서 불어오는 바람[風]. ㊐마파람. ㊙북풍(北風).

남하 南下 | 남녘 남, 아래 하
[advance southward]
남(南)쪽으로 내려감[下]. 또는 내려옴. ㊙북상(北上).

남한 南韓 | 남녘 남, 한국 한 [South Korea]
국토가 분단된 후 한반도 38선 이남(以南)의 한국(韓國). ㊙북한(北韓).

남해 南海 | 남녘 남, 바다 해 [South Sea]
❶속뜻 남(南)쪽 바다[海]. ❷지리 한반도 남쪽 연안의 바다 이름.

남향 南向 | 남녘 남, 향할 향 [facing south]
남(南)쪽을 향(向)함. ¶이 집은 남향이다. ㊙북향(北向).

• 역순어휘

대:남 對南 | 대할 대, 남녘 남 [against the South]
남(南)쪽 또는 남방(南方)을 상대(相對)로 함. ¶북한은 대남 방송을 했다.

동남 東南 | 동녘 동, 남녘 남 [southeast]
❶속뜻 동(東)쪽과 남(南)쪽을 아울러 이르는 말. ❷동쪽을 기준으로 동쪽과 남쪽을 아울러 이르는 말. ¶동남풍이 분다. ㊙서북(西北).

삼남 三南 | 석 삼, 남녘 남
[three southern provinces (of Korea)]
지리 한반도의 남(南)쪽에 있는 충청도, 전라도, 경상도 세[三] 지방을 통틀어 이르는 말. ¶삼남은 곡창지대이다. ㊐삼남삼도(三南三道).

서남 西南 | 서녘 서, 남녘 남 [southwest]
❶속뜻 서(西)쪽과 남(南)쪽을 아울러 이르는 말. ❷서쪽을 기준으로 서쪽과 남쪽 사이의 방위(方位).

월남 越南 | 넘을 월, 남녘 남
[come south over the border]
❶속뜻 남(南)쪽으로 넘어감[越]. ❷삼팔선 또는 휴전선 이남으로 넘어오는 것. ¶할머니는 6·25전쟁 때 월남했다. ❸지리 '베트남'(Vietnam)의 한자 음역어. ㊙월북(越北).

이:남 以南 | 부터 이, 남녘 남

[south of; South Korea]
❶ 속뜻 기준으로부터[以] 남(南)쪽. ¶이 식물은 한강 이남에 서식한다. ❷한반도의 북위 38도선 또는 휴전선 남쪽을 이르는 말. (반)이북(以北).

지남 指南 | 가리킬 지, 남녘 남
남(南)쪽을 가리킴[指]. ¶지남철(指南鐵).

호남 湖南 | 호수 호, 남녘 남
❶ 속뜻 호강(湖江, 지금의 錦江)의 남(南)쪽 지역. ❷ 지리 전라남도와 전라북도를 두루 이르는 말. ¶호남 평야.

0029 [북]

北

북녘 북, 달아날 배
(部) 匕부 (획) 5획 (中) 北 [běi]

北 北 北 北 北

北자는 '등지다'(become estranged)라는 뜻을 나타내기 위해 두 사람이 등을 돌리고 서 있는 모습을 본뜬 것이었다. 남향집을 선호하던 오랜 전통적 관습에서 보자면 등지고 있는 쪽이 바로 '북녘'(the north)이었기에 그런 뜻으로 확대 사용되는 예가 잦아지자 본래 뜻은 背(등질 배, #0677)자를 따로 만들어 나타냈다. '달아나다'(flee)라는 뜻으로도 쓰이는데, 이 경우에는 [배]로 읽는다. 敗北(패:배)의 北가 바로 그것이다.

북괴 北傀 | 북녘 북, 허수아비 괴
[North Korean puppet regime]
북한(北韓)을 소련의 허수아비[傀]라고 비난하여 이르던 말. ¶북괴는 간첩을 남파(南派)했다.

북극 北極 | 북녘 북, 끝 극 [North Pole]
❶ 속뜻 북(北)쪽 끝[極]. 북쪽 끝의 지방. ❷ 지리 지구의 자전축을 연장할 때, 천구와 마주치는 북쪽 점. ¶펭귄은 북극에 서식하지 않는다. (반)남극(南極).

북동 北東 | 북녘 북, 동녘 동 [northeast]
❶ 속뜻 북(北)쪽과 동(東)쪽을 아울러 이르는 말. ❷북쪽을 기준으로 북쪽과 동쪽 사이의 방위(方位). ¶북동 무역풍이 불다. (비)북동쪽.

북망 北邙 | 북녘 북, 언덕 망
❶ 속뜻 중국 낙양의 북(北)쪽에 있는 언덕[邙]. ❷낙양의 북망에 무덤이 많은 것에서 유래되어 '무덤이 많은 곳' 또는 '사람이 죽어서 묻히는 곳'을 이른다. 북망산(北邙山).

북문 北門 | 북녘 북, 문 문 [north gate]
북(北)쪽으로 낸 문(門). ¶북문으로 가면 인왕산이 나온다. (반)남문(南門).

북미 北美 | 북녘 북, 아름다울 미 [North America]
지리 아메리카[美] 대륙 중 북쪽[北] 부분. ¶북미 대륙에는 미국과 캐나다가 있다.

북방 北方 | 북녘 북, 모 방
[northward; northern direction]
북(北) 쪽[方]. ¶북방 지역은 아직도 겨울이다. (비)북녘. (반)남방(南方).

북벌 北伐 | 북녘 북, 칠 벌 [attack the north]
북방(北方)의 지역을 정벌(征伐)함. ¶효종은 북벌 계획을 세웠다. (반)남벌(南伐).

북부 北部 | 북녘 북, 나눌 부
[north; northern part]
어떤 지역의 북(北)쪽 부분(部分). ¶강원도 북부지역은 북한에 속해 있다. (반)남부(南部).

북상 北上 | 북녘 북, 위 상
[go up north; move northward]
북(北)쪽으로 올라감[上]. ¶장마전선이 북상 중이다 / 태풍이 북상하다. (반)남하(南下).

북서 北西 | 북녘 북, 서녘 서 [northwest]
❶ 속뜻 북(北)쪽과 서(西)쪽을 아울러 이르는 말. ❷북쪽을 기준으로 북쪽과 서쪽 사이의 방위(方位).

북어 北魚 | 북녘 북, 물고기 어 [dried pollack]
❶ 속뜻 북(北)쪽 바다에서 나는 물고기[魚]. ❷말린 명태. (비)건명태(乾明太).

북위 北緯 | 북녘 북, 가로 위 [north latitude]
지리 적도 이북(以北)의 위도(緯度). ¶휴전선은 북위 38도를 기준으로 설정되었다. (반)남위(南緯).

북진 北進 | 북녘 북, 나아갈 진 [go north]
북(北)쪽으로 진출하거나 진격(進擊)함. ¶아군(我軍)은 북진하며 적군을 섬멸했다. (반)남진(南進).

북촌 北村 | 북녘 북, 마을 촌 [northern village]
북(北)쪽에 있는 마을[村]. (반)남촌(南村).

북측 北側 | 북녘 북, 곁 측 [north side]
❶ 속뜻 북(北)쪽 측면(側面). ❷북한 측. ¶북측 대표단 / 북측 인사. (반)남측(南側).

북풍 北風 | 북녘 북, 바람 풍 [north wind]
북(北)쪽에서 불어오는 바람[風]. ¶북풍이 몰아치다. (비)삭풍(朔風). (반)남풍(南風).

북한 北韓 | 북녘 북, 나라 한
[Democratic Peoples Republic of Korea]
남북으로 분단된 대한민국의 휴전선 북(北)쪽 지역의 우리나라[韓]를 가리키는 말.

북해 北海 | 북녘 북, 바다 해
[northern sea; North Sea]

❶속뜻 북(北)쪽의 바다[海]. ❷지리 유럽 대륙과 영국과의 사이에 있는 바다. ⓑ북양(北洋).

북향 北向 | 북녘 북, 향할 향
[northern aspect; facing north]
북(北)쪽을 향(向)함. 또는 그 방향. ¶대문을 북향으로 내다. ⓑ남향(南向).

• 역순어휘

관북 關北 | 빗장 관, 북녘 북
❶속뜻 마천령을 관문(關門)으로 한 북(北)쪽 지방. ❷지리 함경북도 지방.

남북 南北 | 남녘 남, 북녘 북 [north and south]
❶속뜻 남(南)쪽과 북(北)쪽. ❷남한(南韓)과 북한(北韓)을 아울러 이르는 말. ¶남북 교류.

대:북 對北 | 대할 대, 북녘 북 [with North Korea]
북(北)쪽 또는 북방(北方)을 상대(相對)로 함. ¶한국 정부는 대북 지원을 아끼지 않다.

동북 東北 | 동녘 동, 북녘 북 [northeast]
❶속뜻 동(東)쪽과 북(北)쪽을 아울러 이르는 말. ❷동쪽을 기준으로 동쪽과 북쪽 사이의 방위(方位). ¶동북 무역풍 / 동북아시아. ⓑ서남(西南).

서북 西北 | 서녘 서, 북녘 북 [northwest]
❶속뜻 서(西)쪽과 북(北)쪽을 아울러 이르는 말. ❷서쪽을 기준으로 서쪽과 북쪽 사이의 방위(方位).

월북 越北 | 넘을 월, 북녘 북
[crossing over the border into North Korea]
❶속뜻 북(北)쪽으로 넘어감[越]. ❷삼팔선 또는 휴전선 이북으로 넘어가는 것. ¶월북 작가. ⓑ월남(越南).

이:북 以北 | 부터 이, 북녘 북
[north of; North Korea]
❶속뜻 어떤 지점의 기준으로부터[以] 북쪽[北]. ¶고구려는 부여성 이북에 천리장성을 쌓았다. ❷우리나라에서 북위 38도선. 또는 휴전선을 기준으로 한 그 북쪽. 곧 '북한'(北韓)을 가리킨다. ¶그는 이북에서 왔다. ⓑ이남(以南).

패:배 敗北 | 패할 패, 달아날 배 [defeat; lose]
❶속뜻 전쟁에 져서[敗] 달아남[北]. ❷싸움에서 짐. ¶축구에서 한 점 차로 패배했다. ⓑ승리(勝利).

0030 [중]

中

가운데 중
㉮ | 부 ㉯ 4획 ㉰ 中 [zhōng]

中 中 中 中

中자는 부락이나 군부대 등의 한복판에 꽂아둔 깃발 모양을 그린 것이다. '가운데'(middle)가 본뜻인데 '맞다'(strike on; hit the mark)는 뜻으로도 쓰인다. '중국'(China)을 약칭하는 것으로도 쓰인다.
속뜻 훈음 ①가운데 중, ②맞을 중, ③중국 중.

중간 中間 | 가운데 중, 사이 간 [middle]
❶속뜻 두 사물의 가운데[中]나 그 사이[間]. ¶두 여자를 두고 중간에서 갈등하다. ❷사물이 아직 끝나지 않은 때나 상황. ¶이야기가 중간에 끊어졌다. ❸가운데쯤의 정도나 크기. ¶내 성적은 반에서 중간 정도다.

중견 中堅 | 가운데 중, 굳을 견 [mainstay]
어떤 단체나 사회에서 중심(中心)을 굳건히[堅] 지키는 역할을 하는 사람. ¶중견배우답게 훌륭한 연기를 선보였다.

중계 中繼 | 가운데 중, 이을 계 [translate; relay]
❶속뜻 중간(中間)에서 이어줌[繼]. ¶이 산장은 산간 지대에서 중계 역할을 하고 있다. ❷언론 '중계방송'(放送)의 준말. ¶녹화 중계 / 텔레비전에서는 올림픽 경기가 중계되고 있다.

중고 中古 | 가운데 중, 옛 고
[Middle Ages; secondhand article]
❶역사 상고(上古)와 근고(近古)의 중간(中間) 시기의 고대(古代). ❷이미 사용하였거나 오래됨. ¶아버지께서 중고 책상을 하나 사오셨다.

중공 中共 | 가운데 중, 함께 공
[People's Republic of China]
지리 '중화인민공화국'(中華人民共和國)을 줄여서 부르던 말.

중국 中國 | 가운데 중, 나라 국 [China]
❶속뜻 중원(中原) 지역에 있는 나라[國]. ❷지리 아시아 동부에 있는 나라. 황하(黃河)를 중심으로 고대 문명이 일어난 곳으로, 총 면적은 959만 6961㎢이다. ¶중국 베이징 올림픽.

중급 中級 | 가운데 중, 등급 급
[intermediate grade]
중간(中間) 정도의 등급(等級). ¶중급 과정.

중기 中期 | 가운데 중, 때 기 [middle years]
일정한 기간의 중간(中間)인 시기(時期). ¶조선 중기의 사회제도.

중년 中年 | 가운데 중, 나이 년 [middle age]
인생의 중간(中間) 정도를 살고 있는 나이[年]. 마흔 살 안팎의 나이. ¶중년의 신사가 점잖게 들어왔다.

중단 中斷 | 가운데 중, 끊을 단
[stop; discontinue; suspend]

중도(中途)에서 끊어짐[斷]. ¶태풍으로 인해 유람선 운항을 중단한다. ㊐중지(中止). ㊊계속(繼續), 지속(持續).

중대 中隊 | 가운데 중, 무리 대 [company]
❶속뜻 규모가 중급(中級)인 부대(部隊). ❷군사 보통 4개 소대로 편성되는 육군과 해병대 부대 편제의 한 단위. ¶2중대 장병들은 훈련 준비가 한창이다.

중도¹ 中途 | 가운데 중, 길 도
[in the middle; halfway]
❶속뜻 가운데[中] 길[途]. ❷오가는 길의 중간. ¶차가 중도에서 고장이 났다. ❸일이 되어 가는 동안. 하던 일의 중간. ¶형주는 가정 형편이 어려워 학업을 중도에 포기했다.

중도² 中道 | 가운데 중, 길 도
[middle path; moderation]
❶속뜻 어느 한쪽으로 치우치지 않는 가운데[中]의 길[道]. ❷어느 한쪽으로 기울지 않은 중간의 입장. ¶극단적인 입장보다는 중도를 걷는 것이 바람직하다.

중독 中毒 | 맞을 중, 독할 독
[be poisoned; be addicted to]
❶속뜻 독(毒)을 맞음[中]. ❷몸 안에 약물의 독성이 들어가 신체 기능의 장애를 일으키는 일. ¶연탄가스 중독으로 쓰러지다. ❸술이나 마약 따위를 지나치게 복용한 결과, 그것 없이는 견디지 못하는 병적 상태. ¶알코올 중독 치료를 받다 / 컴퓨터 중독에 빠지다.

중동 中東 | 가운데 중, 동녘 동 [Middle East]
지리 유럽을 기준으로 극동(極東)과 근동(近東)의 중간[中] 지역. 곧, 지중해 연안의 서남아시아 및 이집트를 포함한 지역을 이른다.

중등 中等 | 가운데 중, 무리 등 [middle; medium]
가운데[中] 무리[等].

중략 中略 | 가운데 중, 줄일 략 [omit; skip]
말이나 글의 중간(中間)을 줄임[略]. ¶다 읽기에는 너무 길어서 중략하겠다.

중령 中領 | 가운데 중, 거느릴 령
[lieutenant major; commander]
군사 중급(中級) 영관(領官) 계급. 소령의 위, 대령의 아랫계급.

중류 中流 | 가운데 중, 흐를 류
[midstream; middle class]
❶속뜻 흐르는[流] 강이나 하천의 중간(中間) 부분. ¶강의 중류는 폭이 넓다. ❷높지도 낮지도 않은 중간 정도의 계층. ¶중류 가정에서 자라다.

중립 中立 | 가운데 중, 설 립 [neutrality]
❶속뜻 중간(中間)에 섬[立]. ❷어느 편에도 치우치지 아니하고 공정하게 처신함. ¶사회자는 토론에서 중립적인 태도를 취해야 한다.

중반 中盤 | 가운데 중, 쟁반 반 [middle phase]
❶속뜻 가운데[中]에 있는 쟁반[盤]. ❷어떤 사물의 진행이 중간쯤 되는 단계. ¶50대 중반의 나이 / 경기가 중반으로 접어들다.

중복 中伏 | 가운데 중, 엎드릴 복
삼복(三伏)의 가운데[中] 있는 복(伏)날. ¶중복 더위가 한창이다.

중부 中部 | 가운데 중, 나눌 부 [middle part]
어떤 지역의 가운데[中] 부분(部分). ¶중부 지방에는 비가 올 것으로 보인다.

중사 中士 | 가운데 중, 선비 사 [master sergeant]
군사 상사(上士)와 하사(下士) 사이[中]에 있는 국군 부사관(副士官) 계급의 하나.

중상 中傷 | 가운데 중, 다칠 상 [slander]
중간(中間)에서 터무니없는 말로 남을 헐뜯어 명예를 손상(損傷)시킴.

중생 中生 | 가운데 중, 날 생
❶속뜻 중간(中間) 자리에 태어남[生]. ❷생물 메마르지도 습하지도 않은 곳에 삶. 재배식물 따위의 특징이다. ❸불교 극락왕생의 상품, 중품, 하품 각각의 중간 자리.

중성 中性 | 가운데 중, 성질 성 [neutrality]
❶속뜻 대립되는 두 성질의 어느 쪽에도 해당되지 않는 중간(中間)의 성질(性質). ❷화학 산성과 염기성의 중간에 있다고 생각되는 물질의 성질.

중세 中世 | 가운데 중, 세대 세 [Middle Ages]
역사 역사의 시대 구분의 한 가지로, 고대(古代)와 근세(近世) 사이[中]의 세기(世紀). ¶이 건물은 중세 시대에 지어졌다.

중소 中小 | 가운데 중, 작을 소
[small and middle size]
규모나 수준 따위가 중간[中] 또는 그보다 작은[小] 것. ¶중소 도시에 살다.

중순 中旬 | 가운데 중, 열흘 순
[middle ten days of a month]
한 달의 중간(中間)인 11일부터 20일까지의 열흘[旬] 동안. ¶7월 중순에 여행을 갈 예정이다.

중식 中食 | 가운데 중, 밥 식 [lunch]
하루의 중간(中間) 시간에 먹는 밥[食]. ¶중식으로 김밥을 준비했다. ㊐점심.

중심 中心 | 가운데 중, 가운데 심 [center; middle]
❶속뜻 한가운데[中=心]. 한복판. ¶남산은 서울 시내 중심에 자리를 잡고 있다. ❷가장 중요한 역할을 하는 곳. 또는 그러한 위치에 있는 것. ¶농경 중심 사회 / 시민들

이 중심이 되어 협회를 만들다.

중앙 中央 | 가운데 중, 가운데 앙 [center]
❶속뜻 사방의 한가운데[中=央]. ¶중앙 도서관 / 사무실 중앙에 탁자를 놓았다. ❷'수도'(首都)를 이르는 말. ¶감독관이 중앙에서 지방으로 파견되었다. ⓑ지방(地方).

중엽 中葉 | 가운데 중, 세대 엽
[middle part of a period]
한 시대나 세기를 세 시기로 구분할 때, 그 중간(中間) 무렵[葉]. ¶신라 시대 중엽.

중용 中庸 | 가운데 중, 보통 용 [moderation]
❶속뜻 중간(中間) 또는 보통[庸] 정도. ❷어느 쪽으로 치우침이 없고 알맞음. ¶그는 언제나 중용을 지킨다.

중위 中尉 | 가운데 중, 벼슬 위
[first lieutenant; lieutenant junior grade]
군사 위관(尉官)의 가운데[中] 계급. 소위의 위, 대위의 아래 계급.

중이 中耳 | 가운데 중, 귀 이 [middle ear]
의학 외이(外耳)와 내이(內耳)의 중간(中間) 쯤에 고막이 있는 부분의 귀[耳].

중인 中人 | 가운데 중, 사람 인
역사 조선 시대, 양반과 평민의 중간(中間) 계급에 있는 사람[人]을 이르던 말.

중장¹ 中章 | 가운데 중, 글 장 [middle verses]
문학 세 개의 장으로 나누어진 악곡이나 시조의 가운데[中] 장(章).

중장² 中將 | 가운데 중, 장수 장
[lieutenant general]
군사 국군 장성(將星) 계급으로 소장(少將)과 대장(大將)의 중간(中間)에 위치한 계급.

중전 中殿 | 가운데 중, 대궐 전 [Queen]
❶속뜻 중궁(中宮=왕비)이 거처하는 대궐[殿]. ❷왕후를 높여 이르는 말.

중졸 中卒 | 가운데 중, 마칠 졸
[graduation from junior high school]
중학교(中學校)를 마침[卒]. '중학교졸업'(中學校卒業)의 준말. ¶그의 학력은 중졸이었지만 모르는 것이 없었다.

중지 中指 | 가운데 중, 손가락 지 [middle finger]
가운데[中] 손가락[指]. ¶그는 사고로 중지 한 마디가 잘렸다.
ⓑ장지(長指).

중천 中天 | 가운데 중, 하늘 천
[midheaven; zenith]
한가운데[中] 하늘[天]. 하늘 한복판. ¶해가 중천에 떴는데 아직도 자고 있느냐.

중추 中樞 | 가운데 중, 지도리 추
[center; nucleus; backbone]
❶속뜻 중심(中心)이 되는 중요한 지도리[樞] 장치. ❷사물의 중심이 되는 중요한 부분. ¶그들이 학생회의 중추 역할을 한다. ❸의학 '중추 신경'(神經)의 준말.

중퇴 中退 | 가운데 중, 물러날 퇴
[drop out of school; leave school halfway]
❶속뜻 중도(中途)에서 물러남[退]. 도중에 그만둠. ❷교육 학생이 과정을 다 마치지 못하고 중도에서 학교를 그만둠. '중도퇴학'(中途退學)을 줄여 이르는 말. ¶집안 사정으로 대학을 중퇴하다.

중편 中篇 | 가운데 중, 책 편 [medium volume]
❶속뜻 셋으로 나눈 책이나 글의 가운데[中]편(篇). ¶어제까지 상편을 읽고 오늘부터 중편을 읽는다. ❷문학 '중편소설'(小說)의 준말.

중풍 中風 | 맞을 중, 바람 풍 [paralysis]
❶속뜻 바람[風]을 맞음[中]. ❷한의 몸의 전부나 일부가 마비되는 병. ¶중풍에 걸려 오른쪽 반신을 못 쓰다. ⓑ뇌졸중.

중학 中學 | 가운데 중, 배울 학
교육 '중학교'(中學校)'의 준말.

중형 中型 | 가운데 중, 모형 형 [medium size]
중간(中間)쯤 되는 크기의 모형(模型). ¶중형 버스

중화 中和 | 가운데 중, 어울릴 화 [neutralize]
❶속뜻 서로 다른 성질의 물질이 중간(中間)에서 어우러져[和] 서로의 특징이나 작용을 잃음. ¶두 민족은 한데 어울려 살면서 중화되었다. ❷화학 산과 염기가 반응하여 서로의 성질을 잃음. 또는 그 반응. ¶암모니아수로 독성을 중화시키다.

중흥 中興 | 가운데 중, 일어날 흥 [revive; restore]
집안이나 나라 따위가 쇠퇴하던 것이 중간(中間)에서 다시 일어남[興]. ¶민족 중흥의 주역 / 쇠퇴한 불교를 중흥시키다.

• **역순어휘**

개:중 個中 | 낱 개, 가운데 중 [among them]
여러 개(個) 가운데[中]. ¶귤을 한 상자 샀는데, 개중에는 상한 것도 있었다.

공중 空中 | 하늘 공, 가운데 중 [air; sky]
하늘[空]의 한가운데[中]. 하늘과 땅 사이의 빈 곳. ¶새가 공중으로 날아올랐다. ⓑ허공(虛空). ⓑ육상(陸上), 해상(海上).

궁중 宮中 | 궁궐 궁, 가운데 중
[(within) the (Royal) Court]

궁궐(宮闕)의 한가운데[中]. 대궐 안.

극중 劇中 | 연극 극, 가운데 중
연극(演劇) 가운데[中]. ¶극중 인물의 이름을 다 외웠다.

난:중 亂中 | 어지러울 란, 가운데 중
[midst of turmoil; time of war]
전란(戰亂)이 일어난 와중(渦中). ¶난중에 아버지가 돌아가셨다.

남중 南中 | 남녘 남, 가운데 중
[southing; culmination]
[지리] 태양이 남(南)쪽 하늘의 한가운데[中] 이르는 일.

도:중 途中 | 길 도, 가운데 중 [on the way]
❶[속뜻] 길[途]을 오가는 중간(中間). ¶집에 오는 도중에 그를 만났다. ❷일이 계속되고 있는 과정이나 일의 중간. ¶통화하는 도중에 전화가 끊어졌다. [비]노중(路中), 동안.

명:중 命中 | 명할 명, 맞을 중 [hit the mark]
❶[속뜻] 맞추라고 명령(命令)한 곳에 적중(的中)시킴. ❷겨냥한 곳을 쏘아 정확히 맞힘. ¶화살이 과녁 한복판에 명중했다. [비]적중(的中).

문중 門中 | 집안 문, 가운데 중
[one's family; kinsmen]
❶[속뜻] 같은 가문(家門) 안[中]에 속함. ❷성(姓)과 본(本)이 같은 가까운 집안. ¶문중의 땅을 되찾다. [비]문내(門內).

산중 山中 | 메 산, 가운데 중
[mountain recess; bosom of the hills]
산(山) 속[中]. ¶깊은 산중에서 길을 잃었다.

수중¹ 手中 | 손 수, 가운데 중 [in the hands]
❶[속뜻] 손[手] 안[中]. ❷자신의 힘이 미칠 수 있는 범위. ¶수중에 돈 한 푼 없다.

수중² 水中 | 물 수, 가운데 중
[underwater; submarine]
물[水] 가운데[中]. 물속. ¶이 카메라는 수중 촬영이 가능하다.

시:중 市中 | 저자 시, 가운데 중
[(in) the street; open market]
❶[속뜻] 도시(都市)의 가운데[中]. 도시 안. ❷사람들이 생활하는 공개된 공간을 비유하여 이르는 말. ¶인공지능 컴퓨터는 아직 시중에 나와 있지 않다.

안:중 眼中 | 눈 안, 가운데 중 [mind]
❶[속뜻] 눈[眼]의 안[中]. ❷관심이나 의식의 범위 내. ¶그는 자기 밖에는 안중에 없다.

여중 女中 | 여자 녀, 가운데 중
[girls'junior high school]
[교육] '여자중학교'(女子中學校)의 준말. ¶동생은 여중에 다닌다.

연중 年中 | 해 년, 가운데 중 [whole year]
한 해[年] 동안[中]. ¶그곳은 연중 내내 번잡하다 / 연중 무휴(無休).

열중¹ 列中 | 벌일 렬, 가운데 중
줄지어 늘어선[列] 가운데[中].

열중² 熱中 | 더울 열, 가운데 중 [be absorbed]
❶[속뜻] 열(熱)의 한가운데[中]. ❷한 가지 일에 정신을 쏟음. ¶공부에 열중하다. [비]몰두(沒頭).

옥중 獄中 | 감옥 옥, 가운데 중 [inside of a jail]
감옥(監獄)의 안[中]. ¶투옥된 지 3년이 지나자 옥중 생활에 익숙해졌다. [비]옥리(獄裏).

와중 渦中 | 소용돌이 와, 가운데 중 [vortex]
❶[속뜻] 소용돌이[渦] 가운데[中]. ❷일이나 사건 따위가 시끄럽고 복잡하게 벌어지는 가운데. ¶많은 사람이 전란의 와중에 가족을 잃었다.

의:중 意中 | 뜻 의, 가운데 중
[one's inner thoughts; one's mind]
마음[意] 속[中]. ¶도대체 그녀의 의중을 알 수가 없다. [비]심중(心中).

인중 人中 | 사람 인, 가운데 중 [philtrum]
사람[人] 얼굴의 한가운데[中]. 코와 윗입술 사이에 우묵하게 골이 진 부분. ¶그는 인중에 점이 있다.

적중 的中 | 과녁 적, 맞을 중
[hit the mark; make a good hit]
목표한 과녁[的]에 정확히 들어맞음[中]. ¶화살이 과녁에 적중했다 / 오후에 눈이 내릴 것이라는 일기예보는 적중했다.

주중 週中 | 주일 주, 가운데 중 [weekdays]
한 주(週) 가운데[中]. ¶이 백화점은 주중에도 항상 붐빈다.

지중 地中 | 땅 지, 가운데 중 [in the ground]
땅[地]의 속[中]. ¶지중해(地中海).

집중 集中 | 모일 집, 가운데 중
[concentrate; focus on]
❶[속뜻] 한곳을 중심(中心)으로 하여 모임[集]. 또는 그렇게 모음. ¶인구가 도시로 집중되다. ❷한 가지 일에 모든 힘을 쏟아 부음. ¶집중 사격 / 시끄러워 공부에 집중할 수가 없다. [반]분산(分散).

취:중 醉中 | 취할 취, 가운데 중 [in drink]
술에 취(醉)해 있는 가운데[中]. ¶그는 취중에도 똑바로 걸으려고 애썼다.

한:중 韓中 | 한국 한, 중국 중 [Korea and China]
한국(韓國)과 중국(中國). ¶한중 수교 30주년.

혈중 血中 | 피 혈, 가운데 중 [(blood) serum]
피[血] 가운데[中]. 피 안에. ¶혈중 알코올 농도.

회중 懷中 | 품을 회, 가운데 중 [bosom]
가슴 속[中]에 품음[懷].

0031 [선]

先

먼저 선
[部] 儿부 [劃] 6획 [中] 先 [xiān]

先 先 先 先 先 先

先의 儿(사람 인)은 '人'의 변형이고, 그 위 부분은 발자국[止] 모양이 변화된 것이다. 즉 '먼저'(first)나 '앞'(front)란 뜻을 한 발짝 앞서간 사람의 발자국을 통하여 나타낸 발상이 참으로 기발하다.

선각 先覺 | 먼저 선, 깨달을 각
[see in advance; foresee]
❶[속뜻]남보다 앞서서[先] 깨달음[覺]. ❷'선각자'(先覺者)의 준말. [반]후각(後覺).

선견 先見 | 먼저 선, 볼 견
[send forward (in advance)]
장래의 일을 먼저[先] 봄[見]. 일이 일어나기 전에 미리 아는 일.

선결 先決 | 먼저 선, 터놓을 결
[decide before-hand; decide first]
다른 일보다 먼저[先] 해결(解決)함. ¶이 문제를 선결해야 한다.

선구 先驅 | 먼저 선, 달릴 구
[take the lead in; pioneer]
❶[속뜻]앞장서서[先] 말을 달림[驅]. ❷'선구자'(先驅者)의 준말.

선금 先金 | 먼저 선, 돈 금 [prepayment]
값을 미리[先] 치르는 돈[金]. ¶선금을 걸고 물건을 샀다.

선달 先達 | 먼저 선, 통달할 달
❶[속뜻]먼저[先] 통달함[達]. ❷[역사]무과에 급제하고도 벼슬을 받지 못한 사람. ¶봉이(鳳伊) 김 선달은 대동강 물을 팔아먹었다는 인물이다.

선두 先頭 | 먼저 선, 머리 두 [top; lead]
첫[先] 머리[頭]. 맨 앞쪽. ¶선두에 서다 / 그는 선두에 30미터 뒤져 있다.

선례 先例 | 먼저 선, 본보기 례
[previous instance; former example]
먼저[先] 있었던 사례(事例). ¶선례를 따르다. [준]예. [비]전례(前例).

선발 先發 | 먼저 선, 떠날 발 [start in advance]
❶[속뜻]남보다 먼저[先] 나서거나 떠남[發]. ❷[운동]1회 전부터 출전하는 일을 이름. ¶선발 선수. [반]후발(後發).

선배 先輩 | 먼저 선, 무리 배 [senior]
❶[속뜻]학문, 덕행, 경험, 나이 따위가 자기보다 앞서고[先] 높은 사람[輩]. ❷학교나 직장을 먼저 거친 사람. ¶타지에서 고향 선배를 만나니 정말 반가웠다. [반]후배(後輩).

선봉 先鋒 | 먼저 선, 앞장 봉
[advance guard; spearhead]
맨[先] 앞장[鋒]. ¶선봉에 서다.

선불 先拂 | 먼저 선, 지불 불
[pay in advance; prepay]
먼저[先] 돈을 지불(支拂)함. ¶수강료를 선불했다. [비]선급(先給). [반]후불(後拂).

선사 先史 | 먼저 선, 역사 사 [prehistory]
역사(歷史) 시대 이전[先]의 역사(歷史). 문헌이나 기록이 없어 유적이나 유물로만 파악되는 역사를 말한다.

선산 先山 | 먼저 선, 메 산
선조(先祖)의 무덤이 있는 산(山). [속담]굽은 나무가 선산을 지킨다.

선생 先生 | 먼저 선, 날 생 [teacher; Mister]
❶[속뜻]먼저[先] 태어남[生]. ❷학생을 가르치는 사람. ❸성명이나 직명 따위의 아래에 쓰여 그를 높여 일컫는 말. ¶최 선생. ❹어떤 일에 경험이 많거나 아는 것이 많은 사람. ¶의사 선생. [비]교사(教師).

선약 先約 | 먼저 선, 묶을 약
[previous engagement]
먼저[先] 약속(約束)함. 또는 그 약속. ¶죄송하지만 선약이 있다.

선열 先烈 | 먼저 선, 세찰 렬
[patriotic forefathers]
의(義)를 위해 싸우다 먼저[先] 간 열사(烈士). ¶순국선열을 추모하다.

선왕 先王 | 먼저 선, 임금 왕 [preceding king]
선대(先代)의 임금[王]. [비]망군(亡君), 선군(先君).

선입 先入 | 먼저 선, 들 입
먼저[先] 머릿속에 자리잡고[入] 있는 일. 대개, 단독으로는 쓰이지 않고 뒤에 딴말이 붙어 쓰인다. ¶선입견(先入見).

선제 先制 | 먼저 선, 누를 제 [leading off]
먼저[先] 손을 써서 상대를 누름[制].

선조 先祖 | 먼저 선, 조상 조 [ancestor]
한 집안의 옛[先] 시조(始祖). ¶그 풍습은 우리 선조로부터 전해 내려온 것이다. ㈐선대(先代), 조상(祖上).

선진 先進 | 먼저 선, 나아갈 진 [advance]
❶속뜻 어떤 분야에서 나이, 지위, 기량 등이 앞서[先] 나가 있는[進] 일 또는 그런 사람. ❷발전의 단계나 진보의 정도 등이 다른 것보다 앞서거나 앞서 있는 일. ¶선진 기술. ㉥후진(後進).

선착 先着 | 먼저 선, 붙을 착 [arrive first]
남보다 먼저[先] 도착(到着)함. ¶선착 50분에게 선물을 드린다.

선창 先唱 | 먼저 선, 부를 창 [lead the chorus]
노래나 구호 따위를 맨 먼저[先] 부르거나[唱] 외침. ¶내가 선창하자 모두 따라 부르기 시작했다.

선천 先天 | 먼저 선, 하늘 천 [inbornness]
어떤 성질이나 체질을 태어나기에 앞서[先] 하늘[天]로부터 부여받음. ㉥후천(後天).

선친 先親 | 먼저 선, 어버이 친 [my late father]
돌아가신[先] 자기 아버지[親]를 남에게 일컫는 말. ¶오늘이 선친의 기일이다. ㈐선고(先考), 선부(先父). ㉥선자(先慈).

선후 先後 | 먼저 선, 뒤 후 [front and rear]
먼저[先]와 나중[後]. 앞과 뒤. ¶사건의 선후가 뒤바뀌었다.

• 역순어휘

기선 機先 | 때 기, 먼저 선 [forestall; take a initiative]
❶속뜻 이길 수 있는 기회(機會)를 먼저[先] 잡음. ❷운동 경기나 싸움 따위에서 상대편의 세력이나 기세를 억누르기 위하여 먼저 행동하는 것. ¶기선을 잡다.

솔선 率先 | 거느릴 솔, 먼저 선 [take up the running]
❶속뜻 남보다 먼저[先] 나서서 다른 사람들을 거느림[率]. ❷앞장서서 모범을 보임. ¶그녀는 솔선하여 봉사 활동에 참여했다.

우선¹ 于先 | 어조사 우, 먼저 선 [first of all]
어떤 일에[于] 먼저[先]. ¶우선 밥부터 먹고 생각해 보자.

우선² 優先 | 뛰어날 우, 먼저 선 [preference]
딴 것에 앞서[先] 특별하게[優] 대우함. ¶그에게는 친구들보다 공부가 우선이다.

행선 行先 | 갈 행, 먼저 선 [journey]
❶속뜻 먼저[先] 감[行]. ❷가는 곳. ¶행선을 묻다.

0032 [백]

白 흰 백
㉯ 白부 ㉰ 5획 ㊥ 白 [bái]
白 白 白 白 白

白자에 대하여는 여러 설이 있다. 엄지손톱 모양을 본뜬 것이라는 설이 옳을 듯하며, '우두머리'(a boss), '맏이'(the eldest)가 본뜻이었다. 그런데 '하얗다'(white)는 낱말의 발음이 이것과 똑같아 그 뜻으로 빌려 쓰이는 예가 잦아지자, '맏이'란 뜻은 伯(맏 백, #1036)자를 추가로 만들어 나타냈다. '말하다'(say; tell)는 뜻으로도 쓰인다.
속뜻훈음 ①흰 백, ②말할 백.

백계 白鷄 | 흰 백, 닭 계
털이 흰[白] 닭[鷄].

백골 白骨 | 흰 백, 뼈 골 [white bone; skeleton]
죽은 사람의 살이 다 썩은 뒤에 남은 흰[白] 뼈[骨]. ¶스승님의 은혜는 백골이 되어서도 잊지 못한다.

백군 白軍 | 흰 백, 군사 군 [white team]
운동 경기 따위에서, 흰[白] 색의 상징물을 사용하는 편[軍]. ¶줄다리기에서 백군이 이겼다. ㉥청군(靑軍).

백금 白金 | 흰 백, 쇠 금 [white gold]
화학 은백색(銀白色)의 금속(金屬) 원소. 은보다 단단하며 녹슬지 않는다.

백기 白旗 | 흰 백, 깃발 기 [white flag]
❶속뜻 흰[白] 깃발[旗]. ❷항복의 표지로 쓰이는 흰 깃발. ¶백기를 들고 적에게 투항하다. ㈐항기(降旗).

백두 白頭 | 흰 백, 머리 두 [white head]
허옇게[白] 센 머리[頭]. ¶그는 어느새 백두의 노인이 되어 있었다.

백로 白露 | 흰 백, 이슬 로
❶속뜻 하얀[白] 이슬[露]. ❷이슬이 내리며 가을을 알린다는 절기로 처서와 추분 사이인 9월 8일 경에 있는 24절기의 하나.

백마 白馬 | 흰 백, 말 마 [white horse]
털빛이 흰[白] 말[馬]. ¶백마 탄 왕자님을 기다리다.

백묵 白墨 | 흰 백, 먹 묵 [piece of chalk]
흰[白] 먹[墨]처럼 생긴 필기구로 칠판에 글을 쓰면 흰색 가루가 부서져 글이 써짐. ㈐분필(粉筆).

백미¹ 白米 | 흰 백, 쌀 미 [polished rice]
희게[白] 찧은 멥쌀[米]. ¶백미 삼백 석.

백미² 白眉 | 흰 백, 눈썹 미 [finest example of]
❶속뜻 흰[白] 눈썹[眉]. ❷옛날 중국의 마씨(馬氏)집 다섯 형제가 모두 재주가 뛰어났으나 그중에서도 흰 눈

썹이 있는 마량(馬良)이 가장 뛰어났다는 이야기에서 비롯된 말로 '여럿 중에서 가장 뛰어난 사람이나 물건'을 비유함. ¶'춘향전'은 한국 고전문학의 백미다.

백반¹ 白飯 | 흰 백, 밥 반 [cooked rice]
❶속뜻 흰[白] 쌀로 지은 밥[飯]. ❷흰밥에 국과 반찬을 곁들여 파는 한 상의 음식. ¶불고기 백반.

백반² 白礬 | 흰 백, 명반 반 [alum]
❶속뜻 하얀[白] 빛깔의 명반(明礬). ❷화학 황산알루미늄 수용액에 황산칼륨 수용액을 넣었을 때 석출되는 정팔면체의 무색 결정. ㊐명반(明礬).

백발 白髮 | 흰 백, 머리털 발 [gray hair]
하얗게[白] 센 머리털[髮]. ¶그는 어느새 백발의 노인이 되었다. ㊐흰머리, 은발(銀髮).

백사 白沙 | =白砂, 흰 백, 모래 사 [white sand]
흰[白] 모래[沙].

백색 白色 | 흰 백, 빛 색 [white color]
하얀[白] 색(色). ㊐흰색. ㊥흑색(黑色).

백설 白雪 | 흰 백, 눈 설 [(white) snow]
흰[白] 눈[雪].

백악 白堊 | 흰 백, 석회 악 [chalk; white wall]
❶속뜻 흰[白] 석회[堊]. ❷석회로 칠한 흰 벽.

백야 白夜 | 흰 백, 밤 야
[nights under the midnight sun]
❶속뜻 하늘이 밝은[白] 밤[夜]. ❷지리 밤에 어두워지지 않는 현상. 또는 그런 밤. ¶극지방에서는 여름에 백야 현상이 일어난다.

백열 白熱 | 흰 백, 더울 열
[white heat; incandescence]
물리 물체에서 흰[白] 빛이 날만큼 몹시 높은 열(熱).

백옥 白玉 | 흰 백, 구슬 옥 [white gem]
흰[白] 빛깔의 옥(玉). ¶그녀의 피부는 백옥 같다.

백인 白人 | 흰 백, 사람 인 [white man]
피부색이 흰[白] 빛에 가까운 인종(人種). ¶그는 백인 어머니와 흑인 아버지 사이에서 태어났다.

백일 白日 | 흰 백, 해 일 [bright day]
❶속뜻 구름이 조금도 끼지 않은 맑은 날의 밝은[白] 해[日]. ❷환히 밝은 낮 대낮. ¶그의 범죄가 백일하에 드러나다.

백자 白瓷 | =白磁, 흰 백, 오지그릇 자
[white porcelain]
수공 흰[白] 빛을 띠는 자기(瓷器). ¶조선 백자.

백정 白丁 | 흰 백, 사나이 정 [butcher]
❶속뜻 백수(白手) 상태의 사나이[丁]. ❷소나 개, 돼지 따위를 잡는 일을 직업으로 하는 사람.

백조 白鳥 | 흰 백, 새 조 [swan; cob]
❶속뜻 몸이 흰색[白]인 새[鳥]. ❷동물 몸이 순백색이고 다리가 검은 물새. ㊐고니.

백지 白紙 | 흰 백, 종이 지
[white paper; blank paper; clean slate]
❶속뜻 빛깔이 흰[白] 종이[紙]. ❷아무것도 쓰지 않은 종이. ¶백지 답안지. ❸어떠한 대상에 대하여 아무것도 모르는 상태. ¶나는 경제 분야에 백지나 다름없다. ㊐공지(空紙).

백치 白痴 | =白癡, 흰 백, 어리석을 치 [idiot]
뇌의 장애나 질병 따위로 연령에 비해 머리가 텅 비어[白] 있는 바보[痴] 같은 사람. 또는 그러한 병. ¶그녀는 백치같이 웃었다. ㊐천치(天癡).

백호 白虎 | 흰 백, 호랑이 호 [white tiger]
❶속뜻 털 색깔이 흰[白] 호랑이[虎]. ❷민속 사신(四神)의 하나. 서쪽 방위를 지키는 신령을 상징하는 짐승인데 범으로 형상화했다. ❸민속 중심이 되는 산에서 오른쪽으로 갈려나간 산줄기.

• 역순어휘

결백 潔白 | 깨끗할 결, 흰 백 [pure; innocent]
❶속뜻 깨끗하고[潔] 흼[白]. ❷행동이나 마음 따위가 조촐하여 얼룩이나 허물이 없음. ¶범인이 결백을 주장하다. ㊐무죄(無罪). ㊥부정(不正).

고:백 告白 | 알릴 고, 말할 백 [confess]
마음속에 숨기고 있던 것을 알려[告] 털어놓음[白]. ¶그녀에게 사랑을 고백하다. ㊐자백(自白). ㊥은폐(隱蔽).

공백 空白 | 빌 공, 흰 백
[blank space; marginal space]
❶속뜻 텅 비어[空] 아무것도 없음[白]. ❷종이 따위에 글씨를 쓰거나 그림을 그리고 남은 자리. ¶궁금한 점을 공백에 적었다. ㊐여백(餘白).

단:백 蛋白 | 새알 단, 흰 백 [protein; albumin]
❶속뜻 달걀, 새알 등 날짐승 알[蛋]의 흰[白]자위. ❷생물 단백질로 이루어진 것. ❸생물 '단백질'(蛋白質)의 준말. ¶콩은 단백질이 풍부하다. ㊐난백(卵白).

담:백 淡白 | 맑을 담, 흰 백 [light; plain]
진하지 않고[淡] 산뜻함[白]. ¶음식이 매우 담백하다. ㊐담박(淡泊)하다, 산뜻하다. ㊥텁텁하다.

독백 獨白 | 홀로 독, 말할 백 [monologue]
연영 극에서 배우가 상대자 없이 혼자[獨] 대사를 말함[白]. 또는 그 대사(臺詞).

명백 明白 | 밝을 명, 흰 백 [plain; clear]
분명(分明)하고 결백(潔白)하다. 의심할 바 없이 뚜렷하다. ¶명백한 사실.

반백 斑白 | 얼룩 반, 흰 백 [gray-haired]
얼룩진[斑] 흰[白]머리가 뒤섞여 있는 머리털. ¶반백의 중년 신사가 나타났다.

여백 餘白 | 남을 여, 빌 백 [blank; space]
종이 따위에 글씨를 쓰거나 그림을 그리고 남은[餘] 빈[白] 자리. ¶그는 교과서의 여백에 필기를 했다.

자백 自白 | 스스로 자, 말할 백 [confess]
자기 비밀을 직접[自] 털어놓고 말함[白]. 또는 그 진술. ¶경찰은 마침내 그의 자백을 받아냈다.

창백 蒼白 | 푸를 창, 흰 백 [pale; deathly white]
얼굴에 푸른[蒼] 빛이 돌며 핏기가 없이 희다[白]. 해쓱하다. ¶며칠 잠을 못 자더니 안색이 창백해졌다.

표백 漂白 | 빨래할 표, 흰 백 [bleach]
❶속뜻 하얗게[白] 되도록 빨래함[漂]. ❷종이나 피륙 따위를 바래거나 화학 약품으로 탈색하여 희게 함. ¶옷감을 표백하다.

화백 和白 | 어울릴 화, 말할 백 [conference]
❶속뜻 여러 사람이 잘 어울리기[和] 위하여 함께 의논함[白]. ❷역사 신라 때에, 나라의 중대사를 의논하던 회의 제도.

흑백 黑白 | 검을 흑, 흰 백
[black and white; good and bad]
❶속뜻 검은[黑] 빛과 흰[白] 빛. ¶흑백 영화. ❷잘잘못. 옳고 그름. ¶흑백을 가리다.

0033 [문]

門 문 문
㊞ 門부 ㊕ 8획 ㊥ 门 [mén]

門門門門門門門門

門자는 '양쪽의 여닫이 문'(a gate)을 나타내기 위해서 그러한 대문 모양을 본뜬 것이었음을 지금의 자형에서도 짐작할 수 있다. 이것이 어떤 글자의 표의요소(부수)로 쓰이는 경우, 관청 같은 큰집을 가리키는 예가 많다. 참고로 '지게 호'(戶, #0633)의 '지게'는 '한 쪽 문'을 뜻한다.

속뜻 훈음 ①문 문, ②**집안 문**.

문간 門間 | 문 문, 사이 간 [gateway]
출입문(出入門)이 있는 곳[間].

문벌 門閥 | 집안 문, 무리 벌 [lineage; pedigree]
❶속뜻 지체 높은 가문(家門)의 가족이나 무리[閥]. ❷대대로 내려오는 그 집안의 사회적 신분이나 지위. ¶그는 문벌 있는 집안에서 태어나다. ㊐가벌(家閥), 세벌(世閥).

문외 門外 | 문 문, 바깥 외 [outside the gate]
❶속뜻 대문(大門)의 바깥[外]. 문밖. ❷관계가 없는.

문전 門前 | 문 문, 앞 전 [front of a gate]
문(門) 앞[前]. ¶문전 박대를 당하다.

문중 門中 | 집안 문, 가운데 중
[one's family; kinsmen]
❶속뜻 같은 가문(家門) 안[中]에 속함. ❷성(姓)과 본(本)이 같은 가까운 집안. ¶문중의 땅을 되찾다. ㊐문내(門內).

문패 門牌 | 문 문, 패 패 [doorplate; nameplate]
성명·주소 등을 적어 대문(大門)에 다는 나무나 돌로 만든 패(牌).

문풍 門風 | 문 문, 바람 풍 [weather strips]
문(門)을 통해 들어오는 바람[風].

문하 門下 | 문 문, 아래 하 [under instruction]
❶속뜻 스승의 집 대문(大門) 아래[下] 모여 듦. ❷스승의 집에 드나들며 가르침을 받는 제자. '문하생'(門下生)의 준말. ¶김 선생님의 문하에 들어가다.

문호 門戶 | 문 문, 집 호 [door]
❶속뜻 집[戶]으로 드나드는 문(門). ❷외부와 교류하기 위한 통로나 수단을 비유적으로 이르는 말. ¶외국에 문호를 개방하다.

• 역순어휘

가문 家門 | 집 가, 대문 문 [one's family]
❶속뜻 집안[家]과 문중(門中). ❷집안 문벌(門閥). ¶가문을 빛내다 / 가문의 영광.

관문 關門 | 빗장 관, 대문 문
[gateway; boundary gate; barrier]
❶속뜻 지난날, 국경이나 교통의 요새 같은 데 설치한 관(關)의 문(門). ❷그곳을 지나야만 드나들 수 있는 중요한 길목. ¶부산은 동아시아의 관문이다. ❸어떤 일을 하자면 반드시 거쳐야 하는 중요한 대목. ¶입학시험이라는 관문을 통과하다.

교:문 校門 | 학교 교, 문 문 [school gate]
학교(學校)의 문(門). ¶교문을 꽃으로 장식하다.

남문 南門 | 남녘 남, 문 문 [south gate]
❶속뜻 남(南)쪽으로 난 문(門). ❷성곽의 남쪽에 있는 문. ㊕북문(北門).

대:문 大門 | 큰 대, 문 문
[great gate; main entrance]
❶속뜻 큰[大] 문(門). ❷집의 정문. ¶대문에 초인종을 달았다. ㊐정문(正門). ㊕소문(小門).

동문¹ 同門 | 같을 동, 문 문 [classmate]
❶속뜻 같은[同] 문(門). ❷같은 학교에서 수학하였거나

같은 스승에게서 배운 사람. ¶그와 나는 동문이다 / 동문회를 열었다. (비)동학(同學), 동창(同窓).

동문² 東門 | 동녘 동, 문 문
동(東)쪽에 있는 문(門). ¶동문에서 기다리고 있겠다.

명문 名門 | 이름 명, 집안 문
[distinguished family; noble family]
❶[속뜻]이름[名] 난 가문(家門). ❷문벌(門閥)이 좋은 집안. ¶그는 명문가 출신이다. ❸이름 난 학교 ¶명문대학을 졸업하다. (비)명가(名家), 명벌(名閥).

방문 房門 | 방 방, 문 문 [chamber door]
방(房)으로 드나드는 문(門). ¶누군가 방문을 두드렸다.

부문 部門 | 나눌 부, 문 문
[class; group; department]
나누어[部] 놓은 일부분이나 범위[門]. ¶나는 수학 부문에서 상을 받았다.

북문 北門 | 북녘 북, 문 문 [north gate]
북(北)쪽으로 낸 문(門). ¶북문으로 가면 인왕산이 나온다. (반)남문(南門).

서문 西門 | 서녘 서, 문 문
서(西)쪽의 문(門). 서쪽으로 낸 문. ¶도둑은 서문으로 도망쳤다.

성문 城門 | 성 성, 문 문 [castle gate]
성곽(城郭)의 문(門). ¶성문이 열렸다.

수문¹ 水門 | 물 수, 문 문 [floodgate; water gate]
[건설]물[水]이 흐르는 양을 조절하기 위하여 설치한 문(門). ¶댐의 수문을 열어 물을 아래로 흘려보냈다.

수문² 守門 | 지킬 수, 문 문 [keeping a gate]
문(門)을 지킴[守].

입문 入門 | 들 입, 문 문 [become a pupil]
❶[속뜻]스승의 문하(門下)에 들어감[入]. ❷어떤 학문을 배우려고 처음 들어감. 또는 그 과정. ¶중국어 입문 / 이 책은 철학에 처음 입문하는 사람에게 좋다.

전문 專門 | 오로지 전, 문 문 [be special]
어떤 분야에 상당한 지식과 경험을 가지고 오직[專] 그 분야[門]만 연구하거나 맡음. 또는 그 분야. ¶이 음식점은 삼계탕을 전문으로 한다.

정:문 正門 | 바를 정, 문 문
[front gate; main entrance]
건물의 정면(正面)에 있는 출입문(出入門). ¶학교 정문에서 만나자. (반)후문(後門).

창문 窓門 | 창문 창, 문 문 [window]
창(窓)으로 쓰기 위해 만든 문(門). 채광이나 통풍을 위하여 벽에 낸 작은 문. ¶창문을 활짝 열다.

판문 板門 | 널빤지 판, 문 문
널빤지[板]로 만든 문(門).

항문 肛門 | 똥구멍 항, 문 문 [anus]
❶[속뜻]똥구멍[肛]의 문(門). ❷[의학]고등 포유동물의 직장(直腸) 끝에 있는 배설용의 구멍. ¶항문에 좌약을 넣다. (비)똥구멍.

후:문 後門 | 뒤 후, 문 문 [back gate]
뒤[後]로 난 문(門). ¶학교 후문. (반)정문(正門).

0034 [외]

外 바깥 외:
(부) 夕부 (획) 5획 (중) 外 [wài]

外 外 外 外 外

> 外자는 '저녁 석'(夕)과 '점 복'(卜)이 합쳐진 것으로 '저녁 점'(evening divination)이 본뜻이다. 옛날 사람들은 저녁에 친 점은 神明(신명-하늘과 땅의 신령)도 피곤한 탓으로 잘 맞지 않는다고 생각했다. 그래서 '벗어나다'(not to hit the mark), '멀다'(be far off), '밖'(the outside) 등의 뜻도 이것으로 나타냈다.
>
> [속뜻훈음] 밖 외.

외:가 外家 | 밖 외, 집 가
[family of one's mother's side]
어머니[外]의 친정 집[家]. ¶그는 외가 쪽을 많이 닮았다. (반)친가(親家).

외:계 外界 | 밖 외, 지경 계 [outer space]
❶[속뜻]바깥[外] 세계(世界). 또는 자기 몸 밖의 범위. ¶외계와의 단절. ❷지구 밖의 세계. ¶외계에서 온 사람.

외:과 外科 | 밖 외, 분과 과 [science of surgery]
[의학]몸 외부(外部)의 상처를 치료하는 의학의 한 분과(分科). ¶외과 치료를 받다.

외:곽 外郭 | =外廓, 밖 외, 외성 곽
[outline; outer wall]
❶[속뜻]성 밖[外]에 다시 둘러쌓은 외성[郭]. ❷바깥 테두리. ¶외곽 도로.

외:관 外觀 | 밖 외, 볼 관 [external appearance]
겉[外]으로 보이는[觀] 모양. ¶에펠탑은 외관이 흉물스럽다고 천대를 받았다. (비)겉모습, 외견(外見).

외:교 外交 | 밖 외, 사귈 교 [diplomacy]
[정치]다른 나라[外國]와 정치적, 경제적, 문화적 관계를 맺는[交] 일. ¶정상 외교 (비)외치(外治).

외:국 外國 | 밖 외, 나라 국 [foreign country]
자기 나라가 아닌 다른[外] 나라[國]. ¶그는 외국에서 학교를 다녔다. (비)이국(異國), 타국(他國). (반)고국(故國), 모국(母國).

외ː래 外來 | 밖 외, 올 래 [coming from abroad]
❶속뜻 밖[外]에서 들여옴[來]. 또는 다른 나라에서 옴. ¶외래 문물. ❷환자가 입원하지 아니하고 병원에 다니면서 치료를 받음. 또는 그 환자. ¶외래 진찰권.

외ː면 外面 | 밖 외, 낯 면 [look the other way]
❶속뜻 바깥[外] 면(面). ❷마주치기를 꺼리어 피하거나 얼굴을 돌림. ¶승재는 친구들에게 외면을 당했다.

외ː모 外貌 | 밖 외, 모양 모 [appearance]
겉[外]으로 드러나 보이는 모양[貌]. ¶외모가 번듯한 기와집들 / 사람을 외모로 판단해서는 안 된다. ⓑ겉모습.

외ː무 外務 | 밖 외, 일 무 [foreign affairs]
외교(外交)에 관한 사무(事務). ¶외무 당국은 이번 사태에 큰 우려를 표명했다.

외ː박 外泊 | 밖 외, 묵을 박 [sleep out]
집이나 일정한 숙소에서 자지 아니하고 밖[外]에 나가서 잠[泊]. ¶그는 며칠 동안 부모님께 말씀드리지 않고 외박했다.

외ː부 外部 | 밖 외, 나눌 부 [outside]
❶속뜻 바깥[外] 부분(部分). ¶건물의 외부에 분홍색 페인트칠을 했다. ❷조직이나 단체의 밖. ¶비밀이 외부로 새어나갔다. ⓑ내부(內部).

외ː상 外傷 | 밖 외, 다칠 상 [external injury]
의학 몸의 겉[外]에 생긴 상처(傷處)를 통틀어 이르는 말. ¶외상보다 눈에 보이지 않는 내상(內傷)이 더 위험할 수 있다.

외ː성 外城 | 밖 외, 성곽 성
성 밖[外]에 겹으로 둘러쌓은 성(城). ¶적이 외성을 공격하는 사이 우리는 성을 빠져나가 적의 뒤를 쳤다. ⓑ내성(內城).

외ː세 外勢 | 밖 외, 힘 세 [foreign power]
❶속뜻 외국(外國)의 힘[勢]. ¶외세의 침략에서 벗어나고자 농민들은 힘을 모았다. ❷바깥의 형세. ¶외세를 살피다.

외ː손 外孫 | 밖 외, 손자 손
[one's grandchild; one's daughter's child]
집안의 성씨가 아닌 다른[外] 성씨의 자손(子孫). 즉, 딸이 낳은 외손자와 외손녀를 이른다. ¶장인, 장모가 딸 내외와 외손을 맞았다. ⓑ사손(獅孫), 저손(杵孫).

외ː숙 外叔 | 밖 외, 아저씨 숙 [maternal uncle]
외가(外家) 쪽의 숙부(叔父). ⓑ외삼촌(外三寸).

외ː식 外食 | 밖 외, 먹을 식 [dine out]
집에서 직접 해 먹지 아니하고 밖에서[外] 음식을 사 먹음[食]. 또는 그런 식사. ¶우리 가족은 일주일에 한 번 외식을 한다.

외ː신 外信 | 밖 외, 소식 신 [foreign news]
외국(外國)으로부터 온 소식[信]. ¶외신 기사. ⓑ외전(外電).

외ː야 外野 | 밖 외, 들 야 [outfield]
❶속뜻 바깥[外] 쪽에 있는 들[野]. ❷운동 야구에서, 본루·1루·2루·3루를 연결한 선 뒤쪽의 파울 라인 안의 지역.

외ː양 外樣 | 밖 외, 모양 양
[outward appearance]
겉[外] 모양(模樣). ¶저 개가 외양은 볼품없어도 집을 잘 지킨다. ⓑ겉모양.

외ː자 外資 | 밖 외, 재물 자 [foreign capital]
경제 '외국자본'(外國資本)의 준말. ¶외자를 유치하여 산업을 발전시키다.

외ː적[1] 外的 | 밖 외, 것 적 [external]
❶속뜻 사물의 외부(外部)에 관한 것[的]. ❷정신에 상대하여 물질이나 육체에 관한 것. ¶외적 욕망. ⓑ내적(內的).

외ː적[2] 外敵 | 밖 외, 원수 적 [foreign enemy]
외국(外國)으로부터 쳐들어오는 적(敵). ⓑ외구(外寇).

외ː제 外製 | 밖 외, 만들 제
[of foreign manufacture]
외국(外國)에서 만듦[製]. '외국제'의 준말. ¶외제차. ⓑ국산(國産).

외ː조 外祖 | 밖 외, 할아버지 조
외가(外家) 쪽의 조부모(祖父母).

외ː종 外從 | 밖 외, 사촌 종
[cousin on ones mothers side]
외삼촌(外三寸)의 아들이나 딸로 나와 사촌[從]이 되는 관계.

외ː채 外債 | 밖 외, 빚 채 [foreign debt]
경제 외국(外國)에 진 빚[債]. '외국채'의 준말.

외ː척 外戚 | 밖 외, 겨레 척
[relatives on the mother's side]
외가(外家) 쪽의 친척(親戚). ¶흥선대원군은 외척이 세도를 부리지 못하도록 하였다.

외ː출 外出 | 밖 외, 날 출 [go out]
밖[外]으로 나감[出]. ¶지금은 외출 중이오니 메시지를 남겨주세요. ⓑ나들이.

외ː투 外套 | 밖 외, 덮개 투 [overcoat]
추위를 막기 위하여 겉[外]옷 위에 입는[套] 옷. ¶외투를 걸치다.

외ː판 外販 | 밖 외, 팔 판
[traveling sale; canvassing]
판매원이 직접 외부(外部) 고객을 찾아다니면서 물건을

팖[販]. ¶외판 사원.

외ː풍 外風 | 밖 외, 바람 풍 [draft of air]
밖[外]에서 들어오는 바람[風]. ¶내 방은 외풍이 심하다.

외ː항 外項 | 밖 외, 목 항 [outer term]
[수학] 비례식의 바깥쪽[外]에 있는 두 항(項). a:b=c:d에서 a와 d 따위. [반]내항(內項).

외ː형 外形 | 밖 외, 모양 형 [external form]
사물의 겉[外] 모양[形]. ¶주전자의 외형은 동그랗다.

외ː화¹ 外貨 | 밖 외, 돈 화 [foreign money]
[경제] 외국(外國)의 돈[貨]. 외국의 통화로 표시된 수표나 유가 증권 따위도 포함한다. ¶외화를 벌어들이다.

외ː화² 外畵 | 밖 외, 그림 화 [foreign movie]
[연영] 외국(外國)에서 제작된 영화(映畵). [반]방화(邦畵).

외ː환 外換 | 밖 외, 바꿀 환 [foreign exchange]
[경제] 외국(外國)과의 거래를 결제할 때 쓰는 환(換)어음. 발행지와 지급지가 서로 다른 나라일 때 쓴다. '외국환(外國換) 어음'의 준말. ¶외환위기.

• 역순어휘

가외 加外 | 더할 가, 밖 외 [extra]
일정한 기준이나 정도 이외(以外)에 더함[加]. ¶품삯과 더불어 가외로 물건을 더 받았다.

과외 課外 | 매길 과, 밖 외 [extracurricular work]
❶[속뜻] 정해진 교육 과정(課程)의 이외(以外). ❷'과외수업'(課外授業)의 준말.

교외¹ 郊外 | 성 밖 교, 밖 외 [(in) the suburbs]
도시에서 떨어진[郊] 주변[外] 지역. ¶교외로 소풍을 갔다. [반]시내(市內).

교ː외² 校外 | 학교 교, 밖 외 [outside (the) school; out of school]
학교(學校)의 밖[外]. ¶교외에서도 교복을 입어야 한다. [반]교내(校內).

국외 國外 | 나라 국, 밖 외 [outside the country; abroad; overseas]
한 나라[國]의 영토 밖[外]. ¶불법 체류자를 국외로 추방하다. [반]국내(國內).

내ː외 內外 | 안 내, 밖 외 [inside and outside]
❶[속뜻] 안[內]과 밖[外]. 안팎. ¶경기장 내외를 가득 메운 관중들. ❷부부(夫婦). ¶장관 내외가 함께 참석하였다. ❸국내와 국외. ❹수량, 시간 따위를 나타내는 말에 이어 쓰여 '그에 가까움'을 뜻하는 말. ¶500자 내외의 글.

대ː외 對外 | 대할 대, 밖 외 [outside; foreign]
외부 또는 외국(外國)에 대(對)함. ¶대외 무역수지가 크게 악화되었다. [반]대내(對內).

도ː외 度外 | 정도 도, 밖 외
일정한 정도(程度)나 범위의 밖[外]. ¶그의 잘못은 도외로 치고 이야기하자.

문외 門外 | 문 문, 밖 외 [outside the gate]
❶[속뜻] 대문(大門)의 바깥[外]. 문밖. ❷관계가 없는.

섭외 涉外 | 건널 섭, 밖 외 [liaison; arrangements]
외부(外部)와 연락이나 교섭(交涉)을 하는 일. ¶섭외와 홍보 업무를 맡다.

소외 疏外 | 멀어질 소, 밖 외 [estrange; alienate]
❶[속뜻] 사이가 점점 멀어지고[疏] 밖[外]으로 따돌림. ❷따돌려 멀리함. ¶반 친구들에게 소외당하다 / 소외된 이웃.

시ː외 市外 | 저자 시, 밖 외 [suburbs]
도시(都市) 밖[外]의 부근으로 시에 인접한 지역. ¶시외로 소풍을 가다. [반]시내(市內).

실외 室外 | 방 실, 밖 외 [outdoor]
방[室] 밖[外]. 바깥. ¶이 호텔에는 실외 수영장이 있다. [반]실내(室內).

야ː외 野外 | 들 야, 밖 외 [fields; open air]
❶[속뜻] 들[野] 밖[外]. 들판. ¶야외로 소풍을 가다. ❷집 밖이나 노천(露天)을 이르는 말. ¶공원에서 야외 연주회가 열린다.

예ː외 例外 | 법식 례, 밖 외 [exception]
일반적 규칙이나 법식[例]에서 벗어나는[外] 일. ¶며칠 간 계속 덥더니 오늘도 예외는 아니다.

옥외 屋外 | 집 옥, 밖 외 [outdoors]
집 또는 건물[屋]의 밖[外]. ¶옥외 행사. [반]옥내(屋內).

의ː외 意外 | 뜻 의, 밖 외 [surprise; accident]
뜻[意] 밖[外]. 생각 밖. ¶아이는 의외의 대답을 했다.

이ː외 以外 | 부터 이, 밖 외 [except; other than]
어떤 범위의 밖[外]으로부터[以]. 이 밖. 그 밖. ¶나 이외에 네 사람이 더 참석했다. [반]이내(以內).

장외 場外 | 마당 장, 밖 외 [outside the hall; outside the hall]
일정한 장소(場所)나 공간의 바깥[外]. ¶장외 홈런 / 장외 거래. [반]장내(場內).

재ː외 在外 | 있을 재, 밖 외 [abroad; overseas]
외국(外國)에 있음[在]. ¶재외 동포.

제외 除外 | 덜 제, 밖 외 [except from]
따로 떼어[除] 밖[外]에 둠. ¶제외사항 / 세금을 제외하고 5만원을 받았다. [반]포함(包含).

해ː외 海外 | 바다 해, 밖 외 [foreign countries]

바다[海]의 밖[外]. ¶해외여행. ⓑ외국(外國). ⓑ국내(國內).

호:외 號外 | 차례 호, 밖 외 [extra edition]
❶속뜻 일정한 호수(號數)를 초과함[外]. ❷특별한 일이 있을 때에 임시로 발행하는 신문이나 잡지. ¶호외를 돌리다.

0035 [대]

大
큰 대(:)
部 大부 획 3획 中 大 [dà]
大 大 大

大자는 '어른'(an adult; a grown-up)이란 뜻을 나타내기 위하여 어른이 서 있는 모습을 정면에서 그린 것이다. 어른은 아이에 비하여 크게 마련이기 때문에 '크다'(great; gigantic)는 뜻으로 확대 사용됐다. 大와 子의 원형은 어른과 아이의 모습이 상대적으로 잘 나타나 있다. 아이의 경우와는 달리, 몸 전체에 비하여 머리가 작고 다리는 긴 어른의 상대적 특성이 大자에 잘 나타나 있다. 특히 머리가 생략될 정도로 작게 묘사된 것이 큰 특징이다. 참고, '아이 자'(子, #0071).

대:가 大家 | 큰 대, 사람 가 [great master; authority]
❶속뜻 학문이나 기예 등 전문 분야에 조예가 크게[大] 깊은 사람[家]. ❷대대로 번창한 집안. ⓑ달인(達人), 명인(名人), 거장(巨匠).

대:감 大監 | 큰 대, 볼 감 [His your Excellency]
❶속뜻 큰[大] 일을 맡아보던[監] 벼슬아치. ❷역사 조선시대, 정이품 이상의 벼슬아치의 존칭. ❸대신이나 장관 등의 지위에 있는 관리의 존칭.

대:개 大概 | 큰 대, 대강 개 [outline; generally]
❶속뜻 대체(大體)의 줄거리[概]. ❷그저 웬만한 정도로 대체로. ¶씨앗은 대개 이른 봄에 뿌린다. ⓑ대략(大略), 대부분(大部分).

대:관 大官 | 큰 대, 벼슬 관 [dignitary; high official]
❶속뜻 높은[大] 벼슬[官]. 또는 그 벼슬에 있는 사람. ❷역사 정승(政丞). ❸역사 지역이 넓고 인구가 많으며 물산이 풍부한 큰 고을.

대:교 大橋 | 큰 대, 다리 교 [grand bridge]
규모가 큰[大] 다리[橋].

대구 大口 | 큰 대, 입 구 [codfish]
동물 큰[大] 입[口]이 특징인 대구과(大口科)의 바닷물고기. 몸의 길이는 70~75cm이고 넓적하며 옆은 회갈색이다.

대:국 大國 | 큰 대, 나라 국 [big nation]
큰[大] 나라[國]. ¶중국은 경제대국이다. ⓑ소국(小國).

대:군¹ 大君 | 큰 대, 임금 군 [(Royal) prince]
❶속뜻 큰[大] 군주(君主). 군주를 높여 이르는 말. ❷역사 예전에 왕의 종친(宗親)에게 주던 정일품 벼슬. ¶효령대군.

대:군² 大軍 | 큰 대, 군사 군 [large army]
병사의 수효가 많고 규모가 큰[大] 군대(軍隊). ⓑ대병(大兵). ¶백만 대군.

대:권 大權 | 큰 대, 권리 권 [supreme power; prerogative]
대통령(大統領)의 권한이나 권리(權利). ¶그는 차기 대권에 도전했다.

대:궐 大闕 | 큰 대, 대궐 궐 [royal palace]
임금이 거처하며 정사(政事)를 보던 큰[大] 집[闕]. ⓑ궁궐(宮闕), 궁전(宮殿).

대:금 大笒 | 큰 대, 첨대 금
음악 대에 13개의 구멍이 뚫린, 크기가 큰[大] 전통피리[笒].

대:기 大氣 | 큰 대, 공기 기 [air; atmosphere]
지리 지구 중력에 의해 지구 둘레를 크게[大] 싸고 있는 기체(氣體).

대:뇌 大腦 | 큰 대, 골 뇌 [cerebrum]
의학 척추동물 뇌(腦)의 대부분(大部分)을 차지하여 좌우 한 쌍을 이룬 기관. 정신 작용, 지각, 운동, 기억력 등을 맡은 중추가 분포한다. ⓑ소뇌(小腦).

대:담 大膽 | 큰 대, 쓸개 담 [bold; daring]
❶속뜻 매우 큰[大] 쓸개[膽]. ❷담력이 크고 용감함. ¶대담하게 행동하다.

대:대 大隊 | 큰 대, 무리 대 [battalion]
❶속뜻 대규모(大規模)의 사람으로 조직된 한 무리[隊]. ❷군사 군대 편제상의 단위. 연대(聯隊)의 아래, 중대(中隊)의 위.

대:동¹ 大同 | 큰 대, 한가지 동
❶속뜻 크게[大] 하나로[同] 화합함. ¶대동 화합의 정신. ❷요순 같은 성군의 세상과 똑같이 번영하여 화평하게 됨. ¶대동 세상. ❸조금 차이는 있어도 대체로 같음.

대:동² 大東 | 큰 대, 동녘 동
❶속뜻 동방(東方)의 큰[大] 나라. ❷'우리나라'를 이르는 말.

대:두 大豆 | 큰 대, 콩 두 [soybean]
식물 콩[豆]과의 한해살이풀. 콩. '팥'을 이르는 '소두'(小

豆)와 구분을 위하여 '大'자를 붙여 부른다.

대:란 大亂 | 큰 대, 어지러울 란
[serious disturbance]
❶속뜻 큰[大] 난리(亂離). 큰 변란. ❷몹시 어지러움. ¶귀향 인파가 몰려 교통대란이 예상된다.

대:략 大略 | 큰 대, 다스릴 략 [outline; generally]
❶속뜻 큰[大] 계략(計略). 뛰어난 지략. ❷대체의 개략(槪略). ¶대략의 내용을 소개했다. ⓑ대강(大綱), 개요(槪要).

대:량 大量 | 큰 대, 분량 량 [large quantity]
크게[大] 많은 분량(分量). ¶대량으로 사면 값이 싸다. ⓑ다량(多量). ⓟ소량(小量).

대:령 大領 | 큰 대, 거느릴 령 [colonel; captain]
군사 영관(領官) 계급 중 가장 윗[大]계급. 중령의 위, 준장의 아래.

대:례 大禮 | 큰 대, 예도 례
[state ceremony; grand ceremony]
❶속뜻 규모가 중대(重大)한 예식(禮式). ¶대례를 지내다. ❷혼인을 치르는 큰 예식. ¶대례를 치르다.

대:로 大路 | 큰 대, 길 로 [broad way; main road]
폭이 넓고 큰[大] 길[路]. ¶대로를 활보하고 다니다. ⓑ대도(大道). ⓟ소로(小路).

대:륙 大陸 | 큰 대, 뭍 륙 [continent]
❶속뜻 크고[大] 넓은 땅[陸]. ❷지리 바다로 둘러싸인 지구상의 커다란 육지. ⓑ대주(大洲).

대:마 大麻 | 큰 대, 삼 마 [hemp]
식물 뽕나무과에 속하는 긴[大] 섬유[麻]가 채취되는 식물을 통틀어 이르는 말. ⓑ삼.

대:문 大門 | 큰 대, 문 문
[great gate; main entrance]
❶속뜻 큰[大] 문(門). ❷집의 정문. ¶대문에 초인종을 달았다. ⓑ정문(正門). ⓟ소문(小門).

대:미 大尾 | 큰 대, 꼬리 미 [finale]
❶속뜻 큰[大] 꼬리[尾]. ❷행사 따위의 맨 마지막 부분. ¶미술공연은 파티의 대미를 장식했다. ⓑ대단원(大團圓).

대범 大汎 | 큰 대, 넘칠 범 [large-hearted]
❶속뜻 물이 크게[大] 철철 넘침[汎]. ❷사물 따위가 잘지 않고 까다롭지 않음. ¶대범한 성격. ⓑ대담(大膽), 낙락(落落).

대:변 大便 | 큰 대, 똥오줌 변
[excrements; feces]
사람의 똥[便]. '오줌'을 '소변'(小便)이라고 하는 것에 대한 상대적인[大] 명칭. ⓒ변. ⓟ소변(小便).

대:비 大妃 | 큰 대, 왕비 비 [Queen Mother]
❶속뜻 큰[大] 왕비(王妃). ❷선왕의 후비. ¶대비께서 나오신다.

대:사¹ 大事 | 큰 대, 일 사
[great thing; important matter]
❶속뜻 큰[大] 일[事]. ❷'대례'(大禮)를 속되게 이르는 말. ¶교육은 국가의 대사다. ⓟ소사(小事).

대:사² 大使 | 큰 대, 부릴 사 [ambassador]
법률 나라를 대표하여 다른 나라에 파견되어 외교를 맡아 보는 최고[大] 직급의 사신(使臣). ¶주미 한국 대사로 발령을 받아 곧 미국으로 떠난다.

대:사³ 大師 | 큰 대, 스승 사
[saint; great Buddhist priest]
불교 ❶'고승'(高僧)을 스승[師]으로 높여[大] 일컫는 말. ❷고려·조선 때, 덕이 높은 선사(禪師)에게 내리던 승려 법계(法階)의 한 가지.

대:상 大賞 | 큰 대, 상줄 상
[grand prize; grand prix]
경연 대회 등에서 가장 우수한[大] 사람이나 단체에 주는 상(賞). ¶전국노래자랑에서 대상을 받았다.

대:선 大選 | 큰 대, 가릴 선 [election]
정치 '대통령선거'(大統領選擧)의 준말.

대:설 大雪 | 큰 대, 눈 설 [heavy snow]
❶속뜻 많이[大] 내린 눈[雪]. ¶대설로 비행기 운행이 중단됐다. ❷소설(小雪)과 동지(冬至) 사이에 있는 절기. 12월 7일경. ¶올해 대설에는 눈이 오지 않았다. ⓑ폭설(暴雪).

대:성¹ 大成 | 큰 대, 이룰 성 [attain greatness]
❶속뜻 큰[大] 성공(成功). 크게 성공함. ¶자식의 대성을 바라는 부모. ❷학문을 크게 이룸. ¶주자학(朱子學)을 대성하다.

대:성² 大聖 | 큰 대, 거룩할 성
[great sage; mahatma Sans.]
❶속뜻 지극히 크게[大] 거룩한[聖] 분. ❷공자(孔子)를 높여 이르는 말. ❸불교 석가처럼 정각(正覺)을 얻은 사람을 이르는 말.

대:세 大勢 | 큰 대, 형세 세
[general tendency; trend]
❶속뜻 대체(大體)의 형세(形勢). ❷큰 세력. ¶대세가 우리 쪽으로 기울었다. ⓑ형세(形勢), 사세(事勢).

대:소 大小 | 큰 대, 작을 소 [size]
크고[大] 작음[小]. ¶그는 마을의 대소를 가리지 않고 앞장섰다.

대:승¹ 大乘 | 큰 대, 수레 승
[Mahayana Sans.; Great Vehicle]
❶속뜻 깨달음의 세계인 피안으로 타고 가는 큰[大] 수

레[乘]. ❷불교 이타주의(利他主義)에 의하여 널리 인간 전체의 구제를 주장하는 적극적인 불법. ㊥소승(小乘).

대:승² 大勝 | 큰 대, 이길 승 [gain a great victory]
크게[大] 이김[勝]. 대승리(大勝利). ¶강감찬은 귀주에서 대승을 거두었다. ㊝대첩(大捷), 대파(大破). ㊥대패(大敗).

대:신 大臣 | 큰 대, 신하 신 [minister; cabinet member]
크고[大] 무거운 책무를 맡은 신하(臣下).

대:양 大洋 | 큰 대, 큰바다 양 [ocean]
지리 크고[大] 넓은 바다[洋]. 특히 태평양, 대서양, 인도양, 북극해, 남극해를 가리킨다.

대:어 大魚 | 큰 대, 물고기 어 [big fish]
큰[大] 물고기[魚]. ¶대어를 낚다.

대:업 大業 | 큰 대, 일 업 [great work; great deed]
❶속뜻 큰[大] 사업(事業). ¶민족 중흥의 역사적 대업을 이루다. ❷나라를 세우는 일.

대:왕 大王 | 큰 대, 임금 왕 [great king]
❶속뜻 훌륭하고 업적이 뛰어나게 큰[大] 임금[王]을 높여 일컫는 말. ❷'선왕'(先王)의 높임말.

대:웅 大雄 | 큰 대, 뛰어날 웅
❶속뜻 위대(偉大)한 영웅(英雄). ❷불교 '부처'에 대한 덕호(德號).

대:위 大尉 | 큰 대, 벼슬 위 [captain; lieutenant]
군사 국군의 위관(尉官)중 가장 높은[大] 계급. 소령(少領)의 아래, 중위(中尉)의 위.

대:의 大義 | 큰 대, 옳을 의 [great duty; loyalty]
사람, 특히 국민으로서 마땅히 행하거나 지켜야 할 큰[大] 도리[義]. ¶대의를 따르다.

대:인 大人 | 큰 대, 사람 인 [adult; great man]
❶속뜻 다 큰[大] 사람[人]. ¶소인은 3천원, 대인은 5천원이다. ❷마음이 넓고 점잖은 사람. '대인군자'(君子)의 준말. ㊝성인(成人). ㊥소인(小人).

대입 大入 | 큰 대, 들 입 [enroll at college]
'대학교입학'(大學校入學)의 준말. ¶대입 시험 / 대입 준비.

대:자 大字 | 큰 대, 글자 자 [large character]
큰[大] 글자[字]. '대문자'(大文字)의 준말. ㊥소자(小字).

대:작 大作 | 큰 대, 지을 작 [great work; masterpiece]
❶속뜻 내용이 방대하고 규모가 큰[大] 작품(作品). ❷뛰어난 작품. ¶이 영화는 20세기 최고의 대작이다. ㊝거작(巨作), 걸작(傑作). ㊥졸작(拙作).

대:장¹ 大將 | 큰 대, 장수 장 [general; admiral]
❶군사 국군의 장성(將星) 중 가장 위[大] 계급. ❷그 방면에 능하거나 몹시 즐기는 사람. ¶지각대장. ㊝수장(首長).

대:장² 大腸 | 큰 대, 창자 장 [large intestine; colon]
의학 큰[大] 창자[腸].

대:전¹ 大殿 | 큰 대, 대궐 전 [royal palace]
임금이 사는 제일 큰[大] 대궐[殿].

대:전² 大戰 | 큰 대, 싸울 전 [great war]
여러 나라가 넓은 지역에 걸쳐 벌이는 큰[大] 싸움[戰]. ¶세계 대전.

대졸 大卒 | 큰 대, 마칠 졸 [graduation from a university]
대학(大學)을 졸업(卒業)함.

대:중 大衆 | 큰 대, 무리 중 [general public]
❶속뜻 신분의 구별이 없이 한 사회의 대다수(大多數)를 이루는 무리[衆]. ❷불교 불가의 모든 승려. ㊝뭇사람, 민중(民衆), 군중(群衆).

대:지 大地 | 큰 대, 땅 지 [earth; ground]
대자연의 넓고 큰[大] 땅[地]. ¶봄비에 대지가 촉촉이 젖었다. ㊝땅.

대:첩 大捷 | 큰 대, 이길 첩 [great victory]
싸워서 크게[大] 이김[捷]. ¶한산 대첩. ㊝대승(大勝). ㊥대패(大敗).

대:청 大廳 | 큰 대, 마루 청 [main floored room; hall]
한옥에서, 몸채의 방과 방 사이에 있는 큰[大] 마루[廳].

대:체 大體 | 큰 대, 몸 체 [outline; summary]
❶속뜻 일이나 내용의 기본적인 큰[大] 줄거리[體]. ¶그 일의 대체를 알고 있다 / 대체로 잘된 편이다. ❷도대체. ¶너는 대체 누구냐?

대:파 大破 | 큰 대, 깨뜨릴 파 [be greatly destroyed]
크게[大] 부서지거나 깨뜨림[破]. 또는 크게 쳐부숨. ¶적군을 대파하다.

대:패 大敗 | 큰 대, 패할 패 [be beaten hollow]
❶속뜻 크게[大] 패(敗)함. 큰 실패. ❷싸움이나 경기에서 큰 차이로 짐. ¶연합군은 게릴라전에서 대패하고 말았다. ㊥대승(大勝), 대첩(大捷).

대:포 大砲 | 큰 대, 탄알 포 [gun; cannon]
❶속뜻 화약의 힘으로 큰[大] 탄알[砲]을 멀리 내쏘는 무기. ¶대포 소리에 깜짝 놀랐다. ❷'허풍'이나 '거짓말'

을 비유하여 이르는 말. ¶대포도 어지간히 놓아라. [준]포

대:폭 大幅 | 큰 대, 너비 폭 [full width; greatly]
❶[속뜻] 넓은[大] 너비[幅]. 큰 정도. ❷매우 많이. ¶가뭄으로 올해 곡물 가격이 대폭 상승했다. [반]소폭(小幅).

대:풍 大豐 | 큰 대, 풍년 풍
[bumper crop; heavy crop]
곡식이 매우[大] 잘 되어 풍년(豐年)이 듦. 또는 그런 해. '대풍년'의 준말. ¶올해는 벼농사가 대풍이다. [비]어거리풍년(豐年). [반]대흉(大凶).

대:하 大河 | 큰 대, 물 하 [large river]
❶[속뜻] 큰[大] 강[河]. ❷[지리] 황하(黃河)를 달리 이르는 말.

대:학 大學 | 큰 대, 배울 학 [university; college]
❶[속뜻] 큰[大] 학문(學問). 고차원의 학문. ❷[교육] 고등 교육의 중심을 이루는 기관으로 학문의 이론이나 응용을 연구하고 가르치는 학교. ¶나는 내년에 대학 입시에 응시한다.

대:한 大韓 | 큰 대, 나라 이름 한 [Korea]
❶[지리] 대한민국(大韓民國). ❷[역사] 대한제국(大韓帝國).

대:합 大蛤 | 큰 대, 대합조개 합 [large clam]
[동물] 큰[大] 바닷물 조개[蛤]. 백합(白蛤).

대:해 大海 | 큰 대, 바다 해 [ocean; great sea]
넓고 큰[大] 바다[海]. [비]대영(大瀛), 거해(巨海).

대:형 大型 | 큰 대, 모형 형 [large size]
같은 종류의 사물 가운데 큰[大] 규격의 모형(模型). ¶대형 버스 / 기업이 대형화되고 있다. [반]소형(小型).

대:회 大會 | 큰 대, 모일 회
[meeting; rally; tournament]
❶[속뜻] 큰[大] 모임이나 회의(會議). ¶궐기대회를 열다. ❷기술이나 재주를 겨루는 큰 모임. ¶전국 육상 대회.

• 역순어휘

강대 強大 | 강할 강, 큰 대 [be big and strong]
강(強)하고 큼[大]. ¶강대한 군사력으로 주변국을 침략했다. [반]약소(弱少).

거:대 巨大 | 클 거, 큰 대 [huge; enormous]
엄청나게[巨] 큼[大]. ¶몸집이 거대하다. [비]막대(莫大). [반]왜소(矮小).

과:대¹ 過大 | 지나칠 과, 큰 대
[too big; be excessive]
지나치게[過] 큼[大]. ¶그는 회사에 과대한 요구를 했다. [반]과소(過少).

과:대² 誇大 | 자랑할 과, 큰 대 [exaggerate]
작은 것을 큰[大] 것처럼 과장(誇張)함. ¶과대광고

관대 寬大 | 너그러울 관, 큰 대 [generous]
마음이 너그럽고[寬] 도량이 크다[大]. ¶그는 아이들에게 관대하다.

교:대 教大 | 가르칠 교, 큰 대 [teachers'college]
[교육] 초등학교 교사(教師)를 양성하기 위한 대학(大學). '교육대학'(教育大學)의 준말.

극대 極大 | 다할 극, 큰 대 [greatest; largest]
❶[속뜻] 더 없이[極] 큼[大]. ❷극댓값. [반]극소(極小).

담대 膽大 | 쓸개 담, 클 대 [bold; intrepid]
❶[속뜻] 담력(膽力)이 큼[大]. ❷겁이 전혀 없고 배짱이 두둑함. ¶그의 담대함에 놀랐다. [비]대담(大膽)하다.

막대 莫大 | 없을 막, 큰 대 [huge; enormous]
더할 수 없이[莫] 크다[大]. ¶막대한 손해를 입다 / 막대한 재산.

미:대 美大 | 아름다울 미, 큰 대
[college of fine arts]
[교육] 미술(美術)을 전문적으로 가르치는 단과대학(大學). '미술대학'의 준말. ¶그는 미대에서 동양화를 전공했다.

방:대 厖大 | 클 방, 큰 대 [bulky; massive]
양이나 규모가 매우 많거나 크다[厖=大]. ¶자료가 방대하다.

비:대 肥大 | 살찔 비, 큰 대 [fat; obese]
살이 쪄서[肥] 몸집이 크고[大] 뚱뚱함. ¶몸집이 비대하다.

사:대 事大 | 섬길 사, 큰 대
[worship the powerful]
❶[속뜻] 작은 나라가 큰[大] 나라를 섬김[事]. ❷약자가 강자를 뒤좇아 섬김.

성:대 盛大 | 가득할 성, 큰 대
[be grand; magnificent]
가득할[盛] 정도로 크게[大]. ¶결혼식은 성대하게 치러졌다.

여대 女大 | 여자 녀, 큰 대 [women's university]
[교육] 여자(女子) 학생들이 다닐 수 있는 대학(大學).

웅대 雄大 | 뛰어날 웅, 큰 대
[grand; magnificent]
기개 따위가 뛰어나고[雄] 규모 따위가 크다[大]. ¶그 곳의 경치는 정말 웅대하다.

원:대 遠大 | 멀 원, 큰 대 [far reaching; great]
계획, 꿈, 이상 등이 먼[遠] 앞날을 내다보는 상태에 있어 크고 대단하다[大]. ¶그는 히말라야 등반이라는 원대한 목표를 세웠다.

위대 偉大 | 훌륭할 위, 큰 대 [great; grand]
훌륭하고[偉] 대단하다[大]. ¶위대한 과학자.

일대 一大 | 한 일, 큰 대 [great]
하나[一]의 큰[大]. 굉장한. ¶인터넷은 사람들의 삶에 일대 변화를 가져왔다.

장:대 壯大 | 씩씩할 장, 큰 대 [be mighty]
튼튼하고[壯] 체격이 매우 크다[大]. ¶장대한 체격.

정:대 正大 | 바를 정, 큰 대
[fair; just; fair and square]
바르고[正] 크다[大]. 바르고 옳아서 사사로움이 없다. ¶정대한 행동.

중:대 重大 | 무거울 중, 큰 대
[be important; be significant]
가볍게 여길 수 없을 만큼 아주 무겁고[重] 큼[大]. ¶중대 발표를 하다/ 이것은 내 진로를 결정할 중대한 문제이다.

증대 增大 | 더할 증, 큰 대 [enlarge; increase]
수량이나 정도 따위가 늘어서[增] 커짐[大]. 늘려서 크게 함. ¶수출 증대를 목표로 하다 / 생산성을 증대시키다.

지대 至大 | 지극할 지, 큰 대
[great; immense; profound]
지극(至極)히 크다[大]. ¶이번 월드컵의 경제적 효과는 지대하다. ⓑ지소(至小).

체대 體大 | 몸 체, 큰 대
[College of Physical Education]
교육 '체육대학'(體育大學)의 준말.

최:대 最大 | 가장 최, 큰 대
[biggest; largest; maximum]
가장[最] 큼[大]. ¶뉴욕은 세계 최대의 도시이다. ⓑ최소(最小).

확대 擴大 | 넓힐 확, 큰 대 [extend; increase]
늘여서[擴] 크게[大] 함. ¶확대 복사 / 사진을 확대하다. ⓗ확장(擴張). ⓑ축소(縮小).

0036 [소]

小 작을 소:
ⓑ 小부 ⓗ 3획 ⓒ 小 [xiǎo]
小 小 小

小자는 '작다'(small)는 뜻을 나타내기 위하여 작은 모래알이 흩어져 있는 모습을 세 점으로 나타낸 것이다. 지금의 자형에서 두 점은 원형이 비교적 고스란히 보존된 것이고 '亅'은 대칭과 균형의 미감을 위하여 점이 갈고리 모양으로 바뀐 것이다.

소:계 小計 | 작을 소, 셀 계 [subtotal]
한 부분[小] 만의 합계(合計). ¶소계를 내다. ⓑ총계(總計).

소:고 小鼓 | 작을 소, 북 고
[small hand drum; tabor]
음악 ❶작은[小] 북[鼓]. ❷농악에 쓰는 작은 북.

소:대 小隊 | 작을 소, 무리 대 [platoon]
❶속뜻 규모가 작은[小] 무리[隊]. ❷군사 군대 편성 단위의 한 가지. 중대(中隊)의 하위 부대로 보통 4개 부대로 구성된다.

소:매 小賣 | 작을 소, 팔 매 [sell retail]
상품을 작은[小] 단위로 나누어 파는[賣] 일. ⓑ도매(都賣).

소:맥 小麥 | 작을 소, 보리 맥 [wheat; corn]
❶속뜻 작은[小] 보리[麥]라는 뜻에서 '밀'을 일컫는 말. ❷식물 간장, 된장, 빵, 과자 따위의 원료로 쓰는 벼와 비슷한 곡물. 또는 그 농작물.

소:반 小盤 | 작을 소, 쟁반 반
[small dining table]
음식을 놓고 앉아서 먹는 짧은 발이 달린 작은[小] 쟁반[盤]같은 상.

소:변 小便 | 작을 소, 똥오줌 변 [urine]
❶속뜻 작은[小] 변(便). ❷'오줌'을 일컫는 말. ¶소변이 마렵다. ⓑ대변(大便).

소:설[1] 小雪 | 작을 소, 눈 설
대설(大雪)보다 눈[雪]이 내리는 규모가 작은[小] 절기. 입동(立冬)과 대설 사이로 양력 11월 22일경이다.

소:설[2] 小說 | 작을 소, 말씀 설 [novel; story]
❶속뜻 자질구레하게[小] 떠도는 이야기[說]. ❷문학 사실 또는 상상에 바탕을 두고 허구적으로 이야기를 꾸민 산문체의 문학 양식. ¶소설을 쓰다. ❸소설책. ¶소설을 읽다.

소:소 小小 | 작을 소, 작을 소 [trivial; small]
❶속뜻 자질구레하다[小+小]. ❷변변하지 않다. ¶소소한 문제.

소:수 小數 | 작을 소, 셀 수 [decimal (fraction)]
❶속뜻 작은[小] 수(數). ❷수학 0보다 크고 1보다 작은 실수. 0 다음에 점을 찍어 나타낸다.

소:신 小臣 | 작을 소, 신하 신
임금께 신하(臣下)가 자기를 낮추어[小] 일컫는 말.

소:심 小心 | 작을 소, 마음 심 [timid; cowardly]
❶속뜻 도량이나 마음[心]이 좁다[小]. ❷대담하지 못하고 겁이 많다. 조심성이 많다. ¶소심하면 아무 일도 못한다.

소:아 小兒 | 작을 소, 아이 아
[baby; young child]

어린[小] 아이[兒]. ¶소아 병동 / 소아 시설. ⓑ어린아이.

소:액 少額 | 적을 소, 액수 액 [small sum]
적은[小] 금액(金額). 적은 액수. ¶소액 투자 / 휴대전화로 소액 결제를 하다. ⓑ거액(巨額).

소:인 小人 | 작을 소, 사람 인
[little man; child; kid]
❶[속뜻] 키나 몸집이 작은[小] 사람[人]. ❷나이가 어린 사람. ¶입장 요금은 대인 5000원, 소인 2000원이다. ❸도량이 좁고 간사한 사람. ❹신분이 낮은 사람이 자기보다 신분이 높은 사람에게 자신을 낮추어 하는 말. ⓑ대인(大人).

소:자 小子 | 작을 소, 아이 자 [I; me]
자식(子息)이 부모에게 말할 때 자기를 낮추어[小] 일컫는 말.

소:작 小作 | 작을 소, 지을 작
[sharecrop; tenant (a farm)]
[농업] 농토를 소유하지 못한 농민이 남의 농토를 빌려서 조금씩[小] 농사를 짓는[作] 일. ¶그동안 소작해 오던 밭마저 떼이고 말았다. ⓑ자작(自作).

소:장 小腸 | 작을 소, 창자 장 [small intestine]
[의학] 작은[小] 창자[腸]. 위(胃)와 대장(大腸)사이에 있으며 먹은 것을 소화하고 영양을 흡수하는 길이 6~7m의 기관.

소:절 小節 | 작을 소, 마디 절 [bar; measure]
❶[속뜻] 문장의 짧은[小] 한 구절(句節). ❷[음악] 악보에서 세로줄과 세로줄로 구분된 마디. ¶그는 노래 몇 소절을 불렀다.

소:총 小銃 | 작을 소, 총 총 [rifle; small arms]
[군사] 혼자 가지고 다니면서 사용할 수 있는 소형(小形) 화기[銃]. ¶소총으로 무장한 군인이 민가로 잠입했다.

소:포 小包 | 작을 소, 쌀 포 [parcel; package]
❶[속뜻] 조그마하게[小] 포장(包裝)한 물건. ❷[통신] 어떤 물건을 포장하여 보내는 우편. ¶나는 친구의 생일 선물을 소포로 보냈다.

소:품 小品 | 작을 소, 물건 품
[small piece of painting; (stage) properties]
❶[속뜻] 조그만[小] 물품(物品). ❷그림, 조각, 음악 따위의 규모가 작은 간결한 작품. ❸연극의 무대 등에 쓰이는 자잘한 물건. ¶그는 소품 담당이다.

소:학 小學 | 작을 소, 배울 학
[elementary school]
❶[속뜻] 나이가 적을[小] 때 익혀야 할 공부[學]. ❷[책명] 중국 송나라 때 유자징(劉子澄)이 주자(朱子)의 지도를 받아서 편찬한 초학자용(初學者用) 교양서. ❸[교육] '초등학교'의 전 용어.

소:한 小寒 | 작을 소, 찰 한
24절기의 하나. 가장 추운 대한에 앞선 약간 덜한[小] 추위[寒]가 있는 날. 동지(冬至)와 대한(大寒) 사이로 양력 1월 6일경이다.

소:형 小型 | 작을 소, 모형 형
[small size; pocket size]
같은 종류의 물건 중에서 작은[小] 모형(模型). ¶소형 자동차. ⓑ대형(大型).

• **역순어휘**

과:소 過小 | 지나칠 과, 작을 소 [too small]
지나치게[過] 작음[小]. ⓑ과대(過大).

대:소 大小 | 큰 대, 작을 소 [size]
크고[大] 작음[小]. ¶그는 마을의 대소를 가리지 않고 앞장섰다.

약소 弱小 | 약할 약, 작을 소 [weak; minor]
약(弱)하고 작음[小]. ¶약소 민족의 설움을 겪다. ⓑ강대(強大).

왜소 矮小 | 작을 왜, 작을 소 [be dwarf]
작고[矮=小] 초라하다. ¶그는 체격이 왜소하다. ⓑ거대(巨大)하다.

중소 中小 | 가운데 중, 작을 소
[small and middle size]
규모나 수준 따위가 중간[中] 또는 그보다 작은[小] 것. ¶중소 도시에 살다.

최:소 最小 | 가장 최, 작을 소
[smallest; minimum]
가장[最] 작음[小]. ⓑ최대(最大).

축소 縮小 | 줄일 축, 작을 소 [reduce; cut down]
줄여서[縮] 작게[小] 함. ¶축소 복사 / 사업을 축소하다. ⓑ확대(擴大).

협소 狹小 | 좁을 협, 작을 소 [small; limited]
좁고[狹] 작다[小]. ¶협소한 장소.

0037 [산]

山 메 산
ⓑ 山부 ⓗ 3획 ⓒ 山 [shān]

山 山 山

山자는 봉우리가 3개인 산 모양을 본뜬 것이니 '메'(mountain)를 가리키는 것임을 누구나 쉽게 알 수 있다. 삼형제봉이 연상된다. 한자 공부가 영어 공부보다 훨씬 쉽다는 것은 '山'과 'a mountain'을 비교해보면 금방 알 수 있다. '한자=어렵다'는 선입견만 버리면 누구나 쉽고 재미있게 익힐 수 있는 것이 바로 한자 공부이다.

산간 山間 | 메 산, 사이 간
[among the mountains]
산(山)과 산 사이[間]. ¶봄이 되었다지만 산간 지역에는 아직도 눈이 내린다.

산국 山菊 | 메 산, 국화 국 [wild chrysanthemum]
식물 주로 산(山)에서 자라는 국화(菊花). 가을에 피는 노란 꽃은 약용 또는 식용하고 어린 싹은 식용한다. '산국화'의 준말.

산대 山臺 | 메 산, 무대 대
❶속뜻 길가나 빈 터에 산(山)같이 높이 쌓은 임시 무대(舞臺). ❷민속 산대극(山臺劇).

산림 山林 | 메 산, 수풀 림
[mountains and forests]
산(山)과 숲[林]. 또는 산에 있는 숲. ¶무분별한 벌목으로 산림이 훼손되다.

산맥 山脈 | 메 산, 줄기 맥 [mountain range]
산(山)봉우리가 이어진 줄기[脈]. ¶태백산맥 / 알프스 산맥.

산삼 山蔘 | 메 산, 인삼 삼 [wild ginseng]
식물 깊은 산(山)속에 저절로 나서 자란 삼(蔘). ¶심마니가 산삼을 캤다. ⓟ가삼(家蔘).

산세 山勢 | 메 산, 형세 세
[physical aspect of a mountain]
산(山)의 형세(形勢). ¶산세가 험하다.

산성 山城 | 메 산, 성곽 성
[mountain fortress wall]
산(山)에 쌓은 성(城).

산소 山所 | 메 산, 곳 소
[ancestral graveyard; grave; tomb]
❶속뜻 산(山)에 무덤이 있는 곳[所]. ❷'무덤'의 높임말. ¶산소를 찾아가 성묘를 하다.

산수 山水 | 메 산, 물 수 [mountains and waters]
❶속뜻 산(山)과 물[水]. ❷자연의 경치. ¶산수가 아름답다.

산신 山神 | 메 산, 귀신 신
[mountain god; guardian spirit of a mountain]
민속 산(山)을 지키는 신(神).

산악 山岳 | 메 산, 큰 산 악 [mountains]
육지 가운데 다른 곳보다 두드러지게 솟아 있는 높고 험한 부분[山=岳]. ¶우리나라 국토의 대부분은 산악 지대다.

산야 山野 | 메 산, 들 야
[fields and mountains; hills and valleys]
산(山)과 들[野]. ¶눈 덮인 산야.

산양 山羊 | 메 산, 양 양 [goat]
❶속뜻 산(山)에 사는 양(羊)과 같은 동물. ❷동물 어깨의 높이는 60~90㎝이며, 몸빛은 흰색, 갈색 따위의 동물. 성질이 활달하며 가축으로 기른다. ⓑ염소.

산장 山莊 | 메 산, 별장 장 [mountain villa]
산(山)에 있는 별장(別莊). ¶산장에서 하룻밤을 묵었다. ⓑ산방(山房).

산적¹ 山賊 | 메 산, 도둑 적 [brigand]
산(山)속에 숨어 살면서 남의 재물을 빼앗는 도둑[賊]. ¶산적이 나그네를 덮쳤다.

산적² 山積 | 메 산, 쌓을 적
[pile up; lie in a heap]
일이나 물건 따위가 산더미[山]처럼 많이 쌓여[積] 있음. ¶공책이 책상 위에 산적해 있다.

산중 山中 | 메 산, 가운데 중
[mountain recess; bosom of the hills]
산(山) 속[中]. ¶깊은 산중에서 길을 잃었다.

산지 山地 | 메 산, 땅 지 [mountainous district]
❶속뜻 산(山)으로 된 지형(地形). ❷산이 많고 들이 적은 지대.

산채 山菜 | 메 산, 나물 채
[wild edible greens; edible mountain herbs]
산(山)에서 나는 나물[菜]. ¶산채 비빔밥. ⓑ산나물.

산천 山川 | 메 산, 내 천
[mountains and streams; nature]
❶속뜻 산(山)과 내[川]. ❷자연 또는 자연의 경치. ¶고향 산천.

산초 山椒 | 메 산, 산초나무 초 [Chinese pepper]
산초나무의 열매. 기름을 만드는 원료로 쓰고 식용 또는 약용한다.

산촌 山村 | 메 산, 마을 촌 [mountain village]
산(山)속에 자리한 마을[村].

산하 山河 | 메 산, 물 하 [mountains and rivers]
❶속뜻 산(山)과 강[河]. ❷자연 또는 자연의 경치. ⓑ산천(山川).

산해 山海 | 메 산, 바다 해 [mountains and seas]
산(山)과 바다[海].

산행 山行 | 메 산, 갈 행 [mountain hike]
산(山)에 감[行]. 산길을 감. ¶주말에 동료들과 산행을 가다.

• 역순어휘

강산 江山 | 강 강, 메 산 [rivers and mountains]

❶[속뜻]강(江)과 산(山). ❷자연의 경치. ¶아름다운 강산. ❸강토(疆土). ¶삼천리 금수강산.

고산 高山 | 높을 고, 메 산 [high mountain]
높은[高] 산(山). ¶이 꽃은 고산 지대에서 자생(自生)한다. (비)태산(泰山).

광:산 鑛山 | 쇳돌 광, 메 산 [mine field]
광물(鑛物)을 캐내는 산(山). ¶광산에서 석탄을 캐다.

남산 南山 | 남녘 남, 메 산
❶[속뜻]남(南)쪽에 있는 산(山). ❷[지리]서울특별시 중구와 용산구 사이에 있는 산. 예전에 한양의 궁성에서 남쪽에 있는 산이라는 데서 유래하였다.

당산 堂山 | 집 당, 메 산
[민속]토지나 마을의 수호신이 있다는 집[堂]이나 산(山). 대개 마을 근처에 있다.

등산 登山 | 오를 등, 메 산 [climb a mountain]
운동, 놀이, 탐험 따위의 목적으로 산(山)에 오름[登]. (반)하산(下山).

명산 名山 | 이름 명, 메 산 [well known mountain]
이름[名] 난 산(山).

빙산 氷山 | 얼음 빙, 메 산
[iceberg; floating mass of ice]
[지리]남극이나 북극의 바다에 떠 있는 거대한 얼음[氷] 산[山]. [관용]빙산의 일각.

서산 西山 | 서녘 서, 메 산 [western mountain]
서(西)쪽에 있는 산(山). ¶해가 너울너울 서산으로 넘어갔다.

선산 先山 | 먼저 선, 메 산
선조(先祖)의 무덤이 있는 산(山). [속담]굽은 나무가 선산을 지킨다.

야:산 野山 | 들 야, 메 산 [hillock; hill on a plain]
들판[野]처럼 나지막한 산(山). ¶야산을 깎아 밭을 만들었다.

인산 人山 | 사람 인, 메 산 [hordes of people]
❶[속뜻]사람[人]으로 산(山)을 이룸. ❷사람이 매우 많음을 형용하는 말.

입산 入山 | 들 입, 메 산
[entering a mountain area]
산(山)에 들어감[入]. ¶입산 금지. (반)하산(下山).

청산 靑山 | 푸를 청, 메 산 [blue mountains]
초목이 우거진 푸른[靑] 산(山).

타산 他山 | 다를 타, 메 산 [another mountain]
다른[他] 산[山]. ¶타산지석(他山之石).

태산 泰山 | 클 태, 메 산 [high mountain]
❶[속뜻]크고[泰] 높은 산(山). ❷'크고 많음'을 비유하여 이르는 말. ¶할 일이 태산인데 잠만 자고 있느냐. ❸'정도가 점점 더 심해지는 것'을 비유하여 이르는 말. ¶갈수록 태산.

하:산 下山 | 아래 하, 메 산
[descend a mountain]
❶[속뜻]산(山) 아래[下]로 내려옴. ¶폭우 때문에 급히 하산하였다. ❷산에서 불교 공부를 하다가 보통 세상으로 내려가는 것. ¶이제 너는 하산을 해도 되겠다. (반)등산(登山), 입산(入山).

화:산 火山 | 불 화, 메 산 [volcano]
[지리]땅속의 마그마가 불[火]같이 밖으로 터져 나와 퇴적하여 이루어진 산(山). 활동의 유무에 따라 사(死)화산, 활(活)화산, 휴(休)화산으로 나뉜다.

0038 [촌]

寸

마디 촌:
(부) 寸부 (획) 3획 ㊥ 寸 [cùn]

寸 寸 寸

> 寸자의 점은 손목에서 맥을 짚어 보는 곳, 즉 촌구(寸口)를 가리키는 부호이고, 나머지는 손 모양[又]이 변화된 것이다. 손가락 끝에서 손목까지는 매우 짧은 거리이니 '한 자[尺]의 10분의 1'(十寸=一尺), '작은'(a few), '마디'(knuckle), '(친척) 관계'(=촌수 the distance of a blood relationship)를 나타내는 것으로 쓰인다.
>
> [속뜻훈음] ①마디 촌, ②작을 촌, ③관계 촌.

촌:수 寸數 | 관계 촌, 셀 수
[degree of consanguinity]
친족 간의 멀고 가까운 관계[寸]를 나타내는 수(數). 또는 그런 관계. ¶촌수가 가깝다 / 촌수를 따지다.

촌:지 寸志 | 작을 촌, 마음 지
[little token of one's gratitude]
❶[속뜻]작은[寸] 마음[志]. ❷얼마 되지 않는 적은 선물. ¶촌지를 받기는 했지만 조용히 되돌려 주었다.

촌:충 寸蟲 | 마디 촌, 벌레 충 [tapeworm]
❶[속뜻]마디[寸]로 이어진 모양의 벌레[蟲]. ❷[동물]창자에 기생하며 체벽에서 영양을 빨아먹는 마디 모양으로 생긴 기생충.

• 역순어휘

사:촌 四寸 | 넉 사, 관계 촌
[cousin (on the father's side)]
❶[속뜻]친척 가운데 네[四]번째 관계[寸]. ❷나와 촌수가 사촌 관계인 아버지 친형제의 아들딸. [속담]사촌이 땅을

사면 배가 아프다.

삼촌 三寸 | 석 삼, 관계 촌
[uncle (on the father's side)]
❶속뜻 친척 가운데 세[三]번째 관계[寸]. ❷아버지의 형제. ⓑ숙부(叔父), 작은아버지.

오:촌 五寸 | 다섯 오, 관계 촌
[one's cousin's son]
❶속뜻 친척 가운데 다섯[五]번째 관계[寸]. ❷다섯 개의 촌수를 사이에 두고 있는 친척. 아버지의 사촌이나 아들의 사촌 간을 이른다.

육촌 六寸 | 여섯 륙, 관계 촌 [second cousin]
❶속뜻 친척 가운데 여섯[六]번째 관계[寸]. ❷여섯 개의 촌수를 사이에 두고 있는 친척. 사촌의 아들딸, 곧 재종간의 형제자매를 이른다. ⓑ재종(再從).

0039 [생]

生

날 생
部 生부 劃 5획 中 生 [shēng]

生 生 生 生 生

生자는 '돋아나다'(bud; sprout; spring up)는 뜻을 나타내기 위하여 땅거죽을 뚫고 갓 돋아난 새싹 모양을 그린 것이다. 생명이 태어나는 것을 풀이 돋아나는 것에 비유하였기 때문에 '(태어)나다'(be born), '살다'(live), '사람'(man; people) 등을 뜻하기도 한다. 반대의 뜻, 즉 '죽다'(die)는 死(죽을 사, #0261)자로 나타냈다.

속뜻훈음 **①날 생, ②살 생, ③사람 생.**

생가 生家 | 날 생, 집 가 [house of one's birth]
어떤 사람이 태어난[生] 집[家]. ¶여기가 이순신 장군의 생가이다.

생강 生薑 | 날 생, 생강 강 [ginger plant]
식물 생강과(生薑科)의 여러해살이풀. 뿌리줄기는 향신료, 건위제로 쓴다.

생계 生計 | 살 생, 꾀 계 [livelihood; living]
살림을 살아 나갈[生] 방도[計]. 또는 현재 살림을 살아가고 있는 형편. ¶생계가 막막하다.

생기 生氣 | 날 생, 기운 기
[(vivid) life; vitality; spirit]
싱싱하고[生] 힘찬 기운(氣運). ¶생기 있는 표정. ⓑ활기(活氣).

생년 生年 | 날 생, 해 년 [year of one's birth]
태어난[生] 해[年].

생도 生徒 | 사람 생, 무리 도 [pupil; cadet]
교육 군(軍)의 교육기관, 특히 사관학교의 학생(學生)들[徒].

생동 生動 | 날 생, 움직일 동 [be full of life]
생기(生氣) 있게 살아 움직임[動]. ¶봄은 만물이 생동하는 계절이다.

생리 生理 | 날 생, 다스릴 리 [physiology]
❶속뜻 생물체(生物體)의 생물학적 기능과 작용. 또는 그 원리(原理). ❷생활하는 습성이나 본능. ❸의학 성숙한 여성의 자궁에서 주기적으로 출혈하는 생리 현상. 보통 12~17세에 시작하여 50세 전후까지 계속된다. 월경(月經).

생면 生面 | 날 생, 낯 면 [stranger]
낯익지 아니한(生) 얼굴(面). ⓑ숙면(熟面).

생명 生命 | 살 생, 목숨 명 [life]
❶속뜻 살아가는[生] 데 꼭 필요한 목숨[命]. ¶생명의 은인 / 생명이 위태롭다. ❷사물이 존재할 수 있는 가장 중요한 요건을 비유하여 이르는 말. ¶가수는 목소리가 생명이다.

생모 生母 | 날 생, 어머니 모 [one's real mother]
자기를 낳은[生] 어머니[母]. ⓑ친어머니, 친모(親母).

생물 生物 | 살 생, 만물 물 [living thing; creature]
생명(生命)을 가지고 스스로 생활 현상을 유지하여 나가는 물체(物體). 영양·운동·생장·증식을 하며, 동물·식물·미생물로 나뉜다. ¶숲속의 생물을 관찰하다.

생부 生父 | 날 생, 아버지 부 [one's real father]
자신을 낳아[生] 준 아버지[父]. ⓑ친아버지, 친부(親父).

생사 生死 | 날 생, 죽을 사 [life and death]
나고[生] 죽음[死]. ¶생사의 갈림길.

생산 生産 | 날 생, 낳을 산 [produce; make]
❶속뜻 아이나 새끼를 낳음[生=産]. ❷인간이 생활하는 데 필요한 각종 물건을 만들어 냄. ¶그 제품의 생산이 중단되었다. ⓑ소비(消費).

생색 生色 | 날 생, 빛 색
[take credit to oneself; do oneself proud]
❶속뜻 얼굴빛[色]을 드러냄[生]. ❷다른 사람 앞에 당당히 나서거나 자랑할 수 있는 체면. ¶별것도 아닌 일에 생색을 내다.

생선 生鮮 | 살 생, 싱싱할 선 [fish]
❶속뜻 살아있는[生] 듯 싱싱한[鮮] 물고기. ❷말리거나 절이지 아니하고 물에서 잡아낸 그대로의 물고기. ¶생선을 구워먹었다.

생성 生成 | 날 생, 이룰 성
[create; form; generate]
❶속뜻 사물이 생겨[生] 만들어짐[成]. ❷이전에 없었던

어떤 사물이나 성질의 새로운 출현. ¶우주의 생성과 소멸. ㊥소멸(消滅).

생소 生疏 | 날 생, 드물 소
[unfamiliar; unpracticed]
❶속뜻 얼굴 따위가 낯설고[生] 관계 따위가 드문드문함[疏]. ❷친숙하지 못하고 낯설다. ¶생소한 일이라 실수를 많이 했다.

생수 生水 | 날 생, 물 수 [natural water]
끓이거나 소독하지 않은 그대로[生]의 물[水].

생시 生時 | 날 생, 때 시
[time of one's birth; one's waking hours]
❶속뜻 태어난[生] 시간(時間). ❷자지 아니하고 깨어 있을 때. ¶이게 꿈이냐, 생시냐! ❸살아 있는 동안.

생식¹ 生食 | 날 생, 먹을 식 [eat uncooked food]
익히지 아니하고 날[生]로 먹음[食]. 또는 그런 음식. ㊥화식(火食).

생식² 生殖 | 날 생, 불릴 식
[reproduce; generate; procreate]
❶속뜻 새끼를 낳아서[生] 수가 불어남[殖]. ❷생물 생물이 자기와 닮은 개체를 만들어 종족을 유지함. 또는 그런 현상.

생신 生辰 | 날 생, 날 신 [birthday]
태어난[生] 날[辰]. 손윗사람의 생일(生日)을 높여 이르는 말이다. ¶오늘은 할아버지 생신이다.

생애 生涯 | 살 생, 끝 애 [life; lifetime]
삶[生]이 끝날[涯] 때까지의 기간. 살아있는 한평생의 기간. ¶그를 만난 것은 내 생애 최고의 행운이다. ㊥일생(一生), 평생(平生).

생업 生業 | 살 생, 일 업
[occupation; profession]
살아가기[生] 위하여 하는 일[業]. ¶어업을 생업으로 삼다.

생원 生員 | 사람 생, 인원 원
❶속뜻 학생(學生) 신분의 인원(人員). ❷역사 조선 시대에 과거 시험의 생원과(生員科)에 합격한 사람. ❸예전에 나이 많은 선비를 대접하여 이르던 말. ¶허생원이 이웃에 살고 있다. ㊥상사(上舍).

생일 生日 | 날 생, 날 일
[birthday; one's natal day]
세상에 태어난[生] 날[日]. 또는 태어난 날을 기리는 해마다의 그날. ㊥생신(生辰).

생장 生長 | 날 생, 길 장 [growth]
나서[生] 자람[長]. ¶생장 과정 / 생장 기간.

생전 生前 | 날 생, 앞 전 [one's life(time)]
태어난[生] 이후부터 죽기 이전(以前). 살아 있는 동안. ¶이렇게 큰 물고기는 생전 처음 본다. ㊥사후(死後).
하나 더!! 生前의 반대말은 生後(생후)가 아니라 死後(사:후)이다. '(전에) 살아 있었을 때'가 본뜻인데, '살아 있을 때'를 지칭하기도 한다.

생존 生存 | 살 생, 있을 존 [exist; live; survive]
살아서[生] 존재(存在)함. 또는 살아남음. ¶실종자들의 생존 가능성이 희박하다 / 나는 가족이 생존해 있기만을 바란다.

생장 生長 | 날 생, 길 장 [growth]
나서[生] 자람[長]. ¶생장 과정 / 생장 기간.

생체 生體 | 살 생, 몸 체 [living body; organism]
생물(生物)의 몸[體]. 또는 살아 있는 몸. ¶생체 실험.

생태¹ 生太 | 살 생, 클 태 [pollack]
살아있는[生] 명태(明太).

생태² 生態 | 살 생, 모양 태
[mode of life; ecology]
생물이 살아가는[生] 모양이나 상태(狀態). ¶식물의 생태를 연구하다.

생포 生捕 | 살 생, 잡을 포 [catch alive; capture]
산채로[生] 잡음[捕]. ¶적을 생포하다. ㊥생획(生獲).

생화 生花 | 살 생, 꽃 화 [natural flower]
진짜 살아 있는[生] 꽃[花]. ㊥조화(造花).

생활 生活 | 살 생, 살 활
[live; exist; make a living]
❶속뜻 살며[生] 활동(活動)함. ¶그와 나는 생활 방식이 다르다 / 그들은 농촌에서 생활한다. ❷생계나 살림을 꾸려 나감. ¶생활이 매우 어렵다 / 그 월급으로는 다섯 식구가 생활하기 힘들다.

생후 生後 | 날 생, 뒤 후 [since one's birth]
태어난[生] 후(後). ¶생후 5개월 된 아기.

• 역순어휘

고생 苦生 | 괴로울 고, 살 생 [suffer hardship]
❶속뜻 괴롭게[苦] 살아감[生]. ❷어렵고 힘든 생활을 함. 또는 그런 생활. ㊥고난(苦難), 곤란(困難), 고초(苦楚). 속담 고생 끝에 낙이 온다.

공:생 共生 | 함께 공, 살 생 [live together]
❶속뜻 서로 도움을 주며 함께[共] 생활(生活)함. ❷생물 다른 종류의 생물이 서로 이익을 주고받으며 한 곳에서 사는 일. ¶말미잘과 흰동가리는 공생 관계에 있다.

교:생 教生 | 가르칠 교, 사람 생
[student teacher]
교육 교육 과정을 이수하기 위해 학교에 나가 교육(教育) 실습을 하는 학생(學生).

기:생¹ 妓生 | 기생 기, 살 생

잔치나 술자리에서 흥을 돋우는 일[妓]로 살아가는[生] 여자. ⊞화류(花柳).

기생² 寄生 | 맡길 기, 살 생 [be parasitic]
생물 다른 생물에 붙어서[寄] 사는[生] 것. ¶오리는 벼에 기생하는 해충을 잡아먹는다.

난:생 卵生 | 알 란, 날 생
[oviparity; oviparousness]
동물 동물의 새끼가 알[卵]의 형태로 태어남[生]. ¶거북은 난생 동물이다. ⊕태생(胎生).

내:생 來生 | 올 래, 날 생
[afterlife; life after death]
죽은 뒤에 올[來] 생애(生涯). ⊞후생(後生). ⊕전생(前生), 금생(今生).

동생 同生 | 같을 동, 날 생
[younger brother(sister)]
❶속뜻 같은[同] 어머니에게서 태어난[生] 아우와 손아랫 누이를 통틀어 일컫는 말. ¶내 동생은 곱슬머리다. ❷같은 항렬에서 자기보다 나이가 적은 사람. ¶사촌 동생. ⊞아우. ⊕형, 언니.

민생 民生 | 백성 민, 날 생 [public welfare]
❶속뜻 국민(國民)의 생활(生活). ¶민생을 안정시키다. ❷일반 국민. ⊞생민(生民).

반:생 半生 | 반 반, 살 생 [half one's life]
한평생(平生)의 반(半). 반평생. ¶그는 반생을 민주화 운동에 바쳤다.

발생 發生 | 나타날 발, 날 생 [occur]
어떤 일이나 사물이 나타나고[發] 생겨남[生]. ¶강진이 발생하다.

사생¹ 私生 | 사사로울 사, 날 생
법률상 부부가 아닌 사사로운[私] 남녀 사이에서 아이가 태어나는[生] 일.

사생² 寫生 | 그릴 사, 날 생
[sketch; make a sketch (of)]
❶속뜻 있는 그대로[生] 그림[寫]. ❷자연의 경치나 사물 따위를 보고 그대로 그림. ¶사생 대회.

살생 殺生 | 죽일 살, 날 생 [take life]
생명(生命)을 죽임[殺]. 산 것을 죽임. ¶불교에서는 살생을 금지한다.

선생 先生 | 먼저 선, 날 생 [teacher; Mister]
❶속뜻 먼저[先] 태어남[生]. ❷학생을 가르치는 사람. ❸성명이나 직명 따위의 아래에 쓰여 그를 높여 일컫는 말. ¶최 선생. ❹어떤 일에 경험이 많거나 아는 것이 많은 사람. ¶의사 선생. ⊞교사(教師).

소생 蘇生 | =甦生, 되살아날 소, 살 생
[revive; resuscitate]
되살아나서[蘇] 살아감[生]. ¶봄은 만물이 소생하는 계절이다. ⊞부생(復生), 회생(回生).

신생 新生 | 새 신, 날 생 [new birth]
새로[新] 생기거나 태어남[生].

쌍생 雙生 | 둘 쌍, 날 생 [grow in pairs]
동시에 두[雙] 아이가 태어남[生]. 또는 두 아이를 낳음.

야:생 野生 | 들 야, 날 생 [grow wild]
산이나 들[野]에서 저절로 나서[生] 자람. 또는 그런 생물. ¶야생 식물 / 이 지역에 야생하는 동물을 조사했다.

여생 餘生 | 남을 여, 살 생 [rest of one's life]
앞으로 남은[餘] 인생(人生). ¶나는 여생을 고향에서 보내고 싶다.

영:생 永生 | 길 영, 날 생 [eternal life]
영원(永遠)한 생명(生命). 또는 영원히 삶. ¶진시황제는 영생을 위해 불로초를 찾아다녔다.

원생 院生 | 집 원, 사람 생
학원이나 고아원, 소년원 따위의 '원'(院)에 소속되어 있는 사람[生]. ¶그 학원은 원생의 수가 꽤 많다.

위성 衛星 | 지킬 위, 별 성 [satellite]
❶속뜻 행성을 지키듯이[衛] 그 주위를 도는 별[星]. ❷천문 행성의 인력에 의하여 그 행성의 주위를 도는 별. ¶달은 지구의 위성이다. ❸천문 '인공위성'(人工衛星)의 준말. ¶위성방송.

유생 儒生 | 유학 유, 사람 생
[student of Confucianism]
유학(儒學)을 공부하는 사람[生]. ¶전국 각지의 유생들이 상소(上疏)를 올렸다.

인생 人生 | 사람 인, 살 생 [one's life]
❶속뜻 목숨을 가지고 살아가는[生] 사람[人]. ❷이 세상에서의 삶. ¶돈이 인생의 전부는 아니다.

일생 一生 | 한 일, 살 생 [one's whole life]
한[一] 생애(生涯). 살아 있는 동안. ¶행복한 일생 / 그는 일생에 한 번 있을까 말까 한 기회를 놓쳤다. ⊞평생(平生).

자생 自生 | 스스로 자, 살 생
[grow wild; grow naturally]
❶속뜻 자신(自身)의 힘으로 살아감[生]. ¶자생 능력 / 자생과 자멸을 거듭하다. ❷저절로 나서 자람. ¶자생 춘란 / 이 지역에서는 선인장이 자생한다.

장생 長生 | 길 장, 살 생 [live long]
길이길이[長] 오래도록 삶[生]. ¶불로(不老) 장생 / 영지(靈芝)는 장생할 수 있는 한약재로 알려져 있다.

재:생 再生 | 다시 재, 날 생 [regenerate; recycle]
❶속뜻 죽게 되었다가 다시[再] 살아남[生]. ¶뇌세포는

한번 파괴되면 재생되지 않는다. ❷버리게 된 물건을 다시 살려서 쓰게 만듦. ¶재생 휴지 / 폐식용유를 재생하여 비누를 만들었다. ⓑ소생(蘇生).

전생 前生 | 앞 전, 살 생 [one's previous life]
이 세상에 태어나기 이전(以前)의 삶[生]. ¶우리는 전생에 부부였던 것이 틀림없다. ⓑ내생(來生).

중생¹ 中生 | 가운데 중, 날 생
❶[속뜻] 중간(中間) 자리에 태어남[生]. ❷[생물] 메마르지도 습하지도 않은 곳에 삶. 재배식물 따위의 특징이다. ❸[불교] 극락왕생의 상품, 중품, 하품 각각의 중간 자리.

중:생² 衆生 | 무리 중, 사람 생 [mankind]
❶[속뜻] 많은[衆] 사람[生]. ❷[불교] 부처의 구제 대상이 되는 이 세상의 모든 생물. ¶어리석은 중생을 구제하다.

천생 天生 | 하늘 천, 날 생 [by nature]
❶[속뜻] 하늘[天]에서 타고 난[生] 것. 태어날 때부터 지닌 본바탕. ❷선천적으로 타고남. ¶그는 천생 예술가다.

출생 出生 | 날 출, 날 생 [be born]
태아가 모체 밖으로 나가[出] 세상에 태어남[生]. ¶그 작가는 1978년 강릉에서 출생했다. ⓑ사망(死亡).

탄:생 誕生 | 태어날 탄, 날 생
[born; come into the world]
❶[속뜻] 귀한 사람이 태어남[誕=生]. ¶국민들은 왕자의 탄생을 기뻐했다. ❷'어떤 기관이나 조직, 제도 따위가 새로 생겨남'을 비유하여 이르는 말. ¶민주주의가 탄생하다 / 록 음악은 1950년대에 탄생했다.

태생 胎生 | 태아 태, 날 생 [viviparity; birth]
❶[속뜻] 어미의 뱃속에서 태아(胎兒)의 형태로 태어남[生]. ¶포유류는 대개 태생 동물이다. ❷어떠한 곳에 태어남. ¶그는 일본 태생이다.

파생 派生 | 갈래 파, 날 생 [be derived; originate]
본체에서 갈려 나와[派] 다른 하나가 새롭게 생김[生]. ¶영어는 라틴어에서 파생되었다.

평생 平生 | 평안할 평, 살 생 [one's whole life]
❶[속뜻] 평안(平安)한 삶[生]. ❷세상에 태어나서 죽을 때까지의 동안. ¶내 평생 이런 일은 처음이다 / 우리는 평생을 함께 하기로 했다. ⓑ일생(一生).

필생 畢生 | 마칠 필, 살 생 [coexistence with life]
❶[속뜻] 삶[生]을 마침[畢]. ❷생명의 마지막까지 다함. ¶이것은 그의 필생의 걸작이다.

학생 學生 | 배울 학, 사람 생 [student]
❶[속뜻] 배우는[學] 사람[生]. ❷학교에 다니면서 공부하는 사람. ¶초등학생.

항:생 抗生 | 막을 항, 살 생
다른 생물이 사는[生] 것을 막음[抗].

환생 還生 | 돌아올 환, 날 생
[be born again; revive]
죽음에서 돌아와[還] 다시 살아남[生]. 다시 태어남. ¶그의 모습은 마치 죽은 남편이 환생한 것 같았다.

회생 回生 | 돌아올 회, 날 생 [revive]
거의 죽어 가다가 다시 돌아와[回] 살아남[生]. ¶회생 불능 / 그 회사는 회생할 가능성이 없다. ⓑ소생(蘇生).

후:생 厚生 | 두터울 후, 날 생
[welfare of people; public welfare]
생활(生活)을 넉넉하게[厚] 함. ¶복지 후생 시설.

0040 [장]

長

긴 장(:)
㊌長부 ㊋8획 ㊥长 [cháng,zhǎng]

長長長長長長長長

長자는 '老人'(노:인, an old man)의 뜻을 나타내기 위하여 머리를 길게 늘어뜨린 노인이 지팡이를 들고 있는 모습을 그린 것이었다. '어른'(senior), '우두머리'(chief)의 뜻으로 확대 사용됐다. 이 경우에는 장음인 [장:]으로 읽는다. 머리털은 늘 길게 자라고 있으므로 '자라다'(grow) '길다'(long)는 의미도 이것으로 나타냈다. 이 경우에는 단음인 [장]으로 읽는다.

[속뜻훈음] ①길 장, ②자랄 장, ③어른 장.

장검 長劍 | 길 장, 칼 검 [sword]
예전에 허리에 차던 긴[長] 칼[劍]. ¶장군은 허리에 장검을 차고 있었다.

장:관 長官 | 어른 장, 벼슬 관 [minister]
[법률] 국무를 맡아보는 행정 각부의 으뜸[長] 관리(官吏). ¶교육부 장관.

장기¹ 長技 | 길 장, 재주 기 [one's specialty]
가장 잘하는[長] 재주[技]. ¶장기 자랑 / 그는 접영(蝶泳)이 장기이다. ⓑ특기(特技).

장기² 長期 | 길 장, 때 기 [long period]
오랜[長] 기간(期間). ¶장기 휴가. ⓑ단기(單期).

장:남 長男 | 어른 장, 사내 남 [eldest son]
맏[長] 아들[男]. ¶김 씨네 장남이 대를 이어 국밥집을 운영한다. ⓑ큰아들. ⓑ장녀(長女).

장:녀 長女 | 어른 장, 딸 녀 [eldest daughter]
맏[長] 딸[女]. ¶어머니가 돌아가시고 장녀인 언니는 집안 살림을 도맡았다.
ⓑ큰딸. ⓑ장남(長男).

장:로 長老 | 어른 장, 늙을 로 [presbyter]
❶[속뜻] 나이가 지긋하고[長=老] 덕이 높은 사람을 높이

어 일컫는 말. ❷기독교 장로교·성결교 등에서 선교 및 교회 운영에 대한 봉사를 맡아보는 직분. 또는 그 사람.

장발 長髮 | 길 장, 머리털 발 [long hair]
길이가 긴[長] 머리카락[髮]. ¶1970년대에는 남자들의 장발을 단속했다. ⓑ단발(短髮).

장사 長蛇 | 길 장, 뱀 사 [long snake]
❶속뜻 크고 긴[長] 뱀[蛇]. ❷열차나 긴 행렬을 비유하여 이르는 말.

장삼 長衫 | 길 장, 적삼 삼
[Buddhist monk's robe]
불교 검은 베로 길이가 길고[長] 품과 소매를 넓게 지은 웃옷[衫]. 주로 스님들이 입는다.

장생 長生 | 길 장, 살 생 [live long]
길이길이[長] 오래도록 삶[生]. ¶불로(不老) 장생 / 영지(靈芝)는 장생할 수 있는 한약재로 알려져 있다.

장석 長石 | 길 장, 돌 석 [feldspar]
❶속뜻 길쭉한[長] 형태의 돌[石]. ❷광업 규산염 광물의 한 가지. 칼륨, 나트륨, 칼슘, 바륨 및 규산이 주성분이다. 질그릇, 사기, 유리, 성냥, 비료의 원료가 된다.

장성 長成 | 자랄 장, 이룰 성 [grow up]
아이가 자라[長] 어른이 됨[成]. ¶장성한 아들.

장:손 長孫 | 어른 장, 손자 손
[eldest grandson by the first born son]
맏[長] 손자(孫子).

장수 長壽 | 길 장, 목숨 수 [long life]
긴[長] 목숨[壽]. 오래 삶. ¶장수 마을 / 이 마을 사람들은 대체로 장수한다. ⓑ요절(夭折).

장시 長詩 | 길 장, 시 시
문학 길이가 긴[長] 형식의 시(詩). ⓑ단시(短詩).

장신 長身 | 길 장, 몸 신 [tall figure]
키가 큰[長] 몸[身]. 또는 그런 사람. ¶그는 우리 팀에서 가장 장신이다. ⓑ단신(短身).

장안 長安 | 길 장, 편안할 안 [capital city]
❶속뜻 길이길이[長] 편안(便安)함. ❷수도. 서울. ¶장안의 화제가 되었다.

장어 長魚 | 길 장, 물고기 어 [eel]
동물 몸이 가늘고 길쭉하여[長] 뱀과 비슷한 민물고기[魚]. '뱀장어'의 준말.

장:유 長幼 | 어른 장, 어릴 유 [old and young]
어른[長]과 어린이[幼]. ¶장유에 따라 다르게 대우하였다.

장음 長音 | 길 장, 소리 음 [long sound]
언어 길게[長] 나는 소리[音]. ⓑ단음(短音).

장:자 長子 | 어른 장, 아들 자 [eldest son]
맏[長] 아들[子]. ¶장자가 왕위(王位)를 잇다.

장작 長斫 | 길 장, 자를 작 [firewood]
통나무를 길쭉하게[長] 잘라서[斫] 쪼갠 땔나무. ¶소나무 장작 / 장작 두 개비 / 장작 한 단.

장장 長長 | 길 장, 길 장
[very long; at great length]
길고[長] 긺[長]. ¶이 그림은 장장 4년에 걸쳐 완성되었다.

장점 長點 | 길 장, 점 점
[strong point; advantage]
❶속뜻 상대적으로 긴[長] 점(點). ❷좋은 점. 나은 점. ¶원주의 장점은 솔직함이다. ⓑ결점(缺點), 단점(短點).

장정 長程 | 길 장, 거리 정
[long way; great distance]
매우 멀고 긴[長] 거리[程]. 먼 여로(旅路). ¶기러기는 장정 5천 킬로미터를 쉬지 않고 날아갔다. ⓑ장로(長路).

장조 長調 | 길 장, 가락 조 [major key]
음악 장음계(長音階)로 된 곡조(曲調). ⓑ단조(短調)

장지 長指 | =將指, 길 장, 손가락 지
[middle finger]
❶속뜻 가장 긴[長] 손가락[指]. ❷가운뎃손가락.

장편 長篇 | 길 장, 책 편 [long work]
문학 시가나 소설·영화 따위에서, 내용이 긴[長] 작품이나 책[篇]. ⓑ단편(短篇).

장화 長靴 | 길 장, 구두 화
[high boots; Wellington boots]
목이 긴[長] 신이나 구두[靴]. ¶장화를 신다. ⓑ단화(短靴).

• 역순어휘

가장 家長 | 집 가, 어른 장 [head of a family]
❶속뜻 집안[家]을 이끌어가는 사람[長]. ¶소년소녀 가장. ❷남편(男便)이나 아버지를 달리 이르는 말. ⓑ집안어른, 호주(戶主), 가구주(家口主).

과장 課長 | 매길 과, 어른 장 [head of a section]
과(課)의 책임자[長]. ¶승격하여 총무과 과장이 되었다.

교:장 校長 | 학교 교, 어른 장 [principal]
교육 대학이나 학원을 제외한 각 급 학교(學校)의 으뜸 직위[長]. 또는 그 직위에 있는 사람. ¶초등학교 교장.

국장 局長 | 관청 국, 어른 장
[director of a bureau]
기관이나 조직에서 한 국(局)을 맡은 수장(首長).

기장 機長 | 틀 기, 어른 장 [(senior) pilot]
항공기(航空機) 승무원들의 책임자[長].

단장 團長 | 모일 단, 어른 장 [leader]
일정한 조직체를 이룬 단체(團體)의 우두머리[長]. ¶각국 대표단 단장.

대장 隊長 | 무리 대, 어른 장
[captain; commander; leader]
한 부대(部隊)를 지휘하는 우두머리[長].

동:장 洞長 | 마을 동, 어른 장 [dong headman]
❶[속뜻]한 동네[洞]의 우두머리[長]. ❷[법률]행정 구역 단위인 '동'(洞)을 대표하여 일을 맡아보는 사람.

면:장 面長 | 면 면, 어른 장 [chief of township]
[법률]면(面)의 행정을 주관하는 책임자[長].

반장 班長 | 나눌 반, 어른 장 [squad leader]
'반'(班)이라는 조직의 책임자[長]. ¶형사 반장 / 학급 반장.

병장 兵長 | 군사 병, 어른 장 [sergeant]
[군사]사병(士兵) 계급에서 가장 높은[長] 계급. 하사의 아래, 상등병의 위 계급. ¶그는 병장으로 제대하였다.

부장 部長 | 나눌 부, 어른 장
[director of a department]
부(部)의 책임자[長]. ¶그는 부장으로 승진하였다.

사장 社長 | 회사 사, 어른 장
[president of a company]
회사(會社)의 우두머리[長]. 회사의 최고 책임자. ¶그가 사장으로 선임되었다.

생장 生長 | 날 생, 길 장 [growth]
나서[生] 자람[長]. ¶생장 과정 / 생장 기간.

서:장 署長 | 관청 서, 어른 장 [head]
경찰서, 세무서, 소방서 따위 '서'(署)자가 붙은 기관의 최고 직위[長]에 있는 사람. ¶서장이 직접 나와 사건을 설명하였다.

선장 船長 | 배 선, 어른 장
[(ship's) captain; master (of a ship)]
배[船]에 탄 승무원의 우두머리[長]로서 항해를 지휘하고 선원을 감독하는 사람. ¶선장은 수천 명의 생명을 맡고 있다.

성장 成長 | 이룰 성, 어른 장 [grow (up)]
❶[속뜻]자라서 어른[長]이 됨[成]. ❷사물이나 동식물이 자라서 점점 커짐. ¶그 회사는 빠르게 성장하고 있다. [비]발육(發育).

소:장 所長 | 곳 소, 어른 장
[head (of an office; factory)]
연구소, 사무소 등과 같이 '소'(所)자가 붙은 기관이나 직장의 사무를 총괄하는 책임자[長]. ¶연구소 소장.

수장 首長 | 머리 수, 어른 장 [top; head]
앞장서서[首] 집단이나 단체를 지배·통솔하는 사람[長]. 우두머리. ¶대통령은 행정부의 수장이다.

시:장 市長 | 저자 시, 어른 장 [mayor]
[법률]시(市)의 행정(行政)을 맡고 있는 최고 관리[長].

신장 身長 | 몸 신, 길 장 [height]
몸[身]의 길이[長]. ¶그녀는 신장이 160cm 가량 된다. [비]키.

역장 驛長 | 정거장 역, 어른 장 [station agent]
철도 정거장[驛]의 책임자[長].

연장¹ 年長 | 나이 년, 길 장 [seniority]
서로 비교하여 보아 나이[年]가 많음[長]. 또는 그런 사람. ¶그는 나보다 6살 연장이다.

연장² 延長 | 늘일 연, 길 장 [extend; lengthen]
시간이나 거리 따위를 본래보다 길게[長] 늘임[延]. ¶연장근무 / 파견 기간을 3년으로 연장하다. [반]단축(短縮).

영장 靈長 | 신령 령, 어른 장 [lord of all creature]
❶[속뜻]신령(神靈)같은 힘을 가진 우두머리[長]. ❷모든 만물 중에서 가장 뛰어난 존재인 '사람'을 이르는 말. ¶사람은 만물의 영장이다.

원장¹ 院長 | 집 원, 어른 장 [director]
'원'(院) 자가 붙은 시설이나 기관의 우두머리[長]. ¶병원 원장.

원장² 園長 | 동산 원, 어른 장 [principal; curator]
'원'(園)자가 붙은 시설이나 기관의 우두머리[長]. ¶유치원 원장 / 동물원 원장.

의장 議長 | 따질 의, 어른 장
[assembly hall; chamber]
회의(會議)를 주재하고 그 회의의 집행부를 대표하는 사람[長]. ¶그가 오늘 회의의 의장을 맡았다.

이:장 里長 | 거리 리, 어른 장 [head of a village]
행정 구역의 단위인 '리'(里)를 대표하여 일을 맡아보는 사람[長].

조장 組長 | 짤 조, 어른 장 [head; group leader]
조(組)를 단위로 편성한 조직의 책임자나 우두머리[長]. ¶조장을 선출하다.

족장 族長 | 겨레 족, 어른 장 [patriarch]
❶[속뜻]일족(一族)의 어른[長]. ❷종족이나 부족의 우두머리. ¶이 마을에는 부족을 다스리는 족장이 있다.

차장 次長 | 버금 차, 어른 장
[assistant director; vice-chief]
회사나 단체에서 부장 다음[次]의 직위[長]. 또는 그 사람.

촌:장 村長 | 마을 촌, 어른 장 [village chief]
마을 일을 두루 맡아보던 마을[村]의 어른[長]. ¶이 마을의 촌장은 꽤 젊은 편이다.

총:장 總長 | 묶을 총, 어른 장 [president of a university]
❶속뜻 모든 업무를 총괄(總括)하는 우두머리[長]. ❷교육 종합 대학의 총책임자. ¶김 교수가 총장에 취임하다.

추장 酋長 | 두목 추, 어른 장 [chief; headman]
미개 부족의 두목[酋]이 되는 어른[長]. ¶부족민들은 추장의 지시를 따른다.

통:장 統長 | 큰 줄기 통, 어른 장 [subdivision of a city's district]
행정 구역의 단위인 통(統)을 대표하여 일을 맡아보는 사람[長]. ¶아주머니는 동네 통장 일을 맡으셨다.

파장 波長 | 물결 파, 길 장 [wavelength; impact]
❶속뜻 물결[波] 사이의 길이[長]. ❷물리 전파나 음파 따위에서 같은 높이를 가진 파동 사이의 거리. ¶파장 20미터의 단파로 방송하다. ❸충격적인 일이 끼치는 영향 또는 그 정도를 비유하여 이르는 말. ¶신문 기사의 파장은 매우 컸다.

회:장 會長 | 모일 회, 어른 장 [president of a society]
❶속뜻 모임[會]을 대표하는 우두머리[長]. ¶학생 회장. ❷주식회사 따위에서 이사회의 장을 맡고 있는 사람.

훈:장 訓長 | 가르칠 훈, 어른 장 [village schoolmaster; teacher]
❶속뜻 글을 가르쳐주는[訓] 어른[長]. ❷시골 서당에서 글을 가르치던 사람. ¶훈장 어른.

0041 [청]

青

푸를 청
㊂ 青부 ㊕ 8획 ㊥ 青 [qīng]

青 青 青 青 青 青 青 青

青자는 푸른 새싹이 움튼 모양을 본뜬 生(생)과 광석을 채취하던 모양을 본뜬 丹(단)이 합쳐진 것인데, 윗부분이 약간 달라졌다. '푸른 광석'(a blue ore)이 본뜻인데, '푸르다'(blue)는 뜻으로 더 많이 쓰인다.

청과 青果 | 푸를 청, 열매 과 [fruits and vegetables]
❶속뜻 푸른[青] 채소와 과일[果]. ❷채소와 과일을 통틀어 이르는 말. ¶청과 시장.

청구 青丘 | =青邱, 푸를 청, 언덕 구
❶속뜻 푸른[青] 언덕[丘]. ❷지난날, 중국에서 '우리나라'를 달리 이르던 말. 중국의 신화에 따르면, 오색 가운데 '청'(青)은 동방을 상징하므로, 중국의 동쪽에 있는 우리나라를 일러 그렇게 지칭하였다고 한다.

청군 青軍 | 푸를 청, 군사 군 [blue team]
운동 경기 따위에서, 파란[青] 색의 상징물을 사용하는 편을 군사[軍]에 비유한 말. ¶달리기에서 청군이 이겼다. ㊥백군(白軍).

청년 青年 | 푸를 청, 나이 년 [young man; youth]
❶속뜻 푸른[青] 나이[年]. ❷젊은 사람. 특히, 젊은 남자를 가리킨다. ¶저 청년은 참 성실하다. ㊥젊은이.

청동 青銅 | 푸를 청, 구리 동 [bronze]
❶속뜻 푸른[青] 색을 띠는 구리[銅]. ❷화학 구리와 주석의 합금. ¶그 상은 청동으로 만든 것이다.

청록[1] 青鹿 | 푸를 청, 사슴 록
❶속뜻 푸른색[青]의 사슴[鹿]. ❷동물 몸은 여름에는 푸른빛을 띤 회색이고 겨울에는 회색을 띤 갈색의 동물.

청록[2] 青綠 | 푸를 청, 초록빛 록 [bluish green color]
'청록색'(青綠色)의 준말.

청룡 青龍 | 푸를 청, 용 룡 [blue dragon]
푸른[青] 빛을 띤 용(龍).

청산 青山 | 푸를 청, 메 산 [blue mountains]
초목이 우거진 푸른[青] 산(山).

청색 青色 | 푸를 청, 빛 색 [blue color; blue]
푸른[青] 빛[色]. ¶하늘이 부드러운 청색을 띤다.

청어 青魚 | 푸를 청, 물고기 어 [herring]
동물 푸른[青] 빛을 띤 바닷물고기[魚]. 가을에서 봄에 걸쳐 잡히며 맛이 좋다.

청와 青瓦 | 푸를 청, 기와 와 [blue tile]
푸른[青] 빛깔의 매우 단단한 기와[瓦].

청운 青雲 | 푸를 청, 구름 운 [blue clouds; high ranks]
❶속뜻 푸른[青] 빛을 띤 구름[雲]. ❷'높은 명예나 벼슬'을 비유하여 이르는 말. ¶청운의 뜻을 품다.

청자 青瓷 | =青磁, 푸를 청, 오지그릇 자 [celadon porcelain]
수공 철분을 함유한 유약을 입혀 푸른[青] 빛이 도는 도자기(陶瓷器).

청천 青天 | 푸를 청, 하늘 천 [blue sky; cloudless sky]
푸른[青] 하늘[天].

청청 青青 | 푸를 청, 푸를 청 [bright green; verdant; blue]
푸르고[青] 푸름[青]. 즉 매우 푸름. ¶산에 나무가 청청하다.

청춘 青春 | 푸를 청, 봄 춘

[youth; bloom of youth; springtime of life]
❶속뜻 만물이 푸른[靑] 봄[春]. ❷'스무 살 안팎의 젊은 나이'를 비유하여 이르는 말. ¶그녀는 꽃다운 청춘에 세상을 떠났다.

청포 靑袍 | 푸를 청, 핫옷 포 [blue hemp cloth]
역사 조선 시대에, 사품·오품·육품의 벼슬아치가 입던 푸른[靑] 도포(道袍).

청학 靑鶴 | 푸를 청, 두루미 학 [blue crane]
푸른[靑]색의 학(鶴). ¶청학은 전설상의 새이다.

청화 靑華 | 푸를 청, 빛날 화
수공 조선 시대의 도자기에 그려진 파란[靑] 빛깔[華]의 그림.

• 역순어휘 •

단청 丹靑 | 붉을 단, 푸를 청
❶속뜻 붉은[丹] 색과 푸른[靑] 색. ❷궁궐, 사찰, 정자 등 옛날식 집의 벽, 기둥, 천장 따위에 여러 가지 빛깔로 그림이나 무늬를 그림. 또는 그 그림이나 무늬. ❸채색(彩色).

0042 [군]

軍

군사 군
㊀ 車부 ㊁ 9획 ㊥ 军 [jūn]

軍 軍 軍 軍 軍 軍 軍 軍

軍자는 원래 '에워쌀 포'(勹)와 '수레 거'(車)가 합쳐진 것으로 '에워싸다'(包圍, envelop)가 본뜻이다. 후에 勹가 冖(덮을 멱)으로 잘못 바뀌어 그 뜻이 약간 모호해졌다. '진을 치다' (encamp; pitch a camp), '군사'(a soldier)의 뜻으로 쓰인다. 춘추시대 이후 지금까지 군대 편제의 최대 단위를 뜻하는 것으로도 쓰인다. 즉, 陸軍(육군)·海軍(해군)·空軍(공군)의 '軍'이 바로 그 예이다.

군가 軍歌 | 군사 군, 노래 가 [military song]
군대(軍隊)의 사기를 북돋우기 위하여 부르는 노래[歌].

군경 軍警 | 군사 군, 지킬 경
[military and the police]
군대(軍隊)와 경찰(警察).

군국 軍國 | 군사 군, 나라 국 [militant nation]
❶속뜻 군대(軍隊)와 나라[國]. 혹은 군무(軍務)와 국정(國政)을 아울러 이르는 말. ❷군사를 정치의 핵심으로 삼고 있는 나라. ¶군국주의 국가.

군기 軍紀 | 군사 군, 벼리 기
[military discipline; troop morals]
군대(軍隊)의 기강(紀綱). ㊐군율(軍律).

군단 軍團 | 군사 군, 모일 단 [army corps]
군사 육군에서 사단(師團) 이상의 병력[軍]으로 편성되는 전술 단위 부대[團].

군대 軍隊 | 군사 군, 무리 대 [army; troops]
일정한 규율과 질서를 가지고 조직된 군인(軍人)의 집단[隊].

군량 軍糧 | 군사 군, 양식 량
[military supplies; rations]
군대(軍隊)의 양식(糧食).

군민 軍民 | 군사 군, 백성 민
[military and the people]
군인(軍人)과 민간인(民間人)을 아울러 이르는 말. ¶군민이 함께 구조하다.

군복 軍服 | 군사 군, 옷 복 [military uniform]
군인(軍人)의 제복(制服).

군비[1] 軍備 | 군사 군, 갖출 비
[armaments; military preparedness]
전쟁을 수행하기 위하여 갖춘 군사력, 군사(軍事) 시설이나 장비(裝備). ¶군비를 증강하다.

군비[2] 軍費 | 군사 군, 쓸 비 [war expenditure]
군사(軍事)에 드는 비용(費用). '군사비'의 준말. ¶군비를 감축하다.

군사[1] 軍士 | 군사 군, 선비 사 [soldiers]
❶속뜻 예전에, 군대(軍隊)에 소속된 사람[士]을 이르던 말. ❷부사관 이하의 군인. ㊐군인(軍人), 병사(兵士).

군사[2] 軍事 | 군사 군, 일 사 [military affairs]
군대, 군비, 전쟁 따위와 같은 군(軍)에 관한 일[事]. ㊐군무(軍務).

군수 軍需 | 군사 군, 쓰일 수 [military demands]
군사(軍事)적인 일에 쓰이는[需] 것. ¶군수 물자를 조달하다.

군악 軍樂 | 군사 군, 음악 악 [military music]
음악 군대(軍隊)에서 군대 의식이나 사기를 높이기 위해 쓰는 음악(音樂).

군용 軍用 | 군사 군, 쓸 용 [military use]
군사(軍事)를 위해 씀[用]. 또는 그 돈이나 물건.

군인 軍人 | 군사 군, 사람 인 [soldier]
군대(軍隊)에서 복무하는 사람[人]. ㊐군사(軍士), 병사(兵士).

군정 軍政 | 군사 군, 정치 정
[military administration]
❶정치 군부(軍部)가 국가의 실권을 장악하고 행하는 정치(政治). ❷역사 조선 시대의 삼정(三政) 가운데 정남(丁男)으로부터 군포를 받아들이던 일.

군졸 軍卒 | 군사 군, 군사 졸
[(common) soldier; private]
군대(軍隊)의 하급 병사[卒]. ⓑ병졸(兵卒).

군축 軍縮 | 군사 군, 줄일 축 [reduce armaments]
군사 군사력이나 군비(軍備)를 줄임[縮]. '군비축소'(軍備縮小)의 준말.

군함 軍艦 | 군사 군, 싸움배 함
[warship; battleship]
군사 해군(海軍)에 소속되어 있는 배[艦]. 흔히 전투에 참여하는 모든 배를 이른다.

• 역순어휘

고군 孤軍 | 외로울 고, 군사 군
[isolated force; forlorn garrison]
후방의 지원을 받을 수 없는 고립(孤立)된 군사(軍士).

공군 空軍 | 하늘 공, 군사 군
[air force; flying corps]
군사 하늘[空]을 지키는 군대(軍隊). 주로 항공기를 사용하여 적을 공격하거나 방어한다. ¶우리 오빠는 공군이다. ⓑ육군(陸軍), 해군(海軍).

관군 官軍 | 벼슬 관, 군사 군 [government forces]
군사 예전에, 국가[官]에 소속되어 있던 정규 군대(軍隊). ¶관군과 동학군이 백병전을 벌였다. ⓑ관병(官兵).

교군 轎軍 | 가마 교, 군사 군 [palanquin bearer]
❶속뜻 가마[轎]를 메는 사람들[軍]. ¶교군이 당도하였다. ❷가마를 메는 일.

국군 國軍 | 나라 국, 군사 군
[nation's armed forces]
나라 안팎의 적으로부터 나라[國]를 보존하기 위하여 조직한 군대(軍隊).

농군 農軍 | 농사 농, 군사 군 [farm laborer]
❶역사 농사(農事)짓는 일에 종사하던 군사(軍士). ❷농민(農民). ¶그는 농군의 아들답게 농사일에 능숙했다.

대:군 大軍 | 큰 대, 군사 군 [large army]
병사의 수효가 많고 규모가 큰[大] 군대(軍隊). ⓑ대병(大兵). ¶백만 대군.

미군 美軍 | 미국 미, 군사 군 [U.S. Armed Forces]
미국(美國)의 군대(軍隊)나 군인(軍人). ¶미군 장교들이 민첩하게 달려왔다.

반:군 叛軍 | 배반할 반, 군사 군 [rebel troops]
반란(叛亂)을 일으킨 군대(軍隊). '반란군'의 준말.

백군 白軍 | 흰 백, 군사 군 [white team]
운동 경기 따위에서, 흰[白] 색의 상징물을 사용하는 편[軍]. ¶줄다리기에서 백군이 이겼다. ⓑ청군(青軍).

수군 水軍 | 물 수, 군사 군 [naval forces]
역사 배를 타고 바다[水]에서 싸우던 군대(軍隊). 지금의 해군(海軍)에 해당한다. ¶이순신 장군은 수군을 이끌고 왜구를 물리쳤다.

아:군 我軍 | 나 아, 군사 군 [our army]
우리[我] 편 군대(軍隊). ¶아군은 적군에 점령되었던 섬을 탈환했다. ⓑ적군(敵軍).

역군 役軍 | 부릴 역, 군사 군
[laborer; able worker]
❶속뜻 부림[役]을 받는 사람[軍]. ❷일정한 부문에서 중요한 역할을 하는 일꾼. ¶사회의 역군으로 자라다.

왜군 倭軍 | 일본 왜, 군사 군
일본[倭]의 군대(軍隊)를 낮잡아 이르는 말.

원:군 援軍 | 도울 원, 군사 군
[rescue forces; relief]
도와[援]주기 위한 군대(軍隊). ¶이라크에 원군을 파견했다.

육군 陸軍 | 뭍 륙, 군사 군 [army; land forces]
군사 육상(陸上)에서 전투하는 군대(軍隊). ⓑ지상군(地上軍).

장군 將軍 | 장수 장, 군사 군 [general]
군(軍)을 통솔하는 장수(將帥). ¶이순신 장군은 병사들을 지휘하여 왜구를 물리쳤다. ⓑ장관(將官).

적군 敵軍 | 원수 적, 군사 군
[enemy force; enemy troops]
적국(敵國)의 군대(軍隊)나 병사. ¶그는 혼자서 적군을 무찔렀다. ⓑ아군(我軍).

종군 從軍 | 따를 종, 군사 군
[follow the army; service in war]
군대(軍隊)를 따라[從] 전쟁터로 나감. ¶종군기자 / 큰아버지께서는 베트남전에 종군했다.

진:군 進軍 | 나아갈 진, 군사 군 [march]
적을 치러 군대(軍隊)가 나아감[進]. 또는 군대를 나아가게 함. ¶진군의 북소리 / 반란군의 거점으로 진군하다.

청군 青軍 | 푸를 청, 군사 군 [blue team]
운동 경기 따위에서, 파란[青] 색의 상징물을 사용하는 편을 군사[軍]에 비유한 말. ¶달리기에서 청군이 이겼다. ⓑ백군(白軍).

해:군 海軍 | 바다 해, 군사 군 [navy]
군사 바다[海]에서 전투 따위를 맡아 하는 군대(軍隊).

행군 行軍 | 다닐 행, 군사 군 [military march]
군사 행진(行進)하는 군대(軍隊). 또는 군대의 행진. ¶야간 행군.

회군 回軍 | 돌아올 회, 군사 군
[withdraw an army]
군사(軍師)를 거두어 돌아옴[回]. 또는 돌아감. ¶회군

명령 / 이성계는 위화도에서 회군했다. ⓑ환군(還軍).

0043 [교]

教 가르칠 교:
㊀ 攴부 ㊁ 11획 ㊥ 教 [jiāo]
教教教教教教教教教教

教자는 사랑의 매를 들고[攵=攴] 아이들을 일깨우는[爻+子] 모습으로 '공부하도록 다그치다'(urge pupils to study)가 본뜻인데, '지도'(指導, giving guidance), '가르치다'(teach)는 뜻으로 확대 사용됐다. '종교'(religion) 또는 이와 의미상 연관이 있는 낱말의 한 구성요소로도 많이 쓰인다.

속뜻훈음 ①가르칠 교, ②종교 교.

교:과 教科 | 가르칠 교, 과목 과 [school subject]
교육 학교에서 교육의 목적에 맞게 가르쳐야[教] 할 내용을 계통적으로 짜놓은 일정한 과목[科目].

교:관 教官 | 가르칠 교, 벼슬 관 [drillmaster; instructor]
군사 군사 교육이나 훈련을 맡아 가르치는[教] 교사나 장교[官].

교:구 教區 | 종교 교, 나눌 구 [parish]
종교 종교(宗教)의 전파, 신자의 지도 따위를 위하여 편의상 나누어 놓은 구역(區域).

교:권 教權 | 가르칠 교, 권리 권 [educational authority]
교사(教師)로서 지니는 권위나 권리(權利).

교:대 教大 | 가르칠 교, 큰 대 [teachers'college]
교육 초등학교 교사(教師)를 양성하기 위한 대학(大學). '교육대학'(教育大學)의 준말.

교:도¹ 教徒 | 종교 교, 무리 도 [believer]
종교(宗教)를 믿는 사람이나 그 무리[徒].

교:도² 教導 | 가르칠 교, 이끌 도 [teach; instruct]
가르치고[教] 이끌어줌[導]. ⓑ교화(教化).

교:련 教鍊 | 가르칠 교, 익힐 련 [train; drill]
❶속뜻 가르쳐[教] 익힘[鍊]. ❷군인이나 학생에게 가르치는 군사 훈련.

교:리 教理 | 종교 교, 이치 리 [dogma]
종교 한 종교(宗教)의 참된 이치(理致)나 진리. 또는 그렇게 규정한 신앙의 체계.

교:무 教務 | 가르칠 교, 일 무
❶교육 학생을 가르치는[教] 일에 대한 사무(事務). ❷종교 종교적인 사무.

교:본 教本 | 가르칠 교, 책 본 [textbook]
가르치는[教] 데 쓰는 책[本]. ⓑ교과서(教科書).

교:사 教師 | 가르칠 교, 스승 사 [teacher]
일정한 자격을 가지고 초등학교·중학교·고등학교 등에서 학생을 가르치는[教] 스승[師]. ¶체육 교사. ⓑ교원(教員), 선생(先生).

교:생 教生 | 가르칠 교, 학생 생 [student teacher]
교육 교육 과정을 이수하기 위해 학교에 나가 교육(教育) 실습을 하는 학생(學生).

교:세 教勢 | 종교 교, 세력 세 [religious influence]
종교(宗教)의 세력(勢力).

교:수 教授 | 가르칠 교, 줄 수 [professor]
대학 등에서 전문 학술을 가르쳐[教] 주는[授] 사람. ⓟ학생(學生).

교:습 教習 | 가르칠 교, 익힐 습 [train; teach]
학문이나 기예 따위를 가르쳐[教] 익히게[習] 함.

교:실 教室 | 가르칠 교, 방 실 [classroom]
교육(教育)이 이루어지는 방[室]. ¶웃음소리가 교실에서 흘러나오다. ⓑ강의실(講義室).

교:안 教案 | 가르칠 교, 문서 안 [teaching plan]
교육 가르치기[教] 위하여 작성한 문서[案].

교:양 教養 | 가르칠 교, 기를 양 [culture; education]
❶속뜻 가르치어[教] 상식을 기름[養]. ❷학문, 지식, 사회생활을 바탕으로 이루어지는 품위. 또는 문화에 대한 폭넓은 지식. ¶그녀는 교양이 있다. ⓑ소양(素養), 식견(識見).

교:원 教員 | 가르칠 교, 사람 원 [teacher]
교육 각 급 학교에서 학생을 가르치는[教] 사람[員]. ⓑ교사(教師), 선생(先生).

교:육 教育 | 가르칠 교, 기를 육 [educate; instruct]
지식과 기술 따위를 가르치며[教] 인격을 길러[育] 줌. ¶아이를 교육하다 / 교육적 효과가 뛰어나다.

교:인 教人 | 종교 교, 사람 인 [believer; follower]
종교(宗教)를 가지고 있는 사람[人]. ¶기독교 교인.

교:재 教材 | 가르칠 교, 재료 재 [teaching materials]
교육 학문이나 기예 따위를 가르치거나[教] 배우는 데 필요한 여러 가지 재료(材料).

교:주 教主 | 종교 교, 주인 주 [founder of a religion]

❶종교 한 종교(宗教) 단체의 우두머리[主]. ❷종교의 개조를 높여 이르는 말. 불교의 석가모니 등.

교:직 教職 | 가르칠 교, 일 직 [teaching profession]
❶교육 학생을 가르치는[教] 직무(職務). ❷기독교 교회에서 신도의 지도와 교회의 관리를 맡은 직책.

교:탁 教卓 | 가르칠 교, 높을 탁 [teacher's desk]
글을 가르칠[教] 때 책 따위를 올려놓는 탁자(卓子).

교:편 教鞭 | 가르칠 교, 채찍 편 [birch rod]
❶속뜻 가르칠[教] 때 사용하는 채찍[鞭]. 또는 가느다란 막대기. ❷학생을 가르치는 생활. 또는 직업. ¶그는 10년 동안 교편을 잡고 있다.

교:화 教化 | 가르칠 교, 될 화 [educate; enlighten]
❶속뜻 가르치고[教] 이끌어서 훌륭한 인물이 되도록 함[化]. ¶교도소는 범죄자를 교화하는 곳이다. ❷불교 부처의 진리로 사람을 가르쳐 착한 마음을 가지게 함. ㊊교도(教導).

교:황 教皇 | 종교 교, 임금 황 [Pope]
가톨릭 가톨릭교회(教會)의 우두머리[皇]인 로마 대주교.

교:회 教會 | 종교 교, 모일 회 [Church]
기독교 그리스도교(教)를 믿고 따르는 신자들의 모임[會]이나 공동체. 또는 그 장소. ¶그녀는 일요일마다 교회에 간다. ㊊성당(聖堂).

교:훈 教訓 | 가르칠 교, 가르칠 훈 [teaching; instruction]
앞으로의 행동이나 생활에 지침이 될 만한 가르침[教=訓]. ¶실패는 그에게 교훈이 되었다.

• 역순어휘

구:교 舊教 | 옛 구, 종교 교 [(Roman) Catholicism]
종교 종교개혁으로 출현한 신교(新教)에 상대하여[舊] 로마 가톨릭교(教)와 동방정교회를 이르는 말. ㊥신교(新教).

국교 國教 | 나라 국, 종교 교 [state religion]
국가(國家)에서 법으로 정하여 온 국민이 믿도록 하는 종교(宗教).

도:교 道教 | 길 도, 종교 교 [Taoism]
종교 우주 본체는 도(道)와 덕(德)으로 이루어져 있다고 주장하는 종교(宗教).

무교 無教 | 없을 무, 종교 교
믿는 종교(宗教)가 없음[無]. ¶무교였던 그가 갑자기 종교에 미쳐버렸다.

문교 文教 | 글월 문, 가르칠 교
❶속뜻 문화(文化)와 교육(教育)을 아울러 이르는 말. ❷문화에 대한 교육.

불교 佛教 | 부처 불, 종교 교 [Buddhism]
❶속뜻 부처[佛]를 믿는 종교(宗教). ❷종교 기원전 6세기경 인도의 석가모니가 창시한 후 동양 여러 나라에 전파된 종교. 이 세상의 고통과 번뇌를 벗어나 그로부터 해탈하여 부처가 되는 것을 궁극적인 이상으로 삼는다.

선교 宣教 | 알릴 선, 가르칠 교 [evangelize; propagandize]
종교 종교(宗教)를 전하여 널리 알림[宣]. ¶그는 선교 활동에 몸을 바쳤다. ㊊포교(布教).

설교 說教 | 말씀 설, 종교 교 [preach; lecture]
❶속뜻 종교상의 교리(教理)를 널리 설명(說明)함. 또는 그 설명. ¶목사가 설교하다. ❷남에게 무엇을 설득시키려고 여러 말로 타일러 가르침. 또는 그 가르침. ¶선생님께 설교를 들었다.

순교 殉教 | 목숨 바칠 순, 종교 교 [martyrize oneself]
종교 자기가 믿는 종교(宗教)를 위하여 목숨을 바침[殉]. ¶그는 외국에서 선교 활동을 하다 순교했다.

유교 儒教 | 유학 유, 종교 교 [Confucianism]
유학(儒學)을 종교(宗教)의 관점에서 이르는 말. 삼강오륜을 덕목으로 하며 사서삼경을 경전으로 한다. ¶유교 문화권 / 조선 시대에는 유교를 국가의 통치 이념으로 삼았다.

조:교 助教 | 도울 조, 가르칠 교 [assistant instructor]
❶교육 대학 교수(教授)를 돕는[助] 직위. 또는 그 직위에 있는 사람. ¶보고서는 조교에게 제출하세요. ❷군사 군사 교육·훈련을 할 때에 교관을 도와 교재 관리, 시범 훈련, 피교육자 인솔 따위를 맡아보는 사병. ¶훈련에 앞서 숙달된 조교가 시범을 보이겠다.

종교 宗教 | 근원 종, 가르칠 교 [religion]
신이나 초자연적인 절대자 또는 힘에 대한 믿음을 통하여 삶의 근원[宗] 문제를 가르치는[教] 문화 체계. ¶당신이 믿는 종교는 무엇입니까?

주교 主教 | 주될 주, 종교 교 [bishop]
❶속뜻 주장(主張)으로 삼는 종교(宗教). ❷가톨릭 교구를 관할하는 조직이나, 그 직에 있는 사람을 이르는 말.

태교 胎教 | 태아 태, 가르칠 교 [prenatal care]
뱃속의 태아(胎兒)에 대한 가르침[教]. 임신부가 마음을 바르게 하고 언행을 삼가 태아를 가르치는 일을 이른다. ¶클래식 음악으로 태교를 한다.

포:교 布教 | 펼 포, 종교 교

[evangelize; propagandize]
종교(宗教)를 널리 폄[布]. ¶포교 활동을 펼치다. ㊥선교(宣教).

회교 回教 | 돌 회, 종교 교 [Islam]
[종교] 회족(回族)이 전래한 종교(宗教). 610년에 아라비아의 예언자 마호메트가 완성시켰다. ㊥이슬람 교.

0044 [실]

室

집 실
㊕ 宀부 ㊗ 9획 ㊥ 室 [shì]

室室室室室室室室室

室자는 '집 면'(宀)과 '이를 지'(至), 두 가지 표의요소가 조합된 것이다. 바깥에 있다가 집에 이르면(도착하면) 반드시 들어가게 마련인 곳이 '방'(a room)이라 생각했던 것 같다. 그러한 착상이 참으로 기발하다. '집'(house)을 뜻하기도 한다.
[속뜻 훈음] ①방 실, ②집 실.

실내 室內 | 방 실, 안 내 [indoors]
방[室] 안[內]. 집안. ¶실내 공기가 너무 탁하다. ㊊노천(露天), 실외(室外).

실외 室外 | 방 실, 밖 외 [outdoor]
방[室] 밖[外]. 바깥. ¶이 호텔에는 실외 수영장이 있다. ㊊실내(室內).

• 역순어휘

객실 客室 | 손 객, 방 실 [guest room]
❶[속뜻] 손님[客]을 위하여 마련한 방[室]. ❷여관, 선박, 열차 따위에서 손님이 드는 방. ¶객실을 예약하다. ㊥응접실(應接室).

거실 居室 | 살 거, 방 실 [living room]
온 가족이 살며[居] 공동으로 사용하는 방[室].

교:실 教室 | 가르칠 교, 방 실 [classroom]
교육(教育)이 이루어지는 방[室]. ¶웃음소리가 교실에서 흘러나오다. ㊥강의실(講義室).

밀실 密室 | 몰래 밀, 방 실 [secret room]
아무나 함부로 드나들지 못하게 하고 비밀(秘密)스럽게 쓰는 방[室].

별실 別室 | 다를 별, 방 실
[special room; separate room]
딴[別] 방[室]. 특별히 따로 마련된 방. ¶손님을 별실로 모셨다.

병:실 病室 | 병 병, 방 실 [sickroom]
병원(病院)에서 환자가 있는 방[室]. ¶병실 내에서는 금연이다.

산:실 產室 | 낳을 산, 방 실
[lying in room; delivery room]
❶[속뜻] 아이를 낳는[產] 방[室]. ❷어떤 일을 꾸미거나 이루어 내는 곳. 또는 그 바탕. ¶그리스는 서양 문명의 산실이다. ㊥산방(產房), 분만실(分娩室), 산지(產地).

석실 石室 | 돌 석, 방 실 [stone chamber]
[고적] 돌[石]로 만들어 주검을 안치한 방[室]. ¶고분의 석실.

선실 船室 | 배 선, 방 실 [(ship's) cabin]
승객이 쓰도록 된 배[船] 안의 방[室]. ¶선실을 예약하다.

암:실 暗室 | 어두울 암, 방 실
[(photo) darkroom]
빛이 들어오지 않는 어두운[暗] 방[室]. 주로 물리, 화학, 생물학의 실험과 사진 현상 따위에 사용한다.

온실 溫室 | 따뜻할 온, 방 실 [hothouse]
❶[속뜻] 난방 장치를 한 따뜻한[溫] 방[室]. ❷광선, 온도, 습도 따위를 조절하여 각종 식물의 재배를 자유롭게 하는 구조물. ¶온실에 화초를 기르다.

왕실 王室 | 임금 왕, 집 실 [royal family]
임금[王]의 집안[室].

욕실 浴室 | 목욕할 욕, 방 실 [bathroom]
목욕(沐浴)하기 위해 시설을 갖추어 놓은 방[室]. '목욕실'의 준말. ¶욕실 청소.

침:실 寢室 | 잠잘 침, 방 실 [bedroom]
잠을 잘 수 있게[寢] 마련된 방[室]. ¶침실을 아기자기하게 잘 꾸몄다.

퇴:실 退室 | 물러날 퇴, 방 실
[leave the room; get out of the room]
방[室]에서 나감[退]. ¶투숙객은 12시까지 퇴실해 주십시오.

특실 特室 | 특별할 특, 방 실
[special chamber]
일반실과 특별(特別)히 다른 방[室]. '특등실'(特等室)의 준말. ¶특실에 묵었다.

화:실 畫室 | 그림 화, 방 실
[artist's studio; atelier]
그림[畫] 따위의 예술품을 만드는 방[室]. ¶빈 교실을 화실로 이용하다.

황실 皇室 | 임금 황, 집 실
[Imperial Household]
황제(皇帝)의 집안[室].

0045 [학]

學

배울 학

㊀ 子부 ㊁ 16획 ㊥ 学 [xué]

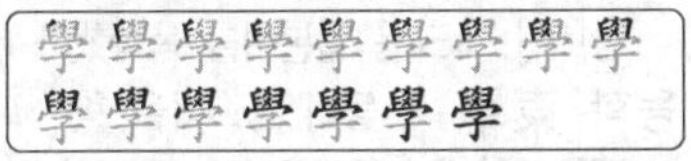

學자가 원래는 '아이 자'(子)가 없었다. 새끼를 꼬아 지붕을 얽는 모습을 그린 것이라 한다. 후에 아이들도 그 일을 배워야 했기 때문에 '子'가 첨가되었다고 한다. 새끼 꼬기만 배워도 됐을 때가 그리운 사람도 많을 듯. 요즘도 '배우다'(learn)는 본뜻으로 널리 쓰이고 있다.

학과 學科 | 배울 학, 분과 과 [department]
❶ 속뜻 학문(學問)을 내용에 따라 나눈 분과(分科). ❷ 교육 교수 또는 연구의 편의를 위하여 구분한 학술의 분과. ¶국문학과 / 학과를 신중하게 선택하다.

학교 學校 | 배울 학, 가르칠 교 [school]
❶ 속뜻 학생(學生)들을 모아 놓고 가르치는[校] 곳. ❷ 교육 교육이나 학습에 필요한 설비를 갖추고 학생을 모아 일정한 교육 목적 아래 교수와 학습이 진행되는 기관. ¶초등학교 / 음악학교 / 학교에 다니다.

학군 學群 | 배울 학, 무리 군 [school group]
교육 지역별로 나누어 놓은 중학교(中學校)나 고등학교(高等學校)의 무리[群].

학급 學級 | 배울 학, 등급 급 [class]
교육 한 교실에서 공부하는 학생(學生)의 단위 집단[級]. ¶학생들을 열 학급으로 나누다 / 특수 학급 / 학급 대표.

학기 學期 | 배울 학, 때 기 [school term]
교육 한 학년(學年)의 수업 기간(期間)을 나눈 구분. ¶4학년 2학기.

학년 學年 | 배울 학, 해 년 [grade]
❶ 속뜻 한 해[年]를 단위로 한 학습(學習) 기간의 구분. ❷ 교육 한 해의 학습을 단위로 하여 진급하는 학교의 단계. ¶윤희는 초등학교 3학년이다.

학당 學堂 | 배울 학, 집 당 [school]
❶ 속뜻 학문을 배우는[學] 집[堂]. ❷지난 날, 지금의 학교와 같은 교육기관을 이르던 말. ¶배재학당.

학도 學徒 | 배울 학, 무리 도 [students]
❶ 속뜻 학문(學問)을 배우는[學] 무리[徒]. ❷'학생'(學生)의 이전 말.

학력[1] 學力 | 배울 학, 힘 력 [attainments in scholarship]
배움[學]을 통하여 얻은 지식이나 기술 따위의 능력(能力). ¶두 학생의 학력 수준은 비슷하다.

학력[2] 學歷 | 배울 학, 지낼 력 [one's academic career]
학교(學校)를 다닌 경력(經歷). 고졸(高卒), 대졸(大卒) 따위. ¶최종 학력 / 사람을 학력으로 평가해서는 안 된다.

학문 學問 | 배울 학, 물을 문 [learn]
❶ 속뜻 배우고[學] 물어서[問] 익힘. ❷어떤 분야를 체계적으로 배워서 익힘. 또는 그런 지식. ¶학문을 닦다 / 학문에 힘쓰다.

학번 學番 | 배울 학, 차례 번
주로 대학교나 대학원에서, 학교 행정상의 필요에 의하여 학생(學生)에게 부여한 고유 번호(番號). ¶학번 순서대로 들어갔다.

학벌 學閥 | 배울 학, 무리 벌 [academic clique]
❶ 속뜻 같은 학교(學校)의 출신자나 같은 학파의 학자로 이루어진 파벌(派閥). ❷학문을 닦아서 얻게 된 사회적 지위나 신분. 또는 출신 학교의 사회적 지위나 등급. ¶학벌이 좋다 / 학벌보다는 실력을 중시한다. ⓑ학파(學派).

학사 學士 | 배울 학, 선비 사 [bachelor]
❶ 속뜻 학술(學術)을 많이 익힌 사람[士]. ❷ 교육 4년제 대학의 학부와 사관학교의 졸업자에게 주는 학위. ¶학사 학위.

학생 學生 | 배울 학, 사람 생 [student]
❶ 속뜻 배우는[學] 사람[生]. ❷학교에 다니면서 공부하는 사람. ¶초등학생.

학술 學術 | 배울 학, 꾀 술 [art and science]
학문(學問)과 기술(技術) 또는 예술(藝術). ¶학술 강연 / 학술 용어.

학습 學習 | 배울 학, 익힐 습 [study]
배우고[學] 익힘[習]. ¶학습 태도가 좋다 / 외국어를 학습하다.

학식 學識 | 배울 학, 알 식 [scholarship]
배워서[學] 아는[識] 지식. 또는 전문적 지식. ¶학식이 높은 사람.

학업 學業 | 배울 학, 일 업 [one's schoolwork]
배우는[學] 일[業]. ¶학업을 부지런히 하다.

학예 學藝 | 배울 학, 재주 예 [art and science]
배워서[學] 익힌 재주[藝].

학우 學友 | 배울 학, 벗 우 [schoolmate]
같이 배우는[學] 벗[友]. ¶학우 여러분!

학원 學院 | 배울 학, 집 원 [educational institute]
❶ 속뜻 배우는[學] 집[院]. ❷ 교육 학교 설립 조건을 갖추지 못한 사립 교육 기관. ¶미술 학원.

학위 學位 | 배울 학, 자리 위 [academic degree]
❶ 속뜻 학문(學問) 연구로 얻은 지위(地位). ❷ 교육 박사,

석사, 학사처럼 일정한 학업 과정을 마친 사람에게 주는 칭호. ¶석사 학위 / 박사 학위.

학자 學者 | 배울 학, 사람 자 [scholar]
학문(學問)을 연구하는 사람[者]. 학문이 뛰어난 사람. ¶세계적으로 유명한 학자가 되겠다.

학창 學窓 | 배울 학, 창문 창 [school]
❶속뜻 학교(學校) 교실의 창문(窓門). ❷'공부하는 교실이나 학교'를 이르는 말. ¶학창 시절.

학칙 學則 | 배울 학, 법 칙 [school regulations]
학교(學校)에 관련된 규칙(規則). 교육 과정, 운영에 관한 규칙. ¶학칙을 어기다.

학회 學會 | 배울 학, 모일 회 [scientific society]
같은 학문(學問)을 연구하는 사람들로 조직된 모임[會]. ¶한국어 학회에 참석하다.

• 역순어휘 •

개학 開學 | 열 개, 배울 학 [begin school]
학교에서 방학, 휴교 따위로 한동안 쉬었다가 배움[學]을 다시 시작함[開]. ¶2월 3일에 개학한다. ⓑ방학(放學).

견:학 見學 | 볼 견, 배울 학 [study and observe]
실제로 보고[見] 배움[學]. ¶공장을 견학하다.

경학 經學 | 책 경, 배울 학
[(the study of) Chinese classics]
❶속뜻 경서(經書)를 연구하는 학문(學問). ❷유교(儒教)의 정통 학문.

고학 苦學 | 괴로울 고, 배울 학
[study under adversity]
괴롭게[苦] 학비를 스스로 벌어서 배움[學]. ¶그는 고학으로 대학을 졸업했다.

공학 工學 | 장인 공, 배울 학 [engineering]
공업 공업(工業) 생산 기술을 연구하는 학문(學問).

과학 科學 | 조목 과, 배울 학 [science]
보편적인 진리나 법칙의 발견을 목적으로 조목조목[科] 체계적으로 연구하는 학문(學問). 넓게는 학문 전체를 이르고, 좁게는 자연과학만을 가리킨다.

국학 國學 | 나라 국, 배울 학
[study (of) the national literature]
❶속뜻 나라[國]의 전통 학문(學問). ❷역사 신라, 고려, 조선 때에 국가 최고의 교육기관. ⓑ양학(洋學).

대:학 大學 | 큰 대, 배울 학 [university; college]
❶속뜻 큰[大] 학문(學問). 고차원의 학문. ❷교육 고등 교육의 중심을 이루는 기관으로 학문의 이론이나 응용을 연구하고 가르치는 학교. ¶나는 내년에 대학 입시에 응시한다.

독학 獨學 | 홀로 독, 배울 학 [study by oneself]
스승이 없거나 학교에 다니지 아니하고 혼자서[獨] 공부함[學]. ¶그는 일본어를 독학했다.

동학 東學 | 동녘 동, 배울 학
역사 서양에서 들어온 종교에 대항해 19세기 중엽에 최제우(崔濟愚)가 세운 우리나라[大東] 우리 민족의 순수 종교[學]. ⓗ제우교(濟愚教).

문학 文學 | 글월 문, 배울 학 [literature]
❶속뜻 글[文]에 관한 학문(學問). ❷사상이나 감정을 언어로 표현한 예술. 또는 그런 작품. 시, 소설, 희곡, 수필, 평론 따위. ¶문학 작품을 읽다 / 사실주의 문학.

방:학 放學 | 놓을 방, 배울 학
[school holidays; vacation]
❶속뜻 공부하던[學] 손길을 놓음[放]. ❷교육 학교에서 한더위나 한추위 때, 다음 학기 초까지 일정 기간 수업을 쉬는 일. ¶겨울 방학 / 내일 방학이 시작된다.

복학 復學 | 돌아올 복, 배울 학 [return to school]
정학이나 휴학을 하고 있던 학생이 다시 학교(學校)로 돌아감[復]. ¶다음 학기에 복학할 예정이다. ⓗ복교(復校).

사:학¹ 史學 | 역사 사, 배울 학
[historical science; history]
역사(歷史)를 다루는 학문(學問).

사학² 私學 | 사사로울 사, 배울 학
[private school]
교육 개인[私]이 설립한 교육기관[學]. ¶구한말에는 민족 사학이 많이 설립되었다. ⓗ사립학교(私立學校). ⓑ관학(官學).

서학 西學 | 서녘 서, 배울 학 [Western Learning]
❶속뜻 서양(西洋)의 학문(學問). ❷역사 조선 시대, 천주교를 이르던 말.

석학 碩學 | 클 석, 배울 학 [distinguished scholar]
연구 업적이 많은[碩] 학자(學者). ¶세계의 석학이 모여 포럼을 열었다.

소:학 小學 | 작을 소, 배울 학
[elementary school]
❶속뜻 나이가 적을[小] 때 익혀야 할 공부[學]. ❷책명 중국 송나라 때 유자징(劉子澄)이 주자(朱子)의 지도를 받아서 편찬한 초학자용(初學者用) 교양서. ❸교육 '초등학교'의 전 용어.

수학¹ 修學 | 닦을 수, 배울 학
[study; learn; pursue knowledge]
학업(學業)을 닦음[修]. 배움.

수:학² 數學 | 셀 수, 배울 학 [mathematics]
수학 수량(數量) 및 도형의 성질이나 관계를 연구하는

학문(學問). 산수, 대수학, 기하학, 미분학, 적분학 따위 학문을 통틀어 이른다.

실학 實學 | 실제 실, 배울 학 [practical science]
❶[속뜻] 실생활(實生活)에 도움이 되는 학문(學問). ❷[역사] 17세기 후반 조선에서 실생활의 향상을 목적으로 융성했던 학문. 종전의 유학에서 벗어나 실사구시와 이용후생을 주장했다.

악학 樂學 | 음악 악, 배울 학 [musicology]
❶[속뜻] 음악(音樂)에 관한 학문(學問). ❷[역사] 조선 시대에 악공들을 뽑아 훈련하던 관아.

야:학 夜學 | 밤 야, 배울 학 [evening class]
❶[속뜻] 밤[夜]에 공부함[學]. ❷[교육] '야간학교'(夜間學校)의 준말. ¶그는 야학을 다니며 공부했다.

어:학 語學 | 말씀 어, 배울 학
[language study; philology]
[언어] ❶언어(言語)를 연구하는 학문(學問). ❷외국어를 연구하거나 습득하기 위한 학문. 또는 그런 학과(學科). ¶그 아이는 어학에 재능이 있다.

역학 力學 | 힘 력, 배울 학 [dynamics]
❶[속뜻] 힘써[力] 배움[學]. ❷[물리] 물체 사이에 작용하는 힘과 운동에 관한 법칙을 연구하는 학문. 물리학의 한 분야로 정역학, 동역학, 운동학이 있다.

유학[1] 留學 | 머무를 류, 배울 학 [study abroad]
외지나 외국에 머물며[留] 공부함[學]. ¶해외 유학을 떠나다 / 그는 영국에서 3년간 유학했다.

유학[2] 儒學 | 선비 유, 배울 학 [Confucianism]
❶[속뜻] 선비[儒]들이 공부하던 학문(學問). ❷공자의 사상을 근본으로 하고 사서오경(四書五經)을 경전으로 삼아 정치·도덕의 실천을 중심 과제로 하는 학문. ¶조선 시대에는 유학을 숭상하였다.

의학 醫學 | 치료할 의, 배울 학
[medical science; medicine]
병을 치료하는[醫] 기술을 연구하는 학문(學問). ¶의학의 발달로 평균수명이 점점 길어지고 있다.

입학 入學 | 들 입, 배울 학 [enter a school]
학교(學校)에 들어가[入] 학생이 됨. ¶입학 원서 / 동생은 올해 초등학교에 입학했다. [반] 졸업(卒業).

장:학 奬學 | 장려할 장, 배울 학
[encourage of learning]
학문(學問)을 장려(奬勵)함. 또는 그 일.

재:학 在學 | 있을 재, 배울 학 [be in school]
학교에 학적(學籍)이 있음[在]. ¶우리 언니는 초등학교 5학년에 재학 중이다.

전:학 轉學 | 옮길 전, 배울 학
[change of schools]
다니던 학교에서 다른 학교로 학적(學籍)을 옮김[轉]. ¶그는 서울에서 전학해 왔다.

정학 停學 | 멈출 정, 배울 학
[suspension from school]
❶[속뜻] 학업(學業)을 멈춤[停]. ❷[교육] 학생이 학교의 규칙을 어겼을 때 등교를 정지하는 일.

중학 中學 | 가운데 중, 배울 학
[교육] '중학교'(中學校)의 준말.

진:학 進學 | 나아갈 진, 배울 학
[go on to the next stage of education]
❶[속뜻] 학문의 길에 나아가[進] 배움[學]. ❷상급 학교에 올라감. ¶명수는 올해 대학에 진학했다.

철학 哲學 | 밝을 철, 배울 학
[philosophy; world view]
❶[속뜻] 인간과 삶의 원리와 본질 따위를 밝히는[哲] 학문(學問). ¶동양 철학을 공부하다. ❷투철한 인생관이나 가치관. ¶나에게는 나대로의 철학이 있다.

취:학 就學 | 나아갈 취, 배울 학 [enter a school]
스승에게 나아가[就] 학문을 배움[學]. 학교에 입학하여 공부함. ¶유치원은 아동들에게 취학 준비를 시켜 주는 기능을 한다.

태학 太學 | 클 태, 배울 학
❶[속뜻] 큰[太] 학문(學問). 또는 한 나라에서 최고 수준의 학교(學校). [역사] ❷고구려의 국립 교육기관. ❸고려 때 국자감(國子監)의 한 분과. ❹조선의 성균관(成均館).

통학 通學 | 다닐 통, 배울 학 [go to school]
학교(學校)에 다님[通]. ¶나는 매일 버스로 통학한다.

퇴:학 退學 | 물러날 퇴, 배울 학
[leave school; withdraw from school]
졸업 전에 학생이 다니던 학교(學校)를 물러나[退] 그만 둠. ¶학생 두 명이 물건을 훔쳐서 퇴학을 당했다.

한:학 漢學 | 한나라 한, 배울 학
[Chinese classics]
❶[속뜻] 한(漢)나라의 학문(學問). ❷한문을 연구하는 학문. '한문학'(漢文學)의 준말.

화:학 化學 | 될 화, 배울 학 [chemistry]
❶[속뜻] 물질이 바뀌어 다른 것이 되는[化] 것을 연구하는 학문(學問). ❷[화학] 물질의 조성과 구조, 성질과 작용 및 변화, 제법과 응용 따위를 연구하는 자연과학의 한 부문. ¶화학 실험.

휴학 休學 | 쉴 휴, 배울 학
[take time off from school]
[교육] 학생이 병이나 사고 따위로 말미암아 일정한 기간 학업(學業)을 쉼[休]. ¶혁진이는 군대에 가기 위해 휴

학했다.

0046 [교]

校 학교 교:
[部] 木부 [劃] 10획 [中] 校 [xiào]
校校校校校校校校校校

校자는 '나무 목'(木)이 표의요소이고, 交(사귈 교)는 표음요소다. 일찍이 맹자(孟子)는 이 글자를 '가르치다'(teach; educate)는 뜻이라 풀이하였다(校者, 教也 - 〈滕文公〉편上). '고치다'(correct)는 뜻으로도 쓰이며 '학교'(school) 또는 이와 의미상 연관이 있는 낱말의 한 구성요소로도 많이 쓰인다.

[속뜻훈음] ①학교 교, ②고칠 교, ③가르칠 교.

교:가 校歌 | 학교 교, 노래 가 [school song]
학교(學校)를 상징하는 노래[歌].

교:감 校監 | 학교 교, 볼 감 [vice-principal]
[교육] 학교장을 도와서 학교(學校)를 관리하거나 감독(監督)하는 일을 수행하는 직책. 또는 그런 사람.

교:내 校內 | 학교 교, 안 내
[school grounds; campus]
학교(學校)의 안[內]. ¶교내 방송 / 교내 체육 대회. [반]교외(校外).

교:문 校門 | 학교 교, 대문 문 [school gate]
학교(學校)의 문(門). ¶교문을 꽃으로 장식하다.

교:복 校服 | 학교 교, 옷 복 [school uniform]
학교(學校)에서 학생들이 입도록 정한 제복(制服). ¶토요일은 교복을 입지 않는다.

교:사 校舍 | 학교 교, 집 사 [school building]
학교(學校)의 건물[舍]. ¶신축 교사.

교:열 校閱 | 고칠 교, 훑어볼 열 [revise]
원고의 내용 가운데 잘못된 것을 바로잡아 고치며[校] 훑어봄[閱].

교:외 校外 | 학교 교, 밖 외
[outside (the) school; out of school]
학교(學校)의 밖[外]. ¶교외에서도 교복을 입어야 한다. [반]교내(校內).

교:장 校長 | 학교 교, 어른 장 [principal]
[교육] 대학이나 학원을 제외한 각 급 학교(學校)의 으뜸 직위[長]. 또는 그 직위에 있는 사람. ¶초등학교 교장.

교:정¹ 校正 | 고칠 교, 바를 정 [proofread]
[출판] 교정쇄와 원고를 대조하여 다른 곳을 고쳐[校] 바르게[正] 함. ¶원고를 교정하다.

교:정² 校庭 | 학교 교, 뜰 정 [schoolyard]
학교(學校)의 마당[庭]이나 운동장. ¶학생들이 교정에서 뛰어놀고 있다.

교:지 校誌 | 학교 교, 기록할 지 [school paper]
한 학교(學校)의 학생들이 편집·발행하는 잡지(雜誌).

교:칙 校則 | 학교 교, 법 칙 [school regulations]
학교(學校)의 규칙(規則). ¶교칙을 준수하다. [비]학칙(學則).

교:훈 校訓 | 학교 교, 가르칠 훈
[school precepts]
[교육] 학교(學校)에서 가르치고자[訓] 하는 이념이나 목표를 간명하게 나타낸 표어. ¶우리 학교의 교훈은 성실이다.

• 역순어휘

개교 開校 | 열 개, 학교 교 [open a school]
새로 학교(學校)를 세워 교육 업무를 시작함[開]. ¶그 학교는 3월에 개교한다. [반]폐교(廢校), 폐교(閉校).

고교 高校 | 높을 고, 학교 교 [high school]
'고등학교'(高等學校)의 준말.

등교 登校 | 오를 등, 학교 교 [go to school]
학생이 수업을 받으러 학교(學校)에 감[登]. ¶나는 걸어서 등교한다. [반]하교(下校).

모:교 母校 | 어머니 모, 학교 교
[one's old school]
❶[속뜻] 자기를 낳아 길러준 어머니[母] 같은 학교(學校). ❷자기가 다니거나 졸업한 학교.

본교 本校 | 뿌리 본, 학교 교 [principal school]
❶[속뜻] 본래(本來)부터 있는 학교(學校). ❷근간이 되는 학교를 분교에 상대하여 이르는 말. ❸말하는 이가 공식적인 자리에서 자기 학교를 이르는 말. ¶본교의 역사는 600년이 넘었습니다.

분교 分校 | 나눌 분, 학교 교 [branch school]
[교육] 본교와 떨어진 다른 지역에 따로[分] 세운 학교(學校). [반]본교(本校).

양:교 兩校 | 두 량, 학교 교
두[兩] 학교(學校). ¶양교 선수들이 입장하였다.

입교 入校 | 들 입, 학교 교
[entrance into a school]
학교(學校)에 정식으로 들어감[入]. [비]입학(入學). [반]퇴교(退校).

전교 全校 | 모두 전, 학교 교 [whole school]
한 학교(學校)의 전체(全體). ¶전교 학생회장.

폐:교 廢校 | 그만둘 폐, 학교 교 [close a school]
학교(學校)의 운영을 그만두어[廢] 문을 닫음. 또는 그

렇게 된 학교 ¶학생 수가 줄어들자 이 초등학교는 폐교 되었다. [반]개교(開校).

하:교 下校 | 아래 하, 학교 교 [come home from school]
학생이 학교(學校)에서 공부를 마치고[下] 돌아옴. ¶하교 시간 / 하교 버스. [반]등교(登校).

학교 學校 | 배울 학, 가르칠 교 [school]
❶[속뜻] 학생(學生)들을 모아 놓고 가르치는[校] 곳. ❷[교육] 교육이나 학습에 필요한 설비를 갖추고 학생을 모아 일정한 교육 목적 아래 교수와 학습이 진행되는 기관. ¶초등학교 / 음악학교 / 학교에 다니다.

향교 鄕校 | 시골 향, 학교 교
[역사] 왕조 때, 시골[鄕]에 두었던 문묘와 그에 딸린 관립 학교(學校).

휴교 休校 | 쉴 휴, 학교 교 [close school temporarily]
학교(學校)에서 수업과 업무를 한동안 쉼[休]. 또는 그 일. ¶우리 학교는 폭우로 임시 휴교에 들어갔다.

0047 [한]

韓

한국/나라 한:
[部] 韋부 [劃] 17획 [中] 韩 [hán]

韓자가 본래는 '우물 난간'(a well' parapet)을 뜻하기 위해서 '에워싸다'라는 뜻인 韋(위)가 표의요소로 쓰였고, 그 나머지가 표음요소임은 翰(날개 한)자의 경우도 마찬가지다. '나라이름'(old nation'name) 또는 '한국'(Korea)를 약칭하는 것으로 많이 쓰인다.

한:국 韓國 | 한국 한, 나라 국 [Korea]
[지리] '대한민국'(大韓民國)의 준말. 아시아 대륙 동쪽에 있는 한반도와 그 부속 도서(島嶼)로 이루어진 공화국이다. ¶한국의 수도는 서울이다.

한:말 韓末 | 나라이름 한, 끝 말
대한(大韓)제국의 마지막[末] 시기. ¶한말에는 구국(救國) 운동이 일어났다.

한:미 韓美 | 한국 한, 미국 미 [Korea and America]
한국(韓國)과 미국(美國)을 아울러 이르는 말. ¶한미 연합군.

한:방 韓方 | 한국 한, 방법 방 [traditional Oriental medicine]
[한의] 중국에서 전해져 우리나라[韓]에서 발달한 의술[方]. ¶한방으로 치료하다.

한:식¹ 韓式 | 한국 한, 꼴 식 [Korean style]
한국(韓國) 고유의 양식(樣式)이나 격식(格式). ¶한식으로 지은 집을 한옥이라 한다.

한:식² 韓食 | 한국 한, 밥 식 [Korean style food]
한국(韓國) 고유의 음식(飮食). ¶나는 양식보다 한식을 좋아한다. [비]한국 요리(韓國料理). [반]양식(洋食).

한:약 韓藥 | 한국 한, 약 약 [herbal medicine]
[한의] 한방(韓方)에서 쓰는 약(藥). '한방약'의 준말. ¶한약을 달이다 / 한약 한 제를 지어 먹다. [반]양약(洋藥).

한:옥 韓屋 | 한국 한, 집 옥 [traditional Korean style house]
전통 한식(韓式)으로 지은 집[屋]. [반]양옥(洋屋).

한:우 韓牛 | 한국 한, 소 우 [Korean beef cattle]
[동물] 한국(韓國) 토종 소[牛]. 체질이 강하고 성질이 온순하며 고기 맛이 좋다.

한:인 韓人 | 한국 한, 사람 인 [Korean]
외국에 나가 살고 있는 한국(韓國) 사람[人]. ¶한인 학교.

한:일 韓日 | 한국 한, 일본 일 [Korea and Japan]
한국(韓國)과 일본(日本). ¶한일 친선 경기.

한:중 韓中 | 한국 한, 중국 중 [Korea and China]
한국(韓國)과 중국(中國). ¶한중 수교 30주년.

한:지 韓紙 | 한국 한, 종이 지
❶[속뜻] 한국(韓國)의 종이[紙]. ❷닥나무 따위를 이용해 한국 전통 제조법으로 만든 종이. 창호지 따위. ¶한지 공예.

• 역순어휘

남한 南韓 | 남녘 남, 한국 한 [South Korea]
국토가 분단된 후 한반도 38선 이남(以南)의 한국(韓國). [반]북한(北韓).

내:한 來韓 | 올 래, 한국 한 [visit Korea]
외국인이 한국(韓國)에 옴[來]. ¶내한 공연을 열다.

대:한 大韓 | 큰 대, 나라이름 한 [Korea]
❶[지리] 대한민국(大韓民國). ❷[역사] 대한제국(大韓帝國).

변:한 弁韓 | 고깔 변, 나라이름 한
[역사] 삼한(三韓)의 하나. 한반도의 남쪽에 위치한 십 여개의 군장(君長)국가로 이루어진 나라로 뒤에 신라에 병합되었다. 변(弁)자가 들어간 것은 당시 고유어의 음역(音譯)으로 추정된다.

북한 北韓 | 북녘 북, 나라 한 [Democratic Peoples Republic of Korea]
남북으로 분단된 대한민국의 휴전선 북(北)쪽 지역의 우리나라[韓]를 가리키는 말.

삼한 三韓 | 석 삼, 나라이름 한
❶속뜻 세[三] 개의 한(韓) 나라. ❷역사 상고 시대, 우리 나라 남부에 존재했던 세 군장(君長) 국가. 곧 마한(馬韓), 진한(辰韓), 변한(弁韓)을 이른다.

주:한 駐韓 | 머무를 주, 한국 한
[stationed in Korea]
한국(韓國)에 주재(駐在)함. ¶주한 유엔군사령부.

0048 [국]

國
나라 국
㊀ 口부 ㊀ 11획 ㊥ 国 [guó]
國 國 國 國 國 國 國 國 國 國

國자가 처음에는 '或'으로 쓰이다가 나중에 '경계'를 의미하는 '에운담 구'(口)가 보태졌다. 或의 口는 '국경', 一은 '땅', 戈는 '방위수단'을 각각 상징하는 것이라 한다. 或(혹, #0834)이 '또는'(or)이라는 말로 쓰이는 예가 많아지자 國자를 따로 만들어냈다.

국가¹ 國家 | 나라 국, 집 가 [country; nation]
일정한 영토[國]와 거기에 사는 사람들로 구성되고 주권에 의한 하나의 통치 조직을 가지고 있는 사회 집단[家]. 국민·영토·주권의 3요소를 필요로 한다.

국가² 國歌 | 나라 국, 노래 가 [national anthem]
나라[國]를 상징하는 노래[歌]. 그 나라의 이상이나 영예를 나타내며, 주로 식전(式典)에서 연주·제창한다.

국경¹ 國境 | 나라 국, 지경 경
[boundary; border of a country]
나라[國]와 나라의 영역을 가르는 경계(境界).

국경² 國慶 | 나라 국, 기쁠 경
나라[國]의 경사(慶事).

국고 國庫 | 나라 국, 곳집 고 [National Treasury]
❶역사 나라[國]의 재산인 곡식이나 돈 따위를 넣어 보관하던 창고(倉庫). ❷경제 국가의 재정적 활동에 따른 현금의 수입과 지출을 담당하기 위하여 한국은행에 설치한 예금 계정. 또는 그 예금.

국교¹ 國交 | 나라 국, 사귈 교
[national friendship]
나라[國]와 나라 사이에 맺는 외교(外交) 관계. ㊊수교(修交).

국교² 國敎 | 나라 국, 종교 교 [state religion]
국가(國家)에서 법으로 정하여 온 국민이 믿도록 하는 종교(宗敎).

국군 國軍 | 나라 국, 군사 군
[nation's armed forces]
나라 안팎의 적으로부터 나라[國]를 보존하기 위하여 조직한 군대(軍隊).

국권 國權 | 나라 국, 권력 권
[national rights; state power]
정치 국가(國家)가 행사하는 권력(權力). ¶국권을 회복하다.

국기¹ 國技 | 나라 국, 재주 기 [national sport]
나라[國]에서 전통적으로 즐겨 내려오는 대표적인 운동이나 기예(技藝). 우리나라의 태권도, 영국의 축구 따위.

국기² 國旗 | 나라 국, 깃발 기 [national flag]
일정한 형식을 통하여 한 나라[國]의 역사, 국민성, 이상 따위를 상징하도록 정한 깃발[旗]. 우리나라의 태극기, 미국의 성조기, 일본의 일장기 따위이다.

국난 國難 | 나라 국, 어려울 난 [national crisis]
나라[國]가 당면한 어려움[難]. ¶힘을 모아 국난을 극복하다.

국내 國內 | 나라 국, 안 내 [interior of a country]
나라[國]의 안[內]. ¶국내 최초로 발명하다. ㊀국외(國外).

국도 國道 | 나라 국, 길 도 [capital of a country]
교통 나라[國]에서 직접 관리하는 도로(道路). ㊀지방도로(地方道路).

국력 國力 | 나라 국, 힘 력 [national strength]
한 나라[國]가 지닌 정치, 경제, 문화, 군사 따위의 모든 방면의 힘[力]. ¶국력이 막강하다.

국론 國論 | 나라 국, 말할 론 [national opinion]
국민(國民) 또는 사회 일반의 공통된 의견[論]. ¶국론을 모으다.

국립 國立 | 나라 국, 설 립 [national; state]
❶속뜻 나라[國]에서 세움[立]. ❷국가(國家)의 돈으로 설립(設立)하여 운영함. ¶국립 도서관. ㊊공립(公立). ㊀사립(私立).

국명 國命 | 나라 국, 명할 명 [name of a country]
❶속뜻 나라[國]의 명령(命令). ¶국명을 받들다. ❷나라의 운명. ㊊국운(國運).

국모 國母 | 나라 국, 어머니 모
[Mother of the State; Empress]
임금의 아내를 나라[國]의 어머니[母]라는 뜻으로 높여 부르는 말.

국무 國務 | 나라 국, 일 무 [state affairs]
❶속뜻 나라[國]의 정무(政務). ❷나라를 맡아 다스리고 이끌어 가는 일. ㊊국정(國政).

국문 國文 | 나라 국, 글자 문

[Korean alphabet; written Korean]
❶속뜻 우리나라[國]에서 쓰는 글자[文]. 한글과 한자 그리고 일부 아라비아문자(1, 2, 3…) 등을 말한다. ❷우리나라 말로 쓴 글. ¶영문 소설을 국문으로 번역하다.

국민 國民 | 나라 국, 백성 민 [people; nation]
국가(國家)를 구성하는 사람[民]. 또는 그 나라의 국적을 가진 사람. ⓑ백성(百姓).

국방 國防 | 나라 국, 막을 방
[national defense; defense of a country]
외국의 침략에 대비 태세를 갖추고 국토(國土)를 방위(防衛)하는 일. ¶국방의 의무를 다하다.

국법 國法 | 나라 국, 법 법 [national laws]
법률 나라[國]의 법률(法律)이나 법규. ⓑ헌법(憲法).

국보 國寶 | 나라 국, 보배 보
[national treasure; asset to the nation]
❶속뜻 나라[國]의 보배[寶]. ❷나라에서 지정하여 법률로 보호하는 문화재. ¶남대문은 우리나라 국보 1호이다.

국부 國父 | 나라 국, 아버지 부
[father of one's country]
❶속뜻 나라[國]의 아버지[父]. 임금. ❷나라를 세우는 데 공로가 많아 국민에게 존경받는 위대한 지도자를 이르는 말. ⓑ국모(國母).

국비 國費 | 나라 국, 쓸 비 [national expenditure]
나라[國]의 재정으로 부담하는 비용(費用). ¶국비 유학생. ⓑ국고(國庫). ⓑ사비(私費).

국빈 國賓 | 나라 국, 손님 빈 [guest of the state]
나라[國]에서 정식으로 초대한 외국 손님[賓]. ¶중국을 국빈 자격으로 방문하다.

국사¹ 國史 | 나라 국, 역사 사 [national history]
나라[國]의 역사(歷史).

국사² 國事 | 나라 국, 일 사
[national affair; public matters]
나라[國]에 관한 일[事]. 또는 나라의 정치에 관한 일. ¶국사를 논하다.

국사³ 國師 | 나라 국, 스승 사
[Most Reverend Priest]
역사 ❶나라[國]를 통치하던 임금의 스승[師]. ❷통일신라·고려·조선 전기의 법계(法階) 가운데 가장 높은 등급. ⓑ국승(國乘).

국산 國產 | 나라 국, 낳을 산 [home production]
자기 나라[國]에서 생산(生產)함. 또는 그 물건. ¶국산 자동차가 세계 판매량 1위를 차지했다. ⓑ외국산(外國產).

국세 國稅 | 나라 국, 세금 세 [national tax]
법률 국가(國家)의 재정을 충당하기 위하여 국민에게 부과하여 거두어들이는 세금(稅金). ¶국세를 징수하다. ⓑ지방세(地方稅).

국수 國粹 | 나라 국, 순수할 수
[national characteristics]
한 나라[國]나 민족이 지닌 순수(純粹)함. 주로 고유한 정신적·물질적 우수성을 말한다. ¶국수를 보존하다.

국시 國是 | 나라 국, 옳을 시 [national policy]
❶속뜻 나라[國]를 위하여 옳다[是]고 여기는 주의나 방침. ❷국가 이념이나 정책의 기본 방침. ¶국시를 정하다.

국악 國樂 | 나라 국, 음악 악
[national classical music]
❶속뜻 나라[國]의 고유한 음악(音樂). ❷음악 서양 음악에 상대하여 우리의 전통 음악을 이르는 말. ¶국악 연주회.

국어 國語 | 나라 국, 말씀 어
[Korean language; Korean]
❶속뜻 한 나라[國]에서 정한 표준말[語]. ❷우리나라의 언어. 한국어의 준말. ⓑ외국어(外國語). 하나 더!! 國語를 [국어]로 읽으면 한국어 표준말을, [꾸어-위]로 읽으면 중국어 표준말을('普通話'라고도 함), [고꾸-고]로 읽으면 일본어 표준말을 뜻한다. 이렇듯 漢字(한:자)는 어떻게 읽느냐에 따라 국적이 정해진다.

국영 國營 | 나라 국, 꾀할 영 [state operation]
나라[國]에서 직접 관리하여 이익을 꾀함[營]. 또는 그런 방식. ¶국영 기업. ⓑ관영(官營). ⓑ사영(私營), 민영(民營).

국왕 國王 | 나라 국, 임금 왕 [king; monarch]
나라[國]의 임금[王].

국외 國外 | 나라 국, 밖 외
[outside the country; abroad; overseas]
한 나라[國]의 영토 밖[外]. ¶불법 체류자를 국외로 추방하다. ⓑ국내(國內).

국위 國威 | 나라 국, 위엄 위 [national prestige]
나라[國]의 권위(權威)나 위력(威力). ¶국위를 선양하다.

국유 國有 | 나라 국, 있을 유 [state ownership]
나라[國]의 소유(所有). 또는 그에 속한 것. ⓑ사유(私有), 민유(民有).

국익 國益 | 나라 국, 더할 익 [national interest]
나라[國]의 이익(利益). ¶국익을 증진하다. ⓑ국리(國利).

국장 國葬 | 나라 국, 장사 지낼 장
[national funeral]
나라[國]에 큰 공이 있는 사람이 죽었을 때 국비로 장례(葬禮)를 치르는 일. 또는 그 장례.

국적 國籍 | 나라 국, 문서 적
[(one's) nationality; citizenship]
❶법률 한 나라[國]의 구성원이 되는 자격[籍]. ¶미국 국적을 취득하다. ❷배나 비행기 따위가 소속되어 있는 나라. ¶중국 국적의 비행기가 추락했다.

국정¹ 國定 | 나라 국, 정할 정
[government-designated]
나라[國]에서 정(定)함. 또는 그런 것. ¶국정 교과서.

국정² 國政 | 나라 국, 정치 정
[conditions of a country]
나라[國]의 정치(政治). 국가의 행정. ¶국정에 참여하다. ㊐국무(國務), 국사(國事).

국제 國際 | 나라 국, 사이 제 [international]
❶속뜻 나라[國] 사이[際]에 관계됨. ❷여러 나라에 공통됨. ¶국제무역. ❸여러 나라가 모여서 이루거나 함. ¶국제 학술대회.

국채 國債 | 나라 국, 빚 채 [national debt]
❶속뜻 나라[國]의 빚[債]. ❷경제 국가가 재정상의 필요에 따라 국가의 신용으로 설정하는 금전상의 채무. 또는 그것을 표시하는 채권. ¶국채를 상환하다.

국책 國策 | 나라 국, 꾀 책 [national policy]
나라[國]의 정책(政策)이나 시책. ¶국책을 수립하다.

국토 國土 | 나라 국, 땅 토 [territory; realm]
나라[國]의 땅[土]. 한 나라의 통치권이 미치는 지역을 이른다. ¶국토 개발 계획.

국학 國學 | 나라 국, 배울 학
[study (of) the national literature]
❶속뜻 나라[國]의 전통 학문(學問). ❷역사 신라, 고려, 조선 때에 국가 최고의 교육기관. ㊞양학(洋學).

국호 國號 | 나라 국, 이름 호 [name of a country]
나라[國]의 이름[號]. ¶우리나라의 국호는 대한민국이다. ㊐국명(國名).

국화 國花 | 나라 국, 꽃 화 [national flower]
한 나라[國]를 상징하는 꽃[花]. 우리나라는 무궁화, 영국은 장미, 프랑스는 백합이다.

국회 國會 | 나라 국, 모일 회
[National Assembly; Congress]
❶속뜻 국민(國民)을 대표하는 사람들의 모임[會]. ❷법률 국민의 대표로 구성한 입법기관.

• **역순어휘** ———————— •

각국 各國 | 각각 각, 나라 국 [every country]
각(各) 나라[國]. ¶각국 대표가 회의에 참석하다.

강국 強國 | 강할 강, 나라 국 [strong nation]
세력이 강(強)한 나라[國]. ¶군사 강국 / 강국의 대열에 오르다. ㊐강대국(強大國). ㊞약국(弱國).

개국¹ 個國 | 낱 개, 나라 국 [country; nation]
❶속뜻 낱낱[個]의 나라[國]. ❷나라를 세는 단위. ¶10개국 선수들이 참가하였다.

개국² 開國 | 열 개, 나라 국 [found a country]
나라[國]를 처음으로 세움[開]. ¶10월 3일은 단군이 고조선을 개국한 날이다. ㊐건국(建國).

거:국 擧國 | 모두 거, 나라 국 [whole country]
온[擧] 나라[國]. 또는 국민(國民) 전체.

건:국 建國 | 세울 건, 나라 국 [found a country]
새로 나라[國]를 세움[建]. ¶건국 기념일. ㊐개국(開國). ㊞망국(亡國).

경국 經國 | 다스릴 경, 나라 국 [govern a nation]
나라[國]를 다스림[經].

고:국 故國 | 옛 고, 나라 국 [one's homeland]
❶속뜻 예전[故]에 살던 나라[國]. ❷남의 나라에 가 있는 사람의 처지에서 '자기 나라'를 이르는 말. ¶고국을 그리다. ㊐모국(母國), 본국(本國), 조국(祖國). ㊞타국(他國).

구:국 救國 | 구원할 구, 나라 국
[save one's country]
위태로운 나라[國]를 구원(救援)함. ¶구국 운동을 벌이다.

군국 軍國 | 군사 군, 나라 국 [militant nation]
❶속뜻 군대(軍隊)와 나라[國]. 혹은 군무(軍務)와 국정(國政)을 아울러 이르는 말. ❷군사를 정치의 핵심으로 삼고 있는 나라. ¶군국주의 국가.

귀:국 歸國 | 돌아갈 귀, 나라 국
[return to one's country]
외국에 나가 있던 사람이 자기 나라[國]로 돌아오거나 돌아감[歸]. ¶귀국 연주회. ㊞출국(出國).

내:국 內國 | 안 내, 나라 국 [home country]
❶속뜻 나라[國] 안[內]. ❷자기 나라를 다른 나라에 상대하여 이르는 말. ¶내국 기업. ㊐국내(國內). ㊞외국(外國).

대:국 大國 | 큰 대, 나라 국 [big nation]
큰[大] 나라[國]. ¶중국은 경제대국이다. ㊞소국(小國).

동국 東國 | 동녘 동, 나라 국 [eastern country]
중국의 동(東)쪽에 있는 나라[國]. 예전에 '우리나라'를 달리 이르던 말.

만:국 萬國 | 일만 만, 나라 국 [all nations]
많은[萬] 나라[國]. 세계의 모든 나라. 여러 나라. ㊐만방(萬邦).

망국 亡國 | 망할 망, 나라 국 [national ruin]

망(亡)한 나라[國]. ¶망국의 한(恨)을 노래하다. ㊗건국(建國).

매:국 賣國 | 팔 매, 나라 국
[betrayal of one's country]
이익을 위해 다른 나라에 자기 나라[國]를 파는[賣] 일. 또는 나라를 파는 것처럼 해를 끼치는 일.

모:국 母國 | 어머니 모, 나라 국
[mother country; homeland]
외국에 있는 사람이 자기가 태어난 나라를, 어머니[母] 같은 나라[國]라는 뜻으로 부르는 말. ㊐고국(故國), 본국(本國), 조국(祖國). ㊗이국(異國), 타국(他國).

미국 美國 | 아름다울 미, 나라 국
[(the United States of) America]
❶속뜻 '미합중국'(美合衆國)의 준말. ❷지리 북아메리카에 있는 연방 공화국.

보:국 輔國 | 도울 보, 나라 국
나라[國]의 일을 도움[輔].

본국 本國 | 뿌리 본, 나라 국 [one's own land]
본인(本人)의 국적이 있는 나라[國]. ¶밀입국자를 본국으로 강제 송환했다. ㊐고국(故國), 모국(母國), 본방(本邦).

부:국 富國 | 넉넉할 부, 나라 국 [rich country]
부유(富裕)한 나라[國]. 나라를 부유하게 만듦. ¶이라크는 중동의 석유 부국이다.

불국 佛國 | 부처 불, 나라 국
불교 부처[佛]가 사는 나라[國]. 곧 극락정토(極樂淨土)를 이른다.

삼국 三國 | 석 삼, 나라 국 [three countries]
❶속뜻 세[三] 개의 나라[國]. ¶한, 중, 일 삼국. 역사 ❷고구려(高句麗), 백제(百濟), 신라(新羅)의 세 나라. ❸중국 후한(後漢) 말에 일어난 위(魏), 촉(蜀), 오(吳)의 세 나라.

속국 屬國 | 속할 속, 나라 국 [dependency]
주권이 다른 나라에 속(屬)해 있는 나라[國]. ¶우산국은 한때 신라의 속국이었다. ㊐종속국(從屬國), 식민지(植民地).

쇄:국 鎖國 | 잠글 쇄, 나라 국 [close a country]
❶속뜻 나라[國] 문을 잠금[鎖]. ❷외국과의 교통이나 무역을 막음. ㊗개국(開國).

순국 殉國 | 목숨 바칠 순, 나라 국
[die for one's country]
나라[國]를 위하여 목숨을 바침[殉]. ¶우리 할아버지는 항일운동을 하다가 순국하셨다.

애:국 愛國 | 사랑 애, 나라 국
[patriotism; love of one's country]
자기 나라[國]를 사랑함[愛]. ¶애국 운동.

양:국 兩國 | 두 량, 나라 국 [two countries]
두[兩] 나라[國]. ¶양국의 외교 관계 / 양국의 지도자가 회담을 갖다.

영국 英國 | 꽃부리 영, 나라 국 [England]
지리 'Engl랜드'(England)의 'Eng'을 영(英)으로 음역하고, 'land'를 국(國)으로 의역한 말.

왕국 王國 | 임금 왕, 나라 국 [kingdom]
임금[王]이 다스리는 나라[國]. ¶고대 왕국.

외:국 外國 | 밖 외, 나라 국 [foreign country]
자기 나라가 아닌 다른[外] 나라[國]. ¶그는 외국에서 학교를 다녔다. ㊐이국(異國), 타국(他國). ㊗고국(故國), 모국(母國).

이:국 異國 | 다를 이, 나라 국
[alien land; strange land]
풍속 등이 다른[異] 나라[國]. ¶그는 30년간 이국을 떠돌았다. ㊐외국(外國), 타국(他國).

입국 入國 | 들 입, 나라 국 [entry into a country]
한 나라에서 다른 나라[國]로 들어감[入]. ¶입국 금지. ㊗출국(出國).

자국 自國 | 스스로 자, 나라 국
[one's native land]
자기(自己) 나라[國]. ¶양국은 자국의 이익을 위해 협상을 벌였다.

적국 敵國 | 원수 적, 나라 국 [hostile country]
적대(敵對) 관계에 있는 나라[國]. ¶그는 회담을 통해 적국의 침략을 막았다.

전국 全國 | 모두 전, 나라 국 [whole country]
한 나라[國]의 전체(全體). 온 나라. ¶전국 체육 대회.

제:국 帝國 | 임금 제, 나라 국 [empire]
황제(皇帝)가 다스리는 나라[國]. ¶로마 제국 / 훈족은 유럽 일대에 거대한 제국을 건설했다.

조국 祖國 | 조상 조, 나라 국
[one's fatherland; one's native country]
❶속뜻 조상(祖上) 때부터 대대로 살던 나라[國]. ¶조국을 위해 목숨 바쳐 싸우다. ❷자기 국적이 속하여 있는 나라.

중국 中國 | 가운데 중, 나라 국 [China]
❶속뜻 중원(中原) 지역에 있는 나라[國]. ❷지리 아시아 동부에 있는 나라. 황하(黃河)를 중심으로 고대 문명이 일어난 곳으로, 총 면적은 959만 6961㎢이다. ¶중국 베이징 올림픽.

천국 天國 | 하늘 천, 나라 국 [heaven; paradise]
❶속뜻 천상(天上)에 있는 나라[國]. 이상적인 세계. ¶보행자 천국 / 여기가 바로 지상 천국이다. ❷기독교 하느

님이 직접 다스린다는 나라. ¶부자가 천국에 들어가기는 낙타가 바늘구멍에 들어가기보다 어렵다. (비)천당(天堂), 하늘나라. (반)지옥(地獄).

출국 出國 | 날 출, 나라 국
[depart from the country; leave the country]
그 나라[國]를 떠나 외국으로 나감[出]. ¶그는 다음 주에 출국할 예정이다. (반)입국(入國).

타국 他國 | 다를 타, 나라 국 [foreign country]
자기 나라가 아닌 다른[他] 나라[國]. ¶그녀는 오랜 타국 생활로 많이 지쳤다. (비)외국(外國), 이국(異國). (반)고국(故國), 모국(母國), 자국(自國).

한:국 韓國 | 한국 한, 나라 국 [Korea]
[지리] '대한민국'(大韓民國)의 준말. 아시아 대륙 동쪽에 있는 한반도와 그 부속 도서(島嶼)로 이루어진 공화국이다. ¶한국의 수도는 서울이다.

호:국 護國 | 지킬 호, 나라 국
[defense of one's fatherland]
외적으로부터 나라[國]를 지킴[護]. ¶호국 정신을 함양하다.

0049 [만]

萬

일만 만:
(部) 艸부 (劃) 13획 ㊥ 万 [wàn]
萬萬萬萬萬萬萬萬萬萬

萬자의 부수가 '풀 초'(艸 → 艹)이지만 뜻과는 아무런 상관이 없다. 원래는 큰 집게와 길고 굽은 꼬리를 지닌 전갈 모습을 그린 것으로 '전갈'(a scorpion)이 본래 의미였는데, 이것이 '10000' (ten thousand)이란 숫자나 '많다'(numerous) '극히'(extremely)등의 뜻으로 쓰이는 예가 많아지자 '전갈'은 따로 蠆(채)자를 만들어 나타냈다. 약자인 '万'은 漢(한)나라 때부터 쓰였다.

만:경 萬頃 | 일만 만, 넓을 경 [vast]
지면이나 수면 따위가 한없이[萬] 넓음[頃].

만:고 萬古 | 일만 만, 옛 고 [all antiquity]
❶[속뜻] 아주 많이[萬] 오랜 옛날[古]. ¶만고로부터 내려오는 풍습. ❷한없이 오랜 세월. ¶만고에 없는 난리.

만:국 萬國 | 일만 만, 나라 국 [all nations]
많은[萬] 나라[國]. 세계의 모든 나라. 여러 나라. (비)만방(萬邦).

만:년 萬年 | 일만 만, 해 년
[ten thousand years; eternity]
❶[속뜻] 일만(一萬) 년(年). ❷오랜 세월. ❸언제나 변함없이 한결같은 상태. ¶만년 후보 선수.

만:능 萬能 | 일만 만, 능할 능
[omnipotent; almighty]
❶[속뜻] 만사(萬事)에 두루 능통(能通)함. ❷온갖 것을 다 할 수 있음. ¶물질만능의 시대. (비)전능(全能). (반)무능(無能).

만:대 萬代 | 일만 만, 세대 대
[all generations; all ages]
여러 대에 걸친 오랜[萬] 세대(世代). 영원한 세월. (비)만세(萬歲), 만년(萬年).

만:리 萬里 | 일만 만, 거리 리 [long distance]
아주 먼[萬] 거리[里].

만:무 萬無 | 일만 만, 없을 무 [cannot be]
절대로[萬] 없음[無]. 전혀 없음. ¶그것은 사실일 리가 만무하다.

만:물 萬物 | 일만 만, 만물 물
[all things; all creation]
❶[속뜻] 온갖[萬] 물건(物件). ❷우주에 존재하는 모든 것. ¶인간은 만물의 영장(靈長)이다. (비)만유(萬有).

만:민 萬民 | 일만 만, 백성 민 [all the people]
모든[萬] 백성[民]. 또는 사람들. (비)만성(萬姓), 만인(萬人), 조서(兆庶).

만:반 萬般 | 일만 만, 모두 반
[all kinds; every sort]
❶[속뜻] 일만[一萬] 가지 모두[般]. ❷모든 것. ¶만반의 준비를 하다. (비)제반(諸般).

만:방 萬邦 | 일만 만, 나라 방
[all nations of the world]
세계 여러[萬] 나라[邦]. ¶명성(名聲)을 만방에 떨치다. (비)만국(萬國), 만역(萬域).

만:복 萬福 | 일만 만, 복 복 [great fortune]
많은[萬] 복(福). 모든 복. ¶만복을 빌다. (비)백복(百福).

만:사 萬事 | 일만 만, 일 사
[everything; all things]
온갖[萬] 일[事]. ¶만사가 귀찮다. (비)백사(百事), 범사(凡事).

만:세 萬歲 | 일만 만, 해 세
[ten thousand years; hurrah]
❶[속뜻] 오랜[萬] 세월(歲月). ❷오래도록 삶. 영원히 살아 번영함. ❸'영원하라!'는 뜻으로 크게 외치는 소리. ¶대한민국 만세! / 우리나라 만세! (비)만년(萬年).

만:수 萬壽 | 일만 만, 목숨 수
[long life; longevity]
오래도록[萬] 삶[壽]. ¶만수를 누리다

만:약 萬若 | 일만 만, 같을 약 [if; in case of]
만일(萬一) 그와 같다면[若]. ¶만약의 경우 / 만약을 생각하다. ㊥만일(萬一).

만:유 萬有 | 일만 만, 있을 유
[all things in the universe]
우주에 존재[有] 하는 모든[萬] 것. ㊥만물(萬物), 만상(萬象).

만:인 萬人 | 일만 만, 사람 인
[every man; all people]
아주 많은[萬] 사람[人]. 모든 사람. ¶그는 만인의 연인이다. ㊥만민(萬民).

만:일 萬一 | 일만 만, 한 일
[if; in case of]
만(萬) 가운데 하나[一]. 거의 없는 것이나 매우 드물게 있는 일. ¶만일의 경우에 대비하다. ㊥만약(萬若), 만혹(萬或).

만:전 萬全 | 일만 만, 완전할 전
[absolute security]
모든[萬] 것이 완전(完全)함. 조금도 허술한 데가 없음. ¶대회 준비에 만전을 기하다.

• 역순어휘

백만 百萬 | 일백 백, 일만 만 [million]
❶속뜻 만(萬)의 백(百) 곱절. ❷썩 많은 수. ¶백만 대군을 이끌고 전투에 나서다.

수:만 數萬 | 셀 수, 일만 만
[tens of thousands]
몇[數] 만(萬). ¶수만의 관중이 경기장을 가득 메웠다.

억만 億萬 | 일억 억, 일만 만
[myriads; countless numbers]
억(億)의 만(萬)이나 될 만큼 많은 수.

오:만 五萬 | 다섯 오, 일만 만
[fifty thousand; innumerable]
❶속뜻 다섯[五] 배의 만(萬). ¶오만 명의 관중이 경기장을 가득 메웠다. ❷매우 종류가 많은 여러 가지를 이르는 말. ¶오만 잡동사니 / 이 가게에서는 오만 가지 물건을 판다 / 그녀는 어릴 적 오만 설움을 겪었다.

천만 千萬 | 일천 천, 일만 만
[ten million; countless number]
❶속뜻 만(萬)의 천(千)의 곱절. ¶한 달에 천만 원도 넘게 번다. ❷천만 가지의 경우, 즉 '많은 수나 경우'를 이르는 말. 전혀. 아주. 매우. 어떤 경우에도. ¶천만의 말씀 / 앞으로는 그런 일이 천만 없도록 하게. ❸더할 나위 없음. 정도가 심함. ¶위험 천만하다.

0050 [년]

年

해 년
㊀ 干부 ㊁ 6획 ㊥ 年 [nián]

年 年 年 年 年 年

年자는 '방패 간'(干)이 부수이지만 뜻과는 아무런 상관이 없다. 年의 본래 글자인 秊(년)은 가을걷이한 볏단을 짊어진 사람의 모습을 그린 것(禾+亻)으로 '수확'(harvest)이 본래 의미였다. 1년에 한번 수확하였기 때문에 일찍이 '한 해' (one year)란 뜻도 이것으로 나타냈고, 1년을 단위로 하는 '나이'(age)란 뜻으로도 쓰인다. 秊 즉 '禾+亻'이 '年'으로 크게 바뀐 것은 대략 2000년 전쯤인 隷書(예:서) 서체에서 쓰기 편리함을 추구한 결과였다. 그러니 年이란 자형에서는 어떠한 의미도 찾아낼 수 없다.

속뜻훈음 ①해 년, ②나이 년.

연간 年間 | 해 년, 사이 간
[during the course of a year]
한 해[年] 동안[間]. ¶연간 수입 / 연간 밀 소비량이 크게 늘었다.

연감 年鑑 | 해 년, 볼 감 [yearbook; almanac]
한 해[年] 동안 일어난 일 따위를 알아보기[鑑] 쉽도록 엮은 책. ¶출판 연감 / 통계 연감.

연금 年金 | 해 년, 돈 금 [annuity; pension]
법률 국가나 사회에 특별한 공로가 있거나 일정 기간 국가기관에 복무한 사람에게 해[年]마다 주는 돈[金]. ¶국민 연금 / 올림픽에서 금메달을 따면 연금을 받는다.

연년 年年 | 해 년, 해 년 [every(each) year]
해마다[年+年]. ¶나일강은 연년이 강수량이 줄고 있다.

연대¹ 年代 | 해 년, 시대 대 [age; period]
햇수[年]를 단위로 한 시간[代]. ¶화석의 연대를 측정하다.

연대² 年代 | 해 년, 시대 대 [age; period; era]
그 단위의 첫 해[年]로부터 다음 단위로 넘어가기 전까지의 기간[代]. ¶80년대 한국 경제는 크게 발전했다.

연도 年度 | 해 년, 정도 도 [year; period]
사무 또는 회계의 결산 따위의 편의에 따라 구분한 1년(年)의 기간[度]. ¶회계 연도.

연두 年頭 | 해 년, 머리 두 [beginning of the year]
새해[年]의 첫머리[頭]. ¶대통령은 연두 기자 회견을 가졌다. ㊥연초(年初).

연령 年齡 | 해 년, 나이 령 [age; years]
한 해[年]를 단위로 계산한 나이[齡]. ¶이 대회는 연령에 상관없이 참가할 수 있다.

연로 年老 | 나이 년, 늙을 로 [aged; old; elderly]
나이[年]가 많음[老]. ¶연로의 몸 / 연로하신 부모님.

연륜 年輪 | 나이 년, 바퀴 륜
[annual ring; experience]
❶식물 나무의 줄기나 가지 등의 가로로 자른 면에 나타나는 그 나무의 나이[年]를 알 수 있는 바퀴[輪] 모양의 테. ❷여러 해 쌓은 경력. ¶저 배우에게는 연륜이 느껴진다.

연말 年末 | 해 년, 끝 말
[year-end; end of the year]
한 해[年]의 마지막[末] 무렵. ¶연말 파티 / 연말에는 인사할 곳이 많다. ⓑ연시(年始), 연초(年初).

연배 年輩 | 나이 년, 무리 배
[similar age(s); contemporary]
나이[年]가 비슷한 또래의 사람들[輩]. ¶우리는 연배가 비슷하여 쉽게 친해졌다.

연보 年譜 | 해 년, 적어놓을 보
[chronological personal history]
한 사람이 해[年]마다 한 일을 간략하게 적어놓은[譜] 기록. 흔히 개인의 연대기를 이른다. ¶책에는 저자의 연보가 실려 있다.

연봉 年俸 | 해 년, 봉급 봉.
[annual salary; yearly stipend]
일 년(年) 동안에 받는 봉급(俸給). ¶그는 연봉이 4천만원이다.

연상 年上 | 나이 년, 위 상 [seniority in age]
자기보다 나이[年]가 많음[上]. 또는 그런 사람. ¶그는 나보다 5살 연상이다. ⓑ연하(年下).

연세 年歲 | 나이 년, 나이 세
[age; years (of age)]
나이[年=歲]의 높임말. ¶우리 어머니는 연세가 많으시다. ⓑ춘추(春秋).

연소 年少 | 나이 년, 적을 소 [young; underage]
나이[年]가 적음[少]. 나이가 어림.

연장 年長 | 나이 년, 길 장 [seniority]
서로 비교하여 보아 나이[年]가 많음[長]. 또는 그런 사람. ¶그는 나보다 6살 연장이다.

연중 年中 | 해 년, 가운데 중 [whole year]
한 해[年] 동안[中]. ¶그곳은 연중 내내 번잡하다 / 연중 무휴(無休).

연초 年初 | 해 년, 처음 초 [beginning of the year]
새해[年]의 첫머리[初]. ⓑ연시(年始), 정초(正初). ⓑ연말(年末).

연표 年表 | 해 년, 나타낼 표 [chronological table]
역사적 사실을 발생 연도(年度) 순으로 나타냄[表]. ¶한국사 연표. ⓑ연대표(年代表).

연하¹ 年下 | 나이 년, 아래 하 [juniority]
나이[年]가 아래임[下]. 또는 그런 사람. ¶그는 나보다 3살 연하이다. ⓑ연상(年上).

연하² 年賀 | 해 년, 축하할 하
[New Year's greetings]
새해[年]를 맞이하게 된 것을 축하(祝賀)함.

연호 年號 | 해 년, 이름 호 [name of an era]
임금이 즉위한 해[年]를 상징하는 이름[號]. ¶고구려 광개토왕의 연호는 '영락'(永樂)이었다.

• **역순어휘** •

개년 個年 | 낱 개, 해 년 [year]
❶속뜻 낱낱[個]의 해[年]. ❷해를 세는 단위. ¶경제 개발 5개년 계획.

광년 光年 | 빛 광, 해 년 [light-year]
천문 빛[光]이 초속 30만km의 속도로 1년(年) 동안 나아가는 거리를 단위로 한 것. 1광년은 9조 4670억 7782만km이다.

근:년 近年 | 가까울 근, 해 년 [in recent years]
❶속뜻 가까운[近] 해[年]. ❷요 몇 해 사이. 지나간 지 얼마 안 되는 해.

금년 今年 | 이제 금, 해 년 [this year]
지금(只今)이 속해 있는 해[年]. ⓑ올해.

내년 來年 | 올 래, 해 년 [next year; coming year]
올해의 다음[來] 해[年]. ⓑ이듬해, 명년(明年). ⓑ작년(昨年), 금년(今年).

노:년 老年 | 늙을 로, 나이 년 [old age]
늙은[老] 나이[年]. ⓑ만년(晩年), 모년(暮年). ⓑ소년(少年), 유년(幼年).

다년 多年 | 많을 다, 해 년 [many years]
여러[多] 해[年]. 오랜 세월.

당년 當年 | 당할 당, 해 년 [this year; that year]
❶속뜻 해당(該當)되는 그 해(年). ❷그 해의 나이. ❸그 연대(年代).

만:년 萬年 | 일만 만, 해 년
[ten thousand years; eternity]
❶속뜻 만(一萬) 년(年). ❷오랜 세월. ❸언제나 변함없이 한결같은 상태. ¶만년 후보 선수.

말년 末年 | 끝 말, 해 년 [one's later years]
인생과 같은 일정한 시기의 마지막[末] 무렵[年]. ¶말년을 편안히 보내다. ⓑ늘그막, 노년(老年). ⓑ초년(初年).

망년 忘年 | 잊을 망, 나이 년 [indifference to age]
❶속뜻 나이[年]를 잊음[忘]. ❷그해의 온갖 괴로운 일

을 잊음. ¶망년의 모임을 갖다.

매:년 每年 | 마다 매, 해 년
[every year; annually]
해[年] 마다[每]. ¶나는 매년 설악산에 간다. ㊥매해.

명년 明年 | 밝을 명, 해 년
[next year; coming year]
밝아 올[明] 해[年]. 다음 해. ㊥내년(來年).

반:년 半年 | 반 반, 해 년 [half a year]
한 해[年]의 반(半)인 여섯 달. ㊥반세(半歲).

생년 生年 | 날 생, 해 년 [year of one's birth]
태어난[生] 해[年].

성년 成年 | 이룰 성, 나이 년
[(legal) majority; adult age]
❶속뜻 사람으로서 지능이나 신체가 완전히 성숙(成熟)한 나이[年]. ❷법률 법적인 권리를 행사할 수 있는 나이. 대개는 만 20세를 이른다. ㊤미성년(未成年).

소:년 少年 | 적을 소, 나이 년 [boy; lad]
❶속뜻 적은[少] 나이[年]. ❷나이가 어린, 청소년기에 있는 남자. ㊤소녀(少女).

송:년 送年 | 보낼 송, 해 년
[bidding the old year out]
한 해[年]를 보냄[送]. ¶송년모임. ㊤영년(迎年).

수:년 數年 | 셀 수, 해 년 [few years]
몇[數] 해[年]. 여러 해. ¶할아버지는 수년 동안 병을 앓고 있다.

신년 新年 | 새 신, 해 년 [New Year]
새로운[新] 해[年]. ¶신년 계획을 세우다.

예:년 例年 | 본보기 례, 해 년 [average year]
❶속뜻 본보기[例]로 삼은 해[年]. 주로 지난해를 말한다. ❷지리 일기 예보에서 지난 30년간 기후의 평균적 상태를 이르는 말. ¶올 여름은 예년에 비해 훨씬 덥다. ㊥평년(平年).

왕:년 往年 | 갈 왕, 해 년 [past]
지나간[往] 해[年]. ¶이래 봬도 왕년에는 스타였다.

원년 元年 | 으뜸 원, 해 년 [first year]
❶속뜻 으뜸[元]이 되는 해[年]. ❷임금이 즉위한 해. ❸어떤 중요한 일이 시작된 해. ¶1982년은 한국 프로야구 원년이다.

유년 幼年 | 어릴 유, 나이 년 [infancy; childhood]
어린[幼] 나이[年]. 또는 그런 사람. ¶내가 유년 시절에 멱을 감았던 곳.

윤:년 閏年 | 윤달 윤, 해 년 [leap year]
천문 윤일(閏日)이나 윤달[閏月]이 든 해[年].

작년 昨年 | 어제 작, 해 년 [last year]
지난[昨] 해[年]. ¶작년 겨울.

장:년 壯年 | 장할 장, 나이 년 [prime of life]
혈기 왕성하여[壯] 한창 활동할 나이[年]. 또는 그런 나이의 사람. 일반적으로 서른 살에서 마흔 살 안팎을 이른다.

전년 前年 | 앞 전, 해 년 [last year; past years]
지나간[前] 해[年]. ¶전년 여름에 비해 훨씬 덥다. ㊥지난해, 작년(昨年).

정년 停年 | =定年, 멈출 정, 나이 년
[retiring age; age limit]
직원 등이 일을 그만하도록[停] 정해놓은 나이[年]. ¶정년 퇴직.

주년 週年 | =周年, 돌 주, 해 년 [anniversary]
한 해[年]를 단위로 하여 돌아오는[週] 그 날. ¶결혼 20주년.

중년 中年 | 가운데 중, 나이 년 [middle age]
인생의 중간(中間) 정도를 살고 있는 나이[年]. 마흔 살 안팎의 나이. ¶중년의 신사가 점잖게 들어왔다.

천년 千年 | 일천 천, 해 년
[thousand years; millennium]
해[年]가 천(千) 번이 지날 정도의 오랜 세월. ¶그렇게 돈을 펑펑 쓰면서 어느 천년에 집을 사겠어?

청년 青年 | 푸를 청, 나이 년
[young man; youth]
❶속뜻 푸른[青] 나이[年]. ❷젊은 사람. 특히, 젊은 남자를 가리킨다. ¶저 청년은 참 성실하다. ㊥젊은이.

초년 初年 | 처음 초, 해 년
[first year; early years; one's young days]
❶속뜻 여러 해 걸리는 어떤 과정의 첫[初] 번째 해[年]. 또는 처음의 시기. ¶대학 초년에 비로소 깨닫다. ❷일생의 초기. 중년이 되기 전까지의 시기. ¶초년보다는 말년에 트일 운수.

평년 平年 | 보통 평, 해 년
[normal year; average year]
❶속뜻 윤년이 아닌 보통[平]의 해[年]. ¶2000년은 윤년이지만 1900년은 평년이었다. ❷최근 몇 해 동안의 평균 수치. ¶올해는 평년보다 덥다. ㊥예년(例年). ㊤윤년(閏年).

풍년 豊年 | 넉넉할 풍, 수확 년
[year of abundance]
❶속뜻 넉넉한[豊] 수확[年]. ❷풍성한 수확을 거둔 해. ¶올해는 포도가 풍년이다. ㊤흉년(凶年).

학년 學年 | 배울 학, 해 년 [grade]
❶속뜻 한 해[年]를 단위로 한 학습(學習) 기간의 구분. ❷교육 한 해의 학습을 단위로 하여 진급하는 학교의 단계. ¶윤희는 초등학교 3학년이다.

향:년 享年 | 누릴 향, 나이 년
[one's age at death]
한평생 살아서 누린[享] 나이[年]. 죽은 사람의 나이를 이를 때만 쓴다. ¶그는 향년 60세로 돌아가셨다.

후:년 後年 | 뒤 후, 해 년 [year after next]
❶[속뜻] 다음[後] 해[年]. ❷올해 다음다음의 해. ¶후년이면 나도 초등학교에 입학한다.

흉년 凶年 | 흉할 흉, 해 년
[bad year; year of bad harvest]
❶[속뜻] 수확이 흉(凶)한 해[年]. ❷농작물이 예년에 비하여 잘 되지 아니하여 굶주리게 된 해. ¶오랜 가뭄으로 흉년이 들다. [반]풍년(豐年).

제2부

제2부 실 제 : 한자 및 한자어 지도

2장. 7급II 배정한자 50

[0051-0100]

0051 [사]

事 일 사:
㊂ 亅부 ㊂ 8획 ㊥ 事 [shì]

事事事事事事事事

事자는 '일'(=사무, business)을 뜻하기 위하여 붓을 들고 사무를 보던 모습을 그린 것이었다. 옛날 관리들의 사무는 곧 임금을 섬기는 일이었으니 '섬기다' (serve one's master)는 뜻을 나타내는 것으로도 확대 사용됐다.

속뜻훈음 ①일 사, ②섬길 사.

사:건 事件 | 일 사, 것 건 [event; occurrence]
❶속뜻 일[事] 같은 것[件]. ❷문제가 되거나 관심을 끌 만한 일. ¶사건을 발생하였다.

사:고 事故 | 일 사, 연고 고 [reasons; accident]
❶속뜻 어떤 일[事]이 일어난 까닭이나 연고(緣故). ¶그가 결석한 사고를 알아보아라. ❷뜻밖에 일어난 불행한 일. ¶자동차 사고.

사:군 事君 | 섬길 사, 임금 군
임금[君]을 섬김[事].

사:대 事大 | 섬길 사, 큰 대
[worship the powerful]
❶속뜻 작은 나라가 큰[大] 나라를 섬김[事]. ❷약자가 강자를 뒤좇아 섬김.

사:례 事例 | 일 사, 본보기 례
[instance; example]
어떤 일[事]의 본보기[例]가 됨. 또는 그 본보기. ¶구체적인 사례를 들어 설명하다.

사:리 事理 | 일 사, 이치 리 [reason; facts]
일[事]의 이치(理致). ¶사리에 맞지 않다.

사:무 事務 | 일 사, 일 무 [office work]
주로 책상에서 처리해야 하는 일[事=務]. ¶사무를 보다.

사:물 事物 | 일 사, 만물 물 [things; affairs]
일[事]이나 물건(物件). ¶같은 사물이라도 보는 관점에 따라 다를 수 있다.

사:변 事變 | 일 사, 바뀔 변
[accident; disturbance]
❶속뜻 큰 사건(事件)이나 변란(變亂). ❷선전포고 없이 이루어진 국가 간의 무력 충돌. 전쟁. ¶만주(滿洲) 사변.

사:사 事事 | 일 사, 일 사 [each and every event]
모든 일[事+事]. 일마다.

사:실 事實 | 일 사, 실제 실 [fact; truth; actually]
❶속뜻 실제(實際)로 있었던 일[事]. 현재에 있는 일. ¶그것은 사실과 다르다. ❷실제(實際)에 있어서. ¶사실 나는 그를 사랑한다.

사:업 事業 | 일 사, 일 업 [undertaking; project]
❶속뜻 일[事=業]. ❷어떤 일을 일정한 목적과 계획을 가지고 짜임새 있게 지속적으로 경영함. 또는 그 일. ¶사업이 망하다 / 교육 사업.

사:연 事緣 | 일 사, 인연 연 [(full) story; reasons]
일[事]이 그렇게 된 인연(因緣)이나 까닭. ¶사연이 복잡하다.

사:유 事由 | 일 사, 까닭 유 [reason; cause]
일[事]이 그렇게 된 까닭[由]. ¶결석한 사유를 설명하다. ㊀이유(理由), 연유(緣由).

사:전¹ 事典 | 일 사, 책 전 [encyclopedia]
여러 가지 사항(事項)을 모아 일정한 순서로 배열하고 그 각각에 해설을 붙인 책[典]. ¶민속 사전 / 의학사전을 발간하다.

사:전² 事前 | 일 사, 앞 전
[before a thing takes place]
일[事]이 일어나거나 일을 시작하기 전(前). ¶암은 치료보다 사전 예방이 훨씬 더 중요하다. ㊙사후(事後).

사:정 事情 | 일 사, 실상 정
[reason; ask leniency]
❶속뜻 일[事]의 형편이나 실상[情]. ¶그는 사정이 있어 할머니 밑에서 자랐다. ❷어떤 일의 형편이나 까닭을 남에게 말하고 무엇을 간청함. ¶아무리 사정해도 소용없다.

사:친 事親 | 섬길 사, 어버이 친
어버이[親]를 섬김[事].

사:태 事態 | 일 사, 모양 태 [situation]
일[事]의 되어 가는 상태(狀態). ¶사태가 심각하다.

사:항 事項 | 일 사, 목 항 [matter; item; facts]
일[事]의 조항(條項). ¶주의 사항을 전달하다.

사:후 事後 | 일 사, 뒤 후
[after the fact; for further reference]
일[事]이 끝난 뒤[後]. 또는 일을 끝낸 뒤. ¶사후 관리를 철저히 하다. ㊙사전(事前).

• **역순어휘**

가사 家事 | 집 가, 일 사 [household affairs]
❶속뜻 집안[家] 살림에 관한 일[事]. ❷집안 내부의 일. ¶가사를 돕다. ㊀가중사(家中事), 가간사(家間事).

거:사 擧事 | 들 거, 일 사 [take an action]
큰 일[事]을 일으킴[擧]. ¶거사를 모의하다 / 의병들은 내일 밤 거사하기로 약속했다.

검:사 檢事 | 봉함 검, 일 사 [prosecutor]
❶속뜻 봉함[檢]을 해두는 일[事]. ❷법률 형사사건의 공

소를 제기하고 형벌의 집행을 감독하는 사법관. ¶검사가 증인에게 질문을 했다.

겸사 兼事 | 아우를 겸, 일 사 [serve both as]
한 가지 일을 하면서 동시에 다른 일도 아울러[兼] 함[事]. ¶그곳에 가는 길에 겸사로 심부름을 했다 / 볼일도 보고 너도 만나러 겸사겸사 왔다.

경:사 慶事 | 기쁠 경, 일 사 [happy occasion]
매우 즐겁고 기쁜[慶] 일[事]. ¶그 집에 경사가 났다. ⓑ흉사(凶事).

공사 工事 | 장인 공, 일 사 [construct; build]
토목이나 건축[工] 등에 관한 일[事]. ¶이 공사는 완성에 3년이 걸렸다.

국사 國事 | 나라 국, 일 사
[national affair; public matters]
나라[國]에 관한 일[事]. 또는 나라의 정치에 관한 일. ¶국사를 논하다.

군사 軍事 | 군사 군, 일 사 [military affairs]
군대, 군비, 전쟁 따위와 같은 군(軍)에 관한 일[事]. ⓑ군무(軍務).

기사 記事 | 기록할 기, 일 사 [account; news]
❶속뜻 사실(事實)을 적음[記]. 또는 그 글. ❷신문이나 잡지 등에 어떤 사실을 실어 알리는 글. 또는 기록된 사실. ¶학교문제에 관한 기사가 실렸다.

농사 農事 | 농사 농, 일 사
[farming; agricultural affairs]
논이나 밭에 곡류, 채소, 과일 등을 심어 가꾸는[農] 일[事]. ⓑ농업(農業).

능사 能事 | 능할 능, 일 사
[proper and suitable work]
❶속뜻 자기에게 알맞아 잘 해낼 수[能] 있는 일[事]. ❷잘하는 일. ¶빨리 출발하는 것만이 능사가 아니다.

다사 多事 | 많을 다, 일 사 [eventful]
❶속뜻 많은[多] 일[事]. ❷일이 많아 매우 바쁨.

당사 當事 | 맡을 당, 일 사
어떤 일[事]을 직접 맡음[當].

대:사 大事 | 큰 대, 일 사
[great thing; important matter]
❶속뜻 큰[大] 일[事]. ❷'대례'(大禮)를 속되게 이르는 말. ¶교육은 국가의 대사다. ⓑ소사(小事).

만:사 萬事 | 일만 만, 일 사 [everything]
온갖[萬] 일[事]. ¶만사가 귀찮다. ⓑ백사(百事), 범사(凡事).

매:사 每事 | 마다 매, 일 사 [every business]
하는 일[事] 마다[每]. 모든 일. ¶그는 매사에 긍정적이다. ⓑ일마다.

무사 無事 | 없을 무, 일 사 [be without mishap]
❶속뜻 아무 일[事]이 없음[無]. ❷아무 탈이 없음. ¶무사 귀환 / 대형 화재였는데도 사람들은 무사하다. ⓑ무고(無故). ⓑ유사(有事).

민사 民事 | 백성 민, 일 사 [civil affairs]
❶속뜻 일반 국민(國民)에 관한 일[事]. ❷법률 사법상의 법률관계에 관련되는 사항. ¶그는 민사상 책임이 없다 / 민사 소송. ⓑ형사(刑事).

사사 師事 | 스승 사, 섬길 사 [study under]
스승[師]으로 섬기며[事] 가르침을 받음. ¶그는 세계적인 첼리스트를 사사했다. 하나 더!! 師事(사사)는 누구를 스승으로 모셨다, 즉 누구에게 배웠다는 것을 고상하게 표현할 때 쓰는 말이다. 문법적으로 조심할 것은, '사사하다'의 주어는 학생이고 스승은 목적어가 된다는 것이다. 따라서 '누구에게 사사했다'는 표현보다는 '누구를 사사했다'는 표현이 더 적절하다.

서:사 敍事 | 쓸 서, 일 사 [narrate; describe]
사실(事實)이나 사건(事件)이 발생한 차례대로 서술함[敍].

성사 成事 | 이룰 성, 일 사
[succeed; accomplish]
일[事]을 이룸[成]. 또는 일이 이루어짐. ¶일의 성사 여부는 하늘에 달렸다.

식사 食事 | 먹을 식, 일 사 [meal]
사람이 끼니로 음식을 먹는[食] 일[事]. 또는 그 음식. ¶저녁 식사.

영사 領事 | 거느릴 령, 섬길 사 [consul]
❶속뜻 사람들을 거느리고[領] 임금을 섬김[事]. ❷정치 외국에 있으면서 본국의 무역 통상의 이익을 도모하며 아울러 자국민의 보호를 담당하는 공무원.

예:사 例事 | 본보기 례, 일 사 [usual affair]
❶속뜻 본보기[例]가 되는 일[事]. ❷흔히 있는 일. '예상사'(例常事)의 준말. ¶영주가 학교에 지각하는 것은 예사다 / 예사로 여기다 / 요즘 그의 행동이 예사롭지 않다.

의사 議事 | 따질 의, 일 사 [deliberate; consult]
어떤 일[事]을 토의(討議)함. ¶의회에서 의사 진행을 방해하면 퇴장시킨다.

이:사 理事 | 다스릴 리, 일 사 [director; trustee]
❶속뜻 사무(事務)를 처리(處理)함. ❷법률 법인 기관의 사무를 처리하며, 이를 대표하여 권리를 행사하는 직위. 또는 그러한 일을 맡은 사람.

인사 人事 | 사람 인, 일 사
[personnel management; greeting]
❶속뜻 사람들[人] 사이에 지켜야 할 예의범절 같은 일[事]. 혹은 사람들에 대한 일. ❷상대방에게 자기를 소개

하거나, 안부를 물을 때 하는 예절. ¶작별 인사를 하다 / 우리는 오늘 처음 인사를 나누었다. ❸관리나 직원의 임용, 해임, 평가 따위와 관계되는 행정적인 일. ¶인사 발령 / 낙하산 인사.

장:사 葬事 | 장사 지낼 장, 일 사 [funeral]
죽은 사람을 땅에 묻거나 화장하는[葬] 일[事]. ¶장사를 치르다 / 장사를 지내다.

정사¹ 政事 | 정치 정, 일 사
[political affairs; administration]
정치(政治) 또는 행정상의 일[事]. ¶흥선대원군은 고종을 대신해 정사를 돌보았다.

정사² 情事 사랑 정, 일 사
[love affair; affair of the heart]
❶속뜻 남녀 간에 사랑[情]을 주고받는 일[事]. ❷남녀가 서로 육체적으로 사랑을 나누는 일.

종사 從事 | 좇을 종, 섬길 사
[be engaged in; follow; pursue]
❶속뜻 어떤 사람을 좇아[從] 섬김[事]. ❷마음과 힘을 다해 일함. ¶무슨 직업에 종사하고 계십니까?

집사 執事 | 잡을 집, 일 사
[steward; butler; deacon(ess)]
❶속뜻 주인 가까이 있으면서 그 집의 일[事]을 맡아 보는[執] 사람. ¶집사가 손님을 거실로 안내했다. ❷기독교 교회의 각 기관 일을 맡아 봉사하는 교회 직분의 하나. 또는 그 직분을 맡은 사람. ¶김 집사님이 기도하시겠습니다.

참사 慘事 | 참혹할 참, 일 사
[disaster; tragedy; terrible accident]
참혹(慘酷)한 사건(事件). ¶한 순간의 부주의로 참사가 일어날 수 있다.

취:사 炊事 | 불 땔 취, 일 사 [cook]
불을 때서[炊] 음식을 장만하는 일[事]. ¶이곳은 취사 행위가 금지되어 있다.

치사 恥事 | 부끄러울 치, 일 사 [shameful; mean]
격에 떨어져 부끄러운[恥] 일[事]을 하다. 행동이나 말 따위가 쩨쩨하고 남부끄럽다. ¶노인들을 속이다니 참으로 치사하다.

쾌사 快事 | 기쁠 쾌, 일 사
[pleasant matter; delight]
기쁜[快] 소식이나 일[事]. ¶성공의 쾌사가 들려왔다.

판사 判事 | 판가름할 판, 일 사 [judge; justice]
법률 재판(裁判)에 관련된 일[事]. 또는 그런 일을 하는 사람. ¶판사는 그의 무죄를 선고했다.

행사 行事 | 행할 행, 일 사 [event]
일[事]을 행(行)함. 또는 그 일. ¶행사를 위하여 무대를 마련하다.

허사 虛事 | 헛될 허, 일 사 [vain attempt]
헛된[虛] 일[事]. ¶우리의 노력은 허사로 돌아갔다.

형사 刑事 | 형벌 형, 일 사
[criminal case; police detective]
법률 ❶형법(刑法)의 적용을 받는 사건(事件). ¶형사 책임 / 형사소송. ❷주로 사복 차림으로 범죄를 수사하고 범인을 체포하는 따위의 일을 맡은 경찰관. ¶형사들이 마침내 범인을 찾아냈다. ⓑ민사(民事).

호:사 好事 | 좋을 호, 일 사 [good thing]
좋은[好] 일[事]. 기쁜 일. ⓑ악사(惡事).

혼사 婚事 | 혼인할 혼, 일 사 [marital matter]
혼인(婚姻)에 관한 일[事]. ¶부모님은 언니의 혼사를 의논했다 / 혼사가 성사되다.

0052 [상]

上

윗 상:
부 一부 획 3획 中 上 [shàng]

上 上 上

上자가 갑골문에서는 '위'(upward)의 뜻을 나타내기 위하여 하나의 긴 기준선 '위'에 짧은 선을 하나 더 그어놓은 것이었으니 지금의 '二'자와 비슷했다. '2'(two)를 뜻하는 '二'(당시에는 두 줄의 길이가 똑같았음)와 혼동하는 사례가 많아지자, 그것을 구분하기 위하여 '위'로 수직선을 세웠다.

상:감 上監 | 위 상, 볼 감 [His Majesty; King]
❶속뜻 위[上]에서 살펴봄[監]. ❷'임금'의 높임말. ¶상감께서 명을 내리셨다.

상:경 上京 | 위 상, 서울 경
[come up to the capital]
시골에서 서울[京]로 올라옴[上].

상:고¹ 上古 | 위 상, 옛 고
[ancient times; remote ages]
역사 역사의 시대 구분의 하나. 중고(中古)보다 먼저[上] 있던 옛날[古].

상:고² 上告 | 위 상, 알릴 고
[appeal; final appeal]
❶속뜻 윗사람[上]에게 아룀[告]. ❷법률 상소(上訴)의 한 가지. 고등법원, 지방법원 합의부 등의 제2심 판결에 대하여 법령 위반 등을 이유로 파기 또는 변경을 상급법원에 신청하는 일.

상:공 上空 | 위 상, 하늘 공 [sky]

❶속뜻 어떤 지역의 위[上]에 있는 공중(空中). ¶서울 상공에 적기가 나타났다. ❷높은 하늘. ¶전투기는 수천 피트 상공으로 날아올랐다.

상:관 上官 | 위 상, 벼슬 관 [higher officer; chief]
주로 공무원 사회에서 어떤 사람보다 높은 자리[上]에 있는 관리(官吏). ¶상관의 명령에 복종하다. ㊐상사(上司), 상급자(上級者). ㉶부하(部下), 하관(下官).

상:권 上卷 | 위 상, 책 권
[volume one; book one; first volume]
두 권이나 세 권으로 된 책의 첫째[上] 권(卷). ¶그 소설은 상권이 제일 재미있다.

상:급 上級 | 위 상, 등급 급 [higher grade]
위[上]의 등급(等級)이나 계급(階級). ¶상급 법원. ㉶하급(下級).

상:기 上氣 | 위 상, 기운 기 [get dizzy]
❶속뜻 기운(氣運)이 위[上]로 올라옴. ❷흥분이나 부끄러움으로 얼굴이 붉어짐. ¶얼굴이 빨갛게 상기되었다.

상:단 上段 | 위 상, 구분 단 [top row]
❶속뜻 위[上] 쪽에 있는 부분[段]. ¶시렁의 상단에 배치하였다. ❷글의 위쪽 단락(段落). ¶그 글의 상단을 보면 알 수 있다. ㉶하단(下段).

상:등 上等 | 위 상, 무리 등
[superiority; excellence]
위[上] 급에 속하는 무리[等]. 높은 등급.

상:류 上流 | 위 상, 흐를 류
[upper stream; higher classes]
❶속뜻 강물 따위가 흘러내리는[流] 위[上]쪽 지역. ¶한강 상류가 오염되었다. ❷사회적 지위나 생활수준, 교양 등이 높은 계층. ¶상류 사회. ㉶하류(下流).

상:륙 上陸 | 위 상, 뭍 륙 [land]
배에서 뭍으로[陸] 오름[上]. ¶맥아더 장군은 인천에 상륙했다.

상:반 上半 | 위 상, 반 반 [first half (of)]
위[上]쪽 절반(折半). ㉶하반(下半).

상:병 上兵 | 위 상, 군사 병
[corporal; airman 1st class]
군사 군대 계급 중 일병 위[上], 병장 아래인 병사(兵士)의 계급. '상등병'(上等兵)의 준말.

상:부 上部 | 위 상, 나눌 부
[upper part; top; superior office]
❶속뜻 위쪽[上] 부분(部分). ❷보다 높은 직위나 기관. ¶상부의 명령에 따르다. ㉶하부(下部).

상:사¹ 上士 | 위 상, 선비 사
[senior master sergeant]
군사 국군의 부사관(副士官) 중 가장 위[上]의 계급. 중사(中士)의 위, 준위(准尉)의 아래.

상:사² 上司 | 위 상, 벼슬 사
[higher office; one's superior]
자기보다 벼슬이나 지위가 위[上]인 사람[司]. ¶직장 상사의 의견을 존중하다.

상:석 上席 | 위 상, 자리 석
[highest seat; top seat; head]
윗[上] 자리[席]. ¶교장 선생님을 상석으로 모셨다. ㉶말석(末席).

상:소¹ 上疏 | 위 상, 트일 소
[present a memorial to the King]
임금에게 글을 올려[上] 의견을 소통(疏通)하던 일. 또는 그 글. 주로 간관(諫官)이나 삼관(三館)의 관원이 임금에게 정사(政事)를 간하기 위하여 올렸다.

상:소² 上訴 | 위 상, 하소연할 소
[appeal; recourse]
❶속뜻 위[上]에 하소연함[訴]. ❷법률 하급 법원의 판결에 따르지 않고 상급 법원에 재심을 요구하는 일.

상:수 上水 | 위 상, 물 수 [piped water]
음료수로 쓰기 위한 상급(上級)의 맑은 물[水]. ¶상수 시설을 갖추다. ㉶하수(下水).

상:순 上旬 | 위 상, 열흘 순 [first ten days]
상, 중, 하로 삼등분한 것 가운데 첫[上] 열흘[旬]. 초하루에서 열흘 사이의 기간. ㊐초순(初旬). ㉶중순(中旬), 하순(下旬).

상:승 上昇 | 위 상, 오를 승 [rise; ascend]
낮은 데에서 위로[上] 올라감[昇]. ¶기온 상승 / 물가 상승. ㉶하강(下降).

상:연 上演 | 위 상, 펼칠 연 [present; perform]
연극이나 공연(公演)을 무대에 올림[上]. ¶내일부터 '리어왕'을 상연한다.

상:영 上映 | 위 상, 비칠 영 [screen; show]
❶속뜻 스크린 위[上]로 필름의 빛을 비춤[映]. ❷극장 따위에 영화를 영사(映寫)하여 공개함. ¶지금 어떤 영화를 상영하나요?

상:오 上午 | 위 상, 낮 오 [forenoon]
❶속뜻 하루를 상하 둘로 나누었을 때 앞[上]에 해당되는 낮[午]. ❷밤 0시부터 낮 12시까지의 동안. ¶사건이 발생한 것은 상오 10시경이었다. ㉶하오(下午).

상:원 上院 | 위 상, 집 원
[Upper House; House of Lords]
정치 상하로 구분한 양원(兩院)제도에서 상급(上級) 의원(議院). 영국의 상원처럼 특권 계급의 대표자로 구성되는 것과 미국의 상원처럼 각 주의 대표로 구성되는 것 따위. ㊐상의원(上議院).

상:위 上位 | 위 상, 자리 위 [high position; higher rank]
높은[上] 지위(地位)나 위치(位置), 등급. [반]하위(下位).

상:의 上衣 | 위 상, 옷 의 [coat; jacket]
위[上]에 입는 옷[衣]. ¶상의를 입다. [반]하의(下衣).

상:전 上典 | 위 상, 벼슬 전 [one's lord and master; employer]
❶[속뜻]상급(上級)의 벼슬[典]. ❷예전에 종에 상대하여 그 주인을 이르던 말. [반]종.

상:정 上程 | 위 상, 과정 정 [bring up (a bill) for discussion]
❶[속뜻]바로 위[上] 단계의 과정[過程]. ❷토의할 안건을 회의에 올림. ¶법안을 본회의에 상정하다.

상:제 上帝 | 위 상, 임금 제 [God]
❶[속뜻]하늘 위[上]에 있는 임금[帝]. ❷[종교]하느님.

상:책 上策 | 위 상, 꾀 책 [best plan; best policy]
가장 좋은[上] 대책(對策)이나 방법. ¶이럴 때는 도망치는 것이 상책이다. [반]하책(下策).

상:체 上體 | 위 상, 몸 체 [upper part of the body]
몸[體]의 윗부분[上]. ¶상체를 일으키다. [반]하체(下體).

상:층 上層 | 위 상, 층 층 [upper classes; upper layer]
위[上] 층(層). [반]하층(下層).

상:편 上篇 | 위 상, 책 편 [first volume]
두 편이나 세 편으로 된 책의 첫째[上] 책[篇].

상:하 上下 | 위 상, 아래 하 [top and bottom]
위[上]와 아래[下]. ¶시험관을 상하로 10분간 흔들어 주십시오.

상:향 上向 | 위 상, 향할 향 [upward tendency]
❶[속뜻]위[上] 쪽을 향(向)함. 또는 그 쪽. ¶상향 곡선. ❷수치나 한도, 기준 따위를 더 높게 잡음. ¶목표를 상향 조정하다. [반]하향(下向).

상:현 上弦 | 위 상, 시위 현 [first quarter of the moon]
[천문]매달 음력 7~8일경인 상순(上旬)에 나타나는 활시위[弦] 모양의 초승달. 둥근 쪽이 오른쪽 아래로 향한다. [반]하현(下弦).

• 역순어휘

노:상 路上 | 길 로, 위 상 [on the street]
❶[속뜻]길[路] 위[上]. ❷길가는 도중. ¶노상 방뇨. [비]가상(街上), 도상(途上). [관용]노상에 오르다.

단상 壇上 | 단 단, 위 상 [platform]
연단(演壇)이나 교단(教壇) 등의 위[上]. ¶단상에 올라 연설하다. [반]단하(壇下).

매:상 賣上 | 팔 매, 위 상 [sales; selling]
❶[속뜻]물건을 팔아서[賣] 수입을 올림[上]. ❷상품을 파는 일. ❸물건을 판 수량이나 금액의 총계. ¶어제는 100만 원의 매상을 올렸다.

면:상 面上 | 낯 면, 위 상 [one's face]
얼굴[面]의 위[上]. 또는 얼굴. ¶상대편의 면상을 쳤다.

부상 浮上 | 뜰 부, 위 상 [rise to the surface]
❶[속뜻]물 위[上]로 떠[浮]오름. ¶고래는 숨을 쉬기 위해 해면으로 부상한다. ❷어떤 현상이 관심의 대상이 되거나 어떤 사람이 훨씬 좋은 위치로 올라섬. ¶그녀의 소설이 베스트셀러로 부상하였다.

북상 北上 | 북녘 북, 위 상 [go up north; move northward]
북(北)쪽으로 올라감[上]. ¶장마전선이 북상 중이다 / 태풍이 북상하다. [반]남하(南下).

빙상 氷上 | 얼음 빙, 위 상 [ice sheet]
얼음[氷] 위[上]. ¶빙상 경기.

사:상 史上 | 역사 사, 위 상 [in history]
'역사상'(歷史上)의 준말. ¶사상 최고의 점수를 받다 / 대회 사상 첫 우승을 차지하다.

석상 席上 | 자리 석, 위 상 [during the meeting; in company]
어떤 모임의 자리[席]에서[上]. 여러 사람이 모인 자리. ¶공개 석상에서 발표하다.

선상 船上 | 배 선, 위 상 [on the ship]
배[船]의 갑판 위[上]. ¶섬이 가까워지자 사람들이 모두 선상으로 올라왔다.

설상 雪上 | 눈 설, 위 상 [(on) top of the snow]
눈[雪] 위[上]. ¶설상가상(雪上加霜).

세:상 世上 | 세간 세, 위 상 [world; society]
❶[속뜻]사람들[世]이 살고 있는 지구 위[上]. ❷인간이 활동하거나 생활하고 있는 사회. ¶그는 세상이 어떻게 돌아가는지 모른다. ❸제 마음대로 판을 치며 자유롭게 활동할 수 있는 무대. ¶여기는 완전히 내 세상이다.

수상 水上 | 물 수, 위 상 [water surface]
물[水] 위[上]. ¶수상 교통 / 수상 경기.

신상 身上 | 몸 신, 위 상 [one's situation]
신변(身邊)에 관한[上] 일이나 형편. ¶성 범죄자들의 신상을 공개해야 한다.

연상 年上 | 나이 년, 위 상 [seniority in age]
자기보다 나이[年]가 많음[上]. 또는 그런 사람. ¶그는 나보다 5살 연상이다. [반]연하(年下).

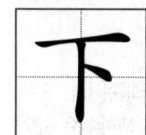

영상 零上 | 영 령, 위 상 [above zero]
0℃[零] 이상(以上)의 기온을 이르는 말. ¶봄이 되면서 기온은 영상으로 올라갔다. [반]영하(零下).

옥상 屋上 | 집 옥, 위 상 [roof]
집[屋]의 위[上]. 특히 현대식 양옥 건물에서 마당처럼 편평하게 만든 지붕 위를 가리킨다. ¶옥상에 빨래를 널었다.

육상 陸上 | 뭍 륙, 위 상 [on land; on the ground]
❶[속뜻]땅[陸] 위[上]. ¶육상 식물. ❷[운동]'육상경기'(陸上競技)의 준말. ¶육상 선수.

이:상 以上 | 부터 이, 위 상
[abovementioned; more than]
❶[속뜻]어떤 기준으로부터[以] 그 위쪽[上]. ❷말이나 글 따위에서 이제까지 말한 내용. ¶이상 말한 바와 같이. ❸그것보다 정도가 더하거나 위임. ¶졸업을 하려면 2년 이상 출석해야 한다. [반]이하(以下).

인상 引上 | 끌 인, 위 상 [pulling up]
❶[속뜻]끌어[引] 올림[上]. ❷값을 올림. ¶대학은 매년 등록금을 인상한다. [반]인하(引下).

정상 頂上 | 꼭대기 정, 위 상 [top; summit; peak]
❶[속뜻]산 따위 맨 꼭대기[頂]의 위[上]. ¶지리산 정상에 오르다. ❷그 이상 더 없는 최고의 상태. ¶인기 정상의 배우. ❸한 나라의 최고 수뇌. ¶정상회담.

조상 祖上 | 할아버지 조, 위 상
[ancestor; forefather]
❶[속뜻]선조(先祖)가 된 윗[上]세대의 어른. ¶우리는 조상 대대로 이 마을에서 살아왔다. ❷자기 세대 이전의 모든 세대. ¶한글에는 조상들의 슬기와 지혜가 담겨 있다. [반]자손(子孫).

지상¹ 至上 | 지극할 지, 위 상 [supremacy]
지극(至極)히 높은 위[上]. ¶세계의 평화를 지상 과제로 삼다.

지상² 地上 | 땅 지, 위 상 [ground]
❶[속뜻]땅[地]의 위[上]. ¶지상 10미터 높이의 건물. ❷이 세상. 현세(現世). ¶인생은 이 지상에서 단 한번 뿐이다. [반]지하(地下).

진:상 進上 | 올릴 진, 위 상 [present to the king]
❶[속뜻]윗[上]사람에게 올리어[進] 바침. ❷진귀한 물품이나 지방의 토산물 따위를 임금이나 고관 따위에게 바침. ¶이 비단은 임금님께 진상할 것이다.

천상 天上 | 하늘 천, 위 상 [heavens]
하늘[天]의 위[上]. ¶천상의 소리. [비]천국(天國).

최:상 最上 | 가장 최, 위 상
[best; finest; highest]
❶[속뜻]가장[最] 위[上]. ❷가장 높고 만족스러운 상태. ¶우리 팀의 컨디션은 최상이다 / 최상의 품질을 자랑하다. [반]최하(最下).

탁상 卓上 | 높을 탁, 위 상 [on the table]
책상이나 식탁 따위 탁자(卓子)의 위[上].

해:상 海上 | 바다 해, 위 상 [on the sea]
바다[海] 위[上]. ¶해상 경비대.

향:상 向上 | 향할 향, 위 상 [improve]
기능이나 정도 따위가 위[上]로 향(向)하여 나아감. 좋아짐. ¶수희의 수학 실력이 크게 향상되었다. [반]저하(低下).

0053 [하]

下

아래 하:
[部] 一부 [劃] 3획 [中] 下 [xià]

下 下 下

下자는 원래 '一' + '-' 의 상하 구조로 '아래쪽'(downward)이라는 개념을 나타내는 부호였다. 후에 '2'를 뜻하는 '二'와 혼동을 피하기 위하여 아래로 'ㅣ'을 그었다.

하:강 下降 | 아래 하, 내릴 강 [drop; fall]
높은 데서 낮은[下] 데로 내려옴[降]. ¶기온의 하강 / 비행기가 활주로를 향해 하강하고 있다. [반]상승(上昇).

하:교 下校 | 아래 하, 학교 교
[come home from school]
공부를 마치고 학교(學校) 아래[下] 집으로 돌아옴. ¶하교 시간 / 하교 버스. [반]등교(登校).

하:권 下卷 | 아래 하, 책 권 [last volume]
두 권이나 세 권으로 나눈 책[卷]의 끝[下]권.

하:급 下級 | 아래 하, 등급 급 [lower class]
등급이나 계급 따위를 상·하 또는 상·중·하로 나눈 때의 아래[下]의 등급(等級). ¶하급 법원 / 하급 관리.

하:녀 下女 | 아래 하, 여자 녀 [maid servant]
하인(下人) 중 여자(女子)인 사람. ¶그는 하녀를 따라 응접실에 들어갔다.

하:단¹ 下段 | 아래 하, 구분 단
[bottom; the lower part]
아래쪽[下] 부분[段]. ¶책장 하단 / 신문 하단에 광고가 실렸다. [반]상단(上段).

하:단² 下端 | 아래 하, 끝 단 [lower end]
아래쪽[下]의 끝[端]. ¶바지의 하단을 잘라 길이를 줄였다. [반]상단(上端).

하:달 下達 | 아래 하, 이를 달

[notify to an inferior]
윗사람의 뜻이나 명령 따위가 아랫사람[下]에게 이름[達]. 또는 미치도록 알림. ¶명령 하달. ⓑ상달(上達).

하:등 下等 | 아래 하, 무리 등
[inferiority; lower class]
❶속뜻 아래[下]의 등급(等級). 낮은 등급. ¶하등 계급. ❷같은 무리 가운데서 정도나 등급이 낮은 것. ¶하등 식물. ⓑ고등(高等).

하:락 下落 | 아래 하, 떨어질 락 [decline]
❶속뜻 아래[下]로 떨어짐[落]. ❷값이나 등급 따위가 떨어짐. ¶미국의 경제순위가 세계 4위로 하락했다. ⓑ상승(上昇).

하:류 下流 | 아래 하, 흐를 류
[downstream; the lower classes]
❶속뜻 강물 따위가 흘러내리는[流] 아래쪽[下]. 또는 그 지역. ¶낙동강 하류. ❷사회적 지위나 생활수준, 교양 등이 낮은 계층. ¶하류 계급 / 하류 생활. ⓑ상류(上流).

하:명 下命 | 아래 하, 명할 명 [command]
아래[下] 사람에 대한 윗사람의 명령(命令). ¶상관에게 하명을 받다.

하:반 下半 | 아래 하, 반 반 [lower half]
하나를 위아래 절반으로 나눈 것의 아래[下]쪽 반(半). ⓑ상반(上半).

하:부 下部 | 아래 하, 나눌 부 [lower part]
❶속뜻 아래[下]쪽 부분(部分). ¶낙동강 하부에는 삼각주가 형성되어 있다. ❷하급의 기관. 또는 그 사람. ¶하부 조직. ⓑ상부(上部).

하:사¹ 下士 | 아래 하, 선비 사 [staff sergeant]
❶속뜻 사관(士官) 아래[下]의 계급. ❷군사 부사관 계급의 하나. 중사의 아래, 병장의 위로 부사관 계급에서 가장 낮은 계급이다.

하:사² 下賜 | 아래 하, 줄 사 [Royal gift]
왕이나 국가 원수 등이 아랫사람[下]에게 금품을 줌[賜]. ¶국왕은 병사에게 토지를 하사했다.

하:산 下山 | 아래 하, 메 산
[descend a mountain]
❶속뜻 산(山) 아래[下]로 내려옴. ¶폭우 때문에 급히 하산하였다. ❷산에서 불교 공부를 하다가 보통 세상으로 내려가는 것. ¶이제 너는 하산을 해도 되겠다. ⓑ등산(登山), 입산(入山).

하:수¹ 下手 | 아래 하, 솜씨 수 [poor hand]
낮은[下] 재주나 솜씨[手]. 또는 그런 사람. ¶그는 더 이상 하수가 아니다. ⓑ고수(高手).

하:수² 下水 | 아래 하, 물 수 [sewage]
빗물이나 집, 공장, 병원 따위에서 쓰고 아래[下]로 버리는 더러운 물[水]. ¶처리되지 않은 하수가 강을 더럽혔다.

하:숙 下宿 | 아래 하, 잠잘 숙 [board]
❶속뜻 아래[下]에서 잠을 잠[宿]. ❷일정한 돈을 내고 일정 기간 남의 집에 머물면서 먹고 잠. 또는 그 집. ¶학교 근처에서 하숙을 하다.

하:순 下旬 | 아래 하, 열흘 순
[last 10 days of a month]
한 달 중 뒤[下]쪽의 열흘[旬]. 스무하룻날부터 그믐날까지의 열흘을 이른다.

하:오 下午 | 아래 하, 낮 오 [afternoon]
정오(正午)를 기준으로 다음[下]의 열두시까지. ¶그는 내일 하오 5시 비행기로 출국한다. ⓑ오후(午後). ⓑ상오(上午).

하:원 下院 | 아래 하, 집 원
[House of Representatives]
정치 양원제 의회에서, 국민[下]이 직접 뽑은 의원으로 구성된 의회[院]. ⓑ상원(上院).

하:위 下位 | 아래 하, 자리 위 [lower rank]
낮은[下] 지위(地位). 낮은 순위. ¶하위 팀. ⓑ상위(上位).

하:의 下衣 | 아래 하, 옷 의 [trousers]
몸의 아랫부분[下]에 입는 옷[衣]. ¶하의만 입고 있다. ⓑ상의(上衣).

하:인 下人 | 아래 하, 사람 인 [servant]
❶속뜻 아랫[下] 사람[人]. ❷남의 집에 매여 일을 하는 사람. ¶하인을 두다.

하:직 下直 | 아래 하, 당번 직 [bid farewell]
❶역사 당번[直] 일을 마치고 궁궐 아래[下]로 내려옴. ❷먼 길을 떠날 때 웃어른에게 작별을 고함. ¶부모님께 하직 인사를 드리다 / 고향을 하직하다. ⓑ상직(上直).

하:차 下車 | 아래 하, 수레 차 [get off]
기차나 자동차(自動車) 따위에서 아래[下]로 내려옴. ¶우리는 부산역에서 하차했다. ⓑ승차(乘車).

하:체 下體 | 아래 하, 몸 체
[lower part of the body]
몸[體]의 아래[下]부분. ¶그는 하체가 뚱뚱하다. ⓑ하반신(下半身). ⓑ상체(上體).

하:층 下層 | 아래 하, 층 층
[lower layer; lower social stratum]
❶속뜻 겹치거나 쌓인 것들 중에서 아래[下] 층(層). ¶건물의 하층. ❷등급이 아래인 계층. ¶하층 계급 / 하층 생활. ⓑ하급(下級). ⓑ상층(上層).

하:편 下篇 | 아래 하, 책 편 [last volume]
상·중·하로 나눈 책[篇]의 끝[下]의 편. ¶이 책은 상편

보다 하편이 더 흥미진진하다.

하:향 下向 | 아래 하, 향할 향 [facing downward]
❶[속뜻] 위에서 아래[下]쪽으로 향(向)함. ¶하향 곡선 / 하향 조정. ❷기세 따위가 쇠퇴하여 감. [반]상향(上向).

하:현 下弦 | 아래 하, 시위 현 [old moon]
[천문] 아래[下]로 엎어놓은 활시위[弦] 같은 모양의 달. 매달 음력 22~23일에 나타난다. [반]상현(上弦).

• 역순어휘 ——————— •

각하 閣下 | 대궐 각, 아래 하 [Your Excellency]
❶[속뜻] 대궐[閣] 아래[下]. ❷특정한 고급 관료에 대한 경칭. ¶대통령 각하 / 의장 각하. [비]전하(殿下), 성하(聖下).

강:하 降下 | 내릴 강, 아래 하 [fall; drop]
❶[속뜻] 위에서 아래[下]로 내림[降]. 높은 데서 낮은 데로 내려감. ¶기온이 크게 강하했다. ❷공중에서 아래로 뛰어내림. ¶낙하산 강하 훈련. ❸기온 따위가 내려감. ¶기온이 갑작스레 영하로 강하했다. [비]하강(下降).

격하 格下 | 품격 격, 아래 하
[demote; downgrade]
자격이나 등급, 지위[格] 따위를 낮춤[下]. ¶1위에서 3위로 격하되다. [반]격상(格上).

고하 高下 | 높을 고, 아래 하 [up and down]
❶[속뜻] 높음[高]과 낮음[下]. ❷지위나 등급, 신분 등의 높고 낮음이나 귀하고 천함. ¶지위의 고하에 상관없이 의견을 말하다. ❸값의 많고 적음. ¶값의 고하를 막론하고 사들이다. [비]고저(高低), 귀천(貴賤).

귀:하 貴下 | 귀할 귀, 아래 하 [you; Mr]
❶[속뜻] 상대편을 높여[貴] 그의 이름 뒤[下]에 쓰는 말. ¶담당자 귀하. ❷상대편을 높여 그의 이름 대신 부르는 말. ¶귀하의 편지는 잘 받았습니다. [비]당신(當身).

낙하 落下 | 떨어질 락, 아래 하 [fall]
높은 곳에서 아래[下]로 떨어짐[落]. ¶자유 낙하하다. [반]상승(上昇).

남하 南下 | 남녘 남, 아래 하
[advance southward]
남(南)쪽으로 내려감[下]. 또는 내려옴. [반]북상(北上).

목하 目下 | 눈 목, 아래 하
[at the (present) moment]
❶[속뜻] 눈[目] 아래[下]. 눈앞에. ❷바로 이때. 지금. ¶그 회의는 목하 부산에서 열리고 있다. [비]목금(目今), 현금(現今).

문하 門下 | 문 문, 아래 하 [under instruction]
❶[속뜻] 스승의 집 대문(大門) 아래[下] 모여 듦. ❷스승의 집에 드나들며 가르침을 받는 제자. '문하생'(門下生)의 준말. ¶김 선생님의 문하에 들어가다

부하 部下 | 거느릴 부, 아래 하
[subordinate; follower]
자기 수하(手下)에 거느리고[部] 있는 직원. [반]상관(上官), 상사(上司).

상:하 上下 | 위 상, 아래 하 [top and bottom]
위[上]와 아래[下]. ¶시험관을 상하로 10분간 흔들어 주십시오.

슬하 膝下 | 무릎 슬, 아래 하
[care of one's parents]
❶[속뜻] 무릎[膝]의 아래[下]. ❷어버이나 조부모의 보살핌 아래. 주로 부모의 보호를 받는 테두리 안을 이른다. ¶슬하에 자녀는 몇이나 두었소?

신하 臣下 | 섬길 신, 아래 하 [retainer]
임금을 섬기며[臣] 그 아래[下]에서 일하는 사람. ¶충성스러운 신하.

안:하 眼下 | 눈 안, 아래 하 [under one's eyes]
눈[眼] 아래[下]. ¶안하무인(眼下無人).

연하 年下 | 나이 년, 아래 하 [juniority]
나이[年]가 아래임[下]. 또는 그런 사람. ¶그는 나보다 3살 연하이다. [반]연상(年上).

영하 零下 | 영 령, 아래 하 [sub zero]
❶[속뜻] 영(零)보다 아래[下]의 수치. ❷섭씨온도계에서 눈금이 0℃이하의 온도. ¶오늘 기온은 영하 8도다. [반]영상(零上).

이:하 以下 | 부터 이, 아래 하 [under]
❶[속뜻] 어떤 수량, 단계 따위가 그것을 포함하여 그것보다[以] 적거나 아래[下]. ¶80점 이하는 남아서 공부해야 한다. ❷다음에 말할 내용. ¶이하 생략. [반]이상(以上).

인하 引下 | 끌 인, 아래 하 [reduce; lower]
❶[속뜻] 끌어[引]내림[下]. ❷값을 떨어뜨림. ¶가격 인하 / 금리가 크게 인하되었다. [반]인상(引上).

저:하 低下 | 낮을 저, 아래 하 [fall; decline]
사기, 정도, 수준, 물가, 능률 따위가 아래로[下] 낮아짐[低]. ¶판매 저하 / 요즘 학생들의 체력이 크게 저하되었다. [반]향상(向上).

전:하 殿下 | 대궐 전, 아래 하
[Your Royal Highness]
❶[속뜻] 대궐[殿] 아래[下]. ❷[역사] 왕이나 왕비 또는 왕족을 높여 부르는 말. ¶상왕 전하.

지하 地下 | 땅 지, 아래 하 [underground]
땅[地]의 아래[下]. 또는 땅속을 파고 만든 구조물의 공간. ¶지하 2층 / 지하에는 수많은 광물이 묻혀 있다. [반]지상(地上).

천하 天下 | 하늘 천, 아래 하
[whole country; public; world]
❶[속뜻]하늘[天] 아래[下]. 온 세상. ¶천하의 못된 놈 / 천하에 이름을 떨치다. ❷한 나라나 정권. ¶공산당 천하.

최ː하 最下 | 가장 최, 아래 하
[lowest; most inferior; worst]
가장[最] 아래[下]. 맨 끝. ¶최하 점수 / 최하 천만 원의 벌금을 물다. [반]최상(最上).

치하 治下 | 다스릴 치, 아래 하 [under the reign]
❶[속뜻]다스리는[治] 범위 안이나 그 상황 아래[下]. ❷한 나라가 어떤 세력의 다스림을 받는 상황. ¶한국은 일제 치하에서 갖은 치욕을 겪었다.

투하 投下 | 던질 투, 아래 하 [throw down; drop]
❶[속뜻]높은 곳에서 아래[下]로 던짐[投]. ¶적군의 기지에 폭탄을 투하하다. ❷물자나 자금 따위를 들임. ¶이 돈은 온갖 노력을 투하해 어렵게 번 것이다.

폐ː하 陛下 | 섬돌 폐, 아래 하 [emperor; Majesty]
❶[속뜻]섬돌[陛] 아래[下]. 뜰아래. ❷황제나 황후를 높여 일컫던 말. ¶폐하께서 부르시니 어서 궁궐로 가야겠습니다.

피하 皮下 | 가죽 피, 아래 하 [beneath the skin]
[의학]피부(皮膚)의 아래[下] 부분. ¶피하에 지방이 고였다.

휘하 麾下 | 지휘할 휘, 아래 하
[(troops) under one's command]
장군의 지휘[麾] 아래[下]. 또는 그 지휘 아래에 딸린 군사. ¶그는 휘하에 천 명의 병사를 거느리고 있다.

0054 [불]

不

아닐 불 / 부
[部] 一부 [劃] 4획 [中] 不 [bù]

不 不 不 不

> 不자의 자형 풀이에 대해서는 여러 설들이 많은데 모두 확실한 근거가 없다. 획수가 매우 적으니 그냥 외워 버리는 것이 상책이다. '아니다'(not; no)는 뜻의 부정사로 많이 쓰이며, 원래 독음은 [불]이나 뒤 글자의 초성 자음이 /ㄷ/이나 /ㅈ/일 때에는 [부]로 읽는다. 뒤 글자의 초성 자음이 /ㅅ/일 때에는 [부]로 읽기도 하고(예, 부실 不實), [불]로 읽기도 한다(예, 불손 不遜).
>
> [속뜻 훈음] ①아닐 불, ②아닐 부.

불가 不可 | 아닐 불, 가히 가 [be not right]
무엇을 할 수[可] 없음[不]. 가능하지 않음. ¶19세 미만 입장 불가.

불결 不潔 | 아닐 불, 깨끗할 결
[uncleanliness; filthiness]
깨끗하지[潔] 않음[不]. ¶주방이 불결하다. [반]청결(淸潔).

불경 不敬 | 아닐 불, 공경할 경
[disrespectful; irreverent]
마땅히 경의를 표해야 할 사람에게 경의(敬意)나 예를 표하지 않고[不] 무례하게 굶. ¶불경을 저지르다 / 불경스러운 말투.

불과 不過 | 아닐 불, 지날 과
[only; merely; no more than]
그 정도에 지나지[過] 못함[不]. 겨우. 기껏해야. ¶생존자는 불과 몇 명뿐이었다 / 이것은 시작에 불과하다.

불구¹ 不具 | 아닐 불, 갖출 구
[deformity; disability]
몸의 어떤 부분이 온전치[具] 못함[不]. ¶전쟁 중에 그의 다리는 불구가 되었다.

불구² 不拘 | 아닐 불, 잡을 구
[disregard; be not deterred]
구애(拘礙)받지 아니하다[不]. ¶그는 비가 오는데도 불구하고 산에 올랐다.

불굴 不屈 | 아닐 불, 굽힐 굴 [indomitable]
어려움에 부닥쳐도 굽히지[屈] 않고[不] 끝까지 해냄. ¶불굴의 의지.

불길 不吉 | 아닐 불, 길할 길 [unlucky]
재수나 운수 따위가 길(吉)하지 못하다[不]. 좋지 아니하다. ¶불길한 꿈을 꾸다.

불능 不能 | 아닐 불, 능할 능 [impossible]
할 수[能] 없음[不]. 능하지 못함. ¶통제 불능.

불량 不良 | 아닐 불, 좋을 량 [bad; delinquent]
❶[속뜻]질이나 상태 따위가 좋지[良] 않음[不]. ¶불량 식품 / 이 음식점은 위생 상태가 불량하다. ❷품행이 좋지 않음. ¶불량 학생 / 자세가 불량하다.

불로¹ 不老 | 아닐 불, 늙을 로 [ever young]
늙지[老] 아니하다[不]. ¶불로장생(長生).

불로² 不勞 | 아닐 불, 일할 로
일하지[勞] 아니함[不]. ¶불로소득(所得).

불륜 不倫 | 아닐 불, 인륜 륜 [immoral; illegal]
남녀 관계가 인륜(人倫)에 맞지 아니함[不]. ¶불륜은 행복으로 끝나지 않는다.

불리 不利 | 아닐 불, 이로울 리
[disadvantageous; unfavorable]
이롭지[利] 아니함[不]. ¶불리한 입장. [반]유리(有利).

불만 不滿 | 아닐 불, 찰 만 [dissatisfied]
마음에 차지[滿] 않음[不]. 또는 그런 마음의 표시. ¶주민들의 불만이 쌓여가다 / 불만스러운 표정으로 대답하다. [비]불만족(不滿足). [반]만족(滿足).

불매 不買 | 아닐 불, 살 매 [boycott]
사지[買] 아니함[不]. ¶불매 운동.

불면 不眠 | 아닐 불, 잠잘 면 [loss of sleep]
잠을 자지[眠] 않음[不]. 또는 잠을 자지 못함. ¶불면 때문에 눈이 충혈되다.

불멸 不滅 | 아닐 불, 없앨 멸 [do not die]
영원히 없어지지[滅] 않음[不]. ¶불멸의 업적을 남기다.

불모 不毛 | 아닐 불, 털 모 [sterility]
❶[속뜻]자라지 않는[不] 털[毛]. ❷땅이 메말라 농작물이 자라지 않음을 비유적으로 이르는 말. 또는 그런 땅.

불문 不問 | 아닐 불, 물을 문 [do not ask]
❶[속뜻]묻지[問] 아니함[不]. ¶이 문제는 불문에 부치겠다. ❷가리지 아니함. ¶노소 불문 / 남녀노소를 불문하고 모두 이 노래를 좋아한다.

불미 不美 | 아닐 불, 아름다울 미 [ugly; bad]
아름답지[美] 못하고[不] 추잡함. 떳떳하지 못함. ¶그에 대한 불미스러운 소문이 나돌고 있다.

불발 不發 | 아닐 불, 쏠 발 [misfire]
❶[속뜻]탄알이나 폭탄이 발사(發射)되지 않거나 터지지 아니함[不]. ❷계획했던 일을 못하게 됨. ¶그 계획은 불발로 끝나고 말았다.

불법 不法 | 아닐 불, 법 법 [unlawfulness]
법(法)에 어긋남[不]. ¶불법선거 / 불법시위. [비]위법(違法). [반]적법(適法), 합법(合法).

불변 不變 | 아닐 불, 바뀔 변 [do not change]
바뀌지[變] 아니함[不]. 변하지 아니함. ¶불변의 진리 / 태양이 서쪽으로 진다는 것은 영원히 불변하는 사실이다. [반]가변(可變).

불복 不服 | 아닐 불, 따를 복 [objection; protest]
따르지[服] 아니함[不]. ¶상관의 명령에 불복하다.

불사¹ 不死 | 아닐 불, 죽을 사 [never die; be immortal]
죽지[死] 아니함[不].

불사² 不辭 | 아닐 불, 물러날 사 [fail to decline]
사양(辭讓)하지 아니함[不]. ¶전쟁 불사 / 경우에 따라서는 죽음도 불사할 것이다.

불상 不祥 | 아닐 불, 상서로울 상 [ill-omened; ominous]
상서(祥瑞)롭지 못하다[不].

불성 不誠 | 아닐 불, 정성 성 [insincere]
성실(誠實)하지 못함[不]. '불성실'의 준말.

불손 不遜 | 아닐 불, 겸손할 손 [insolent; arrogant]
공손(恭遜)하지 아니함[不]. ¶불손한 태도 [반]공손(恭遜).

불순 不純 | 아닐 불, 순수할 순 [impure; foul]
순수(純粹)하지 못함[不]. ¶불순한 의도 / 자네는 나의 목적이 불순하다는 건가?

불시 不時 | 아닐 불, 때 시 [unexpectedness]
뜻하지 아니한[不] 때[時]. ¶친구가 불시에 찾아오다.

불신 不信 | 아닐 불, 믿을 신 [disbelieve; distrust]
믿지[信] 아니함[不]. ¶두 나라 사이의 불신이 점점 심해지고 있다.

불심 不審 | 아닐 불, 살필 심 [unfamiliarity; strangeness]
자세히 알지[審] 못하거나[不] 의심스러움.

불안 不安 | 아닐 불, 편안할 안 [nervous; uneasy]
편안(便安)하지 않음[不]. ¶나는 내일 있을 면접 때문에 불안하다. [반]평온(平穩), 평안(平安), 안녕(安寧).

불온 不穩 | 아닐 불, 평온할 온 [rebellious; seditious]
❶[속뜻]온당(穩當)하지 아니하고[不] 험악함. ¶불온한 태도 / 불온한 사상을 지니다. ❷치안(治安)을 해칠 우려가 있음. ¶불온 단체.

불우 不遇 | 아닐 불, 만날 우 [unfortunate]
❶[속뜻]때를 만나지[遇] 못함[不]. ❷포부나 재능은 있어도 좋은 때를 만나지 못하여 불운함. ¶자신의 불우를 탄식하다. ❸살림이나 처지가 딱하고 어려움. ¶불우 노인 / 불우 이웃 돕기.

불운 不運 | 아닐 불, 운수 운 [unfortunate]
운수(運數)가 좋지 아니함[不]. 또는 그러한 운수. [비]불행(不幸), 비운(非運). [반]행운(幸運).

불응 不應 | 아닐 불, 응할 응 [do not accept]
응(應)하지 아니함[不]. 듣지 아니함. ¶초대에 불응하다. [반]순응(順應).

불의¹ 不意 | 아닐 불, 뜻 의 [suddenness]
뜻[意] 하지 않았던[不] 판. 뜻밖의. ¶불의의 사고. [비]뜻밖.

불의² 不義 | 아닐 불, 옳을 의 [immorality; impropriety]
옳지[義] 아니한[不] 일. ¶나는 불의를 보면 참지 못한다. [반]정의(正義).

불임 不妊 | 아닐 불, 아이 밸 임 [sterile; barren]
[의학]임신(妊娠)되지 아니함[不]. ¶그녀는 오랫동안 불임으로 고민했다.

불찰 不察 | 아닐 불, 살필 찰
[negligence; carelessness]
잘 살피지[察] 아니한[不] 잘못. ¶그런 사람을 믿은 것은 내 불찰이었다.

불참 不參 | 아닐 불, 참여할 참 [be absent]
참석(參席)하지 아니함[不]. ¶모임이 불참하다. [반]참석(參席), 참가(參加).

불치 不治 | 아닐 불, 다스릴 치
[incurability; malignity]
병을 고칠[治] 수 없음[不]. [반]완치(完治).

불쾌 不快 | 아닐 불, 기쁠 쾌 [unpleasant]
어떤 일로 기분이 상하여 마음이 기쁘지[快] 않음[不]. ¶그의 태도는 나를 아주 불쾌하게 했다.

불통 不通 | 아닐 불, 통할 통
[be suspended; be interrupted]
길, 다리, 철도, 전화, 전신 따위가 서로 통(通)하지 아니함[不]. ¶시 전체의 전화가 어떻게 다 불통이죠?

불편 不便 | 아닐 불, 편할 편
[inconvenient; uncomfortable]
❶[속뜻]어떤 것을 사용하거나 이용하는 것이 편(便)하지 아니함[不]. 거북스러움. ¶불편을 줄이다 / 이곳은 교통이 불편하다. ❷몸이나 마음이 편하지 아니하고 괴로움. ¶몸의 불편을 무릅쓰고 학교에 갔다 / 다리가 불편하다. [반]편리(便利).

불평 不平 | 아닐 불, 평평할 평 [complain; whine]
❶[속뜻]공평(公平)하지 않음[不]. ❷마음에 들지 않아 못마땅하게 여김. 또는 그것을 말이나 행동으로 나타냄. ¶나는 아무런 불평도 없다.

불행 不幸 | 아닐 불, 다행 행 [unhappy]
❶[속뜻]행복(幸福)하지 아니함[不]. ¶불행한 결혼 생활. ❷운수가 나쁨. ¶불행은 항상 겹쳐 온다. [비]불운(不運). [반]행복(幸福), 행운(幸運).

불허 不許 | 아닐 불, 들어줄 허 [do not permit]
들어주지[許] 아니함[不]. 또는 허용하지 아니함. ¶입국불허 / 그의 재주는 타의 추종을 불허한다.

불혹 不惑 | 아닐 불, 홀릴 혹 [age of forty]
❶[속뜻]무엇에 마음이 홀리지[惑] 아니함[不]. ❷마흔 살을 달리 이르는 말. 『논어·위정편』(爲政篇)에서 공자가 마흔 살부터 세상일에 미혹되지 않았다고 한 데서 나온 말이다.

불화 不和 | 아닐 불, 어울릴 화
[disagreement; discord]
서로 어울리지[和] 못함[不]. 사이가 좋지 못함. ¶부부 간의 불화 / 가정불화. [반]화합(和合), 화목(和睦).

불황 不況 | 아닐 불, 형편 황 [recession]
[경제]경기 형편[況]이 좋지 못함[不]. 경제 활동 전체가 침체되는 상태. ¶불황으로 서민들의 생활이 어려워졌다. [비]불경기(不景氣). [반]호황(好況).

불효 不孝 | 아닐 불, 효도 효
[be undutiful to one's parents]
❶[속뜻]효도(孝道)를 하지 아니함[不]. ❷효성스럽지 못함. ¶부모에게 불효하다. [반]효도(孝道).

불후 不朽 | 아닐 불, 썩을 후 [immortal]
썩지[朽] 아니함[不]. 영원히 없어지지 아니함. ¶불후의 명작. [비]불멸(不滅).

부당 不當 | 아닐 부, 마땅 당
[injustice; unreasonable]
도리에 벗어나서 정당(正當)하지 않음[不]. 사리에 맞지 아니함. ¶부당요금 / 부당한 차별을 받다.

부도 不渡 | 아닐 부, 건널 도
[failure to honor; nonpayment]
❶[속뜻]재정상의 위기 따위를 건너지[渡] 못함[不]. ❷[경제]어음이나 수표를 가진 사람이 기한이 되어도 어음이나 수표에 적힌 돈을 지불 받지 못하는 일. ¶그 회사는 부도 직전까지 갔다.

부동 不動 | 아닐 부, 움직일 동
[immovability; firmness; stability]
물건이나 몸이 움직이지[動] 아니함[不]. ¶부동 자세.

부등 不等 | 아닐 부, 같을 등
[disparity; inequality]
서로 같지[等] 않음[不]. 다름.

부실 不實 | 아닐 부, 열매 실
[weak; poor; insufficient]
❶[속뜻]열매[實]를 맺지 못함[不]. ❷내용이 실속이 없고 충분하지 못함. ¶부실 공사 / 반찬이 부실하다.

부재 不在 | 아닐 부, 있을 재 [absence]
그곳에 있지[在] 아니함[不]. ¶아버지의 부재로 집안은 늘 썰렁했다.

부적 不適 | 아닐 부, 알맞을 적 [unsuitable; unfit]
알맞지[適] 아니함[不]. ¶그는 이 일을 하기에 부적하다.

부정¹ 不正 | 아닐 부, 바를 정 [unfair; unjust]
올바르지[正] 아니하거나[不] 옳지 못함. ¶입시 부정 / 부정을 방지하다. [반]공정(公正).

부정² 不淨 | 아닐 부, 깨끗할 정 [unclean; dirty]
❶[속뜻]깨끗하지[淨] 못함[不]. 더러움. ❷사람이 죽는 따위의 불길한 일. ¶부정한 아내.

부족 不足 | 아닐 부, 넉넉할 족 [insufficient; lack]
어떤 한도에 넉넉하지[足] 않음[不]. 모자람. ¶운동 부족. ⓑ과잉(過剩), 풍족(豐足).

부지 不知 | 아닐 부, 알 지 [do not know]
알지[知] 못함[不]. ¶그 문제의 중요성에 대한 부지의 결과로 새로운 걱정거리가 생겼다.

부진 不振 | 아닐 부, 떨칠 진 [dull; depressed]
세력이나 성적 또는 활동 따위를 떨치지[振] 못함[不]. ¶나는 국어 성적이 부진하다 / 성적 부진아(不振兒).

0055 [세]

世 인간 세:
部 一부 劃 5획 中 世 [shì]

世 世 世 世 世

世자는 십(十)을 세 개 합친 것이었다. 참고로 '20'은 '廿'(입), '30'은 '卅'(삽), '40'은 '卌'(십)이라 하였는데 지금은 별로 쓰이지 않는다. 世자는 바로 '卅'의 변형이니 '30'(thirty)이 본래 의미인데, '(세)대'(a generation), '인간'(a human being), '세상'(the world) 등으로 확대 사용됐다.

속뜻 훈음 ①인간 세, ②세상 세, ③(세)대 세.

세:계 世界 | 세상 세, 지경 계 [world]
❶속뜻 세상(世上)의 모든 지역[界]. ❷지구상의 모든 나라. 또는 인류 사회 전체. ¶세계에서 가장 큰 나라. ❸집단적 범위를 지닌 특정 사회나 영역. ¶여성 세계.

세:기 世紀 | 세대 세, 연대 기 [century]
❶속뜻 역사를 구분하는 일정한 세대(世代)나 연대[紀]. ❷백 년을 단위로 하는 기간.

세:대¹ 世代 | 세상 세, 시대 대 [generation]
❶속뜻 어느 한 세상(世上)과 시대(時代). ❷같은 시대에 살면서 공통의 의식을 가지는 비슷한 연령층의 사람 전체. ¶젊은 세대.

세:대² 世帶 | 대 세, 띠 대 [family]
❶속뜻 대대로[世] 띠[帶]같이 이어져 오는 가구. ❷법률 현실적으로 주거 및 생계를 같이하는 사람의 집단. ¶농사를 짓는 세대가 해마다 줄고 있다. ⓑ가구(家口).

세:상 世上 | 세간 세, 위 상 [world; society]
❶속뜻 사람들[世]이 살고 있는 지구 위[上]. ❷인간이 활동하거나 생활하고 있는 사회. ¶그는 세상이 어떻게 돌아가는지 모른다. ❸제 마음대로 판을 치며 자유롭게 활동할 수 있는 무대. ¶여기는 완전히 내 세상이다.

세:속 世俗 | 세상 세, 풍속 속 [secular world]
❶속뜻 세상(世上)에 흔히 있는 풍속(風俗). ❷보통 사람들이 늘 살아가는 세상. ¶세속을 떠나다 / 세속을 등지다.

세:습 世襲 | 대 세, 물려받을 습 [descent]
신분, 작위, 업무, 재산 따위를 대[世]를 이어 물려받음[襲]. 또는 그런 일 ¶권력 세습 / 부의 세습.

세:자 世子 | 대 세, 아들 자 [Crown Prince]
역사 왕가의 대[世]를 이을 아들[子]. '왕세자'(王世子)의 준말. ⓑ동궁(東宮).

세:태 世態 | 세상 세, 모양 태 [phase of life]
세상(世上)의 형편이나 상태(狀態). ¶이 소설은 세태를 잘 반영하고 있다.

세:파 世波 | 세대 세, 물결 파
[rough-and-tumble of life]
세상(世上)을 살아가는 어려움을 거센 파도[波]에 비유하여 이르는 말. ¶모진 세파에 시달리다.

• 역순어휘 •

경세 經世 | 다스릴 경, 세상 세
[govern; administer]
세상(世上)을 다스림[經]. ¶경세치용(致用).

구:세 救世 | 구원할 구, 세상 세 [save the world]
❶속뜻 세상(世上) 사람들을 불행과 고통에서 구원(救援)함. ❷기독교 신앙으로 인류를 마귀의 굴레와 죄악에서 구원함. 또는 그런 사람. ❸불교 중생을 괴로움에서 벗어나게 함. 또는 그런 사람.

내:세 來世 | 올 래, 세상 세 [afterlife; future life]
불교 죽은 뒤에 영혼이 다시 태어나 산다는 미래(未來)의 세상(世上). ¶내세의 명복을 빌다. ⓑ후세(後世). ⓑ현세(現世), 전세(前世).

말세 末世 | 끝 말, 세상 세 [degenerate age]
정치나 도의 따위가 어지러워지고 쇠퇴하여 끝[末]이 다 된 듯한 세상(世上). ⓑ계세(季世), 말대(末代), 말류(末流).

별세 別世 | 나눌 별, 세상 세
[pass away; pass on]
❶속뜻 세상(世上)과 이별(離別)함. ❷'죽음'을 높여 이르는 말. ¶은사께서 노환으로 별세하셨다.

속세 俗世 | 속될 속, 세상 세
[this world; mundane life]
❶속뜻 속(俗)된 세상(世上). ❷불교 불가에서 일반 사회를 이르는 말. ¶속세를 떠나다 / 속세와의 인연을 끊다. ⓑ세속.

신세 身世 | 몸 신, 세상 세
[one's personal affairs]
❶속뜻 한 몸[身]이 세상(世上)에 처한 처지. 주로 불쌍하거나 외롭거나 가난한 경우를 이른다. ¶자신의 신세를

한탄하다. ❷다른 사람에게 도움을 받거나 폐를 끼치는 일. ¶미안하지만 며칠 신세를 지겠네.

이:세 二世 | 다음 이, 세대 세 [second generation]
❶[속뜻] 외국에 이주해 간 세대의 다음[二] 세대(世代). ¶재일 동포 2세. ❷다음 세대.

중세 中世 | 가운데 중, 세대 세 [Middle Ages]
[역사] 역사의 시대 구분의 한 가지로, 고대(古代)와 근세(近世) 사이[中]의 세기(世紀). ¶이 건물은 중세 시대에 지어졌다.

창:세 創世 | 처음 창, 세상 세 [creation of the world]
맨 처음[創] 세상(世上).

처:세 處世 | 살 처, 세상 세 [conduct of life]
세상(世上)에서 남과 더불어 살아감[處]. 또는 그런 일. ¶그는 처세에 능하다.

출세 出世 | 날 출, 세상 세 [success in life]
❶[속뜻] 숨어살던 사람이 세상(世上)에 나옴[出]. ❷사회적으로 높이 되거나 유명해짐. ¶그는 출세하더니 거만해졌다. [비]성공(成功).

행세 行世 | 행할 행, 세상 세 [pretend]
❶[속뜻] 어떤 행동(行動)으로 처세(處世)함. 또는 그 태도. ❷거짓 처신하여 행동함. 또는 그 태도. ¶그는 4년 동안이나 의사 행세를 했다.

현:세 現世 | 지금 현, 세상 세 [this world; the present age]
현재(現在)의 세상(世上). 이 세상.

후:세 後世 | 뒤 후, 세상 세 [future; coming ages]
뒤[後]에 오는 세상(世上). 뒷세상. 다음에 오는 세대의 사람들. ¶후세를 위해 자연환경을 보호해야 한다. [반]전세(前世).

0056 [전]

前 앞 전
[部] 刀부 [劃] 9획 [中] 前 [qián]

前 前 前 前 前 前 前 前 前

前자의 원형은 '발 지'(止)와 '배 주'(舟)가 합쳐진 것으로 '배를 타고 앞으로 나아가다'(go forward by boat)가 본뜻인데 '앞'(the front; the fore part)을 뜻하는 것으로 확대 사용됐다. '칼 도'(刀=刂)가 들어간 것은 '가위'를 뜻하는 다른 글자였다. 그런데 이것이 '앞'이란 뜻으로 쓰이는 예가 많아지자 '가위'의 뜻은 '칼 도'(刀)를 하나 더 보탠 剪(전)자를 만들어 나타냈다.

전과 前科 | 앞 전, 형벌 과 [previous conviction]
[법률] 전(前)에 형벌[科]을 받은 사실. ¶그는 전과 2범이다.

전년 前年 | 앞 전, 해 년 [last year; past years]
지나간[前] 해[年]. ¶전년 여름에 비해 훨씬 덥다. [비]지난해, 작년(昨年).

전면 前面 | 앞 전, 낯 면 [front side; frontage]
앞[前] 면(面). ¶건물의 전면에 간판이 걸려 있다. [비]앞면. [반]후면(後面).

전반 前半 | 앞 전, 반 반 [first half]
전체를 둘로 나누었을 때, 앞[前]부분의 절반(折半). ¶19세기 전반에 산업혁명이 전 세계로 확산되었다. [반]후반(後半).

전방 前方 | 앞 전, 모 방 [front line; forward area]
앞[前] 쪽[方]. ¶50미터 전방에서 우회전하세요. [반]후방(後方).

전번 前番 | 앞 전, 차례 번 [other day; former occasion]
지난[前] 번(番). ¶전번에 만난 곳에서 보자. [반]다음번(番).

전생 前生 | 앞 전, 살 생 [one's previous life]
이 세상에 태어나기 이전(以前)의 삶[生]. ¶우리는 전생에 부부였던 것이 틀림없다. [반]내생(來生).

전선 前線 | 앞 전, 줄 선 [front; weather front]
❶[군사] 싸움터에서 적과 상대하는 맨 앞[前] 지역을 연결한 선(線). ¶전선에서 한국군의 승전보가 날라 왔다. ❷[지리] 성질이 다른 두 기단의 경계면이 지표와 만나는 선. ¶겨울은 한랭 전선의 영향을 받아 춥다.

전야 前夜 | 앞 전, 밤 야 [previous night; night before]
❶[속뜻] 지난[前] 밤[夜]. ❷특정한 날을 기준으로 그 전날 밤. ¶크리스마스 전야.

전월 前月 | 앞 전, 달 월 [last month]
지난[前] 달[月]. 전달. ¶나는 전월보다 성적이 많이 올랐다.

전임 前任 | 앞 전, 맡길 임 [one's predecessor; former official]
이전(以前)에 그 임무를 맡음[任]. 또는 그런 사람이나 그 임무. ¶그는 책임을 전임 사장에게 돌렸다. [반]후임(後任).

전자 前者 | 앞 전, 것 자 [former]
먼저[前] 말한 것[者]. ¶전자가 후자보다 좋다. [반]후자(後者).

전제 前提 | 앞 전, 들 제 [be required]
어떠한 일을 이루기 위하여 앞서[前] 제시(提示)하는 것. ¶그들은 결혼을 전제로 만나고 있다.

전주 前奏 | 앞 전, 연주할 주
[prelude; introduction]
음악 성악, 기악 독주, 오페라를 시작하기 전(前)에 하는 연주(演奏).

전직 前職 | 앞 전, 일자리 직
[office held previously; one's former office]
이전(以前)에 가졌던 직업(職業). ¶전직 농구선수였던 그는 사업가가 되었다.

전진 前進 | 앞 전, 나아갈 진 [advance]
앞[前]으로 나아감[進]. ¶이번 일을 이보 전진을 위한 일보 후퇴로 여기다. ㊥후진(後進), 후퇴(後退).

전철 前轍 | 앞 전, 바퀴 자국 철
[track of a preceding wheel; precedent]
❶속뜻 앞[前]에 지나간 수레바퀴의 자국[轍]. ❷이전 사람의 그릇된 일이나 행동의 자취. ¶내 딸은 나와 같은 전철을 밟게 하고 싶지 않다.

전편 前篇 | 앞 전, 책 편 [first volume]
여러 편으로 나누어진 책이나 영화 따위의 앞[前] 편(篇). ¶이 영화는 전편이 더 재미있다. ㊥후편(後篇).

전항 前項 | 앞 전, 목 항 [preceding clause]
❶속뜻 앞[前]에 적혀 있는 사항(事項). ❷수학 둘 이상의 항 가운데에서 앞의 항. ¶전항과 후항에 3을 곱한다. ㊥후항(後項).

전후 前後 | 앞 전, 뒤 후
[before and behind; before and after]
❶속뜻 앞[前] 뒤[後]. ¶전후를 살피다. ❷먼저와 나중. ¶일의 전후를 따지다. ❸일정한 때나 수량에 약간 모자라거나 넘는 것. ¶그녀는 20세 전후로 보인다.

• 역순어휘

면:전 面前 | 낯 면, 앞 전 [person's presence]
❶속뜻 얼굴[面] 앞[前]. ❷보고 있는 앞. 눈앞. ¶사람들 면전에서 망신을 당했다.

목전 目前 | 눈 목, 앞 전
[imminent; impending; forthcoming]
❶속뜻 눈[目] 앞[前]쪽. 아주 가까운 곳. ¶끔찍한 일이 목전에서 벌어지다. ❷아주 가까운 장래. ¶목전의 이익만을 생각하다 / 결전의 날이 목전에 다가왔다.

문전 門前 | 문 문, 앞 전 [front of a gate]
문(門) 앞[前]. ¶문전 박대를 당하다.

사:전 事前 | 일 사, 앞 전
[before a thing takes place]
일[事]이 일어나거나 일을 시작하기 전(前). ¶암은 치료보다 사전 예방이 훨씬 더 중요하다. ㊥사후(事後).

생전 生前 | 날 생, 앞 전 [one's life(time)]
태어난[生] 이후부터 죽기 이전(以前). 살아 있는 동안. ¶이렇게 큰 물고기는 생전 처음 본다. ㊥사후(死後).

식전 食前 | 먹을 식, 앞 전 [before a meals]
❶속뜻 밥을 먹기[食] 전(前). ¶이 약은 식전에 드세요. ❷아침밥을 먹기 전. 아침 일찍. ¶식전에 목욕하다. ㊥식후(食後).

아전 衙前 | 관청 아, 앞 전
[petty town official]
❶속뜻 관아(官衙)의 앞[前]. ❷역사 조선 시대에 중앙과 지방의 관아에서 일하는 관리. 이들의 사무실이 정청(正廳)의 앞에 따로 있던데서 이름이 유래하였다.

어:전 御前 | 임금 어, 앞 전 [Royal presence]
임금[御]의 앞[前]. ¶어전을 물러 나오다 / 어전에 나가 임금께 절을 올리다.

여전 如前 | 같을 여, 앞 전
[be as before; be as it used to be]
전(前)과 같다[如]. ¶할머니의 병세는 여전하시다 / 그녀는 여전히 아름답다. ㊀그대로이다.

역전 驛前 | 정거장 역, 앞 전 [station front]
정거장[驛] 앞[前]. ¶역전에는 택시들이 줄서서 손님을 기다리고 있었다.

오:전 午前 | 낮 오, 앞 전 [morning]
❶속뜻 정오(正午) 이전(以前)까지의 시간. ¶오전 수업. ❷자정부터 낮 열두 시까지의 시간. ¶오전 10시. ㊀상오(上午). ㊥오후(午後).

이:전 以前 | 부터 이, 앞 전
[ago; before; once]
기준이 되는 일정한 때를 포함하여 그로부터[以] 앞[前]쪽. ¶이전에 우리 어디선가 만난 적 있지 않나요? ㊥이후(以後).

일전 日前 | 날 일, 앞 전 [last time]
며칠[日] 전(前). 요전. ¶일전에 한 약속을 잊으면 안 돼.

종전 從前 | 좇을 종, 앞 전
[previous; former]
지금보다 이전(以前)으로 거슬러간[從] 그 때에. ¶종전에 비해 훌륭한 대접을 받았다.

직전 直前 | 곧을 직, 앞 전 [just before]
어떤 일이 일어나기 바로[直] 전(前). ¶시험 직전에 병원에 입원했다. ㊥직후(直後).

풍전 風前 | 바람 풍, 앞 전
바람[風]이 불어오는 앞[前]. ¶풍전등화.

0057 [력]

力

힘 력

(部) 力부 (劃) 2획 (中) 力 [lì]

力 力

力자의 원형은 농기구의 일종인 삽(a shovel) 모양을 본뜬 것이다. 삽으로 일을 하자면 힘이 많이 들었기에 '힘'(vigor)이란 뜻을 그렇게 나타냈다.

역도 力道 | 힘 력, 방법 도 [weight lifting]
운동 무거운 역기(力器)를 들어 올리는 방법[道]. 또는 그런 기예. 중량을 겨루어 승패를 가르며, 용상(聳上), 인상(引上)의 두 종목이 있다.

역량 力量 | 힘 력, 분량 량 [capacity; capability]
❶속뜻 무엇이 가진 힘[力]의 양(量). ❷어떤 일을 해낼 수 있는 힘. ¶그녀는 기자의 역량이 뛰어나다.

역설 力說 | 힘 력, 말씀 설 [emphasize; stress]
자기 뜻을 힘주어[力] 말함[說]. 또는 그런 말. ¶절약의 필요성을 역설하다. ㊊강조(強調).

역작 力作 | 힘 력, 지을 작
[laborous work; masterpiece]
노력(努力)하여 만든 작품(作品). ¶이 소설은 그 작가 최고의 역작이다.

역점 力點 | 힘 력, 점 점 [emphasis; stress]
❶속뜻 지레의 힘[力]이 걸리는 점(點). ❷심혈을 기울이거나 쏟는 점. ¶역점 사업 / 학교는 학력 향상에 역점을 두었다.

역주 力走 | 힘 력, 달릴 주 [sprint; spurt]
힘[力]을 다하여 달림[走]. ¶그는 전속력으로 3분간 역주했다.

역학 力學 | 힘 력, 배울 학
[dynamics; mechanics]
❶속뜻 힘써[力] 배움[學]. ❷물리 물체 사이에 작용하는 힘과 운동에 관한 법칙을 연구하는 학문. 물리학의 한 분야로 정역학, 동역학, 운동학이 있다.

• 역순어휘

강력 強力 | 강할 강, 힘 력 [strong]
❶속뜻 강(強)한 힘[力]. ❷약 따위의 효과나 작용이 강함. ¶이 약은 살충력이 강력하다 / 그는 협의를 강력히 부인했다. ❸가능성이 큼. ¶강력한 우승 후보 ㊊강대(強大), 막강(莫強).

국력 國力 | 나라 국, 힘 력 [national strength]
한 나라[國]가 지닌 정치, 경제, 문화, 군사 따위의 모든 방면의 힘[力]. ¶국력이 막강하다.

권력 權力 | 권리 권, 힘 력 [power; authority]
남을 복종시키거나 지배할 수 있는 공인된 권리(權利)와 힘[力]. 특히 국가나 정부가 국민에 대하여 가지고 있는 강제력을 이른다. ¶군대가 권력을 장악하다. ㊊권세(權勢), 강제력(強制力).

근력 筋力 | 힘줄 근, 힘 력 [muscular strength]
❶속뜻 근육(筋肉)의 힘[力]. 또는 그 지속성. ❷기력(氣力). ㊊체력(體力).

기력 氣力 | 기운 기, 힘 력 [energy; spirit]
❶물리 압착한 공기(空氣)의 힘[力]. ❷일을 감당할 수 있는 정신과 육체의 힘. ¶기력이 왕성하다. ㊊근력(筋力).

노력 努力 | 힘쓸 노, 힘 력 [make an effort]
힘[力]을 다하여 애씀[努]. 또는 그 힘. ¶꿈을 이루기 위해서는 노력해야 한다.

능력 能力 | 능할 능, 힘 력 [ability; capacity]
어떤 일을 해낼 수 있는[能] 힘[力]. ¶능력을 기르다 / 능력을 발휘하다. ㊊깜냥, 역량(力量).

담:력 膽力 | 쓸개 담, 힘 력 [pluck; courage]
❶속뜻 대담(大膽)한 정도나 힘[力]. ❷겁이 없고 용감한 기운. ¶담력을 기르다. ㊊배짱.

동:력 動力 | 움직일 동, 힘 력 [motive power]
❶물리 전력, 수력, 풍력 따위로 기계를 움직이게[動] 하는 힘[力]. ❷어떤 일을 발전시키고 밀고 나가는 힘.

마:력¹ 馬力 | 말 마, 힘 력 [horse power]
❶속뜻 말[馬] 한 마리가 끄는 힘[力]. ❷물리 동력이나 일의 양을 나타내는 실용 단위. 기호는 'HP'. ¶200마력의 엔진.

마력² 魔力 | 마귀 마, 힘 력 [magical powers]
사람을 현혹하는 마귀(魔鬼)와 같은 이상한 힘[力]. ¶그 여자에게는 사람을 사로잡는 이상한 마력이 있다.

매력 魅力 | 홀릴 매, 힘 력 [attraction; charm]
남의 마음을 홀리어[魅] 사로잡는 야릇한 힘[力]. ¶소설에 매력을 느끼다.

무:력¹ 武力 | 굳셀 무, 힘 력 [military power]
굳센[武] 군사상의 위력(威力). ¶무력 시위 / 무력으로 빼앗다.

무력² 無力 | 없을 무, 힘 력 [powerless]
힘[力]이 없거나[無] 부침. ¶그녀는 힘들고 지쳐서 무력해 보인다. ㊋유력(有力).

박력 迫力 | 닥칠 박, 힘 력 [force; power]
행동에서 느껴지는 강하게 밀고 나가는[迫] 힘[力]. ¶그의 연설은 박력이 있었다.

병력 兵力 | 군사 병, 힘 력 [military force]

군사 병사·병기 등 총체로서의 군대[兵]의 힘[力]. ¶전선(戰線)에 병력을 배치하다. ⓑ군력(軍力).

부력 浮力 | 뜰 부, 힘 력 [buoyancy; lifting power]
물리 유체(流體) 속에 있는 물체를 떠오르게[浮] 하는 힘[力]. ¶아르키메데스는 부력의 원리를 발견했다.

사:력 死力 | 죽을 사, 힘 력 [herculean efforts]
죽을[死] 힘[力]. 온갖 힘. ¶나는 사력을 다해 친구를 도와주었다.

세:력 勢力 | 권세 세, 힘 력 [influence; power]
권세(權勢)의 힘[力]. ¶세력을 떨치다 / 세력을 얻다.

속력 速力 | 빠를 속, 힘 력 [speed; velocity]
자동차, 기차, 항공기 따위의 속도(速度)를 이루는 힘[力]. ¶기차는 굉장한 속력으로 달렸다.

수력 水力 | 물 수, 힘 력 [water power]
❶속뜻 흐르거나 떨어지는 물[水]의 힘[力]. ❷물리 물이 가지고 있는 운동 에너지나 위치 에너지를 어떤 일에 이용하였을 때의 동력.

시:력 視力 | 볼 시, 힘 력 [eyesight; sight]
눈이 물체의 존재나 모양 따위를 보는[視] 능력(能力). ¶나는 요즘 시력이 많이 떨어졌다.

실력 實力 | 실제 실, 힘 력 [real ability]
실제(實際)로 갖추고 있는 힘[力]이나 능력(能力). ¶그는 수학 실력이 뛰어나다.

압력 壓力 | 누를 압, 힘 력 [pressure; stress]
❶속뜻 누르는[壓] 힘[力]의 크기. ❷물리 두 물체가 접촉면을 경계로 하여 서로 그 면에 수직으로 누르는 단위 면적에서의 힘의 단위. ¶압력이 높다. ❸권력이나 세력에 의하여 타인을 자기 의지에 따르게 하는 힘. ¶나는 회사를 그만두라는 압력을 받았다.

여력 餘力 | 남을 여, 힘 력 [remaining power]
어떤 일에 주력하고 아직 남아[餘] 있는 힘[力]. ¶나는 그를 도와줄 여력이 없다.

완:력 腕力 | 팔 완, 힘 력 [physical strength; force]
❶속뜻 팔[腕]의 힘[力]. ¶그녀는 몸집은 작지만 완력이 세다. ❷육체적으로 억누르는 힘. ¶그는 무슨 일이든지 완력으로 해결하려 한다.

위력 威力 | 위엄 위, 힘 력 [power; might; authority]
위풍 있는 강대한[威] 힘[力]. ¶핵무기의 위력.

유:력 有力 | 있을 유, 힘 력 [strong; powerful; prime; important]
❶속뜻 힘[力]이나 세력이 있음[有]. ¶그는 이 지방의 유력 인사이다 / 이번 경기에서 가장 유력한 경쟁자를 물리쳤다. ❷희망이나 전망이 있음. ¶그가 우승 후보로 가장 유력하다.

인력[1] 人力 | 사람 인, 힘 력 [man power]
사람[人]의 능력(能力). 사람의 힘. 사람의 노동력. ¶기술 인력 / 죽고 사는 일은 인력으로 안 된다.

인력[2] 引力 | 끌 인, 힘 력 [gravitation]
물리 떨어져 있는 두 물체가 서로 끌어당기는[引] 힘[力]. ¶조수 간만의 차는 달의 인력 때문에 생긴다. ⓑ척력(斥力).

입력 入力 | 들 입, 힘 력 [enter; input]
❶물리 어떤 장치 등을 움직이기 위해 필요한 동력(動力) 따위를 들여[入]보내는 일. ❷문자나 숫자를 기억하게 하는 일. ¶키보드와 마우스는 컴퓨터의 입력 장치이다. ⓑ출력(出力).

자:력 磁力 | 자석 자, 힘 력 [magnetism]
물리 자기(磁氣)의 힘[力]. ¶이 자석은 자력이 세다. ⓑ자기력(磁氣力).

장력 張力 | 당길 장, 힘 력 [tension]
❶속뜻 오므라들고 당겨지는[張] 힘[力]. ❷물리 물체가 스스로 오므라들어 가능한 한 작은 면적을 가지려는 힘. ¶표면 장력.

재력 財力 | 재물 재, 힘 력 [financial power]
재물(財物)의 힘[力]. 재산상의 세력. ¶재력가(財力家) / 그는 재력이 상당한 사람이다.

저:력 底力 | 밑 저, 힘 력 [potential power]
❶속뜻 밑바닥[底]에 간직하고 있는 끈기 있는 힘[力]. ❷여차할 때 발휘되는 강한 힘. ¶그는 금메달을 딸 만한 저력이 있다.

전력[1] 全力 | 모두 전, 힘 력 [all one's strength; all one's energies]
모든[全] 힘[力]. 있는 힘. 온 힘. ¶전력을 기울이다 / 전력을 쏟다.

전:력[2] 電力 | 번개 전, 힘 력 [electric power; electricity; power]
물리 전류(電流)에 의한 동력(動力). 전류가 단위 시간에 하는 일. 또는 단위 시간에 사용되는 전기 에너지의 양. ¶전력 낭비를 줄이다.

전:력[3] 戰力 | 싸울 전, 힘 력 [military strength; fighting power]
전투(戰鬪)나 경기 따위를 할 수 있는 능력(能力). ¶선수들의 부상으로 팀의 전력이 약화되었다.

정력 精力 | 정액 정, 힘 력 [energy; vigor; vitality]
정액(精液)을 쏟는 성적 능력(能力). 심신의 활동력. ¶나는 공부에 모든 정력을 쏟았다.

조력 潮力 | 바닷물 조, 힘 력 [tidal energy]

바닷물[潮] 흐름의 차이로 발생되는 힘[力].

주력 主力 | 주될 주, 힘 력 [main force]
중심이 되는[主] 힘[力]. 또는 그런 세력(勢力). ¶주력 부대가 전멸 당했다.

중:력 重力 | 무거울 중, 힘 력 [gravity]
❶[속뜻] 무거운[重] 힘[力]. ❷[물리] 지구가 지구 위에 있는 물체를 끄는 힘. ¶달에 가면 중력을 덜 받게 된다.

지력¹ 地力 | 땅 지, 힘 력 [fertility of soil]
땅[地]의 힘[力]. 토지의 생산력. ¶퇴비를 주어 지력을 북돋다.

지력² 智力 | 슬기 지, 힘 력
[intellectual power; mentality]
슬기[智]의 힘[力]. ¶뛰어난 지력을 발휘하다.

진:력 盡力 | 다할 진, 힘 력
[endeavor; make an effort]
있는 힘[力]을 다함[盡]. 또는 낼 수 있는 모든 힘. ¶경제를 살리기 위해 진력하다.

청력 聽力 | 들을 청, 힘 력
[power of hearing; hearing ability]
귀로 소리를 듣는[聽] 능력(能力). ¶할머니의 청력이 많이 나쁘다.

체력 體力 | 몸 체, 힘 력 [physical strength]
몸[體]의 힘[力]. ¶강인한 체력 / 체력이 달리다.

총:력 總力 | 모두 총, 힘 력
[total strength; all one's energy]
집단 따위의 모든[總] 힘[力]. 전체의 힘. ¶조직의 총력을 기울이다.

출력 出力 | 날 출, 힘 력 [output]
❶[속뜻] 힘[力]을 내보냄[出]. ❷[기계] 전동차 따위가 외부에 공급하는 기계적·전기적 힘. ¶이 자동차의 최대 출력은 200마력이다. ❸컴퓨터 따위의 기기나 장치가 입력을 받아 일을 하고 외부로 결과를 내는 일. ¶이 문서를 출력해 주십시오. [반]입력(入力).

탄:력 彈力 | 퉁길 탄, 힘 력 [elasticity]
용수철처럼 튀거나[彈] 팽팽하게 버티는 힘[力]. ¶고무줄이 낡아서 탄력이 없다 / 피부가 부드럽고 탄력이 있다.

파력 波力 | 물결 파, 힘 력 [force of the wave]
파도(波濤)의 압력(壓力). ¶파력발전소 / 파력에 의해 깎여진 바위가 있다.

폭력 暴力 | 사나울 폭, 힘 력
[violence; brute force]
❶[속뜻] 사나운[暴] 힘[力]. ❷남을 거칠고 사납게 제압할 때에 쓰는 주먹이나 발 또는 몽둥이 따위의 수단이나 힘. ¶학교폭력은 심각한 사회문제다.

풍력 風力 | 바람 풍, 힘 력 [force of the wind]
바람[風]의 세기[力]. 바람의 강약 도수(度數). ¶이 기계는 풍력으로 작동한다.

학력 學力 | 배울 학, 힘 력
[attainments in scholarship]
배움[學]을 통하여 얻은 지식이나 기술 따위의 능력(能力). ¶두 학생의 학력 수준은 비슷하다.

협력 協力 | 합칠 협, 힘 력
[cooperate; collaborate]
서로 돕는 마음으로 힘[力]을 합침[協]. ¶협력 관계 / 협력해서 일하다.

화:력 火力 | 불 화, 힘 력 [heating power]
불[火]이 탈 때에 내는 열의 힘[力]. ¶이 가스레인지는 화력이 세다.

활력 活力 | 살 활, 힘 력 [energy; vitality]
살아[活] 움직이는 힘[力]. ¶활력이 넘치다 / 활력을 잃다 / 활력을 불어넣다.

효:력 效力 | 효과 효, 힘 력 [force; effect]
❶[속뜻] 효과(效果)를 나타내는 힘[力]. ¶그 약은 변비에 아무런 효력이 없었다. ❷[법률] 법률이나 규칙 따위의 작용. ¶효력 정지 가처분 신청.

0058 [동]

動

움직일 동:
[部] 力부 [劃] 11획 [中] 动 [dòng]

動자는 '힘 력'(力)이 부수이자 표의요소다. 重(무거울 중)은 원래 童(아이 동)이 변화된 것으로 표음요소 역할을 하고 있음은 董(거둘 동)이나 僮(흐리멍텅할 동)의 경우도 마찬가지다. '만들다'(make)가 본뜻인데 '움직이다'(move), '옮기다'(move) 등으로 확대 사용됐다.

[속뜻 훈음] ①움직일 동, ②옮길 동.

동:기 動機 | 움직일 동, 실마리 기 [motive]
어떤 일이나 행동(行動)을 일으키게 된 실마리[機]. ¶동기를 부여하다 / 학습동기.

동:란 動亂 | 움직일 동, 어지러울 란
[disturbance]
폭동(暴動), 반란, 전쟁 따위가 일어나 사회가 질서를 잃고 소란(騷亂)해지는 일. ¶동란이 일어나다 / 동란을 겪다.

동:력 動力 | 움직일 동, 힘 력 [motive power]
❶[물리] 전력, 수력, 풍력 따위로 기계를 움직이게[動] 하는 힘[力]. ❷어떤 일을 발전시키고 밀고 나가는 힘.

동:맥 動脈 | 옮길 동, 줄기 맥 [artery]
의학 심장에서 피를 신체 각 부분에 보내는[動] 혈관 줄기[脈]. 일반적으로 혈관의 벽이 두꺼우며 탄력성과 수축성이 많다. '동맥관(動脈管)'의 준말. ⓑ정맥(靜脈).

동:물 動物 | 움직일 동, 만물 물 [animal]
❶속뜻 살아 움직이며[動] 생활하는 물체(物體). ❷생물 생물을 식물과 함께 둘로 대별할 때의 하나로, 새·짐승·물고기 등의 총칭. ❸사람을 제외한 짐승을 통틀어 이르는 말. ⓑ식물(植物).

동:사 動詞 | 움직일 동, 말씀 사 [verb]
언어 문장의 주체가 되는 사람이나 사물의 움직임[動]을 나타내는 말[詞]. ¶'빨리 달리다'의 '달리다'는 동사다.

동:산 動産 | 움직일 동, 재물 산 [movable property]
법률 옮길[動] 수 있는 재산(財産). ¶돈은 대표적인 동산이다. ⓑ부동산(不動産).

동:선 動線 | 움직일 동, 줄 선 [line of flow]
건설 움직이는[動] 자취나 방향을 나타내는 줄[線]. ¶사람의 동선을 고려하여 가구를 배치하다.

동:요 動搖 | 움직일 동, 흔들 요 [tremble; unrest]
❶속뜻 흔들어[搖] 움직임[動]. ❷생각이나 의지가 확고하지 못하고 흔들림. ¶부모님의 사고 소식에 그녀는 동요했다. ❸어떤 체제나 상황 따위가 혼란스럽고 술렁임. ¶민심이 동요하다.

동:원 動員 | 움직일 동, 사람 원 [mobilize]
❶속뜻 어떤 목적을 달성하기 위하여 사람[員]이나 물건을 옮겨[動] 한데 모음. ¶어떤 방법을 동원해서라도 아이를 찾아야 한다. ❷군사 전쟁 따위에 대비하여 병력, 군수 물자를 모으는 것. ¶테러 진압을 위해 군대를 동원했다.

동:작 動作 | 움직일 동, 지을 작 [action; movement]
❶속뜻 움직여[動] 만듦[作]. ❷몸을 움직임. ¶그는 동작이 느리다. ⓗ행위(行爲), 행동(行動).

동:적 動的 | 움직일 동, 것 적 [dynamic]
움직이고[動] 있는 것[的]. ¶동적인 이미지. ⓑ정적(靜的).

동:정 動靜 | 움직일 동, 고요할 정 [movements]
❶속뜻 물질의 운동(運動)과 정지(靜止). ❷사람이 일상적으로 하는 일체의 행위. ❸일이나 현상이 벌어지고 있는 낌새. ¶적의 동정을 살피다.

동:태 動態 | 움직일 동, 모양 태 [movement]
움직이는[動] 상태(狀態). 변하여 가는 상태. ¶인구동태 / 적의 동태를 살피다. ⓗ동정(動靜), 동향(動向). ⓑ정태(靜態).

동:향 動向 | 움직일 동, 향할 향 [tendency; trend]
❶속뜻 움직임[動]과 방향(方向). ❷사람들의 사고, 사상, 활동이나 일의 형세 따위가 바뀌는 방향. ¶여론의 동향을 살피다. ⓗ동태(動態), 동정(動靜).

• 역순어휘 •

가동 稼動 | 심을 가, 움직일 동 [operate]
기계를 움직여[動] 일하게[稼] 하다. ¶공장을 본격적으로 가동하기 시작하다.

감:동 感動 | 느낄 감, 움직일 동 [moved]
깊이 느끼어[感] 마음이 움직임[動]. ¶심청의 이야기를 들은 용왕은 크게 감동했다. ⓗ느낌, 감격(感激), 감복(感服), 감명(感銘).

거:동 擧動 | 들 거, 움직일 동 [conduct; behavior; manner]
몸을 들어[擧] 움직이는[動] 짓이나 태도. ¶거동이 불편하다. ⓗ행동(行動).

격동 激動 | 거셀 격, 움직일 동 [shake violently]
❶속뜻 급격(急激)하게 변동(變動)함. ❷몹시 흥분하고 감동함. ¶민심이 격동하다.

고동 鼓動 | 북 고, 움직일 동 [beat; palpitate]
❶속뜻 북[鼓]소리같이 울리거나 뜀[動]. ❷혈액 순환에 따라 심장이 뛰는 일. ¶심장 고동 소리. ⓗ고무(鼓舞).

기동[1] 起動 | 일어날 기, 움직일 동 [move; stir]
몸을 일으켜[起] 움직임[動]. ¶허리를 다쳐 기동이 불편하다.

기동[2] 機動 | 때 기, 움직일 동 [move; stir]
❶속뜻 그때그때[機] 재빠르게 움직임[動]. ❷군사 부대나 병기(兵器) 등을 상황에 따라 재빠르게 전개(展開)·운용(運用)하는 일. ¶기동 훈련/기동 부대.

난:동 亂動 | 어지러울 란, 움직일 동 [make a disturbance]
질서를 어지럽히며[亂] 함부로 행동(行動)함. ¶취객이 난동을 부리다. ⓗ소동(騷動).

노동 勞動 | 일할 로, 움직일 동 [labor; work]
❶속뜻 힘들게 일하느라[勞] 몸을 많이 움직임[動]. ❷사람이 생활에 필요한 것을 얻기 위하여 체력이나 정신을 씀. 또는 그런 행위. ¶그는 노동으로 생계를 꾸린다. ⓗ노무(勞務). ⓑ휴식(休息).

능동 能動 | 능할 능, 움직일 동 [spontaneousness; voluntarily]
❶속뜻 능(能)히 스스로 움직임[動]. ❷언어 다른 것에 동작을 미치게 하는 동사의 성질. ⓑ수동(受動), 피동(被動).

미동 微動 | 작을 미, 움직일 동 [slight movement]
아주 조금[微] 움직임[動]. ¶미동도 없다.

박동 搏動 | 잡을 박, 움직일 동 [pulsation]
맥박(脈搏)이 뜀[動].

반ː동 反動 | 반대로 반, 움직일 동
[react; counteract]
❶속뜻 어떤 움직임에 반대(反對)하여 일어나는 움직임[動]. ❷물리 한 물체가 다른 물체에 힘을 작용할 때, 다른 물체가 똑같은 크기의 힘을 반대 방향으로 한 물체에 미치는 작용.

발동 發動 | 일으킬 발, 움직일 동
[be aroused; invoke]
❶속뜻 어떤 기능이 활동(活動)을 일으킴[發]. 움직이기 시작함. ¶호기심이 발동하다. ❷동력을 일으킴. ¶내 차는 발동이 잘 걸리지 않는다.

변ː동 變動 | 바뀔 변, 움직일 동 [change]
상태가 바뀌어[變] 움직임[動]. ¶물가가 크게 변동했다.

부동¹ 不動 | 아닐 부, 움직일 동
[immovability; firmness; stability]
물건이나 몸이 움직이지[動] 아니함[不]. ¶부동 자세.

부동² 浮動 | 뜰 부, 움직일 동 [float]
❶속뜻 물이나 공기 중에 떠서[浮] 움직임[動]. 떠다님. ❷고정되어 있지 않고 움직임. ¶부동 인구.

생동 生動 | 날 생, 움직일 동 [be full of life]
생기(生氣) 있게 살아 움직임[動]. ¶봄은 만물이 생동하는 계절이다.

선동 煽動 | 부추길 선, 움직일 동
[instigate; abet; incite]
어떤 행동 대열에 참여하도록 문서나 언동으로 대중의 감정을 부추기어[煽] 움직이게[動] 함. ¶국민을 선동하다.

소동 騷動 | 떠들 소, 움직일 동
[disturbance; agitation]
여럿이 떠들고[騷] 난리를 피움[動]. 여럿이 떠들어 댐. ¶건물에 불이나 한바탕 소동이 벌어졌다.

수동¹ 手動 | 손 수, 움직일 동 [hand-operated]
다른 동력을 이용하지 않고 손[手]의 힘만으로 움직임[動]. 또는 그렇게 움직이는 것. ¶수동 카메라. ⑭자동(自動).

수동² 受動 | 받을 수, 움직일 동 [passive]
다른 것의 움직임[動]이나 영향을 받음[受]. ⑭능동(能動).

시ː동 始動 | 비로소 시, 움직일 동 [start; activate]
❶속뜻 비로소[始] 움직임[動]. 또는 그렇게 되게 함. ❷발전기나 전동기, 증기 기관, 내연 기관 따위의 발동이 걸리기 시작함. 또는 그렇게 되게 함. ¶차에 타고 시동을 걸다.

약동 躍動 | 뛸 약, 움직일 동
[move lively; be quick with life]
뛰어오르듯[躍] 생기 있고 활발하게 움직임[動]. ¶봄은 만물이 약동하는 때이다.

요동 搖動 | 흔들 요, 움직일 동 [shake]
흔들리거나 흔들어[搖] 움직임[動]. ¶배는 파도 때문에 요동을 쳤다.

운ː동 運動 | 돌 운, 움직일 동
[exercise; move; be in motion]
❶속뜻 건강을 위하여 몸을 돌리거나[運] 움직임[動]. ¶그는 꾸준히 운동한다 / 규칙적으로 운동하는 습관을 길러라. ❷어떤 목적을 사회 속에서 그 구성원의 호응을 얻어 실현하고자 하는 조직적 활동. ¶독립 운동 / 사회단체는 그 기업에 대해 불매(不買) 운동을 벌였다. ❸물리 물체가 시간이 지남에 따라 그 위치를 바꾸는 것. ¶천체의 운동 / 달은 지구 궤도를 운동한다.

원동 原動 | 근원 원, 움직일 동
[motive for action; prime]
움직임[動]을 일으키는 기본 바탕[原].

유동 流動 | 흐를 류, 움직일 동 [flow; be fluid]
❶속뜻 흘러 다니고[流] 움직임[動]. 또는 그러한 것. ❷이리저리 옮겨 다니는 것. ¶서울은 유동 인구가 많다. ⑭고정(固定).

율동 律動 | 규칙 률, 움직일 동
[rhythmic movement]
❶속뜻 규칙적인[律] 움직임[動]. ❷가락에 맞추어 추는 춤. ¶아이들은 선생님의 율동을 따라했다.

이동 移動 | 옮길 이, 움직일 동 [move; travel]
옮겨[移] 움직임[動]. 움직여서 자리를 바꿈. ¶이동전화 / 공연 중에는 자리를 이동하지 마십시오 / 차를 다른 곳으로 이동시키십시오.

자동 自動 | 스스로 자, 움직일 동
[move automatically]
사람의 힘이 닿지 않아도 스스로[自] 움직임[動]. ¶이 청소기는 자동으로 움직인다. ⑭수동(手動).

작동 作動 | 지을 작, 움직일 동 [operate]
❶속뜻 기계 따위가 만들어져[作] 움직임[動]. ❷기계의 운동 부분이 움직임. 또는 그 부분을 움직이게 함. ¶감시 카메라가 작동 중이다.

전ː동 電動 | 전기 전, 움직일 동 [electric motion]
전기 전기(電氣)의 힘으로 움직임[動]. ¶전동 칫솔 / 이 기계는 전동이다.

제:동 制動 | 누를 제, 움직일 동 [brake]
기계나 자동차 따위를 눌러[制] 움직이지[動] 못하게 함. ¶제동 장치 / 노루가 뛰어들어 급히 차를 제동했다.

주동 主動 | 주될 주, 움직일 동 [lead]
어떤 일에 중심이 되어[主] 행동(行動)함. 또는 그러한 사람. ¶그는 3·1만세운동을 주동했다.

지동 地動 | 땅 지, 움직일 동
[terrestrial movement]
[천문] 지구(地球)가 돌아 움직이는[動] 일, 곧 '지구의 자전'과 '공전'을 이르는 말.

진:동¹ 振動 | 떨릴 진, 움직일 동
[vibrate; stink of]
❶[속뜻] 떨리거나[振] 움직임[動]. ¶시계추가 천천히 진동한다. ❷냄새 따위가 아주 심하게 나는 상태. ¶고약한 냄새가 진동을 한다.

진:동² 震動 | 떨 진, 움직일 동 [shock; quake]
❶[속뜻] 떨리어[震] 움직임[動]. ❷물체가 몹시 울리어 흔들림. ¶집이 심하게 진동하였다.

천동 天動 | 하늘 천, 움직일 동
❶[속뜻] 하늘[天]이 움직임[動]. ❷하늘이 움직일 만큼 큰 소리나 울림. '천둥'의 원래말.

출동 出動 | 날 출, 움직일 동
[move (out); be mobilized; go into action]
❶[속뜻] 나가서[出] 행동(行動)함. ❷부대 따위가 활동하기 위하여 목적지로 떠남. ¶많은 소방차가 화재를 진압하러 출동했다.

충동 衝動 | 찌를 충, 움직일 동
[urge; instigate; incite]
❶[속뜻] 마음을 들쑤셔서[衝] 움직이게[動] 함. ❷순간적으로 어떤 행동을 하고 싶은 욕구를 느끼게 하는 마음속의 자극. ¶수영장을 보니 뛰어들고 싶은 충동이 든다. ❸어떤 일을 하도록 남을 부추기거나 심하게 마음을 흔들어 놓음. ¶그의 충동으로 나는 내키지 않는 일을 억지로 하고 말았다 / 물건을 사라며 사람들을 충동하다.

태동 胎動 | 태아 태, 움직일 동
[quicken; show signs of]
❶[속뜻] 태아(胎兒)가 움직임[動]. ¶아랫배에서 아기의 태동이 느껴진다. ❷어떤 일이 일어날 기운이 싹틈. ¶민족의식이 태동하다.

파동 波動 | 물결 파, 움직일 동 [wave; shock]
❶[속뜻] 물결[波]을 이루어 움직임[動]. ¶수면에 파동이 일어나다. ❷공간으로 퍼져 가는 진동. ¶소리의 파동. ❸'사회적으로 새로운 변화를 가져올 만한 변동'을 비유하여 이르는 말. ¶석유 파동으로 물가가 크게 올랐다.

폭동 暴動 | 사나울 폭, 움직일 동
[riot; disturbance; mutiny]
어떤 집단이 폭력(暴力)으로 소동(騷動)을 일으켜서 사회의 안녕을 어지럽히는 일. ¶폭동이 일어나다.

행동 行動 | 갈 행, 움직일 동 [act]
길을 가거나[行] 몸을 움직임[動]. 어떤 동작을 함. ¶용감한 행동을 하다 / 말과 행동이 같다. (비)행위(行爲).

활동 活動 | 살 활, 움직일 동 [move; act]
❶[속뜻] 활력(活力)있게 움직임[動]. ❷어떤 일의 성과를 거두기 위하여 애씀. 또는 어떤 일을 이루려고 돌아다님. ¶체험 활동 / 봉사 활동 / 그는 초등학교 때 야구부에서 활동했다.

0059 [오]

午

낮 오:
(부) 十부 (획) 4획 午 [wǔ]

午 午 午 午

午자의 원형은 절구를 찧을 때 쓰는 공이 모양을 본뜬 것으로 '공이'(a pestle)가 본래 의미인데, 12지(支)의 일곱 번째 것('말' 띠에 해당)으로 활용되는 예가 많아지자, 본뜻은 杵(공이 저)자를 따로 만들어 나타냈다. 11시에서 13시까지를 午時(오:시)라 하고, 그 이전은 午前(오:전), 그 이후는 午後(오:후)라 했다. 그래서 午가 '낮'(the daytime)이란 뜻을 지니게 됐다.

[속뜻 훈음] ①낮 오, ②말 오.

오:전 午前 | 낮 오, 앞 전 [morning]
❶[속뜻] 정오(正午) 이전(以前)까지의 시간. ¶오전 수업. ❷자정부터 낮 열두 시까지의 시간. ¶오전 10시. (비)상오(上午). (반)오후(午後).

오:찬 午餐 | 낮 오, 밥 찬 [lunch]
보통 때보다 잘 차려서 손님을 대접하는 점심[午] 식사[餐]. ¶총리는 오찬 간담회를 열었다. (비)주찬(晝餐).

오:후 午後 | 낮 오, 뒤 후 [afternoon]
❶[속뜻] 정오(正午) 이후(以後) 밤 열두시까지의 시간. ¶오늘 오후 여섯 시로 약속을 잡았다. ❷정오부터 해가 질 때까지의 동안. ¶오후 수업. (비)하오(下午). (반)오전(午前).

• 역순어휘

갑오 甲午 | 천간 갑, 말 오
[민속] 천간의 '甲'과 지지의 '午'가 만난 간지(干支). ¶갑오년에 태어난 사람은 말 띠이다.

단오 端午 | 처음 단, 낮 오

[민속] 음력 5월에서 맨 첫[端] 5[五]일에 해당되는 명절을 '端五'라 했는데, 당나라 현종(玄宗)의 생일이 8월 5일이었으므로 '五'를 피하여 '端午'라 불렀다고 한다. (비)수리.

상 : 오 上午 | 위 상, 낮 오 [forenoon]
❶[속뜻] 하루를 상하 둘로 나누었을 때 앞[上]에 해당되는 낮[午]. ❷밤 0시부터 낮 12시까지의 동안. ¶사건이 발생한 것은 상오 10시경이었다. (반)하오(下午).

임 : 오 壬午 | 천간 임, 말 오
[민속] 천간의 '壬'과 지지의 '午'가 만난 간지(干支). ¶임오년 생은 말띠다.

정 : 오 正午 | 바를 정, 낮 오 [noon; high noon]
낮[午]의 한[正] 가운데. 열두 시. 태양이 한가운데 위치하는 시각. (비)오정(午正). (반)자정(子正).

하 : 오 下午 | 아래 하, 낮 오 [afternoon]
정오(正午)를 기준으로 다음[下]의 열두시까지. ¶그는 내일 하오 5시 비행기로 출국한다. (비)오후(午後). (반)상오(上午).

0060 [내]

内

안 내 :
(부) 冂부 (획) 4획 (中) 内 [nèi]

内 内 内 内

内자는 '집 면'(宀)의 변형인 冂, 그리고 '들 입'(入)이 조합된 것이다. '(안으로) 들어오다'(come inside)가 본뜻인데 '안'(inside)을 가리키는 것으로도 쓰인다.

내 : 각¹ 内角 | 안 내, 뿔 각 [interior angle]
[수학] 서로 만나는 두 직선의 안[内]쪽 각(角). 또는 다각형의 안쪽 각. (반)외각(外角).

내 : 각² 内閣 | 안 내, 관청 각 [cabinet; Ministry]
❶[속뜻] 행정부 안[内]의 각료(閣僚). ❷[정치] 국가의 행정권을 담당하는 최고 합의기관.

내 : 과 内科 | 안 내, 분과 과 [internal department]
[의학] 내장(内臟)의 병을 수술하지 않고 치료하는 임상 의학의 한 분과(分科). (반)외과(外科).

내 : 국 内國 | 안 내, 나라 국 [home country]
❶[속뜻] 나라[國] 안[内]. ❷자기 나라를 다른 나라에 상대하여 이르는 말. ¶내국 기업. (비)국내(國内). (반)외국(外國).

내 : 란 内亂 | 안 내, 어지러울 란
[civil war; rebellion]
정부를 뒤엎을 목적으로 나라 안[内]에서 일으킨 난리(亂離). ¶장군은 내란을 평정했다. (비)내전(内戰).

내 : 륙 内陸 | 안 내, 뭍 륙
[inland; interior of a country]
[지리] 바다에서 안[内]쪽으로 멀리 떨어져 있는 육지(陸地). ¶내륙 지방.

내 : 막 内幕 | 안 내, 막 막 [inside facts]
❶[속뜻] 장막(帳幕)으로 둘러싸인 그 안[内] 쪽. ❷내부의 사정. 일의 속내. ¶사건의 내막이 궁금하다.

내 : 면 内面 | 안 내, 낯 면 [inside; interior]
❶[속뜻] 안[内] 쪽을 향한 면(面). ❷사람의 정신이나 심리에 관한 면. ¶이 작품은 인간의 내면세계를 그렸다. (반)외면(外面).

내 : 무 内務 | 안 내, 일 무 [internal affairs]
나라 안[内]의 정무(政務). (반)외무(外務).

내 : 복¹ 内服 | 안 내, 옷 복 [underwear]
안[内]에 입는 옷[服]. ¶내복을 입으면 난방비를 절약할 수 있다. (비)속옷, 내의(内衣). (반)겉옷.

내 : 복² 内服 | 안 내, 먹을 복 [internal use]
약을 입 안[内]에 넣어 먹음[服]. 약을 먹음.

내 : 부 内部 | 안 내, 나눌 부 [inside; interior]
❶[속뜻] 사물의 안쪽[内] 부분(部分). ¶내부 수리 / 건물 내부. ❷어떤 조직에 속하는 범위. ¶회사 내부 사정에 밝다. (반)외부(外部).

내 : 분 内紛 | 안 내, 어지러워질 분
[internal trouble]
내부(内部)에서 일어난 분쟁(紛爭). ¶내분이 끊이지 않다.

내 : 성¹ 内省 | 안 내, 살필 성 [introspection]
자신의 내면(内面)을 돌이켜 살펴봄[省].

내 : 성² 内城 | 안 내, 성곽 성
이중으로 쌓은 성에서 안[内]쪽의 성(城). ¶내성과 외성 사이에 못을 파놓았다. (반)외성(外城).

내 : 시 内侍 | 안 내, 모실 시 [eunuch]
[역사] 궁궐 안[内]에서 임금의 시중을 들던[侍] 관리. (비)환관(宦官).

내 : 신 内申 | 안 내, 아뢸 신 [confidential report]
❶[속뜻] 내적(内的)으로 남몰래 아룀[申]. ❷[교육] 상급 학교 진학이나 취직과 관련하여 선발의 자료가 될 수 있도록 지원자의 출신 학교에서 학업 성적, 품행 등을 적어 보냄. 또는 그 성적. ¶이 학교는 내신 1등급만 지원할 수 있다.

내 : 실 内實 | 안 내, 채울 실
[substance; substantiality]
속[内]이 알참[實]. (반)허례(虛禮), 허식(虛飾).

내 : 심 内心 | 안 내, 마음 심

[one's real intention; one's mind]
❶속뜻 속[內] 마음[心]. ❷은근히. 마음속으로. ¶내심 그를 무척 그리워했다. ❸수학 삼각형에 내접(內接)하는 원의 중심(中心). 반외심(外心).

내:야 內野 | 안 내, 들 야 [infield; diamond]
운동 야구장에서, 네 개의 루를 이은 사각형 안[內]의 들판[野]. 반외야(外野).

내:역 內譯 | 안 내, 풀이할 역
[breakdown; items; details]
❶속뜻 내용(內容)을 자세히 풀이함[譯]. ❷물품이나 금액 따위의 자세한 내용이나 명세. 또는 그런 명세. ¶공사비 내역 / 물품 내역.

내:외 內外 | 안 내, 밖 외 [inside and outside]
❶속뜻 안[內]과 밖[外]. 안팎. ¶경기장 내외를 가득 메운 관중들. ❷부부(夫婦). ¶장관 내외가 함께 참석하였다. ❸국내와 국외. ❹수량, 시간 따위를 나타내는 말에 이어 쓰여 '그에 가까움'을 뜻하는 말. ¶500자 내외의 글.

내:용 內容 | 안 내, 담을 용 [contents]
❶속뜻 그릇이나 포장 따위의 속[內]에 들어있는[容] 것. ❷글이나 말 따위에 담겨져 있는 사항. ¶글의 내용을 잘 알아야 한다. 반형식(形式).

내:우 內憂 | 안 내, 근심할 우 [internal trouble]
나라 안이나 조직 내부(內部)의 걱정스러운[憂] 사태. ¶나라가 내우로 혼란스럽다.

내:의 內衣 | 안 내, 옷 의
[underwear; underclothes]
안[內]에 입는 옷[衣]. ¶겨울에는 내의를 입는다. 반겉옷.

내:장1 內藏 | 안 내, 감출 장 [have built in]
안[內]에 가지고[藏] 있음. ¶자동 제어장치가 내장되어 있다.

내:장2 內臟 | 안 내, 오장 장 [internal organs]
의학 동물의 몸 속[內]에 있는 장기(臟器). 위(胃), 장(腸), 간(肝) 따위. ¶그는 오랫동안 병을 앓아 내장이 성한 데가 없었다.

내:전 內戰 | 안 내, 싸울 전 [internal war]
국내(國內)에서 벌어진 전쟁(戰爭). 비내란(內亂).

내:정1 內定 | 안 내, 정할 정 [decide unofficial]
비공식적으로 내부(內部)에서 정(定)함. ¶그는 이사로 내정되었다.

내:정2 內政 | 안 내, 정치 정 [internal affairs]
국내(國內)의 정치(政治). ¶청나라는 조선의 내정을 간섭했다.

내:조 內助 | 안 내, 도울 조 [one's wife's help]
안[內] 사람의 도움[助]. ¶내가 성공한 것은 아내의 내조 덕분이다.

내:통 內通 | 안 내, 통할 통
[communicate secretly]
❶속뜻 안[內]에 있으면서 외부 사람과 몰래 연락함[通]. ¶그는 적과 내통하였다. ❷남녀가 몰래 정을 통함. 비내응(內應), 사통(私通).

내:포 內包 | 안 내, 쌀 포 [connote; involve]
어떤 성질이나 뜻 따위를 속[內]에 품음[包]. ¶이 글은 중요한 뜻을 내포하고 있다. 반외연(外延).

내:항 內項 | 안 내, 목 항 [internal terms]
수학 비례식의 안[內]쪽에 있는 두 항(項). a:b=c:d에서 b와 c를 이른다. 반외항(外項).

내:향 內向 | 안 내, 향할 향 [introversion]
❶속뜻 안쪽[內]으로 향(向)함. ❷의학 병이 내장의 기관을 침범함. 반외향(外向).

• 역순어휘

가내 家內 | 집 가, 안 내 [family; household]
집[家] 안[內]. ¶가내 평안하신지요?

경내 境內 | 지경 경, 안 내 [precincts; grounds]
일정한 지경(地境)의 안[內]. 구역의 안. ¶사찰 경내에서는 금연하십시오. 반경외(境外).

관내 管內 | 맡을 관, 안 내 [within the jurisdiction]
관할(管轄) 구역의 안[內]. ¶경찰이 관내를 순찰하고 있다. 반관외(管外).

교:내 校內 | 학교 교, 안 내
[school grounds; campus]
학교(學校)의 안[內]. ¶교내 방송 / 교내 체육 대회. 반교외(校外).

구내 構內 | 얽을 구, 안 내 [within the section]
❶속뜻 나무로 얽은[構] 집의 안쪽[內]. ❷큰 건물이나 시설의 내부.

국내 國內 | 나라 국, 안 내 [interior of a country]
나라[國]의 안[內]. ¶국내 최초로 발명하다. 반국외(國外).

군:내 郡內 | 고을 군, 안 내
고을[郡]의 안[內]. ¶군내 주민이 참여하였다.

궐내 闕內 | 대궐 궐, 안 내 [royal palace]
대궐(大闕)의 안[內]. 비궁중(宮中).

도:내 道內 | 길 도, 안 내 [inside of a province]
어떤 도(道)의 구역 안[內]. ¶도내 체육 대회.

성내 城內 | 성 성, 안 내 [within the city]
성(城)의 안쪽[內]. 성안. 반성외(城外).

시:내 市內 | 저자 시, 안 내 [downtown]

시(市)로 지정된 지역의 안쪽[內]. ¶우리는 집에서 시내까지 걸어갔다.

실내 室內 | 방 실, 안 내 [indoors]
방[室] 안[內]. 집안. ¶실내 공기가 너무 탁하다. [반]노천(露天), 실외(室外).

안:내 案內 | 알려줄 안, 안 내 [guide; notify]
어떤 내용(內容)을 자세히 알려 줌[案]. 또는 그런 일. ¶안내 말씀 드리겠습니다.

옥내 屋內 | 집 옥, 안 내 [interior of a house]
집 또는 건물[屋]의 안[內]. ¶옥내 공기를 정화시키다 / 옥내에서는 금연입니다. [반]옥외(屋外).

읍내 邑內 | 고을 읍, 안 내 [whole town]
읍(邑)의 구역 안[內]. ¶미희는 읍내에 산다.

이:내 以內 | 부터 이, 안 내
[inside of; inside the limit]
시간 또는 공간에서 일정한 범위의 기준으로부터[以] 안[內] 쪽. ¶그 일은 한 달 이내에 마칠 수 없다. [반]이외(以外).

장내 場內 | 마당 장, 안 내 [inside of the hall]
어떠한 장소(場所)의 안[內]. ¶그의 연설이 끝나자 장내가 떠나갈 듯한 박수가 터져 나왔다. [반]장외(場外).

체내 體內 | 몸 체, 안 내 [interior of the body]
몸[體]의 안[內]. ¶세균이 체내에 침투하다. [반]체외(體外).

0061 [전]

全

온전 전
[部] 入부 [劃] 6획 [中] 全 [quán]

全 全 全 全 全 全

全자의 王이 '왕'(a king)을 뜻하는 것으로 오인하는 사람이 많은데, 사실은 '玉'의 본래 글자다. 광산에서 캐어낸 옥을 잘 다듬어 집안에 고이 들여다[入] 놓은 '순수한 옥'(a pure jade)이 본뜻이다. 후에 '모두'(all), '완전하다'(perfect; complete), '온전하다'(intact) 등으로 확대 사용됐다.

[속뜻훈음] ①모두 전, ②온전할 전, ③완전할 전.

전경 全景 | 모두 전, 볕 경
[complete view; panoramic view]
전체(全體)의 경치(景致). ¶남산에서는 서울의 전경이 보인다.

전과 全科 | 모두 전, 과정 과
[whole curriculum; complete course]
[교육] ❶모든[全] 교과(教科). 모든 학과(學科). ❷초등학교의 모든 과목을 다루는 학습 참고서.

전교 全校 | 모두 전, 학교 교 [whole school]
한 학교(學校)의 전체(全體). ¶전교 학생회장.

전국 全國 | 모두 전, 나라 국 [whole country]
한 나라[國]의 전체(全體). 온 나라. ¶전국 체육 대회.

전담 全擔 | 모두 전, 멜 담
[take complete charge of]
어떤 일의 전부(全部)를 담당(擔當)함. ¶비용은 회사에서 전담한다.

전도 全圖 | 모두 전, 그림 도
[complete diagram; whole map]
전체(全體)를 그린 그림[圖]이나 지도(地圖). ¶세계 전도.

전력 全力 | 모두 전, 힘 력
[all one's strength; all one's energies]
모든[全] 힘[力]. 있는 힘. 온 힘. ¶전력을 기울이다 / 전력을 쏟다.

전면 全面 | 모두 전, 낯 면 [whole surface]
❶[속뜻]모든[全] 면(面). 또는 모든 부문. ¶국어사전을 전면 개정하다. ❷하나의 면 전체. ¶신문에 전면 광고를 싣다.

전멸 全滅 | 모두 전, 없어질 멸
[be annihilated; be exterminated]
모조리[全] 죽거나 망하거나 하여 없어짐[滅]. ¶적군은 완전히 전멸되고 말았다.

전모 全貌 | 모두 전, 모양 모 [whole aspect]
전체(全體) 모습[貌]. 또는 전체 내용. ¶사건의 전모를 밝히다.

전문 全文 | 모두 전, 글월 문
[whole sentence; whole statement]
전체[全] 글[文]. ¶기사 전문을 인용하다.

전반 全般 | 모두 전, 일반 반 [whole]
❶[속뜻]전체(全體)에 공통되는 일반적(一般的)인 것. ❷어떤 일이나 부문에 대하여 그것에 관계되는 전체. 또는 통틀어서 모두. ¶나는 중국 역사 전반에 관심이 있다. [비]부분(部分), 일부(一部).

전부 全部 | 모두 전, 나눌 부 [all parts; whole]
사물의 모든[全] 부분(部分). ¶전부 얼마예요? [비]전체(全體). [반]일부(一部).

전성 全盛 | 완전할 전, 가득할 성
[height of prosperity]
완전(完全)히 가득함[盛]. 한창 무르익음.

전속 全速 | 모두 전, 빠를 속 [full speed]
낼 수 있는 힘을 모두[全] 낸 속력(速力). '전속력'의 준말.

전승 全勝 | 모두 전, 이길 승 [complete victory]
전쟁이나 경기 따위에서 한 번도 지지 아니하고 모두[全] 이김[勝]. ¶우리 팀은 이번 대회에서 3전 전승을 거두었다. ⓗ백전백승(百戰百勝). ⓑ전패(全敗).

전신 全身 | 모두 전, 몸 신 [whole body]
온[全] 몸[身]. 몸 전체. ¶전신이 다 아프다 / 전신 거울.

전심 全心 | 모두 전, 마음 심 [one's whole heart]
온[全] 마음[心]. ¶문제 해결을 위해 전심을 기울였다.

전액 全額 | 모두 전, 액수 액
[total amount; (sum) total]
전부(全部)에 해당되는 액수(額數). ¶전액을 현금으로 지불하다.

전역 全域 | 모두 전, 지경 역
[through all the area; whole area]
전체(全體)의 지역(地域). ¶부산 전역에 비가 내리고 있다.

전연 全然 | 온전할 전, 그러할 연 [wholly; utterly]
온전(穩全)히 그러함[然]. 온전함. ¶나는 그 일에 대해서는 전연 모른다.

전원 全員 | 모두 전, 인원 원
[all the members; entire staff]
모든[全] 인원(人員). ¶우리 반 전원이 봉사 활동에 참여했다.

전인 全人 | 모두 전, 사람 인
[whole man; perfect person]
❶속뜻 모든[全] 자질을 두루 갖춘 사람[人]. ❷결함이 없이 완벽한 사람.

전적 全的 | 모두 전, 것 적 [complete; whole]
전체(全體)의 것[的]. 모두. 완전히. ¶당신의 의견에 전적으로 찬성합니다.

전지[1] 全知 | 모두 전, 알 지 [omniscience]
모든[全] 것을 다 앎[知]. ¶전지전능(全知全能)한 신.

전지[2] 全紙 | 모두 전, 종이 지
[whole sheet of paper]
❶속뜻 신문 따위의 전체(全體) 지면(紙面). ❷출판 자르지 아니한 온장의 종이. ¶학생들이 전지에 함께 그림을 그렸다.

전집 全集 | 모두 전, 모을 집
[complete collection]
한 사람 또는 같은 시대나 같은 종류의 저작물을 모두[全] 모아[集] 한 질로 출판한 책. ¶세계 문학 전집.

전체 全體 | 모두 전, 몸 체 [whole; totality]
❶속뜻 온[全] 몸[體]. ❷무엇의 모든 부분. ¶소문이 마을 전체에 퍼졌다.

전폭 全幅 | 모두 전, 너비 폭
[full width; whole piece]
❶속뜻 모든[全] 너비[幅]. ❷일정한 범위 전체. ¶전폭 지원하다.

• 역순어휘

건:전 健全 | 굳셀 건, 온전할 전
[healthy; wholesome]
❶속뜻 굳세고[健] 온전(穩全)함. ¶건전한 신체에 건전한 정신이 깃든다. ❷조직 따위의 활동이나 상태가 건실하고 정상임. ¶그 기업은 건전하게 잘 운영되고 있다.

만:전 萬全 | 일만 만, 완전할 전
[absolute security]
모든[萬] 것이 완전(完全)함. 조금도 허술한 데가 없음. ¶대회 준비에 만전을 기하다.

보:전 保全 | 지킬 보, 온전할 전 [preserve intact]
온전하게[全] 잘 지킴[保]. ¶환경 보전.

순전 純全 | 순수할 순, 완전할 전 [pure; spotless]
순수(純粹)하고 완전(完全)하다. ¶순전한 오해 / 그건 순전히 내 실수였다.

안전 安全 | 편안할 안, 온전할 전 [safe; secure]
❶속뜻 편안(便安)하고 온전(穩全)함. ❷위험이 생기거나 사고가 날 염려가 없음. 또는 그런 상태. ¶안전하게 운전하다. ⓑ위험(危險).

온:전 穩全 | 평온할 온, 온전할 전 [be intact]
❶속뜻 평온(平穩)하고 완전(完全)하다. ❷본바탕대로 고스란히 다 있다. ¶온전한 그릇이 하나도 없다. ❸잘못된 것이 없이 바르거나 옳다. ¶정신이 온전한 사람이라면 그런 짓을 할 리가 없다.

완전 完全 | 갖출 완, 온전할 전 [whole; perfect]
필요한 것이 모두 갖추어져[完] 모자람이나 흠이 없음[全]. ¶완전한 성공 / 완전히 잊다. ⓑ불완전(不完全).

0062 [평]

平

평평할 평
ⓑ干부 ⓗ5획 ⓒ平 [píng]

平 平 平 平 平

平자는 저울대가 균형을 이루고 있는 모습에서 유래된 것으로 '衡平(형평)'(balance)이 본뜻이다. '평평하다'(level), '고르다'(equal), '보통'(common; usual) 등으로도 쓰인다.

속뜻훈음 ①평평할 평, ②보통 평, ③평안할 평, ④고를 평.

평균 平均 | 평평할 평, 고를 균 [average; mean]
❶속뜻 높고 낮음이 없이 평평하고[平] 고르게 함[均]. ❷수학 몇 개 수의 중간 값을 구함. 또는 그 값. ¶우리 반 영어 성적은 전국 평균보다 높다.

평년 平年 | 보통 평, 해 년
[normal year; average year]
❶속뜻 윤년이 아닌 보통[平]의 해[年]. ¶2000년은 윤년이지만 1900년은 평년이었다. ❷최근 몇 해 동안의 평균 수치. ¶올해는 평년보다 덥다. ㊐예년(例年). ㊟윤년(閏年).

평등 平等 | 고를 평, 가지런할 등 [equal; even]
❶불교 만물의 본성은 차별 없이 고르고[平] 한결같음[等]. 산스크리트어 'samnya'를 한자로 의역(意譯)한 것이다. ❷권리, 의무, 자격 등에 차별이 없음. ¶사람을 평등하게 대하다. ㊐동등(同等), 균일(均一). ㊟불평등(不平等).

평면 平面 | 평평할 평, 낯 면 [plane; flat surface]
평평(平平)한 표면(表面). ¶지붕이 거의 평면으로 보인다. ㊟곡면(曲面).

평민 平民 | 보통 평, 백성 민 [common people]
보통[平] 사람[民]. ¶왕자가 귀족이 아닌 평민 여성을 좋아하는 것은 수치스러운 일로 여겼다. ㊐상민(常民), 서민(庶民). ㊟귀족(貴族).

평범 平凡 | 보통 평, 범상할 범
[common; ordinary]
보통[平]으로 범상함[凡]. ¶그는 반에서 그다지 눈에 잘 띄지 않는 평범한 학생일 뿐이다. ㊟비범(非凡).

평복 平服 | 보통 평, 옷 복
[ordinary dress; plain clothes]
평상시(平常時)에 입는 옷[服]. ¶그들은 모두 평복 차림으로 모임에 나왔다. ㊐평상복(平常服).

평상[1] 平牀 | =平床, 평평할 평, 평상 상
[flat bench; wooden bed]
평평(平平)한 침상(寢牀). ¶버드나무 아래에 놓인 평상에 걸터앉았다.

평상[2] 平常 | 보통 평, 늘 상 [normal (times)]
보통[平] 늘[常]. ¶평상의 기분을 회복하다. ㊐평상시(平常時).

평생 平生 | 평안할 평, 살 생 [one's whole life]
❶속뜻 평안(平安)한 삶[生]. ❷세상에 태어나서 죽을 때까지의 동안. ¶내 평생 이런 일은 처음이다 / 우리는 평생을 함께 하기로 했다. ㊐일생(一生).

평소 平素 | 보통 평, 본디 소 [ordinary times]
❶속뜻 평상(平常)처럼 아무것도 꾸밈이 없는 본디[素] 상태. ❷특별한 일이 없는 보통 때. ¶평소에 하던 대로 하면 실수하지 않을 것이다. ㊐평상시(平常時).

평시 平時 | 보통 평, 때 시 [normal times]
보통[平] 때[時]. '평상시'(平常時)의 준말. ¶그는 평시보다 일찍 학교에 도착하였다.

평안 平安 | 고를 평, 편안할 안
[be well; peaceful; tranquil]
❶속뜻 마음이 고르고[平] 편안(便安)함. ❷마음에 걱정이 없음. ¶평안히 지내다 / 댁내 두루 평안하시길 바랍니다.

평야 平野 | 평평할 평, 들 야 [plain; open field]
평평하고[平] 넓은 들[野]. ¶그는 말을 타고 평야를 달리고 있다.

평영 平泳 | 평평할 평, 헤엄칠 영 [breaststroke]
운동 엎드린 자세로 두 팔을 수평(水平)으로 원을 그리듯이 움직이고, 다리는 개구리처럼 오므렸다 폈다 하며 치는 헤엄[泳]. ¶나는 평영을 가장 잘 한다.

평온 平穩 | 평안할 평, 안온할 온
[calm; tranquil; quiet]
평안(平安)하고 안온(安穩)함. 조용하고 안온함. ¶그의 얼굴이 무척 평온했다.

평원 平原 | 평평할 평, 들판 원 [plain]
평평(平平)한 넓은 들판[原]. ¶눈앞에 넓은 평원이 펼쳐졌다.

평이 平易 | 보통 평, 쉬울 이 [easy; simple]
어렵지 않고 보통[平] 수준으로 쉽다[易]. ¶이 책은 평이하게 쓰여 있다.

평일 平日 | 보통 평, 날 일 [ordinary days]
보통[平] 날[日]. 휴일이나 기념일이 아닌 날. ¶우리는 평일은 물론이고 주말에도 일을 한다.

평정[1] 平定 | 평안할 평, 정할 정
[suppress; put down]
난리를 평온(平穩)하게 진정(鎭定)시킴. ¶반란을 평정하다.

평정[2] 平靜 | 평안할 평, 고요할 정
[calm; tranquil; peaceful]
평안(平安)하고 고요함[靜]. ¶마음의 평정을 유지하다.

평지 平地 | 평평할 평, 땅 지
[flatland; level ground; flat country]
지리 바닥이 평평(平平)한 땅[地]. ¶커다란 소나무들로 에워싸인 평지. ㊟산지(山地).

평탄 平坦 | 평평할 평, 평평할 탄
[even; level; flat]
❶속뜻 땅바닥이 평평함[平=坦]. ¶언덕을 넘으니 길이 평탄해졌다. ❷일이 거침새가 없이 순조로움. ¶그의 일생은 평탄했다.

평평 平平 | 평평할 평, 평평할 평
[flat; level; even]
바닥이 고르고 판판하다[平+平]. ¶땅을 평평하게 다지다. (비)편평하다.

평행 平行 | 평평할 평, 갈 행 [parallel; parallelism]
❶[속뜻] 평평하게[平] 나란히 감[行]. ❷[수학] 두 직선이나 평면이 무한하게 연장해도 만나지 않고 나란히 나감. ¶평행 주차 / 선을 평행으로 긋다 / 철길들이 서로 평행하게 놓여 있다.

평형 平衡 | 평평할 평, 저울대 형
[be balanced; be in equilibrium]
❶[속뜻] 수평(水平)을 이루고 있는 저울대[衡]. 또는 저울대가 수평을 이루고 있음. ¶양팔 저울이 평형이 되었는지 확인해라. ❷사물이 한쪽으로 기울지 않고 안정됨. ¶생산과 소비의 평형이 깨졌다 / 그는 마음의 평형을 잃고 흥분했다. (비)수평(水平), 균형(均衡).

평화 平和 | 평안할 평, 화목할 화
[peace; harmony]
❶[속뜻] 평안(平安)하고 화목(和睦)함. ¶가정의 평화를 깨뜨리다 / 평화로운 시골생활 / 그는 평화스러운 눈빛으로 아이를 바라보았다. ❷전쟁이 없이 세상이 평온함. ¶폭력적인 수단을 사용해서는 평화를 이룰 수 없다.

• 역순어휘

공평 公平 | 공정할 공, 평평할 평 [fair; impartial]
공정(公正)하여 어느 한쪽으로 치우치지 아니함[平]. ¶공평한 판단을 내리다. (비)공정(公正). (반)불공평(不公平).

불평 不平 | 아닐 불, 평평할 평 [complain; whine]
❶[속뜻] 공평(公平)하지 않음[不]. ❷마음에 들지 않아 못마땅하게 여김. 또는 그것을 말이나 행동으로 나타냄. ¶나는 아무런 불평도 없다.

상평 常平 | 늘 상, 평평할 평
[역사] 변방 지방에 창고를 지어 놓고 실시하던 미곡 정책. 미곡이 흔하면 비싼 값으로 사들이고 미곡이 귀하면 싼 값에 팔아서 그 시세가 늘[常] 일정하도록[平] 조절하였다.

수평 水平 | 물 수, 평평할 평 [horizontality]
❶[속뜻] 잔잔한 수면(水面)처럼 편평(扁平)한 모양. ¶물은 수평으로 되게 마련이다. ❷지구의 중력 방향과 직각을 이루는 방향. ¶팔을 다리와 수평이 되게 뻗으세요.

지평 地平 | 땅 지, 평평할 평 [horizon]
대지(大地)의 편평(扁平)한 면. ¶자리가 높아서 탁 트인 지평을 바라볼 수 있다 / 생명 공학의 새 지평을 열다.

탕:평 蕩平 | 쓸어버릴 탕, 평평할 평
❶[속뜻] 소탕(掃蕩)하여 평정(平定)함. ❷[역사] '탕평책'(蕩平策)의 준말.

태평 太平 | = 泰平, 클 태, 평평할 평
[peaceful; quiet; carefree]
세상이 크게[太] 평안(平安)함. ¶나라의 태평을 기원하다 / 정치가 잘되어야 나라가 태평하다.

편평 扁平 | 넓적할 편, 평평할 평
[flat; level; even]
넓고[扁] 평평(平平)하다. ¶산 아래로 편평한 들판이 보인다. (비)평평하다.

형평 衡平 | 저울대 형, 평평할 평
[balance; equilibrium]
❶[속뜻] 저울대[衡]같이 평평(平平)함. ❷균형이 맞음. 또는 그런 일. ¶형평에 어긋나다.

0063 [시]

市

저자 시:
(部) 巾부 (畫) 5획 (中) 市 [shì]

市 市 市 市 市

市자의 자형에 대하여는 이설이 많은데, '저자'(=시장 market)를 나타내는 팻말 모양에서 유래됐다는 설이 가장 일반적이다. 옛날 최초의 '시장'은 물을 길러 오는 사람들로 붐비던 '우물가'였다고 하는데, 市井(시정)이란 낱말이 그 증거다. 이 글자는 총 5획인데, 4획으로 잘못 쓰면 巿(슬갑 불)자가 되니 조심해야겠다. 컴퓨터 서체, 특히 스크린 폰트에서는 구분이 되지 않아 혼동하기 십상이다. '도시'(a city; a town) 또는 이와 의미상 연관이 있는 낱말의 한 구성요소로도 쓰인다.

[속뜻훈음] ①저자 시, ②도시 시.

시:가 市街 | 도시 시, 거리 가 [streets]
도시(都市)의 큰 거리[街]. 또는 번화한 거리.

시:내 市內 | 도시 시, 안 내 [downtown]
시(市)로 지정된 지역의 안쪽[內]. ¶우리는 집에서 시내까지 걸어갔다.

시:립 市立 | 도시 시, 설 립 [municipal]
시(市)에서 설립(設立)하고 경영하는 일. 또는 그러한 시설. ¶시립 도서관.

시:민 市民 | 도시 시, 백성 민 [citizens]
❶[속뜻] 그 시(市)에 사는 사람[民]. ¶시민들이 축제에 참여했다. ❷국가의 일원으로서 독립하여 생계를 영위하는 자유민. ¶시민은 투표권이 있다.

시:외 市外 | 도시 시, 밖 외 [suburbs]

도시(都市) 밖[外]의 부근으로 시에 인접한 지역. ¶시외로 소풍을 가다. ⓑ시내(市內).

시:장¹ 市長 | 도시 시, 어른 장 [mayor]
법률 시(市)의 행정(行政)을 맡고 있는 최고 관리[長].

시:장² 市場 | 저자 시, 마당 장 [market]
여러 가지 상품을 사고파는 저자[市] 장소[場]. ¶농수산물 시장. ㊟장.

시:중 市中 | 도시 시, 가운데 중
[(in) the street; open market]
❶속뜻 도시(都市)의 가운데[中]. 도시 안. ❷사람들이 생활하는 공개된 공간을 비유하여 이르는 말. ¶인공지능 컴퓨터는 아직 시중에 나와 있지 않다.

시:청 市廳 | 도시 시, 관청 청 [city hall]
시(市)의 행정 사무를 맡아보는 관청(官廳). 또는 그 청사.

시:판 市販 | 도시 시, 팔 판 [sell at a market]
경제 상품을 시중(市中)에서 판매(販賣)함. '시중판매'의 준말. ¶이 상품은 국내에서 시판하고 있다.

• 역순어휘 •

도시 都市 | 도읍 도, 저자 시 [city; a town]
❶속뜻 도읍(都邑)의 시장(市場). ❷일정한 지역에서 사람들이 많이 모여 사는 지역. ¶도시를 건설하다. ⓑ도회지(都會地). ⓑ시골.

신시 神市 | 귀신 신, 도시 시
역사 환웅이 태백산 신단수(神檀樹) 밑에 세웠다는 도시(都市).

증시 證市 | 증거 증, 저자 시 [stock market]
경제 증권(證券)을 사고파는 시장(市場). '증권시장'의 준말. ¶미국 증시가 강세로 돌아섰다.

파시 波市 | 물결 파, 저자 시
[seasonal fish market]
고기가 한창 잡힐 때에 파도(波濤)가 치는 바다 위에서 열리는 생선시장(市場). ¶거문도는 고등어 파시로 유명하다.

0064 [공]

工
장인 공
㊕工부 ㊖3획 ㊥工 [gōng]
工 工 工

工자는 '곱자'(a carpenter's square), 즉 직각선을 그을 때 사용하는 자를 지칭하기 위하여 그것의 모양을 본뜬 것이다. 그것은 목공들의 필수품이었으니, '장인'(a craftsman), '목수'(a carpenter), '일'(work; labor)의 뜻으로도 쓰인다.

속뜻훈음 ①장인 공, ②일 공.

공고 工高 | 장인 공, 높을 고
[technical high school]
교육 '공업고등학교'(工業高等學校)의 준말.

공교 工巧 | 장인 공, 솜씨 교 [elaborate]
❶속뜻 장인[工]같이 빼어난 솜씨[巧]. ¶공교한 조각 작품. ❷우연하고 교묘함. ¶공교롭게도 나는 아버지와 생일이 같다.

공구 工具 | 장인 공, 갖출 구 [tool; instrument]
기계 따위를 만들거나 조작하는데[工] 쓰이는 기구(機具). ¶공구 상자.

공단 工團 | 장인 공, 모일 단 [industrial complex]
공업 국가나 지방단체가 미리 공장용 부지를 조성하여 공업(工業)과 관련된 공장을 유치한 단지(團地). '공업단지'의 준말. ¶개성공단.

공무 工務 | 장인 공, 일 무 [engineering works]
❶속뜻 공장[工]의 사무[務]. ❷토목·건축에 관한 일.

공부 工夫 | 장인 공, 사나이 부 [study; learn]
❶속뜻 공사(工事)나 작업에 동원된 인부(人夫). ❷학문이나 기술을 배우고 익힘. ¶공부는 늙어 죽을 때까지 해도 다 못한다. ⓑ학습(學習).

공사 工事 | 장인 공, 일 사 [construct; build]
토목이나 건축[工] 등에 관한 일[事]. ¶이 공사는 완성에 3년이 걸렸다.

공산 工產 | 장인 공, 낳을 산
공업(工業)으로 생산(生產)함.

공업 工業 | 장인 공, 일 업 [industry]
인공(人工)을 가하여 물품을 만드는 산업(產業). ¶공업을 진흥시키다.

공예 工藝 | 장인 공, 재주 예 [industrial arts]
❶속뜻 물건을 만드는[工] 기술에 관한 재주[藝]. ❷직물, 칠기, 도자기 따위의 실용적이면서도 아름다운 물건을 만드는 기술. ¶도자기 공예.

공작 工作 | 장인 공, 지을 작
[construct; maneuver]
❶속뜻 물건을 만드는[工=作] 일. ¶공작 시간에 연필꽂이를 만들었다. ❷어떤 목적을 위하여 미리 일을 꾸밈. ¶방해 공작을 벌이다. ⓑ작업(作業), 작전(作戰).

공장 工場 | 장인 공, 마당 장 [factory]
근로자가 기계 등을 사용하여 물건을 가공·제조하거나 수리·정비하는[工] 시설이나 장소(場所).

공정 工程 | 장인 공, 과정 정 [progress of work]

기술적 작업[工]이 진행되어 가는 과정(過程).

공학 工學 | 장인 공, 배울 학 [engineering]
[공업] 공업(工業) 생산 기술을 연구하는 학문(學問).

• 역순어휘

가공 加工 | 더할 가, 장인 공 [process]
❶[속뜻] 인공(人工)을 더함[加]. ❷[법률] 남의 소유물에 노력을 더하여 새로운 물건을 만들어 내는 일. ¶꽁치를 가공해서 통조림으로 만들었다. [비]인공(人工), 수공(手工). [반]천연(天然).

기공 起工 | 일어날 기, 일 공 [start work]
공사(工事)를 시작함[起]. [비]착공(着工). [반]준공(竣工), 완공(完工).

도공 陶工 | 질그릇 도, 장인 공 [ceramist; potter]
옹기[陶] 만드는 일을 하는 사람[工]. [비]옹기장이, 도예가(陶藝家).

목공 木工 | 나무 목, 장인 공
[carpenter; wood worker]
나무[木]로 물건을 만드는[工] 일. 혹은 그런 일을 하는 사람. [비]목수(木手).

사공 沙工 | =砂工, 모래 사, 장인 공
[boatman; waterman]
❶[속뜻] 모래밭[沙]에서 일하는 장인[工]. ❷노를 저어 배를 부리는 사람. '뱃사공'의 준말. [속담] 사공이 많으면 배가 산으로 간다.

상공 商工 | 장사 상, 장인 공
[commerce and industry]
상업(商業)과 공업(工業). '상공업'의 준말.

석공 石工 | 돌 석, 장인 공 [stonecutter]
돌[石]을 다루어 예술품이나 공업품을 만드는 기술자[工]. ¶석공은 불상을 만들었다. [비]석수(石手).

세:공 細工 | 가늘 세, 장인 공
[workmanship; craftsmanship]
섬세(纖細)한 잔손질이 많이 가는 수공(手工). ¶금속 세공.

수공 手工 | 손 수, 장인 공 [manual work]
❶[속뜻] 손[手]으로 하는 공예(工藝). ❷손으로 하는 일의 품. 또는 그 품삯. ¶한복을 만들려면 수공이 많이 든다.

시:공 施工 | 베풀 시, 일 공 [construct; build]
공사(工事)를 시행(施行)함. ¶부실 시공 / 이 건물은 우리가 시공했다.

악공 樂工 | 음악 악, 장인 공 [court musician]
❶[음악] 음악(音樂)을 연주하는 사람[工]. ¶악공은 왕자를 대신해서 공주에게 노래를 불러주었다. ❷[역사] 조선 시대에 궁정의 음악 연주를 맡아 하던 사람.

완공 完工 | 완전할 완, 일 공 [completion]
공사(工事)를 완성(完成)함. ¶건물을 3년 만에 완공했다. [반]기공(起工), 착공(着工).

인공 人工 | 사람 인, 장인 공
[man-made; artificial]
자연물을 사람[人]이 직접 다르게 만들어[工] 놓는 일. ¶인공 색소 / 도시 중앙에 인공 호수를 만들었다. [비]인위(人爲). [반]자연(自然), 천연(天然).

준:공 竣工 | 마칠 준, 일 공 [complete]
공사(工事)를 마침[竣]. ¶이 건물은 올 연말에 준공될 예정이다. [비]완공(完工). [반]기공(起工), 착공(着工).

직공 職工 | 일 직, 장인 공 [worker]
❶[속뜻] 자기 손 기술로 물건을 만드는 일[職]을 업으로 하는 장인[工] 같은 사람. ❷공장에서 일하는 사람. ¶인쇄소 직공들은 열심히 일했다.

착공 着工 | 붙을 착, 일 공 [start work]
공사(工事)에 착수(着手)함. ¶고속도로를 착공하다. [비]기공(起工). [반]준공(竣工), 완공(完工).

철공 鐵工 | 쇠 철, 장인 공 [ironworker; ironsmith]
쇠[鐵]를 다루어 제품을 만드는 직공(職工).

화:공 化工 | 될 화, 장인 공 [chemical industry]
❶[속뜻] 하늘의 조화(造化)로 자연히 이루어진 묘한 재주[工]. ❷[공업] 화학적인 반응을 응용하는 공업이나 공학과 관련되는 것. ¶화공 약품은 조심해서 다뤄야 한다.

0065 [좌]

左 왼(쪽) 좌:
[부] 工부 [획] 5획 [中] 左 [zuǒ]

左 左 左 左 左

左자는 '손 우'(右)의 변이형인 왼손[屮·좌]에 공구[工·공]를 쥐고 있는 모습이니 '왼손'(the left hand)이 본뜻인데, '왼쪽'(the left side)을 뜻하기도 한다.

좌:변 左邊 | 왼쪽 좌, 가 변 [left side]
❶[속뜻] 왼쪽[左] 가장자리[邊]. ❷[수학] 등식이나 부등식에서, 등호 또는 부등호의 왼쪽에 적은 수나 식. [반]우변(右邊).

좌:우 左右 | 왼쪽 좌, 오른쪽 우
[right and left; be influenced]
❶[속뜻] 왼쪽[左]과 오른쪽[右]을 아울러 이르는 말. ¶좌우를 살피다 / 고개를 좌우로 흔들다. ❷어떤 일에 영향을 주어 지배함. ¶이번 프로젝트가 회사의 사활을 좌우

한다 / 수확량은 날씨에 좌우된다.

좌:측 左側 | 왼쪽 좌, 곁 측 [left side]
왼쪽[左] 곁[側]. 왼쪽. ¶곧장 가다가 좌측으로 도세요. (반)우측(右側).

0066 [우]

右

오른(쪽) 우:
(部) 口부 (劃) 5획 ㊥ 右 [yòu]

右 右 右 右 右

右자는 본래 '오른손 우'(又)로 썼다. 오른손[又]은 음식을 집는 것으로 입[口]을 돕는 것이니 右는 '돕다'(help)가 본래 의미였다. 후에 又는 '또'(and, also)란 의미로 쓰이는 예가 많아지자 '오른손'(the right hand)은 右자로 나타내고, '돕다'는 뜻은 佑(도울 우)자를 따로 만들어 나타냈다. '오른쪽'(the right side)을 가리키는 것으로 애용된다.

우:변 右邊 | 오른쪽 우, 가 변
[edge on the right side]
❶[속뜻] 오른[右] 편[邊]. ❷[수학] 등식이나 부등식에서 등호 또는 부등호의 오른쪽에 적은 수나 식. (반)좌변(左邊).

우:측 右側 | 오른쪽 우, 곁 측 [right side]
오른[右] 쪽[側]. ¶우측 자리에 앉으세요. (반)좌측(左側).

• **역순어휘** •

좌:우 座右 | 자리 좌, 오른쪽 우 [right side]
앉은 자리[座]의 오른쪽[右]. 또는 그 옆.

0067 [명]

名

이름 명
(部) 口부 (劃) 6획 ㊥ 名 [míng]

名 名 名 名 名 名

名자는 캄캄한 저녁[夕]에 상대방에게 자기가 누구임을 밝히기 위하여 입[口]으로 말해야 하는 것, 즉 '이름'(name)이 본래 뜻이다. '이름'이란 낱말을 그렇게 나타낸 아이디어가 참으로 기발하며, 그렇다면 이름이 '암호'(a secret sign)의 기원이었나 보다.

명곡 名曲 | 이름 명, 노래 곡
[excellent piece of music]
이름[名] 난 노래[曲]. ¶명곡을 감상하다.

명단 名單 | 이름 명, 홑 단 [list of names]
관계자의 이름[名]을 적은 표[單]. ¶참석자 명단. (비)명부(名簿).

명망 名望 | 이름 명, 바랄 망
[reputation; repute; renown]
세상 사람들이 우러러보는 명성(名聲)과 덕망(德望).

명목 名目 | 이름 명, 눈 목 [name; pretext]
❶[속뜻] 이름[名]이나 제목(題目). ❷겉으로 내세우는 이름. ¶명목뿐인 사장. ❸구실이나 이유. ¶무슨 명목으로 그를 부를까.

명문[1] 名文 | 이름 명, 글월 문
[excellent composition]
이름난[名] 글[文]. 매우 잘 지은 글.

명문[2] 名門 | 이름 명, 집안 문
[distinguished family; noble family]
❶[속뜻] 이름[名] 난 가문(家門). ❷문벌(門閥)이 좋은 집안. ¶그는 명문가 출신이다. ❸이름 난 학교. ¶명문 대학을 졸업하다. (비)명가(名家), 명벌(名閥).

명물 名物 | 이름 명, 만물 물
[well-known product; institution]
❶[속뜻] 그 지방에서 나는 유명(有名)한 물품(物品). '명산물'(名産物)의 준말. ¶안성의 명물은 유기(鍮器)다. ❷독특한 것으로 이름이 난 사람이나 사물. ¶그는 이 동네 명물이다.

명분 名分 | 이름 명, 나눌 분
[one's moral obligations]
❶[속뜻] 각각의 명의(名義)나 신분(身分)에 따라 마땅히 지켜야 할 도리. ❷일을 꾀하는 데에 있어 내세우는 구실이나 이유 따위. ¶명분 없는 전쟁.

명사[1] 名士 | 이름 명, 선비 사
[prominent person]
명성(名聲)이 널리 알려진 인사(人士). ¶당대의 명사들이 한 자리에 모였다.

명사[2] 名詞 | 이름 명, 말씀 사 [noun]
[언어] 사물의 이름[名]을 나타내는 말[詞]. 대명사, 수사와 함께 문장에서 체언(體言)의 구실을 한다. ¶'나무가 푸르다'의 '나무'는 명사이다. (비)이름씨.

명산 名山 | 이름 명, 메 산 [well known mountain]
이름[名] 난 산(山).

명색 名色 | 이름 명, 빛 색 [name; pretext]
❶[불교] 이름만 있고 형상이 없는 마음과 형체가 있는 물질. 정신적인 것을 '名', 물질적인 것을 '色'이라고 한다. ❷어떤 이름이나 부류에 속함. ¶명색이 대학 교수인데 그런 일은 할 수 없다.

명성 名聲 | 이름 명, 소리 성

[fame; renown; popularity]
❶속뜻 널리 알려진 이름[名]과 목소리[聲]. ❷세상에 널리 떨친 이름이나 평판. ⓗ성명(聲名), 성문(聲聞).

명소 名所 | 이름 명, 곳 소 [famous place]
이름다운 경치나 고적 따위로 이름[名]난 곳[所]. ¶관광 명소 / 경주의 명소를 구경하다.

명수 名手 | 이름 명, 사람 수 [expert; master]
기능이나 기술이 뛰어나기로 유명한[名] 사람[手]. ¶그녀는 양궁의 명수다.

명승[1] 名勝 | 이름 명, 뛰어날 승 [famous sight]
이름[名] 날 정도로 훌륭한[勝] 경치. '명승지'(名勝地)의 준말.

명승[2] 名僧 | 이름 명, 스님 승
[celebrated Buddhist monk]
학덕이 높아 이름난[名] 승려(僧侶).

명시 名詩 | 이름 명, 시 시 [famous poetry]
유명(有名)한 시(詩). 썩 잘 지은 시.

명실 名實 | 이름 명, 실제 실 [name and reality]
명분(名分)과 실질(實質). 소문과 실제.

명언 名言 | 이름 명, 말씀 언 [wise golden saying]
❶속뜻 유명(有名)한 말[言]. ❷사리에 들어맞는 훌륭한 말. ¶괴테는 많은 명언을 남겼다.

명예 名譽 | 이름 명, 기릴 예 [honor; glory]
❶속뜻 세상 사람들이 훌륭하다고 인정하여 이름[名]을 기림[譽]. 또는 그런 품위. ¶명예롭게 죽다. ❷사람 또는 단체의 사회적인 평가나 가치. ⓑ불명예(不明譽).

명의 名醫 | 이름 명, 치료할 의
[skilled physician; great doctor]
병을 잘 고치는 이름난[名] 의사(醫師). ¶허준은 조선시대 명의였다. ⓗ대의(大醫).

명인 名人 | 이름 명, 사람 인
[master hand; expert]
어떤 기예(技藝) 등이 뛰어나 유명(有名)한 사람[人]. ¶이번 공연에 판소리의 명인들이 참가한다. ⓗ달인(達人), 대가(大家), 명가(名家).

명작 名作 | 이름 명, 지을 작 [masterpiece]
이름난[名] 작품(作品). 뛰어난 작품. ¶렘브란트의 명작을 감상하다. ⓗ걸작(傑作), 대작(大作). ⓑ졸작(拙作).

명장[1] 名匠 | 이름 명, 장인 장
[master hand; master craftsman]
이름난[名] 장인(匠人). ⓗ명공(名工).

명장[2] 名將 | 이름 명, 장수 장
[distinguished general]
이름난[名] 장수(將帥). 뛰어난 장수. ¶이순신 장군은 지용(智勇)을 겸비한 명장이었다.

명절 名節 | 이름 명, 철 절 [holiday]
❶속뜻 유명(有名)한 철[節]이나 날. ❷해마다 일정하게 지키어 즐기거나 기념하는 날. ¶고향으로 돌아가 명절을 쇠다.

명찰 名札 | 이름 명, 쪽지 찰 [nameplate]
이름[名]을 써 놓은 쪽지[札]. ¶옷에 명찰을 달다. ⓗ이름표.

명창 名唱 | 이름 명, 부를 창
[master singer; great singer]
뛰어나고 이름나게[名] 노래를 잘 부르는[唱] 사람. 또는 그 노래. ¶판소리 명창.

명칭 名稱 | 이름 명, 일컬을 칭 [name; title]
사물을 일컫는[稱] 이름[名]. ⓗ명호(名號), 명목(名目), 호칭(呼稱).

명패 名牌 | 이름 명, 패 패 [nameplate]
이름[名]이나 직위 등을 적어 놓은 패찰(牌札). ¶명패에 이름을 새기다.

명필 名筆 | 이름 명, 글씨 필
[excellent hand writing; noted calligrapher]
❶속뜻 유명(有名)한 글씨[筆]. ❷매우 잘 쓴 글씨. 또는 글씨를 매우 잘 쓰는 사람. ¶한석봉은 조선시대 명필이다. ⓑ악필(惡筆).

명함 名銜 | 이름 명, 머금을 함 [business card]
이름[名] 등을 새겨 담고 있는[銜] 종이쪽. ¶그와 명함을 주고받았다.

명화 名畫 | 이름 명, 그림 화 [famous painting]
유명(有名)한 그림[畫]이나 영화(映畫). ¶피카소의 명화 50점을 전시하다.

• **역순어휘** •

가:명 假名 | 거짓 가, 이름 명 [false name]
거짓[假]으로 일컫는 이름[名]. ¶가명 계좌 / 가명을 사용하다. ⓑ본명(本名), 실명(實名).

개:명 改名 | 고칠 개, 이름 명
[change one's name]
이름[名]을 고침[改]. 고친 이름. ¶그는 '지덕'으로 개명했다.

계명 階名 | 섬돌 계, 이름 명 [syllable names]
❶속뜻 계급(階級)이나 품계(品階)의 이름[名]. ❷음악 음계(音階)의 이름. ¶계명을 부르다. ⓗ계이름.

곡명 曲名 | 노래 곡, 이름 명
[title of a musical composition]
음악 악곡(樂曲)의 이름[名]. ¶연주할 곡명은 무엇입니까? ⓗ곡목(曲目).

공명 功名 | 공로 공, 이름 명 [glorious deed]
공(功)을 세워 이름[名]을 널리 알림.

누:명 陋名 | 추할 루, 이름 명
[false charge; groundless suspicion]
사실이 아닌 일로 이름[名]을 더럽히는[陋] 억울한 평판. ¶누명을 벗다 / 누명을 쓰다.

동명 同名 | 같을 동, 이름 명 [same name]
같은[同] 이름[名]. 또는 이름이 서로 같음.

명:명 命名 | 명할 명, 이름 명 [give a name to]
사람이나 물건 등에 이름[名]을 지어 붙임[命].

무명 無名 | 없을 무, 이름 명
[being nameless; obscurity]
❶[속뜻] 이름[名]이 없음[無]. ¶이 시는 무명씨의 작품이다. ❷이름이 널리 알려져 있지 않음. ¶그는 아직 무명 가수이다. [반]유명(有名).

방명 芳名 | 꽃다울 방, 이름 명
[(your, his) esteemed name]
❶[속뜻] 꽃다운[芳] 이름[名]. ❷'남의 이름'을 높여 부르는 말. ¶여기에 방명을 적어 주십시오.

법명 法名 | 법 법, 이름 명 [one's Buddhist name]
[불교] 불법(佛法)을 배우려는 사람에게 지어준 이름[名].

별명 別名 | 다를 별, 이름 명 [nickname]
그 사람의 성격, 용모, 태도 따위의 특징을 따서 남이 지어 부르는 본이름 외의 딴[別] 이름[名]. ¶별명을 붙이다. [비]별칭(別稱). [반]본명(本名).

병:명 病名 | 병 병, 이름 명 [name of a disease]
병(病)의 이름[名].

본명 本名 | 뿌리 본, 이름 명 [one's real name]
가명이나 별명이 아닌 본디[本] 이름[名]. ¶서류에는 본명을 쓰십시오. [비]실명(實名). [반]별명(別名), 가명(假名).

서:명 署名 | 쓸 서, 이름 명 [sign; autograph]
문서에 자기 이름[名]을 씀[署]. 또는 그 이름. ¶이곳에 서명해 주십시오.

성:명 姓名 | 성씨 성, 이름 명
[family name and given name]
성(姓)과 이름[名].

실명 實名 | 실제 실, 이름 명 [one's real name]
실제(實際)의 이름[名]. ¶모든 거래는 실명으로 이루어진다. [비]본명, 본이름. [반]가명(假名).

악명 惡名 | 악할 악, 이름 명 [notoriety]
악(惡)하다는 소문이나 평판[名]. ¶그는 변덕스럽기로 악명이 높다.

예:명 藝名 | 재주 예, 이름 명 [stage name]
예능(藝能) 분야에 종사하는 사람이 본명 이외에 따로 지어 부르는 이름[名]. ¶많은 연예인들이 본명보다는 예명을 사용한다. [반]본명(本名).

오:명 汚名 | 더러울 오, 이름 명 [dishonor]
더러워진[汚] 이름[名]이나 영예(榮譽). ¶그는 배신자라는 오명을 쓰게 되었다.

유:명 有名 | 있을 유, 이름 명 [famous; noted]
이름[名]이 세상에 널리 알려져 있음[有]. ¶유명 상표 / 정명훈은 세계적으로 유명한 지휘자이다. [반]무명(無名).

익명 匿名 | 숨을 닉, 이름 명 [anonymity]
본이름[名]을 숨김[匿]. ¶익명의 후원자 / 그는 익명을 요구하고 경찰에 범인을 신고했다. [반]실명(實名).

일명 一名 | 한 일, 이름 명 [second name]
❶[속뜻] 한[一] 사람[名]. ❷본이름 외에 따로 부르는 이름. ¶그는 일명 뽀빠이로 불린다.

저:명 著名 | 드러날 저, 이름 명
[eminent; prominent; distinguished]
세상에 이름[名]을 드러냄[著]. 이름이 널리 알려짐. ¶저명 학자 / 이번 학회에는 저명한 작가들이 많이 참석했다.

제명 除名 | 덜 제, 이름 명
[be expelled; be dropped]
구성원 명단에서 이름[名]을 뺌[除]. 구성원 자격을 박탈함. ¶제명을 당하다 / 그는 결국 팀에서 제명되었다.

죄:명 罪名 | 죄 죄, 이름 명 [charge]
죄(罪)의 이름[名]. 절도죄, 살인죄, 위증죄 따위.

지명[1] 知名 | 알 지, 이름 명 [fame; renown]
널리 알려진[知] 이름[名]. 세상에 이름을 알림.

지명[2] 指名 | 가리킬 지, 이름 명
[nominate; designate]
여러 사람 가운데 누구의 이름[名]을 지정(指定)하여 가리킴. ¶그녀는 국무총리로 지명되었다.

지명[3] 地名 | 땅 지, 이름 명 [name of a place]
땅[地]의 이름[名]. 지역의 이름. ¶순 우리말로 된 지명.

품:명 品名 | 물건 품, 이름 명
[name of an article]
물품(物品)의 이름[名]. ¶그것의 품명을 아래에 적어 놓았다.

필명 筆名 | 글씨 필, 이름 명 [pen name]
❶[속뜻] 글이나 글씨[筆]로 날린 명성(名聲). ❷작가가 작품을 발표할 때 쓰는 본명 이외의 이름. ¶루쉰이란 필명으로 이름을 날리기 시작하다.

호명 呼名 | 부를 호, 이름 명 [call name]
이름[名]을 부름[呼]. ¶호명하는 학생은 앞으로 나오세요.

0068 [성]

姓

성 성:

(部) 女부 (劃) 8획 (中) 姓 [xìng]

姓姓姓姓姓姓姓姓

姓자는 '여자 여'(女)와 '낳을 생'(生)이 표의요소로 쓰인 것으로 '태어난 곳'(birthplace)이 본뜻인데, 후에 '성'(a family name)이란 의미로 확대 사용됐다. 태초에 姓은 해당 부족 거주지의 이름에서 따온 것이었다. 원시 母系(모:계)사회에서는 어머니의 姓을 따랐다. 그러다가 후세에 아버지가 누구인 줄 모르는 사람들이 많게 되는 등 여러 가지 문제가 생기자 아버지의 氏(씨)를 따르는 것으로 바뀌었다고 한다.

속뜻 훈음 **성씨 성.**

성:명 姓名 | 성씨 성, 이름 명 [family name and given name]
성(姓)과 이름[名].

성:씨 姓氏 | 성씨 성, 성씨 씨 [family name]
성(姓)과 씨(氏). 성을 높여 이르는 말.

성:함 姓銜 | 성씨 성, 직함 함 [one's (honored) name]
❶속뜻 성명(姓名)과 직함(職銜). ❷남의 이름을 높여 이르는 말. ¶성함을 적어 주십시오. ㊥존함(尊銜), 함자(銜字).

• 역순어휘

동성 同姓 | 같을 동, 성씨 성 [same surname]
같은[同] 성씨(姓氏).

백성 百姓 | 여러 백, 성씨 성 [people]
❶속뜻 온갖[百] 성씨(姓氏). ❷일반 국민. ¶백성은 나라의 근본이다.

0069 [안]

安

편안 안

(部) 宀부 (劃) 6획 (中) 安 [ān]

安安安安安安

安자는 여자[女]가 집[宀]안에 혼자 조용하게 앉아 있는 모습이니 '고요하다'(quiet)가 본뜻이다. '편안하다'(comfortable), '즐겁다' (delightful)는 뜻으로도 쓰인다.

속뜻 훈음 **①편안할 안, ②즐거울 안.**

안녕 安寧 | 편안할 안, 편안할 녕 [peace; hello; hi]
❶속뜻 편안(便安)하고 강녕(康寧)함. 아무 탈 없이 편안함. ¶부모님은 모두 안녕하십니까? / 안녕히 주무셨어요? ❷만나거나 헤어질 때 건네는 반말의 인사. ¶안녕, 또 보자.

안도 安堵 | 편안할 안, 거처할 도 [relief]
❶속뜻 편안(便安)히 잘 거처함[堵]. ❷어떤 일이 잘 진행되어 마음을 놓음. ¶안도의 한숨을 쉬다.

안락 安樂 | 편안할 안, 즐길 락 [ease; comfort]
몸과 마음이 편안(便安)하고 즐거움[樂].

안보 安保 | 편안할 안, 지킬 보 [national security]
❶속뜻 안전(安全)을 보장(保障)함. ❷정치 외부의 위협이나 침략으로부터 국가와 국민의 안전을 지키는 일. '안전보장'의 준말. ¶국가의 안보 문제.

안부 安否 | 편안할 안, 아닐 부 [safety]
어떤 사람이 편안(便安)하게 잘 지내는지 그렇지 아니한지[否]에 대한 소식. 또는 인사로 그것을 전하거나 묻는 일. ¶안부를 묻다 / 부모님께 안부 전해 주세요.

안식 安息 | 편안할 안, 쉴 식 [rest]
편안(便安)히 쉼[息]. ¶여름휴가 때 그는 고향에서 안식을 취했다.

안심 安心 | 편안할 안, 마음 심 [be relieved]
마음[心]을 편안(便安)하게 가짐. ¶나는 그의 전화를 받고 나서야 안심이 되었다. ㊥안도(安堵).

안이 安易 | 편안할 안, 쉬울 이 [be easygoing]
❶속뜻 편안(便安)하여 만사를 쉽게[易] 여기다. ❷충분히 생각함이 없이 적당히 처리하려는 태도가 있다. ¶안이한 태도로는 무엇도 할 수 없다.

안일 安逸 | 편안할 안, 한가할 일 [be idle]
❶속뜻 편안(便安)하고 한가로이[逸] 지냄. ❷편안하게만 지내려는 마음이나 태도. ¶무사 안일주의 / 안일한 생활에 빠지다.

안전 安全 | 편안할 안, 온전할 전 [safe; secure]
❶속뜻 편안(便安)하고 온전(穩全)함. ❷위험이 생기거나 사고가 날 염려가 없음. 또는 그런 상태. ¶안전하게 운전하다. ㊙위험(危險).

안정[1] 安定 | 편안할 안, 정할 정 [be stabilized]
편안(便安)하고 일정(一定)한 상태를 유지함. ¶안정된 직장 / 물가를 안정시키다. ㊙불안정(不安定).

안정[2] 安靜 | 편안할 안, 고요할 정 [calm down; rest]
❶속뜻 육체적 또는 정신적으로 편안(便安)하고 고요함[靜]. ¶마음의 안정을 되찾다. ❷병을 치료하기 위하여 몸과 마음을 편안하고 고요하게 하는 일. ¶일주일 정도

는 안정을 취하셔야 합니다.

안주 安住 | 편안할 안, 살 주 [live peacefully]
❶ 속뜻 한곳에 자리를 잡고 편안(便安)히 삶[住]. ¶그는 고향에서 안주하였다. ❷현재의 상황이나 처지에 만족함. ¶현실에 안주하지 않고 부단히 노력하다.

안치 安置 | 편안할 안, 둘 치
[lay in state; install; enshrine]
❶ 속뜻 안전(安全)하게 잘 둠[置]. ❷상(像), 위패, 시신 따위를 잘 모셔 둠. ¶병원의 영안실에 시신을 안치하다.

안타 安打 | 편안할 안, 칠 타 [hit]
운동 야구에서, 타자가 안전(安全)하게 베이스로 갈 수 있게 공을 치는[打] 일. ¶저 선수가 역전 안타를 쳤다.

• 역순어휘 •

문:안 問安 | 물을 문, 편안할 안
[ask after the health of another]
웃어른에게 안부(安否)를 물음[問]. ¶문안 인사를 드리다.

미:안 未安 | 아닐 미, 편안할 안
[regrettable; sorry]
❶ 속뜻 남에게 폐를 끼쳐 마음이 편하지[安] 못하고[未] 거북함. ❷남을 대하기가 조금 부끄럽고 겸연쩍음. ¶도와줄 수 없어 미안합니다. (비)죄송(罪悚).

보:안 保安 | 지킬 보, 편안할 안 [security]
사회의 안녕(安寧)과 질서를 지킴[保]. ¶보안을 위해 출입을 통제하다.

불안 不安 | 아닐 불, 편안할 안 [nervous; uneasy]
편안(便安)하지 않음[不]. ¶나는 내일 있을 면접 때문에 불안하다. (반)평온(平穩), 평안(平安), 안녕(安寧).

위안 慰安 | 위로할 위, 편안할 안
[console; solace]
위로(慰勞)하여 마음을 안심(安心)시키는 것. ¶사람들은 대부분 종교에서 위안을 구한다.

장안 長安 | 길 장, 편안할 안 [capital city]
❶ 속뜻 길이길이[長] 편안(便安)함. ❷수도. 서울. ¶장안의 화제가 되었다.

치안 治安 | 다스릴 치, 편안할 안
[public peace and order]
잘 다스려[治] 편안(便安)하게 함. ¶이 지역은 치안이 좋은 편이다.

편안 便安 | 편할 편, 즐거울 안 [well; peaceful]
몸이 편(便)하고 마음이 즐겁다[安]. ¶의자에 편안히 기대다 / 편안한 여행을 하시길 바랍니다.

평안 平安 | 고를 평, 즐거울 안
[be well; peaceful; tranquil]
❶ 속뜻 마음이 고르고[平] 즐겁다[安]. ❷마음에 걱정이 없음. ¶평안히 지내다 / 댁내 두루 평안하시길 바랍니다.

0070 [가]

家	집 가 (부) 宀부 (획) 10획 (중) 家 [jiā] 家 家 家 家 家 家 家 家 家 家

家자는 '집'(a house; a home)을 뜻하기 위하여 고안된 글자인데, '집 면'(宀)과 '돼지 시'(豕)가 조합되어 있다. 집집마다 돼지를 기르던 옛날 또는 농촌 풍습과 관련이 있는 것 같다. 요즘은 '(어떤 분야에 뛰어난) 사람'(a person)을 뜻하는 것으로도 애용된다.
속뜻 훈음 ①집 가, ②사람 가.

가계¹ 家系 | 집 가, 이어 맬 계 [family line]
한 집안[家]의 계통(系統)이나 혈통(血統). ¶그의 가계는 대대로 내려오는 선비의 집안이다. (비)가통(家統).

가계² 家計 | 집 가, 셀 계 [family finances]
한 집안[家] 살림의 수입과 지출의 계산(計算) 상태. ¶물가가 올라 가계 부담이 늘었다. (비)살림살이, 생계(生計).

가구¹ 家口 | 집 가, 입 구 [household]
❶ 속뜻 집안[家] 식구(食口). 또는 그 수효. ❷함께 사는 사람들의 집단. ¶이 마을에는 모두 20가구가 산다. (비)식구(食口).

가구² 家具 | 집 가, 갖출 구
[furniture; household goods]
집안[家] 살림에 쓰이는 각종 기구(器具). ¶가구를 들여놓다. (비)살림살이, 세간.

가내 家內 | 집 가, 안 내 [family; household]
집[家] 안[內]. ¶가내 평안하신지요?

가문 家門 | 집 가, 대문 문 [one's family]
❶ 속뜻 집안[家]과 문중(門中). ❷집안 문벌(門閥). ¶가문을 빛내다 / 가문의 영광.

가보 家寶 | 집 가, 보배 보 [family treasure]
한 집안[家]에 전해오는 보배[寶]로운 물건. ¶이 그림은 우리집 가보이다.

가부 家父 | 집 가, 아버지 부 [my father]
❶ 속뜻 한 집안[家]의 아버지[父]. ❷자기 아버지를 이르는 말. (비)가친(家親). (반)가모(家母).

가사 家事 | 집 가, 일 사 [household affairs]
❶ 속뜻 집안[家] 살림에 관한 일[事]. ❷집안 내부의 일. ¶가사를 돕다. (비)가중사(家中事), 가간사(家間事).

가세 家勢 | 집 가, 형세 세
[family's financial condition]
집안[家] 살림살이의 형세(形勢). 살림살이의 형세. ¶가세가 기울다.

가신 家臣 | 집 가, 섬길 신 [retainer; vassal]
역사 정승의 집안[家]일을 대신 맡아보던 사람[臣]. ⓑ배신(陪臣), 가사(家士).

가업 家業 | 집 가, 일 업 [family business]
❶속뜻 대대로 물려받은 집안[家]의 생업(生業). ¶가업을 잇다. ❷집 안에서 하는 직업. ❸한 집안에서 이룩한 재산이나 업적. ⓑ세업(世業), 가직(家職).

가옥 家屋 | 집 가, 집 옥 [house]
사람이 사는 집[家=屋].

가장 家長 | 집 가, 어른 장 [head of a family]
❶속뜻 집안[家]을 이끌어가는 사람[長]. ¶소년소녀 가장. ❷남편(男便)이나 아버지를 달리 이르는 말. ⓑ집안 어른, 호주(戶主), 가구주(家口主).

가전 家電 | 집 가, 전기 전
[electric home appliances]
가정용(家庭用) 전기(電氣) 용품. ¶10년 만에 가전 제품을 바꾸었다.

가정 家庭 | 집 가, 뜰 정 [home; family]
❶속뜻 한 가족(家族)이 생활하는 공간[庭]. ❷가까운 혈연관계에 있는 사람들의 생활 공동체. ¶화목한 가정 / 가정을 이루다.

가족 家族 | 집 가, 겨레 족 [family]
❶속뜻 부부를 기초로 한 가정(家庭)을 이루는 사람들[族]. ❷가족제도에서 한 집의 친족. ¶동생이 태어나 가족이 늘었다. ⓑ식구, 가속(家屬), 가솔(家率), 식솔(食率), 처자식(妻子息).

가축 家畜 | 집 가, 기를 축 [domestic animal]
집[家]에서 기르는[畜] 짐승. ¶전염병으로 가축이 집단 폐사했다. ⓑ집짐승. ⓟ들짐승.

가출 家出 | 집 가, 날 출 [leave home]
집[家]에서 뛰쳐나옴[出]. ¶요즘 가출하는 청소년이 늘었다.

가택 家宅 | 집 가, 집 택 [private house]
살림하는 집[家=宅]. ¶가택을 수사하다.

가풍 家風 | 집 가, 풍속 풍 [family custom]
한 집안[家]의 기율과 풍습(風習). ¶가풍을 익히다. ⓑ가품(家品), 문품(門品), 가행(家行).

가훈 家訓 | 집 가, 가르칠 훈 [family precepts]
❶속뜻 집안[家] 어른이 자녀들에게 주는 교훈(敎訓). ❷선대부터 그 집안의 도덕적 실천 기준으로 삼은 가르침. ¶우리 집 가훈은 믿음과 사랑이다. ⓑ가정교훈(家庭敎訓), 가법(家法).

• 역순어휘

관가 官家 | 벼슬 관, 집 가 [district office]
관리(官吏)가 업무를 보던 집[家]. ⓑ관공서(官公署). ⓟ민가(民家).

국가 國家 | 나라 국, 집 가 [country; nation]
일정한 영토[國]와 거기에 사는 사람들로 구성되고 주권에 의한 하나의 통치 조직을 가지고 있는 사회 집단[家]. 국민·영토·주권의 3요소를 필요로 한다.

귀:가 歸家 | 돌아갈 귀, 집 가 [return home]
집[家]으로 돌아감[歸]. ¶일찍 귀가하다.

농가 農家 | 농사 농, 집 가 [farmhouse]
농업(農業)을 생업으로 삼는 사람의 집[家]. ¶쌀 농가 / 축산 농가.

대:가 大家 | 큰 대, 사람 가
[great master; authority]
❶속뜻 학문이나 기예 등 전문 분야에 조예가 크게[大] 깊은 사람[家]. ❷대대로 번창한 집안. ⓑ달인(達人), 명인(名人), 거장(巨匠).

도:가 道家 | 길 도, 사람 가 [Taoism]
우주 본체는 도(道)와 덕(德)으로 이루어져 있다고 주장하는 학파[家].

민가 民家 | 백성 민, 집 가 [private house]
일반 백성[民]들이 사는 살림집[家]. ¶배고픈 멧돼지가 민가로 내려왔다. ⓑ민호(民戶). ⓟ관가(官家).

분가 分家 | 나눌 분, 집 가 [branch family]
가족의 한 구성원이 주로 결혼 따위로 집[家]을 따로 장만하여 나감[分]. ¶그는 분가한 후에도 부모님을 자주 찾아뵈었다.

상가 喪家 | 죽을 상, 집 가 [mourner's house]
초상(初喪)난 집[家]. ¶상가에 문상을 가다.

생가 生家 | 날 생, 집 가 [house of one's birth]
어떤 사람이 태어난[生] 집[家]. ¶여기가 이순신 장군의 생가이다.

양:가 兩家 | 두 량, 집 가 [both families]
양(兩)쪽 집[家]. ¶양가 부모님을 모시고 저녁 식사를 하다.

외:가 外家 | 밖 외, 집 가
[family of one's mother's side]
어머니[外]의 친정 집[家]. ¶그는 외가 쪽을 많이 닮았다. ⓟ친가(親家).

인가 人家 | 사람 인, 집 가 [human habitation]
사람[人]이 사는 집[家]. ¶이 부근에는 인가가 드물다. / 한때 허허벌판이던 이곳에 인가가 빽빽이 들어찼다.

일가 一家 | 한 일, 집 가 [family]
❶[속뜻] 한[一] 집안[家]. 한 가족. ¶최 씨 일가. ❷학문, 기술, 예술 등의 분야에서 독자적인 경지나 체계를 이룬 상태. ¶김정희는 서예에서 일가를 이루었다.

자가 自家 | 스스로 자, 집 가 [one's own house]
자기(自己) 집[家].

작가 作家 | 지을 작, 사람 가 [writer]
전문적으로 문학이나 예술을 창작(創作)하는 사람[家]. ¶여류 작가 / 그는 이 작품으로 인기 작가가 되었다.

종가 宗家 | 으뜸 종, 집 가 [head family]
족보로 보아 한 문중에서 맏이[宗]로만 이어 온 큰집[家]. ¶시어머니는 종가의 대를 이을 아들을 바라셨다.

처가 妻家 | 아내 처, 집 가 [one's wife's home]
아내[妻]의 집[家]. 아내의 친정. ㊐처갓집. ㊥시가(媤家).

초가 草家 | 풀 초, 집 가
[grass-roofed house; thatched house]
풀[草]이나 짚 따위로 지붕을 인 집[家]. ¶초가 한 칸.

출가 出家 | 날 출, 집 가
[leave home; become a Buddhist priest]
❶[속뜻] 집[家]을 나감[出]. ❷[불교] 세속의 집을 떠나 불문에 듦. ¶석가모니는 29세에 출가했다.

친가 親家 | 어버이 친, 집 가
[one's old home]
아버지[親]의 집안[家]. ¶우리 딸은 친가 쪽을 닮았다. ㊥외가(外家).

패:가 敗家 | 무너질 패, 집 가
[ruin one's family]
집안[家]을 무너뜨림[敗]. 가산을 탕진하여 없앰.

폐:가 廢家 | 버릴 폐, 집 가
[ruined house; deserted house]
버려두어[廢] 낡아 빠진 집[家]. ¶그 집은 사람이 살지 않아 폐가나 다름없다.

화:가 畵家 | 그림 화, 사람 가 [painter; artist]
그림[畵] 그리는 일을 직업으로 하는 사람[家]. ¶은미의 꿈은 화가가 되는 것이다.

흉가 凶家 | 흉할 흉, 집 가
[house of ill omen; haunted house]
사는 사람마다 흉(凶)한 일을 당하는 불길한 집[家].

0071 [자]

子	아들 자 ㊀ 子부 ㊁ 3획 ㊥ 子 [zǐ] 子 子 子

子자의 金文(금문) 자형은 갓난아기의 모습을 매우 특징적으로 그려놓은 것이다. 즉 襁褓(강보)에 싸여 있기에 다리는 하나로, 머리는 다른 신체 부위에 비하여 매우 크고 둥글게, 양팔은 머리 쪽을 향하여 위로 올린 모습이다. 쌔근쌔근 잠자고 있는 듯한 그 모습이 여간 귀엽지 않다. 본래 의미는 '아이'(a baby)이다. '아들 자'라는 훈이나, 子女(자녀, '아들딸')란 낱말은 본뜻에서 크게 달라진 후대 용법이다. '씨'(seed)를 뜻하기도 하고, 의미와는 상관이 없는 '접미사'(a suffix), 첫째 지지(地支, '쥐' 띠에 해당)로도 쓰인다.

[속뜻 훈음] **①아이 자, ②아들 자, ③씨 자, ④첫째 지지 자, ⑤접미사 자.**

자궁 子宮 | 아이 자, 집 궁 [uterus]
❶[속뜻] 아이[子]가 자라는 어머니 뱃속의 집[宮]. ❷[의학] 여성 생식기의 일부로 수정란이 착상하여 자라는 곳.

자녀 子女 | 아들 자, 딸 녀 [children]
아들[子]과 딸[女]. 아들딸. ¶그는 결혼하여 두 자녀를 두고 있다. ㊐자식(子息).

자손 子孫 | 아이 자, 손자 손 [offspring]
❶[속뜻] 자식[子]과 손자(孫子). ¶그의 자손들은 전국에 흩어져 살고 있다. ❷후손이나 후대. ¶비록 패망한 왕가의 자손이지만, 자존심은 아직 남아 있소.

자시 子時 | 첫째지지 자, 때 시
[민속] 십이시의 첫 번째[子] 시(時). 밤 11시부터 오전 1시까지이다.

자식 子息 | 아이 자, 불어날 식
[one's children; guy; fellow]
❶[속뜻] 아이들[子]이 불어남[息]. ❷자신의 아들과 딸의 총칭. ¶그는 자식이 둘이다. ❸남자를 욕하여 이르는 말. ¶의리 없는 자식. ㊐자녀(子女).

자음 子音 | 아이 자, 소리 음 [consonant]
❶[속뜻] 어머니의 도움을 받아야하는 아이[子]처럼 모음(母音)이 있어야 음절음이 되는 소리[音]. ❷[언어] 목이나 입 등에서 장애를 받으며 나는 소리. ¶자음 'ㄱ'은 모음 'ㅏ'가 있어야 [가]라고 발음할 수 있다. ㊥모음(母音).

자정 子正 | 첫째지지 자, 바를 정 [midnight]
십이시의 자시(子時)의 한가운데[正]. 밤 12시. ¶그는 자정이 넘어서야 집에 돌아왔다. ㊐정자(正子). ㊥정오(正午).

자제 子弟 | 아들 자, 아우 제 [children]
❶[속뜻] 아들[子]과 아우[弟]. ❷남을 높여 그의 아들을 일컫는 말. ¶자제분은 무슨 일을 하십니까?

• 역순어휘 ——— •

격자 格子 | 격식 격, 접미사 자 [lattice; grille]
일정한 간격으로 직각이 되도록[格] 성기게 짠 물건[子]. 또는 그러한 형식. ¶창에는 쇠창살로 격자가 되어 있다.

경자 庚子 | 천간 경, 쥐 자
민속 천간의 '庚'과 지지의 '子'가 만난 간지(干支). ¶경자년생은 쥐띠다.

고자 鼓子 | 북 고, 아들 자
[eunuch; impotent man]
❶속뜻 북[鼓]같이 속이 빈 남자(男子). ❷생식기의 기능이 완전하지 못한 남자. 반고녀(鼓女).

골자 骨子 | 뼈 골, 접미사 자
일정한 내용에서 가장 요긴한[骨] 부분[子]. 가장 중요한 곳. ¶논쟁의 골자를 추려내다. 비요점(要點), 핵심(核心).

공자 公子 | 귀인 공, 아들 자 [young nobleman]
지체가 높은 귀인[公]의 아들[子].

과자 菓子 | 과일 과, 접미사 자
[sweets; confectionery]
과일[菓]같은 간식용 식품[子]. ¶유밀과는 한국 전통의 과자이다.

교자 交子 | 끌 교, 접미사 자
[food set on a large table]
❶속뜻 다리가 교차(交叉)되어 있는 것[子]. ❷교자상에 차려 놓은 음식.

군자 君子 | 임금 군, 접미사 자 [(true) gentleman]
❶속뜻 임금[君]같이 학식과 덕행이 높은 사람[子]. ¶참으로 군자답다. ❷예전에 높은 벼슬에 있던 사람을 이르던 말. 반소인(小人).

난:자 卵子 | 알 란, 씨 자 [ovum; egg cell]
생물 조류, 파충류, 어류, 곤충 따위의 암컷이 낳는 알[卵] 모양의 물질[子]. 비난세포(卵細胞). 반정자(精子).

남자 男子 | 사내 남, 접미사 자 [man]
❶속뜻 남성(男性)인 사람[子]. ¶남자 친구. ❷남성다운 사내. ¶그는 남자 중에 남자이다. 반여자(女子), 여인(女人), 부녀자(婦女子), 아녀자(兒女子), 여성(女性).

낭자 娘子 | 소녀 낭, 접미사 자 [maiden; virgin]
예전에 '처녀'[娘]를 높여 이르던 말. 비처녀(處女), 규수(閨秀). 반도령.

단자 端子 | 끝 단, 접미사 자 [terminal]
전기 전기 기계나 기구 따위에서 쓰는 회로의 끝[端] 부분[子].

독자 獨子 | 홀로 독, 아들 자 [only son]
단 하나뿐인[獨] 아들[子]. ¶그는 삼대 독자이다. 반독녀(獨女).

동:자 童子 | 아이 동, 아들 자 [little boy]
❶속뜻 나이 어린 사내[子] 아이[童]. ❷불교 중이 되려고 절에서 공부하면서 아직 출가하지 아니한 사내아이.

모:자¹ 母子 | 어머니 모, 아이 자
[mother and child]
어머니[母]와 아이[子]. ¶그 집은 모자간의 정이 깊다 / 모자 보건법. 반부녀(父女).

모자² 帽子 | 쓰개 모, 접미사 자 [hat; cap]
머리에 쓰는 쓰개[帽]를 통틀어 이르는 말.

박자 拍子 | 칠 박, 접미사 자 [beat; time]
❶속뜻 두들겨 치는[拍] 것[子]. ❷음악 음악적 시간을 구성하는 기본적 단위. ¶박자가 빠르다 / 박자를 맞추다.

배:자 褙子 | 속적삼 배, 접미사 자
[women's waistcoat]
추울 때에 부녀자들이 저고리 위에 덧입는 옷[褙]. 조끼와 비슷하나 주머니와 소매가 없다.

병:자 丙子 | 천간 병, 쥐 자
민속 천간의 '丙'과 지지의 '子'가 만난 간지(干支). ¶병자년에 태어난 사람은 쥐띠이다.

부자 父子 | 아버지 부, 아들 자 [father and son]
아버지[父]와 아들[子]. ¶부자가 꼭 닮았다.

분자 分子 | 나눌 분, 아이 자 [molecule]
❶속뜻 분모[分母]가 업고 있는 아이[子] 같은 숫자. ❷수학 분수의 가로줄 위에 있는 수. ❸물리 물질의 화학적 성질을 잃지 않고 존재하는 최소 입자를 이르는 말. 반분모(分母).

사자 獅子 | 사자 사, 접미사 자 [lion]
동물 털은 엷은 갈색이고 수컷은 뒷머리와 앞가슴에 긴 갈기가 있는 포유동물. 백수(百獸)의 왕으로 불린다.

상자 箱子 | 상자 상, 접미사 자 [box; case]
물건을 넣어 두기 위하여 나무, 대나무, 두꺼운 종이 같은 것으로 만든 네모난 그릇[箱]. ¶물건을 상자에 담아 운반하다.

서:자 庶子 | 첩 서, 아이 자 [illegitimate child]
첩[庶]에게서 태어난 아이[子]. ¶홍길동은 서자로 태어났다. 비별자(別子). 반적자(嫡子).

세:자 世子 | 세대 세, 아들 자 [Crown Prince]
역사 왕가의 대[世]를 이을 아들[子]. '왕세자'(王世子)의 준말. 비동궁(東宮).

소:자 小子 | 작을 소, 아이 자 [I; me]
자식(子息)이 부모에게 말할 때 자기를 낮추어[小] 일컫는 말.

손자 孫子 | 손자 손, 아이 자

[grandchild; grandson]
손(孫)을 이을 아이[子]. 자식의 자식. ⓑ손녀(孫女).

암자 庵子 | 암자 암, 접미사 자
[small Buddhist temple; hermitage]
불교 큰 절에 딸린 작은 절[庵].

액자 額子 | 이마 액, 접미사 자 [(picture) frame]
❶속뜻 이마[額] 같이 잘 보이는 곳에 걸어 놓는 것[子]. ❷그림, 글씨, 사진 따위를 끼우는 틀. ¶거실 벽에 액자를 걸다.

야:자 椰子 | 야자나무 야, 접미사 자
[coconut palm]
식물 야자나무[椰子].

양:자 養子 | 기를 양, 아들 자 [adopted son]
❶속뜻 친자식처럼 기르는[養] 아들[子]. ❷법률 입양에 의하여 자식의 자격을 얻은 사람. ⓑ양아들. ⓑ친자(親子), 친아들.

여자 女子 | 여자 녀, 접미사 자 [woman; girl]
여성(女性)으로 태어난 사람[子]. ¶여자 가수. ⓑ남자(男子).

왕자 王子 | 임금 왕, 아들 자 [royal prince]
임금[王]의 아들[子]. ¶왕비는 10년만에 왕자를 낳았다. ⓑ공주(公主).

원자 原子 | 본디 원, 씨 자 [atom; corpuscle]
화학 물질을 구성하는 기본적[原] 입자(粒子). 각 원소 각기의 특성을 잃지 않는 범위에서 가장 작은 미립자.

유:자 柚子 | 유자나무 유, 씨 자 [citron]
유자(柚子)나무의 열매[子].

의자 椅子 | 기댈 의, 접미사 자 [chair]
걸터앉도록[椅] 만든 기구[子]. 사무용 의자, 안락의자 등. ⓑ걸상.

이:자 利子 | 이로울 리, 접미사 자 [interest]
❶속뜻 이(利)로운 것[子]. ❷경제 남에게 금전을 빌려준 대가로 얻는 일정한 비율의 돈. ¶대출 이자를 갚다 / 한 달 이자는 얼마입니까? ⓑ변리(邊利). ⓑ원금(元金).

입자 粒子 | 알 립, 씨 자 [particle]
물질을 이루는 매우 작은 낱낱의 알갱이[粒=子]. ¶이 가루는 입자가 곱다.

장:자 長子 | 어른 장, 아들 자 [eldest son]
맏[長] 아들[子]. ¶장자가 왕위(王位)를 잇다.

전:자 電子 | 전기 전, 씨 자 [electron]
❶물리 음전하(陰電荷)를 가지고 원자핵의 주위를 도는 소립자(素粒子)의 하나. ❷전자를 이용한 산업이나 제품에 관계되는 것. ¶전자 악기 / 전자 제품.

정자[1] 亭子 | 정자 정, 접미사 자
[bower; arbor; summerhouse]
경치가 좋은 곳에 놀거나 쉬기 위하여 지은 집[亭]. 벽이 없이 기둥과 지붕만 있다. ¶정자에 앉아서 쉬다.

정자[2] 精子 | 정액 정, 씨 자 [sperm]
생물 정액(精液)에 있는 수컷의 생식 세포[子]. 사람의 경우 길이는 0.05mm 가량이고 머리, 목, 꼬리로 이루어져 있다. 난자와 정자가 만나면 수정이 된다. ⓑ난자(卵子).

제:자 弟子 | 아우 제, 아이 자 [disciple; follower]
❶속뜻 아우[弟]나 자식[子]같은 사람. ❷스승의 가르침을 받거나 받은 사람. ¶스승의 날이면 제자들이 찾아온다. ⓑ스승.

족자 簇子 | 조릿대 족, 접미사 자
[hanging picture; scroll]
그림이나 글씨 따위를 벽에 걸거나 말아 둘 수 있도록 양 끝에 가름대[簇]를 대고 표구한 물건[子]. ¶서재 벽면에 작은 족자를 걸다.

종자 種子 | 씨 종, 씨 자 [seed]
식물에서 나온 씨[種=子]. 또는 씨앗. ¶새로운 종자를 개발하다. ㊟종. ⓑ씨, 씨앗.

진:자 振子 | 떨릴 진, 접미사 자 [pendulum]
물리 줄 끝에 추를 매달아 좌우로 왔다갔다 흔들리게[振] 만든 물체[子]. ¶진자는 흔들리면서 초를 나타낸다.

책자 冊子 | 책 책, 접미사 자
[booklet; leaflet; brochure]
얇거나 작은 책(冊). ¶학교에 대해 안내하는 책자를 보내다.

처자 妻子 | 아내 처, 아이 자
[one's wife and children]
아내[妻]와 자식(子息). ¶처자를 거느리고 멀리 떠나다.

치자 梔子 | 치자나무 치, 씨 자 [gardenia seed]
한의 치자나무[梔]의 열매[子]. 열을 내리는 작용이 있어 여러 가지 출혈증과 황달 증세에 쓴다.

친자 親子 | 몸소 친, 아이 자 [one's real child]
자기가 몸소[親] 낳은 자식(子息). ¶20년 만에 친자를 만나다.

탁자 卓子 | 높을 탁, 접미사 자 [table]
무엇을 올려놓는 데 쓰는 높은[卓] 가구[子]. ¶탁자에 둘러앉다.

태자 太子 | 클 태, 아들 자 [crown prince]
역사 황제의 뒤를 이어 황제가 될 큰[太] 아들[子]. '황태자'(皇太子)의 준말. ¶둘째 아들을 태자로 책봉하였다.

판자 板子 | 널빤지 판, 접미사 자 [wooden board]

널빤지[板].

포자 胞子 | 태보 포, 씨 자 [spore]
❶속뜻 자기 태보[胞]에 씨[子]를 품고 있음. 또는 그런 씨. ❷식물 혼자서 새로운 개체로 발생할 수 있는 생식 세포. 홀씨. ¶건조한 날씨가 되면 이끼는 자신의 포자를 흩뿌린다.

효:자 孝子 | 효도 효, 아이 자 [dutiful son]
효성(孝誠)스러운 자식(子息). ¶그는 동네에서 소문난 효자이다.

0072 [효]

孝

효도 효:
部 子부 劃 7획 中 孝 [xiào]

孝孝孝孝孝孝孝

孝자는 노인을 잘 '모시다'(attend on; serve)는 뜻을 나타내기 위하여 만들어진 것이다. '늙은이 로'(老)자의 일부가 생략된 것에 '아이 자'(子)가 덧붙여진 것, 즉 자식이 노부모를 부축하고 있는 모습을 그린 것이다. 어린 손자가 할아버지의 지팡이를 잡고 있는 모습이 연상되기도 한다. '효도'(filial piety) 또는 이와 의미상 연관이 있는 낱말의 한 구성요소로도 많이 쓰인다.
속뜻 훈음 ①효도 효, ②모실 효.

효:녀 孝女 | 효도 효, 딸 녀 [filial daughter]
효성(孝誠)스러운 딸[女]. ¶그녀는 부모를 지극 정성으로 모시고 사는 효녀이다.

효:도 孝道 | 모실 효, 길 도 [filial duty]
부모를 잘 모시는[孝] 도리(道理). 효행의 도. ¶효도 관광 / 부모님께 효도하다. ㊐효성(孝誠). ㊥불효(不孝).

효:부 孝婦 | 효도 효, 며느리 부
[faithful daughter-in-law]
효성(孝誠)스러운 며느리[婦].

효:성 孝誠 | 효도 효, 정성 성
[filial piety; love for one's parents]
어버이를 섬기는[孝] 정성(精誠). ¶효성이 지극해야 집안이 잘 된다. ㊐효(孝), 효심(孝心).

효:심 孝心 | 효도 효, 마음 심
[filial heart; (feelings of) filial piety]
효성(孝誠)스러운 마음[心]. ¶심청은 효심이 지극하다. ㊐효, 효성(孝誠).

효:자 孝子 | 효도 효, 아이 자 [dutiful son]
효성(孝誠)스러운 자식(子息). ¶그는 동네에서 소문난 효자이다.

효:행 孝行 | 효도 효, 행할 행 [filial piety]
효도(孝道)하는 행실(行實). ¶그는 효행이 극진하다.

• 역순어휘

불효 不孝 | 아닐 불, 효도 효
[be undutiful to one's parents]
❶속뜻 효도(孝道)를 하지 아니함[不]. ❷효성스럽지 못함. ¶부모에게 불효하다. ㊥효도(孝道).

충효 忠孝 | 충성 충, 효도 효
[loyalty and filial piety]
충성(忠誠)과 효도(孝道). ¶충효도 나라가 있은 뒤에 할 수 있다.

0073 [후]

後

뒤 후:
部 彳부 劃 9획 中 后 [hòu]

後後後後後後後後後

後자는 '길'을 뜻하는 彳(척), '발'을 뜻하는 夊(치), '작다'는 뜻인 幺(요)가 합쳐진 것이다. 작은 발걸음으로는 남들보다 뒤떨어지게 마련이었기 때문에, '뒤'(after, behind)의 뜻을 그렇게 나타낸 아이디어가 참으로 기발하다.

후:계 後繼 | 뒤 후, 이을 계 [succeed to]
어떤 일이나 사람의 뒤[後]를 이음[繼].

후:궁 後宮 | 뒤 후, 집 궁 [royal harem]
❶속뜻 뒤[後]에 있는 궁궐(宮闕). ❷역사 제왕의 첩. ㊥정비(正妃).

후:금 後金 | 뒤 후, 쇠 금
역사 금나라가 멸망한 뒤[後] 1616년 여진족이 금(金)나라를 계승하여 세운 나라. 1636년 이름을 청(淸)으로 바꾸었다.

후:기¹ 後記 | 뒤 후, 기록할 기
[postscript; afternote]
❶속뜻 뒤[後]에 기록(記錄)함. ❷본문 뒤에 덧붙여 기록함. 또는 그 글. ¶편집 후기를 쓰다. ㊥전기(前記).

후:기² 後期 | 뒤 후, 때 기 [latter term]
❶속뜻 뒤[後]의 기간(期間). ❷'후반기'(後半期)의 준말. ¶고려 후기. ㊥전기(前期).

후:년 後年 | 뒤 후, 해 년 [year after next]
❶속뜻 다음[後] 해[年]. ❷올해 다음다음의 해. ¶후년이면 나도 초등학교에 입학한다.

후:대 後代 | 뒤 후, 세대 대

[future generations; posterity]
뒤[後]의 세대(世代). [반]선대(先代), 전대(前代).

후:렴 後斂 | 뒤 후, 거둘 렴
[(musical) refrain; burden]
❶[속뜻]뒤[後]에 거두어[斂] 되풀이함. ❷[음악]노래 곡조 끝에 붙여 같은 가락으로 되풀이하여 부르는 짧은 몇 마디의 가사. ¶후렴은 모두 함께 부르자.

후:면 後面 | 뒤 후, 낯 면 [back side]
뒤[後]쪽의 면(面). ¶후면으로 주차하십시오. [비]뒷면. [반]전면(前面).

후:문 後門 | 뒤 후, 문 문 [back gate]
뒤[後]로 난 문(門). ¶학교 후문. [반]정문(正門).

후:반 後半 | 뒤 후, 반 반 [latter half]
둘로 나눈 것의 뒷[後]부분이 되는 절반(折半). ¶선수들은 후반에 들어서면 체력이 떨어진다. [반]전반(前半).

후:방 後方 | 뒤 후, 모 방 [rear]
❶[속뜻]뒤[後] 쪽[方]. 뒤쪽에 있는 곳. ¶운전할 때는 후방도 잘 살펴야 한다. ❷[군사]'전쟁이 벌어지고 있지 않은 지역이나 국내'를 전쟁터에 상대하여 이르는 말. ¶우리 형은 후방에서 군 복무를 했다. [반]전방(前方).

후:배 後輩 | 뒤 후, 무리 배
[one's junior; younger men]
❶[속뜻]뒤[後] 세대의 사람들[輩]. ❷같은 학교나 직장 등에 나중에 들어온 사람. ¶그는 나의 중학교 후배이다. [반]선배(先輩).

후:불 後拂 | 뒤 후, 지불 불 [pay later]
값을 나중[後]에 지불(支拂)함. ¶나머지 금액은 공사가 완료되면 후불하기로 했다. [반]선불(先拂).

후:세 後世 | 뒤 후, 세상 세
[future; coming ages]
뒤[後]에 오는 세상(世上). 뒷세상. 다음에 오는 세대의 사람들. ¶후세를 위해 자연환경을 보호해야 한다. [반]전세(前世).

후:속 後續 | 뒤 후, 이을 속 [succeed; follow]
뒤[後]를 이음[續]. ¶후속 작품.

후:손 後孫 | 뒤 후, 손자 손
[descendants; posterity]
여러 대가 지난 뒤[後]의 자손(子孫). ¶그는 명문가의 후손이다. [비]자손, 후예(後裔).

후:송 後送 | 뒤 후, 보낼 송
[evacuate; send back]
후방(後方)으로 보냄[送]. 또는 안전한 곳으로 보내는 것. ¶환자후송이 제일 시급하다.

후:식 後食 | 뒤 후, 밥 식 [dessert]
식사 뒤[後]에 먹는 간단한 음식[食]. 과일이나 아이스크림 따위. ¶후식으로 아이스크림을 먹었다.

후:예 後裔 | 뒤 후, 후손 예 [descendant; scion]
여러 대가 지난 뒤[後]의 자손[裔]. ¶단군의 후예. [비]후손(後孫).

후:원¹ 後苑 | 뒤 후, 나라동산 원
[royal rear garden]
대궐 안의 뒤[後] 뜰에 만들어 놓은 동산[苑]. ¶왕비가 후원을 거닐고 있다.

후:원² 後援 | 뒤 후, 도울 원 [support; back up]
뒤[後]에서 도와줌[援]. ¶후원 단체 / 독거 노인을 후원하다.

후:원³ 後園 | 뒤 후, 동산 원
[backyard; rear garden]
집 뒤[後]에 있는 정원(庭園)이나 작은 동산. ¶딸아이는 또래들과 후원에서 놀고 있다.

후:일 後日 | 뒤 후, 날 일 [later days; the future]
뒷[後] 날[日]. ¶여행 가는 것을 후일로 미루다 / 후일 또 만나자. [비]훗날. [반]전일(前日).

후:임 後任 | 뒤 후, 맡길 임
[successor; incomer]
뒤[後]이어 맡은 임무(任務)나 지위. ¶후임에게 업무를 인계하다. [반]선임(先任), 전임(前任).

후:자 後者 | 뒤 후, 것 자 [latter; the other]
둘을 들어 말한 가운데 뒤[後]의 것[者]. ¶전자보다 후자가 낫다. [반]전자(前者).

후:진 後進 | 뒤 후, 나아갈 진
[back; junior; underdevelopment]
❶[속뜻]차량 따위가 뒤[後]쪽으로 나아감[進]. ¶차가 후진을 하다가 전봇대를 들이박았다. ❷사회나 관계(官界) 따위에 뒤늦게 나아감. 또는 그런 사람. ❸같은 분야에서 자기보다 늦게 종사하게 된 사람. ¶후진 양성에 힘쓰다. ❹문물의 발달이 뒤떨어짐. ¶후진 국가. [비]후배(後輩). [반]전진(前進), 선진(先進).

후:천 後天 | 뒤 후, 하늘 천 [postnatal; acquired]
❶[속뜻]하늘[天]로부터 생명을 부여받은 뒤[後]. ❷성질, 체질, 질병 따위를 태어난 뒤의 여러 가지 경험이나 지식을 통해 지니게 되는 일. [반]선천(先天).

후:퇴 後退 | 뒤 후, 물러날 퇴 [retreat; regress]
❶[속뜻]뒤[後]로 물러남[退]. ¶작전상 후퇴 / 적군은 후퇴했다. ❷발전하지 못하고 기운이 약해짐. ¶개혁의지의 후퇴 / 경기가 후퇴하여 실업자가 늘어났다. [반]전진(前進).

후:편 後篇 | 뒤 후, 책 편
[last volume; latter part]
두 편으로 나누어진 책이나 영화 따위의 뒤[後]편(篇).

¶이 소설은 전편보다 후편이 낫다. 반전편(前篇).

후:항 後項 | 뒤 후, 목 항 [succeeding clause]
❶속뜻 뒤[後]에 적힌 조항(條項). ❷수학 두 개 이상의 항 가운데 뒤에 있는 항. 또는 두 개 이상의 식이나 수열을 이루는 여러 수 가운데 다른 수에 비하여 뒤에 있는 수. 반전항(前項).

후:환 後患 | 뒤 후, 근심 환
[later trouble; evil consequence]
어떤 일로 말미암아 뒷[後]날에 생기는 근심[患]. ¶후환이 두렵다.

후:회 後悔 | 뒤 후, 뉘우칠 회 [regret]
어떤 일이 벌어진 뒤[後]에야 잘못을 뉘우침[悔]. ¶최선을 다하면 후회가 없다 / 이제 와서 후회해도 소용이 없다.

• 역순어휘

낙후 落後 | 떨어질 락, 뒤 후 [falling behind]
어떤 기준에 이르지 못하고 뒤[後]떨어짐[落]. ¶낙후된 농촌을 발전시키다. 반선진(先進).

노:후 老後 | 늙을 로, 뒤 후
[one's declining years]
늙은[老] 뒤[後]. ¶보험으로 노후를 대비하다.

배:후 背後 | 등 배, 뒤 후 [back; rear]
❶속뜻 등[背] 뒤[後]. 뒤쪽. ❷사건 따위의 표면에 드러나지 않는 부분. ¶배후 세력 / 사건의 배후를 밝히다.

사:후1 死後 | 죽을 사, 뒤 후 [after death]
죽은[死] 뒤[後]. ¶이 시집은 작가의 사후에 출판되었다. 반생전(生前).

사:후2 事後 | 일 사, 뒤 후
[after the fact; for further reference]
일[事]이 끝난 뒤[後]. 또는 일을 끝낸 뒤. ¶사후 관리를 철저히 하다. 반사전(事前).

산:후 産後 | 낳을 산, 뒤 후 [after childbirth]
아이를 낳은[産] 뒤[後]. ¶산후 조리. 반산전(産前).

생후 生後 | 날 생, 뒤 후 [since one's birth]
태어난[生] 후(後). ¶생후 5개월 된 아기.

선후 先後 | 먼저 선, 뒤 후 [front and rear]
먼저[先]와 나중[後]. 앞과 뒤. ¶사건의 선후가 뒤바뀌었다.

식후 食後 | 먹을 식, 뒤 후 [after a meal]
밥을 먹은[食] 뒤[後]. ¶이 약은 하루 두 번, 식후 30분에 드세요. 반식전(食前).

오:후 午後 | 낮 오, 뒤 후 [afternoon]
❶속뜻 정오(正午) 이후(以後) 밤 열두시까지의 시간. ¶오늘 오후 여섯 시로 약속을 잡았다. ❷정오부터 해가 질 때까지의 동안. ¶오후 수업. 비하오(下午). 반오전(午前).

우:후 雨後 | 비 우, 뒤 후
[after the rain; after a rain-fall]
비[雨]가 온 뒤[後].

이:후 以後 | 부터 이, 뒤 후 [since then]
기준이 되는 일정한 때를 포함하여 그 뒤[後]로부터[以]. ¶6시 이후 언제든 전화해라. 반이전(以前).

전후 前後 | 앞 전, 뒤 후
[before and behind; before and after]
❶속뜻 앞[前] 뒤[後]. ¶전후를 살피다. ❷먼저와 나중. ¶일의 전후를 따지다. ❸일정한 때나 수량에 약간 모자라거나 넘는 것. ¶그녀는 20세 전후로 보인다.

직후 直後 | 곧을 직, 뒤 후 [immediately after]
어떤 일이 있고 난 바로[直] 다음[後]. ¶그때는 전쟁 직후라 경제가 몹시 어려웠다. 비즉후(即後). 반직전(直前).

차후 此後 | 이 차, 뒤 후
[after this; from now on; in the future]
이[此] 뒤[後]. 이다음. ¶차후에는 이런 일이 없도록 해라.

최:후 最後 | 가장 최, 뒤 후
[last; one's last moment]
❶속뜻 맨[最] 뒤[後]. 맨 마지막. ¶최후에 웃는 자가 진정한 승자이다. ❷목숨이 다할 때. ¶비참한 최후를 맞다. 반최초(最初).

향:후 向後 | 향할 향, 뒤 후 [hereafter]
뒤[後]를 향(向)함. 다음. 이 뒤. ¶이 컴퓨터는 향후 1년 동안 무상 수리를 받을 수 있다.

0074 [장]

場 마당 장
부 土부 총 12획 간 场 [chǎng]
場場場場場場場場場場場場

場자는 원래 제사를 지내기 위하여 평평하게 골라 놓은 '땅'(site; ground)을 나타내기 위한 것이었으니 '흙 토'(土)가 표의요소로 쓰였고, 昜(별 양)은 표음요소였다고 한다. 후에 '마당' (=장소, place), '처지'(a situation) 등으로 확대 사용됐다.

장내 場內 | 마당 장, 안 내 [inside of the hall]
어떠한 장소(場所)의 안[內]. ¶그의 연설이 끝나자 장내가 떠나갈 듯한 박수가 터져 나왔다. 반장외(場外).

장면 場面 | 마당 장, 낯 면 [scene]
❶[속뜻] 어떤 장소(場所)에서 벌어진 광경[面]. ¶나는 그 끔찍한 장면을 보고 몸을 움직일 수가 없었다. ❷연극, 영화 등의 한 모습. ¶뛰는 장면을 찍다.

장소 場所 | 마당 장, 곳 소 [place]
무엇이 있거나 무슨 일이 벌어지거나 하는 곳[場=所]. ¶약속 장소 / 강연할 장소를 찾다.

장외 場外 | 마당 장, 밖 외
[outside the hall; outside the hall]
일정한 장소(場所)나 공간의 바깥[外]. ¶장외 홈런 / 장외 거래. [반]장내(場內).

• **역순어휘** •

개장 開場 | 열 개, 마당 장 [open]
'장'(場)자가 붙는 사업을 열어[開] 업무를 처음 시작함. ¶증시가 개장했다. [반]폐장(閉場).

공장 工場 | 장인 공, 마당 장 [factory]
근로자가 기계 등을 사용하여 물건을 가공·제조하거나 수리·정비하는[工] 시설이나 장소(場所).

광:장 廣場 | 넓을 광, 마당 장 [open space]
많은 사람이 모일 수 있게 거리에 만들어 놓은 넓은[廣] 빈 터[場]. ¶광장에서 음악회가 열렸다.

구장 球場 | 공 구, 마당 장 [ball ground]
축구, 야구 따위의 구기(球技) 경기를 하는 운동장(運動場). 특히 야구장을 가리키는 경우가 많다. ¶잠실 구장에서 경기가 열린다.

극장 劇場 | 연극 극, 마당 장 [theater]
연극(演劇), 영화, 무용 등을 감상할 수 있도록 무대와 관람석 등 여러 가지 시설을 갖춘 곳[場].

난:장 亂場 | 어지러울 란, 마당 장
[scene of confusion and disorder]
❶[속뜻] 어지러운[亂] 곳[場]. ❷난장판. ¶남의 일이라고 그렇게 함부로 난장을 치고 다니면 안 된다. ❸[역사] 과거를 보는 마당에서 선비들이 질서 없이 들끓어 뒤죽박죽이 된 곳.

농장 農場 | 농사 농, 마당 장 [farm]
농사(農事)를 짓는 장소(場所).

당장 當場 | 당할 당, 마당 장
[on the spot; promptly]
❶[속뜻] 무슨 일이 일어난 바로 그[當] 자리[場]. ❷바로 그 자리에서 곧. 지체 없이 곧. ¶당장 치료해야 합니다. [비]곧, 즉시(卽時).

도:장 道場 | 방법 도, 마당 장
[gymnasium; exercise hall]
무예를 잘하는 방법[道]을 배우는 곳[場]. ¶태권도 도장에 다닌다.

등장 登場 | 오를 등, 마당 장
[appear; show up; enter the stage]
❶[속뜻] 무대[場]나 연단 따위에 나옴[登]. ¶남자 주인공이 무대에 등장했다. ❷어떤 사건이나 분야에서 새로운 제품이나 현상, 인물 등이 세상에 처음으로 나옴. ¶신제품의 등장. ❸연극, 영화, 소설 따위에 어떤 인물이 나타남. ¶이 소설에는 노인이 주인공으로 등장한다. [비]출현(出現). [반]퇴장(退場).

만:장 滿場 | 찰 만, 마당 장 [whole house]
회장(會場)에 가득 참[滿]. 혹은 그곳에 모인 사람들.

매:장 賣場 | 팔 매, 마당 장 [shop; store]
물건을 파는[賣] 곳[場]. ¶할인매장 / 매장을 관리하다. [비]판매소(販賣所).

목장 牧場 | 칠 목, 마당 장 [ranch]
마소나 양 따위를 치는[牧] 넓은 땅[場].

시:장 市場 | 저자 시, 마당 장 [market]
여러 가지 상품을 사고파는 저자[市] 장소[場]. ¶농수산물 시장. [준]장.

식장 式場 | 의식 식, 마당 장 [ceremonial hall]
의식[式]을 거행하는 장소[場]. ¶식장은 하객들로 붐볐다.

어장 漁場 | 고기 잡을 어, 마당 장
[fishing ground; fishery]
고기잡이[漁]를 하는 곳[場]. ¶독도 주변은 해산물이 풍부한 어장이다.

일장 一場 | 한 일, 마당 장 [round]
한[一] 바탕[場]. 한 차례. 한 번. ¶사장님은 사원들에게 일장 연설을 했다.

입장¹ 入場 | 들 입, 마당 장 [enter; go in]
회장이나 식장, 경기장 따위의 장내(場內)에 들어감[入]. ¶신부 입장 / 입장은 몇 시부터입니까? [반]퇴장(退場).

입장² 立場 | 설 립, 마당 장 [position]
❶[속뜻] 서[立] 있는 곳[場]. ❷처해있는 상황이나 형편. ¶제 입장도 좀 이해해 주세요.

전:장 戰場 | 싸울 전, 마당 장
[battlefield; theater of war]
싸움[戰]이 일어난 곳[場]. ¶전장에 나가다. [비]전쟁터.

직장 職場 | 일자리 직, 마당 장 [one's workplace]
사람들이 일정한 직업(職業)을 가지고 일하는 곳[場]. ¶이번 기회에 직장을 옮기려고 한다.

출장 出場 | 날 출, 마당 장
[take the field; participate]
❶[속뜻] 어떤 장소(場所)에 나감[出]. ❷운동 경기에 나

감. ¶네 명의 한국 선수들이 경기에 출장했다.

퇴:장 退場 | 물러날 퇴, 마당 장
[leave; walkout; exit]
어떤 장소(場所)에서 물러남[退]. ¶선수는 비신사적인 행동을 하여 퇴장을 당했다 / 관객들은 질서 있게 퇴장했다. ⓑ입장(入場).

파:장 罷場 | 마칠 파, 마당 장
[close of a marketplace]
장(場)을 마침[罷]. 섰던 장이 끝남. ¶파장 무렵이 되자 장터가 한산해졌다.

폐:장 閉場 | 닫을 폐, 마당 장 [close]
집회나 행사 따위의 회장(會場)을 닫음[閉]. ¶우리 해수욕장은 8월 말에 폐장한다. ⓑ개장(開場).

현:장 現場 | 지금 현, 마당 장 [spot; the scene]
❶속뜻 사물이 현재(現在) 있는 곳[場]. ¶물품을 현장에서 내주다. ❷사건이 일어난 곳. 또는 그 장면. ¶사고 현장을 조사하다. ⓗ현지(現地).

형장 刑場 | 형벌 형, 마당 장 [place of execution]
법률 사형(死刑)을 집행하는 곳[場]. ¶루이 16세는 형장의 이슬로 사라졌다.

0075 [기]

氣 기운 기
㊇气부 ㊐10획 ㊥气 [qì]
氣 氣 氣 氣 氣 氣 氣 氣 氣 氣

氣자는 '쌀 미'(米)가 표의요소로 쓰인 것에서 짐작할 수 있듯이 '남에게 음식을 대접하다' (treat a person to a meal)가 본뜻이었고, 气(기)는 표음요소다. 그 본래 의미와는 아무런 상관이 없는 '기운'(vigor), '공기'(air), '숨'(a breath), '기후'(climate; weather) 등의 의미로 쓰이는 예가 많아지자, 그 본래 의미는 '먹을 식'(食)이 추가된 餼(음식 보낼 희)자를 만들어 나타냈다.
속뜻 훈음 ①기운 기, ②숨 기, ③공기 기, ④기후 기.

기개 氣槪 | 기운 기, 절개 개 [spirit; backbone]
❶속뜻 기운(氣運)과 절개(節槪). ❷어떤 어려움에도 굽히지 않는 강한 의지. 또는 그러한 기상. ¶그는 세계무대에서 한국인의 기개를 떨쳤다. ⓗ기상(氣象).

기겁 氣怯 | 기운 기, 겁낼 겁
[be startled; be frightened]
기운(氣運)을 잃고 겁(怯)에 질림. ¶기겁을 하고 도망쳤다. ⓗ질겁.

기골 氣骨 | 기운 기, 뼈 골
[body and spirit; mettle]
❶속뜻 기혈(氣血)과 뼈대[骨]. 기백과 골격. ❷건장하고 튼튼한 체격.

기공 氣孔 | 숨 기, 구멍 공 [pore; stigma]
❶동물 곤충류의 몸 옆에 있는 숨[氣]구멍[孔]. ❷식물 호흡, 증산(蒸散)을 위하여 식물의 잎이나 줄기의 표피에 무수히 나 있는 구멍. ⓗ기문(氣門).

기관 氣管 | 공기 기, 대롱 관 [windpipe]
❶의학 척추동물이 숨쉴 때 공기(空氣)가 흐르는 관(管) 모양의 기관. ❷동물 절지동물의 호흡 기관.

기구 氣球 | 공기 기, 공 구 [balloon; aerostat]
밀폐된 커다란 주머니에 수소나 헬륨 따위의 공기보다 가벼운 기체(氣體)를 넣어 그 부양력으로 공중에 높이 올라가도록 만든 공[球] 모양의 물건. ⓗ풍선(風船).

기도 氣道 | 공기 기, 길 도 [respiratory tract]
의학 호흡할 때 공기(空氣)가 지나가는 길[道]. ¶기도가 막혀서 숨을 쉴 수 없다.

기력 氣力 | 기운 기, 힘 력 [energy; spirit]
❶물리 압착한 공기(空氣)의 힘[力]. ❷일을 감당할 수 있는 정신과 육체의 힘. ¶기력이 왕성하다. ⓗ근력(筋力).

기류 氣流 | 공기 기, 흐를 류
[air current; stream of air]
❶속뜻 대기 중에서 일어나는 공기(空氣)의 흐름[流]. ¶온난 기류. ❷항공기 등이 공중에서 일으킨 바람. ¶기류를 타다.

기백 氣魄 | 기운 기, 넋 백 [spirit; soul]
씩씩하고 굳센 기상(氣像)과 진취적인 정신[魄].

기분 氣分 | 기운 기, 나눌 분 [feeling; sentiment]
❶속뜻 기운(氣運)이 상황에 따라 나뉨[分]. ❷대상과 환경 따위에 따라 마음에 절로 생기며 한동안 지속되는 유쾌함이나 불쾌함 따위의 감정. ¶기분이 좋다.

기상¹ 氣象 | 공기 기, 모양 상
[atmospheric phenomena; weather]
천문 바람, 구름, 비, 더위처럼 대기(大氣) 중에서 일어나는 현상(現象). ⓗ날씨, 일기(日氣).

기상² 氣像 | 기운 기, 모양 상
[spirit; temperament]
기개(氣槪)나 마음씨가 겉으로 드러난 모양[像]. ¶진취적인 기상. ⓗ기백(氣魄).

기색 氣色 | 기운 기, 빛 색 [looks; mood]
❶속뜻 기운(氣運)이나 얼굴빛[色]. ❷마음의 생각이나 감정이 얼굴에 드러나는 것. ¶놀란 기색. ⓗ안색(顔色).

기세 氣勢 | 기운 기, 형세 세 [spirit; enthusiasm]
기운(氣運)차게 내뻗는 형세(形勢). ¶기세를 떨치다.

기승 氣勝 | 기운 기, 이길 승 [unyielding]
❶[속뜻] 기운(氣運)이나 힘 따위가 누그러들지 않음[勝]. ¶더위가 기승을 부리다. ❷성미가 억척스럽고 굳세어 좀처럼 굽히지 않음. 또는 그 성미.

기압 氣壓 | 공기 기, 누를 압 [air pressure]
[물리] 대기(大氣)의 압력(壓力). ¶산 정상은 기압이 낮아 귀가 멍멍해진다.

기염 氣焰 | 기운 기, 불꽃 염 [high spirits; enthusiasm]
불꽃[焰]처럼 대단한 기세(氣勢). ¶기염을 내뿜다.

기온 氣溫 | 공기 기, 따뜻할 온 [air temperature]
대기(大氣)의 온도(溫度).

기운 氣運 | 기운 기, 돌 운 [tendency; trend]
어떤 일이 벌어지려고 도는[運] 분위기(雰圍氣). ¶봄의 따스한 기운.

기절 氣絶 | 숨 기, 끊을 절 [faint]
잠깐 동안 정신을 잃고 숨[氣息]이 끊어짐[絶]. [비]실신(失神), 혼절(昏絶).

기질 氣質 | 기운 기, 바탕 질 [disposition; temper]
❶[속뜻] 기력(氣力)과 체질(體質). ❷한 개인이나 어떤 집단 특유의 성질. ¶그는 예술가 기질이 있다. [비]기성(氣性), 기풍(氣風).

기체 氣體 | 공기 기, 몸 체 [gas]
❶[속뜻] 공기(空氣)같은 형체(形體). ❷[물리] 공기, 수증기처럼 일정한 모양이나 부피가 없이 유동하는 물질. [반]액체(液體), 고체(固體).

기포 氣泡 | 공기 기, 거품 포 [bubble]
액체나 고체 속에 기체(氣體)가 들어가 거품[泡]처럼 둥그렇게 부풀어 있는 것. ¶빵을 발효시키면 기포가 생긴다.

기품 氣品 | 기운 기, 품격 품 [nobility; grace]
❶[속뜻] 기골(氣骨)의 품격(品格). ❷인격이나 작품 따위에서 드러나는 고상한 품격. [비]품위(品位).

기풍 氣風 | 기운 기, 모습 풍 [character; tone]
❶[속뜻] 기상(氣象)과 풍채(風采)를 아울러 이르는 말. ❷어떤 집단이나 지역 사람들의 공통적인 기질. ¶진취적인 기풍.

기합 氣合 | 기운 기, 합할 합 [give a shout of concentration; punish]
❶[속뜻] 어떤 특별한 힘을 내기 위하여 기운(氣運)을 모음[合]. 또는 그 때 내는 소리. ❷단체 생활을 하는 곳에서 잘못한 사람을 단련하기 위하여 몸을 힘들게 하는 벌.

기화 氣化 | 공기 기, 될 화 [evaporate; vaporize]
고체 또는 액체가 기체(氣體)로 변함[化]. ¶물이 기화하다. [비]증발(蒸發), 승화(昇華).

기후 氣候 | 기후 기, 기후 후 [climate; weather]
❶[속뜻] 일 년의 이십사절기(二十四節氣)와 칠십이후(七十二候)를 통틀어 이르는 말. '氣'는 15일, '候'는 5일을 뜻한다. ❷일정한 지역에서 여러 해에 걸쳐 나타난 기온, 비, 눈, 바람 따위의 평균 상태. ¶제주도는 기후가 온화하다.

• 역순어휘 ———————— •

각기 脚氣 | 다리 각, 기운 기 [beriberi]
[의학] 다리[脚]가 붓고 마비되고 기운(氣運)이 없어 제대로 걷지 못하는 증세. [비]각질(脚疾).

감:기 感氣 | 느낄 감, 기운 기 [cold; influenza]
❶[속뜻] 자연의 기(氣)를 느낌[感]. ❷[한의] 풍(風)·한(寒)·서(暑)·습(濕)·조(燥)·화(火)를 몸으로 느낄 만큼 기운이 없는 상태를 이르는 말. ❸[의학] 몸이 오슬오슬 춥게 느껴지며 기운이 없고 열이 나며 기침, 콧물이 나는 질환을 통틀어 이르는 말. ¶감기에 걸리다. [비]고뿔, 한질(寒疾).

객기 客氣 | 손 객, 기운 기 [bravado; empty boast]
객쩍게[客] 부리는 혈기(血氣). 분수를 모르고 부리는 쓸데없는 용기. ¶객기 부리지 말아라.

경기¹ 景氣 | 볕 경, 기운 기 [times; things]
❶[속뜻] 햇볕[景] 같이 밝은 기운(氣運). ❷[경제] 매매나 거래 따위에 나타나는 경제 활동의 상황. ¶경기가 회복되어 수출이 활기를 띠고 있다. [반]불경기(不景氣).

경기² 驚氣 | 놀랄 경, 기운 기 [convulsion]
놀란[驚] 기색(氣色). ¶놀라서 경기를 일으키다.

공기 空氣 | 하늘 공, 기운 기 [air; atmosphere]
❶[속뜻] 하늘[空]에 가득한 대기(大氣). ❷지구를 둘러싼 대기의 하층부를 구성하는 기체. ¶신선한 공기. ❸그 자리에 감도는 기분이나 분위기. ¶공기가 심상찮다. [비]상황(狀況).

광기 狂氣 | 미칠 광, 기운 기 [madness; craziness]
❶[속뜻] 미친[狂] 듯한 기미(氣味). ❷미친 듯이 날뛰는 기질을 속되게 이르는 말. ¶눈에 광기가 서려 있다.

냉:기 冷氣 | 찰 랭, 공기 기 [cool air]
찬[冷] 공기(空氣). 찬 기운. ¶집에 냉기가 돌다. [비]한기(寒氣). [반]온기(溫氣).

노:기 怒氣 | 성낼 노, 기운 기 [anger; indignation; angry mood]
성난[怒] 얼굴빛이나 기색(氣色). ¶노기를 띠다 / 얼굴에 노기를 드러내다. [반]화기(和氣).

대:기 大氣 | 큰 대, 공기 기 [air; atmosphere]
[지리] 지구 중력에 의해 지구 둘레를 크게[大] 싸고 있는 기체(氣體).

독기 毒氣 | 독할 독, 기운 기
[poisonous character; malice]
❶[속뜻] 독(毒)의 기운(氣運)이나 성분. ❷사납고 모진 기운이나 기색. ¶독기를 품다. [비]독성(毒性), 독소(毒素), 살기(殺氣), 악의(惡意).

동기 同氣 | 같을 동, 기운 기
[brothers and sisters]
같은[同] 기운(氣運)을 타고 난 사람들. 형제와 자매, 남매를 통틀어 이르는 말. [비]형제(兄弟).

배기 排氣 | 밀칠 배, 기운 기 [exhaust]
안에 든 공기(空氣)를 밖으로 뽑아[排] 냄. ¶건물에 배기 설비를 갖추다.

부기 浮氣 | 뜰 부, 기운 기 [swelling (of the skin)]
[한의] 아파서 몸이 부은[浮] 기색(氣色). ¶얼굴에 아직 부기가 있다.

사:기 士氣 | 선비 사, 기운 기
[morale; fighting spirit]
❶[속뜻] 싸우려 하는 병사(兵士)들의 씩씩한 기개(氣槪). ❷사람들이 일을 이룩하려는 기개. ¶사기를 높이다.

살기 殺氣 | 죽일 살, 기운 기
[violent temper; murderous spirit]
남을 죽일[殺] 듯한 기세(氣勢)나 분위기. ¶눈에 살기가 가득하다.

상:기 上氣 | 위 상, 기운 기 [get dizzy]
❶[속뜻] 기운(氣運)이 위[上]로 올라옴. ❷흥분이나 부끄러움으로 얼굴이 붉어짐. ¶얼굴이 빨갛게 상기되었다.

생기 生氣 | 날 생, 기운 기
[(vivid) life; vitality; spirit]
싱싱하고[生] 힘찬 기운(氣運). ¶생기 있는 표정. [비]활기(活氣).

습기 濕氣 | 축축할 습, 기운 기
[moisture; humidity]
축축한[濕] 기운(氣運). ¶장마철에는 방에 습기가 찬다.

심기 心氣 | 마음 심, 기운 기 [mind]
마음[心]으로 느끼는 기분(氣分). ¶소식을 들은 아버지는 심기가 불편한지 아무 말이 없으셨다.

양기 陽氣 | 볕 양, 기운 기 [sunshine; vitality]
❶[속뜻] 햇볕[陽]의 따뜻한 기운(氣運). ❷만물이 살아 움직이는 활발한 기운. ¶이 음식은 양기를 북돋아준다. [반]음기(陰氣).

연기 煙氣 | 그을음 연, 기운 기 [smoke]
무엇이 불에 탈 때에 생겨나는 그을음[煙]이나 기체(氣體). ¶담배 연기 / 굴뚝에서 연기가 피어오른다.

열기 熱氣 | 뜨거울 열, 기운 기 [heat]
뜨거운[熱] 기운(氣運). ¶주방에 들어서자 후끈한 열기가 밀려왔다.

오:기 傲氣 | 오만할 오, 기운 기 [unyielding spirit]
❶[속뜻] 잘난 체하며 오만(傲慢)한 기세(氣勢). ❷능력은 부족하면서도 남에게 지기 싫어하는 마음. ¶오기를 부려봐야 너만 손해다.

온기 溫氣 | 따뜻할 온, 기운 기 [warm air]
따뜻한[溫] 기운(氣運). ¶방에는 아직 온기가 남아 있다. [반]냉기(冷氣).

용:기 勇氣 | 날쌜 용, 기운 기 [courage]
용감(勇敢)한 기운(氣運). 또는 사물을 겁내지 아니하는 기개. ¶용기가 나다.

원기 元氣 | 으뜸 원, 기운 기 [vigor; energy]
❶[속뜻] 타고난[元] 기운(氣運). ❷심신(心身)의 정력. ¶원기를 회복하다.

윤:기 潤氣 | 반들거릴 윤, 기운 기 [luster; gloss]
반들거리는[潤] 기운(氣運). 반들반들함. ¶그녀의 검은 머리카락은 윤기가 난다. [준]윤(潤). [비]광(光), 광택(光澤).

음기 陰氣 | 응달 음, 기운 기 [chill; dreariness]
❶[속뜻] 음산(陰散)하고 찬 기운(氣運). ❷만물이 생성하는 근본이 되는 정기(精氣)의 한 가지. [반]양기(陽氣).

의:기 意氣 | 뜻 의, 기운 기
[spirits; heart; mind; vigor]
❶[속뜻] 뜻[意]과 기세(氣勢). ❷기세가 좋은 적극적인 마음. ¶그 소식이 우리들의 의기를 드높였다.

인기 人氣 | 사람 인, 기개 기 [popularity]
❶[속뜻] 사람[人]의 기개(氣槪). ❷어떤 대상에 쏠리는 많은 사람의 관심이나 호감. ¶인기를 끌다 / 최고의 인기를 얻다.

일기 日氣 | 날 일, 기운 기 [weather]
그날[日]의 기상(氣象) 상태. ¶일기가 좋다 / 요즘은 일기가 고르지 못하다. [비]날씨.

자:기 磁氣 | 자석 자, 기운 기 [magnetism]
[물리] 자석(磁石)이 철을 끌어당기는 힘이나 기운[氣]. ¶자기를 띠게 하다 / 자기 나침반.

전:기 電氣 | 전기 전, 기운 기
[electrical machinery and appliances]
[물리] 전자(電子)의 이동으로 생기는 에너지[氣]의 한 형태. ¶전기가 나가다.

절기 節氣 | 철 절, 기운 기
[subdivisions of the seasons]
❶[속뜻] 사시사철[節] 다른 기운(氣運). ❷한 해를 스물넷

으로 나눈 철. ¶오늘은 절기 상 봄으로 접어드는 입춘(立春)이다.

정기 精氣 | 정신 정, 기운 기 [spirit and energy]
❶속뜻 민족 따위의 정신(精神)과 기운(氣運). ¶고려청자에는 우리 겨레의 정기가 서려 있다. ❷천지 만물을 생성하는 원천이 되는 기운. ¶백두산의 정기를 받다.

종:기 腫氣 | 부스럼 종, 기운 기 [boil; abscess]
❶속뜻 부스럼[腫]이 날 것 같은 기운(氣運). ❷피부가 곪으면서 생기는 큰 부스럼. ¶엉덩이에 난 종기를 짜다.

증기 蒸氣 | 찔 증, 기운 기 [steam; vapor]
물리 액체나 고체가 증발(蒸發) 또는 승화하여 생긴 기체(氣體). '수증기'(水蒸氣)의 준말. ¶물이 끓자 주전자에서 증기가 뿜어져 나온다.

총기 聰氣 | 총명할 총, 기운 기 [brightness; intelligence; sagacity]
총명(聰明)한 기질(氣質). ¶이 아이는 총기가 있어서 한 번 들으면 곧잘 외운다.

쾌기 快氣 | 기쁠 쾌, 기운 기 [cheerful feeling]
기쁜[快] 기분(氣分). 유쾌하고 상쾌한 기분.

태기 胎氣 | 아이 밸 태, 기운 기 [signs of pregnancy]
아이를 밴[胎] 것 같은 기미(氣味). ¶아내가 태기를 보인다.

패:기 霸氣 | 으뜸 패, 기운 기 [spirit; vigor; ambition]
❶속뜻 어떤 무리의 으뜸[霸]이 되려는 기백(氣魄). ❷적극적으로 일을 해내려는 기운. ¶그는 젊은 패기를 앞세워 사업을 시작했다.

한기 寒氣 | 찰 한, 기운 기 [chill]
추운[寒] 기운(氣運). ¶한기를 느끼다. ㊥추위.

향기 香氣 | 향기 향, 기운 기 [fragrance]
향긋한[香] 기운(氣運). 꽃이나 향 따위에서 나는 기분 좋은 냄새. ¶은은한 커피 향기 / 향기로운 라일락. ㊥악취(惡臭).

현:기 眩氣 | 어지러울 현, 기운 기 [dizziness; giddiness]
어지러운[眩] 기운(氣運). 어지럼.

혈기 血氣 | 피 혈, 기운 기 [vitality; strength]
❶속뜻 목숨을 유지하는 피[血]와 기운(氣運). ❷힘차게 활동하게 하는 기운. ¶혈기 왕성한 젊은이.

호기 豪氣 | 호걸 호, 기운 기 [heroism; bravery]
❶속뜻 호방(豪放)한 기운(氣運). 씩씩한 기상. ¶그는 호기가 넘치는 목소리로 대답했다. ❷괜히 우쭐대는 태도. ¶호기를 부리다.

화기 和氣 | 따스할 화, 기운 기 [peace; harmony]
❶속뜻 따스한[和] 기운[氣]. ❷온화한 기색. 또는 화목한 분위기. ¶얼굴에 화기가 돌다.

환:기 換氣 | 바꿀 환, 기운 기 [ventilate; change air]
탁한 공기(空氣)를 빼고 새 공기로 바꿈[換]. ¶창문을 열고 환기를 하자.

활기 活氣 | 살 활, 기운 기 [vigor; spirit; energy]
활발(活潑)한 기운(氣運)이나 기개(氣槪). ¶민서의 얼굴에는 활기가 넘친다. ㊥생기(生氣).

훈기 薰氣 | 향풀 훈, 기운 기 [warm air; heat]
훈훈(薰薰)한 기운(氣運). ¶냉방에 훈기가 감돌았다.

0076 [매]

每

매양 매:
㊥ 毋부 ㊥ 7획 ㊥ 每 [měi]

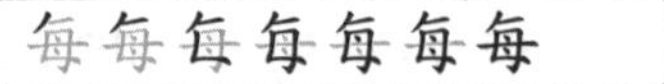

每자는 머리에 비녀를 꽂고 앉아 있는 어머니[母]의 모습을 그린 것이다. 자식에게 있어서 어머니는 매양 좋은 사람이었으니, '매양'(=언제나, all the time)이란 뜻을 그렇게 나타냈나 보다. 후에 '매번'(every time), '마다'(every)의 뜻도 이것으로 나타냈다.
속뜻훈음 ①매양 매, ②마다 매.

매:년 每年 | 마다 매, 해 년 [every year; annually]
해[年] 마다[每]. ¶나는 매년 설악산에 간다. ㊥매해.

매:번 每番 | 매양 매, 차례 번 [every time]
언제나[每] 번번(番番)이. 언제나. ¶그는 매번 약속에 늦는다. ㊥매매(每每), 매양.

매:사 每事 | 마다 매, 일 사 [every business; each plan]
하는 일[事] 마다[每]. 모든 일. ¶그는 매사에 긍정적이다. ㊥일마다.

매:시 每時 | 마다 매, 때 시 [every hour; hour after hour]
시간(時間) 마다[每]. '매시간'의 준말.

매:월 每月 | 마다 매, 달 월 [every month; monthly]
달[月] 마다[每]. ㊥다달이, 매달.

매:일 每日 | 마다 매, 날 일 [every day; daily]
날[日] 마다[每]. 나날이. ¶엄마는 매일 가계부를 쓰신다. ㊥만날, 연일(連日).

매:주 每週 | 마다 매, 주일 주

[every week; weekly]
주(週) 마다[每]. 각각의 주. ¶이 프로그램은 매주 금요일 방송한다.

0077 [방]

方
모[稜] 방
[部] 方부 [劃] 4획 [中] 方 [fāng]

方 方 方 方

方자는 농기구의 일종인 쟁기 모양을 본뜬 것으로 '쟁기'(a plow)가 본래 의미였다. 후에 '네모'(a square), '모서리'(an angle), '바로' (immediately) 등도 이것으로 나타냈다.
[속뜻훈음] ①모 방, ②바로 방, ③방법 방.

방금 方今 | 바로 방, 이제 금 [right now]
바로[方] 지금(只今). [비]금방.

방도 方道 | =方途, 방법 방, 방법 도
[means; way]
어떤 일을 하거나 문제를 풀어 가기 위한 방법(方法)과 도리(道理). ¶먹고 살 방도가 막막했다.

방면 方面 | 모 방, 낯 면 [quarter]
❶[속뜻]네모[方] 반듯하게 생긴 얼굴[面]. ❷어떤 장소나 지역이 있는 방향이나 구역. ¶공항 방면의 도로가 막힌다. ❸뜻을 두거나 생각하는 분야. ¶그는 미생물 방면에서 최고이다.

방법 方法 | 방법 방, 법 법 [way; method]
❶[속뜻]방식(方式)이나 수법(手法). ❷어떤 목적을 달성하기 위하여 취하는 수단. ¶방법을 찾다.

방석 方席 | 모 방, 자리 석 [(floor) cushion]
네모[方] 모양의 깔고 앉는 자리[席]. [비]좌욕(坐褥).

방식 方式 | 방법 방, 꼴 식 [form]
어떤 일정한 방법(方法)이나 형식(形式). ¶자기 방식대로 하다. [비]법식(法式).

방안 方案 | 방법 방, 생각 안 [plan; device]
해결 방법(方法)이나 생각[案]. ¶해결 방안이 떠올랐다.

방언 方言 | 모 방, 말씀 언 [dialect word]
[언어]표준어와 달리 어떤 지역이나 지방(地方)에서만 쓰이는 특유한 언어(言語). ¶함경도 방언은 알아듣기 어렵다. [비]사투리. [반]표준어(標準語).

방위 方位 | 모 방, 자리 위
[bearing; point of the compass]
방향(方向)을 정한 위치(位置). ¶지도에 방위를 표시하다.

방정 方程 | 모 방, 과정 정
중국 고대 수학서인 『구장산술』(九章算術) 가운데 한 장. 『구장산술』에 따르면 자 모양으로 배열한 것을 '方'이라 하고, 계산 과정을 '程'이라 하였다.

방주 方舟 | 모 방, 배 주 [ark]
상자 같은 네모[方] 모양의 배[舟]. ¶노아의 방주 (Noah's ark).

방책 方策 | 방법 방, 꾀 책 [plan; scheme]
방법(方法)과 계책(計策). ¶범죄 방지를 위한 방책을 세우다.

방침 方針 | 모 방, 바늘 침
[one's course (of action)]
❶[속뜻]방향(方向)을 가리키는 지남침(指南針). ❷'무슨 일을 처리해 나가는 계획과 방향'을 이르는 말. ¶회사의 방침.

방편 方便 | 방법 방, 편할 편
[expedient; instrument]
경우에 따라 편(便)하고 쉽게 이용하는 수단과 방법(方法). ¶일시적인 방편.

• 역순어휘

근:방 近方 | 가까울 근, 모 방 [neighborhood]
가까운[近] 곳[方]. ¶이 근방에 살다. [비]근처(近處), 인근(鄰近).

금방 今方 | 이제 금, 바로 방 [just now]
❶[속뜻]지금(只今) 바로[方]. ¶금방 비가 올 것처럼 하늘이 어둡다. ❷방금(方今). ¶금방 구워 낸 빵.

남방 南方 | 남녘 남, 모 방 [south]
남(南)쪽 지방(地方). ¶따뜻한 남방의 겨울 날씨. [반]북방(北方).

동방 東方 | 동녘 동, 모 방 [east; Orient]
❶[속뜻]동부(東部) 지방(地方). 동쪽. ❷유럽과 아메리카 대륙의 동쪽에 있는 지역. 인도의 인더스강 서쪽에서 지중해 연안까지를 이른다. [반]서방(西方).

백방 百方 | 여러 백, 방법 방 [every direction]
온갖[百] 방법(方法). 여러 방면. ¶백방으로 알아보다.

변방 邊方 | 가 변, 모 방 [border areas; frontier]
❶[속뜻]중심지에서 멀리 떨어진 가장자리[邊] 지역이나 지방(地方). ❷변경(邊境). ¶북쪽 변방 오랑캐 / 변방 이민족.

북방 北方 | 북녘 북, 모 방
[northward; northern direction]
북(北) 쪽[方]. ¶북방 지역은 아직도 겨울이다. [비]북녘. [반]남방(南方).

비:방 祕方 | 숨길 비, 방법 방 [secret process]

남에게는 숨기는[秘] 자기만의 방법(方法). ¶그 의사는 비방을 공개하지 않았다. (비)비법(秘法), 묘방(妙方).

사:방 四方 | 넉 사, 모 방 [four quarters]
❶[속뜻] 동, 서, 남, 북의 네[四] 방향(方向). ¶사방이 산으로 둘러싸여 있다. ❷둘레의 여러 곳. ¶나는 사방으로 그를 찾아다녔다.

서방 西方 | 서녘 서, 모 방 [west]
❶[속뜻] 서(西)쪽 방향(方向). ❷서쪽 지방. 서부 지역. ❸'서방세계'(世界)의 준말. ¶서방 7개국 정상들이 모여 세계 평화에 대해 논의했다. (반)동방(東方).

시방 時方 | 때 시, 바로 방 [now]
이때[時]나 방금(方今). 말하는 이때. (비)지금.

쌍방 雙方 | 둘 쌍, 모 방 [both sides]
둘로 나뉜 것의 두[雙] 쪽[方]. 이쪽과 저쪽. 또는 이편과 저편을 아울러 이르는 말. ¶쌍방을 모두 만족시킬 수는 없다. (비)양방(兩方).

연방 連方 | 이을 련, 바로 방 [continuously; successively]
연이어[連] 금방(今方). 잇따라 자꾸. ¶연방 고개를 끄덕이다 / 연방 담배를 피우다.

일방 一方 | 한 일, 모 방 [one side(hand)]
한[一] 쪽[方]. 한편. ¶강화도 조약은 조선을 일방으로 하고, 일본을 다른 일방으로 하여 체결되었다.

전방 前方 | 앞 전, 모 방 [front line; forward area]
앞[前] 쪽[方]. ¶50미터 전방에서 우회전하세요. (반)후방(後方).

지방 地方 | 땅 지, 모 방 [region; countryside]
❶[속뜻] 땅[地]의 어느 한 부분[方]. 어느 한 방면의 땅. ¶낯선 지방으로 여행하다. ❷한 나라의 수도(首都)나 대도시 외의 고장. ¶지방으로 내려가다. (반)중앙(中央).

처:방 處方 | 처리할 처, 방법 방 [prescribe]
❶[속뜻] 일을 처리(處理)하는 방법(方法). ¶그만의 독특한 처방을 받다. ❷증세에 따라 약을 짓는 방법. ¶항생제를 처방하다. ❸[의학] '처방전'(處方箋)의 준말. ¶처방을 쓰다.

팔방 八方 | 여덟 팔, 모 방 [every side]
❶[속뜻] 여덟[八] 방향(方向). 동, 서, 남, 북, 동북, 동남, 서북, 서남을 말한다. ❷여러 방향. 또는 여러 방면. ¶소문이 팔방으로 퍼졌다.

한:방 韓方 | 한국 한, 방법 방 [traditional Oriental medicine]
[한의] 중국에서 전해져 우리나라[韓]에서 발달한 의술[方]. ¶한방으로 치료하다.

행방 行方 | 갈 행, 모 방 [one's traces]
간[行] 방향(方向). 간 곳. ¶범인의 행방을 알 수 없다.

후:방 後方 | 뒤 후, 모 방 [rear]
❶[속뜻] 뒤[後] 쪽[方]. 뒤쪽에 있는 곳. ¶운전할 때는 후방도 잘 살펴야 한다. ❷[군사] '전쟁이 벌어지고 있지 않은 지역이나 국내'를 전쟁터에 상대하여 이르는 말. ¶우리 형은 후방에서 군 복무를 했다. (반)전방(前方).

0078 [수]

手

손 수(:)
(부) 手부 (획) 4획 (中) 手 [shǒu]

手 手 手 手

> 手자는 '손'(a hand)을 나타내기 위하여 다섯 손가락과 손목의 모양을 본뜬 것인데, '솜씨'(skill), '(솜씨가 능숙한) 사람'(expert)을 가리키는 것으로도 쓰인다.
> [속뜻훈음] ①손 수, ②솜씨 수, ③사람 수.

수갑 手匣 | 손 수, 상자 갑 [handcuffs; cuffs]
피의자나 피고인 또는 수형자(受刑者)의 손목[手]에 채우는 형구[匣]. ¶경찰은 범인에게 수갑을 채웠다.

수:건 手巾 | 손 수, 수건 건 [towel]
얼굴이나 손[手] 따위를 닦는 헝겊[巾]. ¶이 수건으로 머리를 말리세요.

수공 手工 | 손 수, 장인 공 [manual work]
❶[속뜻] 손[手]으로 하는 공예(工藝). ❷손으로 하는 일의 품. 또는 그 품삯. ¶한복을 만들려면 수공이 많이 든다.

수기 手記 | 손 수, 기록할 기 [note; memorandum]
자기의 체험을 자신이 손수[手] 적은[記] 글. ¶여행수기를 썼다.

수단 手段 | 솜씨 수, 구분 단 [means; way]
❶[속뜻] 솜씨[手]의 등급에 따른 구분[段]. ❷일을 처리하여 나가는 솜씨. ¶수단이 좋다. ❸어떤 목적을 이루기 위한 방법. 또는 그 도구. ¶수단과 방법을 가리지 않다.

수당 手當 | 손 수, 맡을 당 [allowance; stipend]
❶[속뜻] '급여, 사례금'을 뜻하는 일본어 '데아테'(てあて. 手當)에서 온 말. ❷봉급 외에 따로 주는 보수. ¶가족수당.

수동 手動 | 손 수, 움직일 동 [hand-operated]
다른 동력을 이용하지 않고 손[手]의 힘만으로 움직임[動]. 또는 그렇게 움직이는 것. ¶수동 카메라. (반)자동(自動).

수배 手配 | 손 수, 나눌 배 [search]
❶[속뜻] 여러 사람의 손[手]을 빌려 해야 할 일을 나누어

[配] 맡김. ❷범인을 잡으려고 수사망을 폄. ¶용의자를 공개 수배하다.

수법 手法 | 손 수, 법 법 [method; trick; technique]
❶속뜻 수단(手段)과 방법(方法)을 아울러 이르는 말. ¶인터넷 사기 수법이 갈수록 다양해지고 있다. ❷예술품을 만드는 솜씨. ¶도자기를 만드는 수법은 다양하다.

수속 手續 | 손 수, 이을 속 [process; procedure]
어떤 일에 착수(着手)하여 일을 해나가는 데 필요한 일련[續]의 과정이나 단계. ¶출국 수속. ⊞절차(節次).

수술 手術 | 손 수, 꾀 술 [operate]
❶속뜻 손[手]을 써서 하는 의술(醫術). ❷의학 몸의 일부를 째거나 도려내거나 하여 병을 낫게 하는 외과적인 치료 방법. ¶위암을 제거하는 수술을 받다.

수예 手藝 | 손 수, 재주 예 [handicraft; manual arts]
손[手]으로 하는 기예(技藝). ¶수예가 뛰어나다 / 수예 작품.

수완 手腕 | 손 수, 팔 완 [ability; capability]
❶속뜻 손[手]과 팔[腕]을 잇는 부분. 손. ❷일을 꾸미거나 치러 나가는 재간. ¶그는 수완이 뛰어나다.

수족 手足 | 손 수, 발 족 [hands and feet; limbs]
❶속뜻 손[手]과 발[足]. ❷'손발처럼 마음대로 부리는 사람'을 비유하여 이르는 말. ¶그녀는 나에게 수족과 같은 존재다.

수중 手中 | 손 수, 가운데 중 [in the hands]
❶속뜻 손[手] 안[中]. ❷자신의 힘이 미칠 수 있는 범위. ¶수중에 돈 한 푼 없다.

수첩 手帖 | 손 수, 표제 첩 [pocket notebook]
간단한 기록을 하기 위하여 손[手]에 지니고 다니는 작은 공책[帖].

수표 手票 | 손 수, 쪽지 표 [check]
❶속뜻 손[手]바닥만한 크기의 종이쪽지[票]. ❷경제 은행에 당좌 예금을 가진 사람이 소지인에게 일정한 금액을 줄 것을 은행 등에 위탁하는 유가증권.

수화 手話 | 손 수, 말할 화 [sign language]
몸짓이나 손짓[手]으로 말[話]을 대신하는 의사 전달 방법. ¶수화로 의사표현을 하다.

• 역순어휘 •

가수 歌手 | 노래 가, 사람 수 [singer]
노래[歌] 부르는 것을 생업으로 삼는 사람[手]. ¶그는 작곡가 겸 가수다.

거:수 擧手 | 들 거, 손 수 [raise one's hand]
손[手]을 위로 듦[擧]. ¶찬성하는 분들은 거수해 주십시오.

고수¹ 高手 | 높을 고, 솜씨 수 [excellent skill]
뛰어난[高] 재주나 솜씨[手]. 어떤 분야에서 능력이나 기술이 뛰어난 사람. ¶드디어 고수의 경지에 오르다. ⊞상수(上手). ⊕하수(下手).

고수² 鼓手 | 북 고, 사람 수 [drummer]
음악 북[鼓]을 치는 사람[手].

궁수 弓手 | 활 궁, 사람 수 [archer; bowman]
역사 활[弓] 쏘는 일을 맡아 하는 군사[手]. ⊞사수(射手).

기수¹ 旗手 | 깃발 기, 사람 수 [standard-bearer]
❶속뜻 군대나 단체 따위의 행렬 또는 행진에서 앞에서 깃발[旗]을 드는 사람[手]. ❷'어떤 단체적인 활동의 대표로 앞장서는 사람'을 비유하여 이르는 말. ¶80년대 문학계의 기수.

기수² 騎手 | 말 탈 기, 사람 수 [rider; horseman]
경마 따위에서 말을 타는[騎] 사람[手].

능수 能手 | 능할 능, 솜씨 수 [ability; expert]
어떤 일에 능란(能爛)한 솜씨[手]. 또는 그런 사람. ¶실무에 있어서는 그가 능수다 / 능수능란(能手能爛).

마수 魔手 | 마귀 마, 손 수 [evil hand]
❶속뜻 악마(惡魔)의 손길[手]. ❷'남을 나쁜 길로 꾀거나 불행에 빠뜨리거나 하는 음험한 수단'을 비유하여 이르는 말. ¶침략의 마수를 뻗치다.

명수 名手 | 이름 명, 사람 수 [expert; master hand]
기능이나 기술이 뛰어나기로 유명한[名] 사람[手]. ¶그녀는 양궁의 명수다.

목수 木手 | 나무 목, 사람 수 [carpenter]
나무[木]로 집을 짓거나 기구를 만드는 일을 업으로 하는 사람[手]. ⊞목공(木工), 대목(大木).

묘:수 妙手 | 묘할 묘, 솜씨 수 [excellent skill]
운동 바둑이나 장기 따위에서, 절묘(絶妙)한 솜씨[手]. 또는 그런 사람.

박수 拍手 | 칠 박, 손 수 [applaud; clap]
환영, 축하, 격려, 찬성 등의 뜻으로 손뼉[手]을 여러 번 침[拍]. 관용 우레와 같은 박수.

사수 射手 | 쏠 사, 사람 수 [marksman; shooter]
총포나 활 따위를 잘 쏘는[射] 사람[手]. '사격수'(射擊手)의 준말.

석수 石手 | 돌 석, 사람 수 [(stone)mason; stonecutter]
돌[石]을 전문으로 세공하는 사람[手]. ⊞석공(石工), 석장(石匠).

선수¹ 先手 | 먼저 선, 손 수

[get the start of; forestall]
남이 하기 전에 먼저[先] 착수(着手)함. 또는 그런 행동. 관용 선수를 치다.

선 : 수² 選手 | 뽑을 선, 사람 수 [player]
어떠한 기술이나 운동 따위에 뛰어나 여럿 중에서 대표로 뽑힌[選] 사람[手]. ¶야구 선수.

세 : 수 洗手 | 씻을 세, 손 수 [wash one's face]
손[手]을 비롯한 얼굴 따위를 씻음[洗]. ¶따뜻한 물로 세수하다. 비 세면(洗面), 세안(洗顔).

속수 束手 | 묶을 속, 손 수 [helplessness]
손[手]이 묶인[束] 듯이 방법이 없어 꼼짝 못함. '속수무책'(束手無策)의 준말. ¶나로서도 어떻게 처리해야 할지 속수였다.

신수 身手 | 몸 신, 손 수 [one's appearance]
❶속뜻 몸[身]과 손[手]. ❷'겉으로 나타난 건강한 빛'을 이르는 말. ¶신수가 훤하다.

실수 失手 | 잃을 실, 손 수 [mistake]
❶속뜻 손[手]에서 놓침[失]. ❷부주의로 하던 일을 그르침. ¶누구나 실수는 하는 법이다.

쌍수 雙手 | 둘 쌍, 손 수 [both hands]
오른쪽과 왼쪽의 두[雙] 손[手]. ¶쌍수를 들어 환영하다.

악수 握手 | 쥘 악, 손 수 [shake hands]
손[手]을 마주 잡아 쥠[握]. 주로 인사, 감사, 친애, 화해 따위의 뜻을 나타내기 위하여 오른손을 잡는다. ¶악수를 나누다 / 악수를 청하다.

의 : 수 義手 | 해넣을 의, 손 수
[artificial arm; arm prosthesis]
인공으로 해 넣은[義] 손[手]. 손이 없는 사람을 위하여 나무나 고무 따위로 만들어 붙인 손.

입수 入手 | 들 입, 손 수 [get; obtain]
손[手]에 넣음[入]. 손 안에 들어옴. ¶스파이를 통해 새로운 정보를 입수하다.

자수 自手 | 스스로 자, 손 수
[by one's own efforts]
❶속뜻 자기(自己)의 손[手]. ❷자기(自己) 혼자의 노력(勞力). 또는 힘.

적수 敵手 | 원수 적, 사람 수 [rival; competitor]
❶속뜻 적(敵)이 될 만한 사람[手]. ❷재주나 힘이 서로 비슷해서 상대가 되는 사람. ¶나는 그의 적수가 못 된다.

조 : 수 助手 | 도울 조, 사람 수 [assistant; helper]
어떤 책임자 밑에서 지도를 받으면서 그 일을 도와주는[助] 사람[手]. ¶목수 밑에서 허드렛일을 하며 조수 노릇을 한 적이 있다.

착수 着手 | 붙을 착, 손 수 [start; launch]
❶속뜻 손[手]을 댐[着]. ❷어떤 일을 시작함. ¶새로운 일에 착수하다.

촉수 觸手 | 닿을 촉, 손 수 [feeler; tentacle]
❶속뜻 사물에 손[手]을 댐[觸]. ¶촉수 엄금. ❷동물 하등 무척추동물의 몸 앞부분이나 입 주위에 있는 돌기 모양의 기관. 촉각, 미각 따위의 감각 기관으로 포식 기능을 가진 것도 있다. ¶해파리가 촉수를 움직이다.

투수 投手 | 던질 투, 사람 수 [pitcher; hurler]
운동 야구에서 내야(內野)의 중앙에 위치하여 포수를 향해 공을 던지는[投] 사람[手]. 반 포수(捕手).

포 : 수¹ 捕手 | 잡을 포, 사람 수 [catcher]
운동 본루를 지키며 투수가 던지는 공을 받는[捕] 선수(選手). ¶포수가 공을 놓쳤다. 반 투수(投手).

포 : 수² 砲手 | 탄알 포, 사람 수 [hunter]
총알[砲]을 쏘아 짐승을 잡는 사냥꾼[手]. ¶사슴을 쫓는 포수는 산을 보지 못한다.

하 : 수 下手 | 아래 하, 솜씨 수 [poor hand]
낮은[下] 재주나 솜씨[手]. 또는 그런 사람. ¶그는 더 이상 하수가 아니다. 반 고수(高手).

훈 : 수 訓手 | 가르칠 훈, 솜씨 수
[help from an outsider; hint; tip]
운동 바둑이나 장기 따위에서 잘 두는 방법이나 솜씨[手]를 가르쳐[訓] 줌. ¶바둑판에서 훈수를 두다.

0079 [강]

江

강 강
부 水부 획 6획 中 江 [jiāng]

江 江 江 江 江 江

江자는 원래 중국의 '양자강'(the Yangzi River)을 가리키기 위하여 고안된 것이었으니, '물 수'(氵)가 표의요소로 쓰였다. 工(장인 공)이 표음요소였음은 舡(배 강)의 경우도 마찬가지다. 후에 '큰 강'(a great river)의 총칭으로 바뀌었다.

강변 江邊 | 강 강, 가 변 [riverside]
강(江) 주변(周邊) 일대. ¶강변을 산책하다. 비 강가.

강산 江山 | 강 강, 메 산 [rivers and mountains]
❶속뜻 강(江)과 산(山). ❷자연의 경치. ¶아름다운 강산. ❸강토(疆土). ¶삼천리 금수강산.

• 역순어휘

도강 渡江 | 건널 도, 강 강 [cross a river]
강(江)을 건넘[渡].

한:강 漢江 | 한양 한, 강 강 [Han River]
❶[속뜻] 한양(漢陽)의 남쪽을 가로질러 흐르는 강(江)이라는 뜻으로 붙여진 이름. ❷[지리] 한국의 중부에 있어 황해로 들어가는 강. 남한강과 북한강의 두 물줄기가 있다.

0080 [활]

活 살 활
[部] 水부 [劃] 9획 [中] 活 [huó]

活活活活活活活活活

活자는 '물이 흐르는 소리'(the sound of stream)를 뜻하기 위하여 만든 글자이니 '물 수'(氵)가 표의요소로 쓰였다. 舌(혀 설)이 표음요소였음은 姡(교활할 활), 聒(괄태충 활)의 경우도 마찬가지다. 사람들은 물이 흐르는 소리에서 생명감을 느끼기 때문인지, '살다'(live)는 뜻으로도 확대 사용됐다.

활기 活氣 | 살 활, 기운 기 [vigor; spirit; energy]
활발(活潑)한 기운(氣運)이나 기개(氣概). ¶민서의 얼굴에는 활기가 넘친다. [비]생기(生氣).

활동 活動 | 살 활, 움직일 동 [move; act]
❶[속뜻] 활력(活力)있게 움직임[動]. ❷어떤 일의 성과를 거두기 위하여 애씀. 또는 어떤 일을 이루려고 돌아다님. ¶체험 활동 / 봉사 활동 / 그는 초등학교 때 야구부에서 활동했다.

활력 活力 | 살 활, 힘 력
[energy; vitality; vital power]
살아[活] 움직이는 힘[力]. ¶활력이 넘치다 / 활력을 잃다 / 활력을 불어넣다.

활로 活路 | 살 활, 길 로
[way out; means of escape]
❶[속뜻] 살아[活] 나갈 길[路]. ❷어려움을 이기고 살아나갈 방법. ¶한국 경제의 활로가 열리다 / 활로를 찾다 / 활로를 뚫다.

활발 活潑 | 살 활, 물 솟을 발
[lively; brisk; vivacious]
활기(活氣)가 물이 솟듯[潑] 힘차다. ¶활발한 기상 / 활발한 사람. [비]기운차다, 씩씩하다.

활성 活性 | 살 활, 성질 성 [vitality; activity]
[화학] 빛이나 기타 에너지의 작용에 따라 물질의 반응 속도가 활발(活潑)하고 빨라지는 성질(性質). 또는 촉매의 반응 촉진 능력. ¶활성 산소 / 활성 가스

활약 活躍 | 살 활, 뛸 약 [take an active part]
활력(活力)있게 뛰어다님[躍]. 눈부시게 활동함. ¶오늘 경기에서 그가 가장 큰 활약을 했다 / 경제계에서 활약하다.

활용 活用 | 살 활, 쓸 용 [apply; utilize]
능력이나 기능을 잘 살려[活] 씀[用]. ¶빈 교실을 공부방으로 활용하다.

활자 活字 | 살 활, 글자 자 [printing type; type]
❶[속뜻] 활판(活版) 인쇄에 쓰이는 글자[字]. ❷[출판] 네모기둥 모양의 금속 윗면에 문자나 기호를 볼록 튀어나오게 새긴 것.

활판 活版 | 살 활, 널 판
[type printing; typography]
[출판] 활자(活字)로 짜 맞춘 인쇄판(印刷版).

• 역순어휘

부:활 復活 | 다시 부, 살 활 [revive; resurrect]
❶[속뜻] 죽었다가 다시[復] 살아남[活]. ¶예수의 부활. ❷없어졌던 것이 다시 생김. ¶교복 착용 제도의 부활.

사:활 死活 | 죽을 사, 살 활 [life and death]
죽음[死]과 삶[活]. ¶이번 사업에 회사의 사활이 걸려 있다.

생활 生活 | 살 생, 살 활
[live; exist; make a living]
❶[속뜻] 살며[生] 활동(活動)함. ¶그와 나는 생활 방식이 다르다 / 그들은 농촌에서 생활한다. ❷생계나 살림을 꾸려 나감. ¶생활이 매우 어렵다 / 그 월급으로는 다섯 식구가 생활하기 힘들다. ❸조직체에서 그 구성원으로 활동함. ¶학교생활 / 그는 의사로 생활하면서 보람을 느낄 때가 많다. ❹어떤 행위를 하며 살아감. 또는 그런 상태. ¶취미 생활 / 그녀는 고아원에서 봉사자로 생활한다.

재:활 再活 | 다시 재, 살 활
[be rehabilitated; reform]
다시[再] 활동(活動)함. 또는 다시 활용함. ¶재활 훈련.

쾌활 快活 | 시원할 쾌, 살 활 [cheerful; lively]
성격이 시원시원하고[快] 활발(活潑)하다. ¶그는 무척 쾌활한 사람이다.

특활 特活 | 특별할 특, 살 활
[extracurricular activities]
[교육] 수업 이외 특별(特別)한 목적의 활동(活動).

0081 [해]

海 바다 해:
[部] 水부 [劃] 10획 [中] 海 [hǎi]

海海海海海海海海海海

海자는 '물 수'(水 = 氵)가 표의요소이고, 每(매)는 표음요소인데 음이 약간 달라졌다. 이것은 洋(바다 양)보다는 좁은 개념으로 '육지에 붙어 있는 바다'(近海, the near seas)를 가리킨다. 육지에서 멀리 떨어진 넓은 바다는 '洋' 또는 '遠洋'(원:양, an ocean)이라 한다. 그래서 '太平海'·'五大海'라 하지 않고, '太平洋'·'五大洋'이라 하였다.

해:군 海軍 | 바다 해, 군사 군 [navy]
군사 바다[海]에서 전투 따위를 맡아 하는 군대(軍隊).

해:녀 海女 | 바다 해, 여자 녀 [woman diver]
바다[海]에서 해산물 채취를 업으로 하는 여자(女子). ¶우리 할머니는 해녀이다.

해:동 海東 | 바다 해, 동녘 동 [Korea]
❶속뜻 중국에서 바다[海]의 동(東)쪽에 있는 나라. ❷예전에 '우리나라'를 달리 이르던 말.

해:류 海流 | 바다 해, 흐를 류 [ocean current]
지리 항상 일정한 방향으로 움직이는 바닷물[海]의 흐름[流]. ¶해파리가 해류를 따라 이동한다.

해:리 海里 | 바다 해, 거리 리 [sea mile]
해상(海上)의 거리[里]를 나타내는 단위. 위도 1도의 60분의 1로 약 1852m이다.

해:면 海面 | 바다 해, 낯 면 [surface of the sea]
바다[海]의 표면(表面). ¶해면 위로 떠오르는 해.

해:물 海物 | 바다 해, 만물 물 [marine products]
바다[海]에서 나는 것[物]. '해산물'(海産物)의 준말.

해:발 海拔 | 바다 해, 뽑을 발 [above the sea]
해면(海面)으로부터 뽑아[拔] 낸 듯이 위로 솟은 육지나 산의 높이. ¶그 산은 해발 2,000미터이다.

해:변 海邊 | 바다 해, 가 변 [beach]
바다[海]의 가장자리[邊]. ¶해변을 거닐다. ⓑ바닷가.

해:병 海兵 | 바다 해, 군사 병 [marine]
군사 ❶해군(海軍)의 병사(兵士). ❷해병대(海兵隊)의 병사(兵士). ¶한번 해병은 영원한 해병이다.

해:산 海産 | 바다 해, 낳을 산 [sea products]
바다[海]에서 나오는[産] 물건. '해산물'(海産物)의 준말.

해:삼 海蔘 | 바다 해, 인삼 삼 [sea cucumber]
❶속뜻 바다[海]의 인삼(人蔘) 같은 동물. ❷동물 온몸에 밤색과 갈색의 반문이 있는 동물. 입 둘레에 많은 촉수가 있고 배에 세로로 세 줄의 관족(管足)이 있다.

해:상 海上 | 바다 해, 위 상 [on the sea]
바다[海] 위[上]. ¶해상 경비대.

해:수 海水 | 바다 해, 물 수 [seawater]
바다[海]의 물[水].

해:안 海岸 | 바다 해, 언덕 안 [coast]
바닷가[海]의 언덕[岸]. 바다의 기슭. ¶해안을 따라 산책하다.

해:양 海洋 | 바다 해, 큰바다 양 [ocean]
육지에 붙은 바다[海]와 육지에서 멀리 떨어진 넓은 바다[洋]. ¶해양 자원 / 해양 오염.

해:역 海域 | 바다 해, 지경 역 [sea area]
바다[海] 위의 일정한 구역(區域). ¶거제와 통영 일대는 청정 해역으로 지정되었다.

해:외 海外 | 바다 해, 밖 외 [foreign countries]
바다[海]의 밖[外]. ¶해외여행. ⓑ외국(外國). ⓡ국내(國內).

해:인 海印 | 바다 해, 찍을 인
불교 부처의 지혜로 우주의 모든 만물을 깨달아 아는 일. 법을 관조(觀照)함을 '바다[海]에 만상(萬象)이 비치어 각인(刻印)되는 것'에 비유하여 이르는 말이다.

해:일 海溢 | 바다 해, 넘칠 일 [tidal wave]
❶속뜻 바닷[海]물이 넘침[溢]. ❷지리 지진이나 화산의 폭발, 폭풍우 따위로 인하여 갑자기 큰 물결이 일어 해안을 덮치는 일. ¶해일이 발생하다.

해:저 海底 | 바다 해, 밑 저 [sea bottom]
바다[海]의 밑바닥[底]. ¶해저탐험 / 해저터널.

해:적 海賊 | 바다 해, 도둑 적 [pirate]
❶속뜻 바다[海]의 도둑[賊]. ❷배를 타고 다니면서 항해하는 배나 해안 지방을 습격하여 약탈하는 도둑. ¶이 지역은 해적들이 자주 출몰한다.

해:전 海戰 | 바다 해, 싸울 전 [sea battle]
군사 해상(海上)에서 하는 전투(戰鬪). ¶노량해전.

해:조 海藻 | 바다 해, 말 조 [seaweeds]
식물 바다[海]에서 나는 식물[藻].

해:초 海草 | 바다 해, 풀 초 [seaweeds]
식물 바다[海]에서 자라는 풀[草]. ¶바닷물에 해초가 떠다닌다.

해:풍 海風 | 바다 해, 바람 풍 [sea wind]
바다[海]에서 부는 바람[風]. 바닷바람. ⓡ육풍(陸風).

해:협 海峽 | 바다 해, 골짜기 협 [strait]
❶속뜻 바다[海]를 끼고 있는 골짜기[峽]. ❷지리 육지와 육지 사이에 있는 좁고 긴 바다. ¶대한 해협.

• 역순어휘

근:해 近海 | 가까울 근, 바다 해 [neighboring waters]
육지에 가까운[近] 바다[海]. ¶근해에 크고 작은 섬들이 있다. ⓑ연해(沿海). ⓡ원양(遠洋).

남해 南海 | 남녘 남, 바다 해 [South Sea]
❶속뜻 남(南)쪽 바다[海]. ❷지리 한반도 남쪽 연안의 바

다 이름.

대:해 大海 | 큰 대, 바다 해 [ocean; great sea]
넓고 큰[大] 바다[海]. ⊕대영(大瀛), 거해(巨海).

동해 東海 | 동녘 동, 바다 해 [East Sea]
❶속뜻 동(東)쪽에 있는 바다[海]. ¶동해에 솟아오르는 해. ❷지리 우리나라 동쪽의 바다. ⊕서해(西海).

북해 北海 | 북녘 북, 바다 해 [northern sea; North Sea]
❶속뜻 북(北)쪽의 바다[海]. ❷지리 유럽 대륙과 영국과의 사이에 있는 바다. ⊕북양(北洋).

사:해 死海 | 죽을 사, 바다 해 [the Dead sea]
❶속뜻 어떤 생물들이라도 죽을[死]만큼 염분이 많은 바다[海]. ❷지리 아라비아 반도의 서북쪽에 있는 호수. 요르단 강이 흘러 들어오지만 나가는 데가 없고 증발이 심한 까닭에 염분 농도가 바닷물의 약 다섯 배에 달하여 생물이 살 수 없다.

산해 山海 | 메 산, 바다 해 [mountains and seas]
산(山)과 바다[海].

서해 西海 | 서녘 서, 바다 해 [western sea]
❶속뜻 서(西)쪽 바다[海]. ❷지리 '황해'(黃海)를 달리 이르는 말.

심:해 深海 | 깊을 심, 바다 해 [deep sea]
깊은[深] 바다[海]. ¶바다거북은 주로 심해에서 산다.

연해 沿海 | 따를 연, 바다 해 [sea along the coast]
바다[海]를 따라[沿] 있는 곳. 육지(陸地)에 가까이 있는 바다, 즉 대륙붕을 덮고 있는 바다를 이른다. ¶포항 연해에서는 고등어가 많이 잡힌다.

영해 領海 | 거느릴 령, 바다 해 [territorial waters]
❶속뜻 다스리는[領] 권한이 미치는 바다[海]. ❷법률 영토에 인접한 해역으로 그 나라의 통치권이 미치는 범위. ¶중국 군함이 한국 영해를 침범했다.

항:해 航海 | 배 항, 바다 해 [voyage]
배[航]를 타고 바다[海]를 다님. ¶그는 또 다시 기나긴 항해를 떠났다.

0082 [한]

漢 한수/한나라 한:
부 水부 획 14획 ⊕ 汉 [hàn]
漢漢漢漢漢漢漢漢漢漢漢漢漢

漢자는 양자강의 큰 지류인 漢水(한:수)를 뜻하기 위하여 고안된 글자이니 '물 수'(氵)가 의미 요소로 쓰였다. 오른쪽의 것은 堇(진흙 근)의 변형인데, 이것이 표음요소인 것은 嫨(할미 한)과 暵(말릴 한)의 경우도 마찬가지다. 劉邦(유방)이 그 강 일대의 王(왕)이 된 후로 나라이름으로 쓰이게 됐고, '중국'을 이르는 말로도 쓰인다. '은하수'(the Milky Way), '사나이' (a guy) 등을 뜻하기도 한다.

속뜻훈음 ①한나라 한, ②한양 한, ③사나이 한.

한:강 漢江 | 한양 한, 강 강 [Han River]
❶속뜻 한양(漢陽)의 남쪽을 가로질러 흐르는 강(江)이라는 뜻으로 붙여진 이름. ❷지리 한국의 중부에 있어 황해로 들어가는 강. 남한강과 북한강의 두 물줄기가 있다.

한:과 漢菓 | 한나라 한, 과자 과
❶속뜻 한(漢)나라 방식으로 만든 과자[菓]. ❷밀가루를 꿀이나 설탕에 반죽하여 납작하게 만들어 기름에 튀겨 물들인 것으로 흔히 잔칫상이나 제사상에 놓는다.

한:문 漢文 | 한나라 한, 글월 문 [Chinese writing]
한자(漢字)로 쓰인 문장(文章).

한:성 漢城 | 한양 한, 성곽 성
❶속뜻 한양(漢陽)의 도성(都城). ❷역사 조선 시대, 서울의 이름.

한:시 漢詩 | 한나라 한, 시 시 [Chinese poetry]
문학 한문(漢文)으로 지은 시(詩).

한:양 漢陽 | 한강 한, 볕 양
❶속뜻 한강(漢江)의 북녘에 양지(陽地)바른 곳. ❷지리 '서울'의 옛 이름.

한:자 漢字 | 한나라 한, 글자 자 [Chinese character]
한자어(漢字語)의 뜻을 나타내는 데 필요한 낱낱의 글자[字]. ¶한자어는 속뜻을 알면 기억이 잘된다.

한:족 漢族 | 한나라 한, 겨레 족 [the Han race]
'한민족'(漢民族)의 준말. 중국 본토에서 예로부터 살아온, 중국의 중심이 되는 종족. 중국어를 쓰며, 중국 전체 인구의 90% 이상을 차지한다.

한:학 漢學 | 한나라 한, 배울 학 [Chinese classics]
❶속뜻 한(漢)나라의 학문(學問). ❷한문을 연구하는 학문. '한문학'(漢文學)의 준말.

• 역순어휘

괴:한 怪漢 | 이상할 괴, 사나이 한 [suspicious fellow]
거동이나 차림새가 수상한[怪] 사내[漢]. ¶괴한의 습격을 받다.

악한 惡漢 | 나쁠 악, 사나이 한 [villain]
나쁜[惡] 짓을 하는 사나이[漢]. ¶갑자기 악한이 나타나 길을 막아섰다.

쾌한 快漢 | 시원할 쾌, 사나이 한 [nice man]
성격이 씩씩하고 시원시원한[快] 사나이[漢]. ¶그는 쾌한이라고 할 수 있다.

0083 [물]

物

물건 물
[部] 牛부 [劃] 8획 [中] 物 [wù]

物자는 '소 우'(牛)가 의미 요소이고 勿(말 물)은 표음요소이다. '(여러 색깔의 털을 가진) 소'(a bull; a cow)가 본뜻이었다. '만물'(all things; all creation)을 지칭하는 것으로 확대 사용됐다.
[속뜻 훈음] 만물 물.

물가 物價 | 만물 물, 값 가 [price(s)]
[경제] 물건(物件)의 값[價]. 상품의 시장 가격. ¶물가가 오르다.

물건 物件 | 만물 물, 것 건 [thing; object; article]
❶[속뜻] 물품(物品) 같은 것[件]. ¶사용하신 물건은 제자리에 두세요. ❷사고파는 물품. ¶물건 값을 치르다.

물량 物量 | 만물 물, 분량 량
[amount of materials]
물건(物件)의 양(量). ¶공급 물량이 넉넉하다.

물류 物流 | 만물 물, 흐를 류
[(physical) distribution]
물품(物品)을 유통(流通)하거나 보관하는 활동. '물적유통'(物的流通)의 준말. ¶물류회사에 입사하다.

물리 物理 | 만물 물, 이치 리
[laws of nature; physics]
❶[속뜻] 모든 사물(事物)의 바른 이치(理致). ❷[물리] '물리학'(物理學)의 준말.

물산 物産 | 만물 물, 낳을 산
[local products; produce]
한 지방에서 물품(物品)을 생산(生産)하는 일. 또는 그 물건. ¶물산 장려운동을 벌이다.

물색 物色 | 만물 물, 빛 색
[color of a thing; selecting]
❶[속뜻] 물건(物件)의 빛깔[色]. ¶물색 고운 저고리. ❷물건의 빛깔로 구별한다는 뜻에서, 어떤 기준에 맞는 사람이나 물건 따위를 고르는 일. ¶후임을 물색하다.

물욕 物慾 | 만물 물, 욕심 욕
[worldly desires; love of gain]
물질(物質)에 대한 욕심(慾心). ¶물욕에 사로잡히다.

물의 物議 | 만물 물, 의논할 의
[public discussion; controversy]
❶[속뜻] 어떤 사물(事物)에 대해 논의(論議)함. ❷어떤 사람 또는 단체의 처사에 대하여 많은 사람이 이러쿵저러쿵 논평하는 상태. ¶물의를 빚다 / 물의를 일으키다.

물자 物資 | 만물 물, 재물 자 [goods]
어떤 활동에 필요한 각종 물건(物件)이나 재물[資]. ¶물자가 풍부하다.

물정 物情 | 만물 물, 실상 정
[state of things; conditions of affairs]
❶[속뜻] 만물(萬物)의 실상[情]. ❷세상의 사물(事物)이나 인심. ¶세상 물정에 어둡다.

물증 物證 | 만물 물, 증거 증 [real evidence]
[법률] 물건(物件)으로 뚜렷이 드러난 증거(證據). '물적증거'(物的證據)의 준말. ¶뚜렷한 물증을 찾다.

물질 物質 | 만물 물, 바탕 질
[substance; material]
❶[속뜻] 물건(物件)의 본바탕[質]. ❷[물리] 자연계 구성 요소의 하나로 공간의 일부를 차지하고 질량을 갖는 것. [반]정신(精神).

물체 物體 | 만물 물, 몸 체 [physical solid; object]
구체적인 형체(形體)를 가지고 존재하는 것[物].

물품 物品 | 만물 물, 물건 품 [things; goods]
쓸모 있는 물건(物件)이나 제품(製品).

• 역순어휘

거:물 巨物 | 클 거, 만물 물 [big figure]
❶[속뜻] 거창(巨創)한 물건(物件). ❷사회적으로 큰 영향력을 가진 뛰어난 인물. ¶이 작가는 문단의 거물이다.

건:물 建物 | 세울 건, 만물 물
[building; structure]
건축(建築) 구조물(構造物). ¶현대적 건물 / 이 건물은 지진에도 끄떡없다. [비]구조물(構造物).

걸물 傑物 | 뛰어날 걸, 만물 물 [great man]
뛰어난[傑] 사람[物].

고:물 古物 | 옛 고, 만물 물 [old article]
❶[속뜻] 옛날[古] 물건(物件). ❷낡고 헌 물건. ¶이 라디오는 고물이 되었다. [비]폐물(廢物).

곡물 穀物 | 곡식 곡, 만물 물 [cereal; corn]
사람의 식량[穀]이 되는 먹을거리[物]. ¶곡물을 재배하다. [비]곡식(穀食).

공:물 貢物 | 바칠 공, 만물 물 [tribute]
[역사] 나라에 세금으로 바치던[貢] 지방의 특산물(特産物). [비]폐공(幣貢), 조공(租貢).

광:물 鑛物 | 쇳돌 광, 만물 물 [mineral]

광업 암석[鑛]이나 토양 중에 함유된 천연 무기물(無機物). ¶지하에는 많은 광물이 매장되어 있다.

괴:물 怪物 | 이상할 괴, 만물 물 [monster]
❶속뜻 괴상(怪狀)하게 생긴 물체(物體). ¶영화에 나온 괴물은 정말 실감났다. ❷'괴상한 사람'을 비유하여 이르는 말. ¶100미터를 8초에 뛰다니, 그는 정말 괴물이다. ⓑ괴짜.

귀:물 鬼物 | 귀신 귀, 만물 물
귀신(鬼神)같이 괴상한 물건(物件).

금:물 禁物 | 금할 금, 만물 물 [prohibited thing]
❶속뜻 매매나 사용이 금지(禁止)된 물건(物件). ❷해서는 안 되는 일. ¶방심은 금물이다.

기물 器物 | 그릇 기, 만물 물 [vessel; utensil]
그릇[器] 따위의 물건(物件). ¶기물 파손죄. ⓑ기명(器皿).

뇌물 賂物 | 뇌물 줄 뇌, 만물 물 [bribe; grease]
직권을 이용하여 특별한 편의를 보아 달라는 뜻으로 주는[賂] 부정한 금품[物]. ¶뇌물을 받다.

동:물 動物 | 움직일 동, 만물 물 [animal]
❶속뜻 살아 움직이며[動] 생활하는 물체(物體). ❷생물 생물을 식물과 함께 둘로 대별할 때의 하나로, 새·짐승·물고기 등의 총칭. ❸사람을 제외한 짐승을 통틀어 이르는 말. ⓑ식물(植物).

만:물 萬物 | 일만 만, 만물 물
[all things; all creation]
❶속뜻 온갖[萬] 물건(物件). ❷우주에 존재하는 모든 것. ¶인간은 만물의 영장(靈長)이다. ⓑ만유(萬有).

명물 名物 | 이름 명, 만물 물
[well-known product; institution]
❶속뜻 그 지방에서 나는 유명(有名)한 물품(物品). '명산물'(名産物)의 준말. ¶안성의 명물은 유기(鍮器)다. ❷독특한 것으로 이름이 난 사람이나 사물. ¶그는 이 동네 명물이다.

문물 文物 | 글월 문, 만물 물 [civilization; culture]
문화(文化)의 산물(産物). 법률, 학문, 예술, 종교 따위. ¶서양의 문물을 받아들이다.

미물 微物 | 작을 미, 만물 물
[creature of no account]
❶속뜻 작고 보잘것없는[微] 물건(物件). ❷벌레 따위의 작은 동물. ¶아무리 하찮은 미물이라도 함부로 죽여서는 안 된다.

박물 博物 | 넓을 박, 만물 물
[having wide knowledge]
❶속뜻 여러[博] 사물(事物)에 대하여 두루 앎. ❷여러 가지 사물과 그에 대한 참고가 될 만한 물건.

보:물 寶物 | 보배 보, 만물 물 [treasure]
보배로운[寶] 물건(物件). 썩 드물고 귀한 물건. ¶동대문은 대한민국 보물 제1호이다. ⓑ보배, 보화(寶貨).

사:물[1] 四物 | 넉 사, 만물 물
❶민속 풍물에 흔히 쓰이는 네[四] 가지 민속 타악기[物]. 꽹과리, 징, 북, 장구를 이른다. ❷음악 네 사람이 각기 사물을 가지고 어우러져 치는 놀이. '사물놀이'의 준말.

사물[2] 私物 | 사사로울 사, 만물 물 [private thing]
개인[私]이 가지고 있는 물건(物件). ⓑ관물(官物).

사:물[3] 事物 | 일 사, 만물 물 [things; affairs]
일[事]이나 물건(物件). ¶같은 사물이라도 보는 관점에 따라 다를 수 있다.

산:물 産物 | 낳을 산, 만물 물 [product; result]
❶속뜻 일정한 곳에서 생산(生産)되어 나오는 물건(物件). ¶이 고장의 대표적 산물은 곶감이다. ❷어떤 것에 의하여 생겨나는 사물이나 현상을 비유적으로 이르는 말. ¶노력의 산물.

생물 生物 | 살 생, 만물 물
[living thing; creature]
생명(生命)을 가지고 스스로 생활 현상을 유지하여 나가는 물체(物體). 영양·운동·생장·증식을 하며, 동물·식물·미생물로 나뉜다. ¶숲속의 생물을 관찰하다.

선:물 膳物 | 드릴 선, 만물 물
[give a present; make a gift]
남에게 물건(物件)을 선사(膳賜)함. 또는 선사한 그 물품. ¶생일 선물 / 그는 나에게 시계를 선물했다.

속물 俗物 | 속될 속, 만물 물 [snob; philistine]
돈, 권력 등 자신의 이익만을 좇는 천한[俗] 사람[物].

식물 植物 | 심을 식, 만물 물 [plant]
식물 나무와 풀같이 땅에 심어져[植] 있는 물체(物體). ⓑ동물(動物).

실물 實物 | 실제 실, 만물 물 [real thing]
실제(實際)로 있는 물건(物件)이나 사람. ¶사진보다 실물이 낫다.

약물 藥物 | 약 약, 만물 물 [medicine; drugs]
약학 약(藥)으로 쓰이는 물질(物質). ¶약물 치료.

어물 魚物 | 물고기 어, 만물 물 [fishes; dried fish]
생선[魚]이나 생선을 가공하여 만든 물품(物品).

예물 禮物 | 예도 례, 만물 물 [wedding presents]
❶속뜻 사례(謝禮)의 뜻으로 보내는 돈이나 물건(物件). ❷혼인할 때 신랑과 신부가 기념으로 주고받는 물품. ¶결혼 예물.

오:물 汚物 | 더러울 오, 만물 물 [garbage]
지저분하고 더러운[汚] 물건(物件). 쓰레기나 배설물

따위. ¶오물 처리 시설 / 오물을 함부로 버리지 마시오.

유물 遺物 | 남길 유, 만물 물
[relic; remains; vestiges]
❶속뜻 옛날 사람들이 남긴[遺] 물건(物件). ¶석기시대의 유물. ❷죽은 사람이 남긴 물건. ¶할머니의 유물을 정리하다.

인물 人物 | 사람 인, 만물 물
[person; able man; character]
❶속뜻 인간(人間)과 물건(物件). ❷뛰어난 사람. ¶그는 큰 인물이 될 것이다. ❸생김새나 됨됨이로 본 사람. ¶그는 인물은 좋은데 키가 좀 작다.

작물 作物 | 지을 작, 만물 물 [crops]
농사를 지어[作] 얻은 식물(植物). '농작물'(農作物)의 준말. ¶이 지방의 주요 작물은 밀이다.

장물 贓物 | 숨길 장, 만물 물 [stolen property]
법률 부당하게 취득하여 숨겨놓은[贓] 남의 물건(物件).

재물 財物 | 재물 재, 만물 물
[property; effects; goods]
재산(財産)이 될만한 물건(物件). ¶그는 재물에 눈이 어두워졌다. (비)재화(財貨).

정물 靜物 | 고요할 정, 만물 물 [stationary things]
정지하여[靜] 움직이지 아니하는 물건(物件).

제:물 祭物 | 제사 제, 만물 물
[things offered in sacrifice]
제사(祭祀)에 쓰는 음식물(飮食物). ¶양을 제물로 바치다. (비)제수(祭需).

조:물 造物 | 만들 조, 만물 물
❶속뜻 만물(萬物)을 만듦[造]. ❷조물주가 만든 온갖 물건.

주:물 鑄物 | 쇠 불릴 주, 만물 물 [casting]
공업 쇳물을 일정한 틀 속에 부어 굳혀 만든[鑄] 물건(物件).

지물 紙物 | 종이 지, 만물 물 [paper goods]
종이[紙]나 종이에 속하는 물건(物件).

직물 織物 | 짤 직, 만물 물
[textile fabrics; cloth]
실을 짜서[織] 만든 물건(物件). 면직물, 모직물, 견직물 따위. ¶자연 직물이라 느낌이 좋다.

철물 鐵物 | 쇠 철, 만물 물
[metal goods; hardware]
❶속뜻 쇠[鐵]로 만든 온갖 물건(物件). ❷특히 쇠로 만든 자질구레한 물건을 이르는 말.

패:물 佩物 | 찰 패, 만물 물
[personal ornaments]
몸에 차는[佩] 물건(物件). ¶패물을 모두 팔아서 살림에 보탰다.

폐:물 廢物 | 버릴 폐, 만물 물
[useless thing; waste material]
못쓰게 되어 버린[廢] 물건(物件). ¶폐물이 된 자전거.

포:물 拋物 | 던질 포, 만물 물
어떤 물체(物體)를 던짐[拋].

풍물 風物 | 풍습 풍, 만물 물
[scenery and customs]
❶속뜻 어떤 지방의 풍습(風習)과 산물(産物). ¶세계 각국의 독특한 풍물을 소개하다. ❷음악 농악에 쓰는 악기를 통틀어 이르는 말. 꽹과리, 태평소, 소고, 북, 장구, 징 따위. ¶그는 신나게 풍물을 쳤다.

해:물 海物 | 바다 해, 만물 물 [marine products]
바다[海]에서 나는 것[物]. '해산물'(海産物)의 준말.

화:물 貨物 | 재물 화, 만물 물 [freight; cargo]
경제 재물[貨]의 가치가 있는 물품(物品). ¶트럭에 화물을 싣다.

0084 [시]

時 때 시
(부) 日부 (획) 10획 (中) 时 [shí]
時 時 時 時 時 時 時 時 時 時

> 時자가 갑골문에서는 '해 일'(日)과 '발자국 지'(止)가 조합된 것이었다. 후에 추가된 寺(관청 사)가 표음요소임은 詩(시 시)와 侍(모실 시)의 경우도 마찬가지다. '계절'(=四時, a season)이 본뜻인데 '때'(time), '시간'(an hour)' 등으로 확대 사용됐다.

시가 時價 | 때 시, 값 가 [current price]
어느 시기(時期)의 물건 값[價]. ¶시가가 배로 올랐다. (비)시세(時勢).

시각 時刻 | 때 시, 새길 각 [time; hour]
❶속뜻 때[時]를 나타내기 위해 새긴[刻] 점. ❷시간의 어느 한 시점. ¶나는 현지 시각으로 오후 4시에 시카고에 도착했다.

시간 時間 | 때 시, 사이 간 [hour]
❶속뜻 어떤 시각(時刻)에서 어떤 시각까지의 사이[間]. ¶책을 보면서 시간을 보내다. ❷시각(時刻). ¶약속 시간. ❸어떤 일을 하기로 정해진 동안. ¶수업 시간.

시계 時計 | 때 시, 셀 계 [watch; clock]
시각을 나타내거나 시간(時間)을 재는[計] 장치 또는 기계를 통틀어 이르는 말.

시공 時空 | 때 시, 빌 공 [spacetime]

시간(時間)과 공간(空間). ¶이 작품은 시공을 뛰어넘는 예술성이 있다.

시급 時急 | 때 시, 급할 급 [be pressing; urgent]
시간적(時間的)으로 매우 급(急)하다. ¶시급한 문제 / 친환경 에너지를 개발하는 일은 매우 시급하다.

시기¹ 時期 | 때 시, 기약할 기 [time; period]
❶속뜻 때[時]를 기약(期約)함. ❷어떤 일이나 현상이 진행되는 때. ¶지금은 매우 어려운 시기이다. ⓑ기간(期間), 때.

시기² 時機 | 때 시, 때 기 [opportunity; chance]
어떤 일을 하는 데 가장 알맞은 때[時]나 기회(機會). ¶시기를 엿보다.

시대 時代 | 때 시, 연대 대 [age; period]
어떤 기준에 따라 시기(時期)를 구분한 연대(年代). ¶조선 시대 / 시대에 뒤떨어진 생각을 하다.

시무 時務 | 때 시, 일 무
때[時]에 따라 필요한 일[務]. 당장에 시급한 일.

시방 時方 | 때 시, 바로 방 [now]
이때[時]나 방금(方今). 말하는 이때. ⓑ지금.

시보 時報 | 때 시, 알릴 보
[news sheet; review; time signal]
표준 시간(時間)을 알리는[報] 일. ¶라디오에서 12시를 알리는 시보가 울렸다.

시세 時勢 | 때 시, 형세 세
[signs of the times; current price]
❶속뜻 어떤 시기(時期)의 형세(形勢). 시대(時代)의 추세(趨勢). ❷거래할 당시의 가격. ¶아파트 시세가 좋다. ⓑ시가(時價).

시속 時速 | 때 시, 빠를 속 [speed per hour]
한 시간(時間)을 단위로 하여 잰 속도(速度). ¶말은 시속 60km로 달릴 수 있다.

시식 時食 | 때 시, 밥 식
[seasonable foods; food in season]
그 계절[時]에 특별히 있는 음식(飮食). 또는 그 시절에 알맞은 음식. ¶시식에 남달리 관심이 많다.

시일 時日 | 때 시, 날 일 [day]
❶속뜻 때[時]와 날[日]. 날짜. ❷기일이나 기한. ¶시일을 늦추다.

시절 時節 | 때 시, 철 절
[time; occasion; season]
❶속뜻 무슨 일을 하기에 알맞은 때[時]나 철[節]. ❷사람의 한 평생을 여럿으로 나눌 때의 어느 한 동안. ¶학창 시절. ❸계절(季節).

시점 時點 | 때 시, 점 점 [point of time]
시간(時間)의 흐름 위의 어떤 한 점(點). ¶적절한 시점에 다시 얘기하자.

시조 時調 | 때 시, 가락 조
❶속뜻 시절(時節)을 읊는 노래[調]. '시절가조'(時節歌調)의 준말. ❷문학 고려 말기부터 발달하여 온 우리나라 고유의 정형시. ¶시조를 짓다.

시차 時差 | 때 시, 다를 차 [time difference]
❶속뜻 세계 각 지역별 시간(時間) 차이(差異). ¶한국과 일본은 시차가 나지 않는다. ❷시간에 차이가 나게 하는 일. ¶1조와 2조는 2시간의 시차를 두고 출발했다.

시침 時針 | 때 시, 바늘 침
[hour hand of a timepiece]
시계에서 시(時)를 가리키는 짧은 바늘[針].

시한 時限 | 때 시, 끝 한 [deadline]
어떤 일을 끝마치기로 한 시간(時間)의 한계(限界). ¶원서 제출 시한은 이번 주 토요일까지이다.

시효 時效 | 때 시, 효과 효 [prescription]
❶속뜻 효과(效果)가 지속되는 시간적(時間的) 범위. ❷법률 어떤 사실 상태가 일정 기간 계속되는 일. ¶내일이면 그 사건의 시효가 끝난다.

• 역순어휘

교:시 校時 | 학교 교, 때 시 [class; lesson]
학교(學校)의 수업 시간(時間)을 세는 단위. ¶1교시는 수학수업이다.

금시 今時 | 이제 금, 때 시
[nowadays; these days]
❶속뜻 지금(只今) 이 때[時]. 금방. ❷곧. 바로.

당시 當時 | 당할 당, 때 시 [at that time; then]
어떤 일을 당한[當] 바로 그때[時]. 또는 이야기하고 있는 그 시기. ¶그 당시를 생각해 보다 / 사고 당시의 충격.

동시 同時 | 같을 동, 때 시 [same time]
❶속뜻 같은[同] 때[時]. 같은 시간. ¶동시 통역 / 그 영화는 동시에 개봉했다. ❷아울러. 곧바로. 잇달아. ¶종소리와 동시에 출발했다.

매:시 每時 | 마다 매, 때 시
[hour after hour]
시간(時間) 마다[每]. '매시간'의 준말.

불시 不時 | 아닐 불, 때 시 [unexpectedness]
뜻하지 아니한[不] 때[時]. ¶친구가 불시에 찾아오다.

사:시 四時 | 넉 사, 때 시 [four seasons]
네[四] 계절[時]. ⓑ사계(四季), 사계절(四季節), 사철, 춘하추동(春夏秋冬).

삼시 三時 | 석 삼, 때 시 [three daily meals]
❶속뜻 세[三] 번의 때[時]. ❷아침, 점심, 저녁의 세 끼

니. 또는 그 끼니 때. ¶삼시 세 때를 챙겨 먹다.

삽시 霎時 | 가랑비 삽, 때 시
[minute; moment; instant]
가랑비[霎]가 잠시 내리는 때[時]. 아주 짧은 시간. '삽시간'(霎時間)'의 준말.

상시 常時 | 보통 상, 때 시 [at all times; always]
❶속뜻 임시가 아닌 관례대로의 보통[常] 때[時]. ¶할머니는 손자의 사진을 상시 지니고 다닌다. ❷보통 때. '평상시'(平常時)의 준말. ¶상시 연습을 철저히 해라. (비)항시(恒時).

생시 生時 | 날 생, 때 시
[time of one's birth; one's waking hours]
❶속뜻 태어난[生] 시간(時間). ❷자지 아니하고 깨어 있을 때. ¶이게 꿈이냐, 생시냐! ❸살아 있는 동안.

세:시 歲時 | 해 세, 때 시
[New Year; times and seasons]
❶속뜻 해[歲]를 넘기는 때[時]. 설. ❷일 년 중의 그때그때. ¶세시 풍속.

수시 隨時 | 따를 수, 때 시 [anytime]
❶속뜻 때[時]에 따라서[隨]. 때때로. ❷그때그때. ¶수시 모집.

일시[1] 一時 | 한 일, 때 시 [once]
❶속뜻 한[一] 때[時]. ❷같은 때. ¶일시에 외치다 / 일시에 그들의 시선이 내게로 쏠렸다.

일시[2] 日時 | 날 일, 때 시 [date and time]
날짜[日]와 시간(時間). ¶출발 일시 및 장소 / 회의 일시 및 장소는 아직 정해지지 않았다.

임시 臨時 | 임할 림, 때 시 [being temporary]
❶속뜻 일정한 때[時]에 다다름[臨]. 또는 그 때. ❷필요에 따른 일시적인 때. ¶임시열차 / 임시 휴교 (반)상시(常時), 정기(定期).

자시 子時 | 첫째지지 자, 때 시
민속 십이시의 첫 번째[子] 시(時). 밤 11시부터 오전 1시까지이다.

잠:시 暫時 | 잠깐 잠, 때 시 [moment]
잠깐[暫] 동안[時]. ¶잠시 후에 다시 오겠다. (비)잠깐.

적시 適時 | 알맞을 적, 때 시 [timely]
적당(適當)한 시기(時期). 알맞은 때. ¶그는 적시에 나타나 나를 구해줬다.

전:시 戰時 | 싸울 전, 때 시
[wartime; time of war]
전쟁(戰爭)이 벌어진 때[時]. ¶그 나라는 지금 전시 상태이다.

정:시 定時 | 정할 정, 때 시
[fixed time; stated period]
일정(一定)한 시간(時間) 또는 시기. ¶정시 뉴스

즉시 卽時 | 곧 즉, 때 시
[immediately; instantly; at once]
바로 그[卽] 때[時]. 곧바로. ¶무슨 일이 생기면 즉시 의사를 부르세요.

평시 平時 | 보통 평, 때 시 [normal times]
보통[平] 때[時]. '평상시'(平常時)의 준말. ¶그는 평시보다 일찍 학교에 도착하였다.

0085 [정]

正

바를 정(:)
(부) 止부 (획) 5획 (중) 正 [zhèng]

正 正 正 正 正

正자는 '정벌하다'(attack)가 본뜻이다. 최초의 자형은 정벌 대상의 나라를 가리키는 '口'에 정벌하러 나선 군인들의 행군을 나타내는 '발자국 지'(止)가 합쳐진 모양이었는데, 나중에 그 '口'가 '一'로 간략하게 변하여 오늘에 이르고 있다. '바르다'(right)는 의미로 확대 사용되는 예가 많아지자, 본뜻은 征(칠 정)자를 따로 만들어 나타냈다. '정월'(January) 또는 이와 의미상 연관이 있는 낱말의 한 구성요소로도 쓰인다.

속뜻훈음 ①바를 정, ②정월 정.

정:각 正刻 | 바를 정, 시각 각 [exact time]
틀림없는 바로[正] 그 시각(時刻). ¶12시 정각에 만나자.

정:곡 正鵠 | 바를 정, 과녁 곡 [bull's-eye; mark]
❶속뜻 과녁[鵠]의 바로[正] 한가운데. ¶화살이 정곡에 꽂히다. ❷가장 중요한 요점 또는 핵심. ¶정곡을 찌르다 / 정곡을 벗어나다.

정:과 正果 | 바를 정, 열매 과
[fruit preserved in honey]
❶속뜻 여러 과일[果]을 두루 바로[正] 갖춤. ❷온갖 과일, 생강, 연근, 인삼 따위를 꿀이나 설탕물에 졸여 만든 음식. ¶손님에게 차와 정과를 대접하다.

정:규 正規 | 바를 정, 법 규 [formality; regularity]
정식(正式) 규정이나 규범(規範). ¶정규 방송 / 정규 직원.

정:답 正答 | 바를 정, 답할 답 [correct answer]
옳은[正] 답(答). 맞는 답. ¶정답을 맞히다. (반)오답(誤答).

정:당 正當 | 바를 정, 마땅 당 [just; right]
바르고[正] 마땅하다[當]. 이치가 당연하다. ¶정당한

권리 / 정당한 방법으로 돈을 벌었다.

정:대 正大 | 바를 정, 큰 대
[fair; just; fair and square]
바르고[正] 크다[大]. 바르고 옳아서 사사로움이 없다. ¶정대한 행동.

정:립 正立 | 바를 정, 설 립 [correct; right]
바로[正] 섬[立]. 또는 바로 세움. ¶가치관의 정립 / 올바른 노사 관계를 정립하다.

정:면 正面 | 바를 정, 낯 면 [front; front side]
똑바로[正] 마주 보이는 면(面). ¶정면에 보이는 건물이 병원이다.

정:문 正門 | 바를 정, 문 문
[front gate; main entrance]
건물의 정면(正面)에 있는 출입문(出入門). ¶학교 정문에서 만나자. ㊥후문(後門).

정:상 正常 | 바를 정, 늘 상
[normalcy; normality]
바른[正] 상태(常態). 이상한 데가 없는 보통의 상태. ¶오후에는 정상 수업을 한다. ㊥비정상(非正常).

정:색 正色 | 바를 정, 빛 색
[primary colors; look serious]
❶속뜻 안색(顔色)을 바르게[正] 함. ❷얼굴에 엄정한 빛을 나타냄. 또는 그 표정. ¶정색을 하고 말하다.

정:서 正書 | 바를 정, 쓸 서
[write in the square style]
글씨를 흘려 쓰지 아니하고 또박또박 바르게[正] 씀[書]. 또는 그렇게 쓴 글씨.

정:식 正式 | 바를 정, 법 식
[proper form; formality]
규정대로의 바른[正] 방식(方式). 정당한 방식. ¶정식으로 소개를 받다.

정:오 正午 | 바를 정, 낮 오 [noon; high noon]
낮[午]의 한[正] 가운데. 열두 시. 태양이 한가운데 위치하는 시각. ㊥오정(午正). ㊥자정(子正).

정월 正月 | 바를 정, 달 월 [January; Jan]
한 해의 첫째 날인 정삭(正朔)이 있는 달[月]. 음력으로 한 해의 첫째 달. ¶정월 초하루.

정:의 正義 | 바를 정, 옳을 의 [justice; right]
❶속뜻 올바른[正] 도리[義]. ❷바른 뜻이나 가치. ¶정의를 위해 싸우다 / 정의의 사나이.

정:자 正字 | 바를 정, 글자 자
[correct form of a character]
❶속뜻 바른[正] 글자[字]. ¶이름을 정자로 또박또박 쓰세요. ❷한자의 약자나 속자가 아닌 본디의 글자를 이르는 말.

정:장 正裝 | 바를 정, 꾸밀 장
[formal dress; full dress; full uniform]
정식(正式)의 복장(服裝)을 함. 또는 그 복장. ¶단정한 정장 차림.

정:종 正宗 | 바를 정, 종파 종
❶불교 창시자의 정통(正統)을 이어받은 종파(宗派). ❷일본식으로 빚어 만든 맑은 술. 일본 상품명이다.

정:직 正直 | 바를 정, 곧을 직 [honest; upright]
마음에 거짓이나 꾸밈이 없이 바르고[正] 곧음[直]. ¶정직이 내 좌우명이다. ㊥부정직(不正直).

정:찰 正札 | 바를 정, 쪽지 찰 [price tag]
물건의 정당(正當)한 값을 적은 쪽지[札]. ¶정찰 가격.

정:체 正體 | 바를 정, 몸 체
[real form; one's true character]
❶속뜻 바른[正] 형체(形體). ❷참된 본디의 형체. ¶범인의 정체는 아직 밝혀지지 않았다.

정초 正初 | 정월 정, 처음 초
[first ten days of January]
정월(正月) 초순(初旬). 그 해의 맨 처음.

정:통 正統 | 바를 정, 계통 통
[orthodoxy; legitimacy]
❶속뜻 바른[正] 계통(系統). ¶일본의 정통 요리를 맛보다. ❷빗나가지 않고 정확한 것. ¶그는 머리를 정통으로 얻어맞고 쓰러졌다.

정:확 正確 | 바를 정, 굳을 확 [correct; exact]
바르고[正] 확실(確實)함. ¶그는 모든 일에 정확을 기한다 / 좀 더 정확히 이야기해 줘. ㊥부정확(不正確).

• 역순어휘

개:정 改正 | 고칠 개, 바를 정 [reform]
고치어[改] 바르게[正]함. ¶헌법을 개정하다.

공정 公正 | 공평할 공, 바를 정 [just; fair]
공평(公平)하고 올바름[正]. ¶일을 공정히 처리하다 / 공정한 재판. ㊥공명정대(公明正大). ㊥불공정(不公正).

교:정[1] 校正 | 고칠 교, 바를 정 [proofread]
출판 교정쇄와 원고를 대조하여 다른 곳을 고쳐[校] 바르게[正] 함. ¶원고를 교정하다.

교:정[2] 矯正 | 바로잡을 교, 바를 정
[correct; reform]
❶속뜻 틀어지거나 삐뚤어진 것을 바르게[正] 바로잡음[矯]. ¶치아 교정 / 척추 교정. ❷법률 교도소나 소년원 따위에서 재소자의 잘못된 품성이나 행동을 바로잡음. ¶교정시설에서 보호를 받다.

구:정 舊正 | 옛 구, 정월 정

예전[舊]부터 음력 1월 1일 설[正朔]로 정해 지냈던 것. '신정'(新正)에 상대하여 이른다.

단정 端正 | 바를 단, 바를 정 [neat; tidy]
자세가 바르고[端] 마음이 올바름[正]. 품행이 단정함. ¶단정하게 앉다. (비)얌전하다.

부정 不正 | 아닐 부, 바를 정 [unfair; unjust]
올바르지[正] 아니하거나[不] 옳지 못함. ¶입시 부정 / 부정을 방지하다. (반)공정(公正).

수정 修正 | 고칠 수, 바를 정 [amend; revise]
고쳐[修] 바로잡음[正]. ¶헌법 수정 / 계획을 수정하다.

시:정 是正 | 옳을 시, 바를 정 [correct]
잘못된 것을 옳고[是] 바르게[正] 함. ¶잘못된 점은 반드시 시정해야 한다.

신정 新正 | 새 신, 정월 정 [New Year's day]
새[新]해 정삭(正朔)인 양력 1월 1일. (반)구정(舊正).

엄정 嚴正 | 엄할 엄, 바를 정 [exacts; strict]
태도가 엄격(嚴格)하고 공정(公正)함. ¶엄정한 심사를 거쳐 작품을 선별했다.

자정 子正 | 아들 자, 바를 정 [midnight]
십이시의 자시(子時)의 한가운데[正]. 밤 12시. ¶그는 자정이 넘어서야 집에 돌아왔다. (비)정자(正子). (반)정오(正午).

적정 適正 | 알맞을 적, 바를 정
[proper; appropriate]
알맞고[適] 바른[正] 정도. ¶적정 온도 / 적정 수준 / 적정한 방법을 찾아 문제를 해결하자.

정정 訂正 | 바로잡을 정, 바를 정 [correct; rectify]
글자나 글 따위의 잘못을 바로잡아[訂] 바르게[正] 고침. ¶정정 기사 / 문제가 있는 곳을 정정한 후에 원고를 다시 제출했다.

진정 眞正 | 참 진, 바를 정 [truly]
❶**속뜻** 참되고[眞] 바르게[正]. ❷거짓 없이 참으로. ¶진정한 애국자 / 선생님을 뵙게 되어 진정 반갑습니다.

0086 [립]

立 설 립
(部) 立부 (획) 5획 (中) 立 [lì]
立 立 立 立 立

立자는 '서다'(stand)는 뜻을 나타내기 위하여 땅바닥[一] 위에 어른[大]이 떡 버티고 서 있는 모습을 그린 것이다. 두 발로 설 수 있다는 것만으로도 얼마나 큰 행복인가는 병원에 가보면 금방 알 수 있다.

입건 立件 | 설 립, 사건 건 [book on charge]
법률 범죄 사실을 인정하여 사건(事件)을 성립(成立) 시킴. ¶형사 입건 / 경찰은 그를 폭행 혐의로 입건했다.

입동 立冬 | 설 립, 겨울 동 [onset of winter]
겨울[冬]이 시작된다고[立] 하는 11월 초순의 절기. 상강(霜降)과 소설(小雪) 사이. ¶입동이니 김장을 해야겠다.

입법 立法 | 설 립, 법 법 [legislate]
❶**속뜻** 법(法)을 세움[立]. ❷법을 제정하는 행위. ¶국회의 입법 과정.

입신 立身 | 설 립, 몸 신 [succeed in life]
자신(自身)의 명성을 세움[立]. 사회적으로 기반을 닦고 출세함. ¶입신을 꾀하다 / 과거에 급제해 입신하고자 모든 일을 뒤로 미뤘다.

입장 立場 | 설 립, 마당 장 [position]
❶**속뜻** 서[立] 있는 곳[場]. ❷처해있는 상황이나 형편. ¶제 입장도 좀 이해해 주세요.

입증 立證 | 설 립, 증명할 증 [prove]
증거를 세워[立] 증명(證明)함. ¶입증의 의무는 경찰에게 있다 / 실험을 통해 김치의 항암 효과가 입증되었다.

입체 立體 | 설 립, 몸 체 [solid]
❶**속뜻** 세워[立] 놓은 물체(物體). ❷**수학** 삼차원의 공간에서 여러 개의 평면이나 곡면으로 둘러싸인 부분.

입추 立秋 | 설 립, 가을 추
가을[秋]이 시작된다[立]고 하는 절기. 대서(大暑)와 처서(處暑) 사이로 8월 8일경이다. ¶입추가 지나자 바람이 서늘해졌다.

입춘 立春 | 설 립, 봄 춘 [onset of spring]
봄[春]이 시작된다[立]고 하는 절기. 대한(大寒)과 우수(雨水) 사이로 2월 4일경이다. ¶강릉에서는 입춘에 문설주에 엄나무 가지를 매다는 풍습이 있다.

입하 立夏 | 설 립, 여름 하 [onset of summer]
여름[夏]이 시작된다[立]고 하는 절기. 곡우(穀雨)와 소만(小滿) 사이로 5월 6일경이다.

입헌 立憲 | 설 립, 법 헌
[establish a constitution]
헌법(憲法)을 제정함[立].

입회 立會 | 설 립, 모일 회 [be present]
❶**속뜻** 모여[會] 섬[立]. ❷어떠한 사실이 발생하거나 존재하는 현장에 함께 참석하여 지켜봄. ¶우리는 부동산 중개인의 입회 아래 땅 주인과 매매 계약을 하였다.

• **역순어휘**

건:립 建立 | 세울 건, 설 립 [erect; build]
❶**속뜻** 건물, 기념비, 동상, 탑 따위를 만들어 세움[建=

立]. ¶동상을 건립하다. ❷기관, 조직체 따위를 새로 조직함. ¶학교를 건립하다.

고립 孤立 | 외로울 고, 설 립 [be isolated]
❶속뜻 홀로 외따로[孤] 떨어져 있음[立]. ❷남과 어울리지 못하고 외톨이가 됨. ¶외부와 완전히 고립되다. ㊐사면초가(四面楚歌).

공립 公立 | 관공서 공, 설 립 [public institution]
지방공공단체[公]가 설립(設立)하여 운영하는 일. 또는 그 시설. ¶공립 도서관. ㊥사립(私立).

관립 官立 | 벼슬 관, 설 립
[government institution]
국가기관[官]에서 세움[立]. ¶관립 학교.

국립 國立 | 나라 국, 설 립 [national; state]
❶속뜻 나라[國]에서 세움[立]. ❷국가(國家)의 돈으로 설립(設立)하여 운영함. ¶국립 도서관. ㊐공립(公立). ㊥사립(私立).

기립 起立 | 일어날 기, 설 립 [stand up; rise]
일어나서[起] 섬[立]. ¶기립박수. ㊥착석(着席).

난:립 亂立 | 어지러울 란, 설 립
[be all running for election at once]
❶속뜻 무질서하고 어지럽게[亂] 늘어섬[立]. ¶무허가 건물이 난립하다. ❷선거 따위에서 많은 후보가 무턱대고 마구 나섬.

대:립 對立 | 대할 대, 설 립 [be opposed to]
❶속뜻 서로 마주하여[對] 섬[立]. 서로 맞서거나 버팀. ❷서로 반대되거나 모순됨. 또는 그런 관계. ¶양당이 대립하고 있다. ㊐대치(對峙), 대항(對抗).

도:립 道立 | 길 도, 설 립 [provincial]
시설 따위를 도(道)에서 세워[立] 운영함. ¶도립 도서관 / 도립 병원.

독립 獨立 | 홀로 독, 설 립
[become independent]
❶속뜻 독자적(獨自的)으로 존립(存立)함. ❷다른 것에 예속하거나 의존하지 아니하는 상태로 있음. ❸정치 한 나라가 정치적으로 완전한 주권을 행사함.

매립 埋立 | 묻을 매, 설 립 [fill up; reclaim]
우묵한 땅을 메워[埋] 올림[立]. ¶바다를 매립해 농지를 만들다. ㊐매축(埋築).

분립 分立 | 나눌 분, 설 립 [set up independently]
따로 갈라져서[分] 섬[立]. 또는 갈라서 세움. ¶우리나라의 정치제도는 입법, 사법, 행정의 삼권분립을 원칙으로 한다.

사립 私立 | 사사로울 사, 설 립
[private establishment]
개인이나 민간단체가[私] 설립(設立)하여 유지하는 일. ¶사립학교. ㊥공립(公立), 국립(國立).

설립 設立 | 세울 설, 설 립
[establish; found; set up]
학교, 회사 따위의 단체나 기관을 새로 설치(設置)하여 세움[立]. ¶대학교 설립 / 우리는 중국에 공장을 설립할 계획이다.

성립 成立 | 이룰 성, 설 립 [be made up of]
일이나 관계 따위를 제대로 이루어[成] 바로 세움[立]. ¶봉건 사회의 성립 / 계약이 성립하다.

수립 樹立 | 나무 수, 설 립
[establishment; founding]
❶속뜻 나무[樹]를 세움[立]. ❷국가나 정부, 제도, 계획 등 추상적인 것을 세움. ¶대책 수립 / 세계신기록 수립.

시:립 市立 | 저자 시, 설 립 [municipal]
시(市)에서 설립(設立)하고 경영하는 일. 또는 그러한 시설. ¶시립 도서관.

연립 聯立 | 잇달 련, 설 립
[ally oneself; coalesce]
둘 이상의 것이 이어[聯] 성립(成立)함. ¶연립정권.

옹:립 擁立 | 껴안을 옹, 설 립 [enthrone]
임금으로 모시어[擁] 세움[立]. ¶어린 세자를 새 왕으로 옹립하다.

왕립 王立 | 임금 왕, 설 립 [royal]
국왕(國王)이나 왕족이 세움[立]. 또는 그런 것. ¶왕립 박물관.

자립 自立 | 스스로 자, 설 립 [independence]
❶속뜻 스스로[自] 섬[立]. ❷남에게 의지하거나 남의 지배를 받지 않고 자기 힘으로 해 나감. ¶자립 생활 / 자립 경제.

정:립[1] 正立 | 바를 정, 설 립 [correct; right]
바로[正] 섬[立]. 또는 바로 세움. ¶가치관의 정립 / 올바른 노사 관계를 정립하다.

정:립[2] 定立 | 정할 정, 설 립 [thesis]
❶속뜻 정(定)하여 세움[立]. ¶먼저 일의 방향을 정립하는 것이 우선이다. ❷철학 어떤 논점에 대하여 반론을 예상하고 주장함. 또는 그런 의견이나 학설.

조립 組立 | 끈 조, 설 립 [assemble; construct]
❶속뜻 끈[組]으로 엮거나 만들어 세움[立]. ❷여러 부품을 하나의 구조물로 엮어 만듦. ¶선물로 받은 장난감 로봇을 조립했다.

존립 存立 | 있을 존, 설 립 [exist]
❶속뜻 생존(生存)하여 자립(自立)함. ❷국가, 제도, 단체, 학설 따위가 그 위치를 지키며 존재함. ¶사형제 존립에 대한 논쟁 / 국가가 존립하려면 우선 국민이 있어야 한다.

중립 中立 | 가운데 중, 설 립 [neutrality]
❶속뜻 중간(中間)에 섬[立]. ❷어느 편에도 치우치지 아니하고 공정하게 처신함. ¶사회자는 토론에서 중립적인 태도를 취해야 한다.

창:립 創立 | 처음 창, 설 립 [found; establish; set up]
학교나 회사, 기관 따위를 처음으로[創] 세움[立]. ¶창립 기념 행사. ⓑ창설(創設).

확립 確立 | 굳을 확, 설 립 [establish; settle]
확고(確固)하게 세움[立]. ¶가치관을 확립하다.

0087 [직]

直

곧을 직
部 目부 획 8획 中 直 [zhí]

直 直 直 直 直 直 直 直

直자의 원형은 '똑바로 보다'(look straight ahead)는 뜻을 나타내기 위하여 '눈 목'(目) 위에 수직선(丨)이 똑 바로 그어져 있는 것이었다. 후에 '丨'이 '十'으로 바뀌고 'ㄴ'이 추가되었지만 이러한 변화는 의미를 고려한 것이 아니라 글자 모양의 균형미를 위한 것이었다. 부수가 '目'으로 지정되어 있음을 알기 힘드니 이 기회에 잘 알아두자. '곧다'(straight), '당번'(duty; watch; turn) 등을 나타내는 것으로도 쓰인다.

속뜻 훈음 ①곧을 직, ②당번 직.

직각 直角 | 곧을 직, 뿔 각 [right angle]
수학 모서리가 무디거나 날카롭지 않은 똑바른[直] 각(角). 두 직선(直線)이 만나서 이루는 90도의 각. ¶몸을 직각으로 굽혀 인사하다.

직감 直感 | 곧을 직, 느낄 감 [know by intuition]
사물이나 현상을 접하면 진상을 곧바로[直] 느낌[感]. ¶위험이 다가오고 있음을 직감했다 / 형사는 직감적으로 그가 범인임을 알아챘다.

직결 直結 | 곧을 직, 맺을 결 [be linked directly with]
다른 사물이 개입하지 아니하고 직접(直接) 연결(連結)됨. ¶이것은 사람들의 건강 문제와 직결된다.

직경 直徑 | 곧을 직, 지름길 경 [diameter]
❶속뜻 원의 중간을 곧바로[直] 가로지르는[徑] 선. ❷수학 원이나 구 따위에서 중심을 지나는 직선으로 그 둘레 위의 두 점을 이은 선분. ¶직경 5cn의 원을 그리세요. ⓑ지름.

직계 直系 | 곧을 직, 이어 맬 계 [direct line]
혈연이 친자 관계에 의하여 직접(直接) 이어져 있는 계통(系統). ¶직계 가족이 아니면 들어오실 수 없습니다.

직관 直觀 | 곧을 직, 볼 관 [intuition; sixth sense]
철학 직접(直接) 봄[觀]. 또는 직접 보아 앎. ¶그는 직관이 뛰어나다.

직렬 直列 | 곧을 직, 줄 렬 [series]
전기 전기 회로에서 전지나 저항기 따위를 곧게[直] 줄지어[列] 연결하는 것. '직렬연결'(直列連結)의 준말. ⓑ병렬(竝列).

직류 直流 | 곧을 직, 흐를 류 [direct current; continuous current]
❶속뜻 곧게[直] 흐름[流]. ❷전기 시간이 지나도 전류의 크기와 방향이 변하지 아니하는 전류. ⓑ교류(交流).

직매 直賣 | 곧을 직, 팔 매 [sell directly]
경제 중간상인을 거치지 아니하고 직접[直] 팖[賣]. ¶직매하는 계란을 사기 때문에 싸게 살 수 있다.

직면 直面 | 곧을 직, 낯 면 [face]
어떠한 일이나 사물을 직접(直接) 대면(對面)함. ¶몹시 어려운 문제에 직면하다.

직선 直線 | 곧을 직, 줄 선 [straight line]
곧은[直] 선(線). ¶두 점을 직선으로 연결하시오. ⓑ곡선(曲線).

직성 直星 | 당번 직, 별 성
❶민속 사람의 나이에 따라 그 운명에 대한 당번[直]을 하고 있는 아홉 가지 별[星]. 제웅직성, 토직성, 수직성, 금직성, 일직성, 화직성, 계도직성, 월직성, 목직성으로 남자는 열 살에 제웅직성이 들기 시작하고, 여자는 열한 살에 목직성이 들기 시작하여 차례로 돌아간다. ❷타고난 성질이나 성미. ¶일이 직성에 맞지 않는다 / 나는 하고 싶은 일을 해야 직성이 풀린다. 관용 직성이 풀리다.

직속 直屬 | 곧을 직, 속할 속 [belonging directly]
직접(直接) 소속(所屬)됨. 또는 그런 소속. ¶직속선배 / 몇몇 부서가 대통령에 직속되었다.

직영 直營 | 곧을 직, 꾀할 영 [manage directly]
사업을 직접(直接) 관리하여 이익을 꾀함[營]. ¶본사 직영 매장 / 시청에서 직영하는 사업.

직전 直前 | 곧을 직, 앞 전 [just before]
어떤 일이 일어나기 바로[直] 전(前). ¶시험 직전에 병원에 입원했다. ⓑ직후(直後).

직접 直接 | 곧을 직, 맞이할 접 [directly; personally]
중간에 매개 따위가 없이 곧바로[直] 맞이함[接]. ¶이 목걸이는 직접 만든 것이다. ⓑ간접(間接).

직진 直進 | 곧을 직, 나아갈 진 [go straight on]
곧바로[直] 나아감[進]. ¶계속 직진하면 우체국이 나옵니다.

직파 直播 | 곧을 직, 뿌릴 파 [plan directly]
농업 모를 못자리에서 기른 뒤 논밭으로 옮겨 심지 않고 씨를 직접(直接) 논밭에 뿌리는[播] 일.

직판 直販 | 곧을 직, 팔 판 [sale directly]
경제 유통 과정 없이 생산자가 소비자에게 직접(直接) 팖[販]. ¶농산물을 시세보다 싸게 직판하다. ⓑ직매(直賣).

직할 直轄 | 곧을 직, 관할할 할 [control directly]
중간에 다른 기구나 조직을 통하지 아니하고 직접(直接) 관할(管轄)함. ¶국방부 직할 부대.

직행 直行 | 곧을 직, 갈 행
[go straight to; run through to]
도중에 다른 곳에 머무르거나 들르지 아니하고 바로[直] 감[行]. ¶이 버스는 목포까지 직행한다.

직후 直後 | 곧을 직, 뒤 후 [immediately after]
어떤 일이 있고 난 바로[直] 다음[後]. ¶그때는 전쟁 직후라 경제가 몹시 어려웠다. ⓑ즉후(即後). ⓑ직전(直前).

• 역순어휘

강직 剛直 | 굳셀 강, 곧을 직
[be upright; incorruptible]
굳세고[剛] 올곧다[直]. ¶그는 어려서부터 강직했다. ⓑ교활(狡猾)하다.

경직 硬直 | 단단할 경, 곧을 직 [stiffen]
❶속뜻 단단하고[硬] 곧음[直]. ❷생각이나 태도 등이 매우 딱딱함. ¶경직된 분위기. ⓑ강직(強直). ⓑ유연(柔軟).

당직 當直 | 맡을 당, 당번 직 [being on duty]
❶속뜻 숙직(宿直), 일직(日直) 같은 당번[直]을 맡음[當]. 또는 그런 사람. ¶어젯밤에 당직을 섰다. ❷조선시대, 의금부의 도사(都事)가 한 사람씩 번을 들어 소송 사무를 처결하던 곳. ⓑ당번(當番).

솔직 率直 | 소탈할 솔, 곧을 직 [honest; frank]
거짓이나 숨김이 없이 소탈하고[率] 올곧음[直]. ¶나는 너의 솔직한 생각을 듣고 싶다. ⓑ꾸밈없다.

수직 垂直 | 드리울 수, 곧을 직
[perpendicularity; verticality]
❶속뜻 똑바로[直] 내려온[垂] 모양. ¶헬리콥터가 수직으로 상승했다. ❷수학 선과 선, 선과 면, 면과 면이 서로 만나 직각을 이룬 상태. ¶장대를 수직으로 세우다.

숙직 宿直 | 잠잘 숙, 당번 직 [be on night duty]
다들 잠자는[宿] 밤에 당번[直]을 맡아 지킴. 또는 그 사람. ¶숙직 교사.

우직 愚直 | 어리석을 우, 곧을 직
[simple and honest]
어리석을[愚] 정도로 올곧다[直]. 고지식하다. ¶우직한 사람.

일직 日直 | 낮 일, 당번 직 [be on day duty]
낮[日]이나 일요일에 당번[直]이 되어 직장을 지킴. 또는 그런 사람.

정:직 正直 | 바를 정, 곧을 직 [honest; upright]
마음에 거짓이나 꾸밈이 없이 바르고[正] 곧음[直]. ¶정직이 내 좌우명이다. ⓑ부정직(不正直).

충직 忠直 | 충성 충, 곧을 직 [faithful]
충성(忠誠)스럽고 곧음[直]. ¶개는 주인에게 충직한 동물로 알려져 있다.

하:직 下直 | 아래 하, 당번 직 [bid farewell]
❶역사 당번[直] 일을 마치고 궁궐 아래[下]로 내려옴. ❷먼 길을 떠날 때 웃어른에게 작별을 고함. ¶부모님께 하직 인사를 드리다 / 고향을 하직하다. ⓑ상직(上直).

0088 [남]

男 사내 남
部 田부 획 7획 中 男 [nán]

男 男 男 男 男 男 男

男자는 '남자'(=사내, a man)란 낱말을 적기 위하여 '발 전'(田)과 '힘 력'(力)을 합쳐 놓았다. 농경사회에서 남자가 해야 할 몫을 말해 주는 대목이다.

남녀 男女 | 사내 남, 여자 녀
[male and female; both sexes]
남자(男子)와 여자(女子).

남매 男妹 | 사내 남, 누이 매 [brother and sister]
오빠[男]와 누이[妹]. 누나와 남동생. ⓑ오누이.

남성 男性 | 사내 남, 성별 성 [male]
❶속뜻 성(性)의 측면에서 남자(男子)를 이르는 말. ❷언어 인도-유럽어 문법에서 단어를 성(性)에 따라 구별한 종류의 한 가지. 남성 명사, 남성 대명사 따위. ⓑ여성(女性).

남아 男兒 | 사내 남, 아이 아 [boy; manly man]
❶속뜻 사내[男] 아이[兒]. ¶남아를 선호하다. ❷남자다운 남자. ¶씩씩한 대한의 남아. ⓑ여아(女兒).

남자 男子 | 사내 남, 접미사 자 [man]
❶속뜻 남성(男性)인 사람[子]. ¶남자 친구. ❷남성다운 사내. ¶그는 남자 중에 남자이다. ⓑ여자(女子), 여인(女人), 부녀자(婦女子), 아녀자(兒女子), 여성(女

性).

남장 男裝 | 사내 남, 꾸밀 장
[male attire; men's clothes]
여자가 남자(男子)처럼 꾸며 차림[裝]. ¶그녀는 남장을 하고 아버지를 대신해 전쟁터에 나갔다. (반)여장(女裝).

남탕 男湯 | 사내 남, 욕탕 탕
[men's bathroom (of a public bath)]
남자(男子)들이 목욕하는 탕(湯). (반)여탕(女湯).

남편 男便 | 사내 남, 쪽 편 [husband]
혼인한 부부의 남자(男子) 쪽[便]을 일컫는 말. (비)부군(夫君). (반)아내.

• 역순어휘 ——— •

득남 得男 | 얻을 득, 사내 남 [birth of a son]
사내[男] 아이를 낳음[得]. (비)생남(生男), 생자(生子). (반)득녀(得女).

미:남 美男 | 아름다울 미, 사내 남
[handsome man]
얼굴이 아름다운[美] 남자(男子). '미남자'의 준말. ¶그는 타고난 미남이다. (반)추남(醜男).

선:남 善男 | 착할 선, 사내 남
성품이 착한[善] 남자(男子).

장:남 長男 | 어른 장, 사내 남 [eldest son]
맏[長] 아들[男]. ¶김 씨네 장남이 대를 이어 국밥집을 운영한다. (비)큰아들. (반)장녀(長女).

차남 次男 | 버금 차, 사내 남 [one's second son]
둘째[次] 아들[男]. ¶이 아이가 제 차남입니다. (반)차녀(次女).

처남 妻男 | 아내 처, 사내 남
[one's wife's brother]
아내[妻]의 남자[男] 형제.

쾌남 快男 | 기쁠 쾌, 사내 남 [brick]
성격상 잘 기뻐하는[快] 사내[男].

0089 [공]

空 빌[虛] 공
部 穴부 劃 8획 中 空 [kōng]

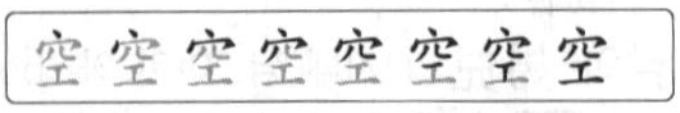

空자는 원래 '구멍'(a hole)을 뜻하는 것이었으니 '구멍 혈'(穴)이 표의요소로, 工(장인 공)이 표음요소로 쓰였다. 구멍은 안이 텅 비어 있으므로 '비다'(empty)는 뜻도 이것으로 나타냈다. '하늘'(the sky; the air)을 이르기도 한다. 佛家(불가)에서는, 일체 사물의 현상은 인연에 따라 생겼다가 없어지기에 모든 것이 '空'이라 했고, 道家(도가)에서는 현실에 집착하지 않는 것을 '空'이라 했다.

[속뜻 훈음] ①빌 공, ②하늘 공.

공간 空間 | 빌 공, 사이 간 [space]
❶[속뜻] 아무것도 없이 비어[空] 있는 곳[間]. ¶좁은 공간에 사람들이 빽빽이 들어섰다. ❷모든 방향으로 끝없이 펼쳐져 있는 빈 곳. ¶생활 공간 / 휴식 공간.

공군 空軍 | 하늘 공, 군사 군
[air force; flying corps]
[군사] 하늘[空]을 지키는 군대(軍隊). 주로 항공기를 사용하여 적을 공격하거나 방어한다. ¶우리 오빠는 공군이다. (반)육군(陸軍), 해군(海軍).

공기¹ 空氣 | 하늘 공, 기운 기 [air; atmosphere]
❶[속뜻] 하늘[空]에 가득한 대기(大氣). ❷지구를 둘러싼 대기의 하층부를 구성하는 기체. ¶신선한 공기. ❸그 자리에 감도는 기분이나 분위기. ¶공기가 심상찮다. (비)상황(狀況).

공기² 空器 | 빌 공, 그릇 기 [bowl]
❶[속뜻] 아무것도 담겨 있지 않은 빈[空] 그릇[器]. ❷위가 넓게 벌어지고 밑이 좁은 작은 그릇. ❸밥 따위를 담아 그 분량을 세는 단위. ¶밥 세 공기 주세요.

공란 空欄 | 빌 공, 칸 란 [blank]
지면의 빈[空] 칸[欄]. ¶맞는 답을 공란에 적어 넣으시오.

공백 空白 | 빌 공, 흰 백
[blank space; marginal space]
❶[속뜻] 텅 비어[空] 아무것도 없음[白]. ❷종이 따위에 글씨를 쓰거나 그림을 그리고 남은 자리. ¶궁금한 점을 공백에 적었다. (비)여백(餘白).

공복 空腹 | 빌 공, 배 복
[hunger; empty stomach]
아무것도 먹지 않아 비어[空] 있는 배[腹]. 빈 속. ¶이 약은 공복에 먹어야 한다.

공사 空士 | 하늘 공, 선비 사 [Air Force Academy]
[군사] 공군(空軍) 장교[士]를 양성하는 4년제 정규 군사학교. '공군사관학교'(空軍士官學校)의 준말.

공상 空想 | 빌 공, 생각 상 [fancy]
실행할 수 없거나 실현될 수 없는 헛된[空] 생각[想]. ¶공상에 빠지다. (비)몽상(夢想). (반)현실(現實).

공수 空輸 | 하늘 공, 나를 수 [air transport]
[교통] '항공수송'(航空輸送)의 준말. ¶공수부대.

공습 空襲 | 하늘 공, 습격할 습 [air raid]
[군사] 비행기로 공중(空中)에서 습격(襲擊)하는 일. ¶공습훈련.

공연 空然 | 빌 공, 그러할 연 [vain; fruitless]
까닭 없이[空] 그렇게[然]. 이유나 필요 없이. ¶공연한 짓을 하다 / 공연히 트집을 잡다. (비)부질없다.

공전 空轉 | 빌 공, 구를 전 [skid; run idle]
❶[속뜻] 바퀴가 헛[空]도는[轉] 일. ❷일이나 행동이 헛되이 진행됨.

공중 空中 | 하늘 공, 가운데 중 [air; sky]
하늘[空]의 한가운데[中]. 하늘과 땅 사이의 빈 곳. ¶새가 공중으로 날아올랐다. (비)허공(虛空). (반)육상(陸上), 해상(海上).

공책 空冊 | 빌 공, 책 책 [notebook]
글씨를 쓸 수 있게 아무것도 쓰여지지 않은[空] 종이를 매어 놓은 책(冊).

공항 空港 | 하늘 공, 항구 항 [airport]
❶[속뜻] 하늘[空]을 나는 비행기를 위한 항구(港口) 같은 곳. ❷항공 수송을 위해 여러 가지 시설을 갖춘 곳. (비)비행장(飛行場).

공허 空虛 | 빌 공, 빌 허 [be empty; hollow]
❶[속뜻] 속이 텅 빔[空=虛]. ❷헛됨. ¶공허한 글. (반)충실(充實).

공활 空豁 | 빌 공, 넓을 활
[spacious; wide; extensive]
텅 비고[空] 매우 넓다[豁]. ¶공활한 가을 하늘.

• 역순어휘 •

대:공 對空 | 대할 대, 하늘 공 [anti-aircraft]
지상에서 공중(空中)의 목표물을 상대(相對)함. ¶군은 대공 미사일을 개발했다.

방공 防空 | 막을 방, 하늘 공 [air defense]
항공기나 미사일에 의한 공중(空中) 공격을 막음[防]. ¶방공 훈련.

상:공 上空 | 위 상, 하늘 공 [sky]
❶[속뜻] 어떤 지역의 위[上]에 있는 공중(空中). ¶서울 상공에 적기가 나타났다. ❷높은 하늘. ¶전투기는 수천 피트 상공으로 날아올랐다.

시공 時空 | 때 시, 빌 공 [space time]
시간(時間)과 공간(空間). ¶이 작품은 시공을 뛰어넘는 예술성이 있다.

진공 眞空 | 참 진, 빌 공 [vacuum]
[물리] 물질이 전혀 존재하지 아니하고 진정(眞正)으로 비어있는[空] 곳. 인위적으로 만들어낼 수는 없고, 실제 극히 저압의 상태를 이른다. ¶진공으로 포장하면 음식을 오래 보존할 수 있다.

항:공 航空 | 건널 항, 하늘 공 [airline]
❶[속뜻] 하늘[空]을 건넘[航]. ❷비행기로 하늘을 날아다님. ¶항공 노선 / 항공요금.

허공 虛空 | 빌 허, 하늘 공 [empty sky]
텅 빈[虛] 하늘[空]. ¶가만히 허공을 바라보다. (비)공중(空中).

0090 [자]

自

스스로 자
(部) 自부 (劃) 6획 (中) 自 [zì]

自 自 自 自 自 自

自자는 코 모양을 본뜬 것이니 원래는 '코'(a nose)를 일컫는 말이었다. 臭(냄새 취)나 息(숨쉴 식)자의 표의요소로 쓰인 自를 보면 이것이 '코'를 가리키는 것이었음을 증명할 수 있다. 후에 1인칭 대명사(I, my, me)로 쓰이는 경우가 많아지자, 표음요소인 畀(비)를 덧붙인 '코 비'(鼻)자가 추가로 만들어졌다. '스스로'(personally), '~부터'(from) 등의 뜻으로도 쓰인다.

[속뜻훈음] ①스스로 자, ②부터 자.

자가 自家 | 스스로 자, 집 가 [one's own house]
자기(自己) 집[家].

자각 自覺 | 스스로 자, 깨달을 각
[realize; awake to]
❶[속뜻] 자기 상태 따위를 스스로[自] 깨달음[覺]. ❷스스로 느낌. ¶간암은 자각 증세가 없다 / 우선 자기 힘을 자각하는 것이 중요하다.

자결 自決 | 스스로 자, 결정할 결 [kill oneself]
❶[속뜻] 일을 스스로[自] 해결(解決)함. ¶민족 자결 주의. ❷스스로 목숨을 끊음. ¶그녀는 누명을 쓴 억울함으로 자결하였다. (비)자살(自殺).

자고 自古 | 부터 자, 옛 고 [since early times]
옛[古] 부터[自]. ¶자고로 한국인은 흰 옷을 즐겨 입었다.

자국 自國 | 스스로 자, 나라 국
[one's native land]
자기(自己) 나라[國]. ¶양국은 자국의 이익을 위해 협상을 벌였다.

자급 自給 | 스스로 자, 줄 급 [be self-sufficient]
필요한 것을 자기(自己) 스스로 공급(供給)함. 스스로 마련함. ¶브라질은 총 에너지의 90%를 자급한다 / 식량 자급률.

자긍 自矜 | 스스로 자, 자랑할 긍 [pride oneself]
스스로[自] 자랑함[矜].

자기 自己 | 스스로 자, 몸 기 [oneself]

❶속뜻 자신[自]의 몸[己]. ❷그 사람. 앞에서 이야기된 사람을 다시 가리키는 말. 자신(自身). ¶지혜는 자기가 가겠다고 했다. ⓑ자신(自身). ⓟ남.

자동 自動 | 스스로 자, 움직일 동
[move automatically]
사람의 힘이 닿지 않아도 스스로[自] 움직임[動]. ¶이 청소기는 자동으로 움직인다. ⓟ수동(手動).

자립 自立 | 스스로 자, 설 립 [independence]
❶속뜻 스스로[自] 섬[立]. ❷남에게 의지하거나 남의 지배를 받지 않고 자기 힘으로 해 나감. ¶자립 생활 / 자립 경제.

자만 自慢 | 스스로 자, 건방질 만 [self conceit]
스스로[自] 건방지게[慢] 행동함. ¶상대 팀이 아무리 약해도 자만은 금물이다. ⓟ겸손(謙遜).

자멸 自滅 | 스스로 자, 없어질 멸
[destroy oneself; ruin oneself]
❶속뜻 스스로[自] 멸망(滅亡)함. ❷자기 행동이 원인이 되어 자기가 멸망함. ¶자멸을 초래하다.

자명[1] 自明 | 스스로 자, 밝을 명
[self-evident; obvious]
❶속뜻 스스로[自] 밝히다[明]. ❷증명이나 설명의 필요 없이 그 자체만으로 명백하다. ¶자명한 이치 / 그 계획은 성공할 것이 자명하다.

자명[2] 自鳴 | 스스로 자, 울 명
저절로[自] 소리가 남[鳴].

자문 自問 | 스스로 자, 물을 문 [ask oneself]
스스로[自] 자신에게 물음[問]. ¶우리는 자신의 행동에 대해 자문해 볼 필요가 있다.

자발 自發 | 스스로 자, 드러낼 발 [self-activity]
자기 뜻을 스스로[自] 드러냄[發]. 스스로 함.

자백 自白 | 스스로 자, 말할 백 [confess]
자기 비밀을 직접[自] 털어놓고 말함[白]. 또는 그 진술. ¶경찰은 마침내 그의 자백을 받아냈다.

자부 自負 | 스스로 자, 힘입을 부 [pride]
❶속뜻 스스로[自]의 재능, 능력에 힘입음[負]. ❷자기의 재능이나 능력 따위에 자신을 가지고 스스로 자랑으로 생각함. 또는 그런 마음.

자살 自殺 | 스스로 자, 죽일 살 [kill oneself]
스스로[自] 자기를 죽임[殺]. 자기 목숨을 끊음. ¶자살 소동을 벌이다 / 그는 신세를 비관하여 자살했다. ⓑ자결(自決). ⓟ타살(他殺).

자생 自生 | 스스로 자, 살 생
[grow wild; grow naturally]
❶속뜻 자신(自身)의 힘으로 살아감[生]. ¶자생 능력 / 자생과 자멸을 거듭하다. ❷저절로 나서 자람. ¶자생 춘란 / 이 지역에서는 선인장이 자생한다.

자서 自敍 | 스스로 자, 쓸 서
[write one's own story]
자기에 관한 일을 자기(自己)가 서술(敍述)함.

자수[1] 自手 | 스스로 자, 손 수
[by one's own efforts]
❶속뜻 자기(自己)의 손[手]. ❷자기(自己) 혼자의 노력(勞力). 또는 힘.

자수[2] 自首 | 스스로 자, 머리 수
[deliver oneself to justice]
❶속뜻 스스로[自] 머리[首]를 내밂. ❷법률 죄를 범한 사람이 자진하여 수사기관에 범죄 사실을 자백함. ¶그는 경찰에 자수하기로 결심했다.

자습 自習 | 스스로 자, 익힐 습
[study independently]
가르치는 이 없이 혼자 스스로[自] 공부하여 익힘[習]. ¶자습 시간 / 그 아이는 한글을 자습하여 책도 제법 잘 읽는다.

자신[1] 自身 | 스스로 자, 몸 신 [oneself]
제[自] 몸[身]. ¶너 자신을 알라. ⓑ자기(自己). ⓟ남, 타인(他人).

자신[2] 自信 | 스스로 자, 믿을 신 [be confident]
자기(自己)을 믿음[信]. 또는 그런 마음. ¶나는 영어와 중국어에 자신이 있다 / 그는 이번 대회에서 성공을 자신했다.

자아 自我 | 스스로 자, 나 아 [ego]
나[我] 자신(自身). 자기 자신. ¶그녀는 자아 발견을 위한 여행을 떠났다. ⓟ타아(他我).

자연 自然 | 스스로 자, 그러할 연 [nature]
❶속뜻 스스로[自] 그러함[然]. ❷사람의 손에 의하지 않고 스스로 존재하는 것이나 일어나는 현상. ¶자연의 법칙 / 풍장(風葬)은 시체를 비바람에 자연히 없어지게 하는 방법이다 / 우리는 자연스럽게 친해졌다. ❸사람의 힘이 더해지지 아니하고 저절로 생겨난 산, 강, 바다, 식물, 동물 따위의 존재. ¶자연을 사랑하다 / 자연을 보존하다. ⓟ인위(人爲).

자원 自願 | 스스로 자, 원할 원 [volunteer]
스스로[自] 원(願)함. ¶자원봉사 / 그는 오지 근무를 자원했다.

자위 自慰 | 스스로 자, 달랠 위
[console oneself; comfort oneself]
❶속뜻 스스로[自] 자기 마음을 달램[慰]. ¶그는 목숨을 건진 것만도 다행이라고 자위했다. ❷자기의 생식기를 자극하여 성적 쾌감을 얻는 것.

자유 自由 | 스스로 자, 말미암을 유 [free; liberal]

자기(自己) 마음이 내키는 대로[由] 행동하는 일. ¶개인의 자유는 존중되어야 한다 / 의견을 자유롭게 말하다 / 우리 학교 학생은 누구나 자유로이 강당을 이용할 수 있다. [반]구속(拘束).

자율 自律 | 스스로 자, 법 률 [self-control]
스스로의 의지로 자신(自身)의 행동을 규제함[律]. ¶자율 학습. [반]타율(他律).

자의 自意 | 스스로 자, 뜻 의 [one's own will]
자기 스스로[自]의 생각이나 의견(意見). ¶자의로 회사를 그만두다. [반]타의(他意).

자인 自認 | 스스로 자, 알 인 [acknowledge]
스스로[自] 인정(認定)함. ¶그는 자신의 잘못을 자인했다.

자작 自作 | 스스로 자, 지을 작 [make oneself]
❶[속뜻]스스로[自] 손수 만듦[作]. 또는 그 물건. ❷자기 농토에 직접 농사를 지음. [비]가작(家作). [반]소작(小作).

자전 自轉 | 스스로 자, 구를 전
[turn on its axis; rotate]
❶[속뜻]스스로[自] 돎[轉]. ❷[천문]천체(天體)가 그 내부를 지나는 축(軸)을 중심으로 회전하는 일. ¶지구의 자전으로 밤과 낮이 생긴다. [반]공전(公轉).

자제 自制 | 스스로 자, 누를 제 [refrain from]
욕망, 감정 따위를 스스로[自] 억누름[制]. ¶건물에서는 흡연을 자제해 주십시오.

자조 自助 | 스스로 자, 도울 조 [self help]
스스로[自] 자기를 도움[助]. ¶자조 정신 / 자조는 최상의 도움이다.

자족 自足 | 스스로 자, 넉넉할 족 [self-sufficient]
스스로[自] 만족(滿足)함. 또는 그 만족.

자존 自尊 | 스스로 자, 높을 존
[self-respect; self-esteem]
스스로[自] 자기를 높이거나[尊] 잘난 체함.

자주 自主 | 스스로 자, 주인 주 [independence]
자기(自己)가 주인(主人)이 되어 자신의 일을 스스로 처리하는 일.

자중 自重 | 스스로 자, 무거울 중
[use prudence; be cautious]
❶[속뜻]자기(自己)를 소중(所重)히 함. ❷말이나 행동, 몸가짐 따위를 신중하게 함. ¶앞으로는 좀 더 자중하겠습니다.

자진 自進 | 스스로 자, 나아갈 진 [volunteer]
제 스스로[自] 나감[進]. ¶자진신고.

자책 自責 | 스스로 자, 꾸짖을 책
[blame oneself; reproach oneself]
자기의 잘못을 스스로[自] 꾸짖음[責]. 스스로 책임져야 할 일. ¶그는 아들의 잘못이 자기 탓이라고 자책했다.

자처 自處 | 스스로 자, 살 처 [think oneself as]
스스로[自] 그렇게 처신(處身)함. ¶한국 핸드볼팀은 세계 최강임을 자처한다.

자청 自請 | 스스로 자, 청할 청 [volunteer]
어떤 일을 자기 스스로[自] 청(請)함. ¶그녀는 자신이 가겠다고 자청 했다 / 그는 힘든 일을 자청하여 떠맡았다.

자체 自體 | 스스로 자, 몸 체 [itself]
❶[속뜻]그 스스로[自]의 몸[體]이나 모양. ¶그는 남성스러움 그 자체다. ❷스스로 하는 것. ¶자체 조사를 실시하다.

자초[1] 自初 | 부터 자, 처음 초
어떤 일이 비롯된 처음[初]부터[自].

자초[2] 自招 | 스스로 자, 부를 초 [incur; court]
어떤 결과를 자기 스스로[自] 불러들임[招]. ¶화(禍)를 자초하다.

자취 自炊 | 스스로 자, 불 땔 취
[live apart from one's own family]
스스로[自] 밥을 지음[炊]. ¶자취 생활 / 그는 서울에서 자취하면서 대학에 다닌다.

자치 自治 | 스스로 자, 다스릴 치 [self government]
❶[속뜻]스스로[自] 다스림[治]. ❷[법률]지방 자치 단체 등의 공선(公選)된 사람들이 그 범위 안의 행정이나 사무를 자주적으로 처리함. ¶자치 도시.

자칭 自稱 | 스스로 자, 일컬을 칭 [self professed]
남에게 자기(自己)를 일컬음[稱]. 스스로 말함. ¶아까 자칭 가수라는 사람이 왔다 갔어요.

자타 自他 | 스스로 자, 다를 타
[oneself and others]
자기(自己)와 남[他]. ¶그는 자타가 공인하는 한국 최고의 야구선수이다.

자택 自宅 | 스스로 자, 집 택 [one's own house]
자기(自己) 집[宅]. 상대방이나 제3자에 대하여 쓸 수 있는 말이다. ¶자택 주소를 적어 주십시오.

자퇴 自退 | 스스로 자, 물러날 퇴
[leave of one's own accord]
스스로[自] 물러남[退].

자폭 自爆 | 스스로 자, 터질 폭
[suicide explosion; self-destroy]
❶[속뜻]스스로[自] 폭파(爆破)시킴. ❷자기가 지닌 폭발물을 스스로 폭발시켜 자기 목숨을 끊음. ¶자폭 테러 / 그는 수류탄을 터뜨려 자폭했다.

자필 自筆 | 스스로 자, 글씨 필 [autograph]
자기[自]가 직접 쓴 글씨[筆]. ¶자필 서명 / 그는 자필로 추천서를 써주었다. [반]대필(代筆).

자학 自虐 | 스스로 자, 모질 학 [torture oneself]
스스로[自] 자기를 학대(虐待)함. ¶어쩔 수 없는 일이었으니 자학하지 마라.

자해 自害 | 스스로 자, 해칠 해 [injure oneself]
스스로[自] 자기 몸을 해(害)침. ¶그는 극심한 스트레스로 자해했다.

자화 自畵 | 스스로 자, 그림 화
자기(自己)가 그린 그림[畵].

• **역순어휘** •

각자 各自 | 각각 각, 스스로 자 [each one]
❶[속뜻] 각각(各各)의 자기(自己). ❷저마다 따로따로. ¶밥값은 각자 계산했다. [비]제각각, 제각기, 각각(各各).

독자 獨自 | 홀로 독, 스스로 자 [one's self]
❶[속뜻] 남에게 기대지 않고 혼자[獨] 스스로[自]. ¶독자 노선. ❷다른 것과 구별되는 그 자체만의 특유함. ¶독자 모델.

0091 [답]

答

대답 답
[部] 竹부 [획] 12획 [中] 答 [dá]

答 答 答 答 答 答 答 答 答 答 答 答

'답하다'(reply)는 의미를 어떻게 나타낼 수 있을까? 무척 고심했겠지만 뾰족한 수가 없었다. 하는 수 없이 '배를 묶어 두는 데 사용하는 대나무'를 지칭하는 글자인 '答'자의 음인 [답]이 '답하다'(reply)는 낱말의 독음([답])과 똑같음을 알고는 그것으로 대신하자는 묘안이 제안되어 받아들여졌다. 이른바 '가차'(假借)에 의한 것이었다.

[속뜻훈음] **답할 답.**

답례 答禮 | 답할 답, 예도 례 [give in return]
남의 호의(好意)에 보답(報答)하는 뜻으로 표하는 예(禮). ¶찾아온 손님에게 웃으며 답례하다. [비]사례(謝禮), 사은(謝恩).

답변 答辯 | 답할 답, 말 잘할 변 [answer; reply]
물음에 대하여 답(答)하여 말함[辯]. ¶증인은 검사의 질문에 답변하였다. [비]대답(對答).

답사 答辭 | 답할 답, 말씀 사 [give thanks]
회답(回答)하여 하는 말[辭]. [비]답언(答言). [반]송사(頌辭).

답신 答信 | 답할 답, 소식 신 [reply the letter]
회답(回答)으로 서신(書信)이나 통신(通信)을 보냄. 또는 그 서신이나 통신.

답안 答案 | 답할 답, 생각 안 [answer paper]
❶[속뜻] 답[答]으로 내놓은 생각[案]. ❷문제에 대한 해답(解答). 또는 그 해답을 쓴 종이. ¶시험 답안을 채점하다. [비]해답(解答). [반]문제(問題).

답장 答狀 | 답할 답, 문서 장 [answer a letter]
회답(回答)으로 보내는 편지나 문서[狀]. ¶친구는 답장이 없었다. [비]회신(回信), 답신(答信).

답지 答紙 | 답할 답, 종이 지 [answer paper]
답(答)을 쓴 종이[紙]. '답안지'(答案紙)의 준말. [반]문제지(問題紙).

• **역순어휘** •

대:답 對答 | 대할 대, 답할 답
[answer; reply]
❶[속뜻] 묻는 말에 대(對)하여 답(答)함. ¶선생님의 질문에 대답했다. ❷어떤 문제를 푸는 실마리. 또는 그 해답. ¶잘 생각해보면 대답을 찾을 수 있다. [비]응답(應答), 답변(答辯), 해답(解答). [반]질문(質問).

문:답 問答 | 물을 문, 답할 답
[exchange questions and answers]
물음[問]과 대답[答]. 또는 서로 묻고 대답함. ¶이 책은 문답식으로 되어 있다.

보:답 報答 | 갚을 보, 답할 답
[reward; recompense]
은혜나 호의에 답(答)하여 갚음[報]. ¶좋은 일을 하면 반드시 보답을 받는다.

응:답 應答 | 응할 응, 답할 답
[response; answer]
물음이나 부름에 응(應)하여 대답(對答)함. ¶나는 벨을 눌렀지만 아무도 응답이 없었다. [반]질의(質疑).

정:답 正答 | 바를 정, 답할 답 [correct answer]
옳은[正] 답(答). 맞는 답. ¶정답을 맞히다. [반]오답(誤答).

해:답 解答 | 풀 해, 답할 답 [answer]
❶[속뜻] 문제를 풀어서[解] 밝히거나 답(答)함. 또는 그 답. ¶해답은 뒷장에 있다. ❷어려운 일을 해결하는 방법. ¶해답은 늘 가까운 곳에 있다. [반]문제(問題).

화답 和答 | 어울릴 화, 답할 답 [respond]
서로 잘 어울리는[和] 시나 노래로 대답(對答)함. ¶나는 그의 노래에 화답하여 바이올린을 연주했다.

확답 確答 | 굳을 확, 답할 답
[definite answer]
확실(確實)히 대답(對答)함. ¶확답을 주세요.

회답 回答 | 돌아올 회, 답할 답
[reply; answer]

❶속뜻 돌아온[回] 대답(對答). ❷물음이나 편지 따위에 반응함. 또는 그런 반응. ¶그에게서는 아무런 회답이 없다 / 문서로 회답해 주십시오. ㊥회신(回信).

0092 [거]

車

수레 거/차

㊀ 車부 ㊁ 7획 ㊥ 车 [chē]

車 車 車 車 車 車 車

車자는 수레 모양을 본뜬 것이니 '수레'(a cart)가 본래 의미이다. 가운데 부분은 수레의 바퀴 모양이 변화된 것이다. '탈것'(a vehicle), '자동차' (a motorcar) 등의 의미로 널리 쓰인다. [거]와 [차], 두 가지 독음이 있는데 의미상 확연한 차이가 없다.

차고 車庫 | 수레 차, 곳집 고 [garage; car shed]
차량(車輛)을 넣어 두는 곳[庫]. ¶차고에 차를 대다.

차도 車道 | 수레 차, 길 도
[road; traffic lane; carriageway]
차(車)가 다니는 길[道]. ¶차도에서 놀면 위험하다. ㊥찻길, 차로(車路). ㊦보도(步道), 인도(人道).

차량 車輛 | 수레 차, 수레 량
[car; traffic; carriage]
❶속뜻 열차(列車)의 한 칸[輛]. ¶차량 탈선 사고 ❷도로나 선로 위를 달리는 모든 차를 통틀어 이르는 말. ¶10톤 이상의 차량은 이 도로를 통행할 수 없다.

차로 車路 | 수레 차, 길 로
[roadway; carriageway; traffic lane]
차(車)가 다니는 길[路]. ¶차로가 좁아지다. ㊥차도, 찻길.

차비 車費 | 수레 차, 쓸 비 [fare; carfare]
차(車)를 타는 데 드는 비용(費用). ¶거기까지 가는 데는 차비는 별로 안 든다.

차선 車線 | 수레 차, 줄 선 [traffic lane]
차도(車道)에 그려 놓은 선(線). 포장된 차도에서 차량의 주행 질서를 위하여 주행 방향으로 그려 놓은 선. ¶차선을 따라 똑바로 운전하다.

차종 車種 | 수레 차, 갈래 종 [car model]
자동차(自動車)의 종류(種類). ¶다양한 차종이 전시되어 있다.

차창 車窓 | 수레 차, 창문 창 [car window]
차(車)에 달린 창문(窓門). ¶차창 밖으로 비가 내린다.

차체 車體 | 수레 차, 몸 체 [car body; frame]
차량(車輛)의 몸체[體]. 승객이나 화물을 싣는 부분. ¶사고로 인해 차체가 크게 망가졌다.

차편 車便 | 수레 차, 쪽 편
[public conveyance; by way of a vehicle]
차(車)가 오가는 편(便). ¶거기 가려면 어떤 차편이 있습니까?

차표 車票 | 수레 차, 쪽지 표 [ticket; pass]
차(車)를 탈 수 있음을 증명한 쪽지[票]. ¶차표가 없으면 들어갈 수 없다. ㊥승차권(乘車券).

찻간 車間 | 수레 차, 사이 간
[inside of a train; compartment]
기차(汽車)나 버스 따위에서 사람이 타는 칸[間]. ¶찻간이 텅 비었다.

• 역순어휘

객차 客車 | 손 객, 수레 차 [passenger car]
교통 여행객(旅行客)을 실어 나르는 철도 차량(車輛). '여객열차'(旅客列車)의 준말. ㊦화차(貨車).

기차 汽車 | 수증기 기, 수레 차 [(railroad) train]
증기[汽]나 디젤의 힘으로 움직이는 철도 차량(車輛). ㊥열차(列車).

마:차 馬車 | 말 마, 수레 차 [carriage; coach]
말[馬]이 끄는 수레[車]. ¶마차를 타다 / 마차를 몰다 / 마차에 오르다.

박차 拍車 | 칠 박, 수레 차 [spur; acceleration]
❶속뜻 수레[車]의 말을 차서[拍] 빨리 달리게 하는 도구. ❷말을 탈 때에 신는 구두의 뒤축에 달려 있는 물건. ¶말에 박차를 가하다. ❸어떤 일을 촉진하려고 더하는 힘. ¶기술 개발에 박차를 가하다. 관용 박차를 가하다.

배:차 配車 | 나눌 배, 수레 차 [allocate cars]
일정한 노선이나 구간에 차(車)를 알맞게 나눔[配]. ¶10분 간격으로 버스를 배차하다.

세:차 洗車 | 씻을 세, 수레 차 [wash a car]
자동차(自動車)를 씻는[洗] 일. ¶내가 세차한 날은 꼭 비가 온다.

수차 水車 | 물 수, 수레 차 [water mill]
❶속뜻 물[水]의 힘으로 수레[車]바퀴 모양의 물레를 돌려 곡식을 찧는 방아. 물레방아. ❷물을 자아올리는 기계.

승차 乘車 | 탈 승, 수레 차 [get on a car]
차(車)를 탐[乘]. ¶승차 거부 / 차례로 버스에 승차하다. ㊦하차(下車).

열차 列車 | 벌일 렬, 수레 차 [train]
❶속뜻 줄지어 늘어선[列] 차량(車輛). ❷교통 기관차에 객차나 화차 등을 연결하고 운전 장치를 설비한 차량. ㊥기차(汽車).

전:차[1] 電車 | 전기 전, 수레 차 [electric car]

공중에 설치한 전선에서 전력(電力)을 공급받아 지상에 설치된 궤도 위를 다니는 차(車).

전ː차² 戰車 | 싸울 전, 수레 차 [tank]
❶속뜻 전투(戰鬪)에 쓰는 차(車). ❷군사 무한궤도를 갖추고, 두꺼운 철판으로 장갑(裝甲)하고, 포와 기관총 따위로 무장한 차량. ⓑ탱크(tank).

정차 停車 | 멈출 정, 수레 차 [stop; halt]
움직이던 차(車)가 멈추어[停] 섬. ¶정차 금지. ⓑ정거(停車). ⓑ발차(發車).

주ː차 駐車 | 머무를 주, 수레 차 [park]
자동차(自動車)를 세워 둠[駐]. ¶주차 공간 / 가게 앞에 주차하지 마십시오.

폐ː차 廢車 | 버릴 폐, 수레 차
[scrap a car; take a car out of service]
❶속뜻 낡아서 버린[廢] 차(車). ❷차량 등록이 취소된 차. ¶이 차는 너무 낡아서 폐차해야겠다.

풍차 風車 | 바람 풍, 수레 차 [windmill]
바람[風]의 힘을 이용하여 동력을 얻는 수레[車] 바퀴 모양의 기계 장치. ¶풍차의 날개가 클수록 더 천천히 움직인다.

하ː차 下車 | 아래 하, 수레 차 [get off]
기차나 자동차(自動車) 따위에서 아래[下]로 내려옴. ¶우리는 부산역에서 하차했다. ⓑ승차(乘車).

화ː차 火車 | 불 화, 수레 차
❶속뜻 전쟁 때 불[火]로 적을 공격하는 데 쓰던 수레[車]. ❷임진왜란 때 우리나라에서 사용한 전차(戰車)의 한 가지.

0093 [농]

農

농사 농
部 辰부 획 13획 中 农 [nóng]

農자는 '농사'(farming)의 뜻을 적기 위하여 밭에서 호미[辰]를 들고 일하는 모습을 그린 것이다. 辰(날 신)이 호미 대용으로 쓰던 대합 껍데기의 모양을 본뜬 것임은 후에 만들어진 蜃(대합 신)을 통해 알 수 있다. 曲(굽을 곡)은 잘못 변화된 것이니 뜻과는 무관하다.

농가 農家 | 농사 농, 집 가 [farmhouse]
농업(農業)을 생업으로 삼는 사람의 집[家]. ¶쌀 농가 / 축산 농가.

농경 農耕 | 농사 농, 밭갈 경
[agriculture; farming]
논밭을 갈아[耕] 농사(農事)를 지음. ¶철제 농기구의 사용으로 농경이 발달했다.

농고 農高 | 농사 농, 높을 고
[agricultural highschool]
교육 농업(農業)에 관한 실업 교육을 하는 고등학교(高等學校). '농업고등학교'의 준말. ¶농고를 졸업하고도 장관이 되었다.

농과 農科 | 농사 농, 분과 과
[agricultural department]
교육 대학에서, 농업(農業)에 관한 학문을 전공하는 한 분과(分科).

농군 農軍 | 농사 농, 군사 군 [farm laborer]
❶역사 농사(農事)짓는 일에 종사하던 군사(軍士). ❷농민(農民). ¶그는 농군의 아들답게 농사일에 능숙했다.

농림 農林 | 농사 농, 수풀 림
[agriculture and forestry]
농업(農業)과 임업(林業).

농민 農民 | 농사 농, 백성 민 [farmer]
농업(農業)에 종사하는 사람[民]. ⓑ농부(農夫).

농번 農繁 | 농사 농, 많을 번
농사(農事)일이 많아짐[繁]. ⓑ농한(農閑).

농부 農夫 | 농사 농, 사나이 부 [farmer]
농사(農事)에 종사하는 사람[夫]. ⓑ농민(農民).

농사 農事 | 농사 농, 일 사
[farming; agricultural affairs]
논이나 밭에 곡류, 채소, 과일 등을 심어 가꾸는[農] 일[事]. ⓑ농업(農業).

농악 農樂 | 농사 농, 음악 악 [farm music]
음악 농촌(農村)에서 명절이나 공동 작업을 할 때 연주되는 민속음악(民俗音樂).

농약 農藥 | 농사 농, 약 약
[agricultural chemicals]
농사(農事)에서 소독이나 병충해의 구제 따위에 쓰이는 약품(藥品). ¶농약을 치다.

농업 農業 | 농사 농, 일 업 [agriculture; farming]
땅을 이용하여 인간 생활에 필요한 식물을 가꾸는[農] 산업(産業). ⓑ농사(農事).

농요 農謠 | 농사 농, 노래 요
농부(農夫)들 사이에 전해져 불리는 속요(俗謠). ¶농요를 부르며 김매기를 하다.

농원 農園 | 농사 농, 동산 원 [farm; plantation]
채소, 화초, 과수 따위[農]를 가꾸는 동산[園] 같은 농장.

농자 農資 | 농사 농, 재물 자
농사(農事)일에 드는 비용[資]. ¶농자 마련을 위해 대출을 받다 / 농자금 대출.

농작 農作 | 농사 농, 지을 작 [farming; husbandry]
논밭을 갈아 농사(農事)를 지음[作].

농장 農場 | 농사 농, 마당 장 [farm]
농사(農事)를 짓는 장소(場所).

농지 農地 | 농사 농, 땅 지 [farmland]
농사(農事)를 짓는 데 쓰이는 땅[地]. (비)농토(農土).

농촌 農村 | 농사 농, 마을 촌 [farm village]
농업(農業)으로 생업을 삼는 주민이 대부분인 마을[村]. (반)도시(都市), 도회지(都會地).

농토 農土 | 농사 농, 흙 토 [farmland]
농사(農事)를 짓는 데 쓰이는 땅[土]. (비)농지(農地).

농한 農閑 | 농사 농, 한가할 한
농사(農事)일이 한가(閑暇)함. (반)농번(農繁).

농협 農協 | 농사 농, 합칠 협 [agricultural association]
'농업협동조합'(農業協同組合)의 준말.

• 역순어휘

귀:농 歸農 | 돌아갈 귀, 농사 농 [return to farming]
[사회] 농사를 지으려고 농촌(農村)으로 돌아가는[歸] 현상. (반)이농(離農).

낙농 酪農 | 우유 락, 농사 농 [dairy farming]
[농업] 젖소나 염소 따위를 기르고 그 젖[酪]을 이용하는 농업(農業). '낙농업'의 준말.

부:농 富農 | 넉넉할 부, 농사 농 [rich farmer]
많은 농지를 가지고 있어 생활이 넉넉한[富] 농가(農家). 또는 그런 농민(農民). ¶일반 농민들은 부농의 밭을 소작했다. (반)빈농(貧農).

빈농 貧農 | 가난할 빈, 농사 농 [poor farmer]
가난한[貧] 농민(農民). 또는 농가(農家). ¶빈농을 구제하는 법안이 가결되었다. (반)부농(富農).

영농 營農 | 지을 영, 농사 농 [farm]
농사[農]를 지음[營]. ¶영농 후계자 / 영농 기계화.

이:농 離農 | 떠날 리, 농사 농 [give up farming]
[사회] 농사일을 그만두고 농촌(農村)을 떠남[離]. ¶갈수록 이농 현상이 두드러지고 있다. (반)귀농(歸農).

0094 [기]

記

기록할 기
(부) 言부 (획) 10획 (간) 记 [jì]
記 記 記 記 記 記 記 記 記 記

> 記자는 '(말이나 일을) 적어두다'(make a note)는 뜻이니 '말씀 언'(言)이 부수이자 표의요소로 쓰였고, 己(자기 기) 자는 표음요소다. 후에 '기억하다'(memory), '외우다'(memorize) 등도 이것으로 나타냈다. 記念(기념)을 紀念이라고도 쓰듯이, 記와 紀(벼리 기, #0921)를 통용하기도 한다. 그런데 記憶(기억)·記號(기호)·記者(기자)의 경우는 '記'를 '紀'로 바꿔 쓸 수 없다.
>
> [속뜻 훈음] ①적을 기, ②기록할 기, ③외울 기.

기록 記錄 | 적을 기, 베낄 록 [record]
❶[속뜻] 적어두고[記] 베껴둠[錄]. ❷주로 후일에 남길 목적으로 어떤 사실을 적음. 또는 그런 글. ❸운동 경기 따위에서 세운 성적이나 결과를 수치로 나타낸 것. ¶그는 세계 최고 기록을 경신했다.

기사 記事 | 기록할 기, 일 사 [account; news]
❶[속뜻] 사실(事實)을 적음[記]. 또는 그 글. ❷신문이나 잡지 등에 어떤 사실을 실어 알리는 글. 또는 기록된 사실. ¶학교문제에 관한 기사가 실렸다.

기억 記憶 | 기록할 기, 생각할 억 [remember]
지난 일을 적어두어[記] 잊지 않고 생각해냄[憶]. ¶내 기억이 틀림없다. (반)망각(忘却).

기입 記入 | 기록할 기, 들 입 [write]
적어[記] 넣음[入]. ¶서류에 기입하다. (비)기재(記載).

기자 記者 | 기록할 기, 사람 자 [journalist; newspaperman]
신문, 잡지, 방송 따위에 실을 기사(記事)를 취재하여 쓰거나 편집하는 사람[者].

기재 記載 | 기록할 기, 실을 재 [record]
글로 기록(記錄)하여 문서, 신문 따위에 실음[載]. ¶신청서에 이름을 기재하다. (비)기입(記入).

기표 記票 | 기록할 기, 쪽지 표 [fill in a ballot]
투표(投票) 용지에 써넣음[記].

기호 記號 | 기록할 기, 표지 호 [sign; mark; symbol]
어떠한 뜻을 기록(記錄)하기 위하여 쓰이는 표지[號].

• 역순어휘

등기 登記 | 오를 등, 기록할 기 [registry]
[법률] ❶장부 따위에 올려[登] 기록(記錄)함. ¶건물을 본인 명의로 등기하다. ❷우체국에서 우편물의 인수·배달 과정을 기록하는 우편. ¶등기로 편지를 보내다.

서기 書記 | 쓸 서, 기록할 기 [clerk; secretary]
❶[속뜻] 단체나 회의에서 문서(文書)나 기록(記錄) 따위를 맡아보는 사람. ❷[법률] 일반직 8급 공무원의 직급.

수기 手記 | 손 수, 기록할 기

[note; memorandum]
자기의 체험을 자신이 손수[手] 적은[記] 글. ¶여행 수기를 썼다.

암:기 暗記 | 어두울 암, 외울 기 [blind memory]
❶속뜻 어두운[暗] 상태에서 무턱대고 외움[記]. ❷보지 않고 외움. ¶구구단을 암기하다.

일기 日記 | 날 일, 기록할 기 [diary]
그날그날[日] 겪은 일이나 감상 등을 적은 개인의 기록(記錄). ¶나는 하루도 빠지 않고 일기를 쓴다.

전기 傳記 | 전할 전, 기록할 기
[life; biography; life history]
한 개인의 일생의 일을 전(傳)하여 적은 기록(記錄). ¶나는 안창호의 전기를 읽었다.

표기¹ 表記 | 겉 표, 기록할 기
[inscribe on the face; declare]
❶속뜻 책, 문서, 봉투 등의 겉[表]에 기록(記錄)함. 또는 그 기록. ¶봉투에 자기 이름을 표기해 두었다. ❷문자나 부호를 써서 말을 기록하는 일. ¶표기가 맞춤법에 어긋나다.

표기² 標記 | 우듬지 표, 기록할 기 [mark; sign]
알아보기 쉽도록 어떤 표시(標示)를 기록(記錄)해 놓음. 또는 그런 부호나 기호 ¶금방 알 수 있도록 세모 표기를 해 놓았다.

필기 筆記 | 붓 필, 기록할 기 [notes]
❶속뜻 붓[筆]으로 기록(記錄)함. ❷강의나 연설 따위의 내용을 받아씀. ¶수업 시간에 필기를 잘해야 시험 볼 때에 고생하지 않는다.

후:기 後記 | 뒤 후, 기록할 기
[postscript; afternote]
❶속뜻 뒤[後]에 기록(記錄)함. ❷본문 뒤에 덧붙여 기록함. 또는 그 글. ¶편집 후기를 쓰다. ⓑ전기(前記).

0095 [화]

話

말씀 화
部 言부 劃 13획 ⊕ 话 [huà]
話 話 話 話 話 話 話 話 話 話 話 話 話

> 話자는 원래의 자형보다 지금의 것이 이해하기 쉬운 극히 드문 예에 속한다. '말씀 언'(言)과 '혀 설'(舌)로 구성되어 있으니 '말'(speech), '이야기'(con- versation), '말하다'(say)라는 뜻에 안성맞춤이다.
> 속뜻훈음 ①말할 화, ②이야기 화.

화술 話術 | 말할 화, 꾀 술
[art of conversation]
말하는[話] 기술(技術). ¶그는 화술이 뛰어나다. ⓑ말솜씨, 말재주.

화자 話者 | 말할 화, 사람 자 [speaker]
말하는[話] 사람[者]. 이야기하는 사람. ¶이 소설의 화자는 주인공의 딸이다. ⓑ청자(聽者).

화제 話題 | 말할 화, 제목 제 [topic; talk]
이야기[話]의 제목(題目). 이야기의 주제. ¶화제를 바꾸다.

• 역순어휘

담화 談話 | 이야기 담, 말할 화 [talk]
❶속뜻 서로 주고받는 이야기[談]나 말[話]. ❷어떤 일에 관한 견해나 취할 태도 따위를 공적으로 밝히는 말. ¶대통령의 담화가 발표되었다.

대:화 對話 | 대할 대, 말할 화 [converse; talk]
마주 보며[對] 이야기[話]를 주고받음. 또는 그 이야기. ¶대화를 나누다 / 대화로 문제를 해결하다. ⓑ대담(對談). ⓑ독백(獨白).

동:화 童話 | 아이 동, 이야기 화
[fairy tale; children's story]
문학 어린이를 위하여 동심(童心)을 바탕으로 지은 이야기[話]. 대체로 공상적·서정적·교훈적인 내용이다.

설화 說話 | 말씀 설, 이야기 화 [tale; story]
❶속뜻 사실처럼 꾸며 말한[說] 이야기[話]. ❷문학 각 민족 사이에 전승되어 오는 신화, 전설, 민담 따위를 통틀어 이르는 말. ¶구전설화.

송:화 送話 | 보낼 송, 말할 화 [transmit]
전화로 상대편에게 말[話]을 보냄[送]. ⓑ수화(受話).

수화¹ 手話 | 손 수, 말할 화 [sign language]
몸짓이나 손짓[手]으로 말[話]을 대신하는 의사 전달 방법. ¶수화로 의사표현을 하다.

수화² 受話 | 받을 수, 말할 화
[hear; listen; receive]
전화(電話)를 받음[受]. ⓑ송화(送話).

신화 神話 | 귀신 신, 이야기 화 [myth]
❶속뜻 신비(神秘)스러운 이야기[話]. ❷문학 고대인의 사유나 표상이 반영된 신성(神聖)한 이야기. 우주의 기원, 신이나 영웅의 사적(事績), 민족의 태고 때의 역사나 설화 따위가 주된 내용이다. ¶그리스 신화.

실화 實話 | 실제 실, 이야기 화 [real story]
실제(實際)로 있던 사실의 이야기[話]. ¶그 드라마는 실화를 바탕으로 한 것이다.

예:화 例話 | 본보기 례, 이야기 화
본보기[例]로 하는 이야기[話].

우:화 寓話 | 맡길 우, 이야기 화 [fable]
문학 동식물이나 기타 사물에게 사람 역할을 맡겨[寓] 그들의 행동 속에 풍자와 교훈의 뜻을 나타내는 이야기[話]. ¶이솝 우화.

일화 逸話 | 숨을 일, 이야기 화 [episode]
세상에 널리 알려지지 아니한 숨은[逸] 이야기[話]. ¶그는 여행 중에 겪었던 재미있는 일화를 들려주었다. ㊥에피소드(episode).

전:화 電話 | 전기 전, 말할 화 [telephone; phone]
전파(電波)나 전류를 이용하여 말[話]을 주고받음. ¶전화를 걸다 / 전화를 끊다 / 전화를 넣다.

통화 通話 | 통할 통, 말할 화 [speak over the telephone]
❶속뜻 전화 따위로 말[話]을 서로 주고받음[通]. ¶그와 직접 통화해야겠다. ❷통화한 횟수. ¶전화 한 통화 쓸 수 있을까요?

회:화 會話 | 모일 회, 말할 화 [converse; talk]
❶속뜻 서로 모여[會] 이야기함[話]. ❷외국어로 이야기함. 또는 그 이야기. ¶영어 회화.

훈:화 訓話 | 가르칠 훈, 말할 화 [moral discourse]
교훈(教訓)으로 하는 말[話]. 훈시하는 말. ¶조회 때 교장 선생님의 훈화를 들었다.

0096 [족]

足
발 족
㊀ 足부 ㊁ 7획 ㊥ 足 [zú]
足 足 足 足 足 足 足

足자 상단의 '口'은 '입'과는 무관하며, 장딴지 부분을 나타낸 것이 변화된 것이다. 하단은 발바닥 부분을 가리키는 止자의 변형이다. '발'(a foot)이 본뜻이고 '발자국'(a footprint), '넉넉하다'(full, enough)는 뜻으로도 쓰인다.
속뜻 훈음 ①발 족, ②넉넉할 족.

족구 足球 | 발 족, 공 구 [foot volleyball]
운동 발[足]로 공[球]을 차서 네트를 넘겨 승부를 겨루는 경기.

족쇄 足鎖 | 발 족, 쇠사슬 쇄 [fetters]
❶역사 죄인의 발[足]목에 채우던 쇠사슬[鎖]. ¶여러 죄인이 족쇄에 묶여 있다. ❷자유를 구속하는 대상을 비유적으로 이르는 말. ¶족쇄를 채우다.

• 역순어휘

만족 滿足 | 가득할 만, 넉넉할 족 [be satisfied; be pleased]
가득하고[滿] 넉넉함[足]. 부족함이 없다고 여김. 충분함. ¶만족스러운 결과가 나왔다. ㊥흡족(洽足). ㊦불만(不滿), 불만족(不滿足).

발족 發足 | 떠날 발, 발 족 [start functioning]
❶속뜻 목적지를 향하여 발길[足]을 옮김[發]. ❷어떤 단체나 모임 따위가 새로 만들어져 활동을 시작함. ¶특별 위원회를 발족하다.

부족 不足 | 아닐 부, 넉넉할 족 [insufficient; lack]
어떤 한도에 넉넉하지[足] 않음[不]. 모자람. ¶운동 부족. ㊦과잉(過剩), 풍족(豐足).

사:족¹ 四足 | 넉 사, 발 족 [four feet]
❶속뜻 짐승의 네[四] 발[足]. 또는 네 발 가진 짐승. ❷'사지'(四肢)를 속되게 이르는 말. ¶사족이 멀쩡한데 놀고만 있을 수는 없다.

사족² 蛇足 | 뱀 사, 발 족 [superfluity]
❶속뜻 뱀[蛇]의 발[足]. 실제로는 없다. ❷쓸데없는 군일을 하다가 도리어 실패(失敗)함을 이르는 말. '화사첨족'(畵蛇添足)의 준말. ¶사족을 달다.

수족 手足 | 손 수, 발 족 [hands and feet; limbs]
❶속뜻 손[手]과 발[足]. ❷'손발처럼 마음대로 부리는 사람'을 비유하여 이르는 말. ¶그녀는 나에게 수족과 같은 존재다.

의:족 義足 | 해 넣을 의, 발 족 [artificial leg; prosthetic limb]
인공으로 만들어 넣은[義] 발[足]. ¶그는 오른쪽 다리에 의족을 하고 있다.

자족 自足 | 스스로 자, 넉넉할 족 [self-sufficient]
스스로[自] 만족(滿足)함. 또는 그 만족.

정:족 定足 | 정할 정, 넉넉할 족
결정(決定)에 필요한 인원이 충족(充足)함.

충족 充足 | 채울 충, 넉넉할 족 [fulfil; sufficient; enough]
❶속뜻 넉넉하게[足] 채움[充]. ¶우리는 고객의 요구를 충족시키기 위해 노력하고 있다. ❷분량이 모자람이 없이 넉넉함. ¶충족한 생활을 하다.

풍족 豐足 | 넉넉할 풍, 넉넉할 족 [be plentiful]
풍성(豐盛)하고 넉넉함[足]. ¶그는 풍족한 가정에서 자랐다. ㊦부족하다.

흡족 洽足 | 넉넉할 흡, 넉넉할 족 [sufficient; ample]
모자람이 없이 아주 넉넉하고[洽] 풍족(豐足)함. ¶흡족한 미소.

0097 [도]

道

길 도:
[部] 辶부 [劃] 13획 [中] 道 [dào]

道道道道道道道道道道道道道

道자는 '(사람이 가야 할) 길'(human's road)의 뜻을 나타내기 위하여 '길'을 의미하는 착(辶=辵)과 '사람'을 상징하는 '머리 수'(首)가 힌트로 주어져 있다. '방법'(method), '말하다'(say)는 뜻으로도 쓰인다.

[속뜻훈음] ①길 도, ②방법 도, ③말할 도.

도:가 道家 | 길 도, 사람 가 [Taoism]
우주 본체는 도(道)와 덕(德)으로 이루어져 있다고 주장하는 학파[家].

도:계 道界 | 길 도, 지경 계
[boundary line between provinces]
도(道)와 도 사이의 경계(境界). ¶다른 도와 도계를 이루고 있다.

도:교 道敎 | 길 도, 종교 교 [Taoism]
[종교] 우주 본체는 도(道)와 덕(德)으로 이루어져 있다고 주장하는 종교(宗敎).

도:구 道具 | 방법 도, 갖출 구 [tool]
❶[속뜻] 어떤 목적을 이루기 위한 방법[道]이나 수단[具]. ¶언어는 중요한 의사소통 도구이다. ❷일을 할 때 쓰는 연장. ¶인간은 도구를 사용할 수 있다. [비]연장, 공구(工具).

도:내 道內 | 길 도, 안 내
[inside of a province]
어떤 도(道)의 구역 안[內]. ¶도내 체육 대회.

도:덕 道德 | 길 도, 베풀 덕
[morality; morals]
❶[속뜻] 가야 할 바른 길[道]과 베풀어야 할 일[德]. ❷사회의 구성원들이 양심, 사회적 여론, 관습 따위에 비추어 스스로 마땅히 지켜야 할 행동 준칙이나 규범. ¶공중도덕을 지키다. [반]부도덕(不道德).

도:로 道路 | 길 도, 길 로 [road; street]
사람, 차 따위가 잘 다니도록 만들어 놓은 비교적 넓은 길[道=路]. ¶도로에 차가 많다. [비]길거리, 가로(街路).

도:리 道理 | 길 도, 이치 리 [reason; way]
❶[속뜻] 사람이 마땅히 행하여야 할 도덕적(道德的)인 이치(理致). ¶도리에 어긋나다. ❷어떤 일을 해 나갈 방법. ¶알 도리가 없다.

도:립 道立 | 길 도, 설 립 [provincial]
시설 따위를 도(道)에서 세워[立] 운영함. ¶도립 도서관 / 도립 병원.

도:민 道民 | 길 도, 백성 민
[inhabitant of a province]
그 도(道)에 사는, 그곳에서 태어난 사람[民]. ¶강원도 도민.

도:별 道別 | 길 도, 나눌 별
[classification by province]
도(道)마다 따로 나눔[別].

도:복 道服 | 길 도, 옷 복
[garment of a Taoist; suit for practice]
❶[속뜻] 도사(道士)가 입는 겉옷[服]. ❷유도나 태권도 따위를 할 때 입는 운동복.

도:사 道士 | 길 도, 선비 사
[ascetic; expert]
❶[속뜻] 도(道)를 갈고 닦는 사람[士]. ❷도교를 믿고 수행하는 사람. ❸'어떤 일에 도가 트여서 능숙하게 해내는 사람'을 비유하여 이르는 말.

도:술 道術 | 길 도, 꾀 술 [magical arts]
도(道)를 닦아 여러 가지 조화를 부리는 기술(技術).

도:의 道義 | 길 도, 뜻 의
[moral justice; moral principles]
사람이 마땅히 지키고 행해야 할 도덕적(道德的) 의리(義理). ¶그는 도의를 모르는 사람이다.

도:인 道人 | 길 도, 사람 인 [ascetic]
❶[속뜻] 도(道)를 닦는 사람[人]. ❷[종교] 천도교를 믿는 사람.

도:장 道場 | 방법 도, 마당 장
[gymnasium; exercise hall]
무예를 잘하는 방법[道]을 배우는 곳[場]. ¶태권도 도장에 다닌다.

도:청 道廳 | 길 도, 관청 청 [provincial office]
도(道)의 행정을 맡아 처리하는 지방 관청(官廳). ¶도청 소재지.

도:포 道袍 | 길 도, 두루마기 포
예전에 남자들이 도의(道義)상 예복으로 입던 겉옷[袍]. 소매가 넓고 등 뒤에는 딴 폭을 댄다.

• 역순어휘

검:도 劍道 | 칼 검, 방법 도
[swordsmanship]
[운동] 검술(劍術)을 잘하는 방법[道]. [비]검술(劍術).

국도 國道 | 나라 국, 길 도
[capital of a country]
[교통] 나라[國]에서 직접 관리하는 도로(道路). [반]지방 도로(地方道路).

궁도 弓道 | 활 궁, 방법 도 [archery]
❶[속뜻]활[弓]을 쏘는 방법[道]을 익히는 일. ❷활 쏘는 데 지켜야 할 도리. ❸활을 쏘는 무술. ¶궁도 대회.

궤:도 軌道 | 바퀴자국 궤, 길 도
[track; railroad; orbit]
❶[속뜻]수레가 지나간 바퀴자국[軌]이 난 길[道]. ❷[교통]기차 등이 다니도록 깔아놓은 철길. ¶기차가 궤도를 이탈했다. ❸사물이 움직이도록 정해진 길. ¶인공위성이 무사히 궤도에 진입했다. [비]차도(車道), 선로(線路), 경로(經路).

기도 氣道 | 공기 기, 길 도
[respiratory tract]
[의학]호흡할 때 공기(空氣)가 지나가는 길[道]. ¶기도가 막혀서 숨을 쉴 수 없다.

다도 茶道 | 차 다, 방법 도 [tea ceremony]
차[茶]를 손님에게 대접하거나 마실 때의 방법[道] 및 예의범절. ¶학생들은 다도에 맞춰 차를 마셨다.

방도 方道 | =方途, 방법 방, 방법 도
[means; way]
어떤 일을 하거나 문제를 풀어 가기 위한 방법(方法)과 도리(道理). ¶먹고 살 방도가 막막했다.

보:도[1] 步道 | 걸음 보, 길 도 [sidewalk]
사람이 걸을[步] 때 사용되는 길[道]. ¶차도로 다니지 말고 보도로 다녀라. [비]인도(人道). [반]차도(車道).

보:도[2] 報道 | 알릴 보, 말할 도
[report; cover]
❶[속뜻]널리 알리거나[報] 말해[道]줌. ❷신문이나 방송으로 소식을 널리 알림. 또는 그 소식. ¶사건을 크게 보도하다.

복도 複道 | 겹칠 복, 길 도
[passage; hallway]
❶[속뜻]건물과 건물 사이에[複] 지붕을 씌워 만든 통로[道]. ❷건물 안에서 각 방을 이어주는 통로. ¶복도를 따라 교실로 들어가다.

서도 書道 | 쓸 서, 방법 도
[penmanship; calligraphy]
글씨 쓰는[書] 방법[道]을 익히는 일. [비]서예(書藝).

세:도 勢道 | 권세 세, 길 도 [power; authority]
❶[속뜻]권세(權勢)를 누리는 길[道]에 들어섬. ❷정치상의 권세. 또는 그 권세를 마구 휘두르는 일.

수도[1] 水道 | 물 수, 길 도
[water course; piped water]
❶[속뜻]물[水]이 흐르는 길[道]. ❷먹는 물이나 공업, 방화(防火) 따위에 쓰는 물을 관을 통하여 보내 주는 설비. ¶수도를 놓다.

수도[2] 修道 | 닦을 수, 길 도
[practice asceticism]
도(道)를 닦음[修]. ¶수도 생활 / 이곳에서 많은 승려들이 수도했다.

식도 食道 | 밥 식, 길 도
[throat esophagus]
[의학]삼킨 음식물(飮食物)이 지나는 길[道].

역도 力道 | 힘 력, 방법 도 [weight lifting]
[운동]무거운 역기(力器)를 들어 올리는 방법[道]. 또는 그런 기예. 중량을 겨루어 승패를 가르며, 용상(聳上), 인상(引上)의 두 종목이 있다.

요도 尿道 | 오줌 뇨, 길 도 [urethra]
[의학]오줌[尿]을 방광으로부터 몸 밖으로 배출하기 위한 길[道].

유도 柔道 | 부드러울 유, 방법 도 [judo]
[운동]두 사람이 맨손으로 서로 맞잡고 상대의 힘을 이용하여 넘어뜨리거나 조르거나 눌러 승부를 겨루는 운동. 일본 옛 무술인 '유술'(柔術)을 도(道)로 승화시킨 말이다.

인도 人道 | 사람 인, 길 도 [sidewalk]
❶[속뜻]사람들[人]이 다니는 길[道]. ¶택시가 갑자기 인도로 돌진해 행인들이 다쳤다. ❷사람으로서 마땅히 지켜야 할 도리. ¶인도적 차원에서 난민을 구호했다. [비]보도(步道). [반]차도(車道).

적도 赤道 | 붉을 적, 길 도 [equator; line]
❶[속뜻]지도에 붉은[赤] 색으로 표시한 길[道]. ❷[지리]지구의 중심을 지나는 지축에 직각인 평면과 지표가 교차되는 선.

전도 傳道 | 전할 전, 길 도
[propagate one's religion]
❶[속뜻]종교적인 도(道)를 세상에 널리 전함[傳]. ❷[기독교]기독교의 교리를 세상에 널리 전하여 믿지 아니하는 사람에게 신앙을 가지도록 인도함. 또는 그런 일. ¶그는 아프리카 원주민을 전도했다.

중도 中道 | 가운데 중, 길 도
[middle path; moderation]
❶[속뜻]어느 한쪽으로 치우치지 않는 가운데[中]의 길[道]. ❷어느 한쪽으로 기울지 않은 중간의 입장. ¶극단적인 입장보다는 중도를 걷는 것이 바람직하다.

차도 車道 | 수레 차, 길 도
[road; traffic lane; carriageway]
차(車)가 다니는 길[道]. ¶차도에서 놀면 위험하다. [비]찻길, 차로(車路). [반]보도(步道), 인도(人道).

천도 天道 | 하늘 천, 길 도
[way of heaven; orbits of heavenly bodies]

하늘[天]의 도리(道理).

철도 鐵道 | 쇠 철, 길 도
[railroad track; railroad line]
❶[속뜻] 쇠[鐵]로 만든 길[道]. ❷열차의 운행을 위한 갖가지 시설과 교통수단을 통틀어 이르는 말. ¶철도를 놓다 / 철도를 이용하면 편안하다.

팔도 八道 | 여덟 팔, 길 도
❶[속뜻] 여덟[八] 개의 도(道). ❷[역사] 조선시대의 행정 구역. 경기도, 충청도, 경상도, 전라도, 강원도, 황해도, 평안도, 함경도를 이른다. ❸'우리나라의 전국'을 달리 이르는 말. ¶팔도에서 모인 사람들.

편도 片道 | 한쪽 편, 길 도 [one way]
오고 가는 길 가운데 어느 한쪽[片] 길[道]. ¶편도 요금은 3천 원입니다.

효:도 孝道 | 모실 효, 길 도 [filial duty]
부모를 잘 모시는[孝] 도리(道理). 효행의 도. ¶효도 관광 / 부모님께 효도하다. (비)효성(孝誠). (반)불효(不孝).

0098 [간]

間

사이 간(:)
(部) 門부 (劃) 12획 (中) 间 [jiān]

間 間 間 間 間 間 間 間 間 間 間 間

間자는 閒(간/한)의 속자였다. 閒은 밤에 대문짝(門) 틈으로 비치는 달(月)빛을 본뜬 것이니, '틈'(opening)이 본뜻인데, '사이'(between)를 뜻하는 것으로 많이 쓰인다. 후에 閑(한)은 주로 '틈' '짬'을 가리키는 것으로, 間(간)은 '사이'를 뜻하는 것으로 각각 분리 독립하였다.

간:간 間間 | 사이 간, 사이 간
[at times; occasionally]
❶[속뜻] 사이[間] 사이[間]에. ¶학교 담을 끼고 경찰들이 간간 서 있다. ❷이따금. ¶감기 탓인지 간간 기침을 한다.

간격 間隔 | 사이 간, 사이 뜰 격 [space]
❶[속뜻] 공간적으로 사이[間]가 벌어짐[隔]. ¶앞 차와의 간격을 유지하세요. ❷시간적으로 벌어진 사이. ¶버스는 20분 간격으로 온다. ❸사람들의 관계가 벌어진 정도. ¶한동안 연락을 안 했더니 친구와 간격이 느껴진다.

간:도 間島 | 사이 간, 섬 도
❶[속뜻] 사이[間]에 있는 섬[島]. ❷두만강과 마주한 간도 지방의 동부.

간:선 間選 | 사이 간, 가릴 선 [indirect election]
'간접선거'(間接選擧)의 준말. (반)직선(直選).

간:식 間食 | 사이 간, 먹을 식
[eating between meals; snack]
아침·점심·저녁의 사이[間]에 먹음[食]. 또는 그런 음식. ¶간식으로 떡을 먹다. (비)군것질, 주전부리.

간:접 間接 | 사이 간, 맞이할 접
[indirect; mediate]
중간(中間)에서 관계 따위를 맺어줌[接]. ¶간접흡연 / 간접사회자본. (반)직접(直接).

간:주 間奏 | 사이 간, 연주할 주
[interlude; intermezzo]
[음악] 극이나 악곡의 사이[間]에 하는 연주(演奏). (반)전주(前奏), 후주(後奏).

간:첩 間諜 | 사이 간, 염탐할 첩
[spy; secret agent]
❶[속뜻] 사이[間]에 들어가 염탐함[諜]. ❷비밀을 몰래 알아내어 제공하는 사람. ¶간첩으로 의심되면 바로 신고하세요. (비)첩자(諜者), 공작원(工作員), 첩보원(諜報員).

간:혹 間或 | 사이 간, 혹시 혹 [sometimes]
❶[속뜻] 간간(間間)이 또는 혹시(或是). ❷어쩌다가 띄엄띄엄. ¶원숭이도 간혹 나무에서 떨어질 때가 있다. (비)때로.

• 역순어휘

곳간 庫間 | 곳집 고, 사이 간
[storage; warehouse]
❶[속뜻] 창고(倉庫)의 칸[間]. ❷물건을 간직해 두는 곳. ¶쌀가마를 곳간에 쟁이다. (비)곳집, 창고(倉庫).

공간 空間 | 빌 공, 사이 간 [space]
❶[속뜻] 아무것도 없이 비어[空] 있는 곳[間]. ¶좁은 공간에 사람들이 빽빽이 들어섰다. ❷모든 방향으로 끝없이 펼쳐져 있는 빈 곳. ¶생활 공간 / 휴식 공간.

구간 區間 | 나눌 구, 사이 간
[block; serviced area]
❶[속뜻] 구역(區域)과 구역 사이[間]. ¶정체 구간은 빨간색으로 표시된다. ❷[수학] 수직선 위에서 두 실수 사이에 있는 모든 실수의 집합.

근:간 近間 | 가까울 근, 사이 간
[these days; nowadays]
가까운[近] 시일의 장래[間]. 요사이. 요즈음.

기간 期間 | 때 기, 사이 간
[term; period (of time)]
어느 일정한 시기에서 다른 일정한 시기(時期)까지의 사이[間]. (비)시기(時期).

년간 年間 | 해 년, 사이 간 [for a year]

몇 해[年] 동안[間]. ¶3년간 취업률이 상승했다.

막간 幕間 | 막 막, 사이 간 [interval]
❶ 연영 연극에서 한 막(幕)이 끝나고 다음 막이 시작되기까지의 사이[間]. ❷어떤 일의 한 단락이 끝나고 다음 단락이 시작되기까지의 동안. ¶막간을 이용해 안내 말씀 드리겠습니다.

미간 眉間 | 눈썹 미, 사이 간 [middle of the forehead]
두 눈썹[眉]의 사이[間]. '양미간'(兩眉間)의 준말. ¶미간을 찡그리다.

민간 民間 | 백성 민, 사이 간 [private]
❶ 속뜻 백성[民]들 사이[間]. ❷일반 서민(庶民)의 사회. ¶민간에 전승되다. ❸관(官)이나 군대에 속하지 않음. ¶민간 자본을 유치하다.

산간 山間 | 메 산, 사이 간 [among the mountains]
산(山)과 산 사이[間]. ¶봄이 되었다지만 산간 지역에는 아직도 눈이 내린다.

순간 瞬間 | 눈 깜짝일 순, 사이 간 [moment; second]
❶ 속뜻 눈을 깜짝할[瞬] 사이[間]. 잠깐 동안. ¶마지막 순간. ❷어떤 일이 일어난 바로 그때. ¶문으로 걸음을 옮기는 순간 전화벨이 울렸다. ㊥찰나(刹那).

시간 時間 | 때 시, 사이 간 [hour]
❶ 속뜻 어떤 시각(時刻)에서 어떤 시각까지의 사이[間]. ¶책을 보면서 시간을 보내다. ❷시각(時刻). ¶약속 시간. ❸어떤 일을 하기로 정해진 동안. ¶수업 시간.

야:간 夜間 | 밤 야, 사이 간 [night(time)]
밤[夜] 동안[間]. 해가 진 뒤부터 먼동이 트기 전까지의 동안. ¶야간 비행 / 야간 경기. ㊥주간(晝間).

연간 年間 해 년, 사이 간 [during the course of a year]
한 해[年] 동안[間]. ¶연간 수입 / 연간 밀 소비량이 크게 늘었다.

이:간 離間 | 떼놓을 리, 사이 간 [alienate; estrange]
둘 사이[間]를 헐뜯어 서로 멀어지게[離] 함. ¶누군가 나를 친구와 이간하려는 자가 있다.

인간 人間 | 사람 인, 사이 간 [human being]
❶ 속뜻 사람들[人] 사이[間]. ❷언어를 가지고 사고할 줄 알고 사회를 이루며 사는 지구상의 고등 동물. ¶인간의 본성은 선하다. ❸사람의 됨됨이. ¶그는 인간이 덜 됐다. ㊥사람.

주간[1] 週間 | 주일 주, 사이 간 [week]
월요일부터 일요일까지의 한 주일(週日) 동안[間]. ¶주간 계획을 세우다.

주간[2] 晝間 | 낮 주, 사이 간 [daytime]
낮[晝] 동안[間]. ¶그는 주간에 근무한다. ㊥야간(夜間).

중간 中間 | 가운데 중, 사이 간 [middle]
❶ 속뜻 두 사물의 가운데[中]나 그 사이[間]. ¶두 여자를 두고 중간에서 갈등하다. ❷사물이 아직 끝나지 않은 때나 상황. ¶이야기가 중간에 끊어졌다. ❸가운데쯤의 정도나 크기. ¶내 성적은 반에서 중간 정도다.

찻간 車間 | 수레 차, 사이 간 [inside of a train; compartment]
기차(汽車)나 버스 따위에서 사람이 타는 칸[間]. ¶찻간이 텅 비었다.

0099 [전]

電

번개 전:
㊀ 雨부 ㊁ 13획 ㊥ 电 [diàn]

電자는 '번개'(flash of lightning)를 뜻하기 위하여 만들어진 것이었으니, '비 우'(雨)가 부수이자 표의요소로 쓰였고, 그 밑의 것은 번갯불 모양이 변화된 것이다. '전기'(electricity) 또는 이와 의미상 연관이 있는 낱말의 한 구성 요소로도 쓰인다.

속뜻훈음 ①번개 전, ②전기 전.

전:격 電擊 | 전기 전, 부딪칠 격 [electric shock; lightning attack]
❶ 속뜻 강한 전류(電流)에 의한 갑작스런 충격(衝擊). ❷번개처럼 빠르고 날카로움. 또는 번개처럼 갑작스러운 공격(攻擊). ¶전격 작전.

전:광 電光 | 번개 전, 빛 광 [flash of lightning; bolt; electric light]
❶ 속뜻 번개[電]가 칠 때 번쩍이는 불[光]. ❷전력(電力)으로 일으킨 빛. ¶전광 간판.

전:구 電球 | 전기 전, 공 구 [bulb of an electric lamp]
전등(電燈)에 끼우는 공[球] 모양의 기구. ¶아버지가 부엌의 전구를 갈아 끼웠다.

전:극 電極 | 전기 전, 끝 극 [electrode; pole]
물리 전기(電氣)가 드나드는 양극(兩極)의 단자(端子). ¶전구에 전극을 연결하다.

전:기 電氣 | 전기 전, 기운 기 [electrical machinery and appliances]

물리 전자(電子)의 이동으로 생기는 에너지[氣]의 한 형태. ¶전기가 나가다.

전:동 電動 | 전기 전, 움직일 동 [electric motion]
전기 전기(電氣)의 힘으로 움직임[動]. ¶전동 칫솔 / 이 기계는 전동이다.

전:등 電燈 | 전기 전, 등불 등 [electric lamp]
전기(電氣)의 힘으로 밝은 빛을 내는 등(燈). 흔히 백열 전기등을 이른다. ¶그는 전등을 켜 놓은 채 잠들었다.

전:력 電力 | 번개 전, 힘 력
[electric power; electricity; power]
물리 전류(電流)에 의한 동력(動力). 전류가 단위 시간에 하는 일. 또는 단위 시간에 사용되는 전기 에너지의 양. ¶전력 낭비를 줄이다.

전:류 電流 | 전기 전, 흐를 류
[electric current; current of electricity]
❶속뜻 전기(電氣)가 흐름[流]. ❷물리 전하가 연속적으로 이동하는 현상. 도체 내부의 전위가 높은 곳에서 낮은 곳으로 흐르며 양전기가 흐르는 방향이 전류의 방향이다.

전:보 電報 | 전기 전, 알릴 보
[telegram; telegraph]
통신 전기(電氣) 신호를 이용해 알림[報]. 또는 그 통보 ¶할머니가 위독하시다는 전보를 받았다.

전:산 電算 | 전기 전, 셀 산
[data processing]
전자(電子) 회로를 이용한 고속의 자동 계산기(計算器). 숫자 계산, 자동 제어, 데이터 처리, 사무 관리, 언어나 영상 정보 처리 따위에 광범위하게 이용된다. ¶전산 처리. ㉥컴퓨터.

전:선 電線 | 전기 전, 줄 선
[electrical wire; electric cord]
전기(電氣)가 통과하는 쇠로 된 줄[線]. ¶이 전선에는 전기가 흐르고 있다.

전:송 電送 | 전기 전, 보낼 송 [transmit; send]
사진 따위를 전류(電流) 또는 전파로 먼 곳에 보냄[送]. ¶전자우편으로 초대장을 전송했다.

전:신 電信 | 전기 전, 소식 신
[telegraphic communication]
통신 문자나 숫자를 전기(電氣) 신호로 바꾸어 전파나 전류로 보내는 통신(通信).

전:압 電壓 | 전기 전, 누를 압 [voltage]
❶속뜻 전기(電氣) 마당의 압력(壓力). ❷전기 전기 마당이나 도체 안에 있는 두 점 사이의 에너지 차이. ¶전압을 올리다.

전:열 電熱 | 전기 전, 더울 열 [electric heat]
물리 전기(電氣) 에너지를 열에너지로 변환시켰을 때 발생하는 열(熱).

전:원 電源 | 전기 전, 근원 원
[source of electric power; power source]
물리 전류(電流)의 근원[源]. ¶라디오의 전원을 켜다.

전:자[1] 電子 | 전기 전, 씨 자 [electron]
❶물리 음전하(陰電荷)를 가지고 원자핵의 주위를 도는 소립자(素粒子)의 하나. ❷전자를 이용한 산업이나 제품에 관계되는 것. ¶전자 악기 / 전자 제품.

전:자[2] 電磁 | 전기 전, 자석 자
[electromagnetic]
물리 전기(電氣)와 자기(磁氣)를 아울러 이르는 말. ㉥전자기(電磁氣).

전:지 電池 | 전기 전, 못 지
[electric cell; battery]
전기 화학반응, 방사선, 온도 차, 빛 따위로 전극 사이에 전기(電氣) 에너지를 저장하는 못[池] 같은 장치. ¶리튬 전지 / 전지가 다 닳아서 충전해야겠다.

전:차 電車 | 전기 전, 수레 차 [electric car]
공중에 설치한 전선에서 전력(電力)을 공급받아 지상에 설치된 궤도 위를 다니는 차(車).

전:철 電鐵 | 전기 전, 쇠 철
[electric railroad]
교통 전기(電氣)를 동력으로 하여 궤도 위에 차량을 운전하는 철도(鐵道). '전기철도'의 준말. ¶그녀는 전철로 출퇴근을 한다.

전:축 電蓄 | 전기 전, 쌓을 축
[electric gramophone]
전기(電氣)를 동력으로 작동하는 축음기(蓄音機).

전:파 電波 | 전기 전, 물결 파
[electric wave; radio wave]
❶속뜻 전류(電流)의 파동(波動). ❷물리 도체 중의 전류가 진동함으로써 방사되는 전자기파. 특히 전기 통신에서 쓰는 것을 가리킨다. ¶전파를 보내다 / 안테나는 전파를 수신하기 위한 장치이다.

전:해 電解 | 전기 전, 풀 해 [electrolyze]
❶속뜻 어떤 화합물을 전류(電流)를 보내 분해(分解)하는 것. ❷물리 녹아 있는 상태의 화합물에 전극을 넣고 전류를 통하여 양이온·음이온을 각각 양극·음극 위에서 방전시켜 각 전극에서 성분을 추출하는 일. '전기분해'(電氣分解)의 준말.

전:화 電話 | 전기 전, 말할 화
[telephone; phone]
전파(電波)나 전류를 이용하여 말[話]을 주고받음. ¶전화를 걸다 / 전화를 끊다 / 전화를 놓다.

• 역순어휘 •

가전 家電 | 집 가, 전기 전
[electric home appliances]
가정용(家庭用) 전기(電氣) 용품. ¶10년 만에 가전 제품을 바꾸었다.

감:전 感電 | 느낄 감, 전기 전
[receive an electric shock]
[전기] 전기(電氣)가 통하여 있는 도체에 몸의 일부가 닿아 그 충격을 느낌[感]. ¶물에 젖은 손으로 콘센트를 만지면 감전될 수 있다.

누:전 漏電 | 샐 루, 번개 전
[leakage of electricity; electric leak]
[전기] 전류(電流)가 전선 밖으로 새어[漏] 나가는 일. ¶누전으로 불이 나다.

단:전 斷電 | 끊을 단, 전기 전
[shut off electricity]
전기(電氣)의 공급이 중단(中斷)되거나 공급을 중단함. ¶예고 없이 단전되었다.

무전 無電 | 없을 무, 전기 전 [wireless]
전선(電線)이 없이[無] 전파로 주고 받는 것.

발전 發電 | 일으킬 발, 전기 전
[generate electricity]
전기(電氣)를 일으킴[發].

방:전 放電 | 놓을 방, 번개 전
[discharge of electricity]
[물리] 전지나 축전기 또는 전기를 띤 물체에서 전기(電氣)가 외부로 흘러나오는[放] 현상. ¶배터리가 방전되다. [반]충전(充電).

송:전 送電 | 보낼 송, 전기 전
[supply the (electric) current]
전력(電力)을 보냄[送].

정전 停電 | 멈출 정, 전기 전 [blackout]
전기(電氣)가 잠깐 끊어짐[停]. ¶그는 정전에 대비해 초와 손전등을 사 두었다.

충전 充電 | 채울 충, 전기 전 [charge]
[물리] 축전기나 축전지 따위에 전기(電氣)를 채움[充]. ¶배터리를 충전하다. [반]방전(放電).

0100 [식]

食 밥/먹을 식
[部] 食부 [劃] 9획 [中] 食 [shí]

食 食 食 食 食 食 食 食 食

食자는 '사람 인(人) + 어질 량(良)'의 구조로 보면 안 된다. 원래의 모습은, '밥'(a meal)이란 뜻을 나타내기 위하여 뚜껑이 덮여 있는 밥그릇 모양을 본뜬 것이었다. '人'은 뚜껑 모양이, '良'은 밥이 담긴 그릇 모양이 각각 잘못 변화된 것이다. 이렇듯 후대의 자형 변화가 의미와 무관한 것이 많으니 잘못 변화된 자형에서 의미를 찾으려고 노력해봤자 헛수고만 할뿐이다. 후에 '먹다'(eat)는 뜻으로도 확대 사용됐다. '밥'을 뜻할 때에 간혹 [사]로 읽기도 한다.

[속뜻훈음] ①먹을 식, ②밥 식.

식구 食口 | 먹을 식, 입 구 [family]
❶[속뜻] 밥을 먹는[食] 입[口]. ❷한집에서 함께 사는 사람. ¶그는 딸린 식구가 많다. [비]가족(家族), 식솔(食率).

식기 食器 | 밥 식, 그릇 기 [dinner set]
❶[속뜻] 음식(飮食)을 담는 그릇[器]. ❷식사에 쓰이는 여러 가지 그릇이나 기구를 통틀어 이르는 말.

식단 食單 | 밥 식, 홑 단 [menu]
❶[속뜻] 식당에서 파는 음식(飮食)의 단가(單價)를 적은 표. ¶아버지는 식단을 보고 음식을 주문했다. ❷일정한 기간 먹을 음식의 종류와 순서를 계획한 것. ¶균형 잡힌 식단 / 식단을 짜다.

식당 食堂 | 먹을 식, 집 당 [restaurant]
❶[속뜻] 식사(食事)하기에 편리하도록 설비하여 놓은 방[堂]. ❷음식을 만들어 파는 가게. ¶식당에서 점심을 사 먹었다.

식대 食代 | 밥 식, 대신할 대
[charge for food]
음식(飮食)을 청해 먹은 대금(代金). ¶식대를 내다.

식도 食道 | 밥 식, 길 도 [throat esophagus]
[의학] 삼킨 음식물(飮食物)이 지나는 길[道].

식량 食糧 | 먹을 식, 양식 량 [food]
먹을[食] 양식(糧食). ¶식량이 부족하다.

식료 食料 | 밥 식, 거리 료
[food; foodstuffs]
음식(飮食)의 재료(材料). ¶토마토는 좋은 식료가 된다.

식모 食母 | 밥 식, 어머니 모
[domestic helper]
남의 집에 고용되어 주로 부엌일과 음식(飮食)을 맡아 하는 여자[母]. ¶그녀는 5년 동안 식모를 살았다. [비]가정부(家政婦).

식반 食盤 | 밥 식, 소반 반
[small dining table]
음식(飮食)을 차려 놓는 소반[盤]이나 상. ¶고등어자반을 구워 식반에 올리다.

식비 食費 | 먹을 식, 쓸 비
[price of a meal]

음식을 먹는데[食] 드는 비용(費用). ¶매월 식비로 50만원을 쓴다.

식사 食事 | 먹을 식, 일 사 [meal]
사람이 끼니로 음식을 먹는[食] 일[事]. 또는 그 음식. ¶저녁 식사.

식성 食性 | 밥 식, 성질 성 [one's taste]
음식(飮食)에 대하여 좋아하거나 싫어하는 성미(性味). ¶그 아이는 식성이 까다롭다.

식수 食水 | 먹을 식, 물 수 [drinking water]
먹는[食] 물[水]. ¶식수를 공급하다.

식욕 食慾 | =食欲, 먹을 식, 욕심 욕 [appetite]
음식을 먹고[食] 싶어 하는 욕구(慾求). ¶며칠 잠을 못 잤더니 식욕이 없다. [비]밥맛.

식용 食用 | 먹을 식, 쓸 용 [be edible]
먹을[食] 것으로 씀[用]. 또는 먹을 것으로 됨. ¶식용으로 소를 기르다 / 프랑스에서는 달팽이를 식용한다.

식이 食餌 | 먹을 식, 먹이 이 [diet; food]
❶[속뜻]먹을[食] 수 있는 먹이[餌]. ❷조리한 음식물.

식인 食人 | 먹을 식, 사람 인
[eat people; cannibal]
사람[人] 고기를 먹는[食] 일. 또는 그러한 풍습. ¶마오리족은 식인 풍습이 있다.

식전 食前 | 먹을 식, 앞 전
[before a meals]
❶[속뜻]밥을 먹기[食] 전(前). ¶이 약은 식전에 드세요. ❷아침밥을 먹기 전. 아침 일찍. ¶식전에 목욕하다. [반]식후(食後).

식초 食醋 | 먹을 식, 식초 초 [table vinegar]
식용(食用)할 수 있는 약간의 초산(醋酸)이 들어있는 조미료. ¶오이에 식초를 넣어 버무리면 새콤하다.

식탁 食卓 | 밥 식, 높을 탁 [dining table]
음식(飮食)을 먹을 때 사용하는 탁자(卓子). ¶모두가 식탁에 둘러앉아 저녁을 먹었다.

식판 食板 | 밥 식, 널빤지 판
음식(飮食)을 담는 판(板). ¶식판에 밥을 듬뿍 담았다.

식품 食品 | 밥 식, 물건 품 [groceries]
음식(飮食)의 재료가 되는 물품(物品). '식료품'(食料品)의 준말.

식혜 食醯 | 밥 식, 초 혜
쌀밥[食]에 엿기름가루를 우린 물을 부어 삭힌[醯] 음료. 여기에 생강이나 설탕을 더 넣어 끓여 식혀 먹는다. [비]감주(甘酒), 단술.

식후 食後 | 먹을 식, 뒤 후 [after a meal]
밥을 먹은[食] 뒤[後]. ¶이 약은 하루 두 번, 식후 30분에 드세요. [반]식전(食前).

• 역순어휘

간:식 間食 | 사이 간, 먹을 식
[eating between meals; snack]
아침·점심·저녁의 사이[間]에 먹음[食]. 또는 그런 음식. ¶간식으로 떡을 먹다. [비]군것질, 주전부리.

곡식 穀食 | 곡물 곡, 밥 식 [corn]
곡물[穀]로 만든 먹을거리[食]. 또는 그 곡물. ¶곡식이 잘 익었다.

과:식 過食 | 지나칠 과, 먹을 식
[overeat; eat too much]
지나치게[過] 많이 먹음[食]. ¶과식하여 배탈이 났다. [비]포식(飽食). [반]소식(小食).

금:식 禁食 | 금할 금, 먹을 식 [fast]
치료나 종교, 또는 그 밖의 이유로 얼마 동안 음식물을 먹지[食] 않는 일[禁]. ¶이 환자는 금식해야 합니다.

급식 給食 | 줄 급, 밥 식 [provide meals]
학교나 공장 등에서 아동이나 종업원에게 음식(飮食)을 주는[給] 일. 또는 그 끼니 음식.

다식 茶食 | 차 다, 밥 식
[kind of pattern-pressed candy]
우리나라 고유 과자의 하나. 삼국시대에, 찻잎[茶] 가루에 찻물을 부어 뭉쳐 만든 떡 따위의 먹거리[食]에서 유래.

단:식 斷食 | 끊을 단, 먹을 식 [fast]
식사(食事)를 끊음[斷]. 일정 기간 음식물을 먹지 않음. [비]금식(禁食).

미:식 美食 | 아름다울 미, 밥 식
[delicious food]
맛있는[美] 음식(飮食)을 먹음. 또는 그 음식. [반]악식(惡食).

배:식 配食 | 나눌 배, 밥 식
[distribute food]
음식(飮食)을 나누어[配] 줌. ¶노숙자에게 점심을 배식하다.

별식 別食 | 다를 별, 밥 식 [special dish]
일상 먹는 음식이 아닌 색다른[別] 음식(飮食). ¶별식으로 부침을 먹었다.

부:식 副食 | 곁들일 부, 밥 식
[side dish; subsidiary food]
곁들여[副] 먹는 음식(飮食). ¶부식 재료를 사다. [반]주식(主食).

분식 粉食 | 가루 분, 밥 식
[food made from flour]
빵, 국수 등 곡식의 가루[粉]로 만든 음식(飮食). 또는

그런 음식을 먹음. ¶요즘 아이들은 밥보다 분식을 좋아한다.

생식 生食 | 날 생, 먹을 식
[eat uncooked food]
익히지 아니하고 날[生]로 먹음[食]. 또는 그런 음식. [반]화식(火食).

선식 仙食 | 신선 선, 밥 식
신선(神仙)이 먹는 음식(飮食). ¶선식같이 맛있다.

소:식 小食 | 작을 소, 먹을 식
[eat little; eat like a bird]
음식을 적게[小] 먹음[食]. ¶장수하려면 소식하십시오. [반]대식(大食).

숙식 宿食 | 잠잘 숙, 먹을 식
[board and lodge]
자고[宿] 먹음[食]. ¶숙식 제공 / 아이는 기숙사에서 숙식한다.

시식¹ 時食 | 때 시, 밥 식
[seasonable foods; food in season]
그 계절[時]에 특별히 있는 음식(飮食). 또는 그 시절에 알맞은 음식. ¶시식에 남달리 관심이 많다.

시:식² 試食 | 시험할 시, 먹을 식 [taste; sample]
맛이나 요리 솜씨를 시험(試驗)하기 위하여 먹어[食] 봄. ¶우리는 여러 종류의 케이크를 시식해 보았다.

약식 藥食 | 약 약, 밥 식
약(藥)이 될 만큼 영양이 많은 밥[食]. [비]약밥.

양식¹ 洋食 | 서양 양, 밥 식
[Western cooking]
서양식(西洋式) 음식(飮食). ¶오늘은 양식을 먹자.

양식² 糧食 | 먹을거리 양, 밥 식 [provisions]
생존을 위하여 필요한 사람의 먹을거리[糧=食]. ¶양식이 다 떨어지다.

외:식 外食 | 밖 외, 먹을 식 [dine out]
집에서 직접 해 먹지 아니하고 밖에서[外] 음식을 사 먹음[食]. 또는 그런 식사. ¶우리 가족은 일주일에 한 번 외식을 한다.

육식 肉食 | 고기 육, 먹을 식
[meat eating; flesh-eating]
❶[속뜻] 짐승의 고기[肉]로 만든 것을 먹음[食]. 또는 그 음식. ¶언니는 육식보다 채식을 좋아한다. ❷동물이 동물을 먹이로 함. ¶티라노사우루스는 육식 공룡이다.

음:식 飮食 | 마실 음, 먹을 식 [food; meal]
마시고[飮] 먹음[食]. ¶맛있는 음식 / 짠 음식을 많이 먹으면 건강에 해롭다. [비]음식물.

의식 衣食 | 옷 의, 밥 식
[food and clothing]
옷[衣]과 음식(飮食).

일식 日食 | 일본 일, 밥 식
[Japanese food]
일본식(日本式) 요리나 음식(飮食).

잡식 雜食 | 섞일 잡, 먹을 식 [polyphagia]
❶[속뜻] 여러 가지 음식을 가리지 않고[雜] 마구 먹음[食]. ❷동물성 먹이나 식물성 먹이를 두루 먹음. ¶잡식 동물.

절식 節食 | 알맞을 절, 밥 식
[be temperate in eating]
음식(飮食)을 알맞게[節] 먹음. ¶그는 건강을 위해 절식하고 있다.

정:식 定食 | 정할 정, 밥 식 [regular meal]
값과 메뉴가 정(定)해져 있는 음식(飮食). ¶백반 정식.

주식 主食 | 주될 주, 밥 식 [staple food]
밥이나 빵과 같이 끼니에 주(主)로 먹는 음식(飮食). ¶쌀을 주식으로 하다. [반]부식(副食).

중식 中食 | 가운데 중, 밥 식 [lunch]
하루의 중간(中間) 시간에 먹는 밥[食]. ¶중식으로 김밥을 준비했다. [비]점심.

초식 草食 | 풀 초, 밥 식
[eat grass; live on grass]
풀[草]로 만든 음식(飮食). [반]육식(肉食).

침:식 寢食 | 잠잘 침, 먹을 식
[eating and sleeping]
잠자는[寢] 일과 먹는[食] 일. ¶침식을 제공하다. [비]숙식(宿食).

쾌식 快食 | 기쁠 쾌, 먹을 식
[enjoy the meal]
기쁘게[快] 음식을 잘 먹음[食]. ¶쾌식 후에 기분이 좋아졌다.

편식 偏食 | 치우칠 편, 먹을 식
[eat only what one wants]
좋아하는 것만 골라 치우치게[偏] 먹음[食]. ¶음식을 편식하지 말아야 한다.

포:식 飽食 | 배부를 포, 먹을 식
[satiate oneself; eat fill]
배부르게[飽] 먹음[食]. ¶푸짐하게 차린 저녁을 포식하고 일찌감치 곯아떨어졌다.

한식¹ 寒食 | 찰 한, 먹을 식
차가운[寒] 밥을 먹는[食] 풍습이 있는 명절. 종묘(宗廟)와 능원(陵園)에서 제향을 올리고, 민간에서는 성묘를 한다. 4월 5,6일 경이다.

한:식² 韓食 | 한국 한, 밥 식
[Korean style food]

한국(韓國) 고유의 음식(飮食). ¶나는 양식보다 한식을 좋아한다. ㊥한국 요리(韓國料理). ㊥양식(洋食).

회:식 會食 | 모일 회, 먹을 식 [dine together]
여럿이 모여[會] 함께 음식을 먹음[食]. 또는 그 모임. ¶우승 기념 회식 / 오늘 저녁 회식할 예정이다.

후:식 後食 | 뒤 후, 밥 식 [dessert]
식사 뒤[後]에 먹는 간단한 음식[食]. 과일이나 아이스크림 따위. ¶후식으로 아이스크림을 먹었다.

제2부

제2부 실 제 : 한자 및 한자어 지도

3장. 7급 배정한자 50

[0101-0150]

0101 [주]

主

임금/주인 주

[部] 丶부 [劃] 5획 [中] 主 [zhǔ]

主 主 主 主 主

主의 본래 글자는 '심지'(a wick)를 뜻하기 위하여 호롱불의 심지 모양을 본뜬 '丶'(주)였다. 후에 받침대 모양이 첨가된 主자로 바뀌어졌고, 이것이 '주인'(owner) '주되다'(chief; chiefly)란 뜻으로 활용되는 예가 많아지자, 본뜻은 '불 화'(火)를 첨가한 炷(심지 주)자를 따로 만들어 나타냈다.

[속뜻훈음] ①주인 주, ②주될 주, ③위패 주.

주관¹ 主管 | 주될 주, 맡을 관
[manage; be in charge of]
어떤 일에 중심이 되어[主] 맡아 관리(管理)함. ¶정부 주관으로 의식을 거행하다.

주관² 主觀 | 주인 주, 볼 관 [subjectivity]
스스로 주인(主人)이 되어 보는[觀] 생각. ¶자기 주관이 뚜렷하다. [반]객관(客觀).

주교 主教 | 주될 주, 종교 교 [bishop]
❶[속뜻] 주장(主張)으로 삼는 종교(宗教). ❷[가톨릭] 교구를 관할하는 조직이나, 그 직에 있는 사람을 이르는 말.

주권 主權 | 주인 주, 권리 권 [sovereignty]
❶[속뜻] 주인(主人)의 권리(權利). ❷[법률] 국가 의사를 최종적으로 결정하는 최고·독립·절대의 권력. ¶주권을 행사하다.

주도 主導 | 주인 주, 이끌 도 [lead]
주인(主人)이 되어 이끌어 나감[導]. ¶정부 주도 하의 산업화 / 정미는 모임을 주도하는 능력이 있다.

주동 主動 | 주될 주, 움직일 동 [lead]
어떤 일에 중심이 되어[主] 행동(行動)함. 또는 그러한 사람. ¶그는 3·1만세운동을 주동했다.

주력 主力 | 주될 주, 힘 력 [main force]
중심이 되는[主] 힘[力]. 또는 그런 세력(勢力). ¶주력 부대가 전멸 당했다.

주례 主禮 | 주될 주, 예도 례 [officiate]
예식(禮式)을 주도(主導)하여 진행함. 또는 그 일을 맡아보는 사람. ¶목사님께 결혼식 주례를 부탁드렸다.

주류 主流 | 주될 주, 흐를 류
[mainstream; majority]
❶[속뜻] 강의 원줄기[主]가 되는 흐름[流]. ¶한강의 주류. ❷어떤 조직이나 단체에서 영향력이 가장 큰 세력. ¶올 겨울옷은 화려한 원색이 주류를 이룬다. [반]비주류(非主流).

주모 主謀 | 주될 주, 꾀할 모
[lead a conspiracy; stir up]
모략이나 음모 따위를 주도(主導)하여 꾸밈[謀]. ¶몰래 반란을 주모하다.

주범 主犯 | 주될 주, 범할 범 [principal offender]
어떤 범죄를 주동(主動)한 범인(犯人). ¶사건 발생 한 달 만에 주범이 잡혔다 / 자동차 매연은 대기오염의 주범이다.

주부 主婦 | 주인 주, 부인 부 [housewife]
한 가정 주인(主人)의 부인(婦人). ¶자녀 셋을 둔 주부.

주빈 主賓 | 주될 주, 손님 빈 [guest of honor]
손님 가운데서 주(主)가 되는 손님[賓]. ¶저명한 인사들이 주빈으로 참석하다.

주석 主席 | 주인 주, 자리 석 [head]
❶[속뜻] 주인(主人)의 자리[席]. 중심이 되는 자리. ❷중국 등 일부 국가의 정부나 정당의 최고 지위. 또는 그 지위에 있는 사람.

주식 主食 | 주될 주, 밥 식 [staple food]
밥이나 빵과 같이 끼니에 주(主)로 먹는 음식(飮食). ¶쌀을 주식으로 하다. [반]부식(副食).

주심 主審 | 주될 주, 살필 심 [chief judge]
❶[속뜻] 주(主)된 심사원(審查員). ❷[운동] 여러 명의 심판 가운데 주장이 되어 경기를 진행시키고 심판하는 사람. ¶주심의 판정을 따르기로 하다.

주어 主語 | 주인 주, 말씀 어 [subject]
[언어] 문장에서 주체(主體)가 되는 말[語]. ¶'철수가 운동을 한다.'에서 주어는 '철수'이다.

주역 主役 | 주될 주, 부릴 역 [leading part]
❶[속뜻] 연극이나 영화 따위의 주(主)된 역할(役割). 또는 그러한 사람. ¶그 여배우는 이번 영화에서 주역을 따냈다. ❷어떤 분야에서 중요한 일을 하는 사람. ¶그가 우리 팀 우승의 주역이다. [반]단역(端役).

주연 主演 | 주인 주, 펼칠 연 [leading role]
[연영] 연극이나 영화 등에서 주인공(主人公)으로 출연(出演)함. 또는 주인공으로 출연한 배우. ¶그가 주연한 영화가 흥행에 성공했다. [반]조연(助演).

주요 主要 | 주될 주, 요할 요 [main]
주(主)가 되고 중요(重要)함. ¶올해의 주요 사건.

주의 主義 | 주될 주, 뜻 의 [belief; principle]
❶[속뜻] 중심[主]이 되는 뜻[義]이나 의견. ❷굳게 지키는 주장이나 방침. ¶그는 주의가 강한 사람이다. ❸체계화된 이론이나 학설. ¶민족자결주의 / 제국주의.

주인 主人 | 주될 주, 사람 인
[owner; host; employer]

❶ 속뜻 한 집안을 꾸려 나가는 주(主)되는 사람[人]. ❷ 물건을 소유한 사람. ¶이 땅의 주인은 누구입니까? ❸손을 맞이하는 사람. ¶주인은 손님들에게 반갑게 인사했다. ❹고용 관계에서의 고용주. ¶휴가를 달라고 주인에게 건의하다. ⓑ손님.

주일 主日 | 주인 주, 해 일 [Lord's day]
기독교 '일요일'을 달리 이르는 말. 예수[主] 그리스도가 부활한 사건을 매주 기념하는 날[日]에서 유래한다. ¶주일에는 영업하지 않습니다.

주임 主任 | 주될 주, 맡길 임 [chief; head]
어떤 일에 중심이 되어[主] 맡음[任]. 또는 그 사람. ¶3학년 주임 교사 / 영업부 주임으로 승진하다.

주장[1] 主張 | 주될 주, 벌릴 장 [assert; contend]
자기의 의견이나 주의(主義)를 널리 떠벌임[張]. 또는 그런 주의. ¶변호사는 무죄를 주장했다.

주장[2] 主將 | 주인 주, 장수 장 [captain]
❶ 속뜻 한 군대의 으뜸가는[主] 장수(將帥). ❷ 운동 한 팀을 대표하는 선수. ¶주장이 팀을 대표하여 트로피를 받았다.

주재 主宰 | 주될 주, 맡을 재 [chair; supervise]
어떤 일을 중심이 되어[主] 맡아함[宰]. 또는 그 사람. ¶대통령 주재로 긴급회의가 열렸다.

주전 主戰 | 주될 주, 싸울 전 [key player]
❶ 속뜻 전쟁(戰爭)하기를 주장(主張)함. ❷주력이 되어 싸움. 또는 그런 사람. ¶그는 부상 때문에 주전으로 뛸 수 없다. ⓑ후보(候補).

주제 主題 | 주될 주, 제목 제 [theme]
❶ 속뜻 연설이나 토론 따위의 주요(主要) 제재(題材)나 제목(題目). ¶이별의 슬픔을 주제로 한 시. ❷중심이 되는 문제. ¶대화의 주제와 관련 없는 내용은 삼가 주십시오.

주종[1] 主宗 | 주될 주, 으뜸 종 [main part]
여러 가지 가운데 주(主)가 되고 으뜸[宗]이 되는 것. ¶그 나라의 수출품은 가전제품이 주종을 이룬다.

주종[2] 主從 | 주인 주, 따를 종 [master and servant]
주인(主人)과 그를 따르는[從] 사람. ¶주종 관계를 이루다.

주창 主唱 | 주인 주, 이끌 창 [advocate]
❶ 속뜻 주장(主將)이 되어 이끎[唱]. ❷앞장서서 부르짖음. ¶김 선생님은 늘 민족주의를 주창하셨다.

주체 主體 | 주될 주, 몸 체 [main body]
❶ 속뜻 어떤 단체나 물건의 주(主)가 되는 부분[體]. ¶국가의 주체는 국민이다. ❷사물의 작용이나 어떤 행동의 주가 되는 것. ¶역사의 주체.

주최 主催 | 주될 주, 열 최 [sponsor]
어떤 행사나 회합 따위의 개최(開催)를 주관(主管)함. ¶신문사 주최로 바자회가 열리다.

주축 主軸 | 주될 주, 굴대 축 [main axis]
❶ 속뜻 몇 개의 축을 가진 도형이나 물체에서 중심을 이루는[主] 축(軸). ❷어떤 활동의 중심. ¶학생회가 주축이 되어 축제를 진행했다.

주치 主治 | 주될 주, 다스릴 치 [have patient in charge]
어떤 의사가 치료(治療)를 주관(主管)함. 또는 그런 일.

• 역순어휘

객주 客主 | 손 객, 주인 주 [commission agent]
역사 조선 시대에 객지(客地)에 장사하러 온 사람들의 거처를 제공하며 물건을 맡아 팔거나 흥정을 붙여 주는 일을 하던 집의 주인(主人). 속담 객주가 망하려니 짚단만 들어온다.

공주 公主 | 귀인 공, 주될 주 [(royal) princess]
정실 왕비가 낳은 임금의 딸. 옛날 중국에서, 왕이 그 딸을 제후에게 시집보낼 때 삼공(三公)이 그 일을 주관(主管)하도록 한 데서 유래되었다. ⓑ왕자(王子).

교:주 教主 | 종교 교, 주인 주 [founder of a religion]
❶ 종교 한 종교(宗教) 단체의 우두머리[主]. ❷종교의 개조를 높여 이르는 말. 불교의 석가모니 등.

구:주 救主 | 구할 구, 주인 주 [Savior; Redeemer; Messiah]
기독교 '구세주'(救世主)의 준말.

군주 君主 | 임금 군, 주인 주 [king; ruler]
임금[君]을 나라의 주인(主人)으로 이르던 말.

민주 民主 | 백성 민, 주인 주 [popular rule]
❶ 속뜻 주권(主權)이 국민(國民)에게 있음. ¶우리나라는 민주 국가이다. ❷ 정치 '민주주의'(民主主義)의 준말.

상주 喪主 | 죽을 상, 주인 주 [chief mourner]
상제(喪制)에서 주(主)가 되는 사람. 대개 장자(長子)가 된다. ⓑ맏상제.

성주 城主 | 성 성, 주인 주 [lord of a castle]
성(城)의 우두머리[主].

시:주 施主 | 베풀 시, 주인 주 [offer; donate]
불교 중이나 절에 물건을 바치는[施] 사람[主]. 또는 그 일.

신주 神主 | 귀신 신, 위패 주 [ancestral tablet]
죽은 이의 영혼[神]이 담겨 있는 위패[主]. 관용 신주 모시듯.

위주 爲主 | 할 위, 주인 주 [put first]

주(主)되는 것으로 삼음[爲]. 으뜸으로 삼음. ¶교과서 위주로 공부하면 된다.

자주 自主 | 스스로 자, 주인 주 [independence]
자기(自己)가 주인(主人)이 되어 자신의 일을 스스로 처리하는 일.

제ː주 祭主 | 제사 제, 주인 주 [chief mourner]
제사(祭祀)의 주체(主體)가 되는 상제. ¶큰 형이 제주가 되어 아버지 제사를 지냈다.

주주 株主 | 주식 주, 주인 주 [stockholder]
경제 주식(株式)을 가지고 있는 사람[主]. ¶주주총회.

지주 地主 | 땅 지, 주인 주 [landowner]
토지(土地)의 주인(主人). ¶이 마을 지주는 마을 논밭의 절반을 갖고 있다.

천주 天主 | 하늘 천, 주인 주
[Lord of Heaven; God]
❶속뜻 하늘[天]의 주인(主人). ❷가톨릭 하느님을 일컫는 말.

호ː주 戶主 | 집 호, 주인 주 [head of a family]
❶속뜻 한 집안[戶]의 주인(主人). ❷법률 한 집안의 주인으로서 가족을 거느리며 부양하는 일에 대한 권리와 의무가 있는 사람. ¶우리 집 호주는 아버지이시다.

0102 [출]

出

날 출
部 凵부 劃 5획 中 出 [chū]

出 出 出 出 出

出자는 산(山)이 겹쳐진 것으로 보기 쉬운데, 사실은 반지하의 움집을 가리키는 '凵'에다 '발자국 지'(止)가 잘못 바뀐 屮(철)이 합쳐진 것이다. 발자국이 집밖을 향하고 있는 것을 통하여 '(밖으로) 나가다'(go out)는 뜻을 나타낸 것이다.

출가[1] 出家 | 날 출, 집 가
[leave home; become a Buddhist priest]
❶속뜻 집[家]을 나감[出]. ❷불교 세속의 집을 떠나 불문에 듦. ¶석가모니는 29세에 출가했다.

출가[2] 出嫁 | 날 출, 시집갈 가 [be married to]
처녀가 시집[嫁]을 감[出]. ¶딸들을 출가시키다.

출간 出刊 | 날 출, 책 펴낼 간 [publish]
책을 펴내어[刊] 세상에 내어놓음[出]. ¶영어책 하나를 출간하기로 마음먹었다. ⊕출판(出版).

출격 出擊 | 날 출, 칠 격 [sally; sortie]
주로 항공기가 적을 공격(攻擊)하러 나감[出]. ¶적의 수도를 공격하기 위해 전투기가 출격했다.

출구 出口 | 날 출, 어귀 구
[exit; way out; gateway]
밖으로 나갈[出] 수 있는 통로나 어귀[口]. ¶출구를 찾지 못해 우왕좌왕 헤맸다. ⊕입구(入口).

출국 出國 | 날 출, 나라 국
[depart from the country; leave the country]
그 나라[國]를 떠나 외국으로 나감[出]. ¶그는 다음 주에 출국할 예정이다. ⊕입국(入國).

출근 出勤 | 날 출, 일할 근 [go to the office]
일하러[勤] 나감[出]. ¶오늘 출근이 조금 늦었다. ⊕결근(缺勤), 퇴근(退勤).

출금 出金 | 날 출, 돈 금 [pay; draw out]
돈[金]을 꺼냄[出]. 꺼낸 돈. ¶은행에 가서 10만원을 출금했다. ⊕입금(入金).

출납 出納 | 날 출, 들일 납 [incomings and outgoings; receipts and payments]
❶속뜻 금전이나 물품을 내주거나[出] 받아들임[納]. 특히 금전을 내주거나 받아들임. ¶그녀는 은행에서 출납 업무를 맡고 있다. ❷수입과 지출.

출동 出動 | 날 출, 움직일 동
[move (out); be mobilized; go into action]
❶속뜻 나가서[出] 행동(行動)함. ❷부대 따위가 활동하기 위하여 목적지로 떠남. ¶많은 소방차가 화재를 진압하러 출동했다.

출두 出頭 | 날 출, 머리 두 [appear; attend]
❶속뜻 머리[頭]를 들고 나옴[出]. ❷어떤 곳에 몸소 나감. ¶그는 월요일 법정에 출두할 예정이다.

출력 出力 | 날 출, 힘 력 [output]
❶속뜻 힘[力]을 내보냄[出]. ❷기계 전동자 따위가 외부에 공급하는 기계적·전기적 힘. ¶이 자동차의 최대 출력은 200마력이다. ❸컴퓨터 따위의 기기나 장치가 입력을 받아 일을 하고 외부로 결과를 내는 일. ¶이 문서를 출력해 주십시오. ⊕입력(入力).

출마 出馬 | 날 출, 말 마
[run for office; stand as a candidate]
❶속뜻 말[馬]을 몰고 나감[出]. ❷선거 따위에서 입후보자로 나섬. ¶올해 누가 시장 선거에 출마합니까?

출몰 出沒 | 날 출, 빠질 몰
[make frequent appearances; come and go]
무엇이 나타났다[出] 사라졌다[沒] 함. ¶이 산에는 호랑이가 출몰한다.

출발 出發 | 날 출, 떠날 발 [start; set out; depart]
❶속뜻 집을 나서서[出] 길을 떠남[發]. ¶기차가 출발하자 손을 흔들었다. ❷일을 시작함. 일의 시작. ¶새 출발을

다짐하다 / 그는 처음에 모델로 출발했다. ㊞도착(到着).

출범 出帆 | 날 출, 돛 범
[sail; be founded; be launched]
❶속뜻 배가 돛[帆]을 달고 떠나감[出]. ¶이 배는 수리를 마치고 내일이면 출범된다. ❷단체가 새로 조직되어 일을 시작함을 비유적으로 이르는 말. ¶NATO는 1949년에 출범했다.

출산 出産 | 날 출, 낳을 산 [have a baby]
아기를 낳음[出=産]. ¶그녀는 건강한 아기를 출산했다. ㊐분만(分娩), 해산(解産).

출생 出生 | 날 출, 날 생 [be born]
태아가 모체 밖으로 나가[出] 세상에 태어남[生]. ¶그 작가는 1978년 강릉에서 출생했다. ㊞사망(死亡).

출석 出席 | 날 출, 자리 석 [attend]
어떤 자리[席]에 나감[出]. ¶출석을 부르다 / 그는 증인으로 내일 법정에 출석할 것이다. ㊞결석(缺席).

출세 出世 | 날 출, 세상 세 [success in life]
❶속뜻 숨어살던 사람이 세상(世上)에 나옴[出]. ❷사회적으로 높이 되거나 유명해짐. ¶그는 출세하더니 거만해졌다. ㊐성공(成功).

출소 出所 | 날 출, 곳 소 [come out of prison]
교도소 같은 곳[所]에서 풀리어 나옴[出]. ¶그는 출소하자마자 또다시 범행을 저질렀다. ㊐출옥(出獄).

출신 出身 | 날 출, 몸 신 [graduate]
❶속뜻 출생(出生) 당시의 가정이 속하여 있던 사회적 신분(身分) 관계. ¶양반 출신으로 태어나다. ❷학교나 직업 따위의 사회적 신분 관계. ¶운동 감독을 하는 사람 중에서는 선수 출신이 꽤 많다.

출연 出演 | 날 출, 펼칠 연 [act]
무대나 영화, 방송 따위에 나와[出] 연기(演技)함. ¶출연해 주셔서 감사합니다.

출옥 出獄 | 날 출, 감옥 옥
[get released from prison]
형기가 끝나거나 무죄가 되어 감옥(監獄)을 나옴[出]. ¶출옥한 뒤 그는 사업을 시작했다. ㊐출소(出所).

출입 出入 | 날 출, 들 입
[come in and out; enter and leave]
나가고[出] 들어옴[入]. ¶10세 이하면 누구나 출입이 가능하다.

출장¹ 出張 | 날 출, 벌릴 장 [travel on business]
외부로 나가서[出] 일을 벌림[張]. 또는 외부에서 용무를 봄. ¶해외로 출장을 간다.

출장² 出場 | 날 출, 마당 장
[take the field; participate]
❶속뜻 어떤 장소(場所)에 나감[出]. ❷운동 경기에 나감. ¶네 명의 한국 선수들이 경기에 출장했다.

출전¹ 出典 | 날 출, 책 전
[source; source book; origin]
❶속뜻 나오는[出] 책[典]. ❷고사(故事), 성어(成語)나 인용문 따위의 출처(出處)가 되는 책. ¶이 예문의 출전을 알려 주세요.

출전² 出戰 | 날 출, 싸울 전
[participate (in); compete (in)]
❶속뜻 나가서[出] 싸움[戰]. ❷전쟁, 운동 경기 따위에 나감. ¶월남전에 출전하다 / 높이뛰기에 출전하다.

출정 出征 | 날 출, 칠 정
[go (off) to war; go into battle]
❶속뜻 정벌(征伐)에 나섬[出]. ❷군에 입대하여 싸움터에 나감. ¶그 장수는 10만 명의 군사를 거느리고 출정했다.

출제 出題 | 날 출, 제목 제 [set exam questions]
시험 문제(問題)를 냄[出]. ¶문제는 주로 교과서에서 출제되었다.

출중 出衆 | 뛰어날 출, 무리 중
[excellent; outstanding; remarkable]
뭇사람[衆] 가운데 가장 뛰어나다[出]. ¶그녀는 영어 실력이 출중하다.

출처 出處 | 날 출, 곳 처 [source; origin]
사물이 나온[出] 본래의 곳[處]. ¶출처를 밝히다 / 소문은 무성하지만 출처는 불확실하다.

출토 出土 | 날 출, 흙 토
[be excavated; be unearthed]
땅[土]속에서 발굴되어 나옴[出]. ¶유물이 출토되다.

출판 出版 | 날 출, 책 판 [publish; issue; print]
저작물을 책[版]으로 꾸며 세상에 내놓음[出]. ¶그녀의 소설은 다음 달에 출판된다. ㊐간행(刊行), 출간(出刊).

출품 出品 | 날 출, 물건 품 [exhibit; display]
❶속뜻 내놓은[出] 물품(物品). ❷전람회나 전시회 같은 곳에 물건이나 작품을 내놓음. ¶그가 출품한 그림이 입상했다.

출하 出荷 | 날 출, 짐 하 [send out goods]
❶속뜻 짐[荷]을 실어 냄[出]. ❷생산품을 시장으로 실어 냄. ¶채소를 도매시장에 출하하다. ㊞입하(入荷).

출항 出港 | 날 출, 항구 항 [sail; leave port]
배가 항구(港口)를 떠남[出]. ¶태풍 경보가 내려지면 모든 어선의 출항이 금지된다. ㊞입항(入港).

출현 出現 | 날 출, 나타낼 현 [appear]
없던 것이나 숨겨져 있던 것이 나와[出] 그 모습을 나타냄[現]. ¶남해안에 식인 상어가 출현했다 / 컴퓨터의 출현은 우리의 삶에 많은 영향을 미쳤다.

출혈 出血 | 날 출, 피 혈 [bleed]
피[血]가 혈관 밖으로 나옴[出]. ¶출혈이 심해 중태에 빠지다.

• 역순어휘

가출 家出 | 집 가, 날 출 [leave home]
집[家]에서 뛰쳐나옴[出]. ¶요즘 가출하는 청소년이 늘었다.

검:출 檢出 | 검사할 검, 날 출 [detect]
검사(檢査)하여 찾아냄[出]. ¶그 지역에서 방사능이 검출되었다. ㊐검색(檢索), 색출(索出).

구:출 救出 | 구원할 구, 날 출 [rescue; help out]
구원(救援)하여 위험한 상태에서 벗어나오게 함[出].

노출 露出 | 드러낼 로, 날 출 [exposure]
❶속뜻 속을 드러내거나[露] 나옴[出]. ¶속살이 노출되다. ❷연영 사진을 찍을 때 셔터를 열어 필름에 빛을 비춤. ¶밝은 곳에서 사진을 찍을 때는 노출을 줄여야 한다. ㊐노광(露光).

누:출 漏出 | 샐 루, 날 출 [leak; escape]
❶속뜻 기체나 액체 따위가 새어[漏] 나옴[出]. ¶가스 누출. ❷비밀이나 정보가 밖으로 새어나감. ¶개인 정보를 누출하다. ㊐누설(漏泄).

대:출 貸出 | 빌릴 대, 날 출 [lend out]
돈이나 물건 따위를 빚으로 꾸어 주거나 빌려[貸] 줌[出]. ¶도서관에서 책을 대출해준다.

도:출 導出 | 이끌 도, 날 출 [deduce; draw]
판단이나 결론 따위를 이끌어[導] 냄[出]. ¶합의 도출 / 결론을 도출하다.

돌출 突出 | 갑자기 돌, 날 출 [project; jut out]
❶속뜻 예기치 못하게 갑자기[突] 쑥 나오거나[出] 불거짐. ¶돌출 행동 / 돌출된 발언. ❷바깥쪽으로 쑥 내밀거나 불거져 있음. ¶광대뼈의 돌출 / 돌출된 바위.

매:출 賣出 | 팔 매, 날 출 [sale]
팔아서[賣] 내보냄[出]. 판매함. ¶여름에 에어컨 매출이 늘었다 / 매출액이 급감하다. ㊥매입(買入).

방:출 放出 | 놓을 방, 날 출 [discharge]
❶속뜻 내놓음[放=出]. ❷비축하여 놓은 것을 내놓음. ¶정부미를 방출하다.

배출[1] 排出 | 밀칠 배, 날 출 [discharge; transpire]
불필요한 물질을 밀어서[排] 밖으로 내보냄[出]. ¶이산화탄소를 배출하다.

배:출[2] 輩出 | 무리 배, 날 출 [come forward in succession]
인재들[輩]을 양성하여 사회에 내보냄[出]. ¶훌륭한 기술자 배출이 우리 학교의 목표다.

분:출 噴出 | 뿜을 분, 날 출 [spout; gush out]
❶속뜻 좁은 곳에서 액체나 기체가 세차게 뿜어[噴] 나옴[出]. ¶용암이 분출하다. ❷요구나 욕구 따위가 한꺼번에 터져 나옴. 또는 그렇게 되게 함. ¶그는 자신의 분노를 친구에게 분출했다.

산:출[1] 産出 | 낳을 산, 날 출 [produce; yield; bring forth]
물건이 생산(生産)되어 나오거나[出] 물건을 생산해 냄. ¶석탄 산출 지역.

산:출[2] 算出 | 셀 산, 날 출 [calculate; compute]
계산(計算)해 냄[出]. ¶성적 산출 / 예산을 산출하다.

색출 索出 | 찾을 색, 날 출 [search out]
샅샅이 뒤져서 찾아[索] 냄[出]. ¶범인을 색출하다.

선:출 選出 | 뽑을 선, 날 출 [elect]
여럿 가운데서 고르거나 뽑아[選] 냄[出]. ¶학급 대표를 선출하다.

속출 續出 | 이을 속, 날 출 [occur in succession]
잇달아[續] 나옴[出]. ¶걱정거리가 속출하다.

수출 輸出 | 나를 수, 날 출 [export]
❶속뜻 실어서[輸] 내보냄[出]. ❷국내의 상품이나 기술 따위를 외국으로 팔아 내보냄. ¶휴대전화 수출이 크게 늘었다 / 이 기업은 자동차를 수출하고 있다. ㊥수입(輸入).

신출 新出 | 새 신, 날 출 [new come]
새로[新] 나옴[出]. 또는 그 사람이나 물건.

연:출 演出 | 펼 연, 날 출 [produce; stage]
❶속뜻 대본의 내용을 행동으로 펼쳐[演] 드러냄[出]. ❷연영 연극·영화·방송극 따위에서, 대본(臺本)에 따라 배우의 연기나 무대 장치, 조명, 음향 효과 따위를 지도하고 전체를 종합하여 하나의 작품이 되게 하는 일. ¶그 연극은 연출이 훌륭했다.

외:출 外出 | 밖 외, 날 출 [go out]
밖[外]으로 나감[出]. ¶지금은 외출 중이오니 메시지를 남겨주세요. ㊐나들이.

유출 流出 | 흐를 류, 날 출 [spill; outflow]
❶속뜻 액체 등이 흘러[流] 나감[出]. ¶유조선에서 기름이 유출되었다. ❷귀중한 물품이나 정보 따위가 불법적으로 나라나 조직의 밖으로 나가 버림. 또는 그것을 내보냄. ¶시험문제 유출 / 군사 기밀이 외부로 유출되었다.

인출 引出 | 끌 인, 날 출 [draw out]
예금을 찾아[引] 냄[出]. ¶현금인출 / 그는 통장에서 5만 원을 인출했다.

일출 日出 | 해 일, 날 출 [sunrise]

해[日]가 돋음[出]. ¶일출 시간은 오전 5시 40분입니다. (반)일몰(日沒).

전:출 轉出 | 옮길 전, 날 출 [move out; transfer]
❶[속뜻]다른 곳으로 옮겨[轉] 나감[出]. ¶전출 신고. ❷근무지로 옮겨 감. ¶그는 지방으로 전출했다. (반)전입(轉入).

제출 提出 | 들 제, 날 출 [present; submit]
안건 따위를 들어[提] 내놓음[出]. ¶내일까지 답안을 제출하십시오.

지출 支出 | 가를 지, 날 출 [expend; pay]
갈라서[支] 내줌[出]. ¶수입에서 지출을 떼면 약간의 이익이 남는다 / 용돈의 대부분을 책 사는 데 지출했다. (반)수입(收入).

진:출 進出 | 나아갈 진, 날 출 [advance; enter]
❶[속뜻]앞으로 나아가[進] 밖으로 나감[出]. ❷어떤 방면으로 활동 범위나 세력을 넓혀 나아감. ¶여성의 사회 진출 / 한국 영화가 국제무대에 진출하고 있다.

추출 抽出 | 뽑을 추, 날 출
[abstract; extract; press out]
[화학]용매를 써서 고체나 액체로부터 어떤 물질을 뽑아[抽] 냄[出]. ¶콩에서 추출한 단백질 성분.

탈출 脫出 | 빠질 탈, 날 출 [escape]
일정한 환경이나 구속에서 빠져[脫] 나감[出]. ¶비만 탈출을 위해 운동하다 / 그는 낙하산을 타고 비행기를 탈출했다.

파출 派出 | 보낼 파, 날 출 [send out; dispatch]
파견(派遣)되어 나감[出].

표출 表出 | 겉 표, 날 출 [express; show; display]
겉[表]으로 드러냄[出]. ¶개성의 표출 / 자신의 불만을 표출하다.

호출 呼出 | 부를 호, 날 출 [call out]
불러[呼] 냄[出]. ¶그는 사장의 호출을 받고 나갔다.

0103 [동]

冬 겨울 동(:)
(部) 冫부 (획) 5획 (中) 冬 [dōng]

冬 冬 冬 冬 冬

冬자에 대하여는 이설이 많으나, 발꿈치 모양을 본뜬 것이라는 설이 가장 유력하다. 인체는 머리에서 시작되어 발꿈치로 끝난다. 그래서 '끝'(end)이 본뜻이었다. 일 년 계절의 끝인 '겨울'(winter)을 뜻하는 것으로 확대 사용되는 예가 잦아지자, 그 본뜻은 '終'자(마칠 종, #0472)를 만들어 나타냈다.

동:계 冬季 | 겨울 동, 철 계 [winter season]
겨울[冬] 철[季]. ¶동계 올림픽 / 동계 훈련. (비)동절(冬節). (반)하계(夏季).

동:면 冬眠 | 겨울 동, 잠잘 면 [winter sleep]
❶[동물]동물이 겨울[冬] 동안 활동을 멈추고 잠자는[眠] 상태에 있는 현상. ¶곰은 동면을 한다. ❷'어떤 활동이 일시적으로 휴지 상태에 이름'을 비유하여 이르는 말. ¶1년의 동면을 끝내고 남북 협상이 재개됐다. (비)겨울잠. (반)하면(夏眠).

동백 冬柏 | =冬栢, 겨울 동, 잣나무 백
[camellia seeds]
❶[속뜻]겨울[冬]에 꽃이 피는 나무. 왜 '柏'자가 쓰였는지 이유는 확실하지 않다. ❷[식물]긴 타원형의 잎이 나고, 이른 봄에 붉은색 또는 흰색의 큰 꽃이 피는 교목. 열매는 기름을 짜서 머릿기름, 등잔 기름 따위로 쓴다. (비)동백나무.

동:절 冬節 | 겨울 동, 철 절 [winter season]
겨울[冬] 철[節].

동지 冬至 | 겨울 동, 이를 지 [winter solstice]
겨울[冬]이 절정에 이른[至] 때. 태양이 동지점(冬至點)을 통과하는 12월 22일이나 23일경. (반)하지(夏至).

• 역순어휘

엄동 嚴冬 | 혹독할 엄, 겨울 동
[rigorous winter; midwinter]
혹독하게[嚴] 추운 겨울[冬].

월동 越冬 | 넘을 월, 겨울 동 [pass the winter]
겨울[冬]을 넘기는[越] 것. 겨우살이. ¶월동 준비 / 뱀은 겨울잠을 자면서 월동한다. (비)겨울나기.

입동 立冬 | 설 립, 겨울 동 [onset of winter]
겨울[冬]이 시작된다고[立] 하는 11월 초순의 절기. 상강(霜降)과 소설(小雪) 사이. ¶입동이니 김장을 해야겠다.

0104 [천]

千 일천 천
(部) 十부 (획) 3획 (中) 千 [qiān]

千 千 千

千자는 '사람 인'(亻)지에 줄을 하나[一] 그어 놓은 것이다. 지금부터 약 3,400년 전 갑골문 시기에는 1,000이라는 큰 숫자를 그렇게 표시하였고, 2,000은 두 줄을, 3,000은 세 줄을 그어 놓았다. 하필이면 왜 '사람 인'(亻)지에 그렇게 하였는지에 대하여는 정설이 없다. 이 글자는 實數(실

수) '1,000'(a thousand) 외에 '많다'(abundant; plentiful)는 뜻으로도 쓰인다.

천금 千金 | 일천 천, 돈 금 [lot of money]
❶[속뜻]엽전 천(千) 냥의 돈[金]. ❷많은 돈. ¶일확천금(一攫千金) / 천금을 준다고 해도 목숨은 살 수 없다.

천년 千年 | 일천 천, 해 년
[thousand years; millennium]
해[年]가 천(千) 번이 지날 정도의 오랜 세월. ¶그렇게 돈을 펑펑 쓰면서 어느 천년에 집을 사겠어?

천리 千里 | 일천 천, 거리 리 [long distance]
❶[속뜻]1리(里)의 천(千)배에 해당하는 거리. ❷'매우 먼 거리'를 비유하는 말. ¶어머니는 천리 길도 마다 않고 나를 보러 오셨다.

천만 千萬 | 일천 천, 일만 만
[ten million; countless number]
❶[속뜻]만(萬)의 천(千)의 곱절. ¶한 달에 천만 원도 넘게 번다. ❷천만 가지의 경우, 즉 '많은 수나 경우'를 이르는 말. 전혀. 아주. 매우. 어떤 경우에도. ¶천만의 말씀 / 앞으로는 그런 일이 천만 없도록 하게. ❸더할 나위 없음. 정도가 심함. ¶위험 천만하다.

천자 千字 | 일천 천, 글자 자
[Thousand-Character Text]
❶[속뜻]천(千) 개의 글자[字]. ❷[책명]'천자문'(千字文)의 준말.

천추 千秋 | 일천 천, 세월 추
[thousand years; many years]
이전이나 이후의 천(千) 년의 세월[秋]. ¶천추의 한(恨)을 남기다.

• 역순어휘 —— •

수:천 數千 | 셀 수, 일천 천 [several thousands]
몇[數] 천(千). ¶수천 명.

0105 [휴]

休 쉴 휴
[部] 人부 [劃] 6획 [中] 休 [xiū]
休休休休休休

休자를 처음으로 만들어낸 사람들의 이야기를 재구성해 보자. "왕 선생! '쉬다'(rest)는 뜻의 글자를 어떻게 만들면 좋을까?" "그 참! 곤란하네! 어떻게 한담!" "묘안이 없을까? 잘 좀 생각해 보라고! 자넨 그 분야에 있어서 세상 사람들이 다 아는 도사잖아!" "저기 좀 봐! 나무 그늘 아래 앉아 서 쉬고 있는 사람 보여? 저 모습을 간단히 나타내면 되지 않을까!" "좋아! 기발한 생각이다. 그렇게 해보자!" 그래서 나무[木] 그늘 아래 앉아 쉬고 있는 사람[亻=人]의 모습을 표본적으로 나타낸 것이 바로 休자다. '멈추다'는 뜻으로도 쓰인다.

[속뜻훈음] ①쉴 휴, ②멈출 휴.

휴가 休暇 | 쉴 휴, 겨를 가 [holiday]
일정한 기간 쉬는[休] 겨를[暇]. 쉼. ¶여름 휴가.

휴게 休憩 | 쉴 휴, 쉴 게
[take a rest; take time off]
일을 하거나 길을 가다가 잠깐 쉬는[休=憩] 일.

휴경 休耕 | 쉴 휴, 밭갈 경 [keep a land idle]
농사짓던 땅을 갈지[耕] 않고 얼마 동안 묵힘[休].

휴교 休校 | 쉴 휴, 학교 교
[close school temporarily]
학교(學校)에서 수업과 업무를 한동안 쉼[休]. 또는 그 일. ¶우리 학교는 폭우로 임시 휴교에 들어갔다.

휴식 休息 | 멈출 휴, 쉴 식 [rest; repose]
하던 일을 멈추고[休] 잠깐 쉼[息]. ¶휴식 공간 / 나무 그늘에서 잠시 휴식하다.

휴양 休養 | 쉴 휴, 기를 양 [rest; repose]
편히 쉬면서[休] 마음과 몸을 보양(保養)함. ¶휴양 시설 / 그는 시골에서 휴양하는 동안 건강해졌다.

휴업 休業 | 쉴 휴, 일 업 [suspend business]
영업(營業) 따위를 얼마 동안 쉼[休]. ¶임시 휴업.

휴일 休日 | 쉴 휴, 날 일 [holiday]
일을 하지 않고 쉬는[休] 날[日]. ¶오늘은 정기 휴일입니다.

휴전 休戰 | 쉴 휴, 싸울 전
[cease firing; make a truce]
[군사]하던 전쟁(戰爭)을 얼마 동안 쉼[休]. ¶남북은 1953년 7월 27일 휴전하였다.

휴정 休廷 | 쉴 휴, 법정 정 [court does not sit]
[법률]법정(法廷)에서 재판 도중에 쉬는[休] 일. ¶휴정을 선언하다 / 10분간 휴정하겠습니다. [반]개정(開廷).

휴지 休紙 | 쉴 휴, 종이 지
[wastepaper; scrap of paper]
❶[속뜻]못쓰게 된[休] 종이[紙]. ¶길거리에 버려진 휴지를 줍다. ❷허드레로 쓰는 종이. ¶휴지를 뜯어 코를 풀다. [비]폐지(廢紙), 화장지(化粧紙).

휴진 休診 | 쉴 휴, 살펴볼 진
[do not accept patients]
병원에서 진료(診療)를 쉼[休]. ¶오늘은 할머니의 담당 의사가 휴진이다.

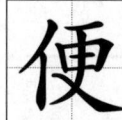

휴학 休學 | 쉴 휴, 배울 학
[take time off from school]
[교육] 학생이 병이나 사고 따위로 말미암아 일정한 기간 학업(學業)을 쉼[休]. ¶혁진이는 군대에 가기 위해 휴학했다.

• 역순어휘

공휴 公休 | 관공서 공, 쉴 휴 [holiday]
관공서[公]가 쉬는 휴일[休日].

연휴 連休 | 이을 련, 쉴 휴 [consecutive holidays]
휴일(休日)이 이틀 이상 계속되는[連] 일. 또는 그 휴일. ¶설 연휴 / 연휴에는 비행기 요금이 비싸다.

0106 [주]

住

살 주:
[部] 人부 [劃] 7획 [中] 住 [zhù]

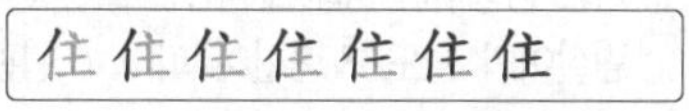

住자는 '(사람이) 머무르다'(stay)는 뜻이니 '사람 인'(亻)이 표의요소로 쓰였고, 主(주인 주)는 표음요소이다. '살다'(live)는 뜻으로도 많이 쓰인다.

주:거 住居 | 살 주, 살 거 [dwell; reside; live in]
일정한 곳에 머물러[居] 삶[住]. 또는 그런 집. ¶주거환경이 좋다 / 주거를 옮기려고 한다. [비]거주(居住).

주:민 住民 | 살 주, 백성 민
[inhabitant; residents]
일정한 지역에 머물며 사는[住] 백성[民]. '거주민'(居住民)의 준말. ¶나는 이 아파트 주민이다.

주:소 住所 | 살 주, 곳 소 [address]
사람이 자리를 잡아 살고[住] 있는 곳[所]. ¶우리 집 주소가 바뀌었어요.

주:지 住持 | 살 주, 가질 지
[head priest of a Buddhist temple]
[불교] 안주(安住)하여 법을 유지(維持)하며 한 절을 책임지고 맡아보는 승려. ¶주지 스님께 합장(合掌)하다.

주:택 住宅 | 살 주, 집 택 [house]
❶[속뜻] 사람이 살[住] 수 있게 지은 집[宅]. ¶주택을 마련하다. ❷[건설] 한 채씩 따로 지은 집. '단독주택'(單獨住宅)의 준말. [비]가옥(家屋), 집.

• 역순어휘

거주 居住 | 살 거, 살 주 [dwell; reside]
일정한 곳에 자리를 잡고 머물러 삶[居=住]. ¶그는 독도에서 30년째 거주하고 있다. [비]주거(住居).

안주 安住 | 편안할 안, 살 주 [live peacefully]
❶[속뜻] 한곳에 자리를 잡고 편안(便安)히 삶[住]. ¶그는 고향에서 안주하였다. ❷현재의 상황이나 처지에 만족함. ¶현실에 안주하지 않고 부단히 노력하다.

원주 原住 | 본디 원, 살 주
어떤 곳에 본디[原]부터 살고 있음[住].

이주 移住 | 옮길 이, 살 주 [move; emigrate]
다른 곳이나 다른 나라로 옮겨[移] 가서 삶[住]. ¶많은 농촌 청년들이 도시로 이주했다. [반]정착(定着).

입주 入住 | 들 입, 살 주 [live in]
특정한 땅이나 집 등에 들어가[入] 삶[住]. ¶우리는 12월에 새 아파트에 입주한다.

0107 [편]

便

편할 편(:), 똥오줌 변
[部] 人부 [劃] 9획 [中] 便 [biàn]

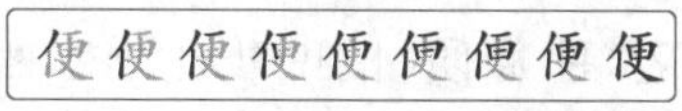

便자는 '사람 인'(人)과 '바꿀 경'(更)이 조합된 것으로 사람이 불편한 점을 편안하게 바꾼다는 것이다. '편하다'(comfortable)가 본뜻인데, '쪽'(side)을 뜻하기도 한다. 편안한 것으로 말하자면 똥오줌을 잘 누는 것을 빼놓을 수 있으랴! 그래서 '똥오줌'(urine and feces)을 일컫기도 하는데, 이 경우는 [변]으로 읽는다.
[속뜻훈음] **①편할 편, ②쪽 편, ③짝 편, ④똥오줌 변.**

편리 便利 | 편할 편, 이로울 리
[convenient; handy]
편(便)하고 이로움[利]. ¶공중의 편리를 도모하다 / 교통이 편리한 곳으로 이사 가고 싶다. [반]불편(不便).

편법 便法 | 편할 편, 법 법
[handy method; shortcut]
편리(便利)한 방법(方法). ¶편법으로 재산을 물려주다.

편안 便安 | 편할 편, 평안할 안 [well; peaceful]
몸이 편(便)하고 마음이 안정(安靜)됨. ¶의자에 편안히 기대다 / 편안한 여행을 하시길 바랍니다.

편의 便宜 | 편할 편, 마땅 의
[convenience; facilities]
형편이나 조건 따위가 편하고[便] 좋음[宜]. ¶나는 손님들의 편의를 최대한 봐 주었다.

편익 便益 | 편할 편, 더할 익
[convenience; facility]
편리(便利)하고 유익(有益)함. ¶에너지의 사용으로 우

리는 많은 편익을 얻었다.

편:지 便紙 | 편할 편, 종이 지
[letter; message; note]
편(便)하게 잘 있는지 따위의 안부나 소식을 적어 보내는 종이[紙]. ¶편지 한 통을 부치다. (비)서간(書簡), 서신(書信), 서한(書翰).

변기 便器 | 똥오줌 변, 그릇 기 [toilet stool]
똥오줌[便]을 받아 내는 그릇[器]모양의 기구. ¶변기가 막히다.

변비 便秘 | 똥오줌 변, 숨길 비 [constipation]
[의학] 대변(大便)이 꼭꼭 숨어서[秘] 잘 나오지 않음. ¶할머니는 변비 때문에 고생이 많으셨다.

변소 便所 | 똥오줌 변, 곳 소 [toilet (room)]
대소변(大小便)을 볼 수 있게 만들어 놓은 곳[所]. (비)뒷간, 화장실.

• 역순어휘

간:편 簡便 | 간단할 간, 편할 편
[handy; convenient]
간단(簡單)하고 편리(便利)하다. ¶물만 부으면 되니 참 간편하다. (비)간략(簡略), 간소(簡素). (반)복잡(複雜).

남편 男便 | 사내 남, 쪽 편 [husband]
혼인한 부부의 남자(男子) 쪽[便]을 일컫는 말. (비)부군(夫君). (반)아내.

동편 東便 | 동녘 동, 쪽 편 [east side]
동(東) 쪽[便]. 동쪽 방향. (비)동변(東邊). (반)서편.

방편 方便 | 방법 방, 편할 편
[expedient; instrument]
경우에 따라 편(便)하고 쉽게 이용하는 수단과 방법(方法). ¶일시적인 방편.

불편 不便 | 아닐 불, 편할 편
[inconvenient; uncomfortable]
❶[속뜻] 어떤 것을 사용하거나 이용하는 것이 편(便)하지 아니함[不]. 거북스러움. ¶불편을 줄이다 / 이곳은 교통이 불편하다. ❷몸이나 마음이 편하지 아니하고 괴로움. ¶몸의 불편을 무릅쓰고 학교에 갔다 / 다리가 불편하다. (반)편리(便利).

서편 西便 | 서녘 서, 쪽 편 [west]
서(西) 쪽[便]. (반)동편(東便).

양:편 兩便 | 두 량, 쪽 편
[two sides; either side]
상대가 되는 두[兩] 편(便). ¶길 양편에는 참나무 숲이 무성하다. (비)양쪽, 양측(兩側).

우편 郵便 | 우송할 우, 편할 편 [post]
❶[속뜻] 편지(便紙) 따위를 우송(郵送)함. ¶서류는 우편으로 보내겠습니다. ❷'우편물'(郵便物)의 준말.

인편 人便 | 사람 인, 쪽 편 [agency of a person]
오거나 가는 사람[人]의 편(便). ¶고향에 계신 부모님이 인편에 먹을 것을 보내 주셨다.

증편 增便 | 더할 증, 쪽 편
[increase the number of transportation]
교통편(交通便)의 횟수를 늘림[增]. ¶여름철에는 여객기 운항을 증편한다. (반)감편(減便).

차편 車便 | 수레 차, 쪽 편
[public conveyance; by way of a vehicle]
차(車)가 오가는 편(便). ¶거기 가려면 어떤 차편이 있습니까?

형편 形便 | 모양 형, 편할 편
[course; one's family fortune]
❶[속뜻] 지형(地形)이 좋아서 편리(便利)함. ❷일이 되어 가는 상황이나 상태. ¶형편을 봐 가면서 결정하자. ❸살림살이의 정도. ¶형편이 피다 / 형편이 넉넉하다.

대:변 大便 | 큰 대, 똥오줌 변
[excrements; feces]
사람의 똥[便]. '오줌'을 '소변'(小便)이라고 하는 것에 대한 상대적인[大] 명칭. (준)변. (반)소변(小便).

소:변 小便 | 작을 소, 똥오줌 변 [urine]
❶[속뜻] 작은[小] 변(便). ❷'오줌'을 일컫는 말. ¶소변이 마렵다. (반)대변(大便).

용:변 用便 | 쓸 용, 똥오줌 변 [easing nature]
대변(大便)이나 소변(小便)을 봄[用]. ¶용변을 가리다.

0108 [래]

來

올 래(:)
(部) 人부 (劃) 8획 (中) 来 [lái]

來자는 보리의 뿌리와 줄기 그리고 이삭을 그린 것으로 '보리'(barley)가 본래 의미다. 보리의 특징적 묘사, 즉 잎은 아래로 늘어 뜨려졌지만 이삭은 익어도 고개를 숙이지 않는 것임이 지금의 자형에도 그대로 나타나 있다. '벼'(禾, #1712)는 고개를 숙이는 것임을 지금의 자형으로도 엿볼 수 있다. 그런데 이 글자가 '오다'(come)는 의미의 낱말과 음이 같아 '오다'는 뜻으로 사용되는 예가 잦아지자, 본래의 뜻은 麥(보리 맥, #1497)자를 추가로 만들어 나타냈다.

내년 來年 | 올 래, 해 년 [next year; coming year]

올해의 다음[來] 해[年]. ⓑ이듬해, 명년(明年). ⓑ작년(昨年), 금년(今年).

내력 來歷 | 올 래, 지낼 력
[one's personal history; origin]
❶속뜻 지금까지 지내온[來] 경력(經歷). ¶살아온 내력을 소설로 쓰다. ❷어떤 과정을 거쳐서 온 까닭. ¶일이 그렇게 된 내력을 알아보라.

내:빈 來賓 | 올 래, 손님 빈 [guest; visitor]
초대를 받아 찾아온[來] 손님[賓]. ¶참석하신 내빈 여러분께 감사드립니다.

내:생 來生 | 올 래, 날 생
[afterlife; life after death]
죽은 뒤에 올[來] 생애(生涯). ⓑ후생(後生). ⓑ전생(前生), 금생(今生).

내:세 來世 | 올 래, 세상 세 [afterlife; future life]
불교 죽은 뒤에 영혼이 다시 태어나 산다는 미래(未來)의 세상(世上). ¶내세의 명복을 빌다. ⓑ후세(後世). ⓑ현세(現世), 전세(前世).

내:왕 來往 | 올 래, 갈 왕 [come and go]
오고[來] 감[往]. ¶내왕이 잦았다. ⓑ왕래(往來).

내일 來日 | 올 래, 날 일 [tomorrow]
오늘의 바로 다음[來] 날[日]. ¶내일은 금요일이다. ⓑ명일(明日). ⓑ오늘, 어제.

내:주 來週 | 올 래, 주일 주
[next week; coming week]
다음에 오는[來] 주(週). ⓑ전주(前週).

내:한 來韓 | 올 래, 한국 한 [visit Korea]
외국인이 한국(韓國)에 옴[來]. ¶내한 공연을 열다.

• 역순어휘 •

거:래 去來 | 갈 거, 올 래 [have dealings]
❶속뜻 가고[去] 옴[來]. ❷상품을 팔고 사들이는 일. 돈을 주고받는 일. ¶상인들의 거래가 활발하다. ❸영리 목적의 경제 행위. ❹서로의 이해득실에 관련되는 교섭. ¶거래해 주셔서 감사합니다. ⓑ왕래(往來).

근:래 近來 | 가까울 근, 올 래
[these days; recently]
요즈음[近]에 와서[來]. ¶근래에 드문 큰 비가 왔다.

도:래[1] 到來 | 이를 도, 올 래 [arrive]
어떤 시기나 기회가 닥쳐[到] 옴[來]. ¶정보화 시대가 도래하다.

도래[2] 渡來 | 건널 도, 올 래
[come across the sea]
❶속뜻 물을 건너[渡] 옴[來]. ❷외부에서 전해져 들어옴.

미:래 未來 | 아닐 미, 올 래 [future]
현재를 기준으로 아직 다가오지[來] 않은[未] 때. ⓑ앞날, 장래(將來). ⓑ과거(過去).

본래 本來 | 뿌리 본, 올 래 [originally; primarily]
본디[本]부터 있어 옴[來]. 사물이나 사실이 전하여 내려온 그 처음. ¶이곳은 본래 절이 있던 곳이다. ⓑ본디, 원래.

여래 如來 | 같을 여, 올 래
[Buddha; tathagata (Sans.)]
❶속뜻 진리의 세계에서 중생 구제를 위해 이 세상에 온[來] 것 같음[如]. ❷불교 부처의 존칭. '석가모니여래'(釋迦牟尼如來)의 준말.

왕:래 往來 | 갈 왕, 올 래
[come and go; associate with]
❶속뜻 가고[往] 오고[來] 함. ¶이 길은 사람들의 왕래가 잦다. ❷서로 교제하여 사귐. ¶나는 그와 주로 편지로 왕래한다.

외:래 外來 | 밖 외, 올 래 [coming from abroad]
❶속뜻 밖[外]에서 들여옴[來]. 또는 다른 나라에서 옴. ¶외래 문물. ❷환자가 입원하지 아니하고 병원에 다니면서 치료를 받음. 또는 그 환자. ¶외래 진찰권.

원래 原來 | =元來, 본디 원, 올 래
[originally; primarily]
처음[原] 이래(以來)로. 중국에서는 元來로 쓰다가 명나라 때 元자를 싫어하여 原來로 고쳤다는 설이 있다. ¶그는 원래 친절한 사람이다. ⓑ본디, 본래(本來).

유래 由來 | 말미암을 유, 올 래
[origin; history; cause]
❶속뜻 어떤 것으로 말미암아[由] 생겨남[來]. ❷사물의 내력. ¶우리 고장의 유래에 대하여 조사해 보다.

이:래 以來 | 부터 이, 올 래
[ever since; from that time on]
그때부터[以] 지금까지[來]. ¶올해 여름은 20년 이래 가장 더웠다.

장래 將來 | 장차 장, 올 래 [future]
❶속뜻 장차(將次) 닥쳐 올[來] 날. ¶장래 희망. ❷앞날의 전망이나 전도. ¶그는 장래가 불확실하다. ⓑ앞날, 미래(未來).

재:래 在來 | 있을 재, 올 래 [former times; past]
전부터 있어[在] 온[來] 것. 이제까지 해 오던 일. ¶재래시장.

전래 傳來 | 전할 전, 올 래 [be handed down]
❶속뜻 예로부터 전(傳)하여 내려옴[來]. ¶전래 동요 / 전래된 미풍양속을 지키다. ❷외국에서 전하여 들어옴. ¶고구려에 불교가 전래되었다.

종래 從來 | 좇을 종, 올 래 [heretofore]
일정한 시점을 기준으로 이전부터[從] 그 뒤[來].

초래 招來 | 부를 초, 올 래
[cause; bring about; lead to]
❶[속뜻] 불러서[招] 오게 함[來]. ❷어떤 결과를 가져 오게 함. ¶이 병은 잘못하면 사망을 초래할 수 있다.

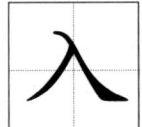

0109 [입]

入

들 입
(部) 入부 (劃) 2획 (中) 入 [rù]

入入

入자의 갑골문은 '∧' 모양의 것으로 밖에서 안으로 들어감을 표시하는 부호다. 이것을 통하여 '들어가다'(enter), '들어오다'(come in)는 뜻을 나타냈다.

입교 入校 | 들 입, 학교 교
[entrance into a school]
학교(學校)에 정식으로 들어감[入]. (비)입학(入學). (반)퇴교(退校).

입구 入口 | 들 입, 어귀 구 [entrance]
들어가는[入] 어귀[口]. ¶그녀는 동물원 입구에서 아이를 찾고 있다. (비)어귀. (반)출구(出口).

입국 入國 | 들 입, 나라 국 [entry into a country]
한 나라에서 다른 나라[國]로 들어감[入]. ¶입국 금지. (반)출국(出國).

입금 入金 | 들 입, 돈 금 [receipt of money]
돈[金]이 들어옴[入]. 또는 돈을 계좌에 넣음. ¶사장님은 월급 전액을 통장으로 입금해 주었다. (반)출금(出金).

입단 入團 | 들 입, 모일 단 [join an organization]
어떤 단체(團體)에 가입(加入)함. ¶입단 선서 / 그는 양키즈야구팀에 새로 입단했다. (반)퇴단(退團).

입당 入黨 | 들 입, 무리 당 [join a political party]
정당(政黨) 등에 가입(加入)함. ¶입당 신청서 / 그는 공화당에 입당했다. (반)탈당(脫黨).

입대 入隊 | 들 입, 무리 대 [join the army]
[군사] 군대(軍隊)에 들어가[入] 군인이 됨. ¶입대를 거부하다 / 그는 자원해서 해군에 입대했다. (반)제대(除隊).

입력 入力 | 들 입, 힘 력 [enter; input]
❶[물리] 어떤 장치 등을 움직이기 위해 필요한 동력(動力) 따위를 들여[入]보내는 일. ❷문자나 숫자를 기억하게 하는 일. ¶키보드와 마우스는 컴퓨터의 입력 장치이다. (반)출력(出力).

입문 入門 | 들 입, 문 문 [become a pupil]
❶[속뜻] 스승의 문하(門下)에 들어감[入]. ❷어떤 학문을 배우려고 처음 들어감. 또는 그 과정. ¶중국어 입문 / 이 책은 철학에 처음 입문하는 사람에게 좋다.

입사 入社 | 들 입, 회사 사 [enter a company]
❶[속뜻] 회사(會社)에 들어감[入]. ❷회사에 취직이 되어 들어감. ¶그는 입사 두 달 만에 퇴사했다. (반)퇴사(退社).

입산 入山 | 들 입, 메 산
[entering a mountain area]
산(山)에 들어감[入]. ¶입산 금지. (반)하산(下山).

입상 入賞 | 들 입, 상줄 상 [win a prize]
상(賞)을 탈 수 있는 등수 안에 듦[入]. ¶입상 소감 / 그는 과학경시대회에서 입상했다.

입선 入選 | 들 입, 뽑을 선
[be accepted; be selected]
응모, 출품한 작품 따위가 뽑는[選] 범위 안에 듦[入]. ¶그의 그림이 미술 전람회에서 입선했다. (반)낙선(落選).

입성 入城 | 들 입, 성곽 성 [enter a castle]
성(城) 안으로 들어감[入]. ¶성문이 닫혀 입성할 수 없었다. (반)출성(出城).

입수 入手 | 들 입, 손 수 [get; obtain]
손[手]에 넣음[入]. 손 안에 들어옴. ¶스파이를 통해 새로운 정보를 입수하다.

입시 入試 | 들 입, 시험할 시
[entrance examination]
학교에 들어가기[入] 위한 시험(試驗). ¶입시 전문 학원 / 입시제도.

입양 入養 | 들 입, 기를 양 [adopt]
❶[속뜻] 양자(養子)를 들임[入]. ❷[법률] 혈연관계가 아닌 일반인 사이에 양친과 양자로서 법적인 친자 관계를 맺는 일. ¶입양기관 / 우리는 아이를 입양하기로 결정했다.

입원 入院 | 들 입, 집 원 [enter a hospital]
환자가 치료 또는 요양을 위하여 병원(病院)에 들어감[入]. ¶약물중독은 입원 치료를 받아야 한다. (반)퇴원(退院).

입장 入場 | 들 입, 마당 장 [enter; go in]
회장이나 식장, 경기장 따위의 장내(場內)에 들어감[入]. ¶신부 입장 / 입장은 몇 시부터입니까? (반)퇴장(退場).

입적 入寂 | 들 입, 고요할 적 [enter Nirvana]
[불교] 적멸(寂滅)에 듦[入]. 수도승의 죽음을 이르는 말. ¶스님은 주무시다가 조용히 입적하셨다.

입주 入住 | 들 입, 살 주 [live in]
특정한 땅이나 집 등에 들어가[入] 삶[住]. ¶우리는 12월에 새 아파트에 입주한다.

입하 入荷 | 들 입, 짐 하 [arrive of goods]
화물[荷]이 들어옴[入]. ¶신제품 입하. ⊕출하(出荷).

입학 入學 | 들 입, 배울 학 [enter a school]
학교(學校)에 들어가[入] 학생이 됨. ¶입학 원서 / 동생은 올해 초등학교에 입학했다. ⊕졸업(卒業).

입회 入會 | 들 입, 모일 회 [join a club]
어떤 회(會)에 들어감[入]. 회원이 됨. ¶입회 신청 / 등산을 좋아하는 사람이라면 누구나 입회할 수 있다. ⊕탈회(脫會).

• 역순어휘

가입 加入 | 더할 가, 들 입 [join; enter]
❶속뜻 이미 있는 것에 새로 더[加] 넣음[入]. ❷단체에 들어감. ¶유엔에 가입하다.

개:입 介入 | 끼일 개, 들 입 [intervene]
어떤 일에 끼어[介] 들어가[入] 관계함. ¶기업 간 분쟁에 정부가 개입했다 / 개인적인 감정을 개입시키지 마시오. ⊜관여(關與), 간섭(干涉), 참견(參見).

구입 購入 | 살 구, 들 입 [purchase; buy]
물건을 사[購] 들임[入]. ¶매표소에서 입장권을 구입하다. ⊜매입(買入), 구매(購買). ⊕판매(販賣).

기입 記入 | 기록할 기, 들 입 [write]
적어[記] 넣음[入]. ¶서류에 기입하다. ⊜기재(記載).

난:입 亂入 | 어지러울 란, 들 입 [intrude; break into]
함부로 어지럽게[亂] 우르르 몰려 들어감[入]. ¶궁에 난입하여 황후를 시해하다.

납입 納入 | 바칠 납, 들 입 [payment]
세금이나 공과금 따위를 내는 것[納=入]. ⊜납부(納付).

대입¹ 大入 | 큰 대, 들 입 [enroll at college]
'대학교입학'(大學校入學)의 준말. ¶대입 시험 / 대입 준비.

대:입² 代入 | 바꿀 대, 들 입 [substitute]
❶속뜻 다른 것으로 바꾸어[代] 넣음[入]. ❷수학 대수식에서 문자 대신 일정한 수치를 바꿔 넣는 일. ¶수를 대입해 문제를 풀다.

도:입 導入 | 이끌 도, 들 입 [introduce; induce]
❶속뜻 기술, 방법, 물자 따위를 끌어[導] 들임[入]. ¶최신 기술을 도입하다. ❷수업에서 본격적인 내용을 다루기 전의 첫 단계.

돌입 突入 | 갑자기 돌, 들 입 [rush into]
세찬 기세로 갑자기[突] 뛰어듦[入]. ¶파업에 돌입하다.

매:입 買入 | 살 매, 들 입 [purchase; buy]
물건을 사[買] 들이는[入] 것. ¶금을 매입하다. ⊜구매(購買). ⊕매각(賣却), 매출(賣出).

몰입 沒入 | 빠질 몰, 들 입 [be absorbed in]
❶속뜻 어떤 일에 빠져[沒] 들어감[入]. ¶일에 몰입하다. ❷역사 죄인의 재산이나 가족을 몰수(沒收)하여 관가로 들여오던 일. ⊜몰두(沒頭).

반입 搬入 | 옮길 반, 들 입 [carry in]
물건을 옮겨[搬] 들임[入]. ¶음식물 반입 금지. ⊕반출(搬出).

삽입 揷入 | 꽂을 삽, 들 입 [insert]
꽂아[揷] 넣음[入]. 끼워 넣음. ¶책에 그림을 삽입하다 / 삽입 음악.

선입 先入 | 먼저 선, 들 입
먼저[先] 머릿속에 자리잡고[入] 있는 일. 대개, 단독으로는 쓰이지 않고 뒤에 딴말이 붙어 쓰인다. ¶선입견(先入見).

수입¹ 收入 | 거둘 수, 들 입 [income; receipt]
돈이나 물건 따위를 벌어들이거나 거두어[收] 들이는[入] 일. 또는 그 돈이나 물건. ¶수입이 일정하지 않다. ⊕지출(支出).

수입² 輸入 | 나를 수, 들 입 [import]
외국에서 물품이나 사상, 문화를 날라[輸] 들임[入]. ¶불교의 수입 / 농산물을 수입하다. ⊕수출(輸出).

신입 新入 | 새 신, 들 입 [enter newly]
새로[新] 들어옴[入]. ¶신입 사원을 뽑다.

유입 流入 | 흐를 류, 들 입 [flow in]
흘러[流] 들어옴[入]. ¶인구 유입 / 오염된 하수가 강물로 유입되었다.

잠입 潛入 | 잠길 잠, 들 입 [smuggle oneself into]
❶속뜻 물속에 잠기어[潛] 들어감[入]. ❷몰래 숨어 들어감. ¶간첩의 잠입을 철저히 막아야 한다.

전:입 轉入 | 옮길 전, 들 입 [move in; transfer]
거주지나 학교 따위의 소속을 다른 곳으로부터 옮겨[轉] 들어옴[入]. ¶전입 신고 / 그는 이번에 우리 부대로 전입해 왔다.

주:입 注入 | 부을 주, 들 입 [pour; inject; cram]
❶속뜻 액체를 물체 안에 부어[注] 넣음[入]. ¶자동차에 냉각수를 주입하다. ❷지식을 기계적으로 기억하게 하여 가르침. ¶단순히 머리에 주입된 지식은 오래가지 않는다.

진:입 進入 | 나아갈 진, 들 입 [enter]
앞으로 나아가[進] 안으로 들어감[入]. ¶월드컵 본선 진입 / 고속도로에 진입하다.

차:입 借入 | 빌릴 차, 들 입 [borrow; obtain a loan]
돈이나 물건을 빌려[借] 들임[入]. ¶국내 기업들의 해

외 자본 차입이 늘었다. ㉯대출(貸出).

출입 出入 | 날 출, 들 입
[come in and out; enter and leave]
나가고[出] 들어옴[入]. ¶10세 이하면 누구나 출입이 가능하다.

침:입 侵入 | 쳐들어갈 침, 들 입
[invade; raid into]
쳐들어[侵]옴[入]. 또는 쳐들어감. ¶오랑캐의 침입으로 멸망하였다.

투입 投入 | 던질 투, 들 입
[insert; inject; commit]
❶[속뜻]던져[投] 넣음[入]. ¶자동판매기에 동전을 투입하다. ❷자본이나 인력 따위를 들여 넣음. ¶이 영화에는 엄청난 제작비가 투입되었다.

편입 編入 | 엮을 편, 들 입
[transfer; be assigned]
❶[속뜻]새로 엮어[編] 들어감[入]. ❷다니던 학교를 그만두고 다른 학교에 들어가는 것. ¶그는 약학대학에 편입했다. ❸이미 짜인 조직이나 단체에 끼어들어 가는 것. ¶예비군에 편입되다.

흡입 吸入 | 마실 흡, 들 입 [inhale; suck; imbibe]
기체나 액체 따위를 빨아 마셔[吸] 들임[入]. ¶산소 흡입 / 맑은 공기를 흡입하다.

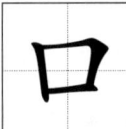

0110 [구]

口

입 구(:)
㊥ 口부 ㊞ 3획 ㊥ 口 [kǒu]

口 口 口

口자는 사람의 '입'(mouth)을 뜻하기 위하여 입 모양을 그린 것이다. 본래는 한글 자모의 'ㅂ'(비읍)과 비슷하였는데 쓰기 편하도록 'ㅁ'(미음) 모양으로 바뀌었다. '어귀'(an entrance), '구멍'(a hole)을 이르기도 한다.
[속뜻훈음] ①입 구, ②어귀 구, ③구멍 구.

구:강 口腔 | 입 구, 빈 속 강 [mouth; oral cavity]
[의학]입[口]에서 목구멍에 이르는 입안[腔].

구:두 口頭 | 입 구, 접미사 두 [word of mouth]
입[口]으로 하는 말. ¶구두 약속. ㉯서면(書面).

구:령 口令 | 입 구, 명령 령 [command; order]
여러 사람이 일정한 동작을 일제히 취하도록 하기 위하여 지휘자가 입[口]으로 내리는 간단한 명령(命令). ¶구령에 따라 움직였다. ㊐호령(號令).

구:미 口味 | 입 구, 맛 미 [appetite; taste]
입[口]으로 느끼는 맛[味]. ¶구미가 당기다.

구:설 口舌 | 입 구, 혀 설
[malicious gossip; heated words]
❶[속뜻]입[口]과 혀[舌]. ❷남에게 시비하거나 헐뜯는 말.

구:술 口述 | 입 구, 지을 술 [state orally; dictate]
입[口]으로 진술(陳述)함. ¶할머니의 구술을 받아 적었다.

구:실 口實 | 입 구, 열매 실 [excuse; pretext]
❶[속뜻]입[口]안에 든 열매[實]. ❷핑계를 삼을 만한 재료를 비유하여 이르는 말. ¶구실을 내세우다. ㊐핑계, 변명(辯明).

구:어 口語 | 입 구, 말씀 어 [spoken language]
[언어]주로 입[口]에서 나오는 일상적인 대화에서 사용하는 말[語]. ㊐입말. ㉯문어(文語).

구:연 口演 | 입 구, 펼칠 연 [oral narration]
❶[속뜻]동화, 야담 따위를 여러 사람 앞에서 입[口]으로 실감나게 펼쳐[演] 보임. ¶동화를 재미있게 구연하다. ❷문서에 의하지 않고 입으로 사연을 말함. ㊐구술(口述).

구:음 口音 | 입 구, 소리 음 [oral sound]
❶[언어]구강(口腔)으로만 기류를 통하게 하여 내는 소리[音]. ❷[음악]거문고, 가야금, 피리, 대금 따위의 악기에서 울려 나오는 특징적인 음들을 계명창처럼 입으로 흉내 내어 읽는 소리.

구:전 口傳 | 입 구, 전할 전 [hand down orally]
입에서 입[口]으로 전(傳)함. 말로 전함. ㊐구비전승(口碑傳承).

구:좌 口座 | 입 구, 자리 좌 [account]
[경제]예금을 한 사람[口]을 위하여 개설한 계좌(計座). '계좌'(計座)로 순화.

구:호 口號 | 입 구, 부를 호 [slogan; motto]
❶[속뜻]입[口]으로 부르짖음[號]. ❷집회나 시위 따위에서 어떤 요구나 주장 따위를 간결한 형식으로 표현한 문구. ¶다 같이 구호를 외쳤다.

• 역순어휘 •

가구 家口 | 집 가, 입 구 [household]
❶[속뜻]집안[家] 식구(食口). 또는 그 수효. ❷함께 사는 사람들의 집단. ¶이 마을에는 모두 20가구가 산다. ㊐식구(食口).

극구 極口 | 다할 극, 입 구 [exceedingly; very]
❶[속뜻]입[口]으로 온갖 말을 다함[極]. ❷온갖 말을 다하여. ¶극구 사양하다.

대구 大口 | 큰 대, 입 구 [codfish]

[동물] 큰[大] 입[口]이 특징인 대구과(大口科)의 바닷물고기. 몸의 길이는 70~75cm이고 넓적하며 엷은 회갈색이다.

동:구 洞口 | 마을 동, 어귀 구 [village entrance]
❶[속뜻] 동네[洞] 어귀[口]. ¶동구 밖 과수원 길. ❷절로 들어가는 산문(山門)의 어귀.

식구 食口 | 먹을 식, 입 구 [family]
❶[속뜻] 밥을 먹는[食] 입[口]. ❷한집에서 함께 사는 사람. ¶그는 딸린 식구가 많다. (비)가족(家族), 식솔(食率).

인구 人口 | 사람 인, 입 구 [common talk; population]
❶[속뜻] 세상 사람들[人]의 입[口]. ¶그의 무협담은 인구에 회자되고 있다. ❷일정한 지역에 사는 사람의 수. ¶인구 증가 / 도시로 인구가 집중되고 있다.

입구 入口 | 들 입, 어귀 구 [entrance]
들어가는[入] 어귀[口]. ¶그녀는 동물원 입구에서 아이를 찾고 있다. (비)어귀. (반)출구(出口).

창구 窓口 | 창문 창, 구멍 구 [window; counter]
❶[속뜻] 창문(窓)에 조그마하게 뚫어놓은 구멍[口]. ❷손님을 응대하거나, 문서·물품·금전의 출납 따위를 담당하는 곳. ¶요금은 이 창구에서 내실 수 있습니다.

총구 銃口 | 총 총, 구멍 구 [muzzle]
총(銃)의 구멍[口]. 총알이 나가는 앞부분. ¶총구를 심장에 겨누다. (비)총구멍.

출구 出口 | 날 출, 어귀 구 [exit; way out]
밖으로 나갈[出] 수 있는 통로나 어귀[口]. ¶출구를 찾지 못해 우왕좌왕 헤맸다. (반)입구(入口).

취:구 吹口 | 불 취, 구멍 구 [mouthpiece]
피리 따위에 입김을 불어 넣는[吹] 구멍[口]. ¶취구를 아랫입술에 붙이다.

포구 浦口 | 개 포, 어귀 구 [inlet; port; boat landing]
배가 드나드는 개[浦]의 어귀[口]. ¶포구에는 어선들이 정박해 있다.

하구 河口 | 물 하, 어귀 구 [estuary; river mouth]
강물[河]이 바다나 호수, 또는 다른 강으로 흘러 들어가는 어귀[口]. ¶낙동강 하구에는 김해평야가 발달해 있다. (비)강어귀. (반)하원(河源).

항:구 港口 | 뱃길 항, 어귀 구 [port]
뱃길[港]의 어귀[口]. 배가 드나들 수 있도록 시설이 있음. ¶홍콩은 항구 도시이다.

호:구[1] 戶口 | 집 호, 입 구 [number of houses and families]
호적(戶籍)상 집[戶]의 수효와 식구(食口)의 수. ¶전국 단위로 호구 조사를 실시한다.

호구[2] 糊口 | 풀칠할 호, 입 구 [meager living]
❶[속뜻] 입[口]에 풀칠함[糊]. ❷간신히 끼니만 이으며 사는 일을 비유하여 이르는 말. ¶호구를 마련하다.

0111 [동]

同

한가지 동
(部) 口부 (획) 6획 (中) 同 [tóng]

同同同同同同

同자는 '모두 범'(凡)과 '입 구'(口)가 합쳐진 것으로, '여럿이 회합(會合)하다'(gather)가 본뜻이다. 대개는 같은 사람들이 함께 모이기 십상이었기에, '같다'(equal) 또는 '한가지'(the same)라는 뜻도 이것으로 나타냈다.

[속뜻 훈음] ①같을 동, ②한가지 동.

동감 同感 | 같을 동, 느낄 감 [sympathy; agreement]
어떤 견해나 의견에 대해 똑같이[同] 생각함[感]. ¶나는 그의 말에 동감했다. (비)공감(共感). (반)반감(反感).

동갑 同甲 | 같을 동, 천간 갑 [same age]
❶[속뜻] 육십갑자(六十甲子)가 같음[同]. ❷같은 나이의 사람. ¶그는 나와 동갑이다.

동거 同居 | 같을 동, 살 거 [live together]
한집이나 한방에서 같이[同] 삶[居]. ¶동거하고 있는 가족은 모두 다섯이다. (반)별거(別居).

동격 同格 | 같을 동, 자격 격 [same rank]
같은[同] 지위나 자격(資格). ¶고대에서 왕은 신과 동격으로 여겨졌다.

동경 同庚 | 같을 동, 나이 경 [the same age]
같은[同] 나이[庚]. (비)동갑(同甲).

동급 同級 | 같을 동, 등급 급 [same rank]
❶[속뜻] 같은[同] 등급(等級). ¶이 제품은 동급 중 가장 저렴하다. ❷같은 학급이나 학년.

동기[1] 同氣 | 같을 동, 기운 기 [brothers and sisters]
같은[同] 기운(氣運)을 타고 난 사람들. 형제와 자매, 남매를 통틀어 이르는 말. (비)형제(兄弟).

동기[2] 同期 | 같을 동, 때 기 [same period; same class]
❶[속뜻] 같은[同] 시기(時期). 또는 같은 기간. ❷학교나 훈련소 따위에서 같은 기(期). ¶우리는 학교 동기이다.

동등 同等 | 같을 동, 무리 등 [equality]
같은[同] 등급(等級). 정도 따위가 같음. ¶고교 졸업 또는 동등의 학력 / 조건이 동등하다.

동료 同僚 | 같을 동, 벼슬아치 료 [colleague; associate]
❶속뜻 같은[同] 일을 하고 있는 벼슬아치[僚]. ❷같은 직장이나 같은 부문에서 함께 일하는 사람. ¶회사 동료 / 동료 의식을 발휘하다.

동률 同率 | 같을 동, 비율 률 [same ratio]
같은[同] 비율(比率). 또는 같은 비례. ¶동률 1위를 달리고 있다.

동맹 同盟 | 한가지 동, 맹세할 맹 [ally with; league with]
서로의 이익이나 목적을 위하여 하나로[同] 행동하기로 맹세[盟誓]하여 맺는 약속이나 조직체. ¶동맹을 맺다. ㊥연맹(聯盟).

동명 同名 | 같을 동, 이름 명 [same name]
같은[同] 이름[名]. 또는 이름이 서로 같음.

동문 同門 | 같을 동, 문 문 [classmate]
❶속뜻 같은[同] 문(門). ❷같은 학교에서 수학하였거나 같은 스승에게서 배운 사람. ¶그와 나는 동문이다 / 동문회를 열었다. ㊥동학(同學), 동창(同窓).

동반 同伴 | 같을 동, 짝 반 [company]
❶속뜻 함께[同] 짝[伴]을 이룸. ❷함께 살아감. ¶이번 여행은 부부 동반으로 간다.

동생 同生 | 같을 동, 날 생 [younger brother(sister)]
❶속뜻 같은[同] 어머니에게서 태어난[生] 아우와 손아랫 누이를 통틀어 일컫는 말. ¶내 동생은 곱슬머리다. ❷같은 항렬에서 자기보다 나이가 적은 사람. ¶사촌 동생. ㊥아우. ㊦형, 언니.

동서 同壻 | 같을 동, 사위 서 [brother-in-law; sister-in-law]
❶속뜻 같은[同] 사람의 사위[壻]끼리 호칭. ❷같은 자매의 남편끼리 또는 형제의 아내끼리의 호칭.

동석 同席 | 한가지 동, 자리 석 [sit together]
❶속뜻 자리[席]를 함께[同]함. 또는 같은 자리. ¶회의에 그와 동석했다. ❷같은 석차나 지위.

동성¹ 同姓 | 같을 동, 성씨 성 [same surname]
같은[同] 성씨(姓氏).

동성² 同性 | 같을 동, 성별 성 [same sex]
남녀, 혹은 암수의 같은[同] 성(性). ¶동성 연애자. ㊦이성(異性).

동승 同乘 | 한가지 동, 탈 승 [ride together]
차, 배, 비행기 따위를 함께[同] 탐[乘]. ¶승용차 동승. ㊥합승(合乘).

동시 同時 | 같을 동, 때 시 [same time]
❶속뜻 같은[同] 때[時]. 같은 시간. ¶동시 통역 / 그 영화는 동시에 개봉했다. ❷아울러. 곧바로 잇달아. ¶종소리와 동시에 출발했다.

동업 同業 | 같을 동, 일 업 [same trade; same line of business]
❶속뜻 같은[同] 종류의 직업이나 영업(營業). ¶나와 동업에 종사하는 사람들. ❷같이 사업을 함. 또는 그 사업. ¶친구와의 동업은 피하는 게 좋다.

동의 同意 | 같을 동, 뜻 의 [agree with; approve of]
❶속뜻 같은[同] 의미(意味). ❷의사(意思)나 의견을 같이함. ¶그는 국민의 동의를 얻었다. ㊥동의(同義), 찬성(贊成), 찬동(讚同). ㊦이의(異意), 반대(反對).

동일 同一 | 같을 동, 모두 일 [same; identical]
❶속뜻 어떤 것과 비교하여 모두[一] 꼭 같음[同]. ¶조건이 동일하다. ❷각각 다른 것이 아니라 하나임. ¶영과 혼은 동일하다. ㊦상이(相異).

동점 同點 | 같을 동, 점 점 [same score]
❶속뜻 같은[同] 점수(點數). 또는 점수가 같음. ¶그 경기는 동점으로 끝났다. ❷같은 결론.

동정 同情 | 같을 동, 마음 정 [sympathize with]
❶속뜻 남에 대하여 같은[同] 마음[情]을 가짐. ❷남의 어려운 처지를 자기 일처럼 딱하고 가엾게 여겨 온정을 베풂. ¶동정하는 거라면 필요 없어요.

동조 同調 | 같을 동, 가락 조 [agree with; sympathize with]
❶속뜻 같은[同] 가락[調]. ❷남의 주장에 자기 의견을 일치시키거나 보조를 맞춤. ¶무력 침공에는 동조할 수 없다. ㊥동의(同意), 찬성(贊成), 찬동(讚同). ㊦반대(反對).

동족 同族 | 같을 동, 겨레 족 [brethren; same blood]
같은[同] 겨레[族]. ㊦이민족(異民族).

동지 同志 | 같을 동, 뜻 지 [same mind; fellow member]
목적이나 뜻[志]이 서로 같음[同]. 또는 그런 사람. ¶동지를 규합하다 / 동지 의식. ㊥사우(社友).

동참 同參 | 한가지 동, 참여할 참 [participation]
어떤 모임이나 일에 하나로[同] 참가(參加)함. ¶봉사활동에 동참하다.

동창 同窓 | 같을 동, 창문 창 [schoolmate]
❶속뜻 같은[同] 창문(窓門). ❷같은 학교에서 함께 공부한 친구 사이. '동창생'(同窓生)의 준말. ¶우리는 동창이다. ㊥동학(同學), 동문(同門).

동포 同胞 | 같을 동, 태보 포

[brethren; fellow countrymen]
❶[속뜻]같은[同] 태보[胞]에서 태어난 형제자매. 같은 부모의 형제자매. ❷같은 나라 또는 같은 민족의 사람. ¶해외 동포 / 재일동포 2세. [비]동기(同氣), 동족(同族), 겨레.

동행 同行 | 같을 동, 갈 행 [going together]
❶[속뜻]같이[同] 길을 감[行]. ¶어린이는 어른과 동행해야 합니다. ❷같이 길을 가는 사람.

동향 同鄕 | 같을 동, 시골 향 [same native place]
같은[同] 고향(故鄕). 또는 고향이 같음. '동고향'(同故鄕)의 준말. ¶객지에서 동향 사람을 만나다.

동호 同好 | 한가지 동, 좋을 호
[share the same taste]
어떤 일이나 물건을 함께[同] 좋아함[好].

동화 同化 | 같을 동, 될 화 [assimilate; absorb]
❶[속뜻]다르던 것이 서로 똑같이[同] 됨[化]. ¶자연에 동화되다. ❷[생물]생물이 몸 밖에서 얻은 물질을 자기에게 맞게 변화하는 것. [반]이화(異化).

• 역순어휘

공:동 共同 | 함께 공, 같을 동 [cooperate with]
❶[속뜻]두 사람 이상이 함께[共] 같이함[同]. ❷두 사람 이상이 동등한 자격으로 결합함. ¶공동으로 운영하다. [비]합동(合同). [반]단독(單獨).

대:동 大同 | 큰 대, 한가지 동
❶[속뜻]크게[大] 하나로[同] 화합함. ¶대동 화합의 정신. ❷요순 같은 성군의 세상과 똑같이 번영하여 화평하게 됨. ¶대동 세상. ❸조금 차이는 있어도 대체로 같음.

일동 一同 | 한 일, 같을 동 [all of them]
모두[一] 같이[同]. 그곳에 있는 모든 사람. 어떤 집단이나 단체에 든 모든 사람. ¶일동, 차렷!

찬:동 贊同 | 도울 찬, 한가지 동
[approve; support; endorse]
❶[속뜻]어떤 일을 도와서[贊] 함께[同] 함. ❷뜻을 같이 함. ¶그들도 우리의 제안에 찬동했다. [비]동의(同意), 찬성(贊成).

합동 合同 | 합할 합, 한가지 동 [union]
❶[속뜻]여럿이 모여 하나[同]로 합(合)함. ¶합동 결혼식 / 두 학교가 합동으로 연주회를 열었다. ❷[수학]두 개의 도형이 크기와 모양이 같아 서로 포갰을 때에 꼭 맞는 것.

협동 協同 | 합칠 협, 한가지 동
[work together; cooperate]
힘을 합쳐[協] 하나로[同] 노력함. 서로 마음과 힘을 하나로 합함. ¶협동 정신.

혼:동 混同 | 섞을 혼, 한가지 동
[mistake; confuse]
❶[속뜻]서로 뒤섞여[混] 하나가[同] 됨. ❷구별하지 못하고 뒤섞어서 생각함. ¶나는 그를 다른 사람과 혼동했다. [반]구별(區別), 분별(分別).

회:동 會同 | 모일 회, 한가지 동
[meet together; assemble]
일정한 목적으로 여럿이 모여[會] 함께[同] 어울림. ¶오찬 회동을 갖다 / 당 대표들이 회동하다.

0112 [명]

命 목숨 명:
[部] 口부 [畫] 8획 [中] 命 [mìng]

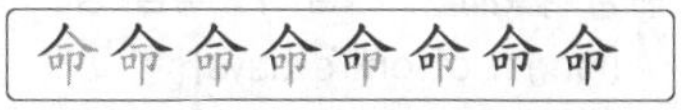

命자는 '명하다'(order)는 뜻을 나타내기 위하여 집안에서 무릎을 꿇고 앉은 사람[卩]에게 입[口]으로 큰 소리를 내며 명령을 하는 모습을 그린 것이다. 옛날 노예는 주인의 명령이 운명이나 생명을 좌우했기 때문에 '운명'(destiny), '목숨'(life)의 뜻도 따로 글자를 만들지 않고 그것으로 나타냈다.
[속뜻훈음] ①명할 명, ②목숨 명, ③운명 명.

명:령 命令 | 명할 명, 시킬 령 [order; command]
❶[속뜻]명(命)을 내려 시킴[令]. ❷윗사람이 아랫사람에게 시킴. ❸컴퓨터에 동작을 지시하는 것.

명:맥 命脈 | 목숨 명, 맥 맥 [life; thread of life]
살아가는데 필요한 목숨[命]과 맥박(脈搏). ¶간신히 명맥을 이어가다. [비]생명(生命).

명:명 命名 | 명할 명, 이름 명 [give a name to]
사람이나 물건 등에 이름[名]을 지어 붙임[命].

명:중 命中 | 명할 명, 맞을 중 [hit the mark]
❶[속뜻]맞추라고 명령(命令)한 곳에 적중(的中)시킴. ❷겨냥한 곳을 쏘아 정확히 맞힘. ¶화살이 과녁 한복판에 명중했다. [비]적중(的中).

• 역순어휘

구:명 救命 | 구원할 구, 목숨 명 [save one's life]
사람의 목숨[命]을 구원(救援)함.

국명 國命 | 나라 국, 명할 명 [name of a country]
❶[속뜻]나라[國]의 명령(命令). ¶국명을 받들다. ❷나라의 운명. [비]국운(國運).

망명 亡命 | 달아날 망, 목숨 명
[exile oneself; seek refuge]

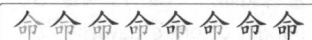

❶ 속뜻 달아나[亡] 목숨[命]을 유지함. ❷혁명 또는 그 밖의 정치적인 이유로 자기 나라에서 박해를 받고 있거나 박해를 받을 위험이 있는 사람이 이를 피하기 위하여 외국으로 몸을 옮김. ¶망명을 가다 / 망명길에 오르다.

사:명 使命 | 부릴 사, 명할 명 [mission; commission]
❶ 속뜻 사신(使臣)으로서 받은 명령(命令). ❷맡겨진 임무. ¶맡은 바 사명을 다하다.

생명 生命 | 살 생, 목숨 명 [life]
❶ 속뜻 살아가는[生] 데 꼭 필요한 목숨[命]. ¶생명의 은인 / 생명이 위태롭다. ❷사물이 존재할 수 있는 가장 중요한 요건을 비유하여 이르는 말. ¶가수는 목소리가 생명이다.

수명 壽命 | 목숨 수, 목숨 명 [length of one's days]
❶ 속뜻 생물이 목숨[壽=命]을 유지하고 있는 기간. 살아 있는 기간. ¶인간의 평균 수명이 길어지고 있다. ❷사물 따위가 사용에 견디는 기간. ¶자동차의 수명이 다 된 것 같다.

숙명 宿命 | 묵을 숙, 운명 명 [fate; destiny]
❶ 속뜻 오래 묵어[宿] 돌이킬 수 없는 운명(運命). 타고난 운명. 피할 수 없는 운명. ¶우리는 다시 만날 수 없는 숙명이었다.

신명 身命 | 몸 신, 목숨 명 [one's life]
몸[身]과 목숨[命]을 아울러 이르는 말. ¶신명을 바치다 / 그들은 국가를 위해 신명을 다해 싸웠다.

어:명 御命 | 임금 어, 명할 명 [Royal command]
임금[御]의 명령(命令)을 이르던 말. ¶어명을 따르다.

연명 延命 | 늘일 연, 목숨 명 [just managing to live]
목숨[命]을 겨우 연장(延長)해 감. 겨우 살아감. ¶우리는 연명을 하기 위하여 산나물을 캐어 먹었다.

왕명 王命 | 임금 왕, 명할 명 [king's order]
임금[王]의 명령(命令). ¶죽더라도 왕명을 받들겠습니다.

운:명¹ 運命 | 운수 운, 목숨 명 [destiny]
❶ 속뜻 운수(運數)와 명수(命數). ❷인간을 포함한 우주의 일체를 지배한다고 생각되는 필연적이고도 초인간적인 힘. ¶우리가 다시 만난 것은 운명이다. (비)숙명(宿命).

운:명² 殞命 | 죽을 운, 목숨 명 [die; expire]
목숨[命]이 다하여 죽음[殞]. ¶어머니는 70세를 일기로 운명하셨습니다.

인명 人命 | 사람 인, 목숨 명 [human life]
사람[人]의 목숨[命]. ¶인명 피해 / 구급대원은 인명을 구조하기 위해 불속으로 뛰어든다.

임:명 任命 | 맡길 임, 명할 명 [appoint]
직무를 맡으라고[任] 명령(命令)함. 관직을 줌. ¶사장님은 그를 부장으로 임명했다 / 그는 파키스탄 대사로 임명을 받았다.

천명 天命 | 하늘 천, 목숨 명 [one's life; God's will]
❶ 속뜻 하늘[天]이 준 수명(壽命). 타고난 수명. ❷하늘의 명령. ¶할 일을 다 하고 천명을 기다리다. (비)천수(天壽). (반)비명(非命).

치:명 致命 | 이를 치, 목숨 명 [fatal; killing]
목숨[命]을 다할 지경에 이름[致]. 죽을 지경에 이름.

특명 特命 | 특별할 특, 명할 명 [special command]
❶ 속뜻 특별(特別)히 명령(命令)함. ❷특별히 임명함. 또는 그 임명. ¶황제의 특명을 받고 각지로 출발했다.

하:명 下命 | 내릴 하, 명할 명 [command]
명령(命令)을 내림[下]. 윗사람의 명령. ¶상관에게 하명을 받다.

혁명 革命 | 바꿀 혁, 운명 명 [revolution]
❶ 속뜻 하늘이 내린 천명(天命)을 바꿈[革]. ❷헌법의 범위를 벗어나 국가 기초, 사회 제도, 경제 제도, 조직 따위를 근본적으로 고치는 일. ¶1789년 프랑스혁명이 일어났다. ❸이전의 관습이나 제도, 방식 따위를 단번에 깨뜨리고 질적으로 새로운 것을 급격하게 세우는 일. ¶유럽은 18세기부터 산업혁명이 일어났다.

0113 [문]

問 물을 문:
(部) 口부 (劃) 11획 (简) 问 [wèn]

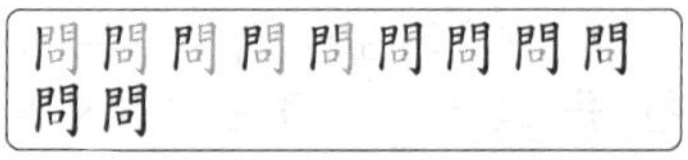

問자는 '문:다'(ask)가 본뜻이니 '입 구'(口)가 표의요소이자 부수로 쓰였고, '문 문'(門)은 표음요소이기 때문에 의미와는 무관하다.

문:답 問答 | 물을 문, 답할 답 [exchange questions and answers]
물음[問]과 대답[答]. 또는 서로 묻고 대답함. ¶이 책은 문답식으로 되어 있다.

문:병 問病 | 물을 문, 병 병 [visit to a sick person]
병(病)이 든 사람을 찾아가 문안(問安)함. ¶친구를 문병하다. (비)병문안(病問安).

문:상 問喪 | 물을 문, 죽을 상
[call of condolence]
남의 죽음에 대하여 슬퍼하는 뜻을 드러내어 상주(喪主)를 위문(慰問)함. 또는 그 위문. [비]조상(弔喪), 조문(弔問).

문:안 問安 | 물을 문, 편안할 안
[ask after the health of another]
웃어른에게 안부(安否)를 물음[問]. ¶문안 인사를 드리다.

문:의 問議 | 물을 문, 의논할 의 [inquire]
물어서[問] 의논(議論)함. ¶문의사항 / 전화 문의.

문:제 問題 | 물을 문, 주제 제 [problem; subject]
❶[속뜻]묻는[問] 주제(主題). ❷해답을 필요로 하는 질문이나, 연구하거나 해결해야 할 사항. ¶문제를 풀다. ❸성가신 일이나 논쟁이 될 만한 일. ¶그것은 문제가 되지 않는다. [반]답(答), 답안(答案), 해답(解答).

문:책 問責 | 물을 문, 꾸짖을 책
[censure; reproof]
일의 책임을 물어[問] 꾸짖음[責]. ¶문책을 당하다 / 잘못된 기안에 대하여 책임자를 문책하다.

문:초 問招 | 물을 문, 부를 초 [inquiry]
❶[속뜻]물어보기[問] 위하여 불러옴[招]. ❷죄나 잘못을 따져 묻거나 심문함. ¶문초를 당하다 / 문초를 받다.

문:항 問項 | 물을 문, 목 항 [item]
문제(問題)의 항목(項目). ¶바로 그 문항을 풀지 못했다.

• 역순어휘

검:문 檢問 | 검사할 검, 물을 문
[inspect; examine]
범법자 여부를 검사(檢査)하고 심문(審問)함. ¶경찰이 행인들을 검문했다 / 불심(不審)검문.

고문 拷問 | 칠 고, 물을 문 [torture]
피의자에게 여러 가지 신체적 고통을 주며[拷] 신문(訊問)함. ¶고문을 당하다.

반:문 反問 | 거꾸로 반, 물을 문 [ask in return]
거꾸로[反] 되물음[問].

방:문 訪問 | 찾을 방, 물을 문 [call; visit]
찾아가서[訪] 안부 등을 물음[問]. ¶총리가 중국을 방문하다.

불문 不問 | 아닐 불, 물을 문 [do not ask]
❶[속뜻]묻지[問] 아니함[不]. ¶이 문제는 불문에 부치겠다. ❷가리지 아니함. ¶노소 불문 / 남녀노소를 불문하고 모두 이 노래를 좋아한다.

설문 設問 | 베풀 설, 물을 문
[make up a question]
문제(問題)를 설정(設定)함. 질문을 만들어 냄. 또는 그 문제나 질문. ¶설문 조사 / 학교 폭력에 대해 설문하다.

신:문 訊問 | 물을 신, 물을 문
[question; examine; interrogate]
❶[속뜻]캐어 물음[訊=問]. ❷[법률]법원이나 기타 국가 기관이 어떤 사건에 관하여 증인, 당사자, 피고인 등에게 말로 물어 조사하는 일. ¶유도 신문 / 검찰이 범인을 심문했다.

심문 審問 | 살필 심, 물을 문
[interrogate; question]
자세히 따져서[審] 물음[問]. ¶심문을 받다.

우문 愚問 | 어리석을 우, 물을 문
[stupid question]
어리석은[愚] 질문(質問). ¶우문현답(愚問賢答).

위문 慰問 | 달랠 위, 물을 문
[pay a visit of inquiry]
위로(慰勞)하기 위하여 방문(訪問)함. ¶위문 공연 / 사장은 사고로 죽은 직원을 위문하기 위해 빈소를 찾았다.

의문 疑問 | 의심할 의, 물을 문
[doubt; problem; question]
❶[속뜻]의심(疑心)하여 물음[問]. ❷의심스러운 생각을 함. 또는 그런 일. ¶선생님의 설명을 듣다 보니 몇 가지 의문이 생겼다 / 그 일이 가능할지 매우 의문스럽다.

자문¹ 自問 | 스스로 자, 물을 문 [ask oneself]
스스로[自] 자신에게 물음[問]. ¶우리는 자신의 행동에 대해 자문해 볼 필요가 있다.

자:문² 諮問 | 물을 자, 물을 문
[consult; inquire]
아랫사람이 윗사람에게 의견을 물음[諮=問]. ¶법률 자문 / 그는 경제 전문가에게 이 문제를 자문했다.

조:문 弔問 | 조상할 조, 물을 문
[condolence call]
조상(弔喪)하여 상주를 위문(慰問)함. 또는 그 위문. ¶친구들은 아버님을 조문했다. [비]문상(問喪), 조상(弔喪).

질문 質問 | 바탕 질, 물을 문
[ask a question; inquire]
❶[속뜻]바탕[質]이 되는 중요한 것을 물어봄[問]. ❷모르거나 의심나는 점을 물음. ¶질문은 많이 할수록 좋다. [비]질의(質疑). [반]대답(對答).

학문 學問 | 배울 학, 물을 문 [learn]
❶[속뜻]배우고[學] 물어서[問] 익힘. ❷어떤 분야를 체계적으로 배워서 익힘. 또는 그런 지식. ¶학문을 닦다 / 학문에 힘쓰다.

0114 [부]

夫

지아비 부

部 大부 劃 4획 中 夫 [fū]

夫 夫 夫 夫

夫자는 성인[大]의 머리에 비녀[一]를 꽂고 있는 모습을 그린 것으로 '성년 남자'(an adult man)가 본래 의미이다. '지아비'(a husband), '사나이'(a man; a guy)를 뜻하기도 한다.

속뜻훈음 ①지아비 부, ②사나이 부.

부군 夫君 | 지아비 부, 임금 군 [one's husband]
❶속뜻 지아비[夫]를 임금[君]에 빗대어 정답게 일컫던 말. ❷'상대방의 남편'을 높여 부르는 말. ¶부군께서도 안녕하신지요.

부부 夫婦 | 지아비 부, 부인 부
[husband and wife]
남편[夫]과 그의 부인[婦]. ⓑ내외(內外), 부처(夫妻). 속담 부부싸움은 칼로 물 베기.

부인 夫人 | 지아비 부, 사람 인 [Mrs.; Madam]
❶속뜻 지아비[夫]의 짝이 되는 사람[人]. ❷'남의 아내'를 높여 부르는 말. ¶부인은 안녕하십니까? / 부인과 함께 오십시오.

부처 夫妻 | 지아비 부, 아내 처
[husband and wife; Mr. and Mrs]
남편[夫]과 아내[妻]. ¶오늘 파티에 김 국장 부처가 모두 참석했다. ⓑ내외, 부부.

• 역순어휘

공부 工夫 | 장인 공, 사나이 부 [study; learn]
❶속뜻 공사(工事)나 작업에 동원된 인부(人夫). ❷학문이나 기술을 배우고 익힘. ¶공부는 늙어 죽을 때까지 해도 다 못한다. ⓑ학습(學習).

광:부 鑛夫 | 쇳돌 광, 사나이 부 [miner]
광물(鑛物)을 캐는 인부(人夫). ¶석탄 광부.

농부 農夫 | 농사 농, 사나이 부 [farmer]
농사(農事)에 종사하는 사람[夫]. ⓑ농민(農民).

마:부 馬夫 | 말 마, 사나이 부 [footman; groom]
말[馬]을 부려 마차나 수레를 모는 사람[夫]. ⓑ마정(馬丁).

매부 妹夫 | 누이 매, 지아비 부
[one's sister's husband]
❶속뜻 누이[妹]의 남편[夫]. ❷손위 누이의 남편인 자형(姉兄), 손아래 누이의 남편인 매제(妹弟)를 통틀어 이르는 말.

유:부 有夫 | 있을 유, 지아비 부
남편[夫]이 있음[有]. 결혼한 여자를 이르는 말. ¶유부녀(有夫女).

인부 人夫 | 사람 인, 사나이 부 [workman]
품삯을 받고 일하는 사람[人=夫]. ¶공사장 인부 / 인부들이 도로를 보수하고 있다.

장:부 丈夫 | 어른 장, 사나이 부 [full grown man]
어른[丈]이 된 씩씩한 사내[夫]. ¶네가 벌써 이렇게 늠름한 장부가 되었구나!

형부 兄夫 | 맏 형, 지아비 부
[girl's elder sister's husband]
언니[兄]의 남편[夫]. ¶내 조카는 언니와 형부를 조금씩 다 닮았다.

흥부 興夫 | 일어날 흥, 사나이 부
❶속뜻 집안을 일으킨[興] 사나이[夫]. ❷문학 고소설 『흥부전』(興夫傳)의 주인공. 형 놀부로부터 쫓겨났으나 착하고 고운 마음씨를 지녀 뒤에 큰 부자가 되었다.

0115 [천]

天

하늘 천

部 大부 劃 4획 中 天 [tiān]

天 天 天 天

天자는 우뚝 서 있는 어른의 모습[大]에, 머리를 나타내는 네모[口]가 변화된 '一'이 첨가된 것이다. 머리 부분을 강조한 것이니 '머리 꼭대기'(the top of the head)가 본뜻이다. '하늘' (the sky)을 뜻하는 것으로도 확대 사용됐다.

천국 天國 | 하늘 천, 나라 국 [heaven; paradise]
❶속뜻 천상(天上)에 있는 나라[國]. 이상적인 세계. ¶보행자 천국 / 여기가 바로 지상 천국이다. ❷기독교 하느님이 직접 다스린다는 나라. ¶부자가 천국에 들어가기는 낙타가 바늘구멍에 들어가기보다 어렵다. ⓑ천당(天堂), 하늘나라. ⓑ지옥(地獄).

천당 天堂 | 하늘 천, 집 당 [heaven; paradise]
❶속뜻 하늘[天]에 있는 신의 전당(殿堂). ❷기독교 천국(天國). ⓑ하늘나라. ⓑ지옥(地獄).

천도 天道 | 하늘 천, 길 도
[way of heaven; orbits of heavenly bodies]
하늘[天]의 도리(道理).

천동 天動 | 하늘 천, 움직일 동
❶속뜻 하늘[天]이 움직임[動]. ❷하늘이 움직일 만큼 큰 소리나 울림. '천둥'의 원래말.

천륜 天倫 | 하늘 천, 도리 륜
[natural relationships of man]
하늘[天]이 맺어준 사람 사이에 지켜야 할 도리[倫]. 부자(父子)·형제 사이에 마땅히 지켜야 할 도리. ¶부모가 자식을 버리는 일은 천륜에 어긋난다.

천마 天馬 | 하늘 천, 말 마
[flying horse; Pegasus]
하늘[天]을 달린다는 상제(上帝)의 말[馬].

천막 天幕 | 하늘 천, 막 막 [tent]
하늘[天]을 가린 막(幕). 비바람 따위를 막는 장막. ¶천막을 치고 교실을 만들다.

천명 天命 | 하늘 천, 목숨 명
[one's life; God's will]
❶속뜻 하늘[天]이 준 수명(壽命). 타고난 수명. ❷하늘의 명령. ¶할 일을 다 하고 천명을 기다리다. ⓑ천수(天壽). ⓑ비명(非命).

천문 天文 | 하늘 천, 무늬 문
[astronomical phenomena; astronomy]
❶속뜻 하늘[天]의 무늬[文]. ❷천문 우주와 천체의 온갖 현상과 내재된 법칙성.

천벌 天罰 | 하늘 천, 벌할 벌 [divine punishment]
하늘[天]이 주는 벌(罰). ¶그렇게 거짓말을 하면 천벌을 받는다.

천부 天賦 | 하늘 천, 줄 부
[natural gift; native ability]
❶속뜻 하늘[天]이 줌[賦]. ❷선천적으로 타고남. ¶천부의 재능을 가졌다.

천사 天使 | 하늘 천, 부릴 사 [angel]
❶속뜻 '천자(天子)의 사신(使臣)'을 제후국에서 일컫던 말. ❷기독교 하느님의 사자로서 하느님과 인간의 중개 역할을 하는 존재를 이르는 말. ¶서양의 천사는 주로 날개를 달고 있다 / 그녀는 천사와 같은 마음씨를 가졌다. ⓑ악마(惡魔).

천상 天上 | 하늘 천, 위 상 [heavens]
하늘[天]의 위[上]. ¶천상의 소리. ⓑ천국(天國).

천생 天生 | 하늘 천, 날 생 [by nature]
❶속뜻 하늘[天]에서 타고 난[生] 것. 태어날 때부터 지닌 본바탕. ❷선천적으로 타고남. ¶그는 천생 예술가다.

천성 天性 | 하늘 천, 성질 성 [one's nature]
하늘[天]이 준 성질(性質). 선천적으로 타고난 성격. ¶그는 천성이 게으름뱅이다.

천수 天水 | 하늘 천, 물 수
하늘[天]에서 내려온 물[水]. ⓑ빗물.

천연 天然 | 하늘 천, 그러할 연 [nature]
하늘[天]이 만든 그대로의[然] 것. 사람의 힘을 가하지 않은 자연 그대로의 상태. ¶천연 원료를 사용하다. ⓑ인위(人爲).

천왕 天王 | 하늘 천, 임금 왕
불교 욕계와 색계에 있다는 하늘[天]의 왕(王)을 통틀어 이르는 말.

천장 天障 | 하늘 천, 막을 장 [ceiling; roof]
❶속뜻 하늘[天]을 가리어 막음[障]. ❷건설 집의 안에서 위쪽 면. ¶천장에 파리가 붙어 있다.

천재[1] 天才 | 하늘 천, 재주 재 [genius; prodigy]
하늘[天]이 준 재주[才]. 태어날 때부터 갖춘 뛰어난 재주. 또는 그런 재주를 가진 사람. ¶그는 돈 버는 데 천재다 / 천재와 바보는 종이 한 장 차이다. ⓑ둔재(鈍才).

천재[2] 天災 | 하늘 천, 재앙 재 [natural disaster]
하늘[天]이 내리는 재앙(災殃). 자연현상으로 일어나는 재난. 지진, 홍수 따위. ¶천재를 입다.

천적 天敵 | 하늘 천, 원수 적 [natural enemy]
❶속뜻 천연(天然)의 적(敵). ❷동물 어떤 생물에 대하여 해로운 적이 되는 생물. 개구리에 대한 뱀, 쥐에 대한 고양이 따위.

천제 天帝 | 하늘 천, 임금 제
[Lord of Heaven; God of Providence]
하늘[天]의 명을 받은 임금[帝].

천주 天主 | 하늘 천, 주인 주
[Lord of Heaven; God]
❶속뜻 하늘[天]의 주인(主人). ❷가톨릭 하느님을 일컫는 말.

천지 天地 | 하늘 천, 땅 지
[earth and the sky; world; abundance]
❶속뜻 하늘[天]과 땅[地]. ¶눈이 온 천지를 뒤덮었다. ❷온 세상. ¶이렇게 고마운 일이 천지에 어디 또 있겠는가. ❸대단히 많음. ¶그의 방은 쓰레기 천지다.

천직 天職 | 하늘 천, 일자리 직 [calling; vocation]
❶속뜻 하늘[天]이 내려 준 직업(職業). ❷그 사람의 천성에 알맞은 직업. ¶그는 자기 직업을 천직으로 여기고 열심히 일한다.

천진 天眞 | 하늘 천, 참 진
[innocent; simple; natural]
천성(天性) 그대로 꾸밈이 없이 참됨[眞]. 자연 그대로 거짓이 없고 순진함. ¶천진한 표정 / 아이가 눈을 깜박이며 천진스럽게 웃는다.

천체 天體 | 하늘 천, 몸 체
[celestial bodies; heavenly bodies]
❶속뜻 하늘[天] 전체(全體). ❷천문 우주 공간에 떠 있는 온갖 물체를 통틀어 이르는 말. ¶천체를 관측하다.

천치 天痴 | =天癡, 하늘 천, 어리석을 치
[idiot; fool]
선천적(先天的)인 바보[痴]. ¶이런 쉬운 것도 모르다니, 바보 천치야. [반]백치(白痴).

천칭 天秤 | 하늘 천, 저울 칭
[balance; pair of scales]
❶[속뜻]천정(天井)에 메달아 놓은 저울[秤]. ❷저울의 하나. 가운데에 줏대를 세우고 가로장을 걸치는데, 양쪽 끝에 똑같은 저울판을 달고, 한쪽에 달 물건을, 다른 쪽에 추를 놓아 평평하게 하여 물건의 무게를 단다. '천평칭'(天平稱)의 준말.

천하 天下 | 하늘 천, 아래 하
[whole country; public; world]
❶[속뜻]하늘[天] 아래[下]. 온 세상. ¶천하의 못된 놈 / 천하에 이름을 떨치다. ❷한 나라나 정권. ¶공산당 천하가 되었다.

천행 天幸 | 하늘 천, 다행 행
[blessing of Heaven; grace of God]
하늘[天]이 준 은혜나 다행(多幸). ¶그는 물에 빠졌지만 천행으로 살아났다.

천혜 天惠 | 하늘 천, 은혜 혜
[Heaven's blessing; gift of nature]
하늘[天]이 베풀어 준 은혜(恩惠). 자연의 은혜. ¶천혜의 관광자원.

천황 天皇 | 하늘 천, 임금 황
[Lord of Heaven; Emperor of Japan]
❶[속뜻]하늘[天]이 점지한 황제(皇帝). ❷일본에서, 자기네 '임금'을 일컫는 말. [비]옥황상제(玉皇上帝).

• 역순어휘

낙천 樂天 | 즐길 락, 하늘 천 [optimism]
자기의 운명이나 처지를 천명(天命)으로 알고 즐겁게[樂] 사는 일. 세상이나 인생을 즐겁고 좋게 생각하는 일. [반]염세(厭世).

노천 露天 | 드러낼 로, 하늘 천 [open air]
지붕이 없어 하늘[天]이 드러난[露] 곳. ¶노천극장 / 노천 카페. [반]실내(室內).

선천 先天 | 먼저 선, 하늘 천 [inbornness]
어떤 성질이나 체질을 태어나기에 앞서[先] 하늘[天]로부터 부여받음. [반]후천(後天).

승천 昇天 | =陞天, 오를 승, 하늘 천
[ascend to heaven]
❶[속뜻]하늘[天]에 오름[昇]. ¶용이 여의주를 물고 승천했다. ❷[가톨릭]'죽음'을 이르는 말.

제:천 祭天 | 제사 제, 하늘 천
하늘[天]에 제사(祭祀)를 지냄. ¶부여의 제천 의식은 '영고'라고 불렀다.

중천 中天 | 가운데 중, 하늘 천
[midheaven; zenith]
한가운데[中] 하늘[天]. 하늘 한복판. ¶해가 중천에 떴는데 아직도 자고 있느냐.

청천 靑天 | 푸를 청, 하늘 천
[blue sky; cloudless sky]
푸른[靑] 하늘[天]. ¶청천에 날벼락.

충천 衝天 | 찌를 충, 하늘 천
[soar high up to the sky]
❶[속뜻]높이 솟아 하늘[天]을 찌름[衝]. ¶불길이 나고 연기가 충천했다. ❷기세 따위가 북받쳐 오름. ¶사기가 충천하다.

후:천 後天 | 뒤 후, 하늘 천 [postnatal; acquired]
❶[속뜻]하늘[天]로부터 생명을 부여받은 뒤[後]. ❷성질, 체질, 질병 따위를 태어난 뒤의 여러 가지 경험이나 지식을 통해 지니게 되는 일. [반]선천(先天).

0116 [석]

夕

저녁 석
[部] 夕부 [劃] 3획 [中] 夕 [xī]

夕 夕 夕

夕자가 처음 1,000년간은 月(달 월)과 구분 없이 쓰였다. 그러다가 조저녁에는 달의 모습이 약간 작다고 여긴 탓인지 한 획을 줄이고 모양도 비스듬하게 나타내어 그 둘을 구분하였다. 예나 지금이나 '저녁'(evening)이란 본래 의미로 사용되고 있다.

석간 夕刊 | 저녁 석, 책 펴낼 간 [evening paper]
매일 저녁[夕]때에 발행되는[刊] 신문. '석간신문'(新聞)의 준말. ¶그 사건은 석간신문에 대서특필(大書特筆)됐다. [반]조간(朝刊).

석양 夕陽 | 저녁 석, 볕 양 [evening sun]
저녁[夕] 해[陽]. ¶서쪽 하늘이 석양으로 붉게 물들었다. [비]낙양(落陽), 낙조(落照).

• 역순어휘

조석 朝夕 | 아침 조, 저녁 석
[morning and evening]
❶[속뜻]아침[朝]과 저녁[夕]을 아울러 이르는 말. ¶부모님께 조석으로 문안인사를 드린다. ❷썩 가까운 앞날을 이르는 말. ¶여러 사람의 목숨이 조석에 달렸으니 부디

신중하거라.

추석 秋夕 | 가을 추, 저녁 석
[Korean Thanksgiving Day]
❶속뜻 가을[秋] 저녁[夕]의 달. 『예기』의 '조춘일추석월'(朝春日秋夕月)에서 유래한 말. ❷음력 8월 15일. 햅쌀로 송편을 빚고 햇과일 따위의 음식을 장만하여 차례를 지낸다. 중추절(仲秋節). 한가위. ¶올 추석에는 고향에 가지 못했다.

칠석 七夕 | 일곱 칠, 저녁 석
❶속뜻 음력 칠월 초이렛날[七]의 밤[夕]. ❷칠석이 되는 날. 이때에 은하의 서쪽에 있는 직녀와 동쪽에 있는 견우가 오작교에서 일 년에 한 번 만난다는 전설이 있다. ¶칠석이 지나면 벼가 패기 시작한다.

0117 [소]

少 적을 소:
部 小부 劃 4획 中 少 [shǎo]
少 少 少 少

少자는 '적다'(few)는 뜻을 적기 위하여 모래알이 네 개 흩어져 있는 모습을 그린 것이다. 후에 나이가 적은, 즉 '젊다'(young)는 뜻도 이것으로 나타냈다.
속뜻 훈음 **①적을 소, ②젊을 소.**

소:녀 少女 | 적을 소, 여자 녀
[(young) girl; maiden]
나이가 어린[少] 여자[女]. 아주 어리지도 않고 성숙하지도 않은 여자. 반소년(少年).

소:년 少年 | 적을 소, 나이 년 [boy; lad]
❶속뜻 적은[少] 나이[年]. ❷나이가 어린, 청소년기에 있는 남자. 반소녀(少女).

소:량 少量 | 적을 소, 분량 량 [small quantity]
적은[少] 분량(分量). 반다량(多量).

소:령 少領 | 적을 소, 거느릴 령 [major]
❶속뜻 적은[少] 병사를 거느림[領]. ❷군사 국군의 영관(領官) 계급 중 맨 아랫계급. 대위의 위, 중령의 아래.

소:수 少數 | 적을 소, 셀 수 [small number]
적은[少] 수효(數爻). ¶소수의 의견을 묵살하다. 반다수(多數).

소:액 少額 | 적을 소, 액수 액 [small sum]
적은[小] 금액(金額). 적은 액수. ¶소액 투자 / 휴대전화로 소액 결제를 하다. 반거액(巨額).

소:위 少尉 | 적을 소, 벼슬 위
[second lieutenant]
군사 군인 계급의 하나. 장교 계급 중의 가장 아래[少] 계급[尉].

소:장 少將 | 젊을 소, 장수 장 [major general]
❶속뜻 젊은[少] 장수[將]. ❷군사 군인 계급의 하나. 준장의 위, 중장의 아래.

• 역순어휘

감:소 減少 | 덜 감, 적을 소 [lessen; drop]
❶속뜻 줄어서[減] 적어짐[少]. ❷덜어서 적게 함. ¶출생률이 감소하다. 비감량(減量). 반증가(增加).

근:소 僅少 | 겨우 근, 적을 소 [little; few]
얼마 되지 않을 만큼 아주[僅] 적다[少]. ¶근소한 차로 졌다.

노:소 老少 | 늙을 로, 젊을 소
[old and the young; age and youth]
늙은이[老]와 젊은이[少]. ¶남녀 노소 모두 좋아한다. 비소장(少長).

다소 多少 | 많을 다, 적을 소
[number; quantity; few]
❶속뜻 분량이나 정도의 많음[多]과 적음[少]. ❷조금. 약간. ¶배가 아파서 다소 불편하다.

사소 些少 | 적을 사, 적을 소 [trifling; trivial]
보잘것없이 적다[些=少]. 하찮다. ¶사소한 일로 화를 내다.

연소 年少 | 나이 년, 적을 소
[young; underage]
나이[年]가 적음[少]. 나이가 어림.

최:소 最少 | 가장 최, 적을 소
[fewest; lowest; minimum]
가장[最] 적음[少]. ¶피해를 최소로 줄이다. 반최다(最多).

0118 [하]

夏 여름 하:
部 夊부 劃 10획 中 夏 [xià]
夏 夏 夏 夏 夏 夏 夏 夏 夏 夏

夏자는 고대 중국의 중원지역에 거주하던 부족의 명칭(夏族→漢族)을 적기 위하여 고안된 글자다. 얼굴이 크고 다리가 튼튼한 사람의 모습을 그린 것이라는 설이 있다. 당시에 '여름'[하]을 뜻하는 글자를 만들어 내기가 매우 어렵게 되자, 하는 수 없이 발음이 [하]인 이 글자를 빌어 '여름'(summer)이라는 뜻을 나타냈다. 이른바 '가차'(假借)에 의한 표의 방법을 채택한 것이다.

하:계 夏季 | 여름 하, 철 계 [summer season]
여름[夏]에 해당되는 계절(季節). ¶하계 올림픽. [비]하기(夏期). [반]동계(冬季).

하:복 夏服 | 여름 하, 옷 복 [summer suit]
여름철[夏]에 주로 입는 옷[服]. 여름옷. [반]동복(冬服).

하:절 夏節 | 여름 하, 철 절 [summer]
여름[夏] 철[節].

하:지 夏至 | 여름 하, 이를 지
❶[속뜻]가장 더운 여름[夏]에 이름[至]. ❷24절기의 하나. 망종(芒種)과 소서(小暑) 사이로 6월 22일경. 북반구에서는 낮이 가장 긴 날이다. [반]동지(冬至).

• 역순어휘

입하 立夏 | 설 립, 여름 하 [onset of summer]
여름[夏]이 시작된다[立]고 하는 절기. 곡우(穀雨)와 소만(小滿) 사이로 5월 6일경이다.

0119 [자]

字

글자 자
[部] 子부 [劃] 6획 [中] 字 [zì]

字 字 字 字 字 字

字자는 '(아이를) 낳다'(bear)는 뜻을 '집 면'(宀)과 '아이 자'(子)를 합친 것으로 나타낸 것이다. 갓 낳은 아이가 집안에 누워있는 모습이 연상된다. 이 경우의 子(자)는 표의와 표음을 겸하는 요소다. 후에 '번식하다' (multiply)는 뜻으로 확대됐고, 한(漢)나라 이후 한자의 수가 크게 증가(번식)됐기에 '글자' (character)의 뜻으로도 쓰였다.

자막 字幕 | 글자 자, 막 막 [film title]
제목·배역·해설 등을 글자[字]로 나타낸 화면이나 막(幕). ¶외국 영화는 대사를 자막으로 처리한다.

자모 字母 | 글자 자, 어머니 모 [letter]
[언어]❶한 음절의 기본 바탕[母]이 되는 글자[字]. ㄱ·ㄴ·ㄷ이나 a·b·c 따위를 말한다. ❷전통 중국어 음운론에서 동일한 성모(聲母)를 가진 글자 가운데 하나를 골라 그 대표로 삼은 글자. 초성 자음에 해당한다. p-를 나타내는 [幫], k-를 나타내는 [見] 등을 말한다.

자수 字數 | 글자 자, 셀 수 [number of words]
글자[字]의 수효(數爻). ¶500자 이내로 자수를 제한하다.

자전 字典 | 글자 자, 책 전 [dictionary; lexicon]
낱낱 한자[字]에 대하여 음과 뜻을 자세히 풀이해 놓은 책[典]. ¶한자를 자전에서 찾아보다. [비]옥편(玉篇).

자판 字板 | 글자 자, 널빤지 판 [keyboard]
글자[字]를 배열해 놓은 판(板). ¶컴퓨터 자판.

• 역순어휘

금자 金字 | 황금 금, 글자 자 [gold letter]
금박을 올리거나 금실로 수를 놓거나 이금(泥金)으로 써서 금(金)빛이 나는 글자[字]. [비]금문자(金文字).

대:자 大字 | 큰 대, 글자 자 [large character]
큰[大] 글자[字]. '대문자'(大文字)의 준말. [반]소자(小字).

문자 文字 | 글자 문, 글자 자
[letter; idiomatic phrase]
❶[속뜻]글자[文=字]. ❷[언어]말의 소리나 뜻을 볼 수 있도록 적기 위한 체계적인 부호. ¶고대 문자 / 고유문자를 만들다.

배자 排字 | 밀칠 배, 글자 자
글씨를 쓰거나 인쇄할 판을 짤 때 글자[字]를 알맞게 벌여 놓음[排]. ¶배자 간격을 알맞게 조정하였다.

숫:자 數字 | 셀 수, 글자 자 [numeral; figure]
❶[속뜻]수(數)를 나타내는 글자[字]. ❷수량적인 사항. ¶숫자에 밝다.

습자 習字 | 익힐 습, 글자 자
[practice penmanship]
글자[字]를 써 가면서 익힘[習]. ¶습자를 하다 묻은 먹이 그대로 묻어 있다 / 습자지(習字紙).

십자 十字 | 열 십, 글자 자 [cross]
한자 '十' 이라는 글자[字]. 또는 그러한 모양을 가진 것.

영자 英字 | 영국 영, 글자 자 [English letter]
영어(英語)를 표기하는데 쓰이는 글자[字]. '영문자'(英文字)의 준말. ¶영자 신문.

오:자 誤字 | 그르칠 오, 글자 자 [wrong word]
잘못 그르치게[誤] 쓴 글자[字]. ¶책의 오자를 수정하다.

일자 日字 | 날 일, 글자 자 [date]
날[日]을 나타내는 글자나 숫자[字]. ¶수술 일자 / 기상 악화로 출발 일자를 늦추었다. [비]날짜.

적자 赤字 | 붉을 적, 글자 자 [deficit; loss]
❶[속뜻]붉은[赤] 글씨의 숫자[字]. ❷[경제]장부에서 수입을 초과한 지출로 생기는 모자라는 금액. ¶빚을 갚고 나면 이번 달도 적자이다. [반]흑자(黑字).

점자 點字 | 점 점, 글자 자 [braille]
두꺼운 종이 위에 도드라진 점(點)들을 일정한 방식으로 짜 모아 만든 글자[字]. 시각장애인들이 손가락으로 더듬어 읽도록 만든 문자이다.

정:자 正字 | 바를 정, 글자 자
[correct form of a character]
❶속뜻 바른[正] 글자[字]. ¶이름을 정자로 또박또박 쓰세요. ❷한자의 약자나 속자가 아닌 본디의 글자를 이르는 말.

집자 集字 | 모을 집, 글자 자
문헌에서 필요한 글자[字]를 찾아 모음[集].

천자 千字 | 일천 천, 글자 자
[Thousand-Character Text]
❶속뜻 천(千) 개의 글자[字]. ❷책명 '천자문'(千字文)의 준말.

철자 綴字 | 꿰맬 철, 글자 자 [spell]
❶속뜻 자모(字母)를 꿰매어[綴] 음을 적음. ❷언어 자음과 모음을 맞추어 음절 단위의 글자를 만드는 일. ¶이름의 철자를 가르쳐 주세요.

타:자 打字 | 칠 타, 글자 자 [type write]
타자기로 종이 위에 글자[字]를 찍음[打]. ¶그는 타자 실력이 대단하다.

팔자1 八字 | 여덟 팔, 글자 자 [destiny; fate]
❶속뜻 사주(四柱)에 쓰인 여덟[八] 개의 글자[字]. ❷사람의 평생 운수. 태어난 연월일시를 간지(干支)로 나타내면 여덟 글자가 되는데, 이 속에 일생의 운명이 정해져 있다고 본다. ¶팔자가 기구하다. 속담 오뉴월 댑싸리 밑의 개 팔자. 관용 팔자가 늘어지다 / 팔자를 고치다.

팔자2 八字 | 여덟 팔, 글자 자
[Chinese character eight]
한자의 '팔'(八)이라는 글자[字] 모양. ¶팔자로 기른 콧수염.

한:자 漢字 | 한나라 한, 글자 자
[Chinese character]
한자어(漢字語)의 뜻을 나타내는 데 필요한 낱낱의 글자[字]. ¶한자어는 속뜻을 알면 기억이 잘된다.

함자 銜字 | 받들 함, 글자 자 [honored name]
❶속뜻 받들[銜] 이름[字]. ❷남의 '이름'을 높여 이르는 말. ¶아버지 함자가 어떻게 되십니까? 비성함(姓銜), 존함(尊銜).

활자 活字 | 살 활, 글자 자 [printing type; type]
❶속뜻 활판(活版) 인쇄에 쓰이는 글자[字]. ❷출판 네모 기둥 모양의 금속 윗면에 문자나 기호를 볼록 튀어나오게 새긴 것.

흑자 黑字 | 검을 흑, 글자 자
[figures in black ink; surplus]
❶속뜻 먹 따위로 쓴 검은[黑] 글자[字]. ❷수입이 지출보다 많아서 생기는 잉여나 이익. 장부에 쓸 때 통상 검은색 글자로 쓰는 것에서 유래하였다. ¶그 회사는 올해 100억의 흑자를 냈다. 반적자(赤字).

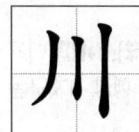

0120 [천]

川 내 천
部 巛부 劃 3획 中 川 [chuān]
川 川 川

川자는 '냇물'(a stream)을 뜻하기 위하여 냇물이 흐르는 모습을 본뜬 것인데, 지금의 자형에서도 어느 정도는 짐작이 가능하다. '강'(a river)보다는 작은 물줄기를 뜻한다.

천렵 川獵 | 내 천, 사냥 렵 [fish in a river]
놀이로 냇물[川]에서 고기를 잡는[獵] 일.

천방 川防 | 내 천, 둑 방 [bank; dike]
내[川]를 가로막은 둑[防].

• 역순어휘

산천 山川 | 메 산, 내 천
[mountains and streams; nature]
❶속뜻 산(山)과 내[川]. ❷자연 또는 자연의 경치. ¶고향 산천.

하천 河川 | 물 하, 내 천 [river]
강[河]과 시내[川]. ¶공장 폐수가 하천을 더럽힌다.

0121 [지]

地 땅 지
部 土부 劃 6획 中 地 [dì]
地 地 地 地 地 地

地자를 본래는 '墬'(지)로 썼다. 이것은 '땅'(land)이란 뜻을 상징적으로 나타낸 것이다. 즉, 산언덕[阜=阝]의 땅[土]을 파헤치는 멧돼지(彖, 단)를 본뜬 것이었다. 후에 阝는 土에 흡수되어 생략됐고, 彖은 它(뱀 사/타)로 바뀌었다가 다시 也(야)로 변화됐다.
속뜻훈음 **①땅 지, ②바탕 지.**

지각 地殼 | 땅 지, 껍질 각 [earth's crust]
❶속뜻 땅[地]의 껍질[殼]. ❷지리 지구의 표층을 이루고 있는 단단한 부분. ¶지각 변동.

지경 地境 | 땅 지, 지경 경
[border; situation; condition]
❶속뜻 땅[地]의 경계(境界). ❷어떤 처지나 형편. ¶너무 억울해 눈물이 날 지경이다.

지구¹ 地區 | 땅 지, 나눌 구 [area; district; zone]
지역(地域)을 일정하게 나눈 구역(區域). ¶이 도시 북부는 상업 지구로 지정되었다.

지구² 地球 | 땅 지, 공 구 [earth]
❶[속뜻]땅[地]으로 이루어진 크나큰 공[球]. ❷[천문]태양에서 세 번째로 가까우며, 인류가 사는 행성. ¶지구는 둥글다.

지대 地帶 | 땅 지, 띠 대 [area; belt]
❶[속뜻]한정된 지역(地域)의 일대(一帶). ¶높은 지대로 이동하세요. ❷자연적 또는 인위적으로 한정된 일정한 구역. ¶공장 지대에서는 많은 소음과 매연이 발생했다.

지도 地圖 | 땅 지, 그림 도 [map]
[지리]지구(地球) 표면의 일부나 전부를 일정한 축척(縮尺)에 따라 평면 위에 나타낸 그림[圖]. ¶지도를 보고 친척집을 찾아가다.

지동 地動 | 땅 지, 움직일 동
[terrestrial movement]
[천문]지구(地球)가 돌아 움직이는[動] 일, 곧 '지구의 자전'과 '공전'을 이르는 말.

지력 地力 | 땅 지, 힘 력 [fertility of soil]
땅[地]의 힘[力]. 토지의 생산력. ¶퇴비를 주어 지력을 북돋다.

지뢰 地雷 | 땅 지, 천둥 뢰 [land mine]
❶[속뜻]땅[地] 속에서 천둥[雷]같이 큰 소리를 내며 터짐. ❷[군사]땅에 묻어 사람이나 전차 등이 밟거나 그 위를 지나면 터지도록 장치한 폭약. ¶이곳의 야생동물들은 지뢰를 밟고 숨지기도 한다.

지리 地理 | 땅 지, 이치 리
[geographical features]
❶[속뜻]땅[地]이 형성된 이치[理]. ❷땅 위에 있는 길 따위의 모양. ¶나는 이곳의 지리에 밝다.

지면 地面 | 땅 지, 낯 면
[ground; surface of the earth]
땅[地]의 표면(表面). 땅바닥. ¶눈이 와서 지면이 얼어붙었다.

지명 地名 | 땅 지, 이름 명 [name of a place]
땅[地]의 이름[名]. 지역의 이름. ¶순 우리말로 된 지명.

지문 地文 | 바탕 지, 글월 문
❶[속뜻]주어진 바탕[地] 글[文]. 또는 그 내용. ¶다음 지문을 읽고 물음에 답하시오. ❷[문학]희곡에서, 해설과 대사를 뺀 나머지 부분의 글. 인물의 동작, 표정, 심리, 말투 따위를 지시하거나 서술함.

지반 地盤 | 땅 지, 쟁반 반 [base]
❶[속뜻]땅[地]이 쟁반[盤]같이 편평한 바닥. ❷땅의 굳은 표면. ¶홍수 때문에 이곳의 지반이 내려앉았다. ❸구조물 따위를 설치하는 데 기초가 되는 땅.

지방 地方 | 땅 지, 모 방 [region; countryside]
❶[속뜻]땅[地]의 어느 한 부분[方]. 어느 한 방면의 땅. ¶낯선 지방으로 여행하다. ❷한 나라의 수도(首都)나 대도시 외의 고장. ¶지방으로 내려가다. [반]중앙(中央).

지상 地上 | 땅 지, 위 상 [ground]
❶[속뜻]땅[地]의 위[上]. ¶지상 10미터 높이의 건물. ❷이 세상. 현세(現世). ¶인생은 이 지상에서 단 한번 뿐이다. [반]지하(地下).

지신 地神 | 땅 지, 귀신 신 [god of the earth]
땅[地]을 맡아 다스린다는 신령(神靈).

지압 地壓 | 땅 지, 누를 압
[ground pressure; acupressure]
땅[地]속의 물체가 그것의 무게나 외부 힘의 영향으로 내부로 또는 다른 물체를 향하여 누르는[壓] 힘. ¶유물이 지압을 받지 않고 잘 보존되다.

지역 地域 | 땅 지, 지경 역 [area; region; zone]
일정한 땅[地]의 구역(區域). 또는 그 안의 땅. ¶이 지역에서는 물이 부족하다.

지열 地熱 | 땅 지, 더울 열
[geothermal heat; road heat]
[지리]땅[地] 속에서 나는 열(熱). ¶지열 에너지를 이용한 발전(發電).

지옥 地獄 | 땅 지, 감옥 옥 [hell; inferno]
❶[속뜻]땅[地] 속에 있는 감옥(監獄). ❷[기독교]큰 죄를 지은 사람의 혼이 신의 구원을 받지 못하고 악마와 함께 영원히 벌을 받는다는 곳. ¶그렇게 못된 짓을 많이 했으니 지옥에 갈 것이다. ❸'못 견딜 만큼 괴롭고 참담한 형편이나 환경'을 비유하여 이르는 말. ¶입시 지옥 / 거기서 일한 순간부터 지옥이었다. [반]천국(天國), 천당(天堂).

지위 地位 | 땅 지, 자리 위 [status; position]
❶[속뜻]있는 곳[地]의 자리[位]. ❷사회적 신분에 따라 개인이 차지하는 자리나 계급. ¶그는 지위도 있고 돈도 있다 / 그는 낮은 지위에 있지만 매우 능력 있는 사람이다.

지점 地點 | 땅 지, 점 점 [point; spot]
땅[地] 위의 일정한 점(點). ¶이곳은 사고가 많이 나는 지점이다.

지주 地主 | 땅 지, 주인 주 [landowner]
토지(土地)의 주인(主人). ¶이 마을 지주는 마을 논밭의 절반을 갖고 있다.

지중 地中 | 땅 지, 가운데 중 [in the ground]
땅[地]의 속[中]. ¶지중해(地中海).

지진 地震 | 땅 지, 떨 진 [earthquake]

지리 땅[地]의 떨림[震]. 오랫동안 누적된 변형 에너지가 갑자기 방출되면서 일어난다. ¶지진이 나면 건물 밖으로 즉시 대피하세요.

지질 地質 | 땅 지, 바탕 질 [nature of the soil]
지리 지각(地殼)을 이루는 여러 가지 암석이나 지층(地層)의 성질(性質). ¶이 시기에는 지질에 큰 변동이 있었다.

지축 地軸 | 땅 지, 굴대 축 [axis of the earth]
지리 ❶지구(地球)가 돌아가는 축(軸). 북극과 남극을 연결하는 축. ¶지구는 지축을 중심으로 자전한다. ❷대지의 중심. ¶지축을 뒤흔드는 요란한 소리.

지층 地層 | 땅 지, 층 층 [geological stratum]
지리 자갈, 모래, 진흙, 생물체 따위가 물밑이나 지표(地表)에 퇴적하여 이룬 층(層). ¶지층에서 화석이 발견되다.

지평 地平 | 땅 지, 평평할 평 [horizon]
대지(大地)의 편평(扁平)한 면. ¶자리가 높아서 탁 트인 지평을 바라볼 수 있다 / 생명 공학의 새 지평을 열다.

지표 地表 | 땅 지, 겉 표 [surface of the earth]
지구(地球)의 표면(表面). 또는 땅의 겉면. '지표면'의 준말. ¶한여름의 열기가 지표를 뜨겁게 달구었다.

지하 地下 | 땅 지, 아래 하 [underground]
땅[地]의 아래[下]. 또는 땅속을 파고 만든 구조물의 공간. ¶지하 2층 / 지하에는 수많은 광물이 묻혀 있다. ㊀지상(地上).

지형 地形 | 땅 지, 모양 형 [topography]
땅[地]의 형세(形勢). ¶지형이 험해 적의 기습에 주의해야 한다.

• 역순어휘

각지 各地 | 여러 각, 땅 지 [every place]
여러[各] 지방(地方). ¶전국 각지에서 많은 사람이 몰려왔다. ㊐각처(各處), 방방곡곡(坊坊曲曲).

객지 客地 | 손 객, 땅 지 [strange land]
나그네[客]가 임시로 머무르는 곳[地]. ¶객지에서 고향 사람을 만나다. ㊐타지(他地), 타향(他鄕). ㊀고향(故鄕).

경지¹ 耕地 | 밭갈 경, 땅 지 [cultivated land]
경작(耕作)하는 토지(土地). '경작지'(耕作地)의 준말.

경지² 境地 | 지경 경, 땅 지 [stage]
❶속뜻 경계(境界) 안의 땅[地]. ❷자신의 특성과 연구로 이룩한 독자적 방식이나 세계. ¶수필문학의 새로운 경지를 열다. ❸어떠한 단계에 이른 상태. ¶해탈의 경지에 도달하다.

고지 高地 | 높을 고, 땅 지
[high ground; highlands]
❶속뜻 평지보다 높은[高] 땅[地]. ¶고지를 사수하다. ❷이루고자 하는 목표 또는 그 수준에 이른 단계. ¶유리한 고지를 점령하다. ㊀평지(平地).

궁지 窮地 | 궁할 궁, 땅 지
[predicament; awkward position]
상황이 매우 곤궁(困窮)한 일을 당한 처지(處地). ¶궁지로 몰다. ㊐진퇴양난(進退兩難).

기지 基地 | 터 기, 땅 지 [base; site]
군대나 탐험대 따위의 활동의 기점(基點)이 되는 근거지(根據地). ¶군사 기지.

녹지 綠地 | 초록빛 록, 땅 지 [green tract of land]
초록빛[綠]의 풀이나 나무가 무성한 땅[地].

농지 農地 | 농사 농, 땅 지 [farmland]
농사(農事)를 짓는 데 쓰이는 땅[地]. ㊐농토(農土).

단지 團地 | 모일 단, 땅 지
[housing development]
❶속뜻 일정한 산업시설이 모여[團] 있는 지역(地域). ❷주택이나 공장 등 같은 종류의 현대적 건물이나 시설들을 한데 모아 조성한 일정 지역. ¶아파트 단지.

대:지¹ 大地 | 큰 대, 땅 지 [earth; ground]
대자연의 넓고 큰[大] 땅[地]. ¶봄비에 대지가 촉촉이 젖었다. ㊐땅.

대지² 垈地 | 터 대, 땅 지 [site; plot of land]
집터[垈]로 쓰이는 땅[地]. ¶대지 면적이 300평방미터이다. ㊐가대(家垈).

등:지 等地 | 같을 등, 땅 지 [like places]
지명 뒤에 쓰여 그와 비슷한[等] 여러 지역(地域)을 줄임을 나타내는 말. ¶일본, 홍콩, 태국 등지로 여행을 다니다.

묘:지 墓地 | 무덤 묘, 땅 지 [graveyard]
무덤[墓]이 있는 땅[地]. 또는 그 구역. ¶공동묘지 / 국립묘지. ㊐택조(宅兆).

번지 番地 | 차례 번, 땅 지
[number (of an address)]
토지(土地)를 나누어서 매겨 놓은 번호(番號).

벽지 僻地 | 후미질 벽, 땅 지
[isolated area; remote corner of the country]
도시에서 멀리 떨어진 으슥하고 한적한[僻] 곳[地]. ¶산간 벽지에 살다. ㊐벽처(僻處), 벽촌(僻村).

부지 敷地 | 펼 부, 땅 지 [plot of ground]
집이나 건물 따위를 짓기 위하여 펼치듯이[敷] 골라 놓은 땅[地]. ¶공장 부지를 마련하다.

분지 盆地 | 동이 분, 땅 지
[(round) valley; hollow]

지리 동이[盆]처럼 산 따위로 둥글게 둘러싸인 평평한 땅[地]. ¶분지 지형은 대개 기온이 높다.

사:지 死地 | 죽을 사, 땅 지 [jaws of death]
❶속뜻 죽을[死] 곳[地]. 또는 죽어서 묻힐 장소. ❷죽을 지경의 매우 위험하고 위태한 곳. ¶우리는 간신히 사지에서 벗어났다.

산지¹ 山地 | 메 산, 땅 지 [mountainous district]
❶속뜻 산(山)으로 된 지형(地形). ❷산이 많고 들이 적은 지대.

산:지² 産地 | 낳을 산, 땅 지 [producing area]
물건이 생산(生産)되는 곳[地]. '산출지'(産出地)의 준말. ¶대구는 사과의 산지로 유명하다. (비)원산지(原産地).

성:지 聖地 | 거룩할 성, 땅 지
[holy place; Holy Land]
종교 신성(神聖)스럽게 여기는 땅[地]. ¶성지 순례.

소지 素地 | 본디 소, 바탕 지 [making]
본래[素]의 바탕[地]. 가능성. ¶오해의 소지가 있다.

습지 濕地 | 축축할 습, 땅 지 [swampy land]
습기(濕氣)가 많은 땅[地]. ¶그 습지대는 많은 야생동물의 서식지다.

양지 陽地 | 밝을 양, 땅 지 [sunny spot]
볕이 잘 들어 밝은[陽] 지역(地域). ¶양지에 고추를 널어 말리다. (반)음지(陰地). 속담 양지가 음지 되고 음지가 양지 된다.

여지 餘地 | 남을 여, 땅 지 [scope; space]
❶속뜻 쓰고 남은[餘] 땅[地]. ¶건물 한 채는 충분히 지을 여지가 있다. ❷어떤 일을 하거나 어떤 일이 일어날 가능성이나 희망. ¶선택의 여지가 없다.

오:지 奧地 | 속 오, 땅 지 [interior; up-country]
해안이나 도시에서 멀리 떨어진 대륙 내부[奧]의 땅[地]. ¶아프리카 오지의 정글. (비)오지대(奧地帶).

요지 要地 | 요할 요, 땅 지 [important place]
중요(重要)한 곳[地]. ¶군사적 요지를 점령하다.

육지 陸地 | 뭍 륙, 땅 지 [land; shore]
물에 잠기지 않은 지구 표면의 땅[陸=地]. (비)땅, 뭍.

음지 陰地 | 응달 음, 땅 지
[shady spot; shaded lot]
그늘진[陰] 곳[地]. (비)응달. (반)양지(陽地).

적지 敵地 | 원수 적, 땅 지 [enemy's territory]
적(敵)의 땅[地]. 적의 세력 아래 들어가 있는 지역. ¶그는 적지를 뚫고 들어가 포로를 구했다.

접지 接地 | 닿을 접, 땅 지
[ground connection; grounding]
❶속뜻 땅[地]에 닿음[接]. 또는 땅에 댐. ❷전기 전기 회로를 동선(銅線) 따위의 도체로 땅과 연결함.

졸지 猝地 | 갑자기 졸, 땅 지 [suddenly]
갑작스러운[猝] 처지[地]. 갑자기. ¶졸지에 알거지가 되었다.

진지 陣地 | 진칠 진, 땅 지
[military camp; stronghold]
진(陣)을 치고 있는 곳[地]. 언제든지 적과 싸울 수 있도록 설비 또는 장비를 갖추고 부대를 배치하여 둔 곳. ¶적의 공격을 받고 진지에서 철수했다.

착지 着地 | 붙을 착, 땅 지 [land]
❶속뜻 땅[地] 위에 도착(到着)함. ❷운동 멀리뛰기나 체조 경기 따위에서 동작을 마친 뒤, 땅에 서는 일. ¶그 체조 선수는 착지가 조금 불안했다.

처:지 處地 | 살 처, 땅 지
[situation; position; relationship]
❶속뜻 현재 살고[處] 있는 땅[地]. 또는 현재의 형편. ¶내 처지에 그런 사치스런 생활을 할 수는 없다. ❷서로 사귀어 지내는 관계. ¶우리는 서로 말을 놓고 지내는 처지다.

천지 天地 | 하늘 천, 땅 지
[earth and the sky; world; abundance]
❶속뜻 하늘[天]과 땅[地]. ¶눈이 온 천지를 뒤덮었다. ❷온 세상. ¶이렇게 고마운 일이 천지에 어디 또 있겠는가. ❸대단히 많음. ¶그의 방은 쓰레기 천지다.

택지 宅地 | 집 택, 땅 지
[land for housing; housing site]
집[宅]을 지을 땅[地]. ¶택지를 조성하다. (비)집터.

토지 土地 | 흙 토, 땅 지
[land; ground]
❶속뜻 흙[土]과 땅[地]. ❷사람의 생활과 활동에 이용하는 땅. ¶이 토지는 어떤 용도로도 이용 가능하다.

평지 平地 | 평평할 평, 땅 지
[flatland; level ground; flat country]
지리 바닥이 평평(平平)한 땅[地]. ¶커다란 소나무들로 에워싸인 평지. (반)산지(山地).

현:지 現地 | 지금 현, 땅 지
[very spot; the (actual) locale]
현재(現在) 어떤 일이 벌어지고 있는 곳[地]. ¶경기는 현지 시간으로 오전 7시에 시작된다.

0122 [촌]

村

마을 촌:
(部) 木부 (劃) 7획 (中) 村 [cūn]

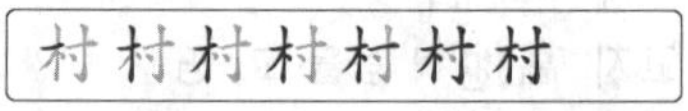

村자는 나무[木] 숲에 둘러싸인 작은[寸] '마을'(a village)을 뜻한다. 이 경우의 寸(마디 촌)은 표음요소인데, 의미와도 다소 상관이 있다고 볼 수 있다. '시골'(the country)이란 뜻으로도 쓰인다.
[속뜻훈음] ①마을 촌, ②시골 촌.

촌:락 村落 | 시골 촌, 마을 락 [village; hamlet]
시골[村]의 마을[落]. ¶강의 주변에는 촌락이 형성되어 있다. [반]도시(都市).

촌:장 村長 | 마을 촌, 어른 장 [village chief]
마을 일을 두루 맡아보던 마을[村]의 어른[長]. ¶이 마을의 촌장은 꽤 젊은 편이다.

• 역순어휘

남촌 南村 | 남녘 남, 마을 촌
남(南)쪽에 있는 마을[村]. [반]북촌(北村).

농촌 農村 | 농사 농, 마을 촌
[farm village; agricultural village]
농업(農業)으로 생업을 삼는 주민이 대부분인 마을[村]. [반]도시(都市), 도회지(都會地).

벽촌 僻村 | 후미질 벽, 마을 촌 [remote village]
외진[僻] 곳에 있는 마을[村]. [비]벽지(僻地), 벽처(僻處).

북촌 北村 | 북녘 북, 마을 촌 [northern village]
북(北)쪽에 있는 마을[村]. [반]남촌(南村).

산촌 山村 | 메 산, 마을 촌 [mountain village]
산(山)속에 자리한 마을[村].

어촌 漁村 | 고기 잡을 어, 마을 촌
[fishing village; sea village]
고기잡이[漁] 하며 사는 사람들이 모여 사는 마을[村]. ¶해안을 따라 어촌이 많이 있다. [비]갯마을.

0123 [림]

林 수풀 림
[部] 木부 [劃] 8획 [中] 林 [lín]
林林林林林林林林

林자는 '수풀'(woods)이란 뜻을 나타내기 위하여 '나무 목'(木)을 두 개 겹쳐 놓은 것이다. 동일한 요소를 두 개 합쳐 놓은 것을 문자학에서는 '동문회의'(同文會意)라고 한다.

임산 林産 | 수풀 림, 낳을 산 [forest products]
[농업] 숲[林]에서 생산(生産)되는 것. '임산물'(林産物)의 준말.

임야 林野 | 수풀 림, 들 야 [forest land]
숲[林]과 들[野]을 아울러 이르는 말. 개간되지 않은 땅. ¶한국의 임야 면적은 전체 국토의 70%에 달한다.

임업 林業 | 수풀 림, 일 업 [forestry]
이득을 얻고자 삼림(森林)을 경영하는 사업(事業).

• 역순어휘

농림 農林 | 농사 농, 수풀 림
[agriculture and forestry]
농업(農業)과 임업(林業).

밀림 密林 | 빽빽할 밀, 수풀 림 [thick forest]
큰 나무들이 빽빽하게[密] 들어선 깊은 숲[林]. ¶밀림 지대 / 울창한 밀림. [비]정글.

사:림 士林 | 선비 사, 수풀 림
❶[속뜻] 선비[士]들로 숲[林]을 이룸. ❷'유학을 신봉하는 사람들'을 이름.

산림 山林 | 메 산, 수풀 림
[mountains and forests]
산(山)과 숲[林]. 또는 산에 있는 숲. ¶무분별한 벌목으로 산림이 훼손되다.

삼림 森林 | 빽빽할 삼, 수풀 림 [forest]
나무가 빽빽한[森] 숲[林]. 나무가 많이 우거진 곳. ¶삼림을 보호하자.

송림 松林 | 소나무 송, 수풀 림 [pine forest]
소나무[松]가 우거진 숲[林]. ¶해변을 따라 송림이 울창하게 우거져 있다. [비]솔숲.

우:림 雨林 | 비 우, 수풀 림 [rain forest]
[지리] 비[雨]가 많아 무성하게 자란 열대 식물의 숲[林]. ¶열대 우림.

조:림 造林 | 만들 조, 수풀 림
[(af)forest; reforest]
인위적인 방법으로 숲[林]을 만듦[造]. ¶공원을 조림하여 삼림욕장을 만들다.

죽림 竹林 | 대나무 죽, 수풀 림 [bamboo grove]
대나무[竹]가 무성한 숲[林].

0124 [식]

植 심을 식
[部] 木부 [劃] 12획 [中] 植 [zhí]
植植植植植植植植植植植植

植자가 지금은 '(나무를) 심다'(plant trees)는 뜻으로 많이 쓰이지만, 원래는 대문의 빗장에 세로로 끼우는 곧은 나

무 막대(a wood bolt)를 가리키는 것이었다. '나무 목'(木)이 부수이자 표의요소로 쓰였고, 直(곧을 직)이 표음요소임은 殖(번성할 식)도 마찬가지다.

식목 植木 | 심을 식, 나무 목 [plant trees; transplant trees]
나무[木]를 심음[植]. 또는 그 나무. ¶그는 식목하기 위해 산으로 올라갔다.

식물 植物 | 심을 식, 만물 물 [plant]
식물 나무와 풀같이 땅에 심어져[植] 있는 물체(物體). ⓑ동물(動物).

식민 植民 | =殖民, 심을 식, 백성 민 [colonize]
정치 강대국이 빼앗은 땅에 자국민(自國民)을 무력으로 이주시키는[植] 일. 또는 그렇게 옮겨가서 사는 사람.

• 역순어휘 •

부:식 腐植 | 썩을 부, 심을 식 [humus]
❶농업 흙 속에서 식물(植物)이 썩으면서[腐] 여러 가지 분해 단계에 있는 유기물의 혼합물을 만드는 일. ❷화학 흙 속에서 식물이 썩으면서 만드는 유기물의 혼합물.

이식 移植 | 옮길 이, 심을 식 [transplant; implant]
❶속뜻 농작물이나 나무를 다른 데로 옮겨[移] 심음[植]. ¶울릉도에서 가져온 나무를 마당에 이식했다. ❷의학 생체(生體)의 일부 조직을 다른 생체나 부위에 옮겨 붙이는 일. 또는 그런 치료법. ¶간이식 수술. ⓑ이종(移種).

0125 [문]

文 글월 문
部 文부 劃 4획 中 文 [wén]

文 文 文 文

文자는 가슴에 文身(문신)을 새겨 넣은 사람의 모습을 본뜬 것으로 '문신'(a tattoo)이 본뜻이라는 설, 교차 무늬를 본뜬 것으로 '무늬'(a pattern)가 본뜻이라는 설 등이 있다. 후에 '글자'(a character), '글월'(a sentence, a writing) 등으로 확대 사용됐다.

속뜻 훈음 ①무늬 문, ②글자 문, ③글월 문.

문갑 文匣 | 글월 문, 상자 갑 [stationery chest (of drawers)]
문서(文書)나 문구(文具) 따위를 넣어 두는 궤짝[匣].

문건 文件 | 글월 문, 것 건 [official document]
공적인 문서(文書) 같은 것[件]. ¶그 문건을 잘 보관해 두었다.

문고 文庫 | 글월 문, 곳집 고 [library; archives]
❶속뜻 책이나 문서(文書)를 넣어 두는 방이나 상자[庫]. ❷서고(書庫). ❸출판 값이 싸고 가지고 다니기 편하게 작게 만든 출판물. 대중에게 널리 보급될 수 있도록 제작된다.

문과¹ 文科 | 글월 문, 분과 과 [department of liberal arts; literary course]
❶속뜻 인문과학(人文科學)의 이론과 현상을 연구하는 학과(學科). ❷대학에서 수학·자연 과학 이외 부문, 곧 인문과학 부문을 연구하는 학과. ⓑ이과(理科).

문과² 文科 | 글월 문, 과목 과 [civil service examination under the dynasty]
역사 조선 시대, 문관(文官)을 뽑기 위해 치르던 과거(科擧). 시험은 3년마다 실시됐고, 초시(初試)·복시(覆試)·전시(殿試)의 3단계로 나뉘었다. 대과(大科). ⓑ무과(武科).

문관 文官 | 글월 문, 벼슬 관 [civil official; civil servant]
❶역사 문과(文科) 출신의 관리(官吏)를 이르던 말. ❷'군무원'(軍務員)을 달리 이르는 말. ⓑ무관(武官).

문교 文敎 | 글월 문, 가르칠 교
❶속뜻 문화(文化)와 교육(敎育)을 아울러 이르는 말. ❷문화에 대한 교육.

문구¹ 文句 | 글월 문, 글귀 구 [phrase]
글[文]의 구절(句節). ¶그는 책을 읽다가 마음에 드는 문구가 있으면 수첩에 적는 습관이 있다.

문구² 文具 | 글월 문, 갖출 구 [stationery]
글[文] 공부에 필요한 도구(道具). '문방구'(文房具)의 준말.

문단¹ 文段 | 글 문, 구분 단 [paragraph]
전체 글[文]의 한 단락(段落). ¶문단을 나누다.

문단² 文壇 | 글월 문, 단 단 [literary world; literary circles]
문인(文人)들의 활동 무대[壇]. ¶시인으로 문단에 데뷔하다. ⓑ문림(文林), 문학계(文學界).

문맥 文脈 | 글월 문, 맥 맥 [context; line of thought]
언어 글[文]의 맥락(脈絡). ¶작가의 의견이 문맥에 드러나 있다.

문맹 文盲 | 글월 문, 눈멀 맹 [illiterate]
글[文]을 알아보지 못함[盲]. 또는 그런 사람. ¶문맹을 퇴치하다 / 이 나라는 문맹률이 높다.

문명 文明 | 글월 문, 밝을 명 [civilization; culture]
❶속뜻 문채(文彩)가 있고 밝게 빛남[明]. ❷인류가 이

록한 물질적, 기술적, 사회 구조적인 발전. ¶서구 문명의 발생지. ⓑ미개(未開), 야만(野蠻).

문무 文武 | 글월 문, 굳셀 무
[pen and (the) sword]
❶속뜻 문관(文官)과 무관(武官). ❷문식(文識)과 무략(武略). 문화적인 방면과 군사적인 방면. ¶이순신은 문무를 겸비한 위인이다.

문물 文物 | 글월 문, 만물 물 [civilization; culture]
문화(文化)의 산물(産物). 법률, 학문, 예술, 종교 따위. ¶서양의 문물을 받아들이다.

문민 文民 | 글월 문, 백성 민 [civilian]
직업 군인이 아닌[文] 일반 민간인(民間人). ¶문민 정부.

문방 文房 | 글월 문, 방 방 [study; stationery]
❶속뜻 글[文] 공부를 하는 방(房). ❷'문방구'(文房具)의 준말. ¶종이, 붓, 먹, 벼루는 문방사우(四友)이다. ⓑ서재(書齋).

문법 文法 | 글월 문, 법 법 [grammar]
❶속뜻 문장(文章)을 만드는 법칙(法則). ❷언어 말소리나 단어, 문장, 어휘 등에 관한 일정한 규칙.

문서 文書 | 글월 문, 쓸 서 [document]
실무상 필요한 사항을 글[文]로 적어서[書] 나타낸 것. ⓑ서류(書類).

문신¹ 文臣 | 글월 문, 신하 신 [civil minister]
문관(文官)인 신하(臣下). ⓑ무신(武臣).

문신² 文身 | 무늬 문, 몸 신 [tattoo]
살갗[身]을 바늘로 찔러 먹물이나 다른 물감으로 글씨, 그림, 무늬[文] 따위를 새기는 일. ¶팔에 문신을 새기다.

문양 文樣 | 무늬 문, 모양 양 [pattern]
무늬[文]나 모양(模樣). ¶비슷한 문양이 고구려 벽화에도 보인다.

문어¹ 文魚 | 무늬 문, 물고기 어 [octopus]
❶속뜻 무늬[文]가 있는 물고기[魚]. ❷동물 낙지과의 연체동물로 낙지과에서 가장 큼. 몸통은 공처럼 둥글고 여덟 개의 발이 있다.

문어² 文語 | 글월 문, 말씀 어 [written language]
언어 주로 글[文]에만 쓰이는 말[語]. 일상적인 대화에서 쓰는 말이 아닌 문장에서만 쓰는 말. ⓑ구어(口語).

문예 文藝 | 글월 문, 재주 예
[literature; literary art]
글[文]을 잘 쓰는 재주[藝]. ¶그는 문예에 조예가 깊다.

문인 文人 | 글월 문, 사람 인
[literary man; cultured person]
문필(文筆)이나 문예창작(文藝創作)에 종사하는 사람[人].

문자 文字 | 글자 문, 글자 자
[letter; idiomatic phrase]
❶속뜻 글자[文=字]. ❷언어 말의 소리나 뜻을 볼 수 있도록 적기 위한 체계적인 부호. ¶고대 문자 / 고유문자를 만들다.

문장 文章 | 글자 문, 글 장 [sentence]
언어 어떤 생각이나 느낌을 글자[文]로 적은 글[章]. 문장의 끝에 '.', '?', '!' 따위의 마침표를 찍는다. ¶어려운 문장. ⓑ글월.

문조 文鳥 | 무늬 문, 새 조 [paddy(bird)]
❶속뜻 예쁜 무늬[文]가 있는 새[鳥]. ❷동물 참새와 비슷하나 등은 회색인 애완용 새.

문집 文集 | 글월 문, 모을 집 [collection of works]
어느 개인의 시문(詩文)을 한데 모아서[集] 엮은 책. ¶문집을 발간하다.

문체 文體 | 글월 문, 몸 체 [literary style]
문학 문장(文章)에 드러난 글쓴이의 사상이나 체재(體裁). ¶그의 문체는 화려하다. ⓑ글체.

문필 文筆 | 글월 문, 글씨 필 [literary art; writing]
❶속뜻 글[文]과 글씨[筆]. ❷글을 짓거나 쓰는 일. ¶문필에 재주가 있다.

문학 文學 | 글월 문, 배울 학 [literature]
❶속뜻 글[文]에 관한 학문(學問). ❷사상이나 감정을 언어로 표현한 예술. 또는 그런 작품. 시, 소설, 희곡, 수필, 평론 따위. ¶문학 작품을 읽다 / 사실주의 문학.

문헌 文獻 | 글월 문, 바칠 헌
[(documentary) records; documents]
❶속뜻 글[文]을 바침[獻]. ❷옛날의 제도나 문물을 아는 데 증거가 되는 자료나 기록. ¶여러 문헌을 조사하다.

문호 文豪 | 글월 문, 호걸 호 [great writer]
문학(文學)에 크게 뛰어난 호걸[豪]. 또는 그런 사람. ¶톨스토이는 러시아의 문호이다. ⓑ문웅(文雄).

문화 文化 | 글월 문, 될 화 [culture; civilization]
❶속뜻 문덕(文德)으로 백성을 가르쳐 이끎[教化]. ❷한 사회의 예술, 문학, 도덕 따위의 정신적 활동의 바탕. ❸어느 분야에 전반적으로 나타나는 경향. ¶새로운 문화를 접하다.

• 역순어휘

격문 檄文 | 격문 격, 글월 문 [written appeal]
널리 세상 사람들을 선동하거나 의분을 고취시키려고[檄] 쓴 글[文]. ¶전국에 격문을 띄우다.

공문 公文 | 관공서 공, 글월 문
[official document]
관공서[公]의 문서(文書). '공문서'의 준말.

국문 國文 | 나라 국, 글자 문 [Korean alphabet; written Korean]
❶속뜻 우리나라[國]에서 쓰는 글자[文]. 한글과 한자 그리고 일부 아라비아문자(1, 2, 3…) 등을 말한다. ❷우리나라 말로 쓴 글. ¶영문 소설을 국문으로 번역하다.

논문 論文 | 논할 론, 글월 문 [essay; thesis]
❶속뜻 어떤 일에 대하여 자기 의견을 논술(論述)한 글[文]. ❷학술 연구의 업적이나 결과를 발표한 글.

명문 名文 | 이름 명, 글월 문 [excellent composition]
이름난[名] 글[文]. 매우 잘 지은 글.

본문 本文 | 뿌리 본, 글월 문 [text; body]
❶속뜻 문서에서 주가 되는 바탕[本] 글[文]. ❷원래 문장을 주석, 강의 따위와 상대하여 이르는 말. ¶본문을 요약하면 다음과 같다.

비문 碑文 | 비석 비, 글월 문 [epitaph]
비석(碑石)에 새긴 글[文]. ¶조선시대 비문을 판독하다.

산:문 散文 | 흩을 산, 글월 문 [prose]
문학 규범에 얽매이지 않고 자유로이 내치는 대로[散] 쓴 글[文]. 소설, 수필 따위이다. ⓑ운문(韻文).

서:문 序文 | 차례 서, 글월 문 [preface]
글의 서두(序頭) 부분에 쓴 글[文]. ¶서문에 책의 대략적인 내용이 나와 있다. ㊥서. ⓑ발문(跋文).

언:문 諺文 | 상말 언, 글월 문
❶속뜻 상스러운[諺] 글[文]. ❷지난날, 한문에 대하여 '한글로 쓰여진 글'을 낮추어 이르던 말.

영문 英文 | 영국 영, 글월 문 [English]
❶속뜻 영어(英語)로 쓴 글[文]. ¶영문 편지 / 영문학과. ❷영어를 표기하는 데 쓰는 문자.

예:문 例文 | 본보기 례, 글월 문 [example sentence]
본보기[例]가 되는 문장(文章). ¶이 국어사전은 예문이 풍부하다.

운:문 韻文 | 운 운, 글월 문 [poem]
문학 일정한 운(韻)을 사용한 시문(詩文). ⓑ산문(散文).

이:문 利文 | 이로울 리, 글월 문 [gain; profit; interests]
❶속뜻 이로운[利] 내용이 담긴 글[文]. ❷이익으로 남는 돈. ¶이문이 남다. ⓑ이자(利子).

인문 人文 | 사람 인, 글월 문 [humanity]
❶속뜻 인류(人類)의 문화(文化). ❷인물과 문물. ¶인문과학 / 인문계(人文系).

작문 作文 | 지을 작, 글월 문 [composition]
글[文]을 지음[作]. 또는 그 글. ¶겨울에 대해 작문을 하다. ⓑ글짓기.

전문 全文 | 모두 전, 글월 문 [whole sentence; whole statement]
전체[全] 글[文]. ¶기사 전문을 인용하다.

조문 條文 | 조목 조, 글월 문 [provisions]
규정이나 법령 따위에서 조목(條目)으로 나누어 적은 글[文]. ¶조문에 명시된 대로 일을 처리하세요.

주:문¹ 注文 | 물댈 주, 글월 문 [order; request]
물건 구입 의사를 밝히어 보내는[注] 글[文]. 또는 그런 일. ¶주문을 받다 / 주문하자마자 음식이 나왔다.

주:문² 呪文 | 빌 주, 글월 문 [incantation]
❶속뜻 비는[呪] 글[文]. ❷민속 음양가(陰陽家)나 술가(術家)등이 술법을 부릴 때, 외우는 글귀. ¶그 주문을 외우면 죽은 사람이 살아난다고 믿는다.

지문 地文 | 바탕 지, 글월 문
❶속뜻 주어진 바탕[地] 글[文]. 또는 그 내용. ¶다음 지문을 읽고 물음에 답하시오. ❷문학 희곡에서, 해설과 대사를 뺀 나머지 부분의 글. 인물의 동작, 표정, 심리, 말투 따위를 지시하거나 서술함.

천문 天文 | 하늘 천, 무늬 문 [astronomical phenomena; astronomy]
❶속뜻 하늘[天]의 무늬[文]. ❷천문 우주와 천체의 온갖 현상과 내재된 법칙성.

축문 祝文 | 빌 축, 글월 문 [written prayer; memorial address]
❶속뜻 복을 비는[祝] 글[文]. ❷제사 때, 신명에게 읽어 고하는 글. ¶축문을 쓰다.

한:문 漢文 | 한나라 한, 글월 문 [Chinese writing]
한자(漢字)로 쓰인 문장(文章).

0126 [기]

旗 기 기
部 方부 획 14획 ⊕ 旗 [qí]

旗旗旗旗旗旗旗旗旗旗旗旗旗旗

旗자의 其(그 기)는 표음요소이고, 그 나머지는 깃발이 펄럭이는 모양을 그린 것으로, 표의요소 역할을 한다. '깃발'(a flag)이란 본래 의미가 지금도 널리 쓰이고 있다.
속뜻훈음 **깃발 기.**

기면 旗面 | 깃발 기, 낯 면 [flag; banner]
깃발[旗]을 펼쳐놓았을 때의 겉면(面).

기수 旗手 | 깃발 기, 사람 수 [standard-bearer]
❶속뜻 군대나 단체 따위의 행렬 또는 행진에서 앞에서

깃발[旗]을 드는 사람[手]. ❷'어떤 단체적인 활동의 대표로 앞장서는 사람'을 비유하여 이르는 말. ¶80년대 문학계의 기수.

기폭 旗幅 | 깃발 기, 너비 폭
❶[속뜻]깃발[旗]의 너비[幅]. ❷깃발. ¶기폭이 휘날리다.

• 역순어휘

국기 國旗 | 나라 국, 깃발 기 [national flag]
일정한 형식을 통하여 한 나라[國]의 역사, 국민성, 이상 따위를 상징하도록 정한 깃발[旗]. 우리나라의 태극기, 미국의 성조기, 일본의 일장기 따위이다.

반:기¹ 反旗 | =叛旗, 반대로 반, 깃발 기 [standard of revolt]
❶[속뜻]어떤 체제를 쓰러뜨리기 위하여 조직된 반란(反亂)의 무리가 내세운 깃발[旗]. ❷반대의 뜻이나 기세를 나타내는 표시. ¶환경단체들이 반기를 들고 일어서다.

반:기² 半旗 | 반 반, 깃발 기 [flag at half-mast]
조의를 표하기 위하여 깃봉에서 기의 한 폭만큼 내려서[半] 다는 국기(國旗). [비]조기(弔旗).

백기 白旗 | 흰 백, 깃발 기 [white flag]
❶[속뜻]흰[白] 깃발[旗]. ❷항복의 표지로 쓰이는 흰 깃발. ¶백기를 들고 적에게 투항하다. [비]항기(降旗).

조:기 弔旗 | 조상할 조, 깃발 기 [mourning flag]
조의(弔意)를 표하기 위해 다는 깃발[旗]. ¶현충일에는 조기를 게양한다.

0127 [수]

數

셈 수:
[部] 攴부 [畫] 15획 [中] 数 [shù]

數자의 攵(=攴)은 손이나 막대기로 어떤 물건의 수를 '헤아리다'는 뜻으로 쓰인 표의요소이다. 婁(성길 루)는 표음요소로 쓰였다고 하는데, 지금은 음이 크게 달라졌다. '헤아리다'(count), '셈하다'(calculate)라는 뜻으로 많이 쓰인다. 그런데 '자주'(many times)라는 뜻일 때에는 [삭]으로 읽고(예, 數尿 삭뇨), '촘촘하다' (dense)는 뜻일 때에는 [촉]으로 읽는다(예, 數罟 촉고).
[속뜻 훈음] **①셀 수, ②자주 삭, ③촘촘할 촉.**

수:년 數年 | 셀 수, 해 년 [few years]
몇[數] 해[年]. 여러 해. ¶할아버지는 수년 동안 병을 앓고 있다.

수:량 數量 | 셀 수, 분량 량 [quantity; amount]
수효(數爻)와 분량(分量). ¶설을 맞아 농산품의 수량이 부족하다.

수:만 數萬 | 셀 수, 일만 만 [tens of thousands]
몇[數] 만(萬). ¶수만의 관중이 경기장을 가득 메웠다.

수:백 數百 | 셀 수, 일백 백 [hundreds; several hundred]
몇[數] 백(百). ¶수백 대의 자동차.

수:사 數詞 | 셀 수, 말씀 사 [numeral]
[언어]사물의 수량이나 순서를 세어[數] 나타내는 품사(品詞). 양수사(量數詞)와 서수사(序數詞)가 있다.

수:식 數式 | 셀 수, 법 식 [numerical formula]
[수학]숫자[數]를 계산 기호로 연결한 식(式).

수:십 數十 | 셀 수, 열 십 [several tens of; scores of]
몇[數] 십(十). ¶수십 권의 책.

수:억 數億 | 셀 수, 일억 억 [several millions]
몇[數] 억(億). ¶수억 원의 돈을 사업에 투자했다.

수:일 數日 | 셀 수, 날 일 [for a few days]
몇[數] 일(日). ¶수일 전에 그를 만났다.

수:적 數的 | 셀 수, 것 적 [numerical]
숫자[數] 상으로 보는 것[的]. ¶상대 팀이 수적으로 우세하다.

수:차 數次 | 셀 수, 차례 차 [several times]
몇[數] 차례(次例). 여러 차례. ¶나는 그에게 수차 경고했다.

수:천 數千 | 셀 수, 일천 천 [several thousands]
몇[數] 천(千). ¶수천 명.

수:치 數値 | 셀 수, 값 치 [numerical value]
계산하여[數] 얻은 값[値]. ¶제시된 수치는 표본 조사를 통해 산출한 것이다.

수:판 數板 | 셈 수, 널빤지 판 [abacus]
셈[數]을 하는데 쓰이는 판(板) 모양의 기구. [비]주판(籌板).

수:학 數學 | 셀 수, 배울 학 [mathematics]
[수학]수량(數量) 및 도형의 성질이나 관계를 연구하는 학문(學問). 산수, 대수학, 기하학, 미분학, 적분학 따위 학문을 통틀어 이른다.

수:효 數爻 | 셀 수, 획 효 [number; figure]
낱낱[爻]의 수(數). 사물의 수. ¶연필의 수효가 적다.

삭뇨-증 數尿症 | 자주 삭, 오줌 뇨, 증세 증 [frequenturination]
자주[數] 오줌[尿]이 마려운 병증(病症)을 이르는 말.

• 역순어휘 •

개:수 個數 | 낱 개, 셀 수 [number of article]
한 개씩 낱[個]으로 셀 수 있는 물건의 수효(數爻). ¶상자의 개수를 헤아리다.

건수 件數 | 사건 건, 셀 수 [number of items]
사물이나 사건(事件)의 가지 수(數). ¶상담 건수.

권:수 卷數 | 책 권, 셀 수 [number of volumes]
책[卷]의 수효(數爻).

기수 奇數 | 홀수 기, 셀 수 [odd number]
수학 홀[奇] 수(數). 2로 나누어서 나머지 1이 남는 수. ⓑ우수(偶數), 짝수.

다수 多數 | 많을 다, 셀 수
[greater part; majority (of)]
수효(數爻)가 많음[多]. ¶다수의 의견을 따르다. ⓑ다대수(多大數). ⓑ소수(少數).

단수¹ 段數 | 구분 단, 셀 수 [level]
❶속뜻 바둑이나 태권도 등, 단으로 등급을 매기는 기능이나 운동 따위의 단(段)의 수(數). ❷술수를 쓰는 재간의 정도. ¶그는 고단수이다.

단수² 單數 | 홑 단, 셀 수 [singular number; unit]
단일(單一)한 수(數). 한번. ⓑ홑수. ⓑ복수(複數), 겹수.

대수 臺數 | 돈대 대, 셀 수
대(臺)를 단위로 헤아리는 물건의 수(數). ¶택시 대수가 크게 늘었다.

도:수 度數 | 정도 도, 셀 수 [degree; times]
❶속뜻 각도, 온도, 광도 따위의 정도(程度)를 나타내는 수(數). ¶그는 도수가 높은 안경을 낀다. ❷거듭하는 횟수. ¶도수가 드물다. ❸수학 통계 자료의 각 계급에 해당하는 변량의 수량.

등:수 等數 | 무리 등, 셀 수 [grade; rank]
등급(等級)에 따라 붙인 번호[數]. ¶등수를 매기다. ⓑ등급(等級), 순위(順位).

무수 無數 | 없을 무, 셀 수
[innumerable; numberless]
❶속뜻 일정한 수(數)가 없음[無]. ❷셀 수 없이 많음. 또는 그런 수. ¶밤하늘의 별들이 무수하다 / 거리에 사람들이 무수히 많다.

반:수 半數 | 반 반, 셀 수 [half the number]
전체의 절반(折半)의 수(數). ¶위원 반수가 그의 의견에 찬성했다.

배:수 倍數 | 곱 배, 셀 수 [multiple]
어떤 수의 갑절[倍]이 되는 수(數). ¶6은 2의 배수이다.

변:수 變數 | 바뀔 변, 셀 수 [variable]
❶수학 수식 따위에서 일정한 범위 안에서 여러 가지 수치로 바뀔[變] 수 있는 수(數). ❷어떤 상황의 가변적 요인(要因). ¶무더운 날씨가 경기의 변수로 작용하였다. ⓑ상수(常數), 항수(恒數).

복수 複數 | 겹칠 복, 셀 수 [plural number]
둘[複] 이상의 숫자[數]. ¶복수 명사 / 복수전공. ⓑ단수(單數).

부수 部數 | 나눌 부, 셀 수
[number of copies; edition]
책, 신문 따위의 출판물을 세는 단위인 부(部)의 수효(數爻). ¶판매 부수 / 신문의 발행 부수 / 책의 간행 부수.

분수 分數 | 나눌 분, 셀 수
[fractional number; limit]
❶수학 어떤 수(數)를 다른 수로 나누는[分] 것을 분자와 분모로 나타낸 것. ❷자기 신분(身分)에 맞는 한도. ¶자기 분수를 지키면서 살다. ⓑ정수(整數).

산:수 算數 | 셀 산, 셀 수 [calculate; arithmetic]
❶속뜻 수(數)를 계산(計算)함. ❷수학 수의 성질, 셈의 기초, 초보적인 기하 따위를 가르치는 학과.

상수 常數 | 늘 상, 셀 수
[constant; invariable (number)]
수학 늘[常] 일정한 값을 가진 수(數). ⓑ변수(變數).

소:수¹ 小數 | 작을 소, 셀 수 [decimal (fraction)]
❶속뜻 작은[小] 수(數). ❷수학 0보다 크고 1보다 작은 실수. 0 다음에 점을 찍어 나타낸다.

소:수² 少數 | 적을 소, 셀 수 [small number]
적은[少] 수효(數爻). ¶소수의 의견을 묵살하다. ⓑ다수(多數).

소수³ 素數 | 본디 소, 셀 수 [prime (number)]
❶속뜻 본디[素]의 숫자[數]. ❷수학 1보다 크며 1과 그 수 자체 이외의 정수(整數)로는 똑 떨어지게 나눌 수 없는 정수. 2, 3, 5, 7, 11… 따위가 있다.

술수 術數 | 꾀 술, 셀 수 [artifice; trick]
❶속뜻 술책(術策)을 잘 헤아림[數]. ❷어떤 일을 꾸미는 꾀나 방법. ¶그녀는 목적을 달성하기 위하여 갖은 술수를 다 썼다. ⓑ술책(術策).

액수 額數 | 이마 액, 셀 수
[amount (of money); sum]
❶속뜻 이마[額] 같은 곳에 적어 놓은 숫자[數]. ❷금액(金額)의 수. ¶적은 액수.

양수 陽數 | 볕 양, 셀 수 [positive number]
수학 0보다 큰 양(陽)의 수(數). ⓑ음수(陰數).

운:수 運數 | 돌 운, 셀 수 [luck]
이미 정해져 있어 인간의 힘으로는 어쩔 수 없는 천운(天運)과 기수(氣數). ¶운수 좋은 날 / 이번에 운수가 좋으

면 부자가 될지 모른다.

유:수 有數 | 있을 유, 셀 수 [prominent; distinguished]
손가락으로 셀[數] 수 있을[有] 만큼 두드러짐. ¶그는 세계 유수의 화가이다 / 세계 유수의 대기업 대표들이 한 자리에 모였다.

음수 陰數 | 응달 음, 셀 수 [negative number; minus]
수학 0을 기준으로 수를 음과 양으로 나눌 때, 0보다 작아 음(陰)에 해당하는 수(數). ⓑ양수(陽數).

인수 因數 | 인할 인, 셀 수 [factor]
수학 정수 또는 정식을 몇 개의 곱의 꼴로 하였을 때, 그것을 구성하는 근본[因]이 되는 수(數).

일수 日數 | 날 일, 셀 수 [number of days]
날[日]의 수(數). ¶출석 일수.

자수 字數 | 글자 자, 셀 수 [number of words]
글자[字]의 수효(數爻). ¶500자 이내로 자수를 제한하다.

재수 財數 | 재물 재, 운수 수 [luck; fortune]
❶ 속뜻 재물(財物)에 관한 운수(運數). ❷좋은 일이 생길 운수. ¶오늘은 재수가 좋다. 속담 재수가 옴 붙었다.

점수 點數 | 점 점, 셀 수 [marks; grade]
❶ 속뜻 점(點)의 수효(數爻). ❷성적을 나타내는 숫자. ¶민수는 수학 점수가 높다.

정:수 整數 | 가지런할 정, 셀 수 [integral number; integer]
수학 하나 또는 그것에 가지런히[整] 순차를 가하여 이루어지는 자연수(自然數). 자연수의 음수 및 영을 통틀어 이르는 말. 즉 '-2, -1, 0, 1, 2, …' 따위의 수를 이른다.

제수 除數 | 나눌 제, 셀 수 [divisor; number to be divided by]
수학 나눗셈에서, 어떤 수를 나누는[除] 수(數). 예를 들면, '10÷5=2'에서의 '5'. ⓑ피제수(被除數).

지수 指數 | 가리킬 지, 셀 수 [exponent; index number]
❶ 속뜻 어떤 사실이나 정도 따위를 가리키는[指] 수(數). ¶지능지수 / 종합주가지수. ❷ 수학 어떤 수나 문자의 오른쪽 위에 덧붙여 쓰여 거듭제곱을 한 횟수를 나타내는 문자나 숫자. ¶제곱지수.

촌:수 寸數 | 관계 촌, 셀 수 [degree of consanguinity]
친족 간의 멀고 가까운 관계[寸]를 나타내는 수(數). 또는 그런 관계. ¶촌수가 가깝다 / 촌수를 따지다.

총:수 總數 | 모두 총, 셀 수 [total number; whole sum]
전체[總] 수효(數爻). ¶사망자의 총수를 헤아릴 수 없을 정도다.

층수 層數 | 층 층, 셀 수 [number of layers]
건물 층(層)의 수(數). ¶건물의 층수를 15층으로 낮추다.

타:수 打數 | 칠 타, 셀 수 [number of times at bat]
운동 야구에서 타격(打擊)한 횟수[數]. ¶4타수 3안타를 치다.

함:수 函數 | 넣을 함, 셀 수 [mathematical function]
❶ 속뜻 안에 넣어져[函] 있는 변수(變數). ❷ 수학 두 변수 x와 y사이에, x의 값이 정해짐에 따라 y의 값이 정해지는 관계에서 x에 대하여 y를 이르는 말.

획수 劃數 | 그을 획, 셀 수 [number of strokes (in a Chinese character)]
한자에 쓰인 획(劃)의 수(數). ¶획수를 알아야 옥편에서 한자를 찾을 수 있다.

횟수 回數 | 본음 [회수], 돌아올 회, 셀 수 [number of times; frequency]
돌아오는[回] 차례의 수효(數爻). ¶횟수를 거듭하다 / 횟수가 늘다 / 횟수가 많다.

빈삭 頻數 자주 빈, 자주 삭 [incessant; frequent]
❶ 속뜻 매우 잦음[頻=數]. ❷어떤 그룹에 대해 일정한 검사를 할 때 각각의 득점 또는 측정치에 응하는 출현 수. ⓑ빈번(頻繁).

소삭 疏數 | 드물 소, 자주 삭 [frequency]
드묾[疏]과 잦음[數].

0128 [동]

洞

골 동:, 밝을 통:
ⓑ 水부 ⓗ 9획 ⓒ 洞 [dòng]

洞 洞 洞 洞 洞 洞 洞 洞 洞

洞자는 '급한 물살'(a rapid stream)이란 뜻을 위하여 만든 글자이니 '물 수'(氵)가 의미 요소로 쓰였고, 同(같을 동)은 표음요소다. 후에 '(깊은) 구멍'(a deep hole), '마을'(a village) 등으로 확대 사용됐다. '밝다'(discerning), '꿰뚫다'(penetrate)는 뜻일 때에는 [통:]이라 읽는다(예, 洞察 통찰).

속뜻 훈음 ①구멍 동, ②마을 동, ③꿰뚫을 통.

동:구 洞口 | 마을 동, 어귀 구 [village entrance]

❶속뜻 동네[洞] 어귀[口]. ¶동구 밖 과수원 길. ❷절로 들어가는 산문(山門)의 어귀.

동:굴 洞窟 | 구멍 동, 굴 굴 [cave; cavern]
깊고 넓은 구멍[洞] 같은 골짜기나 굴(窟). ¶박쥐는 동굴에서 생활한다.

동:장 洞長 | 마을 동, 어른 장 [dong headman]
❶속뜻 한 동네[洞]의 우두머리[長]. ❷법률 행정 구역 단위인 '동'(洞)을 대표하여 일을 맡아보는 사람.

통:찰 洞察 | 꿰뚫을 통, 살필 찰 [discern; see through]
예리하게 꿰뚫어[洞] 살펴봄[察]. ¶밝은 이성으로 깊이 통찰하다.

0129 [심]

心 마음 심
部 心부 劃 4획 中 心 [xīn]
心心心心

心, 즉 '마음'(heart, mind)은 어디에 있을까? 옛날이나 지금이나 그것을 아는 사람은 아무도 없다. 옛날 사람들은 염통, 즉 心臟(심장)에 있다고 여겨 그 모양을 본뜬 것이 지금의 心자가 되었다. 이것이 부수나 표의요소로 쓰인 한자들은 모두 '마음'과 관련이 있다. 부수로 쓰일 때에는 그 위치에 따라 心, 忄, ⺗ 같은 세 형태로 쓰인다(예, 感/情/恭). '가운데'(the middle; the center)를 뜻하기도 한다.
속뜻 훈음 ①마음 심, ②가운데 심.

심경 心境 | 마음 심, 상태 경 [state of mind]
마음[心]의 상태[境]. 또는 경지. ¶현재 심경이 어떠십니까?

심금 心琴 | 마음 심, 거문고 금 [deepest emotions]
❶속뜻 마음[心] 속에 있는 거문고[琴]. ❷'감동하여 마음이 울림'을 비유하여 이르는 말. ¶독자의 심금을 울렸다.

심기¹ 心氣 | 마음 심, 기운 기 [mind]
마음[心]으로 느끼는 기분(氣分). ¶소식을 들은 아버지는 심기가 불편한지 아무 말이 없으셨다.

심기² 心機 | 마음 심, 실마리 기 [mental activity; mind]
어떤 마음[心]이 움직이게 된 실마리[機].

심란 心亂 | 마음 심, 어지러울 란 [disturbed; uneasy]
마음[心]이 뒤숭숭하다[亂]. ¶마음이 심란하여 책을 읽을 수가 없다.

심려 心慮 | 마음 심, 걱정할 려 [anxious; worry]
마음[心] 속으로 걱정함[慮]. 또는 마음속의 근심. ¶심려를 끼쳐 죄송합니다.

심리 心理 | 마음 심, 이치 리 [mental state]
❶속뜻 마음[心]이 움직이는 이치(理致). ❷심리 마음의 작용과 의식의 상태. ¶나는 그의 심리를 도저히 모르겠다.

심복 心腹 | 마음 심, 배 복 [one's confidant]
❶속뜻 심장[心]과 배[腹]. ❷마음 놓고 믿을 수 있는 부하. '심복지인'(心腹之人)의 준말. ¶그는 20년 동안 사장의 심복 노릇을 했다.

심사 心思 | 마음 심, 생각 사 [malicious intention; ill nature]
❶속뜻 마음[心] 속의 생각[思]. ¶심사가 편치 않다. ❷고약스럽거나 심술궂은 마음. ¶심사를 부리다.

심상 心象 | =心像, 마음 심, 모양 상 [mental image]
감각기관의 자극 없이 마음[心] 속에 떠오르는 모양[象]. ¶이 시는 시각적 심상이 매우 뛰어나다.

심성 心性 | 마음 심, 성품 성 [nature]
타고난 마음[心]의 성품(性品). ¶그녀는 심성이 곱다.

심술 心術 | 마음 심, 꾀 술 [perverseness]
❶속뜻 마음[心] 속으로 부리는 꾀[術]. ❷남을 골리기 좋아하거나 남이 잘못되는 것을 좋아하는 마음보. ¶동생에게 심술을 부리다. ⓑ심통.

심신 心身 | 마음 심, 몸 신 [mind and body]
마음[心]과 몸[身]. ¶심신을 단련하다.

심장 心臟 | 마음 심, 내장 장 [heart]
❶속뜻 인체에서 가장 중심(中心)이 되는 내장(內臟). ❷주기적인 수축에 의하여 혈액을 몸 전체로 보내는 순환 계통의 중심적인 근육 기관. ¶아기의 심장 소리가 들린다. ❸사물의 중심부를 비유하여 이르는 말. ❹'마음'을 비유하여 이르는 말.

심적 心的 | 마음 심, 것 적 [mental]
마음[心]에 관한 것[的]. 마음의. ¶심적 부담 / 심적 고통.

심정 心情 | 마음 심, 마음 정 [one's feeling]
마음[心]에 일어나는 감정(感情). ¶솔직한 심정을 털어놓다.

심증 心證 | 마음 심, 증거 증 [strong belief]
❶속뜻 마음[心] 속에만 있는 증거[證]. ❷법률 재판의 기초인 사실 관계의 여부에 대한 법관의 주관적 의식 상태나 확신의 정도. ¶그가 범인이라는 심증만 있을 뿐

물증(物證)이 없다.

심지 心志 | 마음 심, 뜻 지 [will]
마음[心] 속에 갖고 있는 뜻[志]. ¶저 애는 어린데도 심지가 굳다.

심취 心醉 | 마음 심, 취할 취 [be fascinated]
❶**속뜻** 마음[心]이 마치 술에 취(醉)한 것 같음. ❷어떤 일에 깊이 빠져 마음을 빼앗김. ¶불교 사상에 심취하다.

심혈 心血 | 마음 심, 피 혈 [one's whole energy]
❶**속뜻** 심장(心臟)의 피[血]. ❷온갖 힘. 온갖 정신력. ¶심혈을 기울이다.

• 역순어휘

결심 決心 | 결정할 결, 마음 심 [decide; determine]
마음[心]을 굳게 작정함[決]. ¶결심하면 못 해낼 일이 없다. (비)결의(決意).

고심 苦心 | 괴로울 고, 마음 심 [work hard; take pains]
몹시 괴로운[苦] 마음[心]. 몹시 애씀. ¶이 문제를 두고 오랫동안 고심했다.

관심 關心 | 관계할 관, 마음 심 [concern; interest]
❶**속뜻** 관계(關係)하고 싶은 마음[心]. ❷마음이 끌려 주의를 기울임. ¶관심을 모으다.

구심 求心 | 구할 구, 마음 심 [seek the center]
❶**불교** 참된 마음[心]을 찾아[求] 참선함. ❷**물리** 중심으로 가까워져 옴.

낙심 落心 | 떨어질 락, 마음 심 [be discouraged]
마음[心]이 떨어지듯[落] 아픔. ¶성적이 떨어져 크게 낙심했다. (비)상심(傷心).

내:심 內心 | 안 내, 마음 심 [one's real intention; one's mind]
❶**속뜻** 속[內] 마음[心]. ❷은근히. 마음속으로. ¶내심 그를 무척 그리워했다. ❸**수학** 삼각형에 내접(內接)하는 원의 중심(中心). (반)외심(外心).

노심 勞心 | 일할 로, 마음 심 [anxiety; care]
힘써 일하며[勞] 마음[心]을 씀.

도심 都心 | 도읍 도, 가운데 심 [downtown]
도시(都市)의 가운데[心]. 시내 중심. ¶도심에는 고층 빌딩이 즐비하다.

동:심 童心 | 아이 동, 마음 심 [child's mind]
어린이[童]의 마음[心]. 어린이의 마음처럼 순진한 마음. ¶동심으로 돌아가 아이와 공놀이를 했다.

명심 銘心 | 새길 명, 마음 심 [inscribe in one's memory]
❶**속뜻** 마음[心]에 새기어[銘] 둠. ❷꼭꼭 기억함. ¶그 일을 항상 명심해야 한다. (비)명간(銘肝), 명기(銘記), 명념(銘念).

무심 無心 | 없을 무, 마음 심 [unwitting; unintentional]
아무런 생각[心]이 없음[無]. 감정이 없음. ¶무심한 표정으로 거울을 보다.

민심 民心 | 백성 민, 마음 심 [popular feelings]
백성[民]의 마음[心]. ¶민심이 날로 흉흉해지다. (비)민정(民情).

방:심 放心 | 놓을 방, 마음 심 [be absent minded]
❶**속뜻** 다른 것에 정신이 팔려 마음[心]을 놓아 버림[放]. ¶방심은 금물이다. ❷걱정하던 마음을 놓음.

변:심 變心 | 바뀔 변, 마음 심 [change one's mind]
마음[心]을 바꿈[變]. ¶그녀는 변심하여 다른 남자와 결혼했다.

본심 本心 | 뿌리 본, 마음 심 [one's right mind; one's real intention]
본래(本來)의 마음[心]. ¶마침내 그는 자신의 본심을 털어놓았다.

사심 私心 | 사사로울 사, 마음 심 [selfishness]
사사로이[私] 제 욕심만을 채우려는 마음[心]. ¶공무원은 사심을 버려야 한다.

상심 傷心 | 상할 상, 마음 심 [grieve; sorrow]
슬픔이나 걱정 따위로 마음[心]이 상(傷)함. 마음을 아프게 함. ¶그는 아내를 잃고 상심에 빠졌다.

선:심 善心 | 착할 선, 마음 심 [virtue; conscience; mercy]
❶**속뜻** 착한[善] 마음[心]. ❷남을 도와주는 마음. ¶선심을 쓰다. (반)악심(惡心).

성심 誠心 | 정성 성, 마음 심 [sincerity; good faith]
정성(精誠)스러운 마음[心]. 거짓 없는 참된 마음.

세:심 細心 | 가늘 세, 마음 심 [be very careful]
작은 일에도 마음[心]을 꼼꼼하게[細] 기울이다. ¶아이에게는 엄마의 세심한 관심이 필요하다.

소:심 小心 | 작을 소, 마음 심 [timid; cowardly]
❶**속뜻** 도량이나 마음[心]이 좁다[小]. ❷대담하지 못하고 겁이 많다. 조심성이 많다. ¶소심하면 아무 일도 못한다.

수심 愁心 | 시름 수, 마음 심 [anxiety; melancholy; sadness]
시름하는[愁] 마음[心]. ¶수심에 가득 찬 얼굴.

안심 安心 | 편안할 안, 마음 심 [be relieved]
마음[心]을 편안(便安)하게 가짐. ¶나는 그의 전화를 받고 나서야 안심이 되었다. ㊥안도(安堵).

앙심 怏心 | 원망할 앙, 마음 심
[grudge; ill will; spite]
원한을 품고 앙갚음하려고[怏] 벼르는 마음[心]. ¶그는 사장에게 앙심을 품고 창고에 불을 질렀다.

야:심 野心 | 들 야, 마음 심
[ambition; evil design]
❶속뜻 야망(野望)을 품은 마음[心]. 무엇을 이루려는 마음. ¶그는 야심에 찬 사업가다. ❷야비한 마음. ¶그는 나에게 야심을 가지고 접근했다.

양심 良心 | 어질 량, 마음 심 [conscience]
❶속뜻 선량(善良)한 마음[心]. ❷사물의 가치를 변별하고 자기 행위에 대하여 옳고 그름과 선과 악의 판단을 내리는 도덕적 의식. ¶양심에 걸려서 거짓말은 못하겠다.

열심 熱心 | 뜨거울 열, 마음 심 [eagerness]
❶속뜻 뜨거운[熱] 마음[心]. ❷온갖 정성을 다하여 골똘하게 힘씀. ¶속뜻학습을 매일매일 열심히 했더니 공부가 재미있어졌다.

욕심 欲心 | =慾心 하고자할 욕, 마음 심 [greed]
무엇을 하고자 하는[欲] 마음[心]. ¶지나친 욕심은 버려라. ㊥욕망(慾望).

원:심 遠心 | 멀 원, 가운데 심
물리 중심(中心)에서 멀어져 감[遠]. ㊥구심(求心).

유:심 有心 | 있을 유, 마음 심 [attend to]
❶속뜻 마음[心]을 한 곳으로 쏟고 있다[有]. ❷주의가 깊다. ¶유심하게 관찰하다 / 유심히 살펴보다.

의심 疑心 | 의아할 의, 마음 심
[doubt; question; distrust]
확실히 알 수 없어서 의아해하는[疑] 마음[心]. ¶누나는 정말 의심이 많다 / 그의 말이 사실인지 의심쩍다 / 그 소문이 사실인지 아닌지 의심스럽다.

인심 人心 | 사람 인, 마음 심 [man's mind]
❶속뜻 다른 사람[人]을 생각해 주는 마음[心]. ❷남의 딱한 사정을 헤아려 주고 도와주는 마음. ¶인심이 박하다 / 이 마을은 예로부터 인심이 후하다. ㊥인정(人情).

작심 作心 | 지을 작, 마음 심
[make up one's mind]
마음[心]을 단단히 지어[作] 먹음. 또는 그 마음. ¶작심을 먹다 / 그는 담배를 끊기로 작심했다.

전심 全心 | 모두 전, 마음 심 [one's whole heart]
온[全] 마음[心]. ¶문제 해결을 위해 전심을 기울였다.

점:심 點心 | 점 점, 마음 심 [lunch; luncheon]
❶속뜻 마음[心]에 점(點)을 찍음. ❷낮에 끼니로 먹는 음식. ¶점심시간 / 점심을 먹다.

조:심 操心 | 잡을 조, 마음 심 [be careful; heed]
잘못이나 실수가 없도록 마음[心]을 다잡음[操]. ¶이 물건은 조심해서 다뤄 주세요 / 처음 만져보는 물건이라 조심스러웠다 / 도자기를 조심스레 들어 옮겼다. ㊥주의(注意).

중심[1] 中心 | 가운데 중, 가운데 심
[center; middle]
❶속뜻 한 가운데[中=心]. 한복판. ¶남산은 서울 시내 중심에 자리를 잡고 있다. ❷가장 중요한 역할을 하는 곳. 또는 그러한 위치에 있는 것. ¶농경 중심 사회 / 시민들이 중심이 되어 협회를 만들다.

중:심[2] 重心 | 무거울 중, 가운데 심
[center of gravity; balance]
무게[重]의 한 가운데[心] 점. ¶무게 중심 / 중심을 잃고 쓰러지다.

진심 眞心 | 참 진, 마음 심 [whole heart; sincerity]
거짓이 없는 참된[眞] 마음[心]. ¶합격을 진심으로 축하한다.

철심 鐵心 | 쇠 철, 마음 심
[firm mind; iron will; iron core]
❶속뜻 쇠[鐵]처럼 단단한 마음[心]. ❷쇠로 속을 박은 물건의 심. ¶다리에 철심을 박다.

충심 衷心 | 속마음 충, 마음 심 [one's true heart]
마음속[衷]에서 우러나온 참된 마음[心]. ¶충심으로 기원하다. ㊥충정(衷情).

쾌심 快心 | 기쁠 쾌, 마음 심
유쾌(愉快)한 마음[心]. ¶쾌심은 건강에도 좋다.

한심 寒心 | 찰 한, 마음 심 [pitiful]
❶속뜻 차가운[寒] 마음[心]. ❷열정과 의욕이 없어 절망적이고 걱정스럽다. ¶한심한 사람을 보면 불쌍한 생각이 앞선다.

합심 合心 | 합할 합, 마음 심 [unison]
여럿이 마음[心]을 한데 합(合)함. ¶친구들과 합심하여 축제를 준비했다.

핵심 核心 | 씨 핵, 가운데 심 [core]
사물의 중심(中心)이 되는 가장 요긴한 부분[核]. ¶문제의 핵심을 파악하다 / 핵심 인물 / 핵심 내용.

허심 虛心 | 빌 허, 마음 심 [open mind]
❶속뜻 비운[虛] 마음[心]. ❷마음속에 다른 생각이나 거리낌이 없음. ¶허심하게 이야기하다.

환심 歡心 | 기쁠 환, 마음 심 [good graces; favor]
기뻐하는[歡] 마음[心]. ¶나는 그녀의 환심을 사려고 꽃을 선물했다.

회:심 會心 | 모일 회, 마음 심

[congeniality; complacency]
❶ 속뜻 마음[心]을 한 곳에 모음[會]. ❷마음에 흐뭇하게 들어맞음. 또는 그런 상태의 마음. ¶회심의 미소.

효:심 孝心 | 효도 효, 마음 심
[filial heart; (feelings of) filial piety]
효성(孝誠)스러운 마음[心]. ¶심청은 효심이 지극하다. (비)효, 효성(孝誠).

0130 [유]

有 있을 유:
(부) 月부 (획) 6획 (음) 有 [yǒu]
有 有 有 有 有 有

有자는 고기 덩어리(月→肉)를 손(又)으로 잡고 있는 모양이 변화된 것이다. 그래서 '가지다'(have), '있다'(there is)는 의미로 쓰인다.

유:공 有功 | 있을 유, 공로 공 [meritoriousness]
공로(功勞)가 있음[有]. ¶그는 베트남전쟁에서 돌아와 유공훈장을 받았다.

유:권 有權 | 있을 유, 권리 권
권리(權利)가 있음[有].

유:기¹ 有期 | 있을 유, 때 기
[terminable; limited]
기한(期限)이 있음[有]. ¶유기정학. (반)무기(無期).

유:기² 有機 | 있을 유, 틀 기
[organic; systematic]
❶ 속뜻 스스로 살아갈 수 있는 기능(機能)을 갖추고 있음[有]. ❷생명력을 갖추기 위하여 각 부분이 기계적으로 긴밀하게 협력하는 일. (반)무기(無機).

유:능 有能 | 있을 유, 능할 능
[able; capable; competent]
재능(才能) 또는 능력이 있음[有]. ¶유능한 작가. (반)무능(無能).

유:독 有毒 | 있을 유, 독할 독
[poisonous; noxious]
독성(毒性)이 있음[有]. ¶유독 폐기물 / 이 물질은 사람에게 유독하다. (반)무독(無毒).

유:력 有力 | 있을 유, 힘 력
[strong; powerful; prime; important]
❶ 속뜻 힘[力]이나 세력이 있음[有]. ¶그는 이 지방의 유력 인사이다 / 이번 경기에서 가장 유력한 경쟁자를 물리쳤다. ❷희망이나 전망이 있음. ¶그가 우승 후보로 가장 유력하다.

유:료 有料 | 있을 유, 삯 료 [charge for]
요금(料金)을 내게[有] 되어 있는 것. 또는 요금을 필요로 하는 것. ¶유료 주차장 / 천마총은 유료이다. (반)무료(無料).

유:리 有利 | 있을 유, 이로울 리
[profitable; lucrative; advantageous]
이로움[利]이 있음[有]. ¶유리한 조건 / 온난 다습한 지역은 벼농사에 유리하다. (반)불리(不利).

유:망 有望 | 있을 유, 바랄 망
[promising; hopeful]
앞으로 잘될 듯한 희망(希望)이나 전망(展望)이 있음[有]. ¶유망 산업 / 그는 전도 유망한 청년이다.

유:명 有名 | 있을 유, 이름 명 [famous; noted]
이름[名]이 세상에 널리 알려져 있음[有]. ¶유명 상표 / 정명훈은 세계적으로 유명한 지휘자이다. (반)무명(無名).

유:무 有無 | 있을 유, 없을 무
[existence and nonexistence]
있음[有]과 없음[無]. ¶죄의 유무를 가리다.

유:별 有別 | 있을 유, 나눌 별 [classify; assort]
다름[別]이 있음[有]. 차이가 있음. ¶남녀 유별 / 할머니는 유별하게 뛰어난 기억력을 가지고 계신다.

유:부¹ 有夫 | 있을 유, 지아비 부
남편[夫]이 있음[有]. 결혼한 여자를 이르는 말. ¶유부녀(有夫女).

유:부² 有婦 | 있을 유, 부인 부
부인[婦]이 있음[有]. 결혼한 남자를 이르는 말. ¶유부남(有婦男).

유:선 有線 | 있을 유, 줄 선 [cable]
❶ 속뜻 선(線)이 있음[有]. ❷전선(電線)에 의한 통신 방식. ¶유선 통신. (반)무선(無線).

유:세 有勢 | 있을 유, 힘 세
[powerful; influential]
❶ 속뜻 힘[勢]이 있음[有]. ❷자랑삼아 세도를 부림. ¶그는 돈 꽤나 번다고 유세를 부린다.

유:수 有數 | 있을 유, 셀 수
[prominent; distinguished]
손가락으로 셀[數] 수 있을[有] 만큼 두드러짐. ¶그는 세계 유수의 화가이다 / 세계 유수의 대기업 대표들이 한 자리에 모였다.

유:식 有識 | 있을 유, 알 식 [learned; educated]
학식(學識)이 있음[有]. ¶그는 어려운 말만 골라 써서 자신의 유식을 드러냈다 / 유식한 사람. (반)무식(無識).

유:심 有心 | 있을 유, 마음 심 [attend to]
❶ 속뜻 마음[心]을 한 곳으로 쏟고 있다[有]. ❷주의가

깊다. ¶유심하게 관찰하다 / 유심히 살펴보다.

유:용 有用 | 있을 유, 쓸 용 [useful; serviceable]
쓸모[用]가 있음[有]. ¶유용 식물 / 이 책은 어린이에게 유용하다. ㊥무용(無用).

유:익 有益 | 있을 유, 더할 익
[profitable; advantageous; useful]
이로움[益]이 있음[有]. 이점(利點)이 있음. ¶유익을 주다 / 이 동영상은 영어를 배우는 데 유익하다. ㊥무익(無益).

유:종 有終 | 있을 유, 끝날 종
끝[終]맺음이 있음[有]. ¶유종의 아름다움.

유:죄 有罪 | 있을 유, 허물 죄 [guilty; culpable]
❶속뜻 죄(罪)가 있음[有]. ❷법률 법원의 판결에 따라 범죄 사실이 인정되는 일. ¶법원은 그에게 유죄를 판결했다. ㊥무죄(無罪).

유:지 有志 | 있을 유, 뜻 지
[have intention; a man of influence]
❶속뜻 어떤 일을 이루려는 뜻[志]이 있음[有]. ❷마을이나 지역에서 명망 있고 영향력을 가진 사람. '유지가'(有志家)의 준말. ¶할아버지는 마을에서 가장 영향력이 큰 유지이다.

유:한 有限 | 있을 유, 끝 한 [limited; finite]
한계(限界)가 있음[有]. ¶인간의 수명은 유한하다. ㊥무한(無限).

유:해 有害 | 있을 유, 해칠 해
[bad; noxious; harmful]
해(害)가 있음[有]. ¶유해 식품은 반입할 수 없습니다. ㊥무해(無害).

유:형 有形 | 있을 유, 모양 형
[material; concrete]
형체(形體)가 있음[有]. ㊥무형(無形).

유:효 有效 | 있을 유, 효과 효
[valid; available; effective]
효과(效果)나 효력이 있음[有]. ¶유효 기간 / 이 계약은 1년간 유효하다. ㊥무효(無效).

• 역순어휘

고유 固有 | 굳을 고, 있을 유 [proper; native]
❶속뜻 본디부터 굳어져[固] 있음[有]. ❷본래부터 있음. ¶이 음식은 우리나라 고유의 것이다. ㊞특유(特有).

공유[1] 公有 | 관공서 공, 있을 유
[public ownership]
국가 또는 공공 단체[公]의 소유(所有). ㊥사유(私有).

공:유[2] 共有 | 함께 공, 있을 유 [joint ownership]
공동(共同)으로 소유(所有)함. ¶정보를 공유하다. ㊥독점(獨占).

국유 國有 | 나라 국, 있을 유
[state ownership]
나라[國]의 소유(所有). 또는 그에 속한 것. ㊥사유(私有), 민유(民有).

만:유 萬有 | 일만 만, 있을 유
[all things in the universe]
우주에 존재[有] 하는 모든[萬] 것. ㊞만물(萬物), 만상(萬象).

보:유 保有 | 지킬 보, 있을 유 [possess]
간직하고[保] 있음[有]. ¶핵무기를 보유하다.

사유 私有 | 사사로울 사, 있을 유
[private ownership]
개인[私]이 소유(所有)함. 또는 그런 소유물. ㊥공유(公有), 국유(國有).

소:유 所有 | 것 소, 가질 유
[own; have; possess]
가지고 있는[有] 어떤 것[所]. 자기 것으로 가짐. 또는 가지고 있음. ¶개인 소유 / 그는 많은 집을 소유하고 있다.

영유 領有 | 차지할 령, 있을 유 [possess]
자기의 것으로 차지하여[領] 가짐[有]. ¶독도는 대한민국이 영유하고 있는 섬이다.

점유 占有 | 차지할 점, 있을 유
[possession; occupation]
물건이나 영역, 지위 따위를 차지하고[占] 있음[有]. ¶불법 점유 / 그 회사는 국내 가전제품 시장의 40%를 점유하고 있다.

특유 特有 | 특별할 특, 있을 유
[peculiar; characteristic]
특별(特別)히 가지고 있음[有]. ¶온돌은 한국 특유의 난방 방식이다.

함유 含有 | 머금을 함, 있을 유 [contain]
어떤 물질이 어떤 성분을 포함(包含)하고 있음[有]. ¶철분 함유 / 포도의 함유 성분.

향:유 享有 | 누릴 향, 있을 유 [enjoy]
누려서[享] 가짐[有]. ¶물질적 향유 / 만인이 자유와 풍요를 향유하는 사회.

0131 [춘]

春 봄 춘
㊀日부 ㊁9획 ㊥春 [chūn]

春 春 春 春 春 春 春 春 春

春자는 본래 '풀 초'(艸)밑에 '진칠 둔'(屯·표음요소)과 날 일(日)이 놓여 있는 것이었는데, 漢(한)나라 때 모양이 크게 달라졌다. 屯이 표음요소임은 杶(참죽나무 춘)도 마찬가지다. 따스한 봄볕(日)에 풀(艸)이 쑥쑥 자라는 모습이니, '봄'(spring)을 뜻하는 글자로 애용된다.

춘곤 春困 | 봄 춘, 곤할 곤 [spring fever]
봄철[春]에 느끼는 노곤(勞困)한 기운.

춘난 春暖 | 봄 춘, 따뜻할 난 [spring warmth]
봄철[春]의 따뜻함[暖]. 따뜻한 기운.

춘란 春蘭 | 봄 춘, 난초 란
식물 봄[春]에 꽃이 피는 난초(蘭草). 잎이 가늘고 길며, 봄에 푸른 빛깔을 띤 흰 꽃이 핀다.

춘분 春分 | 봄 춘, 나눌 분 [spring equinox]
❶속뜻 봄[春]으로 구분(區分)되는 절기. ❷24절기의 하나. 일 년 중 낮과 밤의 길이가 꼭 같다. 3월 21일경.

춘추 春秋 | 봄 춘, 가을 추
[spring and autumn; one's honored age]
❶속뜻 봄[春]과 가을[秋]. ¶우리 식당에 춘추로 1년에 두 번씩 위생 검사를 나온다. ❷남을 높여 그의 '나이'를 이르는 말. ¶올해 춘추가 어떻게 되십니까? ㊥연세(年歲).

춘풍 春風 | 봄 춘, 바람 풍 [spring wind]
봄철[春]에 부는 바람[風]. ¶춘풍에 돛 단 듯하다. ㊥봄바람.

춘향 春香 | 봄 춘, 향기 향
❶속뜻 봄[春]의 향기(香氣)가 물씬 풍김. ❷『춘향전』(春香傳)의 여자 주인공 이름.

• 역순어휘 •

입춘 立春 | 설 립, 봄 춘 [onset of spring]
봄[春]이 시작된다[立]고 하는 절기. 대한(大寒)과 우수(雨水) 사이로 2월 4일경이다. ¶강릉에서는 입춘에 문설주에 엄나무 가지를 매다는 풍습이 있다.

청춘 青春 | 푸를 청, 봄 춘
[youth; bloom of youth; springtime of life]
❶속뜻 만물이 푸른[青] 봄[春]. ❷'스무 살 안팎의 젊은 나이'를 비유하여 이르는 말. ¶그녀는 꽃다운 청춘에 세상을 떠났다.

0132 [소]

所

바 소:
㊀ 戶부 ㊁ 8획 ㊥ 所 [suǒ]

所 所 所 所 所 所 所 所

所자는 '나무를 베는 소리'(the sound of cutting a tree)가 본뜻이었으니 '도끼 근'(斤)이 표의요소로 쓰였다. 戶(지게 호)는 표음요소라는 설이 있는데 지금은 음 차이가 커서 제 구실을 못하는 셈이다. 본뜻보다는 '장소'(=곳 place)나 '바'를 나타내는데 많이 쓰인다. 순우리말 '바'가 무슨 뜻인지 알기 어렵다. 불특정 대명사, 즉 '(어떤) 것'(something)으로 바꾸어 알아두면 이해가 쉽기에, '것 소'라는 훈음으로 따로 설정해 둔다. (※참고: '바 소'를 없애고 모두 '것 소'로 바꾸면 좋을 것 같으나, 혼란이 클 것 같아서 '바 소'를 앞에 두 군데만 남겨 두었음.)

속뜻훈음 ①바 소, ②것 소, ③곳 소.

소:감 所感 | 바 소, 느낄 감 [one's impressions]
느낀[感] 바[所]. 또는 느낀 어떤 것. ¶수상 소감을 말하다.

소:견 所見 | 바 소, 볼 견 [one's view]
어떤 사물을 보고 살피어 가지는 의견(意見)이나 생각한 바[所]. ¶예를 들어 자신의 소견을 말하다.

소:관 所關 | 것 소, 관계할 관
[what is concerned]
관계(關係)되는 어떤 것[所]. ¶그 일은 더 이상 우리 소관이 아닙니다.

소:기 所期 | 것 소, 기약할 기
[one's expectation; anticipation]
기대(期待)하는 어떤 것[所]. 마음속으로 그렇게 되기를 바라고 기다리는 일. ¶소기의 성과를 거두다.

소:득 所得 | 것 소, 얻을 득 [income; earnings]
❶속뜻 어떤 일의 결과로 얻는[得] 것[所]. ❷경제 경제 활동을 하고 그 대가로 받는 돈 따위. ¶그는 매달 소득의 5%를 기부한다. ㊥이익(利益).

소:망 所望 | 것 소, 바랄 망 [desire; wish]
바라는[望] 어떤 것[所]. ¶새해 소망. ㊥바람, 소원(所願), 희망(希望).

소:문 所聞 | 것 소, 들을 문 [rumor; report]
귀로 들은[聞] 어떤 것[所]. ¶그가 살아 돌아왔다는 소문이 돌고 있다. ㊥풍문(風聞).

소:속 所屬 | 것 소, 엮을 속 [one's position]
어떤 기관이나 조직에 엮여 있는[屬] 어떤 것[所]. 또는 그 딸린 사람이나 물건. ¶나는 야구부 소속이다.

소:신 所信 | 것 소, 믿을 신 [one's belief]
자기가 믿고[信] 생각하는 어떤 것[所]. ¶소신을 굽히지 않다.

소:요 所要 | 것 소, 구할 요 [take; cost]
필요(必要)로 하는 것[所]. 요구되는 바. ¶서울에서 대전까지는 버스로 2시간 정도 소요된다.

소:용 所用 | 것 소, 쓸 용 [use; usefulness]

무엇에 쓰임. 또는 무엇에 쓰이는[用] 것[所]. 쓸데. ¶이제 와서 후회한들 무슨 소용이 있겠니?

소:원 所願 | 것 소, 바랄 원 [one's desire]
이루어지기를 바라는[願] 어떤 것[所]. ¶소원을 빌다. [비]바람, 소망(所望).

소:위 所謂 | 바 소, 이를 위 [what is called]
이른[謂] 바[所]. ¶그녀는 소위 귀부인이다.

소:유 所有 | 것 소, 가질 유
[own; have; possess]
가지고 있는[有] 어떤 것[所]. 자기 것으로 가짐. 또는 가지고 있음. ¶개인 소유 / 그는 많은 집을 소유하고 있다.

소:장[1] 所長 | 곳 소, 어른 장
[head (of an office; factory)]
연구소, 사무소 등과 같이 '소'(所)자가 붙은 기관이나 직장의 사무를 총괄하는 책임자[長]. ¶연구소 소장.

소:장[2] 所藏 | 것 소, 감출 장 [own; possess]
소유(所有)하여 잘 간직함[藏]. ¶그 그림은 박물관에 소장되어 있다.

소:재 所在 | 곳 소, 있을 재
[one's whereabouts; situation]
있는[在] 장소(場所). ¶그의 소재를 파악하고 있다.

소:정 所定 | 것 소, 정할 정 [prescribed form]
정(定)한 어떤 것[所]. 정해진 바. ¶소정의 절차를 거쳐야 한다 / 소정의 원고료를 지급하다.

소:중 所重 | 것 소, 무거울 중
[valuable; significant]
매우 귀중(貴重)한 어떤 것[所]이 있음. ¶그의 말은 내게도 소중한 것이었다.

소:지 所持 | 것 소, 가질 지 [possess; own]
무엇을 가지고[持] 있는 어떤 것[所]. ¶마약을 불법으로 소지하다 / 그는 현금 오십만 원을 소지하고 있다.

소:행 所行 | 것 소, 행할 행 [person's doing]
행한[行] 어떤 것[所]. 행한 일. ¶이것은 고양이의 소행이 틀림없다.

• 역순어휘 •

고소 高所 | 높을 고, 곳 소 [high place]
높은[高] 곳[所]. [비]고처(高處).

급소 急所 | 급할 급, 곳 소 [vital part]
❶[속뜻]사물의 가장 긴급(緊急)하거나 가장 중요한 곳[所]. ❷조금만 다쳐도 생명에 지장을 주는 몸의 중요한 부분. ¶급소를 찌르다. [비]핵심(核心).

명소 名所 | 이름 명, 곳 소 [famous place]
아름다운 경치나 고적 따위로 이름[名]난 곳[所]. ¶관광 명소 / 경주의 명소를 구경하다.

묘:소 墓所 | 무덤 묘, 곳 소 [graveyard]
묘지(墓地)가 있는 곳[所]. '산소'(山所)의 높임말. [비]무덤, 산소(山所).

변소 便所 | 똥오줌 변, 곳 소 [toilet]
대소변(大小便)을 볼 수 있게 만들어 놓은 곳[所]. [비]뒷간, 화장실.

빈소 殯所 | 염할 빈, 곳 소 [room where a coffin is placed until the funeral day]
발인(發靷) 때까지 관(棺)을 놓아두는[殯] 곳[所]. ¶아버지는 할아버지의 빈소를 지켰다.

산소 山所 | 메 산, 곳 소
[ancestral graveyard; grave; tomb]
❶[속뜻]산(山)에 무덤이 있는 곳[所]. ❷'무덤'의 높임말. ¶산소를 찾아가 성묘를 하다.

숙소 宿所 | 잠잘 숙, 곳 소 [inn; hotel]
주로 객지에서 잠자는[宿] 곳[所]. ¶민박집을 숙소로 정했다.

업소 業所 | 일 업, 곳 소 [place of business]
사업(事業)을 벌이고 있는 장소(場所). ¶여러 업소들이 가격을 담합했다.

요소 要所 | 요할 요, 곳 소 [key point]
중요(重要)한 장소(場所)나 지점. ¶요소에 경찰관을 배치하다.

장소 場所 | 마당 장, 곳 소 [place]
무엇이 있거나 무슨 일이 벌어지거나 하는 곳[場=所]. ¶약속 장소 / 강연할 장소를 찾다.

주:소 住所 | 살 주, 곳 소 [address]
사람이 자리를 잡아 살고[住] 있는 곳[所]. ¶우리 집 주소가 바뀌었어요.

지소 支所 | 가를 지, 곳 소
[branch office; substation]
본소에서 갈라져[支] 나와 그 지역의 업무를 맡아보는 곳[所]. ¶각 지방에 지소를 설치하다.

처:소 處所 | 살 처, 곳 소
[location;; living place; residence]
사람이 살고[處] 있는 곳[所]. ¶회사 가까운 곳에 처소를 마련하다.

초소 哨所 | 망볼 초, 곳 소 [guard post]
❶[속뜻]망보는[哨] 곳[所]. ❷보초나 경계하는 이가 근무하는 시설. ¶초소를 지키다.

출소 出所 | 날 출, 곳 소 [come out of prison]
교도소 같은 곳[所]에서 풀리어 나옴[出]. ¶그는 출소하자마자 또다시 범행을 저질렀다. [비]출옥(出獄).

0133 [연]

然 그럴 연
部 火부 劃 12획 中 然 [rán]
然 然 然 然 然 然 然 然 然 然 然 然

然자는 '개 견'(犬), '불 화'(火→灬), '고기 육'(肉→月)이 합쳐진 것이다. '개 불고기'가 아니라 개를 잡을 때 털을 제거하기 위하여 불에 태우던 풍속에서 유래된 것이다. '(불에) 태우다'(burn)라는 뜻을 그 풍속에서 얻은 세 가지 힌트('고기', '개', '불')를 형상화하여 나타내기로 한 아이디어가 참으로 기발하였다. 후에 이것이 '그러하다'(so)는 뜻으로도 활용되는 예가 잦아지자, 본래 의미는 '불 화'(火)를 다시 더 첨가한 燃(태울 연)자를 만들어 나타냈다.

속뜻훈음 **그러할 연.**

• 역순어휘

결연 決然 | 결정할 결, 그러할 연 [determined; firm]
태도나 결심(決心)이 매우 굳세고 꿋꿋하다[然]. ¶결연한 태도.

겸연 慊然 | 언짢을 겸, 그러할 연 [be embarrassed]
❶속뜻 미안하여 언짢고[慊] 면목이 없고 그러하다[然]. ❷쑥스럽고 어색하다. ¶그는 겸연한지 머리를 긁적였다 / 그는 겸연쩍은 얼굴로 나를 쳐다보았다.

공연 空然 | 빌 공, 그러할 연 [vain; fruitless]
까닭 없이[空] 그렇게[然]. 이유나 필요 없이. ¶공연한 짓을 하다 / 공연히 트집을 잡다. ⓑ부질없다.

과:연 果然 | 정말로 과, 그러할 연 [really; truly; indeed]
정말로[果] 그러함[然]. ¶그것은 과연 거짓이었다.

단:연 斷然 | 끊을 단, 그러할 연 [decisive; resolute]
❶속뜻 확실히 단정(斷定)할 만하게 그러함[然]. ¶단연 반대한다. ❷두드러지게. 뚜렷하게. ¶단연 앞서다.

당연 當然 | 마땅 당, 그러할 연 [of course]
마땅히[當] 그러함[然]. ¶봄에 꽃이 피는 것은 당연하다.

돌연 突然 | 갑자기 돌, 그러할 연 [suddenly]
갑작스러운[突] 모양[然]. 갑자기 일어난. ¶돌연 그만두다 / 돌연한 죽음. ⓑ별안간, 갑자기.

막연 漠然 | =邈然, 아득할 막, 그러할 연 [vague; obscure]
❶속뜻 잘 보이지 않을 정도로 아득한[漠] 모양[然]. ❷갈피를 잡을 수 없게 아득하다. ¶먹고 살 길이 막연하다. ❸똑똑하지 못하고 어렴풋함. ¶막연한 대답 / 막연히 기다리다.

망연 茫然 | 아득할 망, 그러할 연 [vast; vacant]
❶속뜻 매우 아득한[茫] 모양[然]. ¶망연하게 펼쳐진 바다. ❷충격으로 어이가 없어서 멍하다. ¶그 광경을 보고 어찌할 바를 몰라 망연하다.

묘연 杳然 | 멀 묘, 그러할 연 [far away; dim]
❶속뜻 아득하고 멀어서[杳] 눈에 아물아물하게 그러한[然]. ❷오래되어서 기억이 알쏭달쏭하다. ¶기억이 묘연하다. ❸소식이 없어 행방을 알 수 없다. ¶행방이 묘연해졌다.

본연 本然 | 뿌리 본, 그러할 연 [naturally]
❶속뜻 인공을 가하지 아니한 본디[本] 그대로의 자연(自然). ❷본디 생긴 그대로의 타고난 상태. ¶인간 본연의 모습 / 인간이 지닌 본연의 품성은 선한 것이다.

분:연 奮然 | 떨칠 분, 그러할 연 [resolutely; vigorously; courageously]
크게 힘을 내는[奮] 그러한[然] 모양. ¶분연히 일어선 애국지사.

석연 釋然 | 풀 석, 그러할 연 [be satisfied; be relieved from doubt]
미심쩍거나 꺼림칙한 일들이 완전히 풀려[釋] 마음이 개운한 그런[然] 상태이다. ¶그의 말을 믿지만 아직도 석연하지 않은 부분이 있다.

숙연 肅然 | 엄숙할 숙, 그러할 연 [solemn; silent]
분위기 따위가 고요하고 엄숙(嚴肅)한 그런[然] 모양이다. ¶숙연히 눈을 감고 기도하다.

아연 啞然 | 벙어리 아, 그러할 연 [be stunned by]
너무 놀라거나 어이가 없어서 또는 기가 막혀서 입을 딱 벌리고 말을 못하는[啞] 그런[然] 모양. ¶그들은 뜻밖의 재난에 아연할 뿐이었다.

엄연 儼然 | 의젓할 엄, 그러할 연 [dignified; solemn]
❶속뜻 겉모양이 의젓한[儼] 그러한[然] 모양. ¶엄연한 용모. ❷현상이 뚜렷하여 누구도 감히 부인할 수 없다. ¶엄연한 사실.

역연 歷然 | 겪을 력, 그러할 연 [obvious; clear]
❶속뜻 직접 겪은[歷] 듯 분명히 그러하다[然]. ❷분명히 알 수 있도록 뚜렷하다. ¶그는 피로한 기색이 역연했다.

완연 宛然 | 마치 완, 그러할 연 [be obvious]
❶속뜻 모양이 마치[宛] 그러하다[然]. 매우 흡사하다. ❷눈에 보이는 것처럼 아주 뚜렷함. ¶봄빛이 완연하다.

우연 偶然 | 뜻밖에 우, 그러할 연
[accidental; casual]
아무런 인과 관계가 없이 뜻밖에[偶] 일어난 그러한[然] 일. ¶우연의 일치 / 그와 우연히 만나다. ㊊뜻밖. ㊎필연(必然).

은연 隱然 | 숨길 은, 그러할 연 [in secret]
숨겨져[隱] 있는 듯한 모양[然]. ¶은연중에 속마음을 드러내다.

의연 毅然 | 굳셀 의, 그러할 연
[dauntless; resolute; firm]
의지가 굳고[毅] 그러하다[然]. 뜻이 꿋꿋하며 단호하다. ¶그는 죽음 앞에서도 의연했다.

자연 自然 | 스스로 자, 그러할 연 [nature]
❶속뜻 스스로[自] 그러함[然]. ❷사람의 손에 의하지 않고 스스로 존재하는 것이나 일어나는 현상. ¶자연의 법칙 / 풍장(風葬)은 시체를 비바람에 자연히 없어지게 하는 방법이다 / 우리는 자연스럽게 친해졌다. ❸사람의 힘이 더해지지 아니하고 저절로 생겨난 산, 강, 바다, 식물, 동물 따위의 존재. ¶자연을 사랑하다 / 자연을 보존하다. ㊎인위(人爲).

전연 全然 | 온전할 전, 그러할 연 [wholly; utterly]
온전(穩全)히 그러함[然]. 온전함. ¶나는 그 일에 대해서는 전연 모른다.

정연 整然 | 가지런할 정, 그러할 연
[orderly; regular]
가지런하게[整] 그러한[然]. 가지런하고 질서가 있다. ¶질서정연하게 배열해 놓다.

찬:연 燦然 | 빛날 찬, 그러할 연
[brilliant; resplendent]
눈부시게 빛나는[燦] 그러한[然] 모양. ¶찬연한 문화 / 불꽃놀이 펼쳐지는 하늘은 유난히 찬연했다.

천연 天然 | 하늘 천, 그러할 연 [nature]
하늘[天]이 만든 그대로의[然] 것. 사람의 힘을 가하지 않은 자연 그대로의 상태. ¶천연 원료를 사용하다. ㊎인위(人爲).

태연 泰然 | 침착할 태, 그러할 연 [cool]
❶속뜻 침착한[泰] 모양[然]. ❷태도나 기색이 아무렇지 않고 예사로움. ¶그는 애써 태연한 척했다.

필연 必然 | 반드시 필, 그러할 연
[being in the natural order of events]
❶속뜻 반드시[必] 그렇게[然] 됨. ❷반드시 그렇게 되는 수밖에 다른 도리가 없음, 또는 그런 일. ¶우리의 만남은 필연이라고밖에 할 수 없다. ㊎우연(偶然).

혼:연 渾然 | 온 혼, 그러할 연
[harmony; concord]
❶속뜻 온갖[渾] 것이 차별이 없는 그러한[然] 모양. ❷조금도 딴 것이 섞이지 않고 고른 모양. ❸성질이 원만한 모양.

홀연 忽然 | 갑자기 홀, 그러할 연 [suddenly]
갑자기[忽] 그러함[然]. 뜻밖에. ¶안개 속에서 홀연 사람의 모습이 나타났다 / 홀연히 사라지다.

0134 [가]

歌 노래 가
㊕ 欠부 ㊀ 14획 ㊥ 歌 [gē]
歌 歌 歌 歌 歌 歌 歌 歌 歌 歌 歌 歌 歌 歌

歌자의 哥(가)는 표음요소다. 欠(흠)은 표의요소인데, '하품'을 지칭하는 것이 아니라 하품할 때처럼 '입을 크게 벌리다'(open the mouth)는 뜻이다. 노래를 잘 하는 비결 가운데 하나가 하품할 때처럼 입을 크게 벌리는 것임을 이로써 알 수 있다. 그래서인지 '노래'(a song)를 뜻하는 것으로도 애용된다.

가곡 歌曲 | 노래 가, 노래 곡 [song]
음악 ❶시가(詩歌)에 곡(曲)을 붙인 성악곡. ¶이탈리아 가곡을 부르다. ❷시조를 관현악 반주에 맞추어 부르는 우리나라 전통 성악곡의 하나. ¶전통 가곡은 중요무형문화재이다.

가무 歌舞 | 노래 가, 춤출 무 [song and dance]
❶속뜻 노래[歌]와 춤[舞]. ❷노래하고 춤을 춤. ¶연회에서 가무를 즐기다.

가사 歌詞 | 노래 가, 말씀 사
[words of a song; lyrics]
노래[歌]로 부르기 위해 지은 글[詞]. ¶곡에 가사를 붙이다.

가수 歌手 | 노래 가, 사람 수 [singer]
노래[歌] 부르는 것을 생업으로 삼는 사람[手]. ¶그는 작곡가 겸 가수다.

가요 歌謠 | 노래 가, 노래 요 [song]
음악 ❶노래[歌=謠]. ❷민요, 동요, 유행가 따위의 노래를 통틀어 이르는 말. ¶대중가요. ❸악가(樂歌)와 속요(俗謠)를 아울러 이르는 말.

• 역순어휘

교:가 校歌 | 학교 교, 노래 가 [school song]
학교(學校)를 상징하는 노래[歌].

국가 國歌 | 나라 국, 노래 가 [national anthem]
나라[國]를 상징하는 노래[歌]. 그 나라의 이상이나 영예를 나타내며, 주로 식전(式典)에서 연주·제창한다.

군가 軍歌 | 군사 군, 노래 가 [military song]
군대(軍隊)의 사기를 북돋우기 위하여 부르는 노래[歌].

성:가 聖歌 | 거룩할 성, 노래 가
[sacred song; hymn]
❶속뜻 거룩한[聖] 내용의 노래[歌]. ❷기독교 기독교에서 부르는 가곡을 통틀어 이르는 말. ⊕성악(聖樂).

시가 詩歌 | 시 시, 노래 가
[poems and songs; poetry]
❶속뜻 시(詩)와 노래[歌]. ❷가사를 포함한 시문학을 통틀어 이르는 말.

향가 鄕歌 | 시골 향, 노래 가 [native songs]
문학 향찰(鄕札)로 적혀 전해오는 우리나라 고유의 시가(詩歌). 신라 중엽에서 고려 초엽에 걸쳐 민간에 널리 퍼졌다. ¶삼국유사(三國遺事)에 향가가 전해진다.

0135 [등]

登
오를 등
部 癶부 畫 12획 中 登 [dēng]
登 登 登 登 登 登 登 登 登 登 登 登

登자는 '윗사람에게 바치다'(present offerings upwards)는 뜻을 나타내기 위하여 윗사람의 두 발[癶] 아래 음식을 가득 담은 그릇[豆]을 바치고 있는 모습을 그린 것이다. 그릇을 들고 있는 두 손의 모습[廾]이 원래에는 있었는데, 후에 쓰기의 편하도록 생략되었다. 후에 '오르다'(go upwards), '올라가다'(ascend), '나아가다'(advance) 등으로 확대 사용됐다.

등교 登校 | 오를 등, 학교 교 [go to school]
학생이 수업을 받으러 학교(學校)에 감[登]. ¶나는 걸어서 등교한다. ⊕하교(下校).

등극 登極 | 오를 등, 끝 극 [ascend the throne]
❶속뜻 가장 높은[極] 임금의 자리에 오름[登]. ¶드디어 선덕여왕이 등극했다. ❷어떤 분야에서 가장 높은 지리나 지위에 오름. ¶챔피언 등극. ⊕등조(登祚), 즉위(卽位).

등기 登記 | 오를 등, 기록할 기 [registry]
법률 ❶장부 따위에 올려[登] 기록(記錄)함. ¶건물을 본인 명의로 등기하다. ❷우체국에서 우편물의 인수·배달 과정을 기록하는 우편. ¶등기로 편지를 보내다.

등록 登錄 | 오를 등, 기록할 록 [register; enter]
❶속뜻 문서에 올려[登] 기록함[錄]. ❷일정한 자격 조건을 갖추기 위하여 단체나 학교 따위에 문서를 올림. ¶신입생 등록을 마치다.

등반 登攀 | 오를 등, 더위잡을 반 [climb]
험한 산의 정상에 이르기 위하여 힘들게 기어[攀] 오름[登].

등산 登山 | 오를 등, 메 산 [climb a mountain]
운동, 놀이, 탐험 따위의 목적으로 산(山)에 오름[登]. ⊕하산(下山).

등용 登用 | 오를 등, 쓸 용 [appoint; assign]
인재를 뽑아[登] 씀[用]. ¶인재를 등용하다. ⊕거용(擧用).

등장 登場 | 오를 등, 마당 장
[appear; show up; enter the stage]
❶속뜻 무대[場]나 연단 따위에 나옴[登]. ¶남자 주인공이 무대에 등장했다. ❷어떤 사건이나 분야에서 새로운 제품이나 현상, 인물 등이 세상에 처음으로 나옴. ¶신제품의 등장. ❸연극, 영화, 소설 따위에 어떤 인물이 나타남. ¶이 소설에는 노인이 주인공으로 등장한다. ⊕출현(出現). ⊕퇴장(退場).

등정 登頂 | 오를 등, 꼭대기 정
[reach the top of a mountain]
산 따위의 꼭대기[頂]에 오름[登]. ¶장애우들이 히말라야 등정에 나섰다.

등판 登板 | 오를 등, 널빤지 판
[take the plate; go to the mound]
운동 야구에서 투수가 널빤지[板] 같은 마운드에 올라서는[登] 일. ¶선발투수로 등판하다. ⊕강판(降板).

0136 [백]

百
일백 백
部 白부 畫 6획 中 百 [bǎi]
百 百 百 百 百 百

百자가 갑골문 시기에는 두 가지 형태를 취하고 있었다. 하나는 白자의 안 부분에 구별 부호(∧)가 첨가 된 것이고, 다른 하나는 전자에 '一'이 추가된 이른바 合文(합문) 형태다. 후자는 당시에 100을 '일백'(一白)이라 한 것과 관련이 있다. '100'(a hundred) 외에 '여러'(several), '온갖'(all sorts of)의 뜻으로도 쓰인다.
속뜻훈음 ①일백 백, ②여러 백.

백과 百科 | 여러 백, 과목 과
[all branches of knowledge]
여러[百] 가지 과목(科目). 모든 분야.

백관 百官 | 여러 백, 벼슬 관
[all the government officials]

모든[百] 벼슬아치[官]. ¶조정의 백관이 나서서 왕에게 간언했다. (비)백공(百工), 백규(百揆), 백료(百僚).

백만 百萬 | 일백 백, 일만 만 [million]
❶[속뜻]만(萬)의 백(百) 곱절. ❷썩 많은 수. ¶백만 대군을 이끌고 전투에 나서다.

백방 百方 | 여러 백, 방법 방 [every direction]
온갖[百] 방법(方法). 여러 방면. ¶백방으로 알아보다.

백성 百姓 | 여러 백, 성씨 성 [people]
❶[속뜻]온갖[百] 성씨(姓氏). ❷일반 국민. ¶백성은 나라의 근본이다.

백수 百獸 | 여러 백, 짐승 수
[all kinds of animals]
온갖[百] 짐승[獸]. ¶백수의 왕 사자.

백제 百濟 | 여러 백, 건질 제
[역사]우리나라 고대 왕국의 하나. 고구려 왕족인 온조(溫祚)가 한반도의 남서쪽에 자리잡아 세운 나라. '백성(百姓)을 모두 구제(救濟)한다'는 뜻이 담겨 있다는 설이 있다.

백화 百貨 | 여러 백, 재물 화
여러[百] 가지 상품이나 재물[貨].

• 역순어휘

수:백 數百 | 셀 수, 일백 백
[hundreds; several hundred]
몇[數] 백(百). ¶수백 대의 자동차.

0137 [조]

祖 할아비 조
(부) 示부 (획) 10획 (中) 祖 [zǔ]
祖 祖 祖 祖 祖 祖 祖 祖 祖 祖

祖자의 원형은 '조상'(ancestor)의 뜻을 나타내기 위해 고안된 '且'였다. 且는 조상께 제사를 지낼 때 제단 앞에 세워 놓은 위패 모양을 본뜬 것이라는 설, 그리고 남성의 성기 모양을 본뜬 것이라는 설 등이 있다. 후에 이것이 본래 의미와는 아무런 상관이 없는 '또'(again)라는 의미로 빌려 쓰이는 예가 잦아지자, 본래 뜻을 더욱 명확하게 나타내기 위하여 '제사 시'(示)를 덧붙인 祖자를 추가로 만들어냈다. '할아버지'(grandfather)를 뜻하는 것으로 애용된다.
[속뜻훈음] ①조상 조, ②할아버지 조.

조국 祖國 | 조상 조, 나라 국
[one's fatherland; one's native country]
❶[속뜻]조상(祖上) 때부터 대대로 살던 나라[國]. ¶조국을 위해 목숨 바쳐 싸우다. ❷자기 국적이 속하여 있는 나라.

조모 祖母 | 할아버지 조, 어머니 모 [grandmother]
할아버지[祖]의 아내이자 아버지의 어머니[母]. (반)조부(祖父).

조부 祖父 | 조상 조, 아버지 부 [grandfather]
선조(先祖)인 아버지의 아버지[父]. ¶아이는 조부께서 직접 만들어 주신 연을 신나게 날렸다. (반)조모(祖母).

조상 祖上 | 할아버지 조, 위 상
[ancestor; forefather]
❶[속뜻]선조(先祖)가 된 윗[上]세대의 어른. ¶우리는 조상 대대로 이 마을에서 살아왔다. ❷자기 세대 이전의 모든 세대. ¶한글에는 조상들의 슬기와 지혜가 담겨 있다. (반)자손(子孫).

조손 祖孫 | 할아버지 조, 손자 손
[grandfather and grandson]
할아버지[祖父]와 손자(孫子)를 아울러 이르는 말.

• 역순어휘

고조 高祖 | 높을 고, 조상 조
[one's great-great-grandfather]
증조(曾祖) 바로 윗대[高]의 조상[祖]. '고조부'(高祖父)의 준말. ¶그의 고조는 자손에게 많은 유산을 남겼다.

선조 先祖 | 먼저 선, 조상 조 [ancestor]
한 집안의 옛[先] 시조(始祖). ¶그 풍습은 우리 선조로부터 전해 내려온 것이다. (비)선대(先代), 조상(祖上).

시:조 始祖 | 처음 시, 조상 조 [originator]
❶[속뜻]한 겨레나 가계의 맨 처음[始]이 되는 조상(祖上). ❷어떤 학문이나 기술 따위를 처음으로 연 사람. (비)비조(鼻祖).

외:조 外祖 | 밖 외, 할아버지 조
외가(外家) 쪽의 조부모(祖父母).

원조 元祖 | 으뜸 원, 조상 조
[originator; founder]
❶[속뜻]으뜸[元] 조상(祖上). ❷어떤 일을 처음으로 시작한 사람이나 사물. ¶음식점마다 자기네 보쌈이 원조라고 한다.

증조 曾祖 | 거듭 증, 할아버지 조
[great grandfather]
❶[속뜻]대가 거듭된[曾] 할아버지[祖]. ❷조부(祖父)의 아버지. '증조부'의 준말.

태조 太祖 | 클 태, 조상 조
[first King of the dynasty]
❶[속뜻]가장 큰[太] 조상[祖]. ❷[역사]한 왕조를 세운 첫째 임금에게 붙이던 묘호.

0138 [추]

秋

가을 추

部 禾부 劃 9획 中 秋 [qiū]

秋秋秋秋秋秋秋秋秋

秋자의 원형은 '가을'(autumn; fall)을 뜻하기 위하여 가을의 傳令使(전령사)인 '귀뚜라미'(a cricket)를 그린 것이었다. 火(불 화)는 그 귀뚜라미의 다리 모양에서 변모된 것이니 '불'과는 아무런 관련이 없다. 가을이면 五穀(오곡)이 무르익게 마련이니 그 중에 대표적인 작물인 벼[禾]를 표의요소로 추가한 것은 약 2,400년 전이었다. '세월'(time and tide)을 뜻하기도 한다.

속뜻훈음 ①가을 추, ②세월 추.

추곡 秋穀 | 가을 추, 곡식 곡
[autumn harvested grains]
가을[秋]에 거두는 곡식(穀食). ¶추곡수매.

추분 秋分 | 가을 추, 나눌 분
[Autumnal Equinox Day]
❶속뜻 가을[秋]로 나누어짐[分]. ❷일 년 중 낮과 밤의 길이가 같은 절기. 9월 20일경.

추석 秋夕 | 가을 추, 저녁 석
[Korean Thanksgiving Day]
❶속뜻 가을[秋] 저녁[夕]의 달. 『예기』의 '조춘일추석월'(朝春日秋夕月)에서 유래한 말. ❷음력 8월 15일. 햅쌀로 송편을 빚고 햇과일 따위의 음식을 장만하여 차례를 지낸다. 중추절(仲秋節). 한가위. ¶올 추석에는 고향에 가지 못했다.

추수 秋收 | 가을 추, 거둘 수 [harvest; gather in]
가을[秋]에 익은 곡식을 거두어[收] 들임. ¶이 밥은 올해 추수한 쌀로 지은 것이다. 㕥가을걷이.

추호 秋毫 | 가을 추, 터럭 호 [bit; hair]
❶속뜻 가을철[秋]에 새로 돋아난 작고 가는 털[毫]. ❷'조금', '매우 적음'을 뜻함. ¶내 말에는 추호도 거짓이 없다.

• 역순어휘

만:추 晩秋 | 늦을 만, 가을 추 [late autumn]
❶속뜻 늦은[晩] 가을[秋]. ❷늦가을 무렵. 㕥늦가을, 계추(季秋).

입추 立秋 | 설 립, 가을 추
가을[秋]이 시작된다[立]고 하는 절기. 대서(大暑)와 처서(處暑) 사이로 8월 8일경이다. ¶입추가 지나자 바람이 서늘해졌다.

중추 仲秋 | 가운데 중, 가을 추
[eight lunar month]
❶속뜻 가을[秋]의 한 가운데[仲]. ❷음력 팔월을 달리 이르는 말.

천추 千秋 | 일천 천, 세월 추
[thousand years; many years]
이전이나 이후의 천(千) 년의 세월[秋]. ¶천추의 한(恨)을 남기다.

춘추 春秋 | 봄 춘, 가을 추
[spring and autumn; one's honored age]
❶속뜻 봄[春]과 가을[秋]. ¶우리 식당에 춘추로 1년에 두 번씩 위생 검사를 나온다. ❷남을 높여 그의 '나이'를 이르는 말. ¶올해 춘추가 어떻게 되십니까? 㕥연세(年歲).

0139 [로]

老

늙을 로:

部 老부 劃 6획 中 老 [lǎo]

老老老老老老

老자는 '늙다'(grow old)는 뜻을 나타내기 위하여 지팡이를 짚고 서 있는 늙은이의 모습을 본뜬 것이다. 후에 '늙은이'(an old man) '어른'(an adult) '숙달되다'(master)는 의미로 확대 사용됐다.

노:년 老年 | 늙을 로, 나이 년 [old age]
늙은[老] 나이[年]. 㕥만년(晩年), 모년(暮年). 㑢소년(少年), 유년(幼年).

노:련 老鍊 | 늙을 로, 익힐 련
[experienced; skilled]
오래도록[老] 능란하게 익히다[鍊]. ¶그는 노련하게 환자를 치료했다. 㑢미숙(未熟).

노:령 老齡 | 늙을 로, 나이 령
[old age; advanced years]
늙은[老] 나이[齡]. ¶그는 노령에도 불구하고 마라톤을 완주했다.

노:망 老妄 | 늙을 로, 망령될 망
[dotage; second childhood]
늙어서[老] 망령(妄靈)을 부림. 또는 그 망령. ¶노망을 떨다.

노:모 老母 | 늙을 로, 어머니 모
[one's old mother]
늙은[老] 어머니[母]. ¶그는 노모를 정성껏 모셨다.

노:소 老少 | 늙은 로, 젊을 소

[old and the young; age and youth]
늙은이[老]와 젊은이[少]. ¶남녀 노소 모두 좋아한다. [비]소장(少長).

노:송 老松 | 늙을 로, 소나무 송 [old pine tree]
늙은[老] 소나무[松]. ¶마을 어귀에 노송 한 그루가 서 있다.

노:쇠 老衰 | 늙을 로, 쇠할 쇠
[infirmity of old age; senility]
늙어서[老] 몸과 마음이 쇠약(衰弱)함. ¶나이가 들면 노쇠해진다. [비]쇠로(衰老).

노:숙 老熟 | 늙을 로, 익을 숙
[experienced; expert]
오랫동안[老] 경험을 쌓아 아주 숙련(熟鍊)되어 있다. ¶노숙한 기술자.

노:승 老僧 | 늙을 로, 스님 승
[old (Buddhist) priest]
늙은[老] 승려(僧侶).

노:약 老弱 | 늙을 로, 약할 약 [old and the weak]
❶[속뜻]늙어서[老] 기운이 쇠약(衰弱)함. ❷늙은이와 연약한 어린이. [비]노소(老少).

노:인 老人 | 늙을 로, 사람 인 [old person]
늙은[老] 사람[人]. ¶노인을 공경하다. [비]늙은이. [반]젊은이.

노:장 老將 | 늙을 로, 장수 장
[veteran general; old general]
❶[속뜻]늙은[老] 장군(將軍). 경험이 많은 노련한 장군. ❷'어떤 분야에서 많은 경험을 쌓은 노련한 사람'을 비유하여 이르는 말. ¶노장 선수들은 경기 운영이 노련하다. [비]백전노장(百戰老將).

노:파 老婆 | 늙을 로, 할미 파 [old woman]
늙은[老] 여자[婆]. [반]노옹(老翁).

노:폐 老廢 | 늙을 로, 그만둘 폐
[superannuated]
오래되거나 낡아서[老] 쓰지 않음[廢].

노:화 老化 | 늙을 로, 될 화 [aging; senility]
[생물]나이가 많아짐[老]에 따라 신체적·정신적 기능이 쇠퇴하는[化] 일. ¶마늘은 노화를 억제하는 효과가 있다.

노:환 老患 | 늙을 로, 근심 환
[infirmities of old age]
늙고[老] 쇠약해지면서 생기는 병[患]. '노병'(老病)의 높임말. ¶노환으로 별세하시다.

노:후¹ 老朽 | 늙을 로, 썩을 후 [decrepitude]
오래되거나[老] 낡아서[朽] 쓸모가 없음. ¶노후 시설을 보수하다. [비]노폐(老廢).

노:후² 老後 | 늙을 로, 뒤 후
[one's declining years]
늙은[老] 뒤[後]. ¶보험으로 노후를 대비하다.

• 역순어휘

경:로 敬老 | 공경할 경, 늙을 로
[respect for the old]
노인(老人)을 공경(恭敬)함. ¶경로사상.

불로 不老 | 아닐 불, 늙을 로 [ever young]
늙지[老] 아니하다[不].

양:로 養老 | 기를 양, 늙을 로
[take care of the aged]
노인(老人)을 위로하여 안락하게 지내도록 잘 돌봄[養]. ¶스웨덴은 양로 시설이 잘 되어 있다.

연로 年老 | 나이 년, 늙을 로 [aged; old; elderly]
나이[年]가 많음[老]. ¶연로의 몸 / 연로하신 부모님.

원로 元老 | 으뜸 원, 늙을 로
[elder statesman; elder]
어떤 일에 오래[老] 종사하여 경험과 공로가 많아 으뜸[元]이 되는 사람. ¶문단의 원로.

장:로 長老 | 어른 장, 늙을 로 [presbyter]
❶[속뜻]나이가 지긋하고[長=老] 덕이 높은 사람을 높이어 일컫는 말. ❷[기독교]장로교·성결교 등에서 선교 및 교회 운영에 대한 봉사를 맡아보는 직분. 또는 그 사람.

0140 [지]

紙

종이 지
[部] 糸부 [획] 10획 [中] 纸 [zhǐ]

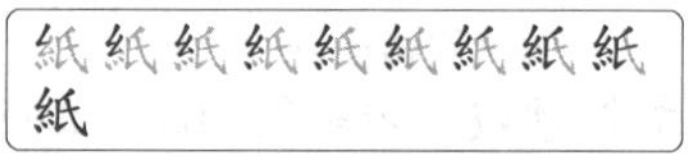

紙자는 '종이'(paper)를 뜻하기 위하여 만들어진 글자다. 종이가 발견되기 전에는 실로 짠 비단에 썼으므로 '실 사'(糸)가 표의요소로 쓰였고, 氏(씨)가 표음요소임은 扺(머무를 지)도 마찬가지다.

지갑 紙匣 | 종이 지, 상자 갑 [wallet; purse]
❶[속뜻]종이[紙]로 만든 갑[匣]. ❷가죽이나 헝겊 따위로 자그마하게 만든 주머니와 같은 물건. ¶지갑에서 돈을 꺼내다 / 지갑이 가볍다.

지면 紙面 | 종이 지, 낯 면 [paper]
❶[속뜻]종이[紙]의 겉면[面]. ¶이 책은 지면이 매끄럽다. ❷신문의 기사가 실린 종이의 면. ¶이 사건을 지면에 싣다.

지물 紙物 | 종이 지, 만물 물 [paper goods]

종이[紙]나 종이에 속하는 물건(物件).

지방 紙榜 | 종이 지, 패 방
[ancestral paper tablet]
민속 종이[紙] 조각에 지방문을 써 놓은 신주 패[榜].

지폐 紙幣 | 종이 지, 화폐 폐 [bill; paper money]
종이[紙]에 인쇄를 하여 만든 화폐(貨幣). ¶천 원짜리 지폐를 오백 원짜리 두 개로 바꾸다.

• 역순어휘

답지 答紙 | 답할 답, 종이 지 [answer paper]
답(答)을 쓴 종이[紙]. '답안지'(答案紙)의 준말. (반)문제지(問題紙).

백지 白紙 | 흰 백, 종이 지
[white paper; blank paper; clean slate]
❶속뜻 빛깔이 흰[白] 종이[紙]. ❷아무것도 쓰지 않은 종이. ¶백지 답안지. ❸어떠한 대상에 대하여 아무것도 모르는 상태. ¶나는 경제 분야에 백지나 다름없다. (비)공지(空紙).

벽지 壁紙 | 담 벽, 종이 지 [wallpaper]
건물의 벽(壁)에 바르는 종이[紙]. ¶꽃무늬 벽지를 바르다. (비)도배지(塗褙紙).

별지 別紙 | 다를 별, 종이 지 [annexed paper]
서류나 편지 등에 따로[別] 적어 덧붙이는 쪽지[紙]. ¶자세한 것은 별지를 참조하십시오.

봉지 封紙 | 봉할 봉, 종이 지 [paper bag]
입구를 여밀[封] 수 있도록 종이[紙]나 비닐 따위로 만든 주머니. ¶쓰레기 봉지 / 봉지를 뜯다 / 봉지에 담다.

색지 色紙 | 빛 색, 종이 지 [colored paper]
여러 가지 색깔[色]로 물들인 종이[紙]. ¶색지를 오려 붙였다.

용:지 用紙 | 쓸 용, 종이 지 [paper to use]
어떤 일에 사용(使用)할 종이[紙]. ¶복사 용지.

인지 印紙 | 도장 인, 종이 지 [revenue stamp]
❶속뜻 도장[印]이 찍힌 종이[紙]. ❷국가가 세금이나 수수료 등을 거두어들일 때 그 증서 등에 붙여 일정한 금액을 나타낸 종이 증표. 세금을 수납한 표지로 스탬프를 찍은 데서 유래. ¶이곳에 오천 원짜리 인지를 붙이시오.

전지 全紙 | 모두 전, 종이 지
[whole sheet of paper]
❶속뜻 신문 따위의 전체(全體) 지면(紙面). ❷출판 자르지 아니한 온장의 종이. ¶학생들이 전지에 함께 그림을 그렸다.

제:지 製紙 | 만들 제, 종이 지
[paper manufacture]
종이[紙]를 만듦[製]. ¶중국은 일찍부터 제지 기술이 발달하였다.

파:지 破紙 | 깨뜨릴 파, 종이 지
[waste paper; useless paper]
❶속뜻 찢어진[破] 종이[紙]. ❷못쓰게 된 종이. ¶종이를 오리는 과정에서 파지가 많이 생겼다.

판지 板紙 | 널빤지 판, 종이 지
[pasteboard; cardboard]
널빤지[板]처럼 단단하고 두껍게 만든 종이[紙]. ¶그는 책상 위에 판지로 된 상자를 올려놓았다.

편:지 便紙 | 편할 편, 종이 지
[letter; message; note]
편(便)하게 잘 있는지 따위의 안부나 소식을 적어 보내는 종이[紙]. ¶편지 한 통을 부치다. (비)서간(書簡), 서신(書信), 서한(書翰).

폐:지 廢紙 | 버릴 폐, 종이 지
[wastepaper; scrap of paper]
쓰지 않고 버린[廢] 종이[紙]. ¶폐지를 재활용하다.

표지 表紙 | 겉 표, 종이 지 [cover; binding]
겉[表] 면의 종이[紙]. 책의 겉장. ¶표지에 제목과 지은이의 이름이 쓰여 있다.

한:지 韓紙 | 한국 한, 종이 지
❶속뜻 한국(韓國)의 종이[紙]. ❷닥나무 따위를 이용해 한국 전통 제조법으로 만든 종이. 창호지 따위. ¶한지 공예.

휴지 休紙 | 쉴 휴, 종이 지
[wastepaper; scrap of paper]
❶속뜻 못쓰게 된[休] 종이[紙]. ¶길거리에 버려진 휴지를 줍다. ❷허드레로 쓰는 종이. ¶휴지를 뜯어 코를 풀다. (비)폐지(廢紙), 화장지(化粧紙).

0141 [색]

色

빛 색
(부) 色부 (획) 6획 (중) 色 [sè]

色 色 色 色 色 色

色자는 '사람 인'(人)과 '병부 절'(卩)의 변형이 합쳐진 것으로 '얼굴 빛'(a complexion)이 본래 뜻이다. 병부를 줄 때, 즉 군사를 맡길 때에는 그 사람의 낯빛(안색)을 보고 믿을 만한가를 판단하였기 때문에 그렇게 나타냈나 보다. '빛'(=빛깔 a color), '바람기'(wanton)를 뜻하는 것으로 쓰인다.

색맹 色盲 | 빛 색, 눈멀 맹 [color blindness]

의학 빛깔[色]을 가려내지 못함[盲]. 또는 그러한 증상이 있는 사람. ¶색맹은 운전을 하기 어렵다.

색상 色相 | 빛 색, 모양 상 [color tone]
빛깔[色]의 모양[相]. ¶나는 밝은 색상의 옷을 좋아한다.

색색 色色 | 빛 색, 빛 색 [in various colors]
여러 가지 색깔[色+色]. ¶색색의 꽃이 피었다.

색소 色素 | 빛 색, 바탕 소 [coloring matter]
물체의 색깔[色]이 나타나도록 해 주는 바탕[素]이나 성분. ¶식용 색소.

색조 色調 | 빛 색, 고를 조 [color tone]
❶속뜻 빛깔[色]의 조화(調和). ❷미술 색깔이 강하거나 약한 정도나 상태. 또는 짙거나 옅은 정도나 상태. ¶선명한 색조.

색지 色紙 | 빛 색, 종이 지 [colored paper]
여러 가지 색깔[色]로 물들인 종이[紙]. ¶색지를 오려 붙였다.

색채 色彩 | 빛 색, 빛깔 채 [color; tint]
❶속뜻 여러 빛깔[色=彩]. ¶이 그림은 색채가 조화를 이루고 있다. ❷말, 글 따위의 표현에 나타나는 일정한 경향이나 성질. ¶불교적인 색채 / 보수적 색채. ⓑ빛깔.

색칠 色漆 | 빛 색, 칠할 칠 [color; paint]
빛깔[色]이 나게 칠(漆)을 함. 또는 그 칠. ¶방문을 노랗게 색칠하다. ⓑ도색(塗色).

• 역순어휘

각색 脚色 | 발자취 각, 빛 색 [dramatize; adapt]
❶속뜻 어떤 사람의 과거 발자취[脚]와 본색(本色). ❷역사 중국에서 벼슬을 처음 받을 때, 과거에 무슨 일을 해왔는지 그 발자취를 적어 내던 이력서. ❸소설 따위의 문학 작품을 희곡이나 시나리오로 고쳐 쓰는 일. ¶원작자가 직접 각색을 맡았다. ⓑ각본화(脚本化), 극화(劇化).

갈색 褐色 | 털옷 갈, 빛 색 [brown]
털옷[褐] 같은 주황빛[色]. ⓑ밤색.

감색 紺色 | 감색 감, 빛 색 [navy blue]
검푸른[紺] 남색[色]. ¶감색 양복을 입으니 점잖아 보인다.

구색 具色 | 갖출 구, 빛 색
[assort; provide an assortment of]
❶속뜻 여러 빛깔[色]을 고루 갖춤[具]. ❷여러 가지 물건을 고루 갖춤. ¶구색을 갖추다.

금색 金色 | 황금 금, 빛 색 [golden color]
황금(黃金)과 같이 광택이 나는 누런 색(色). ¶금색 단추.

기색 氣色 | 기운 기, 빛 색 [looks; mood]
❶속뜻 기운(氣運)이나 얼굴빛[色]. ❷마음의 생각이나 감정이 얼굴에 드러나는 것. ¶놀란 기색. ⓑ안색(顔色).

난색 難色 | 어려울 난, 빛 색 [disapproval]
승낙이나 찬성을 하지 않고 난처(難處)해 하는 기색(氣色). ¶그의 제의에 난색을 표하다.

남색 藍色 | 쪽 람, 빛 색 [deep blue]
쪽[藍]과 같은 짙은 푸른빛[色].

녹색 綠色 | 초록빛 록, 빛 색 [green]
초록[綠] 빛깔[色]. 파랑과 노랑의 중간 색.

다색 多色 | 많을 다, 빛 색 [several colors]
여러[多] 가지 빛깔[色]. ⓡ단색(單色).

단색 單色 | 홑 단, 빛 색
[single color; monochrome]
한[單] 가지 빛깔[色]. ¶단색으로 그리다. ⓡ다색(多色).

담:색 淡色 | 맑을 담, 빛 색 [light color]
엷은[淡] 빛깔[色]. ⓡ농색(濃色).

명색 名色 | 이름 명, 빛 색 [name; pretext]
❶불교 이름만 있고 형상이 없는 마음과 형체가 있는 물질. 정신적인 것을 '名', 물질적인 것을 '色'이라고 한다. ❷어떤 이름이나 부류에 속함. ¶명색이 대학 교수인데 그런 일은 할 수 없다.

무색 無色 | 없을 무, 빛 색
[colorless; achromatic]
❶속뜻 아무 빛깔[色]이 없음[無]. ¶물은 무색무취의 액체이다. ❷부끄러워 볼 낯이 없음. ¶무색하여 고개를 숙였다. ⓑ무안(無顔). ⓡ유색(有色).

물색 物色 | 만물 물, 빛 색
[color of a thing; selecting]
❶속뜻 물건(物件)의 빛깔[色]. ¶물색 고운 저고리. ❷물건의 빛깔로 구별한다는 뜻에서, 어떤 기준에 맞는 사람이나 물건 따위를 고르는 일. ¶후임을 물색하다.

미색 米色 | 쌀 미, 빛 색 [pale yellow]
❶속뜻 쌀[米]의 빛깔[色]. ❷좀 노르께한 빛깔.

박색 薄色 | 엷을 박, 빛 색 [ugly look]
주로 아주 못생긴[薄] 여자의 얼굴[色]. 또는 그러한 여자. ¶얼굴은 박색이지만 마음은 곱다.

배:색 配色 | 나눌 배, 빛 색 [arrange the colors]
두 가지 이상의 색(色)을 배합(配合)함. 또는 섞은 그 색. ¶저고리와 치마의 배색이 좋다.

백색 白色 | 흰 백, 빛 색 [white color]
하얀[白] 색(色). ⓑ흰색. ⓡ흑색(黑色).

변:색 變色 | 변할 변, 빛 색 [change of color]
빛깔[色]을 바꿈[變]. 또는 빛깔이 변하여 달라짐. ¶그

의 치아는 흡연으로 인해 변색이 되었다.

병:색 病色 | 병 병, 빛 색 [sickly appearance]
병든[病] 사람의 얼굴 빛[色]. ¶그의 얼굴에는 병색이 완연했다.

보:색 補色 | 도울 보, 빛 색
[complementary color]
❶[속뜻] 서로 도움[補]이 되는 색(色). ❷[미술] 섞었을 때 무채색이 되는 두 색. 또는 그 두 색의 관계를 이르는 말. 빨강과 청록의 관계 따위.

본색 本色 | 뿌리 본, 빛 색 [one's real character]
❶[속뜻] 본디[本]의 빛깔[色]이나 생김새. ❷본디의 특색이나 정체. ¶본색을 드러내다.

비:색 翡色 | 비취 비, 빛 색 [celadon green]
비취(翡翠)같이 푸른색[色]. ¶엄마는 비색의 한복을 입었다.

사:색¹ 四色 | 넉 사, 빛 색 [four colors]
❶[속뜻] 네[四] 가지 빛깔[色]. ❷[역사] 사색당파(四色黨派).

사:색² 死色 | 죽을 사, 빛 색 [turn deadly pale]
곧 죽을[死] 듯한 얼굴빛[色]. ¶그는 그 소식을 듣고 얼굴이 사색이 되었다.

생색 生色 | 날 생, 빛 색
[take credit to oneself; do oneself proud]
❶[속뜻] 얼굴빛[色]을 드러냄[生]. ❷다른 사람 앞에 당당히 나서거나 자랑할 수 있는 체면. ¶별것도 아닌 일에 생색을 내다.

손:색 遜色 | 못할 손, 빛 색 [inferior in]
❶[속뜻] 다른 것과 비교하여 빛깔[色]이 조금 못하거나[遜] 떨어짐. ❷다른 것과 견주어 보아 못한 점. ¶이 영화는 당대 최고의 작품이라고 해도 손색이 없다 / 그 청년은 어디에 내놓아도 손색없는 신랑감이다.

안색 顔色 | 얼굴 안, 빛 색
[color of the face; expression]
얼굴[顔]에 나타나는 빛깔[色]이나 표정. ¶안색이 창백하다 / 나는 그 말을 듣고 그의 안색을 살폈다.

염:색 染色 | 물들일 염, 빛 색 [dye]
염료를 사용하여 실이나 천 따위에 빛깔[色]을 물들임[染]. 또는 그런 일. ¶염색 공장 / 머리카락을 노란색으로 염색하다.

오:색 五色 | 다섯 오, 빛 색 [five cardinal colors]
❶[속뜻] 다섯[五] 가지 빛깔[色]. 청색, 황색, 적색, 백색, 흑색을 이른다. ❷여러 가지 빛깔.

옥색 玉色 | 구슬 옥, 빛 색 [jade green]
옥(玉)의 빛깔[色]과 같이 엷은 푸른색.

원색 原色 | 본디 원, 빛 색
[primary color; original color]
❶[속뜻] 본디[原]의 색(色). ❷모든 빛깔의 바탕이 되는 빛깔. 빨강, 노랑, 파랑을 이른다. ❸천연색(天然色). ¶원색 사진.

은색 銀色 | 은 은, 빛 색 [silver color; silver]
은(銀)과 같은 빛[色]. [비]은빛.

음색 音色 | 소리 음, 빛 색 [tone color]
[음악] 목소리나 악기 등이 지닌 소리[音]의 특색(特色). 또는 특색 있는 그 소리. ¶바이올린과 첼로는 음색이 다르다.

이:색 異色 | 다를 이, 빛 색
[different color; novelty]
❶[속뜻] 다른[異] 빛깔[色]. ❷성질이나 상태 등이 색다르게 두드러진 것. ¶이색공연이 유행한다.

일색 一色 | 한 일, 빛 색 [single color]
❶[속뜻] 한[一] 가지 빛깔[色]. ❷한 가지로만 이루어진 특색이나 정경. ¶회색빛 일색의 도시 / 이번 여름옷은 온통 꽃무늬 일색이다.

자:색 紫色 | 자줏빛 자, 빛 색 [purple]
자주(紫朱) 빛[色]. ¶아이리스는 봄에 흰색, 자색의 꽃을 피운다.

잡색 雜色 | 섞일 잡, 빛 색 [various colors]
❶[속뜻] 여러 가지 빛이 뒤섞인[雜] 빛깔[色]. ❷뒤섞여 있는 온갖 것. ❸[민속] 풍물놀이와 민속놀이에서 정식 구성원이 아니지만 놀이의 흥을 돋우기 위하여 등장하는 사람.

재색 才色 | 재주 재, 빛 색 [wits and beauty]
여자의 재주[才]와 용모[色]. ¶재색을 겸비한 규수.

적색 赤色 | 붉을 적, 빛 색 [red color; crimson]
붉은[赤] 빛[色]. ¶적색경보 / 정지를 알리는 적색 불빛이 깜빡거렸다.

정:색 正色 | 바를 정, 빛 색
[primary colors; look serious]
❶[속뜻] 안색(顔色)을 바르게[正] 함. ❷얼굴에 엄정한 빛을 나타냄. 또는 그 표정. ¶정색을 하고 말하다.

착색 着色 | 붙을 착, 빛 색 [color; paint; stain]
색[色]을 입힘[着]. ¶치아가 누렇게 착색되다.

채:색 彩色 | 빛깔 채, 빛 색
[color; paint in colors; decorate]
❶[속뜻] 여러 가지 빛깔[彩]의 색칠[色]. ❷그림이나 장식에 색을 칠함. ¶독특한 채색 기법 / 빨간 페인트로 담장을 채색하다.

청색 青色 | 푸를 청, 빛 색 [blue color; blue]
푸른[青] 빛[色]. ¶하늘이 부드러운 청색을 띤다.

탈색 脫色 | 벗을 탈, 빛 색 [decolorize]

섬유 제품 따위에 들어 있는 색깔[色]을 뺌[脫]. ¶이 옷은 햇빛에 탈색되었다. [반]염색(染色).

퇴:색 退色 | 물러날 퇴, 빛 색 [fade; discolor]
❶[속뜻]빛[色]이 물러나[退] 바램. ¶이 옷은 햇빛으로 퇴색되었다. ❷'무엇이 낡거나 몰락하면서 그 존재가 희미해지거나 볼품없이 됨'을 비유하여 이르는 말. ¶공산주의 이념이 갈수록 퇴색하고 있다.

특색 特色 | 특별할 특, 빛 색
[distinct characteristic]
❶[속뜻]특별(特別)한 색깔[色]. ❷다른 것과 특히 다른 점. ¶그는 별다른 특색 없는 평범한 사람이다.

행색 行色 | 다닐 행, 빛 색 [one's appearance]
❶[속뜻]다니는[行] 모습[色]. ❷나그네의 차림새 또는 모습. ¶초라한 행색.

혈색 血色 | 피 혈, 빛 색 [complexion; color]
❶[속뜻]피[血]의 빛[色]. ❷살갗에 나타난 핏기. ¶혈색이 좋다.

화색 和色 | 따스할 화, 빛 색
[peaceful countenance]
얼굴에 드러나는 온화(溫和)하고 환한 빛[色]. ¶민지는 아빠를 보자 얼굴에 화색이 돌았다.

황색 黃色 | 누를 황, 빛 색 [yellow]
누런[黃] 빛깔[色]. ¶황색 인종.

회색 灰色 | 재 회, 빛 색
[ash color; gray color]
재[灰]의 빛깔[色]. ¶회색 치마. [비]잿빛.

흑색 黑色 | 검을 흑, 빛 색 [black]
검은[黑] 빛[色]. [비]검은색, 검정. [반]백색(白色).

희색 喜色 | 기쁠 희, 빛 색
[glad countenance; joyful look]
기뻐하는[喜] 얼굴 빛[色]. ¶얼굴에 희색이 가득하다.

0142 [육]

育

기를 육
[部] 肉부 [劃] 8획 [中] 育 [yù]

育 育 育 育 育 育 育 育

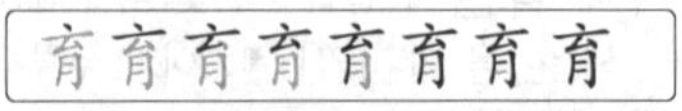

> 育자의 위 부분은 '아이 자'(子)자가 거꾸로 된 모양이다. 아이가 태어날 때 머리부터 나와서 모체와는 반대 방향이 되는 것과 관련이 있다고 한다. 아래 부분은 '고기 육'(肉←月)으로 표음요소이다. 본래 글자인 毓(육)은 어머니가 아이를 분만할 때의 모습을 생생하게 그려 놓은 것이었다. '(낳아) 기르다'(bring up)는 본뜻이 변함없이 그대로 애용되고 있다.

육성 育成 | 기를 육, 이룰 성
[promote; foster; nurture]
길러[育] 성장(成長)시킴. ¶우리 회사는 인재 육성에 힘쓰고 있다 / 이곳은 야구 선수를 체계적으로 육성하는 기관이다. [비]양성(養成).

육아 育兒 | 기를 육, 아이 아
[bring up infants; rear children]
어린 아이[兒]를 기름[育]. ¶육아 일기 / 육아 휴직.

육영 育英 | 기를 육, 뛰어날 영 [educate]
영재(英才)를 가르쳐 기름[育]. ¶그는 평생을 육영사업에 힘썼다.

• 역순어휘

교:육 教育 | 가르칠 교, 기를 육
[educate; instruct]
지식과 기술 따위를 가르치며[教] 인격을 길러[育] 줌. ¶아이를 교육하다 / 교육적 효과가 뛰어나다.

발육 發育 | 나타날 발, 기를 육
[growth; develop]
생물이 생겨나서[發] 차차 자람[育]. ¶그 아이는 발육이 빠르다. [비]성장(成長).

보:육 保育 | 도울 보, 기를 육
[bring up; rear; nurse]
어린 아이들을 돌보아[保] 기름[育]. ¶아동 보육을 지원하다 / 보육시설.

사육 飼育 | 먹일 사, 기를 육
[breed; raise]
짐승 따위를 먹여[飼] 기름[育].

양:육 養育 | 기를 양, 기를 육 [bring up]
아이를 보살펴서 기름[養=育]. ¶자녀 양육은 엄마만의 몫이 아니다.

체육 體育 | 몸 체, 기를 육 [physical exercise; physical education; gymnastics]
[교육]몸[體]과 운동 능력을 기르는[育] 일. 또는 그것을 목적으로 하는 교육. ¶체육 수업을 받다.

훈:육 訓育 | 가르칠 훈, 기를 육 [educate]
❶[속뜻]가르쳐[訓] 기름[育]. ❷의지나 감정을 함양하여 바람직한 인격의 형성을 목적으로 하는 교육. ¶훈육을 받다 / 자식을 훈육하다.

0143 [산]

算

셈 산:
[部] 竹부 [劃] 14획 [中] 算 [suàn]

算 算 算 算 算 算 算 算 算 算 算 算 算 算

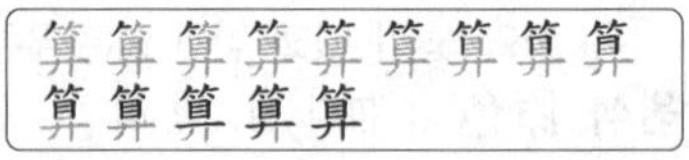

算자는 '대 죽'(竹)과 '갖출 구'(具)가 합쳐진 것인데, 具자의 아래 부분이 약간 달라졌다. 竹은 筭(산가지 산), 즉 수효를 셀 때 쓴 대나무 막대기를 가리킨다. 셈을 할 때 쓸 대나무 막대기를 갖추어 놓은 것으로 '셈하다' (count)는 뜻을 나타냈다.

[속뜻훈음] 셈 산.

산:수 算數 | 셀 산, 셀 수 [calculate; arithmetic]
❶[속뜻] 수(數)를 계산(計算)함. ❷[수학] 수의 성질, 셈의 기초, 초보적인 기하 따위를 가르치는 학과.

산:술 算術 | 셀 산, 꾀 술 [calculation]
❶[속뜻] 셈[算]을 하는 기술(技術). ❷[수학] 일상생활에 실지로 응용할 수 있는 수와 양의 간단한 성질 및 셈을 다루는 수학적 계산 방법.

산:정 算定 | 셀 산, 정할 정 [compute; calculate]
계산(計算)하여 정(定)함. ¶판매 가격을 산정하다.

산:출 算出 | 셀 산, 날 출 [calculate; compute]
계산(計算)해 냄[出]. ¶성적 산출 / 예산을 산출하다.

산:통 算筒 | 셀 산, 대롱 통
[case for bamboo fortune slips]
산(算)가지를 넣은 조그마한 통(筒). ¶산통을 들고 점을 치다. [관용] 산통을 깨다.

• 역순어휘

가산 加算 | 더할 가, 셀 산 [add; include]
❶[속뜻] 더하여[加] 계산(計算)하다. 또는 그러한 셈법. ❷[수학] 덧셈. ¶원금에 이자를 가산하다. [반] 감산(減算).

검:산 檢算 | 검사할 검, 셀 산 [check accounts]
계산(計算)의 맞고 안 맞음을 검사(檢査)함. ¶검산해 보니 계산이 틀렸다.

결산 決算 | 결정할 결, 셀 산 [settle an account]
❶[속뜻] 계산(計算)을 마감함[決]. ❷공공기관이나 기업체 등에서 일정 기간의 수입과 지출을 계산하는 일. ¶월말에 매출을 결산하다. [반] 예산(豫算).

계:산 計算 | 셀 계, 셀 산 [calculate; reckon]
❶[속뜻] 수량을 셈[計=算]. ❷[수학] 식을 연산(演算)하여 수치를 구하는 것. ¶남은 돈을 잘 계산해 보았다.

공산 公算 | 여럿 공, 셀 산 [probability; likelihood]
❶[속뜻] 여러 사람[公]들이 확실하다고 생각하는 셈[算]. ❷확실성의 정도. ¶이길 공산이 크다.

승산 勝算 | 이길 승, 셀 산
[prospects of victory; chance of victory]
이길[勝] 공산(公算)이나 가능성. ¶그도 금메달을 딸 승산이 있다.

암:산 暗算 | 어두울 암, 셀 산 [mental arithmetic]
계산기, 수판 따위를 이용하지 아니하고 어렴풋이[暗] 계산(計算)함. ¶암산이 빠르다.

연:산 演算 | 펼칠 연, 셀 산 [operation]
[수학] 식이 나타낸 일정한 규칙에 따라 펼쳐서[演] 계산(計算)함. ¶사칙 연산.

예:산 豫算 | 미리 예, 셀 산 [budget]
❶[속뜻] 필요한 비용을 미리[豫] 헤아려 계산(計算)함. 또는 그 비용. ¶예산을 짜다. ❷[경제] 국가나 단체에서 한 회계 연도의 수입과 지출을 미리 셈하여 정한 계획. ¶교육 예산. [반] 결산(決算).

오:산 誤算 | 그르칠 오, 셀 산
[miscalculate; misjudge]
❶[속뜻] 잘못 그르치게[誤] 셈함[算]. 또는 그 셈. ❷추측이나 예상을 잘못함. 또는 그런 추측이나 예상. ¶그가 돌아온다고 생각하면 오산이다.

전:산 電算 | 전기 전, 셀 산 [data processing]
전자(電子) 회로를 이용한 고속의 자동 계산기(計算器). 숫자 계산, 자동 제어, 데이터 처리, 사무 관리, 언어나 영상 정보 처리 따위에 광범위하게 이용된다. ¶전산 처리. [비] 컴퓨터.

주산 珠算 | 구슬 주, 셀 산 [abacus calculation]
구슬[珠] 모양의 알을 이용하여 셈하는[算] 기구. ¶그는 주산을 잘 해서 계산을 빨리 한다.

청산 清算 | 맑을 청, 셀 산 [pay off; clear; end]
서로 채권·채무 관계를 말끔하게[清] 셈하여[算] 정리함. ¶빚을 청산하다.

추산 推算 | 밀 추, 셀 산 [estimate at; calculate]
미루어[推] 셈함[算]. ¶그의 재산은 약 10억 원으로 추산된다.

타:산 打算 | 칠 타, 셀 산 [calculate]
❶[속뜻] 셈[算]판을 튀겨 봄[打]. ❷자신에게 도움이 되는지를 따져 헤아림. ¶타산이 빠르다.

환:산 換算 | 바꿀 환, 셀 산 [convert; change]
단위를 바꾸어[換] 계산(計算)함. ¶숙박비를 달러로 환산하면 500달러이다.

0144 [화]

花

꽃 화
[部] 艸부 [劃] 8획 [中] 花 [huā]

花 花 花 花 花 花 花 花

花자는 한 송이 꽃이 피어 있는 모습을 그린 華(화)의 속자였다. 후에 華자는 '화려하다' (flowery)는 뜻을 차지하고, 花자는 '꽃' (flower)이란 뜻을 차지하는 分家(분가)가 이루어짐으로써 속자란 굴레를 벗게 됐다. 이 경우의 化(될 화)는 표음요소이니 뜻과는 아무런 관련이 없다.

화관 花冠 | 꽃 화, 갓 관
[woman's ceremonial coronet]
꽃[花]으로 아름답게 장식한 관(冠). ¶화관을 쓴 공주님.

화단 花壇 | 꽃 화, 단 단 [flower bed]
꽃[花]을 심기 위하여 뜰 한쪽에 흙을 한 층 높게 쌓은 단(壇). ¶화단에 연산홍을 심었다. ㊈꽃밭.

화랑 花郎 | 꽃 화, 사나이 랑
❶속뜻 꽃[花]처럼 아름다운 사나이[郎]. ❷역사 신라 때의, 청소년 수양 단체. 문벌과 학식이 있고 외모가 단정한 사람으로 조직, 심신의 단련과 사회의 선도를 이념으로 하였다.

화문 花紋 | 꽃 화, 무늬 문 [flower pattern]
꽃[花] 모양의 무늬[紋].

화병 花甁 | 꽃 화, 병 병 [(flower) vase]
꽃[花]을 꽂는 병(甁). ¶화병에 국화꽃을 꽂다. ㊈꽃병.

화분 花盆 | 꽃 화, 동이 분 [flowerpot; jardiniere]
꽃[花]을 심어 가꾸는 동이그릇[盆]. ¶화분에 물을 주다.

화원 花園 | 꽃 화, 동산 원 [flower garden]
❶속뜻 꽃[花]을 심은 정원(庭園). ❷꽃을 파는 가게. ¶나는 화원에서 안개꽃 한 다발을 샀다.

화전 花煎 | 꽃 화, 지질 전 [fried-flower cookies]
진달래나 국화 따위의 꽃[花]잎을 붙여 만든 지짐[煎]. ¶단옷날에는 화전을 부쳐 먹는 풍습이 있다.

화채 花菜 | 꽃 화, 나물 채
꿀이나 설탕을 탄 물에 꽃[花]잎이나 나물[菜] 따위를 뜯어 넣고 잣을 띄운 음료. ¶수박으로 화채를 만들어 먹다.

화초 花草 | 꽃 화, 풀 초
[flowering plants; flowers]
꽃[花]이 피는 식물[草]. ¶화초를 가꾸다. ㊈화훼(花卉).

화투 花鬪 | 꽃 화, 싸울 투
❶속뜻 꽃[花]이 그려진 딱지로 하는 놀음[鬪]. ❷운동 48장으로 된 놀이 딱지. 계절에 따른 솔, 매화, 벚꽃, 난초, 모란, 국화, 오동 따위 열두 가지 그림이 각각 네 장씩 모두 48장으로, 짓고땡·육백·고스톱 따위의 노는 방법이 있다. ¶할머니가 화투를 치신다.

화환 花環 | 꽃 화, 고리 환
[(floral) wreath; garland (of flowers)]
꽃[花]으로 만든 고리[環] 모양의 것. ¶결혼식에 화환을 보내다.

화훼 花卉 | 꽃 화, 풀 훼 [flowering plant]
꽃[花]이 피는 풀[卉]. ¶화훼 단지 / 화훼를 재배하다. ㊈화초(花草).

• 역순어휘

개화 開花 | 열 개, 꽃 화
[bloom; be enlightened]
❶속뜻 꽃[花]을 피움[開]. ¶봄이 되자 식물이 개화를 시작했다. ❷'문화의 발달'을 비유하여 이르는 말. ¶그 나라도 이제는 많이 개화되었다. ㊇낙화(落花).

국화¹ 國花 | 나라 국, 꽃 화 [national flower]
한 나라[國]를 상징하는 꽃[花]. 우리나라는 무궁화, 영국은 장미, 프랑스는 백합이다.

국화² 菊花 | 국화 국, 꽃 화
[chrysanthemum (flower); mum]
식물 국화과[菊]의 여러해살이풀. 또는 그 꽃[花].

낙화 落花 | 떨어질 락, 꽃 화 [falling of blossoms]
떨어진[落] 꽃[花]. 또는 꽃이 떨어짐. ¶낙화유수(落花流水). ㊇개화(開花).

매화 梅花 | 매화나무 매, 꽃 화
[Japanese apricot tree]
매화나무[梅]의 꽃[花]. 또는 매화나무.

면화 綿花 | 솜 면, 꽃 화 [cotton]
식물 솜[綿]을 채취하는 목화(木花).

목화 木花 | 나무 목, 꽃 화 [cotton]
❶속뜻 솜이 나무[木]의 꽃[花]처럼 달리는 식물. ❷식물 아욱과의 한해살이풀. 솜털을 모아서 솜을 만들고 씨는 기름을 짠다. ¶목화를 틀어 솜을 만들다. ㊈면화(綿花).

백화 百花 | 일백 백, 꽃 화
[all kinds of flowers]
온갖[百] 꽃[花]. 여러 가지 꽃. ¶장미꽃은 백화의 왕이다.

생화 生花 | 살 생, 꽃 화 [natural flower]
진짜 살아 있는[生] 꽃[花]. ㊇조화(造花).

송화 松花 | 소나무 송, 꽃 화
[flowers of the pine]
소나무[松]의 꽃[花]. 또는 그 꽃가루.

조:화¹ 弔花 | 위문할 조, 꽃 화 [funeral flowers]
조의(弔意)를 표하는 데 쓰는 꽃[花]. ¶장례식장에 가서 조화를 바치고 절을 올렸다.

조:화² 造花 | 만들 조, 꽃 화 [artificial flower]
인공적으로 만든[造] 꽃[花]. ¶화병에 조화를 꽂았다. ㊇생화(生花).

0145 [초]

草

풀 초
部 艸부 劃 10획 中 草 [cǎo]

草 草 草 草 草 草 草 草 草 草

草자는 원래 풀이 자라는 모습을 그린 艸(초)자로 쓰다가 후에 표음요소인 早(새벽 조)가 덧붙여졌다. '풀'(grass)이 본뜻인데, 풀같이 '거칠다'(rough)는 뜻으로도 쓰인다.
속뜻훈음 ①풀 초, ②거칠 초.

초가 草家 | 풀 초, 집 가
[grass-roofed house; thatched house]
풀[草]이나 짚 따위로 지붕을 인 집[家]. ¶초가 한 칸.

초고 草稿 | 거칠 초, 원고 고
[rough copy; notes; manuscript]
아직 다듬지 않은 거친[草] 상태의 원고(原稿). ¶금요일까지 초고를 편집해야 한다.

초록 草綠 | 풀 초, 초록빛 록 [green; verdure]
풀[草]의 빛깔과 같이 푸른빛을 약간 띤 녹색(綠色). 또는 그 물감. ¶산이 온통 초록으로 물들었다. 속담 초록은 동색.

초목 草木 | 풀 초, 나무 목
[trees and plants; grass and trees]
풀[草]과 나무[木]. ¶산은 짙푸른 초목으로 우거져 있다.

초서 草書 | 거칠 초, 쓸 서 [cursive style]
❶속뜻 거칠게[草] 쓴[書] 글씨. ❷행서를 풀어 점과 획을 줄여 쓴 글씨. ¶초서로 갈겨 쓰다.

초식 草食 | 풀 초, 밥 식 [eat grass; live on grass]
풀[草]로 만든 음식(飮食). 반 육식(肉食).

초안 草案 | 거칠 초, 문서 안 [rough draft]
❶속뜻 다듬지 않아 거친[草] 문서[案]나 글. ¶연설문의 초안을 쓰다. ❷애벌로 안(案)을 잡음. 또는 그 안. ¶초안을 토의하다.

초야 草野 | 풀 초, 들 야
[remote village; backwoods]
❶속뜻 풀[草]로 뒤덮인 들판[野]. ❷궁벽한 시골. ¶초야에 묻혀 살다.

초원 草原 | 풀 초, 들판 원 [plain; grassland]
온통 풀[草]로 뒤덮여 있는 들판[原]. ¶초원을 뛰노는 양떼.

초정 草亭 | 풀 초, 정자 정
풀[草]이나 갈대 따위로 지붕을 얹은 정자(亭子). ¶초정에 홀로 앉아 책을 읽고 있다.

초창 草創 | 거칠 초, 처음 창
[beginning; start; early stage]
❶속뜻 거칠게[草] 처음[創] 시작함. ❷사업을 일으켜 시작함.

• 역순어휘

감초 甘草 | 달 감, 풀 초 [licorice root]
❶속뜻 단맛[甘]을 내는 풀[草]. ❷식물 높이는 1미터 가량이며, 붉은 갈색의 뿌리는 단맛이 나는데 먹거나 약으로 쓰는 풀. 속담 약방에 감초.

건초 乾草 | 마를 건, 풀 초
[hay; dried grass]
베어 말린[乾] 풀[草]. ¶말에게 건초를 먹이다. 비 말린 풀, 마른풀. 반 생초(生草).

난초 蘭草 | 난초 란, 풀 초 [orchid; orchis]
❶식물 난초과(蘭草科)의 다년초(多年草)를 통틀어 이름. 대체로 꽃이 아름답고 향기가 좋다. ❷화투짝의 한 가지. 난초를 그린 5월을 상징하는 딱지. 준 난.

목초 牧草 | 칠 목, 풀 초 [grass; pasture]
가축을 치기[牧] 위한 풀[草]. 비 꼴.

벌초 伐草 | 칠 벌, 풀 초
[mow; cut the weeds]
봄과 가을에 무덤의 잡풀[草]을 베어서[伐] 깨끗이 함. ¶명절 전에 벌초를 하다.

사:초 史草 | 역사 사, 거칠 초
역사 조선 시대에 사관(史官)이 기록하여 둔 초고(草稿). 실록(實錄)의 원고가 되었다. ¶임금은 사초를 볼 수 없다.

수초 水草 | 물 수, 풀 초 [water weed]
식물 물[水]에서 서식하는 풀[草]. 비 물풀.

약초 藥草 | 약 약, 풀 초 [medical plant]
약(藥)으로 쓰는 풀[草]. ¶약초를 캐다 / 약초 채집가.

잡초 雜草 | 섞일 잡, 풀 초 [weeds]
여러 가지 쓸모없는 풀[草]이 뒤섞여[雜] 있음. 또는 그런 풀. ¶논에 잡초를 뽑다. 비 잡풀.

제초 除草 | 덜 제, 풀 초 [weed]
잡초[草]를 뽑아 없앰[除]. ¶괭이로 정원의 잡초를 제초하다. 비 살초(殺草).

해:초 海草 | 바다 해, 풀 초 [seaweeds]
식물 바다[海]에서 자라는 풀[草]. ¶바닷물에 해초가 떠다닌다.

화초 花草 | 꽃 화, 풀 초
[flowering plants; flowers]
꽃[花]이 피는 식물[草]. ¶화초를 가꾸다. 비 화훼(花卉).

0146 [리]

里

마을 리:

[部] 里부 [劃] 7획 [中] 里 [lǐ]

里 里 里 里 里 里 里

里자는 '마을'(a village)이란 뜻을 나타내기 위해 '밭 전'(田)과 '흙 토'(土)를 합쳐 놓은 것이다. '시골'(a rural area), '거리 단위'(a Korean mile) 등으로도 쓰인다.
[속뜻 훈음] ①마을 리, ②거리 리.

이:장 里長 | 마을 리, 어른 장 [head of a village]
행정 구역의 단위인 '리'(里)를 대표하여 일을 맡아보는 사람[長].

이:정 里程 | 거리 리, 거리 정 [mileage; distance]
목적지까지 거리[程]의 이수(里數). ¶이곳에서 서울까지의 이정이 얼마나 될까?

• 역순어휘

만:리 萬里 | 일만 만, 거리 리 [long distance]
아주 먼[萬] 거리[里].

천리 千里 | 일천 천, 거리 리 [long distance]
❶[속뜻] 1리(里)의 천(千)배에 해당하는 거리. ❷'매우 먼 거리'를 비유하는 말. ¶어머니는 천리 길도 마다 않고 나를 보러 오셨다.

해:리 海里 | 바다 해, 거리 리 [sea mile]
해상(海上)의 거리[里]를 나타내는 단위. 위도 1도의 60분의 1로 약 1852m이다.

0147 [중]

重

무거울 중(:)

[部] 里부 [劃] 9획 [中] 重 [zhòng]

重 重 重 重 重 重 重 重 重

重자는 '마을 리'(里)가 부수이지만 의미와는 아무런 관련이 없다. 원래는 땅 위에 重厚(중:후)한 자세로 우뚝 서 있는 사람의 모습을 그린 壬(임/정)이 표의요소이고, 표음요소인 東(동)이 결합된 것이었는데, 세월 따라 자형이 크게 달라졌다. '두껍다'(thick)가 본뜻인데, '무겁다'(heavy), '겹치다'(=거듭하다 overlap; double) 등으로 확대 사용됐다. '무겁다'는 뜻일 때에는 장음인 [중:]으로 읽고, '겹치다'는 뜻일 때에는 단음인 [중]으로 읽는다.
[속뜻 훈음] ①무거울 중, ②거듭 중, ③겹칠 중.

중:건 重建 | 거듭 중, 세울 건 [rebuilding]
절이나 궁궐 따위의 건물을 손질하여 다시[重] 세움[建]. ¶흥선대원군은 경복궁을 중건하면서 백성들의 원망을 샀다.

중:대 重大 | 무거울 중, 큰 대
[be important; be significant]
가볍게 여길 수 없을 만큼 아주 무겁고[重] 큼[大]. ¶중대 발표를 하다/ 이것은 내 진로를 결정할 중대한 문제이다.

중:량 重量 | 무거울 중, 분량 량 [weight]
물건의 무거운[重] 분량[量]. 또는 무거운 정도 ¶이 소포는 중량 초과로 요금을 더 내셔야 합니다. [비]무게. [반]경량(輕量).

중:력 重力 | 무거울 중, 힘 력 [gravity]
❶[속뜻] 무거운[重] 힘[力]. ❷[물리] 지구가 지구 위에 있는 물체를 끄는 힘. ¶달에 가면 중력을 덜 받게 된다.

중:병 重病 | 무거울 중, 병 병
[serious illness; severe disease]
목숨이 위태로울 만큼 무거운[重] 병(病). ¶중병에 걸린 환자를 돌보다.

중:복 重複 | 거듭 중, 겹칠 복 [overlap; repeat]
같은 것이 두 번 이상 거듭[重]하여 겹침[複]. ¶한 문장에서 같은 단어의 중복은 피하는 것이 좋다.

중:상 重傷 | 무거울 중, 다칠 상 [serious injury]
심하게[重] 다침[傷]. 또는 몹시 다친 상처. ¶교통사고로 사람들이 중상을 입었다. [반]경상(輕傷).

중:석 重石 | 무거울 중, 돌 석 [tungsten]
[광업] 텅스텐. 이 광석을 발견한 스웨덴의 과학자 크론슈테트가 스웨덴어로 '무거운[重] 돌[石]'이라는 뜻의 'tungsten'으로 부른 데서 유래.

중:시 重視 | 무거울 중, 볼 시
[take a serious view; value much of]
중요(重要)하게 봄[視]. ¶우리 학교는 학생들의 개성을 중시한다. [반]경시(輕視).

중:심 重心 | 무거울 중, 가운데 심
[center of gravity; balance]
무게[重]의 한 가운데[心] 점. ¶무게 중심 / 중심을 잃고 쓰러지다.

중:압 重壓 | 무거울 중, 누를 압 [heavy pressure]
❶[속뜻] 무겁게[重] 내리누름[壓]. ¶다리가 중압을 이기지 못하고 무너져버렸다. ❷참기 어려운 부담을 주거나 강요하는 것. ¶나는 시험을 잘 봐야 한다는 중압을 받았다 / 무거운 세금에 중압감(重壓感)을 느끼다.

중:양 重陽 | 거듭 중, 볕 양
[ninth day of the ninth lunar month]

❶[음악] 양점(陽點)이 겹친[重] 장구의 '겹채'를 이르는 말. ❷[민속] '중양절'(重陽節)의 준말.

중:언 重言 | 거듭 중, 말씀 언 [respeak; repeatedly say]
거듭[重] 말함[言].

중:역 重役 | 무거울 중, 부릴 역 [director; executive]
❶[속뜻] 책임이 무거운[重] 역할(役割). ❷은행이나 회사 따위에서 중요한 소임을 맡은 임원. ¶그는 이제 회사의 중역이 됐다.

중:요 重要 | 무거울 중, 요할 요 [important; significant]
귀중(貴重)하고 요긴(要緊)함. ¶중요 인물을 중심으로 찾아보다 / 언어는 꾸준히 공부하는 것이 중요하다.

중:용 重用 | 무거울 중, 쓸 용 [give an important position]
중요(重要)한 자리에 임명하여 부림[用]. 소중히 씀. ¶고려 초기에는 문관들을 중용했다.

중:유 重油 | 무거울 중, 기름 유 [heavy oil]
❶[속뜻] 비중이 커서 무거운[重] 기름[油]. ❷[공업] 석유를 정제하여 휘발유, 경유, 등유 등을 짜낸 후 남은 기름.

중:점 重點 | 무거울 중, 점 점 [emphasis; priority]
가장 중요(重要)한 점(點). 중요하게 여겨야 할 점. ¶이 책은 학생들의 이해를 돕는 데 중점을 두었다.

중:죄 重罪 | 무거울 중, 허물 죄 [felony; serious crime]
무거운[重] 죄(罪). 큰 죄. ¶예전에 불효(不孝)는 중죄로 다스려 무거운 형벌을 내렸다.

중:주 重奏 | 겹칠 중, 연주할 주 [duet]
[음악] 각 악기가 각각 다른 성부를 맡아 함께 겹쳐서[重] 연주(演奏)하는 합주의 한 형식 또는 그 연주.

중:증 重症 | 무거울 중, 증세 증 [severe case; serious illness]
몹시 위중(危重)한 병의 증세(症勢). ¶중증 장애인 / 병이 워낙 중증이라 치료가 거의 불가능하다.

중:창 重唱 | 겹칠 중, 부를 창 [part song; vocal ensemble]
[음악] 각 성부(聲部)를 한 사람이 하나씩 맡아 동시에[重] 노래함[唱]. 또는 그 노래.

중:책 重責 | 무거울 중, 꾸짖을 책 [heavy responsibility]
중대(重大)한 책임(責任). ¶그는 이번에 외국 손님을 접대하는 중책을 맡았다.

중:탕 重湯 | 거듭 중, 끓을 탕 [warm up in a double boiler]
❶[속뜻] 거듭[重]하여 끓임[湯]. ❷끓는 물속에 음식 담은 그릇을 넣어 익히거나 데움. ¶한약을 중탕해서 마시다.

중:태 重態 | 무거울 중, 모양 태 [serious condition]
병이 위중(危重)한 상태(狀態). ¶교통사고로 중태에 빠지다.

중:형 重刑 | 무거울 중, 형벌 형 [heavy penalty; severe punishment]
크고 무거운[重] 형벌(刑罰). ¶징역 20년의 중형을 선고받다.

중:환 重患 | 무거울 중, 병 환 [serious illness]
위중(危重)한 질환(疾患). [반]경환(輕患).

중:후 重厚 | 무거울 중, 두터울 후 [be grave and generous]
❶[속뜻] 태도 따위가 무게가 있고[重] 부피가 있다[厚]. ¶그 신사는 중후한 멋을 풍긴다. ❷작품이나 분위기가 엄숙하고 무게가 있다. ¶집의 실내는 중후한 느낌의 가구들로 꾸며져 있다.

• 역순어휘

가중 加重 | 더할 가, 무거울 중 [weight; increase]
❶[속뜻] 더[加] 무거워짐[重]. ¶국민 부담이 가중되다. ❷[법률] 죄가 더 무거워짐. 형벌을 더 무겁게 함. ¶형을 가중하다. [반]감경(減輕).

경중 輕重 | 가벼울 경, 무거울 중 [weight]
❶[속뜻] 가벼움[輕]과 무거움[重]. 또는 그 정도. ❷중요한 것과 중요하지 않은 것. ¶사건의 경중을 따지다.

과:중 過重 | 지나칠 과, 무거울 중 [too heavy; burdensome]
❶[속뜻] 지나치게[過] 무거움[重]. ❷힘에 벅차다. ¶과중한 책임을 지다.

귀:중 貴重 | 귀할 귀, 무거울 중 [precious; valuable]
매우 귀(貴)하고 소중(所重)하다. [비]진귀(珍貴), 중요(重要).

다중 多重 | 많을 다, 겹칠 중 [multiplex]
여러[多] 겹[重]. 겹겹. ¶다중 인격 / 다중 방송.

막중 莫重 | 없을 막, 무거울 중 [grave; very important]
임무 따위가 더할 수 없이[莫] 무겁다[重]. ¶막중한 임무를 짊어지다.

비:중 比重 | 견줄 비, 무거울 중 [specific gravity]
❶[속뜻] 다른 것과 견주었을[比] 때 무겁거나[重] 중요한

정도. ¶입학시험에서는 수학의 비중이 매우 크다. ❷ 물리 어떤 물질의 질량과 그것과 같은 체적의 표준물질의 질량과의 비. ¶구리는 철보다 비중이 크다.

사:중 四重 | 넉 사, 겹칠 중 [quadruple; fourfold]
네[四] 겹[重]. ¶사중으로 에워싸다.

삼중 三重 | 석 삼, 겹칠 중 [triple]
세[三] 가지가 겹치는[重] 일. 또는 세 번 거듭되는 일. ¶삼중으로 된 유리.

소:중 所重 | 것 소, 무거울 중
[valuable; significant]
매우 귀중(貴重)한 어떤 것[所]이 있음. ¶그의 말은 내게도 소중한 것이었다.

신:중 愼重 | 삼갈 신, 무거울 중
[cautious; discreet]
행동을 삼가고[愼], 입을 무겁게[重] 닫고 조심스러워 함. ¶신중을 기하다 / 그는 모든 일에 신중하다 / 신중히 생각하다.

엄중 嚴重 | 엄할 엄, 무거울 중 [strict; stringent]
태도가 엄격(嚴格)하고, 분위기가 무거움[重]. ¶엄중처벌 / 그 국회의원은 엄중한 조사를 받았다.

위중 危重 | 위태할 위, 무거울 중
[be in a critical condition; serious; grave]
목숨이 위태(危殆)로울 만큼 병세가 심각하다[重]. ¶아버지가 위중하다는 전보를 받았다.

육중 肉重 | 몸 육, 무거울 중
[bulky and heavy; ponderous]
몸집[肉]이나 생김새 따위가 투박하고 무겁다[重]. ¶그는 육중한 몸을 의자에서 일으켰다.

이:중 二重 | 두 이, 겹칠 중 [duplication; double]
두[二] 겹[重]. 겹침. ¶이중 국적 / 이중으로 주차하지 마세요.

자중 自重 | 스스로 자, 무거울 중
[use prudence; be cautious]
❶ 속뜻 자기(自己)를 소중(所重)히 함. ❷말이나 행동, 몸가짐 따위를 신중하게 함. ¶앞으로는 좀 더 자중하겠습니다.

장중 莊重 | 꾸밀 장, 무거울 중 [solemn; grave]
❶ 속뜻 꾸밈[莊] 따위가 무겁게[重] 보임. ❷장엄하고 무겁게 느껴진다. ¶장중한 분위기 / 경기장에서 애국가가 장중하게 울려 퍼졌다.

정:중 鄭重 | 점잖을 정, 무거울 중
[polite; courteous]
태도나 모양이 점잖고[鄭] 묵직하다[重]. 은근하고 친절하다. ¶그는 어른에게 항상 정중하다 / 정중히 사과하다.

존중 尊重 | 높을 존, 무거울 중 [respect; esteem]
높여[尊] 귀중(貴重)하게 대함. ¶존중받고 싶다면 남부터 존중하라.

체중 體重 | 몸 체, 무거울 중 [weight]
몸[體]의 무게[重]. ¶체중을 재다.

치:중 置重 | 둘 치, 무거울 중
[focus (on); concentrate (on)]
무엇에 중점(重點)을 둠[置]. ¶그는 공부에만 치중하느라 건강이 나빠졌다.

편중 偏重 | 치우칠 편, 무거울 중
[give too much importance]
어느 한쪽으로 치우치게[偏] 소중(所重)히 함. ¶문화시설이 대도시에 편중된 것 같다.

0148 [어]

語 말씀 어:
部 言부 劃 14획 中 语 [yǔ]

語語語語語語語語語語語語語語

語자의 言(언)은 '말'(word)을 뜻하는 표의요소이다. 吾(오)가 표음요소임은 圄(옥 어), 齬(어긋날 어)도 마찬가지다. 표의요소의 뜻이 그 글자의 뜻과 일치하는 흔치 아니한 예다. '말씀'은 경우에 따라 높임말도 되고, 낮춤말도 된다. '말씀 어'의 '말씀'은 높임말도 낮춤말도 아닌 '말'(words; speech)과 같은 뜻이다. '말 어'라고 하면 'horse'(馬)와 혼동될 여지가 있어서 '말씀 어'라고 한 것 같다.

어:감 語感 | 말씀 어, 느낄 감
[sensitivity to words; nuance]
말소리나 말투[語]에서 묻어 나오는 느낌[感]. ¶이 표현은 어감이 좋지 않다. ⑪뉘앙스.

어:구 語句 | 말씀 어, 글귀 구
[words and phrases]
말[語]의 마디나 구절(句節). ¶그 어구의 뜻을 잘 풀이해 보다.

어:근 語根 | 말씀 어, 뿌리 근 [root of a word]
언어 단어(單語)의 근본(根本)이 되는 부분. 단어를 분석할 때, 실질적 의미를 나타내는 중심이 되는 부분. ¶'뛰다'의 어근은 '뛰'이다.

어:눌 語訥 | 말씀 어, 말 더듬을 눌
[be slow of speech]
말[語]을 더듬다[訥]. ¶그는 말투가 어눌하여 잘 알아들을 수가 없다.

어:법 語法 | 말씀 어, 법 법

[(a mode of) expression; grammar]
언어 말[語]의 일정한 법칙(法則). ¶어법에 맞게 말해야 한다.

어:색 語塞 | 말씀 어, 막힐 색 [feel awkward]
❶속뜻 말[語]이 막히다[塞]. ❷말이 궁하여 답변할 말이 없다. ¶어색한 변명. ❸서먹서먹하고 쑥스럽다. ¶어색한 웃음.

어:원 語源 | 말씀 어, 근원 원
[derivation of a word; etymology]
어떤 단어(單語)가 생겨난 근원(根源). ¶'설거지'의 어원을 조사하다.

어:절 語節 | 말씀 어, 마디 절
언어 낱말[語] 각각의 마디[節]. 문장 성분의 최소 단위로서 띄어쓰기의 단위가 된다. ¶'혜리가 소설책을 본다'에서 '혜리가', '소설책을', '본다'가 어절에 해당한다.

어:조 語調 | 말씀 어, 가락 조
[tone of the voice; accent]
❶속뜻 말[語]의 가락[調]. ❷말하는 투. ¶격렬한 어조. ⓑ말투.

어:족 語族 | 말씀 어, 겨레 족
[family of languages]
언어 언어(言語)의 종족(種族). 언어를 계통에 따라 묶은 것으로 인도·유럽 어족, 알타이 어족, 함장 어족 따위. ¶한국어는 알타이 어족에 속한다.

어:투 語套 | 말씀 어, 버릇 투 [way one talks]
말[語] 하는 버릇[套]. ¶그는 못 믿겠다는 어투로 말했다. ⓑ말투, 어조(語調).

어:학 語學 | 말씀 어, 배울 학
[language study; philology]
언어 ❶언어(言語)를 연구하는 학문(學問). ❷외국어를 연구하거나 습득하기 위한 학문. 또는 그런 학과(學科). ¶그 아이는 어학에 재능이 있다.

어:휘 語彙 | 말씀 어, 모일 휘
[vocabulary; glossary]
어떤 분야에서 쓰이는 단어(單語)를 모은[彙] 수효. 또는 그러한 단어의 전체. ¶경제학 관련 어휘를 많이 알고 있다.

• 역순어휘

경:어 敬語 | 공경할 경, 말씀 어 [term of respect]
존경(尊敬)의 뜻을 나타내기 위하여 사용하는 말[語]. ¶어른에게 경어를 쓰다. ⓑ높임말, 존댓말. ⓑ비어(卑語).

고:어 古語 | 옛 고, 말씀 어 [archaic word]
옛[古] 말[語]. ⓑ옛말. ⓑ현대어(現代語).

구:어 口語 | 입 구, 말씀 어 [spoken language]
언어 주로 입[口]에서 나오는 일상적인 대화에서 사용하는 말[語]. ⓑ입말. ⓑ문어(文語).

국어 國語 | 나라 국, 말씀 어
[Korean language; Korean]
❶속뜻 한 나라[國]에서 정한 표준말[語]. ❷우리나라의 언어. 한국어의 준말. ⓑ외국어(外國語).

논어 論語 | 말할 론, 말씀 어
[Analects of Confucius]
책명 공자(孔子)의 논설(論說)과 어록(語錄)을 모아 엮은 책.

단어 單語 | 홑 단, 말씀 어 [word; vocabulary]
❶속뜻 말뜻을 간단(簡單)하게 하는 말[語]. ❷언어 문법상의 일정한 뜻과 기능을 지닌 최소 단위의 말. ¶단어 실력을 늘리다 / 영어 단어를 많이 알고 있다. ⓑ낱말.

독어 獨語 | 독일 독, 말씀 어 [German]
언어 독일(獨逸)·오스트리아·스위스 등지에서 쓰는 말[語].

문어 文語 | 글월 문, 말씀 어 [written language]
언어 주로 글[文]에만 쓰이는 말[語]. 일상적인 대화에서 쓰는 말이 아닌 문장에서만 쓰는 말. ⓑ구어(口語).

불어 佛語 | 부처 불, 말씀 어
[Buddhistic terms; French]
❶불교 부처[佛]의 말[語]. 불교 경전. ❷언어 프랑스어. 라틴어에서 분화한 언어의 한 갈래로 프랑스, 벨기에 남부, 스위스 서부 등지에서 쓴다. '프랑스'를 '佛蘭西'라 음역한 데서 유래되어, 프랑스어를 '佛語'라 한다.

속어 俗語 | 속될 속, 말씀 어 [slang word]
❶속뜻 민간에서 통속적으로 쓰이는 속(俗)된 말[語]. ❷세간의 상스러운 말. ¶상스러운 속어를 쓰지 말자.

술어 述語 | 지을 술, 말씀 어 [predicate]
언어 주어의 동작이나 상태를 서술(敍述)하는 말[語]. ⓑ주어(主語).

시어 詩語 | 시 시, 말씀 어 [poetic word]
❶속뜻 시(詩)에 쓰이는 말[語]. ❷문학 시인의 감정이나 사상을 나타낸 함축성 있는 말.

언어 言語 | 말씀 언, 말씀 어 [language; speech]
생각, 느낌 따위를 나타내거나 전달하는 데에 쓰는 말[言=語]. ¶언어를 배우다.

영어 英語 | 영국 영, 말씀 어 [English]
❶속뜻 영국(英國)에서 쓰는 말[語]. ❷언어 인도·유럽 어족 게르만 어파의 서게르만 어군에 속한 언어. 미국, 영국, 캐나다, 오스트레일리아 등을 비롯하여 세계 여러 나라에서 사용하는 국제어의 구실을 한다.

용:어 用語 | 쓸 용, 말씀 어 [terminology]

일정한 전문 분야에서 주로 사용(使用)하는 말[語]. ¶경제 용어.

은어 隱語 | 숨길 은, 말씀 어 [secret language]
특수한 집단이나 계층에서 남이 모르게[隱] 자기네끼리만 쓰는 말[語]. ¶'짭새'는 범죄자들이 '경찰'을 가리켜 사용하는 은어다.

일어 日語 | 일본 일, 말씀 어
[Japanese language]
[언어] 일본(日本)에서 사용하는 언어(言語). '일본어'의 준말.

주어 主語 | 주인 주, 말씀 어 [subject]
[언어] 문장에서 주체(主體)가 되는 말[語]. ¶'철수가 운동을 한다.'에서 주어는 '철수'이다.

표어 標語 | 나타낼 표, 말씀 어 [slogan; motto]
주의, 주장, 강령 따위를 간결하게 나타낸[標] 짧은 어구(語句). ¶불조심 표어를 내걸다.

0149 [읍]

邑

고을 읍
[部] 邑부 [劃] 7획 [中] 邑 [yì]

邑자 상단의 '口'는 '입'의 뜻이 아니라 고을의 경계나 영역을 나타내는 부호이다. 그 하단은 사람이 쭈그리고 앉아 있는 모습인 卩(=㔾, 절)의 변형이다. '고을'(a county)이 본래 의미이다. 큰 도시는 都(도)라 했고, 작은 고을은 邑이라 했다. 이것이 오른쪽의 부수로 쓰일 때에는 모양이 간략하게 '阝'로 바뀐다.

읍내 邑內 | 고을 읍, 안 내
[whole town; in the town]
읍(邑)의 구역 안[內]. ¶미희는 읍내에 산다.

읍민 邑民 | 고을 읍, 백성 민
[inhabitants of a town]
읍내(邑內)에 사는 사람[民]. ¶읍민들이 모여 노래자랑을 했다.

읍성 邑城 | 고을 읍, 성곽 성
한 고을[邑] 전체를 성벽으로 둘러쌓은 성(城). ¶충남 서산에 해미읍성이 있다.

• 역순어휘 ——— •

도읍 都邑 | 도읍 도, 고을 읍 [capital]
수도(首都)에 상당하는 큰 고을[邑]. 또는 수도를 정함. ¶한양은 조선의 도읍이다 / 평양성에 도읍하다. [비]서울.

0150 [면]

面

낯 면:
[部] 面부 [劃] 9획 [中] 面 [miàn]

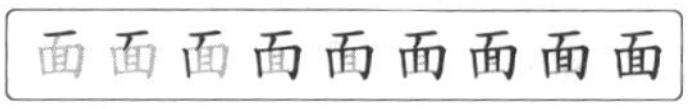

面자의 원형은 눈[目] 모양을 그린 것에 둘레를 두른 것이었다. '낯'(=얼굴 a face)의 뜻을 그렇게 나타낸 것을 보니 얼굴에서 가장 특징적인 것은 눈이라고 생각한 것 같다. '쪽'(a side)을 뜻하기도 하며, 행정구역의 하나인 '면'(a sub-county)을 가리키기도 한다.

[속뜻훈음] ①낯 면, ②면 면.

면:담 面談 | 낯 면, 이야기 담 [have an interview]
서로 만나 얼굴[面]을 마주하고 이야기함[談]. [비]면어(面語), 면화(面話).

면:도 面刀 | 낯 면, 칼 도 [shaving]
얼굴[面]의 잔털이나 수염을 깎는 칼[刀]. 또는 그런 일.

면:모 面貌 | 낯 면, 모양 모 [looks; appearance]
❶[속뜻] 얼굴[面] 모양[貌]. ¶수려한 면모. ❷상태나 됨됨이. ¶새로운 면모를 갖추다. [비]면목(面目).

면:목 面目 | 낯 면, 눈 목 [appearance; honor]
❶[속뜻] 얼굴[面]과 눈[目]. ❷얼굴의 생김새. ❸체면(體面). ¶그를 볼 면목이 없다. [비]면모(面貌).

면:박 面駁 | 낯 면, 논박할 박 [refute face]
얼굴[面]을 서로 마주 대하고 꾸짖거나 논박(論駁)함. ¶면박을 주다 / 공개적으로 면박을 당했다.

면:상 面上 | 낯 면, 위 상 [one's face]
얼굴[面]의 위[上]. 또는 얼굴. ¶상대편의 면상을 쳤다.

면:장 面長 | 면 면, 어른 장 [chief of township]
[법률] 면(面)의 행정을 주관하는 책임자[長].

면:적 面積 | 낯 면, 쌓을 적
[area; square measure]
일정한 평면(平面)이나 구면(球面)의 크기나 넓이[積].

면:전 面前 | 낯 면, 앞 전
[(a person's) presence]
❶[속뜻] 얼굴[面] 앞[前]. ❷보고 있는 앞. 눈앞. ¶사람들 면전에서 망신을 당했다.

면:접 面接 | 낯 면, 맞이할 접 [interview]
❶[속뜻] 얼굴[面]을 맞이함[接]. ❷직접 만나보고 됨됨이를 시험하는 일. '면접시험'(面接試驗)의 준말. [비]면대(面對).

면:회 面會 | 낯 면, 모일 회
[see; meet; interview]

❶속뜻 얼굴[面]을 보러 모임[會]. ❷찾아가 만나 봄. ¶면회 사절.

• 역순어휘

가:면 假面 | 거짓 가, 낯 면 [mask]
나무나 종이 등으로 꾸며[假] 만든 얼굴[面] 형상. ¶연극이 끝나자 그는 가면을 벗었다. ㊐탈.

곡면 曲面 | 굽을 곡, 낯 면 [curved surface]
수학 평평하지 않고 굽은[曲] 면(面). 원기둥이나 공의 표면 따위. ㊥평면(平面).

구:면 舊面 | 오래 구, 낯 면
[old acquaintance; familiar face]
오래[舊] 전부터 알고 있는 얼굴[面]이나 처지. ㊐면식(面識). ㊥초면(初面).

국면 局面 | 판 국, 낯 면
[situation; aspect of affairs]
❶속뜻 어떤 판[局]이 벌어진 장면(場面)이나 형편. ¶새로운 국면으로 접어들다. ❷운동 바둑이나 장기에서, 반면(盤面)의 형세를 이르는 말.

기면 旗面 | 깃발 기, 낯 면 [flag; banner]
깃발[旗]을 펼쳐놓았을 때의 겉면(面).

내:면 內面 | 안 내, 낯 면 [inside; interior]
❶속뜻 안[內] 쪽을 향한 면(面). ❷사람의 정신이나 심리에 관한 면. ¶이 작품은 인간의 내면세계를 그렸다. ㊥외면(外面).

노:면 路面 | 길 로, 낯 면 [road surface]
도로(道路)의 겉면[面].

다면 多面 | 많을 다, 낯 면
[many sides; many faces]
여러[多] 면(面). 여러 방면.

단:면 斷面 | 끊을 단, 낯 면 [section]
❶속뜻 물체의 잘린[斷] 면(面). ¶나무의 단면에는 나이테가 있다. ❷사물 현상의 부분적인 상태. ¶이 사건은 현대 사회의 어두운 단면을 나타내고 있다. ㊐단절면(斷截面), 단구(斷口), 절단면(切斷面).

당면 當面 | 당할 당, 낯 면 [face; confront]
일이 바로 눈앞[面]에 닥침[當]. ¶당면한 문제를 해결하다. ㊐직면(直面), 봉착(逢着), 대면(對面).

대:면 對面 | 대할 대, 낯 면 [interview; meet]
얼굴[面]을 마주보고 대(對)함. ¶첫 대면에서 실례를 하고 말았다. ㊐면접(面接), 면대(面對).

도면 圖面 | 그림 도, 낯 면 [drawing; floor plan]
토목, 건축, 기계 따위의 구조나 설계 또는 토지, 임야 따위를 기하학적으로 그린[圖] 면(面). ¶집의 도면을 그리다. ㊐도본(圖本).

만:면 滿面 | 가득할 만, 낯 면 [whole face]
얼굴[面]에 가득함[滿]. 온 얼굴.

반:면 反面 | 반대로 반, 낯 면 [other side]
❶속뜻 반대(反對)쪽의 면(面). ❷앞에 말한 것과는 달리. 어떠한 사실과는 반대로. ¶나는 말은 잘 하는 반면 실천력이 떨어진다.

방면 方面 | 모 방, 낯 면 [quarter]
❶속뜻 네모[方] 반듯하게 생긴 얼굴[面]. ❷어떤 장소나 지역이 있는 방향이나 구역. ¶공항 방면의 도로가 막힌다. ❸뜻을 두거나 생각하는 분야. ¶그는 미생물 방면에서 최고이다.

벽면 壁面 | 담 벽, 낯 면 [surface of a wall]
벽(壁)의 거죽[面]. ¶화장실 벽면에 타일을 붙이다.

복면 覆面 | 덮을 복, 낯 면 [wear a mask]
❶속뜻 얼굴[面]을 덮어[覆] 가림. ❷얼굴을 알아보지 못하도록 헝겊 따위로 가림. 또는 그 때 쓰는 보자기 같은 물건. ¶강도는 복면을 하고 침입했다.

사:면 四面 | 넉 사, 낯 면 [four sides]
전후좌우(前後左右)의 네[四] 방면(方面). 모든 방면. ¶제주도는 사면이 바다로 둘러싸여 있다.

상면 相面 | 서로 상, 낯 면
[meet with; see each other]
서로[相] 만나서 얼굴[面]을 마주 봄. ¶몇 십 년 만에 이산가족의 상면이 이루어졌다.

생면 生面 | 날 생, 낯 면 [stranger]
낯익지 아니한(生) 얼굴(面). ㊥숙면(熟面).

서면 書面 | 쓸 서, 낯 면 [document]
❶속뜻 글씨[書]를 적어 놓은 지면(紙面). ❷일정한 내용을 적은 문서. ¶서면으로 작성하다. ㊥구두(口頭).

세:면 洗面 | 씻을 세, 낯 면 [wash one's face]
얼굴[面]을 씻음[洗]. ¶세면 도구. ㊐세수(洗手), 세안(洗顔).

수면 水面 | 물 수, 낯 면 [water surface]
물[水]의 표면(表面). ¶달이 수면에 비쳤다.

안면 顔面 | 얼굴 안, 낯 면 [face; acquaintance]
❶속뜻 얼굴[顔=面]. ¶그는 안면에 부상을 입었다. ❷서로 얼굴을 알 만한 친분. ¶나는 그와 안면이 있다.

액면 額面 | 이마 액, 낯 면 [face value; par value]
❶속뜻 이마[額]와 낯[面]. ❷경제 화폐나 유가증권 따위의 앞면.

양:면 兩面 | 두 량, 낯 면 [two faces]
사물의 두[兩] 면(面). 또는 겉과 안. ¶양면 복사 / 개발과 파괴는 동전의 양면과도 같다.

외:면 外面 | 밖 외, 낯 면 [look the other way]
❶속뜻 바깥[外] 면(面). ❷마주치기를 꺼리어 피하거나

얼굴을 돌림. ¶승재는 친구들에게 외면을 당했다.

이:면 裏面 | 속 리, 낯 면 [back; other side]
물체의 안쪽[裏]에 있는 면(面). ¶공사 중이니 이면 도로로 우회(迂回)하십시오 / 한국의 경제성장 이면에는 사회적 불평등이 있다. [반]표면(表面).

일면 一面 | 한 일, 낯 면 [side; first page]
❶[속뜻] 물체나 사물의 한[一] 면(面). ¶사람을 일면만 보고 판단하면 안 된다. ❷신문의 첫째 면. ¶그 사건은 일면 기사로 보도되었다.

장면 場面 | 마당 장, 낯 면 [scene]
❶[속뜻] 어떤 장소(場所)에서 벌어진 광경[面]. ¶나는 그 끔찍한 장면을 보고 몸을 움직일 수 없었다. ❷연극, 영화 등의 한 모습. ¶뛰는 장면을 찍다.

전면[1] 全面 | 모두 전, 낯 면 [whole surface]
❶[속뜻] 모든[全] 면(面). 또는 모든 부문. ¶국어사전을 전면 개정하다. ❷하나의 면 전체. ¶신문에 전면 광고를 싣다.

전면[2] 前面 | 앞 전, 낯 면 [front side; frontage]
앞[前] 면(面). ¶건물의 전면에 간판이 걸려 있다. [비]앞면. [반]후면(後面).

정:면 正面 | 바를 정, 낯 면 [front; front side]
똑바로[正] 마주 보이는 면(面). ¶정면에 보이는 건물이 병원이다.

지면[1] 地面 | 땅 지, 낯 면
[ground; surface of the earth]
땅[地]의 표면(表面). 땅바닥. ¶눈이 와서 지면이 얼어붙었다.

지면[2] 紙面 | 종이 지, 낯 면 [paper]
❶[속뜻] 종이[紙]의 겉면[面]. ¶이 책은 지면이 매끄럽다. ❷신문의 기사가 실린 종이의 면. ¶이 사건을 지면에 싣다.

직면 直面 | 곧을 직, 낯 면 [face]
어떠한 일이나 사물을 직접(直接) 대면(對面)함. ¶몹시 어려운 문제에 직면하다.

철면 鐵面 | 쇠 철, 낯 면 [convex surface]
쇠[鐵]처럼 두꺼운 얼굴[面].

체면 體面 | 몸 체, 낯 면
[one's face; honor; reputation]
❶[속뜻] 몸[體]과 얼굴[面]. ❷남을 대하기에 떳떳한 도리나 얼굴. ¶남자의 체면을 세우다.

초면 初面 | 처음 초, 낯 면
[first meeting; seeing for the first time]
처음[初]으로 대하는 얼굴[面]. ¶초면에 실례하겠습니다. [반]구면(舊面).

측면 側面 | 곁 측, 낯 면 [side]
❶[속뜻] 옆[側]쪽 면(面). ¶측면 공격을 하다. ❷사물이나 현상의 한 부분. 또는 한쪽 면. ¶그 제도에 부정적인 측면만 있는 것은 아니다.

평면 平面 | 평평할 평, 낯 면 [plane; flat surface]
평평(平平)한 표면(表面). ¶지붕이 거의 평면으로 보인다. [반]곡면(曲面).

표면 表面 | 겉 표, 낯 면 [surface; face]
겉[表]으로 나타나는 부분이나 면(面). ¶도자기의 표면은 매우 매끄럽다.

해:면 海面 | 바다 해, 낯 면 [surface of the sea]
바다[海]의 표면(表面). ¶해면 위로 떠오르는 해.

화:면 畫面 | 그림 화, 낯 면 [scene; screen]
❶[속뜻] 그림[畫]의 표면(表面). ❷영사막, 브라운관 따위에 비치는 사진의 보이는 겉면. ¶화면이 너무 어두워요.

후:면 後面 | 뒤 후, 낯 면 [back side]
뒤[後]쪽의 면(面). ¶후면으로 주차하십시오. [비]뒷면. [반]전면(前面).

제2부

제2부 실 제 : 한자 및 한자어 지도

4장. 6급II 배정한자 75

[0151-0225]

0151 [분]

分

나눌 분(:)
[部] 刀부 [劃] 4획 [中] 分 [fēn, fèn]

分 分 分 分

分자는 '나누다'(divide)는 뜻을 나타내기 위하여 八(팔)과 刀(칼)를 합쳐 놓은 것이다. 칼이 없으면 둘로 나눌 수 없으니 刀가 들어가 있고 八은 두 동강으로 나누어진 물체를 가리킨다.

분가 分家 | 나눌 분, 집 가 [branch family]
가족의 한 구성원이 주로 결혼 따위로 집[家]을 따로 장만하여 나감[分]. ¶그는 분가한 후에도 부모님을 자주 찾아뵈었다.

분간 分揀 | 나눌 분, 가릴 간 [distinguish]
사물이나 사람의 옳고 그름, 좋고 나쁨 따위와 그 정체를 구별하거나[分] 가려서[揀] 앎. ¶자세히 보면 옥인지 돌인지 분간할 수 있다.

분교 分校 | 나눌 분, 학교 교 [branch school]
[교육] 본교와 떨어진 다른 지역에 따로[分] 세운 학교(學校). [반]본교(本校).

분기 分岐 | 나눌 분, 갈림길 기 [diverge; ramify]
나뉘어서[分] 여럿으로 갈라짐[岐]. 또는 그 갈래. ¶큰 길에서 분기되다.

분단¹ 分團 | 나눌 분, 모일 단
[local branch; section]
❶[속뜻] 한 단체의 구성단위로 작게 나뉜[分] 집단(集團). ❷[교육] 학습 능률을 올리기 위하여 한 학급을 몇으로 나눈 그 하나.

분단² 分斷 | 나눌 분, 끊을 단
[divide into sections]
두 동강으로 나누어[分] 끊음[斷]. ¶분단된 우리나라.

분담 分擔 | 나눌 분, 멜 담
[divide of labor; take a share]
나누어서[分] 맡음[擔]. ¶가사 분담 / 비용을 셋이 분담하다. [반]전담(全擔).

분대 分隊 | 나눌 분, 무리 대 [squad]
[군사] ❶본대에서 갈라져[分] 나온 편대(編隊). ❷소대 아래의 단위로 가장 작은 부대.

분동 分銅 | 나눌 분, 구리 동
[balance weight; counterbalance]
❶[속뜻] 양쪽에 똑같이 나누어[分] 놓은 구리[銅] 덩어리. ❷천평칭(天平秤)이나 대저울 따위로 무게를 달 때, 무게의 표준이 되는 추.

분량 分量 | 나눌 분, 분량 량 [quantity; amount]
❶[속뜻] 나눈[分] 단위의 양(量). ❷수효, 무게 따위의 많고 적음이나 부피의 크고 작은 정도. ¶찻숟가락 세 개 분량의 설탕을 넣으시오.

분류 分類 | 나눌 분, 무리 류 [classify; group]
❶[속뜻] 나누어[分] 놓은 무리[類]. ❷사물을 공통되는 성질에 따라 종류별로 가름. ¶책을 장르별로 분류하다.

분리 分離 | 나눌 분, 떨어질 리 [separate; divide]
따로 나뉘어[分] 떨어짐[離]. 또는 따로 떼어 냄. ¶음식물 쓰레기는 분리하여 버려야 한다.

분립 分立 | 나눌 분, 설 립 [set up independently]
따로 갈라져서[分] 섬[立]. 또는 갈라서 세움. ¶우리나라의 정치제도는 입법, 사법, 행정의 삼권분립을 원칙으로 한다.

분만 分娩 | 나눌 분, 낳을 만 [give birth (to)]
산모가 뱃속의 아기를 몸 밖으로 분리(分離)하여 낳는[娩] 일. ¶분만의 고통이 얼마나 큰지를 남자는 모른다. [비]출산(出産), 해산(解産).

분명 分明 | 나눌 분, 밝을 명
[clear; distinct; plain]
❶[속뜻] 구분(區分)이 명확(明確)함. ❷틀림없이 확실하게. ¶그 소식은 분명 너에겐 충격적일 거야 / 그가 도둑인 것이 분명하다 / 내 귀로 분명히 들었다.

분모 分母 | 나눌 분, 어머니 모 [denominator]
❶[속뜻] 무엇을 나누는[分] 모체(母體)가 되는 것. ❷[수학] 분수 또는 분수식에서 가로줄의 아래에 적는 수 또는 식. [반]분자(分子).

분배 分配 | 나눌 분, 나눌 배
[distribute; divide; share]
각자 몫을 따로따로 나눔[分=配]. ¶이익을 공정하게 분배하다. [비]배분(配分).

분별 分別 | 나눌 분, 나눌 별 [devise; judge]
❶[속뜻] 일이나 사물을 나누어[分] 구별(區別)함. ¶이 다이아몬드는 진짜인지 가짜인지 분별하기가 어렵다. ❷무슨 일을 사리에 맞게 판단함. 또는 그 판단력. ¶그는 분별 있게 행동하는 사람이다.

분부 分付 | =吩咐, 나눌 분, 줄 부
[bid; give directions]
❶[속뜻] 여러 사람에게 나누어 시키거나 나누어[分] 줌[付]. ❷윗사람의 '당부'나 '명령'을 높여 이르는 말. ¶분부를 잘 받들겠습니다.

분비 分泌 | 나눌 분, 흐를 비 [secrete]
❶[속뜻] 나뉘어[分] 졸졸 흐름[泌]. ❷[의학] 샘 세포의 작용에 의하여 땀, 침, 젖 따위의 특수한 액즙을 만들어 배출함.

분산 分散 | 나눌 분, 흩을 산 [disperse; scatter]
갈라져[分] 흩어짐[散]. 또는 흩어지게 함. ¶인구 분산. [반]집중(集中).

분석 分析 | 나눌 분, 쪼갤 석 [analyze; assay]
복합된 사물을 그 요소나 성질에 따라서 나누고[分] 쪼개는[析] 일. ¶자료 분석 / 실패의 원인을 분석하다.

분속 分速 | 나눌 분, 빠를 속
일 분(分)간을 단위로 하여 재는 속도(速度). ¶시속 120 킬로미터는 분속 2킬로미터이다.

분수¹ 分數 | 나눌 분, 셀 수
[fractional number; limit]
❶[수학] 어떤 수(數)를 다른 수로 나누는[分] 것을 분자와 분모로 나타낸 것. ❷자기 신분(身分)에 맞는 한도. ¶자기 분수를 지키면서 살다. [반]정수(整數).

분수² 分水 | 나눌 분, 물 수 [diversion of water]
물[水]이 두 갈래 이상으로 갈라져[分] 흐름. 또는 갈라져 흐르는 물.

분신 分身 | 나눌 분, 몸 신
[one's other self; alter ego]
몸체[身]에서 갈라져[分] 나간 부분. ¶그는 나의 분신이다.

분야 分野 | 나눌 분, 들 야 [field]
여러 갈래로 나누어진[分] 범위나 부분[野]. ¶경제 분야 / 전공 분야.

분양 分讓 | 나눌 분, 넘겨줄 양 [sell in lots]
많은 것이나 큰 덩이를 갈라서[分] 여럿에게 넘겨줌[讓]. ¶그 아파트는 지금 분양 중이다.

분업 分業 | 나눌 분, 일 업 [divide work]
❶[속뜻] 손을 나누어서[分] 일함[業]. ¶아버지는 어머니와 가사를 분업하신다. ❷한 제품의 공정을 몇 가지 단계 또는 부분별로 나누어 여러 사람이 분담하여 생산하는 일. ¶분업으로 생산성이 높아졌다.

분열 分裂 | 나눌 분, 찢어질 렬
[be disrupted; be split]
❶[속뜻] 하나가 여럿으로 나누어지거나[分] 찢어짐[裂]. ¶정치적 분열. ❷[생물] 생물의 세포나 핵이 갈라져서 증식되는 일. ¶세포 분열.

분자 分子 | 나눌 분, 아이 자 [molecule]
❶[속뜻] 분모[分母]가 업고 있는 아이[子] 같은 숫자. ❷[수학] 분수의 가로줄 위에 있는 수. ❸[물리] 물질의 화학적 성질을 잃지 않고 존재하는 최소 입자를 이르는 말. [반]분모(分母).

분점 分店 | 나눌 분, 가게 점 [branch shop]
본점(本店)에서 따로 나누어진[分] 가게[店]. [비]지점(支店).

분침 分針 | 나눌 분, 바늘 침 [minute hand]
시계의 분(分)을 가리키는 바늘[針].

분포 分布 | 나눌 분, 펼 포
[be distributed; be spread]
여기저기 흩어져[分] 널리 퍼져[布] 있음. ¶인구 분포.

분할 分割 | 나눌 분, 쪼갤 할 [partition; divide]
나누거나[分] 쪼갬[割]. ¶토지 분할 / 등록금 분할 납부.

분해 分解 | 나눌 분, 가를 해 [disjoint; dismantle]
나누고[分] 가름[解]. 여러 부분이 결합되어 이루어진 것을 낱낱으로 나눔. ¶컴퓨터를 분해하다.

분화 分化 | 나눌 분, 될 화
[differentiate; specialize]
나뉘어[分] 다른 것이 됨[化]. ¶과학은 여러 부문으로 분화되어 있다.

• 역순어휘

기분 氣分 | 기운 기, 나눌 분 [feeling; sentiment]
❶[속뜻] 기운(氣運)이 상황에 따라 나뉨[分]. ❷대상과 환경 따위에 따라 마음에 절로 생기며 한동안 지속되는 유쾌함이나 불쾌함 따위의 감정. ¶기분이 좋다.

다분 多分 | 많을 다, 나눌 분 [much; largely]
많은[多] 분량(分量)이나 비율. ¶그는 예술가적 소질이 다분하다.

당분 糖分 | 엿 당, 나눌 분 [sugar content]
엿[糖] 같은 단맛의 성분(性分).

덕분 德分 | 베풀 덕, 나눌 분 [favor; assistance]
❶[속뜻] 베풀어[德]주고 나누어[分] 줌. ❷베풀어 준 은혜나 도움. ¶선생님 덕분에 대학 생활을 마칠 수 있었습니다. [비]덕(德), 덕택(德澤).

등:분 等分 | 같을 등, 나눌 분
[devide equally; share equally]
❶[속뜻] 똑같이[等] 나눔[分]. ❷수나 양을 똑같은 부분이 되도록 둘 또는 그 이상으로 갈라 나눔. ❸똑같은 분량으로 나누어진 몫을 세는 단위. ¶반죽을 네 등분으로 나누다.

명분 名分 | 이름 명, 나눌 분
[one's moral obligations]
❶[속뜻] 각각의 명의(名義)나 신분(身分)에 따라 마땅히 지켜야 할 도리. ❷일을 꾀하는 데에 있어 내세우는 구실이나 이유 따위. ¶명분 없는 전쟁.

배:분 配分 | 나눌 배, 나눌 분 [distribute]
몫을 따로 나눔[配=分]. ¶권력 배분 / 이익을 배분하다. [비]분배(分配).

본분 本分 | 뿌리 본, 나눌 분 [one's duty]

❶[속뜻] 사람이 저마다 가지는 본디[本]의 신분(身分). ❷의무적으로 마땅히 지켜야 할 직분. ¶행복은 자기 본분을 다하는 데 있다.

부분 部分 | 나눌 부, 나눌 분 [part; section]
전체를 몇으로 나누어[部] 구별한[分] 것의 하나. ¶썩은 부분을 잘라내다. [반]전체(全體).

사:분 四分 | 넉 사, 나눌 분 [divide in four]
네[四] 가지로 나눔[分].

선분 線分 | 줄 선, 나눌 분 [segment of a line]
[수학] 직선(直線) 위의 두 점 사이에 한정된 부분(部分).

성분 成分 | 이룰 성, 나눌 분
[component; ingredient]
❶[속뜻] 전체를 구성(構成)하고 있는 부분(部分). ❷[화학] 화합물이나 혼합물 따위를 이루는 물질. ¶수입 농산물에서 다량의 농약 성분이 검출되었다.

세:분 細分 | 가늘 세, 나눌 분
[subdivide; fractionize]
❶[속뜻] 잘고 가늘게[細] 나눔[分]. ❷사물을 여러 갈래로 자세히 나누거나 잘게 가름. ¶업무를 세분하다.

수분 水分 | 물 수, 나눌 분 [water; moisture]
물[水]의 성분(成分). ¶이 과일은 수분이 많다. [비]물기.

신분 身分 | 몸 신, 분수 분
[one's social position]
어떤 사회 안에서 개인[身]이 갖는 역할이나 분수(分數). ¶경찰관 신분을 사칭하다 / 신분이 높다.

십분 十分 | 열 십, 나눌 분 [enough]
❶[속뜻] 열[十]로 나눔[分]. ❷아주 충분히. ¶너의 처지를 십분 이해한다.

약분 約分 | 묶을 약, 나눌 분 [abbreviate]
[수학] 분수의 분모와 분자를 공약수(公約數)로 나누어[分] 간단하게 하는 일.

양:분¹ 兩分 | 두 량, 나눌 분 [bisect]
둘[兩]로 나눔[分]. ¶미국과 소련은 한반도를 양분하여 점령하기로 합의했다.

양:분² 養分 | 기를 양, 나눌 분
[nourishment; nutriment]
생물체가 살아가는 데 영양(營養)이 되는 성분(成分). ¶식물은 토양에서 양분을 얻는다. [비]영양분(營養分), 자양분(滋養分).

여분 餘分 | 남을 여, 나눌 분 [surplus; excess]
필요한 양 외에 남는[餘] 분량(分量). ¶엄마는 급할 때를 대비해 여분의 돈을 모아두었다.

염분 鹽分 | 소금 염, 나눌 분 [salt]
바닷물 따위에 함유되어 있는 소금[鹽] 성분(成分). ¶염분을 적게 섭취하세요.

응:분 應分 | 맞을 응, 신분 분
[appropriate; proper]
제 신분(身分)에 맞음[應]. 분수나 능력에 맞음. ¶응분의 할 일을 하다.

지분 持分 | 가질 지, 나눌 분 [stake; share]
공유 재산이나 권리 따위에서, 공유자(共有者) 각자가 가지는[持] 부분(部分). ¶그는 회사 지분의 절반을 갖고 있다.

직분 職分 | 일자리 직, 나눌 분 [duty; job]
❶[속뜻] 직무(職務)상의 본분(本分). ¶맡은 바 직분을 충실히 하다. ❷마땅히 해야 할 본분. ¶사람은 각자 지켜야 할 직분이 있다.

처:분 處分 | 처리할 처, 나눌 분
[dispose of; deal with; punish]
❶[속뜻] 처리(處理)하여 나눠[分] 치움. ¶집을 처분하다. ❷명령을 받거나 내려 일을 처리함. ¶관대한 처분을 기다립니다 / 그를 불구속으로 처분하다.

철분 鐵分 | 쇠 철, 나눌 분 [iron content]
어떤 물질 속에 들어 있는 철(鐵)의 성분(成分). ¶미역은 철분이 많은 식품 중 하나이다.

추분 秋分 | 가을 추, 나눌 분
[Autumnal Equinox Day]
❶[속뜻] 가을[秋]로 나누어짐[分]. ❷일 년 중 낮과 밤의 길이가 같은 절기. 9월 20일경.

춘분 春分 | 봄 춘, 나눌 분 [spring equinox]
❶[속뜻] 봄[春]으로 구분(區分)되는 절기. ❷24절기의 하나. 일 년 중 낮과 밤의 길이가 꼭 같다. 3월 21일경.

충분 充分 | 채울 충, 나눌 분
[be enough]
나눔[分]의 정도가 모자람이 없이 넉넉하다[充]. 분량이나 요구 조건이 모자람이 없이 차거나 넉넉하다. ¶충분한 자료를 수집하다 / 충분히 생각하고 결정해라.

친분 親分 | 친할 친, 나눌 분
[acquaintanceship; closeness]
친밀(親密)한 정분(情分). ¶그는 나와 친분이 두터우니까 그냥 공짜로 해줄 것이다.

통분 通分 | 통할 통, 나눌 분
[reduce to a common denominator]
❶[속뜻] 공통(共通)의 수로 나눔[分]. ❷[수학] 분모가 다른 둘 이상의 분수나 분수식에서 분모를 같게 만듦. 보통 각 분모의 최소 공배수를 공통분모로 삼는다.

과:분 過分 | 지나칠 과, 나눌 분
[excessive; undue; undeserved]
분수(分數)에 넘침[過]. ¶과분한 대접을 받다.

구분 區分 | 나눌 구, 나눌 분

[divide; separate]
❶속뜻 구역(區域)으로 나눔[分]. ❷전체를 몇 개의 갈래로 나눔. ¶옳은 일과 그른 일을 구분하다. ㊥구별(區別).

0152 [리]

利

이할 리:
㉻ 刀부 ㉬ 7획 ㊥ 利 [lì]

利 利 利 利 利 利 利

利자는 벼[禾·화]를 벨 수 있을 만큼 칼[刀=刂]이 '날카롭다'(sharp-edged)가 본래 의미인데, '이롭다'(profitable)는 뜻으로 더 많이 쓰인다.
속뜻훈음 ①날카로울 리, ②이로울 리.

이:문 利文 | 이로울 리, 글월 문
[gain; profit; interests]
❶속뜻 이로운[利] 내용이 담긴 글[文]. ❷이익으로 남는 돈. ¶이문이 남다. ㊥이자(利子).

이:용 利用 | 이로울 리, 쓸 용 [use]
❶속뜻 물건 따위를 필요에 따라 이롭게[利] 씀[用]. ¶이 자동차는 태양력 에너지를 이용해 움직인다. ❷방편으로 하거나 남을 부려 씀. ¶동생은 늘 남에게 이용만 당한다.

이:윤 利潤 | 날카로울 리, 반들거릴 윤
[profit; returns]
❶속뜻 날카로움[利]과 반들반들함[潤]. ❷장사하여 남은 돈. ¶장사로 큰 이윤을 남기다. ㊥이익(利益).

이:율 利率 | 이로울 리, 비율 률 [rate of interest]
경제 원금에 대한 이자(利子)의 비율(比率). 기간에 따라 연리(年利)·월리(月利)·일변(日邊) 따위로 나뉜다. ¶저축 이율이 낮다.

이:익 利益 | 이로울 리, 더할 익
[benefit; profit; gains]
❶속뜻 이(利)롭고 보탬[益]이 됨. ❷물질적으로나 정신적으로 보탬이 되는 것. ¶이익을 보다 / 공공의 이익. ❸경제 기업의 결산 결과 모든 경비를 빼고 남은 순소득. ¶우리 회사는 상반기 이익이 증가했다. ㊥이득(利得). ㊦손실(損失), 손해(損害).

이:자 利子 | 이로울 리, 접미사 자 [interest]
❶속뜻 이(利)로운 것[子]. ❷경제 남에게 금전을 빌려준 대가로 얻는 일정한 비율의 돈. ¶대출 이자를 갚다 / 한 달 이자는 얼마입니까? ㊥변리(邊利). ㊦원금(元金).

이:점 利點 | 이로울 리, 점 점 [advantage; merit]
이(利)로운 점(點). ¶이 기계는 작동하기 편리하다는 이점이 있다.

• 역순어휘

공리 公利 | 여럿 공, 이로울 리 [public interest]
여러 사람[公]의 이익(利益). ¶공리 단체. ㊦사리(私利).

권리 權利 | 권세 권, 이로울 리 [right; claim]
❶속뜻 권세(權勢)와 이익(利益). ❷법률 어떤 일을 행하거나 타인에 대하여 당연히 요구할 수 있는 힘이나 자격. ¶투표는 국민의 권리이다. ㊦의무(義務).

복리[1] 福利 | 복 복, 이로울 리 [welfare]
행복(幸福)과 이익(利益)을 아울러 이르는 말. ¶국민의 복리를 증진하다.

복리[2] 複利 | 겹칠 복, 이로울 리
[compound interest]
❶속뜻 이자(利子)를 원금에 겹쳐서[複] 계산함. ❷경제 복리법으로 계산된 이자.

불리 不利 | 아닐 불, 이로울 리
[disadvantageous; unfavorable]
이롭지[利] 아니함[不]. ¶불리한 입장. ㊦유리(有利).

사리 私利 | 사사로울 사, 이로울 리
[personal profit]
사사로운[私] 이익(利益). ¶그는 사리에 눈이 멀어 친구를 배신했다. ㊦공리(公利).

수리 水利 | 물 수, 이로울 리 [use of water]
음료수나 관개용 등으로 물[水]을 이용(利用)하는 일. ¶수리 시설.

승리 勝利 | 이길 승, 이로울 리 [win the victory]
싸움에서 이겨[勝] 이득(利得)을 얻음. 겨루어 이김. ¶전쟁에서 승리하다. ㊦패배(敗北).

실리 實利 | 실제 실, 이로울 리 [actual profit]
실제(實際)로 얻은 이익(利益). ¶실학은 명분보다 실리를 중시하는 학문이다.

영리 營利 | 꾀할 영, 이로울 리 [profit]
이익(利益)을 꾀함[營]. 또는 그 이익. ¶기업은 대개 영리를 추구한다. ㊦비영리(非營利).

예:리 銳利 | 날카로울 예, 날카로울 리 [be sharp]
❶속뜻 칼날 따위가 날카롭다[銳=利]. ¶칼날이 예리하다. ❷감각이나 관찰력, 통찰력 따위가 날카로움. ¶예리한 판단력.

유:리 有利 | 있을 유, 이로울 리
[profitable; lucrative; advantageous]
이로움[利]이 있음[有]. ¶유리한 조건 / 온난 다습한 지역은 벼농사에 유리하다. ㊦불리(不利).

편리 便利 | 편할 편, 이로울 리
[convenient; handy]
편(便)하고 이로움[利]. ¶공중의 편리를 도모하다 / 교통이 편리한 곳으로 이사 가고 싶다. [반]불편(不便).

폭리 暴利 | 사나울 폭, 이로울 리
[excessive profits; exorbitant interest]
❶[속뜻] 사나울[暴] 정도로 지나친 이익(利益). ❷지나치게 많이 남기는 부당한 이익. ¶원산지를 속여 폭리를 취하다. [반]박리(薄利).

0153 [공]

功

공[勳] 공
[部] 力부 [劃] 5획 [中] 功 [gōng]

功 功 功 功 功

> 功자는 '공로'(a meritorious deed; merits)의 뜻을 나타내기 위하여 고안한 것이다. 공구[工]를 들고 힘들여[力] 일하는 모습임을 쉽게 연상할 수 있다. 工(공구 공)은 의미와 발음을 겸하는 셈이다.
>
> [속뜻훈음] **공로 공.**

공덕 功德 | 공로 공, 베풀 덕 [merit and virtue]
❶[속뜻] 공적(功績)과 덕행(德行). ❷[불교] 현재 또는 미래에 행복을 가져올 선행을 이르는 말. ¶공덕을 쌓다.

공로 功勞 | 공로 공, 일할 로
[meritorious deed; merits]
어떤 일[勞]에 이바지한 공적(功績). ¶공로를 치하하다.
[비]공훈(功勳).

공명 功名 | 공로 공, 이름 명 [glorious deed]
공(功)을 세워 이름[名]을 널리 알림.

공신 功臣 | 공로 공, 신하 신
[meritorious retainer; vassal of merit]
나라에 공로(功勞)가 있는 신하(臣下). ¶건국 공신.

공적 功績 | 공로 공, 실적 적 [achievement]
공로(功勞)의 실적(實績). 쌓은 공로(功勞). ¶그는 학계 발전에 큰 공적을 세웠다. [비]공훈(功勳).

• 역순어휘

무:공 武功 | 굳셀 무, 공로 공 [military exploits]
굳센[武] 군인으로 쌓은 공(功). ¶전투에서 혁혁한 무공을 세우다.

성공 成功 | 이룰 성, 공로 공 [succeed]
일[功]을 이룸[成]. ¶실패는 성공의 어머니이다. [반]실패(失敗).

유:공 有功 | 있을 유, 공로 공 [meritoriousness]
공로(功勞)가 있음[有]. ¶그는 베트남전쟁에서 돌아와 유공훈장을 받았다.

은공 恩功 | 은혜 은, 공로 공 [favor; merits]
은혜(恩惠)와 공로(功勞). ¶그 배우는 수상의 영광을 부모님의 은공으로 돌렸다.

특공 特功 | 특별할 특, 공로 공
[great achievement]
특별(特別)히 뛰어난 공로(功勞).

0154 [용]

勇

날랠 용:
[部] 力부 [劃] 9획 [中] 勇 [yǒng]

勇 勇 勇 勇 勇 勇 勇 勇 勇

> 勇자는 '날쌔다'(swift)는 뜻을 나타내기 위하여 만들어진 것이니, '힘 력'(力)이 표의요소이고, 甬(길 용)은 표음요소이다. '날쌔다'는 본뜻으로 변함없는 사랑을 받고 있다.
>
> [속뜻훈음] **날쌜 용.**

용:감 勇敢 | 날쌜 용, 굳셀 감 [be brave]
씩씩하고 겁이 없으며[勇] 기운차다[敢]. ¶용감하게 싸우다.

용:기 勇氣 | 날쌜 용, 기운 기
[courage; valor; bravery]
용감(勇敢)한 기운(氣運). 또는 사물을 겁내지 아니하는 기개. ¶용기가 나다.

용:맹 勇猛 | 날쌜 용, 사나울 맹 [intrepidity]
용감(勇敢)하고 사나움[猛]. ¶용맹을 떨치다 / 용맹스러운 병사.

용:사 勇士 | 날쌜 용, 선비 사 [brave]
❶[속뜻] 용맹스러운[勇] 사람[士]. ❷용병(勇兵). ¶참전 용사.

용:장 勇將 | 날쌜 용, 장수 장
[brave general]
용감(勇敢)한 장수(將帥). ¶용장 밑에 약졸(弱卒) 없다.

• 역순어휘

의:용 義勇 | 옳을 의, 날쌜 용
[loyalty and courage; heroism]
❶[속뜻] 옳다[義]고 여기는 일을 위하여 용기(勇氣)를 부림. ❷정의와 용기를 가지고 자원하는 것.

만용 蠻勇 | 오랑캐 만, 날쌜 용 [foolhardiness]

오랑캐[蠻]같이 분별없이 함부로 날뛰는 용기(勇氣). ¶슬기로운 사람은 만용을 부리지 않는다.

무:용 武勇 | 굳셀 무, 날쌜 용 [bravery; valor; prowess]
❶ 속뜻 무예(武藝)와 용맹(勇猛). ❷싸움에서 용맹스러움. ¶무용을 자랑하다.

0155 [반]

半 반 반(:)
(部) 十부 (畫) 5획 (中) 半 [bàn]
半 半 半 半 半

半자는 '나누다'는 뜻인 八과 '소 우'(牛)가 합쳐진 것인데, 쓰기 쉽도록 모양이 변화됐다. 소같이 큰 물건을 둘로 나눈 그 '반쪽'(a half)이 본래 의미인데, '중간'(the middle)의 뜻으로도 쓰인다.

반:구 半球 | 반 반, 공 구 [hemisphere]
구(球)의 절반(折半). 또는 그런 모양의 물체. ¶반구 형태.

반:기 半旗 | 반 반, 깃발 기 [flag at half-mast]
조의를 표하기 위하여 깃봉에서 기의 한 폭만큼 내려서 [半] 다는 국기(國旗). 비조기(弔旗).

반:년 半年 | 반 반, 해 년 [half a year]
한 해[年]의 반(半)인 여섯 달. 비반세(半歲).

반:도 半島 | 반 반, 섬 도 [peninsula]
지리 반은 대륙에 붙어 있고, 반(半)은 바다쪽으로 길게 나와 섬[島]처럼 보이는 육지. 우리나라와 이탈리아 등이 그렇다.

반:반 半半 | 반 반, 반 반 [half-and-half]
둘로 가른. 또는 갈라진 각각의 반(半+半)쪽. ¶설탕과 식초를 반반씩 넣다.

반:생 半生 | 반 반, 살 생 [half one's life]
한평생(平生)의 반(半). 반평생. ¶그는 반생을 민주화 운동에 바쳤다.

반:수 半數 | 반 반, 셀 수 [half the number]
전체의 절반(折半)의 수(數). ¶위원 반수가 그의 의견에 찬성했다.

반:숙 半熟 | 반 반, 익을 숙 [half-cooked]
반(半) 쯤만 익힘[熟]. 또는 그렇게 익은 것. ¶계란을 반숙하다.

반:신¹ 半身 | 반 반, 몸 신 [half the body]
온몸[身]의 절반[半]. 반전신(全身).

반:신² 半信 | 반 반, 믿을 신 [be doubtful]
반(半) 쯤만 믿음[信]. 완전히 믿지는 아니함.

반:액 半額 | 반 반, 액수 액 [half price]
정해진 것의 절반(折半)에 해당되는 금액[額]. ¶월급의 반액을 저축하다. 비반값, 반가(半價). 반전액(全額).

반:음 半音 | 반 반, 소리 음 [half tone; half step]
음악 온음의 절반(折半)이 되는 음정(音程). '반음정'(半音程)의 준말. 반온음.

반:절 半切 | =半截, 반 반, 벨 절 [half sheet of paper]
절반[半]으로 자름[切]. 또는 그렇게 자른 반.

반:점 半點 | 반 반, 점 점 [half point; half a point]
언어 문장 안에서 짧게[半] 쉴 때 사용하는 문장부호[點]. ','로 표기한다.

반지 半指 | =斑指, 반 반, 손가락 지 [finger ring]
두 짝의 반(半), 즉 한 짝으로만 손가락[指]에 끼는 것. 두 짝을 끼는 것은 가락지라고 한다.

• 역순어휘

과:반 過半 | 지날 과, 반 반 [greater part]
반(半)을 넘음[過]. 반이 더 됨. ¶목표의 과반을 달성하다.

상:반 上半 | 위 상, 반 반 [first half (of)]
위[上]쪽 절반(折半). 반하반(下半).

전반 前半 | 앞 전, 반 반 [first half]
전체를 둘로 나누었을 때, 앞[前]부분의 절반(折半). ¶19세기 전반에 산업혁명이 전 세계로 확산되었다. 반후반(後半).

절반 折半 | 꺾을 절, 반 반 [half]
하나를 반(半)으로 가른[折] 것 중 하나. ¶과자를 절반으로 나누다.

태반 太半 | 클 태, 반 반 [most part]
절반(折半)보다 크게[太] 많은 수량.

하:반 下半 | 아래 하, 반 반 [lower half]
하나를 위아래 절반으로 나눈 것의 아래[下]쪽 반(半). 반상반(上半).

후:반 後半 | 뒤 후, 반 반 [latter half]
둘로 나눈 것의 뒷[後]부분이 되는 절반(折半). ¶선수들은 후반에 들어서면 체력이 떨어진다. 반전반(前半).

0156 [반]

反 돌이킬/돌아올 반:
(部) 又부 (畫) 4획 (中) 反 [fǎn]
反 反 反 反

反자는 '언덕 한'(厂)과 '손 우'(又)가 합쳐진 것으로 '(언덕에 나무뿌리를 붙잡고) 오르다'(climb)가 본래 뜻이다. '반대로'(on the contrary), '거꾸로'(upside down), '되돌리다'(turn; veer) 같은 의미로 쓰이는 예가 많아지자, 본래 뜻은 扳(끌어당길 반 =攀)자가 만들어 나타냈다.

속뜻 훈음 ①반대로 반, ②거꾸로 반, ③되돌릴 반.

반:감 反感 | 반대로 반, 느낄 감 [antipathy]
상대편의 말이나 태도 등을 불쾌하게 생각하여 반발(反撥)하거나 반항하는 감정(感情). ¶반감을 품다.

반:격 反擊 | 반대로 반, 부딪칠 격 [hit back]
쳐들어오는 적의 공격을 막아서 되잡아[反] 공격(攻擊)함. ¶반격할 기회를 엿보다.

반:공 反共 | 반대로 반, 함께 공 [anti-Communism]
공산주의(共産主義)에 반대(反對)하는 일. ¶반공영화.

반:기 反旗 | =叛旗, 반대로 반, 깃발 기 [standard of revolt]
❶속뜻 어떤 체제를 쓰러뜨리기 위하여 조직된 반란(反亂)의 무리가 내세운 깃발[旗]. ❷반대의 뜻이나 기세를 나타내는 표시. ¶환경단체들이 반기를 들고 일어서다.

반:대 反對 | 거꾸로 반, 대할 대 [reverse; opposite]
❶속뜻 두 사물이 모양, 위치, 방향, 순서 따위에서 뒤집어져[反] 맞서[對] 있음. 또는 그런 상태. ❷어떤 의견이나 제안 등에 찬성하지 아니함. ¶그의 제안에 반대했다. ⓑ찬성(贊成).

반:동 反動 | 반대로 반, 움직일 동 [react; counteract]
❶속뜻 어떤 움직임에 반대(反對)하여 일어나는 움직임[動]. ❷물리 한 물체가 다른 물체에 힘을 작용할 때, 다른 물체가 똑같은 크기의 힘을 반대 방향으로 한 물체에 미치는 작용.

반:론 反論 | 반대로 반, 말할 론 [refute]
남의 의견에 대하여 반대(反對) 의견을 말함[論]. 또는 그 의론(議論).

반:면 反面 | 반대로 반, 낯 면 [other side]
❶속뜻 반대(反對)쪽의 면(面). ❷앞에 말한 것과는 달리. 어떠한 사실과는 반대로. ¶나는 말은 잘 하는 반면 실천력이 떨어진다.

반:목 反目 | 반대로 반, 눈 목 [be hostile]
❶속뜻 눈[目]길을 돌림[反]. ❷어떤 일이나 상황에 대해 반대하는 입장을 가져 서로 미워하게 됨. ¶시민단체와 반목하게 되었다.

반:문 反問 | 거꾸로 반, 물을 문 [ask in return]
거꾸로[反] 되물음[問].

반:미 反美 | 반대로 반, 미국 미 [anti-American]
미국(美國)에 반대(反對)함. 또는 미국에 반대되는 것. ¶반미 감정이 약해졌다.

반:박 反駁 | 반대로 반, 논박할 박 [refute]
남의 의견이나 비난에 대하여 반대(反對)의 의견으로 논박(論駁)함.

반:발 反撥 | 거꾸로 반, 튀길 발 [resist; oppose]
❶속뜻 거꾸로[反] 되받아 튀김[撥]. ❷어떤 상대나 행동에 대하여 거스르고 반항함. ¶반발 세력 / 정책에 반발하다.

반:복 反復 | 되돌릴 반, 돌아올 복 [repeat]
처음으로 되돌아[反]가 같은 일을 되풀이함[復]. ¶반복 훈련.

반:비 反比 | 반대로 반, 견줄 비 [inverse ratio]
수학 비례식에서 앞의 항과 뒤의 항을 바꾸어[反] 만든 비(比). A:B에 대한 B:A 따위. ⓑ정비(正比).

반:사 反射 | 되돌릴 반, 쏠 사 [reflect]
❶물리 빛이나 전파 따위가 어떤 물체의 표면에 부딪혀 되돌아[反] 쏘는[射] 현상. ¶거울은 빛을 반사한다. ❷생물 자극에 대하여 기계적으로 일어나는 신체의 생리적인 반응.

반:성 反省 | 되돌릴 반, 살필 성 [introspect]
자기의 언행·생각 따위의 잘잘못이나 옳고 그름을 깨닫기 위해 스스로를 돌이켜[反] 살핌[省]. ¶반성의 기미가 보이지 않는다 / 잘못을 깊이 반성하다.

반:영 反映 | 되돌릴 반, 비칠 영 [reflect]
❶속뜻 빛 따위가 반사(反射)하여 비침[映]. ❷어떤 영향이 다른 것에 미쳐 나타남. ¶그 드라마는 70년대의 시대상을 반영하고 있다.

반:응 反應 | 되돌릴 반, 응할 응 [react]
❶속뜻 되돌아[反] 나온 대응(對應). ❷생체가 자극이나 작용을 받으면 튕겨 나오는 변화나 움직임. ¶과도한 반응 / 신경은 자극에 반응한다. ❸화학 물질과 물질이 서로 작용하여 화학 변화를 일으키는 일. ¶나트륨은 염소와 반응하여 소금을 만든다.

반:전[1] 反戰 | 반대로 반, 싸울 전 [be antiwar]
전쟁(戰爭)을 반대(反對)함. ¶반전 시위를 벌이다.

반:전[2] 反轉 | 반대로 반, 구를 전 [reverse turn]
❶속뜻 반대(反對)쪽으로 구름[轉]. ❷일의 형세가 뒤바뀜. ¶유가가 상승세로 반전했다. ⓑ역전(逆轉).

반:칙 反則 | 거꾸로 반, 법 칙 [violate the rules; foul]
주로 운동 경기 따위에서 규칙(規則)을 어김[反]. 또는 규칙에 어긋남. ¶농구에서는 다섯 번 반칙하면 퇴장을

당한다.

반:항 反抗 | 반대로 반, 막을 항 [resist; revolt]
순순히 따르지 아니하고 반대(反對)하거나 저항(抵抗)함. ¶부모에게 반항하다. (반)복종(服從).

• 역순어휘

배:반 背反 | =背叛, 등질 배, 되돌릴 반 [betray]
신의를 저버리고 등지고[背] 돌아섬[反]. ¶약속을 배반하다. (비)배신(背信).

상반 相反 | 서로 상, 되돌릴 반 [be contrary to]
서로[相] 반대(反對)되거나 어긋남. ¶이 내용은 사실과 상반된다.

위반 違反 | 어길 위, 뒤엎을 반
[violate; infringe]
법령, 명령, 약속 등을 어기거나[違] 지키지 않는 것[反]. ¶주차위반 / 그는 계약을 위반해 위약금을 물었다. (비)위배(違背).

찬:반 贊反 | 도울 찬, 반대로 반
[for and against; ayes or noes]
찬성(贊成)과 반대(反對). ¶투표를 통해 찬반을 묻다.

0157 [금]

今

이제 금
(部) 人부 (획) 4획 (中) 今 [jīn]

今 今 今 今

今자는 부수가 '사람 인'(人)이지만, 이것이 표의요소는 아니다. 갑골문의 자형은 'A'자와 비슷했는데, 이 자형에 대한 풀이에 관해서는 정설이 없다. 획수가 적으니 그냥 외워 두는 것이 상책이겠다. '이제'(now), '지금'(this time), '현재'(the present time), '오늘'(today) 같은 뜻으로 쓰인다.

금년 今年 | 이제 금, 해 년 [this year]
지금(只今)이 속해 있는 해[年]. (비)올해.

금방 今方 | 이제 금, 바로 방 [just now]
❶ 속뜻 지금(只今) 바로[方]. ¶금방 비가 올 것처럼 하늘이 어둡다. ❷방금(方今). ¶금방 구워 낸 빵.

금시 今時 | 이제 금, 때 시
[nowadays; these days]
❶ 속뜻 지금(只今) 이 때[時]. 금방. ❷곧. 바로.

금일 今日 | 이제 금, 날 일 [today]
오늘[今] 날[日]. ¶금일 휴업.

금주 今週 | 이제 금, 주일 주 [this week]
이번[今] 주일(週日).

• 역순어휘

고:금 古今 | 옛 고, 이제 금
[ancient and modern times]
옛날[古]과 지금(只今). ¶그는 고금을 통하여 가장 훌륭한 학자이다.

방금 方今 | 바로 방, 이제 금 [right now]
바로[方] 지금(只今). (비)금방.

지금 只今 | 다만 지, 이제 금 [now; present time]
❶ 속뜻 단지[只] 바로 이 시간[今]. ¶예나 지금이나 달라진 것이 없다. ❷말하고 있는 바로 이때. ¶지금부터 한 시간만 공부하자. (비)현재(現在).

0158 [대]

代

대신할 대:
(部) 人부 (획) 5획 (中) 代 [dài]

代 代 代 代 代

代자는 '(사람을) 교체하다'(change)는 뜻이니 '사람 인'(人)이 표의요소이고, 弋(주살 익)이 표음요소라는 설이 있지만 문제가 많고, 그렇다고 표의요소로 보기에도 어려운 점이 있다. '대신하다'(take the place of), '바꾸다'(replace)는 뜻으로 쓰이며, '시대'(a time; a period), '세대'(a generation), '연대'(an age; an era) 같은 단어의 한 구성요소로 쓰이기도 한다.

속뜻 훈음 ①대신할 대, ②바꿀 대, ③시대 대, ④세대 대, ⑤연대 대.

대:대 代代 | 세대 대, 세대 대
[generation after generation]
거듭된 세대(世代). 여러 대를 계속하여. ¶우리 집은 대대로 학자 집안이다. (비)세세(世世).

대:리 代理 | 대신할 대, 다스릴 리 [represent]
남의 일을 대신(代身) 처리(處理)함. 또는 그런 사람. ¶대리 출석하다 / 대리 만족.

대:변 代辯 | 대신할 대, 말 잘할 변
[represent; indicate]
❶ 속뜻 어떤 기관이나 개인을 대신(代身)하여 말함[辯]. ¶어머니를 위하여 딸이 대변했다 / 노동자의 권익을 대변하다. ❷사실이나 상황을 나타내다. ¶증시는 경제를 대변한다.

대:부 代父 | 대신할 대, 아버지 부 [godfather]
❶ 속뜻 아버지[父] 역할을 대신[代]함. 또는 그런 사람. ❷ 가톨릭 영세나 견진성사(堅振聖事)를 받는 남자의 신

양생활을 돕는 남자 후견인을 이르는 말. [비]교부(敎父). [반]대모(代母).

대:신 代身 | 바꿀 대, 몸 신 [be substituted; take the place of]
❶[속뜻]몸[身]을 바꿈[代]. ❷어떤 대상과 자리를 바꾸어서 있게 되거나 어떤 대상이 하게 될 구실을 바꾸어서 하게 됨. ¶사장을 대신해 부사장이 왔다. [반]직접(直接).

대:안 代案 | 바꿀 대, 생각 안 [alternative idea]
기존의 방안을 바꾸어[代] 내놓은 생각[案]. ¶획기적인 대안을 내놓았다.

대:역 代役 | 바꿀 대, 부릴 역 [important duty; heavy role]
❶[속뜻]역할(役割)을 바꿈[代]. ❷[연영]연극·영화 따위에서 어떤 배우의 배역을 대신하여 일부 연기를 다른 사람이 하는 일. 또는 그런 사람. ¶비록 작은 대역이었지만 열심히 연기했다.

대:의 代議 | 대신할 대, 따질 의 [representation]
❶[속뜻]많은 사람을 대표(代表)하여 나온 사람끼리의 논의(論議). ❷[정치]선거로 뽑힌 의원이 국민의 의사를 대표하여 정치를 논의하는 일. ¶대의 정치 / 대의 민주주의.

대:입 代入 | 바꿀 대, 들 입 [substitute]
❶[속뜻]다른 것으로 바꾸어[代] 넣음[入]. ❷[수학]대수식에서 문자 대신 일정한 수치를 바꿔 넣는 일. ¶수를 대입해 문제를 풀다.

대:체 代替 | 바꿀 대, 바꿀 체 [substitute; replace with; change]
다른 것으로 바꿈(代=替). [비]대신(代身), 대치(代置).

대:치 代置 | 바꿀 대, 둘 치 [replace]
다른 것으로 바꾸어[代] 놓음[置]. 다른 것으로 갈아 놓음. ¶노동력을 기계로 대치하다. [비]개치(改置), 대체(代替), 환치(換置).

대:타 代打 | 바꿀 대, 칠 타 [pinch hit]
[운동]야구에서 타자를 바꾸어[代] 치게[打] 하는 일. 또는 그러한 사람.

대:표 代表 | 바꿀 대, 나타낼 표 [represent]
❶[속뜻]바꾸어[代] 나타냄[表]. ❷전체의 상태나 성질을 어느 하나로 잘 나타냄. 또는 그런 것. ¶김치는 한국을 대표하는 음식이다. ❸전체를 대신하여 나선 사람. ¶대한민국 국가 대표 선수.

대:행 代行 | 바꿀 대, 행할 행 [act as a proxy]
남을 대신(代身)하여 어떤 권한이나 직무를 행(行)함. 또는 그러한 사람. ¶은행에서 보험 업무를 대행하다. [비]대리(代理).

• 역순어휘

고:대 古代 | 옛 고, 시대 대 [ancient times]
옛[古] 시대(時代). ¶고대 사회 / 고대 문학. [반]근대(近代), 현대(現代).

교대 交代 | 서로 교, 바꿀 대 [take turns; rotate]
❶[속뜻]차례에 따라 서로[交] 바꾸어[代] 일을 함. ❷차례에 따라 일을 맡음. ¶나는 매일 동생과 교대로 방 청소를 한다. [비]겨끔내기.

근:대 近代 | 가까울 근, 시대 대 [modern age]
❶[속뜻]지나간 지 얼마 안 되는 가까운[近] 시대(時代). ❷중세와 현대의 중간 시대. [반]고대(古代), 현대(現代).

년대 年代 | 해 년, 시대 대 [age; period; era]
그 단위의 첫 해[年]로부터 다음 단위로 넘어가기 전까지의 기간[代]. ¶80년대 한국 경제는 크게 발전했다.

당대 當代 | 당할 당, 시대 대 [one's lifetime; present age]
❶[속뜻]해당(該當)되는 그 시대(時代). ¶최치원은 신라 당대 최고의 문장가였다. ❷이 시대. 지금 세상. ¶그는 당대 최고의 시인이다. ❸사람의 일대(一代). [비]당세(當世), 당조(當朝), 일생(一生), 일세(一世).

만:대 萬代 | 일만 만, 세대 대 [all generations; all ages]
여러 대에 걸친 오랜[萬] 세대(世代). 영원한 세월. [비]만세(萬歲), 만년(萬年).

삼대 三代 | 석 삼, 세대 대 [three generations]
아버지와 아들, 손자의 세[三] 대(代). ¶삼대가 함께 살다.

세:대 世代 | 세상 세, 시대 대 [generation]
❶[속뜻]어느 한 세상(世上)과 시대(時代). ❷같은 시대에 살면서 공통의 의식을 가지는 비슷한 연령층의 사람 전체. ¶젊은 세대.

시대 時代 | 때 시, 연대 대 [age; period]
어떤 기준에 따라 시기(時期)를 구분한 연대(年代). ¶조선 시대 / 시대에 뒤떨어진 생각을 하다.

식대 食代 | 밥 식, 대신할 대 [charge for food]
음식(飮食)을 청해 먹은 대금(代金). ¶식대를 내다.

십대 十代 | 열 십, 세대 대 [one's teens]
❶[속뜻]열[十] 번째의 세대(世代). ¶십대째 서울에 살다. ❷나이가 10세에서 19세까지의 시대. ¶십대의 소녀.

역대 歷代 | 지낼 력, 시대 대 [generation after generation]
대대로 이어 내려온[歷] 여러 대(代). 또는 그동안. ¶그곳에는 역대 노벨문학상 수상자의 초상화가 걸려 있다.

연대 年代 | 해 년, 시대 대 [age; period]

햇수[年]를 단위로 한 시간[代]. ¶화석의 연대를 측정하다.

일대 一代 | 한 일, 세대 대 [one generation]
사람의 한[一] 세대(世代). ㊥일세(一世).

초대 初代 | 처음 초, 시대 대 [first generation]
어떤 계통의 첫[初] 번째 사람. 또는 그 사람의 시대(時代). ¶초대 대통령.

현:대 現代 | 지금 현, 시대 대
[present age; modern times]
오늘날[現]의 시대(時代). ¶현대 사회 / 현대 의학.

후:대 後代 | 뒤 후, 세대 대
[future generations; posterity]
뒤[後]의 세대(世代). ㊥선대(先代), 전대(前代).

0159 [작]

作 지을 작
㊥人부 ㊥7획 ㊥作 [zuò, zuō]
作 作 作 作 作 作 作

作자는 본래 '乍'(사/작)로 쓰이다가 후에 '손 우'(又)가 덧붙여진 것과 '사람 인'(亻)이 첨가된 것, 두 가지로 나뉘었다. 의미상으로는 앞의 것이 옳으나 왠지 도태되어 버렸고 뒤의 것이 오늘날까지 쓰이고 있다. '乍'는 '옷소매'의 모습이라는 설이 있으나 확실하지는 않다. '짓다'(=만들다 make), '일어나다'(spring up), '일으키다'(set up)는 뜻으로 쓰인다.
[속뜻 글속 훈음] ①지을 작, ②일어날 작, ③일으킬 작.

작가 作家 | 지을 작, 사람 가 [writer]
전문적으로 문학이나 예술을 창작(創作)하는 사람[家]. ¶여류 작가 / 그는 이 작품으로 인기 작가가 되었다.

작고 作故 | 지을 작, 옛 고 [pass away]
❶ [속뜻] 옛[故] 사람이 됨[作]. ❷죽은 사람을 높여 그의 '죽음'을 이르는 말. ¶그분은 60세에 작고하셨다.

작곡 作曲 | 지을 작, 노래 곡
[write music; compose]
[음악] 노래[曲]를 지음[作]. 또는 그 악곡. ¶이 노래는 그가 작곡하였다.

작동 作動 | 지을 작, 움직일 동 [operate]
❶ [속뜻] 기계 따위가 만들어져[作] 움직임[動]. ❷기계의 운동 부분이 움직임. 또는 그 부분을 움직이게 함. ¶감시 카메라가 작동 중이다.

작문 作文 | 지을 작, 글월 문 [composition]
글[文]을 지음[作]. 또는 그 글. ¶겨울에 대해 작문을 하다. ㊥글짓기.

작물 作物 | 지을 작, 만물 물 [crops]
농사를 지어[作] 얻은 식물(植物). '농작물'(農作物)의 준말. ¶이 지방의 주요 작물은 밀이다.

작별 作別 | 지을 작, 나눌 별
[take leave; bid farewell]
이별(離別)을 함[作]. 이별의 인사를 나눔. ¶작별 인사 / 친구와 작별하고 기차에 올랐다. ㊥상봉(相逢).

작사 作詞 | 지을 작, 말씀 사 [write lyrics]
가사(歌詞)를 지음[作]. ¶이 노래는 그가 작사작곡했다.

작성 作成 | 지을 작, 이룰 성 [draw up]
원고, 서류, 계획 따위를 만들어[作] 완성(完成)함. ¶참가 신청서를 작성하십시오.

작심 作心 | 지을 작, 마음 심
[make up one's mind]
마음[心]을 단단히 지어[作] 먹음. 또는 그 마음. ¶작심을 먹다 / 그는 담배를 끊기로 작심했다.

작업 作業 | 지을 작, 일 업 [work]
일정한 목적과 계획 아래 어떤 일터에서 일[業]을 함[作]. 또는 그 일. ¶단순 작업 / 계획대로 작업하면 내년에 공사가 끝난다.

작용 作用 | 지을 작, 쓸 용
[effect; act on; work on]
❶ [속뜻] 어떤 물체가 만들어져[作] 실제로 쓰임[用]. ❷ [물리] 한 물체의 힘이 다른 물체의 힘에 미치어서 영향을 주는 일. ¶동화작용 / 모든 물체 사이에는 서로 끌어당기는 힘이 작용한다.

작자 作者 | 지을 작, 사람 자 [author]
❶ [속뜻] 작품을 짓거나[作] 만든 사람[者]. ¶『홍길동전』의 작자는 허균이다. ❷나 아닌 다른 사람을 낮잡아 이르는 말. ¶저 사람, 도대체 뭐 하는 작자야? ㊥독자(讀者).

작전 作戰 | 지을 작, 싸울 전
[elaborate a plan of operations]
❶ [속뜻] 싸움[戰]이나 경기의 대책을 세움[作]. ¶작전을 짜다. ❷ [군사] 일정 기간에 집중적으로 벌이는 군사적 행동을 통틀어 이르는 말. ¶작전 명령 / 이곳은 육군이 작전하고 있는 지역으로 민간인의 출입을 금합니다.

작정 作定 | 지을 작, 정할 정 [decide; determine]
어떤 일에 대해 마음으로 결정(決定)을 내림[作]. 또는 그 결정. ¶그는 술을 끊기로 작정했다 / 이번 방학에는 터키로 여행 갈 작정이다.

작품 作品 | 지을 작, 물건 품 [piece of work]
❶ [속뜻] 물건[品]을 만듦[作]. 또는 그 만든 물건. ¶새로운 작품을 내놓다. ❷그림, 조각, 소설, 시 등 예술 활동으

로 만든 것. ¶피카소의 작품 / 이번 경매에는 새로운 작품이 나왔다.

작황 作況 | 지을 작, 상황 황 [crop]
농업 농사를 지어[作] 잘 되고 못 된 상황(狀況). ¶올해는 복숭아의 작황이 좋지 않다.

• 역순어휘

가:작 佳作 | 좋을 가, 지을 작
❶속뜻 아주 좋은[佳] 편에 속하는 작품(作品). ❷예술 작품 따위의 대회에서 당선 작품에 버금가는 작품. ¶가작에 당선되다.

개:작 改作 | 고칠 개, 지을 작 [adapt]
고치어[改] 새로 지음[作]. 또는 그 작품. ¶그 희곡은 소설을 개작한 것이다.

걸작 傑作 | 뛰어날 걸, 지을 작 [masterpiece]
❶속뜻 매우 뛰어난[傑] 작품(作品). ¶피카소의 걸작만을 골라 전시하다. ❷'익살스러운 사람'을 비꼬아 이르는 말. ¶사실이 탄로나자 그의 표정은 정말 걸작이었다. ⓑ명작(名作). ⓑ졸작(拙作).

경작 耕作 | 밭갈 경, 지을 작 [cultivate; farm; till]
논밭을 갈아[耕] 농사를 지음[作]. ¶유기농법으로 벼를 경작하다. ⓑ농경(農耕).

공작 工作 | 장인 공, 지을 작
[construct; maneuver]
❶속뜻 물건을 만드는[工=作] 일. ¶공작 시간에 연필꽂이를 만들었다. ❷어떤 목적을 위하여 미리 일을 꾸밈. ¶방해 공작을 벌이다. ⓑ작업(作業), 작전(作戰).

극작 劇作 | 연극 극, 지을 작 [write a play]
연극(演劇)의 각본을 씀[作]. ¶극작 활동.

농작 農作 | 농사 농, 지을 작
[farming; husbandry]
논밭을 갈아 농사(農事)를 지음[作].

대:작 大作 | 큰 대, 지을 작
[great work; masterpiece]
❶속뜻 내용이 방대하고 규모가 큰[大] 작품(作品). ❷뛰어난 작품. ¶이 영화는 20세기 최고의 대작이다. ⓑ거작(巨作), 걸작(傑作). ⓑ졸작(拙作).

동:작 動作 | 움직일 동, 지을 작
[action; movement]
❶속뜻 움직여[動] 만듦[作]. ❷몸을 움직임. ¶그는 동작이 느리다. ⓑ행위(行爲), 행동(行動).

명작 名作 | 이름 명, 지을 작 [masterpiece]
이름난[名] 작품(作品). 뛰어난 작품. ¶렘브란트의 명작을 감상하다. ⓑ걸작(傑作), 대작(大作). ⓑ졸작(拙作).

발작 發作 | 나타날 발, 일으킬 작
[haver fit; spasm]
증세가 갑자기 나타나거나[發] 병을 일으킴[作]. ¶그는 갑자기 쓰러져서 발작하기 시작했다.

소:작 小作 | 작을 소, 지을 작
[sharecrop; tenant (a farm)]
농업 농토를 소유하지 못한 농민이 남의 농토를 빌려서 조금씩[小] 농사를 짓는[作] 일. ¶그동안 소작해 오던 밭마저 떼이고 말았다. ⓑ자작(自作).

습작 習作 | 익힐 습, 지을 작 [study]
시, 소설, 그림 따위의 작법이나 기법을 익히기[習] 위하여 연습 삼아 짓거나[作] 그려 봄. 또는 그런 작품.

시:작 始作 | 처음 시, 일으킬 작 [begin]
처음[始] 일으킴[作]. 처음으로 함. ¶그는 어제부터 운동을 시작했다. ⓑ끝. 속담 시작이 반이다.

신작 新作 | 새 신, 지을 작
[new work; new production]
새로[新] 만듦[作]. 또는 그 작품. ¶신작 발표.

역작 力作 | 힘 력, 지을 작
[laborous work; masterpiece]
노력(努力)하여 만든 작품(作品). ¶이 소설은 그 작가 최고의 역작이다.

원작 原作 | 본디 원, 지을 작
[original (work) of art]
❶속뜻 본디[原]의 저작물(著作物). ❷문학 연극이나 영화의 각본으로 각색되거나 다른 나라의 말로 번역되기 이전의 본디 작품. ¶원작에 충실한 번역.

윤작 輪作 | 돌 륜, 지을 작
[rotation of crops; crop rotation]
농업 같은 경작지에 여러 농작물을 순서에 따라 돌려가며[輪] 재배하는 경작(耕作). ⓑ돌려짓기.

자작 自作 | 스스로 자, 지을 작 [make oneself]
❶속뜻 스스로[自] 손수 만듦[作]. 또는 그 물건. ❷자기 농토에 직접 농사를 지음. ⓑ가작(家作). ⓑ소작(小作).

저:작 著作 | 지을 저, 지을 작 [write a book]
책을 지어냄[著=作]. ¶저작 활동 / 그는 고대 문물에 대한 책을 저작했다.

제:작 製作 | 만들 제, 지을 작 [make; produce]
재료를 가지고 기능과 내용을 가진 새로운 물건이나 예술 작품을 만듦[製=作]. ¶독도를 외국에 알릴 포스터를 제작했다.

조:작[1] 造作 | 만들 조, 지을 작
[fabricate; fake; manufacture]
어떤 일을 사실인 듯이 만들어[造] 지음[作]. ¶그는 성적을 조작했다.

조작² 操作 | 잡을 조, 지을 작
[operate; control; manipulate]
기계 따위를 일정한 방식에 따라 다루어[操] 일함[作]. ¶아버지는 새로운 기계도 능숙하게 조작하신다.

창:작 創作 | 처음 창, 지을 작
[create; write an original work]
❶[속뜻] 처음으로[創] 만들어[作] 냄. ❷예술 작품을 독창적으로 만들거나 표현하는 일. 또는 그 작품. ¶소설을 창작하다.

쾌작 快作 | 기쁠 쾌, 지을 작
[masterpiece; great work]
기쁜[快] 마음으로 만듦[作]. 또는 그런 작품.

타:작 打作 | 칠 타, 일할 작 [thresh]
[농업] 볏단 따위를 두드려[打] 곡식을 떠는 일[作]. ¶보리 타작.

풍작 豐作 | 풍년 풍, 지을 작 [good harvest]
풍년[豐]이 들어 농사를 잘 지음[作]. 또는 그런 농사. ¶올해는 비가 적당히 와서 풍작이 예상된다. [반]흉작(凶作).

합작 合作 | 합할 합, 지을 작 [joint work]
여럿의 힘을 합(合)하여 만듦[作]. ¶이 영화는 한중 합작 작품이다.

흉작 凶作 | 흉할 흉, 지을 작 [bad crop]
흉년(凶年)으로 지은[作] 농사. 농작물의 수확이 평년작을 훨씬 밑도는 일. ¶올해는 쌀이 흉작이다. [반]풍작(豐作).

0160 [신]

信

믿을 신:
[部] 人부 [획] 9획 [中] 信 [xìn]

信信信信信信信信信

信자는 '성실하다'(truthful)는 뜻을 위하여 고안된 것으로 '사람 인'(人)과 '말씀 언'(言)이 조합되어 있다. 사람의 말과 성실성은 불가분의 관계이나 보다. '믿다'(give credit to), '소식'(news; letter)을 뜻하기도 한다.
[속뜻훈음] ①믿을 신, ②소식 신.

신:념 信念 | 믿을 신, 생각 념 [belief]
굳게 믿어[信] 변하지 않는 생각[念]. ¶그는 정직에 대한 강한 신념을 가지고 있다.

신:도 信徒 | 믿을 신, 무리 도 [believer]
어떤 종교를 믿는[信] 사람들[徒]. ¶불교 신도들이 많이 모였다.

신:뢰 信賴 | 믿을 신, 맡길 뢰 [trust]
어떤 일 따위를 믿고[信] 맡김[賴]. ¶신뢰를 얻다 / 그는 신뢰할 수 있는 사람이다.

신:망 信望 | 믿을 신, 바랄 망 [confidence; trust]
어떤 사람이 믿고[信] 그에게 무엇을 바람[望]. 또는 믿음과 덕망. ¶그는 국민에게 신망을 받는 대통령이다.

신:봉 信奉 | 믿을 신, 받들 봉 [believe]
옳다고 믿고[信] 받듦[奉]. ¶종교를 신봉하다.

신:앙 信仰 | 믿을 신, 우러를 앙 [religious faith]
신이나 초자연적 절대자를 믿고[信] 우러러보며[仰] 따르는 마음. ¶신앙의 힘.

신:용 信用 | 믿을 신, 쓸 용 [trust; believe]
❶[속뜻] 무엇을 믿고[信] 씀[用]. ❷사람이나 사물이 틀림없다고 믿어 의심하지 아니함. 또는 그런 믿음성의 정도. ¶그녀는 신용을 잃다.

신:의 信義 | 믿을 신, 옳을 의 [faithfulness]
믿음[信]과 의리(義理). ¶신의를 지키다.

신:임 信任 | 믿을 신, 맡길 임 [confide in; trust]
믿고[信] 일을 맡김[任]. ¶신임을 얻다 / 사장은 그를 전적으로 신임한다.

신:자 信者 | 믿을 신, 사람 자 [believer]
어떤 종교를 믿는[信] 사람[者]. ¶기독교 신자. [비]교도(敎徒), 교인(敎人).

신:조 信條 | 믿을 신, 조목 조 [article of faith]
굳게 믿는[信] 조목(條目). ¶나는 절약을 신조로 삼고 있다.

신:탁 信託 | 믿을 신, 맡길 탁 [trust]
❶[속뜻] 믿고[信] 맡김[託]. ❷[법률] 일정한 목적에 따라 재산의 관리와 처분을 남에게 맡기는 일.

신:호 信號 | 믿을 신, 표지 호 [sign]
❶[속뜻] 통신(通信)을 위해 사용하는 표지[號]. ❷일정한 부호, 표지, 소리, 몸짓 따위로 특정한 내용 또는 정보를 전달하거나 지시를 함. 또는 그렇게 하는 데 쓰는 부호. ¶교통 신호 / 동생이 집에 가자고 신호했으나 나는 본체만체하였다.

• 역순어휘

공신 公信 | 여럿 공, 믿을 신 [public confidence]
❶[속뜻] 여러 사람[公]들이 믿음[信]. ❷[경제] 국가의 신용(信用).

광신 狂信 | 미칠 광, 믿을 신 [religious fanaticism]
신앙이나 사상 따위에 대하여 이성을 잃고 미친[狂] 듯이 믿음[信]. ¶종교를 광신하다.

교신 交信 | 서로 교, 소식 신 [communicate with]
우편, 전신, 전화 따위로 정보나 소식[信] 또는 의견을 서로[交] 주고받음.

답신 答信 | 답할 답, 소식 신 [reply the letter]
회답(回答)으로 서신(書信)이나 통신(通信)을 보냄. 또는 그 서신이나 통신.

맹신 盲信 | 눈멀 맹, 믿을 신 [trust blindly]
❶속뜻 눈이 멀어[盲] 남의 말만 듣고 그대로 믿음[信]. ❷옳고 그름을 가리지 않고 무턱대고 믿음. ¶종교를 맹신해서는 안 된다.

미:신 迷信 | 헤맬 미, 믿을 신 [superstition]
종교적·과학적 관점에서 사람의 마음을 홀리거나 헤매게[迷] 되어 무작정 믿음[信]. 흔히 점복(占卜), 굿 따위가 따르는 민속신앙을 이른다.

반:신 半信 | 반 반, 믿을 신 [be doubtful]
반(半) 쯤만 믿음[信]. 완전히 믿지는 아니함.

발신 發信 | 보낼 발, 소식 신
[dispatch of a message]
편지로 소식[信]을 보냄[發]. ¶이 편지는 서울 발신이다. ⓑ수신(受信).

배:신 背信 | 등질 배, 믿을 신 [betray]
신의(信義)를 등짐[背]. ¶혼자만 살려고 친구들을 배신했다. ⓑ배반(背反).

불신 不信 | 아닐 불, 믿을 신 [disbelieve; distrust]
믿지[信] 아니함[不]. ¶두 나라 사이의 불신이 점점 심해지고 있다.

서신 書信 | 글 서, 소식 신 [letter; note]
글[書]을 써서 전한 소식[信].

소:신 所信 | 것 소, 믿을 신 [one's belief]
자기가 믿고[信] 생각하는 어떤 것[所]. ¶소신을 굽히지 않다.

송:신 送信 | 보낼 송, 소식 신
[transmit a message]
전보, 전화, 편지 따위로 소식[信]을 보냄[送]. ¶무선으로 전파를 송신하다. ⓑ수신(受信).

수신 受信 | 받을 수, 소식 신 [receive a message]
우편이나 전보 따위로 소식[信]을 받음[受]. 또는 전화, 텔레비전 방송 따위의 신호를 받음. ¶이 전화는 수신 전용이다. ⓑ발신(發信), 송신(送信).

외:신 外信 | 밖 외, 소식 신 [foreign news]
외국(外國)으로부터 온 소식[信]. ¶외신 기사. ⓑ외전(外電).

위신 威信 | 위엄 위, 믿을 신
[authority and confidence; prestige]
위엄(威嚴)과 신망(信望). ¶반기문씨는 유엔 사무총장으로 선출되어 국가의 위신을 높였다.

자신 自信 | 스스로 자, 믿을 신 [be confident]
자기(自己)을 믿음[信]. 또는 그런 마음. ¶나는 영어와 중국어에 자신이 있다 / 그는 이번 대회에서 성공을 자신했다.

전:신 電信 | 전기 전, 소식 신
[telegraphic communication]
통신 문자나 숫자를 전기(電氣) 신호로 바꾸어 전파나 전류로 보내는 통신(通信).

통신 通信 | 통할 통, 소식 신
[send letter; communicate]
❶속뜻 소식이나 정보[信]를 교환하고 연락하여 통(通)하게 하는 일. ¶이 지역은 통신 상태가 좋지 않다. ❷소식이나 의지, 지식 등을 전함. ¶통신의 비밀은 법으로 보장되어 있다.

확신 確信 | 굳을 확, 믿을 신 [convinced; sure]
굳게[確] 믿음[信]. ¶확신에 찬 목소리.

회신 回信 | 돌아올 회, 소식 신 [reply; answer]
❶속뜻 돌아온[回] 소식[信]. ❷편지, 전신, 전화 따위로 회답을 함. ¶그에게서 회신이 없다 / 회사에 출장 결과를 회신했다. ⓑ회답(回答), 반신(返信).

0161 [광]

光	빛 광 部 儿부 劃 6획 中 光 [guāng] 光 光 光 光 光 光

光자는 노예가 머리에 등불을 이고 꿇어 앉아 있는 모습을 통하여 '빛'(a light)의 뜻을 나타냈다. 즉 '불 화'(火)와 '사람 인'(인 = 光자의 아래 부분)이 합쳐진 것인데, 모양이 약간 달라졌다.

광경 光景 | 빛 광, 볕 경 [scene; sight]
❶속뜻 아름답게 빛나는[光] 풍경(風景). ❷벌어진 일의 형편과 모양. ¶참혹한 광경이 벌어지다. ⓑ상황(狀況).

광년 光年 | 빛 광, 해 년 [light-year]
천문 빛[光]이 초속 30만km의 속도로 1년(年) 동안 나아가는 거리를 단위로 한 것. 1광년은 9조 4670억 7782만km이다.

광명 光明 | 빛 광, 밝을 명 [light; sunbeam]
❶속뜻 빛[光]이 환함[明]. 또는 밝은 미래나 희망을 상징하는 밝고 환한 빛. ❷불교 부처와 보살 등의 몸에서 나는 빛.

광복 光復 | 빛 광, 돌아올 복
[regain independence]
❶속뜻 빛[光]이 회복(回復)됨. ❷빼앗긴 주권을 도로

찾음. ¶조국의 광복을 위해 투쟁하다.

광선 光線 | 빛 광, 줄 선 [ray of light]
발광체에서 나오는 빛[光]의 줄기[線]. ¶태양 광선.

광열 光熱 | 빛 광, 더울 열 [light and heat]
빛[光]과 열(熱).

광채 光彩 | 빛 광, 빛깔 채 [luminous body]
❶속뜻 찬란하게 빛[光]나는 빛깔[彩]. ❷정기 있는 밝은 빛. ¶광채가 나다.

광택 光澤 | 빛 광, 윤날 택 [glaze; shine]
빛[光]의 반사로 반짝반짝 윤이 남[澤]. 또는 그 빛. ¶천으로 문질러 광택을 내다. ⓑ윤기.

• 역순어휘

각광 脚光 | 다리 각, 빛 광 [footlight]
❶속뜻 무대의 앞면 아래쪽 다리[脚] 부분에서 배우를 비추는 빛[光]. 영어 'foot light'를 풀이해 만든 한자어이다. ❷사회적 관심이나 인기. ¶친환경 제품이 각광을 받다. ⓑ주목(注目), 주시(注視).

관광 觀光 | 볼 관, 빛 광 [sightsee; tour]
다른 지방이나 다른 나라에 가서 그곳의 풍광(風光), 풍습, 문물 따위를 구경함[觀]. ⓑ유람(遊覽).

발광 發光 | 쏠 발, 빛 광 [emit the light]
빛[光]을 냄[發]. ¶안전을 위해 발광 도료를 발랐다.

서:광 曙光 | 새벽 서, 빛 광
[first streak of daylight; prospects]
❶속뜻 새벽[曙]에 동이 틀 무렵의 빛[光]. ❷기대하는 일에 대하여 나타난 희망의 징조를 비유하여 이르는 말. ¶평화의 서광이 비치기 시작했다.

섬광 閃光 | 번쩍할 섬, 빛 광 [flash]
순간적으로 번쩍이는[閃] 빛[光]. ¶조명탄이 섬광을 내며 하늘로 솟아올랐다.

야:광 夜光 | 밤 야, 빛 광 [glow-in-the-dark]
어둠[夜] 속에서 빛[光]을 냄. 또는 그런 물건. ¶야광 시계.

영광 榮光 | 영화 영, 빛 광 [glory]
영화(榮華)롭게 빛[光]남. 또는 그러한 영예. ¶이 영광을 부모님께 돌리겠습니다 / 학교 대표로 뽑힌 것이 영광스럽다.

일광 日光 | 해 일, 빛 광 [sunshine]
태양[日]에서 비추는 빛[光]. ⓑ햇빛.

전:광 電光 | 번개 전, 빛 광
[flash of lightning; bolt; electric light]
❶속뜻 번개[電]가 칠 때 번쩍이는 불[光]. ❷전력(電力)으로 일으킨 빛. ¶전광 간판.

차:광 遮光 | 가릴 차, 빛 광
[shade the light; hinder the light]
햇빛[光]이나 불빛을 가림[遮]. ¶차광 유리를 하다.

채:광 採光 | 가려낼 채, 빛 광 [take in light]
실내를 밝게 하기 위하여 바깥 햇빛[光] 등을 받아들임[採]. ¶채광이 잘 되어 불을 안 켜도 된다.

형광 螢光 | 반딧불 형, 빛 광 [fluorescence]
❶속뜻 반딧불이[螢]의 불빛[光]. 반딧불. ❷물리 어떤 물질이 빛이나 방사선 따위를 받았을 때 그 빛과는 다른 고유의 빛을 내는 현상. ¶형광 조명.

0162 [공]

公

공평할 공
部 八부 劃 4획 中 公 [gōng]

公 公 公 公

公자는 '나누다'는 뜻인 八(分의 원형)과 '사사로운'이라는 뜻의 厶(私의 원형)가 합쳐진 것이다. 사적인 것을 나누다, 즉 '공평하다'(fair)가 본뜻인데, '드러내다'(make a matter public), '관공서'(official), '여러 사람의'(public), '귀인'(a noble man), '섬기다'(serve) 등으로도 쓰인다.

속뜻 훈음 ①공평할 공, ②드러낼 공, ③관공서 공, ④여럿 공, ⑤귀인 공, ⑥섬길 공.

공개 公開 | 드러낼 공, 열 개 [open to the public]
일반에게 드러내어[公] 개방(開放)함. ¶공개 토론 / 정보를 공개하다. ⓑ비공개(非公開).

공고 公告 | 드러낼 공, 알릴 고
[announce; give a public notice]
법률 국가기관이나 공공단체가 일반인에게 드러내어[公] 널리 알림[告]. ¶전투 경찰 모집 공고 / 헌법 개정안 공고.

공공 公共 | 여럿 공, 함께 공 [public]
여러 사람[公]들이 함께[共] 하거나 가짐. ¶공공의 복지를 위해 노력하다.

공과 公課 | 관공서 공, 매길 과
[public imposts; taxes]
국가나 지방자치단체[公]에서 국민에게 매기는[課] 세금이나 그 밖의 공법상의 부담.

공권 公權 | 관공서 공, 권리 권
[civil rights; citizenship]
법률 공법(公法)상으로 인정된 권리(權利). ⓑ사권(私權).

공금 公金 | 관공서 공, 돈 금 [public money]

❶[속뜻] 국가나 공공단체[公]의 소유로 되어 있는 돈[金]. ❷단체나 회사의 돈. ¶공금을 제멋대로 써버리다. [반]사비(私費).

공납 公納 | 관공서 공, 바칠 납
[public imposts; taxes]
관공서(官公署)에 의무적으로 조세를 내는[納] 일.

공단 公團 | 관공서 공, 모일 단
[public corporation]
[법률] 국가적[公] 사업을 수행하기 위하여 설립한 단체(團體)의 특수 법인. ¶의료보험공단.

공론 公論 | 여럿 공, 말할 론
[public opinion; consensus]
사회 전체 여러 사람[公]의 여론(輿論). ¶공론이 분분하다. [비]세론(世論). [반]사론(私論).

공리 公利 | 여럿 공, 이로울 리 [public interest]
여러 사람[公]의 이익(利益). ¶공리 단체. [반]사리(私利).

공립 公立 | 관공서 공, 설 립 [public institution]
지방공공단체[公]가 설립(設立)하여 운영하는 일. 또는 그 시설. ¶공립 도서관. [반]사립(私立).

공명 公明 | 공정할 공, 밝을 명
[fair; open; square]
사사로움이 없이 공정(公正)하고 숨김없이 명백(明白)하다. ¶공명한 판결.

공모 公募 | 드러낼 공, 뽑을 모
[invite public participation]
일반에게 드러내어[公] 널리 모집(募集)함. ¶새 이름을 공모하다.

공무 公務 | 관공서 공, 일 무 [public duties]
국가나 공공단체[公]의 사무(事務). 공무원의 직무. ¶공무 집행 방해죄 / 그는 공무로 바쁘다. [비]공사(公事). [반]사무(私務).

공문 公文 | 관공서 공, 글월 문
[official document]
관공서[公]의 문서(文書). '공문서'의 준말.

공사[1] 公私 | 여럿 공, 사사로울 사
[public and private affairs]
❶[속뜻] 여러 사람[公]의 것과 한 사람[私]의 것. ❷공적(公的)인 일과 사적(私的)인 일. ¶공사를 명확히 구별하다.

공사[2] 公社 | 여럿 공, 회사 사
[public corporation]
[법률] 국가가 공공(公共)의 이익을 위하여 설립된 기업체[社]. 한국방송공사, 한국전력공사 따위.

공사[3] 公使 | 관공서 공, 부릴 사
[(diplomatic) minister]
[법률] 국가[公]를 대표하여 파견되는 외교 사절(使節).

공산 公算 | 여럿 공, 셀 산 [probability; likelihood]
❶[속뜻] 여러 사람[公]들이 확실하다고 생각하는 셈[算]. ❷확실성의 정도. ¶이길 공산이 크다.

공석 公席 | 여럿 공, 자리 석
[presence of the public]
❶[속뜻] 여러 사람[公]이 모인 자리[席]. ¶공석에서는 사담을 하지 맙시다. ❷공적인 업무를 맡아보는 직위. ¶공석에 앉은 몸으로 함부로 처신할 수 없다. [반]사석(私席).

공설 公設 | 관공서 공, 세울 설
[public installation]
국가나 공공단체[公]에서 설립(設立)함. ¶공설 운동장. [반]사설(私設).

공소 公訴 | 관공서 공, 하소연할 소
[arraign; prosecute]
[법률] 검사[公]가 형사사건에 관하여 법원에 재판을 청구하는[訴] 일. ¶공소를 제기하다.

공시 公示 | 드러낼 공, 보일 시
[announce officially]
[법률] 어떤 사실을 일반에게 드러내어[公] 널리 보여줌[示]. ¶공시 가격 / 회의 결과를 공시하다.

공식 公式 | 여럿 공, 법 식 [formality; formula]
❶[속뜻] 여러 사람[公]에게 널리 알려진 방식(方式). ¶공식 회담. ❷[수학] 계산의 법칙 따위를 문자와 기호로 나타낸 식. ¶공식에 대입해 문제를 풀다. [반]비공식(非公式).

공신 公信 | 여럿 공, 믿을 신 [public confidence]
❶[속뜻] 여러 사람[公]들이 믿음[信]. ❷[경제] 국가의 신용(信用).

공약 公約 | 공공 공, 묶을 약 [public promise]
❶[속뜻] 일반인을 대상으로 공식적(公式的)으로 한 약속(約束). ¶선거공약을 내걸다. ❷[법률] 법적 효력을 지닌 계약.

공언 公言 | 여럿 공, 말씀 언 [declare; profess]
❶[속뜻] 여러 사람[公]에게 한 말[言]. ¶그는 사퇴를 공언했다. ❷공평한 말. [비]공담(公談).

공연 公演 | 여럿 공, 펼칠 연 [perform]
연극이나 음악, 무용 등을 여러 사람[公]이 모인 자리에서 펼쳐[演] 보임.

공영 公營 | 여럿 공, 꾀할 영
[public management]
여러 사람[公]들의 이익을 꾀함[營]. ¶공영 기업 / 공영 방송. [반]사영(私營), 민영(民營).

공용 公用 | 여럿 공, 쓸 용
[official business; official duty]

❶속뜻 여러 사람[公]들이 함께 씀[用]. ¶공용 물품. ❷공적인 용무. ❸관청이나 공공단체의 비용. ¶공용을 아껴 썼다. (비)공무(公務), 공비(公費).

공원 公園 | 여럿 공, 동산 원 [park; public garden]
여러 사람[公]들의 휴식과 보건 등을 위한 시설이 되어 있는 큰 정원(庭園)이나 지역. ¶공원으로 산책을 가다.

공유 公有 | 관공서 공, 있을 유 [public ownership]
국가 또는 공공 단체[公]의 소유(所有). (반)사유(私有).

공익 公益 | 여럿 공, 더할 익 [public good]
개인이 아닌 여러 사람[公]의 이익(利益). ¶공익광고 / 공익을 도모하다. (반)사익(私益).

공인[1] 公人 | 여럿 공, 사람 인 [public person]
❶속뜻 국가 또는 사회[公]를 위하여 일하는 사람[人]. ❷공직(公職)에 있는 사람. ¶공무원은 공인으로서 져야 할 책임이 있다. (반)사인(私人).

공인[2] 公認 | 여럿 공, 알 인 [recognize officially]
❶속뜻 여러 사람[公]이 다 같이 인정(認定)함. ❷국가나 공공 단체가 인정함.

공자 公子 | 귀인 공, 아들 자 [young nobleman]
지체가 높은 귀인[公]의 아들[子].

공적 公的 | 여럿 공, 것 적 [be public; official]
❶속뜻 여러 사람[公]들을 위한 것[的]. ❷여러 사람들에게 공개됨. ¶공적인 장소에서는 말과 행동을 조심해야 한다. (반)사적(私的).

공전 公轉 | 섬길 공, 구를 전 [revolve]
천문 한 천체가 다른 천체를 섬기듯이[公] 그 둘레를 주기적으로 도는[轉] 일. ¶달은 지구를 공전한다. (반)자전(自轉).

공정 公正 | 공평할 공, 바를 정 [just; fair]
공평(公平)하고 올바름[正]. ¶일을 공정히 처리하다 / 공정한 재판. (비)공명정대(公明正大). (반)불공정(不公正).

공주 公主 | 귀인 공, 주될 주 [(royal) princess]
정실 왕비가 낳은 임금의 딸. 옛날 중국에서, 왕이 그 딸을 제후에게 시집보낼 때 삼공(三公)이 그 일을 주관(主管)하도록 한 데서 유래되었다. (반)왕자(王子).

공중 公衆 | 여럿 공, 무리 중 [general public]
여러 사람[公]의 무리[衆]. 일반 사람들. ¶공중도덕(道德).

공지 公知 | 여럿 공, 알 지 [announce; notify]
여러 사람[公]에게 널리 알림[知]. ¶학생들에게 변경된 시험 날짜를 공지하다.

공직 公職 | 관공서 공, 일 직 [official position]
국가나 지방 공공단체[公]에서 맡은 직무(職務).

공평 公平 | 공정할 공, 평평할 평 [fair; impartial]
공정(公正)하여 어느 한쪽으로 치우치지 아니함[平]. ¶공평한 판단을 내리다. (비)공정(公正). (반)불공평(不公平).

공포 公布 | 드러낼 공, 펼 포 [proclaim]
❶속뜻 공개적(公開的)으로 퍼트려[布] 널리 알게 함. ❷법률 새로 제정된 법령이나 조약 등을 국민에게 두루 알림. 또는 그 절차. ¶앙리 4세는 낭트칙령을 공포했다.

공표 公表 | 드러낼 공, 밝힐 표
[announce officially; publish]
드러내어[公] 널리 밝힘[表]. ¶새 학설을 공표하다.

공해 公害 | 여럿 공, 해칠 해
[environmental pollution]
여러 사람[公]에게 미치는 피해(被害). 주로 각종 산업 활동에 의하여 발생되는 것을 말한다. ¶서울은 각종 공해로 시달리고 있다.

공회 公會 | 여럿 공, 모일 회 [public meeting]
❶속뜻 여러 사람[公]들의 모임[會]. ❷공적인 문제를 의논하기 위한 모임. ¶공회를 소집하다.

공휴 公休 | 관공서 공, 쉴 휴 [holiday]
관공서[公]가 쉬는 휴일[休日].

0163 [공]

共

한가지 공:
(部) 八부 (劃) 6획 (中) 共 [gòng]

共 共 共 共 共 共

共자의 부수가 '여덟 팔'(八)이기에 뜻이 '8'과 관련이 있을 것으로 보면 큰 오산이다. 共자는 漢(한) 나라 때 자형이 크게 변모됨에 따라 두 손으로 '받들다'(hold up)라는 본뜻과는 전혀 무관하게 되었다. 후에 '함께'(together)라는 의미로 쓰이는 예가 많아지자, '받들다'는 뜻은 다시 '손 수'(手=扌)를 첨가한 拱(공)자를 만들어 나타냈다.

속뜻훈음 **함께 공.**

공:감 共感 | 함께 공, 느낄 감 [sympathize]
남들과 함께[共] 똑같이 느낌[感]. 또는 그런 감정. ¶그들의 고통을 공감하다.

공:동 共同 | 함께 공, 같을 동 [cooperate with]
❶속뜻 두 사람 이상이 함께[共] 같이함[同]. ❷두 사람 이상이 동등한 자격으로 결합함. ¶공동으로 운영하다. (비)합동(合同). (반)단독(單獨).

공:명 共鳴 | 함께 공, 울 명
[echo; resound; sympathize]
❶속뜻 한 물체가 외부의 음파에 자극되어 함께[共] 울

림[鳴]. ❷남의 사상이나 의견 따위에 동감(同感)함. ㊥ 공진(共振), 공감(共感).

공:범 共犯 | 함께 공, 범할 범
[accomplice; confederate]
법률 몇 사람이 함께[共] 저지른 범죄(犯罪). 또는 그 사람. ¶공범을 체포하다 / 이 사건은 세 사람이 공범했다. ㊥단독범(單獨犯).

공:비 共匪 | 함께 공, 도둑 비 [red guerrillas]
❶속뜻 공산당(共産黨)을 도둑[匪]에 비유한 말. ❷중국에서 공산당의 지도 아래 활동하던 게릴라를 이르는 말. ¶공비를 소탕하다.

공:산 共產 | 함께 공, 낳을 산 [common property]
❶속뜻 공동(共同)으로 생산(生産)하고 관리함. ❷사회 '공산주의'(共産主義)의 준말.

공:생 共生 | 함께 공, 살 생 [live together]
❶속뜻 서로 도움을 주며 함께[共] 생활(生活)함. ❷생물 다른 종류의 생물이 서로 이익을 주고받으며 한 곳에서 사는 일. ¶말미잘과 흰동가리는 공생 관계에 있다.

공:용 共用 | 함께 공, 쓸 용 [common use]
공동(共同)으로 씀[用]. ¶남녀 공용 / 이곳은 영어와 프랑스어를 공용한다. ㊥전용(專用).

공:유 共有 | 함께 공, 있을 유 [joint ownership]
공동(共同)으로 소유(所有)함. ¶정보를 공유하다. ㊥독점(獨占).

공:존 共存 | 함께 공, 있을 존 [coexist with]
함께[共] 존재(存在)함. 함께 살아감. ㊥공생(共生).

공:통 共通 | 함께 공, 통할 통 [be common]
여럿 사이에 두루[共] 통용(通用)되거나 관계됨.

공:화 共和 | 함께 공, 어울릴 화
[republicanism; republican]
❶속뜻 여러 사람이 함께[共] 어울려[和] 일함. ❷정치 두 사람 이상이 화합하여 공동으로 정무(政務)를 펴 나감. 또는 그것을 기반으로 한 정치 제도. '공화제'(共和制)의 준말.

• 역순어휘

공공 公共 | 여럿 공, 함께 공 [public]
여러 사람[公]들이 함께[共] 하거나 가짐. ¶공공의 복지를 위해 노력하다.

대:공 對共 | 대할 대, 함께 공 [anticommunism]
공산주의(共産主義) 또는 공산주의자를 상대(相對)로 함. ¶대공 수사.

반:공 反共 | 반대로 반, 함께 공
[anti-Communism]
공산주의(共産主義)에 반대(反對)하는 일. ¶반공영화.

중공 中共 | 가운데 중, 함께 공
[People's Republic of China]
지리 '중화인민공화국'(中華人民共和國)을 줄여서 부르던 말.

0164 [행]

幸

다행 행 :
㊀ 干부 ㊁ 8획 ㊥ 幸 [xìng]

幸 幸 幸 幸 幸 幸 幸 幸

幸자의 최초 자형은 범인의 발이나 손에 채우던 '차꼬'의 모양을 본뜬 것이라는 설이 일반적이다. 범인을 체포한 것을 '다행'(good fortune)으로 여겼으므로 '다행' 또는 '운이 좋다'(be lucky)는 뜻으로 쓰였다는 추론이 그럴 듯하다.

행:복 幸福 | 다행 행, 복 복 [happy]
❶속뜻 다행(多幸)스러운 복(福). ❷흐뭇하도록 만족하여 부족이나 불만이 없음. 또는 그러한 상태. ¶행복은 돈으로 살 수 없다 / 행복한 시간을 보내다. ㊥불행(不幸).

행:운 幸運 | 다행 행, 운수 운 [good luck]
다행(多幸)스런 운수(運數). 좋은 운수. ¶행운의 여신 / 행운을 빕니다. ㊥불운(不運).

• 역순어휘

다행 多幸 | 많을 다, 행운 행
[lucky; fortunate]
❶속뜻 많은[多] 행운(幸運). ❷일이 잘되어 좋음. ¶상처가 크지 않아 다행이다. ㊥불행(不幸).

불행 不幸 | 아닐 불, 다행 행 [unhappy]
❶속뜻 행복(幸福)하지 아니함[不]. ¶불행한 결혼 생활. ❷운수가 나쁨. ¶불행은 항상 겹쳐 온다. ㊥불운(不運). ㊥행복(幸福), 행운(幸運).

천행 天幸 | 하늘 천, 다행 행
[blessing of Heaven; grace of God]
하늘[天]이 준 은혜나 다행(多幸). ¶그는 물에 빠졌지만 천행으로 살아났다.

0165 [각]

各

각각 각
㊀ 口부 ㊁ 6획 ㊥ 各 [gè, gě]

各 各 各 各 各 各

各자는 원시 움집 생활과 관련이 있는 글자다. 윗부분의 夂(치)는 '발자국 지'(止)의 변형으로 사람의 동작을 나타내는 것이고, 아랫부분의 口는 '입'이 아니라 '움집의 입구'를 가리킨다. 발자국이 집 입구를 향하고 있으니, '(집에) 이르다'(arrive at home)가 본래 의미인데, '각각'(each), '따로'(separately; apart), '여러'(several; many)같은 뜻으로 활용되는 예가 많아지자, 그 본뜻은 格(격)자로 나타냈다.
[속뜻훈음] ①각각 각, ②따로 각, ③ 여러 각.

각각 各各 | 따로 각, 따로 각 [each; respectively]
따로[各]따로[各]. 제각기. ¶악기는 종류마다 각각의 특성을 가지고 있다. ㊐제각기, 따로따로, 각기.

각계 各界 | 각각 각, 지경 계 [each field]
사회 각각(各各)의 여러 분야[界]. ¶각계의 저명인사들이 회의에 참석하다.

각국 各國 | 각각 각, 나라 국 [every country]
각(各) 나라[國]. ¶각국 대표가 회의에 참석하다.

각기 各其 | 각각 각, 그 기 [each one; every one]
그[其] 각각(各各). 저마다. ¶각기 의견을 말하다. ㊐각각(各各).

각양 各樣 | 여러 각, 모양 양
[various ways; all manners]
여러[各] 가지 모양(模樣). 갖가지.

각자 各自 | 각각 각, 스스로 자 [each one]
❶[속뜻]각각(各各)의 자기(自己). ❷저마다 따로따로. ¶밥값은 각자 계산했다. ㊐제각각, 제각기, 각각(各各).

각종 各種 | 여러 각, 갈래 종
[all kinds; various kinds]
여러[各] 가지 종류(種類). ¶각종 직업을 체험하다. ㊐각색(各色), 각양각색(各樣各色).

각지 各地 | 여러 각, 땅 지 [every place]
여러[各] 지방(地方). ¶전국 각지에서 많은 사람이 몰려왔다. ㊐각처(各處), 방방곡곡(坊坊曲曲).

각처 各處 | 여러 각, 곳 처 [every place]
여러[各] 곳[處]. 모든 곳. ¶전국 각처에서 대회가 열렸다. ㊐각지(各地), 방방곡곡(坊坊曲曲).

0166 [화]

和

화할 화
㊔口부 ㊕8획 ㊥和 [hé, huó, huò]

和和和和和和和和

和자의 禾(벼 화)는 표음요소이니 의미와는 무관하다. 사실은 龢(화)자가 본래 글자인데, 후에 龠(피리 약)이 口(입구)로 대폭 축소되어 지금의 '和'자가 됐다. '(피리소리의) 어울림'(harmony)이 본뜻인데, '고르다'(uniform; equal), '합치다'(unite; merge), '따스하다'(warm; mild)는 뜻을 나타내기도 한다.
[속뜻훈음] ①어울릴 화, ②고를 화, ③합칠 화, ④따스할 화.

화기 和氣 | 따스할 화, 기운 기 [peace; harmony]
❶[속뜻] 따스한[和] 기운[氣]. ❷온화한 기색. 또는 화목한 분위기. ¶얼굴에 화기가 돌다.

화답 和答 | 어울릴 화, 답할 답 [respond]
서로 잘 어울리는[和] 시나 노래로 대답(對答)함. ¶나는 그의 노래에 화답하여 바이올린을 연주했다.

화목 和睦 | 어울릴 화, 친할 목
[peaceful; harmonious]
서로 잘 어울리고[和] 친하게[睦] 지냄. ¶무엇보다 가족의 화목이 제일이다.

화백 和白 | 어울릴 화, 말할 백 [conference]
❶[속뜻] 여러 사람이 잘 어울리기[和] 위하여 함께 의논함[白]. ❷[역사] 신라 때에, 나라의 중대사를 의논하던 회의 제도.

화색 和色 | 따스할 화, 빛 색
[peaceful countenance]
얼굴에 드러나는 온화(溫和)하고 환한 빛[色]. ¶민지는 아빠를 보자 얼굴에 화색이 돌았다.

화음 和音 | 어울릴 화, 소리 음 [chord; accord]
[음악] 높이가 다른 둘 이상의 음이 함께 울릴 때 어울리는[和] 소리[音]. ¶화음을 넣다.

화창 和暢 | 따스할 화, 펼칠 창 [balmy; bright]
따스하여[和] 꽃잎이 활짝 펼쳐질[暢] 정도로 날씨가 맑고 좋다. ¶화창한 오후 / 화창한 날씨.

화합 和合 | 어울릴 화, 합할 합 [harmonize]
서로 잘 어우러져[和] 마음을 합(合)침. ¶우리 반은 화합이 잘 된다.

• 역순어휘

강:화 講和 | 강구할 강, 어울릴 화
[make peace with]
싸움을 그치고 화해(和解)할 것을 강구(講究)함. ¶강화 조약 / 양국은 강화에 동의했다. ㊐화해(和解).

공:화 共和 | 함께 공, 어울릴 화
[republicanism; republican]
❶[속뜻] 여러 사람이 함께[共] 어울려[和] 일함. ❷[정치] 두 사람 이상이 화합하여 공동으로 정무(政務)를 펴 나감. 또는 그것을 기반으로 한 정치 제도. '공화제'(共和

制)의 준말.

불화 不和 | 아닐 불, 어울릴 화
[disagreement; discord]
서로 어울리지[和] 못함[不]. 사이가 좋지 못함. ¶부부 간의 불화 / 가정불화. (반)화합(和合), 화목(和睦).

온화 溫和 | 따뜻할 온, 따스할 화 [be mild]
❶ 속뜻 날씨가 따뜻하고[溫] 바람이 따스하다[和]. ¶온화한 기후. ❷마음이 온순하고 부드럽다. ¶온화한 성격.

완:화 緩和 | 느릴 완, 따스할 화 [relax; ease off]
느슨하고[緩] 온화(穩和)하게 함. ¶그 학교는 입학 조건을 대폭 완화했다 / 이 약은 통증을 완화시켜 준다.

위화 違和 | 어길 위, 어울릴 화 [trouble]
❶ 속뜻 서로 어울림[和]에 어긋남[違]. ❷다른 사물과 조화되지 않는 일.

융화 融和 | 녹을 융, 고를 화
[reconciled; harmony]
고르게[和] 잘 녹아서[融] 한 덩어리가 됨. ¶이 대회는 양국 간의 융화를 위한 것이다.

인화 人和 | 사람 인, 어울릴 화
[harmony among men]
다른 사람[人]과 잘 어울림[和]. ¶인화 단결 / 인화가 잘 되지 않는 조직은 오래가지 못한다.

조화 調和 | 고를 조, 어울릴 화 [harmonize]
고르게[調] 서로 잘 어울림[和]. ¶모든 악기가 서로 조화를 이루며 아름다운 소리를 낸다. (반)부조화(不調和).

중화 中和 | 가운데 중, 어울릴 화 [neutralize]
❶ 속뜻 서로 다른 성질의 물질이 중간(中間)에서 어우러져[和] 서로의 특징이나 작용을 잃음. ¶두 민족은 한데 어울려 살면서 중화되었다. ❷ 화학 산과 염기가 반응하여 서로의 성질을 잃음. 또는 그 반응. ¶암모니아수로 독성을 중화시키다.

척화 斥和 | 물리칠 척, 어울릴 화 [reject peace]
서로 잘 지내자[和]는 제의를 물리침[斥].

친화 親和 | 친할 친, 어울릴 화 [friendly; intimate]
서로 친(親)하게 잘 어울림[和]. ¶친구와 친화하지 못하다 / 환경 친화적인 제품.

평화 平和 | 평안할 평, 화목할 화
[peace; harmony]
❶ 속뜻 평안(平安)하고 화목(和睦)함. ¶가정의 평화를 깨뜨리다 / 평화로운 시골생활 / 그는 평화스러운 눈빛으로 아이를 바라보았다. ❷전쟁이 없이 세상이 평온함. ¶폭력적인 수단을 사용해서는 평화를 이룰 수 없다.

포:화 飽和 | 배부를 포, 고를 화 [be saturated]
❶ 속뜻 배가 불러[飽] 빈틈없이 고르게[和] 가득참. ❷더 이상의 양을 수용할 수 없을 정도로 가득 참. ¶서울의 인구는 포화 상태에 이르렀다 / 용액 속에 염화나트륨이 포화해 있다.

0167 [도]

圖

그림 도
부 囗부 획 14획 中 图 [tú]

圖자의 '큰 입 구'(囗)는 국토의 경계를 나타내고, 그 안에 있는 啚(비)는 '행정구획'을 의미하는 鄙(비)자의 본래 글자이다. '(나라의) 지도'(a map)가 본뜻인데, '그림'(a diagram), '꾀하다'(planning)는 뜻으로도 쓰인다.

속뜻 훈음 **①그림 도, ②꾀할 도.**

도감 圖鑑 | 그림 도, 볼 감 [illustrated book]
실물 대신 그림[圖]이나 사진을 모아 알아보기[鑑] 쉽게 한 책. (비)도보(圖譜).

도면 圖面 | 그림 도, 낯 면 [drawing; floor plan]
토목, 건축, 기계 따위의 구조나 설계 또는 토지, 임야 따위를 기하학적으로 그린[圖] 면(面). ¶집의 도면을 그리다. (비)도본(圖本).

도모 圖謀 | 꾀할 도, 꾀할 모 [plan; design]
어떤 일을 이루기 위하여 대책과 방법을 세움[圖=謀]. ¶친목을 도모하다.

도서 圖書 | 그림 도, 글 서 [books]
❶ 속뜻 그림[圖], 글[書], 글씨 따위를 통틀어 이르는 말. ❷일정한 목적, 내용, 체제에 맞추어 사상, 감정, 지식 따위를 글이나 그림으로 표현하여 적거나 인쇄하여 묶어 놓은 것. ¶도서를 구입하다. (비)책(冊), 서적(書籍).

도안 圖案 | 그림 도, 생각 안 [design; plan]
그림[圖] 형식으로 표현한 생각[案]. 또는 생각을 구체화한 그림. ¶화폐 도안을 바꾸다.

도장 圖章 | 그림 도, 글 장 [seal; stamp]
❶ 속뜻 그림[圖]이나 글[章]을 새긴 것. ❷이름을 새겨 서류에 찍어 증거로 삼는 물건. ¶도장을 찍다. (비)인장(印章).

도표 圖表 | 그림 도, 겉 표 [chart; graph]
여러 가지 자료를 분석하여 그 관계를 일정한 양식의 그림[圖]으로 나타낸 표(表).

도형 圖形 | 그림 도, 모양 형 [figure; diagram]
❶ 속뜻 그림[圖]의 모양이나 형태(形態). ❷ 수학 점, 선, 면, 체 또는 그것들로 이루어진 형태를 가진 것을 통틀어 이르는 말. 사각형, 원, 구 따위.

도화 圖畵 | 그림 도, 그림 화 [drawing]

❶[속뜻] 도안(圖案)과 그림[畵]을 아울러 이르는 말. ❷그림을 그리는 일. 또는 그려 놓은 그림.

• 역순어휘

괘도 掛圖 | 걸 괘, 그림 도
[wall map; hanging scroll]
벽에 걸어 놓고[掛] 보는 학습용 그림[圖]이나 지도. [비]걸그림.

구도 構圖 | 얽을 구, 그림 도 [composition; plot]
❶[속뜻] 얽거나[構] 짜놓은 그림[圖]. ❷[미술] 그림에서 모양, 색깔, 위치 따위의 짜임새. ¶구도를 잡다.

기도 企圖 | 꾀할 기, 꾀할 도 [attempt; try]
일을 꾀하여[企] 도모(圖謀)함. ¶그들은 항공기 납치를 기도했다.

부:도 附圖 | 붙을 부, 그림 도 [attached map]
책에 딸려 붙어[附] 있는 그림이나 지도(地圖) 따위. ¶지리부도 / 역사 부도.

시:도 試圖 | 시험할 시, 꾀할 도 [try; attempt]
무엇을 시험(試驗) 삼아 꾀하여[圖] 봄. 또는 꾀한 바를 시험해 봄. ¶나는 네 번째 시도에서 성공했다.

약도 略圖 | 줄일 략, 그림 도
[rough sketch; outline map]
간략(簡略)하게 줄여 주요한 것만 대충 그린 도면이나 지도(地圖). ¶여기에서 학교까지의 약도를 그려주세요.

의:도 意圖 | 뜻 의, 꾀할 도 [intend; aim]
❶[속뜻] 뜻[意]한 바를 꾀함[圖]. ❷무엇을 하고자 하는 생각이나 계획. 또는 무엇을 하려고 꾀함. ¶너를 속일 의도는 없었다.

전도 全圖 | 모두 전, 그림 도
[complete diagram; whole map]
전체(全體)를 그린 그림[圖]이나 지도(地圖). ¶세계 전도.

제:도 製圖 | 만들 제, 그림 도 [draft; draw]
기계, 건축물, 공작물 따위의 도면(圖面)이나 도안(圖案)을 만들어냄[製]. ¶제도연필(製圖鉛筆).

지도 地圖 | 땅 지, 그림 도 [map]
[지리] 지구(地球) 표면의 일부나 전부를 일정한 축척(縮尺)에 따라 평면 위에 나타낸 그림[圖]. ¶지도를 보고 친척집을 찾아가다.

축도 縮圖 | 줄일 축, 그림 도
[reduced drawing; miniature copy]
그림이나 대상의 본디 모양을 줄여서[縮] 그림[圖]. ¶1/1,000로 축소한 축도.

판도 版圖 | 널빤지 판, 그림 도
[territory; dominion]
한 나라의 영토를 널빤지[版]에 그린 그림[圖]에 비유한 말. ¶광개토대왕은 우리나라의 판도를 크게 넓혔다.

0168 [약]

弱

약할 약
[部] 弓부 [劃] 10획 [中] 弱 [ruò]

弱 弱 弱 弱 弱 弱 弱 弱 弱 弱

弱자는 '구부러지다'(bend)는 뜻을 나타내기 위하여 '(弓+彡)×2'의 구조로 만들어진 것이다. 彡(터럭 삼)은 후에 쓰기 편하도록 두 줄로 변하였다. 터럭같이 약하고 활처럼 굽은 나무는 힘을 받지 못한다. 그래서 '약하다' (weak; frail)는 뜻으로 널리 쓰인다.

약골 弱骨 | 약할 약, 뼈 골
[weak constitution; weakling]
약(弱)한 골격(骨格). 또는 그러한 사람. ¶그는 약골이다.

약세 弱勢 | 약할 약, 세력 세 [bears; shorts]
약(弱)한 세력(勢力). 약한 기세. ¶증권시장은 강세에서 약세로 변했다. [반]강세(強勢).

약소 弱小 | 약할 약, 작을 소 [weak; minor]
약(弱)하고 작음[小]. ¶약소 민족의 설움을 겪다. [반]강대(強大).

약시 弱視 | 약할 약, 볼 시 [weak eyesight]
약(弱)한 시력(視力). 또는 그런 시력을 가진 사람.

약자 弱者 | 약할 약, 사람 자 [weak; weak person]
약(弱)한 사람[者]이나 생물. 또는 그런 집단. ¶사회적 약자 / 약자를 보호해야 한다. [반]강자(強者).

약점 弱點 | 약할 약, 점 점 [weak point]
모자라서[弱] 남에게 뒤떨어지거나 떳떳하지 못한 점(點). ¶남의 약점을 건드리지 마라. [비]결점(缺點), 단점(短點). [반]강점(強點), 장점(長點).

약체 弱體 | 약할 약, 몸 체 [weak body]
❶[속뜻] 허약(虛弱)한 몸[體]. ❷실력이나 능력이 약한 조직체. ¶우리 팀은 그동안 약체로 평가받아 왔다.

약화 弱化 | 약할 약, 될 화 [weaken]
세력이나 힘이 약하게[弱] 됨[化]. 또는 그렇게 되게 함. ¶태풍의 세력이 크게 약화되었다 / 그 바이러스는 인체의 저항력을 약화시킨다. [반]강화(強化).

• 역순어휘

강약 強弱 | 강할 강, 약할 약
[strength and weakness]

❶속뜻 강(強)함과 약(弱)함. ¶강약을 조절하여 연주하다. ❷강자와 약자.

나:약 懦弱 | 무기력할 나, 약할 약 [feebleness]
무기력하고[懦] 의지가 약함[弱]. ¶나약한 태도.

노:약 老弱 | 늙을 로, 약할 약 [old and the weak]
❶속뜻 늙어서[老] 기운이 쇠약(衰弱)함. ❷늙은이와 연약한 어린이. ⓑ노소(老少).

미약 微弱 | 작을 미, 약할 약 [feeble; weak]
미미(微微)하고 약(弱)하다. 보잘 것 없다. ¶네 시작은 미약하였으나 네 나중은 심히 창대하리라.

박약 薄弱 | 엷을 박, 약할 약 [fainthearted]
의지나 체력 따위가 굳세지 못하고[薄] 여림[弱]. ¶의지가 박약하다.

병:약 病弱 | 병 병, 약할 약 [weak; sickly; infirm]
병(病)에 시달려 몸이 허약(虛弱)하다. 병에 걸리기 쉬울 만큼 몸이 허약하다.

빈약 貧弱 | 가난할 빈, 약할 약 [poor; scanty]
❶속뜻 가난하고[貧] 약(弱)함. ¶빈약한 국가. ❷보잘것 없음. ¶그 책은 내용이 빈약하다.

쇠약 衰弱 | 쇠할 쇠, 약할 약 [weak]
몸이 쇠퇴(衰退)하여 약(弱)함. ¶신경 쇠약 / 노인들은 나이가 들면서 기력이 쇠약해진다.

연:약 軟弱 | 연할 연, 약할 약 [tender; mild]
무르고[軟] 약(弱)하다. ¶연약한 여자의 마음 / 아기의 피부는 연약하다.

유약 幼弱 | 어릴 유, 약할 약 [young and fragile]
어리고[幼] 여리다[弱]. ¶유약한 태도.

취:약 脆弱 | 무를 취, 약할 약 [weak; fragile]
무르고[脆] 약함[弱]. ¶이 지역은 홍수에 취약하다.

허약 虛弱 | 빌 허, 약할 약 [weak]
❶속뜻 속이 비고[虛] 약(弱)함. ❷몸이나 세력 따위가 약함. ¶허약 체질 / 동희는 몸이 허약해 보인다.

0169 [시]

始

비로소 시:
㊕ 女부 ㊗ 8획 ⊕ 始 [shǐ]

始 始 始 始 始 始 始 始

始자의 台(태/이)는 以(써 이)의 고문이 잘못 변화된 것으로 표음요소로 쓰였다는 설이 있으나 분명하지 않다. 그러나 '여자 여'(女)가 표의요소로 쓰인 것에 대하여는 이설이 없다. 누구나 여자(어머니)의 뱃속에서 비로소 첫 삶을 시작했기 때문에 이 글자가 '비로소'(for the first time), '처음'(the beginning)같은 뜻으로 쓰이게 됐다.

속뜻훈음 ①비로소 시, ②처음 시.

시:동 始動 | 비로소 시, 움직일 동 [start; activate]
❶속뜻 비로소[始] 움직임[動]. 또는 그렇게 되게 함. ❷발전기나 전동기, 증기 기관, 내연 기관 따위의 발동이 걸리기 시작함. 또는 그렇게 되게 함. ¶차에 타고 시동을 걸다.

시:작 始作 | 처음 시, 일으킬 작 [begin]
처음[始] 일으킴[作]. 처음으로 함. ¶그는 어제부터 운동을 시작했다. ⓑ끝. 속담 시작이 반이다.

시:조 始祖 | 처음 시, 조상 조 [originator]
❶속뜻 한 겨레나 가계의 맨 처음[始]이 되는 조상(祖上). ❷어떤 학문이나 기술 따위를 처음으로 연 사람. ⓑ비조(鼻祖).

시:종 始終 | 처음 시, 끝날 종 [throughout]
처음[始]과 끝[終]을 아울러 이르는 말. ¶그는 시종 아무 말이 없었다.

시:초 始初 | 처음 시, 처음 초 [beginning]
맨 처음[始=初]. ¶싸움의 시초는 사소한 오해였다.

• 역순어휘

개시 開始 | 열 개, 처음 시 [begin]
열어서[開] 시작(始作)함. 행동이나 일 따위를 시작함. ¶공격 개시. ⓑ마감, 종결(終結), 종료(終了).

원시 原始 | =元始, 본디 원, 처음 시 [beginning; origin]
❶속뜻 근원[原]과 처음[始]. ❷처음 시작된 그대로 있어 발달하지 아니한 상태. ¶동굴벽화를 통해 원시민족의 생활을 엿볼 수 있다 / 폭력은 원시적인 해결책이다.

위시 爲始 | 할 위, 처음 시 [begin; commence; start]
여럿 중에서 어떤 대상을 첫[始] 자리. 또는 대표로 삼음[爲]. ¶아버지를 위시하여 집안 식구가 다 모였다.

창:시 創始 | 처음 창, 처음 시 [initiate; originate; create]
처음으로[創] 시작(始作)함. 처음 만듦. ¶진화론을 창시하다.

0170 [형]

形

모양 형
㊕ 彡부 ㊗ 7획 ⊕ 形 [xíng]

形 形 形 形 形 形 形

形자는 '모양'(a shape)의 뜻을 위하여 고안된 것으로, 彡(터럭 삼)이 표의요소로 쓰였다. 다만, 이 경우의 彡은 '터럭'이 아니라 '장식용 무늬'를 일컫는다. 왼쪽의 것이 표음요소임은 刑(형벌 형), 邢(나라 이름 형)도 마찬가지이다.

형국 形局 | 모양 형, 판 국 [situation; aspect]
❶속뜻 어떤 일이 벌어진 때의 형편(形便)이나 판국[局]. ¶그는 불리한 형국에 놓여 있다. ❷민속 관상이나 풍수지리에서 얼굴 생김이나 묏자리, 집터 따위의 겉모양과 그 생김새.

형상 形象 | 모양 형, 모양 상 [shape; figure]
사물의 생긴 모양[形=象]이나 상태. ¶인간의 형상을 한 괴물.

형성 形成 | 모양 형, 이룰 성 [form; mold]
어떤 모양[形]을 이룸[成]. 또는 어떤 모양으로 이루어짐. ¶인격 형성 / 어릴 적부터 좋은 습관을 형성해야 한다.

형세 形勢 | 모양 형, 기세 세
[situation; the state of affairs]
❶속뜻 살림살이의 형편(形便)이나 기세(氣勢). ❷일이 되어 가는 형편. ¶형세가 불리하다.

형식 形式 | 모양 형, 꼴 식 [form; formality]
❶속뜻 형태(形態)와 격식(格式). 겉모양. ¶형식을 갖추다. ❷격식이나 절차. ¶형식에 너무 얽매이지 마라. 반 내용(內容).

형언 形言 | 모양 형, 말할 언 [describe; express]
형용(形容)하여 말함[言]. ¶형언할 수 없는 슬픔.

형용 形容 | 모양 형, 얼굴 용
[describe; put into words]
❶속뜻 모양[形]과 얼굴[容] 생김새. ❷말이나 글, 몸짓 따위로 사물이나 사람의 모양을 나타냄. ¶꽃이 형용 못 할 만큼 탐스럽게 피었다 / 그곳의 경치는 형용할 수 없을 만큼 아름답다.

형체 形體 | 모양 형, 몸 체 [form; shape]
물건의 생김새[形]나 그 바탕이 되는 몸체[體]. ¶형체가 없다 / 형체를 갖추다 / 형체를 알아보다.

형태 形態 | 모양 형, 모양 태 [form; shape]
❶속뜻 사물의 생긴 모양[形=態]. ❷어떠한 구조나 전체를 이루고 있는 구성체가 일정하게 갖추고 있는 모양. ¶가정의 형태.

형편 形便 | 모양 형, 편할 편
[course; one's family fortune]
❶속뜻 지형(地形)이 좋아서 편리(便利)함. ❷일이 되어 가는 상황이나 상태. ¶형편을 봐 가면서 결정하자. ❸살림살이의 정도. ¶형편이 피다 / 형편이 넉넉하다.

• 역순어휘

고형 固形 | 굳을 고, 모양 형 [solidity]
질이 단단하고[固] 일정한 모양과 부피를 가진 형체(形體). ¶고형 연료.

구형 球形 | 공 구, 모양 형 [globular shape]
공[球]같이 둥근 형태(形態). ¶지구는 구형이다.

기형 畸形 | 기이할 기, 모양 형
[malformation; deformity]
❶속뜻 기이하게[畸] 생긴 모양[形]. ❷생물 동식물에서, 정상의 형태와는 다른 것. ¶기형 물고기.

대형 隊形 | 무리 대, 모양 형 [formation; order]
여러 사람이 줄지은[隊] 형태(形態). ¶전투 대형을 갖추다.

도형 圖形 | 그림 도, 모양 형 [figure; diagram]
❶속뜻 그림[圖]의 모양이나 형태(形態). ❷수학 점, 선, 면, 체 또는 그것들로 이루어진 형태를 가진 것을 통틀어 이르는 말. 사각형, 원, 구 따위.

무형 無形 | 없을 무, 모양 형
[formlessness; shapelessness]
형체(形體)가 없음[無]. ¶지식은 무형의 재산이다. 반 유형(有形).

변:형 變形 | 바뀔 변, 모양 형
[change; transform]
모양[形]을 달라지게[變] 함. 또는 그 달라진 모양. ¶선인장의 가시는 잎이 변형된 것이다.

상형 象形 | 본뜰 상, 모양 형
❶속뜻 어떤 물건의 모양[形]을 본뜸[象]. ❷언어 한자 육서(六書)의 하나. 해당 낱말(형태소)이 가리키는 물체의 모양을 본떠서 글자를 만드는 방법이다. 해를 본떠서 '日' 자를 만드는 따위. 명사에 해당되는 것이 많다. ❸언어 상형 문자.

성형 成形 | 이룰 성, 모양 형
[correction of deformities]
❶속뜻 일정한 모양[形]을 이룸[成]. ❷의학 외과적(外科的) 수단으로 신체의 어떤 부분을 고치거나 만듦. ¶성형 수술.

외:형 外形 | 밖 외, 모양 형 [external form]
사물의 겉[外] 모양[形]. ¶주전자의 외형은 동그랗다.

원형[1] 原形 | 근원 원, 모양 형 [original form]
본디[原]의 모양[形]. ¶유물의 원형을 보존하기 위해 천을 씌워놓았다. 비 본형(本形).

원형[2] 圓形 | 둥글 원, 모양 형
[round shape; circle]
둥글게[圓] 생긴 모양[形]. 원 모양. ¶원형 무대에서

오케스트라가 합주하였다.

유:형 有形 | 있을 유, 모양 형 [material; concrete]
형체(形體)가 있음[有]. ⓑ무형(無形).

인형 人形 | 사람 인, 모양 형 [doll]
❶속뜻 사람[人]의 형상(形象). ❷사람의 형상을 본떠 만든 장난감. ¶소민이는 인형을 갖고 놀았다.

정:형 整形 | 가지런할 정, 모양 형 [orthopedic]
❶속뜻 모양[形]을 가지런히[整] 함. ❷몸의 생김새를 고쳐 바로잡음.

조:형 造形 | 만들 조, 모양 형 [mould]
형상(形象)을 만듦[造]. 형체가 있는 것을 만들어 냄. ¶동양적으로 조형된 동상.

지형 地形 | 땅 지, 모양 형 [topography]
땅[地]의 형세(形勢). ¶지형이 험해 적의 기습에 주의해야 한다.

고형 固形 | 굳을 고, 모양 형 [solidity]
질이 단단하고[固] 일정한 모양과 부피를 가지고 있는 형체(形體). ¶고형 연료.

0171 [정]

庭
뜰 정
㊂ 广부 ㊌ 10획 ㊥ 庭 [tíng]
庭 庭 庭 庭 庭 庭 庭 庭 庭 庭

庭자는 집 안의 '뜰'(a garden)을 나타내기 위한 것이었으니 '집 엄'(广)이 표의요소로 쓰였다. 廷(조정 정)은 표음요소이다. '뜰'이란 본래 뜻이 변함없이 그대로 쓰이고 있다.

정구 庭球 | 뜰 정, 공 구 [tennis]
❶속뜻 평평한 뜰[庭]에서 공[球]을 치는 놀이. ❷운동 경기장 중앙 바닥에 네트를 가로질러 치고 그 양쪽에서 라켓으로 공을 주고받는 경기. 1955년 '테니스'로 이름이 바뀌었다.

정원 庭園 | 뜰 정, 동산 원 [garden; park]
잘 가꾸어 놓은 넓은 뜰[庭]이나 작은 동산[園]. 뜰. ¶할아버지는 정원을 가꾸는 일로 소일하신다.

• 역순어휘

가정 家庭 | 집 가, 뜰 정 [home; family]
❶속뜻 한 가족(家族)이 생활하는 공간[庭]. ❷가까운 혈연관계에 있는 사람들의 생활 공동체. ¶화목한 가정 / 가정을 이루다.

교:정 校庭 | 학교 교, 뜰 정 [schoolyard]
학교(學校)의 마당[庭]이나 운동장. ¶학생들이 교정에서 뛰어놀고 있다.

궁정 宮庭 | 궁궐 궁, 뜰 정 [Royal Court]
궁궐(宮闕) 안의 마당[庭].

친정 親庭 | 어버이 친, 뜰 정 [woman's old home]
시집간 여자의 부모[親]가 사는 가정(家庭). ¶그녀는 결혼 후 처음으로 친정 나들이를 갔다. ⓑ시집, 시가(媤家).

0172 [대]

對
대할 대:
㊂ 寸부 ㊌ 14획 ㊥ 对 [duì]
對 對 對 對 對 對 對 對 對 對 對 對 對 對

對자의 寸(촌)은 '잡다'는 의미로 쓰인 것이고, 그 앞의 것은 信標(신:표)로 쓰이던 符節(부절)을 본뜬 것이라 한다. 사신이 부절을 들고서 누구를 마주보고 있는 모습이다. 그 모습을 통하여 '대하다'(마주보다 be opposed to; be over against)는 뜻을 나타낸 것이다.

대:각 對角 | 대할 대, 뿔 각 [opposite angle]
수학 다각형에서 어떤 각에 대해 마주보는[對] 각(角).

대:결 對決 | 대할 대, 결정할 결 [fight; contest]
둘이 맞서서[對] 승부를 결정(決定)함. ¶세기의 대결을 벌이다. ⓑ투쟁(鬪爭).

대:공¹ 對共 | 대할 대, 함께 공 [anticommunism]
공산주의(共産主義) 또는 공산주의자를 상대(相對)로 함. ¶대공 수사.

대:공² 對空 | 대할 대, 하늘 공 [anti-aircraft]
지상에서 공중(空中)의 목표물을 상대(相對)함. ¶군은 대공 미사일을 개발했다.

대:국 對局 | 대할 대, 판 국 [facing a situation; confront]
❶속뜻 마주보고[對] 앉아서 바둑이나 장기 판[局]을 둠. ¶이창호와 대국하다. ❷어떤 형편이나 국면에 당면함. ¶대국을 판단하다.

대:남 對南 | 대할 대, 남녘 남 [against the South]
남(南)쪽 또는 남방(南方)을 상대(相對)로 함. ¶북한은 대남 방송을 했다.

대:담 對談 | 대할 대, 이야기 담 [talk]
어떤 일에 대(對)하여 서로 이야기[談]를 주고받음. 또는 그 이야기. ¶사업에 대해 대표자와 대담했다.

대:답 對答 | 대할 대, 답할 답 [answer; reply]
❶속뜻 묻는 말에 대(對)하여 답(答)함. ¶선생님의 질문

에 대답했다. ❷어떤 문제를 푸는 실마리. 또는 그 해답. ¶잘 생각해보면 대답을 찾을 수 있다. ⊞응답(應答), 답변(答辯), 해답(解答). ⊞질문(質問).

대:등 對等 | 대할 대, 같을 등 [equal]
서로에 대(對)하여 걸맞음[等]. 양쪽이 비슷함. ¶양 팀은 대등한 시합을 펼쳤다.

대:련 對鍊 | 대할 대, 익힐 련
[spar; emulate; rival]
운동 태권도나 유도 따위에서 두 사람이 상대(相對)하여 기술을 익힘[鍊]. ⊞겨루기.

대:류 對流 | 대할 대, 흐를 류
[convection current]
❶속뜻 서로 맞은[對] 편으로 흐름[流]. ❷물리 밀도차로 인하여 온도가 높은 기체나 액체가 위로 올라가고, 온도가 낮은 것은 아래로 내려오는 현상.

대:립 對立 | 대할 대, 설 립 [be opposed to]
❶속뜻 서로 마주하여[對] 섬[立]. 서로 맞서거나 버팀. ❷서로 반대되거나 모순됨. 또는 그런 관계. ¶양당이 대립하고 있다. ⊞대치(對峙), 대항(對抗).

대:면 對面 | 대할 대, 낯 면 [interview; meet]
얼굴[面]을 마주보고 대(對)함. ¶첫 대면에서 실례를 하고 말았다. ⊞면접(面接), 면대(面對).

대:미 對美 | 대할 대, 미국 미 [towards America]
미국(美國)에 대(對)한. ¶대미 무역 / 대미 의존도 / 대미 무역 적자.

대:북 對北 | 대할 대, 북녘 북 [with North Korea]
북(北)쪽 또는 북방(北方)을 상대(相對)로 함. ¶한국 정부는 대북 지원을 아끼지 않다.

대:비[1] 對比 | 대할 대, 견줄 비
[contrast; compare]
❶속뜻 서로 맞대어[對] 비교(比較)함. ¶성적이 전년과 대비해 20점이 올랐다. ❷서로 대립되는 감정이 접근해 있을 때 그 차이가 두드러지는 현상. ¶붉은 색과 검은 색의 대비가 인상적이다.

대:비[2] 對備 | 대할 대, 갖출 비 [prepare]
앞으로 있을 어떤 일에 대응(對應)하여 미리 준비(準備)함. 또는 그런 준비. ¶노후를 대비해 저축하다.

대:상 對象 | 대할 대, 모양 상 [subject; target]
❶속뜻 대면(對面)하고 있는 형상(形象). ❷행위의 상대(相對) 또는 목표가 되는 것. ¶먼저 연구 대상을 선정해야 한다. ⊞목표(目標).

대:외 對外 | 대할 대, 밖 외 [outside; foreign]
외부 또는 외국(外國)에 대(對)함. ¶대외 무역수지가 크게 악화되었다. ⊞대내(對內).

대:응 對應 | 대할 대, 응할 응
[deal with; correspond to]
❶속뜻 맞서서[對] 서로 응(應)함. ❷어떤 일이나 사태에 알맞은 조치를 취함. ¶폭력사태에 대해 강력하게 대응하다. ❸수학 합동이나 닮은꼴인 두 도형의 같은 자리에서 짝을 이루는 요소끼리의 관계. ⊞상대(相對), 대등(對等).

대:인 對人 | 대할 대, 남 인
[toward (with) personnel]
남[人]을 대(對)함.

대:일 對日 | 대할 대, 일본 일 [toward Japan]
일본(日本)에 대(對)한. ¶대일 청구권.

대:적 對敵 | 대할 대, 원수 적 [match]
❶속뜻 적(敵)을 마주 대(對)함. 적과 맞섬. ❷서로 맞서 겨룸. ¶저 선수를 대적할 사람은 없다.

대:조 對照 | 대할 대, 비칠 조
[contrast; compare]
❶속뜻 둘 이상의 대상을 맞대어[對] 견주어 봄[照]. ❷서로 반대되거나 상대적으로 대비됨. 또는 그러한 대비. ¶대조해보니 차이점이 크게 드러난다. ⊞비교(比交), 대비(對比).

대:질 對質 | 대할 대, 바탕 질 [confront]
법률 서로 엇갈린 말을 하는 두 사람을 마주해놓고[對] 질문(質問)함. ¶대질 심문으로 진짜 범인을 찾았다. ⊞무릎맞춤, 면질(面質).

대:책 對策 | 대할 대, 꾀 책
[consider a counterplan]
어떤 일에 대응(對應)하는 방책(方策). ¶노령화 사회에 대책을 강구하다. ⊞대비책(對備策).

대:처 對處 | 대할 대, 처리할 처
[coup with; deal with]
어떤 일에 대(對)하여 알맞게 처리(處理)함. 또는 그런 처리. ⊞조치(措置), 대비(對備).

대:칭 對稱 | 대할 대, 맞을 칭 [symmetry]
❶속뜻 서로 마주 대하여[對] 있으면서 잘 맞음[稱]. ❷수학 도형 따위가 어떤 기준이 되는 점·선·면을 중심으로 서로 꼭 맞서는 자리에 놓이는 것.

대:항 對抗 | 대할 대, 막을 항 [resist; defy]
굽히거나 지지 않으려고 맞서서[對] 버티거나 항거(抗拒)함. ¶적의 공격에 비폭력으로 대항했다. ⊞항복(降服), 굴복(屈服), 투항(投降), 귀순(歸順).

대:화 對話 | 대할 대, 말할 화
[converse; talk]
마주 보며[對] 이야기[話]를 주고받음. 또는 그 이야기. ¶대화를 나누다 / 대화로 문제를 해결하다. ⊞대담(對談). ⊞독백(獨白).

• 역순어휘 •

반:대 反對 | 거꾸로 반, 대할 대
[reverse; opposite]
❶속뜻 두 사물이 모양, 위치, 방향, 순서 따위에서 뒤집어져[反] 맞서[對] 있음. 또는 그런 상태. ❷어떤 의견이나 제안 등에 찬성하지 아니함. ¶그의 제안에 반대했다. 반 찬성(贊成).

상대 相對 | 서로 상, 대할 대
[deal with; someone; partner]
❶속뜻 서로[相] 마주 대(對)함. 또는 그 대상. ¶저런 사람들하고는 상대도 하지 마라 / 손님을 상대하는 일은 쉽지 않다. ❷어떤 관계로 자기가 마주 대하는 사람. ¶결혼 상대 / 의논 상대. ❸서로 겨룸. 또는 그런 대상. ¶이번 상대는 만만치 않다 / 누구든 나와라, 내가 상대하마. 비 상견(相見), 대면(對面), 상대자(相對者), 맞수, 적수(敵手).

응:대 應對 | 응할 응, 대할 대
[talk personally with; answer]
부름이나 물음 또는 요구 따위에 응답(應答)하여 상대(相對)함. ¶몇 번 물어보았으나 응대가 시큰둥하다.

적대 敵對 | 원수 적, 대할 대 [show hostility]
적(敵)으로 맞서[對] 버팀. ¶적대 관계 / 적대적인 태도 / 상대방을 적대하면 좋을 것이 없다. 반 우호(友好).

절대 絶對 | 끊을 절, 대할 대 [absoluteness]
❶속뜻 비교하거나 상대되어 맞설[對] 만한 것이 끊어져[絶] 없음. ¶절대 진리 / 절대 권력. ❷법률 아무런 조건이나 제약이 붙지 아니함. ¶절대 안정 / 절대 자유. ❸무조건. 무슨 사정이 있어도. 결단코. ¶절대로 그를 만나지 않겠다.

0173 [당]

堂	집 당 部 土부 劃 11획 中 堂 [táng] 堂 堂 堂 堂 堂 堂 堂 堂 堂 堂 堂

堂자는 '흙으로 터를 높이 쌓아 남향으로 지은 본채'란 뜻이니 '흙 토'(土)가 표의요소이자 부수로 쓰였고, '숭상할 상'(尙)이 표음요소임은 當(당할 당), 棠(팥배나무 당)도 마찬가지이다. '집'(a house)을 뜻하는 것으로 널리 쓰인다.

당당 堂堂 | 집 당, 집 당 [grand; stately]
❶속뜻 집[堂]처럼 번듯하고, 집[堂]처럼 버젓하다. ❷남 앞에서 내세울 만큼 떳떳한 모습이나 태도. ¶당당히 1위에 입상하였다. 비 의젓하다, 어엿하다.

당산 堂山 | 집 당, 메 산
민속 토지나 마을의 수호신이 있다는 집[堂]이나 산(山). 대개 마을 근처에 있다.

당숙 堂叔 | 집 당, 아저씨 숙
[male cousin of one's father; uncle]
'종숙'(從叔)을 친근하게[堂] 일컫는 말. 아버지의 사촌 형제.

• 역순어휘 •

강:당 講堂 | 익힐 강, 집 당
[lecture hall; auditorium]
학교 등에서 강연(講演)이나 의식 등을 하기 위하여 특별히 마련한 큰방이나 집[堂]. ¶학교 강당 / 강당에서 특별강연이 열렸다.

금당 金堂 | 황금 금, 집 당 [main build a temple]
불교 금불상(金佛像)을 모신 절의 본당(本堂). 비 대웅전(大雄殿).

법당 法堂 | 법 법, 집 당
[building that contains a statue of Buddha]
불교 불상을 모시고 설법(說法)도 하는 절의 정당(正堂). 비 법전(法殿).

불당 佛堂 | 부처 불, 집 당 [Buddhist temple]
불교 부처[佛]를 모신 집[堂].

사당 祠堂 | 사당 사, 집 당 [ancestral tablet hall]
신주[祠]를 모시기 위하여 집[堂]처럼 자그마하게 만든 것. ¶조상의 위패를 사당에 모시다.

서당 書堂 | 글 서, 집 당 [village schoolhouse]
옛날 글[書]을 가르치던 곳[堂]. 비 글방, 사숙(私塾).
속담 서당 개 삼 년에 풍월을 읊는다.

성:당 聖堂 | 거룩할 성, 집 당 [Catholic church]
❶속뜻 거룩한[聖] 집[堂]. ❷가톨릭 가톨릭의 교회당.

식당 食堂 | 먹을 식, 집 당 [restaurant]
❶속뜻 식사(食事)하기에 편리하도록 설비하여 놓은 방[堂]. ❷음식을 만들어 파는 가게. ¶식당에서 점심을 사 먹었다.

전:당 殿堂 | 대궐 전, 집 당 [palace; sanctuary]
❶속뜻 대궐[殿] 같이 웅장하고 화려한 집[堂]. ❷'학문, 예술, 과학, 기술, 교육 따위의 분야에서 가장 권위 있는 연구기관'을 비유하여 이르는 말. ¶과학 기술의 전당.

천당 天堂 | 하늘 천, 집 당 [heaven; paradise]
❶속뜻 하늘[天]에 있는 신의 전당(殿堂). ❷기독교 천국(天國). 비 하늘나라. 반 지옥(地獄).

학당 學堂 | 배울 학, 집 당 [school]
❶속뜻 학문을 배우는[學] 집[堂]. ❷지난 날, 지금의 학

교와 같은 교육기관을 이르던 말. ¶배재학당.

0174 [성]

成 이룰 성
[部] 戈부 [劃] 7획 [中] 成 [chéng]

成成成成成成成

成자에 대하여 여러 설이 있는데, 힘센 장정(丁)이 도끼 같은 연장(戊)으로 무언가를 만들고(이루고) 있는 것에서 나왔다고 볼 수 있다. '이루다'(accomplish)는 본뜻으로 변함없이 널리 쓰이고 있다.

성공 成功 | 이룰 성, 공로 공 [succeed]
일[功]을 이룸[成]. ¶실패는 성공의 어머니이다. [반]실패(失敗).

성과 成果 | 이룰 성, 열매 과 [result; product; fruit]
이루어 내거나 이루어진[成] 결과(結果). ¶기대 이상의 성과를 거두었다.

성균 成均 | 이룰 성, 고를 균
❶[속뜻] 학문을 이루고[成] 인품을 고르게[均] 함. ❷[역사] 고대 중국에서 '대학'(大學)을 일컫던 말.

성년 成年 | 이룰 성, 나이 년 [(legal) majority; adult age]
❶[속뜻] 사람으로서 지능이나 신체가 완전히 성숙(成熟)한 나이[年]. ❷[법률] 법적인 권리를 행사할 수 있는 나이. 대개는 만 20세를 이른다. [반]미성년(未成年).

성립 成立 | 이룰 성, 설 립 [be made up of]
일이나 관계 따위를 제대로 이루어[成] 바로 세움[立]. ¶봉건 사회의 성립 / 계약이 성립하다.

성분 成分 | 이룰 성, 나눌 분 [component; ingredient]
❶[속뜻] 전체를 구성(構成)하고 있는 부분(部分). ❷[화학] 화합물이나 혼합물 따위를 이루는 물질. ¶수입 농산물에서 다량의 농약 성분이 검출되었다.

성사 成事 | 이룰 성, 일 사 [succeed; accomplish]
일[事]을 이룸[成]. 또는 일이 이루어짐. ¶일의 성사 여부는 하늘에 달렸다.

성숙 成熟 | 이룰 성, 익을 숙 [ripen; attain full growth]
❶[속뜻] 곡식이나 과일 등이 다 커서[成] 무르익음[熟]. ¶따뜻한 기후로 과일의 성숙이 빨라졌다 / 성숙한 감. ❷몸이나 마음이 완전히 자람. ¶정신의 성숙 / 그녀는 나이에 비해 성숙해 보인다.

성원 成員 | 이룰 성, 인원 원 [member]
❶[속뜻] 어떤 단체나 조직을 구성(構成)하고 있는 인원(人員). ¶성원의 지지를 받다. ❷어떤 회의 등을 성립시키는 데 필요한 인원. ¶성원이 미달되다. [비]구성원(構成員).

성인 成人 | 이룰 성, 사람 인 [adult]
이미 다 자란[成] 사람[人]. ¶성인이면 입장이 가능하다. [비]대인(大人), 어른.

성장 成長 | 이룰 성, 어른 장 [grow (up)]
❶[속뜻] 자라서 어른[長]이 됨[成]. ❷사물이나 동식물이 자라서 점점 커짐. ¶그 회사는 빠르게 성장하고 있다. [비]발육(發育).

성적 成績 | 이룰 성, 실적 적 [result; grade]
❶[속뜻] 어떤 일을 이룬[成] 결과나 실적(實績). ❷[교육] 학교 등에서 학생들의 학업이나 시험의 결과. ¶성적이 좋다 / 성적이 오르다.

성충 成蟲 | 이룰 성, 벌레 충 [adult insect]
[동물] 애벌레가 다 자라서[成] 생식 능력이 있는 곤충(昆蟲). [반]유충(幼蟲).

성취 成就 | 이룰 성, 이룰 취 [achieve; accomplish; fulfill]
목적한 바를 이룸[成=就]. ¶소원 성취 / 목표한 바를 성취하다.

성패 成敗 | 이룰 성, 패할 패 [success or failure]
성공(成功)과 실패(失敗). ¶성패는 노력에 달려 있다.

성형 成形 | 이룰 성, 모양 형 [correction of deformities]
❶[속뜻] 일정한 모양[形]을 이룸[成]. ❷[의학] 외과적(外科的) 수단으로 신체의 어떤 부분을 고치거나 만듦. ¶성형 수술.

성화 成火 | 이룰 성, 불 화 [torment; annoyance]
❶[속뜻] 마음대로 되지 않아 불[火]이 나는[成] 듯 몹시 애가 탐. 또는 그러한 상태. ¶여행을 못 가서 성화가 나다. ❷몹시 성가시게 구는 일. ¶장난감을 사 달라고 성화를 부리다.

• 역순어휘

결성 結成 | 맺을 결, 이룰 성 [form; organize]
단체 따위를 맺어[結] 이룸[成]. ¶밴드를 결성하다.

구성 構成 | 얽을 구, 이룰 성 [organize; constitute]
❶[속뜻] 몇 가지 부분이나 요소들을 모아서 일정한 전체를 짜서[構] 이룸[成]. ❷[문학] 문학 작품에서 형상화를 위한 여러 요소들을 유기적으로 배열하거나 서술하는 일. ❸[미술] 색채와 형태 따위의 요소를 조화롭게 조합하는

일. (비)얼개, 구조(構造).

기성 旣成 | 이미 기, 이룰 성
[be already established]
어떤 사물이나 상황이 이미[旣] 만들어져[成] 있음. ¶기성 제품.

달성 達成 | 이를 달, 이룰 성
[achieve; accomplish]
목적지에 이르러[達] 뜻한 바를 이룸[成]. ¶상반기 영업 목표를 달성했다. (비)성취(成就), 성공(成功). (반)실패(失敗).

대:성 大成 | 큰 대, 이룰 성 [attain greatness]
❶속뜻 큰[大] 성공(成功). 크게 성공함. ¶자식의 대성을 바라는 부모. ❷학문을 크게 이룸. ¶주자학(朱子學)을 대성하다.

미:성 未成 | 아닐 미, 이룰 성
[unfinished; uncompleted]
❶속뜻 아직 다 이루지[成] 못함[未]. ❷아직 성인(成人)이 못 됨.

변:성 變成 | 바뀔 변, 이룰 성 [metamorphose]
바뀌어[變] 다르게 됨[成].

생성 生成 | 날 생, 이룰 성
[create; form; generate]
❶속뜻 사물이 생겨[生] 만들어짐[成]. ❷이전에 없었던 어떤 사물이나 성질의 새로운 출현. ¶우주의 생성과 소멸. (반)소멸(消滅).

숙성 熟成 | 익을 숙, 이룰 성 [ripen; mature; age]
❶속뜻 충분히 익어서[熟] 이루어짐[成]. 충분히 익은 상태가 됨. ❷발효 따위를 충분히 시켜서 만드는 일. ¶포도주를 숙성시키다.

양:성 養成 | 기를 양, 이룰 성 [train; foster]
사람을 가르치고 길러[養] 무엇이 되게[成] 함. ¶인재를 양성하다.

완성 完成 | 완전할 완, 이룰 성 [complete; finish]
완전(完全)히 다 이룸[成]. ¶그 작품은 20년 만에 완성되었다. (반)미완성(未完成).

육성 育成 | 기를 육, 이룰 성
[promote; foster; nurture]
길러[育] 성장(成長)시킴. ¶우리 회사는 인재 육성에 힘쓰고 있다 / 이곳은 야구 선수를 체계적으로 육성하는 기관이다. (비)양성(養成).

작성 作成 | 지을 작, 이룰 성 [draw up]
원고, 서류, 계획 따위를 만들어[作] 완성(完成)함. ¶참가 신청서를 작성하십시오.

장성 長成 | 자랄 장, 이룰 성 [grow up]
아이가 자라[長] 어른이 됨[成]. ¶장성한 아들.

조:성 造成 | 만들 조, 이룰 성
[make; develop; create]
❶속뜻 무엇을 만들어서[造] 이룸[成]. ¶시장은 대규모 관광 단지 조성을 추진하고 있다. ❷분위기나 정세 따위를 만듦. ¶여론 조성 / 면학 분위기를 조성하다.

찬:성 贊成 | 도울 찬, 이룰 성
[support; agree; approve of]
❶속뜻 어떤 일을 도와주어[贊] 이루게[成] 함. ❷다른 사람의 의견이나 제안 등을 인정하여 동의함. ¶나는 네 생각에 찬성이다. (비)동의(同意), 찬동(贊同). (반)반대(反對).

편성 編成 | 엮을 편, 이룰 성
[organize; form; compose]
흩어져 있는 것을 엮어[編] 하나로 만듦[成]. ¶학급 편성 / 텔레비전 프로그램을 편성하다.

합성 合成 | 합할 합, 이룰 성
[compose; synthesize]
여럿을 합(合)하여 하나로 만듦[成]. ¶합성 사진. (반)분해(分解).

형성 形成 | 모양 형, 이룰 성 [form; mold]
어떤 모양[形]을 이룸[成]. 또는 어떤 모양으로 이루어짐. ¶인격 형성 / 어릴 적부터 좋은 습관을 형성해야 한다.

0175 [전]

戰 싸움 전:
(部) 戈부 (劃) 16획 (中) 战 [zhàn]

戰자는 '싸우다'(fight)는 뜻을 위하여 고안된 것으로, '창 과'(戈)가 표의요소로 쓰였다. 單(단)도 수렵용 무기의 일종이라는 설이 있기에 표의요소로 볼 수 있다. 그러나 戰(회양목 전)의 경우로 보자면 그것이 표음요소도 겸하는 셈이다. '두려워하다'(fear; dread)는 뜻으로도 쓰인다.
속뜻 훈음 ①싸울 전, ②두려워할 전.

전:과 戰果 | 싸울 전, 열매 과
[war results; military achievements]
전투(戰鬪)나 운동 경기에서 거둔 성과(成果). ¶왕은 전과를 올린 장군에게 비단을 하사했다.

전:란 戰亂 | 싸울 전, 어지러울 란
[strife; disturbances of war]
전쟁(戰爭)으로 말미암은 난리(亂離). ¶전국이 전란에 휩쓸리게 되었다.

전:략 戰略 | 싸울 전, 꾀할 략
[strategy; stratagem]
전쟁(戰爭)을 전반적으로 이끌어 가는 책략(策略). ¶전략을 세우다.

전:력 戰力 | 싸울 전, 힘 력
[military strength; fighting power]
전투(戰鬪)나 경기 따위를 할 수 있는 능력(能力). ¶선수들의 부상으로 팀의 전력이 약화되었다.

전:사¹ 戰士 | 싸울 전, 선비 사 [soldier; warrior]
전투(戰鬪)하는 군사(軍士). ¶영웅적인 전사.

전:사² 戰死 | 싸울 전, 죽을 사 [die in battle]
싸움터에서 싸우다가[戰] 죽음[死]. ¶전사 통지서 / 그녀의 남편은 한국전쟁 때 전사했다.

전:선 戰線 | 싸울 전, 줄 선 [battle line]
❶[군사] 전쟁에서 직접 전투(戰鬪)가 벌어지는 지역이나 그런 지역을 연결한 선(線). ¶현 전선에서 전쟁이 종결되면 좋겠다. ❷정치 운동이나 사회 운동 따위에서, 직접 투쟁하는 일. 또는 그런 투쟁 형태. ¶해방 전선.

전:세 戰勢 | 싸울 전, 형세 세
[war situation; tide of the war]
전쟁(戰爭)이 전개되어 가는 형세(形勢). ¶동남풍이 불자 전세가 역전되었다.

전:술 戰術 | 싸울 전, 꾀 술 [tactics; art of war]
[군사] 전쟁(戰爭) 상황에 대처하기 위한 기술(技術). ¶제갈량은 교묘한 전술로 조조의 군대를 이겼다.

전:승 戰勝 | 싸울 전, 이길 승 [win a victory]
전쟁이나 경기 따위에서 싸워[戰] 이김[勝]. ¶왕은 전승을 축하하는 잔치를 베풀었다. [반]패전(敗戰).

전:시 戰時 | 싸울 전, 때 시
[wartime; time of war]
전쟁(戰爭)이 벌어진 때[時]. ¶그 나라는 지금 전시 상태이다.

전:열 戰列 | 싸울 전, 줄 렬
[battle line; line of battle]
전쟁(戰爭)에 참가하는 부대의 대열(隊列). ¶전열을 갖추어 행군을 시작하다.

전:우 戰友 | 싸울 전, 벗 우
[fellow soldier; war brother]
전장(戰場)에서 승리를 위해 생활과 전투를 함께 하는 동료[友].

전:율 戰慄 | 두려워할 전, 벌벌 떨 률
[shudder; shiver]
몹시 무섭거나 두려워[戰] 벌벌 떨다[慄]. ¶전율을 느끼다 / 나는 점점 커지는 비명 소리에 전율했다.

전:의 戰意 | 싸울 전, 뜻 의
[fighting spirit; will to fight]
싸우고자[戰] 하는 의욕(意慾). ¶대장이 죽자 그들은 전의를 잃었다.

전:장 戰場 | 싸울 전, 마당 장
[battlefield; theater of war]
싸움[戰]이 일어난 곳[場]. ¶전장에 나가다. [비]전쟁터.

전:쟁 戰爭 | 싸울 전, 다툴 쟁 [war]
❶[속뜻] 싸움[戰]과 다툼[爭]. ❷국가와 국가, 또는 교전 단체 사이에 무력을 사용하여 싸움. ¶한국전쟁 / 전쟁 영화. ❸'극심한 경쟁이나 혼란'을 비유하여 이르는 말. ¶입시 전쟁. [비]전투(戰鬪).

전:적¹ 戰績 | 싸울 전, 실적 적
[war record; results; record]
상대와 싸워서[戰] 얻은 실적(實績). ¶나는 그에게 3전 전패의 전적이 있다.

전:적² 戰跡 | 싸울 전, 발자취 적
[old battlefield; trace of battle]
전쟁(戰爭)의 자취[跡].

전:차 戰車 | 싸울 전, 수레 차 [tank]
❶[속뜻] 전투(戰鬪)에 쓰는 차(車). ❷[군사] 무한궤도를 갖추고, 두꺼운 철판으로 장갑(裝甲)하고, 포와 기관총 따위로 무장한 차량. [비]탱크(tank).

전:투 戰鬪 | 싸울 전, 싸울 투 [fight; battle]
두 편의 군대가 조직적으로 무장하여 싸움[戰=鬪]. ¶야간 전투 / 그들은 3개월 동안 전투를 벌였다. [비]전쟁.

전:함 戰艦 | 싸울 전, 싸움배 함
[warship; battleship]
전투(戰鬪)에 쓰이는 군함(軍艦). [비]군함(軍艦).

• 역순어휘

격전 激戰 | 거셀 격, 싸울 전
[hot fight; fierce battle]
격렬(激烈)하게 싸움[戰]. 또는 그런 전투. ¶각지에서 격전이 벌어지고 있다. [비]열전(熱戰), 격투(激鬪).

결전 決戰 | 결정할 결, 싸울 전 [decisive battle]
승부를 결판(決判)내는 싸움[戰]. ¶결전의 날이 다가오다.

고전 苦戰 | 괴로울 고, 싸울 전 [hard fight]
몹시 괴롭고[苦] 힘든 싸움[戰]. ¶고전을 면치 못하다. [비]악전(惡戰).

내:전 內戰 | 안 내, 싸울 전 [internal war]
국내(國內)에서 벌어진 전쟁(戰爭). [비]내란(內亂).

냉:전 冷戰 | 찰 랭, 싸울 전 [cold war]
[정치] 군사 행동까지는 이르지 않지만 냉담(冷淡)하게 서로 적대시하고 있는 국가 간의 대립[戰] 상태. ¶1980년

대 독일의 냉전 체제는 막을 내렸다. ⓑ열전(熱戰).

대:전 大戰 | 큰 대, 싸울 전 [great war]
여러 나라가 넓은 지역에 걸쳐 벌이는 큰[大] 싸움[戰]. ¶세계 대전.

도전 挑戰 | 돋울 도, 싸울 전 [challenge]
❶속뜻 감정 따위를 돋워[挑] 싸움[戰]을 걺. ¶도전에 응하다 / 챔피언에게 도전하다. ❷'어려운 사업이나 기록 경신 따위에 맞섬'을 비유하여 이르는 말. ¶정상 도전 / 세계 기록에 도전하다. ⓑ도발(挑發). ⓑ응전(應戰).

반:전 反戰 | 반대로 반, 싸울 전 [be antiwar]
전쟁(戰爭)을 반대(反對)함. ¶반전 시위를 벌이다.

분:전 奮戰 | 떨칠 분, 싸울 전 [fight desperately]
힘을 다하여[奮] 싸움[戰]. 힘껏 싸움. ¶우리 선수들의 분전으로 경기는 승리로 끝났다.

석전 石戰 | 돌 석, 싸울 전 [battle with stones]
민속 돌[石] 팔매질을 하여 승부를 겨루는[戰] 놀이. 고구려 때에, 대보름날 하류층에서 하던 놀이로, 고려·조선 왕조를 통하여 계속되었다.

선전¹ 宣戰 | 알릴 선, 싸울 전 [declare war]
정치 다른 나라에 대하여 전쟁(戰爭)을 시작할 것을 선언(宣言)함.

선전² 善戰 | 잘할 선, 싸울 전 [fight well]
잘[善] 싸움[戰]. 실력 이상으로 잘 싸움. ¶우리는 이번 올림픽에서 우리 선수들의 선전을 기대하고 있다.

설전 舌戰 | 말 설, 싸울 전
[verbal battle; hot discussion]
말[舌]로 하는 다툼[戰]. ¶설전을 벌이다. ⓑ필전(筆戰).

승전 勝戰 | 이길 승, 싸울 전 [win a war]
싸움[戰]에 이김[勝]. ⓑ패전(敗戰).

실전 實戰 | 실제 실, 싸울 전 [actual fighting]
실제(實際)의 싸움[戰]. ¶그는 실전에 강하다.

작전 作戰 | 지을 작, 싸울 전
[elaborate a plan of operations]
❶속뜻 싸움[戰]이나 경기의 대책을 세움[作]. ¶작전을 짜다. ❷군사 일정 기간에 집중적으로 벌이는 군사적 행동을 통틀어 이르는 말. ¶작전 명령 / 이곳은 육군이 작전하고 있는 지역으로 민간인의 출입을 금합니다.

접전 接戰 | 맞이할 접, 싸울 전
[fight hand-to-hand]
❶속뜻 경기나 전투에서 서로 맞붙어[接] 싸움[戰]. 또는 그런 경기나 전투. ❷서로 힘이 비슷하여 승부가 쉽게 나지 아니하는 경기나 전투. ¶팽팽한 접전을 벌이다.

주전 主戰 | 주될 주, 싸울 전 [key player]
❶속뜻 전쟁(戰爭)하기를 주장(主張)함. ❷주력이 되어 싸움. 또는 그런 사람. ¶그는 부상 때문에 주전으로 뛸 수 없다. ⓑ후보(候補).

참전 參戰 | 참여할 참, 싸울 전 [take part in a war]
전쟁(戰爭)에 참가(參加)함. ¶할아버지는 한국전쟁에 참전하셨다고 한다.

출전 出戰 | 날 출, 싸울 전
[participate (in); compete (in)]
❶속뜻 나가서[出] 싸움[戰]. ❷전쟁, 운동 경기 따위에 나감. ¶월남전에 출전하다 / 높이뛰기에 출전하다.

쾌전 快戰 | 기쁠 쾌, 싸울 전
통쾌(痛快)하게 승리한 싸움[戰]이나 시합. ¶이번 쾌전으로 우리 팀이 사기가 크게 올랐다.

패:전 敗戰 | 패할 패, 싸울 전
[be defeated; lose a battle]
전쟁(戰爭)에 짐[敗]. ¶적들이 패전하여 물러갔다. ⓑ승전(勝戰).

해:전 海戰 | 바다 해, 싸울 전 [sea battle]
군사 해상(海上)에서 하는 전투(戰鬪). ¶노량해전.

혈전 血戰 | 피 혈, 싸울 전
[desperate fight; bloody battle]
❶속뜻 피[血]를 흘리며 싸움[戰]. ❷생사를 헤아리지 않고 매우 격렬하게 싸움. 또는 그 전투. ¶우리는 10여 시간에 걸친 혈전 끝에 승리를 거두었다. ⓗ혈투(血鬪).

휴전 休戰 | 쉴 휴, 싸울 전
[cease firing; make a truce]
군사 하던 전쟁(戰爭)을 얼마 동안 쉼[休]. ¶남북은 1953년 7월 27일 휴전하였다.

0176 [신]

新
새 신
부 斤부 획 13획 ⊕ 新 [xīn]
新 新 新 新 新 新 新 新 新 新 新 新 新

新자는 땔감으로 쓰는 '장작'(firewood)을 뜻하기 위하여 만들어진 것이다. '나무 목'(木)과 '도끼 근'(斤)이 표의요소로 쓰였고, 辛(매울 신)은 표음요소이다. 辛과 木의 일부 획이 겹쳐 있어 그 본래 구조를 알기 힘들게 됐다. 후에 이것이 '새로운'(new)이라는 의미로 활용되는 예가 많아지자, 본뜻은 薪(땔나무 신)자를 따로 만들어 나타냈다.

신간 新刊 | 새 신, 책 펴낼 간
[publish a new book]
책을 새로[新] 간행(刊行)함. 또는 그 책. ¶신간 도서 목록 / 전문 의학서적을 신간하다.

신곡 新曲 | 새 신, 노래 곡 [new musical composition]
새로[新] 지은 노래[曲]. ¶저 가수는 오늘 신곡을 발표했다.

신기 新奇 | 새 신, 기이할 기 [be supernatural]
새롭고[新] 기이(奇異)하다. ¶신기한 물건.

신년 新年 | 새 신, 해 년 [New Year]
새로운[新] 해[年]. ¶신년 계획을 세우다.

신랑 新郎 | 새 신, 사나이 랑 [bridegroom]
갓[新] 결혼하였거나 결혼할 남자[郎]. ㊥신부(新婦).

신록 新綠 | 새 신, 초록빛 록 [fresh green]
초여름에 새로[新] 나온 잎들이 띤 연한 초록빛[綠]. 또는 그런 빛의 나무와 풀. ¶봄이 되면 산은 신록으로 덮인다.

신문 新聞 | 새 신, 들을 문 [newspaper]
❶속뜻 새로[新] 들은[聞] 소식. ❷사회에서 발생한 사건에 대한 사실이나 해설을 널리 신속하게 전달하기 위한 정기 간행물. ¶학급 신문 / 신문을 배달하다.

신방 新房 | 새 신, 방 방 [bridal room]
신랑과 신부가 첫날밤을 치르도록 새로[新] 꾸민 방(房). ¶신방에 불이 꺼지자 밖에서 구경하던 사람들이 까르르 웃었다.

신부 新婦 | 새 신, 여자 부 [bride]
곧 결혼하거나 갓[新] 결혼한 여자[婦]. ¶신부는 눈물을 흘렸다. ㊥신랑(新郎).

신생 新生 | 새 신, 날 생 [new birth]
새로[新] 생기거나 태어남[生].

신선 新鮮 | 새 신, 싱싱할 선 [be fresh]
❶속뜻 새롭고[新] 싱싱하다[鮮]. ¶신선한 공기를 들이마시다. ❷채소나 생선 따위가 싱싱하다. ¶신선한 과일.

신설 新設 | 새 신, 세울 설 [establish newly; create]
설비, 설비 따위를 새로[新] 마련함[設]. ¶신설 학교 / 공예 강좌를 신설하다.

신식 新式 | 새 신, 법 식 [new style]
새로운[新] 방식(方式)이나 양식(樣式). ¶신식 교육을 받다. ㊥구식(舊式).

신약 新約 | 새 신, 묶을 약 [New Testament]
❶속뜻 새로이[新] 한 약속(約束). ❷기독교 '신약성경'(聖經)의 준말. ㊥구약(舊約).

신인 新人 | 새 신, 사람 인 [new man]
어떤 분야에 새로[新] 등장한 사람[人]. ¶신인 배우.

신임 新任 | 새 신, 맡길 임 [newly appoint to (office)]
새로[新] 임명(任命)됨. 또는 그 사람. ¶신임 교장.

신입 新入 | 새 신, 들 입 [enter newly]
새로[新] 들어옴[入]. ¶신입 사원을 뽑다.

신작 新作 | 새 신, 지을 작 [new work; new production]
새로[新] 만듦[作]. 또는 그 작품. ¶신작 발표.

신장 新粧 | 새 신, 단장할 장 [give a new look to; furnish up]
새로[新] 단장함[粧]. 또는 그 단장. ¶신장개업.

신정 新正 | 새 신, 정월 정 [New Year's day]
새[新]해 정삭(正朔)인 양력 1월 1일. ㊥구정(舊正).

신종 新種 | 새 신, 갈래 종 [new species]
이제까지 없었던 새로운[新] 종류(種類). ¶신종 인플루엔자 / 신종 볍씨를 개발하다.

신진¹ 新進 | 새 신, 나아갈 진 [rising]
어떤 분야에 새로[新] 나아감[進]. 또는 그 사람. ¶고려 말의 신진 사대부가 조선을 건국했다.

신진² 新陳 | 새 신, 묵을 진 [new and old]
새[新] 것과 묵은[陳] 것. ¶신진 대사(代謝).

신참 新參 | 새 신, 참여할 참 [newcomer]
새로[新] 참여(參與)함. 또는 그 사람. ¶그는 이번 달에 우리 부서에 들어온 신참이다. ㊥고참(古參).

신축 新築 | 새 신, 쌓을 축 [build new (building)]
건물 따위를 새로[新] 건축(建築)함. ¶신축 건물 / 아파트를 신축하다.

신출 新出 | 새 신, 날 출 [new come]
새로[新] 나옴[出]. 또는 그 사람이나 물건.

신판 新版 | 새 신, 널빤지 판 [new edition]
기존의 책의 내용이나 체재를 새롭게[新] 하여 출판(出版)한 책. ¶내일부터 신판을 발매합니다.

신형 新型 | 새 신, 모형 형 [new style]
새로운[新] 모형(模型). ¶신형 컴퓨터. ㊥구형(舊型).

신혼 新婚 | 새 신, 혼인할 혼 [be newly married]
갓[新] 결혼(結婚)함. ¶신혼 생활은 어떠세요?

신흥 新興 | 새 신, 일어날 흥 [rise newly]
새로[新] 일어남[興]. ¶신흥 국가 / 신흥 산업.

• 역순어휘

개:신 改新 | 고칠 개, 새 신 [renew]
고치어[改] 새롭게[新] 함. ¶제도가 개신되었다.

갱:신 更新 | 다시 갱, 새 신 [renew; renovate]
❶속뜻 다시[更] 새롭게[新] 함. ❷법률 법률관계의 존속 기간이 끝났을 때 그 기간을 연장하는 일. ¶여권을 갱신하다 / 자동차 보험을 갱신하다.

경신 更新 | 고칠 경, 새 신 [renew]
❶속뜻 고쳐[更] 새롭게[新] 함. ❷종전의 기록을 깨뜨

려 새로운 기록을 세움. ¶기록을 경신하였다.

쇄:신 刷新 | 쓸어낼 쇄, 새 신 [reform; renovate]
묵은 것이나 폐단을 쓸어내어[刷] 새롭게[新] 함. ¶회사의 기강을 쇄신하다.

유신 維新 | 오직 유, 새 신 [renovate]
❶속뜻 오로지[維] 새롭게[新] 함. ❷낡은 제도나 체제를 아주 새롭게 고침. ¶메이지 유신.

참:신 斬新 | 매우 참, 새 신
[fresh; novel; original]
매우[斬] 새롭다[新]. ¶참신한 디자인 / 아이디어가 참신하다. 맨진부(陳腐)하다.

최:신 最新 | 가장 최, 새 신 [newest]
가장[最] 새로움[新]. ¶이 공장은 최신 설비를 갖추고 있다. 맨최고(最古).

혁신 革新 | 바꿀 혁, 새 신 [reform; renovate]
제도나 방법, 조직이나 풍습 따위를 뒤바꾸거나[革] 버리고 새롭게[新] 함. ¶컴퓨터 분야는 눈부신 기술 혁신을 이루었다. 맨보수(保守).

0177 [과]

果	실과 과: 部 木부 劃 8획 中 果 [guǒ]

果果果果果果果果

果자는 田(밭 전)과 木(나무 목)으로 이루어져 있으니 '밭에 심은 나무'를 뜻한다고 오인하기 쉽다. 이 경우의 田은 나무에 달린 열매 모양이 바뀐 것이다. 원래는 세 개였는데 하나로 대폭 감소됐다. 쓰기의 경제성을 고려한 결과다. '열매'(=과일, fruit), '날래다'(fast; swift), '정말로'(indeed)라는 뜻으로 쓰인다.

속뜻 훈음 **①열매 과, ②날랠 과, ③정말로 과.**

과:감 果敢 | 날랠 과, 용감할 감 [resolute]
날래고[果] 용감(勇敢)함. ¶과감한 조치를 취하다.

과:단 果斷 | 날랠 과, 끊을 단
[make prompt decisions]
날래게[果] 딱 잘라서[斷] 결정함. ¶사장은 회사의 미래를 위해 과단을 내렸다.

과:도 果刀 | 열매 과, 칼 도 [fruit knife]
과일[果]을 깎을 때 쓰는 작은 칼[刀]. ¶과도로 사과 껍질을 깎다.

과:수 果樹 | 열매 과, 나무 수 [fruit tree]
과일[果]이 열리는 나무[樹]. 비과목(果木).

과:실 果實 | 열매 과, 열매 실 [fruit]
❶속뜻 열매[果=實]. ❷법률 이익을 얻을 수 있는 물건에서 생기는 수익물. 비이익(利益).

과:연 果然 | 정말로 과, 그러할 연
[really; truly; indeed]
정말로[果] 그러함[然]. ¶그것은 과연 거짓이었다.

과:즙 果汁 | 열매 과, 즙 즙 [fruit juice]
과일[果]로 만든 즙(汁). ¶과즙 음료.

• 역순어휘

결과 結果 | 맺을 결, 열매 과
[result; consequence]
❶속뜻 열매[果]를 맺음[結]. ❷어떤 까닭으로 말미암아 이루어지는 결말의 상태. 또는 그 결말. ¶결과보다 과정이 중요하다. 비결실(結實), 성과(成果). 맨원인(原因), 동기(動機).

사과 沙果 | =砂果, 모래 사, 열매 과 [apple]
❶속뜻 모래[沙]밭에서 잘 자라는 과실(果實). ❷사과(沙果) 나무의 열매.

성과 成果 | 이룰 성, 열매 과 [result; product]
이루어 내거나 이루어진[成] 결과(結果). ¶기대 이상의 성과를 거두었다.

인과 因果 | 까닭 인, 열매 과
[cause and effect]
❶속뜻 원인(原因)과 결과(結果). ❷원인이 있으면 반드시 결과가 있게 마련이고 결과가 있으면 반드시 그 원인이 있다는 이치. ¶불교에서는 인과를 중시한다.

전:과 戰果 | 싸울 전, 열매 과
[war results; military achievements]
전투(戰鬪)나 운동 경기에서 거둔 성과(成果). ¶왕은 전과를 올린 장군에게 비단을 하사했다.

정:과 正果 | 바를 정, 열매 과
[fruit preserved in honey]
❶속뜻 여러 과일[果]을 두루 바로[正] 갖춤. ❷온갖 과일, 생강, 연근, 인삼 따위를 꿀이나 설탕물에 졸여 만든 음식. ¶손님에게 차와 정과를 대접하다.

청과 靑果 | 푸를 청, 열매 과
[fruits and vegetables]
❶속뜻 푸른[靑] 채소와 과일[果]. ❷채소와 과일을 통틀어 이르는 말. ¶청과 시장.

쾌과 快果 | 시원할 쾌, 열매 과 [pear]
시원한[快] 맛의 과실(果實). 먹는 '배'를 달리 이르는 말.

효:과 效果 | 보람 효, 열매 과 [effect]
보람[效]이 있는 결과(結果). ¶광고 효과 / 효과가 빠르다.

0178 [업]

業

업 업
部 木부 劃 13획 中 业 [yè]

業 業 業 業 業 業 業 業 業 業 業 業 業

業자는 각종 악기를 거는 틀에 가로 댄 나무판을 본뜬 것이라 한다. 위쪽이 톱니 모양이었음을 지금의 자형에서도 조금은 엿볼 수 있다. '일'(work)이란 뜻을 나타내는 데 쓰이고, 범어 karma(업)를 의역하는 것으로도 쓰인다.
속뜻훈음 ①일 업, ②업 업.

업계 業界 | 일 업, 지경 계 [business circles]
같은 업종(業種)에 종사하는 사람들의 사회[界]. ¶출판 업계 / 금융 업계.

업무 業務 | 일 업, 일 무 [business; service]
직장 따위에서 맡아서 하는 일[業=務]. ¶처리해야 할 업무가 산더미같이 많다.

업보 業報 | 일 업, 갚을 보 [fate; visitation]
❶속뜻 자기가 한 일[業] 때문에 받는[報] 것. 화(禍)나 복(福) 따위. ❷불교 선악(善惡)의 행업(行業)으로 말미암은 과보(果報).

업소 業所 | 일 업, 곳 소 [place of business]
사업(事業)을 벌이고 있는 장소(場所). ¶여러 업소들이 가격을 담합했다.

업적 業績 | 일 업, 실적 적 [work; achievements]
어떤 일[業]을 하여 쌓은 실적(實績)이나 공적. ¶정도전은 조선을 세우는데 큰 업적을 세웠다.

업체 業體 | 일 업, 몸 체 [business enterprise]
사업(事業)이나 기업의 주체(主體). ¶이 업체는 매출이 감소했다.

• 역순어휘

공업 工業 | 장인 공, 일 업 [industry]
인공(人工)을 가하여 물품을 만드는 산업(産業). ¶공업을 진흥시키다.

과업 課業 | 매길 과, 일 업 [task; duty]
매겨 놓은[課] 일[業]. 또는 학업. ¶통일은 우리의 역사적 과업이다.

광:업 鑛業 | 쇳돌 광, 일 업 [mining industry]
광물(鑛物)의 채굴, 선광, 제련 따위와 관련된 산업(産業). ¶영월은 광업이 발달했다.

가업 家業 | 집 가, 일 업 [family business]
❶속뜻 대대로 물려받은 집안[家]의 생업(生業). ¶가업을 잇다. ❷집 안에서 하는 직업. ❸한 집안에서 이룩한 재산이나 업적. ㊐세업(世業), 가직(家職).

개업 開業 | 열 개, 일 업 [open a business]
영업(營業)을 처음 시작함[開]. ¶상점은 내일 개업한다. ㊊폐업(閉業).

기업 企業 | 꾀할 기, 일 업 [enterprise; company]
❶속뜻 이익을 꾀하기[企] 위하여 일[業]을 함. ❷영리를 목적으로 운영하는 사업체.

농업 農業 | 농사 농, 일 업 [agriculture; farming]
땅을 이용하여 인간 생활에 필요한 식물을 가꾸는[農] 산업(産業). ㊐농사(農事).

대:업 大業 | 큰 대, 일 업
[great work; great deed]
❶속뜻 큰[大] 사업(事業). ¶민족 중흥의 역사적 대업을 이루다. ❷나라를 세우는 일.

동업 同業 | 같을 동, 일 업
[same trade; same line of business]
❶속뜻 같은[同] 종류의 직업이나 영업(營業). ¶나와 동업에 종사하는 사람들. ❷같이 사업을 함. 또는 그 사업. ¶친구와의 동업은 피하는 게 좋다.

본업 本業 | 뿌리 본, 일 업
[one's regular business]
겸하고 있는 직업에 대하여 주가 되는[本] 직업(職業). ¶그는 가수로 유명하지만 본업은 판매원이다. ㊐본직(本職). ㊊부업(副業).

부:업 副業 | 버금 부, 일 업
[side job; subsidiary business]
본업 다음[副]으로 따로 가지는 직업(職業). ¶농가에서는 부업으로 버섯을 재배한다. ㊐여업(餘業). ㊊본업(本業).

분업 分業 | 나눌 분, 일 업 [divide work]
❶속뜻 손을 나누어서[分] 일함[業]. ¶아버지는 어머니와 가사를 분업하신다. ❷한 제품의 공정을 몇 가지 단계 또는 부분별로 나누어 여러 사람이 분담하여 생산하는 일. ¶분업으로 생산성이 높아졌다.

사:업 事業 | 일 사, 일 업 [undertaking; project]
❶속뜻 일[事=業]. ❷어떤 일을 일정한 목적과 계획을 가지고 짜임새 있게 지속적으로 경영함. 또는 그 일. ¶사업이 망하다 / 교육 사업.

산:업 産業 | 낳을 산, 일 업 [industry]
❶속뜻 무엇을 생산(生産)하는 일[業]. 또는 그러한 업종(業種). ❷경제 농업, 금융업, 운수업 등 인간의 생활을 풍요롭게 하기 위하여 물건이나 서비스를 만드는 기업이나 조직. ¶산업 발전 / 새로운 산업에 종사하다.

상업 商業 | 장사 상, 일 업
[commerce; trade; business]

장사[商]를 통하여 이익을 얻는 일[業].

생업 生業 | 살 생, 일 업 [occupation; profession]
살아가기[生] 위하여 하는 일[業]. ¶어업을 생업으로 삼다.

수업¹ 受業 | 받을 수, 일 업
[take lessons in; study]
학업(學業)을 전수(傳受)받음. ¶인간문화재 선생님에게 놋그릇 만드는 법을 수업했다.

수업² 授業 | 줄 수, 일 업 [teach; instruct]
교육 학업(學業)을 가르쳐 줌[授]. ¶수업 시간 / 수업 분위기가 좋다.

실업¹ 失業 | 잃을 실, 일 업 [unemploy]
❶속뜻 생업(生業)을 잃음[失]. ❷사회 취업 의사와 능력을 가진 사람이 일할 기회를 얻지 못하거나 일자리를 잃음. ¶청년실업 문제가 심각하다. 반취업(就業).

실업² 實業 | 실제 실, 일 업 [industry]
생산, 제작, 판매 따위와 같은 실질(實質)적인 사업(事業).

어업 漁業 | 고기 잡을 어, 일 업
[fishery; fishing industry]
수산물을 잡는[漁] 것을 전문적으로 하는 사업(事業).

영업 營業 | 꾀할 영, 일 업 [do business]
이익을 꾀하는[營] 것을 목적으로 하는 사업(事業). 또는 그런 행위. ¶영업사원 / 오늘은 10시까지 영업합니다.

위업 偉業 | 훌륭할 위, 일 업
[great undertaking; great achievement]
훌륭한[偉] 업적(業績). ¶세계 최고의 건물을 세우는 위업을 이루었다.

임업 林業 | 수풀 림, 일 업 [forestry]
이득을 얻고자 삼림(森林)을 경영하는 사업(事業).

작업 作業 | 지을 작, 일 업 [work]
일정한 목적과 계획 아래 어떤 일터에서 일[業]을 함[作]. 또는 그 일. ¶단순 작업 / 계획대로 작업하면 내년에 공사가 끝난다.

전업 專業 | 오로지 전, 일 업
[special occupation; full time job]
전문(專門)으로 하는 직업(職業). ¶전업 주부.

조:업 操業 | 잡을 조, 일 업 [work; operate]
기계 따위를 잡고 움직여[操] 일[業]을 함. ¶지금은 어선들의 조업을 금지하고 있다.

졸업 卒業 | 마칠 졸, 일 업 [graduate]
학생이 규정에 따라 소정의 학업(學業)을 마침[卒]. ¶작년에 초등학교를 졸업하다. 반입학(入學).

종업 從業 | 좇을 종, 일 업
[work in service; be employed]
어떤 업무(業務)에 종사(從事)함. ¶쉽고 편한 업종에만 종업하려는 사람들이 너무 많다.

직업 職業 | 일 직, 일 업 [job; career; vocation]
생계를 유지하기 위하여 하는 직무(職務)나 생업(生業). ¶그녀의 직업은 간호사다.

창:업 創業 | 처음 창, 일 업
[found; start business]
❶속뜻 사업(事業)을 창설(創設)함. ¶회사 창업도 힘들지만 경영은 더 힘들다. ❷나라를 처음으로 세움. ¶조선왕조 창업의 일등 공신.

취:업 就業 | 나아갈 취, 일 업
[enter a profession; be employed]
일정한 직업을 갖고 직장에 나아가[就] 일[業]을 함. 비취직(就職). 반실업(失業).

파:업 罷業 | 그만둘 파, 일 업
[give up one's business; strike]
❶속뜻 하던 일[業]을 그만둠[罷]. ❷사회 노동 조건의 유지 및 개선을 위하여 노동자들이 집단적으로 작업을 중지하는 일. ¶근로자들은 열악한 근무 환경에 항의하는 파업을 벌였다.

폐:업 廢業 | 그만둘 폐, 일 업
[quit one's business; shut down]
영업(營業)이나 사업을 그만둠[廢]. ¶자금이 부족해 회사를 폐업하다. 반개업(開業).

학업 學業 | 배울 학, 일 업 [one's schoolwork]
배우는[學] 일[業]. ¶학업을 부지런히 하다.

휴업 休業 | 쉴 휴, 일 업 [suspend business]
영업(營業) 따위를 얼마 동안 쉼[休]. ¶임시 휴업.

0179 [락]

樂

즐길 락/노래 악
부木부 획15획 中乐 [lè,yào,yuè]

樂자는 나무(木)로 짠 틀 위에 악기를 매달아 놓은 모습이 변화된 것으로 1인3역을 하는 단어다. 즉, '즐겁다'(pleasant)는 [락], '풍류'(=음악, wind music)는 [악], '좋아하다'(be fond of)는 [요]로 읽는다. 각각 따로 글자를 만들지 않은 것은 귀찮아서(?) 그랬나 보다.
속뜻훈음 ①즐길 락, ②풍류(음악) 악, ③좋아할 요.

낙관 樂觀 | 즐길 락, 볼 관
[optimism; optimistic view]
❶속뜻 인생이나 사물을 밝고 희망적인[樂] 것으로 봄

[觀]. ❷앞으로의 일 따위가 잘 되어 갈 것으로 여김. ¶결과를 낙관하긴 이르다 / 낙관적인 성격. ㊥비관(悲觀).

낙원 樂園 | 즐길 락, 동산 원 [paradise; utopia]
❶속뜻 즐겁게[樂] 놀 수 있는 동산[園]. ❷아무런 괴로움이나 고통이 없이 안락하게 살 수 있는 즐거운 곳. ¶이 섬은 새들의 낙원이다. ㊥낙토(樂土).

낙천 樂天 | 즐길 락, 하늘 천 [optimism]
자기의 운명이나 처지를 천명(天命)으로 알고 즐겁게[樂] 사는 일. 세상이나 인생을 즐겁고 좋게 생각하는 일. ㊥염세(厭世).

악곡 樂曲 | 음악 악, 노래 곡 [musical composition]
음악 음악(音樂)의 곡조(曲調). 곧 성악곡, 기악곡, 관현악곡 따위를 통틀어 이르는 말이다.

악공 樂工 | 음악 악, 장인 공 [court musician]
❶음악 음악(音樂)을 연주하는 사람[工]. ¶악공은 왕자를 대신해서 공주에게 노래를 불러주었다. ❷역사 조선시대에 궁정의 음악 연주를 맡아 하던 사람.

악기 樂器 | 음악 악, 그릇 기 [musical instrument]
음악 음악(音樂)을 연주하는 데 쓰는 기구(器具)를 통틀어 이르는 말. ¶아빠는 여러 가지 악기를 다루신다.

악단 樂團 | 음악 악, 모일 단 [orchestra]
음악 음악(音樂)을 연주하기 위해 모인 단체(團體). ¶막이 오르자 악단은 모차르트의 교향악을 연주했다.

악대 樂隊 | 음악 악, 무리 대 [musical band]
음악 기악(器樂)을 연주하는 합주대(合奏隊). 주로 취주악의 단체를 이른다.

악보 樂譜 | 음악 악, 적어놓을 보 [music]
음악 음악(音樂)의 곡조를 일정한 기호를 써서 적어놓은 것[譜].

악사 樂士 | 음악 악, 선비 사 [musician]
음악 악기로 음악(音樂)을 연주하는 사람[士].

악상 樂想 | 음악 악, 생각 상 [melodic motif]
음악(音樂)의 주제, 구성, 곡풍(曲風) 따위에 대한 생각이나 착상(着想). ¶악상이 떠오르다.

악장 樂章 | 음악 악, 글 장 [chapter]
❶속뜻 음악(音樂)의 한 단락[章]. ❷음악 소나타나 교향곡, 협주곡 따위에서 여러 개의 독립된 소곡(小曲)들이 모여서 큰 악곡이 되는 경우 그 하나하나의 소곡. ¶교향곡은 대개 4악장으로 되어 있다.

요산요수 樂山樂水 | 좋아할 요, 메 산, 좋아할 요, 물 수
❶속뜻 산(山)을 좋아하고[樂] 물[水]을 좋아함[樂]. ❷산수 자연을 즐기고 좋아함. ¶요산요수할 여유가 없다.

• 역순어휘

극락 極樂 | 다할 극, 즐길 락 [paradise]
❶속뜻 더없이[極] 안락(安樂)하고 깨끗한 땅. ❷불교 아미타불이 살고 있는 괴로움이 없으며 지극히 안락하고 자유로운 세상. '극락정토'(極樂淨土)의 준말. ㊥지옥(地獄).

안락 安樂 | 편안할 안, 즐길 락 [ease; comfort]
몸과 마음이 편안(便安)하고 즐거움[樂].

오:락 娛樂 | 즐거워할 오, 즐길 락 [recreation]
쉬는 시간에 여러 가지 방법으로 기분을 즐겁게[娛=樂] 하는 일. ¶오락 시간 / 이 호텔에는 오락 시설이 있다.

쾌락 快樂 | 기쁠 쾌, 즐길 락 [pleasure]
기쁘고[快] 즐거움[樂]. ¶정신적 쾌락을 추구하다.

향:락 享樂 | 누릴 향, 즐길 락 [enjoy]
즐거움[樂]을 누림[享]. 쾌락을 누림. ¶향락 생활 / 향락에 빠지다.

관악 管樂 | 피리 관, 음악 악 [pipe music]
음악 관악기(管樂器)로 연주하는 음악(音樂). ㊟취주악(吹奏樂), 현악(絃樂), 타악(打樂).

국악 國樂 | 나라 국, 음악 악 [national classical music]
❶속뜻 나라[國]의 고유한 음악(音樂). ❷음악 서양 음악에 상대하여 우리의 전통 음악을 이르는 말. ¶국악 연주회.

군악 軍樂 | 군사 군, 음악 악 [military music]
음악 군대(軍隊)에서 군대 의식이나 사기를 높이기 위해 쓰는 음악(音樂).

기악 器樂 | 그릇 기, 음악 악 [instrumental music]
음악 악기(樂器)로 연주하는 음악(音樂). ㊥성악(聲樂).

농악 農樂 | 농사 농, 음악 악 [farm music]
음악 농촌(農村)에서 명절이나 공동 작업을 할 때 연주되는 민속음악(民俗音樂).

성악 聲樂 | 소리 성, 음악 악 [vocal music; singing]
음악 사람의 음성(音聲)으로 이루어진 음악(音樂). ¶그녀는 대학에서 성악을 전공했다. ㊥기악(器樂).

아:악 雅樂 | 고울 아, 음악 악 [classical court music]
❶속뜻 우아(優雅)한 음악(音樂). ❷음악 우리나라에서

의식 따위에 정식으로 쓰던 음악. 고려 예종 때 중국 송나라에서 들여온 것을 조선 세종이 박연에게 명하여 새로 완성시켰다.

음악 音樂 | 소리 음, 풍류 악 [music]
❶[속뜻] 소리[音]에서 느껴지는 풍류[樂]. ❷[음악] 인간의 사상이나 감정을 목소리나 악기로 연주하는 예술. ¶음악에 맞춰 춤을 추다.

풍악 風樂 | 바람 풍, 음악 악
[Korean classic music]
❶[속뜻] 풍류(風流)가 있는 음악(音樂). ❷[음악] 예로부터 전해 오는 우리나라 고유의 음악. ¶풍악을 울려라!

향악 鄕樂 | 시골 향, 음악 악 [Korean music]
[음악] ❶향토(鄕土) 음악(音樂). ❷삼악(三樂)의 하나. 우리나라 고유의 음악을 당악(唐樂)에 상대하여 이르는 말.

현악 絃樂 | 줄 현, 음악 악 [string music]
[음악] 바이올린 같이 줄[絃]을 통하여 소리를 내는 악기(樂器). ¶현악 합주.

0180 [방]

放

놓을 방:
[部] 攴부 [劃] 8획 [中] 放 [fàng]

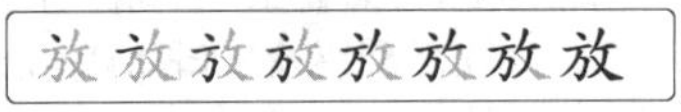

放자는 '내치다'(keep a person away)가 본뜻이니 '칠 복'(攴=攵)이 부수이자 표의요소로 쓰였다. 方(모 방)은 표음요소이니 뜻과는 무관하다. '놓다'(take out)는 뜻으로도 많이 쓰인다.
[속뜻훈음] ①놓을 방, ②내칠 방.

방:과 放課 | 놓을 방, 매길 과
[dismissal of a class]
하루의 정해진 수업[課]을 마침[放].

방:랑 放浪 | 놓을 방, 물결 랑 [wander around]
❶[속뜻] 추방(追放)되어 이곳저곳을 물결[浪]처럼 떠돌아다님. ❷정한 곳 없이 이리저리 떠돌아다님. ¶김삿갓은 방랑시인으로 유명하다.

방:류 放流 | 놓을 방, 흐를 류 [discharge]
❶[속뜻] 가두어 놓은 물을 터서 흘려[流] 보냄[放]. ❷기르기 위하여 어린 물고기를 물에 놓아줌. ¶강에 물고기를 방류하다. [비]방수(放水), 방생(放生).

방:목 放牧 | 놓을 방, 기를 목 [graze]
소나 말, 양 따위의 가축을 놓아[放] 기름[牧]. ¶들에 소를 방목하다. [비]방축(放畜).

방:사 放射 | 놓을 방, 쏠 사 [radiate; emit]
❶[속뜻] 사방으로 방출(放出)하거나 쏘아[射] 내뻗침. ❷[물리] 물체가 빛이나 열 같은 에너지를 밖으로 내뿜음.

방:송 放送 | 놓을 방, 보낼 송
[release offender; go on radio]
❶[역사] 죄인을 석방(釋放)하여 내보냄[送]. ❷라디오나 텔레비전을 통하여 음성이나 영상을 전파로 내보내는 일. ¶방송에 출연하다.

방:심 放心 | 놓을 방, 마음 심
[be absent minded]
❶[속뜻] 다른 것에 정신이 팔려 마음[心]을 놓아 버림[放]. ¶방심은 금물이다. ❷걱정하던 마음을 놓음.

방:열 放熱 | 놓을 방, 더울 열 [radiant heat]
열(熱)을 밖으로 내놓음[放]. 열을 발산함.

방:영 放映 | 놓을 방, 비칠 영
[broadcast; telecast]
텔레비전으로 영상(映像)을 방송(放送)함. ¶다큐멘터리를 방영하다.

방:자 放恣 | 내칠 방, 마음대로 자
[impudent; uppish]
❶[속뜻] 내치는[放] 대로 마음대로[恣] 함. ❷꺼리거나 삼가는 태도가 없이 건방지다. ¶방자한 행동 / 방자하게 굴다.

방:전 放電 | 놓을 방, 번개 전
[discharge of electricity]
[물리] 전지나 축전기 또는 전기를 띤 물체에서 전기(電氣)가 외부로 흘러나오는[放] 현상. ¶배터리가 방전되다. [반]충전(充電).

방:종 放縱 | 내칠 방, 놓아줄 종 [be dissolute]
❶[속뜻] 내치는[放] 대로 놓아줌[縱]. ❷아무 거리낌이 없이 함부로 행동함. ¶책임 없는 자유는 방종에 불과하다.

방:출 放出 | 놓을 방, 날 출 [discharge]
❶[속뜻] 내놓음[放=出]. ❷비축하여 놓은 것을 내놓음. ¶정부미를 방출하다.

방:치 放置 | 놓을 방, 둘 치 [leave alone]
그대로 버려[放] 둠[置]. ¶자전거를 대문 밖에 방치하다.

방:탕 放蕩 | 내칠 방, 음탕할 탕
[dissipated; prodigal]
❶[속뜻] 내치는[放] 대로 음탕(淫蕩)하게 굶. ❷주색(酒色)에 빠져 행실이 추저분함. ¶방탕에 빠지다 / 방탕한 생활.

방:학 放學 | 놓을 방, 배울 학
[school holidays; vacation]

❶속뜻 공부하던[學] 손길을 놓음[放]. ❷교육 학교에서 한더위나 한추위 때, 다음 학기 초까지 일정 기간 수업을 쉬는 일. ¶겨울 방학 / 내일 방학이 시작된다.

방:화 放火 | 놓을 방, 불 화 [incendiary fire]
일부러 불[火]을 놓음[放]. ¶정신이상자가 지하철에서 방화했다 / 방화범을 잡다.

• 역순어휘

개방 開放 | 열 개, 놓을 방 [open]
❶속뜻 문을 열어[開] 놓음[放]. ❷기밀·비밀 따위를 숨김없이 공개함. ❸금하던 것을 풀고 열어 놓음. ¶이 공원은 일반인에게 개방되어 있다. ㊐공개(公開). ㉥폐쇄(閉鎖).

단방 單放 | 홑 단, 놓을 방 [single shot; at once]
❶속뜻 한번[單] 놓음[放]. 단 한 방의 발사. ¶단방에 맞히다. ❷일방(一放)에, 단참(單站)에. ¶그는 내 제의를 단방에 거절했다.

분방 奔放 | 달릴 분, 내칠 방 [free; unrestrained]
❶속뜻 달리는[奔] 대로 내버려 둠[放]. ❷체면이나 관습 같은 것에 얽매이지 아니하고 마음대로임. ¶동생은 분방한 성격을 지녔다.

석방 釋放 | 풀 석, 놓을 방 [set free; release]
❶속뜻 잡혀 있는 사람을 용서하여 풀어[釋] 놓음[放]. ❷법률 법에 의하여 구금을 해제함. ¶우리는 인질들의 석방을 위해 그들과 협상했다.

추방 追放 | 쫓을 추, 놓을 방 [expel; banish]
❶속뜻 쫓아[追] 내놓음[放]. ❷해롭다고 생각하여 무엇을 없애거나 쫓아내는 것. ¶그는 다른 나라로 추방됐다.

해:방 解放 | 풀 해, 놓을 방 [liberate]
몸과 마음의 속박이나 제한 따위를 풀어서[解] 자유롭게 놓아줌[放]. ¶노예 해방.

훈:방 訓放 | 가르칠 훈, 놓을 방
[dismiss with a caution]
법률 훈계(訓戒)하여 방면(放免)함. ¶훈방 조치 / 연행자 중에서 학생들을 훈방하다.

0181 [재]

才 재주 재
㊭ 手부 ㊕ 3획 ㊥ 才 [cái]

才才才

才자는 새싹[丿]이 땅[一] 거죽을 꿰뚫고[丨] 돋아나는 모양을 본뜬 것으로 '돋아나다'(spring up)가 본래 의미였다. 후에 그런 의미로는 쓰이지 않고, '재주'(skillfulness; talent)를 가리키는 것으로 쓰이는 예가 많아지자 급기야 '재주 재'라는 훈이 생겨났다.

재간 才幹 | 재주 재, 재능 간 [ability; talent]
재주[才]와 재능[幹]. 또는 그러한 능력. ¶재간이 뛰어나다 / 그 많은 일을 나 혼자 해낼 재간이 없다.

재능 才能 | 재주 재, 능할 능 [ability; capability]
재주[才]와 능력(能力). ¶내 동생은 과학에 재능이 있다.

재담 才談 | 재주 재, 이야기 담 [talk wittily]
재치(才致) 있게 하는 재미있는 이야기[談]. ¶그는 재담을 섞어 가며 강연했다.

재롱 才弄 | 재주 재, 놀 롱 [cute tricks]
재주[才]를 부리며 귀엽게 놂[弄]. ¶강아지가 재롱을 부린다.

재색 才色 | 재주 재, 빛 색 [wits and beauty]
여자의 재주[才]와 용모[色]. ¶재색을 겸비한 규수.

재원 才媛 | 재주 재, 미인 원 [gifted young lady]
재주[才] 있는 젊은 여자[媛]. ¶그녀는 대학을 수석으로 입학한 재원이다.

재질 才質 | 재주 재, 바탕 질 [natural gifts; talent]
재주[才]와 기질(氣質). ¶음악에 재질이 있다.

재치 才致 | 재주 재, 이를 치 [wit; tact]
❶속뜻 재주[才]가 상당한 경지에 이름[致]. ❷눈치 빠른 말씨나 능란한 솜씨. ¶그는 나의 물음에 재치 있게 대답했다.

• 역순어휘

귀:재 鬼才 | 귀신 귀, 재주 재 [(singular) genius]
❶속뜻 귀신(鬼神) 같은 재주[才]. ❷세상에서 보기 드물게 뛰어난 재능. 또는 그런 재능을 가진 사람. ¶그는 변장술의 귀재이다.

다재 多才 | 많을 다, 재주 재
[versatile talents; versatility]
재주[才]가 많음[多].

둔:재 鈍才 | 둔할 둔, 재주 재 [dullness]
둔한[鈍] 재주[才]. 또는 재주가 둔한 사람. ㉥영재(英材), 천재(天才).

수재 秀才 | 빼어날 수, 재주 재 [talented person]
재주[才]가 뛰어난[秀] 사람. ¶그 학교는 많은 수재들을 배출했다. ㊐영재(英才), 천재(天才). ㉥둔재(鈍才).

영재 英才 | 뛰어날 영, 재주 재 [genius]
뛰어난[英] 재주[才]. 또는 그런 사람. ¶영재 교육 / 그는 수학의 영재이다. ㊐수재(秀才), 천재(天才).

천재 天才 | 하늘 천, 재주 재 [genius; prodigy]
하늘[天]이 준 재주[才]. 태어날 때부터 갖춘 뛰어난 재주. 또는 그런 재주를 가진 사람. ¶그는 돈 버는 데 천재다 / 천재와 바보는 종이 한 장 차이다. ㉥둔재(鈍才).

0182 [주]

注

부을 주:
㉠ 水부 ㉥ 8획 ㊥ 注 [zhù]

注 注 注 注 注 注 注 注

注자는 '(물을) 붓다'(pour into)가 본뜻이니, '물 수'(氵= 水)가 표의요소로 쓰였다. 主(주인 주)는 표음요소이니 뜻과는 상관이 없다. '쏟다'(spill), '(물)대다'(inject)는 뜻으로 확대 사용됐다.

속뜻 훈음 ①부을 주, ②쏟을 주, ③물댈 주.

주:목 注目 | 쏟을 주, 눈 목 [pay attention]
❶속뜻 눈[目]길을 한곳에 쏟음[注]. ❷어떤 대상이나 일에 대해 특별히 관심을 가지고 자세히 살핌. ¶그 사건은 주목을 별로 받지 못했다.

주:문 注文 | 물댈 주, 글월 문 [order; request]
물건 구입 의사를 밝히어 보내는[注] 글[文]. 또는 그런 일. ¶주문을 받다 / 주문하자마자 음식이 나왔다.

주:사 注射 | 물댈 주, 쏠 사 [inject]
의학 약물을 주사기에 넣어 생물체의 조직이나 혈관 안으로 들여보내[注] 쏘아[射] 넣는 일. ¶팔뚝에 주사를 맞았다 / 진통제를 주사하다.

주:시 注視 | 쏟을 주, 볼 시
[gaze at; watch carefully]
어떤 사물이나 상황에 정신을 쏟아[注] 자세히 봄[視]. ¶온 세계의 주시를 받다 / 경찰에서는 그의 행동을 주시했다.

주:유 注油 | 부을 주, 기름 유
[refuel; fill up with gas]
기름[油]을 넣음[注]. ¶주유 중에는 엔진을 꺼 주세요.

주:의 注意 | 쏟을 주, 뜻 의
[be attention to; be careful]
❶속뜻 뜻[意]이나 마음을 쏟음[注]. ¶주의를 기울이다. ❷마음에 새겨 두고 조심함. ¶감기에 걸리지 않게 주의하세요. ❸경고나 충고의 뜻으로 일깨워 주는 말. ¶조용히 하라고 선생님에게 주의를 받았다.

주:입 注入 | 부을 주, 들 입
[pour; inject; cram]
❶속뜻 액체를 물체 안에 부어[注] 넣음[入]. ¶자동차에 냉각수를 주입하다. ❷지식을 기계적으로 기억하게 하여 가르침. ¶단순히 머리에 주입된 지식은 오래가지 않는다.

• 역순어휘

경주 傾注 | 기울 경, 부을 주 [pour into]
❶속뜻 액체가 들어 있는 그릇 따위를 기울여[傾] 부음[注]. ❷정신이나 힘을 한곳에만 기울임. ¶국가 발전에 온 힘을 경주하다.

0183 [소]

消

사라질 소
㉠ 水부 ㉥ 10획 ㊥ 消 [xiāo]

消 消 消 消 消 消 消 消 消 消

消자는 '(물이 말라) 없어지다'(dry up)는 뜻을 적기 위하여 만들어진 것이니, '물 수'(水)가 표의요소로 쓰였다. 肖(닮을 초)가 표음요소임은 逍(거닐 소)나 宵(밤 소)도 마찬가지이다. '모자라다'(be lacking; want), '사라지다'(disappear)는 뜻으로도 쓰인다.

속뜻 훈음 ①사라질 소, ②모자랄 소.

소극 消極 | 모자랄 소, 끝 극 [negative]
❶속뜻 끝[極]을 보려는 의지가 모자람[消]. ❷스스로 앞으로 나아가거나 상황을 개선하려는 기백이 부족하고 비활동적임. ㉥적극(積極).

소독 消毒 | 사라질 소, 독할 독
[disinfect; sterilize]
의학 해로운 균[毒]을 약품, 열, 빛 따위로 죽이는[消] 일. ¶이불을 마당에 널어 소독하다.

소멸 消滅 | 사라질 소, 없앨 멸
[become extinct; disappear]
사라져[消] 없어짐[滅]. ¶우주는 생성과 소멸을 반복한다. ㉥생성(生成).

소모 消耗 | 사라질 소, 줄 모
[consume; dissipate]
써서 사라지거나[消] 줄어듦[耗]. 또는 써서 없앰. ¶농구는 체력 소모가 많은 운동이다.

소방 消防 | 사라질 소, 막을 방
[fight a fire; extinguish a fire]
불이 났을 때 불을 끄고[消] 불이 나지 않도록 미리 막는[防] 일. ¶학교에서 소방 훈련을 하다.

소비 消費 | 사라질 소, 쓸 비 [consume; spend]
돈이나 물건, 시간, 노력 따위를 써서[費] 사라지게[消]

함. ¶그 차는 연료를 많이 소비한다. ⓑ생산(生産).

소식 消息 | 사라질 소, 불어날 식 [news; information]
❶속뜻 사라짐[消]과 불어남[息]. ❷'변화', '증감', '동정', '사정', '안부', '편지' 같은 의미로 쓰임. ¶요즘은 그 친구 소식이 뜸하다.

소실 消失 | 사라질 소, 잃을 실 [disappear; vanish]
사라져[消] 없어짐[失]. 또는 사라져 잃어버림. ¶전쟁으로 문화재가 소실되었다.

소인 消印 | 사라질 소, 도장 인 [postmark]
❶속뜻 지우는[消] 표시로 인장(印章)을 찍음. 또는 그 인장. ❷우체국에서 접수된 우편물의 우표 따위에 도장을 찍음. 또는 그 도장. 접수 날짜, 국명(局名) 따위가 새겨져 있다. ¶편지에는 서울 소인이 찍혀 있었다.

소일 消日 | 사라질 소, 날 일 [pass one's time; kill time]
❶속뜻 별로 하는 일 없이 나날[日]을 보냄[消]. ❷어떤 일에 마음을 붙여 세월을 보냄. ¶그는 은퇴 후에 독서로 소일했다.

소화[1] 消火 | 사라질 소, 불 화 [extinguish a fire]
불[火]을 끔[消].

소화[2] 消化 | 사라질 소, 될 화 [digest]
❶속뜻 먹은 음식을 삭게[消] 함[化]. ¶채소는 소화가 잘된다. ❷의학 섭취한 음식물을 분해하여 영양분을 흡수하기 쉬운 형태로 변화시키는 일. 또는 그런 작용.

• 역순어휘

말소 抹消 | 문지를 말, 사라질 소 [erase; cancel]
기록된 사실을 지워서[抹] 없앰[消]. ¶등기를 말소하다 / 소송을 말소하다. ⓑ말거(抹去).

취:소 取消 | 가질 취, 사라질 소 [cancel; withdraw; revoke]
발표한 의사를 거두어들이거나[取] 예정된 일을 없애버림[消]. ¶면허취소 / 예약을 취소하다.

해:소 解消 | 풀 해, 사라질 소 [solve]
❶속뜻 풀어서[解] 없앰[消]. ❷좋지 않은 상태를 없애는 것. ¶스트레스 해소 / 교통 체증을 해소하다.

0184 [청]

清 맑을 청
부 水부 획 11획 中 清 [qīng]
清 清 清 清 清 清 清 清 清 清 清

清자는 '맑은 물'(crystal water)을 뜻하기 위하여 만들어진 것이니 '물 수(水)'가 표의요소로 쓰였다. 青(푸를 청)은 표음요소인데, 의미와 전혀 무관한 것은 아니다. 푸른 물이 곧 맑은 물이기 때문이다. 후에 물 뿐만 아니라 날씨, 소리, 눈동자, 몸, 마음, 빛 등의 '맑음'(clear; clean; limpid; pure; transparent)도 이것으로 나타냈다.

청결 清潔 | 맑을 청, 깨끗할 결 [clean; neat]
지저분한 것을 없애어 맑고[清] 깨끗함[潔]. ¶항상 몸을 청결히 해라. ⓑ불결(不潔).

청량 清凉 | 맑을 청, 서늘할 량 [clear and cool]
맑고[清] 서늘함[凉]. ¶청량한 가을 날씨.

청렴 清廉 | 맑을 청, 검소할 렴 [upright; cleanhanded]
마음이 맑아[清] 검소함[廉]. ¶청렴하고 겸손한 대감.

청명 清明 | 맑을 청, 밝을 명 [fine; fair]
❶속뜻 날씨나 소리가 맑고[清] 밝음[明]. ¶청명한 아침 하늘. ❷민속 이때부터 날이 풀리기 시작해 화창해진다는 뜻의 이십사절기의 하나. 양력 4월 5,6일경이다. 속담 한식에 죽으나 청명에 죽으나.

청빈 清貧 | 맑을 청, 가난할 빈 [poor but honest]
성품이 청렴(清廉)하여 가난함[貧]. ¶청빈한 선비.

청산 清算 | 맑을 청, 셀 산 [pay off; clear; end]
서로 채권·채무 관계를 말끔하게[清] 셈하여[算] 정리함. ¶빚을 청산하다.

청소 清掃 | 맑을 청, 쓸 소 [clean; sweep]
더럽거나 어지러운 것을 깨끗하게[清] 쓸어냄[掃]. ¶청소 당번 / 내 방을 청소하다.

청순 清純 | 맑을 청, 순수할 순 [pure; innocent]
깨끗하고[清] 순수(純粹)함. ¶그 소녀는 앳되고 청순하다.

청아 清雅 | 맑을 청, 고울 아 [elegant; graceful; ringing]
속된 티가 없이 맑고[清] 곱다[雅]. ¶방울 소리가 청아하다.

청일 清日 | 맑을 청, 일본 일
청(清)나라와 일본(日本)을 아울러 이르는 말. ¶청일 양국의 관계는 급속도로 악화되었다.

청정 清淨 | 맑을 청, 깨끗할 정 [pure; clean]
맑고[清] 깨끗함[淨]. 깨끗하여 속됨이 없음. ¶청정 에너지 / 시냇물이 청정하다.

청주 清酒 | 맑을 청, 술 주 [clear; refined rice wine]
❶속뜻 맑은[清] 술[酒]. ❷다 익은 탁주를 가라앉히고 위에서 떠낸 맑은 술.

청초 淸楚 | 맑을 청, 고울 초
[neat and clean; trim]
맑고[淸] 곱다[楚]. ¶난꽃이 청초하게 아름답다.

청포 淸泡 | 맑을 청, 거품 포 [green pea jelly]
❶속뜻 맑은[淸] 거품[泡]. ❷녹말로 쑨 묵. ¶청포를 무쳐 먹다.

• 역순어휘

숙청 肅淸 | 엄숙할 숙, 맑을 청
[stage a purge; clean up]
❶속뜻 엄하게[肅] 다스려 잘못된 것을 모두 없애 말끔하게[淸] 함. ❷독재국가 따위에서 반대파를 모두 제거하는 일. ¶당은 반대 세력을 숙청했다.

조:청 造淸 | 만들 조, 맑을 청
[grain syrup; molasses]
엿 따위를 만드는[造] 과정에서 묽게[淸] 고아서 굳지 않은 엿. ¶떡을 조청에 찍어 먹다.

0185 [급]

急

급할 급
(部) 心부 (劃) 9획 (中) 急 [jí]

急자는 원래 '及+心'의 구조였는데, 약 2,000년 전에 지금의 모양으로 변화되어 본래의 구조를 알기 힘들게 됐다. 급할 때는 마음부터 두근거리기 때문인지 '마음 심'(心)이 표의요소로 쓰였다. 나머지 즉 及(미칠 급)은 표음요소이다. '급하다'(impatient), '급히'(immediately)같은 뜻으로 쓰인다.

급격 急激 | 급할 급, 격할 격 [sudden; abrupt]
급(急)하고 격렬(激烈)하다. ¶사춘기에는 몸이 급격히 발달한다.

급등 急騰 | 급할 급, 오를 등 [jump]
물가나 시세 따위가 갑자기[急] 오름[騰]. ¶쌀값이 급등하다. (비)폭등(暴騰). (반)급락(急落).

급락 急落 | 급할 급, 떨어질 락 [plunge; crash]
물가나 시세 따위가 갑자기[急] 떨어짐[落]. ¶주가(株價)가 급락하다. (비)폭락(暴落). (반)급등(急騰).

급류 急流 | 급할 급, 흐를 류
[swift current; torrent]
물이 급(急)하게 흐름[流]. ¶급류를 타다. (반)완류(緩流).

급박 急迫 | 급할 급, 닥칠 박 [urgent; imminent]
사태가 급(急)히 닥쳐[迫] 여유가 없음. ¶그는 급박한 사정이 생겨 참석하지 못했다. (비)긴박(緊迫).

급변 急變 | 급할 급, 바뀔 변
[emergency; accident]
❶속뜻 급격(急激)하게 바뀜[變]. 갑자기 달라짐. ¶날씨가 급변하다. ❷갑자기 일어난 변고. ¶그는 봉화를 피워 급변을 알렸다. (비)극변(劇變), 급변사(急變事).

급사 急死 | 급할 급, 죽을 사 [die suddenly]
갑자기[急] 죽음[死]. ¶심장마비로 급사하다.

급성 急性 | 급할 급, 성질 성
[acute form of a disease]
병 따위가 갑작스럽게 일어나거나 급(急)히 악화되는 성질(性質). ¶급성 맹장염. (반)만성(慢性).

급소 急所 | 급할 급, 곳 소 [vital part]
❶속뜻 사물의 가장 긴급(緊急)하거나 가장 중요한 곳[所]. ❷조금만 다쳐도 생명에 지장을 주는 몸의 중요한 부분. ¶급소를 찌르다. (비)핵심(核心).

급속 急速 | 급할 급, 빠를 속 [rapid; swift]
몹시 급(急)하고 빠름[速]. ¶급속 냉각.

급습 急襲 | 급할 급, 습격할 습
[make surprise attack; raid]
상대편의 방심을 틈타서 급히[急] 습격(襲擊)함.

급증 急增 | 급할 급, 더할 증 [increase rapidly]
급작스럽게[急] 늘어남[增]. ¶이 지역 인구가 급증했다. (반)급감(急減).

급파 急派 | 급할 급, 보낼 파 [speedy dispatch]
급(急)히 파견(派遣)함. ¶사고 현장에 구조대를 급파하다.

급행 急行 | 급할 급, 갈 행 [hasten; hurry; rush]
❶속뜻 급(急)히 감[行]. ❷'급행열차'(列車)의 준말.

• 역순어휘

구:급 救急 | 구할 구, 급할 급 [first aid]
❶속뜻 위급(危急)한 상황에서 구(救)하여 냄. ❷병이 위급할 때 우선 목숨을 구하기 위한 처치를 함.

긴급 緊急 | 긴요할 긴, 급할 급
[urgency; emergency]
❶속뜻 긴요(緊要)하고 급(急)함. ¶긴급히 대처하다. ❷현악기의 줄이 팽팽함.

다급 多急 | 많을 다, 급할 급 [extremely urgent]
많이[多] 급(急)하다. ¶다급한 목소리 / 일이 다급하게 되었다. (비)급(急)하다, 촉박(促迫)하다.

성:급 性急 | 성질 성, 급할 급
[hasty; quick tempered]
성질(性質)이 매우 급(急)하다. ¶내가 너무 성급했다.

[반]느긋하다.

시급 時急 | 때 시, 급할 급
[be pressing; urgent]
시간적(時間的)으로 매우 급(急)하다. ¶시급한 문제 / 친환경 에너지를 개발하는 일은 매우 시급하다.

위급 危急 | 두려워할 위, 급할 급 [critical; urgent]
두려울[危] 정도로 매우 급박(急迫)함. ¶매우 위급할 때 소방차가 달려왔다.

응:급 應急 | 응할 응, 급할 급 [emergency]
위급(危急)한 사항을 임시로 대응(對應)함. ¶응급 수술 / 응급 상황이 발생하면 119로 전화하시오.

조급 躁急 | 성급할 조, 급할 급
[impatient; impetuous; hasty]
참을성 없이 매우 급하다[躁=急]. ¶조급한 성격 / 놀란 나머지 예의를 잊고 조급히 물었다.

특급 特急 | 특별할 특, 급할 급 [special express]
❶[속뜻]특별(特別)히 급(急)하게 달림. ❷[교통]열차 따위가 특별히 빨리 운행하는 것. ¶특급열차.

화:급 火急 | 불 화, 급할 급 [urgent; pressing]
걷잡을 수 없이 타는 불[火]과 같이 매우 급(急)함. ¶그는 화급하게 밖으로 나갔다.

황급 遑急 | 바쁠 황, 급할 급
[urgent; pressed and agitated]
몹시 바쁘고[遑] 급하다[急]. ¶황급한 발걸음.

0186 [의]

意

뜻 의:
[部]心부 [劃]13획 [中]意 [yì]

意意意意意意意意意意意意意

意자의 '마음 심'(心)과 '소리 음'(音)은 둘 다 표의요소이다. '뜻'이 본래 의미이다. 옛날 사람들은 의지가 곧 '마음의 소리'라고 생각했나 보다. 주로 '생각'이나 '마음'과 관련된 '뜻'(thought; view; mind; will)을 나타내는 것으로 애용된다.

의:견 意見 | 뜻 의, 볼 견 [opinion; view; idea]
어떤 일에 대한 뜻[意]과 견해(見解). ¶당신 의견에 찬성합니다. [비]견해(見解), 생각, 의사(意思).

의:기 意氣 | 뜻 의, 기운 기
[spirits; heart; mind; vigor]
❶[속뜻]뜻[意]과 기세(氣勢). ❷기세가 좋은 적극적인 마음. ¶그 소식이 우리들의 의기를 드높였다.

의:도 意圖 | 뜻 의, 꾀할 도 [intend; aim]
❶[속뜻]뜻[意]한 바를 꾀함[圖]. ❷무엇을 하고자 하는 생각이나 계획. 또는 무엇을 하려고 꾀함. ¶너를 속일 의도는 없었다.

의:미 意味 | 뜻 의, 맛 미 [mean]
❶[속뜻]말이나 글의 뜻[意]이나 맛[味]. 말뜻. ¶이 단어는 무슨 의미인지 모르겠다. ❷사물이나 현상의 가치. ¶의미 있는 삶. ❸행위나 현상이 지닌 뜻. ¶돈은 나에게 아무런 의미가 없다.

의:사 意思 | 뜻 의, 생각 사 [idea; thought; mind]
무엇을 하고자 하는 뜻[意]과 생각[思]. ¶자신의 의사를 밝히다.

의:식 意識 | 뜻 의, 알 식
[be conscious; be aware]
❶[속뜻]뜻[意]을 앎[識]. ❷깨어 있는 상태에서 자기 자신이나 사물에 대하여 인식(認識)하는 작용. ¶의식을 잃다 / 그는 3일 동안 의식이 없었다. ❸어떤 것을 두드러지게 느끼거나 특별히 염두에 두다. ¶그는 남의 눈을 지나치게 의식한다. [반]무의식(無意識).

의:외 意外 | 뜻 의, 밖 외 [surprise; accident]
뜻[意] 밖[外]. 생각 밖. ¶아이는 의외의 대답을 했다.

의:욕 意慾 | 뜻 의, 욕심 욕 [volition; will; desire]
무엇을 하고자 하는 적극적인 마음[意]이나 욕망(慾望). ¶그도 처음에는 의욕이 넘쳤지만 지금은 마지못해 하고 있다.

의:의 意義 | 뜻 의, 뜻 의 [meaning; sense]
❶[속뜻]말이나 글의 뜻[意=義]. ❷어떤 사실이나 행위 따위가 갖는 중요성이나 가치. ¶3·1 운동의 역사적 의의.

의:중 意中 | 뜻 의, 가운데 중
[one's inner thoughts; one's mind]
마음[意] 속[中]. ¶도대체 그녀의 의중을 알 수가 없다. [비]심중(心中).

의:지 意志 | 뜻 의, 뜻 지 [will; volition; intention]
어떠한 일을 이루고자 하는 마음이나 뜻[意=志]. ¶그는 자신의 의지로 술을 끊었다.

의표 意表 | 뜻 의, 겉 표
[surprise; unexpectedness]
생각[意] 밖[表]. 예상 밖. ¶그의 질문은 나의 의표를 찔렀다.

의:향 意向 | 뜻 의, 향할 향
[intention; inclination]
마음이나 뜻[意]이 향(向)하는 바. 또는 무엇을 하려는 생각. ¶우리와 함께 떠날 의향이 있으면 지금 말해라.

• 역순어휘

개:의 介意 | 끼일 개, 뜻 의 [care; worry]

언짢은 일 따위를 마음에 두어[介] 생각함[意]. ¶조금도 개의치 않다. [비]괘의(掛意).

결의 決意 | 결정할 결, 뜻 의 [resolve]
뜻[意]을 굳게 정함[決]. ¶필승의 결의를 다지다. [비]결심(決心).

경:의 敬意 | 공경할 경, 뜻 의 [respect; regard]
존경(尊敬)의 뜻[意]. ¶경의를 표하다. [비]예의(禮意).

고:의 故意 | 옛 고, 뜻 의 [deliberation; intention]
❶[속뜻] 본래[故] 가지고 있던 생각이나 뜻[意]. ❷일부러 하는 생각이나 태도. ¶이 사고는 고의가 아니었다. [반]과실(過失).

동의 同意 | 같을 동, 뜻 의 [agree with; approve of]
❶[속뜻] 같은[同] 의미(意味). ❷의사(意思)나 의견을 같이함. ¶그는 국민의 동의를 얻었다. [비]동의(同義), 찬성(贊成), 찬동(讚同). [반]이의(異意), 반대(反對).

민의 民意 | 백성 민, 뜻 의 [will of the people]
국민(國民)의 의사(意思). ¶정책에 민의를 반영하다.

불의 不意 | 아닐 불, 뜻 의 [suddenness]
뜻[意] 하지 않았던[不] 판. 뜻밖의. ¶불의의 사고. [비]뜻밖.

사:의 謝意 | 고마워할 사, 뜻 의 [thank; appreciate]
고마워하는[謝]의 뜻[意]. ¶여러분의 노고에 심심한 사의를 표합니다.

선:의 善意 | 착할 선, 뜻 의 [good intentions; good will]
❶[속뜻] 착한[善] 마음[意]. 좋은 의도. ¶선의의 거짓말. ❷남을 위하는 마음. 남을 좋게 보려는 마음. ¶선의를 베풀다. [반]악의(惡意).

성의 誠意 | 진심 성, 뜻 의 [sincerity; good faith]
진심[誠]에서 우러나오는 뜻[意]. 참된 마음. ¶성의가 없다.

실의 失意 | 잃을 실, 뜻 의 [be disappointed]
기대했던 바와 달라 의욕(意慾)을 잃어버리는[失] 일. ¶그는 실의에 빠져 아무 것도 하지 않고 있다.

악의 惡意 | 악할 악, 뜻 의 [evil intention]
❶[속뜻] 악(惡)한 마음[意]. ❷좋지 않은 뜻. ¶그의 말에는 악의가 없었다. [반]선의(善意), 호의(好意).

여의 如意 | 같을 여, 뜻 의
❶[속뜻] 뜻[意]과 같이[如] 됨. ❷[불교] 법회나 설법 때, 법사가 손에 드는 물건. 대, 나무, 뿔, 쇠 따위로 '心'자를 나타내는 고사리 모양의 머리가 있고 한 자쯤의 자루가 달렸다.

열의 熱意 | 뜨거울 열, 뜻 의 [enthusiasm]
열성(熱誠)을 다하는 마음[意]. 어떤 일을 이루기 위하여 온갖 정성을 다하는 마음. ¶열의가 대단하다.

용:의 用意 | 쓸 용, 뜻 의 [preparedness]
어떤 일을 하려고 마음[意]을 먹거나 씀[用]. 또는 그 마음. ¶이 원칙을 받아들일 용의가 있다.

유의 留意 | 머무를 류, 뜻 의 [keep in mind; be mindful]
마음[意]에 두고[留] 관심을 가짐. ¶유의 사항 / 건강에 특별히 유의하십시오. [비]유념(留念).

임:의 任意 | 맡길 임, 뜻 의 [option]
각자 자기 뜻[意]에 맡김[任]. 자기 뜻대로 함. ¶1부터 10까지 숫자 중에 임의로 세 개를 고르세요 / 구성원은 임의로 뽑는다.

자의 自意 | 스스로 자, 뜻 의 [one's own will]
자기 스스로[自]의 생각이나 의견(意見). ¶자의로 회사를 그만두다. [반]타의(他意).

저:의 底意 | 밑 저, 뜻 의 [one's original purpose]
드러내지 않고 밑바닥[底]속에 품고 있는 뜻[意]. ¶갑자기 나에게 잘해 주는 저의가 뭐니? [비]본심(本心), 본의(本意), 진심(眞心).

적의 敵意 | 원수 적, 뜻 의 [hostile feelings; hostility]
❶[속뜻] 적대(敵對)하는 마음[意]. ❷해치려는 마음. ¶적의를 품다 / 그는 적의에 찬 눈으로 나를 노려보았다.

전:의 戰意 | 싸울 전, 뜻 의 [fighting spirit; will to fight]
싸우고자[戰] 하는 의욕(意慾). ¶대장이 죽자 그들은 전의를 잃었다.

조:의 弔意 | 조상할 조, 뜻 의 [condolence; mourning]
남의 죽음을 슬퍼하는[弔] 뜻[意]. ¶삼가 조의를 표합니다.

주:의 注意 | 쏟을 주, 뜻 의 [be attention to; be careful]
❶[속뜻] 뜻[意]이나 마음을 쏟음[注]. ¶주의를 기울이다. ❷마음에 새겨 두고 조심함. ¶감기에 걸리지 않게 주의하세요. ❸경고나 충고의 뜻으로 일깨워 주는 말. ¶조용히 하라고 선생님에게 주의를 받았다.

진의 眞意 | 참 진, 뜻 의 [real intention]
속에 품고 있는 참[眞] 뜻[意]. 또는 진짜 의도. ¶그의 진의가 무엇인지 걷잡을 수가 없다.

창:의 創意 | 처음 창, 뜻 의 [original idea; originality of thought]
처음으로[創] 해낸 생각이나 의견(意見).

타의 他意 | 다를 타, 뜻 의 [another's will]
❶ 속뜻 다른[他] 뜻[意]. ❷다른 사람의 뜻. ¶자의 반 타의 반. ㉻자의(自意).

합의 合意 | 맞을 합, 뜻 의 [agreement]
서로 의견(意見)이 맞아[合] 일치함. 또는 그 의견. ¶합의 사항 / 양측은 권리와 의무를 합의했다.

호:의 好意 | 좋을 호, 뜻 의 [goodwill; good wishes]
좋게[好] 생각하여 주는 마음[意]. 남에게 보이는 친절한 마음씨. ¶호의를 베풀다 / 친구의 호의를 거절하다. ㊥선의(善意). ㉻악의(惡意).

0187 [서]

書 글 서
㊀ 曰부 ㊁ 10획 ㊥ 书 [shū]
書書書書書書書書書書

書자의 聿(율)은 붓을 잡고 있는 모양이고, 하단의 '日'은 먹물이 담긴 벼루의 모양에서 변화된 것이므로, '날'이나 '말하다'와 관련을 지으면 잘못된 해석을 낳게 된다. '글을 쓰다'(write)가 본뜻이고, 적어둔 것, 즉 '책'(book)을 가리키기도 한다.
속뜻훈음 ①글 서, ②쓸 서, ③책 서.

서가 書架 | 책 서, 시렁 가 [bookshelf]
문서나 책[書] 따위를 얹어 두거나 꽂아 두도록 만든 선반[架]. ¶서가에 책이 많다. ㊥서각(書閣).

서고 書庫 | 책 서, 곳집 고 [library]
책[書]을 보관하는 일종의 창고(倉庫). ㊥문고(文庫).

서기 書記 | 쓸 서, 기록할 기 [clerk; secretary]
❶ 속뜻 단체나 회의에서 문서(文書)나 기록(記錄) 따위를 맡아보는 사람. ❷ 법률 일반직 8급 공무원의 직급.

서당 書堂 | 글 서, 집 당 [village schoolhouse]
옛날 글[書]을 가르치던 곳[堂]. ㊥글방, 사숙(私塾). 속담 서당 개 삼 년에 풍월을 읊는다.

서도 書道 | 쓸 서, 방법 도 [penmanship; calligraphy]
글씨 쓰는[書] 방법[道]을 익히는 일. ㊥서예(書藝).

서류 書類 | 글 서, 무리 류 [document; papers]
❶ 속뜻 글자로 기록한 문서(文書) 종류(種類). ❷기록이나 사무에 관한 문건이나 문서의 총칭. ¶비밀 서류 / 서류를 작성하다.

서면 書面 | 쓸 서, 낯 면 [document]
❶ 속뜻 글씨를 적어[書] 놓은 지면(紙面). ❷일정한 내용을 적은 문서. ¶서면으로 작성하다. ㉻구두(口頭).

서방 書房 | 쓸 서, 방 방 [one's husband]
❶ 속뜻 글 쓰는[書] 방(房). ❷'남편'(男便)을 달리 이르는 말. ❸지난날, 벼슬이 없는 남자의 성 아래에 붙여 일컫던 말. ❹손아래 친척 여자의 남편 성 아래에 붙여 일컫는 말.

서식 書式 | 글 서, 법 식 [form; format]
서류(書類)의 양식(樣式). 서류를 작성하는 방식. ¶서식에 따라 기입하시오.

서신 書信 | 글 서, 소식 신 [letter; note]
글[書]을 써서 전한 소식[信].

서예 書藝 | 쓸 서, 재주 예 [calligraphy; penmanship]
붓글씨를 잘 쓰는[書] 재주[藝]. 또는 그 예술. ¶김정희는 서예의 대가이다.

서원 書院 | 글 서, 집 원 [lecture hall]
❶ 속뜻 글[書]을 익히는 집[院]. ❷ 역사 조선 시대, 선비들이 모여 명현(明賢)을 제사하고 학문을 강론하며 인재를 키우던 사설기관. ¶도산서원.

서재 書齋 | 글 서, 방 재 [library]
책을 갖추어 두고 책을 읽거나 글[書]을 쓰는 방[齋]. ¶하루 종일 서재에서 책을 읽었다. ㊥서각(書閣), 서실(書室).

서적 書籍 | 글 서, 문서 적 [books; publications]
글[書]을 써 놓은 책이나 문서[籍]. ㊥책, 도서(圖書).

서점 書店 | 책 서, 가게 점 [bookseller's; bookstore]
책[書]을 파는 가게[店]. ㊥서림(書林), 책방(冊房).

서진 書鎭 | 글 서, 누를 진 [paperweight]
책장이나 종이쪽[書]이 바람에 날리지 않도록 누르는[鎭] 물건. ㊥문진(文鎭).

서체 書體 | 쓸 서, 모양 체 [calligraphic style]
글씨[書] 모양[體]. ¶고딕 서체. ㊥글씨체.

서한 書翰 | 글 서, 글 한 [letter; epistle]
소식을 전하기 위한 글[書=翰]. ㊥편지(便紙).

서화 書畵 | 쓸 서, 그림 화 [pictures and calligraphic works]
글씨[書]와 그림[畵].

• 역순어휘

각서 覺書 | 깨달을 각, 글 서 [memorandum; memo]
❶ 속뜻 깨달은[覺] 내용을 적은 문서(文書). ❷ 정치 조약에 덧붙여 해석하거나 보충할 것을 정하고, 예외 조건을 붙이거나 자기 나라의 의견, 희망 따위를 진술하는 외교

문서. ¶각서를 쓰다 / 기유각서(己酉覺書).

고:서 古書 | 옛 고, 책 서 [old book]
❶속뜻 옛[古] 책[書]. ❷헌 책. 반신간(新刊).

낙서 落書 | 떨어질 락, 글 서 [write graffiti]
❶속뜻 함부로 떨어뜨려[落] 놓은 글[書]. ❷글자, 그림 따위를 장난으로 아무 데나 함부로 씀. 또는 그 글자나 그림. ¶동생이 책에 낙서를 해 놓았다.

단서 但書 | 다만 단, 글 서
[proviso; provisory clause]
본문 다음에 덧붙여 본문의 내용에 대한 조건이나 예외 등을 밝혀 적은 글[書]. 대개 '단'(但) 또는 '다만'이라는 말을 먼저 씀. ¶조문에 단서를 붙였다.

도서 圖書 | 그림 도, 글 서 [books]
❶속뜻 그림[圖], 글[書], 글씨 따위를 통틀어 이르는 말. ❷일정한 목적, 내용, 체제에 맞추어 사상, 감정, 지식 따위를 글이나 그림으로 표현하여 적거나 인쇄하여 묶어 놓은 것. ¶도서를 구입하다. 비책(冊), 서적(書籍).

독서 讀書 | 읽을 독, 글 서 [read]
글[書]을 읽음[讀]. ¶가을은 독서하기에 가장 좋은 계절이다.

문서 文書 | 글월 문, 쓸 서 [document]
실무상 필요한 사항을 글[文]로 적어서[書] 나타낸 것. 비서류(書類).

봉서 封書 | 봉할 봉, 글 서 [sealed letter]
❶속뜻 겉봉을 봉(封)한 편지글[書]. ❷역사 임금이 종친이나 근신(近臣)에게 사적으로 내리던 서신.

비:서 秘書 | 숨길 비, 책 서 [(private) secretary]
❶속뜻 남에게 숨기고[秘] 혼자만이 간직하고 있는 귀중한 책[書]. ❷요직에 있는 사람에 직속하여 그의 기밀 사무 따위를 맡아보는 직위. 또는 사람. ¶국무총리 비서.

사:서[1] 四書 | 넉 사, 책 서
[Four Books (of Ancient China)]
유교(儒教)의 경전인 논어, 맹자, 중용, 대학의 네[四] 가지 책[書]을 통틀어 이르는 말.

사서[2] 司書 | 맡을 사, 책 서 [librarian]
도서관에서 도서(圖書)의 정리·보존 및 열람을 맡아보는[司] 직위. ¶그는 시립도서관의 사서이다.

사:서[3] 史書 | 역사 사, 책 서 [history book]
역사(歷史)를 기록한 책[書].

사서[4] 私書 | 사사로울 사, 글 서
[private document]
❶속뜻 사사로운[私] 일을 적은 편지글[書]. ❷비밀스럽게 쓴 편지. ¶그녀의 사서를 몰래 읽어보았다.

성:서 聖書 | 거룩할 성, 책 서 [Holy Bible]
❶속뜻 거룩한[聖] 분의 행적 따위에 대하여 쓴 책[書]. ❷기독교 기독교의 경전. 신약과 구약으로 되어 있다. 비성경(聖經).

양서 良書 | 좋을 량, 책 서 [good book]
내용이 건전하고 좋은[良] 책[書]. ¶양서를 골라 학생에게 권했다.

엽서 葉書 | 잎 엽, 쓸 서 [postcard]
❶속뜻 잎[葉]처럼 생긴 종이에 글을 씀[書]. ❷통신 한 쪽 면에는 사진이나 그림이 있고 다른 면에는 전하는 내용과 보내는 이와 받는 이의 주소를 적도록 만든 한 장으로 된 우편물. ¶여행 중에 집으로 엽서를 보냈다.

원:서 願書 | 원할 원, 글 서
[application; application form]
지원(志願)하는 뜻을 적은 서류(書類). ¶한국대학에 원서를 냈다 / 원서접수는 내일 마감합니다.

유서 遺書 | 남길 유, 글 서
[note left behind by a dead person; testament]
죽을 때 남긴[遺] 글[書]. ¶그는 전 재산을 고아원에 기부하겠다는 유서를 남겼다.

장서 藏書 | 감출 장, 책 서 [collection of books]
책[書]을 간직하여[藏] 둠. 또는 그 책. ¶이 도서관은 2백만 권의 장서를 보유하고 있다.

저:서 著書 | 지을 저, 책 서
[book; one's writings; production]
책[書]을 지음[著]. 또는 지은 책. ¶그는 교육에 관한 많은 저서를 남겼다.

정:서 正書 | 바를 정, 쓸 서
[write in the square style]
글씨를 흘려 쓰지 아니하고 또박또박 바르게[正] 씀[書]. 또는 그렇게 쓴 글씨.

증서 證書 | 증명할 증, 글 서 [bond; certificate]
법률 어떤 사실을 증명(證明)하는 문서(文書). 증거가 되는 서류. ¶증서를 작성하면 계약이 완료됩니다.

초서 草書 | 거칠 초, 쓸 서 [cursive style]
❶속뜻 거칠게[草] 쓴[書] 글씨. ❷행서를 풀어 점과 획을 줄여 쓴 글씨. ¶초서로 갈겨 쓰다.

친서 親書 | 몸소 친, 쓸 서 [personal letter]
❶속뜻 몸소[親] 글씨를 씀[書]. ❷법률 한 나라의 원수가 다른 나라의 원수에게 보내는 공식적인 서한. ¶대통령의 친서를 전달하다.

판서 判書 | 판가름할 판, 글 서
❶속뜻 판가름하는[判] 글[書]. ❷역사 조선 시대, 육조의 으뜸 벼슬. ¶예조 판서 / 병조 판서.

혈서 血書 | 피 혈, 쓸 서 [writing in blood]
제 몸의 피[血]로 글씨를 쓰는[書] 일. 또는 그 글자나 글.

0188 [회]

會

모일 회ː

部 曰부 劃 13획 中 会 [huì, kuài]

會 會 會 會 會 會 會 會 會 會 會 會 會

會자의 제3획까지는 그릇의 뚜껑을, 가운데 부분은 그릇에 담긴 물건을, 日은 그릇 모양을 본뜬 것이었는데, 모양이 크게 달라졌다. 즉, 그릇에 뚜껑이 합쳐진 것으로 '합치다'(join together)가 본뜻인데, '모이다'(come together)는 뜻으로 더 많이 쓰인다.

회ː견 會見 | 모일 회, 볼 견 [interview; meet]
일정한 장소에 모여[會] 의견이나 견해(見解) 따위를 밝힘. 또는 그런 모임. ¶회견을 가지다 / 그는 한 달 만에 회견에 응했다.

회ː계 會計 | 모일 회, 셀 계
[account; the reckoning]
나가고 들어 온 돈을 모아[會] 셈함[計]. ¶회계 장부.

회ː관 會館 | 모일 회, 집 관 [hall; assembly hall]
모일[會] 수 있도록 마련된 건물[館]. ¶마을회관.

회ː기 會期 | 모일 회, 때 기 [session; sitting]
❶속뜻 회의(會議) 따위가 열리는 시기(時期). ❷법률 국회나 지방 의회 따위의 개회부터 폐회까지의 기간. ¶10일간의 회기로 임시국회가 열렸다.

회ː담 會談 | 모일 회, 말씀 담
[talk together; have a conference]
모여서[會] 의논하는 말[談]. 또는 그런 논의. ¶남북 정상 회담 / 양측은 임금 문제를 놓고 회담했다.

회ː동 會同 | 모일 회, 한가지 동
[meet together; assemble]
일정한 목적으로 여럿이 모여[會] 함께[同] 어울림. ¶오찬 회동을 갖다 / 당 대표들이 회동하다.

회ː보 會報 | 모일 회, 알릴 보
[assembly reports; bulletin]
모임[會]의 일을 회원에게 알리는[報] 간행물. ¶동창회 회보를 발행하다.

회ː비 會費 | 모일 회, 쓸 비
[membership fee; dues of a member]
모임[會]의 유지에 드는 비용(費用). ¶회비는 한 달에 만 원이다.

회ː사 會社 | 모일 회, 단체 사
[company; corporation]
❶속뜻 모임[會]과 단체[社]. ❷경제 상행위 또는 영리를 목적으로 상법에 따라 설립된 사단 법인. ¶무역회사 / 회사를 그만두다.

회ː식 會食 | 모일 회, 먹을 식 [dine together]
여럿이 모여[會] 함께 음식을 먹음[食]. 또는 그 모임. ¶우승 기념 회식 / 오늘 저녁 회식할 예정이다.

회ː심 會心 | 모일 회, 마음 심
[congeniality; complacency]
❶속뜻 마음[心]을 한 곳에 모음[會]. ❷마음에 흐뭇하게 들어맞음. 또는 그런 상태의 마음. ¶회심의 미소.

회ː원 會員 | 모일 회, 사람 원
[member; membership]
어떤 모임[會]을 구성하는 사람[員]. ¶회원 모집.

회ː의 會議 | 모일 회, 의논할 의 [confer; meet]
여럿이 모여[會] 의논(議論)함. 또는 그 모임. ¶학급 회의를 열다.

회ː장 會長 | 모일 회, 어른 장
[president of a society]
❶속뜻 모임[會]을 대표하는 우두머리[長]. ¶학생 회장. ❷주식회사 따위에서 이사회의 장을 맡고 있는 사람.

회ː칙 會則 | 모일 회, 법 칙 [rules of a society]
어떤 모임[會]의 규칙(規則). ¶회칙을 정하다.

회ː합 會合 | 모일 회, 만날 합 [meet; gather]
모여서[會] 만남[合]. ¶회합 장소 / 남북은 판문점에서 회합했다. 비 집회(集會).

회ː화 會話 | 모일 회, 말할 화 [converse; talk]
❶속뜻 서로 모여[會] 이야기함[話]. ❷외국어로 이야기함. 또는 그 이야기. ¶영어 회화.

• 역순어휘

개회 開會 | 열 개, 모일 회 [open a meeting]
회의(會義) 따위를 시작함[開]. ¶내일부터 국회는 개회한다. 반 폐회(閉會).

공회 公會 | 여럿 공, 모일 회 [public meeting]
❶속뜻 여러 사람[公]들의 모임[會]. ❷공적인 문제를 의논하기 위한 모임. ¶공회를 소집하다.

교ː회 教會 | 종교 교, 모일 회 [Church]
기독교 그리스도교(教)를 믿고 따르는 신자들의 모임[會]이나 공동체. 또는 그 장소. ¶그녀는 일요일마다 교회에 간다. 비 성당(聖堂).

국회 國會 | 나라 국, 모일 회
[National Assembly; Congress]
❶속뜻 국민(國民)을 대표하는 사람들의 모임[會]. ❷법률 국민의 대표로 구성한 입법기관.

기회 機會 | 때 기, 모일 회 [opportunity; chance]
❶속뜻 적절한 때[機]를 만남[會]. ❷무슨 일을 하기에 알맞은 시기. ¶좋은 기회를 놓치다. 비 적기(適期).

대:회 大會 | 큰 대, 모일 회
[meeting; rally; tournament]
❶속뜻 큰[大] 모임이나 회의(會議). ¶궐기대회를 열다. ❷기술이나 재주를 겨루는 큰 모임. ¶전국 육상 대회.

도회 都會 | 모두 도, 모일 회 [city]
❶속뜻 사람들이 모두[都] 모임[會]. ❷'도회지'(都會地)의 준말.

면:회 面會 | 낯 면, 모일 회
[see; meet; interview]
❶속뜻 얼굴[面]을 보러 모임[會]. ❷찾아가 만나 봄. ¶면회 사절.

목회 牧會 | 다스릴 목, 모일 회
[shepherd a flock of souls]
기독교 목사가 교회(教會)를 맡아 다스림[牧]. 설교하거나 신자의 신앙생활을 지도하는 일을 말한다.

사회[1] 司會 | 맡을 사, 모일 회
[preside at; chair a meeting]
회의(會議)나 예식 따위를 맡아[司] 진행함. ¶회의의 사회를 맡다.

사회[2] 社會 | 단체 사, 모일 회
[society; community]
❶속뜻 같은 무리가 집단[社]을 이루어 모임[會]. ¶상류 사회. ❷사회 공동생활을 영위하는 모든 형태의 인간 집단. 가족, 마을, 조합, 교회, 계급, 국가, 정당, 회사 따위가 그 주요 형태이다.

상회 商會 | 장사 상, 모일 회
[commercial firm; trading company]
❶속뜻 몇 사람이 함께 장사를 하는 상업(商業)상의 모임[會]. ❷경제 기업이나 상점, 상사에 덧붙여 쓰는 말. ¶전기 상회.

연:회 宴會 | 잔치 연, 모일 회 [banquet]
잔치[宴]에 여러 사람이 모임[會]. 또는 여러 사람이 모인 잔치. ¶신년 연회를 열다.

의회 議會 | 따질 의, 모일 회 [assembly]
법률 국민이 선출한 의원(議員)들로 구성된 단체[會].

입회[1] 入會 | 들 입, 모일 회 [join a club]
어떤 회(會)에 들어감[入]. 회원이 됨. ¶입회 신청 / 등산을 좋아하는 사람이라면 누구나 입회할 수 있다. ⊕탈회(脫會).

입회[2] 立會 | 설 립, 모일 회 [be present]
❶속뜻 모여[會] 섬[立]. ❷어떠한 사실이 발생하거나 존재하는 현장에 함께 참석하여 지켜봄. ¶우리는 부동산 중개인의 입회 아래 땅 주인과 매매 계약을 하였다.

재:회 再會 | 다시 재, 모일 회 [meet again]
다시[再] 만남[會]. ¶나는 옛 친구와 10년 만에 재회하였다.

조회[1] 朝會 | 아침 조, 모일 회
[morning assembly]
학교나 관청 따위에서 아침[朝]에 모든 구성원이 한자리에 모이는[會] 일. ¶조회를 시작하겠습니다.

조:회[2] 照會 | 비칠 조, 모일 회 [check; inquire]
❶속뜻 확인을 위하여 대조(對照)해 보거나 만나 봄[會]. ❷어떤 사람이나 사실에 대하여 상세히 알아보는 일. ¶조회 결과, 그 차는 도난 차량으로 밝혀졌다.

집회 集會 | 모일 집, 모일 회 [meet; get together]
여러 사람이 어떤 목적을 위하여 일시적으로 모인[集] 모임[會]. ¶환경 보호를 촉구하는 집회.

총:회 總會 | 모두 총, 모일 회
[general meeting; plenary session]
어떤 단체에서 구성원 전체[總]의 모임[會]. ¶유엔 총회 / 정기 총회를 열다.

폐:회 閉會 | 닫을 폐, 모일 회
[close a meeting; adjourn]
집회(集會) 또는 회의(會議)를 마치고 문을 닫음[閉]. ¶의장이 폐회를 선언하자 모두 박수를 쳤다. ⊕개회(開會).

학회 學會 | 배울 학, 모일 회 [scientific society]
같은 학문(學問)을 연구하는 사람들로 조직된 모임[會]. ¶한국어 학회에 참석하다.

협회 協會 | 합칠 협, 모일 회
[society; association]
어떤 목적을 위하여 회원들이 힘을 합쳐[協] 설립한 모임[會]. ¶건설협회 / 보험협회.

0189 [명]

明

밝을 명
部 日부 劃 8획 中 明 [míng]

明자는 지구에 빛을 보내는 두 물체, 즉 해[日]와 달[月]을 모아 놓은 것이니, '밝다'(light; bright)가 본뜻임을 누구나 쉽게 알 수 있다. 囧(경)과 月(월)이 합쳐진 형태의 것이 오랫동안 함께 쓰이다가 획수가 많은 탓에 버림을 받았다.

명경 明鏡 | 밝을 명, 거울 경 [clear mirror]
밝게[明] 잘 보이는 거울[鏡]. ⊕명감(明鑑).

명년 明年 | 밝을 명, 해 년
[next year; coming year]

밝아 올[明] 해[年]. 다음 해. ⑪내년(來年).

명도 明度 | 밝을 명, 정도 도 [brightness]
미술 색의 밝고[明] 어두운 정도(程度).

명란 明卵 | 명태 명, 알 란 [spawn of a pollack]
명태(明太)의 알[卵].

명랑 明朗 | 밝을 명, 밝을 랑
[brightness; clearness]
표정이 밝고[明] 마음이 밝음[朗]. 밝고 활달함. ¶명랑한 목소리. ⑪쾌활하다, 발랄하다.

명료 明瞭 | 밝을 명, 밝을 료
[clear; plain; obvious]
분명(分明)하고 똑똑하다[瞭]. ¶명료하게 대답하다.

명백 明白 | 밝을 명, 흰 백 [plain; clear]
분명(分明)하고 결백(潔白)하다. 의심할 바 없이 뚜렷하다. ¶명백한 사실.

명석 明晳 | 밝을 명, 밝을 석
[lucid; clear; distinct]
생각이나 판단이 분명(分明)하고 똑똑하다[晳]. ¶두뇌가 명석하다.

명세 明細 | 밝을 명, 가늘 세
[particulars (on, about)]
분명(分明)하고 자세(仔細)함. 또는 그러한 내용.

명시 明示 | 밝을 명, 보일 시 [express clearly]
분명(分明)하게 나타냄[示]. ¶설명서에 약의 복용법이 명시되어 있다.

명암 明暗 | 밝을 명, 어두울 암
[light and darkness]
밝음[明]과 어두움[暗]. ¶그림에 명암을 넣다.

명월 明月 | 밝을 명, 달 월 [bright moon]
❶속뜻 밝은[明] 달[月]. ❷보름달. 특히 음력 8월 보름달. ¶청풍(淸風) 명월.

명일 明日 | 밝을 명, 날 일 [tomorrow]
밝아올[明] 다음 날[日]. ¶명일 오전 10시에 만나자. ⑪내일(來日).

명주 明紬 | 밝을 명, 명주 주 [silk]
❶속뜻 밝은[明] 빛깔의 비단[紬]. ❷명주실로 무늬 없이 짠 천. ⑪비단(緋緞), 면주(綿紬).

명쾌 明快 | 밝을 명, 기쁠 쾌 [lucid; explicit]
❶속뜻 마음이 밝아지고[明] 기쁘게[快] 됨. ❷말이나 글의 조리가 분명하여 시원스럽다. ¶그의 해설은 정말 명쾌하다.

명태 明太 | 밝을 명, 클 태 [Alaska pollack]
동물 등은 푸른 갈색, 배는 은빛을 띤 밝은[明] 백색이고, 몸길이는 40~60cm로 대구과 물고기에 비해 몸이 큰[太] 바닷물고기.

명확 明確 | 밝을 명, 굳을 확 [definite; clear]
분명(分明)하고 확실(確實)함. ¶명확한 증거가 있다.

• 역순어휘

공명 公明 | 공정할 공, 밝을 명
[fair; open; square]
사사로움이 없이 공정(公正)하고 숨김없이 명백(明白)하다. ¶공명한 판결.

광명 光明 | 빛 광, 밝을 명 [light; sunbeam]
❶속뜻 빛[光]이 환함[明]. 또는 밝은 미래나 희망을 상징하는 밝고 환한 빛. ❷불교 부처와 보살 등의 몸에서 나는 빛.

구명 究明 | 생각할 구, 밝을 명 [study; inquiry]
물의 본질, 원인 따위를 깊이 연구(硏究)하여 밝힘[明]. ¶사고 원인을 구명하다.

규명 糾明 | 따질 규, 밝을 명
[investigate and reveal]
어떤 사실을 자세히 따져서[糾] 바로 밝힘[明]. ¶사건의 진상을 규명하다.

극명 克明 | 능히 극, 밝을 명 [make clear]
❶속뜻 능히[克] 할 수 있을 만큼 자세하고 분명(分明)함. ¶극명한 사실 / 극명한 대조를 보이다. ❷속속들이 똑똑히 밝힘. ¶교황은 세계평화의 대의를 극명했다.

문명 文明 | 글월 문, 밝을 명 [civilization; culture]
❶속뜻 문채(文彩)가 있고 밝게 빛남[明]. ❷인류가 이룩한 물질적, 기술적, 사회 구조적인 발전. ¶서구 문명의 발생지. ⑪미개(未開), 야만(野蠻).

발명 發明 | 드러낼 발, 밝을 명 [invent]
❶속뜻 잘못이 없다는 사실을 드러내어[發] 밝힘[明]. ¶듣기 싫다는데 무슨 발명이 그리 많으냐! ❷그때까지 없던 기술이나 물건 따위를 새로 생각해 내거나 만들어 냄. ¶금속 활자의 발명. ⑪변명(辨明).

변:명 辨明 | 가릴 변, 밝을 명
[explain oneself; make an excuse]
❶속뜻 옳고 그름을 가리어[辨] 사리를 밝힘[明]. ¶변명의 상소를 하다. ❷자신의 잘못이나 실수에 대하여 구실을 대며 그 까닭을 말함. ¶변명을 늘어놓다.

분명 分明 | 나눌 분, 밝을 명
[clear; distinct; plain]
❶속뜻 구분(區分)이 명확(明確)함. ❷틀림없이 확실하게. ¶그 소식은 분명 너에겐 충격적일 거야 / 그가 도둑인 것이 분명하다 / 내 귀로 분명히 들었다.

선명[1] 宣明 | 알릴 선, 밝을 명
[announce; proclaim]
어떤 사실을 분명히 알려[宣] 뜻을 밝힘[明].

선명² 鮮明 | 뚜렷할 선, 밝을 명 [clear; vivid]
뚜렷하고[鮮] 밝음[明]. ¶얼굴에 흉터가 선명하게 남아 있다.

설명 說明 | 말씀 설, 밝을 명 [explain]
해설(解說)하여 분명(分明)하게 함. ¶더 이상의 자세한 설명은 필요 없다.

성명 聲明 | 소리 성, 밝을 명
[declare; announce; make a statement]
❶ 속뜻 소리[聲]내어 분명(分明)하게 밝힘. ❷일정한 사항에 관한 견해나 태도를 여러 사람에게 공개적으로 밝히는 일. ¶두 나라 정상은 양국의 긴밀한 협력을 성명하였다.

실명 失明 | 잃을 실, 밝을 명 [lose eyesight]
밝게[明] 보는 능력을 잃음[失]. 시력을 잃음. ¶갈릴레이는 오랫동안 태양을 보면서 연구하다가 실명했다.

여명 黎明 | 검을 려, 밝을 명 [dawn; daybreak]
희미한[黎] 빛[明]. 날이 밝아 오는 무렵. ¶르네상스는 근대 문명의 여명이다.

자명 自明 | 스스로 자, 밝을 명
[self-evident; obvious]
❶ 속뜻 스스로[自] 밝히다[明]. ❷증명이나 설명의 필요 없이 그 자체만으로 명백하다. ¶자명한 이치 / 그 계획은 성공할 것이 자명하다.

조:명 照明 | 비칠 조, 밝을 명
[light up; illuminate]
❶ 속뜻 빛을 비추어[照] 밝게[明] 함. ¶교실의 조명이 불충분해 공부하기에 좋지 않다. ❷ 연영 무대 효과나 촬영 효과를 높이기 위해 광선을 사용하여 비침. 또는 그 광선. ¶화려한 조명 아래서 춤을 추는 가수들.

증명 證明 | 증거 증, 밝을 명
[prove; identify; certificate]
증거(證據)를 찾아내어 밝힘[明]. 어떤 사실이나 결론이 참인지 아닌지를 밝히는 일. ¶증명 사진 / 무죄를 증명하다.

천:명 闡明 | 드러낼 천, 밝을 명
[make clear; clarify; declare]
사실, 내막 또는 의사 따위를 분명(分明)하게 드러내거나[闡] 나타냄. ¶우리의 의지를 전 세계에 천명했다.

청명 淸明 | 맑을 청, 밝을 명 [fine; fair]
❶ 속뜻 날씨나 소리가 맑고[淸] 밝음[明]. ¶청명한 아침 하늘. ❷ 민속 이때부터 날이 풀리기 시작해 화창해진다는 뜻의 이십사절기의 하나. 양력 4월 5,6일경이다. 속담 한식에 죽으나 청명에 죽으나.

총명 聰明 | 밝을 총, 밝을 명 [bright; intelligent]
❶ 속뜻 귀가 밝고[聰] 눈이 밝음[明]. ❷썩 영리하고 재주가 있음. ¶아이가 하나를 가르쳐 주면 열을 알 만큼 총명하다.

투명 透明 | 비칠 투, 밝을 명 [transparent; clear]
속까지 밝고[明] 환하게 비침[透]. ¶투명 테이프 / 거래를 투명하게 하다. 반 불투명(不透明).

판명 判明 | 판가름할 판, 밝을 명
[become clear; be known]
사실이 명백(明白)히 판가름[判] 남. ¶그 보도는 거짓임이 판명되었다.

표명 表明 | 겉 표, 밝힐 명
[express; indicate; state]
겉[表]으로 드러내어 명백(明白)히 함. ¶자신의 생각을 표명하다.

해:명 解明 | 풀 해, 밝을 명 [explain]
까닭이나 내용 따위를 풀어서[解] 밝힘[明]. ¶그는 이 사건에 대해 아무런 해명도 하지 않았다.

현명 賢明 | 어질 현, 밝을 명
[wise; sensible; intelligent]
어질고[賢] 사리에 밝음[明]. ¶현명한 결정을 내리다.

0190 [작]

昨

어제 작
부 日부 획 9획 中 昨 [zuó]

昨자는 '어제'(yesterday)란 뜻을 위하여 고안된 것이니, '날 일'(日)이 표의요소로 쓰였다. 乍(잠깐 사/작)가 표음요소임은 作(지을 작)과 炸(터질 작)도 마찬가지이다. '지난'(last)의 뜻으로도 쓰인다.

작년 昨年 | 어제 작, 해 년 [last year]
지난[昨] 해[年]. ¶작년 겨울.

0191 [동]

童

아이 동(:)
부 立부 획 12획 中 童 [tóng]

童자는 立(설 립)과 里(마을 리)로 구성되어 있으나, 원래 모양이 잘못 변화된 것이므로, 그 두 요소는 의미와 아무런 상관이 없다. 金文(금문)에서는 辛(신), 目(목), 東(동), 土(토) 등 네 가지 요소로 구성되어 있는데, '눈을 다친 하인이 땅에서 일을 하고 있는 모습'에 표음요소인 東(동녘 동)

이 덧붙여진 것이다. '하인'(a servant)이 본뜻이었는데, '아이'(a child)란 뜻으로도 널리 활용되자, 본래 의미는 僮(하인 동)자를 추가로 만들어 나타냈다.

동몽 童蒙 | 아이 동, 어릴 몽 [child]
아직 장가를 들지 않은 어린[蒙] 아이[童].

동:시 童詩 | 아이 동, 시 시 [children's verse]
❶문학 주로 어린이를 독자로 예상하고 어린이[童]의 정서를 읊은 시(詩). ❷어린이가 지은 시.

동:심 童心 | 아이 동, 마음 심 [child's mind]
어린이[童]의 마음[心]. 어린이의 마음처럼 순진한 마음. ¶동심으로 돌아가 아이와 공놀이를 했다.

동:안 童顔 | 아이 동, 얼굴 안 [baby face]
❶속뜻 어린이[童]의 얼굴[顔]. ❷나이가 들었는데도 어린아이 같은 얼굴.

동:요 童謠 | 아이 동, 노래 요
[nursery song; children's song]
어린이들의[童] 감정을 반영하여 만든 노래[謠].

동:자 童子 | 아이 동, 아들 자 [little boy]
❶속뜻 나이 어린 사내[子] 아이[童]. ❷불교 중이 되려고 절에서 공부하면서 아직 출가하지 아니한 사내아이.

동:화 童話 | 아이 동, 이야기 화
[fairy tale; children's story]
문학 어린이를 위하여 동심(童心)을 바탕으로 지은 이야기[話]. 대체로 공상적·서정적·교훈적인 내용이다.

• 역순어휘

괴:동 怪童 | 이상할 괴, 아이 동 [wonder child]
괴상(怪狀)한 재주를 가진 아이[童]. ¶그 마을에 괴동이 태어났다고 야단이었다.

목동 牧童 | 칠 목, 아이 동
[shepherd boy; herdboy]
소나 양을 치는[牧] 아이[童]. ¶목동이 피리를 분다.

신동 神童 | 신통할 신, 아이 동
[child prodigy]
재주와 지혜가 남달리 뛰어난, 신통(神通)한 아이[童]. ¶얘는 축구 신동으로 불린다.

아동 兒童 | 아이 아, 아이 동 [child]
어린 아이[兒=童]. ¶아동 보호. ㊥어린이.

악동 惡童 | 나쁠 악, 아이 동 [bad boy]
❶속뜻 행실이 나쁜[惡] 아이[童]. ❷장난꾸러기. ¶어릴 때 그는 악동이었다.

옥동 玉童 | 구슬 옥, 아이 동
옥(玉)처럼 귀한 어린(童) 아이. '옥동자'(玉童子)의 준말.

0192 [성]

省

살필 성, 덜 생
㊀ 目부 ㊁9획 ㊥省 [shěng, xǐng]

省 省 省 省 省 省 省 省 省

省자는 '적을 소'(少)와 '눈 목'(目)이 합쳐진 것으로 잘못 파악하기 쉽다. 원래의 자형은 눈빛이 빛나는 모습을 비유한 屮(싹날 철)과 目이 합쳐진 것인데, 그 屮이 少로 잘못 변화됐다. '살피다'(pay attention to)가 본래 의미다. '눈에 쌍심지가 돋다'는 말이 연상된다. '줄이다'(shorten), '덜다'(decrease)란 뜻일 때에는 [생]으로 읽는다.

성묘 省墓 | 살필 성, 무덤 묘
[visit one's ancestral graves]
산소[墓]를 살핌[省]. ¶성묘를 가다 / 할아버지 산소에 성묘하다.

성찰 省察 | 살필 성, 살필 찰
[introspect; reflect]
자신이 한 일을 돌이켜 보고 깊이 살핌[省=察]. ¶자신을 성찰하다.

생략 省略 | 덜 생, 줄일 략 [omit; abbreviate]
전체에서 일부를 덜거나[省] 줄임[略]. ¶시간 관계상 설명은 생략하겠습니다.

• 역순어휘

귀:성 歸省 | 돌아갈 귀, 살필 성 [go home]
고향으로 돌아가[歸] 부모님을 보살펴 드림[省]. ¶기차역은 귀성하려는 사람들로 붐볐다. ㊥귀향(歸鄕).

내:성 內省 | 안 내, 살필 성
[introspection]
자신의 내면(內面)을 돌이켜 살펴봄[省].

반:성 反省 | 되돌릴 반, 살필 성 [introspect]
자기의 언행·생각 따위의 잘잘못이나 옳고 그름을 깨닫기 위해 스스로를 돌이켜[反] 살핌[省]. ¶반성의 기미가 보이지 않는다. / 잘못을 깊이 반성하다.

일성 日省 | 날 일, 살필 성
날[日]마다 자기 행실을 돌아보며 잘못을 살핌[省].

0193 [발]

發

필 발
㊀ 癶부 ㊁12획 ㊥发 [fā]

發 發 發 發 發 發 發 發 發 發 發 發

發자는 '등질 발'(癶)이 부수이지만 표의요소는 아니다. '활 궁'(弓)은 표의요소이고, 癹(짓밟을 발)이 표음요소이다. '활을 쏘다'(shoot an arrow)가 본뜻인데, 百發百中(백발백중)의 發이 그러한 뜻으로 쓰인 좋은 예다. 후에 '피다'(bloom), '떠나다'(leave), '밝히다'(make clear), '보내다'(send; dispatch), '일으키다'(cause; happen; occur), '드러내다'(show; appear), '나타나다'(appear; present) 등 많은 뜻으로 확대 사용됐다

속뜻 훈음 **①쏠 발, ②필 발, ③떠날 발, ④밝힐 발, ⑤보낼 발, ⑥일으킬 발, ⑦드러낼 발, ⑧나타날 발.**

발각 發覺 | 드러낼 발, 깨달을 각 [detect]
❶속뜻 숨겼던 일이 드러나[發] 알게 됨[覺]. ❷감추었던 것이 드러나 모두 알게 됨. ¶범행이 형사에게 발각되었다.

발간 發刊 | 필 발, 책 펴낼 간 [publish]
책이나 신문 등을 발행(發行)하여 펴냄[刊]. ¶새로운 잡지를 발간하다.

발견 發見 | 드러낼 발, 볼 견 [discover]
남이 미처 찾아내지 못하였거나 세상에 널리 알려지지 않은 것을 먼저 드러내[發] 보임[見]. ¶콜럼버스는 아메리카 대륙을 발견했다.

발광[1] 發狂 | 일어날 발, 미칠 광 [madness]
❶속뜻 병으로 미친[狂] 증세가 일어남[發]. ❷미친 듯이 날뜀. ¶그건 춤이 아니라 발광이다.

발광[2] 發光 | 쏠 발, 빛 광 [emit the light]
빛[光]을 냄[發]. ¶안전을 위해 발광 도료를 발랐다.

발굴 發掘 | 드러낼 발, 팔 굴 [excavate]
❶속뜻 땅속에 묻혀 있는 유적 따위를 발견(發見)하여 파냄[掘]. ¶고대의 유적을 발굴하다 ❷아직 알려지지 않은 뛰어난 인재나 희귀한 물건을 찾아냄. ¶인재를 발굴하다. 반매몰(埋沒).

발급 發給 | 드러낼 발, 줄 급 [issue]
발행(發行)하여 줌[給]. ¶여권을 발급하다. 비발부(發付).

발단 發端 | 나타날 발, 첫 단 [begin; commence]
❶속뜻 어떤 일이 생겨난[發] 그 첫머리[端]. 처음으로 시작함. ¶민란이 발단되다. ❷어떤 일이 벌어지게 된 이유. ¶사건의 발단.

발달 發達 | 나타날 발, 이를 달 [develop; grow]
❶속뜻 생체 따위가 나서[發] 차차 완전한 모양과 기능을 갖추는 단계에 이르다[達]. ¶신체 발달. ❷어떤 것의 구실·규모 등이 차차 커져 감. 진보 발전함. ¶문명의 발달. 비발육(發育), 성장(成長), 진보(進步), 발전(發展).

발동 發動 | 일으킬 발, 움직일 동
[be aroused; invoke]
❶속뜻 어떤 기능이 활동(活動)을 일으킴[發]. 움직이기 시작함. ¶호기심이 발동하다. ❷동력을 일으킴. ¶내 차는 발동이 잘 걸리지 않는다.

발령 發令 | 드러낼 발, 명령 령 [give an order]
사령(辭令), 경보 따위를 발표(發表)하거나 공포함. ¶인사 발령을 받다 / 태풍 경보가 발령되었다.

발명 發明 | 드러낼 발, 밝을 명 [invent]
❶속뜻 잘못이 없다는 사실을 드러내어[發] 밝힘[明]. ¶듣기 싫다는데 무슨 발명이 그리 많으냐! ❷그때까지 없던 기술이나 물건 따위를 새로 생각해 내거나 만들어 냄. ¶금속 활자의 발명. 비변명(辨明).

발모 發毛 | 나타날 발, 털 모
몸에 털[毛]이 돋아남[發]. 주로 머리털이 새로 돋아나는 것을 이른다. ¶발모를 촉진하는 약. 반탈모(脫毛).

발병 發病 | 나타날 발, 병 병
[outbreak of (a person's)illness]
병(病)이 생겨남 남[發]. ¶이 병은 주로 어린이에게 발병한다.

발사 發射 | 쏠 발, 활 사 [discharge]
❶속뜻 활[射]을 쏨[發]. ❷총이나 로켓 따위를 쏨. ¶미사일을 발사하다. 비방사(放射).

발산 發散 | 드러낼 발, 흩을 산 [emit; exhale]
❶속뜻 밖으로 드러나[發] 흩어짐[散]. ❷감정이나 냄새 따위가 밖으로 퍼지거나 흩어지게 함. ¶매력 발산 / 감정을 발산하다 / 향기를 발산하다.

발상[1] 發想 | 일으킬 발, 생각 상 [concept; think]
궁리하여 새로운 생각[想]을 일으켜[發] 내는 일. 또는 그 새로운 생각. ¶참신한 발상.

발상[2] 發祥 | 나타날 발, 상서로울 상
[origin; beginning]
❶속뜻 상서로운 일[祥]이나 행복의 조짐이 나타남[發]. ❷어떤 일이 처음으로 나타남.

발생 發生 | 나타날 발, 날 생 [occur]
어떤 일이나 사물이 나타나고[發] 생겨남[生]. ¶강진이 발생하다.

발설 發說 | 드러낼 발, 말씀 설 [disclose; divulge]
말[說]을 입 밖으로 드러냄[發]. ¶비밀을 발설하다.

발성 發聲 | 드러낼 발, 소리 성 [utter; speak]
소리[聲]를 냄[發]. ¶발성연습을 하다.

발송 發送 | 보낼 발, 보낼 송 [send; forward]
물건이나 우편물 따위를 보냄[發=送]. ¶우편물을 발송하다.

발신 發信 | 보낼 발, 소식 신 [dispatch of a message]
편지로 소식[信]을 보냄[發]. ¶이 편지는 서울 발신이다. [반]수신(受信).

발아 發芽 | 필 발, 싹 아 [germinate; sprout]
[식물] 풀이나 나무에서 싹[芽]이 피어[發] 돋아남. ¶발아가 늦어지다 / 텃밭에 뿌린 씨앗들이 발아하기 시작했다.

발악 發惡 | 드러낼 발, 나쁠 악 [revile; abuse]
온갖 나쁜[惡] 짓을 함[發]. ¶최후의 발악을 하다.

발암 發癌 | 나타날 발, 암 암 [carcinogenic]
암(癌)이 생김[發]. 암을 생기게 함. ¶담배에는 발암 물질이 많다.

발언 發言 | 밝힐 발, 말씀 언 [make a comment]
뜻을 말[言]로 밝힘[發]. 의견을 말함. 또는 그 말. ¶그는 이 문제에 대해 어떤 발언도 하지 않았다. [비]발어(發語).

발열 發熱 | 일으킬 발, 더울 열 [generate heat; have fever]
❶[속뜻] 물체가 열(熱)을 냄[發]. ❷[의학] 건강의 이상으로 체온이 보통 상태보다 높아지는 일. ¶발열증상을 보이다.

발원 發源 | 나타날 발, 근원 원 [source; rise]
❶[속뜻] 물줄기가 생겨나는[發] 근원(根源). ¶한강은 태백산맥에서 발원한다. ❷어떤 사상이나 현상 등이 발생하여 일어남. 또는 그 근원.

발육 發育 | 나타날 발, 기를 육 [growth; develop]
생물이 생겨나서[發] 차차 자람[育]. ¶그 아이는 발육이 빠르다. [비]성장(成長).

발음 發音 | 일으킬 발, 소리 음 [pronounce]
[언어] 혀, 이, 입술 등을 이용하여 소리[音]를 냄[發]. ¶정확하게 발음하다.

발작 發作 | 나타날 발, 일으킬 작 [haver fit; spasm]
증세가 갑자기 나타나거나[發] 병을 일으킴[作]. ¶그는 갑자기 쓰러져서 발작하기 시작했다.

발전[1] 發展 | 일으킬 발, 펼 전 [develop; grow]
❶[속뜻] 세력 따위를 일으켜[發] 그 기세를 펼침[展]. ❷어떤 상태가 보다 좋은 상태로 되어 감. ¶기술이 발전하다. ❸어떤 일이 더 복잡한 단계로 나아감. ¶말다툼이 싸움으로 발전했다.

발전[2] 發電 | 일으킬 발, 전기 전 [generate electricity]
전기(電氣)를 일으킴[發].

발족 發足 | 떠날 발, 발 족 [start functioning]
❶[속뜻] 목적지를 향하여 발길[足]을 옮김[發]. ❷어떤 단체나 모임 따위가 새로 만들어져 활동을 시작함. ¶특별위원회를 발족하다.

발진 發疹 | 나타날 발, 홍역 진 [erupt]
[의학] 종기[疹]가 나타남[發]. 또는 그 종기. ¶피부에 발진이 생겼다.

발포 發砲 | 쏠 발, 탄알 포 [fire; shoot]
탄알[砲]를 쏨[發]. ¶발포를 명령하다.

발표 發表 | 드러낼 발, 겉 표 [announce]
❶[속뜻] 겉[表]으로 드러냄[發]. ❷어떤 사실이나 결과 따위를 세상에 널리 드러내어 알림. ¶소설을 발표하다.

발행 發行 | 떠날 발, 갈 행 [publish]
❶[속뜻] 출발(出發)하여 길을 감[行]. ¶폭우로 발행이 늦어지다. ❷책이나 신문 따위를 발간하여 사회에 펴냄. ¶발행 부수(部數). ❸화폐, 증권, 증명서 등을 만들어 세상에 내놓음. ¶새로운 화폐를 발행하다.

발현 發現 | =發顯, 드러낼 발, 나타날 현 [reveal]
드러나거나[發] 나타남[現]. 또는 드러나게 함. ¶희생정신을 발현하다.

발화 發火 | 일으킬 발, 불 화 [production of fire]
불[火]을 일으킴[發]. 불을 냄. ¶발화 원인을 조사하다.

발효 發效 | 나타날 발, 효과 효 [come into effect]
법률이나 규칙 등이 효력(效力)을 나타냄[發]. ¶새 법률은 3월 1일 발효된다.

발휘 發揮 | 드러낼 발, 떨칠 휘 [display; exhibit]
재주나 재능 따위를 드러내어[發] 널리 떨침[揮]. ¶실력을 발휘하다.

• 역순어휘

개발 開發 | 열 개, 드러날 발 [develop]
❶[속뜻] 열어서[開] 드러나게[發] 함. ❷개척하여 유용하게 함. ¶수자원 개발. ❸지식이나 재능 따위를 발달하게 함. ¶기술 개발. ❹새로운 물건이나 생각 따위를 만듦. ¶프로그램을 개발하다.

계:발 啓發 | 일깨울 계, 밝힐 발 [enlighten]
❶[속뜻] 일깨워주고[啓] 밝혀줌[發]. ❷재능이나 사상 따위를 일깨워 줌. ¶창의력을 계발하다.

고:발 告發 | 알릴 고, 드러낼 발 [complain]
❶[속뜻] 잘못이나 비리 따위를 알려[告] 드러냄[發]. ❷피해자나 고소권자가 아닌 제삼자가 수사 기관에 범죄 사실을 신고하여 수사 및 범인의 기소를 요구하는 일. ¶경찰에 사기꾼을 고발하다.

남:발 濫發 | 함부로 람, 쏠 발 [overissue]
❶[속뜻] 화폐나 증명서 따위를 함부로[濫] 발행(發行)함. ❷어떤 말이나 행동을 함부로 함. ¶지키지도 못할 약속을 남발하다.

도발 挑發 | 돋울 도, 나타날 발 [provoke; arouse]

감정 따위를 돋워[挑] 일이 생겨나게[發] 함. ¶전쟁을 도발하다.

돌발 突發 | 갑자기 돌, 나타날 발 [burst out; occur suddenly]
뜻밖의 일이 갑자기[突] 생겨남[發]. ¶돌발사고 / 돌발 상황. (비)우발(偶發).

만:발 滿發 | 가득할 만, 필 발 [be in full bloom]
많은 꽃이 한꺼번에 활짝[滿] 핌[發]. ¶길가에 코스모스가 만발하다. (비)만개(滿開).

망:발 妄發 | 망령될 망, 쏠 발 [make reckless]
실수로 그릇된[妄] 말을 함부로 쏟아냄[發]. 또는 그 말이나 행동. ¶망발을 지껄이다. (비)망언(妄言), 망설(妄說).

분:발 奮發 | 떨칠 분, 일으킬 발 [make an effort; endeavor]
마음과 힘을 떨쳐[奮] 일으킴[發]. ¶우리 팀은 끊임없는 분발로 우승을 차지했다 / 꿈을 이루기 위해서는 더욱 분발해야 한다. (비)발분(發奮).

불발 不發 | 아닐 불, 쏠 발 [misfire]
❶ 속뜻 탄알이나 폭탄이 발사(發射)되지 않거나 터지지 아니함[不]. ❷계획했던 일을 못하게 됨. ¶그 계획은 불발로 끝나고 말았다.

산:발 散發 | 흩을 산, 쏠 발 [occur sporadically]
❶ 속뜻 총을 이곳저곳 마구 흩어서[散] 쏨[發]. ❷여기저기서 때때로 일어남.

선발 先發 | 먼저 선, 떠날 발 [start in advance]
❶ 속뜻 남보다 먼저[先] 나서거나 떠남[發]. ❷ 운동 1회 전부터 출전하는 일을 이름. ¶선발 선수. (반)후발(後發).

연발 連發 | 이을 련, 쏠 발 [fire in rapid succession; occur one after another]
❶ 속뜻 총 따위를 잇달아[連] 쏨[發]. ❷잇따라 일어남. ¶실수를 연발하다.

오:발 誤發 | 그르칠 오, 쏠 발 [fire by accident]
총포 따위를 잘못[誤] 쏨[發]. ¶총기 오발 사고로 두 명이 사망했다.

우:발 偶發 | 뜻밖에 우, 일어날 발 [happen]
우연(偶然)히 일어남[發]. 또는 그런 일. ¶우발범죄.

유발 誘發 | 꾈 유, 나타날 발 [induce]
❶ 속뜻 꾀어[誘] 나타나게[發] 함. ❷어떤 일이 원인이 되어 다른 일을 일어나게 하는 것. ¶탄 음식은 암을 유발한다.

자발 自發 | 스스로 자, 드러낼 발 [self-activity]
자기 뜻을 스스로[自] 드러냄[發]. 스스로 함.

재:발 再發 | 다시 재, 나타날 발 [recur; have a relapse]
한 번 생기었던 일이나 병 따위가 다시[再] 나타남[發]. ¶꾸준히 치료하지 않으면 암은 재발하기 쉽다.

적발 摘發 | 딸 적, 드러낼 발 [expose; uncover]
숨겨진 물건을 들추어[摘] 드러냄[發]. ¶그 학생은 시험 시간에 커닝을 하다가 적발됐다.

증발 蒸發 | 찔 증, 일어날 발 [evaporate; disappear into thin air]
❶ 물리 액체에 열을 가해 증기(蒸氣)가 일어남[發]. 또는 그러한 현상. ¶바닥의 물은 햇빛에 금방 증발했다. ❷'사람이나 물건이 갑자기 사라져 행방불명이 됨'을 속되게 이름. ¶그 사건이 일어나자 사나이는 증발해버렸다.

징발 徵發 | 거둘 징, 드러낼 발 [commandeer; levy]
❶ 속뜻 남의 물품을 거두어[徵] 들이고자 강제적으로 들추어냄[發]. ❷국가에서 특별한 일에 필요한 사람이나 물자를 강제로 모으거나 거둠. ¶전쟁이 나자 공장들이 징발되어 무기를 만들었다.

출발 出發 | 날 출, 떠날 발 [start; set out; depart]
❶ 속뜻 집을 나서서[出] 길을 떠남[發]. ¶기차가 출발하자 손을 흔들었다. ❷일을 시작함. 일의 시작. ¶새 출발을 다짐하다 / 그는 처음에 모델로 출발했다. (반)도착(到着).

폭발 爆發 | 터질 폭, 일으킬 발 [explode; blow up; erupt]
갑작스럽게 터져[爆] 불을 일으킴[發]. ¶화산이 폭발하다.

휘발 揮發 | 흩어질 휘, 떠날 발 [volatile]
보통 온도에서 액체가 기체로 변하여 흩어져[揮] 날아감[發]. 또는 그 작용. ¶기름이 휘발하고 얼룩이 남았다.

0194 [사]

社 모일 사
(부) 示부 (획) 8획 (中) 社 [shè]
社 社 社 社 社 社 社 社

社자는 '땅 귀신', 즉 '토지 신'(the god of land)을 나타내기 위하여 고안된 글자이니, '제사 시'(示)와 '흙 토'(土) 둘 다 표의요소로 쓰였다. 토지 신에 대한 제사를 社자로 나타낸 것은 고대 풍속에서 유래된 것이다. 이 제사에는 온 동네 사람들이 모두 모였다. 그래서 '모이다'(gather; crowd), '단체'(a party)같은 뜻으로도 쓰인다.

속뜻 훈음 **①모일 사, ②단체 사, ③토지 신 사.**

사교 社交 | 모일 사, 사귈 교
[social intercourse; social relationships]
여러 사람이 모임[社]을 만들어 사귐[交]. ¶사교 모임에 나가다 / 사교 범위가 넓다.

사설 社說 | 회사 사, 말씀 설 [leading article]
신문이나 잡지 따위에서 그 회사(會社)의 주장을 싣는 논설(論說).

사옥 社屋 | 회사 사, 집 옥 [office building]
회사(會社)의 건물[屋]. ¶사옥을 이전하다.

사원 社員 | 회사 사, 인원 원
[member; staff member]
회사(會社)에 근무하는 직원(職員). ¶신입사원을 채용하다. ⓑ회사원(會社員).

사장 社長 | 회사 사, 어른 장
[president of a company]
회사(會社)의 우두머리[長]. 회사의 최고 책임자. ¶그가 사장으로 선임되었다.

사직 社稷 | 토지신 사, 곡식신 직
[guardian deities of the State; sovereignty]
❶속뜻 토지신[社]과 곡식신[稷]. ❷나라 또는 조정을 이르는 말. 고대 황제나 제후는 사직에 대한 제사를 매우 중요하게 여겼으므로 '국가'나 '조정'을 상징적으로 이르기도 한다. ¶종묘와 사직이 위태롭다.

사회 社會 | 단체 사, 모일 회
[society; community]
❶속뜻 같은 무리가 집단[社]을 이루어 모임[會]. ¶상류 사회. ❷사회 공동생활을 영위하는 모든 형태의 인간 집단. 가족, 마을, 조합, 교회, 계급, 국가, 정당, 회사 따위가 그 주요 형태이다.

• 역순어휘

결사 結社 | 맺을 결, 모일 사
[association; society]
모임[社]을 결성(結成)함. 또는 그 단체. ¶비밀 결사 / 결사의 자유.

공사 公社 | 여럿 공, 회사 사 [public corporation]
법률 국가가 공공(公共)의 이익을 위하여 설립된 기업체[社]. 한국방송공사, 한국전력공사 따위.

본사 本社 | 뿌리 본, 회사 사
[head office; our firm]
❶속뜻 지사(支社)에 상대하여 본부(本部)가 있는 회사(會社)를 이르는 말. ¶그는 지사에서 본사로 전근해 왔다. ❷말하는 이가 공식적인 자리에서 자기가 다니는 회사를 이르는 말. ⓜ지사(支社).

신사 神社 | 귀신 신, 모일 사 [shrine]
일본에서 왕실의 조상이나 국가 유공자를 대표하는 여러 신(神)들의 위패를 모아[社] 놓은 곳. 또는 그 사당.

입사 入社 | 들 입, 회사 사 [enter a company]
❶속뜻 회사(會社)에 들어감[入]. ❷회사에 취직이 되어 들어감. ¶그는 입사한지 두 달 만에 퇴사했다. ⓜ퇴사(退社).

지사 支社 | 가를 지, 회사 사 [branch office]
본사에서 갈라져[支] 나가 일정 지역의 업무를 맡아보는 회사(會社). ¶해외지사를 설립하다. ⓜ본사(本社).

회:사 會社 | 모일 회, 단체 사
[company; corporation]
❶속뜻 모임[會]과 단체[社]. ❷경제 상행위 또는 영리를 목적으로 상법에 따라 설립된 사단 법인. ¶무역회사 / 회사를 그만두다.

0195 [신]

神 귀신 신
부 示부 획 10획 中 神 [shén]
神 神 神 神 神 神 神 神 神 神

神자를 갑골문이나 금문 같은 초기 자형에서는 번갯불이 번쩍이는 모양을 본뜬 '申'(신)으로 썼다. 후에 '제사'나 '귀신'과 관련이 있음을 분명하게 하기 위하여 '제사 시'(示)를 덧붙였다. '신'(god), '혼'(魂, a soul)의 뜻으로 주로 쓰이고, '재주가 뛰어난 사람'을 비유하기도 한다.
속뜻훈음 ①귀신 신, ②신통할 신, ③정신 신.

신경 神經 | 정신 신, 날실 경
[nerve; consideration]
❶의학 생물이 자신의 몸과 주위에서 일어나는 자극을 감지하고 적절한 반응이나 정신(精神)을 일으키도록 하는 실[經] 모양의 기관. ¶중추 신경. ❷어떤 일에 대한 느낌이나 생각. ¶신경이 날카롭다.

신기 神技 | 귀신 신, 재주 기 [exquisite skill]
신(神)의 능력으로만 가능할 것 같은 매우 뛰어난 기술이나 재주[技]. ¶그녀의 피아노 연주 솜씨는 신기에 가까웠다.

신단 神壇 | 귀신 신, 단 단
신령(神靈)에게 제사지내는 단(壇).

신동 神童 | 신통할 신, 아이 동 [child prodigy]
재주와 지혜가 남달리 뛰어난, 신통(神通)한 아이[童]. ¶애는 축구 신동으로 불린다.

신령 神靈 | 귀신 신, 혼령 령 [divine spirit]
민속 풍습(風習)으로 섬기는 모든 신(神)이나 혼령(魂

靈).

신부 神父 | 귀신 신, 아버지 부 [Catholic priest; Father]
❶속뜻 영적인[神] 아버지[父]. ❷가톨릭 사제로 임명받은 성직자. 성사를 집행하고 미사를 드리며 강론을 한다.

신비 神祕 | 귀신 신, 비밀 비 [mysterious; magical]
매우 신기(神奇)하여 그 이치 등을 알기 어려움[祕]. ¶자연의 신비를 풀다 / 모나리자의 미소는 매우 신비하다 / 이 돌은 매우 신비스럽다.

신사 神社 | 귀신 신, 모일 사 [shrine]
일본에서 왕실의 조상이나 국가 유공자를 대표하는 여러 신(神)들의 위패를 모아[社] 놓은 곳. 또는 그 사당.

신선 神仙 | 귀신 신, 신선 선 [Taoist hermit with supernatural powers]
❶속뜻 귀신(鬼神)이나 선인(仙人) 같은 사람. ❷도(道)를 닦아서 현실의 인간 세계를 떠나 자연과 벗하며 산다는 상상의 사람. 속담 신선놀음에 도끼 자루 썩는 줄 모른다.

신성 神聖 | 귀신 신, 거룩할 성 [be holy]
❶속뜻 신(神)과 같이 거룩함[聖]. ❷매우 거룩하고 존귀함. ¶신성을 모독하다 / 결혼은 신성한 것이다.

신시 神市 | 귀신 신, 저자 시
역사 환웅이 태백산 신단수(神檀樹) 밑에 세웠다는 도시(都市).

신전 神殿 | 귀신 신, 대궐 전 [shrine]
신령(神靈)을 모신 전각(殿閣). ¶파르테논 신전은 아테네 여신을 모신 곳이다.

신주 神主 | 귀신 신, 위패 주 [ancestral tablet]
죽은 이의 영혼[神]이 담겨 있는 위패[主]. 관용 신주 모시듯.

신통 神通 | 귀신 신, 통할 통 [be wonderful]
❶속뜻 신기(神奇)할 정도로 통달(通達)함. ❷신기할 정도로 묘하다. ¶그의 목소리는 나와 신통하게 닮았다. ❸대견하고 훌륭함. ¶어떻게 그런 신통한 생각을 다 했니?

신화 神話 | 귀신 신, 이야기 화 [myth]
❶속뜻 신비(神祕)스러운 이야기[話]. ❷문학 고대인의 사유나 표상이 반영된 신성(神聖)한 이야기. 우주의 기원, 신이나 영웅의 사적(事績), 민족의 태고 때의 역사나 설화 따위가 주된 내용이다. ¶그리스 신화.

• 역순어휘 •

걸신 乞神 | 빌 걸, 귀신 신 [hungry demon]
❶속뜻 빌어먹는[乞] 귀신(鬼神). ❷염치없이 지나치게 탐하는 마음을 비유하여 이르는 말. ¶걸신이 들린 것처럼 음식을 먹어치웠다.

귀:신 鬼神 | 귀신 귀, 귀신 신 [ghost]
❶속뜻 인신(人神)인 '鬼'와 천신(天神)인 '神'을 아울러 이르는 말. ❷사람에게 화(禍)와 복(福)을 내려 준다는 신령(神靈). ❸어떤 일에 남보다 뛰어난 재주가 있는 사람을 비유하여 이르는 말. ¶귀신같은 솜씨. 속담 말 안 하면 귀신도 모른다.

등:신 等神 | 같을 등, 귀신 신 [fool; stupid person]
❶속뜻 사람 같이[等] 만들어 놓은 신상(神像). ❷몹시 어리석은 사람을 낮잡아 이르는 말. ¶등신 같은 녀석 / 사람을 등신 취급하다.

산신 山神 | 메 산, 귀신 신 [mountain god; guardian spirit of a mountain]
민속 산(山)을 지키는 신(神).

삼신 三神 | 석 삼, 귀신 신 [three gods governing childbirth]
민속 아기를 점지하고 산모와 산아(産兒)를 돌보는 세[三] 신령(神靈). ¶삼신 할머니께 기도를 드렸다.

실신 失神 | 잃을 실, 정신 신 [swoon; faint]
병이나 충격 따위로 정신(精神)을 잃음[失]. ¶나는 놀라서 실신할 뻔했다. 비 기절(氣節), 졸도(卒倒).

여신 女神 | 여자 녀, 귀신 신 [goddess]
성별이 여자(女子)인 신(神). ¶행운의 여신 / 아프로디테는 사랑의 여신이다.

정신 精神 | 쓿을 정, 혼 신 [mind; spirit; consciousness]
❶속뜻 쓿은 쌀[精]처럼 순백한 혼[神]이나 마음. ❷사물을 느끼고 생각하며 판단하는 능력. 또는 그런 작용. ¶정신을 집중하다. ❸마음의 자세나 태도. ¶근면 정신. ❹사물의 근본적인 의의나 목적 또는 이념이나 사상. ¶화랑도 정신. 관용 정신을 차리다.

지신 地神 | 땅 지, 귀신 신 [god of the earth]
땅[地]을 맡아 다스린다는 신령(神靈).

0196 [단]

短

짧을 단(:)
部 矢부 획 12획 中 短 [duǎn]

短短短短短短短短短短短短

短자는 '화살 시'(矢)와 '제기 두'(豆)로 구성된 글자이다. 화살의 길이나 祭器(제:기)의 높이만큼 '길지 않다'(not long)가 본뜻이다. '짧다'(short), '모자라다'(be not enough) 등으로 확대 사용됐다.

단:검 短劍 | 짧을 단, 칼 검 [short sword]
길이가 짤막한[短] 칼[劍]. (비)단도(短刀). (반)장검(長劍).

단:기 短期 | 짧을 단, 때 기 [short term]
짧은[短] 기간(期間). ¶단기 유학을 가다. (반)장기(長期).

단:도 短刀 | 짧을 단, 칼 도 [short sword]
길이가 짧은[短] 칼[刀].

단:소 短簫 | 짧을 단, 통소 소
[short bamboo flute]
[음악] 오래된 대나무로 만든 관악기로 퉁소[簫]보다 좀 짧고[短] 가늘며 구멍은 앞에 넷, 뒤에 하나임.

단:음 短音 | 짧을 단, 소리 음 [short sound]
[언어] 짧게[短] 소리내는 발음(發音). (반)장음(長音).

단:장 短杖 | 짧을 단, 지팡이 장 [cane; stick]
❶[속뜻] 길이가 짧은[短] 지팡이[杖]. ❷손잡이가 꼬부라진 짧은 지팡이. ¶단장을 짚은 할아버지. (비)개화장(開化杖).

단:점 短點 | 짧을 단, 점 점 [fault; shortcoming]
짧아서[短] 모자라거나 흠이 되는 점(點). ¶그는 성격이 급한 게 단점이다. (비)결점(缺點). (반)장점(長點).

단:조 短調 | 짧을 단, 가락 조 [minor]
[음악] 단음계(短音階)로 된 곡조(曲調). (반)장조(長調).

단:축 短縮 | 짧을 단, 줄일 축 [shorten; cut]
일정 기준보다 짧게[短] 줄임[縮]. ¶기상악화로 행사 시간을 단축했다. (반)연장(延長).

단:편 短篇 | 짧을 단, 책 편
[short piece; sketch]
[문학] ❶길이가 짧은[短] 글이나 책[篇]. ❷'단편소설'(小說)의 준말. (반)장편(長篇).

• 역순어휘

최:단 最短 | 가장 최, 짧을 단 [shortest; nearest]
가장[最] 짧음[短]. ¶학교까지의 최단 거리는 500미터이다. (반)최장(最長).

0197 [반]

班	나눌 반 (部) 玉부 (획) 10획 (中) 班 [b`n] 班 班 班 班 班 班 班 班 班 班

班자는 '쌍옥 각'(珏)과 '칼 도'(刀→刂)로 구성된 것이다. '(칼로 옥을 둘로) 가르다'(divide)가 본래 의미인데, '나누다'(part)는 뜻으로 많이 쓰인다.

반원 班員 | 나눌 반, 인원 원
[squaddie; student of class]
반(班)을 이루고 있는 구성원(構成員). ¶합창대회에 반원 모두가 참가한다.

반장 班長 | 나눌 반, 어른 장
[squad leader; monitor]
'반'(班)이라는 조직의 책임자[長]. ¶형사 반장 / 학급 반장.

• 역순어휘

수반 首班 | 머리 수, 나눌 반 [head]
❶[속뜻] 반열(班列) 가운데 으뜸가는[首] 자리. ¶수반이 되다. ❷행정부의 가장 높은 자리에 있는 사람. ¶대통령은 행정부의 수반이다.

양:반 兩班 | 두 량, 나눌 반
[two upper classes of old Korea]
❶[역사] 두[兩] 개의 반열(班列). 고려·조선 시대에, 지배층을 이루던 신분. 원래 관료 체제를 이루는 동반(東班)과 서반(西班)을 일렀으나 점차 그 가족이나 후손까지 포괄하게 됐다. ❷점잖고 예의 바른 사람. ¶그분은 그야말로 양반이다. ❸자기 남편을 남에게 이르는 말. ¶우리 집 양반은 매일 아침 운동을 한다. ❹남자를 범상히 또는 홀하게 이르는 말. ¶이런 답답한 양반을 봤나.

월반 越班 | 넘을 월, 나눌 반 [skip a grade]
[교육] 성적이 뛰어나 상급반(上級班)으로 건너뛰어[越] 진급함. ¶그는 3학년에서 5학년으로 월반했다.

0198 [구]

球	공 구 (部) 玉부 (획) 11획 (中) 球 [qiú] 球 球 球 球 球 球 球 球 球 球 球

球자는 '옥 소리'(the sound of a jade)를 뜻하기 위하여 '구슬 옥'(玉)이 표의요소로 쓰였고 求(구할 구)는 표음요소이다. 옥 모양의 입체 원형, 특히 '공'(a ball)이나 '공' 모양의 것을 지칭하는 말로 확대 사용됐다.

구근 球根 | 공 구, 뿌리 근 [tuber; bulb]
[식물] 공[球] 모양의 뿌리[根]. (비)알뿌리.

구기 球技 | 공 구, 재주 기 [ball game]
[운동] 공[球]을 사용하는 운동 경기(競技). 야구, 축구, 배구, 탁구 따위.

구부 球部 | 공 구, 나눌 부
물건에서 공[球]처럼 둥글게 생긴 부분(部分).

구장 球場 | 공 구, 마당 장 [ball ground]
축구, 야구 따위의 구기(球技) 경기를 하는 운동장(運動場). 특히 야구장을 가리키는 경우가 많다. ¶잠실 구장에서 경기가 열린다.

구형 球形 | 공 구, 모양 형 [globular shape]
공[球]같이 둥근 형태(形態). ¶지구는 구형이다.

• 역순어휘

기구 氣球 | 공기 기, 공 구 [balloon; aerostat]
밀폐된 커다란 주머니에 수소나 헬륨 따위의 공기보다 가벼운 기체(氣體)를 넣어 그 부양력으로 공중에 높이 올라가도록 만든 공[球] 모양의 물건. [비]풍선(風船).

농구 籠球 | 대그릇 롱, 공 구 [basketball]
❶[속뜻]대바구니[籠] 같은 바스켓에 공[球]을 던져 넣는 운동 경기. ❷[운동]다섯 사람씩 두 편으로 나뉘어, 상대편의 바스켓에 공을 던져 넣어 얻은 점수의 많음을 겨루는 구기 운동. ¶일요일에 친구들과 농구를 했다.

당구 撞球 | 칠 당, 공 구 [billiards; pills]
[운동]일정한 대 위에 붉은 공[球]과 흰 공을 놓고 큐로 쳐서 맞혀[撞] 그 득점으로 승부를 겨루는 실내 오락.

반:구 半球 | 반 반, 공 구 [hemisphere]
구(球)의 절반(折半). 또는 그런 모양의 물체. ¶반구 형태.

배구 排球 | 밀칠 배, 공 구 [volleyball]
❶[속뜻]네트 위로 공[球]을 밀쳐[排] 넘기는 운동 경기. ❷[운동]직사각형으로 된 코트의 중앙에 네트를 두고 두 팀으로 나누어 공을 땅에 떨어뜨리지 아니하고 손으로 공을 패스하여 세 번 안에 상대편 코트로 넘겨 보내는 운동 경기.

수구 水球 | 물 수, 공 구 [water polo]
[운동]각각 일곱 사람으로 이루어진 두 편이 물[水] 속에서 공[球]을 상대편 골에 넣어 득점의 많고 적음으로 승부를 겨루는 경기.

습구 濕球 | 젖을 습, 공 구 [wet bulb]
[물리]젖은[濕] 헝겊으로 동그란[球] 수은 단지 부분을 싸 놓은 온도계. 또는 그 단지 부분.

야:구 野球 | 들 야, 공 구 [baseball]
❶[속뜻]들판[野] 같은 운동장에서 공[球]을 다루는 경기. ❷[운동]아홉 명씩 이루어진 두 팀이 9회 동안 공격과 수비를 번갈아 하며 승패를 겨루는 구기 경기. ¶우리 오빠는 야구 선수이다.

전:구 電球 | 전기 전, 공 구 [bulb of an electric lamp]
전등(電燈)에 끼우는 공[球] 모양의 기구. ¶아버지가 부엌의 전구를 갈아 끼웠다.

정구 庭球 | 뜰 정, 공 구 [tennis]
❶[속뜻]평평한 뜰[庭]에서 공[球]을 치는 놀이. ❷[운동]경기장 중앙 바닥에 네트를 가로질러 치고 그 양쪽에서 라켓으로 공을 주고받는 경기. 1955년 '테니스'로 이름이 바뀌었다.

족구 足球 | 발 족, 공 구 [foot volleyball]
[운동]발[足]로 공[球]을 차서 네트를 넘겨 승부를 겨루는 경기.

지구 地球 | 땅 지, 공 구 [earth]
❶[속뜻]땅[地]으로 이루어진 크나큰 공[球]. ❷[천문]태양에서 세 번째로 가까우며, 인류가 사는 행성. ¶지구는 둥글다.

축구 蹴球 | 찰 축, 공 구 [soccer; football]
[운동]공[球]을 주로 발로 차서[蹴] 상대편의 골에 공을 많이 넣는 것으로 승부를 겨루는 경기. ¶그 나라는 축구에 열광적이다.

타:구 打球 | 칠 타, 공 구 [batted ball]
[운동]공[球]을 치는[打] 일. ¶그는 자신이 친 타구에 왼쪽 발목을 맞았다.

탁구 卓球 | 높을 탁, 공 구 [ping pong; table tennis]
[운동]탁자(卓子)에서 라켓으로 공[球]을 쳐 넘겨 승부를 겨루는 경기.

투구 投球 | 던질 투, 공 구 [throw]
[운동]투수가 공[球]을 던짐[投]. 또는 던진 그 공.

피:구 避球 | 피할 피, 공 구 [dodge ball]
[운동]공[球]을 피하는[避] 놀이. 일정한 구역 안에서 두 편으로 갈라서 한 개의 공으로 상대편을 맞히는 공놀이.

0199 [리]

理 다스릴 리:
[部] 玉부 [획] 11획 [中] 理 [lǐ]
理 理 理 理 理 理 理 理 理 理 理

理자는 '(옥을) 다듬다'(refine)는 뜻을 위하여 고안된 글자이니 '구슬 옥'(玉→王)이 표의요소로 쓰였다. 里(마을 리)는 표음요소로 뜻과는 무관하다. '다스리다'(rule over), '이치'(logic) 등으로도 쓰인다.
[속뜻훈음] ①다스릴 리, ②이치 리, ③다듬을 리.

이:과 理科 | 이치 리, 분과 과 [science; science course]
자연계의 원리(原理)나 현상을 연구하는 학과(學科). 물리학, 화학, 동물학, 식물학, 생리학, 지질학, 천문학 따위.

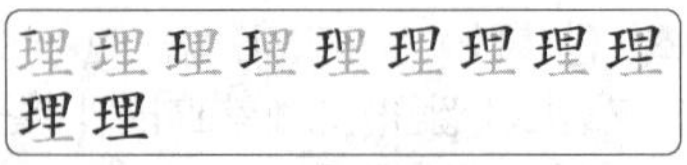

[반]문과(文科).

이:념 理念 | 이치 리, 생각 념
[ideology; doctrine]
이상적(理想的)인 것으로 여겨지는 생각[念]이나 견해. ¶건국 이념 / 이념 대립.

이:론 理論 | 이치 리, 논할 론 [theory]
사물의 이치(理致)나 지식 따위를 논(論)함. 또는 그러한 명제의 체계. ¶이론과 실제는 반드시 일치하지 않는다. [반]실천(實踐).

이:발 理髮 | 다듬을 리, 머리털 발
[haircut; barber]
머리털[髮]을 깎고 다듬음[理]. ¶그는 넉 달 동안 이발을 안 했다.

이:사 理事 | 다스릴 리, 일 사 [director; trustee]
❶[속뜻]사무(事務)를 처리(處理)함. ❷[법률]법인 기관의 사무를 처리하며, 이를 대표하여 권리를 행사하는 직위. 또는 그러한 일을 맡은 사람.

이:상 理想 | 이치 리, 생각 상 [ideal]
이성(理性)에 의하여 생각할[想] 수 있는 범위 안에서 가장 바람직한 상태.

이:성 理性 | 이치 리, 성품 성 [different nature]
❶[속뜻]이치(理致)나 도리를 인식하는 성품(性品). ¶이성은 인간을 동물과 구별시키는 특별한 능력이다. ❷개념적으로 사유하는 능력을 감각적 능력에 상대하여 이르는 말. ¶그는 아들이 죽자 이성을 잃었다. [반]감성(感性).

이:유 理由 | 이치 리, 까닭 유 [reason; cause]
어떤 이치(理致)가 생겨난 까닭[由]. 원인이나 근거. ¶지각한 이유가 뭐니?

이:해 理解 | 이치 리, 풀 해 [understand]
❶[속뜻]이유(理由)를 풀어[解] 찾아냄. ❷이치를 똑똑하게 알게 됨. ¶원리를 이해해야 문제를 쉽게 풀 수 있다. ❸깨달아 앎. ¶그의 뜻을 분명히 이해할 수 있다. ❹양해(諒解). ¶참가자 여러분의 이해를 구합니다.

• 역순어휘 •

경리 經理 | 다스릴 경, 다스릴 리 [account]
❶[속뜻]일을 경영(經營)하고 관리(管理)함. ❷어떤 기관이나 단체에서 물자의 관리나 금전의 출납 따위를 맡아보는 사무. [비]회계(會計).

관리 管理 | 맡을 관, 다스릴 리
[administer; manage]
어떤 일을 맡아서[管] 처리(處理)함. ¶그 공원은 시에서 관리한다.

교:리 教理 | 종교 교, 이치 리 [dogma]
[종교]한 종교(宗教)의 참된 이치(理致)나 진리. 또는 그렇게 규정한 신앙의 체계.

궁리 窮理 | 다할 궁, 이치 리
[deliberate; consider]
❶[속뜻]사물의 이치(理致)를 깊이 연구함[窮究]. ❷마음속으로 이리저리 따져 깊이 생각함. 또는 그런 생각. ¶궁리 끝에 답을 찾았다.

논리 論理 | 논할 론, 이치 리 [logic]
의론(議論)이나 사고·추리 따위를 끌고 나가는 조리(條理). ¶그의 주장은 논리에 맞지 않다. [비]이치(理致).

대:리 代理 | 대신할 대, 다스릴 리 [represent]
남의 일을 대신(代身) 처리(處理)함. 또는 그런 사람. ¶대리 출석하다 / 대리 만족.

도:리 道理 | 길 도, 이치 리 [reason; way]
❶[속뜻]사람이 마땅히 행하여야 할 도덕적(道德的)인 이치(理致). ¶도리에 어긋나다. ❷어떤 일을 해 나갈 방법. ¶알 도리가 없다.

무리 無理 | 없을 무, 이치 리 [unreasonable]
이치(理致)에 맞지 않거나[無] 정도에서 지나치게 벗어남. ¶그가 그렇게 화를 내는 것도 무리가 아니다 / 몸도 안 좋은데 무리하지 말고 쉬세요. [반]유리(有理).

물리 物理 | 만물 물, 이치 리
[laws of nature; physics]
❶[속뜻]모든 사물(事物)의 바른 이치(理致). ❷[물리]'물리학'(物理學)의 준말.

사:리 事理 | 일 사, 이치 리 [reason; facts]
일[事]의 이치(理致). ¶사리에 맞지 않다.

생리 生理 | 날 생, 이치 리 [physiology]
❶[속뜻]생물체(生物體)의 생물학적 기능과 작용. 또는 그 원리(原理). ❷생활하는 습성이나 본능. ❸[의학]성숙한 여성의 자궁에서 주기적으로 출혈하는 생리 현상. 보통 12~17세에 시작하여 50세 전후까지 계속된다. 월경(月經).

섭리 攝理 | 잡을 섭, 다스릴 리 [providence]
❶[속뜻]아프거나 병에 걸린 몸을 잘 다잡아[攝] 조리(調理)함. ❷자연계를 지배하고 있는 원리와 법칙. ¶신의 섭리에 맡기다.

성:리 性理 | 성품 성, 이치 리
[human nature and natural laws]
❶[속뜻]사람의 성품(性品)과 자연의 이치(理致). ❷인성(人性)의 원리.

수리 修理 | 닦을 수, 다스릴 리 [repair; mend]
고장이 나거나 허름한 데를 손보아[修] 고침[理]. ¶자전거를 수리하다.

순:리 順理 | 따를 순, 이치 리
[submission to reason]

이치(理致)를 따름[順]. 또는 그렇게 따른 이치. ¶자연의 순리에 따르다.

심리 心理 | 마음 심, 이치 리 [mental state]
❶속뜻 마음[心]이 움직이는 이치(理致). ❷심리 마음의 작용과 의식의 상태. ¶나는 그의 심리를 도저히 모르겠다.

요리 料理 | 헤아릴 료, 다스릴 리 [cook]
❶속뜻 요모조모 헤아려[料] 잘 다스림[理]. ❷음식을 일정한 방법으로 만듦. 또는 그 음식. ¶요리 솜씨.

원리 原理 | 본디 원, 이치 리
[principles; fundamental truth]
사물의 기본[原]이 되는 이치(理致)나 법칙. ¶자연의 원리.

윤리 倫理 | 인륜 륜, 이치 리
[moral principles; ethics]
인륜(人倫) 도덕의 원리(原理). ¶그것은 윤리에 어긋나는 일이다.

의:리 義理 | 옳을 의, 이치 리
[obligation; justice; fidelity]
❶속뜻 사람으로서 마땅히 지켜야 할 옳은[義] 도리(道理). ❷사람과의 관계에 있어서 지켜야 할 바른 도리. ¶의리를 지키다 / 의리에 살고 의리에 죽는다.

일리 一理 | 한 일, 이치 리 [some reason]
한[一] 가지 이치(理致). 이치에 합당함. ¶네 말도 일리가 있다.

정:리 整理 | 가지런할 정, 다듬을 리
[arrange; readjust]
❶속뜻 가지런하게[整] 다듬음[理]. ❷흐트러진 것이나 어지러운 것을 가지런하고 바르게 하는 일. ¶서랍 정리 / 방정리.

조리¹ 條理 | 가지 조, 다스릴 리 [logic; reason]
❶속뜻 각가지[條]를 모두 다 잘 정리(整理)함. ❷말이나 글 또는 일이나 행동에서 앞뒤가 들어맞고 체계가 서는 갈피. ¶현수는 말을 조리 있게 잘한다. ⓑ두서(頭緒).

조리² 調理 | 고를 조, 다스릴 리
[take care of health]
❶속뜻 건강이 회복되도록 몸을 고르게[調] 잘 다스림[理]. ¶산후조리. ❷여러 가지 재료를 잘 맞추어 먹을 것을 만듦. ¶맛도 중요하지만 위생적으로 조리하는 것이 가장 중요하다. ⓑ요리(料理).

지리 地理 | 땅 지, 이치 리
[geographical features]
❶속뜻 땅[地]이 형성된 이치[理]. ❷땅 위에 있는 길 따위의 모양. ¶나는 이곳의 지리에 밝다.

진리 眞理 | 참 진, 이치 리 [truth; fact]
참된[眞] 이치(理致). 또는 참된 도리. ¶그 진리를 깨닫는 데 오랜 시간이 걸렸다.

처:리 處理 | 처방할 처, 다스릴 리
[manage; treat; handle]
❶속뜻 처방(處方)하여 잘 다스림[理]. ❷정리하여 치우거나 마무리를 지음. ¶일을 적당히 처리해서는 안 된다. ❸어떤 결과를 얻으려고 화학적·물리적 작용을 일으킴. ¶천장을 물이 새지 않게 처리했다.

총:리 總理 | 거느릴 총, 다스릴 리
[Premier; Prime Minister]
❶속뜻 전체를 거느리고[總] 관리(管理)함. ❷법률 '국무총리'(國務總理)의 준말. ❸내각책임제 국가의 내각에서 제일 높은 사람.

추리 推理 | 밀 추, 이치 리
[infer; deduce; figure out]
이유나 이치[理]를 근거로 미루어[推] 헤아림. ¶이 증거들을 가지고 범인을 추리해 보자.

합리 合理 | 맞을 합, 이치 리 [reasonable]
이치(理致)에 맞음[合]. ⓑ불합리(不合理).

0200 [현]

現 나타날 현:
㊂ 玉부 ㊇ 11획 ㊥ 現 [xiàn]
現 現 現 現 現 現 現 現 現 現 現

現자는 '옥빛'(the brightness of a jade)이 본래 의미였다. '나타나다'는 뜻은 원래 見자로 나타내고, 이 경우에는 [현:]으로 읽다가 혼동하는 사례가 잦아지자 독음이 같은 現자로 대신하게 함에 따라 現자가 '나타나다'(appear; present)는 뜻으로 쓰이게 됐다. '지금'(the present)을 뜻하기도 한다.

속뜻훈음 ①나타날 현, ②지금 현.

현:금 現金 | 지금 현, 돈 금 [cash]
❶속뜻 현재(現在) 가지고 있는 돈[金]. ❷어음·수표·채권 따위가 아닌 실지로 늘 쓰는 돈. ¶현금으로 물건 값을 지불하다. ⓑ현찰(現札).

현:대 現代 | 지금 현, 시대 대
[present age; modern times]
오늘날[現]의 시대(時代). ¶현대 사회 / 현대 의학.

현:상¹ 現狀 | 지금 현, 형상 상
[present state; the actual state]
현재(現在)의 상태(狀態). 지금의 형편. ¶현상을 유지하다.

현:상² 現象 | 나타날 현, 모양 상 [phenomenon]
❶속뜻 나타난[現] 모양[象]. ❷지각(知覺)할 수 있는 사물의 모양이나 상태. ¶적조 현상 / 기상 현상.

현:상³ 現像 | 나타날 현, 모양 상 [develop]
❶속뜻 사진기 따위로 찍은 형상[像]을 나타나게 함[現]. 또는 그 형상. ❷연영 사진술에서 촬영한 필름이나 인화지 따위를 약품으로 처리하여 영상이 드러나게 하는 일. ¶사진 현상.

현:세 現世 | 지금 현, 세상 세
[this world; the present age]
현재(現在)의 세상(世上). 이 세상.

현:실 現實 | 지금 현, 실제 실 [actuality; reality]
현재(現在)의 사실(事實)이나 형편. ¶꿈이 현실이 되다. ⓑ비현실(非現實).

현:역 現役 | 지금 현, 부릴 역
[active service; service on full pay]
❶군사 부대에 편입되어 실지의 현장(現場) 군무에 종사하는 병역(兵役). 또는 그 군인. ¶현역 군인. ❷실지로 어떤 직위에 있거나 직무를 수행하고 있는 일. 또는 그 사람. ¶현역에서 물러나다. ⓑ예비역(豫備役).

현:장 現場 | 지금 현, 마당 장 [spot; the scene]
❶속뜻 사물이 현재(現在) 있는 곳[場]. ¶물품을 현장에서 내주다. ❷사건이 일어난 곳. 또는 그 장면. ¶사고 현장을 조사하다. ⓗ현지(現地).

현:재 現在 | 지금 현, 있을 재
[present time; at present]
지금[現] 있음[在]. 이제. 지금. ¶현재 시간은 오후 8시입니다.

현:존 現存 | 지금 현, 있을 존
[exist (actually); in existence]
현재(現在)에 있음[存]. 지금 살아 있음. ¶현존 인물 / 현존하는 가장 오래된 건물.

현:지 現地 | 지금 현, 땅 지
[very spot; the (actual) locale]
현재(現在) 어떤 일이 벌어지고 있는 곳[地]. ¶경기는 현지 시간으로 오전 7시에 시작된다.

현:직 現職 | 지금 현, 일자리 직 [present office]
현재(現在) 종사하는 직업(職業)이나 직임(職任). ¶그는 현직 경찰관이다. ⓑ전직(前職).

현:찰 現札 | 지금 현, 쪽지 찰
[(hard) cash; actual money]
현금(現金)으로 통용되는 화폐 쪽지[札]. ¶현찰로 계산하다.

현:행 現行 | 지금 현, 행할 행
[present; existing; current]
현재(現在) 행하고[行] 있음. ¶현행 교과서.

현:황 現況 | 지금 현, 상황 황
[present state; state of affairs]
현재(現在)의 상황(狀況). 지금의 형편. ¶피해 현황을 조사하다.

• 역순어휘

구현 具現 | 갖출 구, 나타날 현
[realize; materialize]
어떤 내용이 구체적(具體的)인 사실로 나타나게[現] 함. ¶민주주의의 구현 / 정의 구현.

발현 發現 | =發顯, 드러낼 발, 나타날 현 [reveal]
드러나거나[發] 나타남[現]. 또는 드러나게 함. ¶희생정신을 발현하다.

실현 實現 | 실제 실, 나타날 현 [realize; fulfill]
실제(實際)로 나타남[現]. ¶자아 실현 / 그는 드디어 자신의 꿈을 실현했다.

재:현 再現 | 다시 재, 나타날 현
[reappear; reemerge]
다시[再] 나타남[現]. 또는 나타냄. ¶사고 당시의 상황을 재현하다.

출현 出現 | 날 출, 나타낼 현 [appear]
없던 것이나 숨겨져 있던 것이 나와[出] 그 모습을 나타냄[現]. ¶남해안에 식인 상어가 출현했다 / 컴퓨터의 출현은 우리의 삶에 많은 영향을 미쳤다.

표현 表現 | 겉 표, 나타날 현 [express; represent]
❶속뜻 의견이나 감정 따위를 겉[表]으로 드러냄[現]. ❷정신적 대상을 예술로써 형상화함. 또는 그 형상화된 것. ¶표현 방법이 서투르다 / 그때 내가 느꼈던 기분은 말로 표현하기 어렵다.

0201 [용]

用 쓸 용:
㊀ 用부 ㊁ 5획 ㊥ 用 [yòng]
用 用 用 用 用

用자는 나무로 만든 통 모양을 본뜬 것으로 '나무 통'(a barrel)이 본래 의미이다. '쓰다'(use)는 의미로 확대 사용되는 예가 많아지자, '나무 통'은 桶(통)자를 따로 만들어 나타냈다.

용:건 用件 | 쓸 용, 물건 건 [matter of business]
❶속뜻 사용(使用)되는 물건(物件). ❷해야 할 일. ¶용건만 간단히 말하다. ⓗ볼일, 용무(用務).

용:구 用具 | 쓸 용, 갖출 구 [tool]
무엇을 하거나 만드는 데 쓰는[用] 여러 가지 도구(道具). ¶바느질 용구.

용:도 用途 | 쓸 용, 길 도 [useage]
쓰이는[用] 길[途]. 또는 쓰이는 곳. ¶용도 변경. ⓑ쓰임새.

용:량 用量 | 쓸 용, 분량 량 [dose]
❶속뜻 사용(使用) 분량(分量). ❷약학 약제를 한 번 또는 하루에 사용하거나 복용하는 분량. ¶약을 복용할 때는 반드시 지시된 용량을 지키십시오.

용:례 用例 | 쓸 용, 본보기 례 [example]
실제로 쓰이는[用] 본보기[例]. 또는 용법의 보기. ¶용례의 색인.

용:무 用務 | 쓸 용, 일 무 [business]
힘이나 마음을 써야[用] 할 일[務]. ¶용무를 말하다. ⓑ볼일, 용건(用件).

용:법 用法 | 쓸 용, 법 법 [use]
사용(使用)하는 방법(方法). ¶약품을 사용하기 전에 용법을 잘 읽어 보아라.

용:변 用便 | 쓸 용, 똥오줌 변 [easing nature]
대변(大便)이나 소변(小便)을 봄[用]. ¶용변을 가리다.

용:수 用水 | 쓸 용, 물 수
[water available for use]
❶속뜻 물[水]을 쓰는[用] 일. ❷방화·관개·공업·발전 따위를 위하여 먼 곳에서 물을 끌어옴. 또는 그 물. ¶공업 용수.

용:어 用語 | 쓸 용, 말씀 어 [terminology]
일정한 전문 분야에서 주로 사용(使用)하는 말[語]. ¶경제 용어.

용:의 用意 | 쓸 용, 뜻 의 [preparedness]
어떤 일을 하려고 마음[意]을 먹거나 씀[用]. 또는 그 마음. ¶이 원칙을 받아들일 용의가 있다.

용:지 用紙 | 쓸 용, 종이 지 [paper to use]
어떤 일에 사용(使用)할 종이[紙]. ¶복사 용지.

용:품 用品 | 쓸 용, 물건 품 [supplies]
그것에 관련하여 쓰이는[用] 물품(物品). ¶생활 용품.

• 역순어휘 •

겸용 兼用 | 아우를 겸, 쓸 용 [combined use]
하나로 두 가지 이상의 목적에 아울러[兼] 사용(使用)함. ¶침대 겸용 소파.

고용 雇用 | 품팔 고, 쓸 용 [employ]
보수를 주고[雇] 사람을 부림[用]. ¶고용 보험 / 직원을 고용하다.

공용¹ 公用 | 여럿 공, 쓸 용
[official business; official duty]
❶속뜻 여러 사람[公]들이 함께 씀[用]. ¶공용 물품. ❷공적인 용무. ❸관청이나 공공단체의 비용. ¶공용을 아껴 썼다. ⓑ공무(公務), 공비(公費).

공:용² 共用 | 함께 공, 쓸 용 [common use]
공동(共同)으로 씀[用]. ¶남녀 공용 / 이곳은 영어와 프랑스어를 공용한다. ⓟ전용(專用).

관용¹ 官用 | 벼슬 관, 쓸 용 [official use]
정부기관이나 국립 공공기관[官]에서 사용(使用)함. ¶관용 차량.

관용² 慣用 | 버릇 관, 쓸 용 [common use]
습관적(習慣的)으로 늘 씀[用]. 또는 그렇게 쓰는 것. ¶관용적인 표현.

군용 軍用 | 군사 군, 쓸 용 [military use]
군사(軍事)를 위해 씀[用]. 또는 그 돈이나 물건.

기용 起用 | 일어날 기, 쓸 용 [appoint; promote]
인재를 높은 자리에 올려[起] 씀[用]. ⓑ등용(登用).

남:용 濫用 | 함부로 람, 쓸 용 [abuse]
함부로[濫] 씀[用]. 마구 씀. ¶약물을 남용하다. ⓟ절용(節用).

다용 多用 | 많을 다, 쓸 용
[spending much; using much]
많이[多] 씀[用].

대:용 代用 | 대신할 대, 쓸 용 [substitute]
다른 것의 대신(代身)으로 씀[用]. 또는 그 물건. ¶밥을 대용할 새로운 식품을 개발 중이다.

도용 盜用 | 훔칠 도, 쓸 용 [peculate]
남의 물건이나 명의를 몰래 훔쳐[盜] 씀[用]. ¶명의 도용 / 아이디어를 도용하다. ⓑ도답(盜踏).

등용 登用 | 오를 등, 쓸 용 [appoint; assign]
인재를 뽑아[登] 씀[用]. ¶인재를 등용하다. ⓑ거용(擧用).

무용 無用 | 없을 무, 쓸 용 [useless; needless]
소용(所用)이 없음[無]. 쓸데없음. ¶그의 조언은 나에게는 무용하다. ⓟ유용(有用).

복용 服用 | 먹을 복, 쓸 용 [take medicine]
약을 내복(內服)하여 사용(使用)함. 약을 먹음. ¶하루에 세 번 복용하세요. ⓑ복약(服藥).

비:용 費用 | 쓸 비, 쓸 용 [expenses]
무엇을 사거나 어떤 일을 하는 데 쓰는[費=用] 돈. ¶결혼 비용. ⓑ경비(經費).

사:용 使用 | 부릴 사, 쓸 용 [use]
사람이나 물건 등을 부리거나[使] 씀[用]. ¶이곳은 가스 사용을 금하고 있다.

상용 常用 | 늘 상, 쓸 용 [common use; daily use]

일상적(日常的)으로 씀[用]. ¶상용 어휘.

선:용 善用 | 착할 선, 쓸 용 [good use]
올바르게[善] 씀[用]. 알맞게 잘 씀. ¶여가의 선용. [반] 악용(惡用).

소:용 所用 | 것 소, 쓸 용 [use; usefulness]
무엇에 쓰임. 또는 무엇에 쓰이는[用] 것[所]. 쓸데. ¶이제 와서 후회한들 무슨 소용이 있겠니?

승용 乘用 | 탈 승, 쓸 용 [use in riding]
사람이 타고[乘] 다니는 데 씀[用]. ¶사막에서는 낙타를 승용으로 쓴다.

식용 食用 | 먹을 식, 쓸 용 [be edible]
먹을[食] 것으로 씀[用]. 또는 먹을 것으로 됨. ¶식용으로 소를 기르다 / 프랑스에서는 달팽이를 식용한다.

신:용 信用 | 믿을 신, 쓸 용 [trust; believe]
❶[속뜻] 무엇을 믿고[信] 씀[用]. ❷사람이나 사물이 틀림없다고 믿어 의심하지 아니함. 또는 그런 믿음성의 정도. ¶그녀는 신용을 잃다.

실용 實用 | 실제 실, 쓸 용
[put (a thing) to practical use; utilize]
치레가 아니고 실제(實際)로 씀[用]. ¶실용 가치 / 전기자동차를 실용하면 환경오염을 줄일 수 있다.

악용 惡用 | 나쁠 악, 쓸 용 [abuse]
알맞지 않게 쓰거나 나쁜[惡] 일에 씀[用]. ¶권력의 악용 / 남의 이름을 악용하다. [반]선용(善用).

애:용 愛用 | 사랑 애, 쓸 용 [use regularly]
즐겨[愛] 사용(使用)함. ¶국산품을 애용합시다.

약용 藥用 | 약 약, 쓸 용 [medicinally]
약(藥)으로 씀[用]. ¶약용 포도주 / 민들레뿌리는 약용한다.

오:용 誤用 | 그르칠 오, 쓸 용 [misuse]
잘못 그르치게[誤] 사용(使用)함. ¶단어의 오용이 심각하다 / 약물을 오용하면 건강을 해친다.

운:용 運用 | 움직일 운, 쓸 용 [apply; employ]
무엇을 움직이게 하거나[運] 부리어 쓰는[用] 것. ¶운용 자금 / 실지로 운용해 보지 않고서는 그 가치를 확인할 수 없다.

유:용 有用 | 있을 유, 쓸 용 [useful; serviceable]
쓸모[用]가 있음[有]. ¶유용 식물 / 이 책은 어린이에게 유용하다. [반]무용(無用).

응:용 應用 | 맞을 응, 쓸 용
[apply; put to practical use]
❶[속뜻] 실제에 맞게[應] 사용(使用)함. ❷원리나 지식, 기술 따위를 실제로 다른 일에 활용(活用)함을 이름. ¶응용 문제 / 과학을 일상생활에 응용하다.

이:용 利用 | 이로울 리, 쓸 용 [use]
❶[속뜻] 물건 따위를 필요에 따라 이롭게[利] 씀[用]. ¶이 자동차는 태양력 에너지를 이용해 움직인다. ❷방편으로 하거나 남을 부려 씀. ¶동생은 늘 남에게 이용만 당한다.

인용 引用 | 끌 인, 쓸 용 [quote; cite]
남의 글이나 말 가운데서 필요한 부분만을 끌어다[引] 씀[用]. ¶이 부문은 성경의 한 구절을 인용한 것이다.

일용 日用 | 날 일, 쓸 용 [daily use]
날[日]마다 씀[用]. ¶일용할 양식.

임:용 任用 | 맡길 임, 쓸 용 [appoint]
어떤 사람에게 일을 맡기기[任] 위해 고용(雇用)함. ¶공무원 임용 시험 / 그는 대학의 교수로 임용되었다.

작용 作用 | 지을 작, 쓸 용
[effect; act on; work on]
❶[속뜻] 어떤 물체가 만들어져[作] 실제로 쓰임[用]. ❷[물리] 한 물체의 힘이 다른 물체의 힘에 미치어서 영향을 주는 일. ¶동화작용 / 모든 물체 사이에는 서로 끌어당기는 힘이 작용한다.

적용 適用 | 알맞을 적, 쓸 용 [apply to]
알맞게[適] 응용(應用)함. 맞추어 씀. ¶이 법은 모든 국민에게 적용된다.

전용 專用 | 오로지 전, 쓸 용 [use exclusively]
❶[속뜻] 공동으로 쓰지 아니하고 오로지[專] 혼자서만 씀[用]. ¶버스전용차로. ❷오로지 한 가지만 씀. ¶한글 전용. [반]공용(共用).

중:용 重用 | 무거울 중, 쓸 용
[give an important position]
중요(重要)한 자리에 임명하여 부림[用]. 소중히 씀. ¶고려 초기에는 문관들을 중용했다.

징용 徵用 | 부를 징, 쓸 용 [draft; impress]
[법률] 나라에서 불러[徵] 등용(登用)함. 사변 또는 이에 준하는 비상사태에 국가의 권력으로 국민을 강제적으로 일정한 업무에 종사시키는 일. ¶일제의 징용 / 전쟁에 백성들을 강제로 징용했다.

차:용 借用 | 빌릴 차, 쓸 용 [borrow; loan]
돈이나 물건을 빌려서[借] 씀[用]. ¶차용증 / 그의 이론을 차용하다.

착용 着用 | 붙을 착, 쓸 용 [put on; wear]
옷 따위에 부착(付着)해 씀[用]. ¶일을 할 때 안전모를 착용하다.

채:용 採用 | 가려낼 채, 쓸 용
[hire; recruit; employ]
사람을 뽑아[採] 씀[用]. ¶채용을 미루다 / 신입사원을 채용하다.

통용 通用 | 온통 통, 쓸 용

[in common use; current]
여러 곳에서 두루두루 다[通] 쓰임[用]. ¶달러는 어느 나라에서나 통용된다.

특용 特用 | 특별할 특, 쓸 용 [use specially]
특별(特別)히 씀[用]. ¶특용 작물.

활용 活用 | 살 활, 쓸 용 [apply; utilize]
능력이나 기능을 잘 살려[活] 씀[用]. ¶빈 교실을 공부방으로 활용하다.

효:용 效用 | 효과 효, 쓸 용 [use; usefulness]
❶속뜻 효과(效果)가 나타나는 쓰임[用]. 효험(效驗). ❷어떤 물건의 쓸모. ¶효용이 있다 / 효용가치.

0202 [계]

界

지경 계:
部 田부 획 9획 中 界 [jiè]

界자는 '밭 전'(田)과 介(끼일 개)가 합쳐진 것으로, '(밭과 밭 사이의) 경계'(= 지경 a boundary)를 뜻한다. '한계'(limits), '범위'(an extent), '사회'(society)를 나타내기도 한다.

• 역순어휘

각계 各界 | 각각 각, 지경 계 [each field]
사회 각각(各各)의 여러 분야[界]. ¶각계의 저명인사들이 회의에 참석하다.

경계 境界 | 지경 경, 지경 계 [boundary; border]
❶속뜻 지역이 갈라지는[境] 한계(限界). ¶경계 분쟁. ❷두 분야의 갈라지는 한계. ¶학문 간의 경계가 허물어지고 있다. 비 임계(臨界).

도:계 道界 | 길 도, 지경 계
[boundary line between provinces]
도(道)와 도 사이의 경계(境界). ¶다른 도와 도계를 이루고 있다.

세:계 世界 | 세상 세, 지경 계 [world]
❶속뜻 세상(世上)의 모든 지역[界]. ❷지구상의 모든 나라. 또는 인류 사회 전체. ¶세계에서 가장 큰 나라. ❸집단적 범위를 지닌 특정 사회나 영역. ¶여성 세계.

시:계 視界 | 볼 시, 지경 계 [field of vision]
일정한 자리에서 바라볼[視] 수 있는 범위[界]. ¶안개로 인해 시계가 흐려졌다. 비 시야(視野).

업계 業界 | 일 업, 지경 계 [business circles]
같은 업종(業種)에 종사하는 사람들의 사회[界]. ¶출판업계 / 금융 업계.

외:계 外界 | 밖 외, 지경 계 [outer space]
❶속뜻 바깥[外] 세계(世界). 또는 자기 몸 밖의 범위. ¶외계와의 단절. ❷지구 밖의 세계. ¶외계에서 온 사람.

정:계[1] 定界 | 정할 정, 지경 계 [fixed boundary]
경계(境界)를 정(定)함. 또는 그 경계나 한계.

정계[2] 政界 | 정치 정, 지경 계 [world of politics]
정치(政治) 및 정치가의 세계(世界). '정치계'의 준말. ¶그는 10년 넘게 정계에 몸담고 있다.

타계 他界 | 다를 타, 지경 계 [pass away]
❶속뜻 다른[他] 세계(世界). '저승'을 뜻함. ❷어른이나 귀인의 죽음. ¶그 시인은 작년에 타계했다.

한:계 限界 | 끝 한, 지경 계 [limits]
❶속뜻 땅 따위의 끝[限]을 이은 경계(境界). ❷사물의 정하여진 범위. ¶한계를 극복하다.

0203 [창]

窓

창 창
部 穴부 획 11획 中 窗 [chuāng]

窓자는 여러 차례 둔갑되는 과정을 거쳤다. '창문'(a window)을 뜻하기 위하여 창문 모양을 본뜬 囱(창)자로 썼다가, '구멍 혈'이 첨가된 窗(창)자로 바뀌었다가, 다시 창밖을 내다 봐야 속(마음)이 시원해지기 때문인지, '마음 심'(心)이 보태진 窓자로 바뀌었다. 窓은 '窗 + 心'의 형태였는데, 가운데 부분이 厶(사사 사)로 대폭 간략화 됐다.
속뜻 훈음 창문 창.

창구 窓口 | 창문 창, 구멍 구 [window; counter]
❶속뜻 창문(窓)에 조그마하게 뚫어놓은 구멍[口]. ❷손님을 응대하거나, 문서·물품·금전의 출납 따위를 담당하는 곳. ¶요금은 이 창구에서 내실 수 있습니다.

창문 窓門 | 창문 창, 문 문 [window]
창(窓)으로 쓰기 위해 만든 문(門). 채광이나 통풍을 위하여 벽에 낸 작은 문. ¶창문을 활짝 열다.

창호 窓戶 | 창문 창, 지게 호 [windows and doors]
창문(窓)과 지게문[戶]을 아울러 이르는 말.

• 역순어휘

동창[1] 同窓 | 같을 동, 창문 창 [schoolmate]
❶속뜻 같은[同] 창문(窓門). ❷같은 학교에서 함께 공부한 친구 사이. '동창생'(同窓生)의 준말. ¶우리는 동창이다. 비 동학(同學), 동문(同門).

동창² 東窓 | 동녘 동, 창문 창
[window facing east]
동(東)쪽으로 난 창문(窓). ¶동창이 밝아 온다.

차창 車窓 | 수레 차, 창문 창 [car window]
차(車)에 달린 창문(窓門). ¶차창 밖으로 비가 내린다.

철창 鐵窓 | 쇠 철, 창문 창
[iron-barred window; prison bars]
쇠[鐵]로 만든 창살이 달린 창문(窓門). ¶창문을 모두 철창으로 바꾸다 / 철창에 갇히다.

학창 學窓 | 배울 학, 창문 창 [school]
❶속뜻 학교(學校) 교실의 창문(窓門). ❷'공부하는 교실이나 학교'를 이르는 말. ¶학창 시절.

0204 [과]

科
과목 과
部 禾부 畫 9획 中 科 [kē]

科科科科科科科科科

科자는 익은 벼의 모습인 禾(화)와 분량을 되는 말(斗·두)이 합쳐진 것으로 '(곡식의) 분량'(an amount)이 본래의 뜻이었다. 후에 '과목'(a subject), '조목'(articles; clauses; items), '단위'(a unit) 등으로 확대 사용됐다.
속뜻 훈음 ①과목 과, ②조목 과, ③분과 과, ④형벌 과.

과거 科擧 | 과목 과, 들 거
역사 각 과목[科]별로 관리를 뽑기[擧] 위하여 보던 시험. ¶과거에 급제하다.

과목 科目 | 분과 과, 눈 목 [subject]
❶속뜻 사물을 분류한[科] 조목(條目). ❷교육 분야별로 나눈 학문의 구분. 또는 교과를 구성하는 단위. ¶내가 가장 좋아하는 과목은 국어이다. ❸역사 과거(科擧).

과학 科學 | 조목 과, 배울 학 [science]
보편적인 진리나 법칙의 발견을 목적으로 조목조목[科] 체계적으로 연구하는 학문(學問). 넓게는 학문 전체를 이르고, 좁게는 자연과학만을 가리킨다.

• 역순어휘

교:과 教科 | 가르칠 교, 과목 과 [school subject]
교육 학교에서 교육의 목적에 맞게 가르쳐야[教] 할 내용을 계통적으로 짜놓은 일정한 과목[科目].

내:과 內科 | 안 내, 분과 과 [internal department]
의학 내장(內臟)의 병을 수술하지 않고 치료하는 임상 의학의 한 분과(分科). 반외과(外科).

농과 農科 | 농사 농, 분과 과
[agricultural department]
교육 대학에서, 농업(農業)에 관한 학문을 전공하는 한 분과(分科).

무:과 武科 | 굳셀 무, 과목 과
[military service examination]
역사 무관(武官)을 뽑던 과거(科擧). 반문과(文科).

문과¹ 文科 | 글월 문, 분과 과
[department of liberal arts; literary course]
❶속뜻 인문과학(人文科學)의 이론과 현상을 연구하는 학과(學科). ❷대학에서 수학·자연 과학 이외 부문, 곧 인문과학 부문을 연구하는 학과. 반이과(理科).

문과² 文科 | 글월 문, 과목 과
[civil service examination under the dynasty]
역사 조선 시대, 문관(文官)을 뽑기 위해 치르던 과거(科擧). 시험은 3년마다 실시됐고, 초시(初試)·복시(覆試)·전시(殿試)의 3단계로 나뉘었다. 대과(大科). 반무과(武科).

백과 百科 | 여러 백, 과목 과
[all branches of knowledge]
여러[百] 가지 과목(科目). 모든 분야.

실과 實科 | 실제 실, 과목 과 [practical course]
❶속뜻 실제(實際) 생활에 필요한 내용이 담겨있는 교과(教科). ❷교육 예전에 있던 초등학교 과목의 하나.

안:과 眼科 | 눈 안, 분과 과
[department of ophthalmology]
의학 눈[眼]에 관계된 질환을 연구하고 치료하는 의학의 한 분과(分科). 또는 병원의 그 부서. ¶안과 의사.

외:과 外科 | 밖 외, 분과 과 [science of surgery]
의학 몸 외부(外部)의 상처를 치료하는 의학의 한 분과(分科). ¶외과 치료를 받다.

의과 醫科 | 치료할 의, 분과 과
[medical department]
교육 의학(醫學)을 연구하는 대학의 한 분과(分科). ¶그는 의과에 입학했다.

이:과 理科 | 이치 리, 분과 과
[science; science course]
자연계의 원리(原理)나 현상을 연구하는 학과(學科). 물리학, 화학, 동물학, 식물학, 생리학, 지질학, 천문학 따위. 반문과(文科).

전과¹ 全科 | 모두 전, 과목 과
[whole curriculum; complete course]
교육 ❶모든[全] 과목(科目). 모든 학과(學科). ❷초등학교의 모든 과목을 다루는 학습 참고서.

전과² 前科 | 앞 전, 형벌 과 [previous conviction]
법률 전(前)에 형벌[科]을 받은 사실. ¶그는 전과 2범이다.

치과 齒科 | 이 치, 분과 과 [dental surgery]
의학 이[齒]를 전문으로 치료하고 연구하는 의학의 한 분과(分科).

학과 學科 | 배울 학, 분과 과 [department]
❶속뜻 학문(學問)을 내용에 따라 나눈 분과(分科). ❷교육 교수 또는 연구의 편의를 위하여 구분한 학술의 분과. ¶국문학과 / 학과를 신중하게 선택하다.

0205 [선]

線
줄 선
部 糸부 劃 15획 中 线 [xiàn]
線 線 線 線 線 線 線 線 線 線 線 線 線 線 線

線은 '실'(thread)의 뜻을 위하여 고안된 것이니 '실 사'(糸)가 표의요소로 쓰였고, 泉(샘 천)이 표음요소임은 腺(샘 선)의 경우도 마찬가지이다. '줄'(a line)을 뜻하는 것으로 많이 쓰인다.

선로 線路 | 줄 선, 길 로 [railroad]
교통 기차나 전차의 바퀴가 굴러가는 줄[線]로 이어진 길[路]. ⓑ궤도(軌道).

선분 線分 | 줄 선, 나눌 분 [segment of a line]
수학 직선(直線) 위의 두 점 사이에 한정된 부분(部分).

• 역순어휘

간선 幹線 | 줄기 간, 줄 선 [main line]
도로, 철로 따위의 중심 줄기[幹]가 되는 선(線). ¶간선 도로. ⓑ본선(本線). ⓟ지선(支線).

경선 經線 | 날실 경, 줄 선 [meridian; line of longitude]
지리 지구를 세로의 날실[經]로 연결한 가상의 선(線). ⓑ자오선(子午線). ⓟ위선(緯線).

곡선 曲線 | 굽을 곡, 줄 선 [curved line; curve]
굽은[曲] 선(線). ¶원반이 곡선을 그리며 날다. ⓟ직선(直線).

광선 光線 | 빛 광, 줄 선 [ray of light]
발광체에서 나오는 빛[光]의 줄기[線]. ¶태양 광선.

나선 螺線 | 소라 라, 줄 선 [spiral; helix]
소라[螺]처럼 굽이진 모양의 선(線).

노:선 路線 | 길 로, 줄 선 [route]
❶속뜻 버스, 기차 따위가 운행하는 길[路]을 표시해 놓은 줄[線]. ¶버스 노선. ❷개인이나 조직 단체 따위의 일정한 활동 방침. ¶그는 독자적인 노선을 걸었다.

능선 稜線 | 모 릉, 줄 선 [ridge line]
산의 봉우리에서 봉우리로 이어지는 산등성이[稜]의 선(線). ¶능선을 따라 내려오다.

단선 單線 | 홑 단, 줄 선 [single line; single track]
❶속뜻 외[單] 줄[線]. ❷교통 '단선궤도'(單線軌道)의 준말. ¶이 노선은 현재 단선 운행 중이다. ⓟ복선(複線).

도:선 導線 | 이끌 도, 줄 선 [leading wire]
전기의 양극을 이어 전류를 이끌어[導] 통하게 하는 쇠붙이 줄[線].

동:선 動線 | 움직일 동, 줄 선 [line of flow]
건설 움직이는[動] 자취나 방향을 나타내는 줄[線]. ¶사람의 동선을 고려하여 가구를 배치하다.

모:선 母線 | 어머니 모, 줄 선 [parent line]
❶공업 개폐기를 거쳐 각 외선(外線)에 전류를 분배하는 모체(母體)가 되는 단면적이 큰 간선(幹線). ❷수학 뿔면에서 곡면을 만드는 직선.

무선 無線 | 없을 무, 줄 선 [wireless]
❶속뜻 줄[線]이 없거나[無] 쓰이지 않음. ❷통신이나 방송을 전선(電線) 없이 전파로 함. ¶무선 전화기. ⓟ유선(有線).

배:선 配線 | 나눌 배, 줄 선 [wire]
전기 전기를 보낼 전선(電線)을 나누어[配] 설치함. '배전선'(配電線)의 준말. ¶전화 배선을 하다.

복선[1] 伏線 | 숨길 복, 줄 선 [advance hint; convert reference]
❶속뜻 숨겨 놓은[伏] 줄[線]. ❷만일의 경우에 대비하여 남모르게 미리 꾸며 놓은 일. ¶복선을 가지고 있다. ❸문학 소설이나 희곡 따위에서 앞으로 일어날 사건에 대하여 미리 독자에게 넌지시 암시하는 서술. ¶복선을 깔다.

복선[2] 複線 | 겹칠 복, 줄 선 [two track line]
❶속뜻 겹[複]으로 된 줄[線]. 겹줄. ❷오고 가는 차가 따로 다닐 수 있도록 선로를 두 가닥 이상으로 깔아 놓은 궤도. ¶경부선 철도는 복선이다. ⓟ단선(單線).

사:선[1] 死線 | 죽을 사, 줄 선 [life or death crisis]
❶속뜻 죽음[死]의 경계선[線]. ❷죽을 고비. ¶자유를 찾아 사선을 넘다.

사선[2] 斜線 | 비낄 사, 줄 선 [diagonal line]
❶속뜻 비스듬하게[斜] 그은 줄[線]. ❷수학 하나의 직선이나 평면에 수직이 아닌 선. ⓑ빗금.

수선 垂線 | 드리울 수, 줄 선 [perpendicular line]
수학 한 직선 또는 평면과 직각을 이루며 만난[垂] 직선(直線). ⓑ수직선.

시:선 視線 | 볼 시, 줄 선

[ones eyes; ones sight]
❶속뜻 보이는[視] 물체와 눈을 잇는 선(線). ❷의학 눈동자의 중심점과 외계의 주시점(注視點)을 잇는 직선. ¶시선을 피하다. ㊥눈길.

실선 實線 | 채울 실, 줄 선 [solid line]
점선(點線)에 대하여 끊어진 곳 없이 쭉 이어진[實] 선(線).

오:선 五線 | 다섯 오, 줄 선 [staffs; stave]
음악 악보를 그리기 위하여 가로로 그은 다섯[五] 개의 줄[線].

위선 緯線 | 씨실 위, 줄 선 [parallel; latitude line]
❶속뜻 베틀의 씨실[緯]과 같은 가로 방향의 선(線). ❷지리 적도에 평행하게 지구의 표면을 남북으로 자른 가상의 선. 곧 위도(緯度)를 나타낸 선. ㊥경선(經線).

유:선 有線 | 있을 유, 줄 선 [cable]
❶속뜻 선(線)이 있음[有]. ❷전선(電線)에 의한 통신 방식. ¶유선 통신. ㊥무선(無線).

일선 一線 | 한 일, 줄 선 [front line]
❶속뜻 하나[一]의 선(線). 또는 중요한 뜻이 담긴 뚜렷한 금. ¶일선을 긋다. ❷군사 최전선. ¶일선 부대 / 일선에서 물러나다 / 그녀는 일선 교사로 근무하고 있다.

전선¹ 前線 | 앞 전, 줄 선 [front; weather front]
❶군사 싸움터에서 적과 상대하는 맨 앞[前] 지역을 연결한 선(線). ¶전선에서 한국군의 승전보가 날라 왔다. ❷지리 성질이 다른 두 기단의 경계면이 지표와 만나는 선. ¶겨울은 한랭 전선의 영향을 받아 춥다.

전:선² 電線 | 전기 전, 줄 선
[electrical wire; electric cord]
전기(電氣)가 통과하는 쇠로 된 줄[線]. ¶이 전선에는 전기가 흐르고 있다.

전:선³ 戰線 | 싸울 전, 줄 선 [battle line]
❶군사 전쟁에서 직접 전투(戰鬪)가 벌어지는 지역이나 그런 지역을 연결한 선(線). ¶현 전선에서 전쟁이 종결되면 좋겠다. ❷정치 운동이나 사회 운동 따위에서, 직접 투쟁하는 일. 또는 그런 투쟁 형태. ¶해방 전선.

점선 點線 | 점 점, 줄 선
[dotted line; perforated line]
점(點)으로 이루어진 줄[線]. ¶점선으로 표시된 부분.

직선 直線 | 곧을 직, 줄 선 [straight line]
곧은[直] 선(線). ¶두 점을 직선으로 연결하시오. ㊥곡선(曲線).

차선 車線 | 수레 차, 줄 선 [traffic lane]
차도(車道)에 그려 놓은 선(線). 포장된 차도에서 차량의 주행 질서를 위하여 주행 방향으로 그려 놓은 선. ¶차선을 따라 똑바로 운전하다.

타:선 打線 | 칠 타, 줄 선 [batting line up]
❶속뜻 타자(打者)가 줄[線]을 섬. ❷운동 야구에서 타력의 면에서 본 타자의 진용. ¶상대편의 타선이 우리보다 못하다.

탈선 脫線 | 벗을 탈, 줄 선
[derail; deviate; go astray]
❶속뜻 기차나 전차 따위의 바퀴가 선로(線路)를 벗어남[脫]. ¶기차가 탈선해서 많은 승객들이 다쳤다. ❷'언행이 상규를 벗어나거나 나쁜 방향으로 빗나감'을 비유하여 이르는 말. ¶탈선한 청소년들을 보호하다.

합선 合線 | 합할 합, 줄 선 [short circuit]
❶속뜻 선(線)을 합(合)함. ❷전기 전기 회로의 절연이 잘 안되어서 두 점 사이가 접속되는 일. ¶전선이 합선되어 불이 났다.

혼:선 混線 | 섞을 혼, 줄 선
[cross; entangle wires]
❶속뜻 줄[線] 따위가 뒤섞임[混]. ❷전신이나 전화, 무선통신 따위에서 신호나 통화가 뒤섞이며 엉클어짐. ¶전화가 혼선이 되고 있다.

0206 [표]

表

걸 표
㊙ 衣부 ㊙ 8획 ㊥ 表 [biǎo]

表 表 表 表 表 表 表 表

表자는 원래 '털 모'(毛)와 '옷 의'(衣)가 합쳐진 것으로 '털이 달린 겉옷'(a fur coat)이 본뜻이었다. 쓰기 편함을 추구하다 보니 毛자의 모양이 분간이 안 될 정도로 크게 달라졌다. 부수는 상대적으로 모양이 덜 바뀐 '衣'로 지정되어 있다. 후에 '겉'(the surface), '나타나다'(become visible), '밝히다'(clarify; explain), '본보기'(model) 등으로 확대 사용 됐다.

속뜻 글송 훈음 ①겉 표, ②나타낼 표, ③밝힐 표, ④본보기 표.

표결 表決 | 나타낼 표, 결정할 결 [take a vote]
회의에서 어떤 안건에 대하여 가부 의사를 표시(表示)하여 결정(決定)함. ¶그 법안은 표결에 부쳐졌다.

표구 表具 | 겉 표, 갖출 구
[mount (a picture); paper]
그림의 겉[表]면에 종이나 천을 발라서 꾸미어 갖춤[具]. ¶그림을 표구하여 거실에 걸어 두다.

표기 表記 | 겉 표, 기록할 기
[inscribe on the face; declare]

❶속뜻 책, 문서, 봉투 등의 겉[表]에 기록(記錄)함. 또는 그 기록. ¶봉투에 자기 이름을 표기해 두었다. ❷문자나 부호를 써서 말을 기록하는 일. ¶표기가 맞춤법에 어긋나다.

표리 表裏 | 겉 표, 속 리 [inside and outside]
❶속뜻 겉[表]과 속[裏]. 안과 밖. ¶표리가 일치하지 않다. ❷역사 임금이 신하에게 내리거나 신하가 임금에게 바치던 옷의 겉감과 안감.

표면 表面 | 겉 표, 낯 면 [surface; face]
겉[表]으로 나타나는 부분이나 면(面). ¶도자기의 표면은 매우 매끄럽다.

표명 表明 | 겉 표, 밝힐 명
[express; indicate; state]
겉[表]으로 드러내어 명백(明白)히 함. ¶자신의 생각을 표명하다.

표상 表象 | 겉 표, 모양 상 [symbol; emblem]
대표(代表)로 삼을 만큼 상징(象徵)적인 것. ¶태극기는 우리 민족의 표상이다.

표시 表示 | 겉 표, 보일 시
[express; show; indicate]
겉[表]으로 드러내어 보임[示]. ¶성의를 표시하다.

표정 表情 | 겉 표, 마음 정 [expression; look]
❶속뜻 겉[表]으로 드러난 마음[情]. ❷마음속의 감정 따위가 얼굴에 나타난 모양. ¶슬픈 표정을 짓다.

표지 表紙 | 겉 표, 종이 지 [cover; binding]
겉[表] 면의 종이[紙]. 책의 겉장. ¶표지에 제목과 지은이의 이름이 쓰여 있다.

표창 表彰 | 겉 표, 드러낼 창
[reward; commend (officially)]
❶속뜻 겉[表]으로 드러냄[彰]. ❷어떤 일에 좋은 성과를 냈거나 훌륭한 행실을 한 데 대하여 세상에 널리 알려 칭찬함. ¶이 메달은 우승자를 표창하기 위한 것이다.

표출 表出 | 겉 표, 날 출 [express; show; display]
겉[表]으로 드러냄[出]. ¶개성의 표출 / 자신의 불만을 표출하다.

표피 表皮 | 겉 표, 껍질 피 [scarfskin; outer skin]
동식물의 겉[表] 껍질[皮]. ¶표피에 상처가 나다.

표현 表現 | 겉 표, 나타날 현 [express; represent]
❶속뜻 의견이나 감정 따위를 겉[表]으로 드러냄[現]. ❷정신적 대상을 예술로써 형상화함. 또는 그 형상화된 것. ¶표현 방법이 서투르다 / 그때 내가 느꼈던 기분은 말로 표현하기 어렵다.

• 역순어휘

공표 公表 | 드러낼 공, 밝힐 표
[announce officially; publish]
드러내어[公] 널리 밝힘[表]. ¶새 학설을 공표하다.

대ː표 代表 | 바꿀 대, 나타낼 표 [represent]
❶속뜻 바꾸어[代] 나타냄[表]. ❷전체의 상태나 성질을 어느 하나로 잘 나타냄. 또는 그런 것. ¶김치는 한국을 대표하는 음식이다. ❸전체를 대신하여 나선 사람. ¶대한민국 국가 대표 선수.

도표 圖表 | 그림 도, 겉 표 [chart; graph]
여러 가지 자료를 분석하여 그 관계를 일정한 양식의 그림[圖]으로 나타낸 표(表).

발표 發表 | 드러낼 발, 겉 표 [announce]
❶속뜻 겉[表]으로 드러냄[發]. ❷어떤 사실이나 결과 따위를 세상에 널리 드러내어 알림. ¶소설을 발표하다.

사표¹ 師表 | 스승 사, 본보기 표 [model; pattern]
❶속뜻 스승[師]의 본보기[表]. ❷학식과 덕행이 높아 남의 모범이 될 인물. ¶사표로 삼다.

사표² 辭表 | 물러날 사, 밝힐 표 [resign]
직책에서 물러나겠다[辭]는 뜻을 밝힘[表]. 또는 그런 글. ¶사표를 내다. ⓑ사직서(辭職書).

연표 年表 | 해 년, 나타낼 표 [chronological table]
역사적 사실을 발생 연도(年度) 순으로 나타냄[表]. ¶한국사 연표. ⓑ연대표(年代表).

의표 意表 | 뜻 의, 겉 표
[surprise; unexpectedness]
생각[意] 밖[表]. 예상 밖. ¶그의 질문은 나의 의표를 찔렀다.

지표 地表 | 땅 지, 겉 표 [surface of the earth]
지구(地球)의 표면(表面). 또는 땅의 겉면. '지표면'(地表面)의 준말. ¶한여름의 열기가 지표를 뜨겁게 달구었다.

징표 徵表 | 밝힐 징, 겉 표 [sign; mark]
❶속뜻 사물의 특성을 겉[表]으로 드러내어 밝혀주는[徵] 것. ❷일정한 사물이 공통으로 가지는 필연적인 성질로 하나의 사물을 다른 사물로부터 구별하는 표가 되는 것.

0207 [문]

聞

들을 문ː
부 耳부 획 14획 中 闻 [wén]

聞자는 원래 귀에 손을 대고 열심히 듣고 있는 사람의 모습이었다. 그리기(쓰기)가 어려운 단점이 있어서 '귀'만 남겨두고 나머지는 모두 생략하고 대신에 표음요소인 門(대문

문)을 첨가시킴으로써 오늘날의 것으로 바뀌었다. 요즘도 '듣다'(hear)는 본뜻으로 애용되고 있다.

• 역순어휘

견:문 見聞 | 볼 견, 들을 문
[information; knowledge]
❶속뜻 보고[見] 들음[聞]. ❷보고 들어서 얻은 지식. ¶여행을 통하여 견문을 넓혔다.

소:문 所聞 | 것 소, 들을 문 [rumor; report]
귀로 들은[聞] 어떤 것[所]. ¶그가 살아 돌아왔다는 소문이 돌고 있다. ⓑ풍문(風聞).

신문 新聞 | 새 신, 들을 문 [newspaper]
❶속뜻 새로[新] 들은[聞] 소식. ❷사회에서 발생한 사건에 대한 사실이나 해설을 널리 신속하게 전달하기 위한 정기 간행물. ¶학급 신문 / 신문을 배달하다.

청문 聽聞 | 들을 청, 들을 문 [listen]
설교나 연설 따위를 들음[聽=聞].

쾌문 快聞 | 기쁠 쾌, 들을 문
기쁜[快] 내용의 소문(所聞). ¶쾌문을 듣고 기분이 좋아졌다.

풍문 風聞 | 바람 풍, 들을 문 [rumor]
바람[風]같이 떠도는 소문(所聞). ¶풍문은 믿을 것이 못된다.

0208 [제]

第

차례 제:
部 竹부 劃 11획 中 第 [dì]

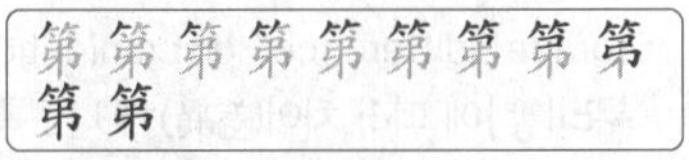

第자가 '차례'의 뜻으로 쓰인 내력은 弟자로 거슬러 올라간다. '차례'란 뜻을 나타내기 위하여 만들어진 弟(제)자가 '아우'(younger brother)란 뜻으로 쓰이는 예가 많아지자, '차례'(order)는 다시 第자를 만들어 나타냈다. 第자는 그 밖에도 '큰 집'(a grand house)이나 '등급'(a class; a grade)을 뜻하기도 한다.

속뜻 훈음 **①차례 제, ②집 제, ③등급 제.**

제:삼 第三 | 차례 제, 석 삼
[third; number three]
여럿 가운데서 세[三] 번째[第]. ¶민희는 제삼세계에 대해 조사했다.

제:이 第二 | 차례 제, 두 이
[second; number two]
여럿 가운데서 두[二] 번째[第]. 둘째. ¶이곳은 나의 제이의 고향이다.

제:일 第一 | 차례 제, 첫째 일
[first; number one]
❶속뜻 여럿 가운데서 첫[一] 번째[第]. ¶건강이 제일이다. ❷여럿 가운데 가장. ¶나는 과일 중에 귤을 제일 좋아한다.

• 역순어휘

급제 及第 | 이를 급, 집 제
[success in an examination]
역사 옛날 과거시험에 합격하면 벼슬을 하게 되어 큰 집[第]에 들어가[及] 살 수 있게 되므로 '과거시험에 합격함'을 일러 '及第'라 했다는 설이 있다. ⓑ낙제(落第).

낙제 落第 | 떨어질 락, 등급 제
[fail in an examination]
❶속뜻 시험에서 일정한 등급[第]에 미치지 못하여 떨어짐[落]. ❷진학 또는 진급을 못함. ¶60점 미만은 낙제이다. ⓑ급제(及第).

0209 [등]

等

무리 등:
部 竹부 劃 12획 中 等 [děng]

等자는 관청(寺)에서 쓸 竹簡(죽간)을 가리키는 것이었다. 글을 적어 두기 위하여 대나무를 가늘고 납작하게 쪼개서 엮어 놓은 것을 '죽간'이라 하는데, 그 크기가 똑같아야 했다. 그래서인지 '같다'(equal), '(같은) 무리'(a group; a crowd), '가지런하다'(be of equal size)는 뜻으로 확대 사용됐다.

속뜻 훈음 **①무리 등, ②같을 등, ③가지런할 등.**

등:고 等高 | 같을 등, 높을 고
높이[高]가 같음[等].

등:급 等級 | 같을 등, 등급 급 [class; grade]
❶속뜻 같은[等] 급(級). 급이 같음. ❷같은 급별로 나눈 층차나 단계. ¶내 성적은 3등급이다.

등:등 等等 | 같을 등, 같을 등
[et cetera; and so on]
이 외에도 그와 같은[等+等] 여러 가지. 많은 사물 중에서 몇 가지만 줄여 열거한 다음 이를 써서 비슷한 것이 많이 있음을 표현한다. ¶동생의 책가방 속에는 교과서, 공책, 필통 등등이 들어 있다.

등:분 等分 | 같을 등, 나눌 분
[devide equally; share equally]
❶[속뜻] 똑같이[等] 나눔[分]. ❷수나 양을 똑같은 부분이 되도록 둘 또는 그 이상으로 갈라 나눔. ❸똑같은 분량으로 나누어진 몫을 세는 단위. ¶반죽을 네 등분으로 나누다.

등:수 等數 | 무리 등, 셀 수 [grade; rank]
등급(等級)에 따라 붙인 번호[數]. ¶등수를 매기다. [비] 등급(等級), 순위(順位).

등:식 等式 | 같을 등, 법 식 [equality]
[수학] 수나 문자, 식을 등호(等號)인 '='를 써서 나타내는 관계식(關係式). ¶양변에 같은 수를 더하거나 곱해도 등식은 성립한다. [반] 부등식(不等式).

등:신 等神 | 같을 등, 귀신 신
[fool; stupid person]
❶[속뜻] 사람 같이[等] 만들어 놓은 신상(神像). ❷몹시 어리석은 사람을 낮잡아 이르는 말. ¶등신 같은 녀석 / 사람을 등신 취급하다.

등:지 等地 | 같을 등, 땅 지 [like places]
지명 뒤에 쓰여 그와 비슷한[等] 여러 지역(地域)을 줄임을 나타내는 말. ¶일본, 홍콩, 태국 등지로 여행을 다니다.

등:한 等閑 | =等閒, 같을 등, 한가할 한
[negligent; careless]
❶[속뜻] 한가한[閑] 것 같다[等]. ❷마음에 두지 않거나 소홀하다. 대수롭지 않게 여기다. ¶자녀 교육에 등한한 부모.

등:호 等號 | 같을 등, 표지 호 [sign of equality]
[수학] 서로 같음[等]을 나타내는 표지[號]. [비] 등표(等標). [반] 부등호(不等號).

• 역순어휘 ────────────── •

고등 高等 | 높을 고, 무리 등
[high grade; high class]
정도나 수준이 높은[高] 무리[等]. ¶고등동물. [반] 하등(下等), 초등(初等).

균등 均等 | 고를 균, 가지런할 등 [equal; uniform]
수량이나 상태 등이 고르고[均] 가지런함[等]. [비] 균일(均一). [반] 차등(差等).

대:등 對等 | 대할 대, 같을 등 [equal]
서로에 대(對)하여 걸맞음[等]. 양쪽이 비슷함. ¶양 팀은 대등한 시합을 펼쳤다.

동등 同等 | 같을 동, 무리 등 [equality]
같은[同] 등급(等級). 정도 따위가 같음. ¶고교 졸업 또는 동등의 학력 / 조건이 동등하다.

부등 不等 | 아닐 부, 같을 등 [disparity; inequality]
서로 같지[等] 않음[不]. 다름.

비:등 比等 | 견줄 비, 같을 등 [be equal]
견주어[比] 보아 서로 같거나[等] 비슷하다. ¶나는 형과 체격이 비등하다.

상:등 上等 | 위 상, 무리 등
[superiority; excellence]
위[上] 급에 속하는 무리[等]. 높은 등급.

열등 劣等 | 못할 렬, 무리 등 [inferior]
보통의 수준이나 등급(等級)보다 낮음[劣]. 또는 그런 등급. ¶이 옷은 품질이 열등하다. [반] 우등(優等).

우등 優等 | 넉넉할 우, 무리 등 [excellence]
❶[속뜻] 우수(優秀)한 등급(等級). ❷성적 따위가 우수한 것. 또는 그런 성적. ¶그는 6년 내내 우리 반에서 우등을 놓치지 않은 모범생이었다. [반] 열등(劣等).

월등 越等 | 뛰어날 월, 무리 등
[vastly different; singular]
같은 등급(等級)보다 훨씬 뛰어나다[越]. ¶그는 수학 성적이 월등하다.

이:등 二等 | 둘째 이, 무리 등 [second class]
둘째[二] 무리[等]. ¶그는 100미터 달리기에서 이등으로 들어왔다.

일등 一等 | 한 일, 무리 등
[first class; first rank]
순위, 등급 따위에서 첫째[一] 무리[等].

중등 中等 | 가운데 중, 무리 등 [middle; medium]
가운데[中] 무리[等].

차등 差等 | 다를 차, 무리 등
[grade; difference; discrimination]
무리[等]에 따라 차이(差異)가 나도록 함. 또는 차이가 나는 등급. ¶일의 양에 차등을 두다. [반] 균등(均等).

초등 初等 | 처음 초, 무리 등
[elementary; primary]
차례로 올라가는 데 있어 첫[初]번째 등급(等級).

특등 特等 | 특별할 특, 무리 등
[special grade; top grade]
보통의 등급을 뛰어넘은 특별(特別)히 뛰어난 등급(等級). ¶특등 사수(射手).

평등 平等 | 고를 평, 가지런할 등 [equal; even]
❶[불교] 만물의 본성은 차별 없이 고르고[平] 한결같음[等]. 산스크리트어 'samnya'를 한자로 의역(意譯)한 것이다. ❷권리, 의무, 자격 등에 차별이 없음. ¶사람을 평등하게 대하다. [비] 동등(同等), 균일(均一). [반] 불평등(不平等).

하:등¹ 下等 | 아래 하, 무리 등

[inferiority; lower class]

❶속뜻 아래[下]의 등급(等級). 낮은 등급. ¶하등 계급. ❷같은 무리 가운데서 정도나 등급이 낮은 것. ¶하등 식물. 반 고등(高等).

하등² 何等 | 무엇 하, 같을 등

[(not) in the slightest degree; not any]

❶속뜻 무슨[何] 등급(等級). ❷아무. 아무런. 조금도. ¶그는 나와 하등의 관련도 없다.

0210 [약]

藥

약 약

部 艸부 획 19획 中 药 [yào]

藥자는 약이 될 수 있는 풀, 즉 '약초'(a medicinal plant)를 뜻하기 위한 것이었으니, '풀 초'(艸→++)가 표의요소로 쓰였고, 樂(즐길 락/풍류 악/좋아할 요)은 표음요소이다. 그 풀을 먹으면 병이 나아 즐거울 수 있기에 樂을 표음요소로 채택하였나 보다. 후에 모든 '약'(medicine)을 통칭하는 것으로 확대 사용됐다.

약과 藥菓 | =藥果, 약 약, 과자 과

❶속뜻 약(藥)처럼 정성을 들여 만든 과자(菓子). ❷밀가루를 기름과 꿀에 반죽하여 기름에 지진 유밀과의 한 가지. ❸감당하기 어렵지 않은 일. ¶그 정도면 약과다.

약국 藥局 | 약 약, 방 국 [pharmacy]

약사가 약(藥)을 조제하거나 파는 방[局]이나 집.

약물 藥物 | 약 약, 만물 물 [medicine; drugs]

약학 약(藥)으로 쓰이는 물질(物質). ¶약물 치료.

약방 藥房 | 약 약, 방 방 [pharmacy]

약사가 약(藥)을 조제하거나 파는 곳[房]. 속담 약방에 감초.

약병 藥甁 | 약 약, 병 병 [medicine bottle]

약(藥)을 담는 병(甁).

약사 藥師 | 약 약, 스승 사 [pharmacist]

약(藥)을 짓거나 다루는 일을 하는 사람을 스승[師]으로 높여 부르는 말.

약수 藥水 | 약 약, 물 수

[medicinal waters; mineral waters]

약효(藥效)가 있는 샘물[水].

약식 藥食 | 약 약, 밥 식

약(藥)이 될 만큼 영양이 많은 밥[食]. 비 약밥.

약용 藥用 | 약 약, 쓸 용 [medicinally]

약(藥)으로 씀[用]. ¶약용 포도주 / 민들레뿌리는 약용한다.

약재 藥材 | 약 약, 재료 재 [medicinal stuff]

약(藥)을 짓는 데 쓰는 재료(材料). '약재료'의 준말. ¶녹용(鹿茸)은 말려 약재로 쓴다.

약제 藥劑 | 약 약, 약지을 제 [medicine; drug]

여러 가지 약재(藥材)를 섞어 약을 조제(調劑)함.

약주 藥酒 | 약 약, 술 주

[medicinal wine; strained rice wine]

❶속뜻 약(藥)으로 마시는 술[酒]. ❷'맑은 술'을 달리 이르는 말. ❸어른이 마시는 술. ¶아버지는 약주를 즐기신다.

약지 藥指 | 약 약, 손가락 지

[ring finger; third finger]

가운뎃손가락과 새끼손가락 사이의 손가락. 약(藥)을 탈 때 주로 쓰이는 손가락[指]이라 하여 붙여진 이름이다. 비 무명지(無名指), 약손가락.

약초 藥草 | 약 약, 풀 초 [medical plant]

약(藥)으로 쓰는 풀[草]. ¶약초를 캐다 / 약초 채집가.

약품 藥品 | 약 약, 물건 품

[medicines; drugs; chemicals]

❶속뜻 약(藥)으로 쓰는 물품(物品). ❷병이나 상처 따위를 고치거나 예방하기 위하여 먹거나 바르거나 주사하는 물질. ¶이 약품은 처방전이 있어야 살 수 있다. ❸화학 변화를 일으키는 데 쓰는 물질. ¶약품 처리를 하다. 준 약.

약효 藥效 | 약 약, 효과 효 [effect of a medicine]

약(藥)의 효과(效果). ¶약효가 빠르다.

• 역순어휘

고약 膏藥 | 기름질 고, 약 약 [plaster; patch]

헌거나 곪은 데에 붙이는 기름지고[膏] 끈끈한 약(藥). ¶상처에 고약을 바르다.

극약 劇藥 | 심할 극, 약 약 [poison]

❶약학 성분이 매우 심하게[劇] 독한 약(藥). 적은 분량으로 사람이나 동물에게 위험을 줄 수 있다. ❷'극단적인 해결 방법'을 비유하여 이르는 말.

농약 農藥 | 농사 농, 약 약

[agricultural chemicals]

농사(農事)에서 소독이나 병충해의 구제 따위에 쓰이는 약품(藥品). ¶농약을 치다.

독약 毒藥 | 독할 독, 약 약 [poison]

독성(毒性)을 가진 약제(藥劑). ¶술은 마시기에 따라서 보약이 될 수도 있고 독약이 될 수도 있다. 비 극약(劇藥). 반 보약(補藥).

마약 痲藥 | 저릴 마, 약 약 [drug]

약학 사람의 신경을 마비(痲痹)시키는 약(藥). ¶마약에 중독되다.

보ː약 補藥 | 도울 보, 약 약 [restorative]
몸의 기력을 돕는[補] 약(藥). ¶밥이 보약이다. ㊐보강제(補强劑).

사ː약 賜藥 | 줄 사, 약 약
[(the King's) bestowal of poison]
임금이 신하나 왕족에게 내리는[賜] 독약(毒藥). ¶장희빈은 결국 사약을 받고 죽었다.

시ː약 試藥 | 시험할 시, 약 약 [test]
❶속뜻 시험(試驗) 삼아 써보는 데 필요한 약(藥). ❷화학 화학 분석에서 물질의 검출이나 정량을 위한 반응에 쓰이는 화학 약품.

안ː약 眼藥 | 눈 안, 약 약 [eyewash]
약학 눈[眼]병을 고치는 데 쓰는 약(藥).

유약 釉藥 | 윤 유, 약 약 [glaze; overglaze]
수공 윤[釉]이 나도록 도자기의 겉에 덧씌우는 약(藥). 도자기에 액체나 기체가 스며들지 못하게 하며 겉면에 광택이 나게 한다. ¶고려청자는 유약을 입혀 두 번 굽는다.

의약 醫藥 | 치료할 의, 약 약 [medicinal drug]
❶속뜻 병을 치료하는[醫] 데 쓰는 약(藥). ❷의술과 약품.

제ː약 製藥 | 만들 제, 약 약
[medicine manufacture; pharmacy]
약재(藥材)를 섞어서 약(藥)을 만듦[製]. 또는 그 약. ¶제약회사.

치약 齒藥 | 이 치, 약 약 [toothpaste]
이[齒]를 닦는 데 쓰는 약품(藥品). ¶치약은 끝에서부터 짜서 쓰세요.

탄ː약 彈藥 | 탄알 탄, 약 약 [ammunition]
탄알[彈]과 화약(火藥)을 아울러 이르는 말. ¶전쟁 통에 탄약이 바닥났다.

탕ː약 湯藥 | 끓을 탕, 약 약 [infusion; herb tea]
한의 끓이고 달여서[湯] 만든 한약(漢藥). ¶탕약 한 첩을 달이다. ㊐탕제(湯劑).

폭약 爆藥 | 터질 폭, 약 약 [explosive compound]
❶속뜻 폭발(爆發)하는 성질을 지닌 화약(火藥). ❷화학 센 압력이나 열을 받으면 폭발하는 물질. ¶폭약을 터뜨리다.

한ː약 韓藥 | 한국 한, 약 약 [herbal medicine]
한의 한방(韓方)에서 쓰는 약(藥). '한방약'의 준말. ¶한약을 달이다 / 한약 한 제를 지어 먹다. ㊥양약(洋藥).

화ː약 火藥 | 불 화, 약 약 [(gun)powder]
❶속뜻 불[火]을 일으키는 기능을 하는 솜으로 만든 약(藥). ❷다이너마이트나 면화약 등과 같이 충격이나 열 따위를 가하면 격렬한 화학 반응을 일으켜, 가스와 열을 발생시키면서 폭발하는 물질. ¶화약 냄새 / 화약을 터뜨리다.

0211 [술]

術 재주 술
㊥ 行부 ㊥ 11획 ⊕ 术 [shù]
(획순) 術 術 術 術 術 術 術 術 術 術 術

術자는 '네거리'를 뜻하는 行(행)이 부수이자 표의요소이다. 朮(차조 출)이 표음요소임은 述(지을 술), 鉥(돗바늘 술)도 마찬가지이다. 원래 '(도읍지의) 한 길'(a main street)의 뜻이었다. 후에 '재주'(=꾀 ability)를 뜻하는 것으로 확대 사용됐다.

속뜻 훈음 꾀 술.

술수 術數 | 꾀 술, 셀 수 [artifice; trick]
❶속뜻 술책(術策)을 잘 헤아림[數]. ❷어떤 일을 꾸미는 꾀나 방법. ¶그녀는 목적을 달성하기 위하여 갖은 술수를 다 썼다. ㊐술책(術策).

술책 術策 | 꾀 술, 꾀 책 [artifice; trick]
남을 속이기 위한 꾀[術]나 계책(計策). ¶술책을 부리다. ㊐술수(術數).

• 역순어휘

검ː술 劍術 | 칼 검, 꾀 술 [swordsmanship]
칼[劍]을 쓰는 기술(技術). ¶그는 검술이 뛰어나다. ㊐검법(劍法).

기술 技術 | 재주 기, 꾀 술 [skill; technique]
❶속뜻 사물을 잘 다룰 수 있는 재주[技]나 방법[術]. ❷과학 이론을 실제로 적용하여 자연의 사물을 인간 생활에 유용하도록 가공하는 수단. ¶기술을 개발하다.

도ː술 道術 | 길 도, 꾀 술 [magical arts]
도(道)를 닦아 여러 가지 조화를 부리는 기술(技術).

마술 魔術 | 마귀 마, 꾀 술 [magic arts]
❶속뜻 마력(魔力)으로써 하는 불가사의한 술법(術法). ❷재빠른 손놀림이나 여러 가지 장치, 속임수 따위를 써서 불가사의한 일을 해 보이는 술법. 또는 그런 구경거리. ㊐요술(妖術), 마법(魔法).

무ː술 武術 | 굳셀 무, 꾀 술 [military arts]
무인(武人)으로서 갖추어야 할 여러 기술(技術). ㊐무예(武藝).

미ː술 美術 | 아름다울 미, 꾀 술 [art; fine arts]
회화, 건축, 조각처럼 시각(視覺)을 통해 감상할 수 있도록 일정한 공간 속에 미(美)를 표현하는 예술(藝術). ¶그는 현대 미술의 거장이다.

산:술 算術 | 셀 산, 꾀 술 [calculation]
❶속뜻 셈[算]을 하는 기술(技術). ❷수학 일상생활에 실지로 응용할 수 있는 수와 양의 간단한 성질 및 셈을 다루는 수학적 계산 방법.

상술 商術 | 장사 상, 꾀 술 [trick of the trade; business ability]
장사하는[商] 솜씨[術]. ¶얄팍한 상술 / 그녀는 상술이 뛰어나다.

수술 手術 | 손 수, 꾀 술 [operate]
❶속뜻 손[手]을 써서 하는 의술(醫術). ❷의학 몸의 일부를 째거나 도려내거나 하여 병을 낫게 하는 외과적인 치료 방법. ¶위암을 제거하는 수술을 받다.

심술 心術 | 마음 심, 꾀 술 [perverseness]
❶속뜻 마음[心] 속으로 부리는 꾀[術]. ❷남을 골리기 좋아하거나 남이 잘못되는 것을 좋아하는 마음보. ¶동생에게 심술을 부리다. ⓑ심통.

예:술 藝術 | 심을 예, 꾀 술 [art]
❶속뜻 아름다움을 가꾸어[藝] 나타내는 기술(技術). ❷아름다움을 표현하려는 인간의 활동 및 그 작품. ¶예술 창작.

요술 妖術 | 요사할 요, 꾀 술 [magic]
요사한[妖] 일을 꾸미는 술법(術法). ¶요술 거울.

의술 醫術 | 치료할 의, 꾀 술 [medical arts; medical practice]
병을 치료하는[醫] 기술(技術). ¶의술이 발달하면서 수명이 연장되었다.

전:술 戰術 | 싸울 전, 꾀 술 [tactics; art of war]
군사 전쟁(戰爭) 상황에 대처하기 위한 기술(技術). ¶제갈량은 교묘한 전술로 조조의 군대를 이겼다.

주:술 呪術 | 빌 주, 꾀 술 [spell; occult art]
초자연적 존재나 신비적인 힘을 빌려 길흉을 점치고 화복을 비는[呪] 술법(術法). ¶주술로 병을 고치다.

침술 鍼術 | 침 침, 꾀 술 [art of acupuncture]
한의 침(鍼)으로 병을 다스리는 의술(醫術). ¶중국에서 침술은 마취제처럼 사용된다.

학술 學術 | 배울 학, 꾀 술 [art and science]
학문(學問)과 기술(技術) 또는 예술(藝術). ¶학술 강연 / 학술 용어.

화술 話術 | 말할 화, 꾀 술 [art of conversation]
말하는[話] 기술(技術). ¶그는 화술이 뛰어나다. ⓑ말솜씨, 말재주.

0212 [각]

角 뿔 각
部 角부 劃 7획 中 角 [jiǎo, jué]
角 角 角 角 角 角 角

角자는 '뿔'(a horn)을 뜻하기 위하여 짐승의 뿔 모양을 본뜬 것이다. 뿔은 모가 지므로, '모서리'(an edge)를 나타냈고, 짐승의 싸움 수단이기도 했으므로 '겨루다'(fight)는 뜻을 나타내기도 한다.

각도 角度 | 뿔 각, 정도 도 [angle]
수학 각(角)이 진 정도(程度). 각의 크기. ¶도형의 각도를 재다.

각막 角膜 | 뿔 각, 꺼풀 막 [cornea]
의학 눈알의 앞쪽에 나지막한 뿔[角]처럼 약간 볼록하게 나와 있는 투명한 꺼풀[膜]. ¶각막이 손상되다. ⓑ안막(眼膜).

각목 角木 | 뿔 각, 나무 목 [square wooden club]
각(角)이 지게 켠 나무토막[木]. ¶각목을 잘라 의자를 만들다.

각재 角材 | 뿔 각, 재목 재 [rectangle lumber]
긴 원목의 통을 뿔[角]처럼 네모지게 쪼개 놓은 재목(材木). ¶소반은 각재의 모를 깎은 부드러운 재목으로 만든다.

각질 角質 | 뿔 각, 바탕 질 [horny substance]
동물 뿔[角]처럼 딱딱한 껍질[質]. 동물의 몸을 보호하는 비늘, 털, 뿔, 부리, 손톱 등에 많이 포함되어 있다.

각축 角逐 | 뿔 각, 쫓을 축 [compete]
❶속뜻 사슴이 서로 뿔[角]을 받으며 쫓고 쫓김[逐]. ❷맞서서 다툼. ¶각축을 벌이다. ⓑ싸움, 경쟁(競爭).

• 역순어휘

나각 螺角 | 소라 라, 뿔 각 [trumpet shell; conch horn]
음악 소라[螺]의 껍데기로 만든 옛 뿔[角] 모양의 군악기. ¶나각을 불다.

내:각 內角 | 안 내, 뿔 각 [interior angle]
수학 서로 만나는 두 직선의 안[內]쪽 각(角). 또는 다각형의 안쪽 각. ⓑ외각(外角).

다각 多角 | 많을 다, 뿔 각 [many sidedness]
❶속뜻 여러[多] 각도(角度). ❷여러 방면이나 부문. ¶제품을 다각화하다 / 다각적인 취미.

대:각 對角 | 대할 대, 뿔 각 [opposite angle]
수학 다각형에서 어떤 각에 대해 마주보는[對] 각(角).

두각 頭角 | 머리 두, 뿔 각 [prominence]
❶[속뜻]짐승의 머리[頭]에 있는 뿔[角]. ❷'뛰어난 학식이나 재능'을 비유하여 이르는 말. ¶체조계에서 두각을 드러내다.

둔:각 鈍角 | 무딜 둔, 뿔 각 [obtuse angle]
[수학]두 변이 이루는 꼭지가 무딘[鈍] 각(角). 90°보다는 크고 180°보다는 작은 각. [반]예각(銳角).

사:각 四角 | 넉 사, 뿔 각 [four corners; square]
❶[속뜻]네[四] 모퉁이[角]. ❷네 개의 모진 귀가 있는 모양. [비]네모.

삼각 三角 | 석 삼, 뿔 각 [triangularity]
❶[속뜻]세[三] 모퉁이[角]. ❷[수학]'삼각형'(三角形)의 준말.

시:각 視角 | 볼 시, 뿔 각 [visual angle]
사물을 관찰하는[視] 각도(角度)나 기본자세. ¶시각의 차이 / 여성의 시각으로 접근하다. [비]관점(觀點).

예:각 銳角 | 날카로울 예, 뿔 각 [acute angle]
[수학]직각보다 각이 작아 날카로운[銳] 각(角).

오:각 五角 | 다섯 오, 뿔 각
[five angles; pentagon]
❶[속뜻]각(角)이 다섯[五] 개 있는 것. ❷[수학]오각형(五角形).

육각 六角 | 여섯 륙, 뿔 각
[six angles; Six Musical Instruments]
❶[속뜻]여섯[六] 개의 각(角)을 이루는 형상. ❷[음악]국악에서 북, 장구, 해금, 피리, 태평소 한 쌍을 묶은 여섯 가지 악기를 통틀어 이르는 말. ¶삼현 육각(三絃六角).

직각 直角 | 곧을 직, 뿔 각 [right angle]
[수학]모서리가 무디거나 날카롭지 않은 똑바른[直] 각(角). 두 직선(直線)이 만나서 이루는 90도의 각. ¶몸을 직각으로 굽혀 인사하다.

촉각 觸角 | 닿을 촉, 뿔 각 [feeler; antenna]
[동물]감촉(感觸) 기능을 가진 뿔은 뿔[角] 모양의 기관. 절지동물의 머리에 있는 감각 기관으로, 후각, 촉각 따위를 맡는다.

총:각 總角 | 묶을 총, 뿔 각 [unmarried man]
상투를 틀지 않은 '결혼하지 않은 성년 남자'를 이르는 말. 미혼 남성들은 머리를 뿔[角] 모양으로 묶었던[總] 풍습에서 유래된 것으로 추정된다. ¶옆집 형이 드디어 총각 딱지를 떼었다. [반]처녀(處女).

팔각 八角 | 여덟 팔, 뿔 각 [eight angles]
여덟[八] 개의 모서리[角].

호:각 號角 | 부를 호, 뿔 각 [(signal) whistle]
불어서 소리를 내는[號] 뿔[角] 모양의 신호용 도구. ¶방범대원의 호각 소리가 들렸다. [비]호루라기.

0213 [신]

身

몸 신
[部] 身부 [畫] 7획 [中] 身 [shēn]

身자는 아기를 가져 배가 불룩한 모습을 본뜬 것으로 '임신하다'(become pregnant)가 본뜻인데, '몸'(the body)을 뜻하는 것으로 확대 사용됐다. '몸을 가지다'라는 속언처럼 '아이를 배다'는 뜻으로도 쓰인다.

신명 身命 | 몸 신, 목숨 명 [one's life]
몸[身]과 목숨[命]을 아울러 이르는 말. ¶신명을 바치다 / 그들은 국가를 위해 신명을 다해 싸웠다.

신변 身邊 | 몸 신, 가 변 [one's person]
몸[身]의 주변(周邊). ¶신변에 위협을 느끼다.

신분 身分 | 몸 신, 분수 분 [one's social position]
어떤 사회 안에서 개인[身]이 갖는 역할이나 분수(分數). ¶경찰관 신분을 사칭하다 / 신분이 높다.

신상 身上 | 몸 신, 위 상 [one's situation]
신변(身邊)에 관한[上] 일이나 형편. ¶성 범죄자들의 신상을 공개해야 한다.

신세 身世 | 몸 신, 인간 세
[one's personal affairs]
❶[속뜻]한 몸[身]이 세상(世上)에 처한 처지. 주로 불쌍하거나 외롭거나 가난한 경우를 이른다. ¶자신의 신세를 한탄하다. ❷다른 사람에게 도움을 받거나 폐를 끼치는 일. ¶미안하지만 며칠 신세를 지겠네.

신수 身手 | 몸 신, 손 수 [one's appearance]
❶[속뜻]몸[身]과 손[手]. ❷'겉으로 나타난 건강한 빛'을 이르는 말. ¶신수가 훤하다.

신열 身熱 | 몸 신, 더울 열 [fever]
병 때문에 오르는 몸[身]의 열(熱).

신원 身元 | 몸 신, 으뜸 원 [one's identity]
한 개인의 신상(身上)을 알 수 있는 데 으뜸[元]이 되는 자료. 곧 학력이나 주소, 직업 따위를 이른다. ¶피해자의 신원을 조사하다.

신장 身長 | 몸 신, 길 장 [height]
몸[身]의 길이[長]. ¶그녀는 신장이 160cm 가량 된다. [비]키.

신체 身體 | 몸 신, 몸 체 [body]
사람의 몸[身=體]. ¶건강한 신체에 건강한 정신이 깃든다. [비]육신(肉身), 육체(肉體).

• 역순어휘

단신 單身 | 홑 단, 몸 신 [single person; alone]
혼자[單]의 몸[身].

당신 當身 | 당할 당, 몸 신 [you; my darling]
❶속뜻 해당(該當)되는 그 몸[身]. ❷상대방을 높여 부르는 말. ❸부부간에 상대편을 높여 부르는 말. ¶당신이 아이를 데려다주세요. ❹싸울 때 상대편을 낮잡아 이르는 이인칭 대명사. ¶당신이 뭔데 참견이야? ⓑ너, 여보.

대:신 代身 | 바꿀 대, 몸 신
[be substituted; take the place of]
❶속뜻 몸[身]을 바꿈[代]. ❷어떤 대상과 자리를 바꾸어서 있게 되거나 어떤 대상이 하게 될 구실을 바꾸어서 하게 됨. ¶사장을 대신해 부사장이 왔다. ⓑ직접(直接).

독신 獨身 | 홀로 독, 몸 신 [unmarried person]
배우자가 없어 혼자[獨] 사는 몸[身]. 또는 그런 사람. ¶그는 독신 생활을 즐기고 있다. ⓑ홀몸.

만:신 滿身 | 찰 만, 몸 신 [whole body]
온[滿] 몸[身]. ¶만신의 힘을 기울여 노력하겠습니다. ⓑ전신(全身).

망신 亡身 | 망할 망, 몸 신 [loss of reputation]
❶속뜻 몸[身]을 망(亡)침. ❷말이나 행동을 잘못하여 자기 명예, 체면 따위가 구겨짐. ¶망신을 당하다 / 망신을 주다.

문신 文身 | 무늬 문, 몸 신 [tattoo]
살갗[身]을 바늘로 찔러 먹물이나 다른 물감으로 글씨, 그림, 무늬[文] 따위를 새기는 일. ¶팔에 문신을 새기다.

반:신 半身 | 반 반, 몸 신 [half the body]
온몸[身]의 절반[半]. ⓑ전신(全身).

변:신 變身 | 바뀔 변, 몸 신 [be transformed]
몸이나 모습[身]을 다르게 바꿈[變]. 또는 그 바뀐 모습. ¶마녀는 박쥐로 변신했다.

병:신 病身 | 병 병, 몸 신
[sick body; deformed person; fool]
❶속뜻 병(病)을 앓고 있는 몸[身]. 또는 그런 사람. ❷몸의 어느 부분이 온전하지 못한 사람. ❸남을 얕잡아 욕하는 일. ⓑ불구자.

보:신 補身 | 기울 보, 몸 신 [preserve oneself]
보약이나 영양 식품을 먹어서 몸[身]의 원기를 보충(補充)함. ¶꿀은 몸을 보신하는 데 좋다.

분신 分身 | 나눌 분, 몸 신 [one's other self]
몸체[身]에서 갈라져[分] 나간 부분. ¶그는 나의 분신이다.

수신 修身 | 닦을 수, 몸 신 [moral training]
마음과 행실을 바르게 하도록 심신(心身)을 닦음[修].

시:신 屍身 | 주검 시, 몸 신 [dead body; corpse]
죽은 사람[屍]의 몸[身]. 송장. ¶시신을 거두어 장사 지내다.

심신 心身 | 마음 심, 몸 신 [mind and body]
마음[心]과 몸[身]. ¶심신을 단련하다.

육신 肉身 | 몸 육, 몸 신 [body]
구체적인 물체인 사람의 몸[肉=身]. ¶육신의 고통을 견디다. ⓑ육체(肉體). ⓑ영혼(靈魂).

은신 隱身 | 숨길 은, 몸 신 [hide oneself; lie low]
몸[身]을 숨김[隱]. ¶조용해질 때까지 여기서 은신해 있어라.

입신 立身 | 설 립, 몸 신 [succeed in life]
자신(自身)의 명성을 세움[立]. 사회적으로 기반을 닦고 출세함. ¶입신을 꾀하다 / 과거에 급제해 입신하고자 모든 일을 뒤로 미뤘다.

자신 自身 | 스스로 자, 몸 신 [oneself]
제[自] 몸[身]. ¶너 자신을 알라. ⓑ자기(自己). ⓑ남, 타인(他人).

장신 長身 | 길 장, 몸 신 [tall figure]
키가 큰[長] 몸[身]. 또는 그런 사람. ¶그는 우리 팀에서 가장 장신이다. ⓑ단신(短身).

전신 全身 | 모두 전, 몸 신 [whole body]
온[全] 몸[身]. 몸 전체. ¶전신이 다 아프다 / 전신 거울.

정신 挺身 | 바칠 정, 몸 신 [volunteer]
어떤 일에 몸[身]을 바침[挺]. 솔선하여 앞장 섬. ¶사회 사업에 정신하다.

조신 操身 | 잡을 조, 몸 신 [modest]
잘못이나 실수가 없도록 몸가짐[身]을 잘 다잡음[操]. ¶너도 이제 시집을 갈 것이니 조신해야 한다.

처:신 處身 | 살 처, 몸 신 [act; behave oneself]
세상을 살아가는[處] 데 필요한 몸[身]가짐이나 행동. ¶처신을 똑바로 하다.

출신 出身 | 날 출, 몸 신 [graduate]
❶속뜻 출생(出生) 당시의 가정이 속하여 있던 사회적 신분(身分) 관계. ¶양반 출신으로 태어나다. ❷학교나 직업 따위의 사회적 신분 관계. ¶운동 감독을 하는 사람 중에서는 선수 출신이 꽤 많다.

탑신 塔身 | 탑 탑, 몸 신 [spire]
탑(塔) 가운데 몸[身]에 해당되는 부분. ¶이 탑은 탑신이 참 아름답다.

투신 投身 | 들여놓을 투, 몸 신
[devote oneself to; suicide by drowning]
❶속뜻 어떤 일에 몸[身]을 들여놓음[投]. ¶그는 평생을 교육계에 투신했다. ❷목숨을 끊기 위해 몸을 던짐. ¶그는 바다에 투신하여 스스로 목숨을 끊었다.

피:신 避身 | 피할 피, 몸 신 [escape]

몸[身]을 숨겨 피(避)함. ¶그는 전쟁이 터지자 가족들을 피신시켰다.

헌:신 獻身 | 바칠 헌, 몸 신 [sacrifice oneself]
❶[속뜻] 몸[身]을 바침[獻]. ❷어떤 일이나 남을 위하여 자기 이해관계를 돌보지 아니하고 힘씀. ¶그녀는 평생을 가족에게 헌신했다.

호:신 護身 | 지킬 호, 몸 신 [protection oneself]
외부의 위험으로부터 자기 몸[身]을 지키는[護] 일. ¶그녀는 자신의 호신을 위하여 태권도를 배웠다.

혼:신 渾身 | 온 혼, 몸 신 [whole body]
❶[속뜻] 온[渾] 몸[身]. ❷온몸으로 열정을 쏟거나 정신을 집중하는 상태. ¶혼신의 힘을 쏟다 / 혼신의 노력을 다하다.

0214 [계]

計	셀 계: [部] 言부 [劃] 9획 [中] 计 [jì] 計 計 計 計 計 計 計 計 計

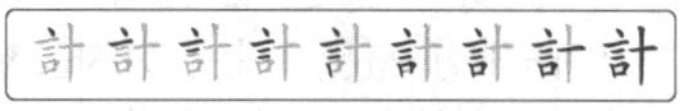

計자는 '합계'(the total)란 뜻을 위하여 '말씀 언'(言)과 '열 십'(十)이 합쳐진 것이다. 十은 10진법 단위의 끝자리 수이기 때문인지 '모두'(all), '완전'(perfection)이란 뜻을 나타내기도 한다. '세다'(count), '꾀하다'(plan)는 뜻으로도 쓰인다.

[속뜻훈음] ①셀 계, ②꾀 계.

계:기 計器 | 셀 계, 그릇 기 [meter; gauge]
길이, 면적, 무게, 양, 온도, 속도, 시간 따위를 재는[計] 기계나 기구(器具). ¶고도의 계기를 장치한 비행기. [비]계측기(計測器).

계:략 計略 | 꾀 계, 꾀할 략 [plan; trick]
계획(計劃)과 책략(策略). ¶계략을 꾸미다. [비]계책(計策).

계:량 計量 | 셀 계, 분량 량 [measure; weigh]
분량(分量)이나 무게 따위를 잼[計]. ¶밀가루를 계량하여 담다. [비]계측(計測).

계:산 計算 | 셀 계, 셀 산 [calculate; reckon]
❶[속뜻] 수량을 셈[計=算]. ❷[수학] 식을 연산(演算)하여 수치를 구하는 것. ¶남은 돈을 잘 계산해 보았다.

계:좌 計座 | 셀 계, 자리 좌 [account]
❶[속뜻] 금액의 증감을 나누어 계산(計算)·기록하는 자리[座]. ❷'예금계좌'(預金計座)의 준말. ¶계좌 번호가 어떻게 됩니까?

계:책 計策 | 꾀 계, 꾀 책 [scheme; artifice]
계교(計巧)와 방책(方策). ¶교묘한 계책을 쓰다. [비]계략(計略).

계:측 計測 | 셀 계, 잴 측 [measure]
부피·무게·길이 따위를 기계나 기구로 헤아려[計] 재어 봄[測]. ¶치수를 계측하다. [비]계량(計量).

계:획 計劃 | 셀 계, 나눌 획 [plan; project]
❶[속뜻] 미리 잘 세어보고[計] 잘 나누어봄[劃]. ❷앞으로 할 일의 절차, 방법, 규모 따위를 미리 헤아려 작정함. ¶우주여행을 계획하다. [비]기획(企劃), 심산(心算).

• 역순어휘

가계 家計 | 집 가, 셀 계 [family finances]
한 집안[家] 살림의 수입과 지출의 계산(計算) 상태. ¶물가가 올라 가계 부담이 늘었다. [비]살림살이, 생계(生計).

간계 奸計 | 간사할 간, 꾀 계 [trick]
간사(奸邪)한 꾀[計]. ¶간계에 넘어가다 / 간계를 부리다.

생계 生計 | 살 생, 꾀 계 [livelihood; living]
살림을 살아나갈[生] 방도[計]. 또는 현재 살림을 살아가고 있는 형편. ¶생계가 막막하다.

설계 設計 | 세울 설, 셀 계
[draw up a plan; plan; design]
❶[속뜻] 앞으로 이루어야 할 일에 대해 구체적인 계획(計劃)을 세움[設]. ¶노후를 설계하다. ❷설계나 공작 등에서 공사비, 재료, 구조 따위의 계획을 세워 도면 같은 데에 구체적으로 명시하는 일. ¶설계가 잘된 건물.

소:계 小計 | 작을 소, 셀 계 [subtotal]
한 부분[小] 만의 합계(合計). ¶소계를 내다. [반]총계(總計).

시계 時計 | 때 시, 셀 계 [watch; clock]
시각을 나타내거나 시간(時間)을 재는[計] 장치 또는 기계를 통틀어 이르는 말.

집계 集計 | 모을 집, 셀 계 [total up; sum up]
이미 계산한 것들을 한데 모아서[集] 계산(計算)함. 또는 그런 계산. ¶집계 결과 / 투표용지를 집계하다.

총:계 總計 | 묶을 총, 셀 계 [total; total amount]
전체를 한데 모아서[總] 헤아림[計]. ¶이번 달 지출의 총계를 내다. [비]합계(合計).

통:계 統計 | 묶을 통, 셀 계
[statistics; numerical statement]
❶[속뜻] 한데 몰아서[統] 셈함[計]. ❷[수학] 어떤 현상을 종합적으로 한눈에 알아보기 쉽게 일정한 체계에 따라 숫자로 나타냄. 또는 그런 것. ¶공식 통계에 따르면 청년 실업률이 높아지고 있다고 한다.

합계 合計 | 합할 합, 셀 계 [total]
합(合)하여 셈[計]. 또는 그 수나 양. ¶오늘 산 물건들의 합계가 얼마입니까? (비)합산(合算), 총계(總計).

회:계 會計 | 모일 회, 셀 계
[account; the reckoning]
나가고 들어 온 돈을 모아[會] 셈함[計]. ¶회계 장부.

흉계 凶計 | =兇計, 흉할 흉, 꾀 계
[wicked design; wiles]
흉악(凶惡)한 꾀[計]. ¶흉계를 꾸미다.

0215 [독]

讀

읽을 독, 구절 두
(부) 言부 (획) 22획 (중) 读 [dú, dòu]

讀 讀 讀 讀 讀 讀 讀 讀 讀
讀 讀 讀 讀 讀 讀 讀 讀 讀

讀자는 '(말을) 외우다'(memorize)의 뜻을 나타내기 위한 것이었으니, '말씀 언'(言)이 표의요소로 쓰였다. 책이 없었던 아득한 옛날에는 선생님의 말씀을 외울 수밖에 없었다. 책이 일반화된 후로는 '읽다'(read)는 뜻으로 바뀌었다. 오른쪽의 것이 표음요소임은 瀆(도랑 독)과 牘(편지 독)도 마찬가지이다. 문장을 읽을 때 점을 '찍다'는 뜻일 때에는 [두]로 읽는다(참고: 句讀=구두).

[속뜻 훈음] ①읽을 독, ②구절 두.

독서 讀書 | 읽을 독, 글 서 [read]
글[書]을 읽음[讀]. ¶가을은 독서하기에 가장 좋은 계절이다.

독자 讀者 | 읽을 독, 사람 자 [reader]
책, 신문, 잡지 따위의 글을 읽는[讀] 사람[者]. ¶이 책은 독자의 사랑을 받고 있다. (반)저자(著者).

독파 讀破 | 읽을 독, 깨뜨릴 파 [reading through]
많은 분량의 책이나 글을 처음부터 끝까지 모두 다 읽어[讀] 버림[破]. (비)독료(讀了).

독해 讀解 | 읽을 독, 풀 해
[read and comprehend]
글을 읽어서[讀] 뜻을 이해(理解)함.

• 역순어휘

구독 購讀 | 살 구, 읽을 독 [subscribe to]
책이나 신문, 잡지 따위를 구입(購入)하여 읽음[讀]. ¶경제 신문을 구독하다.

낭:독 朗讀 | 밝을 랑, 읽을 독 [read aloud]
또랑또랑하게[朗] 소리내어 읽음[讀]. ¶시를 낭독하다. (비)낭송(朗誦).

다독 多讀 | 많을 다, 읽을 독 [read widely]
책을 많이[多] 읽음[讀]. (반)과독(寡讀).

정독 精讀 | 찧을 정, 읽을 독 [read carefully]
쌀을 찧듯이[精] 뜻을 새겨 가며 읽음[讀]. ¶글의 내용을 깊이 이해하기 위해서는 정독이 필요하다.

통독 通讀 | 온통 통, 읽을 독
[read (a book) from cover to cover]
처음부터 끝까지 온통[通] 다 읽음[讀]. ¶이 책은 통독할 만하다.

해:독 解讀 | 풀 해, 읽을 독 [decode]
알기 쉽도록 풀어서[解] 읽음[讀]. ¶고전을 해독하여 들려주다.

구두 句讀 | 글귀 구, 구절 두 [punctuation]
글[句]을 읽거나 쓸 때 단락[讀]을 짓는 방법.

이:두 吏讀 | 벼슬아치 리, 구절 두
❶[속뜻]관리(官吏)들이 사용하던 글[讀]. ❷[언어]한자의 음과 뜻을 빌려 한국어를 적던 표기법. ¶이 문헌은 이두로 표기되어 있다.

0216 [부]

部

떼 부
(부) 邑부 (획) 11획 (중) 部 [bù]

部 部 部 部 部 部 部 部 部
部 部

部자는 漢(한)나라 때의 땅 이름을 적기 위한 것이었으니, '고을 읍'(邑=⻏)이 표의요소로 쓰였다. 그 나머지가 표음요소임은 剖(쪼갤 부)도 마찬가지이다. 본래 의미와 상관없는 '거느리다'(head a party), '나누다'(a village) 같은 뜻으로 애용된다.

[속뜻 훈음] ①나눌 부, ②거느릴 부.

부곡 部曲 | 나눌 부, 굽을 곡
❶[속뜻]부락(部落)의 한 구석[曲]. ❷[역사]통일 신라·고려 시대의 천민 집단부락. 양민들과는 한곳에서 살지 못하도록 하고, 목축·농경·수공업 따위에 종사하게 하였다.

부대 部隊 | 나눌 부, 무리 대 [military unit]
❶[군사]일정한 규모로 나누어[部] 편성한 군대(軍隊) 조직. ¶그는 최전방 부대에서 복무했다. ❷어떠한 공통의 목적을 위하여 한데 모여 행동을 취하는 무리. ¶응원 부대.

부락 部落 | 나눌 부, 마을 락 [village]
이곳저곳에 나뉘어[部] 있는 시골 마을[落]. ¶자연적으로 형성된 부락. ⓑ촌락(村落).

부류 部類 | 나눌 부, 무리 류 [class; category]
어떤 공통적인 성격 등에 따라 나눈[部] 갈래나 무리[類]. ¶그들은 두 부류로 나뉜다.

부문 部門 | 나눌 부, 문 문
[class; group; department]
나누어[部] 놓은 일부분이나 범위[門]. ¶나는 수학 부문에서 상을 받았다.

부분 部分 | 나눌 부, 나눌 분 [part; section]
전체를 몇으로 나누어[部] 구별한[分] 것의 하나. ¶썩은 부분을 잘라내다. ⓑ전체(全體).

부서 部署 | 나눌 부, 관청 서
[one's post; one's place of duty]
기관, 기업, 조직 따위에서 일이나 사업의 체계에 따라 나뉘어[部] 있는 사무의 각 부문[署]. ¶다른 부서로 옮기다.

부수¹ 部首 | 나눌 부, 머리 수 [radical]
❶속뜻 서로 공통적인 요소가 있는 부류(部類)의 첫 머리[首]에 상당하는 한자. ❷한자자전에서 글자를 찾는 길잡이 역할을 하는 공통되는 글자의 한 부분. 예를 들어 '言'은 '語', '話', '請' 따위 글자의 부수이다.

부수² 部數 | 나눌 부, 셀 수
[number of copies; edition]
책, 신문 따위의 출판물을 세는 단위인 부(部)의 수효(數爻). ¶판매 부수 / 신문의 발행 부수 / 책의 간행 부수.

부원 部員 | 나눌 부, 인원 원
[staff; member]
부(部)에 딸려 있는 인원(人員). ¶신입 부원 / 부원 체육대회.

부위 部位 | 나눌 부, 자리 위 [region; part]
어느 부분(部分)이 전체에 대하여 차지하는 위치(位置). ¶닭고기는 어느 부위가 제일 맛있나요?

부장 部長 | 나눌 부, 어른 장
[director of a department]
부(部)의 책임자[長]. ¶그는 부장으로 승진하였다.

부족 部族 | 나눌 부, 겨레 족 [tribe]
❶속뜻 같은 부류(部類)의 겨레[族]. ❷사회 같은 조상이라는 관념에 의하여 결합되어 공통된 언어와 종교 등을 갖는 지역적인 공동체. ¶이것은 아키라 부족의 전통 춤이다.

부처 部處 | 나눌 부, 곳 처
[ministries and offices]
정부기관의 '부'(部)와 '처'(處)를 아울러 이르는 말. ¶관계 부처 / 해당 부처로 일을 넘기다.

부품 部品 | 나눌 부, 물품 품
[spare parts; components]
기계 따위의 어떤 일부분(一部分)에 쓰이는 물품(物品). ¶자동차 부품 / 부품을 갈다.

부하 部下 | 거느릴 부, 아래 하
[subordinate; follower]
자기 수하(手下)에 거느리고[部] 있는 직원. ⓑ상관(上官), 상사(上司).

• 역순어휘

간부 幹部 | 줄기 간, 거느릴 부 [leading member]
기관이나 조직체 따위에서 줄기[幹] 같은 중심이 되는 자리에서 책임을 맡거나 지도하는[部] 사람. ¶간부 회의 / 학급 간부를 뽑다.

구부 球部 | 공 구, 나눌 부
물건에서 공[球]처럼 둥글게 생긴 부분(部分).

남부 南部 | 남녘 남, 나눌 부 [southern part]
어느 지역의 남(南)쪽 부분(部分). ¶남부 지방에 호우가 쏟아졌다. ⓑ북부(北部).

내:부 內部 | 안 내, 나눌 부 [inside; interior]
❶속뜻 사물의 안쪽[內] 부분(部分). ¶내부 수리 / 건물 내부. ❷어떤 조직에 속하는 범위. ¶회사 내부 사정에 밝다. ⓑ외부(外部).

동부 東部 | 동녘 동, 나눌 부 [eastern part]
❶속뜻 어떤 지역의 동(東)쪽 부분(部分). ¶동부 유럽. ❷역사 조선 시대, 한성을 5부로 나눈 구역 중의 동쪽 지역. 또는 그 지역을 관할하던 관아를 이르던 말.

복부 腹部 | 배 복, 나눌 부 [abdomen; belly]
의학 배[腹] 부분(部分). ¶그는 복부비만이다.

본부 本部 | 뿌리 본, 거느릴 부 [head office]
어떤 조직의 중심[本]이 되어 거느리는[部] 기관. 또는 그것이 있는 곳. ¶본부에서 회의가 열렸다.

북부 北部 | 북녘 북, 나눌 부
[north; northern part]
어떤 지역의 북(北)쪽 부분(部分). ¶강원도 북부지역은 북한에 속해 있다. ⓑ남부(南部).

상:부 上部 | 위 상, 나눌 부
[upper part; top; superior office]
❶속뜻 위쪽[上] 부분(部分). ❷보다 높은 직위나 기관. ¶상부의 명령에 따르다. ⓑ하부(下部).

서부 西部 | 서녘 서, 나눌 부 [west]
어떤 지역의 서(西)쪽 부분(部分). ¶한반도의 서부에는 평야가 많다. ⓑ동부(東部).

성부 聲部 | 소리 성, 나눌 부
음악 음악에서 독립된 선율[聲]의 각 부분(部分). 소프라노, 알토, 테너, 베이스 따위.

세:부 細部 | 가늘 세, 나눌 부
[details; particulars]
자세(仔細)한 부분(部分). ¶세부 사항은 서류를 참고하십시오.

외:부 外部 | 밖 외, 나눌 부 [outside]
❶속뜻 바깥[外] 부분(部分). ¶건물의 외부에 분홍색 페인트칠을 했다. ❷조직이나 단체의 밖. ¶비밀이 외부로 새어나갔다. ⓑ내부(內部).

음부 陰部 | 응달 음, 나눌 부 [pubic region]
❶속뜻 몸에서 응달진[陰] 부분(部分). ❷의학 남녀의 생식기가 있는 자리. ⓑ국부(局部), 치부(恥部).

일부 一部 | 한 일, 나눌 부 [part]
❶속뜻 한[一] 부분(部分). ❷전체의 한 부분. ¶여행 경비의 일부를 부담하다. ⓑ일부분. ⓑ전부(全部).

전부 全部 | 모두 전, 나눌 부 [all parts; whole]
사물의 모든[全] 부분(部分). ¶전부 얼마예요? ⓑ전체(全體). ⓑ일부(一部).

중부 中部 | 가운데 중, 나눌 부 [middle part]
어떤 지역의 가운데[中] 부분(部分). ¶중부 지방에는 비가 올 것으로 보인다.

치부 恥部 | 부끄러울 치, 나눌 부
[disgrace; one's weak; genitals]
❶속뜻 남에게 알리고 싶지 않은 부끄러운[恥] 부분(部分). ¶회사의 치부를 낱낱이 밝히다. ❷남녀의 외부 생식기. ¶수건으로 치부를 가렸다. ⓑ음부(陰部).

하:부 下部 | 아래 하, 나눌 부 [lower part]
❶속뜻 아래[下]쪽 부분(部分). ¶낙동강 하부에는 삼각주가 형성되어 있다. ❷하급의 기관 또는 그 사람. ¶하부 조직. ⓑ상부(上部).

0217 [운]

運 옮길 운:
部 辶부 획 13획 中 运 [yùn]
運運運運運運運運運運運運運

運자는 '길을 가다'는 뜻인 착(辶=辵=彳+止)이 표의요소로 쓰였고, 軍(군사 군)이 표음요소인 것은 暈(무리 운)과 惲(도타울 운)도 마찬가지이다. '옮기다'(transport)가 본뜻이다. '움직이다'(move), '돌다'(turn round)는 뜻으로 확대됐다. 행운의 '운'(luck)을 하필이면 '옮겨 다니다'는 의미의 글자로 적었을까? 한 사람에게만 머물러 있지 않고 옮겨 다니는 것이 바로 '운'이기 때문일 것이다. 영원히 있는 것도 아니고 영원히 없는 것도 아닌, 그것이 바로 '운'임을 이로써 알 수 있다.

속뜻훈음 ①옮길 운, ②돌 운, ③움직일 운, ④운수 운.

운:동 運動 | 돌 운, 움직일 동
[exercise; move; be in motion]
❶속뜻 건강을 위하여 몸을 돌리거나[運] 움직임[動]. ¶그는 꾸준히 운동한다 / 규칙적으로 운동하는 습관을 길러라. ❷어떤 목적을 사회 속에서 그 구성원의 호응을 얻어 실현하고자 하는 조직적 활동. ¶독립 운동 / 사회단체는 그 기업에 대해 불매(不買) 운동을 벌였다. ❸물리 물체가 시간이 지남에 따라 그 위치를 바꾸는 것. ¶천체의 운동 / 달은 지구 궤도를 운동한다.

운:명 運命 | 운수 운, 목숨 명 [destiny]
❶속뜻 운수(運數)와 명수(命數). ❷인간을 포함한 우주의 일체를 지배한다고 생각되는 필연적이고도 초인간적인 힘. ¶우리가 다시 만난 것은 운명이다. ⓑ숙명(宿命).

운:반 運搬 | 옮길 운, 옮길 반 [transport; carry]
물건을 탈것 따위에 실어서 옮김[運=搬]. ¶가방이 운반 도중 분실되었다 / 트럭으로 이삿짐을 운반하다.

운:송 運送 | 옮길 운, 보낼 송 [transport; convey]
화물 따위를 운반(運搬)하여 보냄[送]. ¶항공운송 / 석탄은 대개 철도로 운송한다. ⓑ수송(輸送).

운:수¹ 運數 | 돌 운, 셀 수 [luck]
이미 정해져 있어 인간의 힘으로는 어쩔 수 없는 천운(天運)과 기수(氣數). ¶운수 좋은 날 / 이번에 운수가 좋으면 부자가 될지 모른다.

운:수² 運輸 | 옮길 운, 나를 수 [transport; carry]
여객이나 화물 따위를 옮기거나[運] 나르는[輸] 일. ¶철도 운수.

운:영 運營 | 움직일 운, 꾀할 영 [manage; run]
❶속뜻 자금 따위를 운용(運用)하여 이익을 꾀함[營]. ❷단체나 조직을 관리하여 경영함. ¶학교 운영 / 그는 큰 회사를 운영한다.

운:용 運用 | 움직일 운, 쓸 용 [apply; employ]
무엇을 움직이게 하거나[運] 부리어 쓰는[用] 것. ¶운용 자금 / 실지로 운용해 보지 않고서는 그 가치를 확인할 수 없다.

운:임 運賃 | 옮길 운, 품삯 임 [fare]
여객이나 화물을 운반(運搬)한 대가로 받는 삯[賃]. ¶모든 운임은 저희가 부담하겠습니다.

운:전 運轉 | 돌 운, 구를 전 [drive]
❶속뜻 기계 따위를 돌리거나[運] 구르게[轉] 함. ❷자동차, 열차 따위를 나아가게 하거나 멈추게 하고 방향을 바꾸게 하는 장치 등을 다루어 일정한 방향으로 움직이게 하는 것. ¶안전 운전.

운:하 運河 | 움직일 운, 물 하 [canal]

배를 운항(運航)할 수 있도록 육지를 파서 만든 강[河] 같은 길. ¶수에즈 운하.

운:항 運航 | 움직일 운, 배 항 [operate]
배[航]나 항공기를 운행(運行)함. ¶태풍으로 모든 선박의 운항이 중단되었다.

운:행 運行 | 움직일 운, 갈 행 [run; operate]
배나 차 따위의 탈것을 운전(運轉)하며 가도록[行] 함. ¶버스 운행 노선 / 지하철은 3분 간격으로 운행된다.

• 역순어휘

기운 氣運 | 기운 기, 돌 운 [tendency; trend]
어떤 일이 벌어지려고 도는[運] 분위기(雰圍氣). ¶봄의 따스한 기운.

불운 不運 | 아닐 불, 운수 운 [unfortunate]
운수(運數)가 좋지 아니함[不]. 또는 그러한 운수. ㊥불행(不幸), 비운(非運). ㊥행운(幸運).

비:운 悲運 | 슬플 비, 운수 운 [misfortune]
슬픈[悲] 운명(運命). 불행한 운명. ¶비운의 왕자. ㊥행운(幸運).

액운 厄運 | 재앙 액, 운수 운
[hapless fate; misfortune]
재앙[厄]을 당할 운수(運數). ¶액운을 쫓기 위해 굿을 했다.

통운 通運 | 다닐 통, 옮길 운
[transport; forward; carry]
여러 곳을 다니며[通] 물건을 운반(運搬)함.

행:운 幸運 | 다행 행, 운수 운 [good luck]
다행(多幸)스런 운수(運數). 좋은 운수. ¶행운의 여신 / 행운을 빕니다. ㊥불운(不運).

0218 [설]

雪

눈 설
㊀ 雨부 ㊀ 11획 ㊥ 雪 [xuě]

雪 雪 雪 雪 雪 雪 雪 雪 雪 雪 雪

雪자는 '눈'(snow)을 뜻하기 위한 것인데, 왜 '비 우'(雨)가 표의요소로 쓰였는지 의아해 할 수도 있겠다. 雨는 하늘에서 내리는 '비'나 '눈' 등을 통칭한 것인데 편의상 이름하기를 '비 우'라고 한 것일 따름이다. 이것이 표의요소로 쓰인 것은 모든 '기상 현상'(atmospheric phenomena)이나 '날씨'(weather)와 관련이 있다. 雪자의 '彐'는 彗(비 혜)를 줄여 쓴 것으로 눈을 쓸 때 쓰는 빗자루를 가리킨다고 한다. '씻다'(wipe out)는 뜻으로도 쓰인다.

속뜻 훈음 ①눈 설, ②씻을 설.

설경 雪景 | 눈 설, 볕 경 [snowscape]
눈[雪]이 내리는 경치(景致). 눈이 쌓인 경치.

설상 雪上 | 눈 설, 위 상
[(on) top of the snow]
눈[雪] 위[上]. ¶설상가상(雪上加霜).

설욕 雪辱 | 씻을 설, 욕될 욕
[wipe out one's shame]
욕(辱)됨을 씻어내어[雪] 명예를 회복함. ¶지난번의 패배를 설욕하였다.

설탕 雪糖 | 본음 [설당], 눈 설, 사탕 당/탕 [sugar]
❶속뜻 눈[雪]같이 하얀 사탕(沙糖). ❷맛이 달고 물에 잘 녹는 결정체. ¶커피에 설탕을 넣다.

설피 雪皮 | 눈 설, 겉 피 [snowshoe]
눈[雪]에 빠지지 않도록 신바닥 겉[皮] 부분에 대는 넓적한 덧신. ¶설피 한 켤레.

• 역순어휘

강:설 降雪 | 내릴 강, 눈 설
[snowing; snowfall]
내린[降] 눈[雪].

대:설 大雪 | 큰 대, 눈 설 [heavy snow]
❶속뜻 많이[大] 내린 눈[雪]. ¶대설로 비행기 운행이 중단됐다. ❷소설(小雪)과 동지(冬至) 사이에 있는 절기. 12월 7일경. ¶올해 대설에는 눈이 오지 않았다. ㊥폭설(暴雪).

백설 白雪 | 흰 백, 눈 설 [(white) snow]
흰[白] 눈[雪].

소:설 小雪 | 작을 소, 눈 설
대설(大雪)보다 눈[雪]이 내리는 규모가 작은[小] 절기. 입동(立冬)과 대설 사이로 양력 11월 22일경이다.

잔설 殘雪 | 남을 잔, 눈 설
[remaining snow on the ground]
녹다가 남은[殘] 눈[雪]. 또는 이른 봄까지 녹지 아니한 눈. ¶대관령에는 응달마다 잔설이 아직 남아 있다.

쾌설 快雪 | 시원할 쾌, 씻을 설
[clear oneself of disgrace]
욕되고 부끄러운 일을 시원스럽게[快] 씻어[雪] 버림.

폭설 暴雪 | 갑자기 폭, 눈 설
[heavy snow]
갑자기[暴] 많이 내리는 눈[雪]. ¶폭설이 쏟아지다.

형설 螢雪 | 반딧불 형, 눈 설
[diligent study]
❶속뜻 반딧불이[螢]와 눈[雪]의 빛. ❷차윤(車胤)과

손강(孫康)의 고사에서 유래되어, '어려운 여건에서도 꾸준히 학문을 닦는 것'을 이르는 말. '형설지공'(螢雪之功)의 준말.

0219 [집]

集

모을 집

㊊ 隹부 ㊊ 12획 ㊥ 集 [jí]

集 集 集 集 集 集 集 集 集 集 集 集

集자는 '모이다'(crowd)는 뜻을 나타내기 위해, 새가 떼를 지어 나뭇가지에 옹기종기 모여 있는 모양을 그린 것이었다. 원래는 '나무 목'(木) 위에 隹(새 추)자 세 개를 썼는데, 하나로 줄었다. '모으다'(collect)는 능동적 의미로도 쓰인다.

속뜻훈음 ①모일 집, ②모을 집.

집결 集結 | 모일 집, 맺을 결
[gather; concentrate]
한군데로 모여[集] 뭉침[結]. ¶집결 장소 / 학생들이 운동장에 집결했다. ㊥해산(解散).

집계 集計 | 모을 집, 셀 계
[total up; sum up]
이미 계산한 것들을 한데 모아서[集] 계산(計算)함. 또는 그런 계산. ¶집계 결과 / 투표용지를 집계하다.

집단 集團 | 모일 집, 모일 단 [group; mass]
여럿이 모인[集] 단체(團體). ¶집단으로 시위를 일으키다.

집배 集配 | 모을 집, 나눌 배
[collect and deliver]
한 군데로 모았다가[集] 다시 나누어[配] 보냄. 우편물이나 화물 따위를 모아서 주소지로 배달하는 따위를 일컫는다.

집산 集散 | 모일 집, 흩을 산
[receive and distribute]
모여들었다[集] 흩어졌다[散] 함.

집약 集約 | 모을 집, 묶을 약
[integrate; intensive]
한데 모아서[集] 묶음[約]. ¶기술 집약 / 여러 사람의 의견을 집약하다.

집자 集字 | 모을 집, 글자 자
문헌에서 필요한 글자[字]를 찾아 모음[集].

집중 集中 | 모일 집, 가운데 중
[concentrate; focus on]
❶속뜻 한곳을 중심(中心)으로 하여 모임[集]. 또는 그렇게 모음. ¶인구가 도시로 집중되다. ❷한 가지 일에 모든 힘을 쏟아 부음. ¶집중 사격 / 시끄러워 공부에 집중할 수가 없다. ㊥분산(分散).

집합 集合 | 모일 집, 합할 합
[gather; collect]
❶속뜻 모여서[集] 하나로 합(合)침. ¶두 시까지 운동장에 집합해라. ❷수학 특정 조건에 맞는 원소들의 모임. ¶무한 집합. ㊥해산(解散).

집회 集會 | 모일 집, 모일 회
[meet; get together]
여러 사람이 어떤 목적을 위하여 일시적으로 모인[集] 모임[會]. ¶환경 보호를 촉구하는 집회.

• 역순어휘

모집 募集 | 뽑을 모, 모을 집 [recruit; enroll]
조건에 맞는 사람이나 뽑거나[募] 모음[集]. ¶직원을 모집하다.

문집 文集 | 글월 문, 모을 집
[collection of works]
어느 개인의 시문(詩文)을 한데 모아서[集] 엮은 책. ¶문집을 발간하다.

밀집 密集 | 빽빽할 밀, 모일 집 [mass; crowd]
빽빽이[密] 모임[集]. ¶인구 밀집지역.

선:집 選集 | 가릴 선, 모을 집 [selection]
문학 한 사람 또는 여러 사람의 작품 가운데, 어떤 기준을 두고 골라 뽑은[選] 작품을 한데 모은[集] 책. ¶문학 선집.

소집 召集 | 부를 소, 모을 집 [call; summon]
단체나 조직체의 구성원을 불러[召] 모음[集]. ¶비상회의를 소집하다. ㊥해산(解散).

수집[1] 收集 | 거둘 수, 모을 집 [collect; gather]
여러 가지 것을 거두어[收] 모음[集]. ¶재활용품을 수집하다.

수집[2] 蒐集 | 모을 수, 모을 집
[collect; accumulate]
어떤 물건이나 자료들을 찾아서 모음[蒐=集]. ¶언니는 우표 수집이 취미이다 / 연구 자료를 수집하다.

시집 詩集 | 시 시, 모을 집
[collection of poems]
여러 편의 시(詩)를 모아[集] 엮은 책. ¶윤동주의 시집을 읽다.

응:집 凝集 | 엉길 응, 모일 집
[cohere; condense]
한군데에 엉겨서[凝] 뭉침[集]. ¶두 물질은 뜨거운 상태에서 응집하여 에너지를 낸다.

전집 全集 | 모두 전, 모을 집

[complete collection]
한 사람 또는 같은 시대나 같은 종류의 저작물을 모두 [全] 모아[集] 한 질로 출판한 책. ¶세계 문학 전집.

징집 徵集 | 거둘 징, 모을 집
[conscript; enlist; recruit]
❶ 속뜻 물건을 거두어[徵] 모음[集]. ❷병역 의무자를 현역에 복무할 의무를 부과하여 불러 모음. ¶옆집 아들도 군대에 징집되었다.

채:집 採集 | 캘 채, 모을 집 [collect; gather]
무엇을 캐거나[採] 찾아서 모음[集]. ¶약초채집 / 곤충을 채집해서 표본을 만들었다.

0220 [음]

飮

마실 음:
(部) 食부 (획) 13획 ㊥ 饮 [yǐn]

飮飮飮飮飮飮飮飮飮飮飮飮飮

飮자는 원래 술독[酉]에 담긴 술을 입을 크게 벌리고 혀를 쭉 내밀어 맛을 보는 모습이었다. 그 후에 술독[酉]에 밥을 담아 놓은 그릇[食]으로 변화되었고, 입을 크게 벌린 것은 '하품 흠'(欠)으로 변화되어 오늘에 이르렀다. 欠은 '입을 크게 벌리다'는 뜻이지 '하품'을 뜻하는 경우는 거의 없다. '술을 마시다'(drink)가 본뜻인데, 후에 술뿐만 아니라 모든 음료의 경우로 확대 적용된 것은 영어의 'drink'의 경우도 마찬가지이다. 참고로 '음주 운전 금지'라는 표어를 영어로는 'Don't drink and drive'라고 한다.

음:료 飮料 | 마실 음, 거리 료 [beverage; drink]
마실[飮] 거리[料]. ¶그는 차가운 음료를 들이켰다.

음:복 飮福 | 마실 음, 복 복
❶ 속뜻 복(福)을 마시어[飮] 누림. ❷제사를 지내고 나서 제사에 썼던 술을 조상이 주는 복이라 하여 제관(祭官)들이 나누어 마시는 일.

음:식 飮食 | 마실 음, 먹을 식 [food; meal]
마시고[飮] 먹음[食]. ¶맛있는 음식 / 짠 음식을 많이 먹으면 건강에 해롭다. (비)음식물.

음:주 飮酒 | 마실 음, 술 주 [drinking]
술[酒]을 마심[飮]. ¶음주 운전.

• 역순어휘

과:음 過飮 | 지나칠 과, 마실 음
[drink too much; overdrink]
술을 지나치게[過] 마심[飮]. ¶과음하여 속병이 나다.

미음 米飮 | 쌀 미, 마실 음 [thin gruel of rice]
쌀[米] 따위를 으깨어 마실[飮] 정도로 묽게 끓인 것. ¶환자에게 미음을 쑤어 먹이다.

쾌음 快飮 | 기쁠 쾌, 마실 음
술을 유쾌(愉快)하게 마심[飮]. ¶아버지는 그날의 쾌음을 잊지 못하셨다.

0221 [음]

音

소리 음
(部) 音부 (획) 9획 ㊥ 音 [yīn]

音音音音音音音音音

音자는 사람의 '목소리'(a voice)를 나타내기 위한 것이었는데, '설 립'(立)과 '날 일'(日)이 왜 쓰였을까? 아무리 생각해본들 답을 찾을 수 없다. 이 글자의 원형은 입을 크게 벌리고 혀를 쭉 내밀고 있는 모습을 본뜬 것이었다. 입을 크게 벌린 모습이 '日'로, 혀를 쭉 내민 모습이 '立'으로 잘못 바뀐 것이다. 쓰기 편함만을 추구하다 보니 그렇게 됐다. '목소리'(voice)가 본뜻인데 모든 종류의 '소리'(sound)를 통칭하는 것으로 확대 사용됐다.

음계 音階 | 소리 음, 섬돌 계 [musical scale]
음악 음(音)이 높이에 따라 계단(階段)처럼 배열된 것.

음률 音律 | 소리 음, 가락 률 [pitch; rhythm]
음악 ❶아악(雅樂)의 오음(五音)과 육률(六律). ❷소리와 음악의 가락.

음반 音盤 | 소리 음, 소반 반
[phonograph record; disk]
소리[音]를 기록한 동그란 소반[盤] 같은 판. (비)판(板), 디스크(disk), 레코드(record).

음색 音色 | 소리 음, 빛 색 [tone color]
음악 목소리나 악기 등이 지닌 소리[音]의 특색(特色). 또는 특색 있는 그 소리. ¶바이올린과 첼로는 음색이 다르다.

음성 音聲 | 소리 음, 소리 성 [voice; tone]
❶ 속뜻 사람이 내는 소리[音]와 악기가 내는 소리[聲]. ❷ 언어 발음기관에서 생기는 음향. ¶음성변조 / 음성 메시지. (비)목소리.

음악 音樂 | 소리 음, 풍류 악 [music]
❶ 속뜻 소리[音]에서 느껴지는 풍류[樂]. ❷ 음악 인간의 사상이나 감정을 목소리나 악기로 연주하는 예술. ¶음악에 맞춰 춤을 추다.

음역 音域 | 소리 음, 지경 역
[musical range; compass]
음악 사람의 목소리나 악기가 낼 수 있는 음(音)의 고저

(高低) 범위[域]. ¶오르간은 음역이 넓다.

음절 音節 | 소리 음, 마디 절 [syllable]
[언어] 소리[音]의 한 마디[節]. 음소가 모여서 이루어진 소리의 한 덩어리. ¶'운동'은 2음절로 된 단어이다.

음정 音程 | 소리 음, 거리 정 [interval; tone; step]
[음악] 높이가 다른 두 음(音) 사이의 거리[程]. ¶음정을 잘 맞추면 노래가 재미있다.

음조 音調 | 소리 음, 가락 조 [tune; melody]
❶[속뜻] 소리[音]의 가락[調]. ❷[음악] 음의 높낮이와 길이의 어울림.

음치 音癡 | 소리 음, 어리석을 치 [tone-deaf]
❶[속뜻] 소리[音]를 잘 모름[癡]. ❷음에 대한 감각이 둔하고 목소리의 가락이나 높낮이 등을 분별하지 못하는 상태 또는 그런 사람.

음파 音波 | 소리 음, 물결 파 [sound wave]
[물리] 소리[音]의 물결[波]. 발음체의 진동으로 말미암아 공기나 그 밖의 매질에 생기는 파동(波動).

음표 音標 | 소리 음, 나타낼 표
[musical note; musical score]
[음악] 악보에서 음(音)의 길이와 높낮이를 나타내는[標] 기호.

음향 音響 | 소리 음, 울릴 향 [sound; noise]
소리[音]의 울림[響]. ¶음향 효과 / 이 영화관은 최고의 음향 시설을 갖추고 있다.

• 역순어휘

경음 硬音 | 단단할 경, 소리 음
[strong sound; fortis]
❶[속뜻] 딱딱한[硬] 느낌의 소리[音]. ❷[언어] 후두 근육을 긴장하거나 성문(聲門)을 폐쇄했다가 내는 소리. ㄲ, ㄸ, ㅃ, ㅆ, ㅉ 따위. [비]된소리.

고음 高音 | 높을 고, 소리 음 [high tone]
높은[高] 소리[音]. ¶그 가수는 고음을 잘 낸다. [반]저음(低音).

굉음 轟音 | 울릴 굉, 소리 음
[roaring sound]
몹시 요란하게 울리는[轟] 소리[音]. ¶귀를 찢는 듯한 굉음.

구:음 口音 | 입 구, 소리 음 [oral sound]
❶[언어] 구강(口腔)으로만 기류를 통하게 하여 내는 소리[音]. ❷[음악] 거문고, 가야금, 피리, 대금 따위의 악기에서 울려 나오는 특징적인 음들을 계명창처럼 입으로 흉내 내어 읽는 소리.

녹음 錄音 | 기록할 록, 소리 음 [record]
소리[音]를 재생할 수 있도록 기계로 기록(記錄)하는 일. ¶테이프에 음악을 녹음하다.

단:음 短音 | 짧을 단, 소리 음 [short sound]
[언어] 짧게[短] 소리내는 발음(發音). [반]장음(長音).

득음 得音 | 얻을 득, 소리 음
❶[속뜻] 참된 소리[音]가 무엇인지를 체득(體得)함. ❷노래나 연주 솜씨가 매우 뛰어난 경지에 이름.

모:음 母音 | 어머니 모, 소리 음
[vowel (sound)]
❶[속뜻] 자음(子音)을 어미[母]처럼 도와주어 음절이 되도록 하는 소리[音]. ❷[언어] 성대의 진동을 받은 소리가 목, 입, 코를 막힘이 없이 거쳐 나오는 소리. ㅏ, ㅑ, ㅓ, ㅕ 따위. [반]자음(子音).

반:음 半音 | 반 반, 소리 음
[half tone; half step]
[음악] 온음의 절반(折半)이 되는 음정(音程). '반음정'(半音程)의 준말. [반]온음.

발음 發音 | 일으킬 발, 소리 음 [pronounce]
[언어] 혀, 이, 입술 등을 이용하여 소리[音]를 냄[發]. ¶정확하게 발음하다.

방음 防音 | 막을 방, 소리 음 [soundproof]
시끄러운 소리[音]를 막음[防]. ¶방음시설.

복음 福音 | 복 복, 소리 음
[glad tidings; (Christian) Gospel]
❶[속뜻] 복(福) 받을 기쁜 소식[音]. ❷[기독교] 예수의 가르침. 또는 예수에 의한 인간 구원의 길.

부:음 訃音 | 부고 부, 소리 음
[obituary notice; announcement of death]
사람의 죽음을 알리는[訃] 기별[音]. ¶그는 할아버지의 부음을 듣고 바로 고향으로 내려갔다. [비]부고(訃告).

소음 騷音 | 떠들 소, 소리 음 [noise; din]
시끄럽게 떠드는[騷] 소리[音]. ¶기계에서 엄청난 소음이 난다.

자음 子音 | 아이 자, 소리 음 [consonant]
❶[속뜻] 어머니의 도움을 받아야하는 아이[子]처럼 모음(母音)이 있어야 음절음이 되는 소리[音]. ❷[언어] 목이나 입 등에서 장애를 받으며 나는 소리. ¶자음 'ㄱ'은 모음 'ㅏ'가 있어야 [가]라고 발음할 수 있다. [반]모음(母音).

잡음 雜音 | 섞일 잡, 소리 음 [noise]
❶[속뜻] 여러 가지 뒤섞인[雜] 소리[音]. ¶라디오에서 잡음이 심하게 난다. ❷어떤 일에 대하여 비판하는 말이나 소문. ¶그는 지금까지 아무 잡음 없이 회사를 이끌어 왔다.

장음 長音 | 길 장, 소리 음 [long sound]
[언어] 길게[長] 나는 소리[音]. [반]단음(短音).

저:음 低音 | 낮을 저, 소리 음
[low tone; low voice]
낮은[低] 음(音). 또는 낮은 목소리. ¶그는 저음으로 노래를 불렀다. [반]고음(高音).

폭음 爆音 | 터질 폭, 소리 음
[explosive sound]
폭발(爆發)할 때 나는 큰 소리[音]. '폭발음'의 준말. ¶어마어마한 폭음이 들렸다.

화음 和音 | 어울릴 화, 소리 음 [chord; accord]
[음악] 높이가 다른 둘 이상의 음이 함께 울릴 때 어울리는[和] 소리[音]. ¶화음을 넣다.

0222 [풍]

風

바람 풍
[部] 風부 [劃] 9획 [中] 风 [fēng]

風風風風風風風風風

風자는 凡(범)과 虫(충)으로 구성되어 있는데, 凡(범)은 표음요소이다. '벌레 충'(虫)이 의미요소로 쓰인 것에 대하여는 구차한 설들이 있으나, 취할 만한 것이 없다. 風의 부수는 虫으로 오인하기 십상인데, 虫이아니라 제부수(風)다. '바람'(a wind)이 본뜻인데 '모습'(looks)을 뜻하기도 한다.

[속뜻 훈음] ①바람 풍, ②모습 풍, ③풍속 풍.

풍경¹ 風磬 | 바람 풍, 경쇠 경 [wind bell]
바람[風]에 흔들려 울리는 경쇠[磬]. 바람이 부는 대로 흔들리면서 소리가 난다. ¶처마 밑에 풍경이 매달려 있다.

풍경² 風景 | 바람 풍, 볕 경 [scene]
❶[속뜻] 바람[風]과 볕[景]. ❷아름다운 경치. ¶단풍이 곱게 물든 시골의 풍경. ❸어떤 모습이나 상황. ¶방 안 풍경을 둘러보다.

풍금 風琴 | 바람 풍, 거문고 금 [organ]
[음악] 페달을 밟아서 바람[風]을 넣어 소리를 내는 건반 악기[琴]. ¶아이들은 선생님의 풍금 소리에 맞춰 노래를 불렀다.

풍기 風紀 | 풍속 풍, 벼리 기 [public morality]
풍속(風俗)이나 풍습에 대한 기율(紀律). 주로 남녀가 교제할 때의 절도를 이른다. ¶풍기가 문란하다.

풍랑 風浪 | 바람 풍, 물결 랑
[wind and waves; heavy seas]
❶[속뜻] 바람[風]과 물결[浪]. ❷[지리] 해상에서 바람이 강하게 불어 일어나는 물결. ¶배가 풍랑에 휩쓸렸다.

풍력 風力 | 바람 풍, 힘 력
[force of the wind]
바람[風]의 세기[力]. 바람의 강약 도수(度數). ¶이 기계는 풍력으로 작동한다.

풍로 風爐 | 바람 풍, 화로 로
바람[風]이 통하도록 아래에 구멍을 낸 작은 화로(火爐)의 한 가지. ¶풍로에 불을 붙이려고 부채질을 하다.

풍류 風流 | 바람 풍, 흐를 류 [taste for the arts]
풍치(風致)를 찾아 즐기며 멋스럽게 노니는[流] 일. 속되지 않고 운치가 있는 일. ¶풍류를 즐기다.

풍문 風聞 | 바람 풍, 들을 문 [rumor]
바람[風]같이 떠도는 소문(所聞). ¶풍문은 믿을 것이 못된다.

풍물 風物 | 풍속 풍, 만물 물
[scenery and customs]
❶[속뜻] 어떤 지방의 풍습(風習)과 산물(産物). ¶세계 각국의 독특한 풍물을 소개하다. ❷[음악] 농악에 쓰는 악기를 통틀어 이르는 말. 꽹과리, 태평소, 소고, 북, 장구, 징 따위. ¶그는 신나게 풍물을 쳤다.

풍상 風霜 | 바람 풍, 서리 상
[wind and frost; hardships]
❶[속뜻] 바람[風]과 서리[霜]. ¶비석은 오랜 풍상으로 훼손되었다. ❷'세상의 모진 고난이나 고통'을 비유하여 이르는 말. ¶온갖 풍상을 겪다.

풍선 風船 | 바람 풍, 배 선 [balloon]
❶[속뜻] 바람[風]으로 움직이는 배[船]. ❷얇은 고무주머니 속에 공기나 수소가스를 넣어 공중으로 뜨게 만든 물건. ¶풍선을 불다.

풍속¹ 風俗 | 바람 풍, 속될 속
[manners; customs]
❶[속뜻] 한 사회의 풍물(風物)과 습속(習俗). ❷옛날부터 그 사회에 전해 오는 생활 전반에 걸친 습관. ¶이 마을에는 옛날 풍속이 잘 보존되어 있다. [비]풍습(風習).

풍속² 風速 | 바람 풍, 빠를 속 [wind speed]
바람[風]의 속도(速度). ¶현재 풍속은 초속 3미터이다.

풍수 風水 | 바람 풍, 물 수 [geomancy]
❶[속뜻] 바람[風]과 물[水]. ❷[민속] 집, 무덤 따위의 방위와 지형이 좋고 나쁨이 사람의 화복에 절대적 관계를 가진다는 학설.

풍습 風習 | 풍속 풍, 버릇 습 [manners; customs]
풍속(風俗)과 습관(習慣). ¶그 민족은 새해에 서로에게 물을 뿌리는 풍습이 있다. [비]풍속(風俗).

풍악 風樂 | 바람 풍, 음악 악
[Korean classic music]
❶[속뜻] 풍류(風流)가 있는 음악(音樂). ❷[음악] 예로부터

전해 오는 우리나라 고유의 음악. ¶풍악을 울려라!

풍월 風月 | 바람 풍, 달 월 [beauties of nature]
❶[속뜻] 청풍(淸風)과 명월(明月). ❷'자연의 아름다움'을 이르는 말.

풍전 風前 | 바람 풍, 앞 전
바람[風]이 불어오는 앞[前]. ¶풍전등화.

풍조 風潮 | 바람 풍, 바닷물 조 [tendency]
❶[속뜻] 바람[風]과 바닷물[潮]. ❷시대에 따라 변하는 세태. ¶우리 사회 전반에 과소비 풍조가 만연해 있다.

풍진 風疹 | 바람 풍, 홍역 진 [rubella]
❶[속뜻] 바람[風]같이 금방 낫는 홍역[疹] 비슷한 병. ❷[의학] 홍역과 비슷한 발진성 급성 피부 전염병의 하나. 좁쌀만한 뾰루지가 얼굴과 사지에 났다가 3~4일 만에 낫는다.

풍차 風車 | 바람 풍, 수레 차 [windmill]
바람[風]의 힘을 이용하여 동력을 얻는 수레[車] 바퀴 모양의 기계 장치. ¶풍차의 날개가 클수록 더 천천히 움직인다.

풍채 風采 | 모습 풍, 캘 채 [presence; appearance]
❶[속뜻] 풍도(風度)와 신채(神采). ❷드러나 보이는 사람의 겉모양. ¶풍채가 늠름하다.

풍토 風土 | 바람 풍, 흙 토 [climate]
어떤 지방의 바람[風]과 땅[土]의 상태. ¶지역의 풍토에 맞게 농사를 지어야 한다.

풍파 風波 | 바람 풍, 물결 파 [rough seas; hardships]
❶[속뜻] 세찬 바람[風]과 험한 물결[波]. ¶배가 풍파를 만나지 않기만을 간절히 빌었다. ❷세상살이의 어려움이나 고통. ¶그는 세상의 모진 풍파를 이겨냈다.

풍향 風向 | 바람 풍, 향할 향 [direction of the wind]
[지리] 바람[風]이 불어오는 방향(方向).

풍화 風化 | 풍속 풍, 될 화 [effloresce; be weathered]
❶[속뜻] 교육이나 정치의 힘으로 풍습(風習)을 잘 교화(敎化)하는 일. ❷[지리] 지표를 구성하는 암석이 햇빛, 공기, 물, 생물 따위의 작용으로 점차 파괴되거나 분해되는 일.

• 역순어휘

가풍 家風 | 집 가, 풍속 풍 [family custom]
한 집안[家]의 기율과 풍습(風習). ¶가풍을 익히다. [비] 가품(家品), 문품(門品), 가행(家行).

강풍 強風 | 굳셀 강, 바람 풍 [strong wind; gale]
세차게[強] 부는 바람[風]. ¶강풍이 불다 / 강풍 주의보. [비] 센 바람, 경풍(勁風). [반] 약풍(弱風), 미풍(微風).

기풍 氣風 | 기운 기, 모습 풍 [character; tone]
❶[속뜻] 기상(氣象)과 풍채(風采)를 아울러 이르는 말. ❷어떤 집단이나 지역 사람들의 공통적인 기질. ¶진취적인 기풍.

남풍 南風 | 남녘 남, 바람 풍 [south wind]
남(南)쪽에서 불어오는 바람[風]. [비] 마파람. [반] 북풍(北風).

돌풍 突風 | 갑자기 돌, 바람 풍 [gust of wind]
❶[속뜻] 갑자기[突] 세게 부는 바람[風]. ¶돌풍이 일다 / 돌풍이 불다. ❷갑작스럽게 큰 영향을 끼치는 현상을 이르는 말. ¶돌풍을 일으키다. [비] 급풍(急風).

동풍 東風 | 동녘 동, 바람 풍 [east wind]
❶[속뜻] 동(東)쪽에서 부는 바람[風]. ❷봄철에 불어오는 바람. 봄바람. [반] 서풍(西風).

문풍 門風 | 문 문, 바람 풍 [weather strips]
문(門)을 통해 들어오는 바람[風].

미풍[1] 微風 | 작을 미, 바람 풍 [breeze; gentle wind]
솔솔 부는 약한[微] 바람[風]. ¶나뭇잎들이 미풍에 흔들렸다. [반] 강풍(強風).

미:풍[2] 美風 | 아름다울 미, 풍속 풍 [laudable custom]
아름다운[美] 풍속(風俗). [비] 미속(美俗).

방풍 防風 | 막을 방, 바람 풍 [protect against wind]
바람[風]을 막음[防]. ¶이 제품은 방풍 효과가 뛰어나다.

병풍 屛風 | 병풍 병, 바람 풍 [folding screen]
주로 집안에서 장식을 겸하여 무엇을 가리거나 바람[風]을 막기[屛] 위하여 둘러치는 물건. ¶병풍을 두르다.

북풍 北風 | 북녘 북, 바람 풍 [north wind]
북(北)쪽에서 불어오는 바람[風]. ¶북풍이 몰아치다. [비] 삭풍(朔風). [반] 남풍(南風).

삭풍 朔風 | 북녘 삭, 바람 풍 [north wind]
겨울철에 북쪽[朔]에서 불어오는 찬바람[風]. ¶장군은 한겨울 삭풍을 맞으며 성곽을 지키고 있다. [비] 북풍(北風).

서풍 西風 | 서녘 서, 바람 풍 [west wind]
서(西)쪽에서 불어오는 바람[風]. [비] 하늬바람. [반] 동풍(東風).

선풍 旋風 | 돌 선, 바람 풍 [whirlwind; cyclone]
❶속뜻 나선(螺旋) 모양으로 부는 돌개바람[風]. ❷'돌발적으로 발생하여 사회에 큰 영향을 끼칠 만한 사건이나 그로 말미암아 일어난 어지러운 상태'를 비유하여 이르는 말. ⓑ회오리바람.

소풍 逍風 | =消風, 거닐 소, 바람 풍 [go for an outing; go on an excursion]
❶속뜻 갑갑한 마음을 풀기 위하여 바람[風]을 쐬며 거니는[逍] 일. ❷교육 학교에서, 자연 관찰이나 역사 유적 따위의 견학을 겸하여 야외로 갔다 오는 일. ¶내일 학교에서 소풍을 간다.

순:풍 順風 | 따를 순, 바람 풍 [favorable wind; tailwind]
❶속뜻 움직여 가는 방향을 따라[順] 부는 바람[風]. ❷배가 가는 쪽으로 부는 바람. 또는 바람이 부는 쪽으로 배가 감. ⓑ역풍(逆風). 속담 순풍에 돛 단 듯.

역풍 逆風 | 거스를 역, 바람 풍 [adverse wind]
❶속뜻 거슬러[逆] 부는 바람[風]. ❷배가 가는 반대쪽으로 부는 바람. ¶역풍이 불어 항해가 순조롭지 않았다. ⓑ순풍(順風).

열풍[1] 烈風 | 세찰 렬, 바람 풍 [craze]
❶속뜻 몹시 사납고 세차게[烈] 부는 바람[風]. ¶열풍이 잦을 때, 어민들은 일기 예보를 주의하여 들어야 한다. ❷매우 세차게 일어나는 기운이나 기세를 비유적으로 이르는 말. ¶독서 열풍.

열풍[2] 熱風 | 더울 열, 바람 풍 [hot wind]
뜨거운[熱] 바람[風]. ¶사막의 열풍.

온풍 溫風 | 따뜻할 온, 바람 풍 [warm air]
따뜻한[溫] 바람[風]. ¶언덕에는 온풍이 불고 아지랑이가 피어올랐다.

외:풍 外風 | 밖 외, 바람 풍 [draft of air]
밖[外]에서 들어오는 바람[風]. ¶내 방은 외풍이 심하다.

위풍 威風 | 위엄 위, 모습 풍 [stately appearance; imposing air]
위엄(威嚴) 있는 풍채(風采).

육풍 陸風 | 뭍 륙, 바람 풍 [land breeze]
지리 밤의 기온 차이로 육지(陸地)에서 바다로 부는 바람[風]. ⓑ해풍(海風).

중풍 中風 | 맞을 중, 바람 풍 [paralysis]
❶속뜻 바람[風]을 맞음[中]. ❷한의 몸의 전부나 일부가 마비되는 병. ¶중풍에 걸려 오른쪽 반신을 못 쓰다. ⓑ뇌졸중.

질풍 疾風 | 빠를 질, 바람 풍 [fresh breeze]
❶속뜻 몹시 빠르고[疾] 거세게 부는 바람[風]. ¶질풍처럼 밀어닥치는 적군들. ❷지리 흔들바람. ⓑ진풍(震風).

춘풍 春風 | 봄 춘, 바람 풍 [spring wind]
봄철[春]에 부는 바람[風]. ¶춘풍에 돛 단 듯하다. ⓑ봄바람.

태풍 颱風 | 태풍 태, 바람 풍 [typhoon]
❶속뜻 크게 불어 닥치는[颱] 폭풍(暴風). ❷지리 북태평양 남서부에서 발생하여 동북아시아 내륙으로 불어 닥치는 폭풍우. ¶태풍이 한반도를 강타했다.

통풍 通風 | 통할 통, 바람 풍 [let air in]
바람[風]을 잘 통(通)하게 함. ¶내 방은 통풍이 잘 되지 않아 공기가 탁하다.

폭풍 暴風 | 사나울 폭, 바람 풍 [wild wind]
매우 사납고[暴] 세차게 부는 바람[風]. ¶폭풍이 불어닥치다.

해:풍 海風 | 바다 해, 바람 풍 [sea wind]
바다[海]에서 부는 바람[風]. 바닷바람. ⓑ육풍(陸風).

허풍 虛風 | 헛될 허, 바람 풍 [exaggeration]
❶속뜻 헛된[虛] 바람[風]. ❷지나치게 과장되고 믿음성이 적은 말이나 행동. ¶허풍이 심하다.

화:풍 畵風 | 그림 화, 모습 풍 [style of painting]
그림[畵]에 나타난 풍격(風格). 또는 그림을 그리는 경향. ¶그의 화풍은 많은 화가들에게 영향을 주었다.

환:풍 換風 | 바꿀 환, 바람 풍 [ventilation]
바람[風]으로 공기를 바꿈[換]. ¶환풍을 시키려고 창문을 열었다.

0223 [제]

題 제목 제
㉥ 頁부 ㉠ 18획 ㊥ 题 [tí]

題자는 '이마'(the forehead)를 뜻하기 위하여 '머리 혈'(頁)이 표의요소로 쓰였고, 是(옳을 시)가 표음요소임은 提(끌 제), 堤(방죽 제)도 마찬가지이다.
속뜻훈음 ①이마 제, ②제목 제, ③주제 제, ④문제 제.

제목 題目 | 이마 제, 눈 목 [subject; theme]
❶속뜻 이마[題]와 눈[目]. ❷작품이나 글 따위에서 첫머리에 붙이는 이름. ¶책 제목 / 노래 제목.

제재 題材 | 주제 제, 재료 재

[subject matter; theme]
예술 작품이나 학술 연구 따위의 주제(主題)가 되는 재료(材料). ¶사랑을 제재로 한 문학 작품.

제호 題號 | 제목 제, 이름 호 [title]
책이나 신문 따위의 제목(題目)에 상당하는 이름[號]. ¶책의 제호를 바꾸니 판매 부수가 늘었다.

• 역순어휘 •

과제 課題 | 매길 과, 문제 제
[task; homework]
주어진[課] 문제(問題)나 임무. ¶수업 과제.

난제 難題 | 어려울 난, 문제 제
[difficult problem]
❶속뜻 풀기 어려운[難] 문제(問題). ❷처리하기 어려운 일. ¶쓰레기 처리는 피할 수 없는 난제이다.

논제 論題 | 논할 론, 주제 제
[topic for discussion]
토의나 논의(論議)의 주제(主題).

무제 無題 | 없을 무, 제목 제 [no title]
제목(題目)이 없음[無]. 시나 그림 따위에서 제목을 붙이기 어려운 경우에 제목 대신에 사용한다.

문:제 問題 | 물을 문, 주제 제
[problem; subject]
❶속뜻 묻는[問] 주제(主題). ❷해답을 필요로 하는 질문이나, 연구하거나 해결해야 할 사항. ¶문제를 풀다. ❸성가신 일이나 논쟁이 될 만한 일. ¶그것은 문제가 되지 않는다. ⓑ답(答), 답안(答案), 해답(解答).

숙제 宿題 | 잠잘 숙, 문제 제
[pending question; homework]
❶속뜻 해결하지 않고 잠재워[宿]둔 문제(問題). ¶환경 오염 문제는 우리가 풀어야 할 커다란 숙제다. ❷학생에게 내어 주는 과제. ¶국어 선생님은 숙제를 많이 내 주신다.

원제 原題 | 본디 원, 제목 제 [original title]
본디[原]의 제목(題目). '원제목'의 준말.

의제 議題 | 의논할 의, 문제 제
[subject for discussion; agenda]
회의에서 의논(議論)할 문제(問題). ¶이번 회의의 의제는 급식 개선 방안이다.

주제 主題 | 주될 주, 제목 제 [theme]
❶속뜻 연설이나 토론 따위의 주요(主要) 제재(題材)나 제목(題目). ¶이별의 슬픔을 주제로 한 시. ❷중심이 되는 문제. ¶대화의 주제와 관련 없는 내용은 삼가 주십시오.

출제 出題 | 날 출, 문제 제
[set exam questions]
시험 문제(問題)를 냄[出]. ¶문제는 주로 교과서에서 출제되었다.

표제 標題 | =表題, 나타낼 표, 제목 제 [title]
❶속뜻 책의 겉에 나타내는[標] 그 책의 제목(題目). ¶그 책은 '국부론'이라는 표제가 붙어 있다. ❷연설, 강연 따위의 제목. ¶내일 할 연설에 표제를 붙였다. ❸예술 작품의 제목.

화제 話題 | 말할 화, 제목 제 [topic; talk]
이야기[話]의 제목(題目). 이야기의 주제. ¶화제를 바꾸다.

0224 [고]

高

높을 고
㉮ 高부 ㉯ 10획 ㉰ 高 [gāo]

高高高高高高高高高高

高자는 '높다'(tall)는 뜻을 나타내기 위하여 우뚝하게 높이 세운 樓臺(누대)의 모습을 본뜬 것임을 지금의 글자에서도 어렴풋이 짐작할 수 있다. 두개의 口는 창문이나 문과 관련이 있지 '입'과는 아무런 상관이 없다.

고가¹ 高架 | 높을 고, 건너지를 가
[elevated; overhead]
땅 위에 높다랗게[高] 건너지름[架].

고가² 高價 | 높을 고, 값 가 [high price]
높은[高] 가격(價格). ¶고가의 물건을 사다. ⓑ저가(低價), 염가(廉價).

고견 高見 | 높을 고, 볼 견 [excellent idea]
❶속뜻 높은[高] 식견(識見). ❷상대편의 '의견'을 높여 이르는 말. ¶선생님의 고견을 듣고 싶습니다. ⓗ탁견(卓見).

고결 高潔 | 높을 고, 깨끗할 결
[lofty; noble; pure]
고상(高尙)하고 깨끗함[潔]. ¶성품이 강직하고 고결하다.

고관 高官 | 높을 고, 벼슬 관 [high official]
높은[高] 벼슬자리[官]. 또는 그런 지위에 있는 관리. ¶회의에는 정부 고관들이 참석했다.

고교 高校 | 높을 고, 학교 교 [high school]
'고등학교'(高等學校)의 준말.

고급 高級 | 높을 고, 등급 급 [high class]
높은[高] 등급(等級)이나 계급(階級). ¶고급 승용차. ⓗ상급(上級).

고대 高臺 | 높을 고, 돈대 대
❶속뜻 높이[高] 쌓아 올린 터[臺]. ❷높이 쌓은 대(臺).

고도 高度 | 높을 고, 정도 도
[height; high degree]
❶속뜻 높은[高] 정도(程度). ¶고도로 발달한 문명 / 비행기가 고도를 유지하며 난다. ❷천문 지평면에서 천체까지의 각거리. 천체에 대한 올려본 각 또는 내려본 각.

고등 高等 | 높을 고, 무리 등
[high grade; high class]
정도나 수준이 높은[高] 무리[等]. ¶고등동물. ⓑ하등(下等), 초등(初等).

고려 高麗 | 높을 고, 고울 려
역사 우리나라 중세 왕조의 하나. 태봉의 장수 왕건(王建)이 세운 나라. 후백제를 멸하고 신라를 항복시켜 후삼국을 통일하였다. 산(山)이 높고[高] 강물[水]이 아름답다[麗]는 '산고수려'(山高水麗)의 준말에서 유래됐다는 설이 있다.

고령 高齡 | 높을 고, 나이 령 [advanced age]
높은[高] 나이[齡]. 많은 나이. ¶할아버지는 고령에도 불구하고 대회에 참가했다. ⓑ유년(幼年), 소년(少年).

고산 高山 | 높을 고, 메 산 [high mountain]
높은[高] 산(山). ¶이 꽃은 고산 지대에서 자생(自生)한다. ⓗ태산(泰山).

고상 高尙 | 높을 고, 받들 상 [be noble]
인품이나 학문 따위가 높아[高] 숭상(崇尙)할 만함. ¶그는 고상한 취미를 가지고 있다. ⓑ저속(低俗)하다.

고성 高聲 | 높을 고, 소리 성 [loud voice]
높고[高] 큰 목소리[聲]. ¶회의에서 고성이 오갔다. ⓑ저성(低聲).

고소 高所 | 높을 고, 곳 소 [high place]
높은[高] 곳[所]. ⓗ고처(高處).

고속 高速 | 높을 고, 빠를 속 [high speed]
아주 빠른[高] 속도(速度). ¶고속 성장. ⓑ저속(低俗).

고수 高手 | 높을 고, 솜씨 수 [excellent skill]
뛰어난[高] 재주나 솜씨[手]. 어떤 분야에서 능력이나 기술이 뛰어난 사람. ¶드디어 고수의 경지에 오르다. ⓗ상수(上手). ⓑ하수(下手).

고승 高僧 | 높을 고, 스님 승 [high priest]
불교 학덕이 높은[高] 승려(僧侶). ⓗ성승(聖僧), 대덕(大德). ⓑ소승(小僧).

고압 高壓 | 높을 고, 누를 압 [high tension]
❶속뜻 높은[高] 압력(壓力). 강한 압력. ❷전기 높은 전압(電壓). ¶고압주의. ⓑ저압(低壓).

고양 高揚 | 높을 고, 오를 양 [uplift]
높이[高] 올림[揚]. 정신이나 기분 따위를 드높임. ¶애국심을 고양하다.

고열 高熱 | 높을 고, 더울 열 [intense heat]
❶속뜻 높은[高] 열(熱). ❷높은 신열(身熱). ¶밤새 고열에 시달리다. ⓑ미열(微熱).

고온 高溫 | 높을 고, 따뜻할 온
[high temperature]
높은[高] 온도(溫度). ¶고온 다습한 지역. ⓑ저온(低溫).

고원 高原 | 높을 고, 들판 원
[plateau; tableland]
지리 높은[高] 산지에 펼쳐진 넓은 들판[原]. ¶고원 지대에서는 양과 염소를 기르기도 한다.

고위 高位 | 높을 고, 자리 위 [high rank]
❶속뜻 높은[高] 지위(地位). ❷높은 위치. ⓑ하위(下位).

고음 高音 | 높을 고, 소리 음 [high tone]
높은[高] 소리[音]. ¶그 가수는 고음을 잘 낸다. ⓑ저음(低音).

고저 高低 | 높을 고, 낮을 저
[rise and fall; pitch]
높음[高]과 낮음[低]. ⓗ높낮이.

고조¹ 高祖 | 높을 고, 조상 조
[one's great-great-grandfather]
증조(曾祖) 바로 윗대[高]의 조상[祖]. '고조부'(高祖父)의 준말. ¶그의 고조는 자손에게 많은 유산을 남겼다.

고조² 高調 | 높을 고, 가락 조 [high tone]
❶속뜻 높은[高] 가락[調]. ❷어떤 분위기나 감정 같은 것이 한창 무르익거나 높아짐. ¶분위기가 고조되었다. ⓑ저조(低調).

고:졸 高卒 | 높을 고, 마칠 졸
[high school graduate]
고등학교(高等學校)를 졸업(卒業)함. ¶그의 최종 학력은 고졸이다.

고지 高地 | 높을 고, 땅 지
[high ground; highlands]
❶속뜻 평지보다 높은[高] 땅[地]. ¶고지를 사수하다. ❷이루고자 하는 목표 또는 그 수준에 이른 단계. ¶유리한 고지를 점령하다. ⓑ평지(平地).

고층 高層 | 높을 고, 층 층 [higher stories]
❶속뜻 높은[高] 층(層). ❷상공의 높은 곳. ❸층이 여러 겹으로 되어 있는 것. ¶고층 건물이 들어서다.

고하 高下 | 높을 고, 아래 하 [up and down]
❶속뜻 높음[高]과 낮음[下]. ❷지위나 등급, 신분 등의 높고 낮음이나 귀하고 천함. ¶지위의 고하에 상관없이 의견을 말하다. ❸값의 많고 적음. ¶값의 고하를 막론하

고 사들이다. ㊥고저(高低), 귀천(貴賤).

고함 高喊 | 높을 고, 소리 함 [shout; yell]
크게[高] 외치는 목소리[喊]. ¶오라고 고함치다. ㊥큰 소리, 함성(喊聲).

• 역순어휘

고고 孤高 | 홀로 고, 높을 고
[stand in lofty solitude]
홀로[孤] 세속에 초연(超然)하여 고상(高尙)하다. ¶고고한 생활을 하다.

공고 工高 | 장인 공, 높을 고
[technical high school]
교육 '공업고등학교'(工業高等學校)의 준말.

농고 農高 | 농사 농, 높을 고
[agricultural highschool]
교육 농업(農業)에 관한 실업 교육을 하는 고등학교(高等學校). '농업고등학교'의 준말. ¶농고를 졸업하고도 장관이 되었다.

등:고 等高 | 같을 등, 높을 고
높이[高]가 같음[等].

상고 商高 | 장사 상, 높을 고
[commercial high school]
교육 '상업고등학교'(商業高等學校)의 준말. ¶그는 상고 출신 국회의원이다.

숭고 崇高 | 높을 숭, 높을 고 [sublime; lofty]
정신이 고상하고 뜻이 높다[崇=高]. ¶숭고한 정신을 기리다.

여고 女高 | 여자 녀, 높을 고
[girls' high school]
교육 여자(女子) 학생들만 입학할 수 있는 고등학교(高等學校). ¶나는 여고를 나왔다.

잔고 殘高 | 남을 잔, 높을 고
[balance in an account]
❶속뜻 남은[殘] 것의 높이[高]. ❷나머지 금액. 나머지. ¶예금 잔고를 확인하다 / 통장 잔고가 바닥나다.

최:고 最高 | 가장 최, 높을 고 [highest; best]
❶속뜻 가장[最] 높음[高]. ¶최고로 속도를 내다. ❷가장 으뜸이 되는 것. ¶선생님이 최고에요. ㊥최저(最低).

파고 波高 | 물결 파, 높을 고
[height of a wave; wave height]
파도(波濤)의 높이[高]. ¶전 해상에 2~3미터의 높은 파고가 예상된다.

0225 [체]

體

몸 체
㊙ 骨부 ㊙ 23획 ㊥ 体 [tǐ, tī]

體體體體體體體體體
體體體體體體體體體

體자는 '몸'(the body; frame)이란 뜻을 나타내기 위한 것인데 '뼈 골'(骨)이 표의요소로 쓰인 것은 골격을 몸의 바탕이라고 여긴 듯하다. 오른쪽 요소가 발음과 관련이 있음은 軆(연할 체)를 통하여 알 수 있다. '軆'는 속자이고, '体'는 약자이다. '모양'(=꼴 a form)을 뜻하기도 한다.

속뜻 훈음 ①몸 체, ②모양 체.

체격 體格 | 몸 체, 격식 격 [physique; frame]
❶속뜻 몸[體]의 골격(骨格). ❷근육, 골격, 영양 상태로 나타나는 몸의 겉 생김새. ¶그는 체격이 운동선수 같다.

체계 體系 | 몸 체, 이어 맬 계
[system; organization]
❶속뜻 전체(全體)의 계통(系統). 낱낱이 다른 것을 계통을 세워 통일한 전체. ❷일정한 원리에 따라 조직한 지식의 통일된 전체. ¶명령 체계 / 체계가 잡히다.

체구 體軀 | 몸 체, 몸 구 [body]
몸[體=軀]. 몸집. ¶듬직한 체구. ㊥덩치.

체급 體級 | 몸 체, 등급 급 [weight]
운동 권투나 레슬링 따위에서, 선수의 몸[體] 무게에 따라 매긴 등급(等級). ¶그 선수는 이번에 체급을 올려 출전한다.

체내 體內 | 몸 체, 안 내
[interior of the body]
몸[體]의 안[內]. ¶세균이 체내에 침투하다. ㊥체외(體外).

체대 體大 | 몸 체, 큰 대
[College of Physical Education]
교육 '체육대학'(體育大學)의 준말.

체득 體得 | 몸 체, 얻을 득
[realize; master; comprehend]
몸[體]으로 직접 터득(攄得)함. 몸소 경험하여 알아냄. ¶경험에서 체득된 지식.

체력 體力 | 몸 체, 힘 력
[physical strength]
몸[體]의 힘[力]. ¶강인한 체력 / 체력이 달리다.

체면 體面 | 몸 체, 낯 면
[one's face; honor; reputation]
❶속뜻 몸[體]과 얼굴[面]. ❷남을 대하기에 떳떳한 도리나 얼굴. ¶남자의 체면을 세우다.

체벌 體罰 | 몸 체, 벌할 벌

[physical punishment]
신체(身體)에 직접 고통을 주는 벌(罰). ¶체벌 금지 / 학생을 체벌하지 않다.

체액 體液 | 몸 체, 진 액 [body fluid]
생물 동물의 체내(體內)를 흐르는 액체(液體)의 물질.

체온 體溫 | 몸 체, 따뜻할 온
[body temperature]
생물체(生物體)가 가지고 있는 온도(溫度). ¶체온계의 눈금을 읽다.

체위 體位 | 몸 체, 자리 위
[physique; posture; physical standard]
❶ 속뜻 어떤 일을 할 때의 몸[體]의 위치(位置). ¶체위에 맞는 책걸상. ❷체격이나 건강의 정도. ¶체위를 향상시키다.

체육 體育 | 몸 체, 기를 육
[physical exercise; gymnastics]
교육 몸[體]과 운동 능력을 기르는[育] 일. 또는 그것을 목적으로 하는 교육. ¶체육 수업을 받다.

체전 體典 | 몸 체, 의식 전
[athletic meeting; National Games]
❶ 속뜻 체육(體育) 제전(祭典). ❷ 운동 매년 가을에 전국적으로 개최되는 종합 경기 대회. ⓑ전국 체육 대회.

체제 體制 | 몸 체, 정할 제
[structure; system; organization]
❶ 속뜻 사회적 기본 구조[體]를 정함[制]. ❷사회적인 제도와 조직의 형체. ¶냉전 체제 / 왕이 나라의 정치를 이끄는 체제.

체조 體操 | 몸 체, 부릴 조
[gymnastics; physical exercises]
❶ 속뜻 몸[體]을 부림[操]. ❷ 운동 신체의 이상적 발달을 꾀하고 신체의 결함을 교정 또는 보충시켜 주기 위한 조직화된 운동. ¶음악에 맞춰 체조를 하다.

체중 體重 | 몸 체, 무거울 중 [weight]
몸[體]의 무게[重]. ¶체중을 재다.

체질 體質 | 몸 체, 바탕 질
[one's physical constitution]
❶ 속뜻 몸[體]의 본바탕[質]. ❷태어날 때부터 지니고 있는 몸의 성질. ¶체질에 따라 운동을 달리해야 한다 / 회사 생활이 내 체질에 맞지 않는다.

체취 體臭 | 몸 체, 냄새 취 [body oder]
❶ 속뜻 몸[體]에서 나는 냄새[臭]. ¶방에서 그녀의 체취가 풍긴다. ❷어떤 개인이나 집단이 풍기는 독특한 느낌. ¶이 고장에 오면 선조들의 체취가 느껴진다.

체통 體統 | 몸 체, 계통 통
[face; respectability; dignity]
❶ 속뜻 본체(本體)에 속하는 계통[統]. ❷점잖은 체면. ¶체통을 지키세요.

체험 體驗 | 몸 체, 겪을 험 [experience]
몸소[體] 겪어봄[驗]. ¶직접 다양한 체험을 하다.

체형[1] 體刑 | 몸 체, 형벌 형
[jail sentence; corporal punishment]
법률 곤장을 치는 것같이 직접 사람의 몸[體]에 가하는 형벌(刑罰).

체형[2] 體型 | 몸 체, 모형 형
[one's figure; shape of one's body]
체격(體格)의 크기나 모형(模型). ¶체형에 맞는 옷 / 그는 키가 작고 뚱뚱한 체형이다.

• 역순어휘

고체 固體 | 굳을 고, 몸 체 [solid]
물리 쉽게 변형되지 않는 굳은[固] 물체[體]. ¶고체 연료.

구체 具體 | 갖출 구, 모양 체 [be concrete]
❶ 속뜻 눈으로 볼 수 있는 모양[體]을 갖춤[具]. ❷사물이 직접 경험하거나 지각할 수 있도록 일정한 형태와 성질을 갖춤. ⓑ구비(具備). ⓡ추상(抽象).

궁체 宮體 | 궁궐 궁, 모양 체
조선 시대, 궁녀(宮女)들이 쓰던 한글 서체(書體). ¶그는 특히 궁체를 잘 썼다.

기체[1] 氣體 | 공기 기, 몸 체 [gas]
❶ 속뜻 공기(空氣)같은 형체(形體). ❷ 물리 공기, 수증기처럼 일정한 모양이나 부피가 없이 유동하는 물질. ⓡ액체(液體), 고체(固體).

기체[2] 機體 | 틀 기, 몸 체 [airframe]
❶ 속뜻 기계(機械)의 몸체[體]. ❷비행기의 몸체. ¶바람이 세서 기체가 심하게 흔들렸다.

나:체 裸體 | 벌거벗을 라, 몸 체 [nude]
벌거벗은[裸] 몸[體]. ⓑ알몸.

단체 團體 | 모일 단, 몸 체
[party; organization]
같은 목적으로 모인[團] 두 사람 이상의 모임[體]. ¶단체로 신청하면 요금이 싸다. ⓑ집단(集團). ⓡ개인(個人), 단독(單獨).

대:체 大體 | 큰 대, 몸 체
[outline; summary; on earth]
❶ 속뜻 일이나 내용의 기본적인 큰[大] 줄거리[體]. ¶그 일의 대체를 알고 있다 / 대체로 잘된 편이다. ❷도대체. ¶너는 대체 누구냐?

도:체 導體 | 이끌 도, 몸 체 [conductor]
물리 열 또는 전기 따위를 잘 전도(傳導)하는 물체(物

體). '도전체'(導電體)의 준말. ㉥부도체(不導體).

동체 胴體 | 몸통 동, 몸 체 [body]
❶속뜻 사람이나 물체(物體)의 몸통[胴]을 이루는 부분[體]. ❷항공 항공기의 날개와 꼬리를 제외한 중심 부분. ¶동체 착륙.

매체 媒體 | 맺어줄 매, 몸 체
[medium; vehicle]
❶속뜻 한쪽과 다른 쪽을 맺어주는[媒] 물체(物體). 또는 그런 수단. ¶광고 매체. ❷물리 물질과 물질 사이에서 매질(媒質)이 되는 물체. ¶공기는 소리를 전달하는 매체이다.

모:체 母體 | 어머니 모, 몸 체
[mother's body; base]
❶속뜻 아이나 새끼를 밴 어미[母]의 몸[體]. ¶태아의 건강은 모체의 건강에 달려있다. ❷현재 형태의 기반이 되었던 것. ¶라틴어는 프랑스어의 모체이다.

문체 文體 | 글월 문, 몸 체 [literary style]
문학 문장(文章)에 드러난 글쓴이의 사상이나 체재(體裁). ¶그의 문체는 화려하다. ㉥글체.

물체 物體 | 만물 물, 몸 체
[physical solid; object]
구체적인 형체(形體)를 가지고 존재하는 것[物].

본체 本體 | 뿌리 본, 몸 체 [body]
기계 따위의 기본(基本)이 되는 몸체[體]. 또는 중심 부분. ¶컴퓨터의 본체.

사:체 死體 | 죽을 사, 몸 체 [dead body]
사람 또는 동물 따위의 죽은[死] 몸뚱이[體]. ¶범인은 사체를 방치하고 도주했다.

상:체 上體 | 위 상, 몸 체
[upper part of the body]
몸[體]의 윗부분[上]. ¶상체를 일으키다. ㉥하체(下體).

생체 生體 | 살 생, 몸 체
[living body; organism]
생물(生物)의 몸[體]. 또는 살아 있는 몸. ¶생체 실험.

서체 書體 | 쓸 서, 모양 체 [calligraphic style]
글씨[書] 모양[體]. ¶고딕 서체. ㉥글씨체.

선체 船體 | 배 선, 몸 체 [ship]
배[船]의 몸체[體]. ¶암초에 부딪혀 선체가 두 동강이 났다.

시:체 屍體 | 주검 시, 몸 체 [dead body]
죽은 생물 또는 죽은 사람[屍]의 몸[體]. ¶시체를 영안실에 안치하다. ㉥송장, 시신(屍身), 주검.

신체 身體 | 몸 신, 몸 체 [body]
사람의 몸[身=體]. ¶건강한 신체에 건강한 정신이 깃든다. ㉥육신(肉身), 육체(肉體).

실체 實體 | 실제 실, 몸 체 [substance]
실제(實際)의 물체(物體). 또는 본래의 모습. ¶사건의 실체가 드러나다.

액체 液體 | 진 액, 몸 체 [liquid; fluid]
❶속뜻 진액(津液)과 같은 상태의 물체(物體). ❷물리 일정한 부피는 가졌으나 일정한 형태를 가지지 못한 물질. ¶물은 액체이다.

약체 弱體 | 약할 약, 몸 체 [weak body]
❶속뜻 허약(虛弱)한 몸[體]. ❷실력이나 능력이 약한 조직체. ¶우리 팀은 그동안 약체로 평가받아 왔다.

업체 業體 | 일 업, 몸 체 [(business) enterprise]
사업(事業)이나 기업의 주체(主體). ¶이 업체는 매출이 감소했다.

오:체 五體 | 다섯 오, 몸 체 [whole body]
몸을 이루는 다섯[五] 부분[體]. 머리, 두 팔, 두 다리를 말한다.

원체 元體 | 으뜸 원, 몸 체
[by nature; from the first]
❶속뜻 으뜸[元]이 되는 몸[體]. ❷본디부터. 워낙. ¶그는 원체 몸이 약하다.

육체 肉體 | 몸 육, 몸 체 [flesh; body]
구체적인 물질인 사람의 몸[肉=體]. ¶건전한 육체에 건전한 정신이 깃든다. ㉥육신(肉身). ㉥영혼(靈魂), 정신(精神).

인체 人體 | 사람 인, 몸 체 [human body]
사람[人]의 몸[體]. ¶인체 구조 / 담배는 인체에 해롭다.

일체 一體 | 한 일, 몸 체
[one body; single body]
한[一] 몸[體]. 한 덩어리. ¶국민 모두가 일체가 되어 위기를 극복했다 / 일체형(一體型) 오디오.

입체 立體 | 설 립, 몸 체 [solid]
❶속뜻 세워[立] 놓은 물체(物體). ❷수학 삼차원의 공간에서 여러 개의 평면이나 곡면으로 둘러싸인 부분.

자체 自體 | 스스로 자, 몸 체 [itself]
❶속뜻 그 스스로[自]의 몸[體]이나 모양. ¶그는 남성스러움 그 자체다. ❷스스로 하는 것. ¶자체 조사를 실시하다.

전체 全體 | 모두 전, 몸 체 [whole; totality]
❶속뜻 온[全] 몸[體]. ❷무엇의 모든 부분. ¶소문이 마을 전체에 퍼졌다.

정:체 正體 | 바를 정, 몸 체
[real form; one's true character]
❶속뜻 바른[正] 형체(形體). ❷참된 본디의 형체. ¶범

인의 정체는 아직 밝혀지지 않았다.

주체 主體 | 주될 주, 몸 체 [main body]
❶[속뜻]어떤 단체나 물건의 주(主)가 되는 부분[體]. ¶국가의 주체는 국민이다. ❷사물의 작용이나 어떤 행동의 주가 되는 것. ¶역사의 주체.

차체 車體 | 수레 차, 몸 체
[car body; frame]
차량(車輛)의 몸체[體]. 승객이나 화물을 싣는 부분. ¶사고로 인해 차체가 크게 망가졌다.

천체 天體 | 하늘 천, 몸 체
[celestial bodies; heavenly bodies]
❶[속뜻]하늘[天] 전체(全體). ❷[천문]우주 공간에 떠 있는 온갖 물체를 통틀어 이르는 말. ¶천체를 관측하다.

필체 筆體 | 글씨 필, 모양 체 [handwriting]
글씨[筆] 모양[體]. ¶두 사람의 필체가 서로 비슷하다. [비]글씨체(體), 서체(書體).

하:체 下體 | 아래 하, 몸 체
[lower part of the body]
몸[體]의 아랫[下]부분. ¶그는 하체가 뚱뚱하다. [비]하반신(下半身). [반]상체(上體).

항:체 抗體 | 막을 항, 몸 체 [antibody]
❶[속뜻]저항력(抵抗力)을 지닌 물질[體]. ❷[의학]병균에 저항하거나 그것을 죽이는 몸속의 물질. ¶예방 접종으로 병균에 대한 항체가 형성되었다.

해:체 解體 | 풀 해, 몸 체 [take apart]
❶[속뜻]단체(團體) 따위를 풀어[解] 없앰. ¶교내 야구팀을 해체하다. ❷여러 부분을 모아 만든 물건을 작은 부분으로 다시 나누는 것. ¶라디오를 해체하다.

형체 形體 | 모양 형, 몸 체 [form; shape]
물건의 생김새[形]나 그 바탕이 되는 몸체[體]. ¶형체가 없다 / 형체를 갖추다 / 형체를 알아보다.

제2부

제2부 실 제 : 한자 및 한자어 지도

5장. 6급 배정한자 75

[0226-0300]

0226 [별]

別

다를/나눌 별
部 刀부 畫 7획 中 别 [bié]

別 別 別 別 別 別 別

別자는 원래 '고기 육'(月)이 없는 '뼈 골'(骨) 옆에 '칼 도'(刀=刂)가 덧붙여져 있다가 지금의 모습으로 달라졌다. '(칼로 뼈를) 발라내다'(tear off)가 본뜻인데, '다르다'(another; be not the same), '나누다'(divide)는 뜻으로 더 많이 쓰인다.
속뜻 훈음 ①다를 별, ②나눌 별.

별개 別個 | 다를 별, 낱 개
[different one; separate one]
어떤 것에 함께 포함시킬 수 없는 딴[別] 것[個]. ¶아는 것과 가르치는 것은 별개이다.

별거 別居 | 나눌 별, 살 거 [separate]
부부 또는 한 가족이 따로[別] 떨어져 삶[居]. ¶나는 아내와 별거 중이다. 반동거(同居).

별고 別故 | 다를 별, 사고 고
[accident; something wrong; trouble]
특별(特別)한 사고(事故). 별다른 탈. ¶별고 없으십니까? 비별탈, 별사고(別事故).

별관 別館 | 다를 별, 집 관 [extension; outhouse]
본관 외에 따로[別] 지은 건물[館]. ¶호텔 별관. 반본관(本館).

별도 別途 | 다를 별, 길 도 [another way]
❶속뜻 다른[別] 길[途]이나 방법. ❷원래의 것에 덧붙여서 추가한 것. ¶주민들은 별도의 사용료 없이 수영장을 이용할 수 있다.

별명 別名 | 다를 별, 이름 명 [nickname]
그 사람의 성격, 용모, 태도 따위의 특징을 따서 남이 지어 부르는 본이름 외의 딴[別] 이름[名]. ¶별명을 붙이다. 비별칭(別稱). 반본명(本名).

별미 別味 | 다를 별, 맛 미 [exquisite flavor; tidbit]
특별(特別)히 좋은 맛[味]. 또는 그런 음식. ¶메밀묵은 겨울철 별미이다.

별별 別別 | 다를 별, 다를 별
[of various and unusual sorts]
별(別)의 별(別). 온갖. 가지가지. ¶세상에는 별별 사람들이 다 있다. 비별의별.

별세 別世 | 나눌 별, 세상 세
[pass away; pass on]
❶속뜻 세상(世上)과 이별(離別)함. ❷'죽음'을 높여 이르는 말. ¶은사께서 노환으로 별세하셨다.

별식 別食 | 다를 별, 밥 식 [special dish]
일상 먹는 음식이 아닌 색다른[別] 음식(飮食). ¶별식으로 부침을 먹었다.

별실 別室 | 다를 별, 방 실
[special room; separate room]
딴[別] 방[室]. 특별히 따로 마련된 방. ¶손님을 별실로 모셨다.

별장 別莊 | 다를 별, 꾸밀 장
[(resort) villa; country house]
경치 좋은 곳에 따로[別] 꾸며놓고[莊] 때때로 묵는 집. ¶높은 절벽 위에 별장을 지어 놓았다.

별지 別紙 | 다를 별, 종이 지 [annexed paper]
서류나 편지 등에 따로[別] 적어 덧붙이는 쪽지[紙]. ¶자세한 것은 별지를 참조하십시오.

별칭 別稱 | 다를 별, 일컬을 칭 [another name]
달리[別] 부르는[稱] 이름. ¶그에게는 도시의 무법자라는 별칭이 있다. 비별명(別名).

• 역순어휘

각별 格別 | 삼갈 각, 나눌 별 [especial; special]
삼가[格]고 정성스러움이 유달리 특별(特別)함. ¶각별한 대우를 받았다. 비유다르다.

개:별 個別 | 낱 개, 나눌 별 [individual]
하나하나[個] 나뉜[別] 것. ¶학생을 개별 지도하다. 비낱개, 별개(別個). 반종합(綜合), 전체(全體).

결별 訣別 | 이별할 결, 나눌 별
[separate; break up]
❶속뜻 기약 없는[訣] 이별(離別). ❷관계나 교제를 영원히 끊음. ¶그는 친구와 결별했다. 비작별(作別).

고:별 告別 | 알릴 고, 나눌 별 [farewell]
서로 헤어지게[別] 됨을 알림[告]. ¶동료들과 고별하다.

구별 區別 | 나눌 구, 나눌 별 [distinguish]
❶속뜻 구역(區域)에 따라 나누어[別] 경계를 지음. ❷성질이나 종류에 따라 나타나는 차이. 또는 그것을 갈라놓음. ¶쌀과 보리를 구별하다. 반혼동(混同).

기별 寄別 | 부칠 기, 나눌 별 [news; notice]
❶속뜻 부치어[寄] 나누어 줌[別]. ❷소식을 전함. 또는 소식을 전하는 종이. ¶기별을 보내다. 속담 간에 기별도 안 간다.

도:별 道別 | 길 도, 나눌 별
[classification by province]
도(道)마다 따로 나눔[別].

변:별 辨別 | 가릴 변, 나눌 별 [distinguish]

사물의 옳고 그름이나 좋고 나쁨을 가려[辨] 나눔[別]. ¶진위를 변별하다. [비]분별(分別), 식별(識別).

분별 分別 | 나눌 분, 나눌 별 [devise; judge]
❶[속뜻]일이나 사물을 나누어[分] 구별(區別)함. ¶이 다이아몬드는 진짜인지 가짜인지 분별하기가 어렵다. ❷무슨 일을 사리에 맞게 판단함. 또는 그 판단력. ¶그는 분별 있게 행동하는 사람이다.

사:별 死別 | 죽을 사, 나눌 별
[be parted by death]
한쪽은 죽고[死] 한쪽은 살아남아 이별(離別)함. ¶남편과 사별하다.

석별 惜別 | 애틋할 석, 나눌 별 [part with regrets]
헤어지는[別] 것을 섭섭하고 애틋하게[惜] 여김. ¶석별의 눈물을 흘리다.

선:별 選別 | 가릴 선, 나눌 별 [sort; select]
가려서[選] 나누어[別] 놓음. ¶선별 기준 / 과일을 크기에 따라 선별하다.

성:별 性別 | 성별 성, 나눌 별 [distinction of sex]
남녀, 또는 암수 등 성(性)의 구별(區別). ¶성별을 기입해 주십시오.

송:별 送別 | 보낼 송, 나눌 별 [farewell]
멀리 떠나는[別] 이를 보냄[送]. ¶송별의 정을 나누다.

식별 識別 | 알 식, 나눌 별 [distinguish]
분별(分別)하여 알아냄[識]. 사물의 성질이나 종류 따위를 구별함. ¶적군과 아군의 식별이 어렵다.

월별 月別 | 달 월, 나눌 별
달[月]에 따라 구별(區別)함.

유:별 有別 | 있을 유, 다를 별 [classify; assort]
다름[別]이 있음[有]. 차이가 있음. ¶남녀 유별 / 할머니는 유별하게 뛰어난 기억력을 가지고 계신다.

이:별 離別 | 떨어질 리, 나눌 별 [part from]
서로 떨어져[離] 나누어짐[別]. ¶그는 어머니와 이별하고 기차에 올랐다. [비]작별(作別). [반]상봉(相逢).

작별 作別 | 지을 작, 나눌 별
[take leave; bid farewell]
이별(離別)을 함[作]. 이별의 인사를 나눔. ¶작별 인사 / 친구와 작별하고 기차에 올랐다. [반]상봉(相逢).

차별 差別 | 다를 차, 나눌 별
[discriminate against]
❶[속뜻]다르게[差] 나눔[別]. ❷차등이 있게 구별함. ¶인종 차별 / 이 제품은 품질부터 차별된다. [반]평등(平等).

특별 特別 | 유다를 특, 다를 별 [special]
일반적인 것과 유달리[特] 다름[別]. ¶특별히 어디가 아픈 건 아니지만 기운이 없다 / 오늘은 나에게 아주 특별한 날이다.

판별 判別 | 판가름할 판, 나눌 별
[distinguish; discern; tell apart]
판단(判斷)하여 구별(區別)함. ¶진짜와 가짜를 판별하다.

0227 [교]

交

사귈 교
[部] 亠부 [劃] 6획 [中] 交 [jiāo]

交交交交交交

交자는 '(다리를) 꼬다'(interlock)의 뜻을 나타내기 위하여 다리를 꼰 채 서 있는 사람의 모습을 본뜬 것이다. 후에 '연계하다'(link), '사귀다'(make friends with), '서로'(each other) 등의 뜻도 이것으로 나타냈다.

[속뜻 글자 훈음] ①사귈 교, ②서로 교, ③꼴 교.

교대 交代 | 서로 교, 바꿀 대 [take turns; rotate]
❶[속뜻]차례에 따라 서로[交] 바꾸어[代] 일을 함. ❷차례에 따라 일을 맡음. ¶나는 매일 동생과 교대로 방 청소를 한다. [비]겨끔내기.

교류 交流 | 서로 교, 흐를 류
[interchange; exchange]
❶[속뜻]근원이 다른 물줄기가 서로[交] 섞이어 흐름[流]. 또는 그런 줄기. ❷문화나 사상 따위가 서로 통함. ¶문화적 교류. ❸[전기]시간에 따라 크기와 방향이 주기적으로 바뀌어 흐름. 또는 그런 전류. [비]소통(疏通). [반]직류(直流).

교미 交尾 | 꼴 교, 꼬리 미 [copulate]
❶[속뜻]꼬리[尾]를 서로 꼼[交]. ❷[동물]동물의 암컷과 수컷이 성적(性的)인 관계를 맺는 일. [비]짝짓기.

교배 交配 | 서로 교, 짝 배 [interbreed]
생물의 암수를 서로[交] 짝[配]짓기 시키는 일.

교부 交付 | =交附, 서로 교, 줄 부 [delivery; grant]
문서나 물건을 서로[交] 주고[付]받음. ¶원서는 17일까지 교부합니다.

교섭 交涉 | 서로 교, 관여할 섭
[negotiate; bargain]
어떤 일을 이루기 위하여 서로[交] 관여하여[涉] 의논함. ¶근무 조건을 놓고 교섭하다. [비]타협(妥協), 협의(協議).

교신 交信 | 서로 교, 소식 신 [communicate with]
우편, 전신, 전화 따위로 정보나 소식[信] 또는 의견을 서로[交] 주고받음.

교역 交易 | 서로 교, 바꿀 역 [trade; commerce]
물건을 사고팔고 하여 서로[交] 바꿈[易]. ¶아라비아 상인들은 인도항로를 오가며 교역했다. ㊐무역(貿易).

교우 交友 | 사귈 교, 벗 우 [make friends]
벗[友]을 사귐[交]. 또는 그 벗. ¶교우 관계가 좋다.

교자 交子 | 끌 교, 접미사 자
[food set on a large table]
❶속뜻 다리가 교차(交叉)되어 있는 것[子]. ❷교자상에 차려 놓은 음식.

교제 交際 | 사귈 교, 사이 제 [associate with]
❶속뜻 서로 사귀어[交] 가까운 사이[際]가 됨. ¶교제를 넓히다. ❷어떤 목적을 달성하기 위한 수단으로 남과 가까이 사귐. ㊐사교(社交). ㊞절교(絶交).

교차 交叉 | 서로 교, 엇갈릴 차 [cross; intersect]
❶속뜻 서로[交] 엇갈리거나[叉] 마주침. ❷생물 생식 세포가 감수 분열 할 때에 상동 염색체 사이에 일어나는 부분적인 교환 현상. ㊞평행(平行).

교체 交替 | 서로 교, 바꿀 체 [shift; change]
서로[交] 바꿈[替]. 교대로 바꿈. ¶선수 교체. ㊐교환(交換).

교통 交通 | 서로 교, 통할 통
[traffic; transportation]
❶속뜻 오고가며 서로[交] 통(通)함. ❷자동차, 기차, 배, 비행기 따위의 탈것을 이용하여 사람이 오고 가는 일이나 짐을 실어 나르는 일. ¶이곳은 교통이 매우 편리하다.

교향 交響 | 서로 교, 울림 향 [symphony]
서로[交] 어우러져 울림[響].

교환 交換 | 서로 교, 바꿀 환
[exchange; interchange]
물건 따위를 서로[交] 주고받아 바꿈[換]. ¶정보를 교환하다.

• 역순어휘 ———————— •

국교 國交 | 나라 국, 사귈 교 [national friendship]
나라[國]와 나라 사이에 맺는 외교(外交) 관계. ㊐수교(修交).

사교 社交 | 모일 사, 사귈 교
[social intercourse; social relationships]
여러 사람이 모임[社]을 만들어 사귐[交]. ¶사교 모임에 나가다 / 사교 범위가 넓다.

성:교 性交 | 성별 성, 사귈 교
[sexual intercourse]
남녀가 성적(性的)인 관계를 맺음[交]. 육체적으로 관계함. ㊐성행위(性行爲).

수교 修交 | 닦을 수, 사귈 교
[form a good relationship]
나라와 나라 사이에 교제(交際)의 길을 닦아[修] 맺음. ¶수교를 맺다 / 중국과 수교하다.

외:교 外交 | 밖 외, 사귈 교 [diplomacy]
정치 다른 나라[外國]와 정치적, 경제적, 문화적 관계를 맺는[交] 일. ¶정상 외교. ㊐외치(外治).

절교 絶交 | 끊을 절, 사귈 교
[break off friendship]
서로 교제(交際)를 끊음[絶]. ¶우리는 사소한 말다툼으로 절교했다. ㊞교제(交際).

친교 親交 | 친할 친, 사귈 교
[fellowship; friendship]
친밀(親密)하게 사귐[交]. ¶그들과는 10년 넘게 친교를 유지하고 있다.

0228 [경]

京 서울 경
㊔ 亠부 ㊀ 8획 ㊥ 京 [jīng]
京 京 京 京 京 京 京 京

京자는 고대 건축 양식의 하나로 세 개 이상의 긴 말뚝을 세우고 그 위에 지은 집의 모습에서 유래된 것이다. 아래 부분[小]이 그 말뚝의 변형이며, 가운데[口]는 방이고, 그 위[亠]는 지붕의 모습임을 어렴풋이 짐작할 수 있다. '높은 집'(high building)이 본래 의미인데, 서울(首都)에는 그런 건물들이 많았으므로 '서울'(=수도, a capital city)란 뜻도 이것으로 나타냈다.

경기 京畿 | 서울 경, 경기 기
❶속뜻 서울[京]을 중심으로 500리 이내의 땅[畿]. ❷우리나라 중서부에 있는 '경기도'의 준말. ㊐기내(畿內).

• 역순어휘 ———————— •

귀:경 歸京 | 돌아갈 귀, 서울 경 [return to Seoul]
서울[京]로 돌아가거나 돌아옴[歸]. ¶터미널에는 귀경 인파가 몰려 혼잡했다.

상:경 上京 | 위 상, 서울 경 [come up to the capital]
시골에서 서울[京]로 올라옴[上].

0229 [승]

勝 이길 승
㊔ 力부 ㊀ 12획 ㊥ 胜 [shèng]
勝 勝 勝 勝 勝 勝 勝 勝 勝 勝 勝 勝

勝자는 '맡다'(take charge of)가 본래 의미이니 '힘 력'(力)이 표의요소이다. 힘이 있어야 어떤 일을 맡을 수 있기 때문인가 보다. 朕(나 짐)이 표음요소임은 賸(남을 승)도 마찬가지이다. 힘이 있으면 이기기 마련이므로 '이기다'(win), '뛰어나다'(superior to)는 뜻으로 확대 사용됐다.
속뜻훈음 ①이길 승, ②뛰어날 승.

승률 勝率 | 이길 승, 비율 률
[percentage of victories]
전체 경기에서 이긴[勝] 경기의 비율(比率). ¶저 타자는 승률이 높다.

승리 勝利 | 이길 승, 이로울 리 [win the victory]
싸움에서 이겨[勝] 이득(利得)을 얻음. 겨루어 이김. ¶전쟁에서 승리하다. ㊎패배(敗北).

승부 勝負 | 이길 승, 질 부
[victory or defeat; match]
이김[勝]과 짐[負]. ¶승부를 가리다.

승산 勝算 | 이길 승, 셀 산
[prospects of victory; chance of victory]
이길[勝] 공산(公算)이나 가능성. ¶그도 금메달을 딸 승산이 있다.

승자 勝者 | 이길 승, 사람 자 [victor; winner]
운동 경기나 싸움에서 이긴[勝] 사람[者]. 또는 이긴 편. ¶최후에 웃는 자가 진정한 승자다. ㊎패자(敗者).

승전 勝戰 | 이길 승, 싸울 전 [win a war]
싸움[戰]에 이김[勝]. ㊎패전(敗戰).

승점 勝點 | 이길 승, 점 점 [point; victory mark]
경기나 내기 따위에서 이겨서[勝] 얻은 점수(點數).

승패 勝敗 | 이길 승, 패할 패 [victory and defeat]
이김[勝]과 짐[敗]. ¶승패를 떠나 최선을 다해라.

• 역순어휘

결승 決勝 | 결정할 결, 이길 승
[decision of a contest]
❶속뜻 마지막으로 승부(勝負)를 결정(決定)함. ❷운동 경기 따위에서 마지막으로 승부를 가리는 시합. '결승전'(決勝戰)의 준말. ¶우리 반이 배구대회의 결승에 올랐다. ㊎예선(豫選).

기승 氣勝 | 기운 기, 이길 승 [unyielding]
❶속뜻 기운(氣運)이나 힘 따위가 누그러들지 않음[勝]. ¶더위가 기승을 부리다. ❷성미가 억척스럽고 굳세어 좀처럼 굽히지 않음. 또는 그 성미.

대:승 大勝 | 큰 대, 이길 승
[gain a great victory]
크게[大] 이김[勝]. ¶강감찬은 귀주에서 대승을 거두었다. ㊀대승리(大勝利), 대첩(大捷), 대파(大破). ㊎대패(大敗).

명승 名勝 | 이름 명, 뛰어날 승 [famous sight]
이름[名] 날 정도로 뛰어난[勝] 경치. '명승지'(名勝地)의 준말.

연승 連勝 | 이을 련, 이길 승
[win straight victories]
싸움이나 경기에서 계속하여[連] 이김[勝]. ¶그 팀은 5연승을 달리고 있다 / 타이거 우즈가 세 번의 경기에서 연승했다. ㊎연패(連敗).

완승 完勝 | 완전할 완, 이길 승
[win a complete victory]
완전(完全)하게 또는 여유 있게 이김[勝]. 또는 그런 승리. ¶우리 팀은 원정 경기에서 완승을 거두었다. ㊎완패(完敗).

우승 優勝 | 뛰어날 우, 이길 승 [win the victory]
❶속뜻 실력이 뛰어난[優] 선수가 이김[勝]. ❷경기 따위에서 첫째로 이김. 또는 첫째 등위. ¶영광스러운 우승 / 그는 테니스에서 우승했다.

전승¹ 全勝 | 모두 전, 이길 승 [complete victory]
전쟁이나 경기 따위에서 한 번도 지지 아니하고 모두[全] 이김[勝]. ¶우리 팀은 이번 대회에서 3전 전승을 거두었다. ㊀백전백승(百戰百勝). ㊎전패(全敗).

전:승² 戰勝 | 싸울 전, 이길 승 [win a victory]
전쟁이나 경기 따위에서 싸워[戰] 이김[勝]. ¶왕은 전승을 축하하는 잔치를 베풀었다. ㊎패전(敗戰).

제:승 制勝 | 누를 제, 이길 승
겨루어 눌러[制] 이김[勝].

쾌승 快勝 | 기쁠 쾌, 이길 승 [win very easily]
통쾌(痛快)하게 이김[勝]. ¶내일 시합에서 쾌승을 거둘 것으로 기대된다.

필승 必勝 | 반드시 필, 이길 승 [certain victory]
반드시[必] 이김[勝]. ¶선수들은 필승의 각오를 다지고 경기에 임했다.

0230 [사]

使 하여금/부릴 사:
㊍ 人부 ㊏ 8획 ㊥ 使 [shǐ]
使 使 使 使 使 使 使 使

使(사)·事(사)·吏(리), 이 세 글자는 갑골문 시기(14-11 BC)에 모두 같은 글자였으며, 붓을 들고 하는 일, 즉 '사무'(clerical work)와 관련이 있다. 후에 使자는 주로 '부리다'(employ)는 뜻을 나타내는 데 쓰였다.

사:도 使徒 | 부릴 사, 무리 도 [apostle]
❶기독교 예수가 복음을 널리 전하는 것을 시키기[使] 위하여 특별히 뽑은 열두 제자[徒]. ❷신성한 일을 위하여 헌신적으로 일하는 사람을 비유하여 이르는 말. ¶정의의 사도가 나가신다.

사:령 使令 | 부릴 사, 시킬 령 [decree of amnesty]
❶속뜻 부리거나[使] 시킴[令]. ❷역사 조선 시대, 각 관아에서 심부름하던 사람.

사:명 使命 | 부릴 사, 명할 명 [mission; commission]
❶속뜻 사신(使臣)으로서 받은 명령(命令). ❷맡겨진 임무. ¶맡은 바 사명을 다하다.

사:신 使臣 | 부릴 사, 신하 신 [envoy; ambassador]
임금이나 국가의 명령을 받고 외국에 사절(使節)로 가는 신하(臣下).

사:용 使用 | 부릴 사, 쓸 용 [use]
사람이나 물건 등을 부리거나[使] 씀[用]. ¶이곳은 가스 사용을 금하고 있다.

사:절 使節 | 부릴 사, 마디 절 [envoy; delegate]
❶역사 옛날 사신(使臣)이 신표로 지참하던 대나무 마디[節]. ❷법률 나라를 대표하여 일정한 사명(使命)을 띠고 외국에 파견되는 사람. ¶그는 주한 외교 사절로 워싱턴에 갔다.

사:주 使嗾 | 부릴 사, 부추길 주 [incite; instigate]
남을 부추겨[嗾] 좋지 않은 일을 시킴[使]. ¶그는 적의 사주를 받아 내부의 기밀을 누출했다.

사:환 使喚 | 부릴 사, 부를 환 [errand boy]
관청이나 회사, 가게 따위에서 잔심부름을 시키기[使] 위하여 고용한[喚] 사람.

• 역순어휘

공사 公使 | 관공서 공, 부릴 사 [diplomatic minister]
법률 국가[公]를 대표하여 파견되는 외교 사절(使節).

노사 勞使 | 일할 로, 부릴 사 [labor and capital]
노동자(勞動者)와 사용자(使用者=경영자)를 아울러 이르는 말. ¶노사 협약 / 노사 교섭.

대:사 大使 | 큰 대, 부릴 사 [ambassador]
법률 나라를 대표하여 다른 나라에 파견되어 외교를 맡아 보는 최고[大] 직급의 사신(使臣). ¶주미 한국 대사로 발령을 받아 곧 미국으로 떠난다.

밀사 密使 | 몰래 밀, 부릴 사 [secret envoy]
몰래[密] 보내어 심부름을 시키는[使] 사람. ¶헤이그 밀사 / 밀사를 보내다.

설사 設使 | 세울 설, 부릴 사 [even if]
설령(設令) 그렇게 한다[使]면. ¶설사 자기 것이 아니더라도 낭비해서는 안 된다. (비)설령(設令), 설혹(設或).

천사 天使 | 하늘 천, 부릴 사 [angel]
❶속뜻 '천자(天子)의 사신(使臣)'을 제후국에서 일컫던 말. ❷기독교 하느님의 사자로서 하느님과 인간의 중개 역할을 하는 존재를 이르는 말. ¶서양의 천사는 주로 날개를 달고 있다 / 그녀는 천사와 같은 마음씨를 가졌다. (반)악마(惡魔).

칙사 勅使 | 조서 칙, 부릴 사 [Royal messenger]
칙명(勅命)을 받든 사신(使臣). ¶고종은 헤이그에 칙사를 보냈다.

특사 特使 | 특별할 특, 부릴 사 [special envoy; emissary]
❶속뜻 특별(特別)히 무엇을 시킴[使]. 또는 그것을 맡은 사람. ❷특별한 임무를 띠고 파견하는 외교 사절을 두루 일컫는 말. ¶대통령의 특사를 파견하다.

행사 行使 | 행할 행, 부릴 사 [exercise]
부려서[使] 씀[行]. 특히, 권리나 권력·힘 따위를 실지로 사용하는 일. ¶무력을 행사해서 시위를 진압하다.

혹사 酷使 | 독할 혹, 부릴 사 [work hard]
혹독(酷毒)하게 부림[使]. ¶그는 평생 혹사당하는 노동자를 도왔다.

0231 [례]

例

법식 례:
(部) 人부 (劃) 8획 (中) 例 [lì]

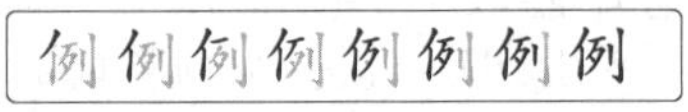

例자는 '사람 인'(人)이 표의요소로 쓰였고, 列(줄 렬)이 표음요소임은 冽(빠질 례)도 마찬가지이다. '같은 종류'(a same kind)가 본래 의미인데, '법식'(a law; a rule), '본보기'(an example) 등으로 확대 사용됐다.
속뜻 훈음 ①법식 례, ②본보기 례.

예:년 例年 | 본보기 례, 해 년 [average year]
❶속뜻 본보기[例]로 삼은 해[年]. 주로 지난해를 말한다. ❷지리 일기 예보에서 지난 30년간 기후의 평균적 상태를 이르는 말. ¶올 여름은 예년에 비해 훨씬 덥다. (비)평년(平年).

예:문 例文 | 본보기 례, 글월 문 [example sentence]
본보기[例]가 되는 문장(文章). ¶이 국어사전은 예문이

풍부하다.

예:사 例事 | 본보기 례, 일 사 [usual affair]
❶속뜻 본보기[例]가 되는 일[事]. ❷흔히 있는 일. '예상사'(例常事)의 준말. ¶영주가 학교에 지각하는 것은 예사다 / 예사로 여기다 / 요즘 그의 행동이 예사롭지 않다.

예:시 例示 | 본보기 례, 보일 시
[exemplify; illustrate]
본보기[例]를 들어 보임[示]. ¶적절한 예시를 들다.

예:외 例外 | 법식 례, 밖 외 [exception]
일반적 규칙이나 법식[例]에서 벗어나는[外] 일. ¶며칠간 계속 덥더니 오늘도 예외는 아니다.

예:화 例話 | 본보기 례, 이야기 화
본보기[例]로 하는 이야기[話].

• 역순어휘 •

관례 慣例 | 버릇 관, 본보기 례
[precedent; convention]
이전부터 지켜 내려와 관습(慣習)이 되어 버린 사례(事例). ¶악수는 오른손으로 하는 것이 관례다.

범:례 凡例 | 모두 범, 본보기 례
[introductory remarks; explanatory notes]
미리 알아두어야 할 모든[凡] 사항을 본보기[例]로 적은 글. ⊕일러두기.

비:례 比例 | 견줄 비, 본보기 례
[comparison with a precedent]
❶속뜻 본보기[例]와 비교(比較)해 봄. ❷한쪽의 양이나 수가 변동할 때 다른 쪽의 양이나 수도 같은 비율로 증가 또는 감소하는 관계. 정비례와 반비례가 있다. ¶행복은 성공과 꼭 비례하는 것은 아니다.

사:례 事例 | 일 사, 본보기 례 [example]
어떤 일[事]의 본보기[例]가 됨. 또는 그 본보기. ¶구체적인 사례를 들어 설명하다.

상례 常例 | 늘 상, 본보기 례
[common usage; custom]
주위에서 흔히[常] 볼 수 있는 본보기[例]. 또는 그런 사례. ¶추석이나 설에는 한복을 입는 것이 상례이다. ⊕통례(通例), 항례(恒例).

선례 先例 | 먼저 선, 본보기 례
[previous instance; former example]
먼저[先] 있었던 사례(事例). ¶선례를 따르다. ㊟예. ⊕전례(前例).

실례 實例 | 실제 실, 본보기 례 [instance]
실제(實際)로 있었거나 있는 본보기[例]. ¶실례를 들어 설명하니 쉽다.

용:례 用例 | 쓸 용, 본보기 례 [example]
실제로 쓰이는[用] 본보기[例]. 또는 용법의 보기. ¶용례의 색인.

유:례 類例 | 비슷할 류, 본보기 례
[similar example; parallel case]
❶속뜻 같거나 비슷한[類] 예(例). ❷전례(前例). ¶관광업은 유례를 찾아볼 수 없는 호황을 누렸다.

이:례 異例 | 다를 이, 본보기 례
[rare; exceptional]
보통의 것과 다른[異] 예(例). 특수한 예.

일례 一例 | 한 일, 본보기 례 [example]
하나[一]의 예(例). 한 가지 실례(實例). ¶일례를 들면 다음과 같다.

차례 次例 | 순서 차, 법식 례
[turn; table of contents; time]
❶속뜻 순서[次]에 따라 정한 법식[例]. 또는 순서대로 돌아오는 기회. ¶내가 노래할 차례가 되었다 / 숫자가 큰 것부터 차례대로 늘어놓다. ❷책이나 글 따위에서 벌여 적어 놓은 항목. ¶나는 책을 펴면 차례부터 읽는다. ❸일이 일어나는 횟수를 세는 단위. ¶그를 여러 차례 만났다. ⊕순서(順序).

0232 [구]

區 구분할/지경 구
部 匸부 劃 11획 中 区 [qū, ōu]
區 區 區 區 區 區 區 區 區 區 區

區자 안에 있는 세 개의 口는 器(그릇 기)의 것과 같이 질그릇을 가리키고, 匸(혜)는 '감추다', '따로 잘 보관하다'는 뜻이다. 따라서 區는 일정한 곳에 잘 간직해둔 '질그릇'(pottery ware)이 본래 의미인데, 후에 이것이 '(몇 개로) 나누다'(divide into)는 뜻으로 쓰이는 예가 많아지자, 본래 뜻은 따로 甌(사발 구)자를 만들어 나타냈다.
속뜻 훈음 나눌 구.

구간 區間 | 나눌 구, 사이 간
[block; serviced area]
❶속뜻 구역(區域)과 구역 사이[間]. ¶정체 구간은 빨간색으로 표시된다. ❷수학 수직선 위에서 두 실수 사이에 있는 모든 실수의 집합.

구민 區民 | 나눌 구, 백성 민
[inhabitants of a ward]
해당 구역(區域)에 사는 사람[民].

구별 區別 | 나눌 구, 나눌 별 [distinguish]
❶속뜻 구역(區域)에 따라 나누어[別] 경계를 지음. ❷

성질이나 종류에 따라 나타나는 차이. 또는 그것을 갈라 놓음. ¶쌀과 보리를 구별하다. (반)혼동(混同).

구분 區分 | 나눌 구, 나눌 분 [divide; separate]
❶[속뜻]구역(區域)으로 나눔[分]. ❷전체를 몇 개의 갈래로 나눔. ¶옳은 일과 그른 일을 구분하다. (비)구별(區別).

구역 區域 | 나눌 구, 지경 역 [area; zone]
❶[속뜻]갈라놓은[區] 지역(地域). ❷[기독교]한 교회의 신자들을 지역에 따라 일정 수로 나누어 놓은 단위.

구청 區廳 | 나눌 구, 관청 청 [ward office]
[법률]구(區)의 행정 사무를 맡은 관청(官廳).

구획 區劃 | 나눌 구, 나눌 획 [divide; partition]
토지 따위를 구분(區分)하여 나눔[劃]. 또는 그런 구역. ¶도시를 세 부분으로 구획하여 개발하다.

• 역순어휘

광:구 鑛區 | 쇳돌 광, 나눌 구 [mining area(lot)]
[법률]관청에서 어떤 광물(鑛物)의 채굴이나 시굴을 허가한 구역(區域).

교:구 教區 | 종교 교, 나눌 구 [parish]
[종교]종교(宗教)의 전파, 신자의 지도 따위를 위하여 편의상 나누어 놓은 구역(區域).

지구 地區 | 땅 지, 나눌 구 [area; district; zone]
지역(地域)을 일정하게 나눈 구역(區域). ¶이 도시 북부는 상업 지구로 지정되었다.

0233 [석]

席	자리 석 (部) 巾부 (劃) 10획 (中) 席 [xí] 席 席 席 席 席 席 席 席 席 席

席자의 부수는 广(집 엄)이 아니라, 巾(수건 건)이니 주의를 요한다. 집[广] 안에 돗자리를 깔아놓은 모양을 그린 것이다. 가운데 부분은 돗자리 모양이 변화된 것이다. '자리'(a seat)란 본래 의미가 지금도 변함없이 그대로 쓰이고 있다.

석권 席卷 | =席捲, 자리 석, 말 권
[overwhelm; conquer]
❶[속뜻]자리[席]를 말아[卷] 걷어냄. ❷한 번에 닥치는 대로 영토를 휩쓺. 무서운 기세로 세력을 펼치거나 휩쓺. ¶신제품으로 국내 시장을 석권하다.

석상 席上 | 자리 석, 위 상
[during the meeting; in company]
어떤 모임의 자리[席]에서[上]. 여러 사람이 모인 자리. ¶공개 석상에서 발표하다.

석차 席次 | 자리 석, 차례 차
[class order; ranking]
❶[속뜻]자리[席]의 차례(次例). ❷성적의 차례. ¶석차를 매기다 / 석차가 지난번보다 떨어졌다. (비)등수(等數).

• 역순어휘

객석 客席 | 손 객, 자리 석 [seat for a guest]
극장, 경기장 따위에서 관객(觀客)들이 앉는 자리[席]. ¶관중들이 객석을 가득 메웠다. (비)관람석(觀覽席), 관중석(觀衆席).

결석 缺席 | 빠질 결, 자리 석
[be absent; miss a class]
출석해야 할 자리[席]에 빠짐[缺]. ¶감기로 결석하다. (비)궐석(闕席). (반)출석(出席).

공석 公席 | 여럿 공, 자리 석
[presence of the public]
❶[속뜻]여러 사람[公]이 모인 자리[席]. ¶공석에서는 사담을 하지 맙시다. ❷공적인 업무를 맡아보는 직위. ¶공석에 앉은 몸으로 함부로 처신할 수 없다. (반)사석(私席).

동석 同席 | 한가지 동, 자리 석 [sit together]
❶[속뜻]자리[席]를 함께[同]함. 또는 같은 자리. ¶회의에 그와 동석했다. ❷같은 석차나 지위.

방석 方席 | 모 방, 자리 석 [(floor) cushion]
네모[方] 모양의 깔고 앉는 자리[席]. (비)좌욕(坐褥).

법석 法席 | 법 법, 자리 석 [noisy way; fuss]
❶[속뜻]불법(佛法)을 설하는 자리[席]. ❷여러 사람이 어수선하게 떠드는 모양. ¶별 것도 아닌 일로 법석을 떨다. (비)수선, 야단법석(野壇法席).

상:석 上席 | 위 상, 자리 석
[highest seat; top seat; head]
윗[上] 자리[席]. ¶교장 선생님을 상석으로 모셨다. (반)말석(末席).

수석 首席 | 머리 수, 자리 석 [chief; head]
❶[속뜻]맨 윗[首] 자리[席]. ❷등급이나 직위 따위에서 맨 윗자리. ¶수석 보좌관.

좌:석 座席 | 자리 좌, 자리 석 [seat]
앉을 수 있게 마련된 자리[座=席]. ¶6시 공연에 좌석이 있습니까? (비)자리.

주석 主席 | 주인 주, 자리 석 [head]
❶[속뜻]주인(主人)의 자리[席]. 중심이 되는 자리. ❷중국 등 일부 국가의 정부나 정당의 최고 지위. 또는 그 지위에 있는 사람.

즉석 卽席 | 곧 즉, 자리 석 [on the spot]
일이 진행되는 바로 그[卽] 자리[席]. ¶즉석 복권 /

즉석에서 노래를 부르다.

참석 參席 | 참여할 참, 자리 석 [be present; attend]
어떤 자리[席]나 모임에 참여(參與)함. ¶회의에 참석하다. [반]불참(不參).

출석 出席 | 날 출, 자리 석 [attend]
어떤 자리[席]에 나감[出]. ¶출석을 부르다 / 그는 증인으로 내일 법정에 출석할 것이다. [반]결석(缺席).

타:석 打席 | 칠 타, 자리 석 [batter's box]
[운동]야구에서 타자가 투수의 공을 치기[打] 위하여 마련된 자리[席]. ¶그는 첫 타석에서 홈런을 쳤다.

특석 特席 | 특별할 특, 자리 석 [reserved seat]
특별(特別)히 따로 마련한 좌석(座席). '특별석'의 준말. ¶특석에서 경기를 관람하다.

합석 合席 | 합할 합, 자리 석 [sit together]
자리[席]를 합(合)함. 한자리에 같이 앉음. ¶실례지만 합석을 해도 될까요?

0234 [고]

古

예 고:
[부] 口부 [획] 5획 [中] 古 [gǔ]

古古古古古

古자는 '열 십'(十)과 '입 구'(口) 두 표의요소가 조합된 글자다. 異說(이:설)이 많이 있는데, 여러 사람(十)의 입(口)으로 전해오는 '옛날(=옛 ancient times)'의 일이라고 풀이하는 것이 일반적이다. 이 글자의 반대말이자 단짝은 今(이제 금)이다.

[속뜻훈음] 옛 고.

고:금 古今 | 옛 고, 이제 금 [ancient and modern times]
옛날[古]과 지금(只今). ¶그는 고금을 통하여 가장 훌륭한 학자이다.

고:대 古代 | 옛 고, 시대 대 [ancient times]
옛[古] 시대(時代). ¶고대 사회 / 고대 문학. [반]근대(近代), 현대(現代).

고:도 古都 | 옛 고, 도읍 도 [ancient city; former capital]
옛[古] 도읍(都邑). ¶경주는 신라의 고도이다.

고:동 古銅 | 옛 고, 구리 동 [old copper]
❶[속뜻]고대(古代)의 구리[銅]. ❷헌 구리쇠. ❸오래된 동전.

고:물 古物 | 옛 고, 만물 물 [old article]
❶[속뜻]옛날[古] 물건(物件). ❷낡고 헌 물건. ¶이 라디오는 고물이 되었다. [비]폐물(廢物).

고:분 古墳 | 옛 고, 무덤 분 [old tomb]
옛[古] 무덤[墳]. ¶백제시대 고분을 발굴하다.

고:서 古書 | 옛 고, 책 서 [old book]
❶[속뜻]옛[古] 책[書]. ❷헌 책. [반]신간(新刊).

고:어 古語 | 옛 고, 말씀 어 [archaic word]
옛[古] 말[語]. [비]옛말. [반]현대어(現代語).

고:적 古跡 | =古蹟, 옛 고, 발자취 적 [historic spot]
❶[속뜻]옛날[古] 사람들의 발자취[跡]. ❷옛적 건물이나 시설물 따위가 남아 있음. 또는 그런 유물이나 유적(遺跡). ¶이 절은 고려 시대의 고적이다. [비]사적(史跡).

고:전 古典 | 옛 고, 책 전 [classic]
❶[속뜻]고대(古代)의 전적(典籍). ❷옛날의 법식이나 의식. ❸시대를 대표할 만한 가치를 지닌 작품. 특히 문예 작품을 이른다. ¶동양 고전을 섭렵하다.

고:참 古參 | 옛 고, 참여할 참 [seniority; old-timer]
오래[古] 전부터 참여(參與)한 사람. 오래전부터 그 일에 종사하여 온 사람. ¶그녀는 이 회사에서 나보다 훨씬 고참이다.

고:철 古鐵 | 옛 고, 쇠 철 [scrap iron; steel scraps]
낡은[古] 쇠[鐵]. ¶고철을 모아 팔다.

고:희 古稀 | 옛 고, 드물 희 [seventy years of age]
❶[속뜻]옛[古]부터 보기 드문[稀] 나이. ❷'일흔 살'의 나이를 이르는 말. 두보의 시 '곡강'(曲江)에 나오는 '人生七十古來稀'에서 유래.

• 역순어휘

고:고 考古 | 고찰할 고, 옛 고 [study of antiquities]
유물이나 유적으로 옛[古] 일을 고찰(考察)함. ¶고고인류학.

만:고 萬古 | 일만 만, 옛 고 [all antiquity]
❶[속뜻]아주 많이[萬] 오랜 옛날[古]. ¶만고로부터 내려오는 풍습. ❷한없이 오랜 세월. ¶만고에 없는 난리.

복고 復古 | 돌아올 복, 옛 고 [restore; recover]
과거의[古] 모양, 정치, 사상, 제도, 풍습 따위로 돌아감[復]. ¶왕정(王政)을 복고하다.

상:고 上古 | 위 상, 옛 고 [ancient times; remote ages]
[역사]역사의 시대 구분의 하나. 중고(中古)보다 먼저

[上] 있던 옛날[古].

자고 自古 | 부터 자, 옛 고 [since early times]
옛[古] 부터[自]. ¶자고로 한국인은 흰 옷을 즐겨 입었다.

중고 中古 | 가운데 중, 옛 고
[Middle Ages; secondhand article]
❶[역사] 상고(上古)와 근고(近古)의 중간(中間) 시기의 고대(古代). ❷이미 사용하였거나 오래됨. ¶아버지께서 중고 책상을 하나 사오셨다.

태고 太古 | 클 태, 옛 고 [ancient times]
아득히 먼[太] 옛날[古]. ¶태고의 신비를 간직한 섬.

0235 [합]

合

합할 합
[部] 口부 [획] 6획 [中] 合 [hé, gě]

合자는 뚜껑이 덮여진 그릇 모양을 본뜬 것으로 '그릇'(a vessel)이 본래 의미이다. 후에 이것이 '합하다'(join together), '모으다'(combine), '맞다'(match well; harmonize), '싸우다'(fight), '만나다'(meet) 등으로 확대 사용되는 예가 많아지자, 본뜻은 盒(합)자를 추가로 만들어 나타냈다.

[속뜻 훈음] ①합할 합, ②맞을 합, ③싸울 합, ④만날 합.

합격 合格 | 맞을 합, 자격 격 [pass an exam]
❶[속뜻] 자격(資格)에 맞음[合]. ❷채용이나 자격시험 따위에 붙음. ¶합격을 축하합니다. [반]낙방(落榜), 불합격(不合格).

합계 合計 | 합할 합, 셀 계 [total]
합(合)하여 셈[計]. 또는 그 수나 양. ¶오늘 산 물건들의 합계가 얼마입니까? [비]합산(合算), 총계(總計).

합금 合金 | 합할 합, 쇠 금 [alloy]
[화학] 여러 가지 금속(金屬)을 합(合)함. 또는 그렇게 만든 금속.

합당 合當 | 맞을 합, 마땅 당 [suitable]
어떤 기준이나 조건에 맞아서[合] 적당(適當)하다. ¶합당한 방법. [비]적합(適合)하다. [반]부당(不當)하다.

합동 合同 | 합할 합, 한가지 동 [union]
❶[속뜻] 여럿이 모여 하나[同]로 합(合)함. ¶합동 결혼식 / 두 학교가 합동으로 연주회를 열었다. ❷[수학] 두 개의 도형이 크기와 모양이 같아 서로 포갰을 때에 꼭 맞는 것.

합류 合流 | 합할 합, 흐를 류 [unite; join]
❶[속뜻] 한데 합(合)하여 흐름[流]. ¶이 지점은 두 강이 합류하는 곳이다. ❷일정한 목적을 위하여 행동을 같이 함. ¶해외파 선수들의 합류로 팀의 전력이 크게 향상되었다 / 육군과 합류한 해군.

합리 合理 | 맞을 합, 이치 리 [reasonable]
이치(理致)에 맞음[合]. [반]불합리(不合理).

합법 合法 | 맞을 합, 법 법 [lawful; legal]
법(法)에 맞음[合]. [비]적법(適法). [반]불법(不法), 비합법(非合法), 위법(違法).

합병 合倂 | =合幷, 합할 합, 어우를 병 [merge]
여러 사물이나 조직을 합(合)해 어우름[倂]. ¶세 개의 회사가 합병하여 하나가 되었다.

합석 合席 | 합할 합, 자리 석 [sit together]
자리[席]를 합(合)함. 한자리에 같이 앉음. ¶실례지만 합석을 해도 될까요?

합선 合線 | 합할 합, 줄 선 [short circuit]
❶[속뜻] 선(線)을 합(合)함. ❷[전기] 전기 회로의 절연이 잘 안되어서 두 점 사이가 접속되는 일. ¶전선이 합선되어 불이 났다.

합성 合成 | 합할 합, 이룰 성
[compose; synthesize]
여럿을 합(合)하여 하나로 만듦[成]. ¶합성 사진. [반]분해(分解).

합세 合勢 | 합할 합, 세력 세 [join forces]
세력(勢力)을 한데 합(合)함. ¶여럿이 합세하여 범인을 잡았다.

합숙 合宿 | 합할 합, 묵을 숙
[stay together in a camp]
여러 사람이 한 곳에 모여[合] 묵음[宿]. ¶합숙 훈련.

합승 合乘 | 합할 합, 탈 승 [ride together]
여러 사람이 한데 모여[合] 탐[乘]. ¶합승을 해도 될까요?

합심 合心 | 합할 합, 마음 심 [unison]
여럿이 마음[心]을 한데 합(合)함. ¶친구들과 합심하여 축제를 준비했다.

합의[1] 合意 | 맞을 합, 뜻 의 [agreement]
서로 의견(意見)이 맞아[合] 일치함. 또는 그 의견. ¶합의 사항 / 양측은 권리와 의무를 합의했다.

합의[2] 合議 | 합할 합, 의논할 의
[consult together]
두 사람 이상이 한 자리에 모여서[合] 의논(議論)함. ¶회칙 개정은 회원들의 합의를 통해 이루어진다.

합작 合作 | 합할 합, 지을 작 [joint work]
여럿의 힘을 합(合)하여 만듦[作]. ¶이 영화는 한중 합작 작품이다.

합장 合掌 | 합할 합, 손바닥 장
[join one's hands in prayer]
❶속뜻 두 손바닥[掌]을 마주 합(合)침. ❷불교 부처에게 절할 때 공경하는 마음으로 두 손바닥을 합침.

합주 合奏 | 합할 합, 연주할 주 [concert]
음악 여러 악기를 합(合)해 연주(演奏)함. ¶기악 합주.

합죽 合竹 | 합할 합, 대나무 죽
대나무[竹] 조각을 맞붙임[合].

합창 合唱 | 합할 합, 부를 창 [chorus]
여러 사람이 소리를 합(合)하여 노래함[唱]. ¶남녀 합창 / 우리는 교가를 합창했다. ⓑ독창(獨唱).

합판 合板 | 합할 합, 널빤지 판 [sheet of plywood]
여러 장을 합(合)하여 만든 널빤지[板].

• 역순어휘

결합 結合 | 맺을 결, 합할 합 [combine; unite]
둘 이상의 것이 서로 관계를 맺고[結] 합쳐져[合] 하나로 됨. ¶산소는 수소와 결합하여 물을 만든다. ⓑ결속(結束), 연합(聯合). ⓑ분리(分離), 분해(分解).

경:합 競合 | 겨룰 경, 싸울 합 [compete with]
❶속뜻 겨루어[競] 맞서 싸움[合]. ❷법률 동일한 대상에 대하여 같은 효력을 가지는 권리 따위가 중복되는 일. ¶올림픽을 유치하기 위해 두 도시가 경합했다. ⓑ경쟁(競爭).

궁합 宮合 | 자궁 궁, 맞을 합 [marital harmony as predicted by a fortuneteller]
❶속뜻 자궁(子宮)에 잘 맞음[合]. ❷민속 혼인에 앞서 신랑 신부의 사주(四柱)를 오행에 맞추어 보아 부부 생활의 좋고 나쁨을 미리 알아보는 점.

기합 氣合 | 기운 기, 합할 합
[give a shout of concentration; punish]
❶속뜻 어떤 특별한 힘을 내기 위하여 기운(氣運)을 모음[合]. 또는 그 때 내는 소리. ❷단체 생활을 하는 곳에서 잘못한 사람을 단련하기 위하여 몸을 힘들게 하는 벌.

단합 團合 | 모일 단, 합할 합 [unite; join forces]
많은 사람이 모여[團] 마음과 힘을 합침[合]. ¶우리 반은 단합이 잘 된다. ⓑ단결(團結).

담합 談合 | 말씀 담, 합할 합 [fix; rig]
❶속뜻 서로 의논하여[談] 합의(合意)함. ❷법률 공사 입찰 등에서 입찰자들이 미리 상의하여 입찰 가격을 협정함.

배:합 配合 | 나눌 배, 합할 합
[match; combine; mix]
두 가지 이상을 일정한 비율로 나누어[配] 한데 섞어 합(合)침. ¶배합 비율.

백합 百合 | 일백 백, 합할 합 [lily]
❶속뜻 여러[百] 꽃잎이 합쳐[合] 있음. ❷식물 5~6월에 줄기 끝에 2, 3개의 꽃이 옆으로 피는 관상용 식물. ¶백합은 순결을 상징한다.

병:합 併合 | 어우를 병, 합할 합 [merge; annex]
둘 이상의 단체, 나라 따위를 하나로 어울러[併] 합(合)함. ¶두 나라가 병합했다.

복합 複合 | 겹칠 복, 합할 합 [compound]
두[複] 가지 이상의 것이 합(合)하여 하나가 됨. ¶주상 복합 건물 / 슬픔과 분노가 복합된 연기를 하다.

부:합 符合 | 맞을 부, 맞을 합
[agreement; correspondence]
서로 조금도 틀림이 없이 꼭 들어맞거나[符] 합치(合致)됨. ¶너의 의견이 나의 의견과 부합한다.

승합 乘合 | 탈 승, 합할 합
[ride together; share a car]
자동차 따위에 여럿이 함께[合] 탐[乘]. ⓑ합승(合乘).

시합 試合 | 따질 시, 싸울 합
[play against; have a game]
❶속뜻 우열을 따지기[試] 위하여 경합(競合)을 벌임. ❷운동이나 그 밖의 경기 따위에서 승부를 겨루는 일. ¶야구 시합. ⓑ경기(競技).

연합 聯合 | 잇달 련, 합할 합 [unite; combine]
❶속뜻 잇달아[聯] 합침[合]. ❷두 가지 이상의 사물이 서로 합동하여 하나의 조직체를 만듦. 또는 그렇게 만든 조직체. ¶백제는 신라와 연합하여 고구려에 대항했다.

융합 融合 | 녹을 융, 합할 합 [fusion; merger]
여럿을 녹여[融] 하나로 합(合)함. ¶양국의 상이한 문화를 융합하다.

적합 適合 | 알맞을 적, 맞을 합
[suitable; fit; compatible]
꼭 알맞게[適] 잘 맞음[合]. 꼭 알맞음. ¶이곳은 벼농사를 짓기에 적합하다. ⓑ부적합(不適合).

접합 接合 | 이을 접, 합할 합
[join; unite; connect]
하나로 이어[接] 합함[合]. 또는 한데 닿아 붙음. ¶접합 수술.

조합 組合 | 짤 조, 합할 합
[combinate; organize; mix]
❶속뜻 여럿을 한데 엮어[組] 한 덩어리로 합(合)함. ¶부품을 조합하면 자동차가 완성된다. ❷사회 목적과 이해를 같이하는 두 사람 이상이 자기 이익을 지키고 공동의 목적을 이루려고 공동으로 출자하여 사업을 경영하는 조직이나 단체. ¶농업협동조합.

종합 綜合 | 모을 종, 합할 합

[synthesize; put together]
여러 가지를 한데 모아[綜] 합(合)함. ¶종합 검진을 받아보다 / 여러 의견을 종합하다.

집합 集合 | 모일 집, 합할 합
[gather; collect; assemble]
❶[속뜻] 모여서[集] 하나로 합(合)침. ¶두 시까지 운동장에 집합해라. ❷[수학] 특정 조건에 맞는 원소들의 모임. ¶무한 집합. [반]해산(解散).

통:합 統合 | 묶을 통, 합할 합
[combine; integrate; unify]
묶고[統] 합쳐[合] 하나로 만듦. ¶세 개의 부서가 하나로 통합되었다.

혼:합 混合 | 섞을 혼, 합할 합
[mix; mingle; blend]
뒤섞여서[混] 한데 합쳐짐[合]. 또는 뒤섞어 한데 합함. ¶혼합 비료 / 밀가루와 물을 혼합하여 반죽을 만들다.

화:합¹ 化合 | 될 화, 합할 합 [chemical combine]
❶[속뜻] 화학적(化學的)으로 결합(結合)함. 그런 물질. ❷[화학] 둘 또는 그 이상의 물질이 결합하여 본래의 성질을 잃어버리고 새로운 성질을 가진 물질이 됨. ¶수소는 산소와 화합하면 물이 된다.

화합² 和合 | 어울릴 화, 합할 합 [harmonize]
서로 잘 어우러져[和] 마음을 합(合)침. ¶우리 반은 화합이 잘 된다.

회:합 會合 | 모일 회, 만날 합 [meet; gather]
모여서[會] 만남[合]. ¶회합 장소 / 남북은 판문점에서 회합했다. [비]집회(集會).

0236 [향]

向

향할 향:
[部] 口부 [畫] 6획 [中] 向 [xiàng]

向 向 向 向 向 向

向자는 아득한 옛날 반 지하 움집의 창문 모양을 그린 것으로 '창문'(a window)이 본래 의미이다. 그것은 일정한 방향이 있었기에 '(어디로) 향하다'(front)로 확대 사용됐다.

향:상 向上 | 향할 향, 위 상 [improve]
기능이나 정도 따위가 위[上]로 향(向)하여 나아감. 좋아짐. ¶수희의 수학 실력이 크게 향상되었다. [반]저하(低下).

향:후 向後 | 향할 향, 뒤 후 [hereafter]
뒤[後]를 향(向)함. 다음. 이 뒤. ¶이 컴퓨터는 향후 1년 동안 무상 수리를 받을 수 있다.

• 역순어휘

경향 傾向 | 기울 경, 향할 향 [tendency; trend]
어떤 방향(方向)으로 기울어[傾] 쏠림. 또는 그런 방향. ¶그는 통계수치를 과신하는 경향이 있다.

남향 南向 | 남녘 남, 향할 향 [facing south]
남(南)쪽을 향(向)함. ¶이 집은 남향이다. [반]북향(北向).

내:향 內向 | 안 내, 향할 향 [introversion]
❶[속뜻] 안쪽[內]으로 향(向)함. ❷[의학] 병이 내장의 기관을 침범함. [반]외향(外向).

동향¹ 東向 | 동녘 동, 향할 향 [eastern exposure]
동(東)쪽을 향(向)함. 또는 그 방향. [반]서향(西向).

동:향² 動向 | 움직일 동, 향할 향
[tendency; trend]
❶[속뜻] 움직임[動]과 방향(方向). ❷사람들의 사고, 사상, 활동이나 일의 형세 따위가 바뀌는 방향. ¶여론의 동향을 살피다. [비]동태(動態), 동정(動靜).

방향 方向 | 모 방, 향할 향
[direction; one's course]
❶[속뜻] 어떤 방위(方位)를 향(向)한 쪽. ¶동쪽 방향에서 바람이 불어왔다. ❷어떤 뜻이나 현상이 일정한 목표를 향하여 나아가는 쪽. ¶이 책은 내가 나아갈 방향을 제시해 주었다.

북향 北向 | 북녘 북, 향할 향
[northern aspect; facing north]
북(北)쪽을 향(向)함. 또는 그 방향. ¶대문을 북향으로 내다. [반]남향(南向).

상:향 上向 | 위 상, 향할 향 [upward tendency]
❶[속뜻] 위[上] 쪽을 향(向)함. 또는 그 쪽. ¶상향 곡선. ❷수치나 한도, 기준 따위를 더 높게 잡음. ¶목표를 상향 조정하다. [반]하향(下向).

서향 西向 | 서녘 서, 향할 향 [facing west]
서(西)쪽을 향(向)함. 또는 서쪽 방향.

성:향 性向 | 성질 성, 향할 향 [inclination]
성질(性質)이 쏠리는 방향(方向). ¶그녀는 점쟁이의 말이라면 덮어놓고 믿는 성향이 있다.

의:향 意向 | 뜻 의, 향할 향
[intention; inclination]
마음이나 뜻[意]이 향(向)하는 바. 또는 무엇을 하려는 생각. ¶우리와 함께 떠날 의향이 있으면 지금 말해라.

지향 指向 | 가리킬 지, 향할 향 [point to a place]
방향(方向)을 가리킴[指]. 지정된 방향으로 나아감. ¶등산하러 온 사람들은 정상을 지향해 걸어갔다.

취:향 趣向 | 달릴 취, 향할 향 [taste; liking]

하고 싶은 마음이 쏠리는[趣] 방향(方向). ¶우리는 음악에 대한 취향이 비슷하다.

풍향 風向 | 바람 풍, 향할 향 [direction of the wind]
지리 바람[風]이 불어오는 방향(方向).

하:향 下向 | 아래 하, 향할 향 [facing downward]
❶속뜻 위에서 아래[下]쪽으로 향(向)함. ¶하향 곡선 / 하향 조정. ❷기세 따위가 쇠퇴하여 감. ⓑ상향(上向).

0237 [원]

園 동산 원
部 口부 劃 13획 中 园 [yuán]

園 園 園 園 園 園 園 園 園 園 園 園 園

園자의 口는 사방으로 둘러쳐진 담이나 울타리를 뜻하는 표의요소이며, 袁(옷 길 원)은 표음요소일 따름이다. '울'(a fence)이 본뜻인데 '동산'(a garden)을 뜻하기도 한다.

원두 園頭 | 동산 원, 머리 두
❶속뜻 동산[園]에 일구어 놓은 밭의 머리[頭] 부분. 터키어를 음역한 것이라는 설도 있다. ❷밭에 심은 오이, 참외, 수박, 호박 따위의 총칭.

원예 園藝 | 동산 원, 심을 예 [gardening]
동산[園] 같은 곳에 채소, 과일, 화초 따위를 심어서[藝] 가꾸는 일이나 기술. ¶원예식물.

원장 園長 | 동산 원, 어른 장 [principal; curator]
'원'(園)자가 붙은 시설이나 기관의 우두머리[長]. ¶유치원 원장 / 동물원 원장.

• 역순어휘

공원 公園 | 여럿 공, 동산 원 [park; public garden]
여러 사람[公]들의 휴식과 보건 등을 위한 시설이 되어 있는 큰 정원(庭園)이나 지역. ¶공원으로 산책을 가다.

낙원 樂園 | 즐길 락, 동산 원 [paradise; utopia]
❶속뜻 즐겁게[樂] 놀 수 있는 동산[園]. ❷아무런 괴로움이나 고통이 없이 안락하게 살 수 있는 즐거운 곳. ¶이 섬은 새들의 낙원이다. ⓑ낙토(樂土).

농원 農園 | 농사 농, 동산 원 [farm; plantation]
채소, 화초, 과수 따위[農]를 가꾸는 동산[園] 같은 농장.

전원 田園 | 밭 전, 동산 원 [country]
❶속뜻 논밭[田]과 동산[園]. ❷도시에서 떨어진 시골이나 교외(郊外)를 이르는 말. ¶전원 생활 / 아름다운 전원의 풍경을 바라보다.

정원 庭園 | 뜰 정, 동산 원 [garden; park]
잘 가꾸어 놓은 넓은 뜰[庭]이나 작은 동산[園]. 뜰. ¶할아버지는 정원을 가꾸는 일로 소일하신다.

화원 花園 | 꽃 화, 동산 원 [flower garden]
❶속뜻 꽃[花]을 심은 정원(庭園). ❷꽃을 파는 가게. ¶나는 화원에서 안개꽃 한 다발을 샀다.

후:원 後園 | 뒤 후, 동산 원 [backyard; rear garden]
집 뒤[後]에 있는 정원(庭園)이나 작은 동산. ¶딸아이는 또래들과 후원에서 놀고 있다.

0238 [강]

強 강할 강(:)
部 弓부 劃 12획 中 强 [qiáng]

強 強 強 強 強 強 強 強 強 強 強

強자는 '활 궁'(弓)이 부수이지만 표의요소는 아니다. 원래 '바구미'(a weevil)를 지칭하는 글자여서 벌레 충(虫)이 표의요소이고, 弘(클 홍)이 표음요소였다고 한다. 그런데 '강하다'(strong; powerful), '굳세다'(stout)는 뜻으로도 쓰이는 것은 음이 같은 彊(굳셀 강)자를 대신하여 쓰이다 보니 생겨난 현상이다. 강하다 보면 억지를 부리는 예가 많기 때문인지 '억지로'(by force)란 뜻으로도 쓰인다.
속뜻훈음 ①굳셀 강, ②강할 강, ③억지 강.

강건 強健 | 굳셀 강, 튼튼할 건 [strong]
몸이 굳세고[強] 튼튼하다[健]. ¶강건한 신체. ⓑ병약(病弱)하다.

강경 強硬 | =強勁, 강할 강, 단단할 경 [firm; tough]
❶속뜻 마음가짐이나 태도가 강(強)하고 단단함[硬]. ❷강하게 버티어 굽히지 아니함. ¶회담에서 정부는 강경한 태도로 일관했다. ⓑ유화(宥和), 온건(穩健).

강국 強國 | 강할 강, 나라 국 [strong nation]
세력이 강(強)한 나라[國]. ¶군사 강국 / 강국의 대열에 오르다. ⓗ강대국(強大國). ⓑ약국(弱國).

강권 強權 | 강할 강, 권력 권 [power of authority]
❶속뜻 강(強)한 힘을 가진 권력(權力). ❷국가가 사법적, 행정적으로 행사하는 강력한 권력 작용. ¶경찰은 강권을 발동하였다.

강대 強大 | 강할 강, 큰 대 [be big and strong]
강(強)하고 크다[大]. ¶강대한 군사력으로 주변국을 침략했다. ⓑ약소(弱少).

강도[1] 強度 | 굳셀 강, 정도 도 [strength]

❶[속뜻] 굳센[強] 정도(程度). ¶강도 높은 훈련. ❷[물리] 전류(電流)·방사능 따위의 양(量)의 세기.

강:도² 強盜 | 억지 강, 훔칠 도 [robber]
폭행이나 협박을 하여 억지로[強] 남의 금품을 빼앗는[盜] 일. 또는 그러한 도둑. ¶강도가 금고를 털었다.

강력 強力 | 강할 강, 힘 력 [strong]
❶[속뜻] 강(強)한 힘[力]. ❷약 따위의 효과나 작용이 강함. ¶이 약은 살충력이 강력하다 / 그는 혐의를 강력히 부인했다. ❸가능성이 큼. ¶강력한 우승 후보. ⑪강대(強大), 막강(莫強).

강렬 強烈 | 강할 강, 세찰 렬 [be strong; intense]
강(強)하고 세차다[烈]. ¶이 그림은 색채가 강렬하다.

강:매 強賣 | 억지 강, 팔 매 [force to buy]
남에게 물건을 억지로[強] 팖[賣]. ¶행사장에서 물건을 강매했다. ⑫강매(強買).

강:박 強迫 | 억지 강, 다그칠 박 [compel; coerce]
억지로[強] 다그침[迫]. 억지로 따르게 함. ⑪강압(強壓), 억압(抑壓).

강성 強盛 | 굳셀 강, 가득할 성 [powerful; thriving]
굳센[強] 투지로 가득 참[盛]. ¶강성한 국력.

강세 強勢 | 강할 강, 세력 세 [stress; accent]
❶[속뜻] 강(強)한 세력(勢力). 세력이 강함. ❷[언어] 한 낱말에서, 어떤 음절의 발음에 특히 힘을 주는 일. ¶'supper'는 첫 음절에 강세가 온다. ⑫약세(弱勢).

강:압 強壓 | 억지 강, 누를 압 [put pressure]
❶[속뜻] 강제(強制)로 누름[壓]. 강하게 누름. ❷함부로 억누름. ¶민중을 강압하여 복종시키다 / 그의 태도는 강압적이다. ⑪강제(強制), 강박(強迫), 억압(抑壓), 압박(壓迫).

강약 強弱 | 강할 강, 약할 약 [strength and weakness]
❶[속뜻] 강(強)함과 약(弱)함. ¶강약을 조절하여 연주하다. ❷강자와 약자.

강:요 強要 | 억지 강, 구할 요 [force; compel]
무리하게 억지로[強] 요구(要求)함. ¶회의 참석을 강요했다. ⑪강구(強求).

강인 強靭 | 굳셀 강, 질길 인 [strong and tough]
굳세고[強] 질기다[靭]. ¶가난은 그를 강인하게 만들었다. ⑫연약(軟弱)하다.

강자 強者 | 강할 강, 사람 자 [strong man]
힘이나 세력이 강(強)한 사람[者]. ¶그는 강자에게 약하고 약자에게 강하다. ⑪강호(強豪). ⑫약자(弱者).

강적 強敵 | 강할 강, 원수 적 [powerful enemy]
강(強)한 적(敵). ¶강적을 만나다. ⑪맞수.

강:점¹ 強占 | 억지 강, 차지할 점 [occupy by force]
억지로[強] 빼앗아 차지함[占]. ¶일본은 대한제국을 강점했다.

강점² 強點 | 강할 강, 점 점 [strong point; advantage]
남보다 우세하거나 강(強)한 점(點). ¶강점을 살리다. ⑪장점(長點). ⑫약점(弱點).

강:제 強制 | 억지 강, 누를 제 [force; coerce]
억지로[強] 억누름[制]. 억지로 따르게 함. ¶강제로 그를 끌고 갔다. ⑪강압(強壓). ⑫임의(任意), 자의(自意), 자의(恣意).

강조 強調 | 강할 강, 고를 조 [emphasis; stress]
❶[속뜻] 특별히 강(強)하게 조절(調節)함. ¶독서의 중요성을 강조하다. ❷어떤 부분을 특별히 강하게 주장하거나 두드러지게 함. ¶명암을 강조한 그림. ⑪역설(力說), 주장(主張).

강진 強震 | 강할 강, 떨 진 [violent earthquake]
❶[속뜻] 강(強)한 지진(地震). ❷[지리] 진도(震度) 계급 5의 지진. 벽이 갈라지고 비석 등이 넘어지며 돌담이 무너질 정도의 지진. ¶세계 각국에서 강진이 발생했다. ⑫약진(弱震), 미진(微震).

강타 強打 | 굳셀 강, 칠 타 [heavy blow]
❶[속뜻] 세게[強] 침[打]. ❷큰 타격을 끼침. ¶유가 급등은 세계 경제를 강타했다. ❸[운동] 야구·배구 등에서 타자나 공격수가 공을 세게 침. ⑪맹타(猛打).

강:탈 強奪 | 억지 강, 빼앗을 탈 [seize; rob]
남의 것을 억지로[強] 빼앗음[奪]. ¶강도는 돈을 강탈했다. ⑪강취(強取).

강풍 強風 | 굳셀 강, 바람 풍 [strong wind; gale]
세차게[強] 부는 바람[風]. ¶강풍이 불다 / 강풍 주의보. ⑪센 바람, 경풍(勁風). ⑫약풍(弱風), 미풍(微風).

강:행 強行 | 억지 강, 행할 행 [enforce; force]
❶[속뜻] 힘들거나 어려움을 무릅쓰고[強] 실행함[行]. ❷강제로 시행함. ¶법안 의결을 강행했다.

강호 強豪 | 굳셀 강, 호걸 호 [veteran]
실력이나 힘이 센[強] 호걸(豪傑) 같은 사람. 또는 그러함. ¶축구의 강호 영국.

강화 強化 | 강할 강, 될 화 [strengthen; reinforce]
모자라는 점을 보완하여 더 강(強)하게 함[化]. ¶음주 단속을 강화하다. ⑫약화(弱化).

• 역순어휘

막강 莫強 | 없을 막, 강할 강 [be mighty]
더할 수 없이[莫] 강(強)함. ¶막강의 군사 / 막강한 경쟁 상대.

보:강 補強 | 기울 보, 강할 강
[strengthen; reinforce]
모자라는 곳이나 약한 부분을 보태고[補] 채워서 강(強)하게 함. ¶체력을 보강하다.

부:강 富強 | 넉넉할 부, 강할 강
[wealth and power]
부유(富裕)하고 강(強)함. ¶국가의 부강 / 부강한 나라를 만들다.

열강 列強 | 여러 렬, 강할 강 [world powers]
❶속뜻 여러[列] 강국(強國). ❷국제적(國際的)으로 큰 역할을 맡은 강대한 몇몇 나라. ¶서구 열강의 침입으로 청의 국력은 약화되었다.

완강 頑強 | 미련할 완, 굳셀 강 [be stubborn]
미련할[頑] 정도로 의지가 굳세다[強]. ¶주민들은 공장 설립을 완강히 반대했다. 반유연(柔軟)하다.

증강 增強 | 더할 증, 강할 강
[reinforce; strengthen]
수나 양을 늘려[增] 더 강(強)하게 함. ¶군사력 증강에 힘쓰다.

최:강 最強 | 가장 최, 강할 강 [strongest]
가장[最] 강(強)함. ¶국내 최강의 팀.

0239 [태]

太
클 태
部 大부 劃 4획 中 太 [tài]
太 大 大 太

> 太자는 문자학의 경전인 ≪說文解字≫(설문해자)에는 수록되지 않은 것으로 보아 漢代(한:대) 이후에 만들어진 것으로 보인다. 문제의 그 점은 자형이 비슷한 大(대)자나 犬(견)자와 구분하기 위한 것이지 인체의 특정 부위를 나타낸 것은 결코 아니다. '크다'(big)는 뜻으로 널리 애용된다.

태고 太古 | 클 태, 옛 고 [ancient times]
아득히 먼[太] 옛날[古]. ¶태고의 신비를 간직한 섬.

태극 太極 | 클 태, 끝 극 [Great Absolute]
❶속뜻 매우 큰[太] 끝[極]쪽. 철학 ❷중국 철학에서, 우주 만물의 근원이 되는 실체. ❸하늘과 땅이 분리되기 이전의 세상 만물의 원시 상태.

태반 太半 | 클 태, 반 반 [most part]
절반(折半)보다 크게[太] 많은 수량.

태수 太守 | 클 태, 직책 수
역사 ❶신라 때, 군(郡)의 으뜸[太] 벼슬[守]. ❷예전에, 주·부·군·현의 행정 책임을 맡던 으뜸 벼슬.

태양 太陽 | 클 태, 볕 양 [sun]
❶속뜻 매우[太] 밝은 빛[陽]. ❷천문 태양계의 중심을 이루는 항성. 해. ¶태양이 이글이글 타고 있다. 반태음(太陰).

태자 太子 | 클 태, 아들 자 [crown prince]
역사 황제의 뒤를 이어 황제가 될 큰[太] 아들[子]. '황태자'(皇太子)의 준말. ¶둘째 아들을 태자로 책봉하였다.

태조 太祖 | 클 태, 조상 조
[first King of the dynasty]
❶속뜻 가장 큰[太] 조상[祖]. ❷역사 한 왕조를 세운 첫째 임금에게 붙이던 묘호.

태종 太宗 | 클 태, 종묘 종
❶속뜻 매우 큰[太] 종묘(宗廟). ❷역사 한 왕조의 선조 가운데 그 공과 덕이 태조에 버금할 만한 임금.

태초 太初 | 클 태, 처음 초
[beginning of the world]
천지가 크게[太] 열린 그 시초(始初). 천지가 창조된 때. ¶태초에 우주는 하나의 점이었다고 한다.

태평 太平 | = 泰平, 클 태, 평평할 평
[peaceful; quiet; carefree]
세상이 크게[太] 평안(平安)함. ¶나라의 태평을 기원하다 / 정치가 잘되어야 나라가 태평하다.

태학 太學 | 클 태, 배울 학
❶속뜻 큰[太] 학문(學問). 또는 한 나라에서 최고 수준의 학교(學校). 역사 ❷고구려의 국립 교육기관. ❸고려 때 국자감(國子監)의 한 분과. ❹조선의 성균관(成均館).

• 역순어휘

동:태 凍太 | 얼 동, 클 태 [frozen pollack]
얼린[凍] 명태(明太). ¶동태로 끓인 국.

명태 明太 | 밝을 명, 클 태 [Alaska pollack]
동물 등은 푸른 갈색, 배는 은빛을 띤 밝은[明] 백색이고, 몸길이는 40~60cm로 대구과 물고기에 비해 몸이 큰[太] 바닷물고기.

생태 生太 | 살 생, 클 태 [pollack]
살아있는[生] 명태(明太).

0240 [실]

失
잃을 실
部 大부 劃 5획 中 失 [shī]
失 失 失 失 失

失자는 '手(손 수) + 乙(새 을)' 또는 '手 + ㇏(파임 불)', 두 가지 설이 있다. 어쨌든, 글자의 모양이나 뜻이 '失手'(실수)와 관련이 있다. '놓치다'(miss one's hold)가 본래 의미인데, '잃다'(lose), '그르치다'(spoil; ruin; destroy)는 뜻으로 더 많이 쓰인다.

속뜻 훈음 ①잃을 실, ②그르칠 실.

실격 失格 | 잃을 실, 자격 격 [be disqualified]
기준 미달이나 기준 초과, 규칙 위반 따위로 자격(資格)을 잃음[失]. ¶이 선을 넘으면 실격이다. ㊐자격상실(資格喪失).

실례 失禮 | 잃을 실, 예도 례 [be impolite]
예의(禮義)를 잃음[失]. 예의에 벗어남. ¶실례합니다, 여기서 제일 가까운 은행이 어디죠? ㊐결례(缺禮).

실망 失望 | 잃을 실, 바랄 망
[be disappointed; be let down]
희망(希望)을 잃음[失]. 일이 뜻대로 되지 않아 낙심함. ¶기대가 크면 실망도 큰 법이다 / 너에게 실망했다 / 아버지는 실망스러운 표정을 지었다.

실명 失明 | 잃을 실, 밝을 명 [lose eyesight]
밝게[明] 보는 능력을 잃음[失]. 시력을 잃음. ¶갈릴레이는 오랫동안 태양을 보면서 연구하다가 실명했다.

실성 失性 | 잃을 실, 성질 성 [go mad]
정신에 이상이 생겨 본래의 모습이나 성질(性質)을 잃음[失]. 미침. ¶실성을 하다 / 그녀는 실성한 듯 히죽 웃었다.

실소 失笑 | 잃을 실, 웃을 소 [burst out laughing]
저도 모르게 절로[失] 터져 나오는 웃음[笑]. ¶그의 말은 사람들의 실소를 자아냈다.

실수 失手 | 잃을 실, 손 수 [mistake]
❶속뜻 손[手]에서 놓침[失]. ❷부주의로 하던 일을 그르침. ¶누구나 실수는 하는 법이다.

실신 失神 | 잃을 실, 정신 신 [swoon; faint]
병이나 충격 따위로 정신(精神)을 잃음[失]. ¶나는 놀라서 실신할 뻔했다. ㊐기절(氣節), 졸도(卒倒).

실언 失言 | 그르칠 실, 말씀 언
[slip of the tongue]
실수(失手)로 잘못한 말[言]. ¶저의 실언을 사과드립니다. ㊐말실수.

실업 失業 | 잃을 실, 일 업 [unemploy]
❶속뜻 생업(生業)을 잃음[失]. ❷사회 취업 의사와 능력을 가진 사람이 일할 기회를 얻지 못하거나 일자리를 잃음. ¶청년실업 문제가 심각하다. ㊉취업(就業).

실의 失意 | 잃을 실, 뜻 의 [be disappointed]
기대했던 바와 달라 의욕(意慾)을 잃어버리는[失] 일. ¶그는 실의에 빠져 아무 것도 하지 않고 있다.

실점 失點 | 잃을 실, 점 점 [lose a point]
경기 따위에서 점수(點數)를 잃음[失]. 또는 그 점수. ¶실점을 만회하여 경기에 이겼다. ㊉득점(得點).

실조 失調 | 잃을 실, 어울릴 조 [disharmonize]
어울림[調]이나 균형을 잃음[失]. ¶영양 실조

실종 失踪 | 잃을 실, 자취 종 [disappear]
❶속뜻 자취[踪]가 아주 없어짐[失]. ❷사람의 소재나 행방, 생사 여부를 알 수 없게 됨. ¶놀이공원에서 실종된 아이를 찾고 있습니다.

실직 失職 | 잃을 실, 일자리 직 [lose one's job]
직업(職業)을 잃음[失]. ¶그는 회사가 부도나면서 실직했다. ㊐실업(失業). ㊉취직(就職).

실책 失策 | 그르칠 실, 꾀 책 [mistake]
잘못된[失] 계책(計策)이나 잘못된 처리. ¶실책을 저지르다. ㊐실수(失手), 잘못.

실추 失墜 | 잃을 실, 떨어질 추 [fall]
명예나 위신 따위를 떨어뜨리거나[墜] 잃음[失]. ¶권위 실추 / 그의 행동으로 회사의 이미지가 실추되었다.

실패 失敗 | 그르칠 실, 패할 패 [fail]
일을 그르쳐서[失] 뜻대로 되지 못함[敗]. ¶실패는 성공의 어머니이다. ㊉성공(成功).

실향 失鄕 | 잃을 실, 고향 향 [displaced]
고향(故鄕)을 잃음[失].

• 역순어휘 •

과:실 過失 | 지나칠 과, 그르칠 실
[fault; mistake]
지나침[過]과 잘못[失]. ¶의료 과실 / 그는 자신의 과실을 인정했다. ㊉고의(故意).

분실 紛失 | 어수선할 분, 잃을 실 [lose; miss]
어수선하여[紛] 자기도 모르는 사이에 잃어버림[失]. ¶분실한 물건을 보관하다. ㊉습득(拾得).

상실 喪失 | 죽을 상, 잃을 실 [loss]
❶속뜻 죽거나[喪] 잃어버림[失]. ❷어떤 것이 아주 없어지거나 사라짐. ¶기억 상실 / 의욕 상실.

소실 消失 | 사라질 소, 잃을 실 [disappear]
사라져[消] 없어짐[失]. 또는 사라져 잃어버림. ¶전쟁으로 문화재가 소실되었다.

손:실 損失 | 상할 손, 잃을 실
[damage; suffer a loss]
상하거나[損] 잃어버림[失]. 또는 그 손해. ¶재산 손실 / 전쟁으로 인명과 물자를 손실했다 / 전통 문화가 손실되는 것이 안타깝다. ㊉이득(利得).

유실[1] 流失 | 흐를 류, 잃을 실

[be washed away; be lost]
물에 떠내려가서[流] 없어짐[失]. ¶이번 홍수로 다리가 유실되었다.

유실² **遺失** | 잃어버릴 유, 잃을 실 [lose]
가지고 있던 돈이나 물건 따위를 잃어버림[遺=失]. ¶외적의 침입으로 유실된 문화재가 많다.

0241 [정]

定

정할 정:
[部] 宀부 [劃] 8획 [中] 定 [dìng]

定定定定定定定定

定자는 '집 면(宀)'과 '바를 정'(正)이 합쳐진 것인데, 正의 모양이 약간 달라졌다. 이 경우의 正(바를 정, #0085)은 의미와 발음을 겸하는 요소이다. 전쟁에 나간 남편이 집에 돌아온 모습과 관련이 있다. '편안히 쉬다'(take a rest)가 본뜻인데 '정하다'(determine)는 뜻으로 많이 쓰인다.

정:가 **定價** | 정할 정, 값 가 [fixed price]
상품에 값[價]을 매김[定]. 또는 그 값. ¶이 바지의 정가는 4만 원이다.

정:격 **定格** | 정할 정, 격식 격 [proper form]
❶[속뜻] 정(定)해진 격식(格式)이나 규격. ❷[전기] 전기 기구를 만들 때 따르는 정해진 규격. ¶정격 전류.

정:계 **定界** | 정할 정, 지경 계 [fixed boundary]
경계(境界)를 정(定)함. 또는 그 경계나 한계.

정:기 **定期** | 정할 정, 때 기 [fixed period]
정(定)해진 기간(期間). 기한이나 기간이 일정하게 정하여져 있는 것. ¶정기 세일.

정:립 **定立** | 정할 정, 설 립 [thesis]
❶[속뜻] 정(定)하여 세움[立]. ¶먼저 일의 방향을 정립하는 것이 우선이다. ❷[철학] 어떤 논점에 대하여 반론을 예상하고 주장함. 또는 그런 의견이나 학설.

정:석 **定石** | 정할 정, 돌 석
[established tactics; formula]
사물의 처리에 정(定)해진 돌[石]처럼 일정한 방식. ¶정석대로 대응하다.

정:설 **定說** | 정할 정, 말씀 설
[established theory]
일정한 결론에 도달하여 이미 확정(確定)하거나 인정한 말[說]. ¶정설을 뒤집을 만한 연구 결과를 얻었다.

정:시 **定時** | 정할 정, 때 시
[fixed time; stated period]
일정(一定)한 시간(時間) 또는 시기. ¶정시 뉴스

정:식 **定食** | 정할 정, 밥 식 [regular meal]
값과 메뉴가 정(定)해져 있는 음식(飮食). ¶백반 정식.

정:의 **定義** | 정할 정, 뜻 의 [define]
말이나 사물의 뜻[義]을 명백히 규정(規定)함. 또는 그 뜻. ¶정의를 내리다 / 교육에 대하여 정의해 보라.

정:족 **定足** | 정할 정, 넉넉할 족
결정(決定)에 필요한 인원이 충족(充足)함.

정:착 **定着** | 정할 정, 붙을 착
[settle down; take root]
❶[속뜻] 자리를 정(定)하여 달라붙음[着]. ❷일정한 곳에 자리를 잡고 삶. ¶정착 생활. ❸새로운 문화 현상, 학설 따위가 당연한 것으로 사회에 받아들여짐. 정착 단계에 이르다. ¶민주주의가 정착 단계에 이르렀다. [반] 방랑(放浪), 유랑(流浪).

정:처 **定處** | 정할 정, 곳 처
[fixed place; definite destination]
정(定)한 곳[處]. ¶정처 없이 떠돌다.

정:평 **定評** | 정할 정, 평할 평
[established reputation]
모든 사람이 다 같이 인정(認定)하는 평판(評判). ¶그는 화가로 이미 정평이 나 있다.

정:형 **定型** | 정할 정, 모형 형
[set pattern; fixed type]
일정(一定)한 형식이나 모형(模型). ¶정형에서 벗어나다.

• 역순어휘

가:정 **假定** | 임시 가, 정할 정 [suppose; assume]
❶[속뜻] 임시로[假] 정(定)함. ❷어떤 조건을 임시로 내세움. ¶그 말은 가정에 불과하다.

감정 **鑑定** | 볼 감, 정할 정 [judge; appraise]
진짜와 가짜 따위를 살펴보면서[鑑] 판정(判定)함. ¶그림을 감정했다. [비] 감식(鑑識), 감별(鑑別), 판별(判別), 식별(識別).

개:정 **改定** | 고칠 개, 정할 정 [revise]
한번 정했던 것을 고치어[改] 다시 정(定)함. ¶개정 요금에 따라 돈을 내십시오.

검:정 **檢定** | 검사할 검, 정할 정 [official approval]
검사(檢査)하여 그 자격을 정(定)하는 일.

결정 **決定** | 결단할 결, 정할 정 [decide]
❶[속뜻] 결단(決斷)을 내려 확정(確定)함. ¶참전(參戰)을 결정하다. ❷[법률] 법원이 행하는 판결 및 명령 이외의 재판. [비] 결단(決斷). [반] 미결(未決), 보류(保留).

고정 **固定** | 굳을 고, 정할 정 [fix; fasten]
❶[속뜻] 굳게[固] 정해져[定] 있음. ❷일정한 곳이나 상

태에서 변하지 아니함. ¶임금이 3년째 고정되었다. ❸흥분이나 노기를 가라앉힘. ¶고정하고 제 말 좀 들어보세요. ⓑ불변(不變), 응고(凝固), 동결(凍結). ⓑ유동(流動), 변동(變動).

국정 國定 | 나라 국, 정할 정 [government-designated]
나라[國]에서 정(定)함. 또는 그런 것. ¶국정 교과서.

규정 規定 | 법 규, 정할 정 [rules; regulations]
❶속뜻 규칙(規則)으로 정(定)함. 또는 정하여 놓은 것. ¶대회 규정. ❷어떤 것의 내용, 성격, 의미 등을 밝히어 정함. 또는 밝히어 정한 것. ¶사건에 대하여 명확히 규정하다.

긍:정 肯定 | 기꺼이 긍, 정할 정 [affirm; acknowledge]
어떤 사실이나 생각 따위를 기꺼이[肯] 인정(認定)함. ¶그는 내 말에 긍정했다. ⓑ부정(否定).

기정 旣定 | 이미 기, 정할 정 [established; fixed]
이미[旣] 정(定)해져 있음. ⓑ미정(未定).

내:정 內定 | 안 내, 정할 정 [decide unofficial]
비공식적으로 내부(內部)에서 정(定)함. ¶그는 이사로 내정되었다.

단:정 斷定 | 끊을 단, 정할 정 [conclude; decide]
❶속뜻 자르듯이[斷] 분명한 태도로 결정(決定)함. ❷명확하게 판단을 내림. 또는 그 판단. ¶결과를 성급히 단정해서는 안 된다.

미:정 未定 | 아닐 미, 정할 정 [unsettled]
아직 결정(決定)하지 못함[未]. ¶결혼식 날짜는 아직 미정이다. ⓑ기정(旣定).

배:정 配定 | 나눌 배, 정할 정 [assign]
나누어서[配] 몫을 정(定)함. ¶좌석을 배정하다.

법정 法定 | 법 법, 정할 정 [provide by law]
법(法)으로 규정(規定)함. ¶12월 25일은 법정 공휴일이다.

부:정 否定 | 아닐 부, 정할 정 [deny; negate]
그렇다고 인정(認定)하지 아니함[否]. ¶그는 잘못을 부정하지 않았다. ⓑ긍정(肯定).

산:정 算定 | 셀 산, 정할 정 [compute; calculate]
계산(計算)하여 정(定)함. ¶판매 가격을 산정하다.

선:정 選定 | 가릴 선, 정할 정 [select; choose]
많은 것 중에서 가려서[選] 정(定)함. ¶최우수 선수 선정 / 주제 선정.

설정 設定 | 세울 설, 정할 정 [set (up)]
새로 마련하여[設] 정(定)함. ¶목표 설정.

소:정 所定 | 것 소, 정할 정 [prescribed form]
정(定)한 어떤 것[所]. 정해진 바. ¶소정의 절차를 거쳐야 한다 / 소정의 원고료를 지급하다.

안정 安定 | 편안할 안, 정할 정 [be stabilized]
편안(便安)하고 일정(一定)한 상태를 유지함. ¶안정된 직장 / 물가를 안정시키다. ⓑ불안정(不安定).

예:정 豫定 | 미리 예, 정할 정 [be scheduled; be expected]
미리[豫] 정(定)하거나 예상함. ¶한 달 정도 머물 예정이다.

인정 認定 | 알 인, 정할 정 [admit]
확실히 알아서[認] 그렇게 결정(決定)함. ¶나는 그의 정직함만은 인정해 주고 싶어 / 그녀는 자신의 잘못을 인정했다.

일정 一定 | 한 일, 정할 정 [fixation]
어떤 기준에 따라 모양이나 방향이 하나[一]로 정(定)해져 있어 바뀌거나 달라지지 않음. ¶일정 기간 / 쿠키는 크기가 일정하다.

작정 作定 | 지을 작, 정할 정 [decide; determine]
어떤 일에 대해 마음으로 결정(決定)을 내림[作]. 또는 그 결정. ¶그는 술을 끊기로 작정했다 / 이번 방학에는 터키로 여행 갈 작정이다.

잠정 暫定 | 잠깐 잠, 정할 정 [tentative]
잠깐[暫] 임시로 정(定)함. ¶잠정 합의 / 잠정 예산.

전:정 剪定 | 자를 전, 정할 정 [prune; trim; cut]
농업 가지의 일부를 잘라[剪] 다듬는[定] 일. ⓑ가지치기.

제:정 制定 | 만들 제, 정할 정 [establish by law]
제도나 법률 따위를 만들어서[制] 정(定)함. ¶특별법안 제정 / 개천절을 국경일로 제정하다.

지정 指定 | 가리킬 지, 정할 정 [appoint; designate; assign]
❶속뜻 가리키어[指] 확실하게 정(定)함. ❷관공서, 학교, 회사, 개인 등이 어떤 것에 특정한 자격을 줌. ¶문화재로 지정되다 / 그들은 미리 지정된 장소로 떠났다.

추정 推定 | 밀 추, 정할 정 [presume; assume; guess]
미루어[推] 셈하여 판정(判定)함. ¶이 나무는 500년 정도 되었을 것으로 추정된다.

측정 測定 | 헤아릴 측, 정할 정 [measure]
❶속뜻 헤아려서[測] 정(定)함. ❷어떤 단위를 기준으로 하여 어떤 양의 크기를 기계나 장치로 잼. ¶물의 깊이를 측정하다. ⓑ측량(測量).

특정 特定 | 특별할 특, 정할 정 [particular; specific; certain]
특별(特別)히 정(定)함. ¶특정 연령층을 대상으로 한 제품.

판정 判定 | 판가름할 판, 정할 정 [judge; decide]
어떤 일을 판별(判別)하여 결정(決定)함. ¶심판은 우리에게 불리한 판정을 내렸다 / 건물이 부실공사로 판정됐다.

평정 平定 | 평안할 평, 정할 정
[suppress; put down]
난리를 평온(平穩)하게 진정(鎭定)시킴. ¶반란을 평정하다.

한:정 限定 | 한할 한, 정할 정 [limit]
제한적(制限的)으로 정(定)함. ¶한정판매 / 회원을 30명으로 한정하다.

협정 協定 | 합칠 협, 정할 정 [agree; arrange]
서로 힘을 합치[協]기로 결정(決定)함. 국가 간에 약정을 맺음. ¶한미 양국은 관세 협정을 맺었다.

확정 確定 | 굳을 확, 정할 정 [decide; confirm]
확실(確實)하게 정(定)함. ¶소풍 날짜를 확정 짓다.

0242 [다]

多

많을 다
(部) 夕부 (획) 6획 (中) 多 [duō]

多 多 多 多 多 多

多자는 갑골문에 등장될 정도로 오랜 역사를 지닌 것이나 그 자형 풀이에 대하여는 정설이 없다. '많다'(plentiful)는 뜻으로 쓰이는 사실만큼은 확실하다.

다각 多角 | 많을 다, 뿔 각 [many sidedness]
❶[속뜻] 여러[多] 각도(角度). ❷여러 방면이나 부문. ¶제품을 다각화하다 / 다각적인 취미.

다감 多感 | 많을 다, 느낄 감
[sensitive; susceptible]
느낌이 많고[多] 감동(感動)하기 쉽다. 감정이나 감수성이 풍부하다. ¶그는 다감하고 정이 많다.

다급 多急 | 많을 다, 급할 급 [extremely urgent]
많이[多] 급(急)하다. ¶다급한 목소리 / 일이 다급하게 되었다. (비)급(急)하다, 촉박(促迫)하다.

다년 多年 | 많을 다, 해 년 [many years]
여러[多] 해[年]. 오랜 세월.

다단 多段 | 많을 다, 구분 단
여러[多] 단(段). ¶다단 편집.

다독 多讀 | 많을 다, 읽을 독 [read widely]
책을 많이[多] 읽음[讀]. (반)과독(寡讀).

다량 多量 | 많을 다, 분량 량 [large quantity]
분량(分量)이 매우 많음[多]. ¶물건을 다량으로 구입하다. (비)대량(大量). (반)소량(少量), 미량(微量).

다면 多面 | 많을 다, 낯 면
[many sides; many faces]
여러[多] 면(面). 여러 방면.

다변 多變 | 많을 다, 바뀔 변 [diversify]
변화(變化)가 많음[多].

다보 多寶 | 많을 다, 보배 보
❶[속뜻] 많은[多] 보물(寶物). ❷[불교] '다보여래'(多寶如來)의 준말.

다복 多福 | 많을 다, 복 복 [blessed; lucky]
많은[多] 복(福). 복이 많음. ¶다복한 생활을 하다. (비)유복(裕福)하다.

다분 多分 | 많을 다, 나눌 분 [much; largely]
많은[多] 분량(分量)이나 비율. ¶그는 예술가적 소질이 다분하다.

다사 多事 | 많을 다, 일 사 [eventful]
❶[속뜻] 많은[多] 일[事]. ❷일이 많아 매우 바쁨.

다산 多産 | 많을 다, 낳을 산 [fecundate]
❶[속뜻] 아이 또는 새끼를 많이[多] 낳음[産]. ❷물품을 많이 생산함. (비)다생(多生). (반)과산(寡産).

다색 多色 | 많을 다, 빛 색 [several colors]
여러[多] 가지 빛깔[色]. (반)단색(單色).

다소 多少 | 많을 다, 적을 소
[number; quantity; few]
❶[속뜻] 분량이나 정도의 많음[多]과 적음[少]. ❷조금. 약간. ¶배가 아파서 다소 불편하다.

다수 多數 | 많을 다, 셀 수
[greater part; majority (of)]
수효(數爻)가 많음[多]. ¶다수의 의견을 따르다. (비)다대수(多大數). (반)소수(少數).

다양 多樣 | 많을 다, 모양 양 [various; diverse]
종류[樣]가 여러[多] 가지인 것. ¶다양한 의견 / 서비스가 다양하다. (반)획일(劃一).

다용 多用 | 많을 다, 쓸 용
[spending much; using much]
많이[多] 씀[用].

다육 多肉 | 많을 다, 살 육 [fleshy; pulpy]
과일의 살[肉]이 많음[多].

다재 多才 | 많을 다, 재주 재
[versatile talents; versatility]
재주[才]가 많음[多].

다정 多情 | 많을 다, 마음 정 [humane; kind]
다감(多感)한 마음[情]. 다정다감(多情多感). ¶다정한 미소 / 다정하게 지내다. (비)살갑다. (반)박정(薄情).

다중 多重 | 많을 다, 겹칠 중 [multiplex]

여러[多] 겹[重]. 겹겹. ¶다중 인격 / 다중 방송.

다채 多彩 | 많을 다, 빛깔 채 [colorful; multicolored]
❶ 속뜻 다양(多樣)한 빛깔[彩]. ❷여러 색채가 어울려 호화로움. ¶옷감이 다채롭다 / 다채로운 축하 행사.

다층 多層 | 많을 다, 층 층 [multistory]
여러[多] 층(層).

다행 多幸 | 많을 다, 행운 행 [lucky; fortunate]
❶ 속뜻 많은[多] 행운(幸運). ❷일이 잘되어 좋음. ¶상처가 크지 않아 다행이다. (반)불행(不幸).

다혈 多血 | 많을 다, 피 혈 [sanguineness; full-bloodedness]
❶ 속뜻 몸에 피[血]가 많음[多]. ❷쉽게 감정에 치우치거나 쉽게 감격함. (반)빈혈(貧血).

• **역순어휘**

과:다 過多 | 지나칠 과, 많을 다 [excess; superabundant]
지나치게[過] 많음[多]. ¶인구 과다 / 영양과다. (반)과소(過少).

잡다 雜多 | 섞일 잡, 많을 다 [miscellaneous]
여러[多] 가지가 뒤섞여[雜] 너저분하다. ¶잡다한 생각 / 잡화점 선반에는 온갖 물건이 잡다하게 쌓여 있었다.

최:다 最多 | 가장 최, 많을 다 [largest; maximum]
가장[最] 많음[多]. ¶그 영화는 최다 관객 수를 기록했다. (반)최소(最少).

허다 許多 | 매우 허, 많을 다 [common]
수효가 매우[許] 많다[多]. ¶그러한 사례는 주위에 허다하게 볼 수 있다 / 살아가면서 남의 신세를 져야 하는 경우가 허다하다. (비)수두룩하다.

0243 [야]

夜

밤 야:
(부) 夕부 (획) 8획 (중) 夜 [yè]

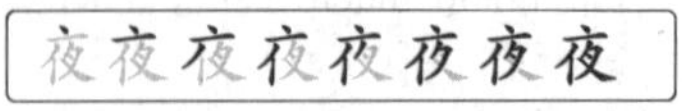

夜자는 '저녁 석'(夕)이 부수임에 유의하여야 한다. 달빛에 드리운 사람의 그림자 모양이 변화된 것이다. '달밤'(a moonlight night)이 본뜻인데 '밤'(night)을 통칭하는 것으로 확대 사용됐다.

야:간 夜間 | 밤 야, 사이 간 [night(time)]
밤[夜] 동안[間]. 해가 진 뒤부터 먼동이 트기 전까지의 동안. ¶야간 비행 / 야간 경기. (반)주간(晝間).

야:경 夜景 | 밤 야, 볕 경 [night view]
밤[夜]의 경치(景致). ¶홍콩의 야경은 화려하다.

야:광 夜光 | 밤 야, 빛 광 [glow-in-the-dark]
어둠[夜] 속에서 빛[光]을 냄. 또는 그런 물건. ¶야광 시계.

야:근 夜勤 | 밤 야, 부지런할 근 [be on night work]
퇴근 시간이 지나 밤[夜] 늦게까지 하는 근무(勤務). ¶요즘 계속되는 야근으로 정말 피곤하다.

야:학 夜學 | 밤 야, 배울 학 [evening class]
❶ 속뜻 밤[夜]에 공부함[學]. ❷ 교육 '야간학교'(夜間學校)의 준말. ¶그는 야학을 다니며 공부했다.

• **역순어휘**

백야 白夜 | 흰 백, 밤 야 [nights under the midnight sun]
❶ 속뜻 하늘이 밝은[白] 밤[夜]. ❷ 지리 밤에 어두워지지 않는 현상. 또는 그런 밤. ¶극지방에서는 여름에 백야 현상이 일어난다.

심:야 深夜 | 깊을 심, 밤 야 [midnight]
깊은[深] 밤[夜]. ¶심야 영화.

전야 前夜 | 앞 전, 밤 야 [previous night; night before]
❶ 속뜻 지난[前] 밤[夜]. ❷특정한 날을 기준으로 그 전날 밤. ¶크리스마스 전야.

제야 除夜 | 덜 제, 밤 야 [New Year's Eve]
❶ 속뜻 한 해를 덜어 보내는[除] 밤[夜]. ❷'섣달 그믐날 밤'을 이름. ¶제야의 종소리.

주야 晝夜 | 낮 주, 밤 야 [day and night]
❶ 속뜻 낮[晝]과 밤[夜]. ¶주야 교대로 일하다. ❷쉬지 아니하고 계속함. ¶어머니는 주야로 아버지가 회복되기만을 기다렸다.

철야 徹夜 | 뚫을 철, 밤 야 [stay up all night; keep vigil]
자지 않고 밤[夜]을 새움[徹]. ¶철야 협상 / 이틀 밤을 철야하고 나니 눈이 저절로 감긴다.

0244 [도]

度

법도 도:, 헤아릴 탁
(부) 广부 (획) 9획 (중) 度 [dù, duó]

度자는 '집 엄'(广)이 부수이지만 표의요소는 아니다. '(길이를) 재다'(measure)라는 뜻이니 '손 우'(又)가 표의요소

이다. 요즘도 손 뼘으로 길이를 가늠하는 경우가 있음이 연상된다. 그 나머지가 표음요소인 것은 庹(팔로 잴 탁)도 마찬가지이다. 이것이 '헤아리다'(calculate)의라는 뜻일 때에는 [탁]으로 읽고, '정도'(degree), '법도'(rule), '풍채'(appearance)를 가리킬 때에는 [도]로 읽는다.

속뜻훈음 ①정도 도, ②법도 도, ③풍채 도, ④헤아릴 탁.

도:량 度量 | 정도 도, 헤아릴 량 [generosity; broad-mindedness]
❶속뜻 길이를 재는[度] 자와 양을 재는[量] 되. ❷넓은 마음과 깊은 생각. ¶그는 넓은 도량으로 친구를 용서했다. ⑪아량(雅量).

도:수 度數 | 정도 도, 셀 수 [degree; times]
❶속뜻 각도, 온도, 광도 따위의 정도(程度)를 나타내는 수(數). ¶그는 도수가 높은 안경을 낀다. ❷거듭하는 횟수. ¶도수가 드물다. ❸수학 통계 자료의 각 계급에 해당하는 변량의 수량.

도:외 度外 | 정도 도, 밖 외
일정한 정도(程度)나 범위의 밖[外]. ¶그의 잘못은 도외로 치고 이야기하자.

• 역순어휘

각도 角度 | 뿔 각, 정도 도 [angle]
수학 각(角)이 진 정도(程度). 각의 크기. ¶도형의 각도를 재다.

강도 強度 | 굳셀 강, 정도 도 [strength]
❶속뜻 굳센[強] 정도(程度). ¶강도 높은 훈련. ❷물리 전류(電流)·방사능 따위의 양(量)의 세기.

경도[1] 硬度 | 단단할 경, 정도 도 [hardness]
❶속뜻 굳고 단단한[硬] 정도(程度). ❷물리 엑스선의 종류에 따라 물체에 투과하는 정도. ⑪굳기.

경도[2] 經度 | 날실 경, 정도 도 [longitude]
❶속뜻 날실[經] 같이 세로로 표시한 도수(度數). ❷지리 지구 위의 위치를 세로로 표시한 것. ¶서울의 경도는 동경(東經) 126도 59분이다. ⑫위도(緯度).

고도 高度 | 높을 고, 정도 도 [height; high degree]
❶속뜻 높은[高] 정도(程度). ¶고도로 발달한 문명 / 비행기가 고도를 유지하며 난다. ❷천문 지평면에서 천체까지의 각거리. 천체에 대한 올려본 각 또는 내려본 각.

과:도 過度 | 지나칠 과, 정도 도 [excessive]
정도(程度)가 지나침[過]. ¶과도한 음주는 몸에 해롭다.

극도 極度 | 다할 극, 정도 도 [extreme; utmost]
더할 수 없이 극심(極甚)한 정도(程度). ¶극도로 긴장하다. ⑪극한(極限).

농도 濃度 | 짙을 농, 정도 도 [density; thickness]
액체 따위의 짙은[濃] 정도(程度).

당도 糖度 | 엿 당, 정도 도 [sugar content]
❶속뜻 엿[糖]같이 단맛이 나는 정도(程度). ❷음식물에 들어 있는 단맛의 탄수화물 양을 그 음식물에 대하여 백분율로 나타낸 것. ¶그 과일은 당도가 높다.

명도 明度 | 밝을 명, 정도 도 [brightness]
미술 색의 밝고[明] 어두운 정도(程度).

밀도 密度 | 빽빽할 밀, 정도 도 [density; consistency]
어떤 면적이나 부피에 들어 있는 물질의 빽빽한[密] 정도(定度). ¶인구 밀도 / 이 물질은 밀도가 높다.

법도 法度 | 법률 법, 제도 도 [law; rule; etiquette]
❶속뜻 법률(法律)과 제도(制度). ❷생활상의 예법이나 제도. ¶집안의 법도를 따르다.

빈도 頻度 | 자주 빈, 정도 도 [frequency]
어떤 일이 자주[頻] 되풀이되는 정도(程度). ¶이 단어는 사용 빈도가 낮다.

속도 速度 | 빠를 속, 정도 도 [speed; rate]
❶속뜻 빠른[速] 정도(程度). ❷물체가 나아가거나 일이 진행되는 빠르기. ¶속도가 빠르다.

순도 純度 | 순수할 순, 정도 도 [(degree of) purity]
물질의 순수(純粹)한 정도(程度). ¶불상은 순도 99.9%의 금으로 만들었다.

습도 濕度 | 축축할 습, 정도 도 [humidity]
❶속뜻 공기 따위가 축축한[濕] 정도(程度). ❷물리 공기 중에 습기가 포함되어 있는 정도를 나타내는 양.

연도 年度 | 해 년, 정도 도 [year; period]
사무 또는 회계의 결산 따위의 편의에 따라 구분한 1년(年)의 기간[度]. ¶회계 연도.

온도 溫度 | 따뜻할 온, 정도 도 [temperature]
물리 따뜻한[溫] 정도(程度). 또는 그것을 나타내는 수치. ¶실내 온도 / 기온은 영하 5도였지만 체감 온도는 영하 20도였다.

위도 緯度 | 씨실 위, 정도 도 [latitude]
❶속뜻 씨실[緯] 같이 가로로 표시한 도수(度數). ❷지리 지구 위의 위치를 적도와 평행하게 가로로 표시한 것. ¶서울의 위도는 북위 37도이다. ⑫경도(經度).

절도 節度 | 알맞을 절, 정도 도 [moderation]
❶속뜻 행동 따위를 알맞게[節]하는 정도(程度). ❷일이나 행동 따위를 정도에 알맞게 하는 규칙적인 한도. ¶절도를 지키다 / 그의 언행에는 절도가 있다.

정도 程度 | 분량 정, 법도 도 [limit; degree]
❶속뜻 일정한 분량[程]과 법도[度]. ❷얼마의 분량. 또는 알맞은 어떠한 한도. ¶한 숟가락 정도의 소금 / 장난

도 정도껏 해라 / 어느 정도는 인정할 수 있다.

제 : 도 制度 | 정할 제, 법도 도
[system; institution]
❶[속뜻] 국가나 사회에 의하여 정해진[制] 법도(法度). ❷ 관습이나 도덕, 법률 따위의 규범이나 사회 구조의 체계. ¶교육제도.

조 : 도 照度 | 비칠 조, 정도 도
[intensity of illumination]
❶[속뜻] 밝게 비치는[照] 정도(程度). ❷[물리] 단위 면적이 단위 시간에 받는 빛의 양. '조명도'(照明度)의 준말. ¶조도를 높이다.

진 : 도[1] 進度 | 나아갈 진, 정도 도 [progress]
일이 진행(進行)되는 속도나 정도(程度). ¶쉬는 날이 많아 진도가 늦었다.

진 : 도[2] 震度 | 떨 진, 정도 도 [seismic intensity]
❶[속뜻] 떨리는[震] 정도(程度). ❷[지리] 어떤 지역에서 나타나는 지진의 진동 크기나 피해 정도. ¶진도 7.5의 강력한 지진이 있었다.

차도 差度 | 다를 차, 정도 도
[improvement of illness]
❶[속뜻] 조금씩 달라지는[差] 정도(程度). ❷병이 조금씩 나아가는 정도. ¶앓던 아이가 약을 먹고는 차도를 보였다.

채 : 도 彩度 | 빛깔 채, 정도 도
[chroma; saturation]
[미술] 빛깔[彩]이 선명한 정도(程度). 빛깔의 세 가지 속성 중 하나이다.

척도 尺度 | 자 척, 정도 도
[scale; measure; standard]
❶[속뜻] 자[尺]로 잰 길이의 정도(程度). ❷무엇을 평가하거나 판단할 때의 기준. ¶인간은 만물의 척도 / 돈은 행복의 척도가 될 수 없다.

태 : 도 態度 | 모양 태, 풍채 도 [attitude]
❶[속뜻] 몸의 자태(姿態)와 풍채[度]. ❷어떤 사물에 대한 감정이나 생각 따위가 겉으로 나타난 모습. ¶진지한 태도를 보이다. ㊐자세(姿勢).

한 : 도 限度 | 끝 한, 정도 도 [limit]
한계(限界)가 되는 정도(定度). ¶내가 알고 있는 한도 내에서 알려줄게.

0245 [식]

式	법 식 ㊀ 弋부 ㊁ 6획 ㊥ 式 [shì] 式 式 式 式 式 式

式자는 '본보기'(an example; a model)의 뜻을 위하여 고안된 것이다. '곱자 공'(工)이 표의요소로 쓰인 것을 보니, 자로 잰 듯이 반듯반듯해야 본보기가 될 수 있다고 생각한 듯하다. 弋(주살 익)은 표음요소이다. 표음요소가 부수로 지정된 특수한 예이다. 후에 '법'(a law; a rule), '꼴'(a style), '의식'(a ceremony) 등의 의미로 확대 사용됐다.
[속뜻훈음] ①법 식, ②의식 식, ③꼴 식.

식사 式辭 | 의식 식, 말씀 사
[formal address in a ceremony]
식장(式場)에서 인사로 하는 말[辭]. 또는 인사로 하는 글.

식순 式順 | 의식 식, 차례 순
[order of a ceremony]
의식(儀式)의 진행 순서(順序). ¶식순에 따라 교장선생님의 말씀이 있겠습니다.

식장 式場 | 의식 식, 마당 장 [ceremonial hall]
의식[式]을 거행하는 장소[場]. ¶식장은 하객들로 붐볐다.

• 역순어휘

격식 格式 | 품격 격, 꼴 식
[formality; social rules]
품격(品格)에 맞는 법식(法式). ¶격식을 따지다/격식을 차리다.

공식 公式 | 여럿 공, 법 식 [formality; formula]
❶[속뜻] 여러 사람[公]에게 널리 알려진 방식(方式). ¶공식 회담. ❷[수학] 계산의 법칙 따위를 문자와 기호로 나타낸 식. ¶공식에 대입해 문제를 풀다. ㊊비공식(非公式).

구 : 식 舊式 | 옛 구, 법 식 [old style]
❶[속뜻] 예전[舊]의 방식(方式)이나 형식. ¶구식 군사훈련. ❷케케묵어 시대에 뒤떨어짐. 또는 그런 것. ¶이 옷은 이제 구식이다. ㊊신식(新式).

단식 單式 | 홑 단, 법 식 [simple system; singles]
❶[속뜻] 단순(單純)한 방식(方式)이나 형식(形式). ❷[운동] '단식경기'(單式競技)의 준말. ¶그는 여자 단식에서 우승하였다. ㊊복식(複式).

등 : 식 等式 | 같을 등, 법 식 [equality]
[수학] 수나 문자, 식을 등호(等號)인 '='를 써서 나타내는 관계식(關係式). ¶양변에 같은 수를 더하거나 곱해도 등식은 성립한다. ㊊부등식(不等式).

미식 美式 | 미국 미, 법 식
[American way; Americanism]
미국(美國)의 방식(方式). ¶미식 발음 / 미식 영어.

방식 方式 | 방법 방, 꼴 식 [form]

어떤 일정한 방법(方法)이나 형식(形式). ¶자기 방식대로 하다. [비]법식(法式).

복식 複式 | 겹칠 복, 법 식 [multiple forms]
❶[속뜻]두 겹 또는 그 이상으로[複] 된 복잡한 방식(方式). ❷[운동]탁구·테니스 따위에서, 서로 두 사람씩 짝을 지어서 하는 시합. ¶배드민턴 복식 경기. [반]단식.

서식 書式 | 글 서, 법 식 [form; format]
서류(書類)의 양식(樣式). 서류를 작성하는 방식. ¶서식에 따라 기입하시오.

수:식 數式 | 셀 수, 법 식 [numerical formula]
[수학]숫자[數]를 계산 기호로 연결한 식(式).

신식 新式 | 새 신, 법 식 [new style]
새로운[新] 방식(方式)이나 양식(樣式). ¶신식 교육을 받다. [반]구식(舊式).

약식 略式 | 줄일 략, 법 식 [informality]
절차를 생략(省略)한 의식(儀式)이나 양식(樣式). ¶약식으로 결혼식을 올리다. [반]정식(正式).

양식 樣式 | 모양 양, 꼴 식 [form; style]
❶[속뜻]일정한 모양(模樣)이나 형식(形式). ¶양식에 따라 보고서를 작성하다. ❷오랜 시간이 지나면서 자연히 정해진 방식. ¶생활 양식. ❸시대나 부류에 따라 각기 독특하게 지니는 문학, 예술 따위의 형식. ¶건축 양식.

예식 禮式 | 예도 례, 의식 식 [ceremony]
예법(禮法)에 따라 치르는 의식(儀式). ¶예식을 치르다.

의식 儀式 | 예의 의, 법 식 [ceremony; formality]
예의(禮儀)를 갖추는 방식(方式). 행사를 치르는 정해진 법식. ¶의식을 거행하다.

정:식 正式 | 바를 정, 법 식
[proper form; formality]
규정대로의 바른[正] 방식(方式). 정당한 방식. ¶정식으로 소개를 받다.

주식 株式 | 주식 주, 법 식 [stocks]
[경제]회사의 자본을 구성하는 단위. '株'는 미국식 용어 'stocks'를 직역(直譯)한 것이며, 그것으로 자본을 모으는 방식(方式)이라는 뜻으로 '주식'이라는 용어가 만들어진 것으로 추정된다. ¶주식으로 돈을 벌었다.

한:식 韓式 | 한국 한, 꼴 식 [Korean style]
한국(韓國) 고유의 양식(樣式)이나 격식(格式). ¶한식으로 지은 집을 한옥이라 한다.

형식 形式 | 모양 형, 꼴 식
[form; formality]
❶[속뜻]형태(形態)와 격식(格式). 겉모양. ¶형식을 갖추다. ❷격식이나 절차. ¶형식에 너무 얽매이지 마라. [반]내용(內容).

0246 [손]

孫

손자 손(:)
[部] 子부 [總] 10획 [中] 孙 [sūn]

孫孫孫孫孫孫孫孫孫
孫

孫자는 아들의 아들, 즉 '손자'(a grandson)를 뜻하기 위하여 '아이 자'(子)와 '이을 계'(系)를 합쳐 놓은 것이다. 어린 손자가 손에 실패 모양의 장난감을 들고 있는 모습을 본뜬 것으로 볼 수도 있다.

손녀 孫女 | 손자 손, 딸 녀 [granddaughter]
딸이나 아들, 즉 자손(子孫)의 딸[女]. ¶할머니가 손녀를 품에 안고 자장가를 불러 주었다. [반]손자(孫子).

손자 孫子 | 손자 손, 아이 자 [grandchild]
손(孫)을 이을 아이[子]. 자식의 자식. [반]손녀(孫女).

• 역순어휘

외:손 外孫 | 밖 외, 손자 손
[one's grandchild; one's daughter's child]
집안의 성씨가 아닌 다른[外] 성씨의 자손(子孫). 즉, 딸이 낳은 외손자와 외손녀를 이른다. ¶장인, 장모가 딸 내외와 외손을 맞았다. [비]사손(獅孫), 저손(杵孫).

자손 子孫 | 아이 자, 손자 손 [offspring]
❶[속뜻]자식[子]과 손자(孫子). ¶그의 자손들은 전국에 흩어져 살고 있다. ❷후손이나 후대. ¶비록 패망한 왕가의 자손이지만, 자존심은 아직 남아 있소.

장:손 長孫 | 어른 장, 손자 손
[eldest grandson by the first born son]
맏[長] 손자(孫子).

조손 祖孫 | 할아버지 조, 손자 손
[grandfather and grandson]
할아버지[祖父]와 손자(孫子)를 아울러 이르는 말.

종손 宗孫 | 일족 종, 손자 손
[eldest grandson of the main family]
종가(宗家)의 대를 이을 손자(孫子). ¶종손이라 그런지 예의범절이 바르다.

증손 曾孫 | 거듭 증, 손자 손
[great-grandchild]
❶[속뜻]대가 거듭된[曾] 손자(孫子). ❷손자의 아들. '증손자'의 준말.

후:손 後孫 | 뒤 후, 손자 손
[descendants; posterity]
여러 대가 지난 뒤[後]의 자손(子孫). ¶그는 명문가의 후손이다. [비]자손, 후예(後裔).

0247 [대]

待

기다릴 대 :
㊊ 彳부 ㊐ 9획 ㊥ 待 [dài]

待待待待待待待待待

待자는 '길거리 척'(彳)과 '마을 사'(寺), 두 표의요소가 결합된 것이다. 동구 밖 길거리까지 나와서 '기다리다'(wait for)가 본래 의미이고 '대접하다'(treat), '대우하다'(receive)로 확대 사용됐다.

속뜻훈음 **①기다릴 대, ②대접할 대, ③대우할 대.**

대:기 待機 | 기다릴 대, 때 기
[watch and wait; stand ready]
❶속뜻 때나 기회(機會)를 기다림[待]. ❷군사 군대 등에서 출동 준비를 끝내고 명령을 기다림. ❸공무원의 대명(待命) 처분. ¶대기 발령.

대:령 待令 | 기다릴 대, 명령 령
[wait for an order]
명령(命令)을 기다림[待]. ㊀대기(待機).

대:망 待望 | 기다릴 대, 바랄 망
[expect; anticipate]
기다리고[待] 바람[望]. ¶대망의 1위는 홍길동 선수입니다.

대:우 待遇 | 기다릴 대, 만날 우 [treat]
❶속뜻 기다려[待] 만남[遇]. ❷신분에 맞게 대접함. ¶국빈 대우를 하다. ❸직장 따위에서 받는 보수의 수준이나 직위. ¶그 회사는 대우가 좋다.

대:접 待接 | 기다릴 대, 맞이할 접 [treat]
❶속뜻 남을 기다려[待] 맞이함[接]. ❷음식을 차려 손님을 맞이함. ¶대접할 것이 마땅찮다. ❸어떤 인격적 수준으로 사람을 대우하거나 대함. ¶자녀를 동등한 인격체로 대접하다. ㊀영접(迎接), 응접(應接). ㊁푸대접.

대:피 待避 | 기다릴 대, 피할 피
[shunt; take shelter]
위험이나 피해가 지나가기를 기다리며[待] 잠시 피(避)함. ¶공습 경보가 울리면 즉시 대피하십시오.

• 역순어휘

고대 苦待 | 쓸 고, 기다릴 대 [wait impatiently]
애타게[苦] 기다림[待]. ¶다시 만날 날을 고대했다.

기대 期待 | =企待, 기약할 기, 기다릴 대
[expect; anticipate]
어느 때로 기약(期約)하여 성취되기를 기다림[待]. 또는 그런 바람. ¶기대에 어긋나다 / 원조를 기대하다.

냉:대 冷待 | 찰 랭, 대접할 대 [treat coldly]
냉담(冷淡)하게 대접(待接)함. 푸대접함. ¶손님을 냉대하다. ㊁환대(歡待).

박대 薄待 | 엷을 박, 대접할 대 [treat coldly]
아무렇게나 성의 없이[薄] 대접(待接)함. ¶박대를 받다 / 병든 어머니를 박대하다. ㊀푸대접, 냉대(冷待). ㊁후대(厚待).

우대 優待 | 넉넉할 우, 대우할 대
[give preference to]
특별히 잘[優] 대우(待遇)함. 또는 그런 대우. 위대(爲待). ¶무역 우대 조치.

접대 接待 | 맞이할 접, 대접할 대
[attend to; welcome]
손님을 맞이하여[接] 대접(待接)함. ¶따뜻한 접대 / 그녀는 미소를 지으며 손님을 접대하였다. ㊀대접(待接).

존대 尊待 | 높을 존, 대접할 대 [treat with respect]
❶속뜻 높이[尊] 받들어 대접(待接)함. ❷존경하는 말투로 대함. ¶그는 항상 나를 깍듯이 존대했다. ㊁하대(下待).

천:대 賤待 | 천할 천, 대접할 대
[treat with contemp]
천(賤)하게 대접(待接)함. ¶도둑놈의 아들이라고 천대를 받다.

초대 招待 | 부를 초, 대접할 대 [invite]
남을 초청(招請)하여 대접(待接)함. ¶초대에 응하다 / 초대해 주셔서 감사합니다.

학대 虐待 | 모질 학, 대우할 대 [cruelty]
혹독하고 모질게[虐] 대우(待遇)함. 심하게 괴롭힘. ¶동물 학대 / 아동 학대.

환대 歡待 | 기쁠 환, 대접할 대
[entertain warmly]
기쁘게[歡] 대접(待接)함. ¶환대를 받다 / 숙모님은 나를 환대해 주셨다. ㊀후대(厚待). ㊁냉대(冷待), 홀대(忽待).

0248 [재]

在

있을 재 :
㊊ 土부 ㊐ 6획 ㊥ 在 [zài]

在在在在在在

在자는 표의요소인 '흙 토'(土)와 표음요소인 才(재주 재)로 구성된 것인데, 才는 균형적 미감을 위하여 획의 배치와 획순이 약간 달라졌다. '있다'(be)는 동사로 쓰이고, '장소'(a place)를 나타내는 전치사로도 쓰인다.

재:고 在庫 | 있을 재, 곳집 고 [stock; stockpile]
❶[속뜻] 창고(倉庫)에 쌓여 있음[在]. ❷팔리지 않은 채 창고에 남아 있는 물건. '재고품'(在庫品)의 준말. ¶재고 조사 / 재고 정리.

재:래 在來 | 있을 재, 올 래 [former times; past]
전부터 있어[在] 온[來] 것. 이제까지 해 오던 일. ¶재래시장.

재:미 在美 | 있을 재, 미국 미 [reside in America]
미국(美國)에 살고 있음[在]. ¶재미 한국인 / 재미 동포 / 재미 과학자.

재:야 在野 | 있을 재, 들 야 [be out of power]
❶[속뜻] 들[野]에 파묻혀 있음[在]. ❷정치인이나 저명인사로서 공직에 있지 않거나 정치 활동에 직접 나서지 않고 있음. ¶재야 단체 / 재야 출신의 인사(人士).

재:외 在外 | 있을 재, 밖 외 [abroad; overseas]
외국(外國)에 있음[在]. ¶재외 동포.

재:위 在位 | 있을 재, 자리 위
[be on the throne; reign]
임금의 자리[位]에 있음[在]. 또는 그 동안. ¶연산군은 재위 중에 폐위되었다.

재:일 在日 | 있을 재, 일본 일 [reside in Japan]
일본(日本)에 살고 있음[在]. ¶재일 교포 / 재일 거류민단 / 재일 유학생.

재:임 在任 | 있을 재, 맡길 임 [be in office]
어떤 직무나 임지(任地)에 있음[在]. 또는 그 동안. ¶재임 기간.

재:적 在籍 | 있을 재, 문서 적 [be on the register]
학적, 호적, 병적 따위를 적은 문서[籍]에 올라 있음[在]. ¶재적 인원 / 워싱턴대학에는 한국 학생이 다수 재적하고 있다.

재:직 在職 | 있을 재, 일자리 직
[hold office; be in office]
어떤 직장(職場)에 근무하고 있음[在]. ¶그는 이 회사에서 20년 동안 재직하고 있다.

재:학 在學 | 있을 재, 배울 학 [be in school]
학교에 학적(學籍)이 있음[在]. ¶우리 언니는 초등학교 5학년에 재학 중이다.

• 역순어휘 •

건:재 健在 | 튼튼할 건, 있을 재 [being well]
아무 탈 없이 튼튼하게[健] 잘 있음[在]. ¶그의 사업은 건재하다.

부재 不在 | 아닐 부, 있을 재 [absence]
그곳에 있지[在] 아니함[不]. ¶아버지의 부재로 집안은 늘 썰렁했다.

산:재 散在 | 흩을 산, 있을 재
[be scattered about; lie here and there]
이곳저곳에 흩어져[散] 있음[在]. ¶그곳에는 아름다운 여행지가 산재해 있다.

소:재 所在 | 곳 소, 있을 재
[one's whereabouts; situation]
있는[在] 장소(場所). ¶그의 소재를 파악하고 있다.

실재 實在 | 실제 실, 있을 재 [exist]
실제(實際)로 있음[在]. ¶용은 실재하지 않는 동물이다. [반]가상(假象).

잠재 潛在 | 잠길 잠, 있을 재 [lie dormant; latent]
속에 잠기어[潛] 있음[在]. 겉에 드러나지 않고 숨어 있음. ¶잠재 능력 / 한국은 성장할 수 있는 힘이 잠재되어 있다.

존재 存在 | 있을 존, 있을 재 [exist]
현존(現存)하여 실제로 있음[在]. 또는 그런 대상. ¶그는 축구계에서 잊을 수 없는 존재이다 / 외계인이 존재할 가능성은 높지 않다.

주:재 駐在 | 머무를 주, 있을 재 [reside]
❶[속뜻] 일정한 곳에 머물러[駐] 있음[在]. ❷직무상 파견된 곳에 머물러 있음. ¶한국 주재 일본대사.

현:재 現在 | 지금 현, 있을 재
[present time; at present]
지금[現] 있음[在]. 이제. 지금. ¶현재 시간은 오후 8시입니다.

0249 [본]

本

근본 본
[部] 木부 [획] 5획 [中] 本 [běn]

本本本本本

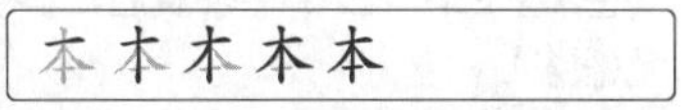

本자는 '나무 목'(木)과 '一'이 합쳐진 것이다. 이 경우의 '一'은 '하나'를 뜻하는 글자가 아니라, 나무뿌리의 위치를 가리키는 부호에 불과하다. '나무뿌리'(the root of a tree)가 본뜻인데 '책'(a book), '문서'(a document), '밑천'(capital)의 뜻으로도 쓰인다.

[속뜻훈음] ①뿌리 본, ②책 본, ③밑 본, ④본보기 본.

본거 本據 | 뿌리 본, 의지할 거 [stronghold; base]
뿌리[本]가 되고 의지[據]됨. 또는 그런 바탕. ¶종파의 본거. [비]근거(根據).

본격 本格 | 뿌리 본, 격식 격
[fundamental rules; propriety]
근본(根本)에 맞는 올바른 격식(格式)이나 규격(規格).

본관[1] 本貫 | 뿌리 본, 꿸 관
[one's ancestral home]
❶속뜻 본래(本來)의 관향(貫鄕). ❷시조(始祖)가 난 곳. ¶나는 본관이 밀양이다. ㊟본.

본관[2] 本館 | 뿌리 본, 집 관 [main building]
별관(別館)이나 분관(分館)에 대하여 중심[本]이 되는 건물[館]. ¶호텔의 본관은 저 건물입니다. ㊥별관(別館).

본교 本校 | 뿌리 본, 학교 교 [principal school]
❶속뜻 본래(本來)부터 있는 학교(學校). ❷근간이 되는 학교를 분교에 상대하여 이르는 말. ❸말하는 이가 공식적인 자리에서 자기 학교를 이르는 말. ¶본교의 창설자는 김덕순씨입니다. ㊥분교(分校).

본국 本國 | 뿌리 본, 나라 국 [one's own land]
본인(本人)의 국적이 있는 나라[國]. ¶밀입국자를 본국으로 강제 송환했다. ㊐고국(故國), 모국(母國), 본방(本邦).

본능 本能 | 뿌리 본, 능할 능 [instinct]
어떤 생물 조직체가 본래(本來)부터 가지고 있는 능력(能力). ¶본능에 따라 행동하다.

본래 本來 | 뿌리 본, 올 래 [originally; primarily]
본디[本]부터 있어 옴[來]. 사물이나 사실이 전하여 내려온 그 처음. ¶이곳은 본래 절이 있던 곳이다. ㊐본디, 원래.

본론 本論 | 뿌리 본, 말할 론 [main subject]
❶속뜻 본격적(本格的)인 토론(討論). ❷말이나 글에서 중심 내용을 담은 부분. ¶이제 본론으로 들어가자!

본명 本名 | 뿌리 본, 이름 명 [one's real name]
가명이나 별명이 아닌 본디[本] 이름[名]. ¶서류에는 본명을 쓰십시오. ㊐실명(實名). ㊥별명(別名), 가명(假名).

본문 本文 | 뿌리 본, 글월 문 [text; body]
❶속뜻 문서에서 주가 되는 바탕[本] 글[文]. ❷원래 문장을 주석, 강의 따위와 상대하여 이르는 말. ¶본문을 요약하면 다음과 같다.

본부 本部 | 뿌리 본, 거느릴 부 [head office]
어떤 조직의 중심[本]이 되어 거느리는[部] 기관. 또는 그것이 있는 곳. ¶본부에서 회의가 열렸다.

본분 本分 | 뿌리 본, 나눌 분 [one's duty]
❶속뜻 사람이 저마다 가지는 본디[本]의 신분(身分). ❷의무적으로 마땅히 지켜야 할 직분. ¶행복은 자기 본분을 다하는 데 있다.

본사 本社 | 뿌리 본, 회사 사
[head office; our firm]
❶속뜻 지사(支社)에 상대하여 본부(本部)가 있는 회사(會社)를 이르는 말. ¶그는 지사에서 본사로 전근해 왔다. ❷말하는 이가 공식적인 자리에서 자기가 다니는 회사를 이르는 말. ㊥지사(支社).

본색 本色 | 뿌리 본, 빛 색 [one's real character]
❶속뜻 본디[本]의 빛깔[色]이나 생김새. ❷본디의 특색이나 정체. ¶본색을 드러내다.

본서 本署 | 뿌리 본, 관청 서
[chief station; principal office]
지서, 분서, 파출소에 상대하여 주가 되는 본부(本部) 관서(官署)를 이르는 말.

본선 本選 | 뿌리 본, 가릴 선 [final selection]
❶속뜻 본격적(本格的)으로 승부를 가림[選]. ❷운동 예선이 아닌 우승자를 결정하는 최종 선발. ¶월드컵 본선에 오르다. ㊥예선.

본성 本性 | 뿌리 본, 성질 성 [original nature]
사람의 타고난 본래(本來)의 성질(性質). ¶인간은 선한 본성을 가지고 있다. ㊐천성(天性).

본심 本心 | 뿌리 본, 마음 심
[one's right mind; one's real intention]
본래(本來)의 마음[心]. ¶마침내 그는 자신의 본심을 털어놓았다.

본업 本業 | 뿌리 본, 일 업 [regular business]
겸하고 있는 직업에 대하여 주가 되는[本] 직업(職業). ¶그는 가수로 유명하지만 본업은 판매원이다. ㊐본직(本職). ㊥부업(副業).

본연 本然 | 뿌리 본, 그러할 연 [naturally]
❶속뜻 인공을 가하지 아니한 본디[本] 그대로의 자연(自然). ❷본디 생긴 그대로의 타고난 상태. ¶인간 본연의 모습 / 인간이 지닌 본연의 품성은 선한 것이다.

본위 本位 | 뿌리 본, 자리 위 [standard; principle]
❶속뜻 본디[本]의 자리[位]. ❷판단이나 행동에서 중심이 되는 기준. ¶자기 본위의 사람.

본인 本人 | 뿌리 본, 사람 인 [person himself]
이[本] 사람[人]. ¶본인이 결정하는 게 중요하다 / 본인 소개. ㊐당사자(當事者), 자신(自身).

본적 本籍 | 뿌리 본, 문서 적 [home address]
❶속뜻 본래(本來)의 호적(戶籍). ❷법률 조상의 호적(戶籍)이 있는 곳. ¶그의 본적은 서울이다.

본전 本錢 | 뿌리 본, 돈 전
[principal sum; original cost]
❶속뜻 이자를 붙이지 아니한 본래(本來)의 돈[錢]. ¶이자는커녕 본전도 못 찾았다. ❷장사나 사업을 할 때 밑천으로 가지고 있던 돈. ㊐원금(元金). 속담 밑져야 본전이다.

본점 本店 | 뿌리 본, 가게 점 [head office]

영업의 본거지(本據地)가 되는 가게[店]. (반)지점(支店).

본존 本尊 | 뿌리 본, 높을 존 [principal image (of Buddha)]
❶속뜻 근본(根本)이 되는 부처[尊]. ❷불교 법당에 모신 부처 가운데 가장 으뜸인 부처.

본질 本質 | 뿌리 본, 바탕 질 [real nature; essence; substance]
가장 근본적(根本的)인 성질(性質). ¶이 그림은 인간의 본질을 잘 드러내고 있다 / 본질적 속성.

본체 本體 | 뿌리 본, 몸 체 [body]
기계 따위의 기본(基本)이 되는 몸체[體]. 또는 중심 부분. ¶컴퓨터의 본체.

본토 本土 | 뿌리 본, 흙 토 [one's native country; mainland]
❶속뜻 섬이나 속국이 아닌 주[本]가 되는 국토(國土). ❷바로 그 지방. ¶미국 본토 출신.

• 역순어휘

각본 脚本 | 다리 각, 책 본 [play script; scenario]
❶속뜻 배우들이 무대에서 연습할 때 다리[脚] 밑에 두고 보는 책[本]. ❷연영 영화나 연극 등의 대사, 동작, 무대 장치 등에 대하여 자세히 적은 글. ¶연극 각본을 쓰다. (비)극본(劇本), 대본(臺本).

견:본 見本 | 볼 견, 본보기 본 [sample]
본보기[本]를 보임[見]. 또는 그러한 제품. ¶견본을 보고 옷감을 골랐다. (비)견품(見品), 표본(標本).

교:본 教本 | 가르칠 교, 책 본 [textbook]
가르치는[教] 데 쓰는 책[本]. (비)교과서(教科書).

극본 劇本 | 연극 극, 책 본 [script of a play]
연영 연극(演劇)이나 방송극 등의 대본(臺本).

근본 根本 | 뿌리 근, 뿌리 본 [root; basis]
❶속뜻 초목의 뿌리[根=本]. ❷사물의 본질이나 본바탕. ¶근본 원칙 / 근본 원인. (비)근원(根源).

기본 基本 | 터 기, 뿌리 본 [basis; foundation]
❶속뜻 토대[基]나 뿌리[本]. ❷일이나 사물의 가장 중요한 밑바탕이 되는 것. ¶기본이 충실해야 발전할 수 있다. (비)근본(根本), 기근(基根).

대본 臺本 | 무대 대, 책 본 [script; scenario]
❶속뜻 배우가 연극을 연습할 때 무대[臺]에서 보는 책[本]. ❷문학 연극의 상연이나 영화 제작 등에 기본이 되는 각본(脚本). ¶소설을 바탕으로 대본을 썼다. (비)각본(脚本).

등본 謄本 | 베낄 등, 책 본 [copy; duplicate]
법률 원본(原本)을 똑같이 베낌[謄]. 또는 그런 서류. ¶등본을 뜨다 / 주민등록등본.

사본 寫本 | 베낄 사, 책 본 [copy; duplicate]
사진으로 찍거나 복사(複寫)하여 만든 책[本]이나 서류. ¶주민등록증 사본 / 계약서 사본을 제시하다. (반)원본(原本), 정본(正本).

원본 原本 | 본디 원, 책 본 [original copy / text]
등사나 초록, 개정, 번역 따위를 하기 전의 본디[原]의 책[本]. (반)사본(寫本).

자본 資本 | 재물 자, 밑 본 [capital]
사업을 하는 데 밑바탕[本]이 되는 재물[資]. ¶자본이 부족하다.

장본 張本 | 벌릴 장, 뿌리 본 [fatal cause; origin]
❶속뜻 뿌리[本]를 벌림[張]. ❷일의 발단이 되는 근원.

표본 標本 | 나타낼 표, 본보기 본 [specimen; model; sample]
❶속뜻 표준(標準)이 될 만한 본(本)보기. ¶그를 성공의 표본으로 삼다. ❷생물 생물의 몸 전체나 그 일부에 적당한 처리를 가하여 보존할 수 있게 한 것. ¶화초 표본.

0250 [박]

朴

성(姓) 박
(부) 木부 (획) 6획 (中) 朴 [piáo, pǔ]

朴 朴 朴 朴 朴 朴

朴자는 '나무껍질'(a bark)을 뜻하는 글자이니 '나무 목'(木)이 표의요소로 쓰였다. 卜(점 복)이 표음요소임은 釙(쇠 박)도 마찬가지이다. 이것이 '순박하다'(simple; artless; plain)는 뜻으로도 쓰이는 것은 樸(순박할 박, 통나무 박)자 대신에 쓰이는 예가 많았기 때문이었다. 우리나라에서는 '성씨'(a surname)로도 쓰인다.

속뜻훈음 ①순박할 박, ②소박할 박.

• 역순어휘

소:박 素朴 | 본디 소, 순박할 박 [simplicity; naivety]
꾸밈없이 본디[素] 그대로의 순박(淳朴)함. ¶나는 그의 소박함에 마음이 좋다. (비)수수하다.

순박 淳朴 | =醇朴, 도타울 순, 소박할 박 [simple and honest]
❶속뜻 인정이 도탑고[淳] 외모가 소박(素朴)하다. ❷인정이 두텁고 거짓이 없다. ¶순박한 처녀.

0251 [리]

李

오얏/성(姓) 리 :
㊀ 木부 ㊀ 7획 ㊥ 李 [lǐ]

李李李李李李李

李자는 '자두(=오얏) 나무'를 뜻하는 것이니 '나무 목'(木)이 표의요소이다. 子(아이 자)는 표음요소라는 설이 있는데, 음 차이가 너무나 커서 선뜻 수긍이 되지 않는다. 낱말의 한 구성 요소(형태소)로 쓰이는 예는 극히 적고, 주로 '성씨'(surname)의 하나로 쓰인다.

이:조 李朝 | 성씨 리, 조정 조
역사 '이'(李)씨 임금의 조정(朝廷). 일본인이 조선 왕조를 얕잡아 일컫던 말.

0252 [근]

根

뿌리 근
㊀ 木부 ㊀ 10획 ㊥ 根 [gēn]

根根根根根根根根根根

根은 '(나무의 큰) 그루터기'(a stock)가 본래 의미이니, '나무 목'(木)이 표의요소로 쓰였다. 艮(어긋날 간)이 표음요소임은 跟(발꿈치 근)도 마찬가지이다. 후에 '뿌리'(a root), '바탕'(a basis), '원천'(a source) 등으로 확대 사용됐다.

근거 根據 | 뿌리 근, 의지할 거
[basis; ground]
❶속뜻 뿌리[根]에 의지함[據]. ❷어떤 의견의 이유. ¶근거를 대다.

근본 根本 | 뿌리 근, 뿌리 본 [root; basis]
❶속뜻 초목의 뿌리[根=本]. ❷사물의 본질이나 본바탕. ¶근본 원칙 / 근본 원인. ㊥근원(根源).

근성 根性 | 뿌리 근, 성질 성 [nature; spirit]
❶속뜻 뿌리[根] 깊이 박힌 나쁜 성질(性質). ❷사람이 원래부터 가진 성질. ❸어떤 일을 끝까지 해내려고 하는 끈질긴 성질. ¶저 아이는 승부 근성이 강하다. ㊥본성(本性).

근원 根源 | 뿌리 근, 수원 원
[root; source]
❶속뜻 나무의 뿌리[根]나 물의 수원(水源). 또는 그 같은 곳. ❷어떤 일이 생겨나는 본바탕. ¶소문의 근원. ㊥남상(濫觴), 원본(原本).

근절 根絶 | 뿌리 근, 끊을 절 [eradicate]
다시 살아날 수 없게 뿌리째[根] 없애 버림[絶]. ¶부정부패를 근절하다.

구근 球根 | 공 구, 뿌리 근 [tuber; bulb]
식물 공[球] 모양의 뿌리[根]. ㊥알뿌리.

• 역순어휘

어:근 語根 | 말씀 어, 뿌리 근
[root of a word]
언어 단어(單語)의 근본(根本)이 되는 부분. 단어를 분석할 때, 실질적 의미를 나타내는 중심이 되는 부분. ¶'뛰다'의 어근은 '뛰'이다.

화:근 禍根 | 재화 화, 뿌리 근
[root of evil; the source(s) of trouble]
재화(災禍)의 근원(根源). ¶화근을 없애다.

0253 [수]

樹

나무 수
㊀ 木부 ㊀ 16획 ㊥ 树 [shù]

樹樹樹樹樹樹樹樹樹樹樹樹樹樹樹樹

樹자는 뿌리가 깊고 많은 식물, 즉 '나무'(tree)의 총칭이다. 나무를 심는 모습을 그린 尌(세울 주)가 본래 글자였는데, 후에 '나무 목'(木)이 추가되어 그 뜻을 더욱 분명하게 나타냈다.

수령 樹齡 | 나무 수, 나이 령
[age of a tree]
나무[樹]의 나이[齡]. ¶수령 200년이 넘는 느티나무가 마을 어귀를 지키고 서있다.

수립 樹立 | 나무 수, 설 립
[establishment; founding]
❶속뜻 나무[樹]를 세움[立]. ❷국가나 정부, 제도, 계획 등 추상적인 것을 세움. ¶대책 수립 / 세계신기록 수립.

수목 樹木 | 나무 수, 나무 목 [tree]
살아 있는 나무[樹=木]. ¶공원에는 수목이 울창하다.

수액 樹液 | 나무 수, 진 액 [(tree) sap]
❶속뜻 땅속에서 나무[樹]의 줄기를 통하여 잎으로 올라가는 진액[液]. ❷나무껍질 따위에서 나오는 액. ¶고로쇠나무의 수액은 위장병에 좋다고 알려져 있다.

• 역순어휘

과:수 果樹 | 열매 과, 나무 수 [fruit tree]
과일[果]이 열리는 나무[樹]. ㊥과목(果木).

0254 [족]

族 겨레 족
部 方부 劃 11획 中 族 [zú]

族族族族族族族族族族族

族자는 군대를 상징하는 '깃발'과 兵器(병기)의 일종인 '화살'이 합쳐진 글자다. 동일 혈통의 군사들의 집합체를 '族', 혈통이 다른 군사들의 집합체를 '旅'(여)라고 했다. 후에 '族'은 혈연관계가 있는 모든 사람들, 즉 '겨레'(a race)를 지칭하는 것으로 확대됐고 '무리'(a group; a crowd)를 뜻하기도 한다.

속뜻훈음 ①겨레 족, ②무리 족.

족보 族譜 | 겨레 족, 적어놓을 보 [genealogy]
한 가문[族]의 계통과 혈통 관계를 적어놓은[譜] 책. ¶족보에 이름을 올리다.

족속 族屬 | 겨레 족, 속할 속 [kinsman; party]
❶속뜻 같은 겨레[族]에 속하는[屬] 무리. ❷같은 패거리에 속하는 사람들을 낮잡아 이르는 말. ¶그들은 인정이라고는 눈곱만큼도 없는 족속들이다.

족장 族長 | 겨레 족, 어른 장 [patriarch]
❶속뜻 일족(一族)의 어른[長]. ❷종족이나 부족의 우두머리. ¶이 마을에는 부족을 다스리는 족장이 있다.

• 역순어휘

가족 家族 | 집 가, 겨레 족 [family]
❶속뜻 부부를 기초로 한 가정(家庭)을 이루는 사람들[族]. ❷가족제도에서 한 집의 친족. ¶동생이 태어나 가족이 늘었다. ⓑ식구, 가속(家屬), 가솔(家率), 식솔(食率), 처자식(妻子息).

귀:족 貴族 | 귀할 귀, 무리 족
[nobility; aristocracy]
가문이나 신분 따위가 높아[貴] 정치적·사회적 특권을 가진 계층이나 무리[族]. ⓑ평민(平民), 서민(庶民), 노예(奴隸).

동족 同族 | 같을 동, 겨레 족
[brethren; same blood]
같은[同] 겨레[族]. ⓑ이민족(異民族).

민족 民族 | 백성 민, 무리 족 [race; people]
❶속뜻 같은 지역에 살고 있는 백성[民]의 무리[族]. ❷같은 지역에서 오랫동안 공동생활을 함으로써 언어나 풍속 따위 문화 내용을 함께 하는 사람들의 집단. ¶미국은 여러 민족으로 이루어진 나라이다.

부족 部族 | 나눌 부, 겨레 족 [tribe]
❶속뜻 같은 부류(部類)의 겨레[族]. ❷사회 같은 조상이라는 관념에 의하여 결합되어 공통된 언어와 종교 등을 갖는 지역적인 공동체. ¶이것은 아키라 부족의 전통 춤이다.

수족 水族 | 물 수, 무리 족 [aquatic animals]
물[水] 속에 사는 동물 종류[族]를 통틀어 이르는 말.

씨족 氏族 | 성씨 씨, 겨레 족 [family]
사회 원시 사회에서 똑같은 조상[氏]을 가진 여러 가족(家族)의 성원. 원시 사회에서 흔히 찾아볼 수 있는 부족 사회의 기초 단위이다.

애:족 愛族 | 사랑 애, 겨레 족 [love one's people]
자기 겨레[族]를 사랑함[愛]. ¶의병(義兵)들은 애족 정신을 갖고 독립운동을 벌였다.

어족[1] 魚族 | 물고기 어, 무리 족
[fishes; finny tribe]
동물 물고기[魚]의 종족(種族). ¶독도 부근의 바다는 어족이 풍부하다. ⓑ어류(魚類).

어:족[2] 語族 | 말씀 어, 무리 족
[family of languages]
언어 언어(言語)의 종족(種族). 언어를 계통에 따라 묶은 것으로 인도·유럽 어족, 알타이 어족, 한장 어족 따위. ¶한국어는 알타이 어족에 속한다.

왕족 王族 | 임금 왕, 겨레 족 [royal family]
임금[王]의 일가[族]. ¶그녀는 스코틀랜드 왕족과 결혼한다.

유족 遺族 | 남길 유, 겨레 족 [bereaved family]
어떤 사람이 죽은 뒤에 남아[遺] 있는 가족(家族). ¶그는 유족에게 깊은 애도의 뜻을 표했다. ⓑ유가족(遺家族).

종족 種族 | 갈래 종, 무리 족 [tribe; race]
❶속뜻 같은 갈래[種]의 생물 무리[族]. ¶어떤 생명체나 종족을 보호하려는 본능을 갖고 있다. ❷조상이 같고, 같은 계통의 언어·문화 따위를 가진 인간 집단. ¶역사가 흐르면서 여러 종족으로 갈라졌다.

친족 親族 | 친할 친, 겨레 족 [blood relative]
❶속뜻 촌수가 가까운[親] 일가[族]. ❷혈통으로 가까운 관계에 있는 사람들. ¶그는 가까운 친족이 아무도 없다.

한:족 漢族 | 한나라 한, 겨레 족 [the Han race]
'한민족'(漢民族)의 준말. 중국 본토에서 예로부터 살아온, 중국의 중심이 되는 종족. 중국어를 쓰며, 중국 전체 인구의 90% 이상을 차지한다.

호족 豪族 | 호걸 호, 무리 족
[powerful family]
어떤 지방에서 재산이 많고 세력이 큰 호걸[豪]의 일족(一族). ¶신라 말부터 호족 세력이 등장했다.

0255 [영]

永

길 영:
[部] 水부 [劃] 5획 [中] 永 [yǒng]

永永永永永

永자는 원래 '물 수'(水)와 '사람 인'(人)이 합쳐진 것으로, 물에서 헤엄을 치는 사람의 모습을 본뜬 것이었는데, 그 '人'자를 식별해 낼 수 없을 정도로 변화됐다. '헤엄치다'(swim)가 본뜻인데 '오래'(long), '멀리'(far), '길게'(lengthily) 같은 의미로 확대 사용되는 예가 많아지자, 본뜻은 '물 수'(水)를 추가한 泳(헤엄칠 영, #1648)자를 만들어 나타냈다.

영:구 永久 | 길 영, 오랠 구 [eternal]
영원(永遠)히 오래[久] 지속됨. ¶영구불변의 진리.

영:생 永生 | 길 영, 날 생 [eternal life]
영원(永遠)한 생명(生命). 또는 영원히 삶. ¶진시황제는 영생을 위해 불로초를 찾아다녔다.

영:영 永永 | 길 영, 길 영 [permanently]
길고[永]도 길[永]. 매우 길. ¶영영 소식이 없다 / 그는 영영 고향을 떠났다.

영:원 永遠 | 길 영, 멀 원 [eternal; everlasting]
어떤 상태가 끝없이 길게[永] 멀리[遠] 이어짐. 또는 시간을 초월하여 변하지 아니함. ¶영원한 사랑 / 나는 그와 영원히 함께 할 것이다.

0256 [유]

油

기름 유
[部] 水부 [劃] 8획 [中] 油 [yóu]

由由由由由

油자는 중국 양자강 유역 어느 강(a river)을 이름하기 위하여 만들어진 것이었으니, '물 수'(水)가 표의요소로 쓰였고, 由(말미암을 유)는 표음요소이다. '기름'(oil)을 뜻하는 것으로 많이 쓰인다.

유과 油菓 | 기름 유, 과자 과
[oil-and-honey pastry]
기름[油]에 튀겨 꿀 또는 조청을 바르고 튀밥이나 깨를 입힌 과자(菓子). ¶어머니는 할머니께 유과를 드렸다. [비]유밀과(油蜜菓).

유부 油腐 | 기름 유, 썩을 부 [fried bean curd]
두부(豆腐)를 얇게 썰어 기름[油]에 튀긴 음식. ¶유부초밥.

유성 油性 | 기름 유, 성질 성 [oily nature]
기름[油] 같은 성질(性質). 또는 기름의 성질. ¶유성 사인펜 / 유성 페인트

유전 油田 | 기름 유, 밭 전 [oil field; oil land]
석유(石油)가 나는 곳을 밭[田]에 비유하여 이르는 말. ¶연구팀이 알래스카에서 유전을 발견했다.

유조 油槽 | 기름 유, 구유 조 [oil tank]
석유(石油)나 가솔린 따위를 저장하는 아주 큰 용기[槽]. ¶유조에 구멍이 나서 기름이 샜다.

유지 油脂 | 기름 유, 기름 지 [oils and fats]
[화학] 동식물에서 얻는 기름[油=脂]을 통틀어 이르는 말.

유채 油菜 | 기름 유, 나물 채 [rape]
❶ [속뜻] 기름[油]을 짤 수 있는 나물[菜]. ❷ [식물] 십자화과의 두해살이풀. 높이는 1미터 정도이며 4월에 노란 꽃이 피고 잎과 줄기는 먹고 종자로는 기름을 짠다.

유화 油畵 | 기름 유, 그림 화 [oil painting]
[미술] 기름[油]으로 갠 물감으로 그린 그림[畵]. ¶유화를 그리다.

• 역순어휘

경유 輕油 | 가벼울 경, 기름 유
[light oil; diesel fuel]
[화학] 콜타르를 증류할 때, 맨 처음 얻는 가장 가벼운[輕] 기름[油]. [반]중유(重油).

등유 燈油 | 등불 등, 기름 유 [lamp oil; kerosene]
등(燈)불을 켤 때 쓰는 기름[油]. 원유(原油)를 증류할 때 150℃에서 280℃ 사이에서 얻어지는 기름으로 가정용이나 공업용으로 쓰인다.

산:유 産油 | 낳을 산, 기름 유 [produce oil]
원유(原油)를 생산(生産)하는 일. ¶산유 시설을 갖추다.

석유 石油 | 돌 석, 기름 유 [oil]
❶ [속뜻] 암석층(巖石層)을 뚫고 그 아래에서 파낸 기름[油]. 'petroleum'을 의역(意譯)한 것으로 추정된다. 'petro'는 '石'으로 'leum'은 '油'으로 옮겨졌다. ❷ [광업] 땅속에서 천연으로 나는 탄화수소를 주성분으로 하는 가연성 기름.

원유 原油 | 본디 원, 기름 유 [crude oil]
땅속에서 뽑아낸 정제하지 아니한 본디[原] 상태의 기름[油]. ¶말레이시아도 원유를 생산한다.

정유 精油 | 찧을 정, 기름 유
[refined oil; essential oil]
❶ [속뜻] 어떤 식물을 채취해 정제(精製)한 기름[油]. ❷ [화학] 정제한 석유나 정제한 동물 지방. 또는 그러한 일. ¶정유업체.

주:유 注油 | 부을 주, 기름 유
[refuel; fill up with gas]
기름[油]을 넣음[注]. ¶주유 중에는 엔진을 꺼 주세요.

중:유 重油 | 무거울 중, 기름 유 [heavy oil]
❶속뜻 비중이 커서 무거운[重] 기름[油]. ❷공업 석유를 정제하여 휘발유, 경유, 등유 등을 짜낸 후 남은 기름.

0257 [양]

洋 큰바다 양
部 水부 劃 9획 中 洋 [yáng]

洋洋洋洋洋洋洋洋洋

洋자는 산동성에 있는 강(a river)을 이름 하기 위한 것이었으니, '물 수'(水)가 표의요소로 쓰였다. 羊(양 양)은 표음요소이다. 후에 '큰 바다'(the ocean)를 가리키는 것으로 확대 사용됐다. 본래 海는 육지에 붙어 있는 바다를 가리키고, 洋은 육지에서 멀리 떨어져 있는 큰 바다를 뜻한다. 그래서 太平洋(태평양)이라고 하지 太平海(태평해)라고 하지는 않는다.
속뜻훈음 ①큰바다 양, ②서양 양.

양궁 洋弓 | 서양 양, 활 궁
[Western-style archery]
운동 서양식(西洋式)으로 만든 활[弓]. 또는 그 활로 겨루는 경기. ¶그는 세계 최고의 양궁 선수이다.

양금 洋琴 | 서양 양, 거문고 금 [dulcimer]
음악 서양(西洋)에서 만들어진 거문고[琴]같은 현악기. 채로 줄을 쳐서 소리를 낸다.

양란 洋蘭 | 서양 양, 난초 란 [cattleya]
식물 원산지가 서양(西洋)인 난(蘭). ¶양란은 꽃이 잘 핀다.

양말 洋襪 | 서양 양, 버선 말 [socks; stockings]
서양식(西洋式) 버선[襪]. ¶양말에 구멍이 났다.

양복 洋服 | 서양 양, 옷 복 [suit; dress]
❶속뜻 서양식(西洋式) 옷[服]. ❷남성의 서양식 정장. ¶결혼식에는 대개 양복을 입는다.

양식 洋食 | 서양 양, 밥 식 [Western cooking]
서양식(西洋式) 음식(飮食). ¶오늘은 양식을 먹자.

양옥 洋屋 | 서양 양, 집 옥
[Western-style house]
서양식(西洋式)으로 지은 집[屋]. 반 한옥(韓屋).

양은 洋銀 | 서양 양, 은 은
[albata; German silver]
❶속뜻 서양(西洋)에서 발명된 은백색(銀白色)의 금속. ❷구리, 아연, 니켈 따위를 합금하여 만든 금속. 영문명인 'German silver'를 의역하였다. ¶양은 냄비.

양장 洋裝 | 서양 양, 꾸밀 장
[Western-style clothes]
옷차림이나 머리 모양을 서양식(西洋式)으로 꾸밈[裝]. 또는 그런 옷이나 몸단장.

양재 洋裁 | 서양 양, 마름 재 [dressmaking]
양복(洋服)을 마름질하는[裁] 일. ¶양재 기술.

양주 洋酒 | 서양 양, 술 주
[Western liquors; whisky and wine]
❶속뜻 서양(西洋)에서 들여온 술[酒]. ❷서양식 양조법으로 만든 술. 위스키, 브랜디, 진 따위를 이른다.

양철 洋鐵 | 서양 양, 쇠 철
[galvanized iron; tinned iron]
❶속뜻 서양(西洋)에서 발명된 철판(鐵板). ❷안팎에 주석을 입힌 얇은 철판. ¶양철 그릇.

양품 洋品 | 서양 양, 물건 품
[imported goods; fancy goods]
서양식(西洋式)으로 만든 물품(物品). 특히 의류나 장신구 따위의 잡화를 이른다.

• 역순어휘

대:양 大洋 | 큰 대, 큰바다 양 [ocean]
지리 크고[大] 넓은 바다[洋]. 특히 태평양, 대서양, 인도양, 북극해, 남극해를 가리킨다.

동양 東洋 | 동녘 동, 큰바다 양 [East]
유럽 대륙을 중심으로 한 동부(東部) 지역. 명나라 때 중국에 들어온 유럽 선교사가 만든 세계 지도에서 북태평양 서쪽을 대동양(大東洋), 동쪽을 소동양(小東洋)이라고 한 데서 비롯되었다. 지금은 유럽지역을 가리키는 서양에 대응하여 아시아의 동부 및 남부의 한국, 중국, 일본, 인도, 미얀마, 태국, 인도네시아 등을 일컫는다. 반 서양(西洋).

서양 西洋 | 서녘 서, 큰바다 양
[West; Occident]
❶속뜻 서(西)쪽 큰바다[洋]. ❷동양에 대하여 유럽과 아메리카의 여러 나라를 이르는 말. ¶서양 역사. 비 구미(歐美), 서구(西歐). 반 동양(東洋).

원:양 遠洋 | 멀 원, 큰바다 양
[open sea far from land]
뭍에서 멀리[遠] 떨어진 큰 바다[洋]. ¶원양 어선 / 원양에 나가 물고기를 잡다.

해:양 海洋 | 바다 해, 큰바다 양 [ocean]
육지에 붙은 바다[海]와 육지에서 멀리 떨어진 넓은 바다[洋]. ¶해양 자원 / 해양 오염.

0258 [온]

溫

따뜻할 온

部 水부 劃 13획 中 温 [wēn]

溫溫溫溫溫溫溫溫溫溫溫溫溫

溫자는 중국 貴州省(귀주성)에 있는 강 이름을 지칭하는 것이었다. '어진 마음'(a gentle heart), '따뜻하다'(warm)는 뜻은 본래 '昷'(어질 온)자로 나타냈다. 죄수[囚→日]에게 따뜻한 밥이 담긴 그릇[皿·명]을 주는 모습에서 유래된 이 글자는 그만 단명에 그치고 말았다. 이렇듯 한자도 수명의 장단이 있다. 후에 '昷'자의 그러한 의미들은 '溫'자가 대신하게 됐다.

온기 溫氣 | 따뜻할 온, 기운 기 [warm air]
따뜻한[溫] 기운(氣運). ¶방에는 아직 온기가 남아 있다. 반 냉기(冷氣).

온난 溫暖 | =溫煖, 따뜻할 온, 따뜻할 난 [be warm]
날씨가 따뜻함[溫=暖]. ¶온난 기후 / 이곳은 겨울에도 비교적 온난하다.

온대 溫帶 | 따뜻할 온, 띠 대 [temperate zones]
❶속뜻 따뜻한[溫] 지대(地帶). ❷지리 연평균 기온이 0~20℃이거나 가장 추운 달의 평균 기온이 영하 18~3℃의 지역. 열대(熱帶)와 한대(寒帶) 사이에 위치한다.

온도 溫度 | 따뜻할 온, 정도 도 [temperature]
물리 따뜻한[溫] 정도(程度). 또는 그것을 나타내는 수치. ¶실내 온도 / 기온은 영하 5도였지만 체감 온도는 영하 20도였다.

온돌 溫堗 | =溫突, 따뜻할 온, 굴뚝 돌
❶속뜻 방을 따뜻하게[溫] 하기 위하여 설치한 굴뚝[堗]. ❷따뜻한 불기운이 방 밑을 통과하여 굴뚝으로 빠져나가면서 방을 덥히는 장치. ¶온돌은 한국 특유의 난방설비이다. 비 구들.

온상 溫床 | 따뜻할 온, 평상 상 [warm nursery]
농업 인공적으로 따뜻하게[溫] 하여 식물을 기르는 상(床) 모양의 설비. ¶겨울철에는 딸기를 온상에서 재배한다.

온수 溫水 | 따뜻할 온, 물 수 [hot water]
따뜻한[溫] 물[水]. ¶보일러가 고장이 나서 온수가 나오지 않는다. 반 냉수(冷水).

온순 溫順 | 따뜻할 온, 순할 순 [be meek]
성질이나 마음씨가 온화(溫和)하고 순(順)하다. ¶고슴도치는 온순한 동물이다 / 그녀는 성격이 온순하다.

온실 溫室 | 따뜻할 온, 방 실 [hothouse]
❶속뜻 난방 장치를 한 따뜻한[溫] 방[室]. ❷광선, 온도, 습도 따위를 조절하여 각종 식물의 재배를 자유롭게 하는 구조물. ¶온실에 화초를 기르다.

온정 溫情 | 따뜻할 온, 마음 정 [warm heart]
따뜻한[溫] 마음[情]. 따뜻한 사랑. ¶온정이 넘치는 말.

온천 溫泉 | 따뜻할 온, 샘 천 [spa]
❶속뜻 따뜻한[溫] 물이 솟는 샘[泉]. ❷지리 지열에 의하여 지하수가 그 지역의 평균 기온 이상으로 데워져 솟아 나오는 샘. ❸온천을 이용하는 목욕 시설이 있는 곳. ¶울진 부근에는 덕구온천이 유명하다.

온탕 溫湯 | 따뜻할 온, 욕탕 탕 [hot bath]
따뜻한[溫] 물을 채운 목욕탕(沐浴湯). 반 냉탕(冷湯).

온풍 溫風 | 따뜻할 온, 바람 풍 [warm air]
따뜻한[溫] 바람[風]. ¶언덕에는 온풍이 불고 아지랑이가 피어올랐다.

온화 溫和 | 따뜻할 온, 따스할 화 [be mild]
❶속뜻 날씨가 따뜻하고[溫] 바람이 따스하다[和]. ¶온화한 기후. ❷마음이 온순하고 부드럽다. ¶온화한 성격.

• 역순어휘 •

고온 高溫 | 높을 고, 따뜻할 온 [high temperature]
높은[高] 온도(溫度). ¶고온 다습한 지역. 반 저온(低溫).

기온 氣溫 | 공기 기, 따뜻할 온 [air temperature]
대기(大氣)의 온도(溫度).

보:온 保溫 | 지킬 보, 따뜻할 온 [keep warmth]
주위의 온도에 관계없이 일정한 온도(溫度)를 유지하여 지킴[保]. ¶보온 효과가 뛰어나다.

수온 水溫 | 물 수, 따뜻할 온 [water temperature]
물[水]의 온도(溫度). ¶수온이 높아서 남해안에 적조(赤潮)가 발생했다.

저:온 低溫 | 낮을 저, 따뜻할 온 [low temperature]
낮은[低] 온도(溫度). ¶생선은 부패하기 쉬우므로 저온에서 보관해야 한다. 반 고온(高溫).

체온 體溫 | 몸 체, 따뜻할 온 [body temperature]
생물체(生物體)가 가지고 있는 온도(溫度). ¶체온계의 눈금을 읽다.

0259 [감]

感

느낄 감:

部 心부 劃 13획 中 感 [gǎn]

感感感感感感感感感感感感感

感자는 '마음 심'(心)이 부수이자 표의요소이다. 咸(다 함)

이 표음요소임은 減(덜 감)도 마찬가지이다. '사람의 마음을 움직이다'(touch a person's heart)가 본래 의미인데 '느끼다'(feel)는 뜻으로 많이 쓰인다.

감:각 感覺 | 느낄 감, 깨달을 각 [sense; feeling]
❶속뜻 눈, 귀, 코, 혀, 살갗 등을 통하여 느껴[感] 앎[覺]. ¶감각 마비 / 감각이 예민하다. ❷사물에서 받는 인상이나 느낌. ¶그녀는 패션 감각이 뛰어나다. ㊐느낌, 감촉(感觸), 감정(感情), 정서(情緖).

감:개 感慨 | 느낄 감, 슬퍼할 개 [be deeply moved]
❶속뜻 깊이 느끼어[感] 슬퍼함[慨]. ❷마음속 깊이 사무치는 느낌. ¶무사히 돌아와 감개가 무량하였다.

감:격 感激 | 느낄 감, 격할 격 [be deeply impressed]
❶속뜻 고마움을 깊이[激] 느낌[感]. ❷마음속에 깊이 느껴 격동됨. ¶감격의 눈물 / 감격적인 장면. ㊐감동(感動).

감:기 感氣 | 느낄 감, 기운 기 [cold; influenza]
❶속뜻 자연의 기(氣)를 느낌[感]. ❷한의 풍(風)·한(寒)·서(暑)·습(濕)·조(燥)·화(火)를 몸으로 느낄 만큼 기운이 없는 상태를 이르는 말. ❸의학 몸이 오슬오슬 춥게 느껴지며 기운이 없고 열이 나며 기침, 콧물이 나는 질환을 통틀어 이르는 말. ¶감기에 걸리다. ㊐고뿔, 한질(寒疾).

감:동 感動 | 느낄 감, 움직일 동 [moved]
깊이 느끼어[感] 마음이 움직임[動]. ¶심청의 이야기를 들은 용왕은 크게 감동했다. ㊐느낌, 감격(感激), 감복(感服), 감명(感銘).

감:명 感銘 | 느낄 감, 새길 명 [impress]
깊이 느끼어[感] 마음에 새겨[銘] 둠. ¶이순신 장군의 전기를 감명 깊게 읽었다. ㊐감격(感激), 감동(感動).

감:사 感謝 | 느낄 감, 고마워할 사 [thanks; gratitude]
❶속뜻 고마움[謝]을 느낌[感]. ❷고마움을 표함. ¶성원에 감사드립니다. ㊐사의(謝意), 은혜(恩惠).

감:상¹ 感想 | 느낄 감, 생각 상 [thoughts; impressions]
마음에 느끼어[感] 일어나는 생각[想]. ¶한국에 대한 감상을 말하다. ㊐소감(所感), 의견(意見).

감:상² 感傷 | 느낄 감, 상할 상 [sentiment]
❶속뜻 좋게 느껴[感]지지 않아 마음이 상(傷)함. ❷하찮은 사물에도 쉽게 슬픔을 느끼는 마음. ¶떨어지는 낙엽을 보고 감상에 빠졌다.

감:성 感性 | 느낄 감, 성질 성 [sensitivity; sensibility]
❶속뜻 자극에 대해 변화를 느끼는[感] 성질(性質). ¶그녀는 감성이 풍부하다. ❷철학 대상을 오관(五官)으로 느끼고 깨달아 그 상(像)을 형성하는 인식 능력. ㊥지성(知性), 이성(理性).

감:수 感受 | 느낄 감, 받을 수 [be impressed]
심리 외부의 자극을 감각(感覺) 신경을 통해 받아들임[受].

감:염 感染 | 느낄 감, 물들일 염 [get influenced]
❶의학 병원체가 몸에 옮아[感] 물듦[染]. ❷남의 나쁜 버릇이나 다른 풍습 따위가 옮아서 그대로 따라하게 됨. ¶바이러스에 감염되었다. ㊐영향(影響), 전염(傳染).

감:은 感恩 | 느낄 감, 은혜 은 [feel gratitude]
은혜(恩惠)에 감사(感謝)함.

감:응 感應 | 느낄 감, 응할 응 [respond; sympathize]
❶속뜻 마음에 느끼어[感] 반응(反應)함. ❷신심(信心)이 부처나 신령에게 통함. ¶그의 정성에 신도 감응했나 보다.

감:전 感電 | 느낄 감, 전기 전 [receive an electric shock]
전기 전기(電氣)가 통하여 있는 도체에 몸의 일부가 닿아 그 충격을 느낌[感]. ¶물에 젖은 손으로 콘센트를 만지면 감전될 수 있다.

감:정 感情 | 느낄 감, 마음 정 [feeling; emotion]
❶속뜻 느끼어[感] 일어나는 마음[情]. 심정(心情). ❷어떠한 대상이나 상태에 따라 일어나는 마음. 기쁨·노여움·슬픔·두려움·쾌감·불쾌감 따위. ¶그는 감정이 메말랐다. ㊐느낌, 기분, 정서(情緖).

감:지 感知 | 느낄 감, 알 지 [perceive; sense]
직감적으로 느끼어[感] 앎[知]. ¶물고기의 움직임이 레이더에 감지되었다.

감:촉 感觸 | 느낄 감, 닿을 촉 [touch]
어떤 자극이 피부에 닿아[觸] 일어나는 느낌[感]. ¶감촉이 부드럽다 / 곤충은 더듬이로 적의 움직임을 감촉한다. ㊐감응(感應), 촉감(觸感).

감:탄 感歎 | =感嘆, 느낄 감, 한숨지을 탄 [admire]
❶속뜻 느끼어[感] 한숨지음[歎]. ❷크게 감동하여 찬탄함. ¶귀신도 놀랄 솜씨에 감탄했다. ㊐감동(感動), 감격(感激).

감:화 感化 | 느낄 감, 될 화 [influence]
감동(感動)을 받아 마음이나 행동이 변화(變化)함. ¶그의 인품에 감화되었다. ㊐교도(敎導), 교화(敎化).

감:회 感懷 | 느낄 감, 품을 회

[deep emotion; impressions]
느낌[感]을 마음에 품음[懷]. ¶10년 만에 돌아와 보니 감회가 새롭다. (비)느낌, 생각, 감정(感情), 감상(感想), 회포(懷抱), 심회(心懷), 소회(所懷).

감:흥 感興 | 느낄 감, 일어날 흥 [fun; interest]
느낌[感]이 생겨남[興]. ¶그의 음악은 나에게 큰 감흥을 주었다. (비)흥취(興趣), 흥미(興味).

• 역순어휘

공:감 共感 | 함께 공, 느낄 감 [sympathize]
남들과 함께[共] 똑같이 느낌[感]. 또는 그런 감정. ¶그들의 고통을 공감하다.

다감 多感 | 많을 다, 느낄 감
[sensitive; susceptible]
느낌이 많고[多] 감동(感動)하기 쉽다. 감정이나 감수성이 풍부하다. ¶그는 다감하고 정이 많다.

독감 毒感 | 독할 독, 느낄 감 [influenza]
❶[속뜻] 지독(至毒)한 감기(感氣). 병세가 심한 감기. ❷[의학] 인플루엔자 바이러스에 의해 일어나는 감기. 고열과 함께 폐렴, 중이염, 뇌염 따위의 합병증을 일으킨다. (비)유행성 감기.

동감 同感 | 같을 동, 느낄 감
[sympathy; agreement]
어떤 견해나 의견에 대해 똑같이[同] 생각함[感]. ¶나는 그의 말에 동감했다. (비)공감(共感). (반)반감(反感).

둔:감 鈍感 | 무딜 둔, 느낄 감 [dull; insensible]
무딘[鈍] 감정(感情)이나 감각. ¶그는 유행에 둔감하다. (반)민감(敏感).

민감 敏感 | 재빠를 민, 느낄 감 [sensitive]
감각(感覺)이 예민(銳敏)하다. ¶그는 더위에 민감하다.

반:감 反感 | 반대로 반, 느낄 감 [antipathy]
상대편의 말이나 태도 등을 불쾌하게 생각하여 반발(反撥)하거나 반항하는 감정(感情). ¶반감을 품다.

소:감 所感 | 바 소, 느낄 감
[one's impressions]
느낀[感] 바[所]. 또는 느낀 어떤 것. ¶수상 소감을 말하다.

실감 實感 | 실제 실, 느낄 감
[one's sense of reality]
실제(實際)로 체험하는 느낌[感]. ¶친구의 죽음이 아직 실감이 안 난다.

양감 量感 | 분량 량, 느낄 감
[(a feeling of) massiveness]
[미술] 회화에서 대상물의 부피[量]나 무게에 대한 감촉(感觸). 또는 그 느낌이 나도록 그리는 일. ¶이 그림은 양감이 풍부하다. (반)질감(質感).

어:감 語感 | 말씀 어, 느낄 감
[sensitivity to words; nuance]
말소리나 말투[語]에서 묻어 나오는 느낌[感]. ¶이 표현은 어감이 좋지 않다. (비)뉘앙스.

영감 靈感 | 신령 령, 느낄 감 [inspiration]
❶[속뜻] 신령(神靈)스러운 예감이나 느낌[感]. ❷창조적인 일의 계기가 되는 기발한 착상이나 자극. ¶강물을 보고 영감을 받아 시를 한 편 지었다.

예:감 豫感 | 미리 예, 느낄 감
[feel a premonition]
어떤 일이 일어나기 전에 암시적으로 또는 본능적으로 미리[豫] 느낌[感]. ¶내 예감이 들어맞았다 / 그는 자신의 죽음을 예감했다.

정감 情感 | 사랑 정, 느낄 감 [feeling; sentiment]
사랑[情]스럽게 느껴짐[感]. 정조와 감흥을 불러일으키는 느낌. ¶현주는 보면 볼수록 정감이 간다.

직감 直感 | 곧을 직, 느낄 감 [know by intuition]
사물이나 현상을 접하면 진상을 곧바로[直] 느낌[感]. ¶위험이 다가오고 있음을 직감했다 / 형사는 직감적으로 그가 범인임을 알아챘다.

질감 質感 | 바탕 질, 느낄 감
재질(材質)의 차이에서 받는 느낌[感]. ¶이 스웨터는 질감이 좋다.

촉감 觸感 | 닿을 촉, 느낄 감 [touch; feel]
무엇에 닿는[觸] 느낌[感]. ¶이불의 촉감이 부드럽다. (비)감촉(感觸).

쾌감 快感 | 기쁠 쾌, 느낄 감 [pleasant feeling]
기쁜[快] 느낌[感]. 기쁘고 즐거움. ¶승리의 쾌감을 맛보다.

통:감 痛感 | 아플 통, 느낄 감
[feel keenly; fully realize]
❶[속뜻] 마음이 아플[痛] 정도로 깊이 느낌[感]. ❷마음에 사무치게 느낌. 절실히 느낌. ¶그는 자신의 경험 부족을 뼈저리게 통감하고 있었다.

호:감 好感 | 좋을 호, 느낄 감
[good feeling; goodwill]
좋은[好] 감정(感情). ¶호감을 느끼다. (반)악감(惡感).

0260 [애]

愛

사랑 애:
(부) 心부 (획) 13획 (中) 爱 [ài]

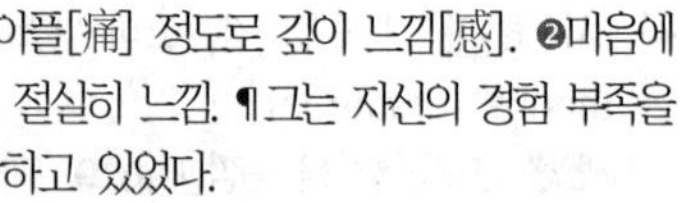

愛자의 맨 위 부분은 고개를 돌린 사람의 모습이 변화된

것이다. 맨 아래 부분(夊·치)은 '걷다'는 뜻인 止(지)의 변형이다. 길을 걷다[夊]가 스쳐 지나간 미녀에게 마음[心]이 쏠려 고개를 돌려 다시 쳐다보는 것이 연상된다. 그래서 남녀간의 '사랑'(love)을 이르는 것으로 애용된다. 이 글자 가운데 '몸 신'(身)이 아니라 '마음 심'(心)이 들어간 사실이 중요한 의의를 지닌다. 마음에 없는 사랑은 사랑이 아니기 때문이다. '아끼다'(dear; value; prize)는 뜻으로도 쓰인다.

[속뜻훈음] ①사랑 애, ②아낄 애.

애:교 愛嬌 | 사랑 애, 아리따울 교
[winsomeness; attractiveness]
❶[속뜻] 사랑스럽고[愛] 아름다움[嬌]. ❷남에게 귀엽게 보이는 태도. ¶아이는 아빠에게 애교를 부렸다.

애:국 愛國 | 사랑 애, 나라 국
[patriotism; love of one's country]
자기 나라[國]를 사랑함[愛]. ¶애국 운동.

애:무 愛撫 | 사랑 애, 어루만질 무
[caress; fondle]
주로 이성을 사랑하여[愛] 그를 어루만짐[撫]. ¶애무의 손길 / 그는 그녀의 얼굴을 애무했다.

애:완 愛玩 | 사랑 애, 장난할 완 [love]
동물이나 물품 따위를 좋아하여 가까이 두고 즐겨[愛] 놂[玩].

애:용 愛用 | 사랑 애, 쓸 용 [use regularly]
즐겨[愛] 사용(使用)함. ¶국산품을 애용합시다.

애:인 愛人 | 사랑 애, 남 인 [lover; love]
❶[속뜻] 남[人]을 사랑함[愛]. ❷사랑하는 사람. ⑪연인(戀人).

애:정 愛情 | 사랑 애, 마음 정 [affection; love]
사랑하는[愛] 마음[情]. ¶애정 표현 / 애정이 넘치다. ⑪사랑. ⑫증오(憎惡).

애:족 愛族 | 사랑 애, 겨레 족 [love one's people]
자기 겨레[族]를 사랑함[愛]. ¶의병(義兵)들은 애족 정신을 갖고 독립운동을 벌였다.

애:착 愛着 | 사랑 애, 붙을 착
[fondness; attachment]
몹시 사랑하거나[愛] 끌리어서 떨어지지 아니함[着]. 또는 그런 마음. ¶자식에 대해 애착을 갖다 / 그는 골동품에 유달리 애착한다.

애:창 愛唱 | 사랑 애, 부를 창 [love to sing]
노래나 시조 따위를 즐겨[愛] 부름[唱]. ¶그 곡은 아직까지 사람들 사이에 애창되고 있다.

애:칭 愛稱 | 사랑 애, 일컬을 칭
[pet name; nickname]
본래 이름 외에 친근하고 다정하게[愛] 부를[稱] 때 쓰는 이름. ¶그는 아이를 '똘똘이'라는 애칭으로 부른다.

애:향 愛鄕 | 사랑 애, 시골 향
[love of one's home]
고향(故鄕)을 사랑함[愛].

애:호¹ 愛好 | 사랑 애, 좋을 호 [love; be fond of]
무엇을 즐기고[愛] 좋아함[好]. ¶음악을 애호하다.

애:호² 愛護 | 사랑 애, 돌볼 호
[protection; preservation]
사랑[愛]으로 잘 돌봄[護]. ¶문화재를 애호하다.

• 역순어휘

경:애 敬愛 | 공경할 경, 사랑 애
[love and respect]
존경(尊敬)하고 사랑함[愛]. ¶경애하는 신사 숙녀 여러분. ⑪애경(愛敬).

구애 求愛 | 구할 구, 사랑 애 [make love to; court]
이성에게 사랑[愛]을 구(求)함. ¶그가 적극적으로 구애하자 그녀가 결혼을 허락했다.

박애 博愛 | 넓을 박, 사랑 애
[philanthropy; benevolence]
뭇사람을 차별 없이 두루[博] 사랑함[愛]. ¶박애 정신. ⑪범애(汎愛).

연:애 戀愛 | 그리워할 련, 사랑 애 [love; amour]
❶[속뜻] 그리워하며[戀] 사랑함[愛]. ❷남녀가 서로 애틋하게 그리워함. ¶연애 편지 / 부모님은 연애한 지 6년 만에 결혼했다.

우:애 友愛 | 벗 우, 사랑 애
[friendship; brotherliness]
❶[속뜻] 벗[友] 사이의 정[愛]. ❷형제 사이의 정이나 사랑. ¶우애로운 형제 / 그 형제는 우애가 두텁기로 소문났다. ⑪우의(友誼).

자애 慈愛 | 사랑할 자, 아낄 애 [affection]
❶[속뜻] 사랑하고[慈] 아낌[愛]. 또는 그런 마음. ❷아랫사람에 대한 깊은 사랑. ¶부모의 자애 / 자애로운 미소.

총:애 寵愛 | 사랑할 총, 사랑 애 [favor; love]
❶[속뜻] 매우 사랑함[寵=愛]. ❷남달리 귀여워하고 사랑함. ¶왕은 그를 총애한다.

친애 親愛 | 친할 친, 사랑 애 [love; feel affection]
친밀(親密)하게 여기고 사랑함[愛]. ¶친애하는 국민 여러분.

편애 偏愛 | 치우칠 편, 사랑 애
[love with partiality; be partial to]
어느 한쪽으로 치우치게[偏] 사랑함[愛]. ¶할아버지는 손녀에 대한 편애가 심했다.

할애 割愛 | 나눌 할, 아낄 애 [share willingly]
❶ 속뜻 아끼는[愛] 물건 따위를 나누어[割] 줌. ❷소중한 시간, 돈, 공간 따위를 아깝게 여기지 아니하고 선뜻 내어 줌. ¶시간을 할애하다.

0261 [사]

死

죽을 사:
部 歹부 劃 6획 中 死 [sǐ]

死 死 死 死 死 死

死자의 歹(부서진 뼈 알)은 '죽은 사람'을 상징하고, 匕(비수 비)는 그 앞에서 절을 하고 있는 사람의 모습이 크게 변화된 것이다. '죽다'(die)의 뜻으로 많이 쓰인다. 반대 글자는 生(살 생)이다.

사:경 死境 | 죽을 사, 지경 경 [deadly situation]
죽음[死]에 이른 경지(境地). 죽게 된 지경. ¶사경을 헤매다.

사:력 死力 | 죽을 사, 힘 력 [herculean efforts]
죽을[死] 힘[力]. 온갖 힘. ¶나는 사력을 다해 친구를 도와주었다.

사:망 死亡 | 죽을 사, 죽을 망 [dead; decease]
사람의 죽음[死=亡]. ¶비행기 추락 사고로 탑승자 전원이 사망했다. 반 출생(出生).

사:별 死別 | 죽을 사, 나눌 별
[be parted by death]
한쪽은 죽고[死] 한쪽은 살아남아 이별(離別)함. ¶남편과 사별하다.

사:상 死傷 | 죽을 사, 다칠 상
[death and injury; casualties]
죽거나[死] 다침[傷]. ¶사상자(死傷者).

사:색 死色 | 죽을 사, 빛 색 [turn deadly pale]
곧 죽을[死] 듯한 얼굴빛[色]. ¶그는 그 소식을 듣고 얼굴이 사색이 되었다.

사:선 死線 | 죽을 사, 줄 선 [life-or-death crisis]
❶ 속뜻 죽음[死]의 경계선[線]. ❷죽을 고비. ¶자유를 찾아 사선을 넘다.

사:수 死守 | 죽을 사, 지킬 수 [defend to the last]
목숨을 걸고 죽을[死] 각오로 지킴[守]. ¶독도 사수를 결의했다 / 우리 군은 어려운 상황 속에서도 기지를 사수했다.

사:지 死地 | 죽을 사, 땅 지 [jaws of death]
❶ 속뜻 죽을[死] 곳[地]. 또는 죽어서 묻힐 장소. ❷죽을 지경의 매우 위험하고 위태한 곳. ¶우리는 간신히 사지에서 벗어났다.

사:체 死體 | 죽을 사, 몸 체 [dead body]
사람 또는 동물 따위의 죽은[死] 몸뚱이[體]. ¶범인은 사체를 방치하고 도주했다.

사:해 死海 | 죽을 사, 바다 해 [the Dead sea]
❶ 속뜻 어떤 생물들이라도 죽을[死]만큼 염분이 많은 바다[海]. ❷ 지리 아라비아 반도의 서북쪽에 있는 호수. 요르단 강이 흘러 들어오지만 나가는 데가 없고 증발이 심한 까닭에 염분 농도가 바닷물의 약 다섯 배에 달하여 생물이 살 수 없다.

사:형 死刑 | 죽을 사, 형벌 형
[condemn to death; put to death]
법률 죄인을 죽이는[死] 형벌(刑罰). ¶사형을 선고하다.

사:활 死活 | 죽을 사, 살 활 [life and death]
죽음[死]과 삶[活]. ¶이번 사업에 회사의 사활이 걸려 있다.

사:후 死後 | 죽을 사, 뒤 후 [after death]
죽은[死] 뒤[後]. ¶이 시집은 작가의 사후에 출판되었다. 반 생전(生前).

• **역순어휘**

객사 客死 | 손 객, 죽을 사 [die away from home]
객지(客地)에서 죽음[死]. ¶평생을 장돌뱅이로 떠돌다 결국 객사하고 말았다.

결사 決死 | 결정할 결, 죽을 사
[desperate; death-defying]
어떤 일을 위하여 죽음[死]을 각오함[決]. ¶결사 반대하다. 비 필사(必死).

급사 急死 | 급할 급, 죽을 사 [die suddenly]
갑자기[急] 죽음[死]. ¶심장마비로 급사하다.

뇌사 腦死 | 골 뇌, 죽을 사
[brain death; cerebral death]
의학 뇌(腦)의 기능이 완전히 멈추어져[死] 본디 상태로 되돌아가지 않는 상태. ¶교통사고로 뇌사 상태에 빠지다.

변:사 變死 | 바뀔 변, 죽을 사
[meet one's death accidentally]
뜻밖의 변고(變故)로 죽음[死]. ¶교통사고로 변사를 당하다. 비 횡사(橫死).

불사 不死 | 아닐 불, 죽을 사
[never die; be immortal]
죽지[死] 아니함[不].

생사 生死 | 날 생, 죽을 사 [life and death]
나고[生] 죽음[死]. ¶생사의 갈림길.

옥사 獄死 | 감옥 옥, 죽을 사 [death in prison]
감옥살이를 하다가 감옥(監獄)에서 죽음[死].

익사 溺死 | 빠질 닉, 죽을 사 [drown oneself]
물에 빠져[溺] 죽음[死]. ¶홍수로 급격히 불어난 계곡 물에 관광객 6명이 익사했다.

전:사 戰死 | 싸울 전, 죽을 사 [die in battle]
싸움터에서 싸우다가[戰] 죽음[死]. ¶전사 통지서 / 그녀의 남편은 한국전쟁 때 전사했다.

즉사 卽死 | 곧 즉, 죽을 사
[be killed instantly]
즉시(卽時) 죽음[死]. ¶토끼가 총알을 맞고 즉사했다.

치:사 致死 | 이를 치, 죽을 사 [be fatal; kill]
죽음[死]에 이르게[致] 함. ¶과실 치사 / 그는 약물 과용으로 치사할 뻔했다.

폐:사 斃死 | 넘어질 폐, 죽을 사
[fall dead; perish; die]
넘어지거나[斃] 쓰러져 죽음[死]. ¶무더위로 많은 가축이 폐사했다.

필사 必死 | 반드시 필, 죽을 사 [desperation]
❶ 속뜻 반드시[必] 죽음[死]. ❷죽을힘을 다 씀. 죽음을 각오함. ¶그는 필사의 각오로 경기에 임했다.

0262 [특]

特 특별할 특
部 牛부 劃 10획 中 特 [tè]
特 特 特 特 特 特 特 特 特 特

特자는 '황소'(a bull)를 뜻하기 위하여 '소 우'(牛)가 표의 요소로 쓰였다. 寺(절 사)는 표음요소라고 하는데 음 차이가 너무 커서 신빙성이 낮지만, 표의요소로 볼 수 있는 근거도 미약하다. 아무튼 특별한 점이 많은 글자다. 요즘은 본뜻으로 쓰이는 예가 거의 없고 '특별하다'(especial; express), '유달리'(especially) 등의 뜻으로 많이 쓰인다.
속뜻 훈음 ①특별할 특, ②유다를 특.

특공 特功 | 특별할 특, 공로 공
[great achievement]
특별(特別)히 뛰어난 공로(功勞).

특급[1] 特急 | 특별할 특, 급할 급 [special express]
❶ 속뜻 특별(特別)히 급(急)하게 달림. ❷ 교통 열차 따위가 특별히 빨리 운행하는 것. ¶특급열차.

특급[2] 特級 | 특별할 특, 등급 급 [special grade]
특별(特別)한 등급(等級)이나 계급(階級). ¶특급 대우를 받다.

특기 特技 | 특별할 특, 재주 기
[special ability; speciality]
특별(特別)한 기능(技能)이나 기술(技術). ¶자신의 특기를 살려 진로를 결정하다. 비장기(長技).

특등 特等 | 특별할 특, 무리 등
[special grade; top grade]
보통의 등급을 뛰어넘은 특별(特別)히 뛰어난 등급(等級). ¶특등 사수(射手).

특명 特命 | 특별할 특, 명할 명
[special command]
❶ 속뜻 특별(特別)히 명령(命令)함. ❷특별히 임명함. 또는 그 임명. ¶황제의 특명을 받고 각지로 출발했다.

특별 特別 | 유다를 특, 다를 별 [special]
일반적인 것과 유달리[特] 다름[別]. ¶특별히 어디가 아픈 건 아니지만 기운이 없다 / 오늘은 나에게 아주 특별한 날이다.

특보 特報 | 특별할 특, 알릴 보
[special report; special news]
특별(特別)히 알림[報]. ¶뉴스특보를 말씀드리겠습니다.

특사 特使 | 특별할 특, 부릴 사
[special envoy; emissary]
❶ 속뜻 특별(特別)히 무엇을 시킴[使]. 또는 그것을 맡은 사람. ❷특별한 임무를 띠고 파견하는 외교 사절을 두루 일컫는 말. ¶대통령의 특사를 파견하다.

특산 特產 | 특별할 특, 낳을 산 [special product]
특별(特別)히 그 지방에서만 남[產]. 또는 그 산물.

특색 特色 | 특별할 특, 빛 색
[distinct characteristic]
❶ 속뜻 특별(特別)한 색깔[色]. ❷다른 것과 특히 다른 점. ¶그는 별다른 특색 없는 평범한 사람이다.

특석 特席 | 특별할 특, 자리 석 [reserved seat]
특별(特別)히 따로 마련한 좌석(座席). '특별석'의 준말. ¶특석에서 경기를 관람하다.

특선 特選 | 특별할 특, 뽑을 선 [special selection]
❶ 속뜻 특별(特別)히 골라 뽑음[選]. ¶점심 특선 요리를 주문하다. ❷대회에서 입선된 것 중에서 특히 우수한 작품. ¶그의 사진은 콘테스트에서 특선으로 뽑혔다.

특성 特性 | 특별할 특, 성질 성
[specific character]
특별(特別)한 성질(性質). ¶선인장은 건조한 기후에도 잘 견디는 특성이 있다.

특수 特殊 | 유다를 특, 다를 수 [special; specific]
다른 것과 비교하여 유달리[特] 다른[殊] 것. ¶이쪽의 특수한 사정을 이해해 주십시오. 비특이(特異). 반일반(一般), 보통(普通).

특실 特室 | 특별할 특, 방 실 [special chamber]

일반실과 특별(特別)히 다른 방[室]. '특등실'(特等室)의 준말. ¶특실에 묵었다.

특용 特用 | 특별할 특, 쓸 용 [use specially]
특별(特別)히 씀[用]. ¶특용 작물.

특유 特有 | 특별할 특, 있을 유
[peculiar; characteristic]
특별(特別)히 가지고 있음[有]. ¶온돌은 한국 특유의 난방 방식이다.

특이 特異 | 유다를 특, 다를 이 [singular; peculiar]
❶[속뜻] 보통 것에 비하여 유달리[特] 다름[異]. ¶넌 이름이 상당히 특이하구나. ❷보통보다 훨씬 뛰어남. ¶그는 손재주가 특이하여 온갖 물건을 손수 만든다. [비]특수(特殊). [반]평범(平凡).

특정 特定 | 특별할 특, 정할 정
[particular; specific; certain]
특별(特別)히 정(定)함. ¶특정 연령층을 대상으로 한 제품.

특집 特輯 | 특별할 특, 모을 집
[special edition; supplement]
특별(特別)히 편집(編輯)함. 또는 그 편집물. ¶추석 특집 프로그램.

특징 特徵 | 특별할 특, 부를 징
[special feature]
❶[역사] 임금이 신하에게 벼슬을 내리려고 특별(特別)히 부름[徵]. ❷특별히 나타나는 점. ¶검은 눈과 머리카락은 한국인의 유전적 특징이다. [비]특색(特色), 특성(特性).

특파 特派 | 특별할 특, 보낼 파
[send on special assignment]
특별(特別)히 파견(派遣)함. ¶해외에 특파되다.

특허 特許 | 특별할 특, 들어줄 허
[license to do; patent]
❶[속뜻] 특별(特別)히 들어줌[許]. ❷[법률] 어떤 사람이나 기관의 발명품에 대하여 남이 그대로 흉내 내지 못하게 하고 그것을 이용할 권리를 국가가 그 사람이나 기관에 주는 것. ¶특허를 내다.

특화 特化 | 특별할 특, 될 화 [specialize]
❶[속뜻] 다른 것보다 특별(特別)히 두드러지게 됨[化]. ❷한 나라의 어떤 산업 또는 수출 상품이 상대적으로 큰 비중을 차지하는 상태. ¶이 지역에서는 관광지를 특화하여 많은 돈을 벌고 있다.

특활 特活 | 특별할 특, 살 활
[extracurricular activities]
[교육] 수업 이외 특별(特別)한 목적의 활동(活動).

• 역순어휘

기특 奇特 | 기이할 기, 특별할 특
[admirable; laudable]
❶[속뜻] 기이(奇異)하고 특별(特別)하다. ❷말씨나 행동이 신통하여 귀염성이 있다. ¶아이는 기특하게도 혼자서 옷을 입는다.

독특 獨特 | 홀로 독, 특별할 특 [unique]
❶[속뜻] 홀로[獨] 특별(特別)함. 홀로 유별남. ¶냄새가 독특하다. ❷다른 것과 견줄 수 없을 정도로 매우 뛰어남. 특별히 독창적임. ¶독특한 기술.

영특 英特 | 뛰어날 영, 특별할 특 [be wise]
뛰어나게[英] 특출(特出)하다. ¶동생은 어려서부터 영특하고 매사에 의연했다.

0263 [복]

服

옷 복
[部] 月부 [획] 8획 [中] 服 [fú]

服 服 服 服 服 服 服 服

服자의 원형은 舟(배 주), 卩(꿇어앉은 사람 절), 又(손 우)가 합쳐진 것이다. 배 멀미가 싫어 배를 타지 않으려고 하는 사람을 손으로 밀어 억지로 타게 하는 모습이 연상된다. '따르게 하다'(make obey), '따르다'(follow)가 본래 의미인데 '일'(service), '옷'(clothes), '입다'(wear), '(약을) 먹다'(take medicine) 등으로도 쓰인다.

[속뜻훈음] ①옷 복, ②일 복, ③따를 복, ④먹을 복.

복무 服務 | 일 복, 힘쓸 무 [(public) service]
맡은 바 일[服]에 힘씀[務]. 직무를 맡아 일함. ¶아버지는 경찰관으로 복무하고 있다.

복식 服飾 | 옷 복, 꾸밀 식
[dress and its ornaments]
❶[속뜻] 옷[服]의 꾸밈새[飾]. ❷옷과 장신구를 아울러 이르는 말. ¶중세시대 복식은 매우 간소하다.

복역 服役 | 따를 복, 부릴 역
[public service; penal servitude]
❶[속뜻] 공역(公役), 병역(兵役) 따위에 따름[服]. ❷징역을 삶. ¶그는 5년 형을 선고받고 복역 중에 탈옥했다.

복용 服用 | 먹을 복, 쓸 용 [take medicine]
약을 내복(內服)하여 사용(使用)함. 약을 먹음. ¶하루에 세 번 복용하세요. [비]복약(服藥).

복장 服裝 | 옷 복, 꾸밀 장 [(the style of) dress]
❶[속뜻] 옷[服]을 차려 입은[裝] 모양. ¶복장을 단정히 하다. ❷옷. ¶가벼운 복장을 하다.

복종 服從 | 따를 복, 좇을 종 [obey]
❶속뜻 남의 말 따위에 따르고[服] 좇음[從]. ❷남의 명령, 요구, 의지 등에 그대로 따름. ¶명령에 즉각 복종하다. (반)거역(拒逆), 반항(反抗).

• 역순어휘

관복 官服 | 벼슬 관, 옷 복 [official outfit]
❶속뜻 관리(官吏)의 제복(制服). ❷공복(公服).

교:복 校服 | 학교 교, 옷 복 [school uniform]
학교(學校)에서 학생들이 입도록 정한 제복(制服). ¶토요일은 교복을 입지 않는다.

군복 軍服 | 군사 군, 옷 복 [military uniform]
군인(軍人)의 제복(制服).

굴복 屈服 | 굽힐 굴, 따를 복 [submit to]
힘이 모자라서 몸을 굽혀[屈] 따름[服]. (반)저항(抵抗).

극복 克服 | 이길 극, 따를 복 [conquer]
이기어[克] 따르도록[服]하다. ¶어려움을 극복하다.

내:복[1] 內服 | 안 내, 옷 복 [underwear]
안[內]에 입는 옷[服]. ¶내복을 입으면 난방비를 절약할 수 있다. (비)속옷, 내의(內衣). (반)겉옷.

내:복[2] 內服 | 안 내, 먹을 복 [internal use]
약을 입 안[內]에 넣어 먹음[服]. 약을 먹음.

단복 團服 | 모일 단, 옷 복 [uniform]
어떤 단체(團體)의 제복(制服). ¶우리 팀은 단복을 맞추었다.

도:복 道服 | 길 도, 옷 복
[garment of a Taoist; suit for practice]
❶속뜻 도사(道士)가 입는 겉옷[服]. ❷유도나 태권도 따위를 할 때 입는 운동복.

법복 法服 | 법 법, 옷 복 [judge's gown]
법정에서 법관(法官)들이 입는 옷[服].

불복 不服 | 아닐 불, 따를 복 [objection; protest]
따르지[服] 아니함[不]. ¶상관의 명령에 불복하다.

사복 私服 | 사사로울 사, 옷 복
[plain clothes; civilian clothes]
사사로운[私] 자리에서 마음대로 입는 옷[服]. (반)제복(制服).

상복 喪服 | 죽을 상, 옷 복 [mourning clothes]
상중(喪中)에 있는 사람이 입는 예복(禮服).

소:복 素服 | 본디 소, 옷 복 [white clothes]
염색을 하지 않은 본디[素]의 흰색 옷[服]. 흔히 상복으로 입는다. ¶소복을 입은 여인이 울고 있었다.

승복 承服 | 받들 승, 따를 복 [submit]
남의 의견 따위를 받아들이고[承] 그에 따름[服]. ¶그 의견에 승복할 수 없다.

양복 洋服 | 서양 양, 옷 복 [suit; dress]
❶속뜻 서양식(西洋式) 옷[服]. ❷남성의 서양식 정장. ¶결혼식에는 대개 양복을 입는다.

예복 禮服 | 예도 례, 옷 복 [dress suit]
의식을 치르거나 특별히 예절(禮節)을 차릴 때에 입는 옷[服]. ¶결혼 예복 / 그는 예복을 갖추어 입었다.

의복 衣服 | 옷 의, 옷 복 [clothes; suit; dress]
옷[衣=服]. (비)의류(衣類).

정복 征服 | 칠 정, 따를 복 [conquer; subjugate]
❶속뜻 남의 나라나 이민족 따위를 쳐서[征] 따르게[服] 시킴. ¶11세기 노르만족은 영국을 정복했다. ❷다루기 어렵거나 힘든 대상 따위를 뜻대로 다룰 수 있게 됨. ¶영어 정복 / 에베레스트를 정복하다.

제:복 制服 | 만들 제, 옷 복
[uniform; regulation dress]
학교나 관청, 회사 따위에서 입도록 특별히 만든[制] 옷[服]. (반)사복(私服), 평복(平服).

탄:복 歎服 | 감탄할 탄, 따를 복
[admire; impressed]
매우 감탄(感歎)하여 마음으로 따름[服]. ¶모두 그의 충성심에 탄복했다.

평복 平服 | 보통 평, 옷 복
[ordinary dress; plain clothes]
평상시(平常時)에 입는 옷[服]. ¶그들은 모두 평복 차림으로 모임에 나왔다. (비)평상복(平常服).

피:복 被服 | 덮을 피, 옷 복 [clothes]
❶속뜻 덮어서[被] 입는 옷[服] ❷옷. ¶피복에 묻은 얼룩을 제거하다. (비)의복(衣服).

하:복 夏服 | 여름 하, 옷 복 [summer suit]
여름철[夏]에 주로 입는 옷[服]. 여름옷. (반)동복(冬服).

한:복 韓服 | 한국 한, 옷 복
한국(韓國)의 전통 의복(衣服). ¶설날에는 한복을 입는다. (반)양복(洋服).

0264 [조]

朝

아침 조
(部)月부 (總)12획 (簡)朝 [zhāo, cháo]

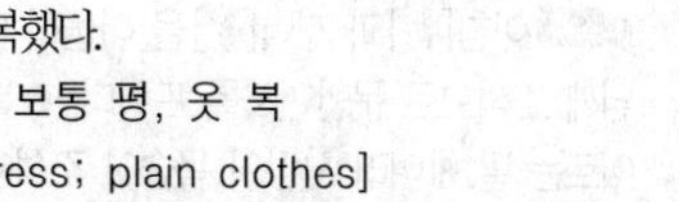

朝자의 갑골문은 '아침'(morning)의 뜻을 나타내기 위하여, 아직 달[月]이 채 지지 않은 이른 아침에 풀이 무성하게 자란 숲[茻]의 지평선 위로 해[日]가 솟는 모습을 그린 것이었다. 茻이 두 개의 屮(싹날 철)로 대폭 줄어든 것은 쓰기 편하기 위해서이다. 후에, '뵈다'(be presented to),

'조회'(a morning gathering), '조정'(the Imperial Court) 등으로 확대 사용됐다.

속뜻 훈음 ①아침 조, ② 조정 조, ③조회 조.

조간 朝刊 | 아침 조, 책 펴낼 간 [morning edition]
매일 아침[朝] 발행되는[刊] 신문. '조간신문'(新聞)의 준말. ¶그는 매일 출근하는 동안 조간을 읽는다. ㉤석간(夕刊).

조공 朝貢 | 조정 조, 바칠 공 [tribute]
역사 다른 나라 조정(朝廷)에 물품을 바침[貢]. ¶조선은 중국에 사신을 보내 조공을 바쳤다.

조례 朝禮 | 아침 조, 예도 례 [morning assembly]
학교 따위에서 구성원들이 일과를 시작하기 전에 아침[朝]마다 모여 하는 의식[禮]. ¶오늘 조례는 교실에서 하자. ㉤종례(終禮).

조반 朝飯 | 아침 조, 밥 반 [breakfast]
아침[朝]에 먹는 밥[飯]. ¶나는 늦게까지 자느라 조반을 잘 안 먹는 편이다.

조석 朝夕 | 아침 조, 저녁 석
[morning and evening]
❶속뜻 아침[朝]과 저녁[夕]을 아울러 이르는 말. ¶부모님께 조석으로 문안인사를 드린다. ❷썩 가까운 앞날을 이르는 말. ¶여러 사람의 목숨이 조석에 달렸으니 부디 신중하거라.

조정 朝廷 | 조회 조, 관청 정 [Imperial Court]
❶속뜻 임금을 조회(朝會)하는 관청[廷]. ❷임금이 나라의 정치를 신하들과 의논하거나 집행하는 곳. ¶조정의 신하들은 수도를 어디로 옮길 지 의논했다.

조회 朝會 | 아침 조, 모일 회
[morning assembly]
학교나 관청 따위에서 아침[朝]에 모든 구성원이 한자리에 모이는[會] 일. ¶조회를 시작하겠습니다.

• 역순어휘

왕조 王朝 | 임금 왕, 조정 조 [dynasty]
❶속뜻 임금[王]이 친히 다스리는 조정(朝廷). ❷한 왕가가 다스리는 시대. ¶조선 왕조 오백 년/왕조 실록. /세습 왕조

이:조 李朝 | 성씨 리, 조정 조
역사 '이'(李)씨 임금의 조정(朝廷). 일본인이 조선 왕조를 얕잡아 일컫던 말.

조:조 早朝 | 이를 조, 아침 조
[early morning]
이른[早] 아침[朝]. ¶조조 할인.

0265 [주]

晝

낮 주
㉿ 日부 ㊀ 11획 ⊕ 昼 [zhòu]

晝자는 '낮'(the daytime)을 뜻하기 위하여 만들어진 것인데, 손으로 붓을 잡고 있는 모습인 聿(율)과 해 일(日)이 합쳐진 것이다. 후에 日이 旦(아침 단)으로 대체됐다. 아득한 옛날에는 밤에 불을 밝히기가 어려워 해가 있는 낮에만 공부를 할 수 있었다.

주간 晝間 | 낮 주, 사이 간 [daytime]
낮[晝] 동안[間]. ¶그는 주간에 근무한다. ㉤야간(夜間).

주야 晝夜 | 낮 주, 밤 야 [day and night]
❶속뜻 낮[晝]과 밤[夜]. ¶주야 교대로 일하다. ❷쉬지 아니하고 계속함. ¶어머니는 주야로 아버지가 회복되기만을 기다렸다.

• 역순어휘

백주 白晝 | 흰 백, 낮 주
[broad daylight; the daytime]
환한[白] 대낮[晝]. 한낮.

0266 [병]

病

병 병:
㉿ 疒부 ㊀ 10획 ⊕ 病 [bìng]

病자는 '앓다'(be ill)를 뜻하기 위하여 '병들어 누울 녁/역'(疒)이 표의요소로 쓰였고 丙(남녘 병)은 표음요소이니 뜻과는 무관하다. 옛날에는 가벼운 증세를 '疾'(질)이라 했고, 매우 심한 것은 '病'(병)이라 했는데, 요즘은 그런 구분이 없어져 疾病(질병)이라 통칭한다.

병:균 病菌 | 병 병, 세균 균 [virus]
의학 병(病)을 일으키는 세균(細菌). ¶병균에 감염되다. '병원균'(病原菌)의 준말.

병:동 病棟 | 병 병, 마룻대 동 [(sick) ward]
병실(病室)이 있는 건물의 마룻대[棟]. 또는 그 건물. ¶내과 병동.

병:마 病魔 | 병 병, 마귀 마
[demon of ill health; disease]

병(病)을 악마(惡魔)에 비유하여 이르는 말. ¶그는 병마에 시달려 수척해졌다.

병:명 病名 | 병 병, 이름 명 [name of a disease]
병(病)의 이름[名].

병:상 病牀 | 병 병, 평상 상 [sickbed]
병(病)든 사람이 눕는 침상(寢牀). ¶병상을 지키다 / 병상에서 일어나다. ㊥병석(病席).

병:색 病色 | 병 병, 빛 색 [sickly appearance]
병든[病] 사람의 얼굴 빛[色]. ¶그의 얼굴에는 병색이 완연했다.

병:세 病勢 | 병 병, 형세 세
[condition of a disease]
병(病)이 들어 앓는 정도나 형세(形勢). ¶수술 후 병세가 호전되었다.

병:신 病身 | 병 병, 몸 신
[sick body; deformed person; fool]
❶속뜻 병(病)을 앓고 있는 몸[身]. 또는 그런 사람. ❷몸의 어느 부분이 온전하지 못한 사람. ❸남을 얕잡아 욕하는 일. ㊥불구자.

병:실 病室 | 병 병, 방 실 [sickroom]
병원(病院)에서 환자가 있는 방[室]. ¶병실 내에서는 금연이다.

병:약 病弱 | 병 병, 약할 약 [weak; sickly; infirm]
병(病)에 시달려 몸이 허약(虛弱)하다. 병에 걸리기 쉬울 만큼 몸이 허약하다.

병:원[1] 病院 | 병 병, 집 원 [hospital]
병자(病者)나 부상자를 진찰하고 치료하는 곳[院]. ¶종합 병원 / 병원에서 다리를 치료하다.

병:원[2] 病原 | 병 병, 본디 원
[cause of a disease]
의학 병(病)의 원인(原因)이나 근원. ¶병원을 찾다. ㊥병근(病根), 병인(病因).

병:자 病者 | 병 병, 사람 자 [sick person]
병(病)을 앓는 사람[者]. ¶병자를 돌보아주다. ㊥병인(病人), 환자(患者).

병:적 病的 | 병 병, 것 적 [diseased]
정상적인 상태에서 벗어난 병(病) 같은 것[的]. ¶병적 증세를 보이다.

병:충 病蟲 | 병 병, 벌레 충
농작물을 병들게[病] 하는 벌레[蟲].

병:폐 病弊 | 병 병, 나쁠 폐 [evil practice; vice]
병(病)과 폐단(弊端)을 아울러 이르는 말. ¶사회의 병폐를 없애다.

병:환 病患 | 병 병, 병 환 [sickness; illness]
병[病=患]의 높임말.

• 역순어휘

간병 看病 | 볼 간, 병 병 [nurse; look after]
병(病)이 든 사람을 보살핌[看]. ¶시아버지를 간병하다. ㊥간호(看護).

무병 無病 | 없을 무, 병 병 [good health]
병(病)이 없음[無]. ¶무병 장수를 기원합니다.

문:병 問病 | 물을 문, 병 병
[visit to a sick person]
병(病)이 든 사람을 찾아가 문안(問安)함. ¶친구를 문병하다. ㊥병문안(病問安).

발병 發病 | 나타날 발, 병 병
[outbreak of (a person's)illness]
병(病)이 생겨남 남[發]. ¶이 병은 주로 어린이에게 발병한다.

역병 疫病 | 돌림병 역, 병 병 [epidemic; plague]
집단적인 돌림병[疫]이 되는 악성 병증(病症). ¶마을에 역병이 돌아 아이들이 많이 죽었다.

열병 熱病 | 더울 열, 병 병 [fever]
❶속뜻 열(熱)이 몹시 오르고 심하게 앓는 병(病). ❷의학 열이 나며 두통, 식욕 부진이 뒤따르는 병. '장티푸스'를 일상적으로 이르는 말.

염:병 染病 | 물들일 염, 병 병 [typhoid fever]
❶속뜻 '전염병'(傳染病)의 준말. ❷의학 '장티푸스'를 속되게 이르는 말. ¶염병에 걸리다.

중:병 重病 | 무거울 중, 병 병
[serious illness; severe disease]
목숨이 위태로울 만큼 무거운[重] 병(病). ¶중병에 걸린 환자를 돌보다.

지병 持病 | 가질 지, 병 병 [chronic disease]
❶속뜻 계속 갖고[持] 있는 병(病). ❷잘 낫지 않아 늘 앓으면서 고통을 당하는 병. ¶지병으로 두통을 앓다.

질병 疾病 | 병 질, 병 병 [disease]
몸의 온갖 병[疾=病]. ¶질병에 시달리다. ㊥질환(疾患).

투병 鬪病 | 싸울 투, 병 병 [fight against disease]
병을 고치려고 병(病)과 싸움[鬪]. ¶그는 오랜 투병 생활 끝에 숨을 거두었다.

폐:병 肺病 | 허파 폐, 병 병
[lung trouble; lung disease]
❶속뜻 폐(肺)에 생긴 병(病). ❷의학 폐(肺)에 결핵균(結核菌)이 침입하여 생기는 만성 전염병. ¶그는 폐병으로 몸져누워 있다. ㊥폐결핵(肺結核).

화:병 火病 | 불 화, 병 병 [hypochondria]
한의 울화(鬱火)로 난 병(病). 억울한 마음을 삭이지 못

하여 간의 생리 기능에 장애가 와서 머리와 옆구리가 아프고 가슴이 답답하면서 잠을 잘 자지 못하는 병이다. ¶화병이 나다 / 화병으로 몸져눕다. ㊥울화병(鬱火病).

0267 [장]

章	글 장 部 立부 劃 11획 中 章 [zhāng]
	章 章 章 章 章 章 章 章 章 章 章

章자는 부수가 立으로 지정되어 있기 때문에 '立 + 早'의 구조로 잘못 보기 쉽다. 사실은 '소리 음'(音)과 '열 십'(十)의 구조로 보아야 한다. 그래서 음악의 '악장'(a movement)이 본래 의미였는데 '글'(=문장, a sentence)을 가리키는 것으로 확대 사용됐다.

• 역순어휘

규장 奎章 | 문장 규, 글 장
❶속뜻 중요한 문장[奎]이나 글[章]. ❷역사 임금이 쓴 글이나 글씨. ㊥규한(奎翰).

도장 圖章 | 그림 도, 글 장 [seal; stamp]
❶속뜻 그림[圖]이나 글[章]을 새긴 것. ❷이름을 새겨 서류에 찍어 증거로 삼는 물건. ¶도장을 찍다. ㊥인장(印章).

문장 文章 | 글자 문, 글 장 [sentence]
언어 어떤 생각이나 느낌을 글자[文]로 적은 글[章]. 문장의 끝에 '.', '?', '!' 따위의 마침표를 찍는다. ¶어려운 문장. ㊥글월.

악장 樂章 | 음악 악, 글 장 [chapter]
❶속뜻 음악(音樂)의 한 단락[章]. ❷음악 소나타나 교향곡, 협주곡 따위에서 여러 개의 독립된 소곡(小曲)들이 모여서 큰 악곡이 되는 경우 그 하나하나의 소곡. ¶교향곡은 대개 4악장으로 되어 있다.

완:장 腕章 | 팔 완, 글 장 [armband]
신분이나 지위 따위를 나타내기 위하여 팔[腕]에 두르는 표장(標章).

인장 印章 | 도장 인, 글 장 [seal]
❶속뜻 도장[印]에 새겨진 글[章]. ❷도장(圖章). ¶계약 서류에 인장을 찍다.

종장 終章 | 끝날 종, 글 장 [last verses]
문학 시조와 같이 세 장으로 나뉜 시가에서 마지막[終] 장(章).

중장 中章 | 가운데 중, 글 장 [middle verses]
문학 세 개의 장으로 나누어진 악곡이나 시조의 가운데[中] 장(章).

지장 指章 | 손가락 지, 글 장 [thumbprint]
손가락의 지문(指紋)으로 찍는 도장(圖章). ¶도장이 없으면 대신 지장을 찍어도 된다.

초장 初章 | 처음 초, 글 장 [first verses]
문학 작품의 첫째[初] 장(章).

헌:장 憲章 | 법 헌, 글 장 [charter]
❶속뜻 헌법(憲法) 같이 중요한 글[章]. ❷어떠한 사실에 대하여 약속을 이행하기 위하여 정한 규범. ¶국민교육헌장.

훈장 勳章 | 공 훈, 글 장 [medal; decoration]
법률 훈공(勳功)이 있는 사람에게 내리는 휘장(徽章). ¶훈장을 달다 / 그는 큰 공을 세워 훈장을 받았다.

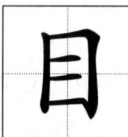

0268 [목]

目	눈 목 部 目부 劃 5획 中 目 [mù]
	目 目 目 目 目

目자는 눈과 눈동자 모양을 본뜬 것인데, 쓰기 편하도록 모양이 직각 형태로 바뀌었다. '눈'(an eye)이란 본뜻이 변함없이 그대로 많이 쓰이고 있다.

목격 目擊 | 눈 목, 부딪칠 격
[witness; see with one's own eyes]
❶속뜻 눈[目]길이 부딪침[擊]. ❷우연히 보게 됨. ¶사고를 목격하다. ㊥목견(目見), 목도(目睹).

목례 目禮 | 눈 목, 예도 례
[nod of greeting; nodding]
눈[目]짓으로 가볍게 예(禮)를 갖추어 하는 인사. ¶목례를 나누다. ㊥눈인사.

목록 目錄 | 눈 목, 기록할 록 [list; catalog]
목차(目次)를 기록(記錄)해 놓은 것. ¶도서목록.

목적 目的 | 눈 목, 과녁 적 [purpose; aim]
❶속뜻 목표(目標)로 정한 과녁[的]. ❷이룩하거나 도달하려고 하는 목표나 방향. ¶인생의 목적이 무엇입니까?

목전 目前 | 눈 목, 앞 전
[imminent; impending; forthcoming]
❶속뜻 눈[目] 앞[前]쪽. 아주 가까운 곳. ¶끔찍한 일이 목전에서 벌어지다. ❷아주 가까운 장래. ¶목전의 이익만을 생각하다 / 결전의 날이 목전에 다가왔다.

목차 目次 | 눈 목, 차례 차 [(a table of) contents]
내용의 항목(項目)이나 제목(題目)을 차례(次例)대로 배열한 것. ¶책의 목차. ㊥차례(次例), 목록(目錄).

목표 目標 | 눈 목, 우듬지 표 [goal; target; aim]
❶속뜻 눈[目]에 잘 띄는 우듬지[標]. 또는 그런 표적. ❷행동을 통하여 이루거나 도달하려는 대상이 되는 것. ¶목표를 세우다 / 목표를 달성하다.

목하 目下 | 눈 목, 아래 하 [at the (present) moment]
❶속뜻 눈[目] 아래[下]. 눈앞에. ❷바로 이때. 지금. ¶그 회의는 목하 부산에서 열리고 있다. ㊥목금(目今), 현금(現今).

• 역순어휘

곡목 曲目 | 노래 곡, 눈 목 [(musical) number]
음악 연주할 악곡(樂曲)이나 곡명(曲名)을 적어 놓은 목록(目錄). ㊥곡명(曲名).

과목 科目 | 분과 과, 눈 목 [subject]
❶속뜻 사물을 분류한[科] 조목(條目). ❷교육 분야별로 나눈 학문의 구분. 또는 교과를 구성하는 단위. ¶내가 가장 좋아하는 과목은 국어이다. ❸역사 과거(科擧).

괄목 刮目 | 비빌 괄, 눈 목
눈[目]을 비비고[刮] 다시 볼 만큼 발전 속도가 매우 빠름. ¶괄목할 만한 성장.

덕목 德目 | 베풀 덕, 눈 목 [virtue]
남에게 베풀어야[德] 할 항목(項目). 충(忠), 효(孝), 인(仁), 의(義) 따위. ¶효를 최고의 덕목으로 삼는다.

두목 頭目 | 머리 두, 눈 목 [leader; boss]
❶속뜻 머리[頭]에서 눈[目]처럼 중요한 것. ❷패거리의 우두머리. ¶깡패 두목을 잡았다. ㊥두령(頭領).

맹목 盲目 | 눈멀 맹, 눈 목 [blindness]
❶속뜻 앞을 볼 수 없는, 먼[盲] 눈[目]. ❷사리 분별에 어두움. 또는 그런 안목.

면ː목 面目 | 낯 면, 눈 목 [appearance; honor]
❶속뜻 얼굴[面]과 눈[目]. ❷얼굴의 생김새. ❸체면(體面). ¶그를 볼 면목이 없다. ㊥면모(面貌).

명목 名目 | 이름 명, 눈 목 [name; pretext]
❶속뜻 이름[名]이나 제목(題目). ❷겉으로 내세우는 이름. ¶명목뿐인 사장. ❸구실이나 이유. ¶무슨 명목으로 그를 부를까.

반ː목 反目 | 반대로 반, 눈 목 [be hostile]
❶속뜻 눈[目]길을 돌림[反]. ❷어떤 일이나 상황에 대해 반대하는 입장을 가져 서로 미워하게 됨. ¶시민단체와 반목하게 되었다.

안ː목 眼目 | 볼 안, 눈 목 [appreciative eye]
❶속뜻 보는[眼] 눈[目]. ❷사물을 보고 분별하는 견식. ¶그녀는 그림을 보는 안목이 있다.

이ː목 耳目 | 귀 이, 눈 목 [eye and ear; public attention]
❶속뜻 귀[耳]와 눈[目]. ❷다른 사람의 주의나 주목. ¶그는 공연으로 사람들의 이목을 끌었다.

일목 一目 | 한 일, 눈 목 [look; glance]
❶속뜻 한[一] 쪽 눈[目]. 또는 애꾸눈. ❷한 번 보는 일.

제목 題目 | 이마 제, 눈 목 [subject; theme]
❶속뜻 이마[題]와 눈[目]. ❷작품이나 글 따위에서 첫머리에 붙이는 이름. ¶책 제목 / 노래 제목.

조목 條目 | 가지 조, 눈 목 [articles; clauses]
법률이나 규정 따위의 낱낱의 조항(條項)이나 항목(項目). ¶이 규정은 다섯 가지 조목으로 되어 있다. ㊥조항(條項).

종ː목 種目 | 갈래 종, 눈 목 [item]
여러 가지 종류(種類)에 따라 나눈 항목(項目). ¶운동 경기 종목.

주ː목 注目 | 쏟을 주, 눈 목 [pay attention]
❶속뜻 눈[目]길을 한곳에 쏟음[注]. ❷어떤 대상이나 일에 대해 특별히 관심을 가지고 자세히 살핌. ¶그 사건은 주목을 별로 받지 못했다.

지목 指目 | 가리킬 지, 눈 목 [point out]
❶속뜻 어떤 사람의 눈[目]을 가리킴[指]. ❷여러 사람이나 사물 가운데서 일정한 것에 대하여 어떠하다고 가리키어 정함. ¶사건의 용의자로 지목되다.

품ː목 品目 | 물건 품, 눈 목 [list of items]
❶속뜻 물품(物品)의 이름을 쓴 목록(目錄). ¶수출 품목. ❷물품 종류의 이름. ¶품목이 다양하다.

항ː목 項目 | 목 항, 눈 목 [item]
❶속뜻 사람의 목[項]과 눈[目]. ❷법률 규정 따위의 조항(條項)과 조목(條目). ¶이 법안은 8개의 항목으로 이루어져 있다.

0269 [석]

石 돌 석
㊥ 石부 ㊥ 5획 ㊥ 石 [shí, dàn]

石石石石石

石자는 '돌'(a stone)을 뜻하기 위하여 '바위'(산기슭(厂·엄/한)에 널려 있는 돌[口]을 본뜬 것이다. 이 경우의 '口'를 '입 구'로 보면 안 된다.

석고 石膏 | 돌 석, 기름 고 [plaster]
❶속뜻 돌[石]을 넣어 만든 기름[膏] 같은 물질. ❷광업 황산칼슘과 물을 성분으로 한 단사정계(單斜晶系)의

광물로 비료나 시멘트의 원료가 되며 고온으로 가열하면 소석고(燒石膏)가 됨.

석공 石工 | 돌 석, 장인 공 [stonecutter]
돌[石]을 다루어 예술품이나 공업품을 만드는 기술자[工]. ¶석공은 불상을 만들었다. [비]석수(石手).

석굴 石窟 | 돌 석, 굴 굴
[rocky cavern; stone cave]
토굴(土窟)에 대하여 바위[石]에 뚫린 굴[窟]. [비]암굴(巖窟).

석기 石器 | 돌 석, 그릇 기
[stoneware; stonework]
여러 가지 돌[石]로 만든 기구(器具). 특히 석기 시대의 유물을 이른다.

석등 石燈 | 돌 석, 등불 등 [stone lantern]
돌[石]로 만든 등(燈). ¶석등에 불을 켜다.

석류 石榴 | 돌 석, 석류나무 류 [pomegranate]
[식물] 둥근 돌[石] 모양의 석류나무[榴] 열매. 붉은 빛을 띠고 신맛이 난다.

석면 石綿 | 돌 석, 솜 면 [asbestos]
❶[속뜻] 돌[石]에서 채취한 솜[綿] 같은 물질. ❷[광업] 광물(鑛物)의 하나로 사문석(蛇紋石)이나 각섬석(角閃石) 등이 분해되어 섬유질로 변한 것.

석불 石佛 | 돌 석, 부처 불
[stone Buddhist image]
[불교] 돌[石]로 만든 불상(佛像). ¶석불에 절을 하며 소원을 빌었다. [비]돌부처.

석상 石像 | 돌 석, 모양 상 [stone statue]
돌[石]을 조각하여 만든 모양[像]. ¶사자석상 / 그는 석상처럼 꼼짝하지 않고 앉아 있었다.

석수 石手 | 돌 석, 사람 수
[(stone)mason; stonecutter]
돌[石]을 전문으로 세공하는 사람[手]. [비]석공(石工), 석장(石匠).

석순 石筍 | 돌 석, 죽순 순 [stalagmite]
[광업] 종유굴 안의 천장에 있는 종유석에서 떨어진 탄산칼슘의 용액이 물과 이산화탄소의 증발로 굳어 죽순(竹筍)처럼 바닥에서 조금씩 솟아나는 돌[石].

석실 石室 | 돌 석, 방 실 [stone chamber]
[고적] 돌[石]로 만들어 주검을 안치한 방[室]. ¶고분의 석실.

석영 石英 | 돌 석, 뛰어날 영 [quartz]
❶[속뜻] 뛰어나게[英] 좋은 돌[石]. ❷[광업] 이산화규소로 된 육방정계(六方晶系)의 광물. 종이나 기둥 모양을 하고 있으며 유리와 같은 광택이 난다. 도자기나 유리의 원료로 쓰이며 순수한 것은 수정이라고 한다. [비]차돌.

석유 石油 | 돌 석, 기름 유 [oil]
❶[속뜻] 암석층(巖石層)을 뚫고 그 아래에서 파낸 기름[油]. 'petroleum'을 의역(意譯)한 것으로 추정된다. 'petro'는 '石'으로 'leum'은 '油'으로 옮겨졌다. ❷[광업] 땅속에서 천연으로 나는 탄화수소를 주성분으로 하는 가연성 기름.

석재 石材 | 돌 석, 재료 재 [building stone]
토목·건축 및 비석·조각 따위에 쓰이는 돌[石] 재료(材料).

석전 石戰 | 돌 석, 싸울 전 [battle with stones]
[민속] 돌[石] 팔매질을 하여 승부를 겨루는[戰] 놀이. 고구려 때에, 대보름날 하류층에서 하던 놀이로, 고려·조선 왕조를 통하여 계속되었다.

석조 石造 | 돌 석, 만들 조 [stone construction]
돌[石]로 무엇을 만드는[造] 일. 또는 그 물건. ¶석조 건물.

석주 石柱 | 돌 석, 기둥 주 [stone pillar]
돌[石]로 만든 기둥[柱]. [비]돌기둥.

석탄 石炭 | 돌 석, 숯 탄 [coal]
❶[속뜻] 숯[炭]처럼 불에 타는 돌[石]. ❷[광업] 가연성 퇴적암의 총칭. 연료나 화학 공업의 원료 등으로 쓰인다. ¶석탄은 세계 여러 지역에 흩어져 있어 주요 공업연료로 쓰인다. [준]탄.

석탑 石塔 | 돌 석, 탑 탑 [stone pagoda]
돌[石]로 쌓은 탑(塔). ¶월정사 9층 석탑. [비]돌탑.

석판 石版 | 돌 석, 널빤지 판 [lithography]
[출판] 인쇄나 판화에 쓰는 돌[石]로 만든 원판(原版).

석회 石灰 | 돌 석, 재 회 [lime]
[화학] 석회석(石灰石)의 주요 성분. 칼슘의 알칼리성 무기화합물인 산화칼슘으로, 생석회(生石灰)와 소석회(消石灰)를 통틀어 이른다.

• 역순어휘

광:석 鑛石 | 쇳돌 광, 돌 석 [ore; mineral]
[광업] 경제적 가치가 있는 광물(鑛物)을 포함하고 있는 암석(巖石). 또는 그런 광물. ¶광석에서 금을 추출하다.

목석 木石 | 나무 목, 돌 석
[trees and stones; insensibility]
❶[속뜻] 나무[木]와 돌[石]을 아우르는 말. ❷나무나 돌처럼 '감정이 무디고 무뚝뚝한 사람'을 비유하여 이르는 말. ¶그는 목석 같은 사람이다.

반석 盤石 | =磐石, 소반 반, 돌 석 [huge rock]
❶[속뜻] 넓고 편편한 소반[盤]같은 바위[石]. ❷'아주 믿음직스럽고 든든함'을 비유하여 이르는 말. [비]너럭바위.

보:석 寶石 | 보배 보, 돌 석

[jewel; precious stone]
보배[寶]로 쓰이는 광석(鑛石). ¶보석으로 온 몸을 치장하다. [비]보옥(寶玉).

비석 碑石 | 비석 비, 돌 석 [tombstone]
돌[石]로 만든 비(碑). ¶할아버지 무덤 앞에 비석을 세웠다.

상석 床石 | 상 상, 돌 석
[stone offertory table in front of a tomb]
[민속] 무덤 앞에 제물(祭物)을 차려 올려놓기 위하여 돌[石]로 만든 상(床). ¶할아버지의 상석에 햇과일을 놓았다.

수석 水石 | 물 수, 돌 석
❶[속뜻] 물[水]과 돌[石]. 또는 물속에 있는 돌. ❷주로 실내에서 보고 즐기는 관상용의 자연석. ¶수석을 수집하다.

암석 巖石 | 바위 암, 돌 석 [rock]
❶[속뜻] 바위[巖]나 돌[石]. ❷[지리] 지각을 구성하고 있는 단단한 물질. 화성암, 퇴적암, 변성암으로 크게 나뉜다. ¶그 산은 암석으로 뒤덮여 있다.

운:석 隕石 | 떨어질 운, 돌 석 [meteoric stone]
[광업] 지구상에 떨어진[隕] 돌[石] 같은 물체. 유성(流星)이 대기 중에서 다 타지 않고 지구상에 떨어진 것.

원석 原石 | 본디 원, 돌 석 [raw ore; ore]
[광업] 파낸 그대로의[原] 광석(鑛石). ¶우라늄 원석을 농축하면 핵무기의 원료가 된다.

자:석 磁石 | 자석 자, 돌 석 [magnet]
[광업] 자성(磁性)을 가진 광석(鑛石). 철을 끌어당기는 성질이 있는 물체.

장석 長石 | 길 장, 돌 석 [feldspar]
❶[속뜻] 길쭉한[長] 형태의 돌[石]. ❷[광업] 규산염 광물의 한 가지. 칼륨, 나트륨, 칼슘, 바륨 및 규산이 주성분이다. 질그릇, 사기, 유리, 성냥, 비료의 원료가 된다.

정:석 定石 | 정할 정, 돌 석
[established tactics; formula]
사물의 처리에 정(定)해진 돌[石]처럼 일정한 방식. ¶정석대로 대응하다.

중:석 重石 | 무거울 중, 돌 석 [tungsten]
[광업] 텅스텐. 이 광석을 발견한 스웨덴의 과학자 크론슈테트가 스웨덴어로 '무거운[重] 돌[石]'이라는 뜻의 'tungsten'으로 부른 데서 유래.

지석 誌石 | 기록할 지, 돌 석 [memorial stone]
지문(誌文)을 적는 돌[石]. ¶지석에는 죽은 이의 사망 연월일이 적혀 있었다.

채:석 採石 | 캘 채, 돌 석 [quarry stones]
채석장에서 석재(石材)를 캐냄[採]. ¶채석된 돌은 주택용 석재로 공급된다.

철석 鐵石 | 쇠 철, 돌 석
[iron and stone; firmness]
❶[속뜻] 쇠[鐵]와 돌[石]. ❷마음이나 의지, 약속 따위가 '굳고 단단함'을 비유하여 이르는 말. ¶나는 친구의 말을 철석같이 믿고 기다렸다.

초석 礎石 | 주춧돌 초, 돌 석
[cornerstone; foundation; basis]
❶[건설] 기둥 밑에 기초로 받쳐 놓은[礎] 돌[石]. ¶빌딩의 초석은 육중한 건물을 떠받들고 있다. ❷'사물의 기초'를 비유하여 이르는 말. ¶미래의 발전을 위한 초석을 놓다. [비]주춧돌, 기초(基礎), 기반(基盤).

화:석 化石 | 될 화, 돌 석 [fossil]
[지리] 아주 옛날의 생물의 뼈나 몸의 흔적이 돌[石]로 변해[化] 남아 있는 것.

활석 滑石 | 미끄러울 활, 돌 석 [talc; talcum]
❶[속뜻] 표면이 매끌매끌한[滑] 돌[石]. ❷[광업] 마그네슘으로 이루어진 규산염 광물. 흰색, 엷은 녹색, 회색 따위를 띤다. 가장 부드러운 광물의 하나로 전기 절연재, 도료, 도자기 따위로 쓰인다.

0270 [례]

禮

예도 례
[部] 示부 [획] 18획 [中] 礼 [lǐ]

禮禮禮禮禮禮禮禮禮禮禮禮禮禮禮禮禮禮

禮자의 원래 글자인 豊(례/풍)은 제사에 쓸 술을 담아 놓은 단지를 그린 것이었다. 제사에는 여러 가지 예법과 예의를 지켜야 했으니, 후에 '제사 시'(示)가 보태졌고, '예도'(courtesy), '예절'(good manners), '예법'(etiquette) 등의 낱말을 구성하는 요소로 쓰인다.

예도 禮度 | 예도 례, 법도 도
[courtesy; politeness; etiquette]
예의(禮義)와 법도(法度)를 아울러 이르는 말.

예물 禮物 | 예도 례, 만물 물 [wedding presents]
❶[속뜻] 사례(謝禮)의 뜻으로 보내는 돈이나 물건(物件). ❷혼인할 때 신랑과 신부가 기념으로 주고받는 물품. ¶결혼 예물.

예배 禮拜 | 예도 례, 절 배 [worship]
❶[속뜻] 공손한 예의(禮儀)를 갖추어 절함[拜]. ❷[기독교] 성경(聖經)을 읽고 기도(祈禱)와 찬송으로 하나님에 대한 숭경(崇敬)의 뜻을 나타내는 일. ¶예배를 드리다.

예법 禮法 | 예도 례, 법 법 [manners]

예의(禮義)로써 지켜야 할 규범[法]. ¶예법을 지키다. ㊟예. ㊥법례(法禮).

예복 禮服 | 예도 례, 옷 복 [dress suit]
의식을 치르거나 특별히 예절(禮節)을 차릴 때에 입는 옷[服]. ¶결혼 예복 / 그는 예복을 갖추어 입었다.

예식 禮式 | 예도 례, 의식 식 [ceremony]
예법(禮法)에 따라 치르는 의식(儀式). ¶예식을 치르다.

예의 禮儀 | 예도 례, 거동 의 [good manners]
존경의 뜻을 표하기 위하여 예(禮)로써 나타내는 말투나 몸가짐[儀]. ¶예의가 바르다 / 예의를 차리다 / 예의를 지키다.

예절 禮節 | 예도 례, 알맞을 절 [proprieties]
예의(禮義)에 관한 모든 절차(節次)나 질서. ¶식사 예절 / 극장에서는 휴대전화를 꺼 놓는 것이 기본예절이다.

예찬 禮讚 | 예도 례, 기릴 찬 [admire; glorify]
아름다운 것에 경의를 표하고[禮] 찬양(讚揚)함. ¶자연을 예찬한 작품.

• 역순어휘 ————————— •

결례 缺禮 | 모자랄 결, 예도 례 [lack of courtesy]
예의(禮儀) 범절에 벗어나거나 모자람[缺]. ¶수업 중에 휴대전화를 켜 놓는 것은 결례다. ㊥실례(失禮).

경:례 敬禮 | 공경할 경, 예도 례 [salute; bow]
공경(恭敬)의 예도(禮度)를 나타내는 일. 또는 그 동작. ¶국기에 대한 경례. ㊥절, 인사(人事).

답례 答禮 | 답할 답, 예도 례 [give in return]
남의 호의(好意)에 보답(報答)하는 뜻으로 표하는 예(禮). ¶찾아온 손님에게 웃으며 답례하다. ㊥사례(謝禮), 사은(謝恩).

대:례 大禮 | 큰 대, 예도 례
[state ceremony; grand ceremony]
❶속뜻 규모가 중대(重大)한 예식(禮式). ¶대례를 지내다. ❷혼인을 치르는 큰 예식. ¶대례를 치르다.

목례 目禮 | 눈 목, 예도 례
[nod of greeting; nodding]
눈[目]짓으로 가볍게 예(禮)를 갖추어 하는 인사. ¶목례를 나누다. ㊥눈인사.

무례 無禮 | 없을 무, 예도 례 [impolite; rude]
예의(禮義)가 없거나[無] 그에 맞지 않음. 버릇없음. ¶무례한 태도 / 무례하게 굴다.

사:례 謝禮 | 고마워할 사, 예도 례
[thanks; gratitude]
언행이나 금품으로 고마운[謝] 뜻을 나타내는 인사[禮]. ¶사례의 뜻으로 그에게 식사를 대접했다.

세:례 洗禮 | 씻을 세, 예도 례
[baptism; christening]
❶기독교 신자가 될 때 베푸는 의식으로 머리 위를 물로 적시거나[洗] 몸을 잠그는 예식(禮式). ¶세례를 받다. ❷'한꺼번에 몰아치는 비난이나 공격'을 비유하여 이르는 말. ¶그는 학생들의 질문 세례를 받았다.

순례 巡禮 | 돌 순, 예도 례
[make a pilgrimage]
종교 여러 성지나 영지 등을 차례로 돌아다니며[巡] 참배함[禮]. ¶예루살렘 성지를 순례하다.

실례 失禮 | 잃을 실, 예도 례 [be impolite]
예의(禮義)를 잃음[失]. 예의에 벗어남. ¶실례합니다, 여기서 제일 가까운 은행이 어디죠? ㊥결례(缺禮).

장:례 葬禮 | 장사 지낼 장, 예도 례
[hold a funeral]
장사(葬事)를 지내는 예절(禮節). ¶장례 절차가 간소해지고 있다 / 군인의 시신을 찾아 장례했다. ㊥장의(葬儀).

제:례 祭禮 | 제사 제, 예도 례 [sacrificial rituals]
제사(祭祀)를 지내는 예법(禮法)이나 예절. ㊥제식(祭式).

조례 朝禮 | 아침 조, 예도 례
[morning assembly]
학교 따위에서 구성원들이 일과를 시작하기 전에 아침[朝]마다 모여 하는 의식[禮]. ¶오늘 조례는 교실에서 하자. ㊞종례(終禮).

종례 終禮 | 마칠 종, 예도 례
[day end assembly]
학교에서 하루 일과를 마친[終] 뒤에 모여 나누는 의식[禮]. ¶종례가 끝나자 아이들은 서둘러 교실을 나갔다. ㊞조례(朝禮).

주례 主禮 | 주될 주, 예도 례 [officiate]
예식(禮式)을 주도(主導)하여 진행함. 또는 그 일을 맡아보는 사람. ¶목사님께 결혼식 주례를 부탁드렸다.

차례 茶禮 | 차 차, 예도 례
[ancestor-memorial services]
❶속뜻 차(茶)를 올리는 예(禮). ❷음력 매달 초하루날 또는 보름, 명절, 조상 생신날 등에 간단히 지내는 제사. ¶설날 아침에 차례를 지내다.

초례 醮禮 | 제사지낼 초, 예도 례
[marriage ceremony; wedding]
❶속뜻 예식(禮式)을 치름[醮]. ❷전통 결혼 예식. ¶초례를 지내다.

허례 虛禮 | 빌 허, 예도 례
[dead forms; empty formalities]

겉으로만 꾸며 정성이 없는[虛] 예절(禮節). ¶허례를 없애다.

혼례 婚禮 | 혼인할 혼, 예도 례
[marriage ceremony]
❶ 속뜻 혼인(婚姻)의 의례(儀禮). ❷'혼례식'(婚禮式)의 준말. ¶혼례를 치르다.

0271 [유]

由
말미암을 유
部 田부 劃 5획 中 由 [yóu]
由 由 由 由 由

由자에 자형과 유래에 대하여는 확실히 믿을 만한 학설이 없다. 억지로 추측하는 것보다는 의문에 부쳐 두는 것이 훨씬 더 낫다. '말미암다'(be due to), '까닭'(cause) 등의 뜻을 나타내는 것으로 쓰이는 사실 만큼은 확실하다.
속뜻 훈음 ①말미암을 유, ②까닭 유.

유래 由來 | 말미암을 유, 올 래
[origin; history; cause]
❶ 속뜻 어떤 것으로 말미암아[由] 생겨남[來]. ❷사물의 내력. ¶우리 고장의 유래에 대하여 조사해 보다.

• 역순어휘

경유 經由 | 지날 경, 말미암을 유
[passage through]
❶ 속뜻 지나거나[經] 말미암음[由]. ❷거쳐 지나감. ¶일본을 경유하여 귀국하다.

사:유 事由 | 일 사, 까닭 유 [reason; cause]
일[事]이 그렇게 된 까닭[由]. ¶결석한 사유를 설명하다. ㊐이유(理由), 연유(緣由).

연유 緣由 | 인연 연, 까닭 유
[reason; cause; origin]
인연(因緣)과 이유(理由). 까닭. ¶무슨 연유로 그를 찾아 오셨습니까? / 그녀가 말수가 적은 것은 내성적인 성격에서 연유한다. ㊐사유(事由).

이:유 理由 | 이치 리, 까닭 유 [reason; cause]
어떤 이치(理致)가 생겨난 까닭[由]. 원인이나 근거. ¶지각한 이유가 뭐니?

자유 自由 | 스스로 자, 말미암을 유 [free; liberal]
자기(自己) 마음이 내키는 대로[由] 행동하는 일. ¶개인의 자유는 존중되어야 한다 / 의견을 자유롭게 말하다 / 우리 학교 학생은 누구나 자유로이 강당을 이용할 수 있다. ㊀구속(拘束).

0272 [번]

番
차례 번
部 田부 劃 12획 中 番 [fān, pān]
番 番 番 番 番 番 番 番 番 番 番 番

番자는 '(밭에 남긴 짐승의) 발자국'(a footprint)의 뜻을 나타내기 위하여 '밭 전'(田)과 '분별할 변'(釆)을 합쳐 놓은 것이다. 후에 '차례'(order)를 뜻하는 것으로 확대 사용되는 예가 많아지자, 본뜻은 蹯(짐승 발바닥 번)자를 추가로 만들어 나타냈다.

번지 番地 | 차례 번, 땅 지
[number (of an address)]
토지(土地)를 나누어서 매겨 놓은 번호(番號).

번호 番號 | 차례 번, 차례 호 [number]
숫자로 나타낸 차례[番=號]. ¶번호순으로 자리를 배열하다.

• 역순어휘

국번 局番 | 판 국, 차례 번
[telephone office number]
전화의 국명(局名)을 나타내는 번호(番號). ¶화재 신고는 국번 없이 119로 한다.

단번 單番 | 홑 단, 차례 번 [at once; immediately]
단 한[單] 번(番). 한차례. ¶단번에 시험에 합격하다. ㊐단방(單放).

당번 當番 | 맡을 당, 차례 번 [be on duty]
어떤 일을 책임지고 돌보는[當] 차례[番]가 됨. 또는 그 차례가 된 사람. ¶이번 주는 미영이가 청소 당번이다. ㊐당직(當直). ㊀비번(非番).

매:번 每番 | 매양 매, 차례 번 [every time]
언제나[每] 번번(番番)이. 언제나. ¶그는 매번 약속에 늦는다. ㊐매매(每每), 매양.

순:번 順番 | 차례 순, 차례 번 [order; turn]
차례[順]로 번갈아[番] 돌아오는 임무. 또는 그 순서. ¶순번을 기다려서 공연장으로 들어갔다.

저:번 這番 | 이 저, 차례 번 [last time; other day]
요전의 그[這] 때[番]. ¶저번 토요일에 누나의 결혼식이 있었다.

전번 前番 | 앞 전, 차례 번
[other day; former occasion]
지난[前] 번(番). ¶전번에 만난 곳에서 보자. ㊀다음번(番).

주번 週番 | 주일 주, 차례 번 [weekly duty]

한 주(週)마다 차례[番]대로 하는 근무. ¶이번 주 주번은 화장실 좀 청소하렴.

학번 學番 | 배울 학, 차례 번
주로 대학교에서, 학교 행정상의 필요에 의하여 학생(學生)에게 부여한 고유 번호(番號). ¶학번 순서대로 들어갔다.

0273 [화]

畵

그림 화ː, 그을 획
部 田부 劃 13획 中 画 (huà)

畵畵畵畵畵畵畵畵畵畵畵畵

畵자는 손으로 붓을 잡고 있는 모습인 聿(붓 율)자에 田(밭 전)과 凵(입벌릴 감)이 합쳐진 것이다. 이 경우의 田과 凵은 '밭'이나 '입 벌리다'는 뜻과 관련된 것이 아니라 그려 놓은 모양을 나타낸 것일 따름이다. 畫는 속자다. '그림'(a picture), '그리다'(picture)는 뜻으로 쓰인 때에는 [화ː]로 읽고, '긋다'(draw) 또는 '획'(a stroke)을 뜻하는 경우에는 [획]으로 읽는다. 특히, 후자의 경우를 위하여 '劃'자가 따로 만들어졌지만, 서로 통용되기도 한다.

화ː가 畵家 | 그림 화, 사람 가 [painter; artist]
그림[畵] 그리는 일을 직업으로 하는 사람[家]. ¶은미의 꿈은 화가가 되는 것이다.

화ː랑 畵廊 | 그림 화, 결채 랑 [picture gallery]
그림[畵] 등의 미술품을 진열하여 전람하도록 만든 방[廊]. ¶장 화백은 한국 화랑에서 개인전을 연다.

화ː면 畵面 | 그림 화, 낯 면 [scene; screen]
❶ 속뜻 그림[畵]의 표면(表面). ❷영사막, 브라운관 따위에 비치는 사진의 보이는 겉면. ¶화면이 너무 어두워요.

화ː백 畵伯 | 그림 화, 맏 백
[artist; (master) painter]
화가(畵家)를 높여[伯] 일컬음. ¶김 화백이 찾아 왔다.

화ː보 畵報 | 그림 화, 알릴 보 [pictorial; graphic]
여러 가지 일을 그림[畵]으로 그리거나 사진을 찍어 발행한 책자[報]. 또는 그런 인쇄물. ¶이것은 꽃을 주제로 한 화보이다.

화ː실 畵室 | 그림 화, 방 실
[artist's studio; atelier]
그림[畵] 따위의 예술품을 만드는 방[室]. ¶빈 교실을 화실로 이용하다.

화ː판 畵板 | 그림 화, 널빤지 판 [drawing board]
그림을 그릴[畵] 때 받치는 판(板).

화ː폭 畵幅 | 그림 화, 너비 폭 [picture; drawing]
그림을 그리는[畵] 천이나 종이의 폭(幅). ¶겨울 풍경을 화폭에 담다.

화ː풍 畵風 | 그림 화, 모습 풍 [style of painting]
그림[畵]에 나타난 풍격(風格). 또는 그림을 그리는 경향. ¶그의 화풍은 많은 화가들에게 영향을 주었다.

• 역순어휘

녹화 錄畵 | 기록할 록, 그림 화 [record]
재생을 목적으로 텔레비전 카메라로 찍은 화상(畵像)을 필름 따위에 기록(紀錄)함.

도화 圖畵 | 그림 도, 그림 화 [drawing]
❶ 속뜻 도안(圖案)과 그림[畵]을 아울러 이르는 말. ❷그림을 그리는 일. 또는 그려 놓은 그림.

만ː화 漫畵 | 멋대로 만, 그림 화 [cartoon]
일정한 형식 없이 사물의 특징만을 살려 멋대로[漫] 그린 그림[畵]. ⓑ만필화(漫筆畵). 하나 더!! 漫畵(만:화)는 漫筆畵(만필화)라고도 하는데, '멋대로 그린 그림'이라는 뜻인 독일어 Karikatur(카리카투어)를 일본사람들이 한자로 옮긴 것이라 한다.

명화 名畵 | 이름 명, 그림 화 [famous painting]
유명(有名)한 그림[畵]이나 영화(映畵). ¶피카소의 명화 50점을 전시하다.

민화 民畵 | 백성 민, 그림 화 [folk painting]
미술 서민(庶民)들의 생활을 소재로 그린 그림[畵].

방화 邦畵 | 나라 방, 그림 화 [Korean film]
자기 나라[邦]에서 제작된 영화(映畵). ⓑ국산 영화(國産映畵). ⓟ외화(外畵).

벽화 壁畵 | 담 벽, 그림 화 [wall painting]
건물이나 고분 등의 벽(壁)에 장식으로 그린 그림[畵]. 넓게는 기둥이나 천장에 그린 것도 포함한다. ¶고분에는 수렵이나 무용을 그린 벽화가 있다.

삽화 揷畵 | 꽂을 삽, 그림 화 [illustrate]
출판 신문·잡지·서적 따위에서, 문장의 내용을 보완하거나 이해를 돕도록 장면을 묘사하여 끼워[揷] 넣은 그림[畵]. ¶이 책에는 삽화가 많이 들어 있다. ⓑ삽도(揷圖).

서화 書畵 | 쓸 서, 그림 화
[pictures and calligraphic works]
글씨[書]와 그림[畵].

시화 詩畵 | 시 시, 그림 화 [pictorial poem]
❶ 속뜻 시(詩)와 그림[畵]. ¶황진이는 시화에 뛰어났다. ❷시를 곁들인 그림.

영화 映畵 | 비칠 영, 그림 화 [movie]
❶ 속뜻 그림[畵]을 비춤[映]. ❷ 연영 연속 촬영한 필름을 연속으로 영사막에 비추어 물건의 모습이나 움직임을

실제와 같이 재현하여 보이는 것. ¶영화를 찍다 / 영화를 보다.

외:화 外畵 | 밖 외, 그림 화 [foreign movie]
연영 외국(外國)에서 제작된 영화(映畵). 반방화(邦畵).

유화 油畵 | 기름 유, 그림 화 [oil painting]
미술 기름[油]으로 갠 물감으로 그린 그림[畵]. ¶유화를 그리다.

인화 印畵 | 찍을 인, 그림 화
[print; make a print (of)]
연영 필름이나 건판의 모습을 감광지에 비추어 화상(畵像)을 찍어[印] 나타나게 하는 일. ¶사진을 몇 장 인화해 드릴까요?

자화 自畵 | 스스로 자, 그림 화
자기(自己)가 그린 그림[畵].

판화 版畵 | 널빤지 판, 그림 화 [engraving; print]
널빤지[版]에 새긴 그림[畵]. ¶미술관에서 판화를 전시하고 있다.

회:화 繪畵 | 그림 회, 그림 화
[pictures; drawings]
미술 여러 가지 선이나 색채로 평면 위에 형상을 그려 내는[繪=畵] 조형 미술.

0274 [자]

者
놈 자
부 老부 획 9획 中 者 [zhě]

者者者者者者者者者

者는 '삶다'(boil)는 뜻을 나타내기 위해 솥에 무엇을 넣고 삶는 모습을 본뜬 것이었는데, 모양이 크게 변화됐다. 일찍이 '…하는 것'(a thing), '…하는 사람'(the one)이라는 명사화 용법으로 활용되는 예가 많아지자 본래 뜻을 위하여 '불 화'(火→灬)를 보탠 煮(삶을 자)자가 추가로 만들어졌다. 중세 국어에서는 '놈'이라는 말이 문제가 되지 않았으나 지금은 낮춤말로 변하였으므로 '놈 자'라는 전통적인 훈음은 오해의 소지가 있다. '(…하는) 사람'(a person; one), '(…하는) 것'(the one that....)이란 뜻으로 쓰이는 예가 많으니, '사람 자' 또는 '것 자'라는 것으로 바꾸는 것이 낫겠다.

속뜻훈음 ①사람 자, ②것 자.

• 역순어휘

강자 強者 | 강할 강, 사람 자 [strong man]
힘이나 세력이 강(強)한 사람[者]. ¶그는 강자에게 약하고 약자에게 강하다. 비강호(強豪). 반약자(弱者).

고:자 告者 | 알릴 고, 사람 자
[informer; talebearer]
고자질하는[告] 사람[者].

기자 記者 | 기록할 기, 사람 자
[journalist; newspaperman]
신문, 잡지, 방송 따위에 실을 기사(記事)를 취재하여 쓰거나 편집하는 사람[者].

독자 讀者 | 읽을 독, 사람 자 [reader]
책, 신문, 잡지 따위의 글을 읽는[讀] 사람[者]. ¶이 책은 독자의 사랑을 받고 있다. 반저자(著者).

목자 牧者 | 칠 목, 사람 자 [shepherd]
양을 치는[牧] 사람[者]. 비양치기.

병:자 病者 | 병 병, 사람 자 [sick person]
병(病)을 앓는 사람[者]. ¶병자를 돌보아주다. 비병인(病人), 환자(患者).

부:자 富者 | 넉넉할 부, 사람 자 [millionaire; rich]
살림이 넉넉한[富] 사람[者]. 재산이 많은 사람. 반빈자(貧者). 속담부자는 망해도 삼 년 먹을 것이 있다.

삼자 三者 | 석 삼, 사람 자 [three persons]
❶속뜻세[三] 사람[者]. ¶삼자 간의 협상. ❷당사자가 아닌 사람. ¶이것은 우리 문제니 삼자는 나서지 마라.

성:자 聖者 | 거룩할 성, 사람 자 [sage; saint]
지혜나 덕(德)이 뛰어나고 거룩하여[聖] 본받을만한 사람[者].

승자 勝者 | 이길 승, 사람 자 [victor; winner]
운동 경기나 싸움에서 이긴[勝] 사람[者]. 또는 이긴 편. ¶최후에 웃는 자가 진정한 승자다. 반패자(敗者).

신:자 信者 | 믿을 신, 사람 자 [believer]
어떤 종교를 믿는[信] 사람[者]. ¶기독교 신자. 비교도(敎徒), 교인(敎人).

약자 弱者 | 약할 약, 사람 자 [weak; weak person]
약(弱)한 사람[者]이나 생물. 또는 그런 집단. ¶사회적 약자 / 약자를 보호해야 한다. 반강자(強者).

왕자 王者 | 임금 왕, 사람 자 [champion]
❶속뜻임금[王] 된 사람[者]. ❷각 분야에서 특히 뛰어난 사람을 비유하여 이르는 말. ¶고래는 바다의 왕자이다.

작자 作者 | 지을 작, 사람 자 [author]
❶속뜻작품을 짓거나[作] 만든 사람[者]. ¶『홍길동전』의 작자는 허균이다. ❷나 아닌 다른 사람을 낮잡아 이르는 말. ¶저 사람, 도대체 뭐 하는 작자야? 반독자(讀者).

저:자 著者 | 지을 저, 사람 자 [writer; author]
글 따위를 지은[著] 사람[者]. 비작자(作者), 지은이.

전자 前者 | 앞 전, 것 자 [former]
먼저[前] 말한 것[者]. ¶전자가 후자보다 좋다. (반)후자(後者).

주자 走者 | 달릴 주, 사람 자 [runner]
❶속뜻 달리는[走] 사람[者]. ¶선두주자 / 마지막 주자가 결승점에 도착했다. ❷운동 야구에서 아웃되지 않고 누(壘)에 나가 있는 사람. ¶주자를 2루로 보내다.

첩자 諜者 | 염탐할 첩, 사람 자 [spy; secret agent]
적의 형편이나 사정을 염탐하는[諜] 사람[者]. ¶우리 중에 적의 첩자가 있을지도 모른다. (비)간첩(間諜).

청자 聽者 | 들을 청, 사람 자 [audience; hearers]
이야기 따위를 듣는[聽] 사람[者]. ¶이야기할 때에는 청자의 나이나 직업 따위를 고려해야 한다. (반)화자(話者).

타ː자 打者 | 칠 타, 사람 자 [batter]
운동 야구에서 상대편 투수의 공을 치는[打] 공격진의 선수[者]. ¶타자가 들어서자 환호성이 쏟아졌다.

패ː자 敗者 | 패할 패, 사람 자 [loser; defeated person]
싸움에 진[敗] 사람[者]. ¶어느 경기에서나 승자와 패자는 있게 마련이다. (반)승자(勝者).

필자 筆者 | 쓸 필, 사람 자 [writer]
글이나 글씨를 쓴[筆] 사람[者]. ¶이 자료는 필자가 만 명을 대상으로 조사한 것이다.

학자 學者 | 배울 학, 사람 자 [scholar]
학문(學問)을 연구하는 사람[者]. 학문이 뛰어난 사람. ¶세계적으로 유명한 학자가 되겠다.

현자 賢者 | 어질 현, 사람 자 [wise man; sage]
어진[賢] 사람[者]. (비)현인(賢人).

화자 話者 | 말할 화, 사람 자 [speaker]
말하는[話] 사람[者]. 이야기하는 사람. ¶이 소설의 화자는 주인공의 딸이다. (반)청자(聽者).

환ː자 患者 | 병 환, 사람 자 [patient; sufferer]
병[患]을 앓는 사람[者]. ¶암환자 / 환자를 돌보다. (비)병자(病者).

후ː자 後者 | 뒤 후, 것 자 [latter; the other]
둘을 들어 말한 가운데 뒤[後]의 것[者]. ¶전자보다 후자가 낫다. (반)전자(前者).

0275 [미]

米 쌀 미
(部) 米부 (劃) 6획 (中) 米 [mǐ]
米 米 米 米 米 米

米자는 벼나 조 또는 수수의 이삭 모양을 본뜬 것으로 '(곡식의) 낟 알'(a grain)을 통칭한다. 대표적인 곡식인 '벼'의 낟알, 즉 '쌀'(rice)을 가리키기도 한다.

미색 米色 | 쌀 미, 빛 색 [pale yellow]
❶속뜻 쌀[米]의 빛깔[色]. ❷좀 노르께한 빛깔.

미수 米壽 | 쌀 미, 목숨 수 [88 years of age]
'米'자를 풀면 '八十八'이 되는 데에서 '여든여덟 살[壽]'을 달리 이르는 말.

미음 米飮 | 쌀 미, 마실 음 [thin gruel of rice]
쌀[米] 따위를 으깨어 마실[飮] 정도로 묽게 끓인 것. ¶환자에게 미음을 쑤어 먹이다.

• 역순어휘

백미 白米 | 흰 백, 쌀 미 [polished rice]
희게[白] 찧은 멥쌀[米]. ¶백미 삼백 석.

정미 精米 | 쓿을 정, 쌀 미 [polished rice]
벼를 쓿어[精] 깨끗하게 만든 쌀[米].

현미 玄米 | 검을 현, 쌀 미 [uncleaned rice]
❶속뜻 정미에 비하여 검은[玄] 빛이 감도는 쌀[米]. ❷왕겨만 벗기고 쓿지 않은 쌀. ¶현미로 지은 밥은 고혈압에 좋다. (반)백미(白米).

0276 [급]

級 등급 급
(部) 糸부 (劃) 10획 (中) 级 [jí]
級 級 級 級 級 級 級 級 級 級

級자는 실의 품질에 따른 '차례'(order)를 나타내기 위한 것이었으니, '실 사'(糸)가 표의요소로 쓰였고, 及(미칠 급)은 표음요소일 따름이다. 후에 모든 물건이나 사람의 '등급'(a grade)을 나타내는 것으로 확대 사용됐다.

급우 級友 | 등급 급, 벗 우 [classmate]
같은 학급(學級)의 친구[友].

급훈 級訓 | 등급 급, 가르칠 훈 [class precepts]
학급(學級)의 교육 목표로 내세운 교훈(敎訓).

• 역순어휘

계급 階級 | 섬돌 계, 등급 급 [class; rank]
❶속뜻 지위나 관직 등의 품계(品階)나 등급(等級). ¶한 계급 승진하다. ❷신분이나 직업, 재산 등이 비슷한 사람들로 이루어지는 사회적 집단. 또는 그것을 기준으로 구분되는 계층. ¶계급 간의 갈등이 심하다. ❸'계급장'(階

級章)의 준말.

고급 高級 | 높을 고, 등급 급 [high class]
높은[高] 등급(等級)이나 계급(階級). ¶고급 승용차. ㉥상급(上級).

동급 同級 | 같을 동, 등급 급 [same rank]
❶속뜻 같은[同] 등급(等級). ¶이 제품은 동급 중 가장 저렴하다. ❷같은 학급이나 학년.

등:급 等級 | 같을 등, 등급 급 [class; grade]
❶속뜻 같은[等] 급(級). 급이 같음. ❷같은 급별로 나눈 층차나 단계. ¶내 성적은 3등급이다.

상:급 上級 | 위 상, 등급 급 [higher grade]
위[上]의 등급(等級)이나 계급(階級). ¶상급 법원. ㉫하급(下級).

유급 留級 | 머무를 류, 등급 급
[stay back in the class; flunk]
진급(進級)하지 못하고 그대로 남음[留]. ¶그는 두 번이나 유급했다. ㉥낙제(落第).

일급 一級 | 한 일, 등급 급 [first class]
❶속뜻 한[一] 계급(階級). ❷최고의 등급. ¶일급 호텔. ❸등급의 첫째. ¶나는 컴퓨터 활용 일급 자격증을 취득했다.

중급 中級 | 가운데 중, 등급 급
[intermediate grade]
중간(中間) 정도의 등급(等級). ¶중급 과정.

진:급 進級 | 나아갈 진, 등급 급
[get promotion; move up]
등급(等級), 계급, 학년 따위가 올라감[進]. ¶아버지가 부장으로 진급하셨다.

체급 體級 | 몸 체, 등급 급 [weight]
운동 권투나 레슬링 따위에서, 선수의 몸[體]무게에 따라 매긴 등급(等級). ¶그 선수는 이번에 체급을 올려 출전한다.

초급 初級 | 처음 초, 등급 급 [primary grade; beginners class; elementary level]
첫[初] 번째 등급(等級). 초·중·고로 나누었을 때 가장 낮은 등급이나 단계. ¶초급 교재.

특급 特級 | 특별할 특, 등급 급 [special grade]
특별(特別)한 등급(等級)이나 계급(階級). ¶특급 대우를 받다.

하:급 下級 | 아래 하, 등급 급 [lower class]
등급이나 계급 따위를 상·하 또는 상·중·하로 나눈 때의 아래[下]의 등급(等級). ¶하급 법원 / 하급 관리.

학급 學級 | 배울 학, 등급 급 [class]
교육 한 교실에서 공부하는 학생(學生)의 단위 집단[級]. ¶학생들을 열 학급으로 나누다 / 특수 학급 / 학급 대표.

0277 [록]

綠 초록빛 록
㊀ 糸부 ㊁ 14획 ㊥ 绿 [lǜ]

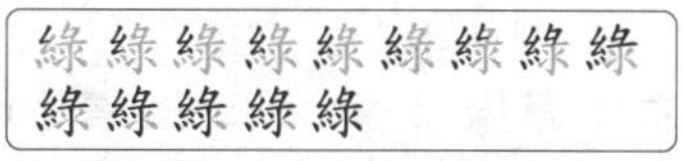

綠자는 실로 짠 비단의 색깔 가운데 '초록색'(green)을 뜻하는 것이었으니, '실 사'(糸)가 표의요소로 쓰였고, 彔(나무 깎을 록)은 표음요소이다.

녹두 綠豆 | 초록빛 록, 콩 두
[mung beans; green gram]
식물 초록빛이[綠] 나는 콩[豆]이 달리는 풀. 열매 모양이 팥과 비슷하다.

녹말 綠末 | 초록빛 록, 가루 말 [starch; dextrin]
감자, 고구마, 녹두(綠豆) 따위를 갈아서 가라앉힌 앙금을 말린 가루[粉末]. ㉥전분(澱粉).

녹색 綠色 | 초록빛 록, 빛 색 [green]
초록[綠] 빛깔[色]. 파랑과 노랑의 중간 색.

녹음 綠陰 | 초록빛 록, 응달 음
[shade of trees; shady nook]
초록빛[綠] 잎이 우거진 나무의 그늘[陰]. ¶녹음이 우거진 숲길을 걷다.

녹조 綠藻 | 초록빛 록, 바닷말 조 [green algae]
식물 초록빛[綠]을 띤 바닷풀[藻]. '녹조류'(類)의 준말.

녹즙 綠汁 | 초록빛 록, 즙 즙
[green vegetable juice]
녹색(綠色) 채소의 잎 따위를 갈아 만든 즙(汁). ¶매일 아침 녹즙을 마신다.

녹지 綠地 | 초록빛 록, 땅 지 [green tract of land]
초록빛[綠]의 풀이나 나무가 무성한 땅[地].

녹차 綠茶 | 초록빛 록, 차 차 [green tea]
초록빛[綠]이 그대로 나도록 말린 부드러운 찻잎[茶]. 또는 그것을 끓인 차.

녹화 綠化 | 초록빛 록, 될 화 [plant trees]
나무를 심어 산이나 들을 초록빛[綠]으로 물들게 함[化].

• 역순어휘

상록 常綠 | 늘 상, 초록빛 록 [evergreen]
겨울에도 잎이 떨어지지 않고 사철 늘[常] 초록빛[綠]을 띤 상태.

신록 新綠 | 새 신, 초록빛 록 [fresh green]

초여름에 새로[新] 나온 잎들이 띤 연한 초록빛[綠]. 또는 그런 빛의 나무와 풀. ¶봄이 되면 산은 신록으로 덮인다.

청록 青綠 | 푸를 청, 초록빛 록
[bluish green color]
'청록색'(青綠色)의 준말.

초록 草綠 | 풀 초, 초록빛 록 [green; verdure]
풀[草]의 빛깔과 같이 푸른빛을 약간 띤 녹색(綠色). 또는 그 물감. ¶산이 온통 초록으로 물들었다. 속담 초록은 동색.

0278 [미]

美

아름다울 미(:)
部 羊부 획 9획 中 美 [měi]

美 美 美 美 美 美 美 美 美

美자는 '아름답다'(beautiful)는 뜻을 나타내기 위하여 머리 위에 양 뿔 모양의 장식을 단 사람 모습을 본뜬 것이다. '양 양'(羊)과 '어른 대'(大)가 합쳐진 구조다. 요즘은 '미국'(America)을 약칭하는 것으로도 많이 쓰인다.
속뜻 훈음 ①아름다울 미, ②미국 미.

미:관 美觀 | 아름다울 미, 볼 관 [fine sight]
아름다운[美] 외관(外觀)이나 좋은 경치. ¶자연의 미관 / 거리의 미관을 해치다.

미국 美國 | 아름다울 미, 나라 국
[(the United States of) America]
❶속뜻 '미합중국'(美合衆國)의 준말. ❷지리 북아메리카에 있는 연방 공화국.

미군 美軍 | 미국 미, 군사 군 [U.S. Armed Forces]
미국(美國)의 군대(軍隊)나 군인(軍人). ¶미군 장교들이 민첩하게 달려왔다.

미:남 美男 | 아름다울 미, 사내 남
[handsome man]
얼굴이 아름다운[美] 남자(男子). '미남자'의 준말. ¶그는 타고난 미남이다. 반추남(醜男).

미:녀 美女 | 아름다울 미, 여자 녀 [beauty]
얼굴이 아름다운[美] 여자(女子). ¶미녀와 야수. 비미인(美人). 반추녀(醜女).

미:담 美談 | 아름다울 미, 이야기 담
[praiseworthy anecdote]
사람을 감동시킬 만큼 아름다운[美] 내용을 가진 이야기[談]. ¶효(孝)에 관한 미담이 전해지다.

미:대 美大 | 아름다울 미, 큰 대
[college of fine arts]
교육 미술(美術)을 전문적으로 가르치는 단과대학(大學). '미술대학'의 준말. ¶그는 미대에서 동양화를 전공했다.

미:덕 美德 | 아름다울 미, 베풀 덕
[virtue; noble attribute]
아름답게[美] 베푼[德] 일이나 행동. ¶미덕을 쌓다. 비영덕(令德). 반악덕(惡德).

미:모 美貌 | 아름다울 미, 모양 모
[good looks; pretty features]
아름다운[美] 얼굴 모양[貌]. ¶눈부신 미모에 사로잡히다.

미:술 美術 | 아름다울 미, 꾀 술 [art; fine arts]
회화, 건축, 조각처럼 시각(視覺)을 통해 감상할 수 있도록 일정한 공간 속에 미(美)를 표현하는 예술(藝術). ¶그는 현대 미술의 거장이다.

미식¹ 美式 | 미국 미, 법 식
[American way; Americanism]
미국(美國)의 방식(方式). ¶미식 발음 / 미식 영어.

미:식² 美食 | 아름다울 미, 밥 식
[delicious food]
맛있는[美] 음식(飮食)을 먹음. 또는 그 음식. 반악식(惡食).

미:용 美容 | 아름다울 미, 얼굴 용
[beauty art; cosmetic treatment]
얼굴[容]이나 머리 등을 곱게[美] 매만짐. ¶피부미용에 관심을 갖다. 비미장(美粧).

미:인 美人 | 아름다울 미, 사람 인 [beauty; belle]
얼굴이 아름다운[美] 사람[人]. 주로 여자를 말한다. ¶그녀는 동양적인 미인이다. 비미녀(美女), 가인(佳人), 여인(麗人). 반추녀(醜女).

미:장 美粧 | 아름다울 미, 단장할 장
[cosmetology; beauty culture]
머리나 얼굴을 아름답게[美] 다듬는[粧] 일. 비미용(美容).

미제 美製 | 미국 미, 만들 제 [made in U.S.A]
미국(美國)에서 만든[製] 물건.

미주 美洲 | 미국 미, 섬 주 [Americas]
미국(美國)이 있는 대륙[洲]. ¶이 제품은 미주 지역으로 수출된다.

미:풍 美風 | 아름다울 미, 풍속 풍
[laudable custom]
아름다운[美] 풍속(風俗). 비미속(美俗).

미:화 美化 | 아름다울 미, 될 화 [beautify]
아름답게[美] 꾸미는 일[化]. ¶학교 환경 미화 작업을

하다.

• 역순어휘

구미 歐美 | 유럽 구, 미국 미
[Europe and America; West]
유럽[歐羅巴]과 아메리카주[美洲]. 또는 유럽과 미국. ¶아프리카는 구미 열강의 통치를 받았다.

대:미 對美 | 대할 대, 미국 미 [towards America]
미국(美國)에 대(對)한. ¶대미 무역 / 대미 의존도 / 대미 무역 적자.

도미 渡美 | 건널 도, 미국 미 [go to America]
미국(美國)으로 건너[渡] 감. ¶도미 유학생.

반:미 反美 | 반대로 반, 미국 미 [anti-American]
미국(美國)에 반대(反對)함. 또는 미국에 반대되는 것. ¶반미 감정이 약해졌다.

북미 北美 | 북녘 북, 미국 미 [North America]
지리 아메리카[美] 대륙 중 북쪽[北] 부분. ¶북미 대륙에는 미국과 캐나다가 있다.

불미 不美 | 아닐 불, 아름다울 미 [ugly; bad]
아름답지[美] 못하고[不] 추잡함. 떳떳하지 못함. ¶그에 대한 불미스러운 소문이 나돌고 있다.

재:미 在美 | 있을 재, 미국 미
[reside in America]
미국(美國)에 살고 있음[在]. ¶재미 한국인 / 재미 동포 / 재미 과학자.

주:미 駐美 | 머무를 주, 미국 미
[resident in America]
미국(美國)에 머묾[駐]. ¶주미 한국대사관.

찬:미 讚美 | 기릴 찬, 아름다울 미
[praise; admire; adore]
아름다운[美] 것을 기림[讚]. ¶아름다운 자연을 찬미한 시(詩).

쾌미 快美 | 시원할 쾌, 아름다울 미
성격이 시원스럽고[快] 외모가 아름다움[美]. ¶그녀는 쾌미의 상징이다.

한:미 韓美 | 한국 한, 미국 미
[Korea and America]
한국(韓國)과 미국(美國)을 아울러 이르는 말. ¶한미 연합군.

0279 [습]

習

익힐 습
部 羽부 劃 11획 中 习 [xí]

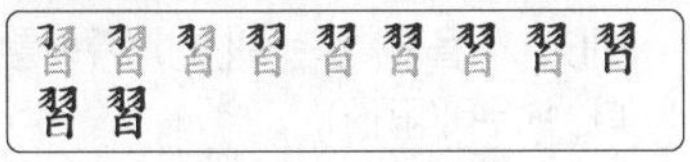

習자는 원래 '깃 우'(羽)와 '날 일'(日)이 합쳐진 구조로, 어린 새가 날마다 날갯짓을 익히는 것으로 '익히다'(practice)는 뜻을 나타냈다. 후에 日이 白(흰 백)으로 잘못 변화됐다.

속뜻훈음 ①익힐 습, ②버릇 습.

습관 習慣 | 버릇 습, 버릇 관 [habit; custom]
어떤 행위를 오랫동안 되풀이하는 과정에서 저절로 익혀진[習] 버릇[慣]이나 행동방식. ¶나는 아침마다 운동하는 습관을 붙였다.

습득 習得 | 익힐 습, 얻을 득 [learn; acquire]
배워서[習] 지식 따위를 얻음[得]. 배워 터득함. ¶나는 영국에 살면서 자연스럽게 영어를 습득했다.

습성 習性 | 버릇 습, 성질 성
[habit; second nature; nature]
❶속뜻 습관(習慣)이 되어 버린 성질(性質). ¶그는 아직도 낭비하는 습성을 버리지 못했다. ❷동물 동일한 동물 종(動物種) 내에서 공통되는 생활양식이나 행동 양식. ¶그는 연어의 습성을 연구하고 있다.

습자 習字 | 익힐 습, 글자 자
[practice penmanship]
글자[字]를 써 가면서 익힘[習]. ¶습자를 하다 묻은 먹이 그대로 묻어 있다 / 습자지(習字紙).

습작 習作 | 익힐 습, 지을 작 [study]
시, 소설, 그림 따위의 작법이나 기법을 익히기[習] 위하여 연습 삼아 짓거나[作] 그려 봄. 또는 그런 작품.

• 역순어휘

강:습 講習 | 익힐 강, 익힐 습 [take lessons in]
강의(講義)를 들으며 학습(學習)함. ¶요리강습 / 이번 학기에 전자공학 과목을 강습했다.

견:습 見習 | 볼 견, 익힐 습 [apprenticeship]
숙련공의 시범을 보고[見] 따라 익힘[習]. ¶2개월간의 견습을 마치다. (비)수습(修習).

관습 慣習 | 버릇 관, 버릇 습 [custom]
어떤 사회에서 오랫동안 지켜 내려와[慣] 그 사회구성원들이 널리 인정하는 질서나 풍습(風習). ¶오랜 관습을 깨다. (비)관례(慣例), 관행(慣行).

교:습 教習 | 가르칠 교, 익힐 습 [train; teach]
학문이나 기예 따위를 가르쳐[教] 익히게[習] 함.

보:습 補習 | 기울 보, 익힐 습
[supplement (education)]
교육 부족한 공부를 보충(補充)하여 학습(學習)함. ¶겨울 방학에 수학을 보습할 예정이다.

복습 復習 | 돌아올 복, 익힐 습 [review]

배운 것을 되풀이하여[復] 익힘[習]. ¶틀린 문제를 복습하다. ㊥예습(豫習).

상습 常習 | 늘 상, 버릇 습
[regular custom; common practice]
몇 차례든 항상(恒常) 되풀이하는 습관(習慣).

수습 修習 | 닦을 수, 익힐 습
[practice oneself]
정식으로 실무를 맡기 전에 배워[修] 익힘[習]. 또는 그러한 일. ¶신입 사원들은 6개월의 수습 기간을 거친다.

실습 實習 | 실제 실, 익힐 습 [practice]
배운 기술 따위를 실제(實際)로 해 보고 익힘[習]. ¶조리 실습 / 학교에서 배운 것을 실습하다.

연ː습 練習 | =鍊習, 익힐 련, 익힐 습
[practice; train]
학문이나 기예 따위를 익숙하도록 되풀이하여 익힘[練=習]. ¶연습 경기 / 선수들은 일주일에 6일을 연습한다.

예ː습 豫習 | 미리 예, 익힐 습
[prepare of one's lessons]
앞으로 배울 것을 미리[豫] 익힘[習]. ¶선생님은 예습과 복습의 중요성을 강조하셨다. ㊥복습(復習).

인습 因習 | 인할 인, 버릇 습 [conventionality]
❶속뜻 예전부터 있던 관습(慣習)으로 인(因)한 것. ❷이전부터 전해 내려와 굳어진 관습. ¶인습에 얽매이다.

자습 自習 | 스스로 자, 익힐 습
[study independently]
가르치는 이 없이 혼자 스스로[自] 공부하여 익힘[習]. ¶자습 시간 / 그 아이는 한글을 자습하여 책도 제법 잘 읽는다.

폐ː습 弊習 | 나쁠 폐, 버릇 습
[evil customs; bad habit]
나쁜[弊] 풍습이나 버릇[習]. ¶세금을 흥청망청 쓰는 폐습을 고치다.

풍습 風習 | 풍속 풍, 버릇 습
[manners; customs]
풍속(風俗)과 습관(習慣). ¶그 민족은 새해에 서로에게 물을 뿌리는 풍습이 있다. ㊐풍속(風俗).

학습 學習 | 배울 학, 익힐 습 [study]
배우고[學] 익힘[習]. ¶학습 태도가 좋다 / 외국어를 학습하다.

0280 [의]

衣

옷 의
㊀ 衣부 ㊁ 6획 ㊥ 衣 [yī, yì]

衣衣衣衣衣衣

衣자는 '저고리'(a blouse; a coat)를 나타내기 위해 저고리 윤곽을 그린 것이다. 목과 어깨 부분, 소매와 몸통 부분을 어렴풋이나마 짐작해 볼 수 있다. 원래 '치마'(a skirt)를 뜻하는 裳(상)과 짝을 이루었는데, 지금은 '옷'(clothes; garments)의 통칭으로 쓰인다.

의관 衣冠 | 옷 의, 갓 관 [gown and hat]
❶속뜻 남자의 웃옷[衣]과 갓[冠]. ❷남자가 정식으로 갖추어 입는 옷차림.

의류 衣類 | 옷 의, 무리 류 [clothing; clothes]
옷[衣]으로 입을 수 있는 종류(種類)를 통틀어 이르는 말. ¶아동 의류. ㊐의복(衣服).

의복 衣服 | 옷 의, 옷 복 [clothes; suit; dress]
옷[衣=服]. ㊐의류(衣類).

의상 衣裳 | 옷 의, 치마 상 [clothes; dress]
❶속뜻 윗옷[衣]과 치마[裳]. ❷겉에 입는 옷. ¶한복은 우리 민족의 전통 의상이다.

의식 衣食 | 옷 의, 밥 식 [food and clothing]
옷[衣]과 음식(飮食).

• 역순어휘

금ː의 錦衣 | 비단 금, 옷 의
[clothes of silk brocade]
비단[錦] 옷[衣]. ¶금의를 입고 고향에 나타났다.

내ː의 內衣 | 안 내, 옷 의
[underwear; underclothes]
안[內]에 입는 옷[衣]. ¶겨울에는 내의를 입는다. ㊥겉옷.

당의 唐衣 | 당나라 당, 옷 의
❶속뜻 중국 당(唐)나라 풍의 옷[衣]. ❷여자들이 저고리 위에 덧입는 한복의 하나.

백의 白衣 | 흰 백, 옷 의 [white clothes]
빛깔이 흰[白] 옷[衣].

상ː의 上衣 | 위 상, 옷 의 [coat; jacket]
위[上]에 입는 옷[衣]. ¶상의를 입다. ㊥하의(下衣).

수의¹ 囚衣 | 가둘 수, 옷 의 [prison uniform]
죄수(罪囚)가 입는 옷[衣]. ¶그는 푸른 수의를 입고 참회하며 지내고 있다.

수의² 壽衣 | 목숨 수, 옷 의
[garment for the dead; shroud]
목숨[壽]이 다하여 죽은 이에게 입히는 옷[衣]. ¶장의사(葬儀社)는 시신을 씻기고 수의를 입혔다.

우ː의 雨衣 | 비 우, 옷 의 [raincoat]
비[雨]가 올 때 입는 옷[衣]. ¶우의를 입고 논으로 나갔다. ㊐우비(雨備).

탈의 脫衣 | 벗을 탈, 옷 의 [disrobe; undress]
옷[衣]을 벗음[脫]. ⓑ착의(着衣).

하:의 下衣 | 아래 하, 옷 의 [trousers]
몸의 아랫부분[下]에 입는 옷[衣]. ¶하의만 입고 있다. ⓑ상의(上衣).

호:의 好衣 | 좋을 호, 옷 의 [dress well]
좋은[好] 옷[衣].

홍의 紅衣 | 붉을 홍, 옷 의 [red garments]
❶속뜻 붉은[紅] 옷[衣]. ❷역사 지난날, 궁전의 별감과 묘사(廟社)와 능원(陵園)의 수복(守僕)이 입던 붉은 웃옷.

0281 [고]

苦
쓸[味角] 고
部 艸부 劃 9획 中 苦 [kǔ]
苦苦苦苦苦苦苦苦苦

苦자는 '풀 초'(艸)를 표의요소인 것으로 보아 본뜻이 풀과 관련이 있음을 추측할 수 있다. '씀바귀'(a bitter lettuce)가 본뜻이다. 古(옛 고)는 표음요소이다. 씀바귀는 맛이 매우 쓰기 때문에 '쓴맛'(bitter)이나 '괴로움'(painful)을 형용하는 것으로 확대됐다.
속뜻훈음 ①쓸 고, ②괴로울 고.

고뇌 苦惱 | 쓸 고, 괴로울 뇌 [suffer]
쓰라림[苦]과 괴로움[惱]. 괴로운 번뇌. ¶고뇌에 찬 얼굴을 하다. ⓑ고민(苦悶).

고대 苦待 | 쓸 고, 기다릴 대 [wait impatiently]
애타게[苦] 기다림[待]. ¶다시 만날 날을 고대하고 있다.

고민 苦悶 | 괴로울 고, 번민할 민 [agony; anguish]
괴로워하고[苦] 속을 태움[悶]. ¶머리카락이 많이 빠져서 고민이다. ⓑ고뇌(苦惱), 고심(苦心).

고배 苦杯 | 쓸 고, 잔 배 [bitter cup; defeat]
❶속뜻 쓴[苦] 맛의 음료나 술이 든 잔[杯]. ❷'쓰라린 경험'을 비유하여 이르는 말. ¶인생의 고배를 마시다.

고생 苦生 | 괴로울 고, 살 생 [suffer hardship]
❶속뜻 괴롭게[苦] 살아감[生]. ❷어렵고 힘든 생활을 함. 또는 그런 생활. ⓑ고난(苦難), 곤란(困難), 고초(苦楚). 속담 고생 끝에 낙이 온다.

고심 苦心 | 괴로울 고, 마음 심 [work hard; take pains]
몹시 괴로운[苦] 마음[心]. 몹시 애씀. ¶이 문제를 두고 오랫동안 고심했다.

고역 苦役 | 쓸 고, 부릴 역 [labor; toil]
쓴[苦] 맛이 감돌도록 몹시 힘들게 부림[役]. 고된 일. ¶매일 약 먹는 것은 정말 고역이다.

고전 苦戰 | 괴로울 고, 싸울 전 [hard fight]
몹시 괴롭고[苦] 힘든 싸움[戰]. ¶고전을 면치 못하다. ⓑ악전(惡戰).

고초 苦楚 | 괴로울 고, 가시나무 초 [hardship; privation]
❶속뜻 괴롭고[苦] 힘든 가시나무[楚] 길. ❷어려움. ¶갖은 고초를 다 겪다. ⓑ고난(苦難), 고통(苦痛).

고충 苦衷 | 괴로울 고, 속마음 충 [difficulties; predicament]
❶속뜻 괴로운[苦] 속마음[衷]. ❷어려운 사정. ¶다른 사람의 고충을 헤아리다.

고통 苦痛 | 괴로울 고, 아플 통 [pain; agony]
몸이나 마음이 괴롭고[苦] 아픔[痛]. ¶고통을 견디다. ⓑ쾌락(快樂).

고학 苦學 | 괴로울 고, 배울 학 [study under adversity]
괴롭게[苦] 학비를 스스로 벌어서 배움[學]. ¶그는 고학으로 대학을 졸업했다.

고행 苦行 | 괴로울 고, 행할 행 [penance; asceticism]
불교 괴로움[苦]을 감수하며 수행(修行)함.

• 역순어휘 •

각고 刻苦 | 새길 각, 괴로울 고 [work hard]
뼈를 깎아낼[刻] 정도의 괴로움[苦]을 견디며 몹시 애씀. ¶각고의 노력 끝에 작품을 완성했다.

노고 勞苦 | 일할 로, 괴로울 고 [labor]
힘들게 일하느라[勞] 고생(苦生)을 함. ¶장병들의 노고를 치하하다.

산:고 産苦 | 낳을 산, 괴로울 고 [he pains of childbirth]
아이를 낳는[産] 고통(苦痛). ¶산고를 겪다.

옥고 獄苦 | 감옥 옥, 괴로울 고 [hard prison life]
감옥(監獄)에서 하는 고생(苦生). ¶그는 옥고를 치르느라 많이 여위었다.

인고 忍苦 | 참을 인, 괴로울 고 [endurance]
괴로움[苦]을 참음[忍]. ¶어머니는 인고의 세월을 눈물로 살았다.

0282 [영]

英

꽃부리 영
[部] 艸부 [劃] 9획 [中] 英 [yīng]

英英英英英英英英英

英자는 '열매가 열지 않는 꽃'(fruitless flower)을 나타내기 위한 것이었으므로, '풀 초'(艸)가 표의요소로 쓰였다. 央(가운데 앙)이 표음요소임은 映(비출 영)의 경우도 마찬가지이다. '아름답다'(pretty), '(재능이) 뛰어나다'(talented)는 뜻으로 확대 사용됐다. '영국'(England)을 약칭하는 것으로도 많이 쓰인다.

[속뜻훈음] ①꽃부리 영, ②뛰어날 영, ③영국 영.

영국 英國 | 꽃부리 영, 나라 국 [England]
[지리] '잉글랜드'(England)의 'Eng'을 영(英)으로 음역하고, 'land'를 국(國)으로 의역한 말.

영문 英文 | 영국 영, 글월 문 [English]
❶[속뜻] 영어(英語)로 쓴 글[文]. ¶영문 편지 / 영문학과. ❷영어를 표기하는 데 쓰는 문자.

영민 英敏 | 뛰어날 영, 재빠를 민 [intelligent]
영특(英特)하고 민첩(敏捷)하다. ¶그의 아들은 영민하기로 동네에 소문이 자자하다.

영어 英語 | 영국 영, 말씀 어 [English]
❶[속뜻] 영국(英國)에서 쓰는 말[語]. ❷[언어] 인도·유럽어족 게르만 어파의 서게르만 어군에 속한 언어. 미국, 영국, 캐나다, 오스트레일리아 등을 비롯하여 세계 여러 나라에서 사용하는 국제어의 구실을 한다.

영웅 英雄 | 뛰어날 영, 뛰어날 웅 [hero]
지혜와 재능이 뛰어나고[英=雄] 용맹하여 보통 사람이 하기 어려운 일을 해내는 사람. ¶그녀는 진정한 영웅이다.

영자 英字 | 영국 영, 글자 자 [English letter]
영어(英語)를 표기하는데 쓰이는 글자[字]. '영문자'(英文字)의 준말. ¶영자 신문.

영재 英才 | 뛰어날 영, 재주 재 [genius]
뛰어난[英] 재주[才]. 또는 그런 사람. ¶영재 교육 / 그는 수학의 영재이다. [비]수재(秀才), 천재(天才).

영특 英特 | 뛰어날 영, 특별할 특 [be wise]
뛰어나고[英] 남달리 훌륭하다[特]. ¶동생은 어려서부터 영특하고 매사에 의연했다.

• 역순어휘

석영 石英 | 돌 석, 뛰어날 영 [quartz]
❶[속뜻] 뛰어나게[英] 좋은 돌[石]. ❷[광업] 이산화규소로 된 육방정계(六方晶系)의 광물. 종이나 기둥 모양을 하고 있으며 유리와 같은 광택이 난다. 도자기나 유리의 원료로 쓰이며, 순수한 것은 수정이라고 한다. [비]차돌.

육영 育英 | 기를 육, 뛰어날 영 [educate]
영재(英才)를 가르쳐 기름[育]. ¶그는 평생을 육영사업에 힘썼다.

0283 [행]

行

다닐 행, 항렬 항
[部] 行부 [劃] 6획 [中] 行 [xíng, háng]

行行行行行行

行자가 '조금 걸을 척'(彳)과 '자축거릴 촉'(亍)이 조합된 것이라는 설은 문제가 있다. 원래 이 글자는 '네거리' 모양을 본뜬 것임은 갑골 문자에서 똑똑히 볼 수 있다. '네거리'(a crossroads)가 본래 의미인데 '다니다'(go to and from), '가다'(go; come), '행하다'(do; practice) 등으로도 확대 사용됐다. '항렬'(generation of the clan)이나 '줄'(a line; a row; a rank)을 뜻하기도 하는데, 이 경우에는 [항]으로 읽는다.

[속뜻훈음] ①다닐 행, ②갈 행, ③행할 행, ④줄 항.

행군 行軍 | 다닐 행, 군사 군 [military march]
[군사] 행진(行進)하는 군대(軍隊). 또는 군대의 행진. ¶야간 행군.

행동 行動 | 갈 행, 움직일 동 [act]
길을 가거나[行] 몸을 움직임[動]. 어떤 동작을 함. ¶용감한 행동을 하다 / 말과 행동이 같다. [비]행위(行爲).

행랑 行廊 | 다닐 행, 곁채 랑 [servants's quarters]
❶[속뜻] 지나다니는[行] 복도 옆에 있는 곁채[廊]. ❷예전에, 대문 안에 죽 벌여 지어 주로 하인이 거처하던 방.

행렬 行列 | 갈 행, 줄 렬 [parade; procession]
여럿이 줄[列]을 지어 감[行]. 또는 그 줄. ¶가장(假裝) 행렬.

행방 行方 | 갈 행, 모 방 [one's traces]
간[行] 방향(方向). 간 곳. ¶범인의 행방을 알 수 없다.

행사[1] 行使 | 행할 행, 부릴 사 [exercise]
부려서[使] 씀[行]. 특히, 권리나 권력·힘 따위를 실지로 사용하는 일. ¶무력을 행사해서 시위를 진압하다.

행사[2] 行事 | 행할 행, 일 사 [event]
일[事]을 행(行)함. 또는 그 일. ¶행사를 위해서 무대를 마련하다.

행상 行商 | 다닐 행, 장사 상 [peddle]

돌아다니며[行] 물건을 팖[商]. ¶행상을 하면서 어렵게 자식을 키우다.

행색 行色 | 다닐 행, 빛 색 [one's appearance]
❶속뜻 다니는[行] 모습[色]. ❷나그네의 차림새 또는 모습. ¶초라한 행색.

행선 行先 | 갈 행, 먼저 선 [journey]
❶속뜻 먼저[先] 감[行]. ❷가는 곳. ¶행선을 묻다.

행성 行星 | 갈 행, 별 성 [planet]
천문 태양의 둘레를 공전하며 운행(運行)하는 별[星]을 통틀어 이르는 말. 태양에 가까운 것부터 수성, 금성, 지구, 화성, 목성, 토성, 천왕성, 해왕성 등의 여덟 개의 별이 있다. 반항성(恒星).

행세[1] 行世 | 행할 행, 세상 세 [pretend]
❶속뜻 어떤 행동(行動)으로 처세(處世)함. 또는 그 태도. ❷거짓 처신하여 행동함. 또는 그 태도. ¶그는 4년 동안이나 의사 행세를 했다.

행세[2] 行勢 | 행할 행, 권세 세 [exercise power]
권세(權勢)를 행함[行]. 또는 그런 태도. ¶그는 우리 마을에서 행세깨나 하는 집 아들이다.

행실 行實 | 행할 행, 실제 실 [conduct]
❶속뜻 행동(行動)한 사실(事實). ❷일상적인 행동. ¶행실이 바르고 모범이 되어 이 상을 수여합니다. 비품행(品行).

행위 行爲 | 행할 행, 할 위 [act]
행동(行動)을 함[爲]. 특히, 자유의사에 따라서 하는 행동을 이른다. ¶행위예술 / 불법행위. 비행동(行動).

행인 行人 | 다닐 행, 사람 인 [passerby]
길을 다니는[行] 사람[人]. ¶나는 행인에게 길을 물어보았다.

행장 行裝 | 갈 행, 꾸밀 장 [traveler's equipment]
여행(旅行)할 때에 쓰는 물건과 차림[裝]. ¶행장을 꾸리다.

행적 行跡 | = 行蹟 / 行績, 다닐 행, 발자취 적 [achievement]
❶속뜻 다닌[行] 발자취[跡]. 발길. ¶행적을 감추다 / 행적이 묘연하다. ❷평생 동안 한 일이나 업적. ¶그는 음악계에 커다란 행적을 남겼다.

행정 行政 | 행할 행, 정치 정 [administration]
❶속뜻 정치(政治)나 사무를 행(行)함. ¶행정 경험이 많다. ❷법률 국가가 공익을 실현하기 위하여 행하는 사무나 정책.

행진 行進 | 다닐 행, 나아갈 진 [march]
여럿이 줄을 지어 다니며[行] 앞으로 나아감[進]. ¶거리 행진.

행차 行次 | 갈 행, 차례 차 [go; visit]
❶속뜻 길을 가는[行] 차례(次例). ❷웃어른이 길 가는 것을 높여 이르는 말. ¶왕의 행차를 따르다.

행태 行態 | 다닐 행, 모양 태 [behavior]
행동(行動)하는 모양[態]. ¶비도덕적인 행태 / 부당한 영업행태.

행패 行悖 | 행할 행, 어그러질 패 [misconduct]
체면에 벗어나는 난폭한 짓[悖]을 함[行]. 또는 그러한 언행. ¶행패를 부리다.

항렬 行列 | 줄 항, 줄 렬 [degree of kin relationship]
❶속뜻 죽 늘어선 줄[行=列]. ❷같은 혈족의 직계에서 갈라져 나간 계통 사이의 대수 관계를 나타내는 말. 형제자매 관계는 같은 항렬로 같은 항렬자를 써서 나타낸다. ¶항렬이 낮다.

• 역순어휘

간행 刊行 | 책 펴낼 간, 행할 행 [publish; issue]
책을 찍어[刊] 발행함[行]. ¶3개월에 한 번씩 간행하는 출판물을 계간(季刊)이라고 한다. 비발행(發行), 출판(出版), 발간(發刊), 출간(出刊).

감:행 敢行 | 감히 감, 행할 행 [take decisive action]
어려움을 무릅쓰고 과감(果敢)하게 실행(實行)함. ¶내분이 일어났지만 공격을 감행했다.

강:행 強行 | 억지 강, 행할 행 [enforce; force]
❶속뜻 힘들거나 어려움을 무릅쓰고[強] 실행함[行]. ❷강제로 시행함. ¶법안 의결을 강행했다.

거:행 擧行 | 들 거, 행할 행 [carry out]
❶속뜻 명령을 받들어[擧] 그대로 시행(施行)함. ¶분부대로 곧 거행하겠습니다. ❷행사나 의식을 치름. ¶시상식을 거행하다.

결행 決行 | 결정할 결, 행할 행 [carry out]
마음을 정하여[決] 실행(實行)함. ¶파업을 결행하다. 비단행(斷行).

고행 苦行 | 괴로울 고, 행할 행 [penance; asceticism]
불교 괴로움[苦]을 감수하며 수행(修行)함.

관행 慣行 | 버릇 관, 행할 행 [habitual practice]
오랜 관례(慣例)에 따라서 함[行]. ¶관행에 따르다.

급행 急行 | 급할 급, 갈 행 [hasten; hurry; rush]
❶속뜻 급(急)히 감[行]. ❷'급행열차'(列車)의 준말.

기행[1] 奇行 | 기이할 기, 행할 행 [eccentric conduct; eccentricity]
기이(奇異)한 행동(行動).

기행² 紀行 | =記行, 벼리 기, 다닐 행 [account of a trip]
여행(旅行) 중의 견문이나 체험, 감상 따위를 적음[紀]. ¶경주 기행을 기록했다.

단행¹ 單行 | 홑 단, 갈 행
❶속뜻 동행이 없이 혼자서[單] 감[行]. ❷단 한 번만 하는 행동. ❸혼자서 하는 행동.

단:행² 斷行 | 끊을 단, 행할 행 [carry out]
반대나 위험 등을 무릅쓰고 결단(決斷)하여 실행(實行)함. ¶반대를 무릅쓰고 개혁안을 단행했다. ⓑ감행(敢行), 결행(結行).

대:행 代行 | 바꿀 대, 행할 행 [act as a proxy]
남을 대신(代身)하여 어떤 권한이나 직무를 행(行)함. 또는 그러한 사람. ¶은행에서 보험 업무를 대행하다. ⓑ대리(代理).

동행 同行 | 같을 동, 갈 행 [going together]
❶속뜻 같이[同] 길을 감[行]. ¶어린이는 어른과 동행해야 합니다. ❷같이 길을 가는 사람.

만행 蠻行 | 오랑캐 만, 행할 행 [barbarity; savagery]
야만(野蠻)스러운 행위(行爲). ¶천인공노할 만행을 저지르다.

미행 尾行 | 꼬리 미, 갈 행 [follow; shadow]
❶속뜻 남의 뒤[尾]를 몰래 따라감[行]. ❷다른 사람의 행동을 감시하거나 증거를 잡기 위하여 그 사람 몰래 뒤를 밟음. ¶경찰이 범인을 미행하다.

발행 發行 | 떠날 발, 갈 행 [publish]
❶속뜻 출발(出發)하여 길을 감[行]. ¶폭우로 발행이 늦어지다. ❷책이나 신문 따위를 발간하여 사회에 펴냄. ¶발행 부수(部數). ❸화폐, 증권, 증명서 등을 만들어 세상에 내놓음. ¶새로운 화폐를 발행하다.

범:행 犯行 | 범할 범, 행할 행 [crime; offense]
범죄(犯罪) 행위를 함[行]. 또는 그 행위. ¶범행 계획 / 범행 현장 / 범행에 사용된 흉기.

병:행 竝行 | 나란히 병, 갈 행 [go side by side]
❶속뜻 함께 나란히[竝] 감[行]. ❷둘 이상의 일을 아울러서 한꺼번에 함. ¶일과 공부를 병행하다.

보:행 步行 | 걸음 보, 갈 행 [walk]
걸어[步] 다님[行]. ¶인간은 직립 보행한다.

비:행¹ 非行 | 어긋날 비, 행할 행 [irregularity; misdeed]
도리나 도덕 또는 법규에 어긋나는[非] 행위(行爲). ¶비행 청소년 / 비행을 저지르다.

비행² 飛行 | 날 비, 갈 행 [fly; make a flight]
항공기 따위가 하늘을 날아[飛] 다님[行]. ¶그는 장시간 비행으로 매우 피곤해 보였다.

사:행 四行 | 넉 사, 행할 행
사람이 마땅히 지켜야 할 네[四] 가지 도덕적 행위(行爲). 충(忠), 효(孝), 우애(友愛), 신의(信義)를 이른다.

산행 山行 | 메 산, 갈 행 [mountain hike]
산(山)에 감[行]. 산길을 감. ¶주말에 동료들과 산행을 가다.

삼행 三行 | 석 삼, 행할 행
부모를 섬기는 세[三] 가지 효행(孝行). 봉양하는 일, 상사(喪事)에 근신하는 일, 제사를 받드는 일을 이른다. ⓑ삼도(三道).

서:행 徐行 | 느릴 서, 갈 행 [go slow; crawl]
자동차나 기차 따위가 천천히 느리게[徐] 감[行]. ¶학교 앞에서는 서행하십시오.

선행¹ 先行 | 먼저 선, 갈 행 [precede; do first]
❶속뜻 남보다 먼저[先] 감[行]. 앞서 감. ❷딴 일보다 먼저 함. 또는 앞서 이루어짐. ¶선행 학습 / 공부를 잘하려면 우선 책읽기가 선행되어야 한다. ⓟ후행(後行).

선:행² 善行 | 착할 선, 행할 행 [good conduct]
착한[善] 행동(行動). 선량한 행실. ¶그는 남모르게 선행을 많이 한다. ⓟ악행(惡行).

성:행 盛行 | 가득할 성, 행할 행 [prevail]
가득할[盛] 정도로 널리 행(行)해짐. ¶인터넷 쇼핑의 성행.

소:행 所行 | 것 소, 행할 행 [person's doing]
행한[行] 어떤 것[所]. 행한 일. ¶이것은 고양이의 소행이 틀림없다.

수행¹ 遂行 | 이룰 수, 행할 행 [achieve; accomplish]
생각하거나 계획한 대로 일을 이루기[遂] 위해 일을 함[行]. ¶그는 자신의 업무를 성실히 수행했다.

수행² 隨行 | 따를 수, 갈 행 [accompany; follow]
높은 지위에 있는 사람을 따라[隨] 감[行]. ¶비서는 늘 회장님을 수행하였다.

시:행 施行 | 베풀 시, 행할 행 [put in operation; enforce]
❶속뜻 실시(實施)하여 행(行)함. 실제로 행함. ❷법률 법령의 효력을 실제로 발생시킴.

실행 實行 | 실제 실, 행할 행 [practice]
실제(實際)로 행(行)함. ¶계획을 실행에 옮기다. ⓑ실천(實踐).

암:행 暗行 | 몰래 암, 다닐 행 [travel incognito]
자기 정체를 숨기고 남몰래[暗] 돌아다님[行]. ¶암행 조사 / 감사반이 공사(公司)를 암행하고 있다.

언행 言行 | 말씀 언, 행할 행 [speech and action]

말[言]과 행동(行動). ¶그는 늘 언행이 일치한다.

여행 旅行 | 나그네 려, 다닐 행 [travel]
❶속뜻 나그네[旅]로 길을 떠나 다님[行]. ❷일이나 여행을 목적으로 다른 고장이나 외국에 가는 일. ¶그녀는 휴가 때에 그리스를 여행했다.

역행 逆行 | 거스를 역, 갈 행 [go back; reverse]
❶속뜻 보통의 방향과 반대 방향으로 거슬러[逆] 나아감[行]. ❷일정한 방향, 순서, 체계 따위를 바꾸어 행함. ¶러시아에서는 시대에 역행하는 사건이 벌어졌다. 반순행(順行).

연행 連行 | 이을 련, 갈 행 [haul; bring in]
❶속뜻 잇달아[連] 감[行]. ❷강제로 데리고 감. 특히 경찰관이 피의자를 체포하여 경찰서로 데리고 가는 일을 이른다. ¶경찰이 그를 연행해 갔다.

완:행 緩行 | 느릴 완, 갈 행 [go slowly]
❶속뜻 느리게[緩] 감[行]. ❷완행열차. ¶간이역에는 완행만 선다.

운:행 運行 | 움직일 운, 갈 행 [run; operate]
배나 차 따위의 탈것을 운전(運轉)하며 가도록[行] 함. ¶버스 운행 노선 / 지하철은 3분 간격으로 운행된다.

유행 流行 | 흐를 류, 행할 행 [become popular]
❶속뜻 곳곳으로 흘러[流] 행(行)해짐. ❷사회 어떠한 양식이나 현상 등이 새로운 경향으로 한동안 사회에 널리 퍼지는 경향. ¶이 스타일의 옷은 이미 유행이 지났다. ❸전염병 따위가 한동안 널리 퍼짐. ¶전국에 독감이 유행하고 있다.

은행 銀行 | 은 은, 행할 행 [bank]
❶속뜻 금이나 은(銀)을 빌려 주는 업무를 행(行)하는 기관. ❷경제 돈을 맡아주고 빌려주는 일을 하는 업종. 일반인의 예금을 맡고 다른 데 대부하는 일. ¶은행에서 100만 원을 찾았다.

이:행 履行 | 밟을 리, 갈 행 [fulfill]
❶속뜻 실제로 밟아[履] 감[行]. ❷실제로 실천함. 말과 같이 실제로 행동함. ¶계약한 대로 이행해 주세요. 반불이행(不履行).

일행 一行 | 함께 일, 갈 행 [company]
길을 함께[一] 감[行]. 또는 함께 가는 사람. ¶일행이 몇 분이십니까?

주행 走行 | 달릴 주, 갈 행 [drive; run; navigate]
자동차 따위 바퀴가 달린 탈것이 달려[走] 감[行]. ¶자동차 주행 전에 점검을 하다.

직행 直行 | 곧을 직, 갈 행
[go straight to; run through to]
도중에 다른 곳에 머무르거나 들르지 아니하고 바로[直] 감[行]. ¶이 버스는 목포까지 직행한다.

진:행 進行 | 나아갈 진, 갈 행 [progress]
❶속뜻 앞으로 향하여 나아[進] 감[行]. ¶태풍의 진행 방향. ❷일 따위를 처리하여 나감. ¶회의를 매끄럽게 진행하다.

집행 執行 | 잡을 집, 행할 행 [execute; perform]
❶속뜻 일을 잡아[執] 행(行)함. ❷실제로 시행함. ¶각종 사업을 집행하다 / 사형을 집행하다.

초행 初行 | 처음 초, 갈 행 [first trip]
처음[初]으로 감[行]. ¶초행이라 길을 잘 모르겠다.

통행 通行 | 통할 통, 다닐 행 [pass; go through]
일정한 공간을 지나서[通] 다님[行]. ¶차량은 여기를 통행할 수 없다.

퇴:행 退行 | 물러날 퇴, 갈 행
[move back; degrade; regress]
현재의 위치에서 뒤로 물러가거나[退] 현재보다 앞선 과거로 되돌아 감[行]. ¶과거로의 퇴행.

평행 平行 | 평평할 평, 갈 행
[parallel; parallelism]
❶속뜻 평평하게[平] 나란히 감[行]. ❷수학 두 직선이나 평면이 무한하게 연장해도 만나지 않고 나란히 나감. ¶평행 주차 / 선을 평행으로 긋다 / 철길들이 서로 평행하게 놓여 있다.

폭행 暴行 | 사나울 폭, 행할 행
[attack; assault]
남에게 폭력[暴力]을 쓰는[行] 일. ¶폭행을 휘두르다.

품:행 品行 | 품격 품, 행할 행
[conduct; behavior]
성품(性品)과 행실(行實).

현:행 現行 | 지금 현, 행할 행
[present; existing; current]
현재(現在) 행하고[行] 있음. ¶현행 교과서.

효:행 孝行 | 효도 효, 행할 행 [filial piety]
효도(孝道)하는 행실(行實). ¶그는 효행이 극진하다.

흥행 興行 | 일어날 흥, 행할 행
[performance; show]
❶속뜻 유행(流行)을 불러일으킴[興]. ❷영리를 목적으로 연극, 영화, 서커스 따위를 요금을 받고 대중에게 보여 줌. ¶이 영화는 흥행에 성공했다 / 그 연극은 서울에서 흥행하고 있다.

0284 [호]

號

이름 호:
부 虍부 획 13획 中 号 [hào, háo]

號 號 號 號 號 號 號 號 號 號 號 號 號

號자의 号(호)는 '신음 소리'(a moan of pain)를 뜻하는 글자이다. 획수가 적어서 '부르다'(call), '이름'(name)을 뜻하는 號의 속자로 애용된 적이 있다. 현재는 중국식 약자(簡化字)로 쓰이고 있다. 거기에다 큰 소리를 내는 대표적인 동물인 호랑이[虎]를 표의요소로 덧붙인 것이 號다. '이름'(a name; a title), '부르다'(call; name), '차례'(order), '표지'(a mark; a sign) 등을 나타내기도 한다.
[속뜻훈음] ①이름 호, ②부를 호, ③차례 호, ④표지 호.

호:각 號角 | 부를 호, 뿔 각 [(signal) whistle]
불어서 소리를 내는[號] 뿔[角] 모양의 신호용 도구. ¶방범대원의 호각 소리가 들렸다. [비]호루라기.

호:령 號令 | 부를 호, 명령 령
[(word of) command; order]
❶[속뜻]큰 소리로 부르짖으며[號] 명령(命令)함. ¶호령을 내리다. ❷큰 소리로 꾸짖음.

호:외 號外 | 차례 호, 밖 외 [extra edition]
❶[속뜻]일정한 호수(號數)를 초과함[外]. ❷특별한 일이 있을 때에 임시로 발행하는 신문이나 잡지. ¶호외를 돌리다.

호:패 號牌 | 이름 호, 패 패 [identity tag]
[역사]조선 시대, 열여섯 살 이상의 남자가 신분을 증명하기 위하여 차던 길쭉한 패. 한 면에 이름[號]과 출생 연도의 간지를 쓰고 뒷면에 관아의 낙인을 찍은 패(牌).

• 역순어휘 •

구:호 口號 | 입 구, 부를 호 [slogan; motto]
❶[속뜻]입[口]으로 부르짖음[號]. ❷집회나 시위 따위에서 어떤 요구나 주장 따위를 간결한 형식으로 표현한 문구. ¶다 같이 구호를 외쳤다.

국호 國號 | 나라 국, 이름 호 [name of a country]
나라[國]의 이름[號]. ¶우리나라의 국호는 대한민국이다. [비]국명(國名).

기호 記號 | 기록할 기, 표지 호
[sign; mark; symbol]
어떠한 뜻을 기록(記錄)하기 위하여 쓰이는 표지[號].

등:호 等號 | 같을 등, 표지 호 [sign of equality]
[수학]서로 같음[等]을 나타내는 표지[號]. [비]등표(等標). [반]부등호(不等號).

번호 番號 | 차례 번, 차례 호 [number]
숫자로 나타낸 차례[番=號]. ¶번호순으로 자리를 배열하다.

부:호 符號 | 맞을 부, 표지 호 [mark; sign]
일정한 뜻을 나타내는 데 알맞은[符] 표시[號]. ¶부호를 넣다 / 부호를 쓰다.

상호 商號 | 장사 상, 이름 호 [firm name]
[법률]상인(商人)이 영업 목적으로 자기를 표시하는 이름[號].

시:호 諡號 | 이름 시, 부를 호 [posthumous title]
옛날 훌륭한 인물이 죽은 뒤에 그의 공덕을 칭송하여 부르는[號] 이름[諡]. ¶이순신 장군의 시호는 충무(忠武)이다.

신:호 信號 | 믿을 신, 표지 호 [sign]
❶[속뜻]통신(通信)을 위해 사용하는 표지[號]. ❷일정한 부호, 표지, 소리, 몸짓 따위로 특정한 내용 또는 정보를 전달하거나 지시를 함. 또는 그렇게 하는 데 쓰는 부호. ¶교통 신호 / 동생이 집에 가자고 신호했으나 나는 본체만체하였다.

암:호 暗號 | 몰래 암, 표지 호 [password; sign]
다른 사람은 모르도록 몰래[暗] 꾸민 표지[號]. ¶그 쪽지는 암호로 쓰여 있었다.

연호 年號 | 해 년, 이름 호 [name of an era]
임금이 즉위한 해[年]를 상징하는 이름[號]. ¶고구려 광개토왕의 연호는 '영락'(永樂)이었다.

제호 題號 | 제목 제, 이름 호 [title]
책이나 신문 따위의 제목(題目)에 상당하는 이름[號]. ¶책의 제호를 바꾸니 판매 부수가 늘었다.

칭호 稱號 | 일컬을 칭, 이름 호 [title]
어떠한 뜻으로 일컫는[稱] 이름[號]. ¶왕은 그녀에게 귀족의 칭호를 주었다.

0285 [친]

親

친할 친
[部] 見부 [劃] 16획 [中] 亲 [qīn, qìng]

親자는 '볼 견(見)이 부수이자 의미 요소이고, 왼쪽의 것은 辛(매울 신)의 변형으로 표음요소였다고 한다. '가까이 다가가 보다'(go near and see)가 본뜻이고 '친근함'(affection)을 뜻하기도 한다. 가장 가까운 사람, 즉 '어버이'(parents)를 지칭할 때에도 쓰이며 '몸소'(by one-self)의 뜻을 나타내기도 한다.
[속뜻훈음] ①친할 친, ②어버이 친, ③몸소 친.

친가 親家 | 어버이 친, 집 가 [one's old home]
아버지[親]의 집안[家]. ¶우리 딸은 친가 쪽을 닮았다. [반]외가(外家).

친교 親交 | 친할 친, 사귈 교
[fellowship; friendship]

친밀(親密)하게 사귐[交]. ¶그들과는 10년 넘게 친교를 유지하고 있다.

친구 親舊 | 친할 친, 오래 구 [friend]
친(親)하게 오래도록[舊] 사귄 사람. ¶그는 나의 둘도 없는 친구다. (비)벗.

친권 親權 | 어버이 친, 권리 권 [parental authority]
법률 부모[親]가 미성년인 자식에 대하여 가지는 신분·재산상의 여러 권리(權利)와 의무를 통틀어 이르는 말. ¶친권을 행사하다.

친근 親近 | 친할 친, 가까울 근 [friendly]
사귐이 매우 친밀(親密)하고 가까움[近]. ¶모임에서 친근한 얼굴들을 여럿 보았다. (비)친밀(親密).

친목 親睦 | 친할 친, 화목할 목 [friendship]
서로 친(親)하여 화목(和睦)함. ¶회원들이 친목을 다졌다.

친밀 親密 | 친할 친, 가까울 밀 [be intimate; close to]
지내는 사이가 아주 친(親)하고 가까움[密]. ¶나는 주호와 영미가 매우 친밀하다고 들었다.

친분 親分 | 친할 친, 나눌 분 [acquaintanceship; closeness]
친밀(親密)한 정분(情分). ¶그는 나와 친분이 두터우니까 그냥 공짜로 해줄 것이다.

친서 親書 | 몸소 친, 쓸 서 [personal letter]
❶속뜻 몸소[親] 글씨를 씀[書]. ❷법률 한 나라의 원수가 다른 나라의 원수에게 보내는 공식적인 서한. ¶대통령의 친서를 전달하다.

친선 親善 | 친할 친, 좋을 선 [amity; friendship]
서로 간에 친밀(親密)하고 사이가 좋음[善]. ¶국제 친선에 기여하다.

친숙 親熟 | 친할 친, 익을 숙 [be familiar]
친밀(親密)하고 익숙하여[熟] 허물이 없음. ¶그와 매우 친숙한 사이가 됐다.

친애 親愛 | 친할 친, 사랑 애 [love; feel affection for]
친밀(親密)하게 여기고 사랑함[愛]. ¶친애하는 국민 여러분.

친일 親日 | 친할 친, 일본 일 [pro-Japanese]
❶속뜻 일본(日本)과 친(親)함. ❷일제 강점기에, 일제와 야합하여 그들의 침략·약탈 정책을 지지·옹호하며 추종함. ¶친일 매국노. (반)배일(排日).

친자 親子 | 몸소 친, 아이 자 [one's real child]
자기가 몸소[親] 낳은 자식(子息). ¶20년 만에 친자를 만나다.

친절 親切 | 친할 친, 정성스러울 절 [kind]
남을 대하는 태도가 친근(親近)하고 정성스러움[切]. ¶나의 새 친구들은 모두 친절하고 재미있다. (반)불친절(不親切).

친정 親庭 | 어버이 친, 뜰 정 [woman's old home]
시집간 여자의 부모[親]가 사는 가정(家庭). ¶그녀는 결혼 후 처음으로 친정 나들이를 갔다. (반)시집, 시가(媤家).

친족 親族 | 친할 친, 겨레 족 [blood relative]
❶속뜻 촌수가 가까운[親] 일가[族]. ❷혈통으로 가까운 관계에 있는 사람들. ¶그는 가까운 친족이 아무도 없다.

친지 親知 | 친할 친, 알 지 [close acquaintance]
친근(親近)하게 서로 잘 알고[知] 지내는 사람. ¶그녀의 친지 중 한 명이 독일에 살고 있다.

친척 親戚 | 친할 친, 겨레 척 [relative]
❶속뜻 친족(親族)과 외척(外戚). ❷혈통이 아버지와 어머니와 배우자에 가까운 사람. ¶그는 나의 먼 친척이다.

친필 親筆 | 몸소 친, 글씨 필 [one's own handwriting]
몸소[親] 손수 쓴 글씨[筆]. ¶그 편지는 그녀의 친필로 쓰였다.

친형 親兄 | 어버이 친, 맏 형 [one's real elder brother]
한 부모[親]에게서 난 형(兄).

친화 親和 | 친할 친, 어울릴 화 [friendly; intimate]
서로 친(親)하게 잘 어울림[和]. ¶친구와 친화하지 못하다 / 환경 친화적인 제품.

• 역순어휘

근:친 近親 | 가까울 근, 친할 친 [close relative]
가까운[近] 친족(親族). 특히 팔촌 이내의 일가붙이. (반)원친(遠親).

모:친 母親 | 어머니 모, 어버이 친 [one's mother]
❶속뜻 모계(母系) 친족(親族). ❷'어머니'의 높임 말. (반)부친(父親).

부친 父親 | 아비 부, 어버이 친 [one's father]
❶속뜻 부계(父系) 친족(親族). ❷'아버지'를 정중히 일컫는 말. ¶그의 부친이 돌아가셨다고 한다. (반)모친(母親).

사:친 事親 | 섬길 사, 어버이 친
어버이[親]를 섬김[事]. ¶사친이효(事親以孝).

선친 先親 | 먼저 선, 어버이 친 [my late father]
돌아가신[先] 자기 아버지[親]를 남에게 일컫는 말. ¶오늘이 선친의 기일이다. (비)선고(先考), 선부(先父). (반)선자(先慈).

양:친 兩親 | 두 량, 어버이 친 [parents]
두[兩] 분의 부모님[親]. 부친(父親)과 모친(母親)을 아울러 이르는 말. ¶그는 양친을 모시고 살고 있다. [비]어버이.

육친 肉親 | 몸 육, 친할 친 [blood relative]
혈연[肉] 관계에 있는 친척(親戚). ¶유비, 관우, 장비는 육친처럼 서로 의지하며 살기로 약속했다.

절친 切親 | 몹시 절, 친할 친 [intimate; be on the best]
몹시[切] 친근(親近)하다. ¶절친한 친구 / 그들은 절친한 사이다.

종친 宗親 | 일족 종, 친할 친 [kindred]
한 일족[宗]에 속하는 친척(親戚). ¶명절이 되어 가깝게 사는 종친들이 다 모였다.

0286 [야]

野

들[坪] 야:
[部] 里부 [劃] 11획 [中] 野 [yě]

野野野野野野野野野野野

野자는 본래 '埜'(야)로 쓰다가 약 2000년 전에 지금의 것으로 바뀌었다. 획수로 보나 의미 연관성으로 보나 예전의 것보다 훨씬 못한 셈이다. '마을 리'(里)란 표의요소에다 표음요소인 予(나 여)로 구성된 것이, '수풀 림'(林)과 '흙 토'(土)란 두 표의요소로 구성된 埜가 '들'(a field)이라는 뜻과 연결이 잘 안 되기 때문이다.
[속뜻 훈음] ①들 야, ②거칠 야.

야:구 野球 | 들 야, 공 구 [baseball]
❶[속뜻] 들판[野] 같은 운동장에서 공[球]을 다루는 경기. ❷[운동] 아홉 명씩 이루어진 두 팀이 9회 동안 공격과 수비를 번갈아 하며 승패를 겨루는 구기 경기. ¶우리 오빠는 야구 선수이다.

야:당 野黨 | 들 야, 무리 당 [opposition party]
집권하지 못하여 정권의 밖[野]에 있는 정당(政黨). ¶야당 의원. [반]여당(與黨).

야:만 野蠻 | 들 야, 오랑캐 만 [savage; barbarous]
❶[속뜻] 들판[野]의 오랑캐[蠻]. ❷미개하여 문화 수준이 낮은 상태. 또는 그런 종족. ¶바이킹은 야만스럽게 이민족을 약탈했다.

야:망 野望 | 들 야, 바랄 망 [ambition; aspiration]
❶[속뜻] 멀리 들[野]을 바라봄[望]. ❷크게 무엇을 이루어 보겠다는 희망. ¶그는 언젠가 자기 가게를 열겠다는 야망을 가지고 있다. [비]야심(野心).

야:박 野薄 | 거칠 야, 엷을 박 [unfeeling; stingy]
거칠고[野] 정이 엷다[薄]. 인정이 없다. ¶인심이 야박하다.

야:비 野卑 | =野鄙, 거칠 야, 낮을 비 [vulgar; coarse]
성질이나 언행이 거칠고[野] 천하다[卑]. ¶야비한 수법으로 상대를 공격했다.

야:산 野山 | 들 야, 메 산 [hillock; hill on a plain]
들판[野]처럼 나지막한 산(山). ¶야산을 깎아 밭을 만들었다.

야:생 野生 | 들 야, 날 생 [grow wild]
산이나 들[野]에서 저절로 나서[生] 자람. 또는 그런 생물. ¶야생 식물 / 이 지역에 야생하는 동물을 조사했다.

야:속 野俗 | 거칠 야, 속될 속 [inhospitable; unkind]
❶[속뜻] 인심이 거칠고[野] 성품이 속(俗)됨. ❷무정한 행동이나 그런 행동을 한 사람이 섭섭하게 여겨져 언짢음. ¶세상인심 참 야속도 하구나 / 야속한 말.

야:수 野獸 | 들 야, 짐승 수 [wild beast; wild animal]
사람에게 길이 들지 않은 야생(野生)의 사나운 짐승[獸]. ¶미녀와 야수.

야:심 野心 | 들 야, 마음 심 [ambition; evil design]
❶[속뜻] 야망(野望)을 품은 마음[心]. 무엇을 이루려는 마음. ¶그는 야심에 찬 사업가다. ❷야비한 마음. ¶그는 나에게 야심을 가지고 접근했다.

야:영 野營 | 들 야, 집 영 [camping; bivouac]
❶[속뜻] 들판[野]에 임시로 마련한 집[營]. ❷야외에 천막을 쳐 놓고 하는 생활. ¶우리는 산 속에서 야영을 했다.

야:외 野外 | 들 야, 밖 외 [fields; open air]
❶[속뜻] 들[野] 밖[外]. 들판. ¶야외로 소풍을 가다. ❷집 밖이나 노천(露天)을 이르는 말. ¶공원에서 야외 연주회가 열린다.

야:욕 野慾 | 거칠 야, 욕심 욕 [ambition; evil design]
❶[속뜻] 야비(野卑)한 욕망(慾望). ❷자기 잇속만 채우려는 속된 욕심(慾心). ¶일본은 대륙 침략의 야욕을 품고 한국을 침략했다.

야:유 野遊 | 들 야, 놀 유 [picnic; excursion]
들[野]판을 다니며 놂[遊].

야:채 野菜 | 들 야, 나물 채 [vegetables]
❶[속뜻]들[野]에서 자라나는 나물[菜]. ❷'채소'(菜蔬)의 일본어식 표현. [비]채소(菜蔬).

• 역순어휘

광:야 曠野 | =廣野, 넓을 광, 들 야 [wide vast plain]
광활(曠闊)한 벌판[野]. 텅 비고 아득히 넓은 들.

내:야 內野 | 안 내, 들 야 [infield; diamond]
[운동]야구장에서, 네 개의 루를 이은 사각형 안[內]의 들판[野]. [반]외야(外野).

분야 分野 | 나눌 분, 들 야 [field]
여러 갈래로 나누어진[分] 범위나 부분[野]. ¶경제 분야 / 전공 분야.

산야 山野 | 메 산, 들 야 [fields and mountains; hills and valleys]
산(山)과 들[野]. ¶눈 덮인 산야.

시:야 視野 | 볼 시, 들 야 [range of vision; one's view]
❶[속뜻]시력(視力)이 미치는 범위[野]. ¶건물이 시야를 가리다. ❷식견이나 사려가 미치는 범위. ¶그는 세계를 여행하며 시야를 넓혔다.

외:야 外野 | 밖 외, 들 야 [outfield]
❶[속뜻]바깥[外] 쪽에 있는 들[野]. ❷[운동]야구에서, 본루·1루·2루·3루를 연결한 선 뒤쪽의 파울 라인 안의 지역.

임야 林野 | 수풀 림, 들 야 [forest land]
숲[林]과 들[野]을 아울러 이르는 말. 개간되지 않은 땅. ¶한국의 임야 면적은 전체 국토의 70%에 달한다.

재:야 在野 | 있을 재, 들 야 [be out of power]
❶[속뜻]들[野]에 파묻혀 있음[在]. ❷정치인이나 저명인사로서 공직에 있지 않거나 정치 활동에 직접 나서지 않고 있음. ¶재야 단체 / 재야 출신의 인사(人士).

초야 草野 | 풀 초, 들 야 [remote village; backwoods]
❶[속뜻]풀[草]로 뒤덮인 들판[野]. ❷궁벽한 시골. ¶초야에 묻혀 살다.

평야 平野 | 평평할 평, 들 야 [plain; open field]
평평하고[平] 넓은 들[野]. ¶그는 말을 타고 평야를 달리고 있다.

황야 荒野 | 거칠 황, 들 야 [wilderness; the wilds]
풀이 멋대로 자란 거친[荒] 들판[野]. ¶광활한 황야.

0287 [언]

言 말씀 언
[部] 言부 [畫] 7획 [中] 言 [yán]

言 言 言 言 言 言 言

言자는 '말씀'(speech)을 뜻하기 위하여 고안된 것으로, 최초 자형은 혀가 입(口) 밖으로 길게 튀어나온 모습을 하고 있다. 이 글자는 '길고도 세차게 잘 하는 말'을 뜻하는 長廣舌(장광설)이라는 단어를 연상시킨다. '말씀'은 웃어른이나 남의 말에 대한 높임말(예, '선생님 말씀')도 되고, 웃어른에게 하는 자기의 말에 대한 낮춤말이 되기도 한다(예, '제가 한 말씀 올리겠습니다.').

언급 言及 | 말씀 언, 미칠 급 [refer to; mention]
❶[속뜻]말[言]이 어디에까지 미침[及]. ❷어떤 문제에 대하여 말함. ¶언급을 회피하다 / 그는 앞으로 어떻게 활동할지 언급했다.

언도 言渡 | 말씀 언, 건넬 도 [sentence]
❶[속뜻]말[言]을 건넴[渡]. ❷[법률]재판장이 판결을 알림. 지금은 '선고'(宣告)라고 한다. ¶7년의 실형을 언도 받았다.

언론 言論 | 말씀 언, 말할 론 [speech; discussion]
말[言]이나 글로 자기 사상을 발표함[論]. 또는 그 말이나 글. 보도, 출판 따위의 방법이 있다. ¶언론의 자유를 보장하다.

언사 言辭 | 말씀 언, 말씀 사 [words; speech]
말[言=辭]. 말씨. ¶모욕적인 언사를 서슴지 않다.

언성 言聲 | 말씀 언, 소리 성 [tone of voice]
말[言] 소리[聲]. ¶둘은 서로 잘났다고 언성을 높였다.

언약 言約 | 말씀 언, 묶을 약 [make a verbal promise]
말[言]로 약속(約束)함. 또는 그런 약속. ¶나는 그녀와 결혼을 언약했다. [비]약속(約束).

언어 言語 | 말씀 언, 말씀 어 [language; speech]
생각, 느낌 따위를 나타내거나 전달하는 데에 쓰는 말[言=語]. ¶언어를 배우다.

언쟁 言爭 | 말씀 언, 다툴 쟁 [quarrel; squabble]
말[言]로 하는 다툼[爭]. ¶이웃과 언쟁을 벌이다.

언질 言質 | 말씀 언, 볼모 질 [pledge; promise]
❶[속뜻]들은 말[言]을 볼모[質]로 삼음. ❷나중에 증거가 될 말. ¶확실한 언질을 받았다.

언행 言行 | 말씀 언, 행할 행 [speech and action]
말[言]과 행동(行動). ¶그는 늘 언행이 일치한다.

• 역순어휘

감언 甘言 | 달 감, 말씀 언 [sweet-talk]
듣기 좋게 하는 달콤한[甘] 말[言]. ¶감언으로 물건을 빼앗다. [반]고언(苦言).

격언 格言 | 바를 격, 말씀 언 [proverb; maxim]
인생에 대한 교훈이나 경계가 되는 바른[格] 말[言]. ¶이 격언을 나의 좌우명으로 삼았다.

공언 公言 | 여럿 공, 말씀 언 [declare; profess]
❶[속뜻]여러 사람[公]에게 한 말[言]. ¶그는 사퇴를 공언했다. ❷공평한 말. [비]공담(公談).

과:언 過言 | 지나칠 과, 말씀 언 [exaggeration]
정도에 지나친[過] 말[言]. ¶최고의 선수라고 해도 과언이 아니다.

금언 金言 | 황금 금, 말씀 언 [golden saying]
생활의 지침이 될 만한 금쪽[金]같이 귀중하고 짤막한 말[言]. [비]격언(格言).

단:언 斷言 | 끊을 단, 말씀 언 [declare; affirm]
딱 잘라서[斷] 말함[言]. ¶쉬운 문제라고 단언할 수 없다. [비]확언(確言).

망:언 妄言 | 헛될 망, 말씀 언 [absurd remark]
헛된[妄] 말[言]. [비]망발(妄發), 망설(妄說).

명언 名言 | 이름 명, 말씀 언 [wise golden saying]
❶[속뜻]유명(有名)한 말[言]. ❷사리에 들어맞는 훌륭한 말. ¶괴테는 많은 명언을 남겼다.

무언 無言 | 없을 무, 말씀 언 [silent; mute]
말[言]이 없음[無]. ¶무언의 압력을 받다. [비]묵언(默言).

발언 發言 | 밝힐 발, 말씀 언 [make a comment]
뜻을 말[言]로 밝힘[發]. 의견을 말함. 또는 그 말. ¶그는 이 문제에 대해 어떤 발언도 하지 않았다. [비]발어(發語).

방언 方言 | 모 방, 말씀 언 [dialect word]
[언어]표준어와 달리 어떤 지역이나 지방(地方)에서만 쓰이는 특유한 언어(言語). ¶함경도 방언은 알아듣기 어렵다. [비]사투리. [반]표준어(標準語).

선언 宣言 | 알릴 선, 말씀 언
[declare; make a declaration]
❶[속뜻]여러 사람에게 분명하게 알리고자[宣] 하는 말[言]. ❷국가나 단체가 방침, 주장 따위를 정식으로 공표함. ¶독립 선언.

실언 失言 | 그르칠 실, 말씀 언
[slip of the tongue]
실수(失手)로 잘못한 말[言]. ¶저의 실언을 사과드립니다. [비]말실수.

예:언 豫言 | =預言, 미리 예, 말씀 언 [predict]
❶[속뜻]미리[豫] 하는 말[言]. ❷미래에 일어날 일을 미리 알아서 말하는 것. 또는 그런 말. ¶점쟁이의 예언이 빗나갔다.

유언¹ 流言 | 흐를 류, 말씀 언
[groundless story; wild rumor]
터무니없이 항간을 떠도는[流] 소문[言]. ¶유언비어(流言蜚語).

유언² 遺言 | 남길 유, 말씀 언
[will; testament; one's last words]
죽기 전에 가족이나 가까운 사람들에게 남긴[遺] 말[言].

일언 一言 | 한 일, 말씀 언
[single word; one word]
❶[속뜻]한[一] 마디 글자나 말[言]. ❷간단한 말.

조:언 助言 | 도울 조, 말씀 언
[advise; counsel]
말[言]로 거들거나 깨우쳐 주어서 도움[助]. 또는 그 말. ¶전문가의 조언 / 학생에게 공부하는 방법을 조언하다. [비]도움말.

중:언 重言 | 거듭 중, 말씀 언
[respeak; repeatedly say]
거듭[重] 말함[言].

증언 證言 | 증거 증, 말씀 언 [testify; attest]
[법률]증인(證人)으로서 사실을 말함[言]. 또는 그런 말. ¶목격자의 증언을 듣다 / 범인은 붉은 셔츠를 입었다고 증언했다.

폭언 暴言 | 사나울 폭, 말씀 언 [violent language]
난폭(亂暴)하게 하는 말[言]. ¶아이에게 폭언을 퍼붓다.

형언 形言 | 모양 형, 말할 언
[describe; express]
형용(形容)하여 말함[言]. ¶형언할 수 없는 슬픔.

호언 豪言 | 호걸 호, 말할 언 [assure; guarantee]
의기양양하여 호걸[豪]스럽게 말함[言]. 또는 그런 말. ¶그는 자기 팀이 우승할 것이라고 호언했다.

확언 確言 | 굳을 확, 말씀 언
[state definitely; assert; assure]
확실(確實)한 말[言]. ¶그는 확언을 피했다 / 감독은 팀의 승리를 확언했다.

0288 [훈]

訓

가르칠 훈:
[部] 言부 [劃] 10획 [中] 训 [xùn]

訓 訓 訓 訓 訓 訓 訓 訓 訓 訓

訓자는 '말씀 언'(言)과 '내 천'(川)이 합쳐진 것으로 '(줄줄) 타이르다'(advise)가 본래 의미이다. '가르치다'(teach), '(뜻을) 풀이하다'(interpret; explain)는 뜻으로도 쓰인다.

훈:계 訓戒 | 가르칠 훈, 경계할 계 [admonish; exhort]
타일러[訓] 경계(警戒)시킴. 또는 그런 말. ¶훈계를 듣다 / 선생님이 학생들을 훈계하다.

훈:련 訓練 | =訓鍊, 가르칠 훈, 익힐 련 [train; drill; practice]
무예나 기술 등을 가르치고[訓] 익힘[練]. ¶사격 훈련 / 선수들이 열심히 훈련하고 있다.

훈:몽 訓蒙 | 가르칠 훈, 어릴 몽 [instruct the children]
어린[蒙] 아이에게 글을 가르침[訓].

훈:민 訓民 | 가르칠 훈, 백성 민 [instruct the people]
백성[民]을 가르침[訓].

훈:방 訓放 | 가르칠 훈, 놓을 방 [dismiss with a caution]
[법률] 훈계(訓戒)하여 방면(放免)함. ¶훈방 조치 / 연행자 중에서 학생들을 훈방하다.

훈:수 訓手 | 가르칠 훈, 솜씨 수 [help from an outsider; hint; tip]
[운동] 바둑이나 장기 따위에서 잘 두는 방법이나 솜씨[手]를 가르쳐[訓] 줌. ¶바둑판에서 훈수를 두다.

훈:시 訓示 | 가르칠 훈, 보일 시 [instruct; admonish]
❶[속뜻] 가르쳐[訓] 보임[示]. ❷윗사람이 아랫사람에게 교훈과 지시를 주는 것. ¶교장선생님의 훈시 / 어머니는 나에게 늦지 말라고 훈시하셨다.

훈:육 訓育 | 가르칠 훈, 기를 육 [educate; instruct]
❶[속뜻] 가르쳐[訓] 기름[育]. ❷의지나 감정을 함양하여 바람직한 인격의 형성을 목적으로 하는 교육. ¶훈육을 받다 / 자식을 훈육하다.

훈:장 訓長 | 가르칠 훈, 어른 장 [village schoolmaster; teacher]
❶[속뜻] 글을 가르쳐주는[訓] 어른[長]. ❷시골 서당에서 글을 가르치던 사람. ¶훈장 어른.

훈:화 訓話 | 가르칠 훈, 말할 화 [moral discourse]
교훈(教訓)으로 하는 말[話]. 훈시하는 말. ¶조회 때 교장 선생님의 훈화를 들었다.

• 역순어휘

가훈 家訓 | 집 가, 가르칠 훈 [family precepts]
❶[속뜻] 집안[家] 어른이 자녀들에게 주는 교훈(教訓). ❷선대부터 그 집안의 도덕적 실천 기준으로 삼은 가르침. ¶우리 집 가훈은 믿음과 사랑이다. [비]가정교훈(家庭教訓), 가법(家法).

교:훈1 校訓 | 학교 교, 가르칠 훈 [school precepts]
[교육] 학교(學校)에서 가르치고자[訓] 하는 이념이나 목표를 간명하게 나타낸 표어. ¶우리 학교의 교훈은 성실이다.

교:훈2 教訓 | 가르칠 교, 가르칠 훈 [teaching; instruction]
앞으로의 행동이나 생활에 지침이 될 만한 가르침[教=訓]. ¶실패는 그에게 교훈이 되었다.

급훈 級訓 | 등급 급, 가르칠 훈 [class precepts]
학급(學級)의 교육 목표로 내세운 교훈(教訓).

0289 [의]

醫

의원 의
[部] 酉부 [획] 18획 [中] 医 [yī]

醫자는 '의사'(a doctor)를 뜻하기 위하여 의사가 쓰는 갖가지 공구를 합쳐 놓은 글자다. 수술 도구를 넣는 상자[匚·방], 살을 째는 데 쓴 화살[矢·시] 촉 같은 작은 칼, 창[殳·수]같이 큰 칼. 마취나 소독에 쓰는 알코올을 담은 병[酉=酒의 본래글자], 등 네 가지로 구성되어 있다. 후에 '의원'(a hospital), '의술'(the medical art)도 이것으로 나타냈다.
[속뜻 훈음] 치료할 의.

의과 醫科 | 치료할 의, 분과 과 [medical department]
[교육] 의학(醫學)을 연구하는 대학의 한 분과(分科). ¶그는 의과에 입학했다.

의관 醫官 | 치료할 의, 벼슬 관 [medical officer; surgeon]
[역사] 조선 시대에, 내의원에 속하여 의술(醫術)에 종사하던 벼슬아치[官].

의료 醫療 | 치료할 의, 병고칠 료 [medical treatment; medical service]
의술(醫術)로 병을 고치는[療] 일. ¶의료 봉사.

의사 醫師 | 치료할 의, 스승 사

[doctor; medical man]
병을 치료하는[醫] 것을 직업으로 삼는 사람을 스승[師]으로 높여 부르는 말. ¶피부과 의사.

의술 醫術 | 치료할 의, 꾀 술
[medical arts; medical practice]
병을 치료하는[醫] 기술(技術). ¶의술이 발달하면서 수명이 연장되었다.

의약 醫藥 | 치료할 의, 약 약 [medicinal drug]
❶속뜻 병을 치료하는[醫] 데 쓰는 약(藥). ❷의술과 약품.

의원[1] 醫員 | 치료할 의, 사람 원
[physician; doctor]
병을 치료하는[醫] 기술이 있는 사람[員]. ¶최 의원이 직접 왕진(往診)을 나왔다.

의원[2] 醫院 | 치료할 의, 집 원
[doctor's office; clinic]
진료 시설을 갖추고 의사가 의료(醫療) 행위를 하는 집[院]. ¶의원에 가서 진료를 받다.

의학 醫學 | 치료할 의, 배울 학
[medical science; medicine]
병을 치료하는[醫] 기술을 연구하는 학문(學問). ¶의학의 발달로 평균수명이 점점 길어지고 있다.

• 역순어휘

명의 名醫 | 이름 명, 치료할 의
[skilled physician; great doctor]
병을 잘 고치는 이름난[名] 의사(醫師). ¶허준은 조선시대 명의였다. ⓑ대의(大醫).

수의 獸醫 | 짐승 수, 치료할 의 [veterinarian; vet]
짐승, 특히 가축[獸]의 질병 치료[醫]를 전공으로 하는 의사(醫師). '수의사'의 준말.

어:의 御醫 | 임금 어, 치료할 의 [royal physician]
역사 궁궐 내에서, 임금[御]이나 왕족의 병을 치료하던 의원(醫員). ¶노국공주의 처소에 어의가 들어갔다. ⓑ태의(太醫).

0290 [군]

郡

고을 군:
㊀邑부 ㊀10획 ㊥郡 [jùn]
郡 郡 郡 郡 郡 郡 郡 郡 郡 郡

郡은 중국 周(주)나라 때의 행정구획의 하나로 縣(현) 단위 바로 아래의 '고을'(a county)을 뜻하기 위한 것이다. '고을 읍'(邑=阝)이 표의요소로 쓰였고, 君(임금 군)은 표음요소이다. 요즘도 행정구역의 한 단위로 많이 쓰인다.

군:내 郡內 | 고을 군, 안 내
고을[郡]의 안[內]. ¶군내 주민이 참여하였다.

군:민 郡民 | 고을 군, 백성 민
[inhabitants of a county]
그 군(郡)에 사는 사람[民]. ¶금릉군 군민 체육대회.

군:수 郡守 | 고을 군, 지킬 수
[magistrate of a county]
법률 군(郡)의 치안[守]과 행정을 맡아보는 으뜸 직위에 있는 사람. 또는 그 직위.

군:청 郡廳 | 고을 군, 관청 청 [country office]
군(郡)의 행정 사무를 맡아보는 기관[廳]. 또는 그 청사.

0291 [로]

路

길 로:
㊀足부 ㊀13획 ㊥路 [lù]
路 路 路 路 路 路 路 路 路 路 路 路 路

路자는 발로 밟고 가는 바닥, 즉 '길'(a road; a way)을 뜻하기 위하여 고안된 것이었으니 '발 족'(足)이 표의요소로 쓰였다. 各(각각 각)이 표음요소임은 輅(수레 로)도 마찬가지이다.

노:면 路面 | 길 로, 낯 면 [road surface]
도로(道路)의 겉면[面].

노:상 路上 | 길 로, 위 상 [on the street]
❶속뜻 길[路] 위[上]. ❷길가는 도중. ¶노상 방뇨. ⓑ가상(街上), 도상(途上). 관용 노상에 오르다.

노:선 路線 | 길 로, 줄 선 [route]
❶속뜻 버스, 기차 따위가 운행하는 길[路]을 표시해 놓은 줄[線]. ¶버스 노선. ❷개인이나 조직 단체 따위의 일정한 활동 방침. ¶그는 독자적인 노선을 걸었다.

노:자 路資 | 길 로, 재물 자 [traveling expenses]
먼 길[路]을 떠나 오가는 데 드는 비용[資]. ¶노자가 떨어지다. ⓑ여비(旅費), 거마비(車馬費).

• 역순어휘

가로 街路 | 거리 가, 길 로 [street; road]
시가지(市街地)의 도로(道路).

경로 經路 | 지날 경, 길 로 [course; channel]
❶속뜻 지나는[經] 길[路]. ❷사람이나 사물이 거쳐 온 길. ¶태풍의 경로를 살펴보다.

귀:로 歸路 | 돌아갈 귀, 길 로

[one's way home; road back]
돌아오는[歸] 길[路]. ¶귀로에 오르다.

기로 岐路 | 갈림길 기, 길 로
[forked road; crossroad]
갈려져[岐] 나뉜 길[路]. ¶성공과 실패의 기로에 서 있다. ㊐갈림길.

대ː로 大路 | 큰 대, 길 로 [broad way; main road]
폭이 넓고 큰[大] 길[路]. ¶대로를 활보하고 다니다. ㊐대도(大道). ㊎소로(小路).

도ː로 道路 | 길 도, 길 로 [road; street]
사람, 차 따위가 잘 다니도록 만들어 놓은 비교적 넓은 길[道=路]. ¶도로에 차가 많다. ㊐길거리, 가로(街路).

미ː로 迷路 | 헤맬 미, 길 로 [maze; labyrinth]
한번 들어가면 방향을 알 수 없어 헤매게[迷] 되는 길[路]. ¶미로 속을 헤매다.

선로 線路 | 줄 선, 길 로 [railroad]
교통 기차나 전차의 바퀴가 굴러가는 줄[線]로 이어진 길[路]. ㊐궤도(軌道).

수로 水路 | 물 수, 길 로 [waterway; lane]
❶속뜻 물[水]이 흐르는 길[路]. ❷선박이 다닐 수 있는 물 위의 일정한 길. ¶네덜란드는 수로가 발달돼 있다. ㊎육로(陸路).

애로 隘路 | 좁을 애, 길 로 [bottleneck]
❶속뜻 좁고[隘] 험한 길[路]. ❷어떤 일을 하는 데 장애가 되는 것. ¶애로 사항이 있으면 언제든지 말씀하세요.

역로 驛路 | 정거장 역, 길 로 [post road]
예전에 역마(驛馬)를 바꿔 타는 정거장[驛]과 통하는 길[路]. ¶역로가 어딘지를 물어보았다.

육로 陸路 | 뭍 륙, 길 로 [land route]
땅[陸] 위에 난 길[路]. ¶육로를 통해 금강산에 갈 수 있다. ㊎수로(水路).

종로 鐘路 | =鍾路, 쇠북 종, 길 로
지리 서울특별시 광화문 네거리에서 동대문에 이르는 큰 거리. 조선시대 사대문을 여닫는 것을 알리는 종루(鐘樓)가 있는 길[路]이라는 뜻으로 붙여진 이름이다.

진ː로 進路 | 나아갈 진, 길 로 [course; way]
앞으로 나아갈[進] 길[路]. ¶태풍의 진로 / 선생님과 진로에 대해 상담하다.

차로 車路 | 수레 차, 길 로
[roadway; carriageway; traffic lane]
차(車)가 다니는 길[路]. ¶차로가 좁아지다. ㊐차도, 찻길.

철로 鐵路 | 쇠 철, 길 로 [railroad]
쇠[鐵]로 만든 길[路]. ¶기적을 울리며 기차가 철로 위를 지나갔다.

쾌로 快路 | 기쁠 쾌, 길 로
기쁜[快] 마음이 드는 여행길[路].

통로 通路 | 통할 통, 길 로 [passageway]
어떤 곳으로 통(通)하는 길[路]. ¶트럭 한 대가 주차장 통로를 막고 서 있다.

판로 販路 | 팔 판, 길 로
[market (for goods); outlet]
물건이 잘 팔리는[販] 길거리[路]. ¶우리는 신제품의 판로를 찾고 있다.

항ː로 航路 | 배 항, 길 로 [route]
❶속뜻 배[航]가 다니는 길[路]. 뱃길. ¶그는 뉴욕으로 항로를 바꾸었다. ❷항공기가 통행하는 공로. ¶비행기가 항로를 벗어났다.

활로 活路 | 살 활, 길 로
[way out; means of escape]
❶속뜻 살아[活] 나갈 길[路]. ❷어려움을 이기고 살아 나갈 방법. ¶한국 경제의 활로가 열리다 / 활로를 찾다 / 활로를 뚫다.

회로 回路 | 돌아올 회, 길 로
[return way; electrical circuit]
❶속뜻 돌아오는[回] 길[路]. ❷전기 전류가 통하는 통로. ¶전기 회로. ㊐귀로(歸路).

0292 [근]

近

가까울 근ː
㉮ 辶부 ㉯ 8획 ㊥ 近 [jìn]

近 近 近 近 近 近 近 近

近자는 '부근'(the neighborhood)을 뜻하는 것이었으니, '길갈 착'(辶=辵)이 표의요소로 쓰였고, 斤(도끼 근)은 표음요소일 따름이다. '가깝다'(near)는 뜻으로도 많이 쓰인다.

근ː간 近間 | 가까울 근, 사이 간
[these days; nowadays]
가까운[近] 시일의 장래[間]. 요사이. 요즈음.

근ː교 近郊 | 가까울 근, 성 밖 교
[suburbs; outskirts]
도심에서 가까운[近] 지역[郊]. ¶대도시 근교의 인구가 늘고 있다. ㊐교외(郊外).

근ː년 近年 | 가까울 근, 해 년 [in recent years]
❶속뜻 가까운[近] 해[年]. ❷요 몇 해 사이. 지나간 지 얼마 안 되는 해.

근ː대 近代 | 가까울 근, 시대 대 [modern age]

❶ 속뜻 지나간 지 얼마 안 되는 가까운[近] 시대(時代). ❷중세와 현대의 중간 시대. (반)고대(古代), 현대(現代).

근:래 近來 | 가까울 근, 올 래
[these days; recently]
요즈음[近]에 와서[來]. ¶근래에 드문 큰 비가 왔다.

근:린 近鄰 | 가까울 근, 이웃 린 [neighborhood]
❶ 속뜻 가까운[近] 이웃[鄰]. ❷가까운 곳. ¶근린공원 / 근린상가. (비)근처(近處).

근:방 近方 | 가까울 근, 모 방 [neighborhood]
가까운[近] 곳[方]. ¶이 근방에 살다. (비)근처(近處), 인근(鄰近).

근:사 近似 | 가까울 근, 닮을 사 [fine; nice]
❶ 속뜻 가깝거나[近] 닮다[似]. ❷썩 그럴듯하다. 꽤 좋다. ¶참 근사한 생각이구나!

근:시 近視 | 가까울 근, 볼 시 [shortsightedness]
먼 곳은 잘 못 보지만, 가까운[近] 곳은 잘 봄[視]. '근시안'(近視眼)의 준말. (반)원시(遠視).

근:위 近衛 | 가까울 근, 지킬 위 [royal guard]
임금을 가까이[近]에서 호위(護衛)함.

근:접 近接 | 가까울 근, 닿을 접
[proximity; approach]
가까이[近] 닿음[接]. 또는 가까이 다가감. ¶공장은 항구와 근접해 있다. (비)접근(接近).

근:처 近處 | 가까울 근, 곳 처 [neighborhood]
가까운[近] 곳[處]. ¶근처에 서점이 있나요? (비)부근(附近).

근:친 近親 | 가까울 근, 친할 친 [close relative]
가까운[近] 친족(親族). 특히 팔촌 이내의 일가붙이. (반)원친(遠親).

근:해 近海 | 가까울 근, 바다 해
[neighboring waters]
육지에 가까운[近] 바다[海]. ¶근해에 크고 작은 섬들이 있다. (비)연해(沿海). (반)원양(遠洋).

근:황 近況 | 가까울 근, 형편 황 [recent situation]
요즈음[近]의 형편[況]. ¶친구의 근황이 궁금하다.

• 역순어휘 •

부:근 附近 | 붙을 부, 가까울 근
[neighborhood; nearby]
붙어[附] 있어 가까움[近]. ¶친구와 학교 부근에 있는 공원에서 만났다. (비)근처(近處).

비:근 卑近 | 낮을 비, 가까울 근 [common]
우리 주위에 흔하고[卑] 가깝다[近]. ¶비근한 예를 들어 보자.

원:근 遠近 | 멀 원, 가까울 근
[far and near; distance]
멀고[遠] 가까움[近]. 또는 먼 곳과 가까운 곳.

인근 鄰近 | 이웃 린, 가까울 근 [neighborhood]
가까운[近] 이웃[鄰]. 혹은 이웃처럼 가까운 거리. ¶인근 마을 / 그 자전거는 놀이터 인근에 있었다. (비)근방(近方), 근처(近處), 부근(附近).

접근 接近 | 맞이할 접, 가까울 근
[move in close; approach]
맞이하여[接] 가까이 다가감[近]. ¶접근 금지 / 그는 접근하기 쉬운 사람이다.

최:근 最近 | 가장 최, 가까울 근 [lately; recently]
❶ 속뜻 가장[最] 가까운[近] 때. ❷현재를 기준한 앞뒤의 가까운 시기. ¶최근 들어 많은 변화가 있었다 / 최근까지 그 일을 모르고 있었다. (비)요즘.

측근 側近 | 곁 측, 가까울 근 [nearby a person]
❶ 속뜻 곁[側]의 가까운[近] 곳. ¶대통령을 측근에서 모시다. ❷정치나 사업에서 높은 사람을 가까이에서 모시는 사람. ¶그는 사장의 핵심 측근이다.

친근 親近 | 친할 친, 가까울 근 [friendly]
사귐이 매우 친밀(親密)하고 가까움[近]. ¶모임에서 친근한 얼굴들을 여럿 보았다. (비)친밀(親密).

0293 [속]

速

빠를 속
(부) 辶부 (획) 11획 (중) 速 [sù]

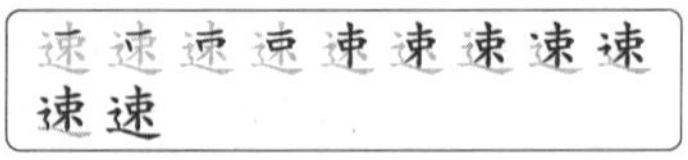

速자는 길을 가는 것이 '빠름'(quick)을 뜻하는 것이었으니, '길갈 착'(辶=辵)이 표의요소로 쓰였고, 束(묶을 속)은 표음요소이다. '빨리'(quickly)라는 부사적 의미로 많이 쓰인다.

속공 速攻 | 빠를 속, 칠 공
[launch a swift attack against]
운동 구기 경기에서 상대방에게 대비할 시간을 주지 않고 재빨리[速] 공격(攻擊)함. ¶그는 공을 가로채 속공으로 연결했다. (반)지공(遲攻).

속단 速斷 | 빠를 속, 끊을 단
[conclude hastily; make a hasty conclusion]
성급하게 빨리[速] 판단(判斷)함. 또는 그러한 판단. ¶속단은 금물이다.

속달 速達 | 빠를 속, 이를 달 [deliver by express]
❶ 속뜻 빨리[速] 전달(傳達)함. ❷ 통신 '속달우편'(郵便)의 준말. ¶이 소포를 속달로 보내고 싶습니다.

속도 速度 | 빠를 속, 정도 도 [speed; rate]
❶속뜻 빠른[速] 정도(程度). ❷물체가 나아가거나 일이 진행되는 빠르기. ¶속도가 빠르다.

속력 速力 | 빠를 속, 힘 력 [speed; velocity]
자동차, 기차, 항공기 따위의 속도(速度)를 이루는 힘[力]. ¶기차는 굉장한 속력으로 달렸다.

속보¹ 速步 | 빠를 속, 걸음 보 [quick pace]
빠른[速] 걸음걸이[步]. ¶속보로 걸으면 체중 감량에 도움이 된다.

속보² 速報 | 빠를 속, 알릴 보
[report promptly; announce quickly]
빨리[速] 알림[報]. 또는 그 신속한 보도. ¶재해 속보

• 역순어휘

가속 加速 | 더할 가, 빠를 속
[increase speed; speed up]
❶속뜻 속도(速度)를 더함[加]. ❷속도가 더해짐. ¶열차에 가속이 붙었다. ⓔ감속(減速).

감:속 減速 | 덜 감, 빠를 속 [reduce speed]
속도(速度)를 줄임[減]. ¶이곳은 길이 좁으니 감속하십시오. ⓔ가속(加速).

고속 高速 | 높을 고, 빠를 속 [high speed]
아주 빠른[高] 속도(速度). ¶고속 성장. ⓔ저속(低俗).

과:속 過速 | 지나칠 과, 빠를 속 [overspeed]
제한을 넘는[過] 속도(速度). ¶과속운행 / 과속차량.

급속 急速 | 급할 급, 빠를 속 [rapid; swift]
몹시 급(急)하고 빠름[速]. ¶급속 냉각.

분속 分速 | 나눌 분, 빠를 속
일 분(分)간을 단위로 하여 재는 속도(速度). ¶시속 120킬로미터는 분속 2킬로미터이다.

시속 時速 | 때 시, 빠를 속 [speed per hour]
한 시간(時間)을 단위로 하여 잰 속도(速度). ¶말은 시속 60km로 달릴 수 있다.

신:속 迅速 | 빠를 신, 빠를 속 [quick; rapid]
매우 빠름[迅=速]. ¶신속 배달 / 화재 발생 시 신속하게 대피하십시오.

저:속 低速 | 낮을 저, 빠를 속 [low speed]
낮은[低] 속력(速力)이나 속도. ¶버스는 저속으로 출발했다. ⓔ고속(高速).

전속 全速 | 모두 전, 빠를 속 [full speed]
낼 수 있는 힘을 모두[全] 낸 속력(速力). '전속력'의 준말.

조:속 早速 | 이를 조, 빠를 속
[as soon as possible]
이르고도[早] 빠르다[速]. ¶조속한 시일 내에 처리해 주십시오 / 불합리한 법률은 조속히 개정되어야 한다.

초속 秒速 | 초 초, 빠를 속 [velocity per second]
1초(秒) 동안에 나아가는 속도(速度). ¶초속 20미터의 태풍.

쾌속 快速 | 시원할 쾌, 빠를 속 [high speed]
시원스럽게[快] 빨리[速] 잘 달림. 또는 그런 속도. ¶쾌속 냉각.

풍속 風速 | 바람 풍, 빠를 속 [wind speed]
바람[風]의 속도(速度). ¶현재 풍속은 초속 3미터이다.

0294 [통]

通

통할 통
ⓑ 辶부 ⓗ11획 ⓒ通 [tōng, tǒng]

通 通 通 通 通 通 通 通 通 通

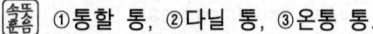

通자는 '(길이 서로) 통하다'(lead into)는 뜻이었으니 '길갈 착'(辶=辵)이 표의요소로 쓰였다. 甬(용)이 표음요소임은 痛(아플 통)도 마찬가지이다. '다니다(=왕래, come and go)', '온통'(=모두, all; wholly; entirely; altogether) 등을 뜻하는 것으로도 쓰인다.

속뜻훈음 ①통할 통, ②다닐 통, ③온통 통.

통고 通告 | 온통 통, 알릴 고 [notify; inform]
관계되는 사람들에게 온통[通] 다 알림[告]. ¶마을 사람에게 갑자기 마을회관으로 모이라고 통고했다.

통과 通過 | 통할 통, 지날 과
[pass; get through; go through]
❶속뜻 일정한 때나 장소를 통(通)하여 지나감[過]. ¶철조망 통과 훈련 / 국경을 통과하다. ❷검사, 시험 따위에서 합격함. ¶예선 통과는 아무런 문제가 없다 / 입국심사에서 무사히 통과되어 입국할 수 있었다.

통근 通勤 | 다닐 통, 일할 근
[attend office; go to work]
멀리 다니며[通] 직장 일을 함[勤]. ¶통근 버스

통념 通念 | 통할 통, 생각 념 [common idea]
일반에 널리 통(通)하는 개념(概念). 일반적인 생각. ¶사회적인 통념을 뒤집다.

통달 通達 | 온통 통, 이를 달
[have a thorough knowledge]
온통[通] 다 아는 높은 수준에 이름[達]. 환히 잘 앎. ¶그녀는 몇 개 언어에 통달해 있다. ⓑ창달(暢達).

통독 通讀 | 온통 통, 읽을 독
[read (a book) from cover to cover]
처음부터 끝까지 온통[通] 다 읽음[讀]. ¶이 책은 통독

할 만하다.

통로 通路 | 통할 통, 길 로 [passage; passageway]
어떤 곳으로 통(通)하는 길[路]. ¶트럭 한 대가 주차장 통로를 막고 서 있다.

통보 通報 | 온통 통, 알릴 보 [report; inform]
관계되는 사람 모두[通]에게 다 알림[報]. ¶합격통보를 하다 / 학부모들에게 통보하여 학교 소식을 알려 드렸다.

통분 通分 | 통할 통, 나눌 분 [reduce to a common denominator]
❶속뜻 공통(共通)의 수로 나눔[分]. ❷수학 분모가 다른 둘 이상의 분수나 분수식에서 분모를 같게 만듦. 보통 각 분모의 최소 공배수를 공통분모로 삼는다.

통상¹ 通商 | 다닐 통, 장사 상 [commerce; trade]
나라 사이에 서로 교통(交通)하며 상업(商業)을 함. ¶전쟁으로 두 나라의 통상이 단절되었다.

통상² 通常 | 온통 통, 늘 상 [usually; normally; generally]
❶속뜻 모두[通] 늘[常] 그러함. ❷일반적으로. 대개. ¶편지가 도착하기까지 통상 사흘 정도 걸린다.

통속 通俗 | 온통 통, 풍속 속 [popular custom; commonness]
❶속뜻 세상에 널리[通] 퍼져 있는 풍속(風俗). ❷비전문적이고 대체로 저속하며 일반 대중이 쉽게 알 수 있는 일. ¶사진이 잡지의 표지처럼 통속하다.

통신 通信 | 통할 통, 소식 신 [send letter; communicate]
❶속뜻 소식이나 정보[信]를 교환하고 연락하여 통(通)하게 하는 일. ¶이 지역은 통신 상태가 좋지 않다. ❷소식이나 의지, 지식 등을 전함. ¶통신의 비밀은 법으로 보장되어 있다.

통역 通譯 | 통할 통, 옮길 역 [interpret]
뜻이 통(通)하도록 알아듣는 말로 옮김[譯]. 또는 그런 사람. ¶통역을 좀 해 주세요. / 통역을 불러 왔다.

통용 通用 | 온통 통, 쓸 용 [in common use; current]
여러 곳에서 두루두루 다[通] 쓰임[用]. ¶달러는 어느 나라에서나 통용된다.

통운 通運 | 다닐 통, 옮길 운 [transport; forward; carry]
여러 곳을 다니며[通] 물건을 운반(運搬)함.

통장 通帳 | 온통 통, 장부 장 [bankbook; passbook]
❶속뜻 금전의 출납에 관한 모든[通] 내용을 기록해 두는 장부(帳簿). ❷경제 거래에 필요한 사항을 기록하는 장부. ¶통장에서 만 원을 인출하다.

통지 通知 | 다닐 통, 알 지 [inform; notify]
다니며[通] 알림[知]. 알려 줌. ¶집주인은 방을 비우라고 통지했다. ⓑ통기(通寄), 통달(通達).

통풍 通風 | 통할 통, 바람 풍 [let air in]
바람[風]을 잘 통(通)하게 함. ¶내 방은 통풍이 잘 되지 않아 공기가 탁하다.

통학 通學 | 다닐 통, 배울 학 [go to school]
학교(學校)에 다님[通]. ¶나는 매일 버스로 통학한다.

통행 通行 | 통할 통, 다닐 행 [pass; go through]
일정한 공간을 지나서[通] 다님[行]. ¶차량은 여기를 통행할 수 없다.

통화¹ 通貨 | 통할 통, 돈 화 [currency; medium of exchange]
경제 한 나라 안에서 통용(通用)되고 있는 화폐(貨幣)를 통틀어 이르는 말. ¶유럽연합은 '유로'라는 단일 통화를 사용한다.

통화² 通話 | 통할 통, 말할 화 [speak over the telephone]
❶속뜻 전화 따위로 말[話]을 서로 주고받음[通]. ¶그와 직접 통화해야겠다. ❷통화한 횟수. ¶전화 한 통화 쓸 수 있을까요?

• 역순어휘 •

개통 開通 | 열 개, 통할 통 [open to traffic]
도로, 교량 따위를 개설(開設)하여 통(通)하게 함. ¶터널은 내일 개통된다.

공:통 共通 | 함께 공, 통할 통 [be common]
여럿 사이에 두루[共] 통용(通用)되거나 관계됨.

관:통 貫通 | 꿸 관, 통할 통 [penetrate; pierce]
❶속뜻 꿰뚫어서[貫] 통(通)하게 함. ¶탄알이 가슴을 관통하다. ❷처음부터 끝까지 일관함.

교통 交通 | 서로 교, 통할 통 [traffic; transportation]
❶속뜻 오고가며 서로[交] 통(通)함. ❷자동차, 기차, 배, 비행기 따위의 탈것을 이용하여 사람이 오고 가는 일이나 짐을 실어 나르는 일. ¶이곳은 교통이 매우 편리하다.

내:통 內通 | 안 내, 통할 통 [communicate secretly]
❶속뜻 안[內]에 있으면서 외부 사람과 몰래 연락함[通]. ¶그는 적과 내통하였다. ❷남녀가 몰래 정을 통함. ⓑ내응(內應), 사통(私通).

능통 能通 | 능할 능, 온통 통 [proficient; skillful]
능(能)히 모든[通] 것을 다 잘 함. ¶그는 4개 국어에 능통하다.

보ː통 普通 | 넓을 보, 통할 통 [average; ordinary]
❶속뜻 널리[普] 통(通)함. ❷특별하지 아니하고 흔히 볼 수 있어 평범함. 또는 뛰어나지도 열등하지도 아니한 중간 정도. ¶내 키는 보통이다. ⊞통상(通常).

불통 不通 | 아닐 불, 통할 통
[be suspended; be interrupted]
길, 다리, 철도, 전화, 전신 따위가 서로 통(通)하지 아니함[不]. ¶시 전체의 전화가 어떻게 다 불통이죠?

상통 相通 | 서로 상, 통할 통
[understand each other; communicate with]
❶속뜻 서로[相] 마음과 뜻이 통(通)함. ¶나는 언니와 상통하는 부분이 매우 많다. ❷서로 어떠한 일에 공통되는 부분이 있음. ¶감정을 표현한다는 점에서 음악과 무용은 상통한다.

소통 疏通 | 트일 소, 통할 통
[flow smoothly; communication]
❶속뜻 막혔던 것이 트여[疏] 잘 통(通)함. ¶차량 소통이 원활하다. ❷의견이나 의사가 상대편에게 잘 통함. ¶의사소통이 잘 이루어지다.

신통 神通 | 귀신 신, 통할 통 [be wonderful]
❶속뜻 신기(神奇)할 정도로 통달(通達)함. ❷신기할 정도로 묘하다. ¶그의 목소리는 나와 신통하게 닮았다. ❸대견하고 훌륭함. ¶어떻게 그런 신통한 생각을 다 했니?

유통 流通 | 흐를 류, 통할 통
[circulate; pass current]
❶속뜻 공기나 액체가 흘러[流] 통(通)함. ❷경제 상품이 생산자, 상인, 소비자 사이에 거래되는 일. ¶유통 구조 / 화폐의 유통 / 가짜 상품을 시중에 유통시키다.

융통 融通 | 녹을 융, 통할 통
[lend; loan; finance]
❶속뜻 녹여[融] 잘 통(通)하게 함. ❷돈이나 물품 등을 빌려 씀. ¶제 사정이 급하니 돈을 조금만 융통해주세요.

정통 精通 | 세밀할 정, 통할 통 [know thoroughly]
무엇에 대해 정확하고 자세히[精] 꿰뚫고[通] 있음. ¶정통한 소식 / 그는 한국의 사정에 정통하다.

형통 亨通 | 풀릴 형, 통할 통
[go well; prove successful]
일이 뜻대로 잘 풀리고[亨] 막혔던 것이 통[通]함. ¶만사가 형통하다.

0295 [원]

遠

멀 원ː
㊀ 辶부 ㊁ 14획 ㊥ 远 [yuǎn]

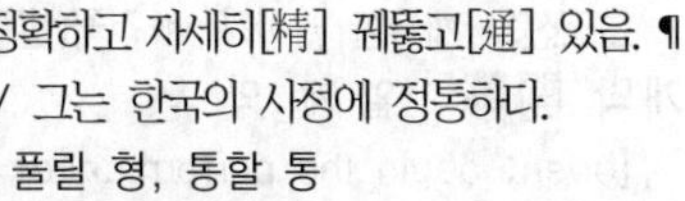

遠자는 '(길이) 멀다'는 뜻을 나타내기 위하여 '길갈 착(辶)'이 표의요소로 쓰였다. '긴 옷'을 뜻하는 袁(원)은 발음과 의미를 겸하는 요소이다. '멀어지다'(be estranged), '멀리하다'(keep at a distance) 등을 뜻하기도 한다.

원ː격 遠隔 | 멀 원, 사이 뜰 격
[be far apart]
공간적으로 멀리[遠] 떨어짐[隔]. ¶이 비행기는 원격으로 조종할 수 있다.

원ː근 遠近 | 멀 원, 가까울 근
[far and near; distance]
멀고[遠] 가까움[近]. 또는 먼 곳과 가까운 곳.

원ː대 遠大 | 멀 원, 큰 대
[far reaching; great]
계획, 꿈, 이상 등이 먼[遠] 앞날을 내다보는 상태에 있어 크고 대단하다[大]. ¶그는 히말라야 등반이라는 원대한 목표를 세웠다.

원ː시 遠視 | 멀 원, 볼 시
[look far off at]
❶속뜻 멀리[遠] 바라봄[視]. ¶세계 경제를 원시하여 대책을 강구합시다. ❷의학 가까이 있는 물체를 잘 볼 수 없는 눈. ¶할머니는 원시라서 가까운 것을 보실 때는 돋보기를 쓴다. ⊞근시(近視).

원ː심 遠心 | 멀 원, 가운데 심
물리 중심(中心)에서 멀어져 감[遠]. ⊞구심(求心).

원ː양 遠洋 | 멀 원, 큰바다 양
[open sea far from land]
뭍에서 멀리[遠] 떨어진 큰 바다[洋]. ¶원양 어선 / 원양에 나가 물고기를 잡다.

원ː정 遠征 | 멀 원, 칠 정 [invade; visit]
❶속뜻 먼 곳[遠]으로 싸우러[征] 나감. ¶십자군 원정. ❷먼 곳으로 운동 경기 따위를 하러 감. ¶원정 경기.

• 역순어휘

망ː원 望遠 | 바라볼 망, 멀 원 [telescope]
멀리[遠] 바라봄[望].

영ː원 永遠 | 길 영, 멀 원
[eternal; everlasting]
어떤 상태가 끝없이 길게[永] 멀리[遠] 이어짐. 또는 시간을 초월하여 변하지 아니함. ¶영원한 사랑 / 나는 그와 영원히 함께 할 것이다.

요원 遙遠 | 멀 요, 멀 원
[be very far away]
멀고[遙] 멀다[遠]. 까마득하다. ¶목표를 달성하려면 아직 요원하다. ⊞아득하다, 멀다.

0296 [은]

銀

은 은

[部] 金부 [劃] 14획 [中] 银 [yín]

銀銀銀銀銀銀銀銀銀銀銀銀銀銀

銀은 '은'(silver)을 나타내기 위한 것이니, '쇠 금'(金)이 표의요소로 쓰였다. 이 글자가 만들어지기 전에는 '은'을 '白金'(백금)이라고 하였다. 艮(어긋날 간)이 표음요소로 쓰인 것임은 垠(끝 은)도 마찬가지이다.

은박 銀箔 | 은 은, 얇을 박 [silver leaf]
은(銀)을 종이처럼 얇게[箔] 만든 것.

은반 銀盤 | 은 은, 쟁반 반 [silver plate; skating rink]
❶[속뜻] 은(銀)으로 만든 쟁반(錚盤). ❷맑고 깨끗한 얼음판을 아름답게 이르는 말. ¶그녀는 은반 위의 요정으로 불린다.

은상 銀賞 | 은 은, 상줄 상
금, 은, 동 중 은(銀)에 해당되는 2등상(賞). ¶동생은 수학경시대회에서 은상을 받았다.

은색 銀色 | 은 은, 빛 색 [silver color; silver]
은(銀)과 같은 빛[色]. [비]은빛.

은어 銀魚 | 은 은, 물고기 어 [silver fish]
[동물] 몸은 가늘고 긴 은(銀)색 물고기[魚]. 맑은 강물에서만 산다.

은하 銀河 | 은 은, 물 하 [Milky Way; Galaxy]
[천문] 은(銀)빛 강물[河] 같은 밤하늘의 별 무리. [비]미리내, 은하수(銀河水).

은행¹ 銀行 | 은 은, 행할 행 [bank]
❶[속뜻] 금이나 은(銀)을 빌려 주는 업무를 행(行)하는 기관. ❷[경제] 돈을 맡아주고 빌려주는 일을 하는 업종. 일반인의 예금을 맡고 다른 데 대부하는 일. ¶은행에서 100만원을 찾았다.

은행² 銀杏 | 은 은, 살구나무 행 [ginkgo nut]
❶[속뜻] 은(銀)빛 살구[杏] 같은 과육을 지닌 열매. ❷은행나무의 열매.

은화 銀貨 | 은 은, 돈 화 [silver coin]
은(銀)으로 만든 돈[貨]. ¶미국의 1달러는 은화이다.

• 역순어휘

금은 金銀 | 황금 금, 은 은 [gold and silver]
금(金)과 은(銀).

수은 水銀 | 물 수, 은 은 [mercury; quicksilver]
[화학] 상온에서 액체[水] 상태로 있는 은(銀). 전성(展性)·연성(延性)이 크고, 팽창률과 표면장력이 매우 큰 물질로 독성이 있으며 질산에 쉽게 녹는다. 원소기호는 'Hg'. ¶수은에 중독되다.

순은 純銀 | 순수할 순, 은 은 [pure silver]
[광업] 불순물이 섞이지 않은 순수(純粹)한 은(銀).

양은 洋銀 | 서양 양, 은 은 [albata; German silver]
❶[속뜻] 서양(西洋)에서 발명된 은백색(銀白色)의 금속. ❷구리, 아연, 니켈 따위를 합금하여 만든 금속. 영문명인 'German silver'를 의역하였다. ¶양은 냄비.

0297 [개]

開

열 개

[部] 門부 [劃] 12획 [中] 开 [kāi]

開開開開開開開開開開開開

開자는 대문(門)에 걸려 있는 빗장[一]을 두 손으로[廾·받들 공] 여는 모습이다. 자형이 많이 변화됐어도 그 모양을 어렴풋이 짐작할 수 있겠다. '열다'(open)는 본래 의미가 변함없이 그대로 쓰이고 있다.

개간 開墾 | 열 개, 밭갈 간 [reclaim; clear]
버려 둔 거친 땅을 갈아[墾] 새로운 논밭을 만듦[開]. ¶황무지를 개간하다. [비]개척(開拓).

개관 開館 | 열 개, 집 관 [open]
'관'(館)자가 붙는 기관이나 시설을 신설하여 그 업무를 시작함[開]. ¶도서관은 9시에 개관한다. [반]폐관(閉館), 휴관(休館).

개교 開校 | 열 개, 학교 교 [open a school]
새로 학교(學校)를 세워 교육 업무를 시작함[開]. ¶그 학교는 3월에 개교한다. [반]폐교(廢校), 폐교(閉校).

개국 開國 | 열 개, 나라 국 [found a country]
나라[國]를 처음으로 세움[開]. ¶10월 3일은 단군이 고조선을 개국한 날이다. [비]건국(建國).

개막 開幕 | 열 개, 막 막 [open; begin the performance]
❶[속뜻] 연극 따위를 시작할 때 막(幕)을 엶[開]. ❷회의나 행사 따위를 시작함. ¶영화제는 오후 8시에 개막한다. [반]폐막(閉幕).

개발 開發 | 열 개, 드러날 발 [develop]
❶[속뜻] 열어서[開] 드러나게[發] 함. ❷개척하여 유용하게 함. ¶수자원 개발. ❸지식이나 재능 따위를 발달하게 함. ¶기술 개발. ❹새로운 물건이나 생각 따위를 만듦. ¶프로그램을 개발하다.

개방 開放 | 열 개, 놓을 방 [open]

❶[속뜻] 문을 열어[開] 놓음[放]. ❷기밀·비밀 따위를 숨김없이 공개함. ❸금하던 것을 풀고 열어 놓음. ¶이 공원은 일반인에게 개방되어 있다. [비]공개(公開). [반]폐쇄(閉鎖).

개벽 開闢 | 열 개, 열 벽 [beginning of the world]
❶[속뜻] 천지가 처음 열림[開=闢]. ❷'새로운 시대나 상황이 시작됨'을 비유하여 이르는 말. ¶천지가 개벽할 일이 일어났다. [비]태초(太初), 태고(太古).

개봉 開封 | 열 개, 봉할 봉 [open a seal]
❶[속뜻] 봉(封)한 것을 떼어 엶[開]. ¶편지를 개봉했다. ❷새로 만들거나 새로 수입한 영화를 처음으로 상영함. ¶영화는 어제 개봉했다. [반]폐쇄(閉鎖), 밀폐(密閉).

개설 開設 | 열 개, 세울 설 [establish]
❶[속뜻] 어떤 시설을 새로 설치(設置)하여 업무를 시작함[開]. ¶수업을 개설하다. ❷은행 등에서 새로운 계좌를 설정함. ¶저금하려고 통장을 개설했다.

개시 開始 | 열 개, 처음 시 [begin]
열어서[開] 시작(始作)함. 행동이나 일 따위를 시작함. ¶공격 개시. [반]마감, 종결(終結), 종료(終了).

개업 開業 | 열 개, 일 업 [open a business]
영업(營業)을 처음 시작함[開]. ¶상점은 내일 개업한다. [반]폐업(閉業).

개장 開場 | 열 개, 마당 장 [open]
'장'(場)자가 붙는 사업을 열어[開] 업무를 처음 시작함. ¶증시가 개장했다. [반]폐장(閉場).

개점 開店 | 열 개, 가게 점 [open a store]
❶[속뜻] 가게[店]를 내어[開] 영업을 처음 시작함. ❷그 날의 영업을 하려고 가게의 문을 엶. ¶아침 6시에 개점합니다. [비]개업(開業), 개시(開市). [반]폐점(閉店).

개정 開廷 | 열 개, 법정 정 [open a court]
[법률] 법정(法廷)을 열어[開] 재판을 시작함. ¶개정 시간이 다 됐다. [반]폐정(閉廷).

개창 開創 | 열 개, 처음 창 [establish]
처음[創] 새로 엶[開]. ¶새로운 왕조를 개창하였다.

개척 開拓 | 열 개, 넓힐 척 [cultivate; open up]
❶[속뜻] 거친 땅을 일구어[開] 경작지를 넓힘[拓]. ❷아무도 손대지 않은 새로운 분야를 열어 그 부문의 길을 닦음. ¶새로운 시장을 개척하다. ❸어려움을 이기고 나아갈 길을 헤쳐 엶. ¶자신의 삶을 개척하다. [비]개간(開墾).

개최 開催 | 열 개, 열 최 [hold]
어떤 모임이나 행사 따위를 엶[開=催]. ¶호텔에서 모임을 개최했다.

개통 開通 | 열 개, 통할 통 [open to traffic]
도로, 교량 따위를 개설(開設)하여 통(通)하게 함. ¶터널은 내일 개통된다.

개폐 開閉 | 열 개, 닫을 폐 [open and shut]
열거나[開] 닫음[閉]. ¶자동개폐장치. [비]개합(開闔).

개표 開票 | 열 개, 쪽지 표 [count the votes]
투표함을 열어[開] 투표(投票)의 결과를 점검하는 일. ¶모두가 보는 가운데 개표하다.

개학 開學 | 열 개, 배울 학 [begin school]
학교에서 방학, 휴교 따위로 한동안 쉬었다가 배움[學]을 다시 시작함[開]. ¶2월 3일에 개학한다. [반]방학(放學).

개항 開港 | 열 개, 항구 항 [open a port]
❶[속뜻] 항구(港口)를 외국에 개방(開放)함. ❷항구나 공항의 구실을 처음으로 시작함. ¶2001년 인천국제공항이 개항했다.

개화[1] 開化 | 열 개, 될 화 [become civilized]
사람들의 지식이 깨어[開]나게 됨[化]. ¶문명의 개화 / 사상이 개화되다. [비]개명(開明), 문명화(文明化).

개화[2] 開花 | 열 개, 꽃 화
[bloom; be enlightened]
❶[속뜻] 꽃[花]을 피움[開]. ¶봄이 되자 식물이 개화를 시작했다. ❷'문화의 발달'을 비유하여 이르는 말. ¶그 나라도 이제는 많이 개화되었다. [반]낙화(落花).

개회 開會 | 열 개, 모일 회 [open a meeting]
회의(會義) 따위를 시작함[開]. ¶내일부터 국회는 개회한다. [반]폐회(閉會).

• 역순어휘

공개 公開 | 드러낼 공, 열 개 [open to the public]
일반에게 드러내어[公] 개방(開放)함. ¶공개 토론 / 정보를 공개하다. [반]비공개(非公開).

만:개 滿開 | 찰 만, 열 개 [be in full bloom]
❶[속뜻] 활짝[滿] 열어[開] 놓음. ❷꽃이 활짝 다 핌. 활짝 핌. ¶벚꽃이 만개하다. [비]만발.

미:개 未開 | 아닐 미, 열 개 [uncivilized]
아직 개화(開化)하지 못한[未] 상태. 문명이 깨지 못한 상태에 있음. ¶미개한 민족. [비]야만(野蠻). [반]문명(文明).

속개 續開 | 이을 속, 열 개
[continue; resume (a meeting)]
일단 멈추었던 회의 따위를 계속(繼續)하여 엶[開]. ¶회의는 내일 속개한다.

재:개 再開 | 다시 재, 열 개 [resume; reopen]
끊기거나 쉬었던 회의 따위를 다시[再] 엶[開]. ¶국교 재개 / 양측은 협의를 통해 회담을 재개했다.

전:개 展開 | 펼 전, 열 개 [develop; unfold]

❶[속뜻] 눈앞에 넓게 펼쳐져[展] 열림[開]. ❷논리나 사건, 이야기의 장면 따위가 점차 크게 펼쳐져 열림. ¶이야기 전개가 빠르다.

타:개 打開 | 칠 타, 열 개
[overcome; resolve; break through]
❶[속뜻] 두드려[打] 엶[開]. ❷어려운 일을 잘 처리하여 해결할 방법을 찾음. ¶경제 위기를 타개하다.

0298 [양]

陽

별 양
㊀ 阜부 ㊁ 12획 ㊥ 阳 [yáng]

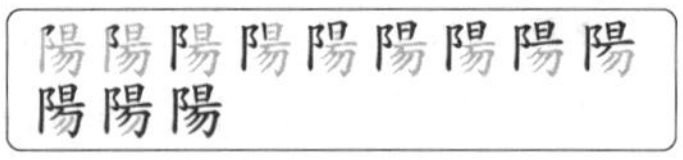

陽자는 햇볕이 내리쬐이는 모습인 昜(양)과 산비탈(언덕)을 뜻하는 阜(부)가 합쳐진 것이다. 남쪽으로 강이 흐르고 북쪽으로 산을 끼고 있는 지역, 즉 '양달'(a sunny place)을 가리키는 말이었다. 이것이 지명으로 쓰인 지역은 모두 그러한 곳이다. 중국의 洛陽(낙양), 우리나라의 漢陽(한:양), 密陽(밀양) 등이 바로 그렇다. '햇빛'(=별 sunshine), '밝다'(bright) 등도 이것으로 나타냈고, 陰(응달 음)의 반대말로 쓰인다. 매우 드물기는 하지만 '표면상'(externally), '가장'(disguise), '시늉'(pretense)의 뜻으로도 쓰인다. 陽死(양사, '죽은 시늉을 하다'), 陽動(양동, '움직이는 척하다', '속임수 전술')의 경우가 그러한 예이다.
[속뜻훈음] ①별 양, ②밝을 양.

양각 陽刻 | 밝을 양, 새길 각 [engrave in relief]
❶[속뜻] 밝게(陽) 보이도록 도드라지게 새김[刻]. ❷[미술] 조각에서 평평한 면에 글자나 그림 따위를 도드라지게 새기는 일. 또는 그 조각. (비)돋을새김. (반)음각(陰刻).

양극 陽極 | 별 양, 끝 극 [anode; plus terminal]
❶[속뜻] 음양(陰陽) 가운데 양(陽)에 해당하는 쪽이나 끝[極]. ❷[물리] 두 개의 전극 사이에 전류가 흐를 때에 전위가 높은 쪽의 극. ¶양극은 이쪽에, 음극은 저쪽에 연결해라. (비)플러스(plus)극. (반)음극(陰極).

양기 陽氣 | 별 양, 기운 기 [sunshine; vitality]
❶[속뜻] 햇볕[陽]의 따뜻한 기운(氣運). ❷만물이 살아 움직이는 활발한 기운. ¶이 음식은 양기를 북돋아준다. (반)음기(陰氣).

양력 陽曆 | 별 양, 책력 력 [solar calendar]
❶[속뜻] 태양(太陽)을 기준으로 정한 책력[曆]. ❷[천문] 지구가 태양의 둘레를 한 바퀴 도는 데 걸리는 시간을 1년으로 정한 역법. '태양력'(太陽曆)의 준말. ¶아버지 생신은 양력으로 3월 21일이다. (반)음력(陰曆).

양산 陽傘 | 별 양, 우산 산 [parasol; sunshade]
여자들이 볕[陽]을 가리기 위하여 쓰는 우산(雨傘) 모양의 물건. ¶양산을 쓰다.

양성 陽性 | 별 양, 성질 성 [positive]
❶[속뜻] 음양 가운데 양(陽)에 속하는 성질(性質). ❷[의학] 어떠한 병이 있거나 감염되었음을 알리는 성질. ¶에이즈 검사에서 양성 반응이 나오다.

양수 陽數 | 별 양, 셀 수 [positive number]
[수학] 0보다 큰 양(陽)의 수(數). (반)음수(陰數).

양지 陽地 | 밝을 양, 땅 지 [sunny spot]
볕이 잘 들어 밝은[陽] 지역(地域). ¶양지에 고추를 널어 말리다. (반)음지(陰地). [속담] 양지가 음지 되고 음지가 양지 된다.

• 역순어휘

석양 夕陽 | 저녁 석, 별 양 [evening sun]
저녁[夕] 햇볕[陽]. ¶서쪽 하늘이 석양으로 붉게 물들었다. (비)낙양(落陽), 낙조(落照).

음양 陰陽 | 응달 음, 별 양
[cosmic dual forces]
❶[속뜻] 응달[陰]과 양지(陽地). ❷[철학] 역학에서 이르는 만물의 근원이 되는 상반된 성질을 가진 두 가지 것. ¶음양의 조화.

중:양 重陽 | 거듭 중, 별 양
[ninth day of the ninth lunar month]
❶[음악] 양점(陽點)이 겹친[重] 장구의 '겹채'를 이르는 말. ❷[민속] '중양절'(重陽節)의 준말.

차양 遮陽 | 가릴 차, 별 양 [awning; peak]
❶[속뜻] 볕[陽]을 가림[遮]. 또는 그럴 목적으로 처마 끝에 덧대는 지붕. ¶바람이 불어 차양이 흔들렸다. ❷학생모나 군모 따위에서 모자의 앞에 대어 이마를 가리거나 손잡이 구실을 하는 조각. ¶차양이 넓은 밀짚모자. (비)챙.

태양 太陽 | 클 태, 별 양 [sun]
❶[속뜻] 매우[太] 밝은 빛[陽]. ❷[천문] 태양계의 중심을 이루는 항성. 해. ¶태양이 이글이글 타고 있다. (반)태음(太陰).

한:양 漢陽 | 한강 한, 별 양
❶[속뜻] 한강(漢江)의 북녘에 양지(陽地)바른 곳. ❷[지리] '서울'의 옛 이름.

0299 [두]

頭

머리 두
㊀ 頁부 ㊁ 16획 ㊥ 头 [tóu, tou]

頭자는 '머리'(the head)를 뜻하기 위한 것이었으니, '머리 혈'(頁)이 표의요소로 쓰였고, 豆(제기 두)는 표음요소일 따름이다. 후에 '우두머리'(the boss), '첫머리'(the start), '끝'(the tip), '가'(a side) 등으로 확대 사용됐다.
속뜻 훈음 ①머리 두, ②접미사 두.

두각 頭角 | 머리 두, 뿔 각 [prominence]
❶속뜻 짐승의 머리[頭]에 있는 뿔[角]. ❷'뛰어난 학식이나 재능'을 비유하여 이르는 말. ¶체조계에서 두각을 드러내다.

두개 頭蓋 | 머리 두, 덮을 개 [cranium; brainpan]
의학 척추동물의 두뇌(頭腦)를 덮고[蓋] 있는 달걀 모양의 골격.

두건 頭巾 | 머리 두, 수건 건
[hempen hood for a mourner]
상중(喪中)에 남자 상제 등이 머리[頭]에 쓰는 베로 된 쓰개[巾]. ㊂건.

두뇌 頭腦 | 머리 두, 골 뇌 [brains; head]
❶의학 머리[頭] 속의 골[腦]. ❷사물을 판단하는 슬기. ¶그는 두뇌 회전이 빠르다. ❸'지식수준이 높은 사람'을 비유하여 이르는 말. ¶그는 한국 최고의 두뇌이다.

두령 頭領 | 머리 두, 거느릴 령 [boss; leader]
여러 사람을 거느리는[領] 우두머리[頭]. 또는 그를 부르는 칭호. ¶청석골 임 두령 / 두령! 분부만 내리십시오. ㊥두목(頭目).

두목 頭目 | 머리 두, 눈 목 [leader; boss]
❶속뜻 머리[頭]에서 눈[目]처럼 중요한 것. ❷패거리의 우두머리. ¶깡패 두목을 잡았다. ㊥두령(頭領).

두발 頭髮 | 머리 두, 머리털 발 [hair]
머리[頭]에 난 털[髮]. ¶두발 모양을 자유롭게 하다.

두상 頭相 | 머리 두, 모양 상
머리[頭] 생김새나 모양[相]. ¶두상이 장군감이다.

두서 頭緖 | 머리 두, 실마리 서
[clue; the first step]
❶속뜻 일의 첫머리[頭]나 실마리[緖]. ❷일의 차례나 순서. ¶두서없이 말을 늘어놓다.

두통 頭痛 | 머리 두, 아플 통 [headache]
머리[頭]가 아픈[痛] 증세.

• 역순어휘

거:두 巨頭 | 클 거, 머리 두 [leader]
❶속뜻 큰[巨] 머리[頭] 같은 존재. ❷어떤 분야에서 큰 힘을 가진 지도급 인물. 유력한 우두머리. ¶그는 정계(政界)의 거두이다.

구:두 口頭 | 입 구, 접미사 두 [word of mouth]
입[口]으로 하는 말. ¶구두 약속. ㊥서면(書面).

단:두 斷頭 | 끊을 단, 머리 두
[cut off head; behead]
죄인의 목[頭]을 자름[斷].

만두 饅頭 | 만두 만, 접미사 두
밀가루 따위를 반죽하여 소를 넣어 빚은 음식[饅] 같은 것[頭]. ㊥교자(餃子).

몰두 沒頭 | 빠질 몰, 머리 두 [absorption]
머리[頭] 속의 생각이 어떤 한 가지 일에만 빠지게[沒] 함. ¶일에만 몰두하다. ㊥열중(熱中), 집중(集中).

박두 迫頭 | 닥칠 박, 머리 두 [draw near]
❶속뜻 머리[頭] 가까이 다가옴[迫]. ❷기일이나 시간이 매우 가까이 닥쳐옴. ¶개봉 박두. ㊥당두(當頭).

백두 白頭 | 흰 백, 머리 두 [white head]
허옇게[白] 센 머리[頭]. ¶그는 어느새 백두의 노인이 되어 있었다.

부두 埠頭 | 선창 부, 접미사 두 [quay; pier]
항구에서 배를 대어 여객이 타고 내리거나 짐을 싣고 부리는[埠] 곳[頭]. ¶배가 부두에 정박해 있다. ㊥선창(船艙).

서:두 序頭 | 차례 서, 머리 두
[beginning; start; opening]
어떤 차례[序]의 첫머리[頭]. ¶그는 조심스럽게 서두를 꺼냈다.

선두 先頭 | 먼저 선, 머리 두 [top; lead]
첫[先] 머리[頭]. 맨 앞쪽. ¶선두에 서다 / 그는 선두에 30미터 뒤져 있다.

연두 年頭 | 해 년, 머리 두 [beginning of the year]
새해[年]의 첫머리[頭]. ¶대통령은 연두 기자 회견을 가졌다. ㊥연초(年初).

염:두 念頭 | 생각 념, 머리 두 [mind]
❶속뜻 생각[念]의 첫머리[頭]. ❷머릿속에 정리하여 지닌 생각. 생각 속. ¶나는 선생님의 가르침을 늘 염두에 두고 있다.

원두 園頭 | 동산 원, 머리 두
❶속뜻 동산[園]에 일구어 놓은 밭의 머리[頭] 부분. 터키어를 음역한 것이라는 설도 있다. ❷밭에 심은 오이, 참외, 수박, 호박 따위의 총칭.

유두[1] 乳頭 | 젖 유, 머리 두 [nipple; teat]
❶속뜻 젖[乳]의 한가운데 머리[頭]처럼 도드라져 나온 꼭지. ❷생물 생체 중 젖꼭지 모양으로 된 돌기(突起).

유두[2] 流頭 | 흐를 류, 머리 두
❶속뜻 흐르는[流] 물에 머리[頭]를 감음. ❷민속 우리나라 고유 명절의 하나. 맑은 시내나 산간 폭포에 가서 머리를 감고 몸을 씻은 후, 가지고 간 음식을 먹으면서

서늘하게 하루를 지낸다. 음력 유월 보름날이다.

출두 出頭 | 날 출, 머리 두 [appear; attend]
❶속뜻 머리[頭]를 들고 나옴[出]. ❷어떤 곳에 몸소 나감. ¶그는 월요일 법정에 출두할 예정이다.

후두 喉頭 | 목구멍 후, 머리 두 [larynx]
❶속뜻 목구멍[喉]의 첫머리[頭] 부분. ❷의학 인두(咽頭)와 기관(氣管) 사이의 부분. 발성과 호흡 작용 따위의 기능을 가진다. ¶후두에 염증이 생기다.

0300 [황]

黃

누를 황
㉑ 黃부 ㉔ 12획 ㊥ 黃 [huáng]

黃 黃 黃 黃 黃 黃 黃 黃 黃 黃 黃 黃

黃자는 옛날 귀족들이 허리에 玉(옥)을 차고 있는 모습을 그린 것으로 '佩玉'(패:옥, wear a jewel)이 본뜻이다. 이것이 '누른 색'(yellow)을 나타내는 것으로 활용되는 예가 많아지자, 본래 의미는 璜(패옥 황)자를 추가로 만들어 나타냈다.

황금 黃金 | 누를 황, 쇠 금 [gold; money]
누른[黃] 빛깔의 금(金). ¶황금알을 낳는 거위.

황기 黃芪 | 누를 황, 삼 기 [kind of milk vetch]
❶속뜻 누른[黃] 꽃이 피는 삼[芪]. ❷식물 잎은 깃 모양의 겹잎이며 여름에 담황색 꽃이 피는 풀. 뿌리는 약재로 쓴다.

황도 黃桃 | 누를 황, 복숭아 도 [yellow peach]
식물 속살이 노란[黃] 복숭아[桃]. ¶할머니는 황도를 좋아하신다.

황사 黃沙 | =黃砂, 누를 황, 모래 사 [yellow sand]
❶속뜻 누런[黃] 모래[沙]. ❷지리 중국 북부나 몽고 지방의 황토가 바람에 날려 온 하늘에 누렇게 끼는 현상. ¶봄이 되면 어김없이 황사가 찾아온다.

황산 黃酸 | 누를 황, 산소 산 [sulfuric acid]
❶속뜻 누런[黃] 산화물(酸化物). ❷화학 무기산(無機酸)의 한 가지. 무색무취의 끈끈한 액체이며 질산 다음으로 산성이 강하다.

황색 黃色 | 누를 황, 빛 색 [yellow]
누런[黃] 빛깔[色]. ¶황색 인종.

황토 黃土 | 누를 황, 흙 토
[yellow soil; yellow ocher]
누런[黃] 흙[土].

황혼 黃昏 | 누를 황, 어두울 혼 [dusk; twilight]
하늘이 누렇고[黃] 어둑어둑한[昏] 해질 무렵. ¶황혼 무렵에 산책을 나가다.

• 역순어휘

유황 硫黃 | 유황 류, 누를 황
[sulfur; brimstone]
화학 비금속 원소로 냄새가 없고 수지 광택이 있는[硫] 황색(黃色)의 결정(結晶).

주황 朱黃 | 붉을 주, 누를 황 [orange color]
빨강[朱]과 노랑[黃]의 중간색.

제2부

제2부 실 제 : 한자 및 한자어 지도

6장. 5급II 배정한자 100

[0301-0400]

0301 [흉]

凶

흉할 흉

(部) 凵부 (劃) 4획 (中) 凶 [xiōng]

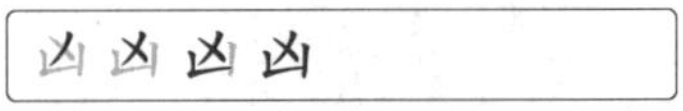

凶자는 '재수 없다'(be out of luck)는 뜻을 적기 위하여 뜻밖에 함정[凵]에 빠진 것을 상징적으로 나타낸 것이다. '×'는 빠진 상태를 가리키는 부호일 따름이다. '흉하다'(ugly; evil; wicked)는 뜻을 나타내는 것으로 많이 쓰인다.

흉가 凶家 | 흉할 흉, 집 가
[house of ill omen; haunted house]
사는 사람마다 흉(凶)한 일을 당하는 불길한 집[家].

흉계 凶計 | =兇計, 흉할 흉, 꾀 계
[wicked design; wiles]
흉악(凶惡)한 꾀[計]. ¶흉계를 꾸미다.

흉기 凶器 | =兇器, 흉할 흉, 그릇 기
[offensive weapon]
❶[속뜻] 흉(凶)한 일에 쓰이는 도구[器]. ❷사람을 다치게 하는 데 쓰는 기구. ¶흉기를 휘두르다.

흉년 凶年 | 흉할 흉, 해 년
[bad year; year of bad harvest]
❶[속뜻] 수확이 흉(凶)한 해[年]. ❷농작물이 예년에 비하여 잘 되지 아니하여 굶주리게 된 해. ¶오랜 가뭄으로 흉년이 들다. (반)풍년(豊年).

흉몽 凶夢 | 흉할 흉, 꿈 몽
[bad dream; dream of ill omen]
불길한[凶] 꿈[夢]. 꿈자리가 사나운 꿈. (반)길몽(吉夢).

흉악 凶惡 | =兇惡, 흉할 흉, 악할 악
[bad; wicked]
성질이 몹시 사납고[凶] 악(惡)함. 또는 그러한 사람. ¶흉악 범죄 / 범행 수법이 흉악하기 이를 데 없다.

흉작 凶作 | 흉할 흉, 지을 작 [bad crop]
흉년(凶年)으로 지은[作] 농사. 농작물의 수확이 평년작을 훨씬 밑도는 일. ¶올해는 쌀이 흉작이다. (반)풍작(豐作).

흉조 凶兆 | 흉할 흉, 조짐 조
[bad omen; sign of evil]
불길한[凶] 조짐(兆朕). ¶아침에 그릇을 깨뜨리면 흉조로 여긴다. (반)길조(吉兆).

흉측 凶測 | 흉할 흉, 헤아릴 측 [terribly heinous]
헤아릴[測] 수 없이 몹시 흉악(凶惡)함. '흉악망측'(凶惡罔測)의 준말. ¶흉측한 이야기.

• 역순어휘

길흉 吉凶 | 길할 길, 흉할 흉 [good and bad luck]
운이 좋고[吉] 나쁨[凶]. ¶길흉을 점치다.

음흉 陰凶 | 응달 음, 흉할 흉 [cunning; wily]
마음속이 음침(陰沈)하고 흉악(凶惡)함. ¶음흉을 떨다 / 그는 음흉한 속셈으로 그녀에게 접근했다.

0302 [도]

到

이를 도ː

(部) 刀부 (劃) 8획 (中) 到 [dào]

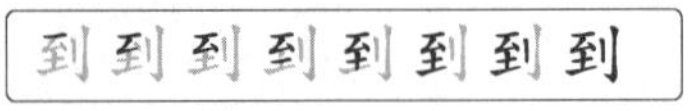

到자는 '이르다'(arrive at)는 뜻을 위하여 고안된 글자이니 '이를 지'(至)가 표의요소이고, 刀(=刂, 칼 도)는 표음요소다. 표의요소가 아닌 표음요소가 부수로 지정되어 있는 매우 특별한 예다.

도ː달 到達 | 이를 도, 이를 달 [arrive]
목적한 곳에 이르거나[到] 목표한 수준에 다다름[達]. ¶합의를 통해 결론에 도달하다. (반)출발(出發).

도ː래 到來 | 이를 도, 올 래 [arrive]
어떤 시기나 기회가 닥쳐[到] 옴[來]. ¶정보화 시대가 도래하다.

도ː저 到底 | 이를 도, 밑 저 [very good; perfect]
❶[속뜻] 밑바닥[底]에 이를[到] 정도로 깊음. ❷학식 따위가 매우 깊다. ¶그는 서양 의술에 도저한 사람이다. ❸몸가짐이 바르고 훌륭하다. ¶그녀의 도저한 행동은 가히 본받을 만하다.

도ː착 到着 | 이를 도, 붙을 착 [arrive at; reach]
목적한 곳에 이르러[到] 닿음[着]. ¶비가 와서 물건이 늦게 도착했다. (비)당도(當到), 도달(到達), 도래(到來). (반)출발(出發).

도ː처 到處 | 이를 도, 곳 처 [everywhere]
발길이 닿거나 이르는[到] 곳[處]마다. ¶도처에 위험이 도사리고 있다. (비)각처(各處).

• 역순어휘

당도 當到 | 당할 당, 이를 도
[arrive; reach]
어느 곳에 닿아서[當] 이름[到].

쇄ː도 殺到 | 빠를 쇄, 이를 도 [rush in]
세차고 빠르게[殺] 몰려듦[到]. ¶상품을 문의하는 전화가 쇄도하다.

0303 [절]

切

끊을 절, 온통 체

[部] 刀부 [劃] 4획 [中] 切 [qiē, qiè]

切 切 切 切

切자는 '(칼로) 베다'(cut)는 뜻을 위하여 고안된 것이니, '칼 도'(刀)가 표의요소로 쓰였고, 七(일곱 칠)은 표음요소다. 후에 '끊다'(sever), '자르다'(chop)는 뜻으로 확대 사용됐다. 다시 '매우'(greatly), '꼭'(exactly) 등으로 활용되기도 하였다. '온통'(entirely)이란 뜻으로도 쓰이는데 이 경우에는 [체]로 읽는다.

[속뜻 훈음] **①끊을 절, ②벨 절, ③몹시 절, ④절실할 절, ⑤정성스러울 절, ⑥온통 체.**

절단 切斷 | 벨 절, 끊을 단 [cut off; sever]
자르거나 베어[切] 끊어[斷]냄. 잘라냄. ¶종양이 퍼지기 전에 다리를 절단해야 한다.

절박 切迫 | 몹시 절, 닥칠 박 [imminent; urgent]
기한 따위가 몹시[切] 가까이 닥쳐[迫] 시간적 여유가 없다. ¶사태가 절박하다.

절실 切實 | 몹시 절, 실제 실 [earnest]
❶[속뜻] 몹시[切] 실질(實質)적임. 적절하다. ¶매우 절실한 표현 / 그의 마음이 절실히 전해졌다. ❷아주 긴요하고 다급하다. ¶난민에게 의약품이 절실하다 / 절실한 요청을 거절할 수 없었다.

절친 切親 | 몹시 절, 친할 친 [intimate; be on the best]
몹시[切] 친근(親近)하다. ¶절친한 친구 / 그들은 절친한 사이이다.

• 역순어휘

간:절 懇切 | 정성 간, 절실할 절 [be eager; sincere]
정성스럽고[懇] 절실(切實)하다. ¶간절한 눈빛.

대:절 貸切 | 빌릴 대, 끊을 절 [reserve; book; engage]
계약에 의해 일정 기간 그 사람에게만 빌려[貸] 주어 다른 사람의 사용을 금하는[切] 일. [비]전세(專貰).

반:절 半切 | =半截, 반 반, 벨 절 [half sheet of paper]
절반[半]으로 자름[切]. 또는 그렇게 자른 반.

애절 哀切 | =哀絶, 슬플 애, 끊을 절 [pitiful; sorrowful]
애처롭고 슬퍼[哀] 간장이 끊어질[切] 듯하다. ¶애절한 울음소리.

일절 一切 | 한 일, 끊을 절[entirely]
❶[속뜻] 한[一] 번에 끊음[切]. ❷아주. 전혀. 절대로. ¶출입을 일절 금하다 / 일절 간섭하지 마시오.

적절 適切 | 알맞을 적, 절실할 절 [suitable; fit; appropriate]
꼭 알맞고[適] 절실하다[切]. ¶적절한 대답 / 적절히 행동하다. [반]부적절하다.

친절 親切 | 친할 친, 정성스러울 절 [kind]
남을 대하는 태도가 친근(親近)하고 정성스러움[切]. ¶나의 새 친구들은 모두 친절하고 재미있다. [반]불친절(不親切).

품:절 品切 | 물건 품, 끊을 절 [out of stock]
물건[品]이 다 팔리고 없음[切]. ¶그 바지는 품절되었다.

일체 一切 | 한 일, 온통 체 [whole]
하나[一]로 묶이는 모든[切] 것. 온갖 것. ¶오늘은 일체의 업무를 중단한다.

0304 [로]

勞

일할 로

[部] 力부 [劃] 12획 [中] 劳 [láo]

勞 勞 勞 勞 勞 勞 勞 勞 勞 勞 勞 勞

勞자는 '힘들다'(be hard)는 뜻을 나타내기 위하여 '힘 력'(力)과 '등불 형'(熒)의 생략형을 합친 것이다. 예전에는 집에 불을 밝히는 일이 매우 힘들었나 보다. '(힘들게) 일하다'(try hard)는 뜻으로 많이 쓰인다.

노고 勞苦 | 일할 로, 괴로울 고 [labor]
힘들게 일하느라[勞] 고생(苦生)을 함. ¶장병들의 노고를 치하하다.

노곤 勞困 | 일할 로, 괴로울 곤 [languid; heavy]
일을 많이 하여[勞] 피곤(疲困)하다. 고달프고 고단하다. ¶온몸이 노곤하다.

노동 勞動 | 일할 로, 움직일 동 [labor; work]
❶[속뜻] 힘들게 일하느라[勞] 몸을 많이 움직임[動]. ❷사람이 생활에 필요한 것을 얻기 위하여 체력이나 정신을 씀. 또는 그런 행위. ¶그는 노동으로 생계를 꾸린다. [비]노무(勞務). [반]휴식(休息).

노사 勞使 | 일할 로, 부릴 사 [labor and capital]
노동자(勞動者)와 사용자(使用者=경영자)를 아울러 이르는 말. ¶노사 협약 / 노사 교섭.

노심 勞心 | 일할 로, 마음 심 [anxiety; care]
힘써 일하며[勞] 마음[心]을 씀.

노임 勞賃 | 일할 로, 품삯 임 [pay; wages]
힘들게 일을 한[勞] 대가로 받는 품삯[賃]. ㊥임금(賃金).

노조 勞組 | 일할 로, 짤 조 [labor union]
사회 노동조건의 개선 및 노동자의 사회·경제적인 지위 향상을 목적으로 노동자(勞動者)들이 조직(組織)한 단체. '노동조합'(勞動組合)의 준말.

• 역순어휘

공로 功勞 | 공로 공, 일할 로 [meritorious deed; merits]
어떤 일[勞]에 이바지한 공적(功績). ¶공로를 치하하다. ㊥공훈(功勳).

과ː로 過勞 | 지나칠 과, 일할 로 [overwork]
지나치게[過] 일하여[勞] 지침. ¶과로로 쓰러지다.

근ː로 勤勞 | 부지런할 근, 일할 로
❶속뜻 힘써 부지런히[勤] 일함[勞]. ❷일정한 시간에 일정한 일을 함. ㊥노동(勞動), 근무(勤務). ㊦휴식(休息).

불로 不勞 | 아닐 불, 일할 로
일하지[勞] 아니함[不]. ¶불로소득(所得).

위로 慰勞 | 달랠 위, 수고로울 로 [console; comfort]
수고로움[勞]이나 아픔을 달램[慰]. ¶어떻게 위로의 말씀을 드려야 할지 모르겠습니다 / 어머니는 기회가 또 있을 것이라며 나를 위로했다.

피로 疲勞 | 지칠 피, 고달플 로 [tired; fatigued; weary]
몸이나 정신이 지치고[疲] 고달픔[勞]. 또는 그런 상태. ¶피로가 아직 완전히 풀리지 않았다 / 눈이 몹시 피로하다.

0305 [화]

化 될 화(ː)
㊕匕부 ㊊4획 ㊥化 [huà, huā]

化 化 化 化

化자의 원형은 '요술부리다'(give acrobatic feats)는 뜻을 나타내기 위하여 바로 서 있는 사람과 거꾸로 선 사람이 합쳐진, 즉 재주를 부리는 모습을 본뜬 것이다. '바뀌다'(change), '되다'(be done), '달라지다'(alter) 등의 뜻으로 쓰인다.

화ː공 化工 | 될 화, 장인 공 [chemical industry]
❶속뜻 하늘의 조화(造化)로 자연히 이루어진 묘한 재주[工]. ❷공업 화학적인 반응을 응용하는 공업이나 공학과 관련되는 것. ¶화공 약품은 조심해서 다뤄야 한다.

화ː석 化石 | 될 화, 돌 석 [fossil]
지리 아주 옛날의 생물의 뼈나 몸의 흔적이 돌[石]로 변해[化] 남아 있는 것.

화장 化粧 | 될 화, 단장할 장 [makeup; toilet]
❶속뜻 예쁘게 되도록[化] 곱게 단장(丹粧)함. ❷화장품을 바르거나 문질러 얼굴을 곱게 꾸밈. ¶그녀는 옅게 화장을 했다.

화ː학 化學 | 될 화, 배울 학 [chemistry]
❶속뜻 물질이 바뀌어 다른 것이 되는[化] 것을 연구하는 학문(學問). ❷화학 물질의 조성과 구조, 성질과 작용 및 변화, 제법과 응용 따위를 연구하는 자연과학의 한 부문. ¶화학 실험.

화ː합 化合 | 될 화, 합할 합 [chemical combine]
❶속뜻 화학적(化學的)으로 결합(結合)함. 그런 물질. ❷화학 둘 또는 그 이상의 물질이 결합하여 본래의 성질을 잃어버리고 새로운 성질을 가진 물질이 됨. ¶수소는 산소와 화합하면 물이 된다.

• 역순어휘

감ː화 感化 | 느낄 감, 될 화 [influence]
감동(感動)을 받아 마음이나 행동이 변화(變化)함. ¶그의 인품에 감화되었다. ㊥교도(教導), 교화(教化).

강화 強化 | 강할 강, 될 화 [strengthen; reinforce]
모자라는 점을 보완하여 더 강(強)하게 함[化]. ¶음주 단속을 강화하다. ㊦약화(弱化).

개화 開化 | 열 개, 될 화 [become civilized]
사람들의 지식이 깨어[開]나게 됨[化]. ¶문명의 개화 / 사상이 개화되다. ㊥개명(開明), 문명화(文明化).

경화 硬化 | 단단할 경, 될 화 [harden]
단단하게[硬] 됨[化]. ¶근육이 경화되었다. ㊦연화(軟化).

교ː화 教化 | 가르칠 교, 될 화 [educate; enlighten]
❶속뜻 가르치고[教] 이끌어서 훌륭한 인물이 되도록 함[化]. ¶교도소는 범죄자를 교화하는 곳이다. ❷불교 부처의 진리로 사람을 가르쳐 착한 마음을 가지게 함. ㊥교도(教導).

귀ː화 歸化 | 돌아갈 귀, 될 화 [be naturalized]
❶속뜻 왕의 어진 정치에 감화되어 돌아가[歸] 그 백성이 됨[化]. ❷법률 다른 나라의 국적을 얻어 그 나라의 국민이 되는 일. ¶그는 한국인으로 귀화했다.

극화 劇化 | 연극 극, 될 화 [dramatize]
사건이나 소설 따위를 극(劇)의 형식이 되도록 함[化]. ¶이 드라마는 임진왜란을 극화한 것이다. ㊥각색(脚色).

기화 氣化 | 공기 기, 될 화 [evaporate; vaporize]
고체 또는 액체가 기체(氣體)로 변함[化]. ¶물이 기화하다. ㊥증발(蒸發), 승화(昇華).

노:화 老化 | 늙을 로, 될 화 [aging; senility]
생물 나이가 많아짐[老]에 따라 신체적·정신적 기능이 쇠퇴하는[化] 일. ¶마늘은 노화를 억제하는 효과가 있다.

녹화 綠化 | 초록빛 록, 될 화 [plant trees]
나무를 심어 산이나 들을 초록빛[綠]으로 물들게 함[化].

동화 同化 | 같을 동, 될 화 [assimilate; absorb]
❶속뜻 다르던 것이 서로 똑같이[同] 됨[化]. ¶자연에 동화되다. ❷생물 생물이 몸 밖에서 얻은 물질을 자기에게 맞게 변화하는 것. ㊤이화(異化).

둔:화 鈍化 | 무딜 둔, 될 화 [slowdown]
느리고 무디어[鈍] 짐[化]. ¶감각의 둔화 / 수출이 둔화되다 / 경제 성장을 둔화시키다.

문화 文化 | 글월 문, 될 화 [culture; civilization]
❶속뜻 문덕(文德)으로 백성을 가르쳐 이끎[敎化]. ❷한 사회의 예술, 문학, 도덕 따위의 정신적 활동의 바탕. ❸어느 분야에 전반적으로 나타나는 경향. ¶새로운 문화를 접하다.

미:화 美化 | 아름다울 미, 될 화 [beautify]
아름답게[美] 꾸미는 일[化]. ¶학교 환경 미화 작업을 하다.

변:화 變化 | 바뀔 변, 될 화 [change; turn]
사물의 모양, 성질 등이 바뀌어[變] 다른 모양이 됨[化]. ¶계절의 변화 / 환경에 따라 식물도 변화한다.

부화 孵化 | 알 깔 부, 될 화 [hatch; incubate]
알을 까게[孵] 됨[化]. 알을 깜. ¶병아리가 부화했다.

분화 分化 | 나눌 분, 될 화 [differentiate; specialize]
나뉘어[分] 다른 것이 됨[化]. ¶과학은 여러 부문으로 분화되어 있다.

산화 酸化 | 산소 산, 될 화 [oxidize]
화학 어떤 물질이 산소(酸素)와 화합(化合)함. ¶철은 쉽게 산화된다. ㊤환원(還元).

소화 消化 | 사라질 소, 될 화 [digest]
❶속뜻 먹은 음식을 삭게[消] 함[化]. ¶채소는 소화가 잘된다. ❷의학 섭취한 음식물을 분해하여 영양분을 흡수하기 쉬운 형태로 변화시키는 일. 또는 그런 작용.

순화 純化 | 순수할 순, 될 화 [purify; refine]
잡스러운 것을 순수(純粹)하게 바꿈[化]. ¶음악은 정서 순화에 도움이 된다.

심:화 深化 | 깊을 심, 될 화 [deepen]
사물의 정도를 깊게[深] 되도록[化] 함. 정도가 깊어지거나 심각해짐. ¶심화 학습.

악화 惡化 | 나쁠 악, 될 화 [change for the worse]
어떤 상태, 성질, 관계 따위가 나쁘게[惡] 변하여 감[化]. ¶병세가 악화되다. ㊤호전(好轉).

액화 液化 | 진 액, 될 화 [be liquefied]
물리 기체가 냉각·압축되어 액체(液體)로 변하거나 고체가 녹아 액체로 되는[化] 현상. 또는 그렇게 만드는 일. ¶액화 천연 가스.

약화 弱化 | 약할 약, 될 화 [weaken]
세력이나 힘이 약하게[弱] 됨[化]. 또는 그렇게 되게 함. ¶태풍의 세력이 크게 약화되었다 / 그 바이러스는 인체의 저항력을 약화시킨다. ㊤강화(強化).

유화 乳化 | 젖 유, 될 화 [emulsification]
❶속뜻 젖[乳]처럼 됨[化]. ❷물리 섞이지 않는 두 가지 액체에 약물을 넣어 고르게 섞어 걸쭉한 액체로 만드는 것.

적화 赤化 | 붉을 적, 될 화 [communization; bolshevize]
❶속뜻 붉은[赤] 색으로 됨[化]. ❷공산주의 국가가 됨을 상징적으로 나타낸 말. ¶적화 통일은 막아야 한다.

정화 淨化 | 깨끗할 정, 될 화 [purify]
불순하거나 더러운 것을 깨끗하게[淨] 함[化]. ¶수질 정화 / 이 식물은 공기를 정화하는데 도움을 준다.

조:화 造化 | 만들 조, 될 화 [marvelous phenomenon]
❶속뜻 무엇을 창조(創造)하고 변화(變化)시킴. ❷만물을 창조하고 기르는 대자연의 이치. ¶자연의 조화. ❸어떻게 이루어진 것인지 알 수 없을 정도로 신통하게 된 일. ¶길바닥에 돈이 떨어져 있다니 이게 웬 조화냐?

진:화 進化 | 나아갈 진, 될 화 [develop; evolve]
❶속뜻 진보(進步)하여 차차 더 나은 것이 됨[化]. ¶시간에 따라 언어도 진화한다. ❷생물 생물이 외계의 영향과 내부의 발전에 의하여 간단한 구조에서 복잡한 구조로, 하등한 것에서 고등한 것으로 발전하는 일. ¶사람이 유인원(類人猿)에서 진화한 것인지는 확신할 수 없다. ㊤퇴화(退化).

탄:화 炭化 | 탄소 탄, 될 화 [carbonize]
화학 유기물이 열분해 또는 다른 화학적 변화로 말미암아 탄소(炭素)가 됨[化].

퇴:화 退化 | 물러날 퇴, 될 화

[degenerate; degrade; retrograde]
쇠퇴(衰退)하는 쪽으로 변화(變化)함. ¶박쥐는 눈이 퇴화되었다. ㉤진화(進化).

특화 特化 | 특별할 특, 될 화 [specialize]
❶속뜻 다른 것보다 특별(特別)히 두드러지게 됨[化]. ❷한 나라의 어떤 산업 또는 수출 상품이 상대적으로 큰 비중을 차지하는 상태. ¶이 지역에서는 관광지를 특화하여 많은 돈을 벌고 있다.

풍화 風化 | 풍속 풍, 될 화
[effloresce; be weathered]
❶속뜻 교육이나 정치의 힘으로 풍습(風習)을 잘 교화(教化)하는 일. ❷지리 지표를 구성하는 암석이 햇빛, 공기, 물, 생물 따위의 작용으로 점차 파괴되거나 분해되는 일.

0306 [참]

參

참여할 참, 석 삼
㊔ 厶부 ㊕ 11획 ㊥参 [cān, shēn]

參자는 원래 '삼수'(參宿)라는 별자리(a constellation)를 뜻하는 것이었으니, 사람(人)의 머리 위, 즉 하늘에 반짝이는 별(厶) 셋을 본뜬 것이었다. 후에 '셋'이란 숫자를 나타내기도 하였기에 彡(삼)이 보태졌다. '참여하다'(participate in)는 뜻일 경우에는 [참]으로 읽는다. 三(삼)의 변조를 막기 위한 갖은자로도 쓰인다. '헤아리다'(surmise; conjecture), '뵙다'(humbly meet)는 뜻으로도 쓰인다.

속뜻 교술 훈음 ①참여할 참, ②헤아릴 참, ③뵐 참.

참가 參加 | 참여할 참, 더할 가 [participate; join]
어떤 모임이나 단체의 일에 참여(參與)하여 가입(加入)함. ¶행사에 참가하다. ㉤불참(不參).

참견 參見 | 참여할 참, 볼 견
[participate; interfere]
❶속뜻 참여(參與)하여 친히 봄[見]. ❷남의 일에 끼어들어 아는 체하거나 간섭함. ¶남의 일에 쓸데없이 참견하지 마라. ㊀간섭(干涉), 관여(關與).

참고 參考 | 헤아릴 참, 생각할 고
[refer to; consult]
❶속뜻 헤아려[參] 곰곰이 생각함[考]. ❷살펴서 도움이 될 만한 자료로 삼음. ¶참고로 제 의견을 말씀드려도 되겠습니까? / 사전을 자주 참고하다.

참관 參觀 | 참여할 참, 볼 관 [visit; inspect]
어떤 자리에 직접 참가(參加)하여 지켜봄[觀]. ¶장학사들이 수업을 참관하다.

참모 參謀 | 참여할 참, 꾀할 모
[staff officer; adviser]
❶속뜻 참여(參與)하여 모의(謀議)함. ¶선거 참모. ❷군사 군대에서 각급 고급 지휘관의 지휘권 행사를 보좌하기 위하여 특별히 임명되거나 파견된 장교, 인사, 정보, 작전, 군수 참모 따위.

참배 參拜 | 뵐 참, 절 배
[worship; pray before a temple]
❶속뜻 신이나 부처를 뵈며[參] 절하고[拜] 빎. ¶부처님께 참배를 드리다. ❷무덤이나 기념탑 등의 앞에서 절하고 기림. ¶신사참배 / 김구 선생 묘를 참배하다.

참봉 參奉 | 참여할 참, 받들 봉
역사 조선 시대, 능 따위를 모시는[奉] 일을 맡았던[參] 벼슬.

참석 參席 | 참여할 참, 자리 석
[be present; attend]
어떤 자리[席]나 모임에 참여(參與)함. ¶회의에 참석하다. ㉤불참(不參).

참선 參禪 | 참여할 참, 좌선 선
[meditation in Zen Buddhism]
불교 좌선(坐禪)에 참여(參與)함. 좌선하여 불도를 닦는 일.

참여 參與 | 헤아릴 참, 도울 여
[participation in; take part in]
❶속뜻 어떤 일을 잘 헤아려[參] 도움[與]. ❷어떤 일에 끼어들어 관계함. ¶적극적인 참여와 지지 / 축제에 참여하다.

참작 參酌 | 헤아릴 참, 술따를 작
[allow for; refer to]
❶속뜻 어떤 일을 잘 헤아려[參] 짐작(斟酌)함. ❷이리저리 비교해 알맞게 헤아림. ¶나이가 어리다는 점을 참작하다.

참전 參戰 | 참여할 참, 싸울 전
[take part in a war]
전쟁(戰爭)에 참가(參加)함. ¶할아버지는 한국전쟁에 참전하셨다고 한다.

참정 參政 | 참여할 참, 정치 정
[participate in government]
정치(政治)에 참여(參與)함.

참조 參照 | 헤아릴 참, 비칠 조
[refer to; compare with]
참고(參考)로 대조(對照)하여 봄. ¶자세한 설명은 해설집을 참조하세요.

참판 參判 | 참여할 참, 판가름할 판
❶[속뜻] 재판(裁判)에 간여함[參]. ❷[역사] 조선 시대, 육조의 종이품 벼슬.

• 역순어휘 •

고:참 古參 | 옛 고, 참여할 참
[seniority; old-timer]
오래[古] 전부터 참여(參與)한 사람. 오래전부터 그 일에 종사하여 온 사람. ¶그녀는 이 회사에서 나보다 훨씬 고참이다.

동참 同參 | 한가지 동, 참여할 참 [participation]
어떤 모임이나 일에 하나로[同] 참가(參加)함. ¶봉사활동에 동참하다.

불참 不參 | 아닐 불, 참여할 참 [be absent]
참석(參席)하지 아니함[不]. ¶모임에 불참하다. ㊥참석(參席), 참가(參加).

신참 新參 | 새 신, 참여할 참 [newcomer]
새로[新] 참여(參與)함. 또는 그 사람. ¶그는 이번 달에 우리 부서에 들어온 신참이다. ㊥고참(古參).

지참 持參 | 가질 지, 참여할 참 [bring with; carry]
무엇을 가지고서[持] 모임 따위에 참여(參與)함. ¶신분증을 지참해야 입장할 수 있다.

0307 [졸]

卒

마칠 졸
㊀ 十부 ㊁ 8획 ㊥ 卒 [zú, cù]

卒 卒 卒 卒 卒 卒 卒 卒

卒자는 '옷 의'(衣)에다 병졸의 옷임을 표시하는 점이 찍혀 있는 모습이었다. 따라서 '병졸들이 입는 제복'(the uniform for the rank and file)이 본래 의미였는데, 후에 '병사'(a soldier)를 뜻하는 것으로 확대 사용됐고, 다시 '갑자기'(suddenly), '마치다'(end), '하인'(servant) 등의 뜻으로도 쓰이게 됐다.

[속뜻 훈음] **①군사 졸, ②마칠 졸, ③하인 졸, ④갑자기 졸.**

졸도 卒倒 | 갑자기 졸, 넘어질 도 [swoon; faint]
갑자기[卒] 정신을 잃고 쓰러짐[倒]. 또는 그런 일. ¶그는 깜짝 놀라 졸도할 뻔 했다. ㊐기절(氣絶), 실신(失神).

졸병 卒兵 | 하인 졸, 군사 병 [common soldier]
직위가 낮은[卒] 병사(兵士). ¶해군 졸병 한 명이 나왔다.

졸업 卒業 | 마칠 졸, 일 업 [graduate]
학생이 규정에 따라 소정의 학업(學業)을 마침[卒]. ¶작년에 초등학교를 졸업하다. ㊥입학(入學).

• 역순어휘 •

고:졸 高卒 | 높을 고, 마칠 졸
[high school graduate]
고등학교(高等學校)를 졸업(卒業)함. ¶그의 최종 학력은 고졸이다.

군졸 軍卒 | 군사 군, 군사 졸
[(common) soldier; private]
군대(軍隊)의 하급 병사[卒]. ㊐병졸(兵卒).

나졸 邏卒 | 돌 라, 군사 졸 [patrol(man)]
[역사] 조선 시대에 관할 구역을 돌며[邏] 죄인을 잡아들이는 일을 맡아 하던 포도청의 병졸(兵卒).

대졸 大卒 | 큰 대, 마칠 졸
[graduation from a university]
대학(大學)을 졸업(卒業)함.

병졸 兵卒 | 군사 병, 군사 졸 [private]
군대[兵]에 근무하는 사람[卒]. ¶장군은 병졸을 거느리고 성을 공격했다. ㊐군사(軍士), 군졸(軍卒).

중졸 中卒 | 가운데 중, 마칠 졸
[graduation from junior high school]
중학교(中學校)를 마침[卒]. '중학교졸업'(中學校卒業)의 준말. ¶그의 학력은 중졸이었지만 모르는 것이 없었다.

포:졸 捕卒 | 잡을 포, 군사 졸
[raiding constable; policeman]
도둑을 잡는[捕] 일을 하는 군사[卒]. 조선 시대, 포도청(捕盜廳)에 속해 있었다. ¶방망이를 손에 쥔 포졸이 뛰어왔다. ㊐포도군사(捕盜軍士).

0308 [우]

友

벗 우:
㊀ 又부 ㊁ 4획 ㊥ 友 [yǒu]

友 友 友 友

友자는 두 손(又+又)이 겹쳐 있는 모습을 그린 것이었는데, 위의 '又'가 약간 달라졌다. '서로 힘을 합치다'(work together)가 본뜻인데 '벗'(=친구 a friend)을 뜻하는 것으로 애용된다.

우:방 友邦 | 벗 우, 나라 방 [friendly country]
서로 우호적(友好的)인 관계를 맺고 있는 나라[邦]. ㊐

우방국(友邦國).

우:애 友愛 | 벗 우, 사랑 애
[friendship; brotherliness]
❶속뜻 벗[友] 사이의 정[愛]. ❷형제 사이의 정이나 사랑. ¶우애로운 형제 / 그 형제는 우애가 두텁기로 소문났다. ⓑ우의(友誼).

우:의 友誼 | 벗 우, 옳을 의 [friendship]
친구[友] 사이의 정의(情誼). ¶우의를 돈독히 하다 / 양국 정상(頂上)은 회담을 통해 우의를 다졌다. ⓑ우정(友情), 우애(友愛).

우:정 友情 | 벗 우, 사랑 정 [friendship]
친구[友]간에 느끼는 사랑[情]. ¶이건 우정의 선물이야 / 그들은 나이를 초월하여 우정을 나누었다. ⓑ우의(友誼), 우애(友愛).

우:호 友好 | 벗 우, 좋을 호
[friendly; amicable]
개인이나 나라 간에, 친구[友]처럼 사이가 좋음[好]. 또는 그러한 사귐. ¶양국은 오랫동안 우호 관계를 유지하고 있다 / 회담은 우호적인 분위기에서 이루어졌다. ⓑ적대(敵對).

• 역순어휘

교우 交友 | 사귈 교, 벗 우 [make friends]
벗[友]을 사귐[交]. 또는 그 벗. ¶교우 관계가 좋다.

급우 級友 | 등급 급, 벗 우 [classmate]
같은 학급(學級)의 친구[友].

붕우 朋友 | 벗 붕, 벗 우 [friend]
벗[朋=友]. 친구.

전:우 戰友 | 싸울 전, 벗 우
[fellow soldier; war brother]
전장(戰場)에서 승리를 위해 생활과 전투를 함께 하는 동료[友].

학우 學友 | 배울 학, 벗 우 [schoolmate]
같이 배우는[學] 벗[友]. ¶학우 여러분!

0309 [가]

價 값 가
部 人부 劃 15획 中 价 [jià, jie]

價자는 원래 '賈'(값 가)자로 쓰다가 후에 '사람 인'(人)이 덧붙여졌다. '값'(a price)이란 뜻을 나타내는 데 왜 하필이면 '사람 인'자를 더했을까? 물건을 사는 사람이나 파는 사람이나 '값'이 가장 중요한 관심사였기 때문일 듯.

가격 價格 | 값 가, 이를 격 [price]
❶속뜻 값[價]이 얼마에 이름[格]. ❷물건의 가치를 돈으로 나타낸 것. ¶휘발유 가격이 급등하다. ⓑ값어치.

가치 價値 | 값 가, 값 치 [value; worth]
❶속뜻 값[價=値]. 쓸모. ❷경제 욕망을 충족시키는 재화의 중요 정도. ¶현금의 가치가 하락하다. ⓑ값어치, 가격(價格).

• 역순어휘

고가 高價 | 높을 고, 값 가 [high price]
높은[高] 가격(價格). ¶고가의 물건을 사다. ⓑ저가(低價), 염가(廉價).

단가 單價 | 홑 단, 값 가 [unit cost]
낱개[單]의 값[價]. 각 단위의 값. ¶생산 단가를 절감하다.

대:가 代價 | 대신할 대, 값 가 [price; cost]
❶속뜻 물건을 대신(代身)하는 값[價]으로 치르는 돈. ¶노동의 대가로 임금을 받다. ❷어떤 일을 함으로써 생기는 희생이나 손해. 또는 그것으로 하여 얻어진 결과. ¶어떤 대가를 치르더라도 반드시 해낼 것이다. ⓑ대금(代金), 삯.

물가 物價 | 만물 물, 값 가 [price(s)]
경제 물건(物件)의 값[價]. 상품의 시장 가격. ¶물가가 오르다.

시가 時價 | 때 시, 값 가 [current price]
어느 시기(時期)의 물건 값[價]. ¶시가가 배로 올랐다. ⓑ시세(時勢).

염가 廉價 | 값쌀 렴, 값 가 [low price]
매우 싼[廉] 값[價]. ¶오늘만 특별히 염가에 판매합니다. ⓑ저가(低價). ⓑ고가(高價).

원가 原價 | 본디 원, 값 가
[cost price; prime cost]
경제 ❶원래(原來)의 값[價]. 처음 사들일 때의 값. ❷제품의 생산이나 공급에 쓰인 순수비용. ¶원가 산출.

정:가 定價 | 정할 정, 값 가 [fixed price]
상품에 값[價]을 매김[定]. 또는 그 값. ¶이 바지의 정가는 4만 원이다.

주가 株價 | 주식 주, 값 가 [stock price]
경제 주식(株式)의 가격(價格). ¶오늘 아침 주가가 크게 올랐다.

진가 眞價 | 참 진, 값 가
[true value; real worth]
참된[眞] 값어치[價]. ¶진가를 발휘하다 / 작품의 진가를 인정하다.

평:가 評價 | 평할 평, 값 가

[appraise; value]
❶ 속뜻 물건의 가치(價値)를 평정(評定)함. ❷사람이나 사물의 가치를 판단함. ¶냉정한 평가를 내리다 / 자신의 잣대로 남을 평가하지 마라.

0310 [사]

仕

섬길 사(ː)
部 人부 劃 5획 中 仕 [shì]

仕 仕 仕 仕 仕

仕자는 '배우다'(learn)는 뜻을 나타내기 위하여 '사람 인'(人)과 선비 사(士)를 합쳐 놓은 것이다. 사람은 배워야 선비가 될 수 있기 때문인 듯. 물론 士가 표음요소를 겸하기도 한다. '벼슬하다'(take up a public office), '섬기다'(wait on)는 뜻으로 확대 사용됐다.

속뜻훈음 ①섬길 사, ②벼슬할 사.

• 역순어휘

봉ː사 奉仕 | 받들 봉, 섬길 사 [serve]
❶ 속뜻 받들어[奉] 섬김[仕]. ❷나라나 사회 또는 남을 위하여 자신의 이해를 돌보지 아니하고 몸과 마음을 다하여 섬김. ¶고아원에서 자원 봉사를 하다.

출사 出仕 | 날 출, 벼슬할 사
[go into government service]
벼슬하여[仕] 관아에 나감[出].

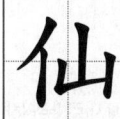

0311 [선]

仙

신선 선
部 人부 劃 5획 中 仙 [xiān]

仙 仙 仙 仙 仙

仙자는 나이가 2000살이 못된 것이니 비교적 젊은(?) 글자다. '신선'(a mountain wizard)이란 뜻을 나타내기 위하여 '메 산'(山)과 '사람 인'(亻)을 합쳐 놓은 것이다. 산에 살면 누구나 신선이 될 수 있을까? 어쨌든 앞에서 본 영어 단어도 그렇듯이, 신선과 산은 불가분의 관계다. 山이 표음요소를 겸하는 것임은 屾(여자 이름 선), 屳(날 선)를 통하여 알 수 있다.

선녀 仙女 | 신선 선, 여자 녀 [fairy]
선경(仙境)에 산다는 여신(女神). ¶그녀는 선녀처럼 아름다웠다.

선식 仙食 | 신선 선, 밥 식
신선(神仙)이 먹는 음식(飮食). ¶선식같이 맛있다.

선인 仙人 | 신선 선, 사람 인
선도(仙道)를 닦아 신통력을 얻은 사람[人].

• 역순어휘

수선 水仙 | 물 수, 신선 선 [narcissus]
❶ 속뜻 물[水] 속에 산다는 신선(神仙). ❷ 식물 '수선화'의 준말.

신선 神仙 | 귀신 신, 신선 선
[Taoist hermit with supernatural powers]
❶ 속뜻 귀신(鬼神)이나 선인(仙人) 같은 사람. ❷도(道)를 닦아서 현실의 인간 세계를 떠나 자연과 벗하며 산다는 상상의 사람. 속담 신선놀음에 도끼 자루 썩는 줄 모른다.

0312 [위]

偉

클 위
部 人부 劃 11획 中 伟 [wěi]

偉 偉 偉 偉 偉 偉 偉 偉 偉 偉 偉

偉자는 '(사람이) 남다르다'(uncommon; out of the ordinary)는 뜻을 나타내기 위한 것이었으니 '사람 인'(亻)이 표의요소로 쓰였고, 韋(어길 위)는 표음요소다. 후에 '크다'(great), '훌륭하다'(great; prominent) 등으로 확대 사용됐다.

속뜻훈음 훌륭할 위.

위대 偉大 | 훌륭할 위, 큰 대 [great; grand]
훌륭하고[偉] 대단하다[大]. ¶위대한 과학자.

위업 偉業 | 훌륭할 위, 일 업
[great undertaking; great achievement]
훌륭한[偉] 업적(業績). ¶세계 최고의 건물을 세우는 위업을 이루었다.

위인 偉人 | 훌륭할 위, 사람 인
[great man; master mind]
훌륭한[偉] 사람[人]. ¶지폐 도안에 한국의 위인을 담았다.

0313 [이]

以

써 이ː
部 人부 劃 5획 中 以 [yǐ]

以 以 以 以 以

以자의 원형은 농기구인 쟁기의 '보습'(a plow share)을 뜻하기 위하여 그 모양을 본뜬 것이었다. 후에 이것이 '~으로써'(with), '~로부터'(from)같은 전치사적인 용법으로 활용되는 예가 많아지자 그 본래 의미를 위해서는 耜(보습 사)자가 따로 만들어졌다. 한문 문장에서는 '~으로써'라는 뜻으로 쓰이지만, 한자어 낱말에서는 '~로부터'라는 뜻으로 쓰이기 때문에 훈음을 '부터 이'로 하기로 한다.

이:남 以南 | 부터 이, 남녘 남
[south of; South Korea]
❶[속뜻] 기준으로부터[以] 남(南)쪽. ¶이 식물은 한강 이남에 서식한다. ❷한반도의 북위 38도선 또는 휴전선 남쪽을 이르는 말. [반]이북(以北).

이:내 以內 | 부터 이, 안 내
[inside of; inside the limit]
시간 또는 공간에서 일정한 범위의 기준으로부터[以] 안[內] 쪽. ¶그 일은 한 달 이내에 마칠 수 없다. [반]이외(以外).

이:북 以北 | 부터 이, 북녘 북
[north of; North Korea]
❶[속뜻] 어떤 지점의 기준으로부터[以] 북쪽[北]. ¶고구려는 부여성 이북에 천리장성을 쌓았다. ❷우리나라에서 북위 38도선. 또는 휴전선을 기준으로 한 그 북쪽. 곧 '북한'(北韓)을 가리킨다. ¶그는 이북에서 왔다. [반]이남(以南).

이:상 以上 | 부터 이, 위 상
[abovementioned; more than]
❶[속뜻] 어떤 기준으로부터[以] 그 위쪽[上]. ❷말이나 글 따위에서 이제까지 말한 내용. ¶이상 말한 바와 같이. ❸그것보다 정도가 더하거나 위임. ¶졸업을 하려면 2년 이상 출석해야 한다. [반]이하(以下).

이:외 以外 | 부터 이, 밖 외 [except; other than]
어떤 범위의 밖[外]으로부터[以]. 이 밖. 그 밖. ¶나 이외에 네 사람이 더 참석했다. [반]이내(以內).

이:전 以前 | 부터 이, 앞 전
[ago; before; once]
기준이 되는 일정한 때를 포함하여 그로부터[以] 앞[前]쪽. ¶이전에 우리 어디선가 만난 적 있지 않나요? [반]이후(以後).

0314 [임]

任
맡길 임(:)
[部] 人부 [획] 6획 [中] 任 [rèn, Rén]

任 任 任 任 任 任

任자는 원래 공구[工]를 짊어진 사람[亻]의 모습이었는데, 그 '工'(공)이 '壬'(임)으로 변화됨에 따라 표의요소에 표음요소가 결합된 구조로 변하였다. '맡다'(take charge of)가 본뜻이고, '맡기다'(leave to), '(사람을) 쓰다'(appoint a person to a post)로 확대 사용됐다.

임:기 任期 | 맡길 임, 때 기 [one's tenure]
일정한 업무 따위를 맡은[任] 기간(期間). ¶대통령의 임기는 5년이다.

임:명 任命 | 맡길 임, 명할 명 [appoint]
직무를 맡으라고[任] 명령(命令)함. 관직을 줌. ¶사장님은 그를 부장으로 임명했다 / 그는 파키스탄 대사로 임명을 받았다.

임:무 任務 | 맡길 임, 일 무 [duty]
맡은[任] 일[務]. ¶맡은 바 임무에 최선을 다하다.

임:용 任用 | 맡길 임, 쓸 용 [appoint]
어떤 사람에게 일을 맡기기[任] 위해 고용(雇用)함. ¶공무원 임용 시험 / 그는 대학의 교수로 임용되었다.

임:원 任員 | 맡길 임, 사람 원 [officer]
어떤 단체의 중임(重任)을 맡아 처리하는 사람[員]. ¶그녀는 대기업의 임원이다.

임:의 任意 | 맡길 임, 뜻 의 [option]
각자 자기 뜻[意]에 맡김[任]. 자기 뜻대로 함. ¶1부터 10까지 숫자 중에 임의로 세 개를 고르세요 / 구성원은 임의로 뽑는다.

• 역순어휘

담임 擔任 | 멜 담, 맡길 임 [take charge of]
주로 학교에서 학급을 맡아서[擔] 책임(責任)짐. 또는 그런 사람. ¶담임 선생님. [비]담당(擔當).

부:임 赴任 | 나아갈 부, 맡길 임
[proceed to one's post]
임명(任命)을 받아 임지로 나아감[赴]. ¶새로 부임해 온 교감.

사임 辭任 | 물러날 사, 맡길 임
[leave the service; resign]
맡아보던 일을[任] 그만두고 물러남[辭]. ¶회장직을 사임하다. [비]사직(辭職).

상임 常任 | 늘 상, 맡길 임 [permanent]
일정한 일을 늘[常] 계속하여 맡음[任].

신:임[1] 信任 | 믿을 신, 맡길 임
[confide in; trust]
믿고[信] 일을 맡김[任]. ¶신임을 얻다 / 사장은 그를 전적으로 신임한다.

신임[2] 新任 | 새 신, 맡길 임

[newly appoint to (office)]
새로[新] 임명(任命)됨. 또는 그 사람. ¶신임 교장.

위임 委任 | 맡길 위, 맡길 임
[entrust; delegate]
어떤 일을 지워 맡기는[委=任] 것. 또는 그 맡은 책임. ¶우리는 그 문제의 결정을 법원에 위임했다.

일임 一任 | 한 일, 맡길 임
[leave entirely to]
하나[一]로 묶어 모두 맡김[任]. 모조리 맡김. ¶일임을 받다 / 모든 결정은 자네에게 일임하겠네.

재:임 在任 | 있을 재, 맡길 임 [be in office]
어떤 직무나 임지(任地)에 있음[在]. 또는 그 동안. ¶재임 기간.

적임 適任 | 알맞을 적, 맡길 임
[fitness to the post; suitability]
어떤 임무(任務)를 맡기에 알맞음[適]. ¶이 일에는 그가 적임이다.

전임 前任 | 앞 전, 맡길 임
[one's predecessor; former official]
이전(以前)에 그 임무를 맡음[任]. 또는 그런 사람이나 그 임무. ¶그는 책임을 전임 사장에게 돌렸다. ⓑ후임(後任).

주임 主任 | 주될 주, 맡길 임 [chief; head]
어떤 일에 중심이 되어[主] 맡음[任]. 또는 그 사람. ¶3학년 주임 교사 / 영업부 주임으로 승진하다.

책임 責任 | 꾸짖을 책, 맡길 임
[responsibility; duty]
❶ 속뜻 꾸짖음[責]을 받지 않도록 꼭 해야 할 임무(任務). ¶이 교실 청소는 네 책임이다. ❷ 법률 행위의 결과에 따른 손실이나 제재를 떠맡는 일.

취:임 就任 | 나아갈 취, 맡을 임
[take office; take up one's duties]
맡은 자리에 나아가[就] 임무(任務)를 수행함. ¶그가 우리 회사의 사장으로 취임할 예정이다. ⓑ퇴임(退任).

퇴:임 退任 | 물러날 퇴, 맡길 임
[retire from office]
임무(任務)를 띤 자리에서 물러남[退]. ¶그는 교장으로 명예롭게 퇴임하였다. ⓑ퇴직(退職).

해:임 解任 | 풀 해, 맡길 임 [dismiss]
❶ 속뜻 임용(任用)계약을 해지(解止)함. ❷어떤 지위나 맡은 임무를 그만두게 함. ¶이사장의 해임을 요구하다.

후:임 後任 | 뒤 후, 맡길 임
[successor; incomer]
뒤[後]이어 맡은 임무(任務)나 지위. ¶후임에게 업무를 인계하다. ⓑ선임(先任), 전임(前任).

0315 [전]

傳 전할 전
部人부 劃13획 中传[chuán, zhuàn]
傳 傳 傳 傳 傳 傳 傳 傳 傳 傳 傳 傳 傳

> 傳자의 본뜻은 '역'(驛, a station)이니, 부수이자 표의요소인 '사람 인'(亻)은 '역무원'을 가리키는 셈이다. 專(오로지 전)은 표음요소이므로 뜻과는 무관하다. '전하다'(=배달하다, deliver)는 뜻으로 많이 쓰인다.

전기 傳記 | 전할 전, 기록할 기
[life; biography; life history]
한 개인의 일생의 일을 전(傳)하여 적은 기록(記錄). ¶나는 안창호의 전기를 읽었다.

전단 傳單 | 전할 전, 홑 단 [bill; leaflet]
광고나 선전(宣傳)의 내용을 적은 낱장[單]의 인쇄물. ¶수배 전단 / 전단을 뿌리다.

전달 傳達 | 전할 전, 이를 달 [transmit; deliver]
지시, 명령, 물품 따위를 전(傳)하여 이르게[達] 함. ¶이 편지를 그에게 전달해 주세요.

전도¹ 傳道 | 전할 전, 길 도
[propagate one's religion]
❶ 속뜻 종교적인 도(道)를 세상에 널리 전함[傳]. ❷ 기독교 기독교의 교리를 세상에 널리 전하여 믿지 아니하는 사람에게 신앙을 가지도록 인도함. 또는 그런 일. ¶그는 아프리카 원주민을 전도했다.

전도² 傳導 | 전할 전, 이끌 도
[conduct; transmit]
❶ 속뜻 전(傳)하여 인도(引導)함. ❷ 물리 열 또는 전기가 물체 속을 이동하는 일. 또는 그런 현상. 열전도, 전기전도 따위. ¶은은 열을 잘 전도한다.

전래 傳來 | 전할 전, 올 래 [be handed down]
❶ 속뜻 예로부터 전(傳)하여 내려옴[來]. ¶전래 동요 / 전래된 미풍양속을 지키다. ❷외국에서 전하여 들어옴. ¶고구려에 불교가 전래되었다.

전설 傳說 | 전할 전, 말씀 설 [legend; tradition]
옛날부터 민간에서 전(傳)하여 내려오는 말[說]이나 이야기. ¶이 연못에 용이 살았다는 전설이 전해 내려온다.

전세 傳貰 | 전할 전, 세놓을 세
[lease of a house on a deposit basis]
경제 일정한 금액을 주인에게 전(傳)해 맡겨 두고 그 부동산을 일정 기간 빌려[貰] 쓰는 일. ¶그는 살던 집을 전세를 놓았다.

전수¹ 傳受 | 전할 전, 받을 수 [learn]

기술이나 지식 따위를 전(傳)하여 받음[受]. ¶어머니에게 장 담그는 법을 전수받았다.

전수² 傳授 | 전할 전, 줄 수 [pass down; initiate]
기술이나 지식 따위를 전(傳)하여 줌[授]. ¶아들에게 비법을 전수하다.

전승 傳承 | 전할 전, 받들 승 [be passed down]
문화, 풍속, 제도 따위를 전(傳)해 이어받음[承]. ¶전통 문화의 전승 / 문화유산을 전승하다.

전통 傳統 | 전할 전, 계통 통 [tradition]
❶속뜻 대대로 전(傳)해 내려온 계통(系統). ❷어떤 집단이나 공동체에서, 지난 시대에 이미 계통을 이루며 전하여 오는 사상·관습·행동 따위의 양식. ¶이 제과점은 100년의 전통을 자랑한다.

전파 傳播 | 전할 전, 뿌릴 파 [spread; propagate]
전(傳)하여 널리 퍼뜨림[播]. ¶백제는 불교를 일본에 전파했다.

전표 傳票 | 전할 전, 쪽지 표 [voucher; slip; chit]
은행, 회사, 상점 따위에서 금전의 출납이나 거래 내용 따위를 간단히 적어 전(傳)하는 쪽지[票]. ¶매출전표를 작성하다.

• 역순어휘

구:전 口傳 | 입 구, 전할 전 [hand down orally]
입에서 입[口]으로 전(傳)함. 말로 전함. ⊕구비전승(口碑傳承).

선전 宣傳 | 알릴 선, 전할 전
[propagate; advertise]
여러 사람에게 널리 알리고[宣] 전달(傳達)함. ¶신제품을 선전하다.

와전 訛傳 | 그릇될 와, 전할 전 [misrepresent]
잘못[訛] 전(傳)함. 사실과 다르게 전함. ¶내가 한 말이 와전되어 오해가 생겼다 / 그들은 진실을 와전하고 있다.

유전 遺傳 | 남길 유, 전할 전 [inherit]
생물 후대에 영향을 남겨[遺] 전(傳)해 내려옴. ¶대머리는 유전된다.

0316 [아]

兒

아이 아
㊟ 儿부 ㊟ 8획 ㊥ 儿 [ér]

兒兒兒兒兒兒兒兒

兒자는 원래 입을 크게 벌리고 서서 앙앙 우는 아이의 모습을 그린 것이었다. 크게 벌린 입 모양은 臼로, 서있는 모습은 儿으로 각각 변화됐으니, 이 臼는 '절구'라는 뜻이 아니다. 갓난아기의 머리에 있는 '숫구멍'을 본뜬 것이라는 설도 있는데, 숫구멍이 그렇게 클 수 있을까? 어쨌든, '아이'(=어린이, children)란 본뜻이 변함없이 그대로 쓰이고 있다.

아녀 兒女 | 아이 아, 여자 녀
[children and women; woman]
어린 아이[兒]와 여자(女子). '아녀자'의 준말.

아동 兒童 | 아이 아, 아이 동 [child]
어린 아이[兒=童]. ¶아동 보호. ⊕어린이.

아역 兒役 | 아이 아, 부릴 역 [child actor]
연극이나 영화에서 어린이[兒]가 맡은 역(役). 또는 그 역을 맡은 배우. ¶아역 배우.

• 역순어휘

건:아 健兒 | 튼튼할 건, 아이 아 [vigorous youth]
❶속뜻 튼튼한[健] 아이[兒]. ❷씩씩하고 굳센 사나이. ¶대한의 건아.

고아 孤兒 | 홀로 고, 아이 아 [orphan]
❶속뜻 아버지가 돌아가셔 홀로[孤] 된 아이[兒]. ❷부모님을 여읜 사람. ¶할머니는 고아를 맡아 길렀다.

남아 男兒 | 사내 남, 아이 아 [boy; manly man]
❶속뜻 사내[男] 아이[兒]. ¶남아를 선호하다. ❷남자다운 남자. ¶씩씩한 대한의 남아. ⊕여아(女兒).

미아 迷兒 | 헤맬 미, 아이 아 [missing child]
길을 잃고 헤매는[迷] 아이[兒]. '미로아'(迷路兒)의 준말. ¶그는 숲 속에서 미아가 되었다.

산:아 産兒 | 낳을 산, 아이 아
[give birth to a baby]
아이[兒]를 낳음[産].

소:아 小兒 | 작을 소, 아이 아
[baby; young child]
어린[小] 아이[兒]. ¶소아 병동 / 소아 시설. ⊕어린아이.

여아 女兒 | 여자 녀, 아이 아 [girl; daughter]
성별이 여자(女子)인 아이[兒]. ⊕남아(男兒).

영아 嬰兒 | 갓난아이 영, 아이 아 [infant]
갓난[嬰] 아이[兒]. ¶앙골라는 영아 사망률이 높다.

유아 幼兒 | 어릴 유, 아이 아 [infant; little child]
어린[幼] 아이[兒]. ¶유아 교육.

육아 育兒 | 기를 육, 아이 아
[bring up infants; rear children]
어린 아이[兒]를 기름[育]. ¶육아 일기 / 육아 휴직.

탁아 託兒 | 맡길 탁, 아이 아 [child care]
어린 아이[兒]를 맡김[託]. ¶탁아 시설.

태아 胎兒 | 아이 밸 태, 아이 아 [unborn child]

의학 아이를 밴[胎] 어머니의 몸 안에서 자라고 있는 아기[兒]. ¶태아가 머리를 밑으로 두고 있다.

0317 [원]

元

으뜸 원
部 儿부 劃 4획 中 元 [yuán]

元 元 元 元

元자는 우뚝 서있는 사람(儿·올)의 머리 모습을 본뜬 것이다. 이 경우 '一'은 '하나'라는 의미가 아니라, 머리 꼭대기를 가리키는 부호일 따름이다. 그래서 '으뜸'(the first)이란 뜻으로 많이 쓰인다.

원금 元金 | 으뜸 원, 돈 금 [principal]
❶속뜻 밑천[元]으로 들인 돈[金]. ❷경제 꾸어 준 돈에서 이자를 붙이지 아니한 본디의 돈. ¶원금 50만 원에 대한 이자. 반이자(利子).

원기 元氣 | 으뜸 원, 기운 기 [vigor; energy]
❶속뜻 타고난[元] 기운(氣運). ❷심신(心身)의 정력. ¶원기를 회복하다.

원년 元年 | 으뜸 원, 해 년 [first year]
❶속뜻 으뜸[元]이 되는 해[年]. ❷임금이 즉위한 해. ❸어떤 중요한 일이 시작된 해. ¶1982년은 한국 프로야구 원년이다.

원로 元老 | 으뜸 원, 늙을 로
[elder statesman; elder]
어떤 일에 오래[老] 종사하여 경험과 공로가 많아 으뜸[元]이 되는 사람. ¶문단의 원로.

원소 元素 | 으뜸 원, 바탕 소 [original element]
❶속뜻 으뜸[元]이 되는 요소(要素). ❷수학 집합을 이루는 낱낱의 대상이나 요소. ¶공집합은 원소가 하나도 없는 집합이다. ❸화학 한 종류의 원자로만 만들어진 물질. 또는 그 물질의 구성 요소. 현재 106종 정도가 알려져 있다. 홑원소 물질. ¶동위원소(同位元素).

원수¹ 元首 | 으뜸 원, 머리 수
[sovereign; ruler of state]
한 나라의 으뜸[元]이 되는 최고 통치권자[首]. ¶대통령은 공화국의 국가 원수이다.

원수² 元帥 | 으뜸 원, 장수 수
❶속뜻 으뜸[元]이 되는 장수(將帥). 또는 그 명예 칭호. 대장(大將)의 위이다. ❷역사 고려 때 전시에 군을 통솔하던 장수. 또는 한 지방 군대를 통솔하던 주장(主將). ❸역사 대한 제국 때 원수부의 으뜸 벼슬. 비오성장군(五星將軍).

원조 元祖 | 으뜸 원, 조상 조 [originator; founder]
❶속뜻 으뜸[元] 조상(祖上). ❷어떤 일을 처음으로 시작한 사람이나 사물. ¶음식점마다 자기네 보쌈이 원조라고 한다.

원체 元體 | 으뜸 원, 몸 체
[by nature; from the first]
❶속뜻 으뜸[元]이 되는 몸[體]. ❷본디부터. 워낙. ¶그는 원체 몸이 약하다.

• 역순어휘

기원 紀元 | 연대 기, 으뜸 원 [era; epoch]
❶속뜻 새로운 연대[紀]가 시작되는 그 으뜸[元]. ❷연대를 계산하는 데에 기준이 되는 해. ❸나라를 세우거나 종교가 만들어진 첫 해.

단원 單元 | 홑 단, 으뜸 원 [monad; unit]
❶철학 단일(單一)한 근원[元]. ❷어떤 주제를 중심으로 전개되는 학습 활동의 한 단위(單位). ¶이 책은 10단원으로 되어 있다.

복원 復元 | =復原, 돌아올 복, 으뜸 원
[restorate to the original state]
본래[元]대로 회복(回復)함. ¶숭례문 복원 사업. 비복구(復舊).

신원 身元 | 몸 신, 으뜸 원 [one's identity]
한 개인의 신상(身上)을 알 수 있는 데 으뜸[元]이 되는 자료. 곧 학력이나 주소, 직업 따위를 이른다. ¶피해자의 신원을 조사하다.

장:원 狀元 | 壯元(×) 문서 장, 으뜸 원
❶속뜻 과거 급제자 이름을 적은 문서[狀]에 으뜸[元]으로 적힌 이름. ❷역사 과거시험에서, 갑과에 첫째로 급제함. 또는 그런 사람. 장두(狀頭)라고도 한다. ¶이몽룡은 장원으로 급제했다. ❸대회에서 최우수상을 차지함. 또는 그런 사람. ¶그는 백일장에서 장원을 차지하였다. 하나 더!! '壯元'이라고도 쓰는데, 엄격하게 말하자면 잘못된 것이다.

차원 次元 | 버금 차, 으뜸 원
[dimension; level]
❶속뜻 으뜸[元]과 버금[次]의 정도나 수준. ❷사물을 보거나 생각하는 처지. 또는 어떤 생각이나 의견 따위를 이루는 사상이나 학식의 수준. ¶국가 차원의 문제 / 차원이 다른 대화. ❸수학 일반적으로 공간의 넓이 정도를 나타내는 수. 보통 직선은 1차원, 평면은 2차원, 입체는 3차원이지만, 4차원이나 무한 차원도 생각할 수 있다.

환원 還元 | 돌아올 환, 으뜸 원 [restore; return]
본디[元] 상태로 되돌아감[還]. 또는 그렇게 되게 함. ¶물을 전기분해하면 수소와 산소로 환원된다.

0318 [충]

充

채울 충
[部] 儿부 [畫] 5획 [中] 充 [chōng]

充 充 充 充 充 充

> 充자의 상단은 子가 거꾸로 된 모습이고, 儿(인)은 일어서 있는 사람의 모습이다. 아버지가 귀여운 아기를 머리 위로 높이 들어 올린 모습이 연상된다. 그렇게 하면 기쁨이 가득했는지, '가득하다'(be full up)는 뜻을 그렇게 나타냈고, 후에 '채우다'(fill)는 뜻도 이것으로 나타냈다.

충당 充當 | 채울 충, 마땅 당
[replenish; fill up; allocate]
모자라는 것을 알맞게[當] 채워서[充] 메움. ¶번 돈을 빚을 갚는 데 충당하다.

충만 充滿 | 채울 충, 넘칠 만 [full]
넘치도록[滿] 가득 채움[充]. ¶마음에 기쁨이 충만하다 / 그 안내서는 유익한 기사로 충만하다.

충분 充分 | 채울 충, 나눌 분 [be enough]
나눔[分]의 정도가 모자람이 없이 넉넉하다[充]. 분량이나 요구 조건이 모자람이 없이 차거나 넉넉하다. ¶충분한 자료를 수집하다 / 충분히 생각하고 결정해라.

충실 充實 | 채울 충, 열매 실 [be full]
내용 따위가 잘 갖추어지고[充] 알참[實]. 속이 꽉 차고 실속이 있음. ¶면접관의 질문에 충실한 대답을 하였다 / 책의 내용이 충실하다.

충원 充員 | 채울 충, 인원 원
[recruit; supplement the personnel; reinforce]
모자란 인원(人員)을 채움[充]. ¶병력을 충원하는 데 1년이 걸린다.

충전 充電 | 채울 충, 전기 전 [charge]
[물리] 축전기나 축전지 따위에 전기(電氣)를 채움[充]. ¶배터리를 충전하다. [반]방전(放電).

충족 充足 | 채울 충, 넉넉할 족
[fulfil; sufficient; enough]
❶[속뜻] 넉넉하게[足] 채움[充]. ¶우리는 고객의 요구를 충족시키기 위해 노력하고 있다. ❷분량이 모자람이 없이 넉넉함. ¶충족한 생활을 하다.

충혈 充血 | 채울 충, 피 혈
[be congested with blood]
❶[속뜻] 피[血]가 가득 참[充]. ❷[의학] 혈액 순환의 장애로 몸의 어느 한 부위에 피가 지나치게 많아짐. ¶피로로 눈이 충혈되다.

• 역순어휘

보:충 補充 | 기울 보, 채울 충
[supplement; replenish]
부족한 것을 보태어[補] 채움[充]. ¶영양을 보충하다. [비]충보(充補).

확충 擴充 | 넓힐 확, 채울 충 [expand; amplify]
겉을 넓히거나[擴] 속을 채우다[充]. ¶시설을 확충하다.

0319 [구]

具

갖출 구(:)
[部] 八부 [畫] 8획 [中] 具 [jù]

具 具 具 具 具 具 具 具

> 具자는 원래 '들다'(raise; lift up)라는 뜻을 나타내기 위하여 '솥 정'(鼎)과 '받들 공'(廾)을 합쳐 놓은 것이었는데, 글자 모양이 대폭 간소화됐다. '갖추다'(prepare)는 뜻으로 많이 쓰인다.

구비 具備 | 갖출 구, 갖출 비 [have all]
갖추어야[備] 할 것을 빠짐없이 다 갖춤[具]. ¶구비 서류. [비]완비(完備).

구색 具色 | 갖출 구, 빛 색
[assort; provide an assortment of]
❶[속뜻] 여러 빛깔[色]을 고루 갖춤[具]. ❷여러 가지 물건을 고루 갖춤. ¶구색을 갖추다.

구체 具體 | 갖출 구, 모양 체 [be concrete]
❶[속뜻] 눈으로 볼 수 있는 모양[體]을 갖춤[具]. ❷사물이 직접 경험하거나 지각할 수 있도록 일정한 형태와 성질을 갖춤. [비]구비(具備). [반]추상(抽象).

구현 具現 | 갖출 구, 나타날 현
[realize; materialize]
어떤 내용이 구체적(具體的)인 사실로 나타나게[現] 함. ¶민주주의의 구현 / 정의 구현.

• 역순어휘

가구 家具 | 집 가, 갖출 구
[furniture; household goods]
집안[家] 살림에 쓰이는 각종 기구(器具). ¶가구를 들여놓다. [비]살림살이, 세간.

공구 工具 | 장인 공, 갖출 구 [tool; instrument]
기계 따위를 만들거나 조작하는데[工] 쓰이는 기구(機具). ¶공구 상자.

기구 器具 | 그릇 기, 갖출 구 [utensil; tool]
그릇[器] 따위의 도구(道具)를 통틀어 이르는 말.

도:구 道具 | 방법 도, 갖출 구 [tool]

❶[속뜻] 어떤 목적을 이루기 위한 방법[道]이나 수단[具]. ¶언어는 중요한 의사소통 도구이다. ❷일을 할 때 쓰는 연장. ¶인간은 도구를 사용할 수 있다. [비]연장, 공구(工具).

문구 文具 | 글월 문, 갖출 구 [stationery]
글[文] 공부에 필요한 도구(道具). '문방구'(文房具)의 준말.

불구 不具 | 아닐 불, 갖출 구
[deformity; disability]
몸의 어떤 부분이 온전치[具] 못함[不]. ¶전쟁 중에 그의 다리는 불구가 되었다.

완:구 玩具 | 놀 완, 갖출 구 [toy]
놀이[玩] 기구(器具). ¶완구는 안전해야 한다. [비]장난감.

용:구 用具 | 쓸 용, 갖출 구 [tool]
무엇을 하거나 만드는 데 쓰는[用] 여러 가지 도구(道具). ¶바느질 용구.

침:구 寢具 | 잠잘 침, 갖출 구 [bedding]
잠자는[寢] 데 쓰는 도구(道具). 이부자리나 베개 따위. ¶침구를 정돈하다. [비]이부자리.

표구 表具 | 겉 표, 갖출 구
[mount (a picture); paper]
그림의 겉[表]면에 종이나 천을 발라서 꾸미어 갖춤[具]. ¶그림을 표구하여 거실에 걸어 두다.

0320 [병]

兵

병사 병
[部] 八부 [획] 7획 [中] 兵 [bīng]

兵 兵 兵 兵 兵 兵 兵

兵자는 '무기'(a weapon)를 뜻하기 위하여 무기의 일종인 긴 도끼[斤·근]를 두 손으로 잡고 있는[廾·잡을 공] 모습을 본뜬 것이었다. '군사'(=병사 a soldier)를 뜻하는 것으로 많이 쓰인다.

[속뜻 훈음] 군사 병.

병기 兵器 | 군사 병, 그릇 기 [weapon of war]
군사[兵]들에게 필요한 여러 가지 무기(武器). ¶병기를 정비하다. [비]병구(兵具), 병장기(兵仗器).

병무 兵務 | 군사 병, 일 무 [military affair]
병사(兵事)에 관한 사무(事務).

병사 兵士 | 군사 병, 선비 사 [soldier; private]
군대[兵]에 근무하는 사람[士]. ¶호위 병사. [비]군사(軍士).

병역 兵役 | 군사 병, 부릴 역 [military service]
[법률] 국민의 의무로써 일정한 기간 군대[兵]에 복무[役]하는 일. ¶병역 미필 / 허리를 다쳐 병역 의무에서 면제되다.

병영 兵營 | 군사 병, 집 영 [barracks]
병사(兵士)가 집단으로 거주하는 집[營]. ¶병영 생활 / 임시로 병영을 마련하다. [비]병사(兵舍), 영사(營舍).

병조 兵曹 | 군사 병, 관청 조 [Ministry of War]
[역사] 고려와 조선 시대의 중앙 관청 여섯 개의 하나로 군사[兵]에 관한 일을 맡아보던 관청[曹].

병졸 兵卒 | 군사 병, 군사 졸 [private]
군대[兵]에 근무하는 사람[卒]. ¶장군은 병졸을 거느리고 성을 공격했다. [비]군사(軍士), 군졸(軍卒).

• 역순어휘

기병 騎兵 | 말 탈 기, 군사 병
[cavalry soldier; horseman]
[군사] 말을 타고[騎] 싸우는 군사[兵].

보:병 步兵 | 걸음 보, 군사 병 [foot soldier]
❶[속뜻] 걸어 다니면서[步] 싸우는 병사(兵士). ❷[군사] 육군 병과의 하나. 소총이나 기관총 등을 가지고 육상에서 싸우는 군인. [비]보졸(步卒).

복병 伏兵 | 숨길 복, 군사 병
[ambush; surprise rival]
❶[군사] 적을 기습하기 위하여 적이 지날 만한 길목에 숨겨 놓은[伏] 군사[兵]. ¶이곳에 적의 복병이 있다. ❷어디엔가 숨어 있다 나타난 뜻밖의 경쟁 상대. ¶결승전에서 뜻밖의 복병을 만나다.

사:병 士兵 | 선비 사, 군사 병
[private soldier; enlisted man]
[군사] 사졸(士卒) 계급의 병사(兵士). [반]장교(將校).

상:병 上兵 | 위 상, 군사 병
[corporal; airman 1st class]
[군사] 군대 계급 중 일병 위[上], 병장 아래인 병사(兵士)의 계급. '상등병'(上等兵)의 준말.

승병 僧兵 | 스님 승, 군사 병 [monk soldier]
승려(僧侶)들로 조직된 군대[兵]. ¶서산대사는 승병들을 이끌고 왜적을 물리쳤다.

왜병 倭兵 | 일본 왜, 군사 병
일본[倭] 병사(兵士)를 낮잡아 이르는 말.

용병 傭兵 | 품팔 용, 군사 병 [mercenary soldier]
❶[군사] 봉급을 주어[傭] 고용한 병사(兵士). ¶용병을 모집하다. ❷스포츠에서 외국에서 돈을 주고 데려온 선수.

의:병 義兵 | 옳을 의, 군사 병
[righteous army; loyal troops]

옳다고[義] 여기는 일을 위하여 싸우러 나선 군사[兵]. ¶의병은 산성에서 왜군들에 맞서 싸웠다.

이:병 二兵 | 두 이, 군사 병 [private]
군사 '이등병'(二等兵)의 준말.

일병 一兵 | 한 일, 군사 병 [private first class]
❶속뜻 첫[一] 번째 등급의 병사(兵士). ❷군사 '일등병'(一等兵)의 준말. 처음 현대식 군대가 창설될 때, 일등병과 이등병 두 가지 계급밖에 없었기 때문에 이러한 이름이 유래된 것으로 추정된다.

장:병 將兵 | 장수 장, 군사 병 [military men]
군사 장교(將校)에서부터 하급 병사(兵士)에 이르기까지 모두를 이르는 말. ¶국군 장병 / 외출 나온 장병.

적병 敵兵 | 원수 적, 군사 병 [enemy soldier; enemy]
적(敵)의 병사(兵士). ¶풀숲에 적병이 숨어 있으리라고는 생각하지 못했다.

졸병 卒兵 | 하인 졸, 군사 병 [common soldier]
직위가 낮은[卒] 병사(兵士). ¶해군 졸병 한 명이 나왔다.

징병 徵兵 | 부를 징, 군사 병 [conscript; enlist]
❶속뜻 군사[兵]를 불러[徵] 모음. ❷법률 국가가 법령으로 병역 의무자를 강제적으로 징집하여 일정 기간 병역에 복무시키는 일. ¶징병에 응하다.

파병 派兵 | 보낼 파, 군사 병 [dispatch troops; send an army]
병사(兵士)를 파견(派遣)함. ¶유엔군이 파병을 결정하였다.

포병 砲兵 | 대포 포, 군사 병 [artilleryman]
군사 대포(大砲) 종류로 장비된 군대. 또는 그에 딸린 군인[兵]. ¶포병이 장전하기 위해 대포로 갔다.

해:병 海兵 | 바다 해, 군사 병 [marine]
군사 ❶해군(海軍)의 병사(兵士). ❷해병대(海兵隊)의 병사(兵士). ¶한번 해병은 영원한 해병이다.

헌:병 憲兵 | 법 헌, 군사 병 [military policeman]
❶속뜻 군 내부의 경찰 또는 법[憲]에 관한 일을 맡은 군사[兵]. ❷군사 군의 병과(兵科)의 한 가지. 군의 경찰 업무를 맡아본다.

0321 [전]

典

법 전:
부 八부 획 8획 中 典 [diǎn]

典 典 典 典 典 典 典 典

典자는 많은 양의 책[冊·책]을 두 손으로 받들고 있는[廾·공] 모습을 본뜬 것이었다. 단행본(a separate volume)은 '冊'(인쇄술이 발달되기 이전에는 한 두루 마리의 竹簡 또는 木簡을 말함), 여러 권으로 이루어진 책(books)은 '典'이라 하였다. 법에 관한 책은 여러 권으로 이루어졌기에 '법전'(a code of laws)을 지칭하는 것으로 확대 사용되기도 하였다.

속뜻 훈음 ①법 전, ②책 전, ③벼슬 전, ④의식 전, ⑤저당 잡힐 전.

전:당 典當 | 저당 잡힐 전, 맡을 당 [pawning; pledge]
물품을 담보로 잡히거나[典] 맡겨 놓고[當] 돈을 꾸어 씀. ¶그는 반지를 20만 원에 전당잡혔다.

• 역순어휘

경전 經典 | 책 경, 법 전 [scripture]
❶속뜻 경서(經書)나 법전(法典)같이 중요한 책. ❷성현이 짓거나 성현의 말이나 행실을 적은 책. ❸종교의 교리를 적은 책. ¶유교(儒教) 경전.

고:전 古典 | 옛 고, 책 전 [classic]
❶속뜻 고대(古代)의 전적(典籍). ❷옛날의 법식이나 의식. ❸시대를 대표할 만한 가치를 지닌 작품. 특히 문예 작품을 이른다. ¶동양 고전을 섭렵하다.

법전 法典 | 법 법, 책 전 [law code]
법률 어떤 종류의 법규(法規)를 체계적으로 정리하여 엮은 책[典]. ¶함무라비 법전.

사:전¹ 事典 | 일 사, 책 전 [encyclopedia]
여러 가지 사항(事項)을 모아 일정한 순서로 배열하고 그 각각에 해설을 붙인 책[典]. ¶민속사전 / 의학사전을 발간하다.

사전² 辭典 | 말씀 사, 책 전 [dictionary; lexicon]
어떤 범위 안에서 쓰이는 말[辭]을 모아서 일정한 순서로 배열하여 싣고, 그 각각의 독음, 의미, 어원, 용법 따위를 해설한 책[典]. ¶영어사전 / 국어사전을 편찬하다.

상:전 上典 | 위 상, 벼슬 전 [one's lord and master; employer]
❶속뜻 상급(上級)의 벼슬[典]. ❷예전에 종에 상대하여 그 주인을 이르던 말. 반 종.

자전 字典 | 글자 자, 책 전 [dictionary; lexicon]
낱낱 한자[字]에 대하여 음과 뜻을 자세히 풀이해 놓은 책[典]. ¶모르는 한자를 자전에서 찾아보았다. 비 옥편(玉篇).

제:전 祭典 | 제사 제, 의식 전 [religious celebration]

❶[속뜻] 제사(祭祀)의 의식[典]. ❷문화, 예술, 체육 따위와 관련하여 성대히 열리는 사회적인 행사. ¶민속놀이 제전.

체전 體典 | 몸 체, 의식 전
[athletic meeting; National Games]
❶[속뜻] 체육(體育) 제전(祭典). ❷[운동] 매년 가을에 전국적으로 개최되는 종합 경기 대회. ¶전국 체전이 부산에서 열렸다. [비]전국 체육 대회.

축전 祝典 | 빌 축, 의식 전 [celebration; festival]
축하(祝賀)하는 의식이나 식전(式典). ¶크리스마스 축전 행사.

출전 出典 | 날 출, 책 전
[source; source book; origin]
❶[속뜻] 나오는[出] 책[典]. ❷고사(故事), 성어(成語)나 인용문 따위의 출처(出處)가 되는 책. ¶이 예문의 출전을 알려 주세요.

0322 [고]

告

고할 고:
[部] 口부 [劃] 7획 [中] 告 [gào]

告告告告告告告

告자는 '소 우'(牛)와 '입 구'(口)가 합쳐진 것으로 소의 '울음'(crying)이 본뜻이라는 설, 짐승을 잡으려고 파놓은 함정에 사람이 빠지지 않도록 소뿔 모양의 표시를 해놓은 것으로 '알림'(inform)이 본뜻이라는 설이 있다. 어쨌든 '알리다'(tell; report)는 뜻으로 많이 쓰인다.

[속뜻훈음] 알릴 고.

고:발 告發 | 알릴 고, 드러낼 발 [complain]
❶[속뜻] 잘못이나 비리 따위를 알려[告] 드러냄[發]. ❷피해자나 고소권자가 아닌 제삼자가 수사 기관에 범죄 사실을 신고하여 수사 및 범인의 기소를 요구하는 일. ¶경찰에 사기꾼을 고발하다.

고:백 告白 | 알릴 고, 말할 백 [confess]
마음속에 숨기고 있던 것을 알려[告] 털어놓음[白]. ¶그녀에게 사랑을 고백하다. [비]자백(自白). [반]은폐(隱蔽).

고:별 告別 | 알릴 고, 나눌 별 [farewell]
서로 헤어지게[別] 됨을 알림[告]. ¶동료들과 고별하다.

고:사 告祀 | 알릴 고, 제사 사
[민속] 액운은 없어지고 행운이 오도록 집안에서 섬기는 신에게 음식을 차려 놓고 그런 뜻을 알려[告] 비는 제사(祭祀). ¶산신령에게 고사를 드리다.

고:소 告訴 | 알릴 고, 하소연할 소
[accuse; complaint]
❶[속뜻] 알려서[告] 하소연함[訴]. ❷[법률] 범죄의 피해자나 그 법정 대리인이 수사기관에 범죄 사실을 신고하여 수사 및 범인의 소추를 요구함. ¶명예훼손으로 고소하다 / 고소를 취하하다. [비]고발(告發).

고:지 告知 | 알릴 고, 알 지 [notify; announce]
어떤 사실을 관계자에게 알려서[告] 알게[知] 함. ¶세금 납부를 고지하다.

• 역순어휘

경:고 警告 | 타이를 경, 알릴 고 [warn against]
❶[속뜻] 타이르고[警] 알려[告]줌. ¶엄중히 경고하다. ❷운동 경기에서 반칙을 범했을 때 심판이 일깨우는 주의. [비]주의(注意).

공고 公告 | 드러낼 공, 알릴 고
[announce; give a public notice]
[법률] 국가기관이나 공공단체가 일반인에게 드러내어[公] 널리 알림[告]. ¶전투 경찰 모집 공고 / 헌법 개정안 공고.

광:고 廣告 | 넓을 광, 알릴 고 [advertise]
세상에 널리[廣] 알림[告]. 또는 그런 일. ¶신문에 광고를 내다 / 신제품을 광고하다.

권:고 勸告 | 타이를 권, 알릴 고
[advise; counsel]
타이르고[勸] 알려 줌[告]. 또는 그런 말. ¶금연을 권고하다. [비]충고(忠告). [반]만류(挽留).

논고 論告 | 논할 론, 알릴 고
[prosecutor's final address]
❶[속뜻] 자기의 주장이나 믿는 바를 논술(論述)하여 알림[告]. ❷[법률] 검사가 피고의 범죄 사실과 그에 대한 법률 적용에 관한 의견을 진술하는 일. ¶논고를 펼치다.

밀고 密告 | 몰래 밀, 알릴 고 [inform against]
남몰래[密] 고자질함[告]. ¶누가 경찰에 나를 밀고했다.

보:고 報告 | 알릴 보, 알릴 고 [report on; inform]
주어진 임무에 대하여 그 결과나 내용을 말이나 글로 알림[報=告]. ¶사건을 상관에게 보고하다.

부:고 訃告 | 부고 부, 알릴 고 [obituary (notice)]
통지[訃]를 보내 사람의 죽음을 알림[告]. 또는 그 통지. ¶그는 스승님의 부고를 받고 눈물을 쏟았다. [비]부보(訃報), 부음(訃音).

상:고 上告 | 위 상, 알릴 고
[appeal; final appeal]

❶속뜻 윗사람[上]에게 아룀[告]. ❷법률 상소(上訴)의 한 가지. 고등법원, 지방법원 합의부 등의 제2심 판결에 대하여 법령 위반 등을 이유로 파기 또는 변경을 상급법원에 신청하는 일.

선고 宣告 | 알릴 선, 알릴 고 [pronounce; sentence]
❶속뜻 중대한 사실을 알려줌[宣=告]. ¶암 선고를 받다. ❷법률 공판정에서 재판관이 재판의 판결을 당사자에게 알림. ¶그는 무죄를 선고받았다.

신고 申告 | 알릴 신, 알릴 고 [state; report]
법률 국민이 법령의 규정에 따라 행정 관청에 일정한 사실을 알림[申=告]. ¶혼인 신고 / 세관에 카메라를 신고하다.

예:고 豫告 | 미리 예, 알릴 고 [give notice]
미리[豫] 알림[告]. ¶사고는 항상 예고 없이 찾아온다 / 가격 인상을 예고하다.

원고 原告 | 본디 원, 알릴 고 [plaintiff; suitor]
❶속뜻 원래(原來) 고소(告訴)한 사람. ❷법률 법원에 민사소송을 제기하여 재판을 청구한 사람. ⊕피고(被告).

충고 忠告 | 충성 충, 알릴 고 [advice]
충심(忠心)으로 남의 허물이나 결점 따위를 알려[告] 고치도록 타이름. ¶의사는 그에게 담배를 끊으라고 충고했다.

통고 通告 | 온통 통, 알릴 고 [notify; inform]
관계되는 사람들에게 온통[通] 다 알림[告]. ¶마을 사람에게 갑자기 마을회관으로 모이라고 통고했다.

포:고 布告 | =佈告, 펼 포, 알릴 고 [proclaim; announce; notify]
❶속뜻 일반에게 널리[布] 알림[告]. ❷국가의 결정 의사를 공식으로 일반에게 발표하는 일. ¶선전포고 / 포고된 칙령이 실시되다.

피:고 被告 | 당할 피, 알릴 고 [defendant; accused]
❶속뜻 고발(告發)을 당함[被]. ❷법률 민사 소송에서, 소송을 당한 쪽의 당사자. ¶피고는 무죄의 몸이 되어 법정을 나갔다. ⊕원고(原告).

0323 [사]

史

사기(史記) 사:
部 口부 劃 5획 中 史 [shǐ]

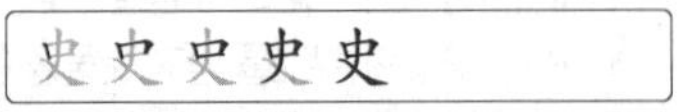

史자는 일종의 '붓' 모양이 잘못 변한 '中'과 잡고 있는 손 모양을 본뜬 '又'가 합쳐진 것으로, '기록하다'(record)가 본뜻인데, '역사'(history)라는 낱말의 구성요소로도 애용된다.
속뜻 훈음 ①역사 사, ②기록 사.

사:고 史庫 | 역사 사, 곳집 고
역사 예전에 국가의 중요 역사(歷史) 서적을 보관하던 서고(書庫). ¶강화 마니산, 무주 적상산, 봉화 태백산, 강릉 오대산에 사고를 설치했다.

사:관 史官 | 역사 사, 벼슬 관 [historiographer; chronicler]
역사 왕조 때 역사(歷史)를 기록하던 관원(官員).

사:극 史劇 | 역사 사, 연극 극 [historical drama]
연영 역사(歷史)에 있었던 사실을 바탕으로 하여 만든 연극(演劇)이나 희곡(戲曲). '역사극'의 준말.

사:료 史料 | 역사 사, 거리 료 [historical material]
역사(歷史)의 연구와 편찬에 필요한 거리[料]. 주로 문헌이나 유물 따위의 자료(資料)를 말한다.

사:서 史書 | 역사 사, 책 서 [history book]
역사(歷史)를 기록한 책[書].

사:적 史跡 | 역사 사, 발자취 적 [historic site]
역사적(歷史的)으로 중요한 사건이나 시설의 자취[跡]. ¶우리는 공주로 사적 답사를 다녀왔다.

사:초 史草 | 역사 사, 거칠 초
역사 조선 시대에 사관(史官)이 기록하여 둔 초고(草稿). 실록(實錄)의 원고가 되었다. ¶임금은 사초를 볼 수 없다.

사:학 史學 | 역사 사, 배울 학 [historical science; history]
역사(歷史)를 다루는 학문(學問).

• 역순어휘

국사 國史 | 나라 국, 역사 사 [national history]
나라[國]의 역사(歷史).

선사 先史 | 먼저 선, 역사 사 [prehistory]
역사(歷史) 시대 이전[先]의 역사(歷史). 문헌이나 기록이 없어 유적이나 유물로만 파악되는 역사를 말한다.

여사 女史 | 여자 녀, 기록 사 [Mrs.; Madame]
❶역사 고대 중국에서, 후궁을 섬기며 기록[史]과 문서를 맡아보던 여자[女] 관리. ❷결혼한 여자를 높여 이르는 말. ¶옆집의 이 여사가 오셨어요.

역사 歷史 | 지낼 력, 기록 사 [history]
❶속뜻 인간 사회가 거쳐[歷] 온 모습에 대한 기록[史]. ¶한국은 반만년의 유구한 역사를 지녔다. ❷어떤 사물이나 인물, 조직 따위가 오늘에 이르기까지의 자취. ¶수학의 역사.

0324 [상]

商

장사 상

部 口부 劃 11획 中 商 [shāng]

商商商商商商商商商商商

> 商자의 갑골문은 어떤 건축물 형상인데 그 뜻풀이에 대하여는 정설이 없다. '헤아리다'(consider), '장사하다'(trade in), '의논하다'(consult with) 등을 나타내는 것으로 쓰인다. 문자학의 鼻祖(비:조) 許愼(허신)은 '밖에 있으면서도 내부 사정을 잘 알다'(從外知內·종외지내)가 본뜻이라 했는데, 이는 '장사의 비결'을 이른 것으로 보인다.
>
> 속뜻훈음 ①장사 상, ②헤아릴 상.

상가 商街 | 장사 상, 거리 가 [shopping street]
상점(商店)이 많이 늘어서 있는 거리[街]. ¶지하 상가 / 아파트 상가.

상고 商高 | 장사 상, 높을 고
[commercial high school]
교육 '상업고등학교'(商業高等學校)의 준말. ¶그는 상고 출신 국회의원이다.

상공 商工 | 장사 상, 장인 공
[commerce and industry]
상업(商業)과 공업(工業). '상공업'의 준말.

상권¹ 商圈 | 장사 상, 우리 권 [trading area]
경제 상업(商業)상의 세력이 미치는 범위[圈]. ¶그곳에 새로운 상권이 형성되었다.

상권² 商權 | 장사 상, 권리 권
[commercial power]
법률 ❶상업(商業)상의 권리(權利). ❷어떤 지역을 중심으로 상업기능에 영향을 미치는 범위. ¶기차역을 중심으로 상권이 발달했다.

상선 商船 | 장사 상, 배 선
[merchant ship; trading vessel]
삯을 받고 사람이나 짐을 나르는 등 상업적(商業的)으로 이용되는 배[船]. 여객선, 화물선, 화객선 등이 있다.

상술 商術 | 장사 상, 꾀 술
[trick of the trade; business ability]
장사하는[商] 솜씨[術]. ¶얄팍한 상술 / 그녀는 상술이 뛰어나다.

상업 商業 | 장사 상, 일 업
[commerce; trade; business]
장사[商]를 통하여 이익을 얻는 일[業].

상인 商人 | 장사 상, 사람 인 [merchant; trader]
장사[商]를 업으로 하는 사람[人]. ¶베니스의 상인. ㊥장수.

상점 商店 | 장사 상, 가게 점 [store; shop]
일정한 시설을 갖추고 물건을 파는[商] 가게[店]. ¶거리에는 상점들이 늘어서 있다. ㊥가게.

상표 商標 | 장사 상, 나타낼 표
[trademark; brand]
경제 사업자가 자기 상품(商品)에 붙인 표시(標示). 경쟁 업체의 것과 구별하기 위하여 사용하는 기호, 문자, 도형 따위로 일정하게 표시한다.

상호 商號 | 장사 상, 이름 호 [firm name]
법률 상인(商人)이 영업 목적으로 자기를 표시하는 이름[號].

상회 商會 | 장사 상, 모일 회
[commercial firm; trading company]
❶속뜻 몇 사람이 함께 장사를 하는 상업(商業)상의 모임[會]. ❷경제 기업이나 상점, 상사에 덧붙여 쓰는 말. ¶전기 상회.

• 역순어휘

난:상 爛商 | 무르익을 란, 헤아릴 상
무르익을[爛] 정도로 충분히 상의(商議)함. ¶난상을 거듭하다 / 난상토론을 벌이다.

대상 隊商 | 무리 대, 장사 상 [caravan]
사막 지방에서 낙타나 말에 상품을 싣고 떼[隊]를 지어 먼 곳을 다니면서 장사하는 상인(商人). ㊥상대(商隊).

여상 女商 | 여자 녀, 상업 상
[girls' commercial high school]
교육 '여자상업고등학교'(女子商業高等學校)를 줄여 이르는 말.

통상 通商 | 다닐 통, 장사 상 [commerce; trade]
나라 사이에 서로 교통(交通)하며 상업(商業)을 함. ¶전쟁으로 두 나라의 통상이 단절되었다.

행상 行商 | 다닐 행, 장사 상 [peddle]
돌아다니며[行] 물건을 팖[商]. ¶행상을 하면서 어렵게 자식을 키우다.

협상 協商 | 합칠 협, 헤아릴 상 [negotiate; agree]
❶속뜻 힘을 합쳐[協] 서로 상의(商議)함. ❷어떤 목적에 부합되는 결정을 하기 위하여 여럿이 의논함. ¶임금 협상. ㊥협의(協議).

0325 [품]

品

물건 품:

部 口부 劃 9획 中 品 [pǐn]

品品品品品品品品品

品자는 갑골문 시기부터 쓰였으니 약 3,400년의 세월동안 자형이 크게 달라지지 않았다. '입 구'(口)가 셋이나 되니 '여러 사람'(the crowd)이 본뜻이었는데, '물건'(articles)을 뜻하는 것으로 많이 쓰이며, '품격'(dignity), '품위'(grace)와 관련된 단어의 구성 요소로도 쓰인다.

속뜻훈음 ①물건 품, ②품격 품, ③품위 품.

품:격 品格 | 품위 품, 인격 격 [grace]
❶속뜻 품위(品位)와 인격(人格). ❷사람된 바탕과 타고난 성품. ¶품격이 있는 행동. ❸사물 따위에서 느껴지는 품위. ¶품격 높은 상품.

품:계 品階 | 품위 품, 섬돌 계
❶속뜻 벼슬의 품위(品位)를 나눈 단계(段階). ❷역사 여러 벼슬자리에 대하여 매기던 등급. 제일 높은 정일품에서 제일 낮은 종구품까지 18단계로 나누었다.

품:명 品名 | 물건 품, 이름 명
[name of an article]
물품(物品)의 이름[名]. ¶그것의 품명을 아래에 적어 놓았다.

품:목 品目 | 물건 품, 눈 목 [list of items]
❶속뜻 물품(物品)의 이름을 쓴 목록(目錄). ¶수출 품목. ❷물품 종류의 이름. ¶품목이 다양하다.

품:성 品性 | 품격 품, 성질 성 [nature]
품격(品格)과 성질(性質)을 아울러 이르는 말. ¶그는 품성이 착하다.

품:위 品位 | 품격 품, 자리 위 [dignity]
❶속뜻 직품(職品)과 직위(職位). ❷사람이 갖추어야 할 위엄이나 기품. ¶품위를 지키세요. ❸사물이 지닌 고상하고 격이 높은 인상. ¶세련되고 품위 있는 가구. ㊥기품(氣品), 품격(品格).

품:절 品切 | 물건 품, 끊을 절 [out of stock]
물건[品]이 다 팔리고 없음[切]. ¶그 바지는 품절되었다.

품:종 品種 | 물건 품, 갈래 종 [kind; species]
❶속뜻 물품(物品)의 종류(種類). ¶다양한 품종의 물건을 진열해놓다. ❷생물 생물 분류학상 같은 종(種)의 생물을 그 특성으로 다시 세분한 최소의 단위. ¶진돗개는 한국 고유의 개 품종이다.

품:행 品行 | 품격 품, 행할 행
[conduct; behavior]
성품(性品)과 행실(行實).

• 역순어휘

경:품 景品 | 볕 경, 물건 품 [giveaway]
❶속뜻 햇볕[景]의 그림자같이 곁들여 주는 물건[品]. ❷상품에 곁들여 고객에게 거저 주는 물건. ¶경품을 나누어 주다.

금품 金品 | 돈 금, 물품 품
[money and other valuables]
돈[金]과 물품(物品)을 아울러 이르는 말. ¶금품을 요구하다 / 금품을 수수하다.

기품 氣品 | 기운 기, 품격 품 [nobility; grace]
❶속뜻 기골(氣骨)의 품격(品格). ❷인격이나 작품 따위에서 드러나는 고상한 품격. ㊥품위(品位).

납품 納品 | 바칠 납, 물건 품 [delivered goods]
물품(物品)을 가져다 줌[納].

물품 物品 | 만물 물, 물건 품 [things; goods]
쓸모 있는 물건(物件)이나 제품(製品).

반:품 返品 | 돌아올 반, 물건 품 [return goods]
사들인 물품(物品) 따위를 도로[返] 돌려보냄. 또는 그러한 물품. ¶싸게 판 것은 반품할 수 없습니다.

비:품 備品 | 갖출 비, 물건 품 [fixtures; furniture]
관공서나 회사 등에서 업무용으로 갖추어[備] 두는 용품(用品). ¶비품을 구입하다. ㊥소모품(消耗品).

상품 賞品 | 상줄 상, 물건 품 [prize]
상(賞)으로 주는 물품(物品). ¶상품으로 컴퓨터를 받았다.

성:품 性品 | 성질 성, 품격 품 [nature; character]
성질(性質)의 됨됨이[品]. 사람의 됨됨이. ¶성품이 온화하다. ㊥됨됨이, 품성(品性).

소:품 小品 | 작을 소, 물건 품
[small piece of painting; (stage) properties]
❶속뜻 조그만[小] 물품(物品). ❷그림, 조각, 음악 따위의 규모가 작은 간결한 작품. ❸연극의 무대 등에 쓰이는 자잘한 물건. ¶그는 소품 담당이다.

식품 食品 | 밥 식, 물건 품 [groceries]
음식(飮食)의 재료가 되는 물품(物品). '식료품'(食料品)의 준말.

약품 藥品 | 약 약, 물건 품
[medicines; drugs; chemicals]
❶속뜻 약(藥)으로 쓰는 물품(物品). ❷병이나 상처 따위를 고치거나 예방하기 위하여 먹거나 바르거나 주사하는 물질. ¶이 약품은 처방전이 있어야 살 수 있다. ❸화학 변화를 일으키는 데 쓰는 물질. ¶약품 처리를 하다. ㊟약.

양품 洋品 | 서양 양, 물건 품
[imported goods; fancy goods]
서양식(西洋式)으로 만든 물품(物品). 특히 의류나 장신구 따위의 잡화를 이른다.

용:품 用品 | 쓸 용, 물건 품 [supplies]
그것에 관련하여 쓰이는[用] 물품(物品). ¶생활 용품.

유품 遺品 | 남길 유, 물건 품
[relics; article left by the deceased]
세상을 떠난 이가 남긴[遺] 생전에 쓰던 물품(物品). ¶이 목걸이는 어머니의 유품이다. ㊎유물.

인품 人品 | 사람 인, 품격 품 [personality]
사람[人]의 품격(品格). 사람의 됨됨이. ¶그는 인품이 훌륭하다. ㊎인격(人格).

일품 一品 | 첫째 일, 물건 품 [superior article]
품질이 첫[一] 번째로 꼽히는 아주 뛰어난 물품(物品). 가장 뛰어남. ¶이 식당은 연어 요리가 일품이다.

제:품 製品 | 만들 제, 물건 품
[manufactured goods; product]
원료를 써서 물품(物品)을 만듦[製]. 또는 그렇게 만들어 낸 물품. '제조품'(製造品)의 준말. ¶그 가게에는 싸고 질 좋은 제품이 많다. ㊎상품(商品).

진품 眞品 | 참 진, 물건 품
[genuine article; real thing]
진짜[眞] 물건[品]. ¶진품을 가려내기가 쉽지 않다. ㊥모조품(模造品), 위조품(僞造品).

출품 出品 | 날 출, 물건 품 [exhibit; display]
❶속뜻 내놓은[出] 물품(物品). ❷전람회나 전시회 같은 곳에 물건이나 작품을 내놓음. ¶그가 출품한 그림이 입상했다.

폐:품 廢品 | 버릴 폐, 물건 품
[junk; waste; useless things]
쓸 수 없어 내다 버린[廢] 물품(物品). ¶할아버지는 폐품을 주워다 판다.

0326 [단]

團

둥글 단
部 囗부 總 14획 中 团 [tuán]

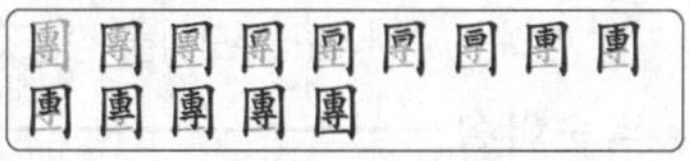

團자는 '둥글다'(round)는 뜻을 적기 위하여 고안된 것으로, '囗'(에워쌀 위)가 표의요소로 쓰였다. 쓰기 편하도록 원형이 네모꼴로 바뀌었다. 음 차이가 크지만 專(오로지 전)이 표음요소임은 摶(뭉칠 단)과 漙(이슬 많을 단)의 경우도 마찬가지다. 여러 사람이 모이면 대개 원형을 이루므로 '모이다'(assemble)는 뜻으로 확대 사용되기도 하였다.

속뜻 훈음 ①모일 단, ②둥글 단.

단결 團結 | 모일 단, 맺을 결 [unite; combine]
단체(團體)로 잘 뭉침[結]. ㊎단합(團合), 협동(協同). ㊥분열(分裂).

단란 團欒 | 둥글 단, 둥글 란
[harmonious; happy]
❶속뜻 한 가족이 둥글게[團=欒] 모여 정답게 즐김. ❷관계 등이 매우 원만하고 가족적임. ¶단란한 가정 / 단란한 분위기. ㊎단원(團圓).

단복 團服 | 모일 단, 옷 복 [uniform]
어떤 단체(團體)의 제복(制服). ¶우리 팀은 단복을 맞추었다.

단원 團員 | 모일 단, 사람 원 [member of a party]
단체(團體)를 구성하고 있는 사람[員]. 단체에 딸린 사람. ¶합창단 단원.

단장 團長 | 모일 단, 어른 장 [leader]
일정한 조직체를 이룬 단체(團體)의 우두머리[長]. ¶각국 대표단 단장.

단체 團體 | 모일 단, 몸 체 [party; organization]
같은 목적으로 모인[團] 두 사람 이상의 모임[體]. ¶단체로 신청하면 요금이 싸다. ㊎집단(集團). ㊥개인(個人), 단독(單獨).

단합 團合 | 모일 단, 합할 합 [unite; join forces]
많은 사람이 모여[團] 마음과 힘을 합침[合]. ¶우리 반은 단합이 잘 된다. ㊎단결(團結).

• 역순어휘

경:단 瓊團 | 옥 경, 둥글 단 [rice ball cake]
찹쌀, 수수 따위의 가루를 반죽하여 밤톨만한[瓊] 크기로 동글게[團] 빚어 익힌 뒤 고물을 묻힌 떡. ¶경단을 빚다.

공단[1] 工團 | 장인 공, 모일 단
[industrial complex]
공업 국가나 지방단체가 미리 공장용 부지를 조성하여 공업(工業)과 관련된 공장을 유치한 단지(團地). '공업단지'의 준말. ¶개성공단.

공단[2] 公團 | 관공서 공, 모일 단
[public corporation]
법률 국가적[公] 사업을 수행하기 위하여 설립한 단체(團體)의 특수 법인. ¶의료보험공단.

군단 軍團 | 군사 군, 모일 단 [army corps]
군사 육군에서 사단(師團) 이상의 병력[軍]으로 편성되는 전술 단위 부대[團].

극단 劇團 | 연극 극, 모일 단 [theatrical company]
연영 연극(演劇)의 상연을 목적으로 결성된 단체(團體).

민단 民團 | 백성 민, 모일 단
[foreign settlement group]
법률 남의 나라 영토에 머물러 사는 같은 민족(民族)끼리 조직한 자치 단체(團體). '거류민단'(居留)의 준말.

분단 分團 | 나눌 분, 모일 단
[local branch; section]
❶[속뜻]한 단체의 구성단위로 작게 나뉜[分] 집단(集團). ❷[교육]학습 능률을 올리기 위하여 한 학급을 몇으로 나눈 그 하나.

사단 師團 | 병력 사, 모일 단 [division; team]
❶[속뜻]일정 인원[團]의 병력[師]. 옛날에는 약 2,500명의 병력을 '師'라고 하였다. ❷[군사]군대 편성 단위의 하나. 군단(軍團)의 아래, 연대(聯隊)나 여단(旅團)의 위.

악단 樂團 | 음악 악, 모일 단 [orchestra]
[음악]음악(音樂)을 연주하기 위해 모인 단체(團體). ¶막이 오르자 악단은 모차르트의 교향악을 연주했다.

입단 入團 | 들 입, 모일 단 [join an organization]
어떤 단체(團體)에 가입(加入)함. ¶입단 선서 / 그는 양키즈야구팀에 새로 입단했다. (반)퇴단(退團).

재단 財團 | 재물 재, 모일 단 [foundation]
[법률]일정한 목적을 위하여 결합된 재산(財産)의 집단(集團). ¶장학재단 / 복지 단의 후원으로 자선 음악회가 열렸다.

집단 集團 | 모일 집, 모일 단 [group; mass]
여럿이 모인[集] 단체(團體). ¶집단으로 시위를 일으키다.

0327 [기]

己
몸 기
(部) 己부 (劃) 3획 (中) 己 [jǐ]

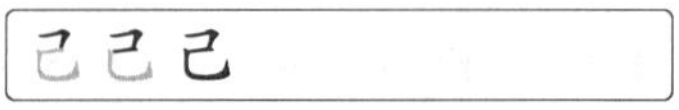

> 己자는 갑골문에 등장될 정도로 오랜 역사를 지녔고, 자형도 크게 변하지 않았다. 즉 최초의 자형은 한글 자모 'ㄹ'에 가까운 것이었다. 그런데 이것이 무엇을 나타낸 것인지에 대하여는 여러 설들이 있으나 모두 설득력이 약하다. 함부로 말하는 것보다는 차라리 의문에 부쳐 두는 편이 낫겠다. 어쨌든 '(자기) 몸'(self; oneself)을 뜻하는 것으로 많이 쓰인다.
>
> [속뜻·훈음] ①몸 기, ②자기 기.

• 역순어휘

극기 克己 | 이길 극, 자기 기 [self-control]
자기(自己)의 욕망이나 충동, 감정 따위를 의지로 눌러 이김[克]. ¶극기 훈련. (비)자제(自制). (반)이기(利己).

이:기 利己 | 이로울 리, 자기 기
[selfishness; egoism]
자기(自己) 이익(利益)만을 꾀함. (반)이타(利他).

자기 自己 | 스스로 자, 몸 기 [oneself]
❶[속뜻]자신[自]의 몸[己]. ❷그 사람. 앞에서 이야기된 사람을 다시 가리키는 말. 자신(自身). ¶지혜는 자기가 가겠다고 했다. (비)자신(自身). (반)남.

지기 知己 | 알 지, 자기 기 [appreciative friend]
자기(自己)를 알아주는[知] 벗. '지기지우'(知己之友)의 준말. ¶그에게는 막역한 지기들이 많다.

0328 [봉]

奉
받들 봉:
(部) 大부 (劃) 8획 (中) 奉 [fèng]

> 奉자는 원래 표의요소인 '손 수'(手)와 '받들 공'(廾), 그리고 표음요소인 '예쁠 봉'(丰)이 결합된 것이었는데, 약 2000년 전에 모양이 크게 변화됐다. '(두 손으로 공손히) 받들다'(hold up)는 본뜻이 변함없이 그대로 널리 쓰이고 있다.

봉:사 奉仕 | 받들 봉, 섬길 사 [serve]
❶[속뜻]받들어[奉] 섬김[仕]. ❷나라나 사회 또는 남을 위하여 자신의 이해를 돌보지 아니하고 몸과 마음을 다하여 섬김. ¶고아원에서 자원 봉사를 하다.

봉:송 奉送 | 받들 봉, 보낼 송 [carry]
영령, 유골, 성물(聖物) 따위를 정중히 받들어[奉] 운송(運送)함. ¶성화를 봉송하다.

봉:양 奉養 | 받들 봉, 기를 양
[support one's parents]
부모나 조부모를 받들어[奉] 정성스럽게 모심[養]. ¶그는 어려운 형편에도 부모님을 정성껏 봉양했다.

• 역순어휘

신:봉 信奉 | 믿을 신, 받들 봉 [believe]
옳다고 믿고[信] 받듦[奉]. ¶종교를 신봉하다.

참봉 參奉 | 참여할 참, 받들 봉
[역사]조선 시대, 능 따위를 모시는[奉] 일을 맡았던[參] 벼슬.

0329 [객]

客
손 객
(部) 宀부 (劃) 9획 (中) 客 [kè]

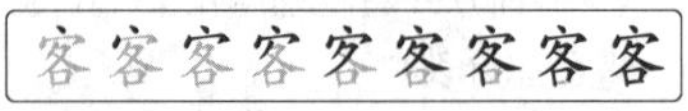

客자는 집[宀·면]에 온 '손님'(a visitor)을 가리킨다. 各(각)은 나갈 출(出)과 반대로 '(집에) 들어오다'는 뜻이고, 음도 비슷하니 표의 기능과 표음 기능을 겸하는 셈이다. 상대자는 主(주인 주)이다.

객관 客觀 | 손 객, 볼 관 [objectivity]
자기 생각에서 벗어나 제삼자나 객체(客體)의 처지에서 사물을 보거나[觀] 생각하는 일. ¶이번 시험은 모두 객관식이다. [반]주관(主觀).

객기 客氣 | 손 객, 기운 기
[bravado; empty boast]
객쩍게[客] 부리는 혈기(血氣). 분수를 모르고 부리는 쓸데없는 용기. ¶객기 부리지 말아라.

객사 客死 | 손 객, 죽을 사 [die away from home]
객지(客地)에서 죽음[死]. ¶평생을 장돌뱅이로 떠돌다 결국 객사하고 말았다.

객석 客席 | 손 객, 자리 석 [seat for a guest]
극장, 경기장 따위에서 관객(觀客)들이 앉는 자리[席]. ¶관중들이 객석을 가득 메웠다. [비]관람석(觀覽席), 관중석(觀衆席).

객실 客室 | 손 객, 방 실 [guest room]
❶[속뜻]손님[客]을 위하여 마련한 방[室]. ❷여관, 선박, 열차 따위에서 손님이 드는 방. ¶객실을 예약하다. [비]응접실(應接室).

객주 客主 | 손 객, 주인 주 [commission agent]
[역사]조선 시대에 객지(客地)에 장사하러 온 사람들의 거처를 제공하며 물건을 맡아 팔거나 흥정을 붙여 주는 일을 하던 집의 주인(主人). [속담]객주가 망하려니 짚단만 들어온다.

객지 客地 | 손 객, 땅 지 [strange land]
나그네[客]가 임시로 머무르는 곳[地]. ¶객지에서 고향 사람을 만나다. [비]타지(他地), 타향(他鄕). [반]고향(故鄕).

객차 客車 | 손 객, 수레 차 [passenger car]
[교통]여행객(旅行客)을 실어 나르는 철도 차량(車輛). '여객열차'(旅客列車)의 준말. [반]화차(貨車).

• 역순어휘

검:객 劍客 | 칼 검, 손 객
[(master) swordsman; fencer]
검술(劍術)에 능한 사람[客]. [비]칼잡이.

고:객 顧客 | 돌아볼 고, 손 객 [customer; buyer]
❶[속뜻]자주 들러 보는[顧] 손님[客]. ❷상점 따위에 물건을 사러 자주 오는 손님. ¶고객에게 친절하게 대하라. ❸단골로 오는 손님.

과:객 過客 | 지날 과, 손 객 [passer-by]
지나가는[過] 나그네[客]. [비]길손.

관객 觀客 | 볼 관, 손 객
[spectator; audience]
구경하는[觀] 사람[客]. ¶많은 관객이 공연을 보러 왔다. [비]관중(觀衆), 구경꾼.

승객 乘客 | 탈 승, 손 객 [passenger]
차나 배, 비행기 따위에 탄[乘] 손님[客]. ¶도착이 지연되고 있사오니 승객 여러분은 잠시만 기다려 주십시오.

여객 旅客 | 나그네 려, 손 객
[passenger; traveler]
여행(旅行)을 하고 있는 사람[客]. ¶여객 명단.

자:객 刺客 | 찌를 자, 손 객 [assassin]
❶[속뜻]사람을 칼로 찔러[刺] 죽이는 사람[客]. ❷몰래 암살하는 일을 전문으로 하는 사람. ¶자객이 정부 요인을 암살하였다.

주객 主客 | 주인 주, 손 객
[host and guest; principal and auxiliary]
❶[속뜻]주인(主人)과 손님[客]. ❷주되는 것과 부차적인 것을 아울러 이르는 말. ¶주객이 전도되다.

하:객 賀客 | 축하할 하, 손 객 [congratulator]
축하(祝賀)하기 위해 온 손님[客]. ¶결혼식장은 하객들로 넘쳐났다.

0330 [숙]

宿

잠잘 숙, 별자리 수:
[부]宀부 [획]11획 [중]宿 [sù, xiǔ, xiù]

宿 宿 宿 宿 宿 宿 宿 宿 宿 宿 宿

宿자는 집안(宀·면)에 깔아 놓은 돗자리(百)에 누워서 자고 있는 사람(亻)의 모습을 본뜬 것이다. 그 '百'은 '돗자리' 모양이 잘못 바뀐 것이므로, '100'과는 아무런 상관이 없다. '잠자다'(sleep)는 본뜻인데 '묵다'(become old), '머무르다'(stay at)로 확대 사용됐다. 밤하늘의 '별자리'(a constellation)를 뜻하기도 하는데, 이 경우에는 음을 [수:]로 읽는다.

[속뜻 훈음] ①잠잘 숙, ②묵을 숙, ③별자리 수.

숙명 宿命 | 묵을 숙, 운명 명 [fate; destiny]
❶[속뜻]오래 묵어[宿] 돌이킬 수 없는 운명(運命). 타고난 운명. 피할 수 없는 운명. ¶우리는 다시 만날 수 없는 숙명이었다.

숙박 宿泊 | 잠잘 숙, 머무를 박 [lodge; stay]
남의 집 등에서 잠자고[宿] 머무름[泊]. ¶그는 친구

집에서 숙박했다.

숙소 宿所 | 잠잘 숙, 곳 소 [inn; hotel]
주로 객지에서 잠자는[宿] 곳[所]. ¶민박집을 숙소로 정했다.

숙식 宿食 | 잠잘 숙, 먹을 식
[board and lodge]
자고[宿] 먹음[食]. ¶숙식 제공 / 아이는 기숙사에서 숙식한다.

숙원 宿願 | 묵을 숙, 원할 원
[one's heart's desire]
오래 묵을[宿] 정도로 예전부터 바라던 소원(所願). ¶남북통일은 우리 민족의 숙원이다.

숙제 宿題 | 잠잘 숙, 문제 제
[pending question; homework]
❶속뜻 해결하지 않고 잠재워[宿]둔 문제(問題). ¶환경오염 문제는 우리가 풀어야 할 커다란 숙제다. ❷학생에게 내어 주는 과제. ¶국어 선생님은 숙제를 많이 내 주신다.

숙직 宿直 | 잠잘 숙, 당번 직
[be on night duty]
다들 잠자는[宿] 밤에 당번[直]을 맡아 지킴. 또는 그 사람. ¶숙직 교사.

• 역순어휘

기숙 寄宿 | 맡길 기, 잠잘 숙 [board]
남의 집에 위탁하여[寄] 먹고 자고[宿] 함.

노숙 露宿 | 이슬 로, 잠잘 숙
[sleeping outdoors]
❶속뜻 이슬[露]이 내리는 밖에서 잠을 잠[宿]. ❷집이 없어 밖에서 잠. ¶일자리를 잃고 노숙하는 사람이 많다.

앙숙 怏宿 | 원망할 앙, 묵을 숙
[be on bad terms with]
앙심(怏心)을 오래도록[宿] 품어 서로 미워하는 사이. ¶그들은 앙숙이다.

투숙 投宿 | 들여놓을 투, 묵을 숙
[stay at a hotel; check in at a hotel]
여관 따위에 들어서[投] 묵음[宿]. ¶그들은 여관에 투숙하고 있다.

하:숙 下宿 | 아래 하, 잠잘 숙 [board]
❶속뜻 아래[下]에서 잠을 잠[宿]. ❷일정한 돈을 내고 일정 기간 남의 집에 머물면서 먹고 잠. 또는 그 집. ¶학교 근처에서 하숙을 하다.

합숙 合宿 | 합할 합, 묵을 숙
[stay together in a camp]
여러 사람이 한 곳에 모여[合] 묵음[宿]. ¶합숙 훈련.

0331 [실]

實

열매 실
部 宀부 劃 14획 中 实 [shí]

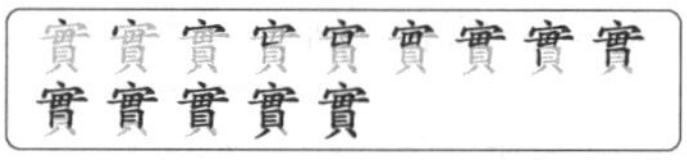

實자는 '재물'(property)이란 뜻을 나타내기 위하여 '집 면'(宀)과 '돈 꾸러미 관'(貫)을 합쳐 놓은 것이다. 그 본뜻보다는 '실제'(a fact), '열매'(fruit), '채우다'(fill), '참되다'(true) 같은 뜻으로 더 많이 쓰인다.

속뜻 훈음 ①실제 실, ②열매 실, ③채울 실, ④참될 실.

실감 實感 | 실제 실, 느낄 감
[one's sense of reality]
실제(實際)로 체험하는 느낌[感]. ¶친구의 죽음이 아직 실감이 안 난다.

실과 實科 | 실제 실, 과목 과 [practical course]
❶속뜻 실제(實際) 생활에 필요한 내용이 담겨있는 교과(敎科). ❷교육 예전에 있던 초등학교 과목의 하나.

실권 實權 | 실제 실, 권리 권 [real power]
실제(實際)로 행사할 수 있는 권리(權利)나 권세(權勢). ¶그가 회사의 모든 실권을 쥐고 있다.

실기 實技 | 실제 실, 재주 기 [practical skill]
실제(實際)로 할 수 있는 기능(技能)이나 기술(技術). ¶실기시험.

실력 實力 | 실제 실, 힘 력 [real ability]
실제(實際)로 갖추고 있는 힘[力]이나 능력(能力). ¶그는 수학 실력이 뛰어나다

실례 實例 | 실제 실, 본보기 례 [instance]
실제(實際)로 있었거나 있는 본보기[例]. ¶실례를 들어 설명하니 쉽다.

실록 實錄 | 실제 실, 기록할 록 [authentic record]
❶속뜻 사실(事實)을 있는 그대로 적은 기록(記錄). ¶사건의 실록을 찾아보다. ❷한 임금이 재위한 동안의 정령(政令)과 그 밖의 모든 사실을 적은 기록. 임금이 승하한 뒤, 실록청을 두고 시정기(時政記)를 거두어 연대순으로 정리한 것이다. ¶조선왕조실록.

실리 實利 | 실제 실, 이로울 리 [actual profit]
실제(實際)로 얻은 이익(利益). ¶실학은 명분보다 실리를 중시하는 학문이다.

실명 實名 | 실제 실, 이름 명 [one's real name]
실제(實際)의 이름[名]. ¶모든 거래는 실명으로 이루어진다. 비본명, 본이름. 반가명(假名).

실무 實務 | 실제 실, 일 무 [practical business]
실제(實際)로 하는 업무(業務). ¶실무에 밝다 / 그는

실무 경험이 많다.

실물 實物 | 실제 실, 만물 물 [real thing]
실제(實際)로 있는 물건(物件)이나 사람. ¶사진보다 실물이 낫다.

실상 實狀 | 실제 실, 형상 상 [real situation]
실제(實際)의 상태(狀態). 실제의 상황. ¶그는 겉으로는 행복해 보이지만 실상은 그렇지 않다.

실선 實線 | 채울 실, 줄 선 [solid line]
점선(點線)에 대하여 끊어진 곳 없이 쭉 이어진[實] 선(線).

실세 實勢 | 실제 실, 세력 세 [actual power]
실제(實際)의 세력(勢力). 또는 그런 세력을 가진 사람. ¶그는 회사의 실세이다.

실습 實習 | 실제 실, 익힐 습 [practice]
배운 기술 따위를 실제(實際)로 해 보고 익힘[習]. ¶조리 실습 / 학교에서 배운 것을 실습하다.

실시 實施 | 실제 실, 베풀 시
[put in operation; enforce]
계획 따위를 실제(實際)로 시행(施行)함. ¶주5일 근무제를 실시하다. [비]시행(施行).

실업 實業 | 실제 실, 일 업 [industry]
생산, 제작, 판매 따위와 같은 실리(實利)적인 사업(事業).

실용 實用 | 실제 실, 쓸 용
[put (a thing) to practical use; utilize]
치레가 아니고 실제(實際)로 씀[用]. ¶실용 가치 / 전기자동차를 실용하면 환경오염을 줄일 수 있다.

실재 實在 | 실제 실, 있을 재 [exist]
실제(實際)로 있음[在]. ¶용은 실재하지 않는 동물이다. [반]가상(假象).

실적 實績 | 실제 실, 업적 적 [actual results]
실제(實際)로 쌓아 올린 업적(業績). ¶영업실적이 좋다 / 실적을 쌓다.

실전 實戰 | 실제 실, 싸울 전 [actual fighting]
실제(實際)의 싸움[戰]. ¶그는 실전에 강하다.

실정 實情 | 실제 실, 실상 정 [real situation]
실제(實際)로 벌어지고 있는 실상[情]. ¶이 제도는 우리나라 실정에 맞지 않는다. [비]실상(實狀), 실태(實態).

실제 實際 | 실제 실, 사이 제 [fact]
❶ [속뜻] 사실(事實)적인 관계나 사이[際]. ❷실지의 상태나 형편. ¶그는 실제 나이보다 훨씬 어려 보인다.

실존 實存 | 실제 실, 있을 존 [exist]
실제(實際)로 존재(存在)함. 또는 그런 존재. ¶실존주의(主義) / 영화의 주인공은 실존했던 인물이 아니다.

실증 實證 | 실제 실, 증명할 증
[prove; demonstrate]
실제(實際)로 증명(證明)함. 또는 그런 사실. ¶그는 한국의 50년대를 실증하는 학자이다.

실질 實質 | 실제 실, 바탕 질 [material; essence]
실제(實際)의 본바탕[質]. ¶실질에 있어서는 별 차이가 없다.

실천 實踐 | 실제 실, 밟을 천 [practice]
❶ [속뜻] 실제(實際) 두 발로 밟아[踐]봄. ❷계획, 생각 따위를 실제로 행함. ¶계획을 세웠으면 즉시 실천에 옮겨라. [비]실행(實行). [반]이론(理論).

실체 實體 | 실제 실, 몸 체 [substance]
실제(實際)의 물체(物體). 또는 본래의 모습. ¶사건의 실체가 드러나다.

실탄 實彈 | 실제 실, 탄알 탄 [solid shot]
쏘았을 때 실제(實際)로 효력을 나타내는 탄알[彈]. ¶범인에게 함부로 실탄을 발사하면 안 된다.

실태 實態 | 실제 실, 모양 태 [realities]
실제(實際)의 상태(狀態). 있는 그대로의 모양. ¶환경오염 실태를 조사하다. [비]실상(實狀), 실정(實情).

실토 實吐 | 실제 실, 말할 토
[confess; spit out the truth]
사실(事實)대로 내용을 모두 밝히어 말함[吐]. ¶결국 범인은 범행을 실토했다.

실학 實學 | 실제 실, 배울 학 [practical science]
❶ [속뜻] 실생활(實生活)에 도움이 되는 학문(學問). ❷ [역사] 17세기 후반 조선에서 실생활의 향상을 목적으로 융성했던 학문. 종전의 유학에서 벗어나 실사구시와 이용후생을 주장했다.

실행 實行 | 실제 실, 행할 행 [practice]
실제(實際)로 행(行)함. ¶계획을 실행에 옮기다. [비]실천(實踐).

실험 實驗 | 실제 실, 겪을 험 [experiment]
❶ [속뜻] 실제(實際)로 관찰하여 겪어[驗]봄. ❷과학에서 이론이나 현상을 관찰하고 측정함. ¶화학 실험.

실현 實現 | 실제 실, 나타날 현 [realize; fulfill]
실제(實際)로 나타남[現]. ¶자아 실현 / 그는 드디어 자신의 꿈을 실현했다.

실형 實刑 | 실제 실, 형벌 형 [prison sentence]
[법률] 실제(實際)로 받는 형벌(刑罰). ¶그는 징역 5년의 실형을 선고받았다.

실화 實話 | 실제 실, 이야기 화 [real story]
실제(實際)로 있던 사실의 이야기[話]. ¶그 드라마는 실화를 바탕으로 한 것이다.

실황 實況 | 실제 실, 상황 황 [real situation]
실제(實際)의 상황(狀況). ¶공연 실황을 방송하다.

실효 實效 | 실제 실, 효과 효 [efficiency]
실제(實際)의 효과(效果). ¶법안이 드디어 실효를 거두었다.

• 역순어휘

건:실 健實 | 굳셀 건, 열매 실 [steady; reliable]
❶속뜻 건전(健全)하고 착실(着實)하다. ¶건실한 생활. ❷몸이 건강하다.

결실 結實 | 맺을 결, 열매 실 [bear fruit; fructify]
❶속뜻 열매[實]를 맺음[結]. ¶가을은 결실의 계절이다. ❷일의 결과가 잘 맺어짐. ¶오랜 연구 끝에 드디어 결실을 거두었다.

과:실 果實 | 열매 과, 열매 실 [fruit]
❶속뜻 열매[果=實]. ❷법률 이익을 얻을 수 있는 물건에서 생기는 수익물. ㊥이익(利益).

구:실 口實 | 입 구, 열매 실 [excuse; pretext]
❶속뜻 입[口]안에 든 열매[實]. ❷핑계를 삼을 만한 재료를 비유하여 이르는 말. ¶구실을 내세우다. ㊥핑계, 변명(辯明).

내:실 內實 | 안 내, 채울 실
[substance; substantiality]
속[內]이 알참[實]. ㊞허례(虛禮), 허식(虛飾).

독실 篤實 | 도타울 독, 참될 실 [sincere; earnest]
믿음이 두텁고[篤] 성실(誠實)하다. ¶그는 독실한 신자이다.

매실 梅實 | 매화나무 매, 열매 실 [apricot]
매화(梅花)나무의 열매[實].

명실 名實 | 이름 명, 실제 실 [name and reality]
명분(名分)과 실질(實質). 소문과 실제.

부실 不實 | 아닐 부, 열매 실
[weak; poor; insufficient]
❶속뜻 열매[實]를 맺지 못함[不]. ❷내용이 실속이 없고 충분하지 못함. ¶부실 공사 / 반찬이 부실하다.

사:실 事實 | 일 사, 실제 실 [fact; truth; actually]
❶속뜻 실제(實際)로 있었던 일[事]. 현재에 있는 일. ¶그것은 사실과 다르다. ❷실제(實際)에 있어서. ¶사실 나는 그를 사랑한다.

성실 誠實 | 정성 성, 참될 실 [sincere; faithful]
태도나 언행 등이 정성(精誠)스럽고 참됨[實]. 착하고 거짓이 없음. ¶그는 모든 일에 성실하다. ㊞불성실(不誠實).

여실 如實 | 같을 여, 실제 실
[realistically; true to life]
사실(事實)과 똑같음[如]. 현실 그대로임. ¶화나지 않은 척했지만 그녀의 표정은 그렇지 않다는 것을 여실히 보여 주고 있었다.

절실 切實 | 몹시 절, 실제 실 [earnest]
❶속뜻 몹시[切] 실질(實質)적임. 적절하다. ¶매우 절실한 표현 / 그의 마음이 절실히 전해졌다. ❷아주 긴요하고 다급하다. ¶난민에게 의약품이 절실하다 / 절실한 요청을 거절할 수 없었다.

진실 眞實 | 참 진, 실제 실
[truthful; honest; frank]
참된[眞] 사실(事實). ¶진실 혹은 거짓 / 사람들을 진실하게 대하다/ 나는 진실로 너를 사랑한다. ㊥참. ㊞거짓, 허위(虛僞).

착실 着實 | 붙을 착, 열매 실
[reliable; trustworthy]
❶속뜻 열매[實]가 달리다[着]. ❷사람이 허튼 데가 없이 찬찬하며 실하다. ¶겉보기에는 착실한 것 같다 / 착실히 돈을 모아 차를 사다.

충실[1] 充實 | 채울 충, 열매 실 [be full]
내용 따위가 잘 갖추어지고[充] 알참[實]. 속이 꽉 차고 실속이 있음. ¶면접관의 질문에 충실한 대답을 하였다 / 책의 내용이 충실하다.

충실[2] 忠實 | 바칠 충, 참될 실 [be faithful]
몸과 마음을 다 바쳐[忠] 성실(誠實)히 함. ¶임무를 충실히 수행해야 한다.

행실 行實 | 행할 행, 실제 실 [conduct]
❶속뜻 행동(行動)한 사실(事實). ❷일상적인 행동. ¶행실이 바르고 모범이 되어 이 상을 수여합니다. ㊥품행(品行).

현:실 現實 | 지금 현, 실제 실 [actuality; reality]
현재(現在)의 사실(事實). 실제로 이루어짐. ¶꿈이 현실이 되다. ㊞비현실(非現實).

확실 確實 | 굳을 확, 실제 실 [certain; definite]
확고(確固)한 사실(事實)이 됨. 실제와 틀림없다. ¶그가 훔쳐갔다는 확실한 증거는 없다 / 그가 언제 올지 확실히 모르겠다.

0332 [택]

宅 집 택
㊀ 宀부 ㊁ 6획 ㊂ 宅 [zhái]

宅宅宅宅宅宅

宅자는 '집 면'(宀)이 표의요소이고, 乇(부탁할 탁)은 표음요소다. 전통 중국에서는 '남의 집'을 지칭하는 것으로 다음의 네 가지가 있었다. '宅'은 '빼어나게 아름다운 집', '第'(제)는 '관직에 따라 왕실로부터 하사 받은 집', '府'(부)는

'남의 집에 대한 높임말', '邸'(저)는 '고관 귀족들의 외지 별장'을 지칭한다. '宅'(우리말의 '댁'도 포함)이 높임말로 쓰이게 된 까닭이 바로 거기에 있다. 그래서 자기 명함에 '自宅'이라 표기하면 자신을 높인 것이 되므로 바른 용법이 아닌 셈이다.

택배 宅配 | 집 택, 나눌 배 [home delivery]
집 따위를 각자 집[宅]으로 나누어[配] 보내 주는 일. ¶택배 상품 / 택배 서비스를 실시했다.

택지 宅地 | 집 택, 땅 지
[land for housing; housing site]
집[宅]을 지을 땅[地]. ¶택지를 조성하다. [비]집터.

• 역순어휘

가택 家宅 | 집 가, 집 택 [private house]
살림하는 집[家=宅]. ¶가택을 수사하다.

사택 私宅 | 사사로울 사, 집 택
[ones home; private residence]
개인[私] 소유의 집[宅]. [비]관사(官舍).

자택 自宅 | 스스로 자, 집 택 [one's own house]
자기(自己) 집[宅]. 상대방이나 제3자에 대하여 쓸 수 있는 말이다. ¶자택 주소를 적어 주십시오.

저:택 邸宅 | 집 저, 집 택 [residence; mansion]
규모가 아주 큰 집[邸=宅]. ¶그는 시골에 으리으리한 저택이 있다.

주:택 住宅 | 살 주, 집 택 [house]
❶[속뜻] 사람이 살[住] 수 있게 지은 집[宅]. ¶주택을 마련하다. ❷[건설] 한 채씩 따로 지은 집. '단독주택'(單獨住宅)의 준말. [비]가옥(家屋), 집.

0333 [해]

害

해할 해:
[部] 宀부 [획] 10획 [中] 害 [hài]

害 害 害 害 害 害 害 害 害
害

害자는 '집 면(宀)'과 '입 구(口)'가 표의요소이고, 丰(예쁠 봉)이 표음요소라는 설을 포함한 異說(이설)이 많은데, 자형과 의미가 잘 연결되지 않는다. 본뜻은 '상처'(a wound)인데 '해치다'(injure; harm)는 뜻으로 많이 쓰인다.
[속뜻훈음] 해칠 해.

해:독 害毒 | 해칠 해, 독할 독 [harm]
해(害)를 끼치는 독소(毒素). 나쁜 영향을 끼치는 요소. ¶환경에 심각한 해독을 끼친다.

해:악 害惡 | 해칠 해, 나쁠 악 [harm]
해(害)가 되는 나쁜[惡] 영향. ¶사회에 큰 해악을 바로잡다.

해:충 害蟲 | 해칠 해, 벌레 충 [harmful insect]
[동물] 사람이나 농작물에 해(害)가 되는 벌레[蟲]를 통틀어 이르는 말. ¶해충의 피해를 보다. [반]익충(益蟲).

• 역순어휘

가해 加害 | 더할 가, 해칠 해 [do harm]
해(害)를 끼침[加]. ¶동물을 가해하는 행위를 법으로 금지하고 있다. [반]피해(被害).

공해 公害 | 여럿 공, 해칠 해
[environmental pollution]
여러 사람[公]에게 미치는 피해(被害). 주로 각종 산업 활동에 의하여 발생되는 것을 말한다. ¶서울은 각종 공해로 시달리고 있다.

냉:해 冷害 | 찰 랭, 해칠 해
[cold weather damage]
찬[冷] 기운으로 생기는 농작물 피해(被害). ¶비닐을 덮어두면 냉해를 막을 수 있다.

박해 迫害 | 다그칠 박, 해칠 해
[oppress; persecute]
❶[속뜻] 다그쳐[迫] 해(害)를 입힘. ❷못살게 굴어 해롭게 함. ¶천주교 신도를 박해하다.

방해 妨害 | 거리낄 방, 해칠 해 [disturb; interrupt]
남에게 거리낌[妨]이나 해(害)를 끼침. ¶방해해서 죄송합니다. [비]훼방(毁謗).

살해 殺害 | 죽일 살, 해칠 해 [murder; kill; slay]
사람을 해쳐[害] 죽임[殺]. ¶살해 현장.

상해 傷害 | 다칠 상, 해칠 해 [injury; bodily harm]
몸을 다치거나[傷] 해(害)를 입힘. ¶그는 자동차 사고로 전치 4주의 상해를 입었다.

손:해 損害 | 덜 손, 해칠 해 [damage; loss]
금전, 물질 면에서 본디보다 밑지거나[損] 해(害)를 봄. ¶손해를 보다. [비]손실(損失). [반]이익(利益).

수해 水害 | 물 수, 해칠 해 [flood damage]
홍수(洪水)로 말미암은 재해(災害). ¶이 지역은 매년 여름 수해를 입는다. [비]수재(水災).

시:해 弑害 | 죽일 시, 해칠 해
[assassinate; murder]
부모나 임금을 죽여[弑] 해(害)침. ¶대통령 시해사건.

유:해 有害 | 있을 유, 해칠 해
[bad; noxious; harmful]
해(害)가 있음[有]. ¶유해 식품은 반입할 수 없습니다. [반]무해(無害).

이:해 利害 | 이로울 리, 해칠 해 [interests]
이익(利益)과 손해(損害). ¶이해를 떠나 힘을 합치다.

자해 自害 | 스스로 자, 해칠 해 [injure oneself]
스스로[自] 자기 몸을 해(害)침. ¶그는 극심한 스트레스로 자해했다.

장해 障害 | 막을 장, 해칠 해
[obstruction; impediment]
무슨 일을 가로막거나[障] 방해(妨害)함. ¶그 산을 오르는 데에 큰 장해는 없었다. ㊐장애(障礙).

재해 災害 | 재앙 재, 해칠 해 [calamity; disaster]
재앙(災殃)으로 말미암은 피해(被害). ¶정부는 지진으로 인한 재해를 복구하고 있다.

저:해 沮害 | 막을 저, 해칠 해
[obstruct; check; impede]
막아서[沮] 못하게 하여 해(害)침. ¶저해 요인 / 비만은 키의 성장을 저해한다.

침:해 侵害 | 쳐들어갈 침, 해칠 해
[invade; violate]
쳐들어가[侵] 해(害)를 끼침. ¶사생활이 침해되고 있다.

폐:해 弊害 | 나쁠 폐, 해칠 해 [evil; abuse; vice]
좋지 않고 나쁜[弊] 점과 해(害)로운 점. ¶컴퓨터 게임 중독으로 인한 폐해. ㊐폐(弊), 폐단(弊端).

피:해 被害 | 당할 피, 해칠 해 [damage]
신체, 재물, 정신상의 손해(損害)를 당함[被]. 또는 그 손해. ¶인명 피해를 보다 / 나는 너에게 어떤 피해도 준 적이 없다. ㊥가해(加害).

한:해 旱害 | 가물 한, 해칠 해 [drought disaster]
가뭄[旱]으로 인한 재해(災害). ¶한해를 입어 벼농사를 망쳤다.

0334 [사]

士

선비 사:
㊕ 士부 ㊖ 3획 ㊥ 士 [shì]

士 士 士

> 士자는 一(일)과 十(십)이 합쳐진 것 같지만, 금문(金文)에 보이는 최초의 자형은 도끼 모양으로 되어있다. 도끼 모양의 '연장'(a tool)이 본뜻인데, 덕행과 학식을 갖춘 '선비'(a learned man)를 지칭하는 말로 많이 쓰인다.

사:관 士官 | 선비 사, 벼슬 관 [officer]
❶속뜻 병사(兵士)를 거느리는 무관(武官). ❷군사 장교(將校)를 통틀어 이르는 말. ¶당직 사관은 누구인가?

사:기 士氣 | 선비 사, 기운 기
[morale; fighting spirit]
❶속뜻 싸우려 하는 병사(兵士)들의 씩씩한 기개(氣槪). ❷사람들이 일을 이룩하려는 기개. ¶사기를 높이다.

사:림 士林 | 선비 사, 수풀 림
❶속뜻 선비[士]들로 숲[林]을 이룸. ❷'유학을 신봉하는 사람들'을 이름.

사:병 士兵 | 선비 사, 군사 병
[private soldier; enlisted man]
군사 사졸(士卒) 계급의 병사(兵士). ㊥장교(將校).

사:화 士禍 | 선비 사, 재화 화
[massacre of scholars]
역사 조선 시대, 선비[士]들이 정치적 반대파에게 몰려 참혹한 화(禍)를 입던 일. 4대 사화는 무오사화(戊午士禍), 갑자사화(甲子士禍), 기묘사화(己卯士禍), 을사사화(乙巳士禍)를 이른다.

• 역순어휘

강:사 講士 | 익힐 강, 선비 사 [speaker]
강연(講演)하는 유명 인사(人士). ¶강사를 초청하다. ㊐강연자(講演者).

공사 空士 | 하늘 공, 선비 사 [Air Force Academy]
군사 공군(空軍) 장교[士]를 양성하는 4년제 정규 군사학교. '공군사관학교'(空軍士官學校)의 준말.

군사 軍士 | 군사 군, 선비 사 [soldiers]
❶속뜻 예전에, 군대(軍隊)에 소속된 사람[士]을 이르던 말. ❷부사관 이하의 군인. ㊐군인(軍人), 병사(兵士).

기사[1] 技士 | 재주 기, 선비 사 [driver]
❶속뜻 어떤 분야의 기술(技術)이 뛰어난 사람[士]. ❷전문적으로 차를 운전하는 사람. ¶택시 기사.

기사[2] 棋士 | =碁士, 바둑 기, 선비 사
직업적으로 바둑[棋]이나 장기를 두는 사람[士].

기사[3] 騎士 | 말 탈 기, 병사 사 [rider; knight]
말을 탄[騎] 병사(兵士). ㊐기병(騎兵).

도:사 道士 | 길 도, 선비 사 [ascetic; expert]
❶속뜻 도(道)를 갈고 닦는 사람[士]. ❷도교를 믿고 수행하는 사람. ❸'어떤 일에 도가 트여서 능숙하게 해내는 사람'을 비유하여 이르는 말.

명사 名士 | 이름 명, 선비 사 [prominent person]
명성(名聲)이 널리 알려진 인사(人士). ¶당대의 명사들이 한 자리에 모였다.

무:사 武士 | 굳셀 무, 선비 사 [warrior; knight]
역사 무예(武藝)를 닦아서 무사(武事)에 종사하던 사람[士]. ㊐무인(武人). ㊥문사(文士).

박사 博士 | 넓을 박, 선비 사 [doctor; expert]
❶속뜻 널리[博] 아는 사람[士]. ❷교육 대학에서 수여하

는 가장 높은 학위. ¶아빠는 박사 학위를 받고 무척 기뻐하였다. ❸어떤 일에 정통하거나 숙달된 사람을 비유적으로 이르는 말. ¶컴퓨터 박사.

변:사 辯士 | 말 잘할 변, 선비 사 [speaker]
입담이 좋아서 말을 잘하는[辯] 사람[士].

병사 兵士 | 군사 병, 선비 사 [soldier; private]
군대[兵]에 근무하는 사람[士]. ¶호위 병사. [비]군사(軍士).

상:사 上士 | 위 상, 선비 사
[senior master sergeant]
[군사] 국군의 부사관(副士官) 중 가장 위[上]의 계급. 중사(中士)의 위, 준위(准尉)의 아래.

석사 碩士 | 클 석, 선비 사 [Master]
❶[속뜻] 학식이 높은[碩] 선비[士]. ❷[교육] 학위의 한 가지. 대학원에서 소정의 과정을 마치고 학위 논문이 통과된 사람에게 수여하는 학위. 또는 그 학위를 받은 사람.

신:사 紳士 | 큰 띠 신, 선비 사 [gentleman]
❶[속뜻] 허리에 큰 띠[紳]를 두른 선비[士]. '紳'은 옛날 중국에서 예의를 갖춰 입을 때 사용한 넓은 띠를 가리킨다. ❷점잖고 교양이 있으며 예의 바른 남자. ¶중년 신사. ❸보통의 남자를 대접하여 이르는 말. ¶신사 숙녀 여러분!

악사 樂士 | 음악 악, 선비 사 [musician]
[음악] 악기로 음악(音樂)을 연주하는 사람[士].

연:사 演士 | 펼칠 연, 선비 사
[lecturer; (public) speaker]
연설(演說)하는 사람[士]. ¶연사가 강단을 내려왔다.

열사 烈士 | 굳셀 렬, 선비 사 [patriot]
나라를 위하여 절의를 굳게[烈] 지키며 충성을 다하여 싸운 사람[士]. ¶민주열사 / 순국열사를 위해 묵념합시다.

용:사 勇士 | 날쌜 용, 선비 사 [brave]
❶[속뜻] 용맹스러운[勇] 사람[士]. ❷용병(勇兵). ¶참전 용사.

육사 陸士 | 뭍 륙, 선비 사 [military academy]
[군사] '육군사관학교'(陸軍士官學校)의 준말.

의:사 義士 | 옳을 의, 선비 사
[righteous person; martyr]
의(義)로운 선비[士]. 의로운 지사(志士). ¶의사 윤봉길.

인사 人士 | 사람 인, 선비 사 [persons]
❶[속뜻] 다른 사람[人]들의 추앙을 받는 명사(名士). ❷사회적인 지위나 명성 있는 사람을 높여 이르는 말. ¶유명 인사.

장:사 壯士 | 씩씩할 장, 선비 사 [strong man]
❶[속뜻] 힘이 있어 씩씩한[壯] 사람[士]. ❷힘이 센 사람. ¶그는 힘이 장사다.

전:사 戰士 | 싸울 전, 선비 사 [soldier; warrior]
전투(戰鬪)하는 군사(軍士). ¶영웅적인 전사.

중사 中士 | 가운데 중, 선비 사 [master sergeant]
[군사] 상사(上士)와 하사(下士) 사이[中]에 있는 국군 부사관(副士官) 계급의 하나.

지사 志士 | 뜻 지, 선비 사 [patriot]
크고 높은 뜻[志]을 가진 사람[士]. 국가·민족·사회를 위하여 자기 몸을 바쳐 일하려는 포부를 가진 사람. ¶나라의 앞날을 걱정하는 지사.

진:사 進士 | 나아갈 진, 선비 사
❶[속뜻] 벼슬에 나아간[進] 선비[士]. ❷[역사] 조선시대 진사시(進士試)에 합격한 사람에게 준 칭호.

투사 鬪士 | 싸울 투, 선비 사 [fighter; combatant]
❶[속뜻] 싸움터에 나가 싸우는[鬪] 사람[士]. ❷주의, 주장을 위해 투쟁하거나 활동하는 사람. ¶그는 민주화 운동의 투사였다.

하:사 下士 | 아래 하, 선비 사 [staff sergeant]
❶[속뜻] 사관(士官) 아래[下]의 계급. ❷[군사] 부사관 계급의 하나. 중사의 아래, 병장의 위로 부사관 계급에서 가장 낮은 계급이다.

학사 學士 | 배울 학, 선비 사 [bachelor]
❶[속뜻] 학술(學術)을 많이 익힌 사람[士]. ❷[교육] 4년제 대학의 학부와 사관학교의 졸업자에게 주는 학위. ¶학사 학위.

0335 [국]

局

판[形局] 국
[部] 尸부 [劃] 7획 [中] 局 [jú]

局局局局局局局

局자는 '법도 척'(尺)과 '입 구'(口)가 조합된 것인데, 전체적인 배치와 균형감을 위하여 尺의 모양이 달라졌다. 편의상 尸(주검 시)가 부수로 지정되어 있으나 의미와는 무관하다. '소견이 좁다'(narrow-minded)가 본뜻이고 '구획'(a section), '판국'(a situation), '재간'(ability) 등으로 확대 사용됐다.

[속뜻 훈음] ①판 국, ②관청 국, ③방 국.

국면 局面 | 판 국, 낯 면
[situation; aspect of affairs]
❶[속뜻] 어떤 판[局]이 벌어진 장면(場面)이나 형편. ¶새로운 국면으로 접어들다. ❷[운동] 바둑이나 장기에서, 반

면(盤面)의 형세를 이르는 말.

국번 局番 | 판 국, 차례 번
[telephone office number]
전화의 국명(局名)을 나타내는 번호(番號). ¶화재 신고는 국번 없이 119로 한다.

국장 局長 | 관청 국, 어른 장
[director of a bureau]
기관이나 조직에서 한 국(局)을 맡은 수장(首長).

국한 局限 | 판 국, 한할 한 [localize; limit]
범위를 일정한 부분[局]에 한정(限定)함. ¶환경오염 문제는 우리나라에만 국한된 것이 아니다.

• 역순어휘

결국 結局 | 맺을 결, 판 국 [after all; finally]
❶[속뜻] 일의 마무리[結] 단계[局]. ¶결국에는 모든 것이 좋아질 것이다. ❷형국을 완전히 갖춤. [비]결말(結末).

난:국 亂局 | 어지러울 란, 판 국
[difficult situation]
어지러운[亂] 판국[局]. ¶난국을 헤쳐 나가다.

당국 當局 | 맡을 당, 관청 국 [authorities]
어떤 일을 담당(擔當)하여 처리하는 기관이나 부서[局]. ¶당국의 허가를 얻다.

대:국 對局 | 대할 대, 판 국
[facing a situation; confront]
❶[속뜻] 마주보고[對] 앉아서 바둑이나 장기 판[局]을 둠. ¶이창호와 대국하다. ❷어떤 형편이나 국면에 당면함. ¶대국을 판단하다.

약국 藥局 | 약 약, 방 국 [pharmacy]
약사가 약(藥)을 조제하거나 파는 방[局]이나 집.

종국 終局 | 마칠 종, 판 국
[end; conclusion]
일을 마치는[終] 마지막 상황[局]. ¶그 공사는 종국에는 실패하고야 말았다.

지국 支局 | 가를 지, 관청 국 [branch office]
본사나 본국에서 갈라져[支] 나가 각 지방에 설치되어 그 지역의 업무를 맡아보는 곳[局]. ¶신문사 지국.

파:국 破局 | 깨뜨릴 파, 판 국 [collapse]
❶[속뜻] 깨어진[破] 장면이나 형세[局]. ❷일이나 사태가 잘못되어 결판이 남. ¶사태는 파국으로 치달았다.

형국 形局 | 모양 형, 판 국
[situation; aspect]
❶[속뜻] 어떤 일이 벌어진 때의 형편(形便)이나 판국[局]. ¶그는 불리한 형국에 놓여 있다. ❷[민속] 관상이나 풍수지리에서 얼굴 생김이나 묏자리, 집터 따위의 겉모양과 그 생김새.

0336 [전]

展

펼 전:
[部] 尸부 [劃] 10획 [中] 展 [zhǎn]

展자는 '펼치다'(spread)는 뜻을 위하여 '몸'을 가리키는 尸(시)와 '옷 의'(衣)의 변형이 합쳐진 것이다. 옷을 입어 펼쳐 보이는 것이라 풀이할 수 있겠다.

전:개 展開 | 펼 전, 열 개 [develop; unfold]
❶[속뜻] 눈앞에 넓게 펼쳐져[展] 열림[開]. ❷논리나 사건, 이야기의 장면 따위가 점차 크게 펼쳐져 열림. ¶이야기 전개가 빠르다.

전:람 展覽 | 펼 전, 볼 람 [exhibit; show; display]
❶[속뜻] 펴서[展] 봄[覽]. ❷소개, 교육, 선전 따위를 목적으로 필요한 물품을 일정한 장소에 모아 진열하여 놓고 여러 사람에게 보임. ¶이 미술관에서는 국보급 고려청자를 전람한다.

전:망 展望 | 펼 전, 바라볼 망
[view; prospect; outlook]
❶[속뜻] 멀리 펼쳐진[展] 곳을 바라봄[望]. ❷멀리 내다보이는 경치. ¶이곳은 전망이 좋다. ❸앞날을 헤아려 내다봄. 또는 내다보이는 장래의 상황. ¶이번 사업은 전망이 밝다.

전:시 展示 | 펼 전, 보일 시 [exhibit; display]
여러 가지 물품을 한곳에 벌여 놓고[展] 보임[示]. ¶졸업 작품을 전시하다.

• 역순어휘

발전 發展 | 일으킬 발, 펼 전 [develop; grow]
❶[속뜻] 세력 따위를 일으켜[發] 그 기세를 펼침[展]. ❷어떤 상태가 보다 좋은 상태로 되어 감. ¶기술이 발전하다. ❸어떤 일이 더 복잡한 단계로 나아감. ¶말다툼이 싸움으로 발전했다.

진:전 進展 | 나아갈 진, 펼 전
[develop; progress]
일이 진행(進行)되어 발전(發展)됨. ¶연구에 큰 진전이 있다 / 둘의 관계는 급속도로 진전되었다.

0337 [광]

廣

넓을 광:
[部] 广부 [劃] 15획 [中] 广 [guǎng]

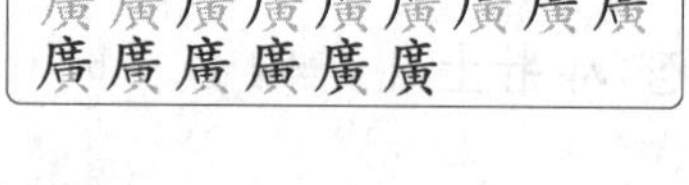

廣자는 사방에 벽이 없고 기둥만 있는 넓고 큰집을 뜻하기 위하여 '집 엄'(广)이 표의요소로 쓰였고, 黃(누를 황)이 표음요소임은 債(위엄스러울 광)도 마찬가지다. 후에 '넓다'(wide)는 뜻으로 확대 사용됐다.

광:고 廣告 | 넓을 광, 알릴 고 [advertise]
세상에 널리[廣] 알림[告]. 또는 그런 일. ¶신문에 광고를 내다 / 신제품을 광고하다.

광:막 廣漠 | 넓을 광, 아득할 막 [vast; wide]
넓은[廣] 사막처럼 아득하다[漠]. ¶광막한 초원.

광:목 廣木 | 넓을 광, 나무 목 [white cotton (broad) cloth]
목화(木花)씨에 붙은 솜을 자아 만든 무명실로 서양목처럼 너비가 넓게[廣] 짠 베.

광:어 廣魚 | 넓을 광, 물고기 어 [flatfish; flounder]
❶속뜻 넓게[廣] 펼쳐 말린 물고기[魚]. ❷동물 넙치.

광:역 廣域 | 넓을 광, 지경 역 [wide (large) area]
넓은[廣] 지경[域]. 또는 그 구역이나 범위. ¶광역단체장 선거.

광:의 廣義 | 넓을 광, 뜻 의 [broad sense]
어떤 말의 개념을 정의할 때에 넓은[廣] 의미(義味). ¶광의로 해석하다. ⓑ협의(狹義).

광:장 廣場 | 넓을 광, 마당 장 [open space]
많은 사람이 모일 수 있게 거리에 만들어 놓은 넓은[廣] 빈 터[場]. ¶광장에서 음악회가 열렸다.

광:활 廣闊 | 넓을 광, 트일 활 [wide; spacious]
넓고[廣] 탁 트이다[闊]. 훤하게 넓다. ¶광활한 평야.

0338 [점]

店 가게 점:
㊞ 广부 ㊞ 8획 ㊥ 店 [diàn]
店店店店店店店店

店자는 나이가 1500살 정도 밖에 안 되는 비교적 젊은 글자다. '집 엄'(广)이 표의요소이고, 占(차지할 점)은 표음요소다. '가게'(a store)란 뜻으로 쓰인 첫 용례는 당나라 때 유명시인 李白(이:백)의 시에 등장된다.

점:원 店員 | 가게 점, 사람 원 [store clerk]
상점(商店)에 고용되어 물건을 팔거나 그 밖의 일을 맡아 하는 사람[員]. ¶그 옷 가게의 점원들은 친절하다.

점:포 店鋪 | 가게 점, 가게 포 [store]
물건을 늘어놓고 파는 곳[店=鋪]. ⓑ가게, 상점(商店).

• 역순어휘

개점 開店 | 열 개, 가게 점 [open a store]
❶속뜻 가게[店]를 내어[開] 영업을 처음 시작함. ❷그 날의 영업을 하려고 가게의 문을 엶. ¶아침 6시에 개점합니다. ⓑ개업(開業), 개시(開市). ⓑ폐점(閉店).

노점 露店 | 드러낼 로, 가게 점 [street stall; roadside stand]
집이 없어 밖에 드러내어[露] 벌여 놓고 물건을 파는 가게[店]. '노천상점'(商店)의 준말. ⓑ난전(亂廛).

매:점 賣店 | 팔 매, 가게 점 [stand; booth]
일상용품을 파는[賣] 작은 가게[店]. ¶매점에서 우유를 샀다.

본점 本店 | 뿌리 본, 가게 점 [head office]
영업의 본거지(本據地)가 되는 가게[店]. ⓑ지점(支店).

분점 分店 | 나눌 분, 가게 점 [branch shop]
본점(本店)에서 따로 나누어진[分] 가게[店]. ⓑ지점(支店).

상점 商店 | 장사 상, 가게 점 [store; shop]
일정한 시설을 갖추고 물건을 파는[商] 가게[店]. ¶거리에는 상점들이 늘어서 있다. ⓑ가게.

서점 書店 | 책 서, 가게 점 [bookseller's; bookstore]
책[書]을 파는 가게[店]. ⓑ서림(書林), 책방(冊房).

지점 支店 | 가를 지, 가게 점 [branch shop]
본점에서 갈라져[支] 나온 점포(店鋪). ¶그 은행은 전국에 150개 지점이 있다.

0339 [덕]

德 큰 덕
㊞ 彳부 ㊞ 15획 ㊥ 德 [dé]
德德德德德德德德德德德德德德德

德자는 원래 '길 척'(彳)과 '곧을 직'(直)이 합쳐진 것으로, '한 눈 팔지 않고 길을 똑바로 잘 가다'(go straight without looking aside)는 본뜻이었다. 후에 '마음 심'(心)이 덧붙여진 것은 '도덕심'(a moral sense)을 강조하였기 때문인가 보다. 문장이 아니라 낱말에서는 '(은혜를) 베풀다'(bestow)는 뜻으로 많이 쓰인다. '큰 덕'이라는 훈이 널리 알려져 있지만, 낱말 차원에서는 '크다'는 뜻으로 쓰인 예가 없기 때문에, 많이 쓰이는 뜻을 취하여 대표 훈으로 삼았다.
속뜻훈음 베풀 덕.

덕망 德望 | 베풀 덕, 바랄 망 [moral influence]
남에게 많이 베풂[德]으로써 얻은 명망(名望). ¶덕망이 있는 스승에게 가르침을 받았다. [비]인망(仁望).

덕목 德目 | 베풀 덕, 눈 목 [virtue]
남에게 베풀어야[德] 할 항목(項目). 충(忠), 효(孝), 인(仁), 의(義) 따위. ¶효를 최고의 덕목으로 삼는다.

덕분 德分 | 베풀 덕, 나눌 분 [favor; assistance]
❶[속뜻]베풀어[德]주고 나누어[分] 줌. ❷베풀어 준 은혜나 도움. ¶선생님 덕분에 대학 생활을 마칠 수 있었습니다. [비]덕(德), 덕택(德澤).

덕성 德性 | 베풀 덕, 성품 성
[kindly nature; good heart]
어질고 착한[德] 성품(性品). ¶덕성을 기르다.

덕택 德澤 | 베풀 덕, 은덕 택
[indebtedness; favor]
❶[속뜻]은덕[澤]을 베풂[德]. ❷남에게 끼친 혜택. ¶어머니가 도와주신 덕택으로 성공했다. [비]덕분(德分).

• 역순어휘 •

공덕 功德 | 공로 공, 베풀 덕 [merit and virtue]
❶[속뜻]공적(功績)과 덕행(德行). ❷[불교]현재 또는 미래에 행복을 가져올 선행을 이르는 말. ¶공덕을 쌓다.

도:덕 道德 | 길 도, 베풀 덕 [morality; morals]
❶[속뜻]가야 할 바른 길[道]과 베풀어야 할 일[德]. ❷사회의 구성원들이 양심, 사회적 여론, 관습 따위에 비추어 스스로 마땅히 지켜야 할 행동 준칙이나 규범. ¶공중도덕을 지키다. [반]부도덕(不道德).

미:덕 美德 | 아름다울 미, 베풀 덕
[virtue; noble attribute]
아름답게[美] 베푼[德] 일이나 행동. ¶미덕을 쌓다. [비]영덕(令德). [반]악덕(惡德).

변:덕 變德 | 바뀔 변, 베풀 덕 [caprice]
❶[속뜻]남에게 베풀던[德] 마음이 변(變)함. ❷이랬다저랬다 자주 바뀜. 또는 그러한 성질. ¶그 애는 툭하면 변덕을 부린다 / 날씨가 변덕스럽다. [관용]변덕이 죽 끓듯 하다.

복덕 福德 | 복 복, 베풀 덕 [good fortune]
❶[불교]선행의 과보(果報)로 받는 복(福)과 공덕(功德). ❷타고난 복과 후덕한 마음. ¶복덕을 갖추다.

부덕 不德 | 아닐 부, 베풀 덕 [lack of virtue]
❶[속뜻]베풀지[德] 못함[不]. ❷공덕이 부족함. ¶전부 제가 부덕한 탓입니다.

송:덕 頌德 | 기릴 송, 베풀 덕 [eulogy]
공덕(功德)을 기림[頌].

은덕 恩德 | 은혜 은, 베풀 덕
[beneficial influence]
은혜(恩惠)를 베풂[德]. ¶선생님의 은덕에 깊이 감사드립니다.

0340 [주]

州

고을 주
[部] 巛부 [劃] 6획 [中] 州 [zhōu]

州 州 州 州 州 州

州자는 큰 河川(하천) 한가운데 생겨난 '삼각주'(a delta)를 뜻하기 위하여 그 모양을 본뜬 것이다. 후에 '고을'(a county) '마을'(a village; a hamlet)을 뜻하는 것으로 확대 사용되는 예가 잦아지자 본래 의미는 '물 수'(水)를 덧붙인 洲(모래섬 주)자를 만들어 나타냈다. 지역 이름으로는 많이 쓰이지만, 일반 낱말을 구성하는 예는 극히 드물다.

0341 [기]

基

터 기
[部] 土부 [劃] 11획 [中] 基 [jī]

基 基 基 基 基 基 基 基 基 基 基

基자는 '흙 토'(土)가 부수이자 표의요소이고, 其(그 기)는 표음요소다. '(흙담의) 밑 부분'(the base)이 본뜻인데, '터'(=밑바탕, the foundation)를 뜻하는 것으로 많이 쓰인다.

기간 基幹 | 터 기, 줄기 간 [mainstay]
❶[속뜻]터[基]가 되고 중심[幹]이 되는 것. ¶조선은 유교이념을 기간으로 삼았다. ❷어떤 조직이나 체계를 이룬 것 가운데 중심이 되는 것.

기금 基金 | 터 기, 돈 금 [fund]
어떤 목적을 위하여 쓰는 기본(基本) 자금(資金). ¶행사에 쓸 기금을 모으다.

기단 基壇 | 터 기, 단 단 [stylobate; stereobate]
[건설]건축물의 터[基]를 반듯하게 다듬은 다음에 그 보다 한 층 높게 쌓은 단[壇].

기독 基督 | 터 기, 살필 독 [Christ]
[기독교]'제사장', '예언자'를 뜻하는 포르투갈어 'Christo'를 일본 한자음으로 음역한 '基利斯督'(일본음, Kirisuto)의 줄임말.

기반 基盤 | 터 기, 소반 반 [base; basis]
기초(基礎)가 되는 지반(地盤). 기본이 되는 자리.

기본 基本 | 터 기, 뿌리 본 [basis; foundation]

❶[속뜻] 토대[基]나 뿌리[本]. ❷일이나 사물의 가장 중요한 밑바탕이 되는 것. ¶기본이 충실해야 발전할 수 있다. [비]근본(根本), 기근(基根).

기준 基準 | 터 기, 고를 준 [standard; basis]
기본(基本)이 되는 표준(標準). ¶평가 기준.

기초 基礎 | 터 기, 주춧돌 초 [basis; base]
❶[속뜻] 기둥의 밑[基]을 받치는 주춧돌[礎]같은 토대. 또는 그 역할을 하는 것. ¶기초를 다지다 / 역사적 사실에 기초하다. ❷건물, 다리 따위와 같은 구조물의 무게를 받치기 위하여 만든 밑받침.

기판 基板 | 터 기, 널빤지 판 [board]
[전기] 배선(配線)을 변경할 수 있는 기본(基本)이 되는 판(板). 전기 회로가 편성되어 있다.

• 역순어휘

염기 鹽基 | 소금 염, 터 기 [chemical base]
[화학] 산과 반응하여 염(鹽)을 만드는 기본(基本) 물질. 물에 녹으면 히드록시 이온을 낸다. 암모니아수, 잿물 따위. ¶나트륨은 염소와 반응하여 소금을 만든다. [반]산(酸).

0342 [독]

獨 홀로 독
[부] 犬부 [획] 16획 [中] 独 [dú]
獨 獨 獨 獨 獨 獨 獨 獨 獨 獨 獨 獨 獨 獨 獨 獨

獨자는 원래 '(개가 서로) 싸우다'(fight)는 뜻을 위해 고안된 것이니, '개 견'(犭=犬)이 표의요소로 쓰였고, 蜀(나라 이름 촉)은 표음요소였는데 음이 다소 달라졌다. 양[羊]은 무리를 짓는 데 비하여 개는 그렇지 않기에 '홀로'(alone)라는 뜻으로도 쓰이게 됐다. '독일'(Germany)을 약칭하는 말로도 쓰인다.

[속뜻훈음] ①홀로 독, ②독일 독.

독도 獨島 | 홀로 독, 섬 도
❶[속뜻] 홀로[獨] 우뚝 솟아 있는 섬[島]. ❷[지리] 경상북도 울릉군에 속하는 화산섬으로, 동도(東島)와 서도(西島) 및 작은 섬들로 이루어져 있음.

독립 獨立 | 홀로 독, 설 립
[become independent]
❶[속뜻] 독자적(獨自的)으로 존립(存立)함. ❷다른 것에 예속하거나 의존하지 아니하는 상태로 있음. ❸[정치] 한 나라가 정치적으로 완전한 주권을 행사함.

독방 獨房 | 홀로 독, 방 방 [single room; cell]
❶[속뜻] 혼자서[獨] 쓰는 방(房). ❷[법률] 죄수 한 사람만을 가두어 놓는 감방. '독거감방'(獨居監房)의 준말. [비]독실(獨室).

독백 獨白 | 홀로 독, 말할 백 [monologue]
[연영] 극에서 배우가 상대자 없이 혼자[獨] 대사를 말함[白]. 또는 그 대사(臺詞).

독보 獨步 | 홀로 독, 걸음 보 [going on alone]
남이 감히 따를 수 없을 만큼 혼자[獨] 앞서 걸어 감[步]. 매우 뛰어남.

독상 獨床 | 홀로 독, 평상 상
혼자서[獨] 먹도록 차린 음식상(飮食床). ¶손님을 위해 독상을 차리다. [비]외상. [반]겸상(兼床).

독선 獨善 | 홀로 독, 착할 선
[self-righteousness]
자기 한 몸[獨]의 선(善)만을 꾀함. ¶독선에 빠지다 / 매우 독선적이다.

독신 獨身 | 홀로 독, 몸 신 [unmarried person]
배우자가 없어 혼자[獨] 사는 몸[身]. 또는 그런 사람. ¶그는 독신 생활을 즐기고 있다. [비]홀몸.

독어 獨語 | 독일 독, 말씀 어 [German]
[언어] 독일(獨逸)·오스트리아·스위스 등지에서 쓰는 말[語].

독일 獨逸 | 홀로 독, 잃을 일 [Germany]
[지리] '도이칠란트'(Deutschland)의 한자 음역어. ¶독일은 자동차 산업이 발달했다.

독자[1] 獨子 | 홀로 독, 아들 자 [only son]
단 하나뿐인[獨] 아들[子]. ¶그는 삼대 독자이다. [반]독녀(獨女).

독자[2] 獨自 | 홀로 독, 스스로 자 [one's self]
❶[속뜻] 남에게 기대지 않고 혼자[獨] 스스로[自]. ¶독자 노선. ❷다른 것과 구별되는 그 자체만의 특유함. ¶독자 모델.

독재 獨裁 | 홀로 독, 처리할 재
[have under one's despotic rule]
❶[속뜻] 독단(獨斷)적으로 처리함[裁]. ¶독재 정권을 타도하다. ❷[정치] 민주적인 절차를 부정하고 통치자의 독단으로 행하는 정치. '독재정치'(獨裁政治)의 준말. ¶독재 군주국. [반]민주(民主).

독점 獨占 | 홀로 독, 차지할 점 [monopoly]
❶[속뜻] 혼자서[獨] 모두 차지함[占]. ¶그는 우리와 독점 계약을 맺었다. ❷[경제] 한 기업(개인)이 생산과 시장을 지배하여 이익을 독차지함. ¶석유 판매를 독점하다. [비]독차지. [반]공유(共有).

독주[1] 獨走 | 홀로 독, 달릴 주 [run alone]
❶[속뜻] 혼자서[獨] 뜀[走]. ❷승부를 다투는 일에서 다

른 경쟁 상대를 뒤로 떼어 놓고 혼자서 앞서 나감. ¶자동차시장에서 그 기업의 독주를 막을 수 없다. ❸남을 아랑곳하지 아니하고 혼자서 행동함. ¶국회는 행정부의 독주를 견제하는 기구이다.

독주² 獨奏 | 홀로 독, 연주할 주 [play a solo]
[음악] 홀로[獨] 하는 연주(演奏). ¶피아노 독주. [반]합주(合奏).

독창¹ 獨唱 | 홀로 독, 부를 창 [sing solo]
성악에서 혼자서[獨] 노래를 부름[唱]. 또는 그 노래. [반]합창(合唱).

독창² 獨創 | 홀로 독, 처음 창 [originality]
혼자서[獨] 처음[創] 생각해 냄. 또는 처음 만들어 냄. ¶독창적인 발상.

독특 獨特 | 홀로 독, 특별할 특 [unique]
❶[속뜻]홀로[獨] 특별(特別)함. 홀로 유별남. ¶냄새가 독특하다. ❷다른 것과 견줄 수 없을 정도로 매우 뛰어남. 특별히 독창적임. ¶독특한 기술.

독학 獨學 | 홀로 독, 배울 학 [study by oneself]
스승이 없거나 학교에 다니지 아니하고 혼자서[獨] 공부함[學]. ¶그는 일본어를 독학했다.

• 역순어휘 •

고독 孤獨 | 외로울 고, 홀로 독 [lonely; solitary]
❶[속뜻]짝 없이 외로운[孤] 홀[獨]몸. ❷외로움. ¶고독한 생활. ❸어려서 부모를 여읜 아이와 자식 없는 늙은이.

단독 單獨 | 홑 단, 홀로 독 [single; solitary]
❶[속뜻]혼자[單=獨]. ¶단독으로 결정하다. ❷단 하나. [반]공동(共同), 단체(團體).

동독 東獨 | 동녘 동, 독일 독 [Eastern Germany]
[역사]제2차 세계대전 후 동부(東部) 독일(獨逸)에 수립된 공산주의 국가. 1990년 서독과 통일해 독일 연방 공화국이 되었다.

서독 西獨 | 서녘 서, 독일 독 [West Germany]
[지리]독일(獨逸)의 서부(西部) 지역에 있었던 연방공화국. 1990년에 동독과 통합하여 독일연방공화국을 이루었다.

유독 惟獨 | 오직 유, 홀로 독 [only; uniquely]
❶[속뜻]오직[惟] 홀로[獨]. ❷유달리 두드러짐. ¶많은 사람 가운데 유독 그녀가 눈에 띄었다.

0343 [격]

格

격식 격
[部] 木부 [劃] 10획 [中] 格 [gé, gē]

格 格 格 格 格 格 格 格 格 格

格자는 본래 '(나무의) 긴 가지'(a long branch)를 뜻하기 위한 것이었으니, '나무 목'(木)이 표의요소로 쓰였고, 各(각각 각)이 표음요소임은 挌(칠 격) 骼(뼐 격)도 마찬가지다. 그런데 '이르다'(come)는 뜻으로도 쓰인 것은 各의 의미를 대신한 것에서 비롯됐다. '바르다'(correct), '겨루다'(match with), '이르다'(amount to), '지위'(status)를 뜻하는 것으로 쓰이며, '격식'(an established form), '품격'(dignity), '자격'(qualification), '인격'(personality) 같은 낱말의 구성 요소로도 쓰인다.

[속뜻훈음] ①격식 격, ②바를 격, ③겨룰 격, ④이를 격, ⑤지위 격, ⑥품격 격, ⑦자격 격, ⑧인격 격.

격납 格納 | 바를 격, 바칠 납 [house]
제자리에 바르게[格] 잘 수납(收納)해 둠. ¶비행기의 격납이 편리하다.

격식 格式 | 품격 격, 꼴 식
[formality; social rules]
품격(品格)에 맞는 법식(法式). ¶격식을 따지다/격식을 차리다.

격언 格言 | 바를 격, 말씀 언 [proverb; maxim]
인생에 대한 교훈이나 경계가 되는 바른[格] 말[言]. ¶이 격언을 나의 좌우명으로 삼았다.

격자 格子 | 격식 격, 접미사 자 [lattice; grille]
일정한 간격으로 직각이 되도록[格] 성기게 짠 물건[子]. 또는 그러한 형식. ¶창에는 쇠창살로 격자가 되어 있다.

격투 格鬪 | 겨룰 격, 싸울 투
[fight hard; hand to hand fight]
몸으로 맞붙어 치고받으며[格] 싸움[鬪]. ¶경찰은 격투 끝에 도둑을 잡았다.

• 역순어휘 •

가격 價格 | 값 가, 이를 격 [price]
❶[속뜻]값[價]이 얼마에 이름[格]. ❷물건의 가치를 돈으로 나타낸 것. ¶휘발유 가격이 급등하다. [비]값어치.

골격 骨格 | 뼈 골, 격식 격 [frame; skeleton]
몸을 지탱하는 여러 가지 뼈[骨]의 조직이나 격식(格式). ¶골격이 좋다. [비]뼈대, 골간(骨干).

규격 規格 | 법 규, 격식 격 [standard]
❶[속뜻]규정(規定)에 맞는 격식(格式). ❷공업 제품 등의 품질이나 치수, 모양 등에 대한 일정한 표준(標準). ¶규격 봉투.

동격 同格 | 같을 동, 자격 격 [same rank]
같은[同] 지위나 자격(資格). ¶고대에서 왕은 신과 동격으로 여겨졌다.

본격 本格 | 뿌리 본, 격식 격
[fundamental rules; propriety]
근본(根本)에 맞는 올바른 격식(格式). ¶우리나라 전통적인 인사법의 본격에 걸맞도록 해야 한다.

성:격 性格 | 성질 성, 품격 격
[character; personality]
각 개인의 성질(性質)과 인격(人格). ¶그는 성격이 까다롭다.

승격 昇格 | 오를 승, 지위 격 [raise in status]
지위[格]나 등급 따위가 오름[昇]. 또는 지위나 등급 따위를 올림. ¶그는 이번에 과장으로 승격됐다.

실격 失格 | 잃을 실, 자격 격 [be disqualified]
기준 미달이나 기준 초과, 규칙 위반 따위로 자격(資格)을 잃음[失]. ¶이 선을 넘으면 실격이다. ⓑ자격상실(資格喪失).

엄격 嚴格 | 엄할 엄, 바를 격 [strict; severe]
❶속뜻 엄(嚴)하고 바르게[格] 함. ❷조그만 잘못도 용서하지 않을 정도로 매우 엄함. ¶엄격한 지휘 체계 / 우리 아버지는 매우 엄격하다. ⓑ엄준(嚴峻).

인격 人格 | 사람 인, 품격 격 [personality]
❶속뜻 말이나 행동 등에 나타나는 그 사람[人]의 품격(品格). ¶말은 그 사람의 인격을 보여 준다. ❷사회 온갖 행위를 함에 있어서 스스로 책임을 질 자격을 가진 독립된 개인. ¶아동도 독립된 인격으로 인정해야 한다.

자격 資格 | 바탕 자, 품격 격 [qualification]
❶속뜻 필요한 자질(資質)과 품격(品格). ❷일정한 신분이나 지위에 필요한 조건. ¶응모 자격 / 그는 경기에 참가할 자격을 얻었다.

정:격 定格 | 정할 정, 격식 격 [proper form]
❶속뜻 정(定)해진 격식(格式)이나 규격. ❷전기 전기 기구를 만들 때 따르는 정해진 규격. ¶정격 전류.

체격 體格 | 몸 체, 격식 격 [physique; frame]
❶속뜻 몸[體]의 골격(骨格). ❷근육, 골격, 영양 상태로 나타나는 몸의 겉 생김새. ¶그는 체격이 운동선수 같다.

파:격 破格 | 깨뜨릴 파, 격식 격
[breaking rules; make an exception]
격식(格式)을 깨뜨림[破]. 격식에 벗어남. ¶전품목 파격 세일.

품:격 品格 | 품위 품, 인격 격 [grace]
❶속뜻 품위(品位)와 인격(人格). ❷사람된 바탕과 타고난 성품. ¶품격이 있는 행동. ❸사물 따위에서 느껴지는 품위. ¶품격 높은 상품.

합격 合格 | 맞을 합, 자격 격 [pass an exam]
❶속뜻 자격(資格)에 맞음[合]. ❷채용이나 자격시험 따위에 붙음. ¶합격을 축하합니다. ⓟ낙방(落榜), 불합격(不合格).

0344 [속]

束 묶을 속
部 木부 획 7획 中 束 [shù]

束 束 束 束 束 束 束

束자는 나무[木]를 다발[口]로 묶은 모양을 본뜬 것으로 '다발'(a bundle)이 본래 의미인데, '묶다'(bind), '매다'(fasten)는 뜻으로도 쓰인다.
속뜻 훈음 ①묶을 속, ②다발 속.

속박 束縛 | 묶을 속, 묶을 박 [restraint; shackles]
❶속뜻 묶음[束=縛]. ❷사람의 행동의 자유를 빼앗음. ¶속박을 당하다.

속수 束手 | 묶을 속, 손 수 [helplessness]
'속수무책'(束手無策)의 준말. 손[手]이 묶인[束] 듯이 방법이 없어 꼼짝 못함.

• 역순어휘

결속 結束 | 맺을 결, 묶을 속 [bind together]
뜻이 같은 사람끼리 모임을 맺어[結] 하나로 뭉침[束]. ¶국민을 결속시키다 / 결속을 강화하다. ⓑ단결(團結), 결집(結集). ⓟ분산(分散).

구속 拘束 | 잡을 구, 묶을 속 [bind; restrict]
❶속뜻 붙잡아[拘] 묶어둠[束]. ❷법률 법원이나 판사가 피의자나 피고인을 강제로 일정한 장소에 잡아 가두는 일. ⓑ억류(抑留), 구금(拘禁). ⓟ석방(釋放).

단속 團束 | 둥글 단, 묶을 속 [control; regulate]
❶속뜻 둥글게[團] 묶음[束]. ❷주의를 기울여 단단히 다잡거나 보살핌. ¶아이를 단속하다. ❸법률, 규칙, 명령 따위를 어기지 않게 통제함. ¶속도위반을 단속하다. ⓑ통제(統制).

약속 約束 | 묶을 약, 다발 속 [promise; contract]
❶속뜻 다발[束]을 묶음[約]. ❷앞으로의 일에 대하여 미리 정하여 둠. ¶경희와 미리 약속을 해두었다. ⓑ언약(言約).

0345 [재]

材 재목 재
部 木부 획 7획 中 材 [cái]

材 材 材 材 材 材 材

材자는 '나무 막대기'(a wood pole)를 뜻하기 위한 것이었으니, '나무 목'(木)이 표의요소로 쓰였고 才(재주 재)는 표음요소다. '재목'(wood), '재료'(material) 같은 낱말의 구성요소로 쓰인다.

속뜻 훈음 ①재목 재, ②재료 재.

재료 材料 | 재목 재, 거리 료 [material(s); stuff]
❶속뜻 재목(材木)을 만드는 데 필요한 거리[料]. ❷어떤 일을 하거나 이루는 거리. ¶저희 식당은 좋은 재료만을 사용합니다.

재질 材質 | 재목 재, 바탕 질
[quality of the material]
❶속뜻 목재(木材)의 성질(性質). ¶오동나무는 재질이 단단하다. ❷재료(材料)가 갖는 성질. ¶이 옷은 재질이 좋다.

• 역순어휘

각재 角材 | 뿔 각, 재목 재 [rectangle lumber]
긴 원목의 통을 뿔[角]처럼 네모지게 쪼개 놓은 재목(材木). ¶소반은 각재의 모를 깎은 부드러운 재목으로 만든다.

건재 乾材 | 마를 건, 재료 재
[dried medicinal herbs]
한의 조제하지 않은 말린[乾] 상태의 약재(藥材). ¶작두로 건재를 썰다.

골재 骨材 | 뼈 골, 재료 재 [aggregate]
건설 콘크리트를 만들 때 뼈[骨]같이 기본이 되는 모래나 자갈 따위의 재료(材料).

교:재 教材 | 가르칠 교, 재료 재
[teaching materials]
교육 학문이나 기예 따위를 가르치거나[教] 배우는 데 필요한 여러 가지 재료(材料).

목재 木材 | 나무 목, 재료 재 [wood; lumber]
건물이나 가구를 만드는 데 쓰이는 나무[木]로 된 재료(材料). ㊐재목(材木).

석재 石材 | 돌 석, 재료 재 [building stone]
토목·건축 및 비석·조각 따위에 쓰이는 돌[石] 재료(材料).

소재 素材 | 바탕 소, 재료 재 [(raw) material]
❶속뜻 가장 기본적인 밑바탕[素]이 되는 재료(材料). ¶이 상품은 어떤 소재로 만든 것입니까? ❷문학 문학 작품의 기본 재료가 되는 모든 대상. ¶글을 쓰기 위한 소재.

약재 藥材 | 약 약, 재료 재 [medicinal stuff]
약(藥)을 짓는 데 쓰는 재료(材料). '약재료'의 준말. ¶녹용(鹿茸)은 말려 약재로 쓴다.

인재 人材 | 사람 인, 재목 재 [talented person]
학식과 능력이 뛰어나 어떤 분야에서 재목(材木)이 될 만한 사람[人]. ¶인재 양성 / 우리 학교는 70년간 우수한 인재를 배출했다. ㊐인물(人物).

자재 資材 | 재물 자, 재료 재 [materials]
물자(物資)와 재료(材料)를 아울러 이르는 말. ¶건축 자재 / 우리 회사는 자재를 수입해 제품을 만든다.

적재 適材 | 알맞을 적, 재목 재
[man fit for the post]
알맞은[適] 재목(材木). 유능한 인재(人材).

제재 題材 | 주제 제, 재료 재
[subject matter; theme]
예술 작품이나 학술 연구 따위의 주제(主題)가 되는 재료(材料). ¶사랑을 제재로 한 문학 작품.

제:재 製材 | 만들 제, 재목 재 [lumber]
베어 낸 나무로 재목(材木)을 만듦[製]. ¶나무를 제재하여 가구를 만들다.

취:재 取材 | 가질 취, 재료 재
[collect data; gather news]
기사 따위의 재료(材料)를 찾아내어 가짐[取]. ¶취재에 응하다.

판재 板材 | 널빤지 판, 재목 재 [board; plank]
널빤지[板]로 된 재목(材木).

0346 [려]

旅 나그네 려
㊥ 方부 ⓗ 10획 ㊥ 旅 [lǚ]

旅자는 '(500명의) 군사'(soldier)를 나타내기 위해 하나의 깃발아래 모인 여러 병사들의 모습을 그린 것이다. 그들 중에는 먼 길을 떠나온 사람들이 많았기에 '나그네'(a traveler)란 뜻으로도 쓰인다.

여객 旅客 | 나그네 려, 손 객
[passenger; traveler]
여행(旅行)을 하고 있는 사람[客]. ¶여객 명단.

여관 旅館 | 나그네 려, 집 관 [hotel]
❶속뜻 나그네[旅]가 묵는 집[館]. ❷일정한 돈을 받고 손님을 묵게 하는 집. ¶마지막 배를 놓치는 바람에 여관에서 묵었다.

여권 旅券 | 나그네 려, 문서 권 [passport]
❶속뜻 외국에 여행(旅行)하는 것을 승인하는 증서[券]. ❷외국을 여행하는 사람의 신분이나 국적을 증명하고

상대국에 보호를 의뢰하는 공문서.

여비 旅費 | 나그네 려, 쓸 비 [travel expenses]
여행(旅行)에 드는 비용(費用). ¶이모가 여비에 보태라고 돈을 주셨다. ㊐노자(路資).

여인 旅人 | 나그네 려, 사람 인
[passenger; traveler]
여행(旅行)하는 사람[人].

여정 旅程 | 나그네 려, 거리 정
[itinerary; plan for one's journey]
여행(旅行)하는 거리[程]. ¶나는 매일 밤 숙소에 돌아와 그날의 여정을 기록했다.

여행 旅行 | 나그네 려, 다닐 행 [travel]
❶속뜻 나그네[旅]로 길을 떠나 다님[行]. ❷일이나 여행을 목적으로 다른 고장이나 외국에 가는 일. ¶그녀는 휴가 때에 그리스를 여행했다.

0347 [경]

敬

공경 경:
部 攴부 획 13획 中 敬 [jìng]

敬敬敬敬敬敬敬敬敬敬敬敬敬

敬자는 '삼가다'(be cautious)는 뜻을 나타내기 위하여 苟(진실로 구)와 支(칠 복 =攵), 두 표의요소가 합쳐진 것이다. '공경하다'(venerate), '존경하다'(respect)는 낱말이나 이것과 의미상 연관이 있는 단어의 구성 요소로 쓰인다.
속뜻 훈음 ①공경할 경, ②존경할 경.

경:건 敬虔 | 공경할 경, 정성 건 [devout; pious]
공경(恭敬)하는 마음으로 삼가며[虔] 조심성이 있다. ¶경건한 마음으로 기도를 드리다.

경:례 敬禮 | 공경할 경, 예도 례 [salute; bow]
공경(恭敬)의 예도(禮度)를 나타내는 일. 또는 그 동작. ¶국기에 대한 경례. ㊐절, 인사(人事).

경:로 敬老 | 공경할 경, 늙을 로
[respect for the old]
노인(老人)을 공경(恭敬)함. ¶경로사상.

경:배 敬拜 | 공경할 경, 절 배 [bow respectfully]
공경(恭敬)하여 공손히 절함[拜]. ¶아기 예수에게 경배하다.

경:애 敬愛 | 공경할 경, 사랑 애
[love and respect]
존경(尊敬)하고 사랑함[愛]. ¶경애하는 신사 숙녀 여러분. ㊐애경(愛敬).

경:외 敬畏 | 공경할 경, 두려워할 외 [awe; dread]
공경(恭敬)하고 두려워함[畏]. ㊐외경(畏敬).

• 역순어휘

공경 恭敬 | 공손할 공, 존경할 경 [respect]
공손(恭遜)한 마음가짐으로 남을 존경(尊敬)함. ㊊구박(驅迫).

불경 不敬 | 아닐 불, 공경할 경
[disrespectful; irreverent]
마땅히 경의를 표해야 할 사람에게 경의(敬意)나 예를 표하지 않고[不] 무례하게 굶. ¶불경을 저지르다 / 불경스러운 말투.

존경 尊敬 | 높을 존, 공경할 경 [respect]
남의 인격, 사상, 행위 따위를 높이[尊] 받들어 공경(恭敬)함. ¶세종대왕은 존경스러운 위인이다. ㊊무시(無視), 멸시(蔑視).

0348 [효]

效

본받을 효:
部 攴부 획 10획 中 效 [xiào]

效效效效效效效效效效

效자의 交는 '화살 시'(矢)가 잘못 변화된 것이다. 화살촉[交→矢]을 달구어 망치를 들고 쳐서[支=攵] 똑같이 만드는 모습으로 '본뜨다'(imitate)는 뜻을 그렇게 나타냈다. '본받다'(imitate), '보람'(effect)이란 뜻으로도 쓰인다. '효력'(validity), '효과'(efficacy)같은 낱말 또는 이와 의미상 연관이 있는 단어를 구성하는 요소로도 쓰인다.
속뜻 훈음 ①본받을 효, ②보람 효, ③효력 효, ④효과 효.

효:과 效果 | 보람 효, 열매 과 [effect]
보람[效]이 있는 결과(結果). ¶광고 효과 / 효과가 빠르다.

효:력 效力 | 효과 효, 힘 력 [force; effect]
❶속뜻 효과(效果)를 나타내는 힘[力]. ¶그 약은 변비에 아무런 효력이 없었다. ❷법률 법률이나 규칙 따위의 작용. ¶효력 정지 가처분 신청.

효:용 效用 | 효과 효, 쓸 용 [use; usefulness]
❶속뜻 효과(效果)가 나타나는 쓰임[用]. 효험(效驗). ❷어떤 물건의 쓸모 ¶효용이 있다 / 효용가치.

효:율 效率 | 효과 효, 비율 률 [utility factor]
❶속뜻 애쓴 노력의 결과로 나타나는 효력(效力)의 정도나 비율(比率). ¶학습 효율을 높이다. ❷물리 기계가 한 일의 양과 소요된 에너지와의 비율. ¶연료 효율 / 에너지

효율.

효ː험 效驗 | 효과 효, 겪을 험 [effect; efficacy]
❶[속뜻] 효과(效果)를 실지로 겪어봄[驗]. ❷실제의 효과나 보람. ¶이 약초는 위장병에 효험이 있다.

• 역순어휘

무효 無效 | 없을 무, 효과 효 [ineffective; invalid]
❶[속뜻] 효과(效果)가 없음[無]. ❷[법률] 법률 행위가 어떤 원인으로 당사자가 의도한 효력을 나타내지 못함. ¶선거법 위반으로 그의 당선은 무효가 되었다. (반)유효(有效).

발효 發效 | 나타날 발, 효과 효 [come into effect]
법률이나 규칙 등이 효력(效力)을 나타냄[發]. ¶새 법률은 3월 1일 발효된다.

시효 時效 | 때 시, 효과 효 [prescription]
❶[속뜻] 효과(效果)가 지속되는 시간적(時間的) 범위. ❷[법률] 어떤 사실 상태가 일정 기간 계속되는 일. ¶내일이면 그 사건의 시효가 끝난다.

실효 實效 | 실제 실, 효과 효 [efficiency]
실제(實際)의 효과(效果). ¶법안이 드디어 실효를 거두었다.

약효 藥效 | 약 약, 효과 효 [effect of a medicine]
약(藥)의 효과(效果). ¶약효가 빠르다.

유ː효 有效 | 있을 유, 효과 효
[valid; available; effective]
효과(效果)나 효력이 있음[有]. ¶유효 기간 / 이 계약은 1년간 유효하다. (반)무효(無效).

주ː효 奏效 | 아뢸 주, 효과 효 [effective]
❶[속뜻] 효력(效力)이 있음을 알려줌[奏]. ❷기대한 결과가 나타남. ¶새로운 전략이 주효하였다.

즉효 即效 | 곧 즉, 효과 효 [immediate effect]
즉시(即時) 나타나는 효과(效果). ¶감기에는 이 약이 즉효다.

0349 [결]

決

결단할 결
(부) 水부 (획) 7획 (중) 决 [jué]

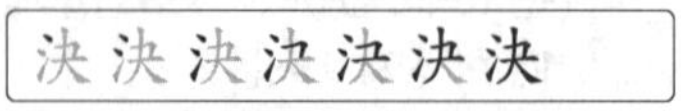

決자는 氵(물 수)와 夬(터놓을 쾌)가 조합된 것으로 '(막혔던 물이) 터지다'(break down)가 본뜻이다. 후에 '터놓다'(release; unstop)는 뜻으로도 확대 사용됐다. '결단하다'(decide), '결정하다'(determine) 같은 낱말, 또는 그와 의미상 연관이 있는 단어의 한 구성 요소로 쓰이기도 한다.
[속뜻훈음] **①터질 결, ②터놓을 결, ③결정할 결.**

결단 決斷 | 결정할 결, 끊을 단
[decide; determine]
무엇에 대한 생각을 결정(決定)하여 판단(判斷)함. ¶신속한 결단 / 결단을 내리다.

결렬 決裂 | 터질 결, 찢어질 렬 [break down]
❶[속뜻] 제방이 터지고[決] 이불이 찢어짐[裂]. ❷교섭이나 회의 따위에서 의견이 합쳐지지 않아 각각 갈라서게 됨. ¶회담이 결렬됐다.

결사 決死 | 결정할 결, 죽을 사
[desperate; death defying]
어떤 일을 위하여 죽음[死]을 각오함[決]. ¶결사 반대하다. (비)필사(必死).

결산 決算 | 결정할 결, 셀 산 [settle an account]
❶[속뜻] 계산(計算)을 마감함[決]. ❷공공기관이나 기업체 등에서 일정 기간의 수입과 지출을 계산하는 일. ¶월말에 매출을 결산하다. (반)예산(豫算).

결선 決選 | 결정할 결, 가릴 선
[final election; runoff]
❶[속뜻] 결선 투표로 당선자(當選者)를 결정(決定)함. 또는 그 선거. ❷일등 또는 우승자를 가리는 마지막 겨룸. ¶우리 팀은 결선에 진출했다. (반)예선(豫選).

결승 決勝 | 결정할 결, 이길 승
[decision of a contest]
❶[속뜻] 마지막으로 승부(勝負)를 결정(決定)함. ❷운동 경기 따위에서 마지막으로 승부를 가리는 시합. '결승전'(決勝戰)의 준말. ¶우리 반이 배구대회의 결승에 올랐다. (반)예선(豫選).

결심 決心 | 결정할 결, 마음 심
[decide; determine]
마음[心]을 굳게 작정함[決]. ¶결심하면 못 해낼 일이 없다. (비)결의(決意).

결연 決然 | 결정할 결, 그러할 연
[determined; firm]
태도나 결심(決心)이 매우 굳세고 꿋꿋하다[然]. ¶결연한 태도.

결의[1] 決意 | 결정할 결, 뜻 의 [resolve]
뜻[意]을 굳게 정함[決]. ¶필승의 결의를 다지다. (비)결심(決心).

결의[2] 決議 | 결정할 결, 의논할 의 [resolve]
회의에서 의안(議案)이나 제의 등의 가부를 결정(決定)함. ¶법안을 폐지하기로 결의했다. (비)의결(議決), 결정(決定).

결재 決裁 | 결정할 결, 처리할 재 [approve; sign]
❶[속뜻] 결정(決定)하거나 처리함[裁]. ❷상관이 부하가 제출한 안건을 검토하여 허가하거나 승인함. ¶결재 서류

에 사인을 하다. ㊐재결(裁決), 재가(裁可).

결전 決戰 | 결정할 결, 싸울 전 [decisive battle]
승부를 결판(決判)내는 싸움[戰]. ¶결전의 날이 다가오다.

결정 決定 | 결단할 결, 정할 정 [decide]
❶속뜻 결단(決斷)을 내려 확정(確定)함. ¶참전(參戰)을 결정하다. ❷법률 법원이 행하는 판결 및 명령 이외의 재판. ㊐결단(決斷). ㊥미결(未決), 보류(保留).

결제 決濟 | 결정할 결, 끝낼 제 [pay; settle]
❶속뜻 지불 금액, 조건 따위를 결정하고[決] 대금을 지불하여 거래 관계를 끝냄[濟]. ❷증권 또는 현금을 주고받아 매매 당사자 간의 거래 관계를 마무리함. ¶현금으로 결제하다.

결투 決鬪 | 결정할 결, 싸울 투 [fight a duel; duel]
서로의 원한이나 갈등을 풀기 어려울 때, 미리 합의한 방법으로 승부[鬪]를 결판(決判)내는 일. ¶결투를 벌이다.

결판 決判 | 결정할 결, 판가름할 판 [judgement; settlement]
승부나 시비를 결정(決定)짓는 판정(判定). ¶결판이 날 때까지 싸우다.

결행 決行 | 결정할 결, 행할 행 [carry out]
마음을 정하여[決] 실행(實行)함. ¶파업을 결행하다. ㊐단행(斷行).

• 역순어휘

가:결 可決 | 옳을 가, 결정할 결 [approve]
제출된 의안을 옳다고[可] 결정(決定)함. ¶국회는 안건을 가결했다. ㊐의결(議決). ㊥부결(否決).

대:결 對決 | 대할 대, 결정할 결 [fight; contest]
둘이 맞서서[對] 승부를 결정(決定)함. ¶세기의 대결을 벌이다. ㊐투쟁(鬪爭).

부:결 否決 | 아닐 부, 결정할 결 [reject; vote down]
회의에서 안건을 승인하지 않기로[否] 결정(決定)함. ¶그 법안은 30대 22로 부결되었다. ㊥가결(可決).

선결 先決 | 먼저 선, 터놓을 결 [decide before-hand; decide first]
다른 일보다 먼저[先] 해결(解決)함. ¶이 문제를 선결해야 한다.

의결 議決 | 의논할 의, 결정할 결 [decide; resolve]
의논(議論)하여 결정(決定)함. 또는 그런 결정. ¶과반수의 찬성으로 새 법률안을 의결했다.

자결 自決 | 스스로 자, 결정할 결 [kill oneself]
❶속뜻 일을 스스로[自] 해결(解決)함. ¶민족 자결 주의. ❷스스로 목숨을 끊음. ¶그녀는 누명을 쓰고 그 억울함 때문에 자결하였다. ㊐자살(自殺).

판결 判決 | 판가름할 판, 결정할 결 [judge; decide]
❶속뜻 판단(判斷)하여 결정(決定)함. ❷법률 법원이 어떤 소송 사건을 법률에 따라 판단을 내림. ¶죄의 유무를 판결하다.

표결 表決 | 나타낼 표, 결정할 결 [take a vote (on)]
회의에서 어떤 안건에 대하여 가부 의사를 표시(表示)하여 결정(決定)함. ¶그 법안은 표결에 부쳐졌다.

해:결 解決 | 풀 해, 터놓을 결 [solve; settle]
❶속뜻 얽힌 것을 풀고[解] 막힌 물을 터놓음[決]. ❷문제의 핵심을 밝혀서 가장 좋은 결과를 찾아냄. ¶복잡한 문제를 해결하다.

0350 [법]

法 법 법
部 水부 劃 8획 中 法 [fǎ]

法法法法法法法法

法자는 원래 '水+廌+去'의 복잡한 구조였는데, 쓰기 편함을 위하여 간략하게 고쳐졌다. 죄악을 제거[去]함에 있어 수면[水]같이 공평무사하게 하는 데 필요한 것이 '法'(the law)이다. 참고로, 廌(해치 치)는 소나 양처럼 생긴 외뿔박이 짐승으로, 우리나라에서는 '해태'라고 부르며, 서울 광화문 양편에는 돌 해태 두 마리가 늠름하게 버티고 있다. 고대 법관들은 죄인을 분간해내기 어려울 때 시비와 선악을 가질 줄 안다는 이 짐승을 데려와 죄인을 들이받게 하였다고 한다. 과학적이지 못하였든지 아니면 쓰기 편하기만을 위해서인지 이것을 빼어 버린 '法'자 형태로 바뀌어 오늘에 이르고 있다. 아무튼 이 글자는 '법률'(the law), '방법'(a method), '가르침'(teaching) 등을 나타내는 데 널리 쓰인다.

법고 法鼓 | 법 법, 북 고
불교 불법(佛法)을 설하기 전에 치는 북[鼓].

법관 法官 | 법 법, 벼슬 관 [judge]
법률 사법권(司法權)을 행사하여 민(民)·형사(刑事上)의 재판을 맡아보는 공무원[官]. ㊐사법관(司法官).

법규 法規 | 법 법, 법 규 [laws and regulations]
법률 국민의 권리와 의무를 규정하여 활동을 제한하는

법률(法律)이나 규정(規程). ¶교통법규를 준수하다.

법당 法堂 | 법 법, 집 당
[building that contains a statue of Buddha]
불교 불상을 모시고 설법(說法)도 하는 절의 정당(正堂). ㊥법전(法殿).

법도 法度 | 법률 법, 제도 도 [law; rule; etiquette]
❶속뜻 법률(法律)과 제도(制度). ❷생활상의 예법이나 제도. ¶집안의 법도를 따르다.

법령 法令 | 법 법, 명령 령 [law]
법률 법률(法律)과 명령(命令). ¶관계 법령을 개정하다. ㊟영.

법률 法律 | 법 법, 법칙 률 [law]
❶속뜻 법(法)과 규율(規律). ❷법률 국민이 지켜야 할 모든 법(法)을 통틀어 일컫는 말. ¶법률을 제정하다 / 법률을 지키다.

법명 法名 | 법 법, 이름 명 [one's Buddhist name]
불교 불법(佛法)을 배우려는 사람에게 지어준 이름[名].

법복 法服 | 법 법, 옷 복 [judge's gown]
법정에서 법관(法官)들이 입는 옷[服].

법사 法師 | 법 법, 스승 사 [Buddhist monk]
불교 불법(佛法)에 정통하여 다른 이들의 스승[師]이 될 만한 승려. ¶삼장법사.

법석 法席 | 법 법, 자리 석 [noisy way; fuss]
❶속뜻 불법(佛法)을 설하는 자리[席]. ❷여러 사람이 어수선하게 떠드는 모양. ¶별 것도 아닌 일로 법석을 떨다. ㊥수선, 야단법석(野壇法席).

법안 法案 | 법 법, 안건 안 [(legislative) bill]
법률 법률(法律)의 안건(案件)이나 초안. '법률안'의 준말. ¶환경보호 법안이 의회를 통과했다.

법원 法院 | 법 법, 집 원 [law court]
법률 사법권(司法權)을 가진 국가기관[院]. ¶법원에 출두하다. ㊥재판소(裁判所).

법적 法的 | 법 법, 것 적 [legalistic]
법률(法律)에 따라 판단하거나 처리하는 것[的]. ¶만 19세가 되면 법적으로 성인이 된다.

법전 法典 | 법 법, 책 전 [law code]
법률 어떤 종류의 법규(法規)를 체계적으로 정리하여 엮은 책[典]. ¶함무라비 법전.

법정[1] 法廷 | =法庭, 법 법, 관청 정 [law court]
법률 법관(法官)이 재판을 행하는 관청[廷]. ¶법정에서 진술하다. ㊥재판정(裁判廷).

법정[2] 法定 | 법 법, 정할 정 [provide by law]
법(法)으로 규정(規定)함. ¶12월 25일은 법정 공휴일이다.

법칙 法則 | 법 법, 법 칙 [law; rule]
❶속뜻 방법(方法)과 규칙(規則). ❷반드시 지켜야만 하는 규범. ❸철학 일정한 조건 아래서 반드시 성립되는 사물 상호간의 필연적·본질적인 관계. ¶자연의 법칙.

• 역순어휘

국법 國法 | 나라 국, 법 법 [national laws]
법률 나라[國]의 법률(法律)이나 법규. ㊥헌법(憲法).

기법 技法 | 재주 기, 법 법 [technique]
기술(技術)을 부리는 방법(方法). 기교를 부리는 방법. ¶상감기법을 이용하여 무늬를 넣은 도자기.

마법 魔法 | 마귀 마, 법 법 [magic]
마력(魔力)으로 불가사의한 일을 행하는 술법(術法).

무법 無法 | 없을 무, 법 법 [unjust; unlawful]
❶속뜻 법(法)이 없음[無]. ❷도리나 도덕에 어긋나고 난폭함. ¶폭동이 일어나자 도시는 무법천지가 되었다.

문법 文法 | 글월 문, 법 법 [grammar]
❶속뜻 문장(文章)을 만드는 법칙(法則). ❷언어 말소리나 단어, 문장, 어휘 등에 관한 일정한 규칙.

민법 民法 | 백성 민, 법 법 [civil law]
법률 개인[民]의 권리와 관련된 법규(法規)를 통틀어 이르는 말.

방법 方法 | 방법 방, 법 법 [way; method]
❶속뜻 방식(方式)이나 수법(手法). ❷어떤 목적을 달성하기 위하여 취하는 수단. ¶방법을 찾다.

범:법 犯法 | 어길 범, 법 법 [violate the law]
법(法)을 어김[犯]. 법에 어긋나는 일을 함. ¶범법행위를 단속하다.

불법 不法 | 아닐 불, 법 법 [unlawfulness]
법(法)에 어긋남[不]. ¶불법선거 / 불법시위. ㊥위법(違法). ㊤적법(適法), 합법(合法).

비:법 秘法 | 숨길 비, 법 법 [secret process]
비밀(秘密)스러운 방법(方法). ¶비법을 전수하다. ㊥비방(秘方).

사법 司法 | 맡을 사, 법 법
[administration of justice]
❶속뜻 법(法)에 관한 일을 맡아 처리함[司]. ❷법률 국가가 법률(法律)을 실제의 사실에 적용하는 행위.

설법 說法 | 말씀 설, 법 법
[preach Buddhist teachings]
불교 불법(佛法)의 오묘한 이치를 강설(講說)함.

수법 手法 | 손 수, 법 법
[method; trick; technique]
❶속뜻 수단(手段)과 방법(方法)을 아울러 이르는 말. ¶인터넷 사기 수법이 갈수록 다양해지고 있다. ❷예술품을 만드는 솜씨. ¶도자기를 만드는 수법은 다양하다.

악법 惡法 | 나쁠 악, 법 법 [bad law]
사회에 해를 끼치는 나쁜[惡] 법규나 제도[法]. ¶악법도 법이다.

어:법 語法 | 말씀 어, 법 법
[(a mode of) expression; grammar]
언어 말[語]의 일정한 법칙(法則). ¶어법에 맞게 말해야 한다.

예법 禮法 | 예도 례, 법 법 [manners]
예의(禮義)로써 지켜야 할 규범[法]. ¶예법을 지키다. (준)예. (비)법례(法禮).

요법 療法 | 병고칠 료, 법 법 [medical treatment]
한의 병을 고치는[療] 방법(方法). ¶한방요법.

용:법 用法 | 쓸 용, 법 법 [use]
사용(使用)하는 방법(方法). ¶약품을 사용하기 전에 용법을 잘 읽어 보아라.

위법 違法 | 어길 위, 법 법 [be illegal]
법(法)을 어김[違]. ¶위법단체 / 위법한 행위가 나쁜 것이지 사람이 나쁜 것은 아니다. (반)적법(適法), 합법(合法).

율법 律法 | 법 률, 법 법 [law; rule]
❶속뜻 규범[律=法]. ❷기독교 하나님이 인간에게 지키도록 내린 규범을 이르는 말.

입법 立法 | 설 립, 법 법 [legislate]
❶속뜻 법(法)을 세움[立]. ❷법을 제정하는 행위. ¶국회의 입법 과정.

적법 適法 | 알맞을 적, 법 법 [legal; legitimate]
법규(法規)나 법률에 맞음[適]. ¶적법한 절차 / 그 행위는 적법하다. (반)불법(不法), 위법(違法).

주:법 奏法 | 연주할 주, 법 법
[execution; how to play]
음악 악기를 연주(演奏)하는 방법(方法). '연주법'(演奏法)의 준말. ¶기타의 주법을 연습하다.

준:법 遵法 | 따를 준, 법 법 [obey the law]
법령(法令)을 지킴[遵]. 법을 따름.

진법 陣法 | 진칠 진, 법 법 [disposition of troops]
군사 진(陣)을 치는 방법(方法). ¶학익진(鶴翼陣)은 유명한 공격 진법이다.

창:법 唱法 | 부를 창, 법 법
[way of singing; vocalism]
노래나 소리, 시조 따위를 부르는[唱] 방법(方法). ¶남성적인 창법으로 유명한 여가수.

편법 便法 | 편할 편, 법 법
[handy method; shortcut]
편리(便利)한 방법(方法). ¶편법으로 재산을 물려주다.

합법 合法 | 맞을 합, 법 법 [lawful; legal]
법(法)에 맞음[合]. (비)적법(適法). (반)불법(不法), 비합법(非合法), 위법(違法).

헌:법 憲法 | 법 헌, 법 법 [constitutional law]
❶속뜻 최상위에 있는 법[憲=法]. ❷법률 국가에서 정하는 모든 법의 기초법. 국가의 조직, 구성 및 작용에 관한 근본법으로, 다른 법률이나 명령으로 변경할 수 없는 한 국가의 최고 법규.

형법 刑法 | 형벌 형, 법 법 [criminal law]
법률 범죄와 형벌(刑罰)의 내용을 규정한 법률(法律).

0351 [세]

洗

씻을 세:
(部) 水부 (總) 9획 (中) 洗 [xǐ, Xiǎn]

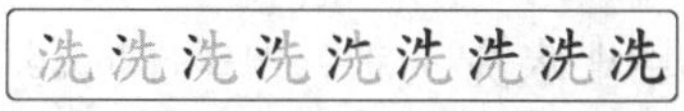

洗자는 '씻다'(wash)는 뜻을 위해 '물 수'(水)가 표의요소로 쓰였고, 先(먼저 선)은 표음요소다. 이 글자의 원래 음은 [선]이었다. 옛날 방언에서 유래된 [세]라는 음이 득세하다보니 [선]이란 음은 잊히고 말았다.

세:뇌 洗腦 | 씻을 세, 골 뇌
[brainwash; indoctrinate]
머릿속의 골[腦]에 들어있던 생각이나 사상 따위를 깨끗이 씻어내고[洗] 새로운 것을 주입시킴. ¶세뇌교육 / 광고는 불필요한 물건까지 사도록 사람들을 세뇌한다.

세:련 洗練 | =洗鍊, 씻을 세, 익힐 련
[refined; sophisticated; polished]
❶속뜻 깨끗이 씻어[洗] 말끔하고 열심히 익혀[練] 능숙함. ❷서투르거나 어색한 데가 없이 능숙하고 미끈하게 갈고 닦음. ❸모습 따위가 말쑥하고 품위가 있다. ¶세련된 옷차림.

세:례 洗禮 | 씻을 세, 예도 례
[baptism; christening]
❶기독교 신자가 될 때 베푸는 의식으로 머리 위를 물로 적시거나[洗] 몸을 잠그는 예식(禮式). ¶세례를 받다. ❷'한꺼번에 몰아치는 비난이나 공격'을 비유하여 이르는 말. ¶그는 학생들의 질문 세례를 받았다.

세:면 洗面 | 씻을 세, 낯 면 [wash one's face]
얼굴[面]을 씻음[洗]. ¶세면 도구. (비)세수(洗手), 세안(洗顔).

세:수 洗手 | 씻을 세, 손 수 [wash one's face]
손[手]을 비롯한 얼굴 따위를 씻음[洗]. ¶따뜻한 물로 세수하다. (비)세면(洗面), 세안(洗顔).

세:제 洗劑 | 씻을 세, 약제 제

[cleanser; detergent]
몸이나 기구, 의류 따위에 묻은 물질을 씻어[洗] 내는 데 쓰이는 약제(藥劑). 비누 따위. ¶세제를 많이 쓰면 환경이 오염된다. [비]세척제(洗滌劑), 세탁제(洗濯劑).

세:차 洗車 | 씻을 세, 수레 차 [wash a car]
자동차(自動車)를 씻는[洗] 일. ¶내가 세차한 날은 꼭 비가 온다.

세:척 洗滌 | 씻을 세, 씻을 척 [wash]
깨끗이 씻음[洗=滌]. ¶콘택트렌즈를 세척하다.

세:탁 洗濯 | 씻을 세, 씻을 탁 [wash; launder]
옷이나 직물을 빪음[洗=濯]. ¶이 옷은 세탁해도 줄어들지 않습니다.

• 역순어휘

수세 水洗 | 물 수, 씻을 세 [rinse; wash by water]
물[水]로 씻음[洗]. ¶수세식 화장실.

영세 領洗 | 차지할 령, 씻을 세 [baptize; christen]
[가톨릭] 세례(洗禮)를 받는[領] 일. ¶우리나라 사람으로 최초로 영세한 사람은 이승훈이다.

0352 [류]

流

흐를 류
[部] 水부 [획] 10획 [中] 流 [liú]
流流流流流流流流流流

流자의 원형은 아이[子]가 물살에 휘말려 떠내려가는 모습으로, '떠내려가다'(be swept away)가 본뜻이다. '云' 비슷한 것은 '아이 자'(子)가 거꾸러진 모양이 변화된 것이다. 오른편 요소가 표음 기능도 겸하는 것임은 硫(유황 류), 琉(유리 류)의 경우를 통하여 알 수 있다. 후에 '(물이) 흐르다'(stream; flow), '추방되다'(=내치다, banish), '갈래'(a division; a branch) 등으로 확대 사용됐다.
[속뜻 훈음] ①흐를 류, ②내칠 류, ③갈래 류.

유동 流動 | 흐를 류, 움직일 동 [flow; be fluid]
❶[속뜻] 흘러 다니고[流] 움직임[動]. 또는 그러한 것. ❷ 이리저리 옮겨 다니는 것. ¶서울은 유동 인구가 많다. [반]고정(固定).

유두 流頭 | 흐를 류, 머리 두
❶[속뜻] 흐르는[流] 물에 머리[頭]를 감음. ❷[민속] 우리나라 고유 명절의 하나. 맑은 시내나 산간 폭포에 가서 머리를 감고 몸을 씻은 후, 가지고 간 음식을 먹으면서 서늘하게 하루를 지낸다. 음력 유월 보름날이다.

유랑 流浪 | 흐를 류, 물결 랑 [wander]
흐르는[流] 물결[浪]처럼 정처 없이 떠돌아다님. ¶유랑극단 / 그는 전국을 유랑하였다. [반]정착(定着).

유민 流民 | 흐를 류, 백성 민
[drifting people; migrants]
고향을 떠나 이곳저곳으로 떠도는[流] 사람[民]. [비]유랑민(流浪民).

유배 流配 | 흐를 류, 나눌 배 [exile; banish]
❶[속뜻] 흘러[流] 보내거나 멀리 떨어져[配] 살게 함. ❷[역사] 죄인을 귀양 보냄. ¶먼 섬으로 유배를 보내다. [비]귀양.

유산 流産 | 흐를 류, 낳을 산 [miscarry; abort]
[의학] 달이 차기 전에 태아가 죽어서 피의 형태로 흘러[流] 나옴[産]. ¶자연 유산 / 이 산모는 유산할 위험이 있으므로 절대 안정이 필요하다.

유성 流星 | 흐를 류, 별 성
[shooting star; meteor; planet]
❶[속뜻] 마치 하늘을 흐르는[流] 것 같이 보이는 별[星]빛. ❷[천문] 우주의 먼지가 지구의 대기권에 들어와 공기의 압축과 마찰로 빛을 내는 현상. ¶나는 유성이 떨어지는 것을 보면서 소원을 빌었다. [비]별똥별.

유수 流水 | 흐를 류, 물 수
[running water; flowing stream]
흐르는[流] 물[水]. ¶세월은 유수와 같다.

유실 流失 | 흐를 류, 잃을 실
[be washed away; be lost]
물에 떠내려가서[流] 없어짐[失]. ¶이번 홍수로 다리가 유실되었다.

유언 流言 | 흐를 류, 말씀 언
[groundless story; wild rumor]
터무니없이 항간을 떠도는[流] 소문[言].

유역 流域 | 흐를 류, 지경 역
[area drained by a river; drainage basin]
강물이 흐르는[流] 언저리의 지역(地域). ¶한강 유역에서 빗살무늬 토기가 발견되었다.

유입 流入 | 흐를 류, 들 입 [flow in]
흘러[流] 들어옴[入]. ¶인구 유입 / 오염된 하수가 강물로 유입되었다.

유창 流暢 | 흐를 류, 펼칠 창
[fluent; smooth; facile]
글을 읽거나 하는 말이 물 흐르듯[流] 순탄하게 잘 펼쳐진다[暢]. ¶그는 스페인어를 유창하게 구사한다. [비]거침없다, 막힘없다.

유출 流出 | 흐를 류, 날 출 [spill; outflow]
❶[속뜻] 액체 등이 흘러[流] 나감[出]. ¶유조선에서 기름이 유출되었다. ❷귀중한 물품이나 정보 따위가 불법적으

로 내리나 조직의 밖으로 나가 버림. 또는 그것을 내보냄. ¶시험문제 유출 / 군사 기밀이 외부로 유출되었다.

유통 流通 | 흐를 류, 통할 통
[circulate; pass current]
❶[속뜻] 공기나 액체가 흘러[流] 통(通)함. ❷[경제] 상품이 생산자, 상인, 소비자 사이에 거래되는 일. ¶유통 구조 / 화폐의 유통 / 가짜 상품을 시중에 유통시키다.

유행 流行 | 흐를 류, 행할 행 [become popular]
❶[속뜻] 곳곳으로 흘러[流] 행(行)해짐. ❷[사회] 어떠한 양식이나 현상 등이 새로운 경향으로 한동안 사회에 널리 퍼지는 경향. ¶이 스타일의 옷은 이미 유행이 지났다. ❸전염병 따위가 한동안 널리 퍼짐. ¶전국에 독감이 유행하고 있다.

• 역순어휘

교류 交流 | 서로 교, 흐를 류
[interchange; exchange]
❶[속뜻] 근원이 다른 물줄기가 서로[交] 섞이어 흐름[流]. 또는 그런 줄기. ❷문화나 사상 따위가 서로 통함. ¶문화적 교류. ❸[전기] 시간에 따라 크기와 방향이 주기적으로 바뀌어 흐름. 또는 그런 전류. [비]소통(疏通). [반]직류(直流).

급류 急流 | 급할 급, 흐를 류
[swift current; torrent]
물이 급(急)하게 흐름[流]. ¶급류를 타다. [반]완류(緩流).

기류 氣流 | 공기 기, 흐를 류
[air current; stream of air]
❶[속뜻] 대기 중에서 일어나는 공기(空氣)의 흐름[流]. ¶온난 기류. ❷항공기 등이 공중에서 일으킨 바람. ¶기류를 타다.

난:류 暖流 | =煖流, 따뜻할 난, 흐를 류
[warm current]
[지리] 따뜻한[暖] 해류(海流). ¶고등어는 난류성 물고기이다. [반]한류(寒流).

대:류 對流 | 대할 대, 흐를 류
[convection current]
❶[속뜻] 서로 맞은[對] 편으로 흐름[流]. ❷[물리] 밀도차로 인하여 온도가 높은 기체나 액체가 위로 올라가고, 온도가 낮은 것은 아래로 내려오는 현상.

물류 物流 | 만물 물, 흐를 류
[(physical) distribution]
물품(物品)을 유통(流通)하거나 보관하는 활동. '물적 유통'(物的流通)의 준말. ¶물류회사에 입사하다.

방:류 放流 | 놓을 방, 흐를 류 [discharge]
❶[속뜻] 가두어 놓은 물을 터서 흘려[流] 보냄[放]. ❷기르기 위하여 어린 물고기를 물에 놓아줌. ¶강에 물고기를 방류하다. [비]방수(放水), 방생(放生).

삼류 三流 | 셋째 삼, 갈래 류 [third class]
세 부류 중에서 가장 낮은 셋째[三] 등급이나 유파(流派). ¶삼류 영화.

상:류 上流 | 위 상, 흐를 류
[upper stream; higher classes]
❶[속뜻] 강물 따위가 흘러내리는[流] 위[上]쪽 지역. ¶한강 상류가 오염되었다. ❷사회적 지위나 생활수준, 교양 등이 높은 계층. ¶상류 사회. [반]하류(下流).

여류 女流 | 여자 녀, 갈래 류
[women in general; fair sex]
어떤 분야에서 여성(女性)의 유파(流派). ¶노천명은 당대의 뛰어난 여류 시인이었다.

역류 逆流 | 거스를 역, 흐를 류 [flow backward]
물이 거슬러[逆] 흐름[流]. 또는 그렇게 흐르는 물. ¶거센 역류를 헤집고 올라가다.

이:류 二流 | 둘째 이, 갈래 류
[second-class; minor; inferior]
❶[속뜻] 두[二] 번째 갈래[流]나 등급. ❷질, 정도, 지위 따위가 일류보다 약간 못함. 또는 그런 것. ¶이류 작가.

일류 一流 | 첫째 일, 갈래 류 [first class]
어떤 분야에서 첫째[一] 가는 계층이나 갈래[流]. ¶일류 호텔 / 일류 기술자 / 일류 대학.

전:류 電流 | 전기 전, 흐를 류
[electric current; current of electricity]
❶[속뜻] 전기(電氣)가 흐름[流]. ❷[물리] 전하가 연속적으로 이동하는 현상. 도체 내부의 전위가 높은 곳에서 낮은 곳으로 흐르며 양전기가 흐르는 방향이 전류의 방향이다.

조류 潮流 | 바닷물 조, 흐를 류
[(tidal) current; tide; trend]
❶[속뜻] 밀물과 썰물 때문에 일어나는 바닷물[潮]의 흐름[流]. ¶이 지역은 조류의 흐름이 빠른 편이다. ❷시대 흐름의 경향이나 동향. ¶밀려드는 세계화의 조류를 막을 수는 없다.

주류 主流 | 주될 주, 흐를 류
[mainstream; majority]
❶[속뜻] 강의 원줄기[主]가 되는 흐름[流]. ¶한강의 주류. ❷어떤 조직이나 단체에서 영향력이 가장 큰 세력. ¶올 겨울옷은 화려한 원색이 주류를 이룬다. [반]비주류(非主流).

중류 中流 | 가운데 중, 흐를 류
[midstream; middle class]
❶[속뜻] 흐르는[流] 강이나 하천의 중간(中間) 부분. ¶강

의 중류는 폭이 넓다. ❷높지도 낮지도 않은 중간 정도의 계층. ¶중류 가정에서 자라다.

지류 支流 | 가를 지, 흐를 류
[tributary; branch stream]
원줄기에서 갈라져[支] 나간 물줄기[流]. 원줄기로 흘러 들어가는 물줄기. ¶양재천은 한강의 지류이다.

직류 直流 | 곧을 직, 흐를 류
[direct current; continuous current]
❶속뜻 곧게[直] 흐름[流]. ❷전기 시간이 지나도 전류의 크기와 방향이 변하지 아니하는 전류. 반교류(交流).

표류 漂流 | 떠다닐 표, 흐를 류 [drift; wander]
물에 떠서[漂] 흘러감[流]. ¶바다에서 배가 일주일째 표류했다.

풍류 風流 | 바람 풍, 흐를 류 [taste for the arts]
풍치(風致)를 찾아 즐기며 멋스럽게 노니는[流] 일. 속되지 않고 운치가 있는 일. ¶풍류를 즐기다.

하:류 下流 | 아래 하, 흐를 류
[downstream; the lower classes]
❶속뜻 강물 따위가 흘러내리는[流] 아래쪽[下]. 또는 그 지역. ¶낙동강 하류. ❷사회적 지위나 생활수준, 교양 등이 낮은 계층. ¶하류 계급 / 하류 생활. 반상류(上流).

한류 寒流 | 찰 한, 흐를 류 [cold current]
지리 차가운[寒] 해류(海流). 양극(兩極)의 바다에서 나와 대륙을 따라 적도 쪽으로 흐른다. 반난류(暖流).

합류 合流 | 합할 합, 흐를 류 [unite; join]
❶속뜻 한데 합(合)하여 흐름[流]. ¶이 지점은 두 강이 합류하는 곳이다. ❷일정한 목적을 위하여 행동을 같이 함. ¶해외파 선수들의 합류로 팀의 전력이 크게 향상되었다 / 육군과 합류한 해군.

해:류 海流 | 바다 해, 흐를 류 [ocean current]
지리 항상 일정한 방향으로 움직이는 바닷물[海]의 흐름[流]. ¶해파리가 해류를 따라 이동한다.

0353 [성]

性

성품 성:
部 心부 劃 8획 中 性 [xìng]

性 性 性 性 性 性 性 性

性자는 타고난 '성질'(nature)을 뜻하기 위한 것이었으니, '마음 심'(心=忄)과 '날 생'(生)이 표의요소로 쓰였다. 生이 표음 기능도 하고 있음은 姓(겨레 성)자를 통하여 알 수 있다. '성품'(character), '성별'(the distinction of sex), '성씨'(family name) 같은 낱말, 또는 이와 의미상 연관이 있는 단어의 한 구성 요소로 사용되었다.

속뜻 풀음

①성질 성, ②성품 성, ③성별 성, ④성씨 성.

성:격 性格 | 성질 성, 품격 격
[character; personality]
각 개인의 성질(性質)과 인격(人格). ¶그는 성격이 까다롭다.

성:교 性交 | 성별 성, 사귈 교
[sexual intercourse]
남녀가 성적(性的)인 관계를 맺음[交]. 육체적으로 관계함. 비성행위(性行爲).

성:급 性急 | 성질 성, 급할 급
[hasty; quick tempered]
성질(性質)이 매우 급(急)하다. ¶내가 너무 성급했다. 반느긋하다.

성:기 性器 | 성별 성, 그릇 기
[sexual organs; genitals]
남성(男性)이나 여성(女性)의 외부 생식기(生殖器). 남자의 '음경'과 '고환', 여자의 '음문'을 두루 이르는 말. 비생식기(生殖器).

성:능 性能 | 성질 성, 능할 능
[capacity; power; efficiency]
기계 따위가 지닌 성질(性質)과 일을 해내는 능력(能力). ¶이 제품은 값은 싸지만 성능이 떨어진다.

성:리 性理 | 성품 성, 이치 리
[human nature and natural laws]
❶속뜻 사람의 성품(性品)과 자연의 이치(理致). ❷인성(人性)의 원리.

성:미 性味 | 성질 성, 맛 미
[nature; temperament]
성질(性質), 마음씨, 비위, 버릇 따위를 맛[味]에 빗대어 이르는 말. ¶그는 성미가 까다롭다.

성:별 性別 | 성별 성, 나눌 별 [distinction of sex]
남녀, 또는 암수 등 성(性)의 구별(區別). ¶성별을 기입해 주십시오.

성:욕 性慾 | 성별 성, 욕심 욕
[sexual desire; lust]
성행위(性行爲)를 바라는 욕망(慾望).

성:질 性質 | 성품 성, 바탕 질 [nature; property]
❶속뜻 타고난 성품(性品)과 기질(氣質). ¶성질이 보통이 아니다. ❷사물이나 현상이 본디부터 가지고 있는 다른 것과 구별되는 특징. ¶물의 성질 / 이 두 사건은 성질이 다르다.

성:징 性徵 | 성별 성, 밝힐 징 [sex character]
생물 성별(性別)에 따라 신체상에 나타나는 성적(性的)인 특징(特徵). 남녀, 암수 따위. ¶2차 성징.

성:품 性品 | 성질 성, 품격 품 [nature; character]

성질(性質)의 됨됨이[品]. 사람의 됨됨이. ¶성품이 온화하다. [비]됨됨이, 품성(品性).

성:함 姓銜 | 성씨 성, 직함 함 [one's (honored) name]
❶[속뜻]성명(姓名)과 직함(職銜). ❷남의 이름을 높여 이르는 말. ¶성함을 적어 주십시오. [비]존함(尊銜), 함자(銜字).

성:향 性向 | 성질 성, 향할 향 [inclination]
성질(性質)이 쏠리는 방향(方向). ¶그녀는 점쟁이의 말이라면 덮어놓고 믿는 성향이 있다.

• 역순어휘

감:성 感性 | 느낄 감, 성질 성 [sensitivity; sensibility]
❶[속뜻]자극에 대해 변화를 느끼는[感] 성질(性質). ¶그녀는 감성이 풍부하다. ❷[철학]대상을 오관(五官)으로 느끼고 깨달아 그 상(像)을 형성하는 인식 능력. [반]지성(知性), 이성(理性).

개:성 個性 | 낱 개, 성질 성 [individuality; personality]
❶[속뜻]사람마다[個] 지닌 남과 다른 특성(特性). ❷개체가 지닌 고유의 특성. ¶타인의 개성을 존중하다. [비]개인성(個人性).

건성 乾性 | 마를 건, 성질 성 [dryness]
건조(乾燥)한 성질(性質). 건조하기 쉬운 성질. ¶건성 피부. [반]습성(濕性).

관성 慣性 | 버릇 관, 성질 성 [inertia]
❶[속뜻]버릇[慣]이 된 행동이나 성질(性質). ❷[물리]물체가 밖의 힘을 받지 않는 한 정지 또는 등속도 운동의 상태를 지속하려는 성질. ¶관성의 법칙. [비]타성(惰性).

근성 根性 | 뿌리 근, 성질 성 [nature; spirit]
❶[속뜻]뿌리[根] 깊이 박힌 나쁜 성질(性質). ❷사람이 원래부터 가진 성질. ❸어떤 일을 끝까지 해내려고 하는 끈질긴 성질. ¶저 아이는 승부 근성이 강하다. [비]본성(本性).

급성 急性 | 급할 급, 성질 성 [acute form of a disease]
병 따위가 갑작스럽게 일어나거나 급(急)히 악화되는 성질(性質). ¶급성 맹장염. [반]만성(慢性).

남성 男性 | 사내 남, 성별 성 [male]
❶[속뜻]성(性)의 측면에서 남자(男子)를 이르는 말. ❷[언어]인도-유럽어 문법에서 단어를 성(性)에 따라 구별한 종류의 한 가지. 남성 명사, 남성 대명사 따위. [반]여성(女性).

내:성 耐性 | 견딜 내, 성질 성 [tolerance]
❶[속뜻]견딜[耐] 수 있는 성질(性質). ❷약물을 반복해서 복용할 때 약효가 저하하는 현상. ¶두통약은 내성이 있다.

덕성 德性 | 베풀 덕, 성품 성 [kindly nature; good heart]
어질고 착한[德] 성품(性品). ¶덕성을 기르다.

독성 毒性 | 독할 독, 성질 성 [toxicity]
❶[속뜻]독(毒)이 있는 성분(性分). ¶정화 시설로 독성을 제거하다. ❷독한 성질. [비]독력(毒力).

동성 同性 | 같을 동, 성별 성 [same sex]
남녀, 혹은 암수의 같은[同] 성(性). ¶동성 연애자. [반]이성(異性).

만성 慢性 | 느릴 만, 성질 성 [chronic]
병 따위가 느리게[慢] 악화되는 성질(性質). [반]급성(急性). ¶만성위염으로 시달리다.

모:성 母性 | 어머니 모, 성질 성 [motherhood; maternity]
여성이 어머니[母]로서 지니는 본능적인 성질(性質). ¶고래는 모성 본능이 강하다. [반]부성(父性).

변:성 變性 | 바뀔 변, 성질 성 [change; vary]
성질(性質)이 달라짐[變]. 또는 그 달라진 성질.

본성 本性 | 뿌리 본, 성질 성 [original nature]
사람의 타고난 본래(本來)의 성질(性質). ¶인간은 선한 본성을 가지고 있다. [비]천성(天性).

산성 酸性 | 산소 산, 성질 성 [acidity]
❶[속뜻]산소(酸素)의 성질(性質). ❷[화학]수용액에서 이온화할 때, 수산 이온의 농도보다 수소 이온의 농도가 더 큰 물질. 수소 이온 농도 지수가 7미만으로 물에 녹으면 신맛을 내고 청색 리트머스 시험지를 붉게 만든다. ¶위액은 강한 산성을 띤다. [반]염기성(鹽基性).

속성 屬性 | 붙일 속, 성질 성 [attribute; property]
사물의 본질을 이루거나 붙어있는[屬] 특징이나 성질(性質). ¶물질의 속성.

습성 習性 | 버릇 습, 성질 성 [habit; second nature; nature]
❶[속뜻]습관(習慣)이 되어 버린 성질(性質). ¶그는 아직도 낭비하는 습성을 버리지 못했다. ❷[동물]동일한 동물종(動物種) 내에서 공통되는 생활양식이나 행동 양식. ¶그는 연어의 습성을 연구하고 있다.

식성 食性 | 밥 식, 성질 성 [one's taste]
음식(飮食)에 대하여 좋아하거나 싫어하는 성미(性味). ¶그 아이는 식성이 까다롭다.

실성 失性 | 잃을 실, 성질 성 [go mad]
정신에 이상이 생겨 본래의 모습이나 성질(性質)을 잃음[失]. 미침. ¶실성을 하다 / 그녀는 실성한 듯 히죽 웃었다.

심성 心性 | 마음 심, 성품 성 [nature]
타고난 마음[心]의 성품(性品). ¶그녀는 심성이 곱다.

악성 惡性 | 악할 악, 성질 성 [malignancy]
❶속뜻 악(惡)한 성질(性質). ❷어떤 병이 고치기 어렵거나 생명을 위협할 정도로 심함. ¶악성 빈혈 / 악성 종양. ⓑ양성(良性).

양성 陽性 | 볕 양, 성질 성 [positive]
❶속뜻 음양 가운데 양(陽)에 속하는 성질(性質). ❷의학 어떠한 병이 있거나 감염되었음을 알리는 성질. ¶에이즈 검사에서 양성 반응이 나오다.

여성 女性 | 여자 녀, 성별 성 [woman; feminity]
성(性)의 측면에서 여자(女子)를 이르는 말. ¶여성 전용 주차장. ⓑ남성(男性).

유성 油性 | 기름 유, 성질 성 [oily nature]
기름[油] 같은 성질(性質). 또는 기름의 성질. ¶유성 사인펜 / 유성 페인트.

음성 陰性 | 응달 음, 성질 성 [passive character]
❶속뜻 양(陽)이 아닌 음(陰)에 속하는 성질(性質). ❷어둡고 소극적인 성질. ¶위암 검사 결과는 음성으로 나왔다. ⓑ양성(陽性).

이:성¹ 理性 | 이치 리, 성품 성 [different nature]
❶속뜻 이치(理致)나 도리를 인식하는 성품(性品). ¶이성은 인간을 동물과 구별시키는 특별한 능력이다. ❷개념적으로 사유하는 능력을 감각적 능력에 상대하여 이르는 말. ¶그는 아들이 죽자 이성을 잃었다. ⓑ감성(感性).

이:성² 異性 | 다를 이, 성질 성 [different surname; other sex]
❶속뜻 성질(性質)이 다름[異]. 또는 그 다른 성질. ❷남성 쪽에서 본 여성. 또는 여성 쪽에서 본 남성을 이르는 말. ¶이성 친구. ⓑ동성(同性).

자:성 磁性 | 자석 자, 성질 성 [magnetism]
물리 자기(磁氣)를 띤 물체가 쇠붙이 따위를 끌어당기거나 하는 성질(性質). ¶이 카드는 자성을 띠는 물체 옆에 두지 마시오.

적성 適性 | 알맞을 적, 성질 성 [aptitude; fitness]
어떤 일에 알맞은[適] 성질(性質)이나 적응 능력. ¶적성에 맞는 일을 찾다.

중성 中性 | 가운데 중, 성질 성 [neutrality]
❶속뜻 대립되는 두 성질의 어느 쪽에도 해당되지 않는 중간(中間)의 성질(性質). ❷화학 산성과 염기성의 중간에 있다고 생각되는 물질의 성질.

지성 知性 | 알 지, 성질 성 [intelligence]
지적(知的) 품성(品性). 사물을 알고 판단하는 능력. ¶양심과 지성을 갖춘 사람.

진성 眞性 | 참 진, 성질 성 [one's true character]
사물이나 현상의 있는 그대로의 진짜[眞] 성질(性質).

천성 天性 | 하늘 천, 성질 성 [one's nature]
❶속뜻 하늘[天]이 준 성질(性質). ❷선천적으로 타고난 성격. ¶그는 천성이 게으름뱅이다.

탄:성 彈性 | 퉁길 탄, 성질 성 [elasticity]
❶속뜻 고무줄처럼 튕겨지는[彈] 성질(性質). ❷물리 외부에서 힘을 가하면 모양이 바뀌었다가도, 힘이 사라지면 원래대로 되돌아가려는 성질.

특성 特性 | 특별할 특, 성질 성 [specific character]
특별(特別)한 성질(性質). ¶선인장은 건조한 기후에도 잘 견디는 특성이 있다.

품:성 品性 | 품격 품, 성질 성 [nature]
품격(品格)과 성질(性質)을 아울러 이르는 말. ¶그는 품성이 착하다.

활성 活性 | 살 활, 성질 성 [vitality; activity]
화학 빛이나 기타 에너지의 작용에 따라 물질의 반응 속도가 활발(活潑)하고 빨라지는 성질(性質). 또는 촉매의 반응 촉진 능력. ¶활성 산소 / 활성 가스.

0354 [악]

惡

악할 악, 미워할 오
㊊ 心부 ㊋12획 ㊥噁 [è, wū, wù]

惡 惡 惡 惡 惡 惡 惡 惡 惡 惡 惡 惡

惡자는 '잘못'(a blame)이 본뜻이니, '마음 심'(心)이 표의 요소로 쓰였다. 모든 잘못은 마음에서 비롯되니 일리 있음을 알 수 있다. 亞(버금 아)가 표음요소임은 堊(백토 악)도 마찬가지다. 후에 '악하다'(immoral; wicked), '나쁘다'(bad; evil; wrong)는 뜻으로 확대 사용됐다. 그리고 '미워하다'(hate), '헐뜯다'(revile; slander)는 뜻으로도 쓰이는데, 이 경우에는 [오:]로 읽는다.

속뜻 교육 훈음 **①악할 악, ②나쁠 악, ③미워할 오.**

악당 惡黨 | 악할 악, 무리 당 [villain]
❶속뜻 악(惡)한 사람의 무리[黨]. ❷나쁜 짓을 일삼는 사람. ⓑ악한(惡漢).

악독 惡毒 | 악할 악, 독할 독 [vicious]
마음이 흉악(凶惡)하고 독살(毒煞)스러움. ¶장희빈은 악독한 짓을 서슴지 않았다.

악동 惡童 | 나쁠 악, 아이 동 [bad boy]
❶속뜻 행실이 나쁜[惡] 아이[童]. ❷장난꾸러기. ¶어릴 때 그는 악동이었다.

악랄 惡辣 | 악할 악, 매울 랄 [be vicious]
악독(惡毒)하고 신랄(辛辣)함. 악하고 잔인함. ¶악랄한 범죄를 저지르다.

악마 惡魔 | 나쁠 악, 마귀 마 [devil]
❶[속뜻] 나쁜[惡] 짓을 하는 마귀[魔]. ❷[불교] 사람의 마음을 홀려 제정신을 차리지 못하게 하고 불도 수행을 방해하여 악한 길로 유혹하는 것. [비]마귀(魔鬼). [반]천사(天使).

악명 惡名 | 악할 악, 이름 명 [notoriety]
악(惡)하다는 소문이나 평판[名]. ¶그는 변덕스럽기로 악명이 높다.

악몽 惡夢 | 나쁠 악, 꿈 몽 [nightmare]
나쁜[惡] 꿈[夢]. 불길하고 무서운 꿈. ¶악몽을 꾸다. [반]길몽(吉夢).

악법 惡法 | 나쁠 악, 법 법 [bad law]
사회에 해를 끼치는 나쁜[惡] 법규나 제도[法]. ¶악법도 법이다.

악성 惡性 | 악할 악, 성질 성 [malignancy]
❶[속뜻] 악(惡)한 성질(性質). ❷어떤 병이 고치기 어렵거나 생명을 위협할 정도로 심함. ¶악성 빈혈 / 악성 종양. [반]양성(良性).

악역 惡役 | 악할 악, 부릴 역 [villain's character]
놀이, 연극, 영화 따위에서 악인(惡人)으로 연기하는 배역(配役). ¶그는 매번 악역을 맡는다.

악용 惡用 | 나쁠 악, 쓸 용 [abuse]
알맞지 않게 쓰거나 나쁜[惡] 일에 씀[用]. ¶권력의 악용 / 남의 이름을 악용하다. [반]선용(善用).

악의 惡意 | 악할 악, 뜻 의 [evil intention]
❶[속뜻] 악(惡)한 마음[意]. ❷좋지 않은 뜻. ¶그의 말에는 악의가 없었다. [반]선의(善意), 호의(好意).

악인 惡人 | 악할 악, 사람 인 [bad man]
악(惡)한 사람[人]. [반]선인(善人), 호인(好人).

악질 惡質 | 악할 악, 바탕 질 [evil nature]
못되고 악(惡)한 성질(性質). 또는 그 성질을 가진 사람. ¶악질 상인.

악취 惡臭 | 나쁠 악, 냄새 취 [bad smell]
나쁜[惡] 냄새[臭]. ¶화장실에서 악취가 난다. [반]향기(香氣).

악한 惡漢 | 나쁠 악, 사나이 한 [villain]
나쁜[惡] 짓을 하는 사나이[漢]. ¶갑자기 악한이 나타나 길을 막아섰다.

악화 惡化 | 나쁠 악, 될 화 [change for the worse]
어떤 상태, 성질, 관계 따위가 나쁘게[惡] 변하여 감[化]. ¶병세가 악화되다. [반]호전(好轉).

오한 惡寒 | 미워할 오, 찰 한 [chill]
❶[속뜻] 추위[寒]를 미워함[惡]. ❷[한의] 몸이 오슬오슬 떨리고 추위를 느끼는 증상. ¶어머니는 밤새 오한이 났다. [비]오한증(惡寒症).

• 역순어휘

간악 奸惡 | 간사할 간, 악할 악 [wicked]
간사(奸邪)하고 악독(惡毒)함. ¶간악한 무리들을 소탕하다. [비]사악(邪惡). [반]선량(善良).

극악 極惡 | 다할 극, 악할 악 [atrocity; villainy]
더없이[極] 악(惡)함. 지독히 나쁨. [반]극선(極善).

발악 發惡 | 드러낼 발, 나쁠 악 [revile; abuse]
온갖 나쁜[惡] 짓을 함[發]. ¶최후의 발악을 하다.

사악 邪惡 | 간사할 사, 악할 악 [wicked; vicious]
마음이 간사(奸邪)하고 악(惡)함. ¶사악이 드러나다 / 사악한 마음. [비]간사(奸邪).

선:악 善惡 | 착할 선, 악할 악 [virtue and vice]
착함[善]과 악(惡)함. ¶동기의 선악을 불문하고 살해는 범죄이다.

열악 劣惡 | 못할 렬, 나쁠 악 [be poor]
품질이나 능력 따위가 몹시 떨어지고[劣] 나쁘다[惡]. ¶그는 열악한 환경에서도 세계 최고의 스키선수가 되었다.

영악 靈惡 | 신령 령, 악할 악 [be smart]
❶[속뜻] 신령(神靈)스럽고 악(惡)한 점이 있음. ❷이해(利害)에 밝고 약다. ¶요즘 아이들은 영악하다.

우악 愚惡 | 어리석을 우, 악할 악 [be ferocious]
어리석고[愚] 포악(暴惡)하다. ¶그는 생김새가 우악하다 / 그는 우악스럽게 나의 팔을 잡아당겼다.

죄:악 罪惡 | 허물 죄, 나쁠 악 [sin; vice]
죄(罪)가 될 만한 나쁜[惡] 일. ¶남을 죽이는 것은 큰 죄악이다.

최:악 最惡 | 가장 최, 나쁠 악 [worst]
가장[最] 나쁨[惡]. ¶최악의 경우에는 사망할 수도 있다 / 도로 상황이 최악이다. [반]최선(最善).

추악 醜惡 | 추할 추, 나쁠 악
[be ugly; disgusting; horrible]
마음씨나 용모, 행실 따위가 추(醜)하고 나쁨[惡]. ¶추악한 범죄를 저지르다.

포:악 暴惡 | 사나울 포, 악할 악
[be atrocious; outrageous; heinous]
행동이 사납고[暴] 성질이 악(惡)함. ¶그는 포악한 사람이라 사람들이 좋아하지 않는다.

해:악 害惡 | 해칠 해, 나쁠 악 [harm]
해(害)가 되는 나쁜[惡] 영향. ¶사회에 큰 해악을 바로

잡다.

흉악 凶惡 | =兇惡, 흉할 흉, 악할 악
[bad; wicked]
성질이 몹시 사납고[凶] 악(惡)함. 또는 그러한 사람. ¶흉악 범죄 / 범행 수법이 흉악하기 이를 데 없다.

증오 憎惡 | 미워할 증, 미워할 오 [hate]
몹시 미워함[憎=惡]. ¶이유 없이 남을 증오하는 것은 좋지 않다. [반]애정(愛情).

혐오 嫌惡 | 싫어할 혐, 미워할 오 [dislike; hate]
싫어하고[嫌] 미워함[惡]. ¶혐오식품 / 나는 돈만 밝히는 그를 혐오한다.

0355 [념]

念

생각 념:
[部] 心부 [劃] 8획 [中] 念 [niàn]

念자는 '마음 심'(心)이 표의요소이고, 今(이제 금)은 표음요소였는데 음이 약간 달라졌다. 마음속에 품고 있는 뜻, 즉 '생각'(a notion)이란 본뜻이 변함없이 널리 쓰이고 있다.

염:두 念頭 | 생각 념, 머리 두 [mind]
❶[속뜻] 생각[念]의 첫머리[頭]. ❷머릿속에 정리하여 지닌 생각. 생각 속. ¶나는 선생님의 가르침을 늘 염두에 두고 있다.

염:려 念慮 | 생각 념, 걱정할 려 [worry; concern]
여러 모로 생각[念]하며 걱정함[慮]. 또는 그런 걱정. ¶염려를 끼쳐 드려 죄송합니다. [비]걱정, 근심.

염:불 念佛 | 생각 념, 부처 불
[pray to Amida Buddha]
[불교] ❶부처[佛]의 모습과 공덕을 생각하면서[念] 아미타불을 부르는 일. ❷불경을 외는 일. ¶스님은 목탁을 치면서 염불했다. [속담] 염불에는 맘이 없고 잿밥에만 맘이 있다.

염:원 念願 | 생각 념, 바랄 원 [desire; wish]
간절히 생각하고[念] 바람[願]. 또는 그런 것. ¶그는 의사가 되겠다던 염원을 이루었다. [비]바람, 희망(希望), 소망(所望).

염:주 念珠 | 생각 념, 구슬 주 [Buddhist rosary]
[불교] 염불(念佛)할 때 쓰는 줄에 꿴 구슬[珠]. ¶염주를 돌리다.

• 역순어휘 •

개:념 概念 | 대강 개, 생각 념
[general idea; conception]
❶[속뜻] 대강[概]의 생각[念]. 또는 대강의 내용. ❷[철학] 여러 관념 속에서 공통적 요소를 뽑아 종합하여 얻은 하나의 보편적인 관념.

관념 觀念 | 볼 관, 생각 념 [idea; concept]
어떤 일이나 사실을 바라보는[觀] 생각이나 견해[念]. ¶고정 관념 / 그는 시간 관념이 없다. [반]감각(感覺).

기념 紀念 | =記念, 벼리 기, 생각 념
[commemorate]
벼리[紀]가 되는 중요한 일이나 인물을 오래오래 마음에 두고 생각함[念]. ¶순국 선열들의 희생을 기념하다.

단:념 斷念 | 끊을 단, 생각 념
[abandon; relinquish]
품었던 생각[念]을 끊어[斷] 버림. ¶그는 가정 형편 때문에 진학을 단념했다. [비]체념(諦念), 포기(抛棄).

묵념 默念 | 잠잠할 묵, 생각 념 [silent prayer]
❶[속뜻] 잠잠하게[默] 생각[念]에 잠김. ❷마음속으로 빎. ¶호국 영령들을 위해 묵념을 올리다.

상:념 想念 | 생각 상, 생각 념
[notion; conception]
마음속에 떠오르는 생각[想=念]. ¶깊은 상념에 잠기다.

신:념 信念 | 믿을 신, 생각 념 [belief]
굳게 믿어[信] 변하지 않는 생각[念]. ¶그는 정직에 대한 강한 신념을 가지고 있다.

여념 餘念 | 남을 여, 생각 념
[wandering thoughts]
주된 것에서 남는[餘] 생각[念]. ¶미영이는 공부에 여념이 없다.

유념 留念 | 머무를 류, 생각 념
[consider; mind; regard; attend to]
❶[속뜻] 어떤 생각[念]에 오래 머무름[留]. ❷기억하여 오래오래 생각함. ¶각별히 건강에 유념하다.

이:념 理念 | 이치 리, 생각 념
[ideology; doctrine]
이상적(理想的)인 것으로 여겨지는 생각[念]이나 견해. ¶건국 이념 / 이념 대립.

일념 一念 | 한 일, 생각 념 [concentrated mind]
한[一] 가지의 생각[念]. 또는 한결 같은 마음. ¶그는 북에 두고 온 아내를 만나겠다는 일념으로 반평생을 살아왔다.

잡념 雜念 | 섞일 잡, 생각 념
[distracting thoughts]
머릿속에 뒤엉켜 있는[雜] 여러 가지 생각[念]. ¶잡념

이 떠올라서 공부를 할 수가 없다.

전념 專念 | 오로지 전, 생각 념 [keep one's mind]
오로지[專] 한 가지 일만 마음에 두어 생각함[念]. ¶공부에 전념하다.

집념 執念 | 잡을 집, 생각 념
[concentrate one's mind]
❶속뜻 마음속에 꼭 잡고[執] 있는 생각[念]. ¶그는 성공에 대한 집념이 강하다. ❷한 가지 일에만 달라붙어 정신을 쏟음. ¶학문에 집념하다.

체념 諦念 | 살필 체, 생각 념
[renounce; resign; abandon]
정황을 살피어[諦] 희망을 버리고 아주 단념(斷念)함. ¶체념 상태 / 아직 체념하기에는 이르다.

통념 通念 | 통할 통, 생각 념 [common idea]
일반에 널리 통(通)하는 개념(槪念). 일반적인 생각. ¶사회적인 통념을 뒤집다.

0356 [정]

情

뜻 정
部 心부 劃 11획 中 情 [qíng]

情情情情情情情情情情情

情자는 '(따뜻한) 마음'(a warm heart; kindly feeling)이란 뜻을 나타내기 위하여 고안된 것이니 '마음 심'(忄)이 표의요소로 쓰였다. 靑(푸를 청)이 표음요소임은 精(찧을 정)과 睛(눈동자 정)도 마찬가지다. 후에 '사랑'(love; affection), '실상'(the real state of things) 등을 뜻하는 낱말의 한 구성 요소로 널리 쓰이게 됐다.

속뜻 훈음 ①마음 정, ②사랑 정, ③실상 정.

정감 情感 | 사랑 정, 느낄 감 [feeling; sentiment]
사랑[情]스럽게 느껴짐[感]. 정조와 감흥을 불러일으키는 느낌. ¶현주는 보면 볼수록 정감이 간다.

정경 情景 | 마음 정, 볕 경 [pathetic scene; sight]
마음[情]에 감흥을 불러일으킬 만한 경치(景致)나 장면. ¶산의 아름다운 정경.

정담 情談 | 마음 정, 이야기 담 [friendly talk]
깊은 마음[情]을 주고받는 이야기[談]. ¶친구와 정담을 주고받다.

정보 情報 | 실상 정, 알릴 보
[intelligence; report; news]
❶속뜻 실상[情]에 대한 보고(報告). ❷관찰이나 측정을 통하여 수집한 자료를 실제 문제에 도움이 될 수 있도록 정리한 지식. 또는 그 자료. ¶생활 정보 / 정보를 교환하다.

정사 情事 | 사랑 정, 일 사
[love affair; affair of the heart]
❶속뜻 남녀 간에 사랑[情]을 주고받는 일[事]. ❷남녀가 서로 육체적으로 사랑을 나누는 일.

정상 情狀 | 실상 정, 형상 상
[circumstances; conditions]
❶속뜻 실상[情]과 형태[狀]. ❷어떤 결과에 이르기까지의 사정. ¶정상을 참작해 형(刑)을 줄여주었다.

정서 情緖 | 마음 정, 실마리 서 [emotion; feeling]
❶속뜻 여러 가지 마음[情]이나 감정의 실마리[緖]. ❷감정을 불러일으키는 기분이나 분위기. ¶이 음악은 정서 안정에 도움이 된다.

정세 情勢 | 실상 정, 형세 세
[state of things; situation]
일이 되어 가는 실상[情]과 형세(形勢). ¶국내 정세를 분석하다.

정열 情熱 | 마음 정, 뜨거울 열
[passion; enthusiasm]
어떤 마음[情]이 불[熱]같이 활활 타오름. 또는 그런 감정. ¶연구에 정열을 쏟다.

정취 情趣 | 마음 정, 풍취 취
[sentiment; mood; touch]
마음[情]을 불러일으키는 풍취(風趣). ¶봄의 정취가 한껏 무르익었다.

• 역순어휘

감:정 感情 | 느낄 감, 마음 정 [feeling; emotion]
❶속뜻 느끼어[感] 일어나는 마음[情]. 심정(心情). ❷어떠한 대상이나 상태에 따라 일어나는 마음. 기쁨·노여움·슬픔·두려움·쾌감·불쾌감 따위. ¶그는 감정이 메말랐다. 비 느낌, 기분, 정서(情緖).

격정 激情 | 거셀 격, 마음 정
[strong violent emotion; passion]
격렬(激烈)한 마음[情]. ¶격정을 억누르다.

냉:정 冷情 | 찰 랭, 마음 정 [cold; cold hearted]
❶속뜻 차가운[冷] 마음[情]. ❷인정이 없이 쌀쌀하다. ¶냉정한 표정.

다정 多情 | 많을 다, 마음 정 [humane; kind]
다감(多感)한 마음[情]. 다정다감(多情多感). ¶다정한 미소 / 다정하게 지내다. 비 살갑다. 반 박정(薄情).

동정 同情 | 같을 동, 마음 정 [sympathize with]
❶속뜻 남에 대하여 같은[同] 마음[情]을 가짐. ❷남의 어려운 처지를 자기 일처럼 딱하고 가엾게 여겨 온정을 베풂. ¶동정하는 거라면 필요 없어요.

모:정 母情 | 어머니 모, 마음 정 [maternal affection; mother's love]
자식에 대한 어머니[母]의 마음[情]. ¶모정보다 강한 것은 없다.

무정 無情 | 없을 무, 마음 정 [hard; heartless]
❶속뜻 따뜻한 마음[情]이 없음[無]. ❷사랑이나 동정심이 없음. ¶그의 무정을 탓하다 / 그는 그녀의 부탁을 무정하게 거절했다. ⓑ유정(有情).

물정 物情 | 만물 물, 실상 정 [state of things; conditions of affairs]
❶속뜻 만물(萬物)의 실상[情]. ❷세상의 사물(事物)이나 인심. ¶세상 물정에 어둡다.

민정 民情 | 백성 민, 실상 정 [state of the people]
❶속뜻 국민(國民)들이 살아가는 실상[情]. ¶민정을 두루 살피다. ❷민심(民心).

비:정 非情 | 아닐 비, 마음 정 [cold-hearted]
❶속뜻 따뜻한 마음[情]을 가지지 않음[非]. ❷인정 없이 몹시 쌀쌀함. ¶자식을 버린 비정한 아버지.

사:정 事情 | 일 사, 실상 정 [reason; ask leniency]
❶속뜻 일[事]의 형편이나 실상[情]. ¶그는 사정이 있어 할머니 밑에서 자랐다. ❷어떤 일의 형편이나 까닭을 남에게 말하고 무엇을 간청함. ¶아무리 사정해도 소용없다.

서:정 抒情 | =敍情, 펼 서, 마음 정 [delineate of feeling]
말이나 글 따위로 자기의 마음[情]을 펼쳐[抒] 나타냄.

순정 純情 | 순수할 순, 마음 정 [pure heart]
순수(純粹)하고 사심이 없는 마음[情]. ¶순정을 바치다.

실정 實情 | 실제 실, 실상 정 [real situation]
실제(實際)로 벌어지고 있는 실상[情]. ¶이 제도는 우리나라 실정에 맞지 않는다. ⓗ실상(實狀), 실태(實態).

심정 心情 | 마음 심, 마음 정 [one's feeling]
마음[心]에 일어나는 감정(感情). ¶솔직한 심정을 털어놓다.

애:정 愛情 | 사랑 애, 마음 정 [affection; love]
사랑하는[愛] 마음[情]. ¶애정 표현 / 애정이 넘치다. ⓗ사랑. ⓑ증오(憎惡).

역정 逆情 | 거스를 역, 마음 정 [anger; displeasure]
❶속뜻 상대방의 마음[情]을 거스름[逆]. ❷몹시 언짢거나 못마땅하게 여김. ¶아버지는 버럭 역정을 내고는 방으로 들어가셨다. ⓗ성, 화(火).

열정 熱情 | 뜨거울 열, 사랑 정 [passion]
❶속뜻 뜨거운[熱] 사랑[情]. ¶그 여자에게 열정을 느끼다. ❷어떤 일에 열중하는 마음. ¶음악에 대한 열정이 갈수록 열렬해졌다.

온정 溫情 | 따뜻할 온, 마음 정 [warm heart]
따뜻한[溫] 마음[情]. 따뜻한 사랑. ¶온정이 넘치는 말.

우:정 友情 | 벗 우, 사랑 정 [friendship]
친구[友]간에 느끼는 사랑[情]. ¶이건 우정의 선물이야 / 그들은 나이를 초월하여 우정을 나누었다. ⓗ우의(友誼), 우애(友愛).

인정 人情 | 남 인, 마음 정 [kindness]
❶속뜻 남[人]에 대한 따뜻한 마음[情]. ❷남을 생각하고 도와주는 따뜻한 마음씨. ¶인정을 베풀다 / 어디에 가나 인정에는 변함이 없다. ⓗ인심(人心).

진정[1] 眞情 | 참 진, 실상 정 [sincerity]
❶속뜻 거짓이나 꾸밈이 없는 참된[眞] 실상[情]. ¶일부러 진정을 숨겼다. ❷참되고 애틋한 정이나 마음. ¶진정을 털어놓다 / 진정으로 사랑하다 / 진정으로 말하다.

진:정[2] 陳情 | 아뢸 진, 실상 정 [make a representation]
사정(事情)을 간곡히 아룀[陳]. ¶죄 없는 사람들을 풀어줄 것을 진정하다.

충정 衷情 | 속마음 충, 마음 정 [one's true feeling; one's inmost heart]
속[衷]에서 우러나오는 따뜻한 마음[情]. ¶충정으로 권고하다. ⓗ충심(衷心).

표정 表情 | 겉 표, 마음 정 [expression; look]
❶속뜻 겉[表]으로 드러난 마음[情]. ❷마음속의 감정 따위가 얼굴에 나타난 모양. ¶슬픈 표정을 짓다.

0357 [필]

必 반드시 필
ⓑ 心부 ⓗ 5획 ⓒ 必 [bì]

必자는 창[戈]의 손잡이 부분을 본뜬 것으로 그 손잡이, 즉 '자루'(a grip; a hilt)가 본래 의미였는데, 창이 아무리 좋아도 반드시 자루가 있어야 하기 때문에 '반드시'(certainly; surely)란 뜻으로 확대 사용되는 예가 잦아지자, 본뜻은 柲(자루 비)자를 추가로 만들어 나타냈다.

필사 必死 | 반드시 필, 죽을 사 [desperation]
❶속뜻 반드시[必] 죽음[死]. ❷죽을힘을 다 씀. 죽음을 각오함. ¶그는 필사의 각오로 경기에 임했다.

필수 必須 | 반드시 필, 모름지기 수 [essential]
❶속뜻 반드시[必] 그리고 모름지기[須] 해야 함. ❷반드시 필요함. 꼭 있어야 하거나 해야 함. ¶이 공연을

보려면 예약은 필수다.

필승 必勝 | 반드시 필, 이길 승 [certain victory]
반드시[必] 이김[勝]. ¶선수들은 필승의 각오를 다지고 경기에 임했다.

필시 必是 | 반드시 필, 옳을 시 [certainly]
반드시[必] 옳음[是]. 어김없이. ¶그의 얼굴 표정을 보니 필시 몸이 아픈가 보다.

필연 必然 | 반드시 필, 그러할 연
[being in the natural order of events]
❶[속뜻]반드시[必] 그렇게[然] 됨. ❷반드시 그렇게 되는 수밖에 다른 도리가 없음, 또는 그런 일. ¶우리의 만남은 필연이라고밖에 할 수 없다. ⓑ우연(偶然).

필요 必要 | 반드시 필, 구할 요
[necessary; essential]
반드시[必] 요구(要求)되는 바가 있음. ¶그는 경제적 필요에 의해 직장에 다니기 시작했다 / 도움이 필요하면 전화 주세요. ⓑ불필요(不必要).

• 역순어휘

기필 期必 | 기약할 기, 반드시 필
[assurance of fulfillment]
틀림없이[必] 이루어지기를 기약(期約)함.

하필 何必 | 어찌 하, 반드시 필
❶[속뜻]어찌하여[何] 반드시[必]. ❷어째서 꼭. 다른 방도도 있는데 왜. 하고 많은 중에 어찌하여. ¶하필 소풍 가는 날 비가 올 게 뭐람!

0358 [랑]

朗 밝을 랑:
[部] 月부 [劃] 11획 [中] 朗 [lǎng]
朗朗朗朗朗朗朗朗朗朗朗

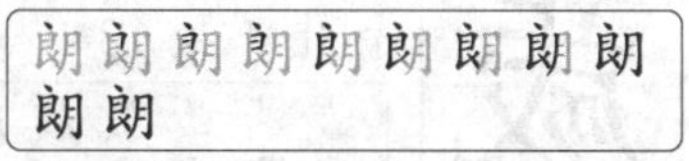

朗자는 '(달이) 밝다'(light; bright)는 뜻을 나타내기 위한 것이었으니, '달 월'(月)이 표의요소로, 良(좋을 량)은 표음요소로 쓰였다. 후에 주로 '(마음의) 밝음'(cheerful)과 '(소리의) 밝음=높음'(aloud)을 뜻하는 것으로 확대 사용됐다.

낭:독 朗讀 | 밝을 랑, 읽을 독 [read aloud]
또랑또랑하게[朗] 소리내어 읽음[讀]. ¶시를 낭독하다. ⓑ낭송(朗誦).

낭:랑 朗朗 | 밝을 랑, 밝을 랑 [ringing; clear]
❶[속뜻]소리 따위가 매우 밝음[朗=朗]. ❷소리가 매우 맑고 또랑또랑하다. ¶낭랑한 목소리.

낭:송 朗誦 | 밝을 랑, 욀 송 [recite]
또랑또랑하게[朗] 소리내어 외움[誦]. ¶시를 낭송하다 / 낭송회. ⓑ낭독(朗讀), 독송(讀誦).

• 역순어휘

명랑 明朗 | 밝을 명, 밝을 랑
[brightness; clearness]
표정이 밝고[明] 마음이 밝음[朗]. 밝고 활달함. ¶명랑한 목소리. ⓑ쾌활하다, 발랄하다.

0359 [망]

望 바랄 망:
[部] 月부 [劃] 11획 [中] 望 [wàng]
望望望望望望望望望望望

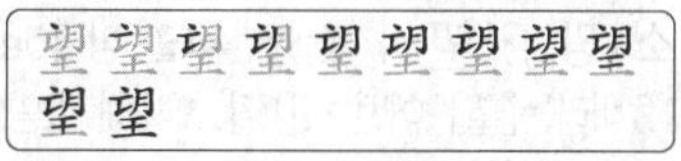

望자는 '(높이 또는 멀리) 바라보다'(look out over)는 뜻을 나타내기 위해서 갑골문에서는 발꿈치를 들고 서있는 사람[亻]의 눈[目])을 그린 것이다. 금문 단계에 이르러서는 거기에 '달 월'(月)이 보태졌다. 그 후에 다시 '亻→ 壬', '目→ 亡'의 변화를 거쳐 오늘에 이르고 있다. 亡(망할 망)으로 바뀐 것은 표음을 위한 셈이다. '바라다'(hope for)는 뜻을 나타내기도 한다.
[속뜻훈음] ①바랄 망, ②바라볼 망.

망:원 望遠 | 바라볼 망, 멀 원 [telescope]
멀리[遠] 바라봄[望].

망:향 望鄕 | 바라볼 망, 시골 향
[homesickness; nostalgia]
❶[속뜻]고향(故鄕)을 바라봄[望]. ❷고향을 그리워함.

• 역순어휘

가:망 可望 | 가히 가, 바랄 망 [hope]
❶[속뜻]가(可)히 바랄[望]만함. ❷이루어질 가능성이 있는 희망. ¶그 꿈은 실현될 가망이 있다.

갈망 渴望 | 목마를 갈, 바랄 망 [desire eagerly]
목말라[渴] 물을 찾듯이 간절히 바람[望]. ¶남북 통일을 갈망하다. ⓑ열망(熱望).

관망 觀望 | 볼 관, 바라볼 망 [observe; watch]
❶[속뜻]높은 곳에서 멀리 내다봄[觀=望]. ❷풍경 따위를 멀리서 바라봄. ¶이 정자는 휴식과 관망을 위한 곳이다. ❸한 발 물러나서 어떤 일이 되어 가는 형편을 바라봄. ¶사태를 관망하다.

낙망 落望 | 떨어질 락, 바랄 망 [be disappoint]
희망(希望)을 잃음[落]. ⓑ낙담(落膽), 낙심(落心).

대:망 待望 | 기다릴 대, 바랄 망
[expect; anticipate]
기다리고[待] 바람[望]. ¶대망의 1위는 홍길동 선수입니다.

덕망 德望 | 베풀 덕, 바랄 망 [moral influence]
남에게 많이 베풂[德]으로써 얻은 명망(名望). ¶덕망이 있는 스승에게 가르침을 받았다. ㊐인망(仁望).

명망 名望 | 이름 명, 바랄 망
[reputation; repute; renown]
세상 사람들이 우러러보는 명성(名聲)과 덕망(德望).

선:망 羨望 | 부러워할 선, 바라볼 망 [envy]
부럽게[羨] 바라봄[望]. ¶선망의 눈초리 / 선망의 대상 / 요즘 어린이들은 연예인을 선망하는 경향이 많다.

소:망 所望 | 것 소, 바랄 망 [desire; wish]
바라는[望] 어떤 것[所]. ¶새해 소망. ㊐바람, 소원(所願), 희망(希望).

신:망 信望 | 믿을 신, 바랄 망 [confidence; trust]
어떤 사람이 믿고[信] 그에게 무엇을 바람[望]. 또는 믿음과 덕망. ¶그는 국민에게 신망을 받는 대통령이다.

실망 失望 | 잃을 실, 바랄 망
[be disappointed; be let down]
희망(希望)을 잃음[失]. 일이 뜻대로 되지 않아 낙심함. ¶기대가 크면 실망도 큰 법이다 / 너에게 실망했다 / 아버지는 실망스러운 표정을 지었다.

야:망 野望 | 들 야, 바랄 망
[ambition; aspiration]
❶속뜻 멀리 들[野]을 바라봄[望]. ❷크게 무엇을 이루어 보겠다는 희망. ¶그는 언젠가 자기 가게를 열겠다는 야망을 가지고 있다. ㊐야심(野心).

열망 熱望 | 뜨거울 열, 바랄 망 [desire]
열렬(熱烈)하게 바람[望]. ¶그는 가수가 되기를 열망하고 있다.

요망 要望 | 구할 요, 바랄 망 [be required]
요구(要求)하고 희망(希望)함. ¶연락 요망.

욕망 慾望 | 욕심 욕, 바랄 망 [desire]
욕심(慾心)이 채워지기를 바람[望]. 또는 그런 마음. ¶욕망에 사로잡히다.

원:망 怨望 | 미워할 원, 바랄 망 [blame; resent]
바란[望] 대로 되지 않아 미워하고[怨] 분하게 여김. 또는 그런 마음. ¶원망을 품다 / 하늘을 원망해 봤자 소용없다 / 그녀는 나를 원망스러운 눈으로 쳐다보았다.

유:망 有望 | 있을 유, 바랄 망
[promising; hopeful]
앞으로 잘될 듯한 희망(希望)이나 전망(展望)이 있음[有]. ¶유망 산업 / 그는 전도 유망한 청년이다.

전:망 展望 | 펼 전, 바라볼 망
[view; prospect; out-look]
❶속뜻 멀리 펼쳐진[展] 곳을 바라봄[望]. ❷멀리 내다보이는 경치. ¶이곳은 전망이 좋다. ❸앞날을 헤아려 내다봄. 또는 내다보이는 장래의 상황. ¶이번 사업은 전망이 밝다.

절망 絶望 | 끊을 절, 바랄 망
[despair; give up hope]
모든 희망(希望)이 끊어짐[絶]. ¶그는 절망을 딛고 일어서서 세계 최고의 가수가 되었다. ㊥희망(希望).

조망 眺望 | 바라볼 조, 바라볼 망
[take a view of; look out over]
먼 곳을 바라봄[眺=望]. 또는 그런 경치. ¶나무숲이 조망을 가로막다 / 여기서는 도시 전체를 조망할 수 있다.

지망 志望 | 뜻 지, 바랄 망 [wish; desire; prefer]
뜻[志]하여 바람[望]. ¶나는 한때 외교관을 지망했다.

책망 責望 | 꾸짖을 책, 바랄 망 [scold; reproach]
잘못을 들어 꾸짖고[責] 원망(怨望)함. 또는 그 일. ¶어머니는 친구와 싸운 아들을 심하게 책망하셨다.

촉망 屬望 | =囑望, 이을 촉, 바랄 망
[expect; hope]
이어서[屬] 잘 되기를 바라고[望] 기대함. 또는 그런 대상. ¶장래가 촉망되는 사람. ㊐속망(屬望).

희망 希望 | 바랄 희, 바랄 망 [hope; wish]
❶속뜻 바람[希=望]. ❷앞일에 대하여 어떤 기대를 가지고 바람. ¶장래 희망 / 현우는 변호사가 되기를 희망하고 있다. ㊥절망(絶望).

0360 [세]

歲 해 세:
㊊ 止부 ㊍ 13획 ㊥ 歲 [suì]

歲자의 갑골문은 자루가 길고 날이 큰 도끼 모양을 본뜬 것으로 '도끼'(an axe)가 본래 의미였는데, 周(주)나라 때 이후로 '1년'(one year)을 뜻하는 것으로 활용됐고, 시간의 흐름을 나타내는 뜻에서 '걸음 보'(步)가 첨가됐다. 지금의 자형은 戌(도끼 월)과 步가 조합된 것이다. 후에 '세월'(time), '나이'(age; years)를 뜻하는 것으로 확대 사용됐다.

속뜻 훈음 ①해 세, ②나이 세.

세:배 歲拜 | 해 세, 절 배 [New Year's kowtow]
섣달 그믐이나 정초에 새해[歲]를 맞아 하는 인사[拜].

¶세배를 드리다.

세ː시 歲時 | 해 세, 때 시
[New Year; times and seasons]
❶속뜻 해[歲]를 넘기는 때[時]. 설. ❷일 년 중의 그때그때. ¶세시 풍속.

세ː월 歲月 | 해 세, 달 월 [time]
❶속뜻 해[歲]와 달[月]이 도는 주기로 한없이 흘러가는 시간. ¶그를 마지막으로 만난 후 5년 가까운 세월이 흘렀다. ❷살아가는 세상. ¶세월이 좋다.

• 역순어휘

만ː세 萬歲 | 일만 만, 해 세
[ten thousand years; hurrah]
❶속뜻 오랜[萬] 세월(歲月). ❷오래도록 삶. 영원히 살아 번영함. ❸'영원하라!'는 뜻으로 크게 외치는 소리. ¶대한민국 만세! / 우리나라 만세! ㊐만년(萬年).

연세 年歲 | 나이 년, 나이 세
[age; years (of age)]
나이[年=歲]의 높임말. ¶우리 어머니는 연세가 많으시다. ㊐춘추(春秋).

0361 [력]

歷

지날 력
部 止부 劃 16획 中 历 [lì]

歷자는 '발자국 지'(止)가 표의요소이고, 厤(다스릴 력/역)은 표음요소이다. '발자국'(a footprint)을 남기는 모든 행위, 즉 '지나다'(pass), '겪다'(undergo), '다니다'(go to and from), '넘다'(go over) 등을 나타내는 데 쓰인다.
속뜻 훈음 ①지낼 력, ②겪을 력.

역대 歷代 | 지낼 력, 시대 대
[generation after generation]
대대로 이어 내려온[歷] 여러 대(代). 또는 그동안. ¶그곳에는 역대 노벨문학상 수상자의 초상화가 걸려 있다.

역력 歷歷 | 겪을 력, 겪을 력 [clear; vivid]
직접 겪은[歷+歷] 듯이 확실하고 분명하다. ¶그녀는 뭔가 숨기고 있는 눈치가 역력하다.

역사 歷史 | 지낼 력, 기록 사 [history]
❶속뜻 인간 사회가 거쳐[歷] 온 모습에 대한 기록[史]. ¶한국은 반만년의 유구한 역사를 지녔다. ❷어떤 사물이나 인물, 조직 따위가 오늘에 이르기까지의 자취. ¶수학의 역사.

역연 歷然 | 겪을 력, 그러할 연 [obvious; clear]
❶속뜻 직접 겪은[歷] 듯 분명히 그러하다[然]. ❷분명히 알 수 있도록 또렷하다. ¶그는 피로한 기색이 역연했다.

• 역순어휘

경력 經歷 | 지날 경, 지낼 력 [one's career]
어제까지 거쳐 온[經] 학업, 직업, 지위 따위의 이력(履歷). ¶경력을 쌓다. ㊐이력(履歷), 관록(貫祿).

내력 來歷 | 올 래, 지낼 력
[one's personal history; origin]
❶속뜻 지금까지 지내온[來] 경력(經歷). ¶살아온 내력을 소설로 쓰다. ❷어떤 과정을 거쳐서 온 까닭. ¶일이 그렇게 된 내력을 알아보라.

약력 略歷 | 줄일 략, 지낼 력
[brief (personal) history]
간략(簡略)하게 적은 이력(履歷). ¶그의 약력을 소개하다.

이ː력 履歷 | 밟을 리, 지낼 력
[one's career; one's personal history]
❶속뜻 밟아[履] 지나온[歷] 길 따위. ❷지금까지 겪어 온 내력. 주로 학력과 경력을 말한다. ¶그는 이력이 화려하다.

학력 學歷 | 배울 학, 지낼 력
[one's academic career]
학교(學校)를 다닌 경력(經歷). 고졸(高卒), 대졸(大卒) 따위. ¶최종 학력 / 사람을 학력으로 평가해서는 안 된다.

0362 [상]

相

서로 상
部 目부 劃 9획 中 相 [xiàng]

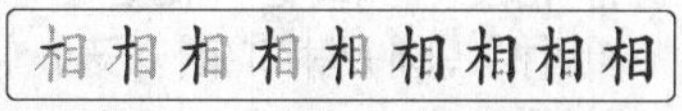

相자는 木(나무 목)과 目(눈 목), 두 표의요소로 구성된 것인데, 부수는 편의상 目으로 지정됐다. '살피다'(observe; view)는 뜻을 묘목이 자라는 것을 관찰하는 모습을 통하여 나타냈다. 후에 '보다'(see; look), '돕다'(aid; assist)로 확대되고, '서로'(mutually; each other)라는 뜻으로도 활용됐다.
속뜻 훈음 ①서로 상, ②모양 상, ③도울 상.

상관 相關 | 서로 상, 관계할 관
[be related to; meddle]

❶[속뜻]서로[相] 관련(關聯)을 가짐. 또는 그 관련. ¶그 일이 당신과 무슨 상관이 있나요? ❷남의 일에 간섭함. ¶그가 언제 떠나든 상관을 하지 않겠다 / 그는 절대로 친구의 일에 상관하지 않는다.

상극 相剋 | 서로 상, 이길 극 [conflict; rivalry]
❶[속뜻]서로[相] 이기려고[剋] 싸움. ❷둘 사이에 마음이 서로 맞지 아니하여 항상 충돌함. ¶그 둘은 상극이라서 만나기만 하면 싸운다. ❸두 사물이 서로 맞서거나 해를 끼쳐 어울리지 아니함. 또는 그런 사물. ¶한약과 녹두는 상극이다.

상담 相談 | 서로 상, 말씀 담
[consult with; confer with]
서로[相] 상의하는 말[談]. ¶진학상담 / 건강상담. [비]상의(相議).

상당 相當 | 서로 상, 당할 당 [be proper; fit]
❶[속뜻]서로[相] 대적할[當]만 함. ❷일정한 액수나 수치 따위에 해당함. ¶상당 기간. ❸수준이나 실력이 꽤 높다. ¶민수는 한자 실력이 상당하다 / 이 문제는 상당히 어렵다.

상대 相對 | 서로 상, 대할 대
[deal with; someone; partner]
❶[속뜻]서로[相] 마주 대(對)함. 또는 그 대상. ¶저런 사람들하고는 상대도 하지 마라 / 손님을 상대하는 일은 쉽지 않다. ❷어떤 관계로 자기가 마주 대하는 사람. ¶결혼 상대 / 의논 상대. ❸서로 겨룸. 또는 그런 대상. ¶이번 상대는 만만치 않다 / 누구든 나와라, 내가 상대하마. [비]상견(相見), 대면(對面), 상대자(相對者), 맞수, 적수(敵手).

상면 相面 | 서로 상, 낯 면
[meet with; see each other]
서로[相] 만나서 얼굴[面]을 마주 봄. ¶몇 십 년 만에 이산가족의 상면이 이루어졌다.

상반 相反 | 서로 상, 되돌릴 반 [be contrary to]
서로[相] 반대(反對)되거나 어긋남. ¶이 내용은 사실과 상반된다.

상봉 相逢 | 서로 상, 만날 봉
[meet each other; reunite]
서로[相] 만남[逢]. ¶이산가족이 드디어 상봉했다.

상사 相思 | 서로 상, 생각 사 [think of each other]
❶[속뜻]서로[相] 생각함[思]. ❷남녀가 서로 그리워함.

상속 相續 | 서로 상, 이을 속
[succeed to; inherit; fall heir to]
❶[속뜻]서로[相] 이어주거나 이어받음[續]. ❷[법률] 일정한 친족 관계가 있는 사람 사이에서 한 사람의 사망으로 다른 사람이 재산에 관한 권리와 의무의 일체를 이어받는 일. ¶유산 상속.

상응 相應 | 서로 상, 응할 응
[correspond; be appropriate]
서로[相] 응(應)하거나 어울림. ¶그는 자신과 상응하는 역할을 맡았다.

상:의 相議 | 서로 상, 의논할 의
[consult with; take counsel with]
어떤 일을 서로[相] 의논(議論)함. ¶나는 부모님과 오랜 상의 끝에 진로를 결정했다. [비]상담(相談).

상잔 相殘 | 서로 상, 해칠 잔
[struggle with each other]
서로[相] 다투고 해침[殘]. ¶민족 상잔의 비극을 막아야 한다.

상종 相從 | 서로 상, 따를 종 [associate with]
서로[相] 따르며[從] 의좋게 지냄. ¶상종하지 못할 인간 같으니라고!

상통 相通 | 서로 상, 통할 통
[understand each other; communicate with]
❶[속뜻]서로[相] 마음과 뜻이 통(通)함. ¶나는 언니와 상통하는 부분이 매우 많다. ❷서로 어떠한 일에 공통되는 부분이 있음. ¶감정을 표현한다는 점에서 음악과 무용은 상통한다.

상호 相互 | 서로 상, 서로 호
[reciprocity; mutuality]
서로[相] 함께[互]. 상대가 되는 이쪽과 저쪽 모두. ¶상호 관심사.

• 역순어휘

관상 觀相 | 볼 관, 모양 상
[read fortune by the face]
[민속] 얼굴 등의 모양[相]을 보고[觀] 그 사람의 재수나 운명 등을 판단하는 일. ¶관상이 좋다.

두상 頭相 | 머리 두, 모양 상
머리[頭] 생김새나 모양[相]. ¶두상이 장군감이다.

색상 色相 | 빛 색, 모양 상 [color tone]
빛깔[色]의 모양[相]. ¶나는 밝은 색상의 옷을 좋아한다.

수상 首相 | 머리 수, 도울 상 [prime minister]
❶[속뜻]으뜸가는[首] 재상(宰相). ❷[정치] 내각의 우두머리. 의원 내각제에서는 다수당의 우두머리가 수상이 되는 것이 일반적이다. ¶영국 수상이 한국을 방문했다. [비]영의정(領議政).

양상 樣相 | 모양 양, 모양 상 [aspect; phase]
모양(模樣)이나 생김새[相]. ¶새로운 양상을 띠다.

위상 位相 | 자리 위, 모양 상 [status]

어떤 사물이 다른 사물과의 관계 속에서 가지는 위치(位置)나 모습[相]. ¶그는 기술대회에서 1위를 차지해 국가의 위상을 드높였다.

인상 人相 | 사람 인, 모양 상 [looks]
사람[人]의 얼굴 생김새[相]와 골격. ¶그는 인상이 참 좋다.

재:상 宰相 | 맡을 재, 도울 상 [prime minister]
❶ 속뜻 임금이 시킨 일을 맡아[宰] 돕는[相] 신하. ❷ 역사 임금을 보필하며 모든 관원을 지휘·감독하는 자리에 있는 이품(二品) 이상의 벼슬을 통틀어 이르던 말. ¶조부는 재상을 역임하셨다.

진상 眞相 | 참 진, 모양 상 [truth; actual facts]
참된[眞] 모습[相]. 사물이나 현상의 거짓 없는 모습이나 내용. ¶사건의 진상을 밝히다.

0363 [착]

着

붙을 착
㉿ 目부 ㉿ 11획 ㊥着 [zhe, zháo]
着 着 着 着 着 着 着 着 着 着 着 着

着자는 著자에서 분기해 나온 글자다. 著자가 '뚜렷하다'(prominent; outstanding)는 뜻일 때에는 [저]로 읽고, '입다'(put on), '붙다'(stick to)는 뜻일 때에는 [착]으로 읽는데, 후자의 용법이 '着'자로 달리 쓰게 된 것은 약 1,000년 정도밖에 안 된다. 이 경우 羊(양)이나 目(목)의 의미 관련성에 대해서는 정설이 없다.

착공 着工 | 붙을 착, 일 공 [start work]
공사(工事)에 착수(着手)함. ¶고속도로를 착공하다. ㉥ 기공(起工). ㉯ 준공(竣工), 완공(完工).

착륙 着陸 | 붙을 착, 뭍 륙 [land; touchdown]
비행기 따위가 땅[陸]위에 내림[着]. ¶우주선이 달에 착륙하다. ㉯ 이륙(離陸).

착상 着想 | 붙을 착, 생각 상 [get an idea]
생각하는[想] 일에 착수(着手)함. 어떤 일이나 계획 등에 대한 새로운 생각이나 구상이 마음에 떠오르는 일. ¶착상이 기발하다.

착색 着色 | 붙을 착, 빛 색 [color; paint; stain]
색[色]을 입힘[着]. ¶치아가 누렇게 착색되다.

착수 着手 | 붙을 착, 손 수 [start; launch]
❶ 속뜻 손[手]을 댐[着]. ❷ 어떤 일을 시작함. ¶새로운 일에 착수하다.

착실 着實 | 붙을 착, 열매 실
[reliable; trustworthy]
❶ 속뜻 열매[實]가 달리다[着]. ❷ 사람이 허튼 데가 없이 찬찬하며 실하다. ¶겉보기에는 착실한 것 같다 / 착실히 돈을 모아 차를 사다.

착안 着眼 | 붙을 착, 눈 안
[pay attention to; fix one's eyes upon]
❶ 속뜻 눈[眼]을 가까이 대어[着] 봄. ❷ 어떤 일을 주의하여 봄. 또는 어떤 문제를 해결하기 위한 실마리를 잡음. ¶착안 사항 / 이 제품은 지렛대의 원리에서 착안된 것이다.

착용 着用 | 붙을 착, 쓸 용 [put on; wear]
옷 따위에 부착(付着)해 씀[用]. ¶일을 할 때 안전모를 착용하다.

착지 着地 | 붙을 착, 땅 지 [land]
❶ 속뜻 땅[地] 위에 도착(到着)함. ❷ 운동 멀리뛰기나 체조 경기 따위에서 동작을 마친 뒤, 땅에 서는 일. ¶그 체조 선수는 착지가 조금 불안했다.

• 역순어휘

교착 膠着 | 아교 교, 붙을 착 [glue to; adhere to]
❶ 속뜻 아교(阿膠)처럼 아주 단단히 달라붙음[着]. ❷ 어떤 상태가 굳어 조금도 변동이나 진전이 없이 머묾. ¶교착 상태에 빠지다.

도:착 到着 | 이를 도, 붙을 착 [arrive at; reach]
목적한 곳에 이르러[到] 닿음[着]. ¶비가 와서 물건이 늦게 도착했다. ㉥ 당도(當到), 도달(到達), 도래(到來). ㉯ 출발(出發).

밀착 密着 | 빽빽할 밀, 붙을 착 [close adhesion]
❶ 속뜻 빈틈없이 탄탄히[密] 달라붙음[着]. ¶밀착 수비. ❷ 서로의 관계가 매우 가깝게 됨. ¶유교는 우리 민족의 삶과 밀착되어 있다.

부:착 附着 | =付着, 붙을 부, 붙을 착
[adhere; attach]
들러붙어서[附=着] 떨어지지 아니함. 또는 그렇게 붙이거나 닮. ¶사진부착 / 벽에 포스터를 부착하다.

선착 先着 | 먼저 선, 붙을 착 [arrive first]
남보다 먼저[先] 도착(到着)함. ¶선착 50분에게 선물을 드린다.

애:착 愛着 | 사랑 애, 붙을 착
[fondness; attachment]
몹시 사랑하거나[愛] 끌리어서 떨어지지 아니함[着]. 또는 그런 마음. ¶자식에 대해 애착을 갖다 / 그는 골동품에 유달리 애착한다.

연착 延着 | 끌 연, 붙을 착 [arrive late]
시간을 끌어[延] 시간보다 늦게 도착(倒着)함. ¶열차는 한 시간이나 연착했다.

장착 裝着 | 꾸밀 장, 붙을 착 [install; furnish]
❶[속뜻] 장치(裝置)하고 부착(附着)함. ❷의복, 기구, 장비 따위를 붙이거나 착용함. ¶에어백 장착 / 차에 체인을 장착하다.

접착 接着 | 닿을 접, 붙을 착 [stick to; adhere to]
착 달라[接]붙음[着]. ¶접착 테이프 / 접시의 조각을 접착했다.

정:착 定着 | 정할 정, 붙을 착
[settle down; take root]
❶[속뜻] 자리를 정(定)하여 달라붙음[着]. ❷일정한 곳에 자리를 잡고 삶. ¶정착 생활. ❸새로운 문화 현상, 학설 따위가 당연한 것으로 사회에 받아들여짐. 정착 단계에 이르다. ¶민주주의가 정착 단계에 이르렀다. [반]방랑(放浪), 유랑(流浪).

종착 終着 | 끝날 종, 붙을 착 [last to arrive]
마지막으로[終] 도착(到着)함.

집착 執着 | 잡을 집, 붙을 착
[be attached to; be fond of]
어떤 것에 늘 마음이 쏠려 잡고[執] 매달림[着]. ¶승부에 너무 집착하지 마라.

침착 沈着 | 가라앉을 침, 붙을 착 [be calm]
❶[속뜻] 가라앉아[沈] 들러붙음[着]. ❷행동이 들뜨지 않고 찬찬함. ¶소방대원들이 사람들에게 침착해 줄 것을 당부했다.

토착 土着 | 흙 토, 붙을 착 [settle]
❶[속뜻] 일정한 지역[土]에 눌러[着] 삶. ❷대를 이어 그 땅에서 삶. ¶이곳에는 예전에 토착화전민이 살았다.

흡착 吸着 | 마실 흡, 붙을 착 [stick to; adhere to]
어떤 물질이 빨아 마셔[吸] 달라붙음[着]. ¶안료가 옷감에 흡착되다.

0364 [적]

的

과녁 적
[部] 白부 [劃] 8획 [中] 的 [de, dī, dì]

的的的的的的的的

的자는 '희다'(white)는 뜻을 나타내기 위하여 고안된 것이니, '흰 백'(白)이 표의요소로 쓰였다. 勺(술그릇 작)이 표음요소로 쓰인 것임은 玓(빛날 적)도 마찬가지다. 활을 쏠 때 설치해놓은 과녁은 희게 눈에 잘 띄어야 하는 것이었기에 '과녁'(a target), '알맞다'(proper; right)는 뜻도 이것으로 나타냈다. 물건·사실·현상·성질 등을 나타내는 의존명사인 '것'(a one; the one)을 뜻하는 것으로도 널리 쓰인다.

[속뜻 훈음] ①과녁 적, ②것 적.

적중 的中 | 과녁 적, 맞을 중
[hit the mark; make a good hit]
목표한 과녁[的]에 정확히 들어맞음[中]. ¶화살이 과녁에 적중했다 / 오후에 눈이 내릴 것이라는 일기예보는 적중했다.

• 역순어휘

공적 公的 | 여럿 공, 것 적 [be public; official]
❶[속뜻] 여러 사람[公]들을 위한 것[的]. ❷여러 사람들에게 공개됨. ¶공적인 장소에서는 말과 행동을 조심해야 한다. [반]사적(私的).

극적 劇的 | 연극 극, 것 적 [dramatic]
❶[속뜻] 연극(演劇)과 같은 요소가 있는 것[的]. ❷연극을 보는 것처럼 감격적이고 인상적인 것. ¶양측의 협상은 극적으로 타결되었다.

단적 端的 | 바를 단, 것 적 [direct; flat]
바르고[端] 명백한 것[的]. ¶단적인 예를 들어보겠다.

동:적 動的 | 움직일 동, 것 적 [dynamic]
움직이고[動] 있는 것[的]. ¶동적인 이미지. [반]정적(靜的).

목적 目的 | 눈 목, 과녁 적 [purpose; aim]
❶[속뜻] 목표(目標)로 정한 과녁[的]. ❷이룩하거나 도달하려고 하는 목표나 방향. ¶인생의 목적이 무엇입니까?

법적 法的 | 법 법, 것 적 [legalistic]
법률(法律)에 따라 판단하거나 처리하는 것[的]. ¶만 19세가 되면 법적으로 성인이 된다.

병:적 病的 | 병 병, 것 적 [diseased]
정상적인 상태에서 벗어난 병(病) 같은 것[的]. ¶병적 증세를 보이다.

사적 私的 | 사사로울 사, 것 적
[individual; personal]
개인[私]에 관계되는 것[的]. ¶사적인 일. [반]공적(公的).

수:적 數的 | 셀 수, 것 적 [numerical]
숫자[數] 상으로 보는 것[的]. ¶상대 팀이 수적으로 우세하다.

시적 詩的 | 시 시, 것 적 [poetical]
사물이 시(詩)의 정취를 가진 것[的]. ¶그는 시적 정서가 풍부하다.

심적 心的 | 마음 심, 것 적 [mental]
마음[心]에 관한 것[的]. 마음의. ¶심적 부담 / 심적 고통.

양적 量的 | 분량 량, 것 적 [quantitative]
분량(分量)에 관한 것[的]. ¶수출은 양적으로 크게 팽

창했다. ⓑ질적(質的).

영적 靈的 | 신령 령, 것 적 [spiritual]
신령(神靈)같은 점이 있는 것[的]. ¶나는 영적 존재를 믿는다.

외:적 外的 | 밖 외, 것 적 [external]
❶속뜻 사물의 외부(外部)에 관한 것[的]. ❷정신에 상대하여 물질이나 육체에 관한 것. ¶외적 욕망. ⓑ내적(內的).

전적 全的 | 모두 전, 것 적 [complete; whole]
전체(全體)의 것[的]. 모두. 완전히. ¶당신의 의견에 전적으로 찬성합니다.

지적 知的 | 알 지, 것 적 [intellectual]
지식(知識)이 있는 것[的]. 또는 지식에 관한 것. ¶높은 지적 수준 / 안경을 쓰니 좀 더 지적인 분위기가 난다.

질적 質的 | 바탕 질, 것 적 [qualitative]
내용이나 본질(本質)에 관계되는 것[的]. ¶내용이 질적으로 뛰어나다. ⓑ양적(量的).

표적 標的 | 나타낼 표, 과녁 적 [target; mark]
목표(目標)로 삼는 것[的]. ¶총알이 표적의 한가운데에 맞았다.

0365 [산]

產

낳을 산:
㊀ 生부 ㊁ 11획 ㊥ 产 [chǎn]

産産産産産産産産産産産

産자는 '날 생'(生)이 표의요소이고, 그 나머지는 彦(언)자의 생략형으로 표음요소였다는 설이 있다. '낳다'(bear)가 본뜻인데, '재물'(property)을 뜻하는 것으로도 널리 쓰인다.
속뜻훈음 ①낳을 산, ②재물 산.

산:고 産苦 | 낳을 산, 괴로울 고
[he pains of childbirth]
아이를 낳는[産] 고통(苦痛). ¶산고를 겪다.

산:란 産卵 | 낳을 산, 알 란 [lay eggs; spawn]
알[卵]을 낳음[産]. ¶연어는 산란하기 위하여 태어난 곳으로 돌아온다.

산:모 産母 | 낳을 산, 어머니 모
[woman delivered of a child]
막 해산(解産)한 아이 어머니[母].

산:물 産物 | 낳을 산, 만물 물 [product; result]
❶속뜻 일정한 곳에서 생산(生産)되어 나오는 물건(物件). ¶이 고장의 대표적 산물은 곶감이다. ❷어떤 것에 의하여 생겨나는 사물이나 현상을 비유적으로 이르는 말. ¶노력의 산물.

산:부 産婦 | 낳을 산, 여자 부
[woman in her confinement]
아이를 낳은[産] 여자[婦]. ⓑ산모(産母).

산:실 産室 | 낳을 산, 방 실
[lying in room; delivery room]
❶속뜻 아이를 낳는[産] 방[室]. ❷어떤 일을 꾸미거나 이루어 내는 곳. 또는 그 바탕. ¶그리스는 서양 문명의 산실이다. ⓑ산방(産房), 분만실(分娩室), 산지(産地).

산:아 産兒 | 낳을 산, 아이 아
[give birth to a baby]
아이[兒]를 낳음[産].

산:업 産業 | 낳을 산, 일 업 [industry]
❶속뜻 무엇을 생산(生産)하는 일[業]. 또는 그러한 업종(業種). ❷경제 농업, 금융업, 운수업 등 인간의 생활을 풍요롭게 하기 위하여 물건이나 서비스를 만드는 기업이나 조직. ¶산업 발전 / 새로운 산업에 종사하다.

산:유 産油 | 낳을 산, 기름 유 [produce oil]
원유(原油)를 생산(生産)하는 일. ¶산유 시설을 갖추다.

산:지 産地 | 낳을 산, 땅 지 [producing area]
물건이 생산(生産)되는 곳[地]. '산출지'(産出地)의 준말. ¶대구는 사과의 산지로 유명하다. ⓑ원산지(原産地).

산:출 産出 | 낳을 산, 날 출
[produce; yield; bring forth]
물건이 생산(生産)되어 나오거나[出] 물건을 생산해 냄. ¶석탄 산출 지역.

산:통 産痛 | 낳을 산, 아플 통
[labor pains; pains of childbirth]
❶속뜻 아이를 낳을[産] 때 느끼는 고통(苦痛). ❷의학 해산할 때 주기적으로 되풀이되는 복통(腹痛). 또는 그러한 일. ⓑ진통(陣痛).

• 역순어휘

공산¹ 工産 | 장인 공, 낳을 산
공업(工業)으로 생산(生産)함.

공:산² 共産 | 함께 공, 낳을 산
[common property]
❶속뜻 공동(共同)으로 생산(生産)하고 관리함. ❷사회 '공산주의'(共産主義)의 준말.

국산 國産 | 나라 국, 낳을 산 [home production]
자기 나라[國]에서 생산(生産)함. 또는 그 물건. ¶국산 자동차가 세계 판매량 1위를 차지했다. ⓑ외국산(外國産).

다산 多產 | 많을 다, 낳을 산 [fecundate]
❶[속뜻] 아이 또는 새끼를 많이[多] 낳음[產]. ❷물품을 많이 생산함. 비)다생(多生). 반)과산(寡產).

도:산 倒產 | 거꾸로 도, 낳을 산 [become bankrupt]
❶[의학] 아이를 거꾸로[倒] 발부터 먼저 낳음[產]. ❷재산을 모두 잃고 무너짐. ¶경제 불황으로 기업들이 도산했다. 비)파산(破產).

동:산 動產 | 움직일 동, 재물 산 [movable property]
[법률] 옮길[動] 수 있는 재산(財產). ¶돈은 대표적인 동산이다. 반)부동산(不動產).

물산 物產 | 만물 물, 낳을 산 [local products; produce]
한 지방에서 물품(物品)을 생산(生產)하는 일. 또는 그 물건. ¶물산 장려운동을 벌이다.

생산 生產 | 날 생, 낳을 산 [produce; make]
❶[속뜻] 아이나 새끼를 낳음[生=產]. ❷인간이 생활하는 데 필요한 각종 물건을 만들어 냄. ¶그 제품의 생산이 중단되었다. 반)소비(消費).

수산 水產 | 물 수, 낳을 산 [marine products]
바다나 강 따위의 물[水]에서 남[產]. 또는 그런 산물(產物). ¶수산 식품의 판매량이 크게 늘었다.

양산 量產 | 분량 량, 낳을 산 [mass-produce]
물건을 대량(大量)으로 생산(生產)함. ¶친환경 제품을 양산하다 / 고학력 실업자가 양산되고 있다.

원산 原產 | 본디 원, 낳을 산 [origin of a product]
어떤 곳에서 처음[原]으로 생산(生產)되는 일. 또는 그 물건. ¶열대 원산의 식물.

유산¹ 流產 | 흐를 류, 낳을 산 [miscarry; abort]
[의학] 달이 차기 전에 태아가 죽어서 피의 형태로 흘러[流] 나옴[產]. ¶자연 유산 / 이 산모는 유산할 위험이 있으므로 절대 안정이 필요하다.

유산² 遺產 | 남길 유, 재물 산 [inheritance; legacy]
❶[속뜻] 죽은 이가 남긴[遺] 재산(財產). ¶그는 딸들에게 많은 유산을 남겼다. ❷앞 시대의 사람들이 남겨 준 업적을 비유하여 이르는 말. ¶첨성대는 한국의 문화 유산이다.

임산 林產 | 수풀 림, 낳을 산 [forest products]
[농업] 숲[林]에서 생산(生產)되는 것. '임산물'(林產物)의 준말.

재산 財產 | 재물 재, 낳을 산 [property; fortune]
경제적 가치가 있는 재물(財物)이나 자산(資產). ¶그는 죽기 전에 전 재산을 사회에 환원했다.

증산 增產 | 더할 증, 낳을 산 [increase production]
계획이나 기준보다 생산량(生產量)이 늚[增]. ¶식량증산 / 올해는 농작물이 증산되었다. 반)감산(減產).

축산 畜產 | 가축 축, 낳을 산 [stock farming; animal husbandry]
가축(家畜)을 길러서 인간 생활에 유용한 물질을 생산(生產)하고 이용하는 농업의 한 부문. ¶축산 농가.

출산 出產 | 날 출, 낳을 산 [have a baby]
아기를 낳음[出=產]. ¶그녀는 건강한 아기를 출산했다. 비)분만(分娩), 해산(解產).

토산 土產 | 흙 토, 낳을 산
어떤 지역[土]에서만 남[產].

특산 特產 | 특별할 특, 낳을 산 [special product]
특별(特別)히 그 지방에서만 남[產]. 또는 그 산물.

파:산 破產 | 깨뜨릴 파, 재물 산 [be ruined; become bankrupt]
❶[속뜻] 재산(財產)을 모두 잃어 망함[破]. ¶시장은 회사의 파산을 막으려고 갖은 애를 쓰고 있다 / 다니던 회사가 파산되어 나는 일자리를 잃었다. ❷[법률] 빚진 사람이 돈을 갚을 수 없게 되는 경우, 그의 재산 모두를 털어서 고루 갈라 갚을 것을 법으로 명령하는 것. 비)도산(倒產).

해:산¹ 海產 | 바다 해, 낳을 산 [sea products]
바다[海]에서 나오는[產] 물건. '해산물'(海產物)의 준말.

해:산² 解產 | 풀 해, 낳을 산 [give birth to a baby]
몸을 풀어[解] 아이를 낳음[產]. ¶해산의 고통 / 무사히 여아를 해산했다. 비)분만(分娩).

0366 [복]

福

복 복
부) 示부 획) 14획 중) 福 [fú]

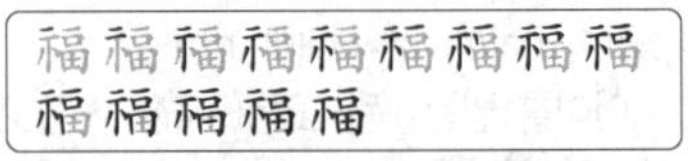

福자의 원형은 '복'(happiness; good fortune; blessing)을 뜻하기 위하여, 술 단지를 두 손으로 받쳐 들고 神主(신주)[示·시] 앞에 올려놓은 술잔에다 따르는 모습을 그린 것이다. 후에 두 손으로 바쳐 든 모습[廾·공]은 생략됐고, 술 단지 모양은 福의 오른편 요소같이 변모되어 표음요소로 발전됐음은 輻(바퀴살 복), 楅(뿔막이 복)을 통하여 알 수 있다. 옛날 사람들은 제사를 얼마나 정성스럽게 지내는가에 따라 福을 받을 수도 있고, 禍(재화 화)를 당할 수도

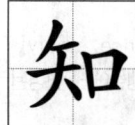

있다고 여겼는데, 지금도 그러한 의식이 조금 남아 있다.

복권 福券 | 복 복, 문서 권 [lottery ticket]
❶[속뜻] 복(福)을 가져다주는 증서[券]. ❷번호나 그림 따위의 특정 표시를 기입한 표(票). 추첨 따위를 통하여 일치하는 표에 대해서 상금이나 상품을 준다. ¶복권이 당첨되다.

복덕 福德 | 복 복, 베풀 덕 [good fortune]
❶[불교] 선행의 과보(果報)로 받는 복(福)과 공덕(功德). ❷타고난 복과 후덕한 마음. ¶복덕을 갖추다.

복리 福利 | 복 복, 이로울 리 [welfare]
행복(幸福)과 이익(利益)을 아울러 이르는 말. ¶국민의 복리를 증진하다.

복음 福音 | 복 복, 소리 음
[glad tidings; (Christian) Gospel]
❶[속뜻] 복(福) 받을 기쁜 소식[音]. ❷[기독교] 예수의 가르침. 또는 예수에 의한 인간 구원의 길.

복지 福祉 | 복 복, 복 지
[public welfare; wellbeing]
행복한[福=祉] 삶. 행복하게 살 수 있는 사회 환경. ¶국민의 복지를 증진하다 / 복지 시설.

• 역순어휘 •

다복 多福 | 많을 다, 복 복 [blessed; lucky]
많은[多] 복(福). 복이 많음. ¶다복한 생활을 하다. [비]유복(裕福)하다.

만:복 萬福 | 일만 만, 복 복 [great fortune]
많은[萬] 복(福). 모든 복. ¶만복을 빌다. [비]백복(百福).

명복 冥福 | 저승 명, 복 복 [heavenly bliss]
죽은 뒤 저승[冥]에서 받는 복(福). ¶고인의 명복을 빕니다.

오:복 五福 | 다섯 오, 복 복 [five blessings]
유교에서 이르는 다섯 가지[五]의 복(福). 수(壽), 부(富), 강녕(康寧), 유호덕(攸好德), 고종명(考終命)을 이른다.

유복 裕福 | 넉넉할 유, 복 복 [rich; affluent]
살림이 넉넉하고[裕] 복(福)이 많다. ¶유복한 가정에서 태어나다. [비]넉넉하다, 부유(富裕)하다.

음:복 飮福 | 마실 음, 복 복
❶[속뜻] 복(福)을 마시어[飮] 누림. ❷제사를 지내고 나서 제사에 썼던 술을 조상이 주는 복이라 하여 제관(祭官)들이 나누어 마시는 일.

축복 祝福 | 빌 축, 복 복 [bless]
❶[속뜻] 행복(幸福)하기를 빎[祝]. ¶신랑, 신부의 앞날을 축복해 줍시다. ❷[기독교] 하나님이 복을 내림. ¶신의 축복이 있기를! [비]축하.

행:복 幸福 | 다행 행, 복 복 [happy]
❶[속뜻] 다행(多幸)스러운 복(福). ❷흐뭇하도록 만족하여 부족이나 불만이 없음. 또는 그러한 상태. ¶행복은 돈으로 살 수 없다 / 행복한 시간을 보내다. [반]불행(不幸).

0367 [지]

知

알 지
[部] 矢부 [劃] 8획 [中] 知 [zhī]

知 知 知 知 知 知 知 知

知자는 '안다'(know)는 뜻을 위한 것인데, 왜 '화살 시'(矢)와 '입 구'(口)가 조합되어 있는지 그 이유에 대한 정설이 없다. 남이 입[口]으로 하는 말을 화살[矢]처럼 빠른 속도로 알아듣기 때문이라는 속설이 있는데, 참으로 대단한 상상력이다.

지각 知覺 | 알 지, 깨달을 각
[be aware of; perceive; sense]
❶[속뜻] 알게 되고[知] 깨닫게[覺] 됨. ❷감각 기관을 통하여 외부의 사물을 인식하는 작용. ¶공간 지각 능력 / 컴컴해서 방향을 지각할 수 없다. ❸사물의 이치를 분별하는 능력. ¶몇 년이 지나서야 지각이 들었다 / 일부 지각없는 사람들 때문에 피해를 본다.

지기 知己 | 알 지, 자기 기 [appreciative friend]
자기(自己)를 알아주는[知] 벗. '지기지우'(知己之友)의 준말. ¶그에게는 막역한 지기들이 많다.

지능 知能 | 알 지, 능할 능 [intelligence]
지식을 쌓거나 사물을 바르게 판단하거나 하는 지적(知的)인 능력(能力). ¶지능이 높다고 공부를 잘하는 것은 아니다.

지명 知名 | 알 지, 이름 명 [fame; renown]
널리 알려진[知] 이름[名]. 세상에 이름을 알림.

지성 知性 | 알 지, 성질 성 [intelligence]
지적(知的) 품성(品性). 사물을 알고 판단하는 능력. ¶양심과 지성을 갖춘 사람.

지식 知識 | 알 지, 알 식
[knowledge; knowhow]
어떤 대상에 대하여 배우거나 실천을 통하여 알게 된[知] 명확한 이해나 인식(認識). ¶과학에 대한 지식이 풍부하다.

지적 知的 | 알 지, 것 적 [intellectual]
지식(知識)이 있는 것[的]. 또는 지식에 관한 것. ¶높은

지적 수준 / 안경을 쓰니 좀 더 지적인 분위기가 난다.

• 역순어휘

감:지 感知 | 느낄 감, 알 지 [perceive; sense]
직감적으로 느끼어[感] 앎[知]. ¶물고기의 움직임이 레이더에 감지되었다.

고:지 告知 | 알릴 고, 알 지 [notify; announce]
어떤 사실을 관계자에게 알려서[告] 알게[知] 함. ¶세금 납부를 고지하다.

공지 公知 | 여럿 공, 알 지 [announce; notify]
여러 사람[公]에게 널리 알림[知]. ¶학생들에게 변경된 시험 날짜를 공지하다.

무지 無知 | 없을 무, 알 지 [stupid]
아는[知] 바가 없음[無]. ¶무지한 백성들을 선동하다.

미:지 未知 | 아닐 미, 알 지 [(being) unknown]
아직 알지[知] 못함[未]. ¶미지의 세계를 탐험하다. [반]기지(旣知).

부지 不知 | 아닐 부, 알 지 [do not know]
알지[知] 못함[不]. ¶그 문제의 중요성에 대한 부지의 결과로 새로운 걱정거리가 생겼다.

인지 認知 | 알 인, 알 지 [cognize]
어떠한 사실을 분명히 앎[認=知]. ¶인지 발달 단계 / 그는 사태의 심각성을 인지하지 못했다.

전지 全知 | 모두 전, 알 지 [omniscience]
모든[全] 것을 다 앎[知]. ¶전지전능(全知全能)한 신.

첨지 僉知 | 다 첨, 알 지
❶[속뜻]세상을 다[僉] 알만한[知] 나이의 사람. ❷성 아래 붙여 '나이 많은 이'를 낮추어 가볍게 부르던 말. ¶김첨지는 주막에서 술을 한 잔 마셨다.

친지 親知 | 친할 친, 알 지
[close acquaintance]
친근(親近)하게 서로 잘 알고[知] 지내는 사람. ¶그녀의 친지 중 한 명이 독일에 살고 있다.

탐지 探知 | 찾을 탐, 알 지
[find out; detect; search out]
드러나지 않은 물건이나 사실을 찾아[探] 알아냄[知]. ¶이 비행기는 레이더로 탐지하기 어렵다.

통지 通知 | 다닐 통, 알 지 [inform; notify]
다니며[通] 알림[知]. 알려 줌. ¶집주인은 방을 비우라고 통지했다. [비]통기(通寄), 통달(通達).

0368 [당]

當

마땅 당
[部]田부 [總]13획 [中]当 [dāng, dàng]

當자는 '(밭이 서로) 맞닿아 있다'(connect; combine)는 뜻이었으니 '밭 전'(田)이 표의요소로 쓰였고, 尙(숭상할 상)이 표음요소임은 堂(집 당), 黨(무리 당)도 마찬가지다. 후에 '당하다' (meet with; encounter), '맡다'(take charge of), '마땅하다'(appropriate; suitable) 등으로 확대 사용됐다.

[속뜻 훈음] ①당할 당, ②맡을 당, ③마땅 당.

당국 當局 | 맡을 당, 관청 국 [authorities]
어떤 일을 담당(擔當)하여 처리하는 기관이나 부서[局]. ¶당국의 허가를 얻다.

당년 當年 | 당할 당, 해 년 [this year; that year]
❶[속뜻]해당(該當)되는 그 해[年]. ❷그 해의 나이. ❸그 연대(年代).

당대 當代 | 당할 당, 시대 대
[one's lifetime; present age]
❶[속뜻]해당(該當)되는 그 시대(時代). ¶최치원은 신라 당대 최고의 문장가였다. ❷이 시대. 지금 세상. ¶그는 당대 최고의 시인이다. ❸사람의 일대(一代). [비]당세(當世), 당조(當朝), 일생(一生), 일세(一世).

당도 當到 | 당할 당, 이를 도 [arrive; reach]
어느 곳에 닿아서[當] 이름[到].

당면 當面 | 당할 당, 낯 면 [face; confront]
일이 바로 눈앞[面]에 닥침[當]. ¶당면한 문제를 해결하다. [비]직면(直面), 봉착(逢着), 대면(對面).

당번 當番 | 맡을 당, 차례 번 [be on duty]
어떤 일을 책임지고 돌보는[當] 차례[番]가 됨. 또는 그 차례가 된 사람. ¶이번 주는 미영이가 청소 당번이다. [비]당직(當直). [반]비번(非番).

당부 當付 | 마땅 당, 청할 부
[ask to do; make a request]
마땅히[當] 어찌해야 한다고 단단히 청함[付]. [비]부탁(付託). ¶아들에게 당부하였다.

당사 當事 | 맡을 당, 일 사
어떤 일[事]을 직접 맡음[當].

당선 當選 | 당할 당, 가릴 선 [be elected]
❶[속뜻]선거(選擧)에서 뽑힘[當]. ¶대통령에 당선되다. ❷출품작 따위가 심사에서 뽑힘. ¶단편소설 당선작. [비]입선(入選). [반]낙선(落選).

당시 當時 | 당할 당, 때 시 [at that time; then]
어떤 일을 당한[當] 바로 그때[時]. 또는 이야기하고 있는 그 시기. ¶그 당시를 생각해 보다 / 사고 당시의 충격.

당신 當身 | 당할 당, 몸 신 [you; my darling]

❶속뜻 해당(該當)되는 그 몸[身]. ❷상대방을 높여 부르는 말. ❸부부간에 상대편을 높여 부르는 말. ¶당신이 아이를 데려다주세요. ❹싸울 때 상대편을 낮잡아 이르는 이인칭 대명사. ¶당신이 뭔데 참견이야? ⊞너, 여보

당연 當然 | 마땅 당, 그러할 연 [of course]
마땅히[當] 그러함[然]. ¶봄에 꽃이 피는 것은 당연하다.

당일 當日 | 당할 당, 날 일
[on the day; on the appointed day]
바로 그[當] 날[日]. 그 날 하루. ¶서울에서 부산까지는 당일에 다녀올 수 있다. ⊞즉일(卽日).

당장 當場 | 당할 당, 마당 장
[on the spot; promptly]
❶속뜻 무슨 일이 일어난 바로 그[當] 자리[場]. ❷바로 그 자리에서 곧. 지체 없이 곧. ¶당장 치료해야 합니다. ⊞곧, 즉시(卽時).

당좌 當座 | 마땅 당, 자리 좌 [current deposit]
경제 예금자가 수표를 발행하면 은행이 어느 때나 예금액으로 그 수표에 대한 지급을 마땅히[當] 하도록 되어 있는 예금계좌(計座). '당좌예금'(預金)의 준말.

당직 當直 | 맡을 당, 당번 직 [being on duty]
❶속뜻 숙직(宿直), 일직(日直) 같은 당번[直]을 맡음[當]. 또는 그런 사람. ¶어젯밤에 당직을 섰다. ❷조선 시대, 의금부의 도사(都事)가 한 사람씩 번을 들어 소송 사무를 처결하던 곳. ⊞당번(當番).

당첨 當籤 | 당할 당, 제비 첨 [win a prize]
제비[籤] 뽑기에 뽑힘[當]. ¶복권에 당첨되었다. ⊞당선(當選). ⊕낙첨(落籤).

당초 當初 | 당할 당, 처음 초 [initially; originally]
그[當] 처음[初]. ⊞처음, 애초

당혹 當惑 | 당할 당, 홀릴 혹
[be perplexed; be embarrassed]
갑자기 일을 당(當)하여 어찌할 바를 모르고 쩔쩔맴[惑]. ¶그의 태도에 당혹했다 / 당혹감을 감추지 못했다. ⊞당황(唐慌).

• 역순어휘

가:당 可當 | 가히 가, 당할 당 [proper]
❶속뜻 감당(勘當)할 수 있다[可]. ❷알맞다. ¶가당찮은 요구를 늘어놓다. ❸비슷하게 맞다. ⊕가당(可當)찮다.

감당 堪當 | 견딜 감, 당할 당 [charge]
능히 맡아서[堪] 당해 냄[當]. ¶내 힘으로는 감당할 수 없는 일이다.

담당 擔當 | 멜 담, 맡을 당 [take charge]
책임을 지고[擔] 일을 맡아 처리함[當]. 일을 맡음. ⊞담임(擔任).

배:당 配當 | 나눌 배, 마땅 당
[distribute; allocate]
일정한 기준에 따라 적당(適當)하게 나누어[配] 줌. ¶이윤을 배당하다.

부당 不當 | 아닐 부, 마땅 당
[injustice; unreasonable]
도리에 벗어나서 정당(正當)하지 않음[不]. 사리에 맞지 아니함. ¶부당요금 / 부당한 차별을 받다.

상당 相當 | 서로 상, 당할 당 [be proper; fit]
❶속뜻 서로[相] 대적할[當]만 함. ❷일정한 액수나 수치 따위에 해당함. ¶상당 기간. ❸수준이나 실력이 꽤 높다. ¶민수는 한자 실력이 상당하다 / 이 문제는 상당히 어렵다.

수당 手當 | 손 수, 맡을 당 [allowance; stipend]
❶속뜻 '급여, 사례금'을 뜻하는 일본어 '데아테'(てあて. 手當)에서 온 말. ❷봉급 외에 따로 주는 보수. ¶가족수당.

응:당 應當 | 응할 응, 마땅 당
[for sure; without fail]
응(應)해야 마땅함[當]. 당연히. ¶식사 전에는 응당 손을 씻어야 한다 / 죄를 지은 사람이 벌을 받는 것은 응당한 일이다.

의당 宜當 | 마땅 의, 마땅 당
[as a matter of course; necessarily]
마땅히[宜] 응당(應當) 그래야 함. ¶빌린 돈은 의당 갚아야 한다 / 친구의 의리를 지키는 것은 의당한 일이다. ⊞당연(當然)히, 마땅히, 으레.

일당 日當 | 날 일, 맡을 당 [daily pay]
하루[日] 동안 일한 것에 대한 수당(手當)이나 보수. ¶일당 5만 원을 받았다.

적당 適當 | 알맞을 적, 마땅 당
[suitable; proper]
정도나 이치에 꼭 알맞고[適] 마땅하다[當]. ¶매일 적당한 운동은 건강에 좋다 / 간장을 적당히 넣어 간을 맞추다.

전:당 典當 | 저당 잡힐 전, 맡을 당
[pawning; pledge]
물품을 담보로 잡히거나[典] 맡겨 놓고[當] 돈을 꾸어 씀. ¶그는 반지를 20만 원에 전당잡혔다.

정:당 正當 | 바를 정, 마땅 당 [just; right]
바르고[正] 마땅하다[當]. 이치가 당연하다. ¶정당한 권리 / 정당한 방법으로 돈을 벌었다.

지당 至當 | 지극할 지, 마땅 당 [be quite right]
지극(至極)히 당연(當然)하다. 이치에 꼭 맞다. ¶참으로

지당한 말씀입니다.

충당 充當 | 채울 충, 마땅 당
[replenish; fill up; allocate]
모자라는 것을 알맞게[當] 채워서[充] 메움. ¶번 돈을 빚을 갚는 데 충당하다.

타:당 妥當 | 온당할 타, 마땅 당 [reasonable]
이치에 온당하게[妥] 들어맞다[當]. ¶그 주장은 이 상황에서는 타당하지 않다.

할당 割當 | 나눌 할, 맡을 당
[assign; allot]
몫을 나누어[割] 맡음[當]. ¶연설자들은 각각 15분을 할당받았다.

합당 合當 | 맞을 합, 마땅 당 [suitable]
어떤 기준이나 조건에 맞아서[合] 적당(適當)하다. ¶합당한 방법. [비]적합(適合)하다. [반]부당(不當)하다.

해당 該當 | 그 해, 당할 당 [applicable to]
바로 그것에[該] 관계됨[當]. 관계되는 그것. ¶해당 조건 / 해당 분야.

0369 [종]

種

씨 종(:)
[部] 禾부 [획] 14획 [中] 种 [zhǒ(ò)ng]

種자는 '(벼 등 곡식의 씨를) 뿌리다'(sow)는 뜻을 위하여 고안된 것이니, '벼 화'(禾)가 표의요소로 쓰였고, 重(무거울 중)이 표음요소임은 腫(부스럼 종), 踵(발꿈치 종)도 마찬가지다. 후에 '씨'(seed), '심다'(plant), '갈래'(=무리, a kind) 등으로 확대 사용됐다.
[속뜻훈음] **①씨 종, ②심을 종, ③갈래 종.**

종두 種痘 | 심을 종, 천연두 두 [vaccinate]
[의학] 천연두[痘]를 예방하기 위하여 백신을 인체의 피부에 접종(接種)하는 일.

종:류 種類 | 갈래 종, 무리 류 [kind; sort]
❶[속뜻] 갈래[種]에 따라 나눈 무리[類]. ❷사물의 부문을 나누는 갈래. ¶이 동물원에는 온갖 종류의 동물이 산다.

종:목 種目 | 갈래 종, 눈 목 [item]
여러 가지 종류(種類)에 따라 나눈 항목(項目). ¶운동 경기 종목.

종족 種族 | 갈래 종, 무리 족 [tribe; race]
❶[속뜻] 같은 갈래[種]의 생물 무리[族]. ¶어떤 생명체나 종족을 보호하려는 본능을 갖고 있다. ❷조상이 같고, 같은 계통의 언어·문화 따위를 가진 인간 집단. ¶역사가 흐르면서 여러 종족으로 갈라졌다.

종:종 種種 | 갈래 종, 갈래 종
[sometimes; occasionally]
❶[속뜻] 여러 가지[種+種]. ❷때때로. 가끔. ¶학교가 끝나면 종종 놀이터에 들렀다.

• 역순어휘

각종 各種 | 여러 각, 갈래 종
[all kinds; various kinds]
여러[各] 가지 종류(種類). ¶각종 직업을 체험하다. [비]각색(各色), 각양각색(各樣各色).

독종 毒種 | 독할 독, 갈래 종 [malicious person]
성질이 매우 독(毒)한 인종(人種). ¶그는 담배를 끊은 독종이다.

멸종 滅種 | 없앨 멸, 씨 종 [exterminate a stock]
씨[種]까지 없앰[滅]. 또는 씨까지 없어짐. ¶반달곰은 멸종 위기에 처해 있다.

변:종 變種 | 바뀔 변, 갈래 종 [variety]
[생물] 같은 종(種)이면서도 보통 것과 다른[變] 종(種). ¶변종 바이러스에 감염되다.

순종 純種 | 순수할 순, 갈래 종 [unmixed breed]
[생물] 딴 계통과 섞이지 않은 순수(純粹)한 종(種). ¶이 개는 순종이다. [반]잡종(雜種).

신종 新種 | 새 신, 갈래 종 [new species]
이제까지 없었던 새로운[新] 종류(種類). ¶신종 인플루엔자 / 신종 볍씨를 개발하다.

인종 人種 | 사람 인, 갈래 종 [human race]
사람[人]의 종류(種類). 사람의 피부나 머리털의 빛깔, 골격 등 신체적인 여러 형질에 따라 구분한다. ¶인종 차별 / 소수 인종 / 정부는 인종 갈등을 해소할 방안을 내놓았다.

일종 一種 | 한 일, 갈래 종 [kind]
❶[속뜻] 한[一] 종류(種類). 한 가지. ¶벼는 풀의 일종이다. ❷어떤 종류. ¶그 아이를 보면 일종의 책임감을 느낀다.

잡종 雜種 | 섞일 잡, 갈래 종 [hybrid]
❶[속뜻] 여러 가지가 섞인 잡다(雜多)한 종류(種類). ❷[생물] 품종이 다른 암수의 교배로 생긴 유전적으로 순수하지 못한 생물체. ¶이 개는 잡종이다. [반]순종(純種).

접종 接種 | 이을 접, 씨 종 [inoculate; vaccinate]
❶[속뜻] 종자(種子)를 접합(接合)시킴. ❷[의학] 병의 예방, 치료, 진단, 실험 따위를 위하여 병원균이나 항독소, 항체 따위를 사람이나 동물의 몸에 주입함. 또는 그렇게 하는 일. ¶예방 접종.

직종 職種 | 일자리 직, 갈래 종 [type of occupation]
직업(職業)이나 직무의 종류(種類). ¶이런 직종에서 일해 본 경험이 있나요?

차종 車種 | 수레 차, 갈래 종 [car model]
자동차(自動車)의 종류(種類). ¶다양한 차종이 전시되어 있다.

토종 土種 | 흙 토, 씨 종 [native kind; local breed]
본디 그 지역[土]에서 나는 종자(種子). ¶토종 농산물이 우리 몸에 좋다. [비]재래종(在來種).

파종 播種 | 뿌릴 파, 씨 종 [sow; seed]
논밭에 곡식의 씨앗[種]을 뿌림[播]. ¶보리는 가을에 파종한다.

품:종 品種 | 물건 품, 갈래 종 [kind; species]
❶[속뜻] 물품(物品)의 종류(種類). ¶다양한 품종의 물건을 진열해놓다. ❷[생물] 생물 분류학상 같은 종(種)의 생물을 그 특성으로 다시 세분한 최소의 단위. ¶진돗개는 한국 고유의 개 품종이다.

0370 [량]

良 어질 량
[部] 艮부 [劃] 7획 [中] 良 [liáng]
良良良良良良良

良자는 갑골문에 등장할 정도이니 3천년 이상의 역사를 가졌으나, 무슨 모습인지는 확실하지 않다. 길게 늘어서 行廊(행랑) 모습을 본뜬 것이란 설이 유력하지만 정설은 아니다. '어질다'(gentle; kindhearted), '좋다'(good) 등의 뜻을 나타내는 것으로 쓰인다.
[속뜻훈음] **①어질 량, ②좋을 량.**

양민 良民 | 어질 량, 백성 민 [good citizens; peaceable people]
선량(善良)한 백성[民]. ¶해적은 무고한 양민을 학살했다.

양서 良書 | 좋을 량, 책 서 [good book]
내용이 건전하고 좋은[良] 책[書]. ¶양서를 골라 학생에게 권했다.

양순 良順 | 어질 량, 순할 순 [good and obedient; gentle]
어질고[良] 온순하다[順]. ¶윤아는 양순한 어린이다.

양심 良心 | 어질 량, 마음 심 [conscience]
❶[속뜻] 선량(善良)한 마음[心]. ❷사물의 가치를 변별하고 자기 행위에 대하여 옳고 그름과 선과 악의 판단을 내리는 도덕적 의식. ¶양심에 걸려서 거짓말은 못하겠다.

양질 良質 | 좋을 량, 바탕 질 [good quality]
좋은[良] 바탕이나 품질(品質). ¶양질의 교육 / 양질의 서비스를 받다.

양호 良好 | 좋을 량, 좋을 호 [good; fine]
대단히 좋음[良=好]. ¶이 학생은 성적이 양호하다.

• 역순어휘

개:량 改良 | 고칠 개, 좋을 량 [improve; reform]
주로 구체적인 것을 고쳐[改] 좋게[良] 함. ¶품종을 개량하다. [비]개선(改善). [반]재래(在來).

불량 不良 | 아닐 불, 좋을 량 [bad; delinquent]
❶[속뜻] 질이나 상태 따위가 좋지[良] 않음[不]. ¶불량 식품 / 이 음식점은 위생 상태가 불량하다. ❷품행이 좋지 않음. ¶불량 학생 / 자세가 불량하다.

선:량 善良 | 착할 선, 어질 량 [good; virtuous; honest]
착하고[善] 어짊[良]. ¶선량한 시민.

우량 優良 | 뛰어날 우, 좋을 량 [superior; excellent]
물건의 품질이나 상태가 매우[優] 좋음[良]. ¶우량기업.

한량 閑良 | 한가할 한, 어질 량 [prodigal]
❶[속뜻] 한가(閑暇)롭게 잘 지내는 양민(良民). ❷돈 잘 쓰고 잘 노는 사람. ¶그 친구는 놀기 좋아하는 한량이다.

0371 [구]

舊 예 구:
[部] 臼부 [劃] 18획 [中] 旧 [jiù]
舊舊舊舊舊舊舊舊舊舊舊舊舊舊舊舊舊舊

舊자의 萑(추)는 머리에 벼슬이 달린 새를 뜻하는 표의요소이고, 臼(절구 구)는 표음요소다. 부수는 표의요소로 지정되는 것이 일반적인 원칙인데, 이 경우는 표음요소가 부수로 지정된 예외적인 글자다. 부수를 '풀 초'(艸=艹)로 오인하기 쉬우니 주의를 요한다. 본뜻은 '(수리)부엉이'(a horned owl)인데, 그 새가 오래 살았기 때문인지 '오래'(for long; for a long time), '옛'(old; olden; ancient) 등으로 확대 사용됐다.
[속뜻훈음] **①옛 구, ②오래 구.**

구:관 舊官 | 옛 구, 벼슬 관 [former magistrate]
예전[舊]의 관리(官吏). 먼저 재임했던 벼슬아치. [속담]

구관이 명관이다.

구:교 舊教 | 옛 구, 종교 교
[(Roman) Catholicism]
[종교] 종교개혁으로 출현한 신교(新教)에 상대하여[舊] 로마 가톨릭교(教)와 동방정교회를 이르는 말. (반)신교(新教).

구:면 舊面 | 오래 구, 낯 면
[old acquaintance; familiar face]
오래[舊] 전부터 알고 있는 얼굴[面]이나 처지. (비)면식(面識). (반)초면(初面).

구:약 舊約 | 오래 구, 묶을 약 [Old Testament]
❶[속뜻] 오래[舊] 전의 약속(約束). ❷[기독교] 예수가 나기 전에 하나님이 이스라엘 민족에게 준 구원의 약속. (반)신약(新約).

구:정 舊正 | 옛 구, 정월 정
예전[舊]부터 음력 1월 1일 설[正朔]로 정해 지냈던 것. '신정'(新正)에 상대하여 이른다.

구:태 舊態 | 옛 구, 모양 태 [old state of affairs]
뒤떨어진 옛날[舊] 그대로의 모습[態].

구:형 舊型 | 옛 구, 모형 형 [old model]
예전[舊]에 사용됐던 모형(模型). ¶구형 세탁기 / 구형 자동차. (반)신형(新型).

• 역순어휘 ——————— •

복구 復舊 | 되돌릴 복, 옛 구 [restore]
파괴된 것을 예전[舊]의 본래 상태대로 되돌림[復]. ¶피해 지역을 복구하다.

친구 親舊 | 친할 친, 오래 구 [friend]
친(親)하게 오래도록[舊] 사귄 사람. ¶그는 나의 둘도 없는 친구다. (비)벗.

0372 [결]

結

맺을 결
(부) 糸부 (획) 12획 (중) 结 [jié, jiē]

結 結 結 結 結 結 結 結 結 結 結 結

結자는 '(실로) 맺다'(tie up; knot)는 뜻을 위하여 고안된 것이니, '실 사'(糸)가 표의요소로 쓰였다. 吉(길할 길)이 표음요소임은 袺(옷섶 잡을 결)도 마찬가지다.

결과 結果 | 맺을 결, 열매 과
[result; consequence]
❶[속뜻] 열매[果]를 맺음[結]. ❷어떤 까닭으로 말미암아 이루어지는 결말의 상태. 또는 그 결말. ¶결과보다 과정이 중요하다. (비)결실(結實), 성과(成果). (반)원인(原因), 동기(動機).

결국 結局 | 맺을 결, 판 국 [after all; finally]
❶[속뜻] 일의 마무리[結] 단계[局]. ¶결국에는 모든 것이 좋아질 것이다. ❷형국을 완전히 갖춤. (비)결말(結末).

결론 結論 | 맺을 결, 말할 론 [conclusion]
❶[속뜻] 끝맺는[結] 부분의 말[論]. ❷최후로 내려진 의견. ¶결론을 내리다. (비)맺음말, 결어(結語). (반)서론(序論), 머리말.

결막 結膜 | 맺을 결, 꺼풀 막 [conjunctiva]
[의학] 눈꺼풀 안과 눈알의 겉을 싸서 연결(連結)하는 무색 투명한 얇은 꺼풀[膜].

결말 結末 | 맺을 결, 끝 말 [end; close]
어떤 일이 마무리되는[結] 끝[末]. ¶결말을 짓다. (비)결미(結尾). (반)시작(始作), 발단(發端), 서두(序頭).

결박 結縛 | 맺을 결, 묶을 박 [bind; tie]
움직이지 못하게 단단히 매듭을 지어[結] 묶음[縛]. ¶형사는 범인을 결박하였다. (비)포박(捕縛).

결부 結付 | 맺을 결, 줄 부 [link; tie together]
서로 맺어[結] 줌[付]. 또는 서로 연관시킴. ¶이 문제를 나와 결부시키지 마라.

결빙 結氷 | 맺을 결, 얼음 빙 [freeze over]
물이 얼어서 얼음[氷]이 됨[結]. ¶오슬로 항은 겨울에도 결빙하지 않는 항구이다. (반)해빙(解氷).

결사 結社 | 맺을 결, 모임 사
[association; society]
모임[社]을 결성(結成)함. 또는 그 단체. ¶비밀 결사 / 결사의 자유.

결성 結成 | 맺을 결, 이룰 성 [form; organize]
단체 따위를 맺어[結] 이룸[成]. ¶밴드를 결성하다.

결속 結束 | 맺을 결, 묶을 속 [bind together]
뜻이 같은 사람끼리 모임을 맺어[結] 하나로 뭉침[束]. ¶국민을 결속시키다 / 결속을 강화하다. (비)단결(團結), 결집(結集). (반)분산(分散).

결실 結實 | 맺을 결, 열매 실 [bear fruit; fructify]
❶[속뜻] 열매[實]를 맺음[結]. ¶가을은 결실의 계절이다. ❷일의 결과가 잘 맺어짐. ¶오랜 연구 끝에 드디어 결실을 거두었다.

결연 結緣 | 맺을 결, 인연 연 [make a connection]
인연(因緣)을 맺음[結]. ¶자매 결연을 맺다.

결정 結晶 | 맺을 결, 밝을 정 [crystallize]
❶[속뜻] 일정한 형체[晶]를 맺거나 이룸[結]. ❷'노력의 결과로 얻어진 훌륭한 보람'을 비유하여 이르는 말. ¶노력의 결정.

결탁 結託 | 맺을 결, 맡길 탁 [be in collusion with]

❶[속뜻]서로 마음을 맺고[結] 맡김[託]. ❷주로 부정적인 어떤 일을 꾸미려고 서로 한통속이 됨. ¶권력 있는 사람들과 결탁했다.

결합 結合 | 맺을 결, 합할 합 [combine; unite]
둘 이상의 것이 서로 관계를 맺고[結] 합쳐져[合] 하나로 됨. ¶산소는 수소와 결합하여 물을 만든다. [비]결속(結束), 연합(聯合). [반]분리(分離), 분해(分解).

결핵 結核 | 맺을 결, 씨 핵 [tuberculosis]
❶[속뜻]씨(核)를 맺음[結]. ❷[의학]결핵균의 기생으로 국부에 맺히는 작은 결절 모양의 망울이나 핵. '결핵병'(結核病)의 준말. ¶그녀는 결핵에 걸렸다. ❸[지리]수성암이나 응회암의 용액이 핵 주위에 침전하여 생긴 혹 모양의 불규칙한 덩이.

결혼 結婚 | 맺을 결, 혼인할 혼 [marry]
남녀가 정식으로 부부관계[婚]를 맺음[結]. ¶결혼 기념일. [비]혼인(婚姻). [반]이혼(離婚).

• 역순어휘

귀:결 歸結 | 돌아갈 귀, 맺을 결
[bring to a conclusion]
어떤 결말(結末)이나 결과로 돌아감[歸]. 또는 그 결말이나 결과(結果). ¶결국은 공부 문제로 귀결된다.

단결 團結 | 모일 단, 맺을 결 [unite; combine]
단체(團體)로 잘 뭉침[結]. [비]단합(團合), 협동(協同). [반]분열(分裂).

동:결 凍結 | 얼 동, 맺을 결 [freeze]
❶[속뜻]추위나 냉각으로 얼어[凍] 붙음[結]. ¶동결 건조한 채소 ❷[경제]자산이나 자금 따위의 사용이나 이동을 완전히 묶음. ¶금리를 동결하다.

연결 連結 | 이을 련, 맺을 결 [connect]
서로 이어서[連] 맺음[結]. ¶내 컴퓨터를 인터넷에 연결했다.

완결 完結 | 완전할 완, 맺을 결 [complete; finish]
완전(完全)하게 끝을 맺음[結]. ¶조설근은 소설을 완결하지 못하고 세상을 떠났다.

종결 終結 | 마칠 종, 맺을 결 [conclude]
일을 마치어[終] 끝맺음[結]. ¶수사의 종결 / 마침내 전쟁이 종결되었다. [비]종료(終了).

직결 直結 | 곧을 직, 맺을 결
[be linked directly with]
다른 사물이 개입하지 아니하고 직접(直接) 연결(連結)됨. ¶이것은 사람들의 건강 문제와 직결된다.

집결 集結 | 모일 집, 맺을 결
[gather; concentrate]
한군데로 모여[集] 뭉침[結]. ¶집결 장소 / 학생들이 운동장에 집결했다. [반]해산(解散).

체결 締結 | 맺을 체, 맺을 결
[sign; conclude contract]
계약이나 조약을 맺음[締=結]. ¶두 나라 사이에 조약이 체결되다.

타:결 妥結 | 온당할 타, 맺을 결
[reach an agreement; come to terms]
온당하게[妥] 매듭지음[結]. 잘 끝냄. ¶마침내 협상이 타결되었다.

0373 [약]

約 맺을 약
[部] 糸부 [總] 9획 [中] 约 [yuē, yāo]

約 約 約 約 約 約 約 約 約

約자는 '(꽁꽁) 묶다'(tie up)는 뜻을 나타내기 위하여 만들어진 것이니, '실 사'(糸)가 표의요소다. 勺(구기 작)은 표음요소였는데 음이 약간 달라졌다. '아끼다'(spare; grudge)는 뜻으로도 쓰인다.
[속뜻훈음] ①묶을 약, ②아낄 약.

약분 約分 | 묶을 약, 나눌 분 [abbreviate]
[수학]분수의 분모와 분자를 공약수(公約數)로 나누어[分] 간단하게 하는 일.

약속 約束 | 묶을 약, 다발 속 [promise; contract]
❶[속뜻]다발[束]을 묶음[約]. ❷앞으로의 일에 대하여 미리 정하여 둠. ¶경희와 미리 약속을 해두었다. [비]언약(言約).

약조 約條 | 묶을 약, 조목 조
[agreement; promise]
여러 가지 조항(條項)을 만들어 약속(約束)함. 또는 약속으로 정한 조항. ¶약조를 지키다 / 이달 말까지 일을 끝내기로 약조했다.

약혼 約婚 | 묶을 약, 혼인할 혼 [be engaged]
혼인(婚姻)하기로 약속(約束)함. ¶약혼식 / 약혼 반지.

• 역순어휘

검:약 儉約 | 검소할 검, 아낄 약
[economize in; thrifty]
검소(儉素)하고 절약(節約)함. ¶생활비를 검약하다. [비]절약(節約). [반]사치(奢侈).

계:약 契約 | 맺을 계, 묶을 약
[contract; promise]
❶[속뜻]약속(約束)을 맺음[契]. ❷관련되는 사람이나 조

직체 사이에서 서로 지켜야 할 의무에 대하여 글이나 말로 정하여 둠. 또는 그런 약속. ¶계약을 체결하다. (비) 약정(約定), 약속(約束).

공약 公約 | 공공 공, 묶을 약 [public promise]
❶[속뜻] 일반인을 대상으로 공식적(公式的)으로 한 약속(約束). ¶선거공약을 내걸다. ❷[법률] 법적 효력을 지닌 계약.

구:약 舊約 | 오래 구, 묶을 약 [Old Testament]
❶[속뜻] 오래[舊] 전의 약속(約束). ❷[기독교] 예수가 나기 전에 하나님이 이스라엘 민족에게 준 구원의 약속. (반) 신약(新約).

규약 規約 | 법 규, 묶을 약 [rules; regulations]
서로 협의하여 정한[約] 규칙(規則). ¶향약은 향촌에서 전해 내려오는 규약의 하나이다. (비) 협약(協約).

기약 期約 | 때 기, 묶을 약 [pledge; promise]
때[期]를 정하여 약속(約束)함. ¶다시 만날 것을 기약하다.

서:약 誓約 | 맹세할 서, 묶을 약
[swear; vow make an oath]
맹세[誓]하고 약속(約束)함. ¶혼인 서약.

선약 先約 | 먼저 선, 묶을 약
[previous engagement]
먼저[先] 약속(約束)함. 또는 그 약속. ¶죄송하지만 선약이 있다.

신약 新約 | 새 신, 묶을 약 [New Testament]
❶[속뜻] 새로이[新] 한 약속(約束). ❷[기독교] '신약성경'(聖經)의 준말. (반) 구약(舊約).

언약 言約 | 말씀 언, 묶을 약
[make a verbal promise]
말[言]로 약속(約束)함. 또는 그런 약속. ¶나는 그녀와 결혼을 언약했다. (비) 약속(約束).

예:약 豫約 | 미리 예, 묶을 약 [reservation]
미리[豫] 약속(約束)함. 또는 미리 정한 약속. ¶예약을 취소하다 / 병원 진료를 예약하다.

요약 要約 | 요할 요, 묶을 약 [summarize]
요점(要點)을 잘 간추림[約]. ¶줄거리를 요약하시오.

절약 節約 | 알맞을 절, 아낄 약 [economize; save]
알맞게[節] 아껴[約] 씀. ¶시간 절약 / 낭비되는 에너지를 절약하자. (반) 낭비(浪費), 허비(虛費).

제:약 制約 | 누를 제, 묶을 약 [restrict; limit]
❶[속뜻] 누르거나[制] 묶어[約] 못하게 함. ❷조건을 붙여 활동을 못하게 함. ¶단체 생활에는 제약이 따른다.

조약 條約 | 조목 조, 묶을 약 [treaty; convention]
❶[속뜻] 조목(條目)으로 나누어 맺은 약속(約束). ❷[법률] 국가 간의 권리와 의무를 국가 간의 합의에 따라 법적 구속을 받도록 규정하는 조문. ¶두 나라 사이에 조약이 맺어졌다.

집약 集約 | 모을 집, 묶을 약 [integrate; intensive]
한데 모아서[集] 묶음[約]. ¶기술 집약 / 여러 사람의 의견을 집약하다.

청약 請約 | 청할 청, 묶을 약 [subscribe for stock]
[법률] 계약(契約)을 신청(申請)함. 유가증권의 공모나 매출에 응모하여 인수 계약을 신청하는 일. ¶회사 주식 청약의 단위는 10주이다.

해:약 解約 | 풀 해, 묶을 약 [cancel a contract]
약속(約束)을 해지(解止)하여 취소함. ¶보험을 해약하다.

향약 鄕約 | 시골 향, 묶을 약
[역사] 조선 시대, 권선징악과 상부상조를 목적으로 만든 마을[鄕]의 자치 규약(規約).

협약 脅約 | 협박할 협, 묶을 약
[agree; convention]
협박(脅迫)으로 이루어진 약속(約束)이나 조약(條約). ¶강제로 맺은 협약이니 지킬 필요가 없다.

0374 [련]

練

익힐 련:
(부) 糸부 (획) 15획 (간) 练 [liàn]

練자는 옷감을 삶아서 하얗게 하는 것, 즉 '표백하다'(bleach)는 뜻을 나타내기 위한 것이었으니, '실 사'(糸)가 표의요소로 쓰였다. 柬(가릴 간)이 표음요소였음은 鍊(불릴 련)도 마찬가지다. 그 본뜻보다는 '익히다'(practice; train)는 뜻으로 많이 쓰인다.

연:습 練習 | =鍊習, 익힐 련, 익힐 습
[practice; train]
학문이나 기예 따위를 익숙하도록 되풀이하여 익힘[練=習]. ¶연습 경기 / 선수들은 일주일에 6일을 연습한다.

• 역순어휘

미:련 未練 | 아닐 미, 익힐 련
[lingering attachment]
❶[속뜻] 새로운 상황이나 사물에 익숙하지[練] 않음[未]. ❷깨끗이 잊지 못하고 끌리는 데가 남아 있는 마음. ¶아직 미련이 남아 있다.

세:련 洗練 | =洗鍊, 씻을 세, 익힐 련
[refined; sophisticated; polished]

❶[속뜻]깨끗이 씻어[洗] 말끔하고 열심히 익혀[練] 능숙함. ❷서투르거나 어색한 데가 없이 능숙하고 미끈하게 갈고 닦음. ❸모습 따위가 말쑥하고 품위가 있다. ¶세련된 옷차림.

조련 調練 | =調鍊, 길들일 조, 익힐 련 [train]
❶[속뜻]길들이기[調] 위하여 훈련(訓練)시킴. ❷훈련을 거듭하여 쌓음. ¶농장에서 야생마를 조련하다.

훈:련 訓練 | =訓鍊, 가르칠 훈, 익힐 련 [train; drill; practice]
무예나 기술 등을 가르치고[訓] 익힘[練]. ¶사격 훈련 / 선수들이 열심히 훈련하고 있다.

0375 [신]

臣 신하 신
[部] 臣부 [劃] 6획 [中] 臣 [chén]
臣 臣 臣 臣 臣 臣

臣자의 원형은 무릎을 꿇고 엎드린 포로의 '치켜 뜬 눈' 모양을 본뜬 것이다. 그래서 본래 의미는 '포로'(a prisoner)였다고 한다. '섬기다'(work under a person)는 뜻으로도 쓰이며, '신하'(a minister) 같은 단어의 한 구성 요소로도 쓰인다.
[속뜻 훈음] ①신하 신, ②섬길 신.

신하 臣下 | 섬길 신, 아래 하 [retainer]
임금을 섬기며[臣] 그 아래[下]에서 일하는 사람. ¶충성스러운 신하.

• 역순어휘

가신 家臣 | 집 가, 섬길 신 [retainer; vassal]
[역사]정승의 집안[家]일을 대신 맡아보던 사람[臣]. [비]배신(陪臣), 가사(家士).

간신 奸臣 | =姦臣, 간사할 간, 신하 신 [villainous retainer]
간사(奸邪)한 신하(臣下). 간사한 사람. ¶간신들의 모함을 받아 유배되었다. [반]충신(忠臣).

공신 功臣 | 공로 공, 신하 신 [meritorious retainer; vassal of merit]
나라에 공로(功勞)가 있는 신하(臣下). ¶건국 공신.

군신 君臣 | 임금 군, 신하 신 [sovereign and subject]
임금[君]과 신하(臣下)를 아울러 이르는 말.

대:신 大臣 | 큰 대, 신하 신 [minister; cabinet member]
크고[大] 무거운 책무를 맡은 신하(臣下).

무:신 武臣 | 굳셀 무, 신하 신 [military official]
무과(武科) 출신의 신하(臣下). [반]문신(文臣).

문신 文臣 | 글월 문, 신하 신 [civil minister]
문관(文官)인 신하(臣下). [반]무신(武臣).

사:신 使臣 | 부릴 사, 신하 신 [envoy; ambassador]
임금이나 국가의 명령을 받고 외국에 사절(使節)로 가는 신하(臣下).

소:신 小臣 | 작을 소, 신하 신
임금께 신하(臣下)가 자기를 낮추어[小] 일컫는 말.

충신 忠臣 | 충성 충, 신하 신 [loyal subject; faithful retainer]
충성(忠誠)을 다하는 신하(臣下). [반]간신(奸臣).

0376 [요]

要 요긴할 요(:)
[部] 襾부 [劃] 9획 [中] 要 [yào, yāo]
要 要 要 要 要 要 要 要 要

要자는 '허리'(the waist)라는 뜻을 나타내기 위해서, 서 있는 여자(女)의 허리춤에 두 손을 얹고 있는(襾·덮을 아) 모양에서 유래된 것이다. 후에 '요하다'(need; require; demand), '구하다'(look for; want; desire)는 뜻으로도 많이 쓰이자, 본래의 의미는 腰(허리 요, #1728)자를 추가로 만들어 나타냈다.
[속뜻 훈음] ①요할 요, ②구할 요.

요건 要件 | 구할 요, 조건 건 [necessary condition]
필요(必要)한 조건(條件). ¶자격 요건.

요구 要求 | 구할 요, 구할 구 [demand]
받아야 할 것을 필요(必要)에 의하여 달라고 청구(請求)함. ¶요구 사항 / 지나치게 요구하다. [비]요청(要請).

요긴 要緊 | 요할 요, 급할 긴 [be essentially important]
❶[속뜻]중요(重要)하고도 급함[緊]. ❷중요하여 꼭 필요로 함. ¶요긴한 물건. [비]긴요(緊要)하다.

요령 要領 | 요할 요, 요점 령 [main point]
❶[속뜻]중요(重要)한 골자나 요점[領]. ❷일을 하는 데 필요한 효과적인 방법. ¶논문 작성 요령. ❸적당히 해 넘기는 잔꾀. ¶요령을 부리다.

요망 要望 | 구할 요, 바랄 망 [be required]
요구(要求)하고 희망(希望)함. ¶연락 요망.

요새 要塞 | 요할 요, 변방 새 [fortress]
❶[속뜻]군사적으로 중요(重要)한 변방[塞]. ❷[군사]중요(重要)한 곳에 구축하여 놓은 견고한 성채나 방어시설(防禦施設).

요소 要素 | 구할 요, 바탕 소 [essential element]
꼭 필요(必要)한 바탕[素]이나 성분. 또는 근본 조건. ¶핵심적 요소.

요소 要所 | 요할 요, 곳 소 [key point]
중요(重要)한 장소(場所)나 지점. ¶요소에 경찰관을 배치하다.

요약 要約 | 요할 요, 묶을 약 [summarize]
요점(要點)을 잘 간추림[約]. ¶줄거리를 요약하시오.

요원 要員 | 구할 요, 인원 원 [needed personnel]
꼭 필요(必要)한 인원(人員). ¶수사 요원을 배치하다.

요인 要人 | 요할 요, 사람 인 [important person]
중요(重要)한 자리에 있는 사람[人]. 또는 윗자리에 있는 사람. ¶그는 정부(政府) 요인을 암살하려고 했다.

요인 要因 | 요할 요, 인할 인 [important factor]
중요(重要)한 원인(原因). ¶사고 요인을 밝히다.

요점 要點 | 요할 요, 점 점 [main point]
가장 중요(重要)하고 중심이 되는 사실이나 관점(觀點). ¶요점을 정리하다. [비]골자(骨子), 요지(要旨), 중점(重點), 핵심(核心).

요지¹ 要旨 | 요할 요, 뜻 지 [essentials]
핵심이 되는 중요(重要)한 뜻[旨]. ¶이야기의 요지를 파악하다. [비]골자(骨子), 요점(要點).

요지² 要地 | 요할 요, 땅 지 [important place]
중요(重要)한 곳[地]. ¶군사적 요지를 점령하다.

요청 要請 | 구할 요, 부탁할 청
[demand; request]
❶[속뜻]요구(要求)하여 부탁함[請]. ❷요긴하게 부탁함. 또는 그런 부탁. ¶협력 요청.

• 역순어휘

강:요 強要 | 억지 강, 구할 요 [force; compel]
무리하게 억지로[強] 요구(要求)함. ¶회의 참석을 강요했다. [비]강구(強求).

개:요 概要 | 대강 개, 요할 요 [outline; summary]
대강[概]의 요점(要點). 또는 대강의 줄거리. ¶사건의 개요. [비]줄거리, 개략(概略), 요약(要約). [반]전문(全文).

긴요 緊要 | 긴급할 긴, 구할 요 [vital; important]
❶[속뜻]긴급(緊急)하게 구하다[要]. ❷매우 중요하다. ¶긴요한 문제.

소:요 所要 | 것 소, 구할 요 [take; cost]
필요(必要)로 하는 것[所]. 요구되는 바. ¶서울에서 대전까지는 버스로 2시간 정도 소요된다.

수요 需要 | 쓰일 수, 구할 요 [demand; requisite]
❶[속뜻]생활에 쓰이거나[需] 필요(必要)로 하는 것. ❷[경제]재화나 용역을 일정한 가격을 주고 사려고 하는 욕구. ¶수요가 증가하다. [반]공급(供給).

적요 摘要 | 딸 적, 요할 요 [summarize; outline]
중요(重要)한 부분을 뽑아내어[摘] 적는 일. 또는 그렇게 적어 놓은 것.

주요 主要 | 주될 주, 요할 요 [main]
주(主)가 되고 중요(重要)함. ¶올해의 주요 사건.

중:요 重要 | 무거울 중, 요할 요
[important; significant]
귀중(貴重)하고 요긴(要緊)함. ¶중요 인물을 중심으로 찾아보다 / 언어는 꾸준히 공부하는 것이 중요하다.

필요 必要 | 반드시 필, 구할 요
[necessary; essential]
반드시[必] 요구(要求)되는 바가 있음. ¶그는 경제적 필요에 의해 직장에 다니기 시작했다 / 도움이 필요하면 전화 주세요. [반]불필요(不必要).

0377 [능]

能

능할 능
[部] 肉부 [總] 10획 [中] 能 [néng]

能 能 能 能 能 能 能 能 能 能

能자의 원형은 '곰'(a bear)을 나타내기 위하여, 큰 입에 활처럼 휜 등, 그리고 굵은 발톱에 짧은 꼬리 모양의 곰을 본뜬 것이었다. 자형이 크게 변화되어 곰과는 거리가 멀어졌고, '재능'(talent; gift; ability; capability), '능하다'(skillful) 등의 의미로 확대 사용되는 예가 잦아지자, 본뜻은 熊(웅)자를 추가로 만들어 나타냈다. 곰은 다른 동물에 비하여 유달리 불을 싫어하므로 '불 화'(火→灬)를 넣었다는 설이 있다.

능동 能動 | 능할 능, 움직일 동
[spontaneousness; voluntarily]
❶[속뜻]능(能)히 스스로 움직임[動]. ❷[언어]다른 것에 동작을 미치게 하는 동사의 성질. [반]수동(受動), 피동(被動).

능란 能爛 | 능할 능, 무르익을 란 [skillful; expert]
어떤 일을 잘하고[能] 익숙하다[爛]. ¶그는 일본어를 매우 능란하게 말한다 / 능수능란(能手能爛)하다.

능력 能力 | 능할 능, 힘 력 [ability; capacity]

어떤 일을 해낼 수 있는[能] 힘[力]. ¶능력을 기르다 / 능력을 발휘하다. [비]깜냥, 역량(力量).

능률 能率 | 능할 능, 비율 률 [efficiency]
일정한 시간에 해낼 수 있는[能] 일의 분량, 또는 비율(比率). ¶작업 능률 / 능률을 올리다.

능사 能事 | 능할 능, 일 사
[proper and suitable work]
❶[속뜻]자기에게 알맞아 잘 해낼 수[能] 있는 일[事]. ❷잘하는 일. ¶빨리 출발하는 것만이 능사가 아니다.

능수 能手 | 능할 능, 솜씨 수 [ability; expert]
어떤 일에 능란(能爛)한 솜씨[手]. 또는 그런 사람. ¶실무에 있어서는 그가 능수다 / 능수능란(能手能爛).

능숙 能熟 | 능할 능, 익을 숙 [skilled]
기술이 있어 일을 잘하고[能] 그 일에 익숙[熟]하다. ¶능숙한 솜씨로 기저귀를 갈았다 / 젓가락을 능숙하게 사용하다.

능통 能通 | 능할 능, 온통 통 [proficient; skillful]
능(能)히 모든[通] 것을 다 잘 함. ¶그는 4개 국어에 능통하다.

• 역순어휘

가:능 可能 | 가히 가, 능할 능 [possible]
해도 되거나[可] 할 수 있음[能]. ¶불가능을 가능하게 하다. [반]불가능(不可能), 불능(不能).

기능 機能 | 틀 기, 능할 능 [function; faculty]
기계(機械)의 능력(能力)이나 역할. ¶이 장치는 오래 되어 기능이 약화되었다.

만:능 萬能 | 일만 만, 능할 능
[omnipotent; almighty]
❶[속뜻]만사(萬事)에 두루 능통(能通)함. ❷온갖 것을 다 할 수 있음. ¶물질만능의 시대. [비]전능(全能). [반]무능(無能).

무능 無能 | 없을 무, 능할 능 [incompetent]
무엇을 할 수 있는[能] 힘이나 재주가 없음[無]. ¶이 사건으로 자신의 무능을 알게 되었다 / 그는 변호사로서 무능하다. [반]유능(有能).

본능 本能 | 뿌리 본, 능할 능 [instinct]
어떤 생물 조직체가 본래(本來)부터 가지고 있는 능력(能力). ¶본능에 따라 행동하다.

불능 不能 | 아닐 불, 능할 능 [impossible]
할 수[能] 없음[不]. 능하지 못함. ¶통제 불능.

성:능 性能 | 성질 성, 능할 능
[capacity; power; efficiency]
기계 따위가 지닌 성질(性質)과 일을 해내는 능력(能力). ¶이 제품은 값은 싸지만 성능이 떨어진다.

예:능 藝能 | 재주 예, 능할 능 [arts]
❶[속뜻]재주[藝]와 기능(技能). ❷연극, 영화, 음악, 미술 따위의 예술과 관련된 능력을 통틀어 이르는 말. ¶예능에 소질이 있다.

유:능 有能 | 있을 유, 능할 능
[able; capable; competent]
재능(才能) 또는 능력이 있음[有]. ¶유능한 작가. [반]무능(無能).

재능 才能 | 재주 재, 능할 능
[ability; capability; capacity]
재주[才]와 능력(能力). ¶내 동생은 과학에 재능이 있다.

저:능 低能 | 낮을 저, 능할 능
[low intelligence; feeble]
지능(知能)이 보통보다 썩 낮음[低]. 또는 그런 상태. ¶본디 저능이었다.

지능 知能 | 알 지, 능할 능 [intelligence]
지식을 쌓거나 사물을 바르게 판단하거나 하는 지적(知的)인 능력(能力). ¶지능이 높다고 공부를 잘하는 것은 아니다.

효:능 效能 | 보람 효, 능할 능 [effect; efficacy]
효험(效驗)을 나타내는 성능(性能). ¶약의 효능이 뛰어나다.

0378 [절]

節

마디 절
[部]竹부 [劃]15획 [中]节 [jié, jiē]

節자는 '(대나무의) 마디'(a joint)가 본래 의미였으니, '대나무 죽'(竹)이 표의요소로 쓰였다. 卽(곧 즉)이 표음요소였는데 음이 다소 달라졌다. 대나무는 곧아서 휘는 법이 없었으니, '(곧은) 지조'(constancy; fidelity; integrity)란 뜻으로도 쓰였다. '알맞다'(proper; appropriate), '철'(=때, a season) 등의 뜻을 나타내는 것으로도 쓰인다.
[속뜻 훈음] ①마디 절, ②지조 절, ③알맞을 절, ④철 절.

절감 節減 | 알맞을 절, 덜 감 [cut down; reduce]
알맞게[節] 씀씀이를 줄임[減]. ¶비용을 절감하기 위해 배송방식을 바꾸었다.

절개 節槪 | 지조 절, 기개 개 [integrity; honor]
❶[속뜻]굳은 지조[節]와 꿋꿋한 기개(氣槪). ❷신념을 굳게 지킴. ¶절개가 굳은 사람.

절기 節氣 | 철 절, 기운 기

[subdivisions of the seasons]
❶[속뜻]사시사철[節] 다른 기운(氣運). ❷한 해를 스물넷으로 나눈 철. ¶오늘은 절기 상 봄으로 접어드는 입춘(立春)이다.

절도 節度 | 알맞을 절, 정도 도 [moderation]
❶[속뜻]행동 따위를 알맞게[節]하는 정도(程度). ❷일이나 행동 따위를 정도에 알맞게 하는 규칙적인 한도. ¶절도를 지키다 / 그의 언행에는 절도가 있다.

절수 節水 | 알맞을 절, 물 수 [economize water]
물[水]을 알맞게[節] 아껴 씀. ¶절수 운동.

절식 節食 | 알맞을 절, 밥 식
[be temperate in eating]
음식(飮食)을 알맞게[節] 먹음. ¶그는 건강을 위해 절식하고 있다.

절약 節約 | 알맞을 절, 아낄 약 [economize; save]
알맞게[節] 아껴[約] 씀. ¶시간 절약 / 낭비되는 에너지를 절약하자. [반]낭비(浪費), 허비(虛費).

절제 節制 | 알맞을 절, 누를 제 [moderate]
정도에 넘지 아니하도록 알맞게[節] 억누름[制]. ¶건강하자면 음식을 절제해야 한다.

절차 節次 | 알맞을 절, 순서 차
[formalities; procedures]
일을 치르는 데 알맞은[節] 단계나 순서[次]. ¶절차를 밟다 / 복잡한 절차.

• 역순어휘 •

계:절 季節 | 철 계, 마디 절 [season]
❶[속뜻]일년 가운데 철[季]로 구분되는 마디[節]. ❷한 해를 날씨에 따라 나눈 그 한 철. 온대(溫帶)에는 봄, 여름, 가을, 겨울의 네 철이 있고 열대(熱帶)에는 건계(乾季)와 우계(雨季)가 있다. ❸어떤 일을 하는 데 가장 알맞은 시절. ¶가을은 독서의 계절이다.

관절 關節 | 빗장 관, 마디 절 [joint; articulation]
[의학]뼈와 뼈가 서로 연결되어 있는[關] 부분[節]. ¶지나친 운동은 관절에 무리를 준다.

구절 句節 | 글귀 구, 마디 절 [phrase; passage]
❶[언어]구(句)와 절(節)을 아울러 이르는 말. ❷한 토막의 말이나 글. ¶유명한 구절.

동:절 冬節 | 겨울 동, 철 절 [winter season]
겨울[冬] 철[節].

명절 名節 | 이름 명, 철 절 [holiday]
❶[속뜻]유명(有名)한 철[節]이나 날. ❷해마다 일정하게 지키어 즐기거나 기념하는 날. ¶고향으로 돌아가 명절을 쇠다.

변:절 變節 | 바뀔 변, 지조 절 [turn coat]
❶[속뜻]지조[節]를 지키지 않고 바꿈[變]. ❷내세워 오던 주의나 주장을 바꿈. ¶그는 역경에도 변절하지 않고 지조를 지켰다.

사:절 使節 | 부릴 사, 마디 절 [envoy; delegate]
❶[역사]옛날 사신(使臣)이 신표로 지참하던 대나무 마디[節]. ❷[법률]나라를 대표하여 일정한 사명(使命)을 띠고 외국에 파견되는 사람. ¶그는 주한 외교 사절로 워싱턴에 갔다.

소:절 小節 | 작을 소, 마디 절 [bar; measure]
❶[속뜻]문장의 짧은[小] 한 구절(句節). ❷[음악]악보에서 세로줄과 세로줄로 구분된 마디. ¶그는 노래 몇 소절을 불렀다.

수절 守節 | 지킬 수, 지조 절
[maintain one's integrity]
지조[節]나 정절(貞節)을 지킴[守]. ¶그녀는 청상과부로 평생 수절하며 살았다.

시절 時節 | 때 시, 철 절
[time; occasion; season]
❶[속뜻]무슨 일을 하기에 알맞은 때[時]나 철[節]. ❷사람의 한 평생을 여럿으로 나눌 때의 어느 한 동안. ¶학창 시절. ❸계절(季節).

어:절 語節 | 말씀 어, 마디 절
[언어]낱말[語] 각각의 마디[節]. 문장 성분의 최소 단위로서 띄어쓰기의 단위가 된다. ¶'혜리가 소설책을 본다'에서 '혜리가', '소설책을', '본다'가 어절에 해당한다.

예절 禮節 | 예도 례, 알맞을 절 [proprieties]
예의(禮義)에 관한 모든 절차(節次)나 질서. ¶식사 예절 / 극장에서는 휴대전화를 꺼 놓는 것이 기본예절이다.

음절 音節 | 소리 음, 마디 절 [syllable]
[언어]소리[音]의 한 마디[節]. 음소가 모여서 이루어진 소리의 한 덩어리. ¶'운동'은 2음절로 된 단어이다.

정절 貞節 | 곧을 정, 지조 절
[faithfulness; fidelity]
여자의 곧은[貞] 지조[節]. ¶정절을 지키다. [비]정조(貞操).

조절 調節 | 고를 조, 마디 절
[adjust; control; regulate]
❶[속뜻]마디마디[節]를 잘 고름[調]. ❷균형이 맞게 바로잡음. 또는 적당하게 맞추어 나감. ¶시험 전에 컨디션 조절을 잘 해야 한다 / 의자의 높낮이를 조절하다. [비]조정(調整).

충절 忠節 | 충성 충, 지조 절 [loyalty; fidelity]
충성(忠誠)과 지조[節]. ¶이 비석은 그녀의 충절을 기리기 위해 세워졌다.

하:절 夏節 | 여름 하, 철 절 [summer]

여름[夏] 철[節].

환:절 換節 | 바꿀 환, 철 절 [climatic change]
계절이 바뀌는[換] 절기(節氣).

0379 [필]

筆

붓 필
[部] 竹부 [劃] 12획 [中] 笔 [bǐ]

筆 筆 筆 筆 筆 筆 筆 筆 筆 筆 筆 筆

筆자는 원래 손에 붓을 쥐고 있는 모습을 본뜬 '聿'(율)로 썼다. 처음 약 1,000년간은 그렇게 쓰다가 의미를 더욱 분명하게 하기 위하여 '대 죽'(竹)을 더했다. '붓'(a writing brush)이 본래 의미인데, '글씨'(writing)를 뜻하기도 한다.

[속뜻훈음] ①붓 필, ②글씨 필.

필기 筆記 | 붓 필, 기록할 기 [notes]
❶[속뜻] 붓[筆]으로 기록(記錄)함. ❷강의나 연설 따위의 내용을 받아씀. ¶수업 시간에 필기를 잘해야 시험 볼 때에 고생하지 않는다.

필명 筆名 | 글씨 필, 이름 명 [pen name]
❶[속뜻] 글이나 글씨[筆]로 날린 명성(名聲). ❷작가가 작품을 발표할 때 쓰는 본명 이외의 이름. ¶루쉰이란 필명으로 이름을 날리기 시작하다.

필사 筆寫 | 글씨 필, 베낄 사
[copy; take a copy; transcribe]
글씨[筆]를 베낌[寫]. 또는 베껴 쓴 글씨. ¶이 책 한 권을 다 필사하려면 시간이 꽤 걸릴 것이다.

필순 筆順 | 붓 필, 차례 순 [stroke order]
글씨를 쓸 때 붓[筆]을 놀리는 차례[順]. ¶한자는 필순에 따라 써야 예쁘다.

필자 筆者 | 글씨 필, 사람 자 [writer]
글이나 글씨[筆]를 쓴 사람[者]. ¶이 자료는 필자가 만 명을 대상으로 조사한 것이다.

필체 筆體 | 글씨 필, 모양 체 [handwriting]
글씨[筆] 모양[體]. ¶두 사람의 필체가 서로 비슷하다. [비]글씨체(體), 서체(書體).

필치 筆致 | 붓 필, 이를 치 [literary style]
❶[속뜻] 붓[筆] 솜씨가 상당한 경지에 이름[致]. ❷글에 나타나는 맛이나 개성. ¶이 소설은 두 남녀의 순수한 사랑을 섬세한 필치로 그렸다.

필통 筆筒 | 붓 필, 통 통 [pencil case]
붓[筆]이나 필기구 따위를 꽂아 두는 통(筒), 또는 그런 것을 가지고 다니는 작은 상자. ¶필통 속에는 연필 몇 자루와 지우개가 들어 있다.

• 역순어휘

명필 名筆 | 이름 명, 글씨 필
[excellent hand writing; noted calligrapher]
❶[속뜻] 유명(有名)한 글씨[筆]. ❷매우 잘 쓴 글씨. 또는 글씨를 매우 잘 쓰는 사람. ¶한석봉은 조선시대 명필이다. [반]악필(惡筆).

문필 文筆 | 글월 문, 글씨 필 [literary art; writing]
❶[속뜻] 글[文]과 글씨[筆]. ❷글을 짓거나 쓰는 일. ¶문필에 재주가 있다.

분필 粉筆 | 가루 분, 붓 필 [chalk]
탄산석회나 석고의 가루로[粉] 만든 필기구(筆記具). 주로 칠판에 쓸 때 사용한다. [비]백묵(白墨).

수필 隨筆 | 따를 수, 붓 필 [essay]
❶[속뜻] 붓[筆]이 가는 대로 따라[隨] 씀. ❷[문학] 일정한 형식이 없이 체험이나 감상, 의견 따위를 생각나는 대로 자유롭게 적은 글.

연필 鉛筆 | 납 연, 붓 필 [pencil]
흑연(黑鉛)으로 심을 넣어 만든 필기(筆記) 도구. ¶연필로 써야 지우기가 쉽다.

자필 自筆 | 스스로 자, 글씨 필 [autograph]
자기[自]가 직접 쓴 글씨[筆]. ¶자필 서명 / 그는 자필로 추천서를 써주었다. [반]대필(代筆).

집필 執筆 | 잡을 집, 붓 필 [write]
❶[속뜻] 붓[筆]을 잡음[執]. ❷직접 글을 씀. ¶요리책 한 권을 집필하다.

친필 親筆 | 몸소 친, 글씨 필
[one's own handwriting]
몸소[親] 손수 쓴 글씨[筆]. ¶그 편지는 그녀의 친필로 쓰였다.

0380 [견]

見

볼 견:, 뵈올 현:
[部] 見부 [劃] 7획 [中] 见 [jiàn, xiàn]

見 見 見 見 見 見 見

見자는 '보다'(see)는 뜻을 나타내기 위하여 사람[儿]의 눈[目]만을 크게 강조하여 그려 놓았다. '보다'의 올림말인 '뵙다'는 뜻으로 쓰인 경우에는 [현:]으로 읽는다. 예를 들어, '謁見'은 [알견]이 아니라 [알현]으로 읽어야 한다.

[속뜻훈음] ①볼 견, ②뵈올 현.

견:문 見聞 | 볼 견, 들을 문

[information; knowledge]
❶속뜻 보고[見] 들음[聞]. ❷보고 들어서 얻은 지식. ¶여행을 통하여 견문을 넓혔다.

견:본 見本 | 볼 견, 본보기 본 [sample]
본보기[本]를 보임[見]. 또는 그러한 제품. ¶견본을 보고 옷감을 골랐다. (비)견품(見品), 표본(標本).

견:습 見習 | 볼 견, 익힐 습 [apprenticeship]
숙련공의 시범을 보고[見] 따라 익힘[習]. ¶2개월간의 견습을 마치다. (비)수습(修習).

견:적 見積 | 볼 견, 쌓을 적
[estimate at; estimate at]
필요한 비용 따위를 모두 모은[積] 금액을 미리 어림잡아 계산해 봄[見]. ¶차를 수리하기 전에 견적을 내다. (비)추산(推算).

견:학 見學 | 볼 견, 배울 학 [study and observe]
실제로 보고[見] 배움[學]. ¶공장을 견학하다.

견:해 見解 | 볼 견, 풀 해 [opinion; view]
❶속뜻 무엇을 보고[見] 그 의미 따위를 풀이함[解]. ❷어떤 사물이나 현상에 대한 의견(意見)이나 생각. ¶견해를 밝히다.

• 역순어휘 •

고견 高見 | 높을 고, 볼 견 [excellent idea]
❶속뜻 높은[高] 식견(識見). ❷상대편의 '의견'을 높여 이르는 말. ¶선생님의 고견을 듣고 싶습니다. (비)탁견(卓見).

발견 發見 | 드러낼 발, 볼 견 [discover]
남이 미처 찾아내지 못하였거나 세상에 널리 알려지지 않은 것을 먼저 드러내[發] 보임[見]. ¶콜럼버스는 아메리카 대륙을 발견했다.

선견 先見 | 먼저 선, 볼 견
[send forward (in advance)]
장래의 일을 먼저[先] 봄[見]. 일이 일어나기 전에 미리 아는 일.

소:견 所見 | 바 소, 볼 견 [one's view]
어떤 사물을 보고 살피어 가지는 의견(意見)이나 생각한 바[所]. ¶예를 들어 자신의 소견을 말하다.

식견 識見 | 알 식, 볼 견 [knowledge]
❶속뜻 어떤 일 따위를 알아[識] 봄[見]. ❷사물을 올바르게 판단할 수 있는 능력. ¶식견이 풍부한 사람.

예:견 豫見 | 미리 예, 볼 견 [foresee]
앞으로 일어날 일을 미리[豫] 짐작하여 봄[見]. ¶할머니의 예견은 적중했다 / 누구도 미래를 정확히 예견할 수는 없다.

의:견 意見 | 뜻 의, 볼 견 [opinion; view; idea]
어떤 일에 대한 뜻[意]과 견해(見解). ¶당신 의견에 찬성합니다. (비)견해(見解), 생각, 의사(意思).

이:견 異見 | 다를 이, 볼 견
[different view; protest]
남과 다른[異] 의견(意見). ¶이 문제에 대해서는 이견이 많다.

접견 接見 | 맞이할 접, 볼 견 [receive; interview]
공식적으로 손님을 맞이하여[接] 만나 봄[見]. ¶접견시간 / 접견장소.

참견 參見 | 참여할 참, 볼 견
[participate; interfere]
❶속뜻 참여(參與)하여 친히 봄[見]. ❷남의 일에 끼어들어 아는 체하거나 간섭함. ¶남의 일에 쓸데없이 참견하지 마라. (비)간섭(干涉), 관여(關與).

편견 偏見 | 치우칠 편, 볼 견 [biased view]
한쪽으로 치우친[偏] 견해(見解). ¶편견을 버려야 제대로 보인다.

회:견 會見 | 모일 회, 볼 견 [interview; meet]
일정한 장소에 모여[會] 의견이나 견해(見解) 따위를 밝힘. 또는 그런 모임. ¶회견을 가지다 / 그는 한 달 만에 회견에 응했다.

0381 [관]

觀 볼 관
(부)見부 (총)25획 (중)观 [guān, guàn]

觀자는 표의요소와 뜻이 완전히 똑같다(見·볼 견). 이러한 예는 수만에 달하는 한자 중에서 극소수에 불과할 만큼 희귀하다. 본뜻은 '(자세히 살펴) 보다'(observe)이다. 왼쪽의 것은 표음요소인데, 灌(물댈 관)의 경우와 같다.

관객 觀客 | 볼 관, 손 객 [spectator; audience]
구경하는[觀] 사람[客]. ¶많은 관객이 공연을 보러 왔다. (비)관중(觀衆), 구경꾼.

관광 觀光 | 볼 관, 빛 광 [sightsee; tour]
다른 지방이나 다른 나라에 가서 그곳의 풍광(風光), 풍습, 문물 따위를 구경함[觀]. (비)유람(遊覽).

관념 觀念 | 볼 관, 생각 념 [idea; concept]
어떤 일이나 사실을 바라보는[觀] 생각이나 견해[念]. ¶고정 관념 / 그는 시간 관념이 없다. (반)감각(感覺).

관등 觀燈 | 볼 관, 등불 등 [Festival of Lanterns]
불교 초파일이나 절의 주요 행사 때에 온갖 등(燈)을 달아 불을 밝히고 구경하는[觀] 일.

관람 觀覽 | 볼 관, 볼 람 [view; inspect]
연극, 영화, 운동 경기 따위를 구경함[觀=覽]. ¶미성년자 관람불가 / 야구 경기를 관람하다.

관망 觀望 | 볼 관, 바라볼 망 [observe; watch]
❶[속뜻] 높은 곳에서 멀리 내다봄[觀=望]. ❷풍경 따위를 멀리서 바라봄. ¶이 정자는 휴식과 관망을 위한 곳이다. ❸한 발 물러나서 어떤 일이 되어 가는 형편을 바라봄. ¶사태를 관망하다.

관상[1] 觀相 | 볼 관, 모양 상
[read fortune by the face]
[민속] 얼굴 등의 모양[相]을 보고[觀] 그 사람의 재수나 운명 등을 판단하는 일. ¶관상이 좋다.

관상[2] 觀象 | 볼 관, 모양 상
[observe the weather]
천문(天文)이나 기상(氣象)을 관측(觀測)하는 일. ¶관상을 위하여 누대를 세웠다.

관상[3] 觀賞 | 볼 관, 즐길 상
[view with admiration]
동식물이나 자연 따위를 보고[觀] 감상(感賞)함. ¶관상을 위한 식물을 심었다.

관점 觀點 | 볼 관, 점 점 [point of view]
사물이나 현상을 관찰할 때에 그 사람이 보고[觀] 생각하는 태도나 방향[點]. ¶다른 관점에서 생각해보자. [비] 시각(視角).

관중 觀衆 | 볼 관, 무리 중
[spectators; onlookers]
연극이나 운동 경기 따위를 구경하는[觀] 무리[衆]. ¶관중들의 환호를 받다. [비] 관객(觀客).

관찰 觀察 | 볼 관, 살필 찰 [observe; watch]
사물이나 현상을 주의하여 자세히 보고[觀] 살핌[察]. ¶현미경으로 미생물을 관찰하다.

관측 觀測 | 볼 관, 헤아릴 측 [observe]
❶[속뜻] 어떤 사정이나 형편 따위를 잘 살펴보고[觀] 그 장래를 헤아림[測]. ❷관찰하여 측정함. ¶천문을 관측하다.

• 역순어휘

가:관 可觀 | 가히 가, 볼 관 [sight; spectacle]
❶[속뜻] 가히[可] 볼[觀] 만함. ❷남의 언행이나 어떤 상태를 비웃는 말. 꼴불견. ¶그의 모습은 참으로 가관이었다.

개:관 概觀 | 대강 개, 볼 관 [survey]
❶[속뜻] 대강[概] 살펴봄[觀]. ¶이 책은 먼저 한국사를 개관했다. ❷그림에서 색채, 윤곽, 명암, 구도 등의 대체적인 모양. [비] 개괄(概括).

객관 客觀 | 손 객, 볼 관 [objectivity]
자기 생각에서 벗어나 제삼자나 객체(客體)의 처지에서 사물을 보거나[觀] 생각하는 일. ¶이번 시험은 모두 객관식이다. [반] 주관(主觀).

경관 景觀 | 볕 경, 볼 관 [view; scene]
밝고[景] 볼만한[觀] 곳. ¶경관이 빼어나다. [비] 경치(景致), 풍경(風景).

낙관 樂觀 | 즐길 락, 볼 관
[optimism; optimistic view]
❶[속뜻] 인생이나 사물을 밝고 희망적인[樂] 것으로 봄[觀]. ❷앞으로의 일 따위가 잘 되어 갈 것으로 여김. ¶결과를 낙관하긴 이르다 / 낙관적인 성격. [반] 비관(悲觀).

미:관 美觀 | 아름다울 미, 볼 관 [fine sight]
아름다운[美] 외관(外觀)이나 좋은 경치. ¶자연의 미관 / 거리의 미관을 해치다.

방관 傍觀 | 곁 방, 볼 관 [look on]
그 일에 상관하지 않고 곁[傍]에서 보기[觀]만 함. ¶문제를 더 이상 방관할 수 없다. [비] 방참(傍參).

비:관 悲觀 | 슬플 비, 볼 관 [be pessimistic]
❶[속뜻] 인생 따위를 슬퍼하거나[悲] 절망스럽게 봄[觀]. ❷앞으로의 일이 잘 안될 것이라고 봄. ¶앞날을 비관하다. [반] 낙관(樂觀).

외:관 外觀 | 밖 외, 볼 관
[external appearance]
겉[外]으로 보이는[觀] 모양. ¶에펠탑은 외관이 흉물스럽다고 천대를 받았다. [비] 겉모습, 외견(外見).

장:관 壯觀 | 씩씩할 장, 볼 관
[magnificent view]
굉장(宏壯)하여 볼만한 경관(景觀). ¶서울의 야경은 어디에도 비길 수 없는 장관이다.

주관 主觀 | 주인 주, 볼 관 [subjectivity]
스스로 주인(主人)이 되어 보는[觀] 생각. ¶자기 주관이 뚜렷하다. [반] 객관(客觀).

직관 直觀 | 곧을 직, 볼 관 [intuition; sixth sense]
[철학] 직접(直接) 봄[觀]. 또는 직접 보아 앎. ¶그는 직관이 뛰어나다.

참관 參觀 | 참여할 참, 볼 관 [visit; inspect]
어떤 자리에 직접 참가(參加)하여 지켜봄[觀]. ¶장학사들이 수업을 참관하다.

0382 [과]

課

공부할/과정 과
[部] 言부 [劃] 15획 [中] 课 [kè]

課課課課課課課課課
課課課課課課

課자는 '(말로) 시험하다'(test)는 뜻을 나타내기 위한 것이었으니 '말씀 언'(言)이 표의요소로 쓰였고, 果(열매 과)는 표음요소다. '(일을) 매기다'(allocate)는 뜻으로 많이 쓰인다.

[속뜻훈음] **매길 과.**

과세 課稅 | 매길 과, 세금 세 [tax]
세금(稅金)을 매김[課]. 또는 그 세금. ¶개인 소득의 1%를 과세하다.

과업 課業 | 매길 과, 일 업 [task; duty]
매겨 놓은[課] 일[業]. 또는 학업. ¶통일은 우리의 역사적 과업이다.

과외 課外 | 매길 과, 밖 외
[extracurricular work]
❶[속뜻] 정해진 교육 과정(課程)의 이외(以外). ❷'과외수업'(課外授業)의 준말.

과장 課長 | 매길 과, 어른 장
[head of a section]
과(課)의 책임자[長]. ¶승격하여 총무과 과장이 되었다.

과정 課程 | 매길 과, 분량 정 [curriculum]
정해진[課] 일이나 학업의 분량[程]. ¶대학 과정을 마치다.

과제 課題 | 매길 과, 표제 제 [task; homework]
주어진[課] 문제(問題)나 임무. ¶수업 과제.

• 역순어휘

공과 公課 | 관공서 공, 매길 과
[public imposts; taxes]
국가나 지방자치단체[公]에서 국민에게 매기는[課] 세금이나 그 밖의 공법상의 부담.

방:과 放課 | 놓을 방, 매길 과
[dismissal of a class]
하루의 정해진 수업[課]을 마침[放].

부:과 賦課 | 거둘 부, 매길 과 [levy]
세금 따위를 거두거나[賦] 매김[課]. 또는 그런 일. ¶재산세 부과 / 벌금을 부과하다.

일과 日課 | 날 일, 매길 과 [daily task]
날[日]마다 일을 일정하게 매김[課]. 또는 그런 일. ¶그는 오전 여섯 시에 하루 일과를 시작한다.

0383 [변]

變

변할 변:
[部] 言부 [劃] 23획 [中] 变 [biàn]

變자는 '바뀌다'(change)가 본뜻인데, '칠 복'(攵=攴)이 표의요소로 쓰였다. 攴의 '卜'은 막대기 모양에서 변화된 것이고, '又'는 그것을 잡고 있는 손을 그린 것이다. 하기야 요즘도 나쁜 태도를 고치자면 막대기로 쳐야할 때가 있으니 조금은 이해가 된다. 攵을 제외한 나머지는 표음요소였다고 하는데, 독립적으로 쓰이는 예가 없으니 지금으로서는 그 구실이 신통치 않은 셈이다.

[속뜻훈음] **바뀔 변.**

변:경 變更 | 바뀔 변, 고칠 경 [change; alter]
바꾸어[變] 고침[更]. ¶주소를 변경하다. [비]변개(變改), 변역(變易).

변:덕 變德 | 바뀔 변, 베풀 덕 [caprice]
❶[속뜻] 남에게 베풀던[德] 마음이 변(變)함. ❷이랬다저랬다 자주 바뀜. 또는 그러한 성질. ¶그 애는 툭하면 변덕을 부린다 / 날씨가 변덕스럽다. [관용] 변덕이 죽 끓듯 하다.

변:동 變動 | 바뀔 변, 움직일 동 [change]
상태가 바뀌어[變] 움직임[動]. ¶물가가 크게 변동했다.

변:모 變貌 | 바뀔 변, 모양 모
[undergo a complete change]
모양[貌]이 바뀜[變]. 또는 그 모습. ¶시골 마을이 중소도시로 변모했다. [비]변용(變容).

변:사 變死 | 바뀔 변, 죽을 사
[meet one's death accidentally]
뜻밖의 변고(變故)로 죽음[死]. ¶교통사고로 변사를 당하다. [비]횡사(橫死).

변:성¹ 變成 | 바뀔 변, 이룰 성 [metamorphose]
바뀌어[變] 다르게 됨[成].

변:성² 變性 | 바뀔 변, 성질 성 [change; vary]
성질(性質)이 달라짐[變]. 또는 그 달라진 성질.

변:성³ 變聲 | 바뀔 변, 소리 성
[change of voice]
목소리[聲]를 바꿈[變]. 목소리가 달라짐. ¶사춘기가 되면 변성하여 목소리가 굵어진다.

변:수 變數 | 바뀔 변, 셀 수 [variable]
❶[수학] 수식 따위에서 일정한 범위 안에서 여러 가지 수치로 바뀔[變] 수 있는 수(數). ❷어떤 상황의 가변적 요인(要因). ¶무더운 날씨가 경기의 변수로 작용하였다. [반]상수(常數), 항수(恒數).

변:신 變身 | 바뀔 변, 몸 신 [be transformed]
몸이나 모습[身]을 다르게 바꿈[變]. 또는 그 바뀐 모습. ¶마녀는 박쥐로 변신했다.

변:심 變心 | 바뀔 변, 마음 심
[change one's mind]
마음[心]을 바꿈[變]. ¶그녀는 변심하여 다른 남자와 결혼했다.

변:압 變壓 | 바뀔 변, 누를 압
[transform a current]
압력(壓力)을 바꿈[變].

변:장 變裝 | 바뀔 변, 꾸밀 장 [disguise]
❶[속뜻] 다르게 바뀐[變] 꾸밈새[裝]. ❷본디 모습을 감추려고 얼굴, 옷차림, 머리 모양 등을 고쳐서 다르게 꾸밈. 또는 그 다르게 꾸민 모습. ¶범인은 집배원으로 변장하고 건물에 들어왔다.

변:절 變節 | 바뀔 변, 지조 절 [turn coat]
❶[속뜻] 지조[節]를 지키지 않고 바꿈[變]. ❷내세워 오던 주의나 주장을 바꿈. ¶그는 역경에도 변절하지 않고 지조를 지켰다.

변:조 變造 | 바뀔 변, 만들 조 [alter; forge]
❶[속뜻] 이미 만들어진 물체를 손질하여 고쳐[變] 만듦[造]. ❷문서의 형태나 내용을 다르게 고침. ¶변조수표. [비]변작(變作), 위조(僞造).

변:종 變種 | 바뀔 변, 갈래 종 [variety]
[생물] 같은 종(種)이면서도 보통 것과 다른[變] 종(種). ¶변종 바이러스에 감염되다.

변:주 變奏 | 바뀔 변, 연주할 주 [play a variation]
[음악] 리듬이나 선율·화성 따위를 여러 가지로 바꾸어[變] 하는 연주(演奏). 또는 그 기법.

변:질 變質 | 바뀔 변, 바탕 질 [change in quality]
물질이나 사물의 성질(性質)이 바뀜[變]. ¶더운 날씨에 음식이 금방 변질되었다.

변:천 變遷 | 바뀔 변, 바뀔 천
[changes; ups and downs]
세월이 흐르는 동안에 바뀜[變=遷]. ¶대외 관계는 시대에 따라 변천한다. [비]변이(變移).

변:칙 變則 | 바뀔 변, 법 칙 [irregularity]
보통의 규칙이나 원칙(原則)을 바꾼[變] 형태나 형식. ¶세금부과를 피하려고 변칙으로 회사를 운영하다. [비]변격(變格). [반]정칙(正則).

변:태 變態 | 바뀔 변, 모양 태 [metamorphose]
❶[속뜻] 바뀐[變] 모습[態]. 모습을 바꿈. ❷[동물] 동물이 알에서 부화하여 성체(成體)가 되기까지 여러 가지 형태로 변하는 일. [비]탈바꿈.

변:혁 變革 | 바뀔 변, 바꿀 혁
[revolutionize; reform]
❶[속뜻] 다른 것으로 바뀌거나[變] 바꿈[革]. ❷사회나 제도 등이 근본적으로 바뀜. 또는 바꿈. ¶사회제도를 변혁하다. [비]개변(改變).

변:형 變形 | 바뀔 변, 모양 형
[change; transform]
모양[形]을 달라지게[變] 함. 또는 그 달라진 모양. ¶선인장의 가시는 잎이 변형된 것이다.

변:화 變化 | 바뀔 변, 될 화 [change; turn]
사물의 모양, 성질 등이 바뀌어[變] 다른 모양이 됨[化]. ¶계절의 변화 / 환경에 따라 식물도 변화한다.

변:환 變換 | 바뀔 변, 바꿀 환 [change; convert]
어떤 사물이 전혀 다른 사물로 바뀌거나[變] 바꿈[換]. ¶빛을 전기로 변환하다.

• 역순어휘

가:변 可變 | 가히 가, 바뀔 변
[variable; changeable]
가(可)히 달라질[變] 수 있음. ¶가변차로(車路). [반]불변(不變).

격변 激變 | 격할 격, 바뀔 변 [change rapidly]
급격(急激)하게 바뀜[變]. ¶물가의 격변.

괴:변 怪變 | 이상할 괴, 바뀔 변
[strange accident]
괴상(怪狀)한 변고(變故)나 재난. ¶괴변이 일어나다.

급변 急變 | 급할 급, 바뀔 변
[emergency; accident]
❶[속뜻] 급격(急激)하게 바뀜[變]. 갑자기 달라짐. ¶날씨가 급변하다. ❷갑자기 일어난 변고. ¶그는 봉화를 피워 급변을 알렸다. [비]극변(劇變), 급변사(急變事).

다변 多變 | 많을 다, 바뀔 변 [diversify]
변화(變化)가 많음[多].

돌변 突變 | 갑자기 돌, 바뀔 변 [change suddenly]
뜻밖에 갑자기[突] 달라짐[變]. 또는 그런 변화. ¶돌변에 대비하다 / 태도가 돌변하다.

봉변 逢變 | 만날 봉, 바뀔 변 [misfortune; insult]
뜻밖의 변고(變故)나 망신스러운 일을 만남[逢]. 또는 그러한 일. ¶싸움을 말리다가 되레 봉변을 당했다.

불변 不變 | 아닐 불, 바뀔 변 [do not change]
바뀌지[變] 아니함[不]. 변하지 아니함. ¶불변의 진리 / 태양이 서쪽으로 진다는 것은 영원히 불변하는 사실이다. [반]가변(可變).

사:변 事變 | 일 사, 바뀔 변
[accident; disturbance]
❶[속뜻] 큰 사건(事件)이나 변란(變亂). ❷선전포고 없이 이루어진 국가 간의 무력 충돌. 전쟁. ¶만주(滿洲) 사변.

이:변 異變 | 다를 이, 바뀔 변
[unusual change; disaster]

이상(異常)한 변화(變化)나 사건. ¶기상 이변 / 뜻밖의 이변이 일어났다.

정변 政變 | 정치 정, 바뀔 변
[political change; change of government]
혁명이나 쿠데타 따위로 생긴 정치(政治) 상의 큰 변동(變動). ¶갑신정변 / 페루에서 정변이 일어났다.

참변 慘變 | 참혹할 참, 바뀔 변
[disastrous accident; tragic incident]
참혹(慘酷)한 변고(變故). ¶전쟁이라는 참변을 당하였다.

0384 [설]

說 말씀 설, 달랠 세
㊕ 言부 ㊙ 14획 ㊥ 说 [shuō, yuè]
說說說說說說說說說說說說說說

說자는 '말하다'(say)는 뜻을 위하여 고안된 것이었으니, '말씀 언'(言)이 표의요소로 쓰였고, 兌(바꿀 태)는 음 차이가 크지만 표음요소였다. 참고로, 상고시대 음이 兌는 〔*duad〕 이고 說은 〔*hrjuat〕 였다. '달래다'(go canvassing; canvass)는 뜻으로도 쓰이는데, 이 경우에는 [세]로 읽는다. 그리고 '기쁘다'(delightful)는 뜻으로도 쓰이며 이 경우에는 [열]로 읽는데, 후에 이 의미는 悅(기쁠 열)자로 바꾸어 나타냈다.
속뜻 훈음 ①**말씀 설**, ②**달랠 세**.

설교 說教 | 말씀 설, 종교 교 [preach; lecture]
❶속뜻 종교상의 교리(教理)를 널리 설명(說明)함. 또는 그 설명. ¶목사가 설교하다. ❷남에게 무엇을 설득시키려고 여러 말로 타일러 가르침. 또는 그 가르침. ¶선생님께 설교를 들었다.

설득 說得 | 말씀 설, 얻을 득
[persuade; convince; coax]
잘 설명(說明)하거나 타일러 납득(納得)시킴. ¶그는 가족의 설득에 넘어가 금연하기로 결심했다 / 나는 그를 설득해서 집으로 돌아가게 했다. ㊎설복(說服).

설명 說明 | 말씀 설, 밝을 명 [explain]
해설(解說)하여 분명(分明)하게 함. ¶더 이상의 자세한 설명은 필요 없다.

설법 說法 | 말씀 설, 법 법
[preach Buddhist teachings]
불교 불법(佛法)의 오묘한 이치를 강설(講說)함.

설화 說話 | 말씀 설, 이야기 화 [tale; story]
❶속뜻 사실처럼 꾸며 말한[說] 이야기[話]. ❷문학 각 민족 사이에 전승되어 오는 신화, 전설, 민담 따위를 통틀어 이르는 말. ¶구전설화.

• 역순어휘

가:설 假說 | 임시 가, 말씀 설 [hypothesis]
논리 가정(假定)을 바탕으로 설정한 명제[說]. ¶가설을 검증하다. ㊎진리(眞理).

각설 却說 | 물리칠 각, 말씀 설
[change the subject in narration]
말[說]을 다른 데로 돌리거나 물리침[却]. 말을 끊음. ¶각설하고, 네 속마음을 말해!

논설 論說 | 말할 론, 말씀 설 [essay; discourse]
❶속뜻 자기의 의견이나 주장[論]을 조리 있게 설명(說明)함. 또는 그러한 글. ❷신문이나 잡지 따위의 사설(社說). ㊎논평(論評).

발설 發說 | 드러낼 발, 말씀 설 [disclose; divulge]
말[說]을 입 밖으로 드러냄[發]. ¶비밀을 발설하다.

사설 社說 | 회사 사, 말씀 설 [leading article]
신문이나 잡지 따위에서 그 회사(會社)의 주장을 싣는 논설(論說).

소:설 小說 | 작을 소, 말씀 설 [novel; story]
❶속뜻 자질구레하게[小] 떠도는 이야기[說]. ❷문학 사실 또는 상상에 바탕을 두고 허구적으로 이야기를 꾸민 산문체의 문학 양식. ¶소설을 쓰다. ❸소설책. ¶소설을 읽다.

속설 俗說 | 속될 속, 말씀 설 [common talk]
❶속뜻 속(俗)된 학설(學說). ❷민간에 전하여 내려오는 설(說). ¶소의 간이 시력 회복에 좋다는 속설이 있다.

역설 力說 | 힘 력, 말씀 설 [emphasize; stress]
자기 뜻을 힘주어[力] 말함[說]. 또는 그런 말. ¶절약의 필요성을 역설하다. ㊎강조(強調).

연:설 演說 | 펼칠 연, 말씀 설 [speak; address]
여러 사람 앞에서 자기의 주장 또는 의견을 펼쳐서[演] 말함[說]. ¶대통령 연설 / 교장선생님이 개천절에 대하여 연설하신다. ㊎강연(講演).

욕설 辱說 | 욕될 욕, 말씀 설 [insulting language]
남의 인격을 무시하는 모욕(侮辱)적인 말[說]. 또는 남을 저주하는 말. ¶욕설을 늘어놓다. ㊟욕. ㊎욕언(辱言).

전설 傳說 | 전할 전, 말씀 설 [legend; tradition]
옛날부터 민간에서 전(傳)하여 내려오는 말[說]이나 이야기. ¶이 연못에 용이 살았다는 전설이 전해 내려온다.

정:설 定說 | 정할 정, 말씀 설
[established theory]
일정한 결론에 도달하여 이미 확정(確定)하거나 인정한

말[說]. ¶정설을 뒤집을 만한 연구 결과를 얻었다.

해:설 解說 | 풀 해, 말씀 설 [explain]
알기 쉽게 풀어서[解] 설명(說明)함. 또는 그 설명. ¶경기 해설 / 작품 해설.

유세 遊說 | 떠돌 유, 달랠 세 [campaign]
각처로 돌아다니며[遊] 자기 의견을 주장하고 선전하여 사람들을 달램[說]. ¶그는 시장 상인들과 일일이 악수하며 유세하고 다녔다.

0385 [식]

識

알 식, 기록할 지
[部] 言부 [획] 19획 ㊥ 识 [shí, zhì]

識자는 말을 알아듣다, 즉 '알다'(know)는 뜻을 위하여 만들어진 것이니 '말씀 언'(言)이 표의요소로 쓰였고, 戠(찰진 흙 시)는 표음요소였는데 음이 다소 달라졌다. '기록하다'(write down), '표시'(a mark)라는 뜻으로도 쓰이는데 이 경우에는 [지]로 읽는다(예, 標識[표지]).

식견 識見 | 알 식, 볼 견 [knowledge]
❶[속뜻] 어떤 일 따위를 알아[識] 봄[見]. ❷사물을 올바르게 판단할 수 있는 능력. ¶식견이 풍부한 사람.

식별 識別 | 알 식, 나눌 별 [distinguish]
분별(分別)하여 알아냄[識]. 사물의 성질이나 종류 따위를 구별함. ¶적군과 아군의 식별이 어렵다.

• 역순어휘

감식 鑑識 | 볼 감, 알 식 [judge]
감정(鑑定)하여 식별(識別)함. ¶지문 감식 / 미술품을 감식하다.

무식 無識 | 없을 무, 알 식 [ignorant; illiterate]
배우지 못해 아는[識] 것이 없음[無]. ¶나의 무식이 탄로 났다 / 그녀는 자주 무식한 소리를 한다. [반]유식(有識).

박식 博識 | 넓을 박, 알 식 [erudite]
보고 들은 것이 많아 널리[博] 앎[識]이 많음. ¶그녀의 박식에 놀랐다 / 여러 방면에 두루 박식하다. [비]다식(多識).

상식 常識 | 늘 상, 알 식 [common sense]
사람들이 늘[常] 알고 있어야 할 지식(知識). 일반적 견문, 이해력, 판단력, 사리 분별 따위. ¶상식에 어긋나다 / 상식이 부족하다. [비]보통지식(普通知識).

유:식 有識 | 있을 유, 알 식 [learned; educated]
학식(學識)이 있음[有]. ¶그는 어려운 말만 골라 써서 자신의 유식을 드러냈다 / 유식한 사람. [반]무식(無識).

의:식 意識 | 뜻 의, 알 식 [be conscious; be aware]
❶[속뜻] 뜻[意]을 앎[識]. ❷깨어 있는 상태에서 자기 자신이나 사물에 대하여 인식(認識)하는 작용. ¶의식을 잃다 / 그는 3일 동안 의식이 없었다. ❸어떤 것을 두드러지게 느끼거나 특별히 염두에 두다. ¶그는 남의 눈을 지나치게 의식한다. [반]무의식(無意識).

인식 認識 | 알 인, 알 식 [know; recognize]
❶[속뜻] 이치를 알아 아는[認=識] 일. ❷사물을 분별하고 판단하여 앎. ¶흡연이 얼마나 심각한지 인식하는 사람이 적다.

지식 知識 | 알 지, 알 식 [knowledge; knowhow]
어떤 대상에 대하여 배우거나 실천을 통하여 알게 된[知] 명확한 이해나 인식(認識). ¶과학에 대한 지식이 풍부하다.

학식 學識 | 배울 학, 알 식 [scholarship]
배워서[學] 아는[識] 지식. 또는 전문적 지식. ¶학식이 높은 사람.

관:지 款識 | 새길 관, 기록할 지 [inscription]
❶[속뜻] 글자 따위를 음각한 것을 '款'이라 하고 양각을 '識'라 함. ❷글씨나 그림의 표제, 작자의 이름을 이르는 말.

표지 標識 | 나타낼 표, 기록할 지 [mark; sign]
알아보기 쉽도록 기호로 표시(標示)하거나 문자로 기록함[識]. ¶통행금지 표지.

0386 [조]

調

고를 조
[部] 言부 [획] 15획 ㊥ 调 [diào, tiáo]

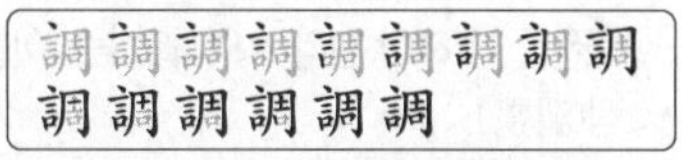

調자는 '(말이 잘) 어울리다'(suitable)는 뜻을 위한 것이었으니, '말씀 언'(言)이 표의요소로 쓰였고, 周(두루 주)가 표음요소임은 稠(빽빽할 조), 雕(새길 조)도 마찬가지다. 후에 '고르다'(level), '헤아리다'(consider; weigh), '어울리다'(be suitable), '길들이다'(train), '가락'(a melody) 등으로 확대 사용됐다.

[속뜻훈음] ①고를 조, ②가락 조, ③헤아릴 조, ④어울릴 조, ⑤길들일 조.

조달 調達 | 고를 조, 보낼 달 [supply; procure]
❶[속뜻] 고루[調] 보냄[達]. ❷자금이나 물자 따위를 대어 줌. ¶명수는 학비를 조달하기 위해 여러 가지 일을 했다.

조련 調練 | =調鍊, 길들일 조, 익힐 련 [train]
❶[속뜻] 길들도록[調] 익힘[練]. ❷훈련을 거듭하여 쌓음. ¶농장에서 야생마를 조련하다.

조리 調理 | 고를 조, 다스릴 리
[take care of health]
❶[속뜻] 건강이 회복되도록 몸을 고르게[調] 잘 다스림[理]. ¶산후조리. ❷여러 가지 재료를 잘 맞추어 먹을 것을 만듦. ¶맛도 중요하지만 위생적으로 조리하는 것이 가장 중요하다. [비]요리(料理).

조미 調味 | 고를 조, 맛 미 [flavor; spice]
음식의 맛[味]을 알맞게 맞춤[調]. ¶간장과 설탕으로 조미하다.

조사 調査 | 헤아릴 조, 살필 사
[investigate; survey]
❶[속뜻] 잘 헤아리고[調] 살펴봄[査]. ❷사물의 내용을 명확히 알기 위하여 자세히 살펴보거나 찾아봄. ¶설문 조사 / 사건을 철저히 조사하다.

조율 調律 | 어울릴 조, 가락 률
[tune up; meditate]
❶[속뜻] 가락[律]이 잘 어울리도록[調]함. ¶이 피아노는 조율이 필요하다. ❷문제를 알맞게 조절함을 비유하는 말. ¶각 정당의 이견(異見)을 조율하다.

조인 調印 | 헤아릴 조, 도장 인 [sign]
❶[속뜻] 사정을 잘 살펴 헤아려[調] 도장[印]을 찍음. ❷서로 약속하여 만든 문서에 도장을 찍음. ¶일부 국가들은 핵실험 금지협약에 조인을 거부했다.

조절 調節 | 고를 조, 마디 절 [adjust; control]
❶[속뜻] 마디마디[節]를 잘 고름[調]. ❷균형이 맞게 바로잡음. 또는 적당하게 맞추어 나감. ¶시험 전에 컨디션 조절을 잘 해야 한다 / 의자의 높낮이를 조절하다. [비]조정(調整).

조정¹ 調停 | 고를 조, 멈출 정
[intervene between; mediate]
❶[속뜻] 양측의 의견을 잘 조절(調節)하여 분쟁을 멈추게[停] 함. ¶당사자들이 직접 의견 조정을 하기로 했다. ❷[법률] 법원이 분쟁 당사자의 합의를 이끌어내는 일.

조정² 調整 | 고를 조, 가지런할 정 [adjust]
어떤 기준이나 실정에 알맞게 다듬어[調] 정돈(整頓)함. ¶버스 노선을 조정하다. [비]조절(調節).

조제 調劑 | 고를 조, 약지을 제
[prepare a medicine]
[약학] 여러 가지 약품을 적절히 조합(調合)하여 약을 지음[劑]. 또는 그런 일. ¶약국에서 감기약을 조제했다.

조화 調和 | 고를 조, 어울릴 화 [harmonize]
고르게[調] 서로 잘 어울림[和]. ¶모든 악기가 서로 조화를 이루며 아름다운 소리를 낸다. [반]부조화(不調和).

• 역순어휘 ——— •

강조 強調 | 강할 강, 고를 조 [emphasis; stress]
❶[속뜻] 특별히 강(強)하게 조절(調節)함. ¶독서의 중요성을 강조하다. ❷어떤 부분을 특별히 강하게 주장하거나 두드러지게 함. ¶명암을 강조한 그림. [비]역설(力說), 주장(主張).

고조 高調 | 높을 고, 가락 조 [high tone]
❶[속뜻] 높은[高] 가락[調]. ❷어떤 분위기나 감정 같은 것이 한창 무르익거나 높아짐. ¶분위기가 고조되었다.

곡조 曲調 | 노래 곡, 고를 조 [tune; air]
가락이 고르고 통일성을 이루는[調] 악곡(樂曲). ¶가사에 곡조를 붙이다.

단조¹ 單調 | 홑 단, 가락 조 [monotonous; dull]
변화 없이 단일(單一)한 가락[調]. ¶이 음악은 가락이 단조롭다. [비]단순(單純), 평이(平易).

단:조² 短調 | 짧을 단, 가락 조 [minor]
[음악] 단음계(短音階)로 된 곡조(曲調). [반]장조(長調).

동조 同調 | 같을 동, 가락 조
[agree with; sympathize with]
❶[속뜻] 같은[同] 가락[調]. ❷남의 주장에 자기 의견을 일치시키거나 보조를 맞춤. ¶무력 침공에는 동조할 수 없다. [비]동의(同意), 찬성(贊成), 찬동(讚同). [반]반대(反對).

보:조 步調 | 걸음 보, 고를 조 [pace; step]
❶[속뜻] 걸음걸이[步]의 속도나 모양 따위의 상태[調]. ¶보조를 빨리 하다. ❷여럿이 함께 일을 할 때의 진행 속도나 조화. ¶보조를 맞추어 일하다.

산:조 散調 | 한가로울 산, 가락 조
❶[속뜻] 한가로운[散] 가락[調]. ❷[음악] 민속음악의 하나. 느린 속도의 진양조로 시작, 차츰 급하게 중모리·자진모리·휘모리로 끝나는 가락.

색조 色調 | 빛 색, 고를 조 [color tone]
❶[속뜻] 빛깔[色]의 조화(調和). ❷[미술] 색깔이 강하거나 약한 정도나 상태. 또는 짙거나 엷은 정도나 상태. ¶선명한 색조.

순:조 順調 | 따를 순, 고를 조 [favorable; well]
어떤 일이 아무 탈 없이 이치에 따라[順] 조화(調和)롭게 되어가는 상태. ¶모든 일이 순조롭게 진행되어 간다.

시조 時調 | 때 시, 가락 조

❶속뜻 시절(時節)을 읊은 노래[調]. '시절가조'(時節歌調)의 준말. ❷문학 고려 말기부터 발달하여 온 우리나라 고유의 정형시. ¶시조를 짓다.

실조 失調 | 잃을 실, 어울릴 조 [disharmonize]
어울림[調]이나 균형을 잃음[失]. ¶영양 실조.

어:조 語調 | 말씀 어, 가락 조
[tone of the voice; accent]
❶속뜻 말[語]의 가락[調]. ❷말하는 투. ¶격렬한 어조. ㊐말투.

음조 音調 | 소리 음, 가락 조 [tune; melody]
❶속뜻 소리[音]의 가락[調]. ❷음악 음의 높낮이와 길이의 어울림.

장조 長調 | 길 장, 가락 조 [major key]
음악 장음계(長音階)로 된 곡조(曲調). ㊥단조(短調)

저:조 低調 | 낮을 저, 가락 조 [low toned; dull]
❶속뜻 낮은[低] 가락[調]. ❷능률이나 성적이 낮음. ¶출석 저조 / 시청률이 저조하다.

취:조 取調 | 가질 취, 헤아릴 조 [investigate]
범죄 사실을 알아내기[取] 위하여 속속들이 조사(調査)함. ¶그는 취조하듯 나에게 이것저것 물었다.

쾌조 快調 | 시원할 쾌, 어울릴 조
[excellent condition]
일 따위가 시원스럽게[快] 잘 어울림[調]. 또는 그런 상태. ¶시작 단계부터 쾌조를 보였다.

호:조 好調 | 좋을 호, 고를 조 [favorable tone]
상태가 좋고[好] 고름[調]. 또는 좋은 상태. ¶매출이 호조를 보이다.

0387 [과]

過

지날 과:
㊀ 辶부 ㊁ 13획 ㊥ 过 [guò, guo]
過 過 過 過 過 過 過 過 過 過 過 過 過

> 過자는 '지나가다'(go past)란 뜻을 나타내기 위한 것이었으니 '길갈 착'(辶=辵)이 표의요소로 쓰였다. 咼(비뚤어질 괘)가 표음요소임은 鍋(노구솥 과)도 마찬가지다. '지나치다'(go too far), '지나침'(a mistake; a fault) 등으로 쓰인다.
>
> 속뜻훈음 ①지날 과, ②지나칠 과.

과:객 過客 | 지날 과, 손 객 [passer-by]
지나가는[過] 나그네[客]. ㊐길손.

과:거 過去 | 지날 과, 갈 거 [past]
지나[過] 감[去]. 또는 그때. 지난번. ¶과거는 돌이킬 수 없다. ㊥미래(未來), 현재(現在).

과:격 過激 | 지나칠 과, 격할 격
[violent; extreme]
말이나 행동이 지나치게[過] 격렬(激烈)함. ¶과격한 운동 / 행동이 과격하다. ㊥온건(穩健).

과:다 過多 | 지나칠 과, 많을 다
[excess; superabundant]
지나치게[過] 많음[多]. ¶인구 과다 / 영양과다. ㊥과소(過少).

과:대 過大 | 지나칠 과, 큰 대
[too big; be excessive]
지나치게[過] 큼[大]. ¶그는 회사에 과대한 요구를 했다. ㊥과소(過少).

과:도[1] 過度 | 지나칠 과, 정도 도 [excessive]
정도(程度)가 지나침[過]. ¶과도한 음주는 몸에 해롭다.

과:도[2] 過渡 | 지날 과, 건널 도
[transition period]
다른 것으로 옮아가거나[過] 바뀌어 가는[渡] 도중.

과:로 過勞 | 지나칠 과, 일할 로 [overwork]
지나치게[過] 일하여[勞] 지침. ¶과로로 쓰러지다.

과:민 過敏 | 지나칠 과, 재빠를 민
[nervous; oversensitive]
지나치게[過] 예민(銳敏)함. ¶과민반응 / 그녀는 꽃가루에 과민하다.

과:밀 過密 | 지나칠 과, 빽빽할 밀 [overcrowded]
한곳에 지나치게[過] 빽빽하게[密] 모여 있음. ¶서울은 과밀 도시이다. ㊥과소(過疏).

과:반 過半 | 지날 과, 반 반 [greater part]
반(半)을 넘음[過]. 반이 더 됨. ¶목표의 과반을 달성하다.

과:분 過分 | 지나칠 과, 나눌 분
[excessive; undue; undeserved]
분수(分數)에 넘침[過]. ¶과분한 대접을 받다.

과:소 過小 | 지나칠 과, 작을 소 [too small]
지나치게[過] 작음[小]. ㊥과대(過大).

과:속 過速 | 지나칠 과, 빠를 속 [overspeed]
제한을 넘는[過] 속도(速度). ¶과속운행 / 과속차량.

과:식 過食 | 지나칠 과, 먹을 식
[overeat; eat too much]
지나치게[過] 많이 먹음[食]. ¶과식하여 배탈이 났다. ㊐포식(飽食). ㊥소식(小食).

과:실 過失 | 지나칠 과, 그르칠 실
[fault; mistake]
지나침[過]과 잘못[失]. ¶의료 과실 / 그는 자신의 과실을 인정했다. ㊥고의(故意).

과:언 過言 | 지나칠 과, 말씀 언 [exaggeration]
정도에 지나친[過] 말[言]. ¶최고의 선수라고 해도 과언이 아니다.

과:오 過誤 | 지나칠 과, 그르칠 오 [mistake; error]
지나침[過]과 그르침[誤]. ¶놀부는 과오를 뉘우쳤다. ㊇과실(過失).

과:욕 過慾 | 지나칠 과, 욕심 욕 [avarice; greed]
지나친[過] 욕심(慾心). 또는 욕심이 지나침. ¶과욕을 부리다.

과:음 過飮 | 지나칠 과, 마실 음 [drink too much; overdrink]
술을 지나치게[過] 마심[飮]. ¶과음하여 속병이 나다.

과:적 過積 | 지나칠 과, 쌓을 적 [overload; overcharge]
지나치게[過] 많이 쌓음[積]. ¶과적차량 진입 금지.

과:정 過程 | 지날 과, 거리 정 [process; course]
지나온[過] 거리[程]. 또는 일이 되어가는 경로. ¶생산 과정.

과:중 過重 | 지나칠 과, 무거울 중 [too heavy]
❶속뜻 지나치게[過] 무거움[重]. ❷힘에 벅차다. ¶과중한 책임을 지다.

과:찬 過讚 | 지나칠 과, 기릴 찬 [overpraise]
정도에 지나치게[過] 칭찬함[讚]. ¶과찬의 말씀이십니다.

과:태 過怠 | 지나칠 과, 게으를 태 [neglectful of]
지나치게[過] 게으름[怠]. ㊇태만(怠慢).

• 역순어휘

간과 看過 | 볼 간, 지날 과 [overlook]
❶속뜻 대강 보아[看] 넘김[過]. ❷관심 없이 예사로이 보아 내버려 둠. ¶이 문제는 간과할 일이 아니다.

경과 經過 | 지날 경, 지날 과 [pass; elapse]
❶속뜻 어떤 곳이나 단계를 거쳐[經] 지나감[過]. ❷시간이 지남에 따라 진행하고 변화하는 상태. ¶수술 경과가 좋다. ㊇과정(過程), 변천(變遷), 변화(變化).

묵과 默過 | 입 다물 묵, 지나칠 과 [overlook; pass over]
입 다물고[默] 말없이 지나침[過]. ¶그의 잘못을 묵과하다.

불과 不過 | 아닐 불, 지날 과 [only; merely; no more than]
그 정도에 지나지[過] 못함[不]. 겨우. 기껏해야. ¶생존자는 불과 몇 명뿐이었다 / 이것은 시작에 불과하다.

사:과 謝過 | 용서 빌 사, 지나칠 과 [pardon; excuse]
자신의 과오(過誤)에 대하여 용서를 빎[謝]. ¶진심으로 사과드립니다.

여:과 濾過 | 거를 려, 지날 과 [filter]
액체나 기체 속에 들어있는 불순물을 걸러[濾] 순수물만 빠져나오게[過] 함. ¶여과 장치 / 공장의 폐수를 여과하다.

초과 超過 | 뛰어넘을 초, 지날 과 [excess]
일정한 수나 한도를 넘어[超] 지나감[過]. ¶정원 초과 / 제한시간을 초과하다. ㊥미달(未達), 미만(未滿).

통과 通過 | 통할 통, 지날 과 [pass; get through; go through]
❶속뜻 일정한 때나 장소를 통(通)하여 지나감[過]. ¶철조망 통과 훈련 / 국경을 통과하다. ❷검사, 시험 따위에서 합격함. ¶예선 통과는 아무런 문제가 없다 / 입국 심사에서 무사히 통과되어 입국할 수 있었다.

0388 [주]

週

주일 주
㊕ 辶부 ㊐ 12획 ㊥ 周 [zhōu]

週자는 '(둘레 길을 한 바퀴) 돌다'(go round)는 뜻을 나타내기 위한 것이었으니, '길갈 착'(辶=辵)이 표의요소로 쓰였다. 周(두루 주)는 표음과 표의를 겸하는 요소다. '주일'(a week) 같은 낱말이나, 이와 의미상 연관이 있는 낱말의 한 구성 요소로 쓰이기도 한다.

속뜻훈음 ①돌 주, ②주일 주.

주간¹ 週刊 | 주일 주, 책 펴낼 간 [weekly publication]
한 주(週) 간격으로 간행(刊行)함. 또는 그런 간행물. ¶주간잡지.

주간² 週間 | 주일 주, 사이 간 [week]
월요일부터 일요일까지의 한 주일(週日) 동안[間]. ¶주간 계획을 세우다.

주기 週期 | 돌 주, 때 기 [period; cycle]
❶속뜻 한 바퀴 도는 데[週] 걸리는 일정한 시간[期]. ¶지구는 1년을 주기로 태양 주위를 공전한다. ❷어떤 현상이 일정한 시간마다 똑같은 변화를 되풀이할 때, 그 일정한 시간을 이르는 말. ¶그는 삼 년 주기로 이사를 다녔다 / 주기적으로 이런 현상이 발생한다.

주년 週年 | =周年, 돌 주, 해 년 [anniversary]
한 해[年]를 단위로 하여 돌아오는[週] 그 날. ¶결혼

20주년.

주말 週末 | 주일 주, 끝 말 [weekend]
한 주일(週)의 끝[末]. ¶아버지는 주말마다 등산을 가신다.

주번 週番 | 주일 주, 차례 번 [weekly duty]
한 주(週)마다 차례[番]대로 하는 근무. ¶이번 주 주번은 화장실 좀 청소하렴.

주일 週日 | 주일 주, 날 일 [week]
일요일부터 토요일까지의 한 주(週) 기간[日]. 7일. ¶이 편지를 몇 주일 뒤면 받을 수 있을까요?

주중 週中 | 주일 주, 가운데 중 [weekdays]
한 주(週) 가운데[中]. ¶이 백화점은 주중에도 항상 붐빈다.

주초 週初 | 주일 주, 처음 초
[beginning of the week]
한 주(週)의 첫[初] 부분. ¶주초부터 일이 잘 안 풀린다. ⓑ주말(週末).

• 역순어휘

금주 今週 | 이제 금, 주일 주 [this week]
이번[今] 주일(週日).

내:주 來週 | 올 래, 주일 주 [next week]
다음에 오는[來] 주(週). ⓑ전주(前週).

매:주 每週 | 마다 매, 주일 주
[every week; weekly]
주(週) 마다[每]. 각각의 주. ¶이 프로그램은 매주 금요일 방송한다.

0389 [재]

財 재물 재
㊞ 貝부 ㊞ 10획 ㊥ 財 [cái]
財 財 財 財 財 財 財 財 財 財

財자의 貝(조개=돈, 패)는 표의요소다. 才(재주 재)는 표음요소이니 의미와는 아무런 상관이 없다. 사람이면 누구나 보배로 여기는 것, 즉 '돈'(money)이 본뜻이다. 物資(물자)와 貨幣(화:폐)를 총칭하는 '재물'(property)을 뜻하는 것으로도 많이 쓰인다.

재단 財團 | 재물 재, 모일 단 [foundation]
법률 일정한 목적을 위하여 결합된 재산(財産)의 집단(集團). ¶장학재단 / 복지 단의 후원으로 자선 음악회가 열렸다.

재력 財力 | 재물 재, 힘 력 [financial power]
재물(財物)의 힘[力]. 재산상의 세력. ¶재력가(財力家) / 그는 재력이 상당한 사람이다.

재무 財務 | 재물 재, 일 무 [financial affairs]
재정(財政)에 관한 사무(事務). ¶재무 관리.

재물 財物 | 재물 재, 만물 물
[property; effects; goods]
재산(財産)이 될 만한 물건(物件). ¶그는 재물에 눈이 어두워졌다. ⓑ재화(財貨).

재벌 財閥 | 재물 재, 가문 벌 [financial combine]
경제 재산(財産)을 많이 가진 사람의 가문[閥]. 또는 혈연으로 맺어진 자본가 집단. ¶재벌 기업.

재산 財産 | 재물 재, 자산 산 [property; fortune]
경제적 가치가 있는 재물(財物)이나 자산(資産). ¶그는 죽기 전에 전 재산을 사회에 환원했다.

재수 財數 | 재물 재, 운수 수 [luck; fortune]
❶속뜻 재물(財物)에 관한 운수(運數). ❷좋은 일이 생길 운수. ¶오늘은 재수가 좋다. 속담 재수가 옴 붙었다.

재정 財政 | 재물 재, 정사 정
[finance(s); financial affairs]
❶속뜻 재산(財産)을 조달, 관리, 사용하는 일체의 정사(政事). ❷경제 개인, 가정, 단체 등의 경제 상태. ¶회사의 재정 상태가 좋아졌다.

재화 財貨 | 재물 재, 재물 화 [good; commodity]
재산(財産)이 될 만한 물건[貨]. ⓑ재물(財物).

• 역순어휘

사재 私財 | 사사로울 사, 재물 재 [private funds]
개인의[私] 재산(財産). ¶그는 사재를 들여 복지재단을 만들었다.

축재 蓄財 | 모을 축, 재물 재
[amass; accumulate riches]
재물(財物)을 모음[蓄]. 모은 재산. ¶부정 축재를 하다.

횡재 橫財 | 뜻밖에 횡, 재물 재
[unexpected fortune; windfall]
뜻밖[橫]에 얻은 재물(財物). ¶심마니는 산삼을 발견하는 횡재를 만났다 / 오늘은 횡재한 날이다.

0390 [질]

質 바탕 질
㊞ 貝부 ㊞ 15획 ㊥ 质 [zhì]
質 質 質 質 質 質 質 質 質 質 質 質 質 質 質

質자는 약속을 지키겠다는 증거로 잡혀두는 물건, 즉 '볼모'(a security; a pledge)를 나타내기 위한 것이었으니,

'돈 패'(貝)가 표의요소로 쓰였다. 돈을 맡겨야 믿음을 살 수 있음은 예나 지금이나 마찬가지다. '도끼 근'(斤)이 두 개 쓰인 것도 저당물로 잡힌 것과 유관한 것 같다. '바탕'(nature)이라는 의미와 상관 있는 단어의 구성 요소로 많이 쓰인다.

[속뜻 훈음] ①바탕 질, ②볼모 질.

질감 質感 | 바탕 질, 느낄 감
재질(材質)의 차이에서 받는 느낌[感]. ¶이 스웨터는 질감이 좋다.

질량 質量 | 바탕 질, 분량 량 [mass]
[물리] 어떤 물질(物質)의 양(量). 국제 단위는 그램(g). ¶이 물체를 가열해도 질량은 변하지 않는다 / 질량 보존의 법칙.

질문 質問 | 바탕 질, 물을 문
[ask a question; inquire]
❶[속뜻] 바탕[質]이 되는 중요한 것을 물어봄[問]. ❷모르거나 의심나는 점을 물음. ¶질문은 많이 할수록 좋다. [비]질의(質疑). [반]대답(對答).

질의 質疑 | 바탕 질, 의심할 의 [question]
❶[속뜻] 바탕[質]이 되는 중요한 것에 대하여 의문(疑問)을 품음. ❷의심나거나 모르는 점을 물음. ¶질의를 받다. [비]질문(質問). [반]답변(答辯), 응답(應答).

질적 質的 | 바탕 질, 것 적 [qualitative]
내용이나 본질(本質)에 관계되는 것[的]. ¶내용이 질적으로 뛰어나다. [반]양적(量的).

• 역순어휘

각질 角質 | 뿔 각, 바탕 질 [horny substance]
[동물] 뿔[角]처럼 딱딱한 껍질[質]. 동물의 몸을 보호하는 비늘, 털, 뿔, 부리, 손톱 등에 많이 포함되어 있다.

기질 氣質 | 기운 기, 바탕 질
[disposition; temper]
❶[속뜻] 기력(氣力)과 체질(體質). ❷한 개인이나 어떤 집단 특유의 성질. ¶그는 예술가 기질이 있다. [비]기성(氣性), 기풍(氣風).

당질 糖質 | 엿 당, 바탕 질 [saccharinity]
❶[속뜻] 당분(糖分)이 들어 있는 물질(物質). ❷[화학] 탄수화물과 그 유도 물질을 통틀어 이르는 말.

대:질 對質 | 대할 대, 바탕 질 [confront]
[법률] 서로 엇갈린 말을 하는 두 사람을 마주해놓고[對] 질문(質問)함. ¶대질 심문으로 진짜 범인을 찾았다. [비]무릎맞춤, 면질(面質).

물질 物質 | 만물 물, 바탕 질
[substance; material]
❶[속뜻] 물건(物件)의 본바탕[質]. ❷[물리] 자연계의 구성 요소의 하나로 공간의 일부를 차지하고 질량을 갖는 것. [반]정신(精神).

변:질 變質 | 바뀔 변, 바탕 질 [change in quality]
물질이나 사물의 성질(性質)이 바뀜[變]. ¶더운 날씨에 음식이 금방 변질되었다.

본질 本質 | 뿌리 본, 바탕 질
[real nature; essence; substance]
가장 근본적(根本的)인 성질(性質). ¶이 그림은 인간의 본질을 잘 드러내고 있다 / 본질적 속성.

성:질 性質 | 성품 성, 바탕 질 [nature; property]
❶[속뜻] 타고난 성품(性品)과 기질(氣質). ¶성질이 보통이 아니다. ❷사물이나 현상이 본디부터 가지고 있는 다른 것과 구별되는 특징. ¶물의 성질 / 이 두 사건은 성질이 다르다.

소질 素質 | 본디 소, 바탕 질 [temperament]
본디[素]부터 가지고 있는 성질(性質). 또는 타고난 능력이나 기질. ¶그는 음악에 소질이 있다.

수질 水質 | 물 수, 바탕 질 [water quality]
어떤 물[水]의 성분이나 성질(性質). ¶정기적으로 수질을 검사하다.

실질 實質 | 실제 실, 바탕 질 [material; essence]
실제(實際)의 본바탕[質]. ¶실질에 있어서는 별 차이가 없다.

악질 惡質 | 악할 악, 바탕 질 [evil nature]
못되고 악(惡)한 성질(性質). 또는 그 성질을 가진 사람. ¶악질 상인.

양질 良質 | 좋을 량, 바탕 질 [good quality]
좋은[良] 바탕이나 품질(品質). ¶양질의 교육 / 양질의 서비스를 받다.

언질 言質 | 말씀 언, 볼모 질 [pledge; promise]
❶[속뜻] 들은 말[言]을 볼모[質]로 삼음. ❷나중에 증거가 될 말. ¶확실한 언질을 받았다.

용질 溶質 | 녹일 용, 바탕 질 [solute]
[화학] 용액(溶液)에 녹아 있는 물질(物質). 액체에 다른 액체가 녹아 있을 때에는 양이 적은 쪽을 가리킨다.

이:질 異質 | 다를 이, 바탕 질 [heterogeneity]
다른[異] 성질(性質). 또는 성질이 다름. [반]동질(同質).

인질 人質 | 사람 인, 볼모 질 [hostage]
사람[人]을 볼모[質]로 잡아 둠. ¶소말리아 해적은 돈을 받고 인질을 풀어주었다.

자질 資質 | 밑천 자, 바탕 질
[nature; fiber; character]
❶[속뜻] 밑천[資]과 본바탕[質]. ❷본래 타고난 성품이나 소질. ¶그는 자질이 침착하여 이 일을 하기 적합하다.

❸자격을 갖추는 데 필요한 소질. ¶의사의 자질을 갖추다.

재질¹ 才質 | 재주 재, 바탕 질
[natural gifts; talent]
재주[才]와 기질(氣質). ¶음악에 재질이 있다.

재질² 材質 | 재목 재, 바탕 질
[quality of the material]
❶속뜻 목재(木材)의 성질(性質). ¶오동나무는 재질이 단단하다. ❷재료(材料)가 갖는 성질. ¶이 옷은 재질이 좋다.

저:질 低質 | 낮을 저, 바탕 질 [low quality]
바탕[質]이 낮음[低]. 질이 좋지 않음. ¶저질 상품 / 저질 만화.

지질 地質 | 땅 지, 바탕 질 [nature of the soil]
지리 지각(地殼)을 이루는 여러 가지 암석이나 지층(地層)의 성질(性質). ¶이 시기에는 지질에 큰 변동이 있었다.

체질 體質 | 몸 체, 바탕 질
[one's physical constitution]
❶속뜻 몸[體]의 본바탕[質]. ❷태어날 때부터 지니고 있는 몸의 성질. ¶체질에 따라 운동을 달리해야 한다 / 회사 생활이 내 체질에 맞지 않는다.

토질 土質 | 흙 토, 바탕 질 [soil]
토지(土地)의 성질(性質). ¶이 지역은 토질이 비옥하다.

품:질 品質 | 물건 품, 바탕 질 [quality]
물품(物品)의 성질(性質). ¶그 상품은 품질에 비해 너무 비싸다.

0391 [책]

責

꾸짖을 책
部 貝부 획 11획 中 责 [zé]

責자는 '빚'(a debt; a loan)이란 뜻을 위해 고안된 것이니 '돈 패'(貝)가 표의요소로 발탁됐다. 윗부분은 朿(가시나무 자)의 변형인데, 이것이 표음요소였음은 策(꾀 책)의 경우도 마찬가지다. 후에 '꾸짖다'(scold)는 뜻으로 쓰이는 예가 많아지자, '빚'이란 본래 의미는 債(채)자를 따로 만들어 나타냈다.

책망 責望 | 꾸짖을 책, 바랄 망
[scold; reproach; blame]
잘못을 들어 꾸짖고[責] 원망(怨望)함. 또는 그 일. ¶어머니는 친구와 싸운 아들을 심하게 책망하셨다.

책임 責任 | 꾸짖을 책, 맡길 임
[responsibility; duty]
❶속뜻 꾸짖음[責]을 받지 않도록 꼭 해야 할 임무(任務). ¶이 교실 청소는 네 책임이다. ❷법률 행위의 결과에 따른 손실이나 제재를 떠맡는 일.

• 역순어휘

가:책 呵責 | 꾸짖을 가, 꾸짖을 책
[rebuke; blame]
꾸짖어[呵] 책망(責望)함. 꾸짖고 나무람. ¶양심의 가책을 느끼다.

문:책 問責 | 물을 문, 꾸짖을 책
[censure; reproof]
일의 책임을 물어[問] 꾸짖음[責]. ¶문책을 당하다 / 잘못된 기안에 대하여 책임자를 문책하다.

자책 自責 | 스스로 자, 꾸짖을 책
[blame oneself; reproach oneself]
자기의 잘못을 스스로[自] 꾸짖음[責]. 스스로 책임져야 할 일. ¶그는 아들의 잘못이 자기 탓이라고 자책했다.

죄:책 罪責 | 허물 죄, 꾸짖을 책
[liability for a crime]
잘못[罪]을 저지른 책임(責任).

중:책 重責 | 무거울 중, 꾸짖을 책
[heavy responsibility]
중대(重大)한 책임(責任). ¶그는 이번에 외국 손님을 접대하는 중책을 맡았다.

직책 職責 | 일 직, 꾸짖을 책 [one's duty]
직무(職務)상의 책임[責]. ¶맡은 직책을 성실히 수행하다.

질책 叱責 | 꾸짖을 질, 꾸짖을 책 [rebuke; scold]
꾸짖어[叱] 나무람[責]. ¶아버지는 나를 호되게 질책하셨다.

힐책 詰責 | 따질 힐, 꾸짖을 책
[rebuke; reprimand; reprove]
잘못된 점을 따져[詰] 꾸짖음[責]. ¶힐책을 받다 / 그것은 견딜 수 없는 힐책이었다.

0392 [관]

關

관계할 관
部 門부 획 19획 中 关 [guān]

關자는 '(대문의) 빗장'(a bolt; a bar; a latch)이란 뜻을 나타내기 위한 것이었으니, '대문 문'(門)이 표의요소로 쓰였다. 그 안쪽의 것은 빗장을 걸어 놓은 모습이 변한 것이다. 串(꿸 관)에서 유래된 상단과 하단의 丱(쌍상투 관)은 표음요소 구실을 하는 셈이다. '관계하다'(relate to)와 의미상 연관이 있는 낱말의 한 구성 요소로도 쓰인다.

속뜻훈음 ①관계할 관, ②빗장 관.

관건 關鍵 | 빗장 관, 열쇠 건 [pivotal point]
❶속뜻 문빗장[關]과 열쇠[鍵]. ❷'어떤 사물이나 문제 해결의 가장 중요한 부분'을 비유하여 이르는 말. ¶이 문제를 어떻게 푸느냐가 관건이다.

관계 關係 | 빗장 관, 맬 계 [relate; connect with]
❶속뜻 둘 이상이 서로 관련(關聯)을 맺음[係]. ¶관계를 끊다. ❷어떤 방면이나 영역에 관련이 있거나 영향을 미치다. ¶교육 관계 서적 / 네가 있든 없든 관계 없다. (비)관련(關聯), 상관(相關).

관동 關東 | 빗장 관, 동녘 동
❶속뜻 대관령(大關嶺) 동(東)쪽 지역. ❷금강산과 동해 일대. 강원도 일대. (비)영동(嶺東).

관련 關聯 | 관계할 관, 잇달 련
[be connected with; be related to]
어떤 사물과 다른 사물이 서로 관계(關係)되어 잇달려[聯] 있음. 서로 어떠한 관계가 있음. ¶흡연은 폐암과 밀접한 관련이 있다. (비)연관(聯關).

관문 關門 | 빗장 관, 대문 문
[gateway; boundary gate; barrier]
❶속뜻 지난날, 국경이나 교통의 요새 같은 데 설치한 관(關)의 문(門). ❷그곳을 지나야만 드나들 수 있는 중요한 길목. ¶부산은 동아시아의 관문이다. ❸어떤 일을 하자면 반드시 거쳐야 하는 중요한 대목. ¶입학시험이라는 관문을 통과하다.

관북 關北 | 빗장 관, 북녘 북
❶속뜻 마천령을 관문(關門)으로 한 북(北)쪽 지방. ❷지리 함경북도 지방.

관서 關西 | 빗장 관, 서녘 서
❶속뜻 마천령을 관문(關門)으로 한 그 서(西)쪽 지방. ❷지리 평안도와 황해도 북부 지역.

관세 關稅 | 빗장 관, 세금 세
[tariff; customs duties]
법률 세관(稅關)을 통과(通過)하는 화물에 대하여 부과되는 조세(租稅). ¶수입 자동차에 높은 관세를 물리다. (비)통관세(通關稅).

관심 關心 | 관계할 관, 마음 심 [concern; interest]
❶속뜻 관계(關係)하고 싶은 마음[心]. ❷마음이 끌려 주의를 기울임. ¶관심을 모으다.

관여 關與 | 관계할 관, 도울 여
[take part in; be concerned in]
어떤 일에 관계(關係)하여 참여(參與)함. ¶넌 관여하지 마. (비)간여(干與).

관절 關節 | 빗장 관, 마디 절 [joint; articulation]
의학 뼈와 뼈가 서로 연결되어 있는[關] 부분[節]. ¶지나친 운동은 관절에 무리를 준다.

• 역순어휘 •

기관 機關 | 틀 기, 빗장 관
[engine; machine; system; organ]
❶속뜻 화력·수력 따위를 유용한 에너지로 바꾸는 기계(機械) 장치[關]. ¶증기기관. ❷사회생활의 영역에서 일정한 역할과 목적을 위하여 만든 기구나 조직.

난관 難關 | 어려울 난, 빗장 관
[obstacle; difficulty]
❶속뜻 통과하기 어려운[難] 관문(關門). ❷뚫고 나가기 어려운 사태나 상황. ¶난관을 이겨내다. (비)곤경(困境).

무관 無關 | 없을 무, 관계할 관 [unrelated]
관계(關係)가 없다[無]. ¶이 일은 나와 무관하다.

상관 相關 | 서로 상, 관계할 관
[be related to; meddle]
❶속뜻 서로[相] 관련(關聯)을 가짐. 또는 그 관련. ¶그 일이 당신과 무슨 상관이 있나요? ❷남의 일에 간섭함. ¶그가 언제 떠나든 상관을 하지 않겠다 / 그는 절대로 친구의 일에 상관하지 않는다.

세:관 稅關 | 세금 세, 빗장 관 [customs]
법률 개항장(開港場)이나 공항, 국경[關] 등에서 드나드는 화물이나 선박을 검사하고 세금(稅金)을 물리는 등의 일을 하는 관청.

소:관 所關 | 것 소, 관계할 관 [what is concerned]
관계(關係)되는 어떤 것[所]. ¶그 일은 더 이상 우리 소관이 아닙니다.

연관 聯關 | 잇달 련, 관계할 관 [connect; relate]
사물이나 현상이 이어진[聯] 관계(關係)를 맺는 일. ¶나는 이 일과 아무런 연관이 없다. (비)관련(關聯), 관계(關係).

현관 玄關 | 오묘할 현, 빗장 관 [front door; porch]
❶불교 깊고 오묘한[玄] 이치로 들어가는 관문(關門). 入道法門(입도법문). ❷건물의 출입구에 나있는 문간. ¶민서는 친구를 맞이하러 현관으로 나갔다.

0393 [륙]

뭍 륙
(部) 阜부 (畫) 11획 (中) 陆 [lù, liù]

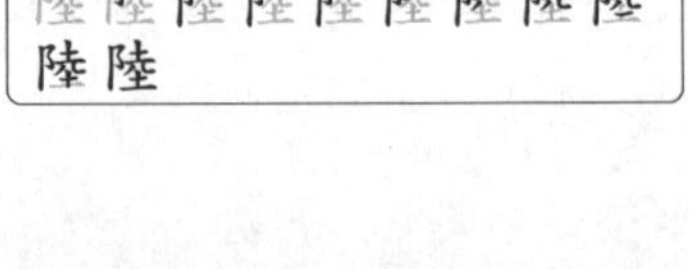

陸자는 수면에 비하여 높아 언덕진 땅, 즉 '뭍'(land)을 나타내기 위한 것이었으니 '언덕 부'(阝)가 표의요소로 쓰였고, 坴(언덕 륙)은 표의와 표음을 겸하는 요소다.

육교 陸橋 | 뭍 륙, 다리 교 [overhead bridge]
땅[陸] 위에 만든 다리[橋]. 도로나 철도를 가로질러 세운다. ¶육교를 건너 시장에 갔다.

육군 陸軍 | 뭍 륙, 군사 군 [army; land forces]
[군사] 육상(陸上)에서 전투하는 군대(軍隊). (비)지상군(地上軍).

육로 陸路 | 뭍 륙, 길 로 [land route]
땅[陸] 위에 난 길[路]. ¶육로를 통해 금강산에 갈 수 있다. (반)수로(水路).

육사 陸士 | 뭍 륙, 선비 사 [military academy]
[군사] '육군사관학교'(陸軍士官學校)의 준말.

육상 陸上 | 뭍 륙, 위 상 [on land; on the ground]
❶[속뜻] 땅[陸] 위[上]. ¶육상 식물. ❷[운동] '육상경기'(陸上競技)의 준말. ¶육상 선수.

육지 陸地 | 뭍 륙, 땅 지 [land; shore]
물에 잠기지 않은 지구 표면의 땅[陸=地]. (비)땅, 뭍.

육풍 陸風 | 뭍 륙, 바람 풍 [land breeze]
[지리] 밤의 기온 차이로 육지(陸地)에서 바다로 부는 바람[風]. (반)해풍(海風).

• 역순어휘

내:륙 內陸 | 안 내, 뭍 륙 [inland; interior of a country]
[지리] 바다에서 안[內]쪽으로 멀리 떨어져 있는 육지(陸地). ¶내륙 지방.

대:륙 大陸 | 큰 대, 뭍 륙 [continent]
❶[속뜻] 크고[大] 넓은 땅[陸]. ❷[지리] 바다로 둘러싸인 지구상의 커다란 육지. (비)대주(大洲).

상:륙 上陸 | 위 상, 뭍 륙 [land]
배에서 뭍으로[陸] 오름[上]. ¶맥아더 장군은 인천에 상륙했다.

이:륙 離陸 | 떨어질 리, 뭍 륙 [take off]
비행기가 날기 위해서 땅[陸]과 떨어져[離] 하늘로 오름. ¶비행기는 활주로를 달려 순조롭게 이륙했다. (반)착륙(着陸).

착륙 着陸 | 붙을 착, 뭍 륙 [land; touchdown]
비행기 따위가 땅[陸]위에 내림[着]. ¶우주선이 달에 착륙하다. (반)이륙(離陸).

0394 [우]

雨

비 우:
(部) 雨부 (획) 8획 (中) 雨 [yǔ, yù]

雨 雨 雨 雨 雨 雨 雨 雨

雨자는 '비'(rain)를 뜻하기 위하여 하늘에 매달린 구름에서 빗방울이 떨어지는 모습을 본뜬 것이다. 이것이 표의요소로 쓰인 글자들은 모두 '비'를 포함한 기상 현상과 연관된 의미를 지닌다.

우:기 雨期 | 비 우, 때 기 [rainy season]
비[雨]가 많이 오는 시기(時期). ¶우기에 접어들었다. (비)우계(雨季). (반)건기(乾期).

우:림 雨林 | 비 우, 수풀 림 [rain forest]
[지리] 비[雨]가 많아 무성하게 자란 열대 식물의 숲[林]. ¶열대 우림.

우:박 雨雹 | 비 우, 우박 박 [hailstorm]
비[雨]같이 떨어지는 얼음 덩어리[雹]. ¶우박이 우두둑 떨어진다.

우:비 雨備 | 비 우, 갖출 비 [raincoat]
비[雨]를 피하기 위하여 갖추어야[備] 할 물품을 통틀어 이르는 말. 우산, 비옷, 삿갓, 도롱이 따위. (비)비옷, 우의(雨衣).

우:산 雨傘 | 비 우, 우산 산 [umbrella]
비[雨]를 맞지 않도록 받쳐 쓰는 도구[傘]. ¶우산을 쓰다.

우:의 雨衣 | 비 우, 옷 의 [raincoat]
비[雨]가 올 때 입는 옷[衣]. ¶우의를 입고 논으로 나갔다. (비)우비(雨備).

우:후 雨後 | 비 우, 뒤 후 [after the rain; after a rain-fall]
비[雨]가 온 뒤[後].

• 역순어휘

강:우 降雨 | 내릴 강, 비 우 [rainfall]
내린[降] 비[雨].

기우 祈雨 | 빌 기, 비 우 [prayer for rain]
가뭄 때에 비[雨]가 오기를 빎[祈].

쾌우 快雨 | 시원할 쾌, 비 우 [shower]
더운 여름에 시원스레[快] 내리는 비[雨]. 세차게 내리는 비. ¶쾌우가 내린 후로 하늘이 맑아졌다.

폭우 暴雨 | 사나울 폭, 비 우 [heavy rain]
갑자기 세차게[暴] 쏟아지는 비[雨]. ¶폭우로 한치 앞도 보이지 않았다.

호우 豪雨 | 호쾌할 호, 비 우
[heavy rainfall; down pour]
호쾌하고[豪] 세차게 퍼붓는 비[雨]. ¶집중 호우로 하천이 범람하였다.

0395 [운]

雲

구름 운
㉮ 雨부 ㉯ 12획 ㉰ 云 [yún]

雲雲雲雲雲雲雲雲雲雲雲雲

雲자의 본래 글자인 '云'은 '구름'(a cloud)을 뜻하기 위하여 하늘에 구름이 매달려 있는 모양을 본뜬 것이었다. 후에 云이 '말하다'(say)는 의미로 활용되는 예가 잦아지자, 그 본뜻을 더욱 분명하게 나타내기 위하여 '비 우'(雨)를 첨가시킨 것이 바로 雲자다.

• 역순어휘

성운 星雲 | 별 성, 구름 운 [nebulosity]
천문 구름[雲]처럼 보이는 별[星]들. 가스나 우주 먼지로 이루어진 은하계 내의 성운과 항성의 대집단인 은하계 외의 성운으로 나뉜다.

청운 靑雲 | 푸를 청, 구름 운
[blue clouds; high ranks]
❶속뜻 푸른[靑] 빛을 띤 구름[雲]. ❷'높은 명예나 벼슬'을 비유하여 이르는 말. ¶청운의 뜻을 품다.

0396 [수]

首

머리 수
㉮ 首부 ㉯ 9획 ㉰ 首 [shǒu]

首首首首首首首首首

首자는 원래 동물의 '머리'(head)를 뜻하기 위하여 짐승의 머리 모양을 본뜬 것이었다. 후에 사람을 포함한 '머리'의 통칭으로 확대 사용 됐다.

수긍 首肯 | 머리 수, 즐길 긍 [assent; consent]
❶속뜻 머리[首]를 끄덕이며 즐김[肯]. ❷남의 주장이나 언행이 옳다고 인정함. ¶설명을 들으니 수긍이 갔다.

수뇌 首腦 | 머리 수, 골 뇌 [head; leader]
어떤 조직이나 집단 등에서 가장 으뜸[首]의 자리에 있는 인물을 신체에서 가장 중요한 뇌(腦)에 비유하여 이르는 말. ¶수뇌 회담을 갖다.

수도 首都 | 머리 수, 도읍 도
[capital city; national capital]
한 나라에서 으뜸[首] 가는 도시(都市). 일반적으로 정부(政府)가 있는 도시를 말한다. ¶대한민국의 수도는 서울이다.

수령 首領 | 머리 수, 거느릴 령 [leader; boss]
한 당파나 무리를 거느리는[領] 우두머리[首]. ¶송시열 선생은 노론의 수령이었다.

수반 首班 | 머리 수, 나눌 반 [head]
❶속뜻 반열(班列) 가운데 으뜸가는[首] 자리. ¶수반이 되다. ❷행정부의 가장 높은 자리에 있는 사람. ¶대통령은 행정부의 수반이다.

수상 首相 | 머리 수, 도울 상 [prime minister]
❶속뜻 으뜸가는[首] 재상(宰相). ❷정치 내각의 우두머리. 의원 내각제에서는 다수당의 우두머리가 수상이 되는 것이 일반적이다. ¶영국 수상이 한국을 방문했다. ㊥ 영의정(領議政).

수석 首席 | 머리 수, 자리 석 [chief; head]
❶속뜻 맨 윗[首] 자리[席]. ❷등급이나 직위 따위에서 맨 윗자리. ¶수석 보좌관.

수장 首長 | 머리 수, 어른 장 [top; head]
앞장서서[首] 집단이나 단체를 지배·통솔하는 사람[長]. 우두머리. ¶대통령은 행정부의 수장이다.

• 역순어휘

괴수 魁首 | 으뜸 괴, 머리 수 [ringleader; boss]
못된 짓을 하는 무리의 우두[魁]머리[首].

교수 絞首 | 목맬 교, 머리 수 [strangle]
사형수의 목[首]을 매어[絞] 죽임. ㊥ 교살(絞殺).

기수 機首 | 틀 기, 머리 수 [nose of an airplane]
항공기(航空機)의 앞머리[首]. ¶기수를 돌리다.

당수 黨首 | 무리 당, 머리 수
[leader of a political party]
당(黨)의 우두머리[首].

부수 部首 | 나눌 부, 머리 수 [radical]
❶속뜻 서로 공통적인 요소가 있는 부류(部類)의 첫 머리[首]에 상당하는 한자. ❷한자자전에서 글자를 찾는 길잡이 역할을 하는 공통되는 글자의 한 부분. 예를 들어 '言'은 '語', '話', '請' 따위 글자의 부수이다.

비:수 匕首 | 살촉 비, 머리 수 [dagger]
❶속뜻 화살촉[匕]처럼 날카로운 칼의 머리[首]부분. ❷날이 날카로운 짧은 칼. ¶원수의 가슴에 비수를 꽂다.

원수 元首 | 으뜸 원, 머리 수
[sovereign; ruler of state]

한 나라의 으뜸[元]이 되는 최고 통치권자[首]. ¶대통령은 공화국의 국가 원수이다.

자수 自首 | 스스로 자, 머리 수 [deliver oneself to justice]
❶속뜻 스스로[自] 머리[首]를 내밂. ❷법률 죄를 범한 사람이 자진하여 수사기관에 범죄 사실을 자백함. ¶그는 경찰에 자수하기로 결심했다.

0397 [양]

養 기를 양:
部 食부 획 15획 中 养 [yǎng]

養자는 원래 '양'(羊)과 '칠 복'(攴=攵)이 합쳐진 것으로 '양치다'(breed sheep)는 뜻이었는데, 약 2,500년 전쯤에 '羊 + 食'의 구조로 바뀌었고, '기르다'(breed)는 뜻으로도 확대 사용됐다.

양:계 養鷄 | 기를 양, 닭 계 [raise chickens]
닭[鷄]을 먹여 기름[養]. 또는 그 닭.

양:돈 養豚 | 기를 양, 돼지 돈 [raise hogs]
돼지[豚]를 먹여 기름[養]. 또는 그 돼지. ¶전염병이 확산되어 양돈업계가 큰 타격을 입었다.

양:봉 養蜂 | 기를 양, 벌 봉 [keep a bees]
꿀을 얻기 위하여 벌[蜂]을 기름[養]. 또는 그러한 벌. ¶지리산 중턱에는 양봉하는 곳이 많다 / 양봉농가.

양:부 養父 | 기를 양, 아버지 부 [foster father]
자기를 데려다가 친자식처럼 길러준[養] 아버지[父]. ¶아버지는 양부지만 나를 친자식처럼 대해주었다.

양:분 養分 | 기를 양, 나눌 분 [nourishment; nutriment]
생물체가 살아가는 데 영양(營養)이 되는 성분(成分). ¶식물은 토양에서 양분을 얻는다. 비영양분(營養分), 자양분(滋養分).

양:성 養成 | 기를 양, 이룰 성 [train; foster]
사람을 가르치고 길러[養] 무엇이 되게[成] 함. ¶인재를 양성하다.

양:식 養殖 | 기를 양, 불릴 식 [raise; breed]
물고기 따위를 인공적으로 길러서[養] 그 수가 불어남[殖]. ¶굴을 양식하다.

양:어 養魚 | 기를 양, 물고기 어 [fish farming]
물고기[魚]를 길러[養] 번식하게 함. 또는 그 물고기.

양:육 養育 | 기를 양, 기를 육 [bring up]
아이를 보살펴서 기름[養=育]. ¶자녀 양육은 엄마만의 몫이 아니다.

양:자 養子 | 기를 양, 아들 자 [adopted son]
❶속뜻 친자식처럼 기르는[養] 아들[子]. ❷법률 입양에 의하여 자식의 자격을 얻은 사람. 비양아들. 반친자(親子), 친아들.

양:잠 養蠶 | 기를 양, 누에 잠 [raise silkworms]
농업 누에[蠶]를 기름[養]. 또는 그 일.

양:호 養護 | 기를 양, 돌볼 호 [protect; nurse]
❶속뜻 길러주고[養] 돌보아줌[護]. ❷학교에서 학생의 건강이나 위생에 대하여 돌보아 줌. ¶양호 선생님.

• 역순어휘

공:양 供養 | 드릴 공, 기를 양 [take care of; offer]
❶속뜻 양생(養生)에 필요한 음식을 드림[供]. 음식을 드림. ❷불교 부처에게 음식물을 바치는 일. 비봉양(奉養), 불공(佛供).

교:양 教養 | 가르칠 교, 기를 양 [culture; education]
❶속뜻 가르치어[教] 상식을 기름[養]. ❷학문, 지식, 사회생활을 바탕으로 이루어지는 품위. 또는 문화에 대한 폭넓은 지식. ¶그녀는 교양이 있다. 비소양(素養), 식견(識見).

배:양 培養 | 북돋울 배, 기를 양 [culture; cultivate]
❶식물 식물이나 동물의 일부를 가꾸어[培] 기름[養]. ¶세균을 배양하다 / 인공 배양. ❷사람이나 힘을 길러 냄. ¶국력을 배양하다.

봉:양 奉養 | 받들 봉, 기를 양 [support one's parents]
부모나 조부모를 받들어[奉] 정성스럽게 모심[養]. ¶그는 어려운 형편에도 부모님을 정성껏 봉양했다.

부양 扶養 | 도울 부, 기를 양 [support; maintenance]
생활 능력이 없는 사람을 도와[扶] 살게[養] 함. ¶부양자녀.

소양 素養 | 본디 소, 기를 양 [grounding in; attainments]
평소(平素) 닦아 쌓은 교양(教養). ¶소양이 있다 / 국제적 소양을 갖춘 인물을 발탁하다.

수양 修養 | 닦을 수, 기를 양 [improve oneself]
몸과 마음을 갈고 닦아[修] 품성이나 지식, 도덕 따위를 기름[養]. ¶정신 수양을 게을리 하지 않다.

영양 營養 | 지을 영, 기를 양 [nutrition]
❶속뜻 양분(養分)을 지어냄[營]. ❷생물 생명체에 유지에 필요한 성분이나 그것을 함유한 음식물. ¶삼계탕은

맛도 좋고 영양도 풍부하다.

요양 療養 | 병고칠 료, 기를 양 [recuperate; convalesce]
❶속뜻 병을 치료(治療)하고 몸을 보양(保養)함. ❷휴양하면서 조리하여 병을 치료함. ¶나는 시골에서 요양 중이다.

입양 入養 | 들 입, 기를 양 [adopt]
❶속뜻 양자(養子)를 들임[入]. ❷법률 혈연관계가 아닌 일반인 사이에 양친과 양자로서 법적인 친자 관계를 맺는 일. ¶입양기관 / 우리는 아이를 입양하기로 결정했다.

자양 滋養 | 불릴 자, 기를 양 [nutrition; nourishment]
몸에 영양(營養)을 불리는[滋] 일. 또는 그런 물질.

함양 涵養 | 받아들일 함, 기를 양 [cultivate]
❶속뜻 받아들여[涵] 기름[養]. ❷능력이나 품성을 기르고 닦음. ¶인격 함양.

휴양 休養 | 쉴 휴, 기를 양 [rest; repose]
편히 쉬면서[休] 마음과 몸을 보양(保養)함. ¶휴양 시설 / 그는 시골에서 휴양하는 동안 건강해졌다.

0398 [순]

順 순할 순:
部 頁부 획 12획 中 顺 [shùn]

順은 흐르는 냇물의 모습인 川(천)과 큰 머리를 강조한 모습인 頁(혈)이 합쳐진 것으로, '(머리를 숙이고 흐르는 물과도 같은 성인의 도리를) 따르다'(obey)가 본뜻이라고 한다. 후에 '순하다'(gentle; mild), '차례'(order) 등으로 확대 사용됐다.
속뜻 훈음 ①따를 순, ②순할 순, ③차례 순.

순:리 順理 | 따를 순, 이치 리 [submission to reason]
이치(理致)를 따름[順]. 또는 그렇게 따른 이치. ¶자연의 순리에 따르다.

순:번 順番 | 차례 순, 차례 번 [order; turn]
차례[順]로 번갈아[番] 돌아오는 임무. 또는 그 순서. ¶순번을 기다려서 공연장으로 들어갔다.

순:서 順序 | 따를 순, 차례 서 [procedure; order]
어떤 기준에 따른[順] 차례[序]. ¶키 순서대로 앉으세요.

순:위 順位 | 따를 순, 자리 위 [order; rank(ing)]
어떤 기준에 따라[順] 정해진 위치(位置)나 지위(地位). ¶순위를 매기다.

순:응 順應 | 따를 순, 맞을 응 [adapt oneself]
환경에 따르고[順] 맞게[應] 바뀜. ¶자연에 순응하다.

순:조 順調 | 따를 순, 고를 조 [favorable; well]
어떤 일이 아무 탈 없이 이치에 따라[順] 조화(調和)롭게 되어가는 상태. ¶모든 일이 순조롭게 진행되어 간다.

순:종 順從 | 따를 순, 따를 종 [obey; submit]
순순(順順)히 따름[從]. ¶나는 부모님 말씀에 순종했다.

순:탄 順坦 | 따를 순, 평평할 탄 [uneventful; peaceful]
어떤 일이 순조(順調)롭고 평탄(平坦)하다. ¶그 일은 순탄하게 진행되고 있다.

순:풍 順風 | 따를 순, 바람 풍 [favorable wind; tailwind]
❶속뜻 움직여 가는 방향을 따라[順] 부는 바람[風]. ❷배가 가는 쪽으로 부는 바람. 또는 바람이 부는 쪽으로 배가 감. 반 역풍(逆風). 속담 순풍에 돛 단 듯.

• 역순어휘 •

귀:순 歸順 | 돌아갈 귀, 따를 순 [defect to; submit to]
적이었던 사람이 반항심을 버리고 돌아서서[歸] 순종(順從)함. ¶무기를 버리고 귀순하다. 비 투항(投降).

식순 式順 | 의식 식, 차례 순 [order of a ceremony]
의식(儀式)의 진행 순서(順序). ¶식순에 따라 교장선생님의 말씀이 있겠습니다.

양순 良順 | 어질 량, 순할 순 [good and obedient; gentle]
어질고[良] 온순하다[順]. ¶윤아는 양순한 어린이다.

온순 溫順 | 따뜻할 온, 순할 순 [be meek]
성질이나 마음씨가 온화(溫和)하고 순(順)하다. ¶고슴도치는 온순한 동물이다 / 그녀는 성격이 온순하다.

유순 柔順 | 부드러울 유, 순할 순 [submissive; obedient]
성질이 부드럽고[柔] 온순(溫順)하다. ¶그녀는 말투가 매우 유순하다.

필순 筆順 | 붓 필, 차례 순 [stroke order]
글씨를 쓸 때 붓[筆]을 놀리는 차례[順]. ¶한자는 필순에 따라 써야 예쁘다.

0399 [류]

類 무리 류:
部 頁부 획 19획 中 类 [lèi]

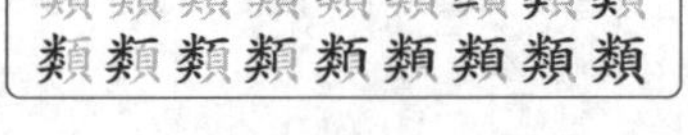

類자는 '닮다'(resemble)는 뜻을 나타내기 위한 것인데, '개 견'(犬)이 표의요소로 쓰인 것은 개는 얼굴 모양을 분간하기 어려울 정도로 서로 닮았기 때문이라고 한다. 나머지 즉, '米+頁'이 지금은 쓰이질 않지만, 아득한 옛날에는 쓰인 적이 있고 그 음이 [류]와 비슷하였기에 표음요소로 쓰였다고 한다. 후에 '(닮은) 무리'(a group; a crowd), '비슷하다'(be like; similar)는 뜻으로 확대 사용됐다.

[속뜻훈음] ①무리 류, ②비슷할 류.

유:례 類例 | 비슷할 류, 본보기 례 [similar example; parallel case]
❶[속뜻]같거나 비슷한[類] 예(例). ❷전례(前例). ¶관광업은 유례를 찾아볼 수 없는 호황을 누렸다.

유:사 類似 | 비슷할 류, 닮을 사 [similar; alike]
❶[속뜻]비슷하거나[類] 닮음[似]. ❷서로 비슷함. ¶유사 단체 / 그의 생각은 내 생각과 굉장히 유사하다.

유:추 類推 | 비슷할 류, 밀 추 [analogical inference; analogy]
같거나 비슷한[類] 원인을 근거로 결과를 미루어[推] 짐작함. 또는 그런 짐작. ¶행동을 보면 그 사람의 생각을 유추할 수 있다. [비]짐작, 추리(推理), 추론(推論).

유:형 類型 | 비슷할 류, 모형 형 [type; pattern]
❶[속뜻]비슷한[類] 모형(模型). ❷어떤 비슷한 것들의 본질을 개체로 나타낸 것. ¶그것은 두 가지 유형으로 나뉜다.

• 역순어휘

곡류 穀類 | 곡식 곡, 무리 류 [cereal; corn; grain]
쌀, 보리, 밀과 같은 곡식(穀食) 종류(種類)를 통틀어 이르는 말. ¶곡류 가격이 급등하다.

당류 糖類 | 엿 당, 무리 류 [sugars]
[화학]액체에 녹으며 엿[糖] 같이 단맛이 있는 탄수화물 종류(種類). 과당, 포도당 따위.

부류 部類 | 나눌 부, 무리 류 [class; kind; category]
어떤 공통적인 성격 등에 따라 나눈[部] 갈래나 무리[類]. ¶그들은 두 부류로 나뉜다.

분류 分類 | 나눌 분, 무리 류 [classify; group]
❶[속뜻]나누어[分] 놓은 무리[類]. ❷사물을 공통되는 성질에 따라 종류별로 가름. ¶책을 장르별로 분류하다.

서류 書類 | 글 서, 무리 류 [document; papers]
❶[속뜻]글자로 기록한 문서(文書) 종류(種類). ❷기록이나 사무에 관한 문건이나 문서의 총칭. ¶비밀 서류 / 서류를 작성하다.

어류 魚類 | 물고기 어, 무리 류 [fishes]
❶[속뜻]물고기[魚] 종류(種類). ❷[동물]등뼈동물에 딸린 한 무리. 물속에서 살기에 알맞은 모양새로 몸은 비늘로 덮이고 아가미로 숨을 쉬며 지느러미로 헤엄을 친다. ¶이 강에는 많은 어류가 산다.

염류 鹽類 | 소금 염, 무리 류 [salts]
염분(鹽分)이 들어 있는 여러 가지 물질의 종류(種類).

육류 肉類 | 고기 육, 무리 류 [meat; flesh]
먹을 수 있는 짐승의 고기[肉] 종류(種類)를 두루 이르는 말.

의류 衣類 | 옷 의, 무리 류 [clothing; clothes]
옷[衣]으로 입을 수 있는 종류(種類)를 통틀어 이르는 말. ¶아동 의류. [비]의복(衣服).

인류 人類 | 사람 인, 무리 류 [mankind]
❶[속뜻]사람[人]의 무리[類]. ❷세계의 사람들 모두. ¶그는 인류 역사상 가장 뛰어난 지도자이다.

조류[1] 鳥類 | 새 조, 무리 류 [birds; fowls]
새[鳥]의 특징을 가진 동물 종류(種類). ¶야생 조류를 연구하다. [비]날짐승.

조류[2] 藻類 | 말 조, 무리 류 [alga; seaweed]
[식물]바닷말[藻]의 특징을 가지는 종류(種類). 물속에 살면서 엽록소로 동화작용을 한다.

종:류 種類 | 갈래 종, 무리 류 [kind; sort]
❶[속뜻]갈래[種]에 따라 나눈 무리[類]. ❷사물의 부문을 나누는 갈래. ¶이 동물원에는 온갖 종류의 동물이 산다.

주류 酒類 | 술 주, 무리 류 [alcoholic drinks; liquor]
술[酒]에 속하는 무리[類]. ¶청소년에게 주류를 판매하지 않습니다.

0400 [선]

鮮

고울 선
[部] 魚부 [획] 17획 [中]鮮 [xiān, xiǎn]

鮮자는 '생선'(fresh fish)을 뜻하기 위한 것이었으니 '물고기 어'(魚)가 표의요소로 쓰였다. 羊(양)은 羴(양노린내 전)을 줄여 쓴 것으로 표음요소 역할을 했다고 한다. 후에 '싱싱하다'(fresh; vivid; lively), '곱다'(pretty; beautiful), '뚜렷하다'(clear; vivid; distinct) 등으로 확대 사용됐다.

[속뜻훈음] ①싱싱할 선, ②뚜렷할 선, ③고울 선.

선명 鮮明 | 뚜렷할 선, 밝을 명 [clear; vivid]
뚜렷하고[鮮] 밝음[明]. ¶얼굴에 흉터가 선명하게 남아 있다.

선혈 鮮血 | 싱싱할 선, 피 혈 [fresh blood]
갓 흘러나온 싱싱한[鮮] 피[血]. ¶코에서 선혈이 흘러 내렸다.

선화 鮮華 | 고울 선, 꽃 화 [pretty and brilliant]
곱고[鮮] 화려함[華]. ¶그녀는 선화한 옷을 입고 모임에 나왔다.

• 역순어휘

생선 生鮮 | 살 생, 싱싱할 선 [fish]
❶속뜻 살아있는[生] 듯 싱싱한[鮮] 물고기. ❷말리거나 절이지 아니하고 물에서 잡아낸 그대로의 물고기. ¶생선을 구워먹었다.

신선 新鮮 | 새 신, 싱싱할 선 [be fresh]
❶속뜻 새롭고[新] 싱싱하다[鮮]. ¶신선한 공기를 들이마시다. ❷채소나 생선 따위가 싱싱하다. ¶신선한 과일.

제2부

제2부 실 제 : 한자 및 한자어 지도

7장. 5급 배정한자 100

[0401-0500]

5급

0401 [재]

再

두 재ː

[部] 冂부 [劃] 6획 [中] 再 [zài]

再 再 再 再 再 再

再자는 '둘 이'(二)와 '물고기 어'(魚)가 합쳐진 것이 변화된 것으로 '중복하다'(double)가 본래 의미였다고 한다. 요즘은 '다시'(once more)라는 뜻으로 많이 쓰인다.

[속뜻훈음] 다시 재.

재ː가 再嫁 | 다시 재, 시집갈 가
[second marriage; remarriage]
결혼한 여자가 다른 남자에게 다시[再] 시집가는[嫁] 것. ¶그녀는 남편이 죽고 나서 1년 후에 재가를 했다. [비]개가(改嫁).

재ː개 再開 | 다시 재, 열 개 [resume; reopen]
끊기거나 쉬었던 회의 따위를 다시[再] 엶[開]. ¶국교 재개 / 양측은 협의를 통해 회담을 재개했다.

재ː건 再建 | 다시 재, 세울 건
[reconstruct; rebuild]
없어졌거나 허물어진 것을 다시[再] 일으켜 세움[建]. ¶숭례문 재건 / 지진이 일어났던 이 도시는 1년 후 완전히 재건되었다.

재ː고 再考 | 다시 재, 생각할 고
[reconsider; rethink]
한 번 정한 일을 다시[再] 한 번 생각함[考]. ¶그 계획은 재고의 여지가 없다.

재ː기 再起 | 다시 재, 일어날 기
[come back; rise again]
한 번 망하거나 실패했다가 다시[再] 일어나는[起] 일. ¶그는 재기의 발판을 마련했다 / 그는 재기에 성공했다.

재ː론 再論 | 다시 재, 말할 론
[argue again; reargue]
다시[再] 말하거나[論] 거론(擧論)함. ¶재론의 여지가 없다 / 그 일은 이후에 재론하기로 합시다.

재ː생 再生 | 다시 재, 날 생 [regenerate; recycle]
❶[속뜻] 죽게 되었다가 다시[再] 살아남[生]. ¶뇌세포는 한번 파괴되면 재생되지 않는다. ❷버리게 된 물건을 다시 살려서 쓰게 만듦. ¶재생 휴지 / 폐식용유를 재생하여 비누를 만들었다. [비]소생(蘇生).

재ː선 再選 | 다시 재, 가릴 선
[reelect; select a second time]
한 번 당선된 사람이 다시[再] 두 번째 당선(當選)됨. ¶재선의원(議員) / 그는 대통령에 재선되었다.

재ː연 再演 | 다시 재, 펼칠 연
[revive; break up again]
❶[속뜻] 다시[再] 공연(公演)함. ❷다시 되풀이함. ¶범인은 범행을 재연했다.

재ː차 再次 | 다시 재, 차례 차
[second time; twice]
다시[再] 온 두 번째 차례(次例). 두 번째. ¶답안지를 재차 확인하다. [비]거듭.

재ː청 再請 | 다시 재, 부탁할 청
[request a second time; second]
❶[속뜻] 다시[再] 부탁함[請]. ❷회의에서, 남의 동의를 찬성하여 거듭 청함. ¶그를 대표로 선출하자고 몇 사람이 재청했다. ❸출연자의 훌륭한 솜씨를 찬양하여 박수 따위로 재연을 청하는 일. ¶그의 연주가 끝나자 사람들은 재청을 외치기 시작했다.

재ː현 再現 | 다시 재, 나타날 현
[reappear; reemerge]
다시[再] 나타남[現]. 또는 나타냄. ¶사고 당시의 상황을 재현하다.

재ː혼 再婚 | 다시 재, 혼인할 혼 [remarry]
다시[再] 결혼(結婚)함. 또는 그 혼인. ¶그녀는 남편이 죽은 지 얼마 안 돼 재혼했다. [반]초혼(初婚).

재ː활 再活 | 다시 재, 살 활
[be rehabilitated; reform]
다시[再] 활동(活動)함. 또는 다시 활용함. ¶재활 훈련.

재ː회 再會 | 다시 재, 모일 회 [meet again]
다시[再] 만남[會]. ¶나는 옛 친구와 10년 만에 재회하였다.

0402 [초]

初

처음 초

[部] 刀부 [劃] 7획 [中] 初 [chū]

初 初 初 初 初 初 初

初자는 '옷 의'(衣)와 '칼 도'(刀) 둘 다가 표의요소로 쓰였다. 가위가 고안되기 전 아득한 옛날에 옷을 만들 때에는 먼저 칼로 짐승의 가죽을 자르는 것에서 시작하였으므로 '처음'(the beginning)이란 뜻을 이것으로 나타냈다고 한다.

초경 初經 | 처음 초, 지날 경
[first menstrual period; menarche]
첫[初] 월경(月經). ¶열세 살에 초경을 하다.

초급 初級 | 처음 초, 등급 급 [primary grade;

beginners class; elementary level]
첫[初] 번째 등급(等級). 초·중·고로 나누었을 때 가장 낮은 등급이나 단계. ¶초급 교재.

초기 初期 | 처음 초, 때 기 [early days; beginning]
첫[初] 번째 시기(時期). ¶암 같은 병도 초기에 발견하면 고칠 수 있다. (비)조기(早期). (반)말기(末期).

초년 初年 | 처음 초, 해 년
[first year; early years; one's young days]
❶속뜻 여러 해 걸리는 어떤 과정의 첫[初] 번째 해[年]. 또는 처음의 시기. ¶대학 초년에 비로소 깨닫다. ❷일생의 초기. 중년이 되기 전까지의 시기. ¶초년보다는 말년에 트일 운수.

초대 初代 | 처음 초, 시대 대 [first generation]
어떤 계통의 첫[初] 번째 사람. 또는 그 사람의 시대(時代). ¶초대 대통령.

초등 初等 | 처음 초, 무리 등 [elementary; primary]
차례로 올라가는 데 있어 첫[初]번째 등급(等級).

초면 初面 | 처음 초, 낯 면
[first meeting; seeing for the first time]
처음[初]으로 대하는 얼굴[面]. ¶초면에 실례하겠습니다. (반)구면(舊面).

초반 初盤 | 처음 초, 쟁반 반 [opening part]
❶속뜻 첫[初]번째 쟁반[盤]. ❷어떤 일이나 일정한 기간의 처음 단계. ¶10대 초반 / 경기 초반에는 상대팀이 이기고 있었다.

초보 初步 | 처음 초, 걸음 보
[first steps; beginner; early stage]
❶속뜻 첫[初] 번째 걸음[步]. ❷학문이나 기술 따위의 가장 낮고 쉬운 정도의 단계. ¶초보 운전 / 물리학을 초보부터 배우다.

초복 初伏 | 처음 초, 엎드릴 복
삼복(三伏)의 첫[初] 번째 복(伏)날.

초상 初喪 | 처음 초, 죽을 상
[(a period of) mourning]
❶속뜻 처음[初] 치르는 상(喪). ❷사람이 죽은 뒤 장사 지내기까지의 일. ¶초상을 치르다. 관용 초상난 집 같다.

초순 初旬 | 처음 초, 열흘 순
[first ten days of a month]
한 달의 첫[初] 번째 열흘[旬] 동안. (비)상순(上旬).

초엽 初葉 | 처음 초, 무렵 엽
[beginning; early days]
어떠한 시대를 처음·가운데·끝의 셋으로 나눌 때 첫[初] 번째 무렵[葉]. ¶20세기 초엽.

초장 初章 | 처음 초, 글 장 [first chapter]
문학 작품의 첫째[初] 장(章).

초지 初志 | 처음 초, 뜻 지
[one's original purpose]
처음[初]에 품은 뜻[志].

초판 初版 | 처음 초, 책 판 [first edition]
❶속뜻 처음[初] 출간한 책[版]. ❷출판 어떤 서적의 간본 중에 최초로 발행한 판. ¶초판은 일주일도 못 되어 매진되었다.

초행 初行 | 처음 초, 갈 행 [first trip]
처음[初]으로 감[行]. ¶초행이라 길을 잘 모르겠다.

• 역순어휘

당초 當初 | 당할 당, 처음 초 [initially; originally]
그[當] 처음[初]. (비)처음, 애초.

시:초 始初 | 처음 시, 처음 초 [beginning]
맨 처음[始=初]. ¶싸움의 시초는 사소한 오해였다.

연초 年初 | 해 년, 처음 초 [beginning of the year]
새해[年]의 첫머리[初]. (비)연시(年始), 정초(正初). (반)연말(年末).

월초 月初 | 달 월, 처음 초
[beginning of the month]
어느 달[月]이 시작되는[初] 무렵. ¶월초로 예정된 회합. (반)월말(月末).

자초 自初 | 부터 자, 처음 초
어떤 일이 비롯된 처음[初]부터[自].

정초 正初 | 정월 정, 처음 초
[first ten days of January]
정월(正月) 초순(初旬). 그 해의 맨 처음.

주초 週初 | 주일 주, 처음 초
[beginning of the week]
한 주(週)의 첫[初] 부분. ¶주초부터 일이 잘 안 풀린다. (반)주말(週末).

최:초 最初 | 가장 최, 처음 초
[first; beginning; outset]
가장[最] 처음[初]. 맨 처음. ¶최초의 여성 비행사 / 최초로 전구를 개발하다. (반)최후(最後).

태초 太初 | 클 태, 처음 초
[beginning of the world]
천지가 크게[太] 열린 그 시초(始初). 천지가 창조된 때. ¶태초에 우주는 하나의 점이었다고 한다.

0403 [칙]

則

법칙 칙, 곧 즉
(部) 刀부 (획) 9획 (中) 则 [zé]

則 則 則 則 則 則 則 則 則

則자가 원래는 '솥 정'(鼎)과 '칼 도'(刀→刂)가 조합된 것이었다가 '貝+刀'의 구조로 바뀐 것은 쓰기 편함을 추구한 결과다. '원칙'(a principle), '법칙'(a law), '규칙'(a rule) 같은 낱말의 한 구성요소로 쓰였다. 고전 문장, 즉 고문에서는 '곧'(then; namely)이란 뜻으로 많이 쓰이는데, 이 경우에는 [즉]이라 읽는다. 문장에만 쓰이기 때문에 한자어에서는 이러한 독음이 있을 수 없다.

[속뜻훈음] ①법 칙, ②곧 즉.

• 역순어휘

교:칙 校則 | 학교 교, 법 칙 [school regulations]
학교(學校)의 규칙(規則). ¶교칙을 준수하다. [비]학칙(學則).

규칙 規則 | 법 규, 법 칙 [rule; regulation]
국가나 어떤 단체에 속해 있는 사람의 행위. 또는 사무 절차 따위의 기준[規]으로 정해 놓은 준칙(準則). ¶경기 규칙 / 규칙을 어기다. [비]법칙(法則).

반:칙 反則 | 거꾸로 반, 법 칙
[violate the rules; foul]
주로 운동 경기 따위에서 규칙(規則)을 어김[反]. 또는 규칙에 어긋남. ¶농구에서는 다섯 번 반칙하면 퇴장을 당한다.

벌칙 罰則 | 벌할 벌, 법 칙 [penal regulations]
법규를 어겼을 때의 처벌(處罰)을 정해 놓은 규칙(規則). ¶벌칙에 따라 처벌하다.

범:칙 犯則 | 어길 범, 법 칙 [infringe regulations]
규칙(規則)을 어김[犯]. ¶범칙 행위.

법칙 法則 | 법 법, 법 칙 [law; rule]
❶[속뜻] 방법(方法)과 규칙(規則). ❷반드시 지켜야만 하는 규범. ❸[철학] 일정한 조건 아래서 반드시 성립되는 사물 상호간의 필연적·본질적인 관계. ¶자연의 법칙.

변:칙 變則 | 바뀔 변, 법 칙 [irregularity]
보통의 규칙이나 원칙(原則)을 바꾼[變] 형태나 형식. ¶세금부과를 피하려고 변칙으로 회사를 운영하다. [비]변격(變格). [반]정칙(正則).

수칙 守則 | 지킬 수, 법 칙 [rules; directions]
행동이나 절차에 관하여 지켜야[守] 할 사항을 정한 규칙(規則). ¶근무수칙 / 안전 수칙.

원칙 原則 | 본디 원, 법 칙
[fundamental rule; general rule]
원래(原來) 지켜야 할 규칙이나 법칙(法則). ¶학교생활에서는 원칙을 따르는 것이 중요하다. [비]본칙(本則).

철칙 鐵則 | 쇠 철, 법 칙
[ironclad rule; strict regulation]
쇠[鐵]처럼 굳은 법칙(法則). 변경하거나 어길 수 없는 규칙. ¶어떤 경우에도 때리지 않는다는 게 내 철칙이다.

학칙 學則 | 배울 학, 법 칙 [school regulations]
학교(學校)에 관련된 규칙(規則). 교육 과정, 운영에 관한 규칙. ¶학칙을 어기다.

회:칙 會則 | 모일 회, 법 칙 [rules of a society]
어떤 모임[會]의 규칙(規則). ¶회칙을 정하다.

0404 [망]

망할 망
[部] 亠부 [畫] 3획 [中] 亡 [wáng]

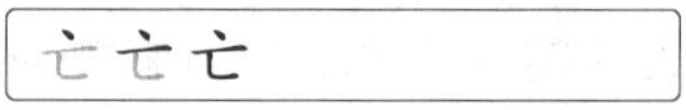

亡자의 원형에 대한 풀이는 여러 설이 있는데, 부러진 칼날을 가리킨다는 설이 가장 유력하다. '망하다'(perish), '죽다'(die), '달아나다'(run away)는 뜻으로 쓰인다.

[속뜻훈음] ①망할 망, ②달아날 망, ③죽을 망.

망국 亡國 | 망할 망, 나라 국 [national ruin]
망(亡)한 나라[國]. ¶망국의 한(恨)을 노래하다. [반]건국(建國).

망명 亡命 | 달아날 망, 목숨 명
[exile oneself; seek refuge]
❶[속뜻] 달아나[亡] 목숨[命]을 유지함. ❷혁명 또는 그 밖의 정치적인 이유로 자기 나라에서 박해를 받고 있거나 박해를 받을 위험이 있는 사람이 이를 피하기 위하여 외국으로 몸을 옮김. ¶망명을 가다 / 망명길에 오르다.

망신 亡身 | 망할 망, 몸 신 [loss of reputation]
❶[속뜻] 몸[身]을 망(亡)침. ❷말이나 행동을 잘못하여 자기 명예, 체면 따위가 구겨짐. ¶망신을 당하다 / 망신을 주다.

• 역순어휘

도망 逃亡 | 달아날 도, 달아날 망
[escape; runaway]
살기 위하여 달아남[逃=亡]. ¶도망 중인 용의자 / 슬그머니 도망가다 / 간신히 도망치다. [비]도주(逃走).

멸망 滅亡 | 없앨 멸, 망할 망 [fall; collapse]
망(亡)하여 없어짐[滅]. ¶파괴된 환경은 인류를 멸망시킬 것이다.

사:망 死亡 | 죽을 사, 죽을 망 [dead; decease]
사람의 죽음[死=亡]. ¶비행기 추락 사고로 탑승자 전원이 사망했다. [반]출생(出生).

존망 存亡 | 있을 존, 망할 망 [life or death]

존속(存續)과 멸망(滅亡). 생존(生存)과 사망(死亡). ¶그것은 우리의 존망이 달린 문제이다.

패:망 敗亡 | 패할 패, 망할 망
[collapse; be completely defeated]
❶속뜻 전쟁에 져서[敗] 망(亡)함. ¶독일은 2차 세계대전에서 패망했다. ❷싸움에 져서 죽음.

흥망 興亡 | 일어날 흥, 망할 망
[rise and fall; ups and downs]
일어남[興]과 망(亡)함. 부흥과 멸망. ¶로마제국의 흥망.

0405 [가]

加 더할 가
部 力부 획 5획 中 加 [jiā]
加 加 加 加 加

加자는 '힘 력'(力)과 '입 구'(口)가 합쳐진 것으로 '힘주어 말하다'(emphasize one's words)가 본래 의미인데, '더하다'(add up)는 뜻으로 많이 쓰인다.

가감 加減 | 더할 가, 덜 감 [add and subtract]
❶속뜻 더하기[加]와 빼기[減]. ❷적당히 조절함. ¶수요에 따라

가공 加工 | 더할 가, 장인 공 [process]
❶속뜻 인공(人工)을 더함[加]. ❷법률 남의 소유물에 노력을 더하여 새로운 물건을 만들어 내는 일. ¶꽁치를 가공해서 통조림으로 만들었다. 비 인공(人工), 수공(手工). 반 천연(天然).

가담 加擔 | 더할 가, 멜 담 [participate]
무리에 가입(加入)해 일을 함께 해 나가다[擔]. 일을 거들어 도와줌. ¶시위에 가담하다.

가맹 加盟 | 더할 가, 맹세할 맹 [join]
연맹(聯盟)에 가입(加入)함. ¶유엔 가맹 국가.

가미 加味 | 더할 가, 맛 미 [season to; add]
❶속뜻 음식에 다른 재료를 더하여[加] 맛[味]을 좋게 하다. ¶바닐라 맛을 가미하다. ❷다른 요소를 보태어 넣다.

가산 加算 | 더할 가, 셀 산 [add; include]
❶속뜻 더하여[加] 계산(計算)하다. 또는 그러한 셈법. ❷수학 덧셈. ¶원금에 이자를 가산하다. 반 감산(減算).

가세 加勢 | 더할 가, 힘 세 [aid; assistance]
힘[勢]을 보태다[加]. 어떤 세력에 끼어들다. ¶일반 시민들까지 가세하여 범인을 잡았다.

가속 加速 | 더할 가, 빠를 속
[increase speed; speed up]
❶속뜻 속도(速度)를 더함[加]. ❷속도가 더해짐. ¶열차에 가속이 붙었다. 반 감속(減速).

가열 加熱 | 더할 가, 더울 열 [heat]
❶속뜻 어떤 물질에 열(熱)을 더함[加]. ❷열을 더 세게 하다. ¶먼저 솥을 가열한 뒤 재료를 넣는다.

가외 加外 | 더할 가, 밖 외 [extra]
일정한 기준이나 정도 이외(以外)에 더함[加]. ¶품삯과 더불어 가외로 물건을 더 받았다.

가입 加入 | 더할 가, 들 입 [join; enter]
❶속뜻 이미 있는 것에 새로 더[加] 넣음[入]. ❷단체에 들어감. ¶유엔에 가입하다.

가중 加重 | 더할 가, 무거울 중 [weight; increase]
❶속뜻 더[加] 무거워짐[重]. ¶국민 부담이 가중되다. ❷법률 죄가 더 무거워짐. 형벌을 더 무겁게 함. ¶형을 가중하다. 반 감경(減輕).

가해 加害 | 더할 가, 해칠 해 [do harm]
해(害)를 끼침[加]. ¶동물을 가해하는 행위를 법으로 금지하고 있다. 반 피해(被害).

가호 加護 | 더할 가, 돌볼 호 [protect]
보호(保護)해 줌[加]. ¶신의 가호를 빌다. 비 보살핌.

• 역순어휘

부:가 附加 | 붙을 부, 더할 가 [add]
이미 있는 것에 붙여[附] 더함[加]. 덧붙임. ¶부가 서비스

증가 增加 | 더할 증, 더할 가 [increase]
수나 양을 더하고[增] 또 더함[加]. 많아짐. ¶인구 증가 / 도서관의 책이 매년 증가하고 있다. 반 감소(減少).

참가 參加 | 참여할 참, 더할 가 [participate; join]
어떤 모임이나 단체의 일에 참여(參與)하여 가입(加入)함. ¶행사에 참가하다. 반 불참(不參).

첨가 添加 | 더할 첨, 더할 가 [add]
이미 있는 데에 덧붙이거나[添] 보탬[加]. ¶방부제를 첨가하지 않은 제품. 반 삭제(削除).

추가 追加 | 따를 추, 더할 가 [add; supplement]
뒤따라[追] 더함[加]. ¶추가 비용을 부담하다 / 고기 2인분을 추가하다.

0406 [랭]

冷 찰 랭:
部 冫부 획 7획 中 冷 [lěng]
冷 冷 冷 冷 冷 冷 冷

冷자는 '차갑다'(cold; icy)는 뜻을 나타내기 위한 글자였

으니, '얼음 빙'(冫)이 표의요소로 발탁됐다. 냉면 그릇에 띄워 놓은 두 개의 얼음 덩어리가 연상되는 대목이다. 令(명령 령)은 표음요소였다.

냉:각 冷却 | 찰 랭, 물리칠 각 [cool; refrigerate]
차게 하여[冷] 따뜻한 기운을 물리침[却]. 차게 함. ¶물을 냉각시키다.

냉:기 冷氣 | 찰 랭, 공기 기 [cool air]
찬[冷] 공기(空氣). 찬 기운. ¶집에 냉기가 돌다. (비)한기(寒氣). (반)온기(溫氣).

냉:담 冷淡 | 찰 랭, 맑을 담
[cold hearted; indifferent]
마음이 차갑고[冷] 담담(淡淡)함. 무슨 일에도 쌀쌀맞고 무관심함. ¶냉담한 태도. (비)냉정(冷情).

냉:대¹ 冷待 | 찰 랭, 대접할 대 [treat coldly]
냉담(冷淡)하게 대접(待接)함. 푸대접함. ¶손님을 냉대하다. (반)환대(歡待).

냉:대² 冷帶 | 찰 랭, 띠 대 [subarctic regions]
[지리] 날씨나 기후가 차가운[冷] 지대(地帶). 온대(溫帶)와 한대(寒帶)의 사이이다. ¶러시아는 냉대에 속한다.

냉:동 冷凍 | 찰 랭, 얼 동 [freeze]
냉각(冷却)시켜서 얼림[凍]. ¶생선을 냉동시키다. (반)해동(解凍).

냉:랭 冷冷 | 찰 랭, 찰 랭 [icy; cold hearted]
❶[속뜻] 쌀쌀하게 차다[冷+冷]. ¶냉랭한 밤공기. ❷태도가 몹시 쌀쌀하다. ¶양국의 관계가 냉랭하다.

냉:매 冷媒 | 찰 랭, 맺어줄 매 [refrigerant]
[물리] 냉각(冷却)이 되도록 맺어주는[媒] 물체.

냉:면 冷麵 | 찰 랭, 국수 면
찬국이나 동치밋국 같은 것에 말아서 차게[冷] 먹는 국수[麵]. (반)온면(溫麵).

냉:방 冷房 | 찰 랭, 방 방 [air-condition a room]
❶[속뜻] 불을 피우지 않아 차게[冷] 된 방(房). ❷더위를 막기 위해 실내의 온도를 낮추는 일. ¶날이 더우니 냉방해 주십시오. (반)난방(煖房).

냉:소 冷笑 | 찰 랭, 웃을 소 [cold smile]
쌀쌀한[冷] 태도로 비웃음[笑]. ¶얼굴에 냉소를 띠고 있다.

냉:수 冷水 | 찰 랭, 물 수 [cold water]
찬[冷] 물[水]. ¶냉수를 한 잔 마시다. (반)온수(溫水).

냉:엄 冷嚴 | 찰 랭, 엄할 엄 [grim; stern; strict]
❶[속뜻] 태도가 냉정(冷情)하고 엄숙(嚴肅)하다. ❷상황이 적당히 할 수 없게 분명하고 확실하다. ¶냉엄한 현실과 맞닥뜨리다.

냉:장 冷藏 | 찰 랭, 감출 장 [refrigerate]
차게[冷] 하기 위하여 저온에서 저장(貯藏)하는 일. (반)온장(溫藏).

냉:전 冷戰 | 찰 랭, 싸울 전 [cold war]
[정치] 군사 행동까지는 이르지 않지만 냉담(冷淡)하게 서로 적대시하고 있는 국가 간의 대립[戰] 상태. ¶1980년대 독일의 냉전 체제는 막을 내렸다. (반)열전(熱戰).

냉:정¹ 冷情 | 찰 랭, 마음 정
[cold; cold hearted]
❶[속뜻] 차가운[冷] 마음[情]. ❷인정이 없이 쌀쌀하다. ¶냉정한 표정.

냉:정² 冷靜 | 찰 랭, 고요할 정 [calm; cool]
❶[속뜻] 마음을 식히고[冷] 차분히[靜]하다. ❷감정에 따라 움직이지 않고 침착하다. ¶상황을 냉정하게 판단하다.

냉:채 冷菜 | 찰 랭, 나물 채
익히지 않고 차게[冷] 조리하여 먹는 나물[菜].

냉:철 冷徹 | 찰 랭, 통할 철
[cool-headed; realistic]
냉정(冷靜)하고 철저(徹底)함. ¶문제를 냉철하게 분석하다.

냉:탕 冷湯 | 찰 랭, 욕탕 탕 [cold bath]
차가운[冷] 물을 채운 목욕탕(沐浴湯). (반)온탕(溫湯).

냉:해 冷害 | 찰 랭, 해칠 해
[cold weather damage]
찬[冷] 기온으로 생기는 농작물 피해(被害). ¶비닐을 덮어두면 냉해를 막을 수 있다.

냉:혈 冷血 | 찰 랭, 피 혈 [cold bloodedness]
❶[속뜻] 차가운[冷] 피[血]. ❷[동물] 체온이 바깥 기온보다 낮은 상태. ❸'인간다운 정이 없이 냉정함'을 비유적으로 이르는 말. ¶그는 냉혈한(冷血漢)이다. (반)온혈(溫血).

냉:혹 冷酷 | 찰 랭, 독할 혹 [cruel; heartless]
사람을 대하는 태도가 차갑고[冷] 독하다[酷]. ¶냉혹한 현실 / 그는 냉혹하기 짝이 없다. (비)가혹(苛酷)하다.

• 역순어휘

한랭 寒冷 | 찰 한, 찰 랭 [cold; coldness]
춥고[寒] 또 참[冷]. 매우 추움.

0407 [거]

去	갈 거: (부) 厶부 (획) 5획 (중) 去 [qù] 去 去 去 去 去

去자는 '흙 토'(土)와 '개인 사'(厶)의 조합으로 보면 큰 오

산이다. 土는 성인의 모습인 '큰 대'(大)가 잘못 변한 것이고, 厶는 '움집'을 가리키는 凵(감)이 잘못 변화된 것이다. 집을 나서는 어른의 모습을 통하여 '(떠나) 가다'(leave)는 뜻을 나타냈다. 후에 '없애다'(get rid of)는 뜻도 이것으로 나타냈다.

속뜻훈음 ①갈 거, ②없앨 거.

거:래 去來 | 갈 거, 올 래 [have dealings]
❶속뜻 가고[去] 옴[來]. ❷상품을 팔고 사들이는 일. 돈을 주고받는 일. ¶상인들의 거래가 활발하다. ❸영리 목적의 경제 행위. ❹서로의 이해득실에 관련되는 교섭. ¶거래해 주셔서 감사합니다. ⓑ왕래(往來).

• 역순어휘

과:거 過去 | 지날 과, 갈 거 [past]
지나[過] 감[去]. 또는 그때. 지난번. ¶과거는 돌이킬 수 없다. ⓑ미래(未來), 현재(現在).

서:거 逝去 | 죽을 서, 갈 거
[die; decease; pass away]
죽어[逝] 이 세상을 떠나감[去]. '사거'(死去)의 높임말. ¶대통령이 서거했다.

수거 收去 | 거둘 수, 갈 거 [take away; remove]
거두어[收] 감[去]. ¶분리수거 / 집배원이 우편물을 수거해 갔다.

제거 除去 | 덜 제, 없앨 거
[remove; exclude; eliminate]
덜어[除] 없앰[去]. ¶불순물 제거 / 친일파 제거 / 악취 제거.

철거 撤去 | 거둘 철, 갈 거
[remove; pull down; demolish]
건물이나 시설 따위를 치우거나 거두어[撤] 감[去]. ¶저 건물은 곧 철거될 것이다.

0408 [탁]

卓 높을 탁
部 十부 劃 8획 中 卓 [zhuō]
卓 卓 卓 卓 卓 卓 卓 卓

卓자의 원형은 높이 나는 새를 그물로 쳐서 잡는 모양이라고 한다. '높다'(high; tall), '뛰어나다'(be excellent)는 뜻으로 쓰인다.

속뜻훈음 ①높을 탁, ②뛰어날 탁.

탁구 卓球 | 높을 탁, 공 구
[ping pong; table tennis]
운동 탁자(卓子)에서 라켓으로 공[球]을 쳐 넘겨 승부를 겨루는 경기.

탁상 卓上 | 높을 탁, 위 상 [on the table]
책상이나 식탁 따위 탁자(卓子)의 위[上].

탁월 卓越 | 뛰어날 탁, 뛰어날 월 [excellent]
매우 뛰어나다[卓=越]. ¶이 약은 기침에 탁월한 효능이 있다.

탁자 卓子 | 높을 탁, 접미사 자 [table]
무엇을 올려놓는 데 쓰는 높은[卓] 가구[子]. ¶탁자에 둘러앉다.

• 역순어휘

교:탁 教卓 | 가르칠 교, 높을 탁 [teacher's desk]
글을 가르칠[教] 때 책 따위를 올려놓는 탁자(卓子).

식탁 食卓 | 밥 식, 높을 탁 [dining table]
음식(飮食)을 먹을 때 사용하는 탁자(卓子). ¶모두가 식탁에 둘러앉아 저녁을 먹었다.

원탁 圓卓 | 둥글 원, 높을 탁 [round table]
둥근[圓] 탁자(卓子). ¶원탁토의.

0409 [원]

原 언덕 원
部 厂부 劃 10획 中 原 [yuán]
原 原 原 原 原 原 原 原 原 原

原자는 산언덕 밑 계곡 같은 데에서 물이 솟아 흐르는 모습을 본뜬 것으로 '수원'(水源, a riverhead)이 본래 의미이다. 후에 '본디'(the origin), '언덕'(a hill), '들판'(a plain) 등으로 확대 사용되는 예가 많아지자, 본래 의미는 '물 수'(水→氵)를 첨가시킨 源(근원 원, #0869)자를 만들어 나타냈다.

속뜻훈음 ①본디 원, ②들판 원.

원가 原價 | 본디 원, 값 가
[cost price; prime cost]
경제 ❶원래(原來)의 값[價]. 처음 사들일 때의 값. ❷제품의 생산이나 공급에 쓰인 순수비용. ¶원가 산출.

원고¹ 原告 | 본디 원, 알릴 고 [plaintiff; suitor]
❶속뜻 원래(原來) 고소(告訴)한 사람. ❷법률 법원에 민사소송을 제기하여 재판을 청구한 사람. ⓑ피고(被告).

원고² 原稿 | 본디 원, 초안 고
[draft; manuscript; article]
❶속뜻 맨 처음에[原] 쓴 초안[稿]. ❷인쇄하거나 발표

하기 위하여 쓴 글이나 그림 따위. ¶교내 웅변대회 원고를 쓰다.

원광 原鑛 | 본디 원, 쇳돌 광
[광업] 제련하지 않은 원래(原來)의 광석(鑛石).

원단 原緞 | 본디 원, 비단 단 [fabric]
원료(原料)가 되는 비단[緞] 같은 천. ¶이 옷은 고급 원단을 사용하여 만들었다.

원동 原動 | 근원 원, 움직일 동
[motive for action; prime]
움직임[動]을 일으키는 기본 바탕[原].

원래 原來 | =元來, 본디 원, 올 래
[originally; primarily]
처음[原] 이래(以來)로. 중국에서는 元來로 쓰다가 명나라 때 元자를 싫어하여 原來로 고쳤다는 설이 있다. ¶그는 원래 친절한 사람이다. [비]본디, 본래(本來).

원료 原料 | 본디 원, 거리 료
[raw material; materials]
바탕[原]이 되는 재료(材料). ¶콩은 두부의 원료이다.

원리 原理 | 본디 원, 이치 리
[principles; fundamental truth]
사물의 기본[原]이 되는 이치(理致)나 법칙. ¶자연의 원리.

원목 原木 | 본디 원, 나무 목 [raw timber]
가공하지 아니한 원래(原來)의 통나무[木]. ¶이 침대는 원목으로 만들었다.

원본 原本 | 본디 원, 책 본
[original copy; original text]
등사나 초록, 개정, 번역 따위를 하기 전의 본디[原]의 책[本]. [반]사본(寫本).

원사 原絲 | 본디 원, 실 사
직물의 원료(原料)가 되는 실[絲]. ¶수공업으로 원사를 생산하다.

원산 原産 | 본디 원, 낳을 산 [origin of a product]
어떤 곳에서 처음[原]으로 생산(生産)되는 일. 또는 그 물건. ¶열대 원산의 식물.

원상 原狀 | 본디 원, 형상 상
[original state; former condition]
본디[原]의 상태(狀態). 원래 있던 그대로의 상태. ¶1시간 안에 원상 회복(回復)해 놓아라.

원색 原色 | 본디 원, 빛 색
[primary color; original color]
❶[속뜻] 본디[原]의 색(色). ❷모든 빛깔의 바탕이 되는 빛깔. 빨강, 노랑, 파랑을 이른다. ❸천연색(天然色). ¶원색 사진.

원석 原石 | 본디 원, 돌 석 [raw ore; ore]
[광업] 파낸 그대로의[原] 광석(鑛石). ¶우라늄 원석을 농축하면 핵무기의 원료가 된다.

원시 原始 | =元始, 본디 원, 처음 시
[beginning; origin]
❶[속뜻] 근원[原]과 처음[始]. ❷처음 시작된 그대로 있어 발달하지 아니한 상태. ¶동굴벽화를 통해 원시민족의 생활을 엿볼 수 있다 / 폭력은 원시적인 해결책이다.

원유¹ 原油 | 본디 원, 기름 유 [crude oil]
땅속에서 뽑아낸 정제하지 아니한 본디[原] 상태의 기름[油]. ¶말레이시아도 원유를 생산한다.

원유² 原乳 | 본디 원, 젖 유
[cows milk; raw milk]
가공하지 않은 원래(原來) 상태의 우유(牛乳). ¶원유의 맛은 상당히 다르다.

원인 原因 | 본디 원, 까닭 인
[be caused by; originate in]
가장 근본적인[原] 요인(要因). ¶원인을 알아야 속이 시원해진다. [비]이유(理由). [반]결과(結果).

원자 原子 | 본디 원, 씨 자 [atom; corpuscle]
[화학] 물질을 구성하는 기본적[原] 입자(粒子). 각 원소 각기의 특성을 잃지 않는 범위에서 가장 작은 미립자.

원작 原作 | 본디 원, 지을 작
[original (work) of art]
❶[속뜻] 본디[原]의 저작물(著作物). ❷[문학] 연극이나 영화의 각본으로 각색되거나 다른 나라의 말로 번역되기 이전의 본디 작품. ¶원작에 충실한 번역.

원점 原點 | 본디 원, 점 점 [starting point; origin]
❶[속뜻] 시작[原]이 되는 출발점(出發點). 또는 근본이 되는 본래의 점. ¶원점에서 다시 이야기해 보자. ❷[수학] 좌표를 정할 때에 기준이 되는 점. 수직선 위의 0에 대응하는 점이며 평면이나 공간에서 좌표축들의 교점이다.

원제 原題 | 본디 원, 제목 제 [original title]
본디[原]의 제목(題目). '원제목'의 준말.

원주 原住 | 본디 원, 살 주
어떤 곳에 본디[原]부터 살고 있음[住].

원칙 原則 | 본디 원, 법 칙
[fundamental rule; general rule]
원래(原來) 지켜야 할 규칙이나 법칙(法則). ¶학교생활에서는 원칙을 따르는 것이 중요하다. [비]본칙(本則).

• 역순어휘 •

고원 高原 | 높을 고, 들판 원 [plateau; tableland]
[지리] 높은[高] 산지에 펼쳐진 넓은 들판[原]. ¶고원 지대에서는 양과 염소를 기르기도 한다.

병:원 病原 | 병 병, 본디 원 [cause of a disease]

[의학] 병(病)의 원인(原因)이나 근원. ¶병원을 찾다. [비] 병근(病根), 병인(病因).

초원 草原 | 풀 초, 들판 원 [plain; grassland]
온통 풀[草]로 뒤덮여 있는 들판[原]. ¶초원을 뛰노는 양떼.

평원 平原 | 평평할 평, 들판 원 [plain]
평평(平平)한 넓은 들판[原]. ¶눈앞에 넓은 평원이 펼쳐졌다.

0410 [건]

件
물건 건
[部] 人부 [畫] 6획 [中] 件 [jiàn]
件 件 件 件 件 件

件자는 '토막 내다'(chop up)가 본뜻이다. 소 잡는 사람[人]이 소[牛]의 고기를 토막 내는 것을 연상할 수 있도록 두 개의 힌트가 주어져 있다. '구분하다'(classify; sort), '것'(a one; the one) 등의 뜻으로도 쓰이며, '물건'(an article), '사건'(an accident), '조건'(a condition) 같은 낱말의 한 구성 요소로 쓰이기도 한다.

[속뜻훈음] ①**구분할 건**, ②**물건 건**, ③**사건 건**, ④**조건 건**.

건수 件數 | 사건 건, 셀 수 [number of items]
사물이나 사건(事件)의 가지 수(數). ¶상담 건수.

• 역순어휘

문건 文件 | 글월 문, 것 건 [official document]
공적인 문서(文書) 같은 것[件]. ¶그 문건을 잘 보관해 두었다.

물건 物件 | 만물 물, 것 건 [thing; object; article]
❶[속뜻] 물품(物品) 같은 것[件]. ¶사용하신 물건은 제자리에 두세요. ❷사고파는 물품. ¶물건 값을 치르다.

사:건 事件 | 일 사, 것 건 [event; occurrence]
❶[속뜻] 일[事] 같은 것[件]. ❷문제가 되거나 관심을 끌 만한 일. ¶사건을 발생하였다.

안:건 案件 | 생각 안, 것 건 [item]
❶[속뜻] 더 생각[案]해 보아야 할 것[件]. ❷토의하거나 조사해야 할 사실. ¶별다른 안건이 없어 회의는 일찍 끝났다. [준] 안.

여:건 與件 | 줄 여, 조건 건 [given condition]
주어진[與] 조건(條件). ¶그는 열악한 여건 속에서도 열심히 공부했다.

요건 要件 | 구할 요, 조건 건 [necessary condition]
필요(必要)한 조건(條件). ¶자격 요건.

용:건 用件 | 쓸 용, 물건 건 [matter of business]
❶[속뜻] 사용(使用)되는 물건(物件). ❷해야 할 일. ¶용건만 간단히 말하다. [비] 볼일, 용무(用務).

인건 人件 | 사람 인, 구분할 건 [personal affairs]
❶[속뜻] 사람[人]에 속하는 것으로 구분되는[件] 것. ❷인사(人事)에 관한 일.

입건 立件 | 설 립, 사건 건 [book on charge]
[법률] 범죄 사실을 인정하여 사건(事件)을 성립(成立) 시킴. ¶형사 입건 / 경찰은 그를 폭행 혐의로 입건했다.

조건 條件 | 가지 조, 구분할 건 [condition]
❶[속뜻] 각가지[條]로 나누어 구분한[件] 사항. ❷어떤 일을 결정하기에 앞서 내놓는 요구나 견해. ¶협상 조건을 제시하다.

0411 [건]

健
굳셀 건:
[部] 人부 [畫] 11획 [中] 健 [jiàn]
健 健 健 健 健 健 健 健 健 健 健

健자는 '사람 인'(人)이 표의요소이고, 建(세울 건)은 표음요소이니 뜻과는 상관이 없다. '단짝'(an intimate friend)이 본뜻인데, '튼튼하다'(healthy), '굳세다'(vigorous)는 뜻으로도 활용됐다.

[속뜻훈음] ①**튼튼할 건**, ②**굳셀 건**.

건:강 健康 | 튼튼할 건, 편안할 강 [health; fit]
❶[속뜻] 육체가 튼튼하고[健] 마음이 편안함[康]. ¶담배는 건강에 해롭다. ❷의식이나 사상이 바르고 건실함. [반] 허약(虛弱).

건:망 健忘 | 튼튼할 건, 잊을 망 [oblivion]
❶[속뜻] 몸은 튼튼한데[健] 정신이 허약하여 잘 잊어버림[忘]. ❷[의학] 건망증(健忘症).

건:실 健實 | 굳셀 건, 열매 실 [steady; reliable]
❶[속뜻] 건전(健全)하고 착실(着實)하다. ¶건실한 생활. ❷몸이 건강하다.

건:아 健兒 | 튼튼할 건, 아이 아 [vigorous youth]
❶[속뜻] 튼튼한[健] 아이[兒]. ❷씩씩하고 굳센 사나이. ¶대한의 건아.

건:장 健壯 | 튼튼할 건, 씩씩할 장 [strong; healthy]
몸이 튼튼하고[健] 씩씩하다[壯]. ¶건장한 남자 셋이 집으로 들어왔다.

건:재 健在 | 튼튼할 건, 있을 재 [being well]
아무 탈 없이 튼튼하게[健] 잘 있음[在]. ¶그의 사업은 건재하다.

건:전 健全 | 굳셀 건, 온전할 전 [healthy; wholesome]
❶속뜻 굳세고[健] 온전(穩全)함. ¶건전한 신체에 건전한 정신이 깃든다. ❷조직 따위의 활동이나 상태가 건실하고 정상임. ¶그 기업은 건전하게 잘 운영되고 있다.

건:투 健鬪 | 굳셀 건, 싸울 투 [good fight]
굳세게[健] 잘 싸움[鬪]. 씩씩하게 잘해 나감. ¶건투를 빈다.

• 역순어휘

강건 強健 | 굳셀 강, 튼튼할 건 [strong]
몸이 굳세고[強] 튼튼하다[健]. ¶강건한 신체. 반 병약(病弱)하다.

보:건 保健 | 지킬 보, 튼튼할 건 [keep a health]
건강(健康)을 잘 지켜[保]나감.

온:건 穩健 | 평온할 온, 튼튼할 건 [be moderate]
생각이나 행동 따위가 평온(平穩)하고 건실(健實)함. ¶온건 계층 / 온건 개혁파 / 온건한 사상.

0412 [배]

倍
곱 배:
部 人부 劃 10획 中 倍 [bèi]
倍 倍 倍 倍 倍 倍 倍 倍 倍 倍

倍자는 '등지고 돌아서다'(betray)는 뜻을 나타내기 위하여 '사람 인'(亻)이 표의요소로 쓰였다. 그 나머지가 표음요소임은 培(북돋울 배), 陪(쌓아올릴 배)도 마찬가지다. '갑절'(=곱, double)이란 뜻과 관련 있는 낱말의 한 구성 요소로도 쓰인다.

배:수 倍數 | 곱 배, 셀 수 [multiple]
어떤 수의 갑절[倍]이 되는 수(數). ¶6은 2의 배수이다.

배:율 倍率 | 곱 배, 비율 률 [magnification]
실제 도형이나 그림의 크기를 곱[倍]으로 축소 또는 확대한 비율(比率). ¶배율이 높은 망원경.

0413 [억]

億
억[數字] 억
部 人부 劃 15획 中 亿 [yì]
億 億 億 億 億 億 億 億 億 億 億 億 億 億 億

億은 본래 '편안하다'(comfortable)는 뜻을 위하여 고안된 것으로 '사람 인'(亻)이 표의요소이고, 意(뜻 의)가 표음요소임은 憶(생각할 억), 臆(가슴 억)도 마찬가지다. 후에 숫자 '억'과 음이 같았기에 '억'(one hundred million)이란 뜻으로 활용되었다. 千(일천 천), 萬(일만 만)과의 형평성을 고려하여 '억 억'하지 않고, '일억 억'이라 하기로 한다.
속뜻 훈음 **일억 억.**

억만 億萬 | 일억 억, 일만 만 [myriads; countless numbers]
억(億)의 만(萬)이나 될 만큼 많은 수.

• 역순어휘

수:억 數億 | 셀 수, 일억 억 [several millions]
몇[數] 억(億). ¶수억 원의 돈을 사업에 투자했다.

0414 [령]

令
하여금 령(:)
部 人부 劃 5획 中 令 [lìng, lǐng]
令 令 令 令 令

令자는 '시키다'(command)는 뜻을 나타내기 위하여, 집 안에서 무릎을 꿇고 앉아 있는 사람의 모습을 본뜬 것이었다. 남의 식구에 대한 '경칭'(a term of respect)으로도 쓰였다. '명령'(an order; a command)과 의미상 연관이 있는 낱말의 한 구성 요소로 많이 쓰인다.
속뜻 훈음 **①시킬 령, ②명령 령.**

영:감 令監 | 시킬 령, 볼 감 [old man; one's husband]
❶속뜻 명령(命令)하고 감찰(監察)하는 사람. ❷나이가 많아 중년이 지난 남자를 대접하여 이르는 말. ¶스크루지 영감. ❸나이 든 부부 사이에서 아내가 그 남편을 이르는 말. ¶이 목걸이는 우리 영감이 사준 거예요.

영장 令狀 | 명령 령, 문서 장 [warrant]
❶속뜻 명령(命令)의 뜻을 기록한 문서[狀]. ❷군대의 소집이나 징집을 명령한 관청에서 보내는 문서. ¶동생은 영장을 받고 군에 입대했다. ❸법률 사람 또는 물건에 대하여 압수, 체포 따위를 허락하는 내용을 담아 법원 또는 법관이 발부하는 서류. ¶법원은 심 씨에 대해 구속 영장을 발부했다.

• 역순어휘

가:령 假令 | 임시 가, 명령 령 [if; suppose]

가정(假定)하여 말하면[令]. ¶가령 한 권에 2천 원이라면 / 가령 이렇게 한다면 어떻게 될까? [비]예를 들면, 예컨대.

구:령 口令 | 입 구, 명령 령 [command; order]
여러 사람이 일정한 동작을 일제히 취하도록 하기 위하여 지휘자가 입[口]으로 내리는 간단한 명령(命令). ¶구령에 따라 움직였다. [비]호령(號令).

대:령 待令 | 기다릴 대, 명령 령
[wait for an order]
명령(命令)을 기다림[待]. [비]대기(待機).

명:령 命令 | 명할 명, 시킬 령 [order; command]
❶[속뜻]명(命)을 내려 시킴[令]. ❷윗사람이 아랫사람에게 시킴. ❸컴퓨터에 동작을 지시하는 것.

발령 發令 | 드러낼 발, 명령 령 [give an order]
사령(辭令), 경보 따위를 발표(發表)하거나 공포함. ¶인사 발령을 받다 / 태풍 경보가 발령되었다.

법령 法令 | 법 법, 명령 령 [law]
[법률]법률(法律)과 명령(命令). ¶관계 법령을 개정하다. [준]영.

사:령[1] 使令 | 부릴 사, 시킬 령
[decree of amnesty]
❶[속뜻]부리거나[使] 시킴[令]. ❷[역사]조선 시대에, 각 관아에서 심부름하던 사람.

사령[2] 司令 | 맡을 사, 명령 령
[position of command]
[군사]최고 지휘관의 명령[令]에 관한 일을 맡음[司].

설령 設令 | 세울 설, 시킬 령
[even if; even though]
❶[속뜻]가령(假令)이라는 말을 설정(設定)함. ❷그렇다 하더라도. ¶설령 그가 오지 않더라도 나는 상관없다. [비]설사(設使), 설혹(設或).

수령 守令 | 지킬 수, 시킬 령 [magistrate]
❶[속뜻]고을을 지키고[守] 부하를 시킴[令]. ❷[역사]고려·조선 시대에, 각 고을을 맡아 다스리던 관리. 절도사, 관찰사, 목사, 부사, 군수, 현감, 현령 따위.

율령 律令 | 법 률, 명령 령 [law; statute]
[법률]형률(刑律)과 법령(法令). 모든 법률을 말한다. ¶백제의 고이왕(古爾王)은 율령(律令)을 반포했다.

지령 指令 | 가리킬 지, 명령 령 [order; notify]
활동 방침에 관한 지시(指示)와 명령(命令). ¶지령을 내리다 / 즉각 후퇴하라고 지령하다.

호:령 號令 | 부를 호, 명령 령
[(word of) command; order]
❶[속뜻]큰 소리로 부르짖으며[號] 명령(命令)함. ¶호령을 내리다. ❷큰 소리로 꾸짖음.

0415 [위]

位

자리 위
[部] 人부 [劃] 7획 [中] 位 [wèi]

位 位 位 位 位 位 位

位자는 '사람 인'(亻)과 '설 립'이 합쳐진 것으로, 사람이 서 있는 '자리'(one's place)가 본뜻이다. 요즘도 그 본뜻으로 많이 쓰인다.

위상 位相 | 자리 위, 모양 상 [status]
어떤 사물이 다른 사물과의 관계 속에서 가지는 위치(位置)나 모습[相]. ¶그는 기술대회에서 1위를 차지해 국가의 위상을 드높였다.

위치 位置 | 자리 위, 둘 치 [place; position]
사물을 일정한 자리[位]에 둠[置]. 또는 그 자리. ¶책상 위치를 바꾸다 / 그 집은 바닷가에 위치해 있다. [비]자리.

위패 位牌 | 자리 위, 패 패 [mortuary tablet]
영위(靈位)의 이름을 적은 나무패(牌). ¶사당에 조상의 위패를 모시다. [비]목주(木主), 위판(位版).

• 역순어휘

고위 高位 | 높을 고, 자리 위 [high rank]
❶[속뜻]높은[高] 지위(地位). ❷높은 위치. [반]하위(下位).

단위 單位 | 홑 단, 자리 위 [unit; denomination]
❶[속뜻]하나의 조직 따위를 구성하는 기본적인 한[單] 덩어리[位]. ¶가족은 사회의 기본 구성 단위이다. ❷길이, 무게, 수효, 시간 등의 수량을 수치로 나타낼 때 기초가 되는 일정한 기준. ¶미터는 길이의 단위이다.

방위 方位 | 모 방, 자리 위
[bearing; point of the compass]
방향(方向)을 정한 위치(位置). ¶지도에 방위를 표시하다.

본위 本位 | 뿌리 본, 자리 위 [standard; principle]
❶[속뜻]본디[本]의 자리[位]. ❷판단이나 행동에서 중심이 되는 기준. ¶자기 본위의 사람.

부위 部位 | 나눌 부, 자리 위 [region; part]
어느 부분(部分)이 전체에 대하여 차지하는 위치(位置). ¶닭고기는 어느 부위가 제일 맛있나요?

삼위 三位 | 석 삼, 자리 위
❶[속뜻]세[三] 가지 지위(地位). ❷[기독교]성부(聖父)와 성자(聖子)와 성신(聖神)을 아울러 이르는 말.

상:위 上位 | 위 상, 자리 위
[high position; higher rank]

높은[上] 지위(地位)나 위치(位置), 등급. (반)하위(下位).

순ː위 順位 | 따를 순, 자리 위 [order; rank(ing)]
어떤 기준에 따라[順] 정해진 위치(位置)나 지위(地位). ¶순위를 매기다.

왕위 王位 | 임금 왕, 자리 위 [throne]
임금[王]의 자리[位]. ¶세조는 단종의 뒤를 이어 왕위를 계승했다. (비)왕좌(王座).

우위 優位 | 뛰어날 우, 자리 위 [higher position]
남보다 나은[優] 위치(位置)나 수준. ¶비교 우위 / 군사력에서 그 나라는 우리보다 우위에 있다.

재ː위 在位 | 있을 재, 자리 위
[be on the throne; reign]
임금의 자리[位]에 있음[在]. 또는 그 동안. ¶연산군은 재위 중에 폐위되었다.

제ː위 帝位 | 임금 제, 자리 위
[imperial throne; Crown]
제왕(帝王)의 자리[位]. ¶진흥왕이 제위에 오른 뒤 신라는 융성했다 / 제위를 찬탈하다.

즉위 即位 | 나아갈 즉, 자리 위 [come to throne]
임금의 자리[位]에 나아가[即] 오름. ¶선왕이 돌아가시고 세자가 즉위했다. (비)등극(登極). (반)퇴위(退位).

지위 地位 | 땅 지, 자리 위 [status; position]
❶[속뜻]있는 곳[地]의 자리[位]. ❷사회적 신분에 따라 개인이 차지하는 자리나 계급. ¶그는 지위도 있고 돈도 있다 / 그는 낮은 지위에 있지만 매우 능력 있는 사람이다.

직위 職位 | 일 직, 자리 위 [position]
직무(職務)에 따라 규정되는 사회적·행정적 위치(位置). ¶높은 지위를 박탈하다.

체위 體位 | 몸 체, 자리 위
[physique; posture; physical standard]
❶[속뜻]어떤 일을 할 때의 몸[體]의 위치(位置). ¶체위에 맞는 책걸상. ❷체격이나 건강의 정도. ¶체위를 향상시키다.

퇴ː위 退位 | 물러날 퇴, 자리 위
[abdicate; step down from the throne]
자리[位]에서 물러남[退]. ¶1814년 나폴레옹은 황제의 자리에서 퇴위했다. (반)즉위(即位).

품ː위 品位 | 품격 품, 자리 위 [dignity]
❶[속뜻]직품(職品)과 직위(職位). ❷사람이 갖추어야 할 위엄이나 기품. ¶품위를 지키세요. ❸사물이 지닌 고상하고 격이 높은 인상. ¶세련되고 품위 있는 가구. (비)기품(氣品), 품격(品格).

하ː위 下位 | 아래 하, 자리 위 [lower rank]
낮은[下] 지위(地位). 낮은 순위. ¶하위 팀. (반)상위(上位).

학위 學位 | 배울 학, 자리 위 [academic degree]
❶[속뜻]학문(學問) 연구로 얻은 지위(地位). ❷[교육]박사, 석사, 학사처럼 일정한 학업 과정을 마친 사람에게 주는 칭호. ¶석사 학위 / 박사 학위.

0416 [정]

停 머무를 정
[부] 人부 [획] 11획 ㊥ 停 [tíng]
停停停停停停停停停停停

停자는 '멈추다'(stop)는 뜻을 나타내기 위하여 '사람 인'(人)과 '정자 정'(亭)을 합쳐 놓은 것이다. 누구나 길을 가다 정자를 만나면 발길을 멈추게 마련이었나 보다. 亭(정)은 표음요소도 겸한다(참고, 諪 조정할 정, 渟 물 괼 정).
[속뜻훈음] 멈출 정.

정거 停車 | 멈출 정, 수레 거 [stop; halt]
가던 차(車)를 멈춤[停]. ¶이 역에서 5분간의 정거합니다.

정년 停年 | =定年, 멈출 정, 나이 년
[retiring age; age limit]
직원 등이 일을 그만하도록[停] 정해놓은 나이[年]. ¶정년 퇴직.

정류 停留 | 멈출 정, 머무를 류 [stoppage; stop]
멈추어[停] 머무름[留].

정전 停電 | 멈출 정, 전기 전 [blackout]
전기(電氣)가 잠깐 끊어짐[停]. ¶그는 정전에 대비해 초와 손전등을 사 두었다.

정지 停止 | 멈출 정, 그칠 지 [stop; standstill]
중도에서 멈추거나[停] 그침[止]. ¶정지 신호 / 선 안에서 정지하시오.

정차 停車 | 멈출 정, 수레 차 [stop; halt]
움직이던 차(車)가 멈추어[停] 섬. ¶정차 금지. (비)정거(停車). (반)발차(發車).

정체 停滯 | 멈출 정, 막힐 체 [stagnate; delay]
앞으로 나아가지 못하고 멈추거나[停] 막혀 있음[滯]. ¶교통 정체.

정학 停學 | 멈출 정, 배울 학
[suspension from school]
❶[속뜻]학업(學業)을 멈춤[停]. ❷[교육]학생이 학교의 규칙을 어겼을 때 등교를 정지하는 일.

• 역순어휘

조정 調停 | 고를 조, 멈출 정
[intervene between; mediate]
❶속뜻 양측의 의견을 잘 조절(調節)하여 분쟁을 멈추게[停] 함. ¶당사자들이 직접 의견 조정을 하기로 했다. ❷법률 법원이 분쟁 당사자의 합의를 이끌어내는 일.

0417 [타]

他

다를 타
部 人부 劃 5획 中 他 [tā]

他 他 他 他 他

他자는 2,000살이 채 못 되는 젊은 글자다. '딴 사람'(an another person)을 나타내기 위하여 '사람 인'(人)이 표의요소로 쓰였다. 음이 약간 다르지만 也(야)가 표음요소로 쓰인 것은 拖(끌 타)와 阤(무너질 타)도 마찬가지다. '다르다'(another; be not the same)는 뜻으로도 많이 쓰인다.

타계 他界 | 다를 타, 지경 계 [pass away]
❶속뜻 다른[他] 세계(世界). '저승'을 뜻함. ❷어른이나 귀인의 죽음. ¶그 시인은 작년에 타계했다.

타국 他國 | 다를 타, 나라 국 [foreign country]
자기 나라가 아닌 다른[他] 나라[國]. ¶그녀는 오랜 타국 생활로 많이 지쳤다. 비 외국(外國), 이국(異國). 반 고국(故國), 모국(母國), 자국(自國).

타산 他山 | 다를 타, 메 산 [another mountain]
다른[他] 산[山]. ¶타산지석(他山之石).

타살 他殺 | 다를 타, 죽일 살 [murder]
다른[他] 사람이 죽임[殺]. ¶경찰은 타살로 보고 수사에 들어갔다. 반 자살(自殺).

타율 他律 | 다를 타, 규칙 률 [heteronomy]
❶속뜻 다른[他] 사람의 규율[律]을 따름. ❷자기의 의지가 아니라 남의 명령이나 구속에 따라 행동하는 일. 반 자율(自律).

타의 他意 | 다를 타, 뜻 의 [another's will]
❶속뜻 다른[他] 뜻[意]. ❷다른 사람의 뜻. ¶자의 반 타의 반. 반 자의(自意).

타향 他鄕 | 다를 타, 시골 향 [another country]
자기 고향이 아닌 다른[他] 고장[鄕]. 비 타지(他地). 반 고향(故鄕).

• 역순어휘

기타 其他 | 그 기, 다를 타 [others]
그[其] 밖의 또 다른[他] 것. 그 밖. 비 여타(餘他).

배타 排他 | 밀칠 배, 다를 타 [exclusive; cliquish]
타인(他人)을 배척(排斥)함. ¶배타주의.

여타 餘他 | 남을 여, 다를 타 [others; rest]
그밖에 남은[餘] 다른[他] 일. 또는 다른 것. ¶우리는 침대, 세탁기, 냉장고 그리고 여타 다른 것들을 새 아파트로 옮겼다.

의타 依他 | 의지할 의, 다를 타 [lean on]
남[他]에게 의지(依支)함.

자타 自他 | 스스로 자, 다를 타
[oneself and others]
자기(自己)와 남[他]. ¶그는 자타가 공인하는 한국 최고의 야구선수이다.

0418 [가]

可

옳을 가:
部 口부 劃 5획 中 可 [kě, kè]

可 可 可 可 可

可자는 '(상대방의 말을) 들어주다'(comply with)는 뜻을 나타내기 위하여 '입 구'(口)가 표의요소로 쓰였다. 나머지는 표음과 표의를 겸하는 요소라고 하는데 이설이 많다. 어쨌든, 후에 '옳다'(right), '좋다' (justifiable), '가히 할만하다'(possible) 등으로 확대 사용됐다.
속뜻 훈음 ①가히 가, ②옳을 가.

가:결 可決 | 옳을 가, 결정할 결 [approve]
제출된 의안을 옳다고[可] 결정(決定)함. ¶국회는 안건을 가결했다. 비 의결(議決). 반 부결(否決).

가:공 可恐 | 가히 가, 두려울 공
[fearful; fearsome]
두렵게[恐] 느껴질 만하다[可]. ¶가공할 사건이 일어났다.

가:관 可觀 | 가히 가, 볼 관 [sight; spectacle]
❶속뜻 가히[可] 볼[觀] 만함. ❷남의 언행이나 어떤 상태를 비웃는 말. 꼴불견. ¶그의 모습은 참으로 가관이었다.

가:능 可能 | 가히 가, 능할 능 [possible]
해도 되거나[可] 할 수 있음[能]. ¶불가능을 가능하게 하다. 반 불가능(不可能), 불능(不能).

가:당 可當 | 가히 가, 당할 당 [proper]
❶속뜻 감당(勘當)할 수 있다[可]. ❷알맞다. ¶가당찮은 요구를 늘어놓다. ❸비슷하게 맞다. 반 가당(可當)찮다.

가:망 可望 | 가히 가, 바랄 망 [hope]
❶속뜻 가(可)히 바랄[望]만함. ❷이루어질 가능성이 있는 희망. ¶그 꿈은 실현될 가망이 있다.

가:변 可變 | 가히 가, 바뀔 변
[variable; changeable]
가(可)히 달라질[變] 수 있음. ¶가변차로(車路). [반]불변(不變).

가:소 可笑 | 가히 가, 웃을 소 [be laughable]
가(可)히 웃을[笑] 만하다. 우습다. ¶너 같이 약해빠진 녀석이 덤비다니, 가소롭다!

• 역순어휘

불가 不可 | 아닐 불, 가히 가 [be not right]
무엇을 할 수[可] 없음[不]. 가능하지 않음. ¶19세 미만 입장 불가.

인가 認可 | 알 인, 옳을 가 [permit; approve]
어떤 일을 인정(認定)하여 허가(許可)함. ¶대학을 설립할 수 있도록 인가를 받았다. [비]인허(認許).

허가 許可 | 허락 허, 가히 가 [permit]
허락(許諾)하여 가능(可能)하게 해줌. 말을 들어줌. ¶입학 허가 / 나의 허가 없이 이곳을 출입할 수 없다. [비]허락(許諾). [반]불허(不許).

0419 [길]

吉

길할 길
[部] 口부 [劃] 6획 [中] 吉 [jí]

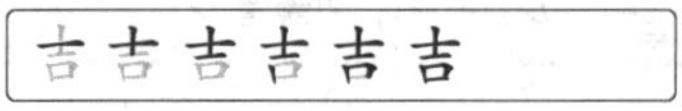

吉자는 갑골문에 등장되는 걸로 보아, 나이가 3,400살 쯤 되는데, 이에 대한 풀이는 여러 설이 구구하다. 전쟁이 없어 무기를 받침대에 그냥 보관하고 있는 모습으로 천하태평 평온무사한 상서로움을 그렇게 나타냈다는 설이 조금은 그럴듯하다. 함정에 빠진 모습으로 '재수 없음'을 뜻하는 '凶'(흉할 흉, #0301)의 반대말로 쓰인다. 즉 '길하다'(lucky; fortunate)는 뜻으로 애용된다.

길몽 吉夢 | 길할 길, 꿈 몽 [lucky dream]
좋은 징조[吉]의 꿈[夢]. ¶길몽을 꾸다. [반]악몽(惡夢).

길일 吉日 | 길할 길, 날 일 [lucky]
❶[속뜻]운이 좋은[吉] 날[日]. ¶길일을 택하여 혼례를 치르다. ❷매달 음력 초하룻날을 달리 이르는 말.

길조 吉兆 | 길할 길, 조짐 조 [good omen]
좋은[吉] 일이 있을 조짐(兆朕). ¶설날에 눈이 오는 것을 길조로 여기다. [반]흉조(凶兆).

길흉 吉凶 | 길할 길, 흉할 흉
[good and bad luck]
운이 좋고[吉] 나쁨[凶]. ¶길흉을 점치다.

• 역순어휘

불길 不吉 | 아닐 불, 길할 길 [unlucky]
재수나 운수 따위가 길(吉)하지 못하다[不]. 좋지 아니하다. ¶불길한 꿈을 꾸다.

0420 [선]

善

착할 선:
[部] 口부 [劃] 12획 [中] 善 [shàn]

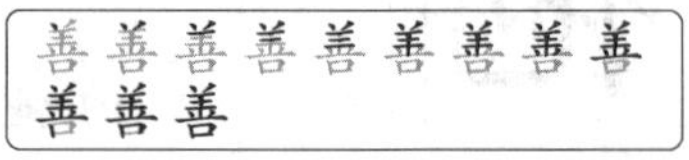

善자는 본래 '양 양(羊)과 두개의 '말씀 언'(言)이 합쳐진 것이었다. 후에 쓰기 편하도록 두 개의 言자가 간략하게 변화됐다. 당시 사람들은 양고기를 가장 즐겨 먹었고, 그 맛이 제일이라고 입을 모아 찬탄했나 보다. '(양고기를) 요리하다'(cook)가 본뜻이었는데, '(맛이) 좋다'(taste good), '(성질이) 좋다'(a good-natured), '착하다'(honest), '잘하다'(be skillful) 등으로 확대 사용되는 예가 많아지자, 본뜻은 고기 육(肉→月)이 첨가된 膳(요리할 선)자를 만들어 나타냈다.

[속뜻 훈음] ①착할 선, ②좋을 선.

선:남 善男 | 착할 선, 사내 남
성품이 착한[善] 남자(男子).

선:도 善導 | 착할 선, 이끌 도 [proper guidance]
올바른[善] 길로 인도(引導)함. ¶비행 청소년을 올바르게 선도하다.

선:량 善良 | 착할 선, 어질 량
[good; virtuous; honest]
착하고[善] 어짊[良]. ¶선량한 시민.

선:악 善惡 | 착할 선, 악할 악 [virtue and vice]
착함[善]과 악(惡)함. ¶동기의 선악을 불문하고 살해는 범죄이다.

선:용 善用 | 착할 선, 쓸 용 [good use]
올바르게[善] 씀[用]. 알맞게 잘 씀. ¶여가의 선용. [반]악용(惡用).

선:의 善意 | 착할 선, 뜻 의
[good intentions; good will]
❶[속뜻]착한[善] 마음[意]. 좋은 의도. ¶선의의 거짓말. ❷남을 위하는 마음. 남을 좋게 보려는 마음. ¶선의를 베풀다. [반]악의(惡意).

선:정 善政 | 좋을 선, 정치 정 [good government]
바르고 좋은[善] 정치(政治). ¶선정을 펼치다. [반]폭정(暴政), 악정(惡政).

• 역순어휘

개:선 改善 | 고칠 개, 좋을 선 [improve]
❶속뜻 고쳐서[改] 좋게[善] 함. ❷잘못된 점을 고치어 잘 되게 함. ¶근무환경을 개선했다. ㊐개량(改良). ㊍개악(改惡).

권:선 勸善 | 권할 권, 착할 선
[encourage to do good]
❶속뜻 착한[善] 일을 하도록 권장(勸奬)함. ❷불교 불사를 위하여 신자들에게 보시(布施)를 청함.

독선 獨善 | 홀로 독, 착할 선 [self righteousness]
자기 한 몸[獨]의 선(善)만을 꾀함. ¶독선에 빠지다 / 매우 독선적이다.

위선 僞善 | 거짓 위, 착할 선
[be hypocrisy]
거짓[僞]으로 착한[善] 척 함. ¶나는 그의 위선을 더 이상 참을 수 없다. ㊍위악(僞惡).

자선 慈善 | 사랑할 자, 착할 선 [give to charity]
불행한 처지에 있는 사람을 사랑하여[慈] 돕는 착한[善] 일. 특히, 가난한 사람들을 물질적으로 돕는 일을 이른다. ¶자선 모금 운동.

적선 積善 | 쌓을 적, 착한 선 [building up merits]
착한[善] 일을 많이 함[積]. ¶가난한 사람들에게 적선을 베풀다 / 한 푼만 적선해 주십시오.

차선 次善 | 버금 차, 좋을 선 [second best thing]
최선에 버금[次]가는 좋은[善] 방도. ¶차선이라고는 도망가는 방법밖에 없다.

최:선 最善 | 가장 최, 좋을 선 [best]
❶속뜻 가장[最] 좋음[善]. 가장 훌륭한 것. ¶한자어를 익히는 최선의 방법은 속뜻학습이다. ❷온 힘을 다함. ¶최선을 다하겠습니다. ㊍최악(最惡).

친선 親善 | 친할 친, 좋을 선 [amity; friendship]
서로 간에 친밀(親密)하고 사이가 좋음[善]. ¶국제 친선에 기여하다.

0421 [창]

唱 부를 창:
部 口부 획 11획 中 唱 [chàng]
唱 唱 唱 唱 唱 唱 唱 唱 唱 唱 唱

唱은 '이끌다'(guide)가 본뜻이다. 남을 이끌려면 큰 소리로 외쳐야 할 때가 많았는지 '입 구'(口)가 표의요소로 쓰였다. '(노래) 부르다'(sing; chant)는 뜻으로도 많이 쓰인다.
속뜻훈음 ①부를 창, ②이끌 창.

창:극 唱劇 | 부를 창, 연극 극
[Korean traditional opera]
❶속뜻 노래를 부르며[唱] 하는 연극[劇]. ❷연영 우리나라 구극(舊劇)의 한 가지. 판소리와 창을 중심으로 극적인 대화로 이루어지는 전통 연극.

창:법 唱法 | 부를 창, 법 법
[way of singing; vocalism]
노래나 소리, 시조 따위를 부르는[唱] 방법(方法). ¶남성적인 창법으로 유명한 여가수.

• 역순어휘

독창 獨唱 | 홀로 독, 부를 창 [sing solo]
성악에서 혼자서[獨] 노래를 부름[唱]. 또는 그 노래. ㊍합창(合唱).

명창 名唱 | 이름 명, 부를 창
[master singer; great singer]
뛰어나고 이름나게[名] 노래를 잘 부르는[唱] 사람. 또는 그 노래. ¶판소리 명창.

병:창 竝唱 | 나란히 병, 부를 창 [sing together]
❶속뜻 두 사람이 소리를 맞추어 나란히[竝] 함께 노래함[唱]. ❷음악 가야금 따위를 연주하면서 노래하는 일. ¶그는 가야금 병창을 특히 좋아한다.

복창 復唱 | 돌아올 복, 부를 창 [repeat]
남의 말을 그대로 받아서 다시[復] 부름[唱]. ¶우리는 선생님이 하시는 말씀을 일제히 복창했다.

선창 先唱 | 먼저 선, 부를 창 [lead the chorus]
노래나 구호 따위를 맨 먼저[先] 부르거나[唱] 외침. ¶내가 선창하자 모두 따라 부르기 시작했다.

애:창 愛唱 | 사랑 애, 부를 창 [love to sing]
노래나 시조 따위를 즐겨[愛] 부름[唱]. ¶그 곡은 아직까지 사람들 사이에 애창되고 있다.

제창¹ 提唱 | 들 제, 부를 창
[put forward; propose; advocate]
어떤 주장을 들어놓고[提] 부르짖음[唱]. ¶남녀평등을 제창하다.

제창² 齊唱 | 가지런할 제, 부를 창
[sing in unison]
❶속뜻 여러 사람이 다같이[齊] 노래 부름[唱]. ❷음악 같은 가락을 두 사람 이상이 동시에 노래함. ¶애국가를 제창하다.

주창 主唱 | 주인 주, 이끌 창 [advocate]
❶속뜻 주장(主將)이 되어 이끎[唱]. ❷앞장서서 부르짖음. ¶김 선생님은 늘 민족주의를 주창하셨다.

중:창 重唱 | 겹칠 중, 부를 창
[part song; vocal ensemble]

[음악] 각 성부(聲部)를 한 사람이 하나씩 맡아 동시에 [重] 노래함[唱]. 또는 그 노래.

합창 合唱 | 합할 합, 부를 창 [chorus]
여러 사람이 소리를 합(合)하여 노래함[唱]. ¶남녀 합창 / 우리는 교가를 합창했다. [반]독창(獨唱).

0422 [고]

固

굳을 고
[部] 口부 [劃] 8획 [中] 固 [gù]

固 固 固 固 固 固 固 固

固자의 '口'는 사방이 험준한 산으로 둘러 막혀 있는 要塞(요새) 지역을 가리키는 것이고, 古(옛 고)는 표음요소이니 뜻과는 무관하다. 그 곳은 외부의 적들의 침입을 쉽사리 방어할 수 있으므로 '(방어가) 튼튼하다'(solid)는 뜻을 그렇게 나타냈다. '굳다'(hard; solid; firm)는 뜻으로 더 많이 쓰인다.

고수 固守 | 굳을 고, 지킬 수 [stick to; adhere to]
굳게[固] 지킴[守]. 단단히 지킴. ¶자신의 의견을 고수하다. [비]묵수(墨守).

고유 固有 | 굳을 고, 있을 유 [proper; native]
❶[속뜻] 본디부터 굳어져[固] 있음[有]. ❷본래부터 있음. ¶이 음식은 우리나라 고유의 것이다. [비]특유(特有).

고정 固定 | 굳을 고, 정할 정 [fix; fasten]
❶[속뜻] 굳게[固] 정해져[定] 있음. ❷일정한 곳이나 상태에서 변하지 아니함. ¶임금이 3년째 고정되었다. ❸흥분이나 노기를 가라앉힘. ¶고정하고 제 말 좀 들어보세요. [비]불변(不變), 응고(凝固), 동결(凍結). [반]유동(流動), 변동(變動).

고집 固執 | 굳을 고, 잡을 집 [insist; persist]
자신의 생각이나 의견만을 굳게[固] 잡고[執] 굽히지 아니함 . 또는 그러한 성질. ¶그는 따라가겠다고 고집을 부렸다. [비]억지, 아집(我執).

고체 固體 | 굳을 고, 몸 체 [solid]
[물리] 쉽게 변형되지 않는 굳은[固] 물체[體]. ¶고체 연료.

고형 固形 | 굳을 고, 모양 형 [solidity]
질이 단단하고[固] 일정한 모양과 부피를 가진 형체(形體). ¶고형 연료.

• 역순어휘

견고 堅固 | 굳을 견, 굳을 고 [strong; solid]
매우 튼튼하고[固] 단단하다[堅]. ¶견고한 성문을 부수다. [비]굳건하다.

공고 鞏固 | 묶을 공, 굳을 고 [make solid; solidify]
❶[속뜻] 묶어서[鞏] 굳게[固]함. ❷견고하고 튼튼하다. ¶기초를 공고히 다지다.

완고 頑固 | 미련할 완, 굳을 고 [be obstinate]
미련할[頑] 정도로 성질이 고집(固執)스럽다. ¶옆집 할아버지는 완고한 데가 있다.

응:고 凝固 | 엉길 응, 굳을 고 [solid; congeal]
❶[속뜻] 엉기어[凝] 굳어짐[固]. ❷액체나 기체가 고체로 변하는 현상. ¶응고상태 / 피가 응고되기 전에 이 약을 주사해야 한다. [반]융해(融解).

확고 確固 | 굳을 확, 굳을 고 [firm; definite]
확실하고[確] 굳음[固]. ¶그의 결심은 매우 확고했다.

0423 [인]

因

인할 인
[部] 口부 [劃] 6획 [中] 因 [yīn]

因 因 因 因 因 因

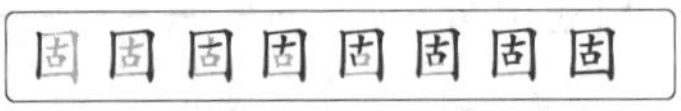

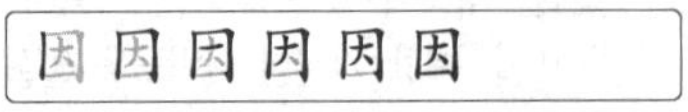

因자는 '자리'(a seat)란 뜻을 나타내기 위하여, 돗자리[口] 위에 팔다리를 쭉 뻗고 드러누운 사람[大]을 본뜬 것이었다. 후에 '까닭'(a reason), '인하다'(be caused by)는 뜻으로 활용되는 예가 많아지자, 그 본뜻은 따로 茵(자리 인)자를 만들어 나타냈다.

[속뜻 훈음] ①인할 인, ②까닭 인.

인과 因果 | 인할 인, 열매 과 [cause and effect]
❶[속뜻] 원인(原因)과 결과(結果). ❷원인이 있으면 반드시 결과가 있게 마련이고 결과가 있으면 반드시 그 원인이 있다는 이치. ¶불교에서는 인과를 중시한다.

인습 因習 | 인할 인, 버릇 습 [conventionality]
❶[속뜻] 예전부터 있던 관습(慣習)으로 인(因)한 것. ❷이전부터 전해 내려와 굳어진 관습. ¶인습에 얽매이다.

인연 因緣 | 인할 인, 연분 연 [tie; connect]
❶[속뜻] 원인(原因)과 연분(緣分). ❷사람들 사이에 맺어지는 관계. ¶기이한 인연. ❸어떤 사물과 관계되는 연줄. ¶정치와는 인연이 없다 / 난 이 책으로 인연하여 인생관이 바뀌었다.

• 역순어휘

사:인 死因 | 죽을 사, 인할 인 [cause of death]
죽게[死] 된 원인(原因). ¶경찰이 피의자의 사인을 조사하다.

요인 要因 | 요할 요, 인할 인 [important factor]
중요(重要)한 원인(原因). ¶사고 요인을 밝히다.

원인 原因 | 본디 원, 까닭 인
[be caused by; originate in]
가장 근본적인[原] 요인(要因). ¶원인을 알아야 속이 시원해진다. (비)이유(理由). (반)결과(結果).

패:인 敗因 | 패할 패, 인할 인 [cause of defeat]
싸움에 진[敗] 원인(原因). ¶패인은 연습 부족이었다.

환인 桓因 | 클 환, 까닭 인
❶속뜻 매우 큰[桓] 까닭[因]. ❷문학 단군신화에 나오는 인물. 아들 환웅이 세상에 내려가고 싶어 하자 태백산에 내려 보내어 세상을 다스리게 하였다.

0424 [사]

寫 베낄 사
部 宀부 劃 15획 中 写 [xiě]

寫자는 '집 면'(宀)이 표의요소다. 舃(까치 작)은 표음요소였는데, 시대의 흐름에 따라 음이 크게 달라졌다. '(물건을 집안으로) 옮겨놓다'(move to)가 본뜻이다. 후에 '글로 적다'(write), '그리다'(draw), '베끼다'(trace; copy)는 의미도 이것으로 나타냈다.
속뜻훈음 **①베낄 사, ②그릴 사.**

사본 寫本 | 베낄 사, 책 본 [copy; duplicate]
사진으로 찍거나 복사(複寫)하여 만든 책[本]이나 서류. ¶주민등록증 사본 / 계약서 사본을 제시하다. (반)원본(原本), 정본(正本).

사생 寫生 | 그릴 사, 날 생
[sketch; make a sketch (of)]
❶속뜻 있는 그대로[生] 그림[寫]. ❷자연의 경치나 사물 따위를 보고 그대로 그림. ¶사생 대회.

사진 寫眞 | 베낄 사, 참 진 [photograph; picture]
❶속뜻 진짜[眞]처럼 그대로를 베낌[寫]. ❷물체의 형상을 감광막 위에 나타나도록 찍어 오랫동안 보존할 수 있게 만든 영상. ¶사진을 찍다 / 가족 사진.

• 역순어휘

모사 模寫 | 본뜰 모, 그릴 사 [copy]
❶미술 어떤 그림의 본을 떠서[模] 똑같이 그림[寫]. ¶피카소의 작품을 모사하다. ❷똑같이 따라하거나 흉내냄. ¶성대모사.

묘:사 描寫 | 그릴 묘, 베낄 사 [describe; portray]
❶속뜻 그림을 그리듯[描] 글을 씀[寫]. ❷사물을 있는 그대로 그림. ¶장면을 생생하게 묘사하다.

복사 複寫 | 겹칠 복, 베낄 사 [copy; duplicate]
❶속뜻 그대로 본떠서 겹[複]으로 베낌[寫]. ¶문서를 복사하다. ❷종이를 두 장 이상 포개어 같은 문서를 한꺼번에 여러 벌 만드는 일.

시:사 試寫 | 시험할 시, 베낄 사 [preview]
영화의 정식 개봉 전에서 여러 관계자에게 시험적(試驗的)으로 먼저 영사(映寫)하여 보임.

필사 筆寫 | 글씨 필, 베낄 사
[copy; take a copy; transcribe]
글씨[筆]를 베낌[寫]. 또는 베껴 쓴 글씨. ¶이 책 한 권을 다 필사하려면 시간이 꽤 걸릴 것이다.

0425 [완]

完 완전할 완
部 宀부 劃 7획 中 完 [wán]

完자는 '(집을) 다 짓다'(complete)는 뜻을 나타내기 위한 것이었으니, '집 면'(宀)이 표의요소로 쓰였다. 元(으뜸 원)이 표음요소였음은 玩(희롱할 완), 阮(관 이름 완)도 마찬가지다. '갖추다'(prepare)는 뜻으로도 쓰이며 '완전하다'(perfect; complete)와 의미상 연관이 있는 낱말의 구성 요소로도 많이 쓰인다.
속뜻훈음 **①완전할 완, ②갖출 완.**

완결 完結 | 완전할 완, 맺을 결 [complete; finish]
완전(完全)하게 끝을 맺음[結]. ¶조설근은 소설을 완결하지 못하고 세상을 떠났다.

완공 完工 | 완전할 완, 일 공 [completion]
공사(工事)를 완성(完成)함. ¶건물을 3년 만에 완공했다. (반)기공(起工), 착공(着工).

완료 完了 | 완전할 완, 마칠 료 [complete; finish]
완전(完全)히 끝마침[了]. ¶준비 완료. (비)종료(終了).

완벽 完璧 | 완전할 완, 둥근 옥 벽 [perfect]
❶속뜻 흠이 없이 완전(完全)한 옥[璧]. ❷결함이 없이 완전함. ¶그는 완벽에 가까운 묘기를 보여주었다. (비)완전무결(完全無缺). (반)미비(未備).

완봉 完封 | 완전할 완, 봉할 봉 [shut out]
❶속뜻 완전(完全)히 막거나 봉(封)함. ❷운동 야구에서 투수가 상대 팀에게 득점을 허용하지 아니하면서 완투하는 일.

완비 完備 | 완전할 완, 갖출 비 [equip completely]

빠짐없이 완전(完全)히 다 갖춤[備]. ¶이 호텔에는 연회실이 완비되어 있습니다. [비]완구(完具). [반]미비(未備).

완성 完成 | 완전할 완, 이룰 성 [complete; finish]
완전(完全)히 다 이룸[成]. ¶그 작품은 20년 만에 완성되었다. [반]미완성(未完成).

완수 完遂 | 완전할 완, 이룰 수 [fulfill; carry through]
뜻한 바를 완전(完全)히 이루어냄[遂]. ¶임무를 완수하다.

완숙 完熟 | 완전할 완, 익을 숙 [grow fully]
❶[속뜻] 열매 따위가 완전(完全)히 무르익음[熟]. ❷음식 따위를 완전히 삶음. ¶달걀을 완숙으로 삶아서 찬물에 담가 두었다. ❸재주나 기술 따위가 아주 능숙함. ¶그의 소리는 완숙의 경지에 이르렀다.

완승 完勝 | 완전할 완, 이길 승 [win a complete victory]
완전(完全)하게 또는 여유 있게 이김[勝]. 또는 그런 승리. ¶우리 팀은 원정 경기에서 완승을 거두었다. [반]완패(完敗).

완전 完全 | 갖출 완, 온전할 전 [whole; perfect]
필요한 것이 모두 갖추어져[完] 모자람이나 흠이 없음[全]. ¶완전한 성공 / 완전히 잊다. [반]불완전(不完全).

완제 完製 | 완전할 완, 만들 제
완전(完全)하게 만듦[製]. 또는 그런 제품. ¶완제 생산.

완주 完走 | 완전할 완, 달릴 주 [run the whole distance]
목표한 지점까지 완전히[完] 다 달림[走]. ¶80대 노인이 마라톤 전 구간을 완주했다.

완쾌 完快 | 완전할 완, 빠를 쾌 [complete recovery]
병의 완전(完全)하고 빠르게[快] 나음. ¶완쾌를 빌다.

완패 完敗 | 완전할 완, 패할 패 [suffer a complete defeat]
완전(完全)하게 패(敗)함. ¶공화당은 총선(總選)에서 완패했다. [비]전패(全敗). [반]완승(完勝).

• 역순어휘

미:완 未完 | 아닐 미, 완전할 완 [incompletion]
아직 완성(完成)지 못함[未]. ¶미완의 작품.

보:완 補完 | 기울 보, 완전할 완 [complement; supplement]
모자라는 것을 보태서[補] 완전(完全)하게 함. ¶이 문제점을 보완해야 한다.

0426 [한]

찰 한
[部] 宀부 [劃] 12획 [中] 寒 [hán]

寒자의 '宀'(면)은 귀틀집의 지붕을, '冫'(빙)은 그 안의 바닥에 얼은 얼음을 각각 가리키는 것이었다. 그리고 가운데 부분은 얼어붙은 바닥 위의 볏짚 더미 속에 들어가 바들바들 떨고 있는 사람의 모습이 변화된 것이다. 원래는 '차다'(chilly), '춥다'(cold)는 뜻을 그토록 실감나게 표현한 것이었는데 지금의 자형으로는 추정이 어려울 정도로 간략화 돼버렸다.

한기 寒氣 | 찰 한, 기운 기 [chill]
추운[寒] 기운(氣運). ¶한기를 느끼다. [비]추위.

한대 寒帶 | 찰 한, 띠 대 [frigid zones]
[지리] 추운[寒] 기후의 지대(地帶). 또는 추운 지대. 위도상 남북으로 각각 66.3도에서 양 극점까지의 지대를 이른다.

한랭 寒冷 | 찰 한, 찰 랭 [cold; coldness]
춥고[寒] 또 참[冷]. 매우 추움.

한류 寒流 | 찰 한, 흐를 류 [cold current]
[지리] 차가운[寒] 해류(海流). 양극(兩極)의 바다에서 나와 대륙을 따라 적도 쪽으로 흐른다. [반]난류(暖流).

한식 寒食 | 찰 한, 먹을 식
차가운[寒] 밥을 먹는[食] 풍습이 있는 명절. 종묘(宗廟)와 능원(陵園)에서 제향을 올리고, 민간에서는 성묘를 한다. 4월 5,6일 경이다.

한심 寒心 | 찰 한, 마음 심 [pitiful]
❶[속뜻] 차가운[寒] 마음[心]. ❷열정과 의욕이 없어 절망적이고 걱정스럽다. ¶한심한 사람을 보면 불쌍한 생각이 앞선다.

한파 寒波 | 찰 한, 물결 파 [cold wave]
❶[속뜻] 한기(寒氣)가 물결[波]처럼 밀려오는 것. ❷[지리] 겨울철에 기온이 갑자기 내려가는 현상. ¶전국에 한파가 몰아쳤다.

한해 寒害 | 찰 한, 해칠 해 [cold weather damage]
추위[寒]로 인한 재해(災害). ¶기온이 갑자기 낮아져서 한해가 심했다.

• 역순어휘

대:한 大寒 | 큰 대, 찰 한
❶[속뜻] 크게[大] 추움[寒]. ❷24절기의 하나로 한 해중

가장 추운 날의 절기. 소한(小寒)과 입춘(立春) 사이로 1월 20일경. ㊐엄한(嚴寒).

방한 防寒 | 막을 방, 찰 한
[protection against the cold]
추위[寒]를 막음[防]. ¶이 옷은 방한 기능이 있다.

소:한 小寒 | 작을 소, 찰 한
24절기의 하나. 가장 추운 대한에 앞선 약간 덜한[小] 추위[寒]가 있는 날. 동지(冬至)와 대한(大寒) 사이로 양력 1월 6일경이다.

오한 惡寒 | 미워할 오, 찰 한 [chill]
❶속뜻 추위[寒]를 미워함[惡]. ❷한의 몸이 오슬오슬 떨리고 추위를 느끼는 증상. ¶어머니는 밤새 오한이 났다. ㊐오한증(惡寒症).

혹한 酷寒 | 심할 혹, 찰 한 [brutal cold]
몹시 심한[酷] 추위[寒]. ¶영하 25도의 혹한을 견디다.

0427 [도]

島 섬 도
部 山부 획 10획 中 岛 [dǎo]
島島島島島島島島島島

島자는 '섬'(an island)을 나타내기 위하여 '새 조'(鳥)와 '메 산'(山)을 합쳐 놓은 것이다. 鳥의 네 점(灬)이 편의상 생략됐다. 먼 바다를 날던 새가 지친 날개를 접어 쉴 수 있는 산, 그것이 바로 '섬'이라 생각했던 발상이 참으로 기발하다.

도민 島民 | 섬 도, 백성 민 [islanders]
섬[島]에 사는 그곳 출신의 사람[民]. ¶울릉도 도민.

도서 島嶼 | 섬 도, 섬 서 [islands]
크고 작은 온갖 섬[島=嶼]. ㊥육지(陸地), 대륙(大陸).

• 역순어휘

간:도 間島 | 사이 간, 섬 도
❶속뜻 사이[間]에 있는 섬[島]. ❷두만강과 마주한 간도 지방의 동부.

낙도 落島 | 떨어질 락, 섬 도 [isolated island]
육지에서 멀리 떨어진[落] 외딴섬[島]. ¶낙도의 초등학교 학생들이 서울 구경에 나섰다.

독도 獨島 | 홀로 독, 섬 도
❶속뜻 홀로[獨] 우뚝 솟아 있는 섬[島]. ❷지리 경상북도 울릉군에 속하는 화산섬으로 동도(東島)와 서도(西島) 그리고 작은 섬들로 이루어져 있다.

반:도 半島 | 반 반, 섬 도 [peninsula]
지리 반은 대륙에 붙어 있고, 반(半)은 바다쪽으로 길게 나와 섬[島]처럼 보이는 육지. 우리나라와 이탈리아 등이 그렇다.

열도 列島 | 여러 렬, 섬 도 [chain of islands]
지리 길게 늘어서 있는 여러[列] 개의 섬[島]. ¶일본 열도.

제도 諸島 | 모두 제, 섬 도
[(a group of) islands; archipelago]
모든[諸] 섬[島]. 또는 여러 섬. ¶하와이 제도.

0428 [옥]

屋 집 옥
部 尸부 획 9획 中 屋 [wū]
屋屋屋屋屋屋屋屋屋

屋자는 반(半)지하 움막집의 '지붕'(a roof)을 뜻하기 위하여 고안된 글자였다. 그 당시 몸[尸]이 이르는[至] 곳은 대문이나 담장이 아니라 반지하 집의 지붕이었다. 후에 '집'(a house)을 뜻하는 것으로 확대 사용됐다.

옥내 屋內 | 집 옥, 안 내 [interior of a house]
집 또는 건물[屋]의 안[內]. ¶옥내 공기를 정화시키다 / 옥내에서는 금연입니다. ㊥옥외(屋外).

옥상 屋上 | 집 옥, 위 상 [roof]
집[屋]의 위[上]. 특히 현대식 양옥 건물에서 마당처럼 편평하게 만든 지붕 위를 가리킨다. ¶옥상에 빨래를 널었다.

• 역순어휘

가옥 家屋 | 집 가, 집 옥 [house]
사람이 사는 집[家=屋].

사옥 社屋 | 회사 사, 집 옥 [office building]
회사(會社)의 건물[屋]. ¶사옥을 이전하다.

양옥 洋屋 | 서양 양, 집 옥 [Western style house]
서양식(西洋式)으로 지은 집[屋]. ㊥한옥(韓屋).

한:옥 韓屋 | 한국 한, 집 옥
[traditional Korean style house]
전통 한식(韓式)으로 지은 집[屋]. ㊥양옥(洋屋).

0429 [서]

序 차례 서:
部 广부 획 7획 中 序 [xù]
序序序序序序序

序자는 '(집의) 담'(a wall)이란 뜻을 나타내기 위하여 만들어진 것이었으니, '집 엄'(广)이 표의요소로 쓰였다. 予(나 여)는 표음요소였는데, 음이 크게 달라졌다. 후에 '차례'(order)를 뜻하는 것으로 확대 사용됐다.

서:곡 序曲 | 차례 서, 노래 곡 [prelude]
[음악] 오페라, 오라토리오, 모음곡 따위의 첫머리에 연주되어 도입부[序] 구실을 하는 악곡(樂曲). ¶서곡을 연주하다 / 그것은 전쟁의 시작을 알리는 서곡에 불과했다.

서:두 序頭 | 차례 서, 머리 두
[beginning; start; opening]
어떤 차례[序]의 첫머리[頭]. ¶그는 조심스럽게 서두를 꺼냈다.

서:론 序論 | 차례 서, 논할 론 [introduction]
서두(序頭) 부분의 논설(論說). ¶서론에서 글을 쓴 이유를 밝혔다.

서:문 序文 | 차례 서, 글월 문 [preface]
글의 서두(序頭) 부분에 쓴 글[文]. ¶서문에 책의 대략적인 내용이 나와 있다. (준)서. (반)발문(跋文).

서:열 序列 | 차례 서, 줄 렬 [rank]
연령, 지위, 성적 따위의 일정한 순서(順序)에 따라 줄세워[列] 정리하는 일. ¶서열을 매기다 / 서열이 높다.

• 역순어휘

순:서 順序 | 따를 순, 차례 서 [procedure; order]
어떤 기준에 따른[順] 차례[序]. ¶키 순서대로 앉으세요.

질서 秩序 | 차례 질, 차례 서 [order]
사물의 순서나 차례[秩=序]. ¶여럿이 사는 사회에서는 질서를 지켜야 한다. (반)무질서(無秩序).

0430 [건]

建 세울 건:
(부) 廴부 (획) 9획 (中) 建 [jiàn]

建建建建建建建建建

建자의 표의요소 가운데 하나인 廴은 이른바 '길게 걸을 인'이라 훈하고, 부수 명칭은 '민책받침'인데, 이것이 갑골문 또는 금문 같은 고대문자에서는 '길갈 착'(辶=辵=彳+止)과 아무런 차이가 없었다. 또 하나의 표의요소인 '聿'은 손에 붓을 잡고 있는 모양을 본뜬 것이다. 廴과 聿을 합쳐진 것으로 '(도로를) 설계하다'(design; lay out)가 본뜻인데, 후에 '세우다'(found), '일으키다'(raise up) 등으로 확대 사용됐다.

건:국 建國 | 세울 건, 나라 국 [found a country]
새로 나라[國]를 세움[建]. ¶건국 기념일. (비)개국(開國). (반)망국(亡國).

건:립 建立 | 세울 건, 설 립 [erect; build]
❶[속뜻] 건물, 기념비, 동상, 탑 따위를 만들어 세움[建=立]. ¶동상을 건립하다. ❷기관, 조직체 따위를 새로 조직함. ¶학교를 건립하다.

건:물 建物 | 세울 건, 만물 물
[building; structure]
건축(建築) 구조물(構造物). ¶현대적 건물 / 이 건물은 지진에도 끄떡없다. (비)구조물(構造物).

건:설 建設 | 세울 건, 세울 설 [construct; build]
❶[속뜻] 건물 따위를 만들어 세움[建=設]. ¶건설 현장 / 댐을 건설하다. ❷어떤 조직체를 이룩하여 꾸려나감. ¶복지사회를 건설하다. (비)건조(建造), 건축(建築). (반)파괴(破壞).

건:의 建議 | 세울 건, 의논할 의
[propose; suggest]
의논(議論) 거리를 냄[建]. 자신의 의견을 내놓음. ¶노동조건 개선을 건의했다.

건:조 建造 | 세울 건, 만들 조 [construct; build]
건물이나 배 따위를 짓거나[建] 만듦[造]. ¶유조선을 건조하다. (비)건축(建築). (반)파괴(破壞).

건:축 建築 | 세울 건, 쌓을 축 [construct; build]
집, 성, 다리 따위를 짓거나[建] 쌓음[築]. ¶지진에 견딜 수 있는 집을 건축하다. (비)건조(建造), 축조(築造). (반)파괴(破壞).

건:평 建坪 | 세울 건, 평수 평 [floor space]
[건설] 건물(建物)이 자리 잡은 터의 평수(坪數). ¶우리 집은 건평 30평이다. (비)건축면적(建築面積).

• 역순어휘

봉건 封建 | 봉할 봉, 세울 건 [feudal]
❶[역사] 천자가 나라의 토지를 나누어 주고 제후를 봉(封)하여 나라를 세우게[建] 하는 일. ❷세력이 있는 사람이 중앙정부의 통제에서 벗어나 토지와 백성을 사유하는 일. ¶봉건사회 / 봉건제도.

재:건 再建 | 다시 재, 세울 건
[reconstruct; rebuild]
없어졌거나 허물어진 것을 다시[再] 일으켜 세움[建]. ¶숭례문 재건 / 지진이 일어났던 이 도시는 1년 후 완전히 재건되었다.

중:건 重建 | 거듭 중, 세울 건 [rebuilding]
절이나 궁궐 따위의 건물을 손질하여 다시[重] 세움[建]. ¶흥선대원군은 경복궁을 중건하면서 백성들의 원

망을 샀다.

창:건 創建 | 처음 창, 세울 건 [establish; found; organize]
건물 따위를 처음으로[創] 만들어 세움[建]. ¶저 건물은 전쟁 직후에 창건되었다.

0431 [단]

壇 단 단
部 土부 획 16획 中 坛 [tán]
壇壇壇壇壇壇壇壇壇壇壇壇壇壇壇壇

壇자는 옛날에 야외에서 제사를 지내기 위하여 쌓아놓은 '토대'(an altar)를 뜻하기 위하여 만들어진 것이었다. '흙 토'(土)가 표의요소로 쓰였고, 亶(믿음 단)은 표음요소다. 후에 '디딤대'(=단, a platform), '장소'(a position), '무대'(stage) 등을 나타내는 것으로 확대 사용됐다.

단상 壇上 | 단 단, 위 상 [platform]
연단(演壇)이나 교단(教壇) 등의 위[上]. ¶단상에 올라 연설하다. 반 단하(壇下).

• 역순어휘

강:단 講壇 | 익힐 강, 단 단 [lecture platform]
강의(講義)할 때 올라서도록 약간 높게 만든 자리[壇]. ¶강단에 서다.

교:단 教壇 | 가르칠 교, 단 단 [teacher's platform]
❶속뜻 교사(教師)가 강의할 때 올라서는 단(壇). ¶교단에 서서 학생들을 바라보았다. ❷교육 교육에 관한 일을 하는 곳. ¶그는 교단을 떠났다.

기단 基壇 | 터 기, 단 단 [stylobate; stereobate]
건설 건축물의 터[基]를 반듯하게 다듬은 다음에 그 보다 한 층 높게 쌓은 단[壇].

문단 文壇 | 글월 문, 단 단 [literary world; literary circles]
문인(文人)들의 활동 무대[壇]. ¶시인으로 문단에 데뷔하다. 비 문림(文林), 문학계(文學界).

신단 神壇 | 귀신 신, 단 단
신령(神靈)에게 제사지내는 단(壇).

연:단 演壇 | 펼칠 연, 단 단 [platform; rostrum]
연설(演說)이나 강연(講演)을 하는 사람이 올라서는 단(壇). ¶연단에 오르자 다리가 후들거렸다.

제:단 祭壇 | 제사 제, 단 단 [altar]
❶속뜻 제사(祭祀)를 지내는 단(壇). ❷종교 제물(祭物)을 바치기 위하여 다른 곳과 구별하여 마련한 신성한 단(壇). 종교적으로 의례의 중심을 이룬다.

화단 花壇 | 꽃 화, 단 단 [flower bed]
꽃[花]을 심기 위하여 뜰 한쪽에 흙을 한 층 높게 쌓은 단(壇). ¶화단에 연산홍을 심었다. 비 꽃밭.

0432 [료]

料 헤아릴 료(:)
部 斗부 획 10획 中 料 [liào]
料料料料料料料料料料

料자는 '(곡식을) 되질하다'(measure rice with a doe)는 뜻을 나타내기 위하여 '곡식 미'(米)와 '말 두'(斗)를 합쳐 놓은 것이다. 후에 '헤아리다'(calculate), '거리'(material), '삯'(pay; charges) 등으로 확대 사용됐다.
속뜻 훈음 ①헤아릴 료, ②거리 료, ③삯 료.

요:금 料金 | 삯 료, 돈 금 [charge]
수수료(手數料) 따위에 상당하는 돈[金]. ¶택시 요금 / 요금을 올리다.

요량 料量 | 헤아릴 료, 헤아릴 량 [plan out; guess]
앞일을 잘 헤아려[料=量]봄. 또는 그런 생각. ¶낮잠을 잘 요량으로 소파에 누웠다.

요리 料理 | 헤아릴 료, 다스릴 리 [cook]
❶속뜻 요모조모 헤아려[料] 잘 다스림[理]. ❷음식을 일정한 방법으로 만듦. 또는 그 음식. ¶요리 솜씨.

• 역순어휘

급료 給料 | 줄 급, 삯 료 [pay; salary]
일한 대가로 주는[給] 품삯[料]. 일한 데에 대한 보수(報酬). ¶한 달 치 급료를 받았다. 비 급여(給與).

무료 無料 | 없을 무, 삯 료 [free of charge]
❶속뜻 삯[料]이나 값을 받지 않음[無]. ¶학교 운동장을 무료로 개방하다. ❷보수를 받지 않음. ¶무료 봉사자. 비 무급(無給). 반 유료(有料).

비:료 肥料 | 살찔 비, 거리 료 [manure]
농업 농작물을 살찌게[肥]하는 데 필요한 거리[料]. 식물의 생장을 촉진하는 재료(材料)가 되는 물질. 비 거름.

사:료 史料 | 역사 사, 거리 료 [historical material]
역사(歷史)의 연구와 편찬에 필요한 거리[料]. 주로 문헌이나 유물 따위의 자료(資料)를 말한다.

식료 食料 | 밥 식, 거리 료 [food; foodstuffs]
음식(飲食)의 재료(材料). ¶토마토는 좋은 식료가 된다.

연료 燃料 | 태울 연, 거리 료 [fuel]
❶속뜻 태우는[燃] 재료(材料). ❷화학 연소하여 열, 빛, 동력의 에너지를 얻을 수 있는 물질을 통틀어 이르는 말. ¶연료를 공급하다 / 연료 부족. ⓑ땔감.

염ː료 染料 | 물들일 염, 거리 료 [dyes]
옷감 따위에 빛깔을 들이는[染] 데 필요한 거리[料]나 물질. ¶천연 염료.

원료 原料 | 본디 원, 거리 료
[raw material; materials]
바탕[原]이 되는 재료(材料). ¶콩은 두부의 원료이다.

유ː료 有料 | 있을 유, 삯 료 [charge for]
요금(料金)을 내게 되어 있음[有]. 또는 요금을 필요로 함. ¶유료 주차장 / 천마총은 유료이다. ⓑ무료(無料).

음ː료 飮料 | 마실 음, 거리 료 [beverage; drink]
마실[飮] 거리[料]. ¶그는 차가운 음료를 들이켰다.

자료 資料 | 밑천 자, 거리 료 [data]
무엇을 하기 위한 밑천[資]이나 바탕이 되는 재료(材料). 특히 연구나 조사 등의 바탕이 되는 재료. ¶연구 자료 / 그녀는 소설을 쓰기 위해 자료를 수집하고 있다.

재료 材料 | 재목 재, 거리 료 [material(s); stuff]
❶속뜻 재목(材木)을 만드는 데 필요한 거리[料]. ❷어떤 일을 하거나 이루는 거리. ¶저희 식당은 좋은 재료만을 사용합니다.

향료 香料 | 향기 향, 거리 료 [aromatic essence]
향기(香氣)를 내는 데 필요한 거리[料]. ¶이 음식에는 특별한 향료를 넣었다.

0433 [교]

橋

다리 교
部 木부 劃 16획 中 桥 [qiáo]

橋 橋 橋 橋 橋 橋 橋 橋 橋 橋 橋 橋 橋 橋 橋 橋

橋자는 '(나무로 만든) 다리'(bridge)를 뜻하기 위한 것이었으니, '나무 목'(木)이 표의요소로 쓰였다. 喬(높을 교)는 표음요소인데, 의미와 전혀 무관하지는 않다. 낮은 다리는 소용이 적기 때문이다.

교각 橋脚 | 다리 교, 다리 각 [(bridge) pier; bent]
건설 다리[橋]를 받치는 기둥[脚].

교량 橋梁 | 다리 교, 들보 량 [bridge]
❶속뜻 다리[橋]의 들보[梁]. ❷강을 건널 수 있게 만든 다리. ¶교량을 놓다.

• 역순어휘 ————————— •

대ː교 大橋 | 큰 대, 다리 교 [grand bridge]
규모가 큰[大] 다리[橋].

육교 陸橋 | 뭍 륙, 다리 교 [overhead bridge]
땅[陸] 위에 만든 다리[橋]. 도로나 철도를 가로질러 세운다. ¶육교를 건너 시장에 갔다.

철교 鐵橋 | 쇠 철, 다리 교
[iron bridge; railroad bridge]
철(鐵)을 주재료로 하여 놓은 다리[橋]. ¶한강에 철교를 건설하다.

0434 [말]

末

끝 말
部 木부 劃 5획 中 末 [mò]

末 末 末 末 末

末은 '一'과 '木'이 합쳐진 것이다. 이 경우의 '一'은 '하나'라는 뜻이 아니라, 나무의 '끝' 부분을 가리키는 부호일 따름이다. '나무 끝'(the end of a tree)이라는 본뜻에서 일반적인 의미의 '끝'(end)으로 확대 사용됐고 '가루'(powder; dust)를 뜻하기도 한다.
속뜻훈음 ①끝 말, ②가루 말.

말기 末期 | 끝 말, 때 기 [end; close]
어떤 시대나 기간이 끝나는[末] 시기(時期). ⓑ말엽(末葉). ⓑ초기(初期).

말년 末年 | 끝 말, 해 년 [one's later years]
인생과 같은 일정한 시기의 마지막[末] 무렵[年]. ¶말년을 편안히 보내다. ⓑ늘그막, 노년(老年). ⓑ초년(初年).

말복 末伏 | 끝 말, 엎드릴 복
삼복(三伏)의 마지막[末] 복날[伏]. 입추(立秋)부터 첫째 경일(庚日).

말세 末世 | 끝 말, 세상 세 [degenerate age]
정치나 도의 따위가 어지러워지고 쇠퇴하여 끝[末]이 다 된 듯한 세상(世上). ⓑ계세(季世), 말대(末代), 말류(末流).

말엽 末葉 | 끝 말, 무렵 엽 [close (of an age)]
어떤 시대의 끝[末] 무렵[葉]. 초기, 중기, 말기로 구분했을 때의 마지막 무렵. ¶고려 말엽 / 18세기 말엽. ⓑ말기(末期). ⓑ초엽(初葉).

말일 末日 | 끝 말, 날 일 [last day]
어느 기간의 마지막[末] 날[日]. ¶이달 말일까지 납부하십시오.

말초 末梢 | 끝 말, 나무 끝 초 [tip of a twig; tip]

❶속뜻 끝[末] 부분의 나뭇가지[梢]. ❷사물의 끝 부분. ¶말초를 자극하다 / 말초적 문제.

• 역순어휘

결말 結末 | 맺을 결, 끝 말 [end; close]
어떤 일이 마무리되는[結] 끝[末]. ¶결말을 짓다. ⊞결미(結尾). ⊞시작(始作), 발단(發端), 서두(序頭).

녹말 綠末 | 초록빛 록, 가루 말
[starch; dextrin]
감자, 고구마, 녹두(綠豆) 따위를 갈아서 가라앉힌 앙금을 말린 가루[粉末]. ⊞전분(澱粉).

단말 端末 | 끝 단, 끝 말 [terminal]
❶속뜻 끄트머리[端=末]. 끝. ❷전기 회로의 전류의 출입구. ❸'단말기'(端末機)의 준말.

분말 粉末 | 빻을 분, 가루 말 [powder; dust]
빻아서[粉] 만든 가루[末]. ¶알약을 빻아 분말로 만들다.

연말 年末 | 해 년, 끝 말
[year end; end of the year]
한 해[年]의 마지막[末] 무렵. ¶연말 파티 / 연말에는 인사할 곳이 많다. ⊞연시(年始), 연초(年初).

월말 月末 | 달 월, 끝 말
[end of the month]
어느 달[月]이 끝나 가는[末] 무렵. 곧, 말일 이전의 며칠 동안을 가리킨다. ¶숙제는 월말까지 제출하세요. ⊞월초(月初).

전:말 顚末 | 꼭대기 전, 끝 말
[circumstances; particulars]
꼭대기[顚]부터 끝[末]까지. 처음부터 끝까지 일이 진행되어 온 경과. ¶사건의 전말이 드러나다.

종말 終末 | 마칠 종, 끝 말 [end; close]
일 따위를 마치는[終] 맨 끝[末]. ¶그 노인은 지구의 종말이 가까웠다고 믿는다.

주말 週末 | 주일 주, 끝 말 [weekend]
한 주일(週)의 끝[末]. ¶아버지는 주말마다 등산을 가신다.

한:말 韓末 | 나라이름 한, 끝 말
대한(大韓)제국의 마지막[末] 시기. ¶한말에는 구국(救國) 운동이 일어났다.

0435 [사]

査

조사할 사
部 木부 劃 9획 中 查 [chá, zhā]

査 査 査 査 査 査 査 査 査

査자는 나이가 1,000 살 안팎이니 비교적 젊은 나이의 글자다. '뗏목'(a raft)이 본뜻인데, 후에 '살피다'(examine; inspect)는 뜻으로 활용되는 예가 잦아지자, 본래 의미는 槎(뗏목 사)자를 따로 만들어 나타냈다. 음 차이가 크지만 且(또 차)가 표음요소임은 柤(난간 사)의 경우도 마찬가지다. 그 대신에 旦(아침 단)을 쓰기도 하는데 뜻과는 무관하다.

속뜻훈음 살필 사.

• 역순어휘

감사 監査 | 볼 감, 살필 사 [audit]
감독(監督)하고 검사(檢査)함. ¶국정 감사 / 회계감사. ⊞감독(監督), 검사(檢査), 감찰(監察).

검:사 檢査 | 봉함 검, 살필 사 [inspect; examine]
❶속뜻 봉함[檢]을 하여 조사(調査)에 대비함. ❷적합 여부와 이상 유무를 조사함. ¶정밀검사 / 숙제를 검사하다. ⊞조사(調査), 검열(檢閱), 점검(點檢).

고사 考査 | 생각할 고, 살필 사
[consider; examine]
❶속뜻 자세히 생각하여[考] 알뜰히 살펴봄[査]. ❷학교에서 학생의 학업 성적을 시험함. 또는 그 시험. ¶월말고사.

답사 踏査 | 밟을 답, 살필 사 [explore; survey]
실지로 현장에 가서[踏] 보고 조사(調査)함. ¶소풍갈 장소를 답사하다.

수사 搜査 | 찾을 수, 살필 사
[search for; investigate a case]
❶속뜻 찾아서[搜] 조사(調査)함. ❷법률 국가기관에서 범인을 찾기 위해 조사하는 일. ¶경찰은 살인 사건을 수사하고 있다.

순사 巡査 | 돌 순, 살필 사
[policeman; patrolman]
❶속뜻 각지를 돌며[巡] 조사(調査)함. ❷역사 일제시대 경찰관의 가장 낮은 계급.

심사 審査 | 살필 심, 살필 사 [judge; examine]
자세히 살피고[審] 조사(調査)하여 가려내거나 정함. ¶최종 심사 / 논문을 심사하다.

조사 調査 | 헤아릴 조, 살필 사
[investigate; survey]
❶속뜻 잘 헤아리고[調] 살펴봄[査]. ❷사물의 내용을 명확히 알기 위하여 자세히 살펴보거나 찾아봄. ¶설문 조사 / 사건을 철저히 조사하다.

탐사 探査 | 찾을 탐, 살필 사
[explore; investigate; inquire into]

알려지지 않은 사물이나 사실 따위를 찾아[探] 조사(調査)함. ¶달 표면을 탐사하다 / 해양생물 탐사대.

0436 [안]

案

책상 안:
㊟ 木부 ㊟ 10획 ㊥ 案 [àn]

案 案 案 案 案 案 案 案 案 案

案자는 '나무 목'(木)이 표의요소이고, 安(편안할 안)은 표음요소에 불과하다. '책상'(a writing table)이 본뜻인데 '생각하다'(consider; think over), '(자세히) 알려주다'(guide), '문서'(a document)의 뜻으로도 쓰인다. '초안'(a rough draft), '안건'(an item) 같은 낱말과 의미상 관련이 있는 단어의 구성 요소로도 쓰인다.

속뜻훈음 ①책상 안, ②안건 안, ③생각 안, ④알려줄 안, ⑤문서 안.

안:건 案件 | 생각 안, 것 건 [item]
❶속뜻 더 생각[案]해 보아야 할 것[件]. ❷토의하거나 조사해야 할 사실. ¶별다른 안건이 없어 회의는 일찍 끝났다. ㊟안.

안:내 案內 | 알려줄 안, 안 내 [guide; notify]
어떤 내용(內容)을 자세히 알려 줌[案]. 또는 그런 일. ¶안내 말씀 드리겠습니다.

• 역순어휘

감안 勘案 | 헤아릴 감, 생각 안 [consider]
헤아려[勘] 생각해봄[案]. 참작함. ¶형편을 감안하여 수업료를 면제해 주었다.

고안 考案 | 생각할 고, 안건 안 [device; contrivance]
새로운 방안(案)을 생각해[考] 냄. 또는 그 안. ¶새로운 방법을 고안하다.

교:안 教案 | 가르칠 교, 문서 안 [teaching plan]
교육 가르치기[教] 위하여 작성한 문서[案].

답안 答案 | 답할 답, 생각 안 [answer paper]
❶속뜻 답[答]으로 내놓은 생각[案]. ❷문제에 대한 해답(解答). 또는 그 해답을 쓴 종이. ¶시험 답안을 채점하다. ㊥해답(解答). ㊥문제(問題).

대:안 代案 | 바꿀 대, 생각 안 [alternative idea]
기존의 방안을 바꾸어[代] 내놓은 생각[案]. ¶획기적인 대안을 내놓았다.

도안 圖案 | 그림 도, 생각 안 [design; plan]
그림[圖] 형식으로 표현한 생각[案]. 또는 생각을 구체화한 그림. ¶화폐 도안을 바꾸다.

묘:안 妙案 | 묘할 묘, 생각 안 [wonderful idea]
아주 교묘(巧妙)한 생각[案]. 뛰어난 생각. 절묘(絶妙)한 방법. ¶묘안이 떠올랐다. ㊥묘책(妙策).

방안 方案 | 방법 방, 생각 안 [plan; device]
해결 방법(方法)이나 생각[案]. ¶해결 방안이 떠올랐다.

법안 法案 | 법 법, 안건 안 [(legislative) bill]
법률 법률(法律)의 안건(案件)이나 초안. '법률안'(法律案)의 준말. ¶환경보호 법안이 의회를 통과했다.

의안 議案 | 따질 의, 안건 안 [bill; measure]
토의(討議)할 안건(案件). ¶그는 보행자의 안전을 위한 의안을 국회에 상정했다.

제안 提案 | 들 제, 생각 안 [propose; suggest]
생각[案]을 들어[提] 내놓음. 또는 그런 생각. ¶이번 봄 소풍은 그의 제안이었다.

창:안 創案 | 처음 창, 생각 안 [originate; devise; invent]
전에 없었던 생각[案]을 처음[創] 함. ¶새로운 사업을 창안해 내다.

초안 草案 | 거칠 초, 문서 안 [rough draft]
❶속뜻 다듬지 않아 거친[草] 문서[案]나 글. ¶연설문의 초안을 쓰다. ❷애벌로 안(案)을 잡음. 또는 그 안. ¶초안을 토의하다.

0437 [판]

板

널 판
㊟ 木부 ㊟ 8획 ㊥ 板 [bǎn]

板 板 板 板 板 板 板 板

板자는 '널빤지'(a piece of a plank)를 뜻하기 위하여 만들어낸 것이니, '나무 목'(木)이 표의요소로 쓰였다. 反(되돌릴 반)이 표음요소임은 版(널 판), 販(팔 판)도 마찬가지다.

속뜻훈음 널빤지 판.

판문 板門 | 널빤지 판, 문 문
널빤지[板]로 만든 문(門).

판자 板子 | 널빤지 판, 접미사 자 [wooden board]
널빤지[板].

판재 板材 | 널빤지 판, 재목 재 [board; plank]
널빤지[板]로 된 재목(材木).

판지 板紙 | 널빤지 판, 종이 지 [pasteboard; cardboard]
널빤지[板]처럼 단단하고 두껍게 만든 종이[紙]. ¶그는 책상 위에 판지로 된 상자를 올려놓았다.

• 역순어휘

간판 看板 | 볼 간, 널빤지 판 [signboard; sign]
사람들의 눈에 잘 띄게[看] 내건 표지용 널빤지[板]. ¶옥상에 상점 간판을 달다.

갑판 甲板 | 갑옷 갑, 널빤지 판 [deck]
큰 배 위의 바닥에 갑옷[甲] 같이 딱딱하게 깔아 놓은 목판(木板)이나 철판(鐵板). ¶선원은 갑판으로 올라갔다.

강판[1] 鋼板 | 강철 강, 널빤지 판 [steel sheet]
강철(鋼鐵)로 만든 널빤지[板]. ¶배의 갑판에 강판을 깔다. '강철판'의 준말.

강판[2] 薑板 | 생강 강, 널빤지 판 [grater]
생강(生薑), 과일 따위를 가는 널빤지[板] 모양의 도구. ¶무를 강판에 갈아 즙을 내다.

경판 經板 | 책 경, 널빤지 판
책으로 만들기 위하여 불경(佛經)을 새긴 판(板).

기판 基板 | 터 기, 널빤지 판 [board]
전기 배선(配線)을 변경할 수 있는 기본(基本)이 되는 판(板). 전기 회로가 편성되어 있다.

등판 登板 | 오를 등, 널빤지 판
[take the plate; go to the mound]
운동 야구에서 투수가 널빤지[板] 같은 마운드에 올라서는[登] 일. ¶선발투수로 등판하다. (반)강판(降板).

묘:판 苗板 | 모종 묘, 널빤지 판 [rice seedbed]
모종[苗]을 심어놓은 널빤지[板]. (비)못자리.

부판 浮板 | 뜰 부, 널빤지 판
운동 헤엄칠 때 몸이 잘 뜨게 하는[浮] 널판[板]. ¶부판을 잡고 헤엄을 쳤다.

빙판 氷板 | 얼음 빙, 널빤지 판 [icy road]
얼음[氷] 판[板]. 또는 얼어붙은 땅바닥. ¶빙판에서 미끄러지다. (비)얼음판.

송판 松板 | 소나무 송, 널빤지 판
[pine board; deal]
소나무[松]를 켜서 만든 널빤지[板]. ¶대패로 송판을 밀었다.

수:판 數板 | 셈 수, 널빤지 판 [abacus]
셈[數]을 하는데 쓰이는 판(板) 모양의 기구. (비)주판(籌板).

식판 食板 | 밥 식, 널빤지 판
음식(飮食)을 담는 판(板). ¶식판에 밥을 듬뿍 담았다.

원판 圓板 | 둥글 원, 널빤지 판 [circular plate]
판판하고 넓으며 둥근[圓] 모양의 판(板).

자판 字板 | 글자 자, 널빤지 판 [keyboard]
글자[字]를 배열해 놓은 판(板). ¶컴퓨터 자판.

주판 珠板 | =籌板, 구슬 주, 널빤지 판 [abacus]
구슬[珠] 모양의 알이 달려 있는 판(板). 셈을 할 때 사용하는 기구이다. ¶주판을 퉁기며 장부 정리를 하다.

철판 鐵板 | 쇠 철, 널빤지 판
[iron plate; sheet of steel]
쇠[鐵]로 된 넓은 조각[板]. ¶철판에 고기를 굽다 / 얼굴에 철판을 깔다.

칠판 漆板 | 옻 칠, 널빤지 판 [blackboard]
❶ 속뜻 검은 옻칠(漆)을 한 널빤지[板]. ❷ 검정이나 초록색 따위의 칠을 하여 그 위에 분필로 글씨를 쓰거나 그림을 그리게 만든 널조각. ¶눈이 나빠 칠판 글씨가 보이지 않는다.

합판 合板 | 합할 합, 널빤지 판 [sheet of plywood]
여러 장을 합(合)하여 만든 널빤지[板].

현:판 懸板 | 매달 현, 널빤지 판 [hanging board]
글씨나 그림을 새기거나 써서 높은 곳에 매다[懸]는 널조각[板]. ¶남대문 현판에 '숭례문'(崇禮門)이라고 쓰여 있다.

화:판 畵板 | 그림 화, 널빤지 판 [drawing board]
그림을 그릴[畵] 때 받치는 판(板).

흑판 黑板 | 검을 흑, 널빤지 판 [blackboard]
검은[黑] 칠을 하여 그 위에 분필로 글씨나 그림을 쓰게 만든 널빤지[板]. (비)칠판(漆板).

0438 [개]

改 고칠 개(:)
(부) 攴부 (획) 7획 (中) 改 [gǎi]

改 改 改 改 改 改 改

改자는 '(때려서) 고치다'(remodel)는 뜻을 나타내기 위하여 '칠 복'(攵=攴)이 표의요소로 발탁됐다. 己(몸 기)는 표음요소였는데 음이 조금 달라졌다. 후에 '바꾸다'(change)는 뜻도 이것으로 나타냈다.

속뜻 훈음 ①고칠 개, ②바꿀 개.

개:각 改閣 | 고칠 개, 관청 각
[reshuffle the cabinet]
내각(內閣)을 개편(改編)함. ¶개각으로 분위기가 뒤숭숭하다.

개:량 改良 | 고칠 개, 좋을 량 [improve; reform]
주로 구체적인 것을 고쳐[改] 좋게[良] 함. ¶품종을 개량하다. (비)개선(改善). (반)재래(在來).

개:선 改善 | 고칠 개, 좋을 선 [improve]

❶[속뜻]고쳐서[改] 좋게[善] 함. ❷잘못된 점을 고치어 잘 되게 함. ¶근무환경을 개선했다. [비]개량(改良). [반]개악(改惡).

개:신 改新 | 고칠 개, 새 신 [renew]
고치어[改] 새롭게[新] 함. ¶제도가 개신되었다.

개:작 改作 | 고칠 개, 지을 작 [adapt]
고치어[改] 새로 지음[作]. 또는 그 작품. ¶그 희곡은 소설을 개작한 것이다.

개:정[1] 改正 | 고칠 개, 바를 정 [reform]
고치어[改] 바르게[正]함. ¶헌법을 개정하다.

개:정[2] 改定 | 고칠 개, 정할 정 [revise]
한번 정했던 것을 고치어[改] 다시 정(定)함. ¶개정 요금에 따라 돈을 내십시오.

개:정[3] 改訂 | 고칠 개, 바로잡을 정 [revise]
잘못된 내용을 고치고[改] 부족한 부분을 바로잡아[訂] 채움. ¶그 책은 지금 개정 중이다.

개:조 改造 | 고칠 개, 만들 조 [remodel]
고치어[改] 다시 만듦[造]. ¶창고를 공장으로 개조하다.

개:종 改宗 | 바꿀 개, 마루 종 [convert to]
[종교]믿던 종교(宗敎)를 바꾸어[改] 다른 종교를 믿음. ¶그는 불교로 개종했다.

개:찰 改札 | 고칠 개, 쪽지 찰 [check tickets]
승차권이나 입장권 쪽지[札] 따위에 구멍을 뚫어[改] 탑승이나 입장을 허락함. ¶9시 부산행 열차의 개찰을 시작합니다. [비]개표(改票).

개:칭 改稱 | 고칠 개, 일컬을 칭
[rename; change a name]
칭호(稱號)를 고침[改]. 또는 그 고친 칭호. ¶한성(漢城)을 '서울'로 개칭하다.

개:편 改編 | 고칠 개, 엮을 편
[reorganize; revise]
❶[속뜻]책 따위를 다시 고쳐[改] 엮어서[編] 냄. ❷인적(人的)기구나 조직 따위를 고치어 다시 짬. ¶인사(人事)개편 / 조직을 개편하다.

개:표 改票 | 고칠 개, 쪽지 표 [check tickets]
차표나 입장권[票] 따위를 입구에서 개찰(改札)하는 일. [비]개찰(改札).

개:헌 改憲 | 고칠 개, 법 헌
[amend a constitution]
[법률]헌법(憲法)을 고침[改]. ¶내각제를 대통령제로 개헌하다. [반]호헌(護憲).

개:혁 改革 | 고칠 개, 바꿀 혁 [reform; innovate]
❶[속뜻]다른 것으로 고치거나[改] 완전히 바꾸어버림[革]. ❷제도나 기구 따위를 완전히 새롭게 뜯어고침. ¶교육개혁 / 개혁적 관료 / 제도를 개혁하다. [비]혁신(革新). [반]보수(保守).

• 역순어휘

회:개 悔改 | 뉘우칠 회, 고칠 개 [repent; penitent]
이전의 잘못을 뉘우치고[悔] 고침[改]. ¶회개의 눈물을 흘리다. [비]참회(懺悔).

0439 [구]

救

구원할 구:
[部] 攴부 [劃] 11획 [中] 救 [jiù]

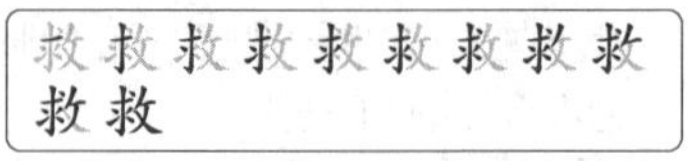

救자는 '칠 복'(攴=攵)이 표의요소이고, 求(가죽옷 구)는 표음요소로 '금지하다'(forbid)가 본뜻인데, 본래 의미로 쓰이는 예는 극히 적다. '구원하다'(relieve; rescue; aid), '건지다'(pick up), '도와주다'(help)는 뜻으로 많이 쓰인다.

[속뜻 훈음] ①구원할 구, ②도울 구, ③건질 구.

구:국 救國 | 구원할 구, 나라 국
[save one's country]
위태로운 나라[國]를 구원(救援)함. ¶구국 운동을 벌이다.

구:명 救命 | 구원할 구, 목숨 명 [save one's life]
사람의 목숨[命]을 구원(救援)함.

구:세 救世 | 구원할 구, 세상 세 [save the world]
❶[속뜻]세상(世上) 사람들을 불행과 고통에서 구원(救援)함. ❷[기독교]신앙으로 인류를 마귀의 굴레와 죄악에서 구원함. 또는 그런 사람. ❸[불교]중생을 괴로움에서 벗어나게 함. 또는 그런 사람.

구:원 救援 | 건질 구, 당길 원 [rescue; relieve]
❶[속뜻]물에 빠진 사람을 건져주기[救] 위해 잡아당김[援]. ❷[기독교]인류를 죽음과 고통과 죄악에서 건져내는 일. [비]구제(救濟).

구:제 救濟 | 건질 구, 건질 제 [help; aid]
❶[속뜻]강물에 빠진 사람을 구하여[救] 건져[濟] 줌. ❷어려운 처지에 있는 사람을 도와줌. ¶빈민 구제.

구:조 救助 | 도울 구, 도울 조 [rescue; relief]
재난 따위를 당하여 어려운 처지에 빠진 사람을 도와줌[救=助]. ¶인명을 구조하다. [비]구명(救命).

구:출 救出 | 구원할 구, 날 출 [rescue; help out]
구원(救援)하여 위험한 상태에서 벗어나오게 함[出].

구:호 救護 | 도울 구, 돌볼 호 [relief; aid]

❶ 속뜻 어려움에 처한 사람을 구(救)하여 돌봄[護]. ¶난민을 구호하다. ❷병자나 부상자를 간호하거나 치료함. ㊊구제(救濟), 구휼(救恤).

구:황 救荒 | 도울 구, 거칠 황 [famine relief]
황폐(荒廢)한 빈민들을 도와줌[救]. ¶구황식품.

0440 [패]

敗

패할 패:
㊀ 攴부 ㊁ 11획 ㊥ 败 [bài]

敗 敗 敗 敗 敗 敗 敗 敗 敗 敗 敗

敗자는 '망가지다'(be broken)는 뜻을 위하여 고안된 것이니, '칠 복'(攴=攵)이 부수이자 표의요소로 쓰였다. '조개 패'(貝)도 표의요소다. 아득한 옛날에 '돈'으로 쓰였던 조개껍질을 다듬질하다 잘못하여 망가트리는 일이 있었나 보다. 물론 표음요소를 겸하기도 한다. 싸움 따위에서 '패하다'(=지다, get defeated), '무너지다'(collapse; crumble)는 뜻으로 많이 쓰인다.
속뜻훈음 ①패할 패, ②무너질 패.

패:가 敗家 | 무너질 패, 집 가 [ruin one's family]
집안[家]을 무너뜨림[敗]. 가산을 탕진하여 없앰.

패:망 敗亡 | 패할 패, 망할 망
[collapse; be completely defeated]
❶ 속뜻 전쟁에 져서[敗] 망(亡)함. ¶독일은 2차 세계대전에서 패망했다. ❷싸움에 져서 죽음.

패:배 敗北 | 패할 패, 달아날 배 [defeat; lose]
❶ 속뜻 전쟁에 져서[敗] 달아남[北]. ❷싸움에서 짐. ¶축구에서 한 점 차로 패배했다. ㊎승리(勝利).

패:소 敗訴 | 패할 패, 하소연할 소 [lose a suit]
법률 소송(訴訟)에 짐[敗]. ¶판사는 원고 패소 판결을 내렸다. ㊎승소(勝訴).

패:인 敗因 | 패할 패, 인할 인 [cause of defeat]
싸움에 진[敗] 원인(原因). ¶패인은 연습 부족이었다.

패:자 敗者 | 패할 패, 사람 자
[loser; defeated person]
싸움에 진[敗] 사람[者]. ¶어느 경기에서나 승자와 패자는 있게 마련이다. ㊎승자(勝者).

패:잔 敗殘 | 패할 패, 남을 잔
[survival after defeat]
전쟁에서 지고[敗] 남은[殘] 세력.

• 역순어휘

대:패 大敗 | 큰 대, 패할 패 [be beaten hollow]
❶ 속뜻 크게[大] 패(敗)함. 큰 실패. ❷싸움이나 경기에서 큰 차이로 짐. ¶연합군은 게릴라전에서 대패하고 말았다. ㊎대승(大勝), 대첩(大捷).

부:패 腐敗 | 썩을 부, 무너질 패
[rot; decompose; decay]
❶ 속뜻 썩어[腐] 문드러짐[敗]. ❷정치, 사상, 의식 따위가 타락함. ¶부패한 정치가. ❸ 화학 미생물이 작용하여 질소를 품고 있는 단백질이나 지방 따위의 유기물이 분해되는 과정. 또는 그런 현상. 독특한 냄새가 나거나 유독성 물질이 발생한다. ¶여름철에는 음식물이 부패하기 쉽다.

성패 成敗 | 이룰 성, 패할 패 [success or failure]
성공(成功)과 실패(失敗). ¶성패는 노력에 달려 있다.

승패 勝敗 | 이길 승, 패할 패 [victory and defeat]
이김[勝]과 짐[敗]. ¶승패를 떠나 최선을 다해라.

실패 失敗 | 그르칠 실, 패할 패 [fail]
일을 그르쳐서[失] 뜻대로 되지 못함[敗]. ¶실패는 성공의 어머니이다. ㊎성공(成功).

연패 連敗 | 이을 련, 패할 패
[suffer successive defeats]
싸움이나 경기에서 계속하여[連] 짐[敗]. ¶3연패 끝에 승리를 거두었다.

영패 零敗 | 영 령, 패할 패 [be shut out]
운동 경기나 시합에서 득점이 없어 0[零]점인 채로 짐[敗]. ¶영패를 모면하다.

완패 完敗 | 완전할 완, 패할 패
[suffer a complete defeat]
완전(完全)하게 패(敗)함. ¶공화당은 총선(總選)에서 완패했다. ㊊전패(全敗). ㊎완승(完勝).

참패 慘敗 | 참혹할 참, 패할 패
[be crushed; be completely defeated]
참혹(慘酷)하게 패(敗)함. ¶대군을 이끌고 왔으나 참패를 당하고 돌아갔다. ㊊대패(大敗). ㊎쾌승(快勝).

0441 [비]

比

견줄 비:
㊀ 比부 ㊁ 4획 ㊥ 比 [bǐ]

比 比 比 比

比자는 '친하다'(intimate)는 뜻을 위해 고안된 것으로 바짝 뒤따라가는 두 사람을 그린 것이다. 본뜻 보다 '견주다'(compare), '가지런하다'(be in order)는 뜻으로 더 많이 쓰인다.
속뜻훈음 ①견줄 비, ②가지런할 비.

비:교 比較 | 견줄 비, 견줄 교 [compare]
둘 이상의 사물을 서로 대비(對比)하여 견주어[較] 봄. ¶이쪽이 비교도 안 될 만큼 좋다.

비:등 比等 | 견줄 비, 같을 등 [be equal]
견주어[比] 보아 서로 같거나[等] 비슷하다. ¶나는 형과 체격이 비등하다.

비:례 比例 | 견줄 비, 본보기 례
[comparison with a precedent]
❶[속뜻] 본보기[例]와 비교(比較)해 봄. ❷한쪽의 양이나 수가 변동할 때 다른 쪽의 양이나 수도 같은 비율로 증가 또는 감소하는 관계. 정비례와 반비례가 있다. ¶행복은 성공과 꼭 비례하는 것은 아니다.

비:유 比喩 | 견줄 비, 고할 유
[liken to; compare to]
어떤 사물의 모양이나 상태 등을 보다 효과적으로 표현하기 위하여 그것과 비슷한 다른 사물에 빗대어[比] 표현함[喩]. ¶양은 착한 사람에 대한 비유로 쓰인다.

비:율 比率 | 견줄 비, 값 률
[ratio; percentage]
어떤 수나 양을 다른 수나 양에 비교(比較)한 값[率]. ¶3대 2의 비율 / 구성비율.

비:중 比重 | 견줄 비, 무거울 중
[specific gravity]
❶[속뜻] 다른 것과 견주었을[比] 때 무겁거나[重] 중요한 정도. ¶입학시험에서는 수학의 비중이 매우 크다. ❷[물리] 어떤 물질의 질량과 그것과 같은 체적의 표준물질의 질량과의 비. ¶구리는 철보다 비중이 크다.

• 역순어휘

대:비 對比 | 대할 대, 견줄 비
[contrast; compare]
❶[속뜻] 서로 맞대어[對] 비교(比較)함. ¶성적이 전년과 대비해 20점이 올랐다. ❷서로 대립되는 감정이 접근해 있을 때 그 차이가 두드러지는 현상. ¶붉은 색과 검은 색의 대비가 인상적이다.

반:비 反比 | 반대로 반, 견줄 비 [inverse ratio]
[수학] 비례식에서 앞의 항과 뒤의 항을 바꾸어[反] 만든 비(比). A:B에 대한 B:A 따위. ㊥정비(正比).

연비 連比 | 이을 련, 견줄 비
[continued ratio]
[수학] 세 개 이상의 이어진[連] 수나 양의 비(比).

즐비 櫛比 | 빗 즐, 가지런할 비
[stand closely together]
빗살[櫛]처럼 가지런하게[比] 늘어서 있다. ¶거리에는 옷가게가 즐비하다.

0442 [거]

舉 들 거:
㊊ 手부 ㊋ 18획 ㊥ 举 [jǔ]

舉자는 '(손 따위를) 들다'(raise)는 뜻을 나타내기 위한 것이다. '손 수'(手)와 '줄 여'(與) 둘 다가 표의요소로 쓰였다. 드물게 '모두'(all)란 뜻으로도 쓰인다.
[속뜻 훈음] ①들 거, ②모두 거.

거:국 擧國 | 모두 거, 나라 국 [whole country]
온[擧] 나라[國]. 또는 국민(國民) 전체.

거:동 擧動 | 들 거, 움직일 동
[conduct; behavior; manner]
몸을 들어[擧] 움직이는[動] 짓이나 태도. ¶거동이 불편하다. ㊥행동(行動).

거:론 擧論 | 들 거, 논할 론
[make a subject of discussion]
어떤 사항을 논제(論題)를 들어[擧] 말함. ¶그건 이 자리에서 거론할 문제가 아니다.

거:수 擧手 | 들 거, 손 수 [raise one's hand]
손[手]을 위로 듦[擧]. ¶찬성하는 분들은 거수해 주십시오.

거:행 擧行 | 들 거, 행할 행 [carry out]
❶[속뜻] 명령을 받들어[擧] 그대로 시행(施行)함. ¶분부대로 곧 거행하겠습니다. ❷행사나 의식을 치름. ¶시상식을 거행하다.

• 역순어휘

검:거 檢擧 | 검사할 검, 들 거
[arrest; apprehend]
[법률] 수사기관에서 범법 용의자를 찾아내어[檢] 잡아들이는[擧] 일. ¶마침내 범인을 검거했다.

경거 輕擧 | 가벼울 경, 들 거 [rash action; ill]
경솔(輕率)하게 거동(擧動)함. 가벼이 행동함.

과거 科擧 | 과목 과, 들 거
[역사] 각 과목[科]별로 관리를 뽑기[擧] 위하여 보던 시험. ¶과거에 급제하다.

선:거 選擧 | 가릴 선, 들 거
[elect; vote for; return]
대표자나 임원을 투표 등의 방법으로 가려[選] 냄[擧]. ¶대통령 선거.

열거 列擧 | 벌일 렬, 들 거 [enumerate; list]
여러 가지 예나 사실을 낱낱이 죽 늘어[列] 놓음[擧].

¶그의 장점은 이루 다 열거할 수 없다.

의:거 義擧 | 옳을 의, 들 거
[worthy undertaking; heroic deed]
정의(正義)로운 일을 일으킴[擧]. ¶윤봉길 의사의 의거 / 일제의 학정(虐政)에 국민이 의거했다.

일거 一擧 | 한 일, 들 거 [one action; one effort]
❶속뜻 한[一] 번에 들어 올림[擧]. 한 번의 동작. ❷단번에 일을 해치우는 모양을 이름. ¶그간의 실수를 일거에 만회했다.

천:거 薦擧 | 올릴 천, 들 거
[recommend; say a good word for]
인재를 들추어내[擧] 어떤 자리에 쓰도록 추천(推薦)함. ¶그는 여러 번 천거되었으나 벼슬길에 나가지 않았다.

쾌거 快擧 | 기쁠 쾌, 들 거
[spectacular achievement]
통쾌(痛快)하고 장한 거사(擧事). ¶그녀는 올림픽 3관왕이라는 쾌거를 이룩했다.

0443 [기]

技

재주 기
部 手부 劃 7획 中 技 [jì]

技技技技技技技

技자는 '손재주'(handicraft)를 뜻하기 위한 것이었으니, '손 수'(手→扌)가 표의요소로 쓰였다. 支(가를 지)가 표음요소임은 妓(기생 기)도 마찬가지다. 후에 일반적인 의미의 '재주'(ability; talent)를 통칭하는 것으로 확대 사용됐다.

기교 技巧 | 재주 기, 솜씨 교 [technique]
빼어난 기술(技術)이나 솜씨[巧].

기능 技能 | 재주 기, 능할 능
[(technical) skill; ability]
기술적(技術的)인 능력(能力)이나 재능. ¶기능을 갈고 닦아 다시 도전하겠다. 비 기량(技倆).

기량 技倆 | =伎倆, 기술 기, 재주 량 [skill; ability]
기술적(技術的)인 재주[倆]. ¶기량을 연마하다.

기법 技法 | 재주 기, 법 법 [technique]
기술(技術)을 부리는 방법(方法). 기교를 부리는 방법. ¶상감기법을 이용하여 무늬를 넣은 도자기.

기사¹ 技士 | 재주 기, 선비 사 [driver]
❶속뜻 어떤 분야의 기술(技術)이 뛰어난 사람[士]. ❷전문적으로 차를 운전하는 사람. ¶택시 기사.

기사² 技師 | 재주 기, 스승 사
[engineer; technician]
전문적인 기술(技術)을 가진 사람을 스승[師]으로 높여 부르는 말. ¶촬영 기사.

기술 技術 | 재주 기, 꾀 술 [skill; technique]
❶속뜻 사물을 잘 다룰 수 있는 재주[技]나 방법[術]. ❷과학 이론을 실제로 적용하여 자연의 사물을 인간 생활에 유용하도록 가공하는 수단. ¶기술을 개발하다.

기예 技藝 | 재주 기, 재주 예 [arts; handicrafts]
훌륭한 기술(技術)이나 재주[藝].

• 역순어휘

경:기 競技 | 겨룰 경, 재주 기 [game; match]
일정한 규칙 아래 기량(技倆)과 기술(技術)을 겨룸[競]. 또는 그런 일. ¶운동 경기. 비 겨루기.

구기 球技 | 공 구, 재주 기 [ball game]
운동 공[球]을 사용하는 운동 경기(競技). 야구, 축구, 배구, 탁구 따위.

국기 國技 | 나라 국, 재주 기 [national sport]
나라[國]에서 전통적으로 즐겨 내려오는 대표적인 운동이나 기예(技藝). 우리나라의 태권도, 영국의 축구 따위.

묘:기 妙技 | 묘할 묘, 재주 기
[skill; wonderful performance]
절묘(絶妙)한 기술(技術). 매우 뛰어난 기술. ¶곡예사가 묘기를 부리다.

신기 神技 | 귀신 신, 재주 기 [exquisite skill]
신(神)의 능력으로만 가능할 것 같은 매우 뛰어난 기술이나 재주[技]. ¶그녀의 피아노 연주 솜씨는 신기에 가까웠다.

실기 實技 | 실제 실, 재주 기 [practical skill]
실제(實際)로 할 수 있는 기능(技能)이나 기술(技術). ¶실기시험.

연:기 演技 | 펼칠 연, 재주 기 [perform; act]
연영 관객 앞에서 연극, 노래, 춤, 곡예 따위의 재주[技]를 행동으로 펼쳐[演] 보임. 또는 그 재주. ¶그의 연기는 자연스럽다.

잡기 雜技 | 섞일 잡, 재주 기 [gambling]
❶속뜻 여러 가지 자질구레한[雜] 기예(技藝). ¶그는 잡기에 능한 편이다. ❷여러 가지 잡된 노름. ¶그는 잡기를 하다가 재산을 모두 잃었다.

장기 長技 | 길 장, 재주 기 [one's specialty]
가장 잘하는[長] 재주[技]. ¶장기 자랑 / 그는 접영(蝶泳)이 장기이다. 비 특기(特技).

특기 特技 | 특별할 특, 재주 기
[special ability; speciality]
특별(特別)한 기능(技能)이나 기술(技術). ¶자신의 특기를 살려 진로를 결정하다. 비 장기(長技).

0444 [기]

汽

물 끓는 김 기

㊂ 水부 ㊃ 7획 ㊥ 汽 [qì]

汽汽汽汽汽汽汽

汽자는 '수증기'(water vapor), '김'(steam)을 뜻하기 위하여 만든 글자이니 '물 수'(水)와 气(기운 기)가 표의요소로 쓰였다. 물론, 气는 표음요소도 겸한다.

속뜻 훈음 수증기 기.

기선 汽船 | 수증기 기, 배 선 [steamship]
증기[汽]기관을 동력으로 하여 항해하는 배[船].

기적 汽笛 | 수증기 기, 피리 적 [whistle; siren]
기차나 배 따위에서 증기[汽]를 내뿜는 힘으로 경적(警笛) 소리를 내는 장치. 또는 그 소리. ¶열차가 기적을 울리며 달린다. ㊀고동.

기차 汽車 | 수증기 기, 수레 차 [(railroad) train]
증기[汽]나 디젤의 힘으로 움직이는 철도 차량(車輛). ㊀열차(列車).

0445 [빙]

氷

얼음 빙

㊂ 水부 ㊃ 5획 ㊥ 冰 [bīng]

氷氷氷氷氷

氷자의 원형은 '얼음'(ice)을 뜻하기 위하여 두 덩어리의 얼음을 본뜬 '冫'이었다. 이것이 너무 간단하여 다시 '물 수'(水)를 첨가하여 冰으로 쓰다가 획수를 한 획 줄이고 구조를 재배치한 것이 지금의 '氷'이다.

빙산 氷山 | 얼음 빙, 메 산
[iceberg; floating mass of ice]
지리 남극이나 북극의 바다에 떠 있는 거대한 얼음[氷] 산[山]. 관용 빙산의 일각.

빙상 氷上 | 얼음 빙, 위 상 [ice sheet]
얼음[氷] 위[上]. ¶빙상 경기.

빙수 氷水 | 얼음 빙, 물 수 [iced water]
❶속뜻 얼음[氷]을 넣어 차게 한 물[水]. ❷얼음을 눈처럼 간 다음 그 속에 삶은 팥, 설탕 따위를 넣어 만든 음식.

빙점 氷點 | 얼음 빙, 점 점 [freezing point]
물리 물이 얼기[氷] 시작하거나 얼음이 녹기 시작하는 온도[點]. 섭씨 0도씨. 어는점.

빙판 氷板 | 얼음 빙, 널빤지 판 [icy road]
얼음[氷] 판[板]. 또는 얼어붙은 땅바닥. ¶빙판에서 미끄러지다. ㊀얼음판.

빙하 氷河 | 얼음 빙, 물 하 [glacier]
지리 높은 산이나 고위도 지방의 만년설이 무게의 압력으로 얼음덩이[氷]가 되어 천천히 비탈면을 흘러 내려와 강[河]을 이룬 것.

• 역순어휘

결빙 結氷 | 맺을 결, 얼음 빙 [freeze over]
물이 얼어서 얼음[氷]이 됨[結]. ¶오슬로 항은 겨울에도 결빙하지 않는 항구이다. ㊁해빙(解氷).

해:빙 解氷 | 풀 해, 얼음 빙 [thaw]
❶속뜻 얼음[氷]이 풀림[解]. ¶한강이 해빙되다. ❷'국제간의 긴장이 완화됨'을 비유하여 이르는 말. ¶동서 양대 진영의 해빙기. ㊁결빙(結氷).

0446 [어]

漁

고기 잡을 어

㊂ 水부 ㊃ 14획 ㊥ 渔 [yú]

漁漁漁漁漁漁漁漁漁
漁漁漁漁漁

漁자는 원래 '낚싯대에 매달린 물고기 모습', '물고기를 두 손으로 받쳐 들고 있는 모양'(魚+廾), '물에서 놀고 있는 물고기를 손으로 잡으려는 모양'(水+魚+又) 등이 있었는데, 지금의 자형(水+魚)은 고기가 물에서 노는 모양뿐이니 '고기를 잡다'(fish)는 뜻을 분명하게 나타내지 못하는 단점이 있다. 쓰기 편하기만을 추구한 결과이다.

어로 漁撈 | 고기 잡을 어, 잡을 로 [fish]
고기나 수산물 따위를 잡아[漁] 거두어들이는[撈] 일. ¶이 지역은 어로행위가 금지되어 있다.

어민 漁民 | 고기 잡을 어, 백성 민
[fishermen; fishing people]
고기 잡는[漁] 일을 하는 사람[民]. ¶이번 태풍으로 어민들은 큰 피해를 보았다. ㊀어부(漁夫).

어부 漁父 | =漁夫, 고기 잡을 어, 아버지 부
[fisherman]
고기잡이[漁]를 직업으로 하는 사람[父]. ¶우리 아버지는 어부이다. ㊀어민(漁民).

어선 漁船 | 고기 잡을 어, 배 선
[fishing boat; fisher boat]
고기잡이[漁]를 위한 배[船]. ¶어선은 만선이 되어 돌아왔다. ㊀고깃배.

어업 漁業 | 고기 잡을 어, 일 업
[fishery; fishing industry]
수산물을 잡는[漁] 것을 전문적으로 하는 사업(事業).

어장 漁場 | 고기 잡을 어, 마당 장
[fishing ground; fishery]
고기잡이[漁]를 하는 곳[場]. ¶독도 주변은 해산물이 풍부한 어장이다.

어촌 漁村 | 고기 잡을 어, 마을 촌
[fishing village; sea village]
고기잡이[漁] 하며 사는 사람들이 모여 사는 마을[村]. ¶해안을 따라 어촌이 많이 있다. ㊐갯마을.

• 역순어휘

풍어 豐漁 | 넉넉할 풍, 고기 잡을 어 [good catch]
넉넉하게[豐] 많이 잡힘[漁]. ¶풍어를 기원하다. ㊐대어(大漁). ㊥흉어(凶漁).

0447 [욕]

浴

목욕할 욕
㊌ 水부 ㊋ 10획 ㊥ 浴 [yù]

浴자는 '몸을 씻다'(have a bath)가 본뜻이니 '물 수'(水)가 표의요소로 쓰였다. 谷(골짜기 곡)이 표음요소임은 欲(하고자할 욕)도 마찬가지다. 계곡의 물에 들어가 몸을 씻었기 때문에 '浴'이라고 풀이하는 설도 있다. 그렇다면 '欲'은 계곡에서는 하품을 하고 싶어지기 때문이란 말인가? 지나친 연상은 좋지 않다. '머리를 씻다'는 뜻인 沐(머리 감을 목)과는 약간의 의미 차이가 있음에도 불구하고, 浴자를 '목욕하다'는 뜻으로 풀이하기도 한다.
속뜻훈음 ①목욕할 욕, ②몸씻을 욕.

욕실 浴室 | 목욕할 욕, 방 실 [bathroom]
목욕(沐浴)하기 위해 시설을 갖추어 놓은 방[室]. '목욕실'의 준말. ¶욕실 청소.

욕조 浴槽 | 목욕할 욕, 구유 조 [bathtub]
목욕(沐浴)을 할 수 있도록 물을 담는 용기[槽]. ¶욕조에 몸을 담그다.

욕탕 浴湯 | 목욕할 욕, 끓을 탕 [bathhouse]
목욕(沐浴)할 수 있도록 끓인[湯] 물. '목욕탕'의 준말. ¶욕탕에 텀벙 들어가다.

• 역순어휘

목욕 沐浴 | 머리감을 목, 몸씻을 욕 [bath]
❶속뜻 머리를 감고[沐] 몸을 씻음[浴]. ❷온몸을 씻음. ¶하루에 한 번은 목욕을 해야 한다.

0448 [조]

操

잡을 조(ː)
㊌ 手부 ㊋ 16획 ㊥ 操 [cāo]

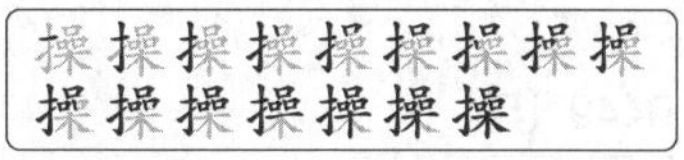

操자는 '(손으로 꽉) 잡다'(grasp)가 본뜻이니 '손 수'(手=扌)가 표의요소이다. 그 나머지가 표음요소 역할을 하는 것임은 燥(마를 조), 躁(성급할 조)를 통하여 알 수 있다. 후에 '부리다'(operate)는 뜻도 이것으로 나타냈다.
속뜻훈음 ①잡을 조, ②부릴 조.

조신 操身 | 잡을 조, 몸 신 [modest]
잘못이나 실수가 없도록 몸가짐[身]을 잘 다잡음[操]. ¶너도 이제 시집을 갈 것이니 조신해야 한다.

조ː심 操心 | 잡을 조, 마음 심 [be careful; heed]
잘못이나 실수가 없도록 마음[心]을 다잡음[操]. ¶이 물건은 조심해서 다뤄 주세요 / 처음 만져보는 물건이라 조심스러웠다 / 도자기를 조심스레 들어 옮겼다. ㊐주의(注意).

조ː업 操業 | 잡을 조, 일 업 [work; operate]
기계 따위를 잡고 움직여[操] 일[業]을 함. ¶지금은 어선들의 조업을 금지하고 있다.

조작 操作 | 잡을 조, 지을 작
[operate; control; manipulate]
기계 따위를 일정한 방식에 따라 다루어[操] 일함[作]. ¶아버지는 새로운 기계도 능숙하게 조작하신다.

조종 操縱 | 잡을 조, 놓아줄 종
[manipulate; control; operate]
❶속뜻 자기 마음대로 잡았다[操] 놓았다[縱] 함. ¶나는 누구의 조종을 받는 꼭두각시가 아니다. ❷비행기나 선박, 자동차 따위의 기계를 다룸. ¶그는 경비행기를 조종할 수 있다.

• 역순어휘

정조 貞操 | 곧을 정, 잡을 조 [chastity; virtue]
❶속뜻 곧은[貞] 지조(志操). ¶정조를 지키다. ❷이성 관계에서 순결을 지키는 일. ¶정조를 중히 여기다. ㊐정절(貞節).

지조 志操 | 뜻 지, 잡을 조
[fidelity; constancy]
원칙과 신념을 굽히지 아니하고 꿋꿋한 의지(意志)로

끝까지 지킴[操]. ¶지조 높은 선비. ㊥절개(節槪).

체조 體操 | 몸 체, 부릴 조
[gymnastics; physical exercises]
❶속뜻 몸[體]을 부림[操]. ❷운동 신체의 이상적 발달을 꾀하고 신체의 결함을 교정 또는 보충시켜 주기 위한 조직화된 운동. ¶음악에 맞춰 체조를 하다.

0449 [타]

打

칠 타:
㊀ 手부 ㊁ 5획 ㊥ 打 [dǎ, dá]

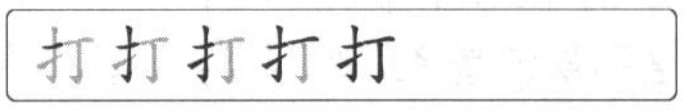

打자는 1,000년 정도 밖에 안됐으니 비교적 젊은 글자이다. '(손으로) 치다'(hit)가 본뜻이니, 손 수(扌=手)가 표의요소인 것은 쉽게 이해된다. 이 글자가 예전에 [댕] 또는 [덩]이라는 음으로 읽힐 때에는 丁(정)이 표음요소 구실을 한 셈이다. 그러나 지금은 '타'로 읽히니 표음요소와는 거리가 멀어졌다. 이것을 속칭 '곰배 정'으로 본다면 표의요소인 셈이다. [타] 음은 중국의 어떤 방언에서 유래된 것으로 추정된다. '때리다'(beat; thump)는 뜻으로도 쓰인다.
속뜻 훈음 ①칠 타, ②때릴 타.

타:개 打開 | 칠 타, 열 개
[overcome; resolve; break through]
❶속뜻 두드려[打] 엶[開]. ❷어려운 일을 잘 처리하여 해결할 방법을 찾음. ¶경제 위기를 타개하다.

타:격 打擊 | 칠 타, 칠 격 [hit; damage; batting]
❶속뜻 세게 때려[打] 침[擊]. ¶그는 머리에 심한 타격을 입고 쓰러졌다. ❷어떤 영향 때문에 기세나 의기가 꺾이는 일. ¶우리나라 산업에 치명적인 타격을 줄 수 있다. ❸운동 야구에서 투수가 던지는 공을 타자가 배트로 치는 일. ¶그는 오늘 경기에서 뛰어난 타격 실력을 선보였다.

타:구 打球 | 칠 타, 공 구 [batted ball]
운동 공[球]을 치는[打] 일. ¶그는 자신이 친 타구에 왼쪽 발목을 맞았다.

타:도 打倒 | 칠 타, 넘어질 도 [overthrow; defeat]
❶속뜻 때려 쳐서[打] 넘어지게[倒] 함. ❷쳐서 부수어 버림. ¶독재 정권을 타도하다.

타:박 打撲 | 때릴 타, 칠 박 [knock; beat]
사람이나 동물 따위를 때리고[打] 침[撲].

타:산 打算 | 칠 타, 셀 산 [calculate]
❶속뜻 셈[算]판을 튀겨 봄[打]. ❷자신에게 도움이 되는지를 따져 헤아림. ¶타산이 빠르다.

타:석 打席 | 칠 타, 자리 석 [batter's box]
운동 야구에서 타자가 투수의 공을 치기[打] 위하여 마련된 자리[席]. ¶그는 첫 타석에서 홈런을 쳤다.

타:선 打線 | 칠 타, 줄 선 [batting line up]
❶속뜻 타자(打者)가 줄[線]을 섬. ❷운동 야구에서 타력의 면에서 본 타자의 진용. ¶상대편의 타선이 우리보다 못하다.

타:수 打數 | 칠 타, 셀 수
[number of times at bat]
운동 야구에서 타격(打擊)한 횟수[數]. ¶4타수 3안타를 치다.

타:율 打率 | 칠 타, 비율 률 [batting average]
운동 야구에서 공을 쳐서[打] 성공적으로 출루한 비율(比率). ¶그의 현재 타율은 3할 5푼 8리다.

타:자¹ 打字 | 칠 타, 글자 자 [type write]
타자기로 종이 위에 글자[字]를 찍음[打]. ¶그는 타자 실력이 대단하다.

타:자² 打者 | 칠 타, 사람 자 [batter]
운동 야구에서 상대편 투수의 공을 치는[打] 공격진의 선수[者]. ¶타자가 들어서자 환호성이 쏟아졌다.

타:작 打作 | 칠 타, 일할 작 [thresh]
농업 볏단 따위를 두드려[打] 곡식을 떠는 일[作]. ¶보리 타작.

타:점 打點 | 칠 타, 점 점 [run batted in]
❶속뜻 붓이나 펜 따위로 점(點)을 찍음[打]. ❷운동 야구에서 타자가 안타 등으로 자기편에 득점하게 한 점수. ¶그 선수는 이번 시즌에서 110타점을 기록했다.

타:진 打診 | 칠 타, 살펴볼 진
[examine by percussion; percuss]
❶의학 환자의 신체를 두드려서[打] 진찰(診察)하는 방법. ❷남의 의사를 알기 위하여 미리 떠봄. ¶그가 우리를 도울 의향이 있는지 타진해 보아야 한다.

타:파 打破 | 칠 타, 깨뜨릴 파
[abolish; break down]
쳐서[打] 깨뜨림[破]. ¶나쁜 관습(慣習)을 타파하다.

• 역순어휘

강타 強打 | 굳셀 강, 칠 타 [heavy blow]
❶속뜻 세게[強] 침[打]. ❷큰 타격을 끼침. ¶유가 급등은 세계 경제를 강타했다. ❸운동 야구·배구 등에서 타자나 공격수가 공을 세게 침. ㊥맹타(猛打).

구타 毆打 | 때릴 구, 칠 타 [beat]
사람이나 짐승을 함부로 때리고[毆] 침[打].

대:타 代打 | 바꿀 대, 칠 타 [pinch hit]
운동 야구에서 타자를 바꾸어[代] 치게[打] 하는 일. 또

는 그러한 사람.

안타 安打 | 편안할 안, 칠 타 [hit]
순동 야구에서, 타자가 안전(安全)하게 베이스로 갈 수 있게 공을 치는[打] 일. ¶저 선수가 역전 안타를 쳤다.

취ː타 吹打 | 불 취, 칠 타
음악 군대에서 나발, 소라, 대각 등을 불고[吹] 북과 바라를 치던[打] 일.

0450 [하]

河

물 하
部 水부 획 8획 中 河 [hé]

河 河 河 河 河 河 河 河

河자는 2,500년 전쯤에 '황하'(黃河)를 가리키는 고유명사를 적기 위하여 고안된 것이다. '물 수'(氵=水)가 표의요소로 쓰였고, 可(옳을 가)가 표음요소임은 何(어찌 하)도 마찬가지다. 후에 '(큰) 하천'(=물, 강, rivers)을 가리키는 일반명사로 바뀌었다.

하구 河口 | 물 하, 어귀 구
[estuary; river mouth]
강물[河]이 바다나 호수, 또는 다른 강으로 흘러 들어가는 어귀[口]. ¶낙동강 하구에는 김해평야가 발달해 있다. ㊐강어귀. ㊊하원(河源).

하마 河馬 | 물 하, 말 마 [hippo]
❶속뜻 강물[河]에 사는 말[馬]. ❷동물 넓죽한 입이 매우 크고 몸통이 둥근 포유동물.

하천 河川 | 물 하, 내 천 [river]
강[河]과 시내[川]. ¶공장 폐수가 하천을 더럽힌다.

• 역순어휘

대ː하 大河 | 큰 대, 물 하 [large river]
❶속뜻 큰[大] 강[河]. ❷지리 황하(黃河)를 달리 이르는 말.

빙하 氷河 | 얼음 빙, 물 하 [glacier]
지리 높은 산이나 고위도 지방의 만년설이 무게의 압력으로 얼음덩이[氷]가 되어 천천히 비탈면을 흘러 내려와 강[河]을 이룬 것.

산하 山河 | 메 산, 물 하 [mountains and rivers]
❶속뜻 산(山)과 강[河]. ❷자연 또는 자연의 경치. ㊐산천(山川).

운ː하 運河 | 움직일 운, 물 하 [canal]
배를 운항(運航)할 수 있도록 육지를 파서 만든 강[河] 같은 길. ¶수에즈 운하.

은하 銀河 | 은 은, 물 하 [Milky Way; Galaxy]
천문 은(銀)빛 강물[河] 같은 밤하늘의 별 무리. ㊐미리내, 은하수(銀河水).

0451 [호]

湖

호수 호
部 水부 획 12획 中 湖 [hú]

湖 湖 湖 湖 湖 湖 湖 湖 湖 湖 湖 湖

湖자는 '호수'(a lake)를 뜻하기 위하여 만들어진 것이다. '물 수'(水)가 표의요소로 쓰였고, 胡(턱밑살 호)는 표음요소로 뜻과는 무관하다.

호남 湖南 | 호수 호, 남녘 남
❶속뜻 호강(湖江, 지금의 錦江)의 남(南)쪽 지역. ❷지리 전라남도와 전라북도를 두루 이르는 말. ¶호남 평야.

호반 湖畔 | 호수 호, 물가 반
[lakeside; the shores of a lake]
호수(湖水)의 가[畔]. ¶춘천은 호반의 도시이다.

호서 湖西 | 호수 호, 서녘 서
❶속뜻 호강(湖江, 지금의 錦江)의 서(西)쪽 지역. ❷지리 충청남도와 충청북도를 두루 이르는 말.

호수 湖水 | 호수 호, 물 수 [lake]
❶속뜻 우묵하게 파인 호(湖)에 고인 물[水]. ❷지리 땅이 우묵하게 들어가 물이 괴어 있는 곳. ¶맑고 고요한 호수.

• 역순어휘

석호 潟湖 개펄 석, 호수 호 [lagoon]
❶속뜻 개펄[潟]이 있는 호수(湖水). ❷지리 모래톱이 발달해 만의 입구를 막아 바다와 분리되어 생긴 호수.

0452 [사]

思

생각 사(ː)
部 心부 획 9획 中 思 [sī, sāi]

思 思 思 思 思 思 思 思 思

思자는 머리의 문, 즉 '정수리'를 뜻하는 囟(신)과 심장, 즉 '마음'을 뜻하는 心(심)이 합쳐진 것으로 '생각하다'(think)는 뜻을 나타낸 것이 기발하다. 그 囟이 약 2,000년 전쯤에 유행된 隷書(예ː서) 서체에서 '밭 전'(田)으로 잘못 바뀌었다. 쓰기 편함만을 추구한 결과다. 그러니 마음[心]이 콩밭[田]에 있다는 것으로 확대 해석하면 안 된다.

사고 思考 | 생각 사, 살필 고 [think]
곰곰이 생각하여[思] 잘 살펴[考]봄. ¶사고 능력 / 사고의 영역을 넓히다. [비]생각.

사모 思慕 | 생각 사, 그리워할 모 [admire]
❶[속뜻] 애틋하게 생각하며[思] 그리워함[慕]. ¶사모의 마음 / 나는 그를 애타게 사모한다. ❷우러러 받들며 진정한 마음으로 따름. ¶스승을 사모하다.

사:상 思想 | 생각 사, 생각 상 [thought; idea]
어떤 사물에 대하여 갖고 있는 생각[思=想]. ¶동양사상 / 그는 사상이 불순하다. [비]견해(見解).

사색 思索 | 생각 사, 찾을 색
[speculate (on); think deeply]
생각하여[思] 파고들어 찾아봄[索]. ¶사색에 잠기다.

• 역순어휘

상사 相思 | 서로 상, 생각 사 [think of each other]
❶[속뜻] 서로[相] 생각함[思]. ❷남녀가 서로 그리워함.

심사¹ 心思 | 마음 심, 생각 사
[malicious intention; ill nature]
❶[속뜻] 마음[心] 속의 생각[思]. ¶심사가 편치 않다. ❷고약스럽거나 심술궂은 마음. ¶심사를 부리다.

심:사² 深思 | 깊을 심, 생각 사 [debate]
깊이[深] 생각함[思]. 또는 그 생각.

의:사 意思 | 뜻 의, 생각 사 [thought; mind]
무엇을 하고자 하는 뜻[意]과 생각[思]. ¶자신의 의사를 밝히다.

0453 [환]

患

근심 환:
[部] 心부 [劃] 11획 ㊥ 患 [huàn]

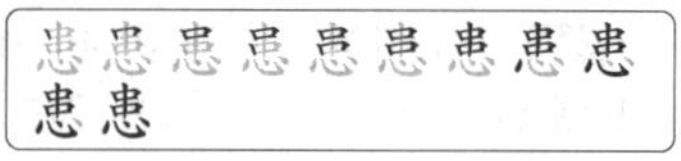

患자는 '근심'(anxiety; worry)이 본뜻이다. 모든 근심은 마음에서 비롯되므로 '마음 심'(心)이 표의요소로 쓰였다. 串(익힐 관)은 표음요소다. '걱정하다'(worry), '병'(an illness; a disease) 등으로 확대 사용됐다.
[속뜻훈음] ①근심 환, ②병 환.

환:난 患難 | 근심 환, 어려울 난
[hardships; distress; misfortune]
근심[患]과 재난(災難). ¶환난을 겪다 / 환난을 극복하다.

환:자 患者 | 병 환, 사람 자 [patient; sufferer]
병[患]을 앓는 사람[者]. ¶암환자 / 환자를 돌보다. [비]병자(病者).

• 역순어휘

노:환 老患 | 늙을 로, 근심 환
[infirmities of old age]
늙고[老] 쇠약해지면서 생기는 병[患]. '노병'(老病)의 높임말. ¶노환으로 별세하시다.

병:환 病患 | 병 병, 병 환 [sickness; illness]
병[病=患]의 높임말.

우환 憂患 | 근심할 우, 근심 환 [worry]
❶[속뜻] 집안에 병자가 있거나 사고가 생겨 겪는 근심[憂=患]. ¶집안에 우환이 끊이질 않는다. ❷쓸데없는 근심이나 걱정. ¶식자우환(識字憂患).

중:환 重患 | 무거울 중, 병 환 [serious illness]
위중(危重)한 질환(疾患). [반]경환(輕患).

질환 疾患 | 병 질, 근심 환 [disease]
몸의 병[疾]과 마음의 근심[患]. ¶호흡기 질환. [비]질병(疾病).

후:환 後患 | 뒤 후, 근심 환
[later trouble; evil consequence]
어떤 일로 말미암아 뒷[後]날에 생기는 근심[患]. ¶후환이 두렵다.

0454 [곡]

曲

굽을 곡
[部] 曰부 [劃] 6획 ㊥ 曲 [qū, qǔ]

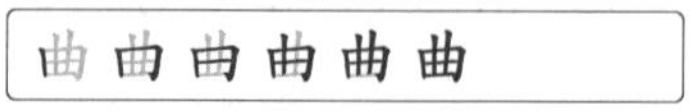

曲자는 '굽다'(bent)는 뜻을 나타내기 위하여 'ㄱ'자 형태로 굽은 자, 즉 곱자 모양을 본뜬 것이다. 후에 '굽히다'(bend down), '노래'(a song) 등으로 확대 사용됐다. 그 반대 의미, 즉 '곧다'는 뜻은 直(곧을 직, #0087)으로 나타냈다. 부수가 '曰'(가로 왈)임을 알기 힘들다.
[속뜻훈음] ①굽을 곡, ②노래 곡.

곡마 曲馬 | 굽을 곡, 말 마
[circus; equestrian feats]
말[馬]을 타고 부리는 여러 가지 곡예(曲藝).

곡면 曲面 | 굽을 곡, 낯 면 [curved surface]
[수학] 평평하지 않고 굽은[曲] 면(面). 원기둥이나 공의 표면 따위. [반]평면(平面).

곡명 曲名 | 노래 곡, 이름 명
[title of a musical composition]
[음악] 악곡(樂曲)의 이름[名]. ¶연주할 곡명은 무엇입니

까? [비]곡목(曲目).

곡목 曲目 | 노래 곡, 눈 목 [(musical) number]
[음악] 연주할 악곡(樂曲)이나 곡명(曲名)을 적어 놓은 목록(目錄). [비]곡명(曲名).

곡사 曲射 | 굽을 곡, 쏠 사 [high angle fire]
[군사] 탄환이 굽은[曲] 탄도로 높이 올라갔다가 목표물에 떨어지게 하는 사격(射擊).

곡선 曲線 | 굽을 곡, 줄 선 [curved line; curve]
굽은[曲] 선(線). ¶원반이 곡선을 그리며 날다. [반]직선(直線).

곡예 曲藝 | 굽을 곡, 재주 예 [circus]
곡마(曲馬), 요술 따위 신기한 재주[藝]. 또는 그 활동. ¶곡예를 펼치다. [비]기예(技藝).

곡절 曲折 | 굽을 곡, 꺾을 절
[reason; complications]
❶[속뜻] 굽음[曲]과 꺾임[折]. ❷복잡하게 뒤얽힌 사연이나 내용. ¶분명 무슨 곡절이 있을 것이다. ❸문맥 따위가 단조롭지 않고 변화가 많은 것. [비]사정(事情), 내막(內幕).

곡조 曲調 | 노래 곡, 고를 조 [tune; air]
가락이 고르고 통일성을 이루는[調] 악곡(樂曲). ¶가사에 곡조를 붙이다.

곡해 曲解 | 굽을 곡, 풀 해
[interpret wrongly; misconstrue]
사실과 어긋나게[曲] 잘못 생각함[解]. ¶나는 그의 말을 곡해했다. [비]오해(誤解).

• 역순어휘

가곡 歌曲 | 노래 가, 노래 곡 [song]
[음악] ❶시가(詩歌)에 곡(曲)을 붙인 성악곡. ¶이탈리아 가곡을 부르다. ❷시조를 관현악 반주에 맞추어 부르는 우리나라 전통 성악곡의 하나. ¶전통 가곡은 중요무형문화재이다.

간:곡 懇曲 | 정성 간, 굽을 곡
[be cordial; earnest]
정성스럽고[懇] 곡진하다[曲]. 매우 정성스럽다. ¶간곡한 부탁을 거절할 수 없었다.

굴곡 屈曲 | 굽힐 굴, 굽을 곡 [winding; curved]
❶[속뜻] 이리저리 꺾이거나 굽음[屈=曲]. ¶굴곡이 심한 해안선. ❷사람이 살아가면서 잘 되거나 잘 안 되거나 하는 일이 번갈아 나타나는 변동. ¶굴곡진 인생. ❸[언어] 굴절(屈折).

명곡 名曲 | 이름 명, 노래 곡
[excellent piece of music]
이름[名] 난 노래[曲]. ¶명곡을 감상하다.

부곡 部曲 | 나눌 부, 굽을 곡
❶[속뜻] 부락(部落)의 한 구석[曲]. ❷[역사] 통일 신라·고려 시대의 천민 집단부락. 양민들과는 한곳에서 살지 못하도록 하고, 목축·농경·수공업 따위에 종사하게 하였다.

서:곡 序曲 | 차례 서, 노래 곡 [prelude]
[음악] 오페라, 오라토리오, 모음곡 따위의 첫머리에 연주되어 도입부[序] 구실을 하는 악곡(樂曲). ¶서곡을 연주하다 / 그것은 전쟁의 시작을 알리는 서곡에 불과했다.

신곡 新曲 | 새 신, 노래 곡
[new musical composition]
새로[新] 지은 노래[曲]. ¶그는 오늘 신곡을 발표했다.

악곡 樂曲 | 음악 악, 노래 곡
[musical composition]
[음악] 음악(音樂)의 곡조(曲調). 곧 성악곡, 기악곡, 관현악곡 따위를 통틀어 이르는 말이다.

완:곡 婉曲 | 은근할 완, 굽을 곡 [be indirect]
❶[속뜻] 말이나 행동을 드러내지 않고[婉] 빙 돌려서[曲] 나타내다. ¶완곡하게 거절하다. ❷말씨가 곱고 차근차근하다. ¶완곡한 말씨.

왜곡 歪曲 | 비뚤 왜, 굽을 곡 [distort; twist]
❶[속뜻] 비뚤고[歪] 굽음[曲]. ❷사실과 다르게 해석하거나 그릇되게 함. ¶역사를 왜곡하다.

작곡 作曲 | 지을 작, 노래 곡
[write music; compose]
[음악] 노래[曲]를 지음[作]. 또는 그 악곡. ¶이 노래는 그가 작곡하였다.

편곡 編曲 | 엮을 편, 노래 곡 [arrange]
❶[속뜻] 노래[曲]를 새로이 엮음[編]. ❷[음악] 어떤 악곡을 다른 악기로, 또는 달리 연주할 수 있도록 써 고침. ¶이 바이올린 곡은 피아노로도 편곡되어 있다.

희곡 戱曲 | 놀이 희, 노래 곡 [drama]
❶[속뜻] 놀이[戱]와 노래[曲]. ❷[문학] 등장인물들의 행동이나 대화를 기본 수단으로 하여 표현하는 예술 작품. ¶셰익스피어는 희곡을 집필하며 생을 보냈다.

0455 [최]

最

가장 최:

[部] 曰부 [劃] 12획 [中] 最 [zuì]

最 最 最 最 最 最 最 最 最
最 最 最

最자의 曰은 '무릅쓰다'는 뜻인 冒(모)자의 曰과 같은 것이고, 取는 적군을 무찌르고 그 귀[耳]를 떼어[又] '공을 세우다'는 뜻이다. 수단과 방법을 가리지 않고 '취하다'

(adopt; take)가 본뜻이다. 그렇게 하면 가장 큰 공을 세울 수 있었든지 '가장'(most; extremely)이라는 뜻으로 확대 사용됐다.

최:강 最強 | 가장 최, 강할 강 [strongest]
가장[最] 강(強)함. ¶국내 최강의 팀.

최:고 最高 | 가장 최, 높을 고 [highest; best]
❶속뜻 가장[最] 높음[高]. ¶최고로 속도를 내다. ❷가장 으뜸이 되는 것. ¶선생님이 최고에요. (반)최저(最低).

최:근 最近 | 가장 최, 가까울 근 [lately; recently]
❶속뜻 가장[最] 가까운[近] 때. ❷현재를 기준한 앞뒤의 가까운 시기. ¶최근 들어 많은 변화가 있었다 / 최근까지 그 일을 모르고 있었다. (비)요즘.

최:다 最多 | 가장 최, 많을 다
[largest; maximum]
가장[最] 많음[多]. ¶그 영화는 최다 관객 수를 기록했다. (반)최소(最少).

최:단 最短 | 가장 최, 짧을 단
[shortest; nearest]
가장[最] 짧음[短]. ¶학교까지의 최단 거리는 500미터이다. (반)최장(最長).

최:대 最大 | 가장 최, 큰 대
[biggest; largest; maximum]
가장[最] 큼[大]. ¶뉴욕은 세계 최대의 도시이다. (반)최소(最小).

최:상 最上 | 가장 최, 위 상
[best; finest; highest]
❶속뜻 가장[最] 위[上]. ❷가장 높고 만족스러운 상태. ¶우리 팀의 컨디션은 최상이다 / 최상의 품질을 자랑하다. (반)최하(最下).

최:선 最善 | 가장 최, 좋을 선 [best]
❶속뜻 가장[最] 좋음[善]. 가장 훌륭한 것. ¶한자어를 익히는 최선의 방법은 속뜻학습이다. ❷온 힘을 다함. ¶최선을 다하겠습니다. (반)최악(最惡).

최:소¹ 最小 | 가장 최, 작을 소
[smallest; minimum]
가장[最] 작음[小]. (반)최대(最大).

최:소² 最少 | 가장 최, 적을 소
[fewest; lowest; minimum]
가장[最] 적음[少]. ¶피해를 최소로 줄이다. (반)최다(最多).

최:신 最新 | 가장 최, 새 신 [newest]
가장[最] 새로움[新]. ¶이 공장은 최신 설비를 갖추고 있다. (반)최고(最古).

최:악 最惡 | 가장 최, 나쁠 악 [worst]
가장[最] 나쁨[惡]. ¶최악의 경우에는 사망할 수도 있다 / 도로 상황이 최악이다. (반)최선(最善).

최:저 最低 | 가장 최, 밑 저 [lowest]
가장[最] 낮음[低]. ¶최저 혈압 / 한 달에 최저 5만 원이 들 것이다. (반)최고(最高).

최:적 最適 | 가장 최, 알맞을 적
[being the most suitable; fittest]
가장[最] 적당(適當)함. ¶최적의 조건을 갖추다.

최:종 最終 | 가장 최, 끝날 종 [last; final]
가장[最] 마지막[終]. 맨 나중. ¶나는 아직 최종 결정을 내리지 못했다. (반)최초(最初).

최:초 最初 | 가장 최, 처음 초
[first; beginning; outset]
가장[最] 처음[初]. 맨 처음. ¶최초의 여성 비행사 / 최초로 전구를 개발하다. (반)최후(最後).

최:하 最下 | 가장 최, 아래 하
[lowest; most inferior; worst]
가장[最] 아래[下]. 맨 끝. ¶최하 점수 / 최하 천만 원의 벌금을 물다. (반)최상(最上).

최:후 最後 | 가장 최, 뒤 후
[last; one's last moment]
❶속뜻 맨[最] 뒤[後]. 맨 마지막. ¶최후에 웃는 자가 진정한 승자이다. ❷목숨이 다할 때. ¶비참한 최후를 맞다. (반)최초(最初).

0456 [우]

牛 소 우
(부) 牛부 (획) 4획 (中) 牛 [niú]

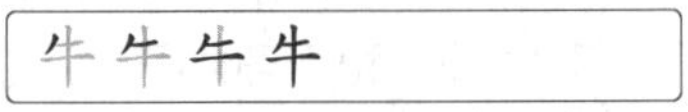

牛자는 '소'(a cow; a bull)를 뜻하기 위해 뿔을 포함한 소의 머리 모양만을 본뜬 것이었다. 몸통 전체를 그리지 않고 특징적인 일부분만 그린 예지가 돋보인다. 소의 뿔은 모두 위로 향하고 있는 것에 착안한 것이다(참고: 羊은 이와 반대로 뿔이 아래로 향하고 있음).

우두 牛痘 | 소 우, 천연두 두 [vaccination]
의학 천연두(天然痘)를 예방하기 위하여 소[牛]에서 뽑은 면역 물질. ¶우두를 놓다 / 우두를 맞다.

우사 牛舍 | 소 우, 집 사 [cow shed]
소[牛]를 기르는 집[舍]. ¶우사 옆 머슴방으로 들어갔다.

우유 牛乳 | 소 우, 젖 유 [milk]
소[牛]의 젖[乳]. (비)타락(駝酪).

• 역순어휘

견우 牽牛 | 끌 견, 소 우
❶[문학] 견우직녀(牽牛織女) 설화에 나오는 소[牛]를 치는[牽] 남자 주인공. ❷[식물] 나팔꽃. ❸[천문] 견우성(牽牛星).

투우 鬪牛 | 싸울 투, 소 우 [fighting bull]
소[牛] 싸움[鬪]을 붙이는 경기. 또는 그 경기에 나오는 소. ¶스페인은 투우 시합으로 유명하다.

한:우 韓牛 | 한국 한, 소 우 [Korean beef cattle]
[동물] 한국(韓國) 토종 소[牛]. 체질이 강하고 성질이 온순하며 고기 맛이 좋다.

0457 [기]

期

기약할 기
[部] 月부 [획] 12획 [中] 期 [qī, jī]

期자는 갑골문에서 其와 日이 합쳐진 것이었는데, 그로부터 약 1,000년 후의 篆書體(전서체)에서는 日이 月로 대체됐다. '만나다'(meet)가 본래 의미다. 만날 때에는 달 모양에 따른 날짜를 정했으므로 '달 월'(月)이 표의요소로 쓰였고, 其(그 기)는 표음요소다. '(일정한) 때'(time; a moment)를 나타내는 것으로도 많이 쓰인다.
[속뜻훈음] ①때 기, ②기약할 기.

기간 期間 | 때 기, 사이 간 [term; period of time]
어느 일정한 시기에서 다른 일정한 시기(時期)까지의 사이[間]. [비]시기(時期).

기대 期待 | =企待, 기약할 기, 기다릴 대 [expect; anticipate]
어느 때로 기약(期約)하여 성취되기를 기다림[待], 또는 그런 바람. ¶기대에 어긋나다 / 원조를 기대하다.

기약 期約 | 때 기, 묶을 약 [pledge; promise]
때[期]를 정하여 약속(約束)함. ¶다시 만날 것을 기약하다.

기일 期日 | 기약할 기, 날 일 [(fixed) date; appointed day]
기약(期約)한 날짜[日]. 정해진 날짜. ¶기일 내에 일을 마치다. [비]약정일(約定日).

기한 期限 | 때 기, 한할 한 [term; period (of time)]
미리 한계(限界)로 정해 놓은 일정한 시기(時期). [비]시한(時限).

• 역순어휘

건기 乾期 | 마를 건, 때 기 [dry season]
건조(乾燥)한 시기(時期). '건조기'의 준말. ¶건기에는 동물들이 먹이를 찾으러 이동한다. [반]우기(雨期).

단:기 短期 | 짧을 단, 때 기 [short term]
짧은[短] 기간(期間). ¶단기 유학을 가다. [반]장기(長期).

동기 同期 | 같을 동, 때 기 [same period; same class]
❶[속뜻] 같은[同] 시기(時期). 또는 같은 기간. ❷학교나 훈련소 따위에서의 같은 기(期). ¶우리는 학교 동기이다.

만기 滿期 | 찰 만, 때 기 [expiration (of term)]
정해진 기한(期限)이 다 참[滿]. ¶이 보험은 십 년 만기이다.

말기 末期 | 끝 말, 때 기 [end; close]
어떤 시대나 기간이 끝나는[末] 시기(時期). [비]말엽(末葉). [반]초기(初期).

무기 無期 | 없을 무, 때 기 [no time limit]
정해놓은 기한(期限)이 없음[無]. '무기한'의 준말.

소:기 所期 | 것 소, 기약할 기 [one's expectation; anticipation]
기대(期待)하는 어떤 것[所]. 마음속으로 그렇게 되기를 바라고 기다리는 일. ¶소기의 성과를 거두다.

시기 時期 | 때 시, 기약할 기 [time; period]
❶[속뜻] 때[時]를 기약(期約)함. ❷어떤 일이나 현상이 진행되는 때. ¶지금은 매우 어려운 시기이다. [비]기간(期間), 때.

연기 延期 | 늘일 연, 때 기 [postpone; adjourn]
정해진 기한(期限)을 뒤로 늘림[延]. ¶무기한 연기 / 비가 와서 약속을 내일로 연기했다.

예:기 豫期 | 미리 예, 기약할 기 [expect]
앞으로 닥쳐올 일에 대하여 미리[豫] 생각하여 기약함[期]. ¶그는 예기치 못한 질문을 했다.

우:기 雨期 | 비 우, 때 기 [rainy season]
비[雨]가 많이 오는 시기(時期). ¶우기에 접어들었다. [비]우계(雨季). [반]건기(乾期).

유:기 有期 | 있을 유, 때 기 [terminable; limited]
기한(期限)이 있음[有]. ¶유기정학. [반]무기(無期).

임:기 任期 | 맡길 임, 때 기 [one's tenure]
일정한 업무 따위를 맡은[任] 기간(期間). ¶대통령의 임기는 5년이다.

장기 長期 | 길 장, 때 기 [long period]
오랜[長] 기간(期間). ¶장기 휴가. [반]단기(單期).

적기 適期 | 알맞을 적, 때 기

[proper time; season for]
알맞은[適] 시기(時期). ¶지금이 단풍을 구경하기에 적기이다.

정:기 定期 | 정할 정, 때 기 [fixed period]
정(定)해진 기간(期間). 기한이나 기간이 일정하게 정하여져 있는 것. ¶정기 세일.

조:기 早期 | 이를 조, 때 기 [early stage]
이른[早] 시기(時期). ¶조기 교육 / 암(癌)은 조기에 발견하는 것이 중요하다. [비]초기(初期).

주기 週期 | 돌 주, 때 기 [period; cycle]
❶[속뜻]한 바퀴 도는 데[週] 걸리는 일정한 시간[期]. ¶지구는 1년을 주기로 태양 주위를 공전한다. ❷어떤 현상이 일정한 시간마다 똑같은 변화를 되풀이할 때, 그 일정한 시간을 이르는 말. ¶그는 삼 년 주기로 이사를 다녔다 / 주기적으로 이런 현상이 발생한다.

중기 中期 | 가운데 중, 때 기 [middle years]
일정한 기간의 중간(中間)인 시기(時期). ¶조선 중기의 사회제도.

차기 次期 | 버금 차, 때 기 [next term]
다음[次] 시기(時期). ¶그가 차기 이사장으로 선출되었다.

초기 初期 | 처음 초, 때 기
[early days; beginning]
첫[初] 번째 시기(時期). ¶암 같은 병도 초기에 발견하면 고칠 수 있다. [비]조기(早期). [반]말기(末期).

학기 學期 | 배울 학, 때 기 [school term]
[교육]한 학년(學年)의 수업 기간(期間)을 나눈 구분. ¶4학년 2학기.

회:기 會期 | 모일 회, 때 기 [session; sitting]
❶[속뜻]회의(會議) 따위가 열리는 시기(時期). ❷[법률]국회나 지방 의회 따위의 개회부터 폐회까지의 기간. ¶10일간의 회기로 임시국회가 열렸다.

후:기 後期 | 뒤 후, 때 기 [latter term]
❶[속뜻]뒤[後]의 기간(期間). ❷'후반기'(後半期)의 준말. ¶고려 후기. [반]전기(前期).

0458 [경]

景

별 경(:)
[部] 日부 [劃] 12획 [中] 景 [jǐng]

景자는 '햇빛'(=볕, sunlight)이 본뜻이니 '날 일'(日)이 표의요소로 쓰였고, 京(서울 경)은 표음요소이니 뜻과는 아무런 관련이 없다.

경관 景觀 | 볕 경, 볼 관 [view; scene]
밝고[景] 볼만한[觀] 곳. ¶경관이 빼어나다. [비]경치(景致), 풍경(風景).

경기 景氣 | 볕 경, 기운 기 [times; things]
❶[속뜻]햇볕[景] 같이 밝은 기운(氣運). ❷[경제]매매나 거래 따위에 나타나는 경제 활동의 상황. ¶경기가 회복되어 수출이 활기를 띠고 있다. [반]불경기(不景氣).

경치 景致 | 볕 경, 이를 치 [scenery; scene]
❶[속뜻]볕[景]이 듦[致]. ❷자연의 아름다운 모습. ¶경치가 좋다. [비]경광(景光), 풍경(風景).

경:품 景品 | 볕 경, 물건 품 [giveaway]
❶[속뜻]햇볕[景]의 그림자같이 곁들여 주는 물건[品]. ❷상품에 곁들여 고객에게 거저 주는 물건. ¶경품을 나누어 주다.

경황 景況 | 볕 경, 상황 황 [interesting situation]
흥미를 느낄 만한 겨를[景]이나 상황(狀況). ¶너무 바빠서 인사할 경황도 없었다.

• 역순어휘

광경 光景 | 빛 광, 볕 경 [scene; sight]
❶[속뜻]아름답게 빛나는[光] 풍경(風景). ❷벌어진 일의 형편과 모양. ¶참혹한 광경이 벌어지다. [비]상황(狀況).

배:경 背景 | 등 배, 볕 경 [background; scenery]
❶[속뜻]뒤쪽[背]의 경치(景致). ¶산을 배경으로 사진을 찍다 ❷[연영]무대의 안쪽 벽에 그린 그림. 또는 무대 장치. ¶배경을 꾸미다. ❸[문학]작품의 시대적·역사적인 환경. ¶그 소설은 한반도를 배경으로 하고 있다.

설경 雪景 | 눈 설, 볕 경 [snowscape]
눈[雪]이 내리는 경치(景致). 눈이 쌓인 경치.

야:경 夜景 | 밤 야, 볕 경 [night view]
밤[夜]의 경치(景致). ¶홍콩의 야경은 화려하다.

전경 全景 | 모두 전, 볕 경
[complete view; panoramic view]
전체(全體)의 경치(景致). ¶남산에서는 서울의 전경이 보인다.

절경 絶景 | 뛰어날 절, 볕 경
[magnificent view; fine scenery]
뛰어난[絶] 경치(景致). ¶천하의 절경이로다!

정경 情景 | 마음 정, 볕 경 [pathetic scene; sight]
마음[情]에 감흥을 불러일으킬 만한 경치(景致)나 장면. ¶산의 아름다운 정경.

조:경 造景 | 만들 조, 볕 경
[landscape architecture]
경치(景致)를 아름답게 만듦[造]. ¶이번에 새로 만든 공원은 조경에 특히 신경을 썼다.

풍경 風景 | 바람 풍, 볕 경 [scene]
❶속뜻 바람[風]과 볕[景]. ❷아름다운 경치. ¶단풍이 곱게 물든 시골의 풍경. ❸어떤 모습이나 상황. ¶방 안 풍경을 둘러보다.

0459 [요]

曜 빛날 요
部 日부 劃 18획 中 曜 [yào]

曜자는 '빛나다'(shine)는 뜻이니 '해 일'(日)이 표의요소로 쓰였다. 음 차이가 매우 크지만 翟(꿩 적)이 표음요소임은 耀(빛날 요), 燿(빛날 요)도 마찬가지다. 중국 最古(최:고)의 醫書(의서)인 ≪素問≫(소문)에 '七曜'(칠요)라는 말이 나오는데, 별(星)을 가리키는 金(금), 木(목), 水(수), 火(화), 土(토). 그리고 달(月)과 해(日)가 그것이다.

요일 曜日 | 빛날 요, 해 일 [day of the week]
❶속뜻 빛나는[曜] 해[日]. ❷일주일의 각 날. ¶오늘은 무슨 요일입니까?

0460 [쟁]

爭 다툴 쟁
部 爪부 劃 8획 中 争 [zhēng]

爭자의 '爪'(조)와 '⺕'(계)는 '손 우'(又)의 변형이고, 亅(궐)은 작대기 모양이 바뀐 것이다. 풀이하면, 작대기를 서로 차지하려고 두 사람(손)이 서로 잡고 끌어당기며 '다투다'(struggle)는 뜻이다. 참고로, '손톱 조'(爪)는 '손 우'(又)의 변형으로 의미상으로는 차이가 없다. 이것이 표의요소로 쓰인 한자는 '손톱'과는 무관하며 손으로 하는 행위와 관련된 의미를 지닌다.

쟁취 爭取 | 다툴 쟁, 가질 취 [win; gain; obtain]
싸워서[爭] 빼앗아 가짐[取]. ¶금메달 쟁취 / 시민들은 자유를 쟁취하기 위해 혁명을 일으켰다.

쟁탈 爭奪 | 다툴 쟁, 빼앗을 탈 [struggle for]
서로 다투어[爭] 빼앗음[奪]. 또는 그 다툼. ¶양측은 정권을 쟁탈하기 위해 공격했다.

• 역순어휘

경:쟁 競爭 | 겨룰 경, 다툴 쟁 [compete; contend]
서로 앞서거나 이기려고 겨루고[競] 다툼[爭]. ¶치열한 경쟁을 벌이다. ⓑ경합(競合). ⓑ독점(獨占).

논쟁 論爭 | 말할 론, 다툴 쟁 [dispute; argue]
여럿이 자신의 의견을 주장하며[論] 다툼[爭]. ¶열띤 논쟁을 벌이다.

당쟁 黨爭 | 무리 당, 다툴 쟁 [party strife]
역사 당파(黨派)를 이루어 서로 싸움[爭]. 또는 그 싸움. ¶당쟁을 일삼다 / 국회는 당쟁으로 얼룩졌다. ⓑ당파(黨派) 싸움.

분쟁 紛爭 | 어지러울 분, 다툴 쟁 [have trouble; have a dispute]
어지럽게[紛] 얽힌 문제로 서로 다툼[爭]. 또는 그런 일. ¶어업분쟁 / 영유권 분쟁.

언쟁 言爭 | 말씀 언, 다툴 쟁 [quarrel; squabble]
말[言]로 하는 다툼[爭]. ¶이웃과 언쟁을 벌이다.

전:쟁 戰爭 | 싸울 전, 다툴 쟁 [war]
❶속뜻 싸움[戰]과 다툼[爭]. ❷국가와 국가, 또는 교전 단체 사이에 무력을 사용하여 싸움. ¶한국전쟁 / 전쟁 영화. ❸'극심한 경쟁이나 혼란'을 비유하여 이르는 말. ¶입시 전쟁. ⓑ전투(戰鬪).

투쟁 鬪爭 | 싸울 투, 다툴 쟁 [fight; combat]
❶속뜻 몸으로 싸우거나[鬪] 말로 다툼[爭]. ❷사회 운동이나 노동 운동 등에서 목적을 이루기 위하여 다투는 일. ¶우리의 권리를 되찾기 위해 투쟁할 것이다.

항:쟁 抗爭 | 버틸 항, 다툴 쟁 [struggle; resist]
겨루고[抗] 다툼[爭]. ¶항쟁을 벌이다.

0461 [지]

止 그칠 지
部 止부 劃 4획 中 止 [zhǐ]

止자는 본래 발자국 모양을 본뜬 것으로 '발자국'(a footprint)이 본뜻이었는데, 이것이 '그치다'(come to an end), '멈추다'(stop)는 뜻으로 확대 사용되는 예가 많아지자, 본뜻은 趾(발자국 지)자를 추가로 만들어 나타냈다.

속뜻 훈음 ①그칠 지, ②멈출 지.

지혈 止血 | 멈출 지, 피 혈 [stop bleeding]
나오는 피[血]를 멎게[止] 함. ¶팔을 붕대로 묶어 흐르는 피를 지혈했다. ⓑ출혈(出血).

• 역순어휘

금:지 禁止 | 금할 금, 멈출 지 [prohibit; ban]
❶[속뜻] 금(禁)하여 멈추게[止] 함. ❷말리어 못하게 함. ¶총기류의 수입을 금지하다. (비)저지(沮止). (반)허가(許可).

방지 防止 | 막을 방, 그칠 지 [prevent; head off]
어떤 일을 막아[防] 그만두게[止] 함. ¶재난을 미연에 방지하다. (비)예방(豫防), 방비(防備).

저:지 沮止 | 막을 저, 그칠 지
[stop; block; hold back]
막아서[沮] 중지(中止)시킴. ¶경찰은 시위대를 저지했다.

정지 停止 | 멈출 정, 그칠 지 [stop; standstill]
중도에서 멈추거나[停] 그침[止]. ¶정지 신호 / 선 안에서 정지하시오.

제:지 制止 | 누를 제, 멈출 지 [restrain; check]
어떤 일을 억눌러[制] 멈추게[止]함. ¶경찰은 불법 집회를 제지했다.

종지 終止 | 끝날 종, 그칠 지
[stop; termination; end]
무엇을 끝마쳐[終] 그만함[止].

중지 中止 | 가운데 중, 그칠 지
[stop; suspend; discontinue]
하던 일을 중도(中途)에서 그만둠[止]. ¶엘리베이터 작동을 잠시 중지시켰다. (비)중단(中斷). (반)계속(繼續), 지속(持續).

폐:지 廢止 | 그만둘 폐, 멈출 지
[abolish; discontinue]
실시하던 일이나 제도 따위를 그만두거나[廢] 멈춤[止]. ¶노예제도를 폐지하였다.

0462 [무]

無

없을 무
(부) 火부 (획) 12획 (中) 无 [wú, mó]

無자는 편의상 '불 화'(火→灬)가 부수로 지정됐지만 표의 요소는 아니다. '없다'는 뜻은 모양으로 나타내기가 힘들었기 때문에 이미 만들어진 글자 가운데 [무]라는 음을 지닌 것을 택하여 빌려 쓰기로 하였다(假借·가차). 그래서 간택된 것이 바로 '춤출 무'자의 본래 글자였다. '춤'(a dance)과 '없다'(do not exist)가 약 1,000년간 같은 글자로 쓰이다가 혼동을 피하기 위하여 舞와 無로 각각 달리 나타냈다. 따라서 無자의 '灬'는 '불 화'(火)의 변형이 아니고 단순한 구별 부호인 셈이다.

무관 無關 | 없을 무, 관계할 관 [unrelated]
관계(關係)가 없다[無]. ¶이 일은 나와 무관하다.

무교 無教 | 없을 무, 종교 교
믿는 종교(宗教)가 없음[無]. ¶무교였던 그가 갑자기 종교에 미쳐버렸다.

무궁 無窮 | 없을 무, 다할 궁 [eternal; infinite]
다함[窮]이 없음[無]. 한(限)이 없음. ¶잠재력이 무궁하다.

무기[1] 無期 | 없을 무, 때 기 [no time limit]
정해놓은 기한(期限)이 없음[無]. '무기한'의 준말.

무기[2] 無機 | 없을 무, 틀 기
[inorganic chemistry]
❶[속뜻] 스스로 살아갈 수 있는 기능(機能)이 없음[無]. ❷물, 공기, 광물처럼 생명 활동을 하지 않음. (반)유기(有機).

무난 無難 | 없을 무, 어려울 난 [easy; simple]
❶[속뜻] 어려움[難]이 없다[無]. 어렵지 않다. ¶무난하게 목표를 달성하다. ❷무던하다. ¶무난한 사람.

무능 無能 | 없을 무, 능할 능 [incompetent]
무엇을 할 수 있는[能] 힘이나 재주가 없음[無]. ¶이 사건으로 자신의 무능을 알게 되었다 / 그는 변호사로서 무능하다. (반)유능(有能).

무단 無斷 | 없을 무, 끊을 단 [without permission]
❶[속뜻] 엄단(嚴斷)한 것을 지키지 아니함[無]. ❷미리 승낙을 얻지 않음. ¶무단 외박을 하다.

무량 無量 | 없을 무, 헤아릴 량 [immeasurable]
헤아릴[量] 수 없이[無] 많음. (비)무한량(無限量).

무려 無慮 | 없을 무, 생각할 려
[as many as; no less than]
❶[속뜻] 생각할[慮] 수가 없음[無]. ❷그 수가 예상보다 상당히 많음을 나타내는 말. 상상을 초월함. ¶사상자가 무려 백만 명이 넘었다.

무력 無力 | 없을 무, 힘 력 [powerless]
힘[力]이 없거나[無] 부침. ¶그녀는 힘들고 지쳐서 무력해 보인다. (반)유력(有力).

무례 無禮 | 없을 무, 예도 례 [impolite; rude]
예의(禮義)가 없거나[無] 그에 맞지 않음. 버릇없음. ¶무례한 태도 / 무례하게 굴다.

무뢰 無賴 | 없을 무, 맡길 뢰 [ruffian; rowdy]
❶[속뜻] 일을 맡길[賴]만한 사람이 못됨[無]. ❷예의와 염치를 모르며 함부로 행동하는 사람. ¶저런 무뢰를 보았나.

무료[1] 無料 | 없을 무, 삯 료 [free of charge]
❶[속뜻]삯[料]이나 값을 받지 않음[無]. ¶학교 운동장을 무료로 개방하다. ❷보수를 받지 않음. ¶무료 봉사자. [비]무급(無給). [반]유료(有料).

무료[2] 無聊 | 없을 무, 즐길 료 [boresome; tedious]
❶[속뜻]즐거움[聊]이 없음[無]. ❷흥미가 없어 지루하고 심심함. ¶무료를 달래다 / 무료한 오후를 보내다.

무리 無理 | 없을 무, 이치 리 [unreasonable]
이치(理致)에 맞지 않거나[無] 정도에서 지나치게 벗어남. ¶그가 그렇게 화를 내는 것도 무리가 아니다 / 몸도 안 좋은데 무리하지 말고 쉬세요. [반]유리(有理).

무명 無名 | 없을 무, 이름 명 [being nameless; obscurity]
❶[속뜻]이름[名]이 없음[無]. ¶이 시는 무명씨의 작품이다. ❷이름이 널리 알려져 있지 않음. ¶그는 아직 무명 가수이다. [반]유명(有名).

무모 無謀 | 없을 무, 꾀할 모 [rash; reckless]
❶[속뜻]깊이 생각하여 잘 꾀하지[謀] 아니함[無]. ❷생각이 깊지 못함. ¶무모한 계획.

무미 無味 | 없을 무, 맛 미 [tasteless; flat]
맛이나 재미[味]가 없음[無].

무방 無妨 | 없을 무, 방해할 방 [do no harm; do not matter]
방해(妨害)가 되지 않다[無]. 지장이 없다. ¶숙제는 내일까지 내도 무방하다. [비]상관(相關)없다, 관계(關係)없다.

무법 無法 | 없을 무, 법 법 [unjust; unlawful]
❶[속뜻]법(法)이 없음[無]. ❷도리나 도덕에 어긋나고 난폭함. ¶폭동이 일어나자 도시는 무법천지가 되었다.

무병 無病 | 없을 무, 병 병 [good health]
병(病)이 없음[無]. ¶무병 장수를 기원합니다.

무사 無事 | 없을 무, 일 사 [be without mishap]
❶[속뜻]아무 일[事]이 없음[無]. ❷아무 탈이 없음. ¶무사 귀환 / 대형 화재였는데도 사람들은 무사하다. [비]무고(無故). [반]유사(有事).

무상[1] 無常 | 없을 무, 늘 상 [uncertain; mutable]
❶[속뜻]늘[常] 그대로인 것이 없음[無]. ❷덧없음. ¶인생의 무상과 허무를 느끼다 / 인생은 무상한 것이다.

무상[2] 無償 | 없을 무, 갚을 상 [gratis; free of charge]
❶[속뜻]물건 값 따위를 갚지[償] 않아도[無] 됨. ❷값이나 삯을 받지 않음. ¶무상으로 수리하다. [반]유상(有償).

무색 無色 | 없을 무, 빛 색 [colorless; achromatic]
❶[속뜻]아무 빛깔[色]이 없음[無]. ¶물은 무색무취의 액체이다. ❷부끄러워 볼 낯이 없음. ¶무색하여 고개를 숙였다. [비]무안(無顔). [반]유색(有色).

무선 無線 | 없을 무, 줄 선 [wireless]
❶[속뜻]줄[線]이 없거나[無] 쓰이지 않음. ❷통신이나 방송을 전선(電線) 없이 전파로 함. ¶무선 전화기. [반]유선(有線).

무성 無聲 | 없을 무, 소리 성 [silent; unvoiced]
소리[聲]가 없음[無]. 아무 소리도 나지 않음. [반]유성(有聲).

무수 無數 | 없을 무, 셀 수 [innumerable; numberless]
❶[속뜻]일정한 수(數)가 없음[無]. ❷셀 수 없이 많음. 또는 그런 수. ¶밤하늘의 별들이 무수하다 / 거리에 사람들이 무수히 많다.

무시 無視 | 없을 무, 볼 시 [disregard; neglect]
❶[속뜻]보아[視] 주지 아니함[無]. ❷사물의 존재 의의나 가치를 알아주지 아니함. ¶무시하지 못하다 / 신호를 무시하고 달리다. ❸사람을 업신여김. ¶그에게 무시를 당하다 / 동생이 나를 무시했다.

무식 無識 | 없을 무, 알 식 [ignorant; illiterate]
배우지 못해 아는[識] 것이 없음[無]. ¶나의 무식이 탄로 났다 / 그녀는 자주 무식한 소리를 한다. [반]유식(有識).

무심 無心 | 없을 무, 마음 심 [unwitting; unintentional]
아무런 생각[心]이 없음[無]. 감정이 없음. ¶무심한 표정으로 거울을 보다.

무안 無顔 | 없을 무, 얼굴 안 [shame; disgrace]
부끄러워서 볼 낯[顔]이 없음[無]. ¶무안을 주다 / 나는 무안하여 얼굴이 빨개졌다. [비]무색(無色).

무언 無言 | 없을 무, 말씀 언 [silent; mute]
말[言]이 없음[無]. ¶무언의 압력을 받다. [비]묵언(默言).

무엄 無嚴 | 없을 무, 엄할 엄 [rude]
엄(嚴)하게 여기지 아니함[無]. 삼가고 어려워함이 없음. ¶무엄한 소리.

무영 無影 | 없을 무, 그림자 영
그림자가[影] 없음[無].

무용 無用 | 없을 무, 쓸 용 [useless; needless]
소용(所用)이 없음[無]. 쓸데없음. ¶그의 조언은 나에게는 무용하다. [반]유용(有用).

무위 無爲 | 없을 무, 할 위 [idle; inactive]
아무 일도 하지[爲] 아니함[無].

무익 無益 | 없을 무, 더할 익 [useless; futile]

이익(利益)이 없음[無]. ¶담배는 무익하다. ⓑ유익(有益)하다.

무인 無人 | 없을 무, 사람 인 [manless]
사람[人]이 없거나[無] 살지 않음. ¶무인 판매기 / 무인 우주선. ⓑ유인(有人).

무적 無敵 | 없을 무, 원수 적 [invincibility]
맞서 싸울 상대[敵]가 없을[無] 정도로 아주 셈. ¶천하무적 / 무적 함대.

무전 無電 | 없을 무, 전기 전 [wireless]
전선(電線)이 없이[無] 전파로 주고 받는 것.

무정 無情 | 없을 무, 마음 정 [hard; heartless]
❶속뜻 따뜻한 마음[情]이 없음[無]. ❷사랑이나 동정심이 없음. ¶그의 무정을 탓하다 / 그는 그녀의 부탁을 무정하게 거절했다. ⓑ유정(有情).

무제 無題 | 없을 무, 제목 제 [no title]
제목(題目)이 없음[無]. 시나 그림 따위에서 제목을 붙이기 어려운 경우에 제목 대신에 사용한다.

무죄 無罪 | 없을 무, 허물 죄 [innocent; guiltless]
❶속뜻 잘못이나 허물[罪]이 없음[無]. ❷법률 피고 사건이 범죄가 되지 않거나 범죄의 증명이 없음. ¶무죄를 주장하다. ⓑ유죄(有罪).

무지[1] 無知 | 없을 무, 알 지 [stupid]
아는[知] 바가 없음[無]. ¶무지한 백성들을 선동하다.

무지[2] 無智 | 없을 무, 슬기 지 [very; extremely]
❶속뜻 슬기[智]가 없음[無]. 꾀가 없음. ❷매우 많이. ¶오늘은 무지 춥다.

무직 無職 | 없을 무, 일자리 직 [inoccupation]
일정한 직업(職業)이 없음[無].

무진 無盡 | 없을 무, 다할 진 [no end; no limit]
❶속뜻 다함[盡]이 없음[無]. ¶무진 고생을 하다. ❷'무궁무진'(無窮無盡)의 준말.

무참 無慘 | 없을 무, 참혹할 참 [cruel; miserable]
더없이[無] 참혹(慘酷)하다. ¶무참한 죽음.

무한 無限 | 없을 무, 끝 한 [unlimited; limitless]
끝[限]이 없음[無]. ¶초대해 주셔서 무한한 영광입니다. ⓑ유한(有限).

무형 無形 | 없을 무, 모양 형
[formlessness; shapelessness]
형체(形體)가 없음[無]. ¶지식은 무형의 재산이다. ⓑ유형(有形).

무효 無效 | 없을 무, 효과 효
[ineffective; invalid]
❶속뜻 효과(效果)가 없음[無]. ❷법률 법률 행위가 어떤 원인으로 당사자가 의도한 효력을 나타내지 못함. ¶선거법 위반으로 그의 당선은 무효가 되었다. ⓑ유효(有效).

• 역순어휘

만:무 萬無 | 일만 만, 없을 무 [cannot be]
절대로[萬] 없음[無]. 전혀 없음. ¶그것은 사실일 리가 만무하다.

유:무 有無 | 있을 유, 없을 무
[existence and nonexistence]
있음[有]과 없음[無]. ¶죄의 유무를 가리다.

허무 虛無 | 빌 허, 없을 무 [vain; futile]
❶속뜻 아무것도 없이[無] 텅 빔[虛]. ❷무가치하고 무의미하게 느껴져 매우 허전하고 쓸쓸함. ¶인생의 허무를 느끼다. ⓗ공허(空虛).

0463 [열]

熱

더울 열
部 火부 畫 15획 中 热 [rè]

熱자는 '덥다'(warm)는 뜻을 나타내기 위한 것이었으니 '불 화'(火)가 표의요소로 쓰였다. 火가 어떤 요소의 밑 부분에 쓰일 때, 한나라 이후 쓰기 편하도록 네 개의 점으로 바뀌었다. 그 윗부분은 표음요소였다고 하는데, 표음요소로 쓰인 다른 글자의 예가 없기 때문에 그 역할을 제대로 못하고 있는 셈이다. 후에 '뜨겁다'(hot), '끓다'(boil) 등도 이것으로 나타냈다.

속뜻 훈음 ①더울 열, ②뜨거울 열.

열광 熱狂 | 더울 열, 미칠 광
[go wild; be enthusiastic]
너무 기쁘거나 흥분하여[熱] 미친[狂] 듯이 날뜀. 또는 그런 상태. ¶십대 청소년들을 열광의 도가니로 몰아넣었다 / 청중들은 그의 연설에 열광했다.

열기 熱氣 | 뜨거울 열, 기운 기 [heat]
뜨거운[熱] 기운(氣運). ¶주방에 들어서자 후끈한 열기가 밀려왔다.

열대 熱帶 | 더울 열, 띠 대 [tropics]
❶속뜻 몹시 더운[熱] 지대(地帶). ❷지리 적도를 중심으로 남북 회귀선 사이에 있는 지대. 연평균 기온이 20℃ 이상 또는 최한월 평균 기온이 18℃ 이상인 지역으로 연중 기온이 높고 강우량이 많은 것이 특징이다.

열량 熱量 | 더울 열, 분량 량 [calorie]
물리 열(熱)에너지의 양(量). 단위는 보통 '칼로리'(cal)로 표시한다. ¶열량이 높다.

열렬 熱烈 | 뜨거울 열, 세찰 렬 [be passionate]

❶속뜻 뜨겁고[熱] 세차다[烈]. ❷어떤 것에 대한 애정이나 태도가 매우 맹렬하다. ¶열렬한 사랑을 받다 / 귀국 장병을 열렬히 환영하다.

열망 熱望 | 뜨거울 열, 바랄 망 [desire]
열렬(熱烈)하게 바람[望]. ¶그는 가수가 되기를 열망하고 있다.

열변 熱辯 | 뜨거울 열, 말 잘할 변 [fiery speech]
열렬(熱烈)하게 사리를 밝혀 옳고 그름을 따지는 말[辯]. ¶그는 환경을 보호하자고 열변을 토했다.

열병 熱病 | 더울 열, 병 병 [fever]
❶속뜻 열(熱)이 몹시 오르고 심하게 앓는 병(病). ❷의학 열이 나며 두통, 식욕 부진이 뒤따르는 병. '장티푸스'를 일상적으로 이르는 말.

열성 熱誠 | 뜨거울 열, 정성 성 [enthusiasm]
열렬(熱烈)한 정성(精誠). ¶열성 팬 / 엄마는 열성을 기울여 화초를 길렀다.

열심 熱心 | 뜨거울 열, 마음 심 [eagerness]
❶속뜻 뜨거운[熱] 마음[心]. ❷온갖 정성을 다하여 골똘하게 힘씀. ¶속뜻학습을 매일매일 열심히 했더니 공부가 재미있어졌다.

열의 熱意 | 뜨거울 열, 뜻 의 [enthusiasm]
열성(熱誠)을 다하는 마음[意]. 어떤 일을 이루기 위하여 온갖 정성을 다하는 마음. ¶열의가 대단하다.

열정 熱情 | 뜨거울 열, 사랑 정 [passion]
❶속뜻 뜨거운[熱] 사랑[情]. ¶그 여자에게 열정을 느끼다. ❷어떤 일에 열중하는 마음. ¶음악에 대한 열정이 갈수록 열렬해졌다.

열중 熱中 | 더울 열, 가운데 중 [be absorbed]
❶속뜻 열(熱)의 한가운데[中]. ❷한 가지 일에 정신을 쏟음. ¶공부에 열중하다. ㊀몰두(沒頭).

열풍 熱風 | 뜨거울 열, 바람 풍 [hot wind]
뜨거운[熱] 바람[風]. ¶사막의 열풍.

열화 熱火 | 뜨거울 열, 불 화 [blazing fire]
❶속뜻 뜨거운[熱] 불길[火]. ❷매우 격렬한 열정을 비유하여 이르는 말. ¶열화와 같은 성원을 보냈다.

• 역순어휘

가열 加熱 | 더할 가, 더울 열 [heat]
❶속뜻 어떤 물질에 열(熱)을 더함[加]. ❷열을 더 세게 하다. ¶먼저 솥을 가열한 뒤 재료를 넣는다.

고열 高熱 | 높을 고, 더울 열 [intense heat]
❶속뜻 높은[高] 열(熱). ❷높은 신열(身熱). ¶밤새 고열에 시달리다. ㊥미열(微熱).

과:열 過熱 | 지나칠 과, 뜨거울 열 [overheat]
지나치게[過] 뜨겁게 하거나 뜨거워짐[熱]. 또는 그 열. ¶자동차 엔진이 과열되었다 / 과열된 입시교육.

광열 光熱 | 빛 광, 더울 열 [light and heat]
빛[光]과 열(熱).

내:열 耐熱 | 견딜 내, 더울 열 [heat resisting]
공업 높은 열(熱)에도 잘 견딤[耐]. ¶내열 장치를 해놓다.

단:열 斷熱 | 끊을 단, 열 열 [insulation]
물리 열(熱)의 전도(傳導)를 끊어[斷] 막음. ¶이 벽은 단열이 필요하다.

미열 微熱 | 작을 미, 더울 열 [slight fever]
건강한 몸의 체온보다 조금[微] 높은[熱] 체온. ㊥고열(高熱).

발열 發熱 | 일으킬 발, 더울 열
[generate heat; have fever]
❶속뜻 물체가 열(熱)을 냄[發]. ❷의학 건강의 이상으로 체온이 보통 상태보다 높아지는 일. ¶발열증상을 보이다.

방:열 放熱 | 놓을 방, 더울 열 [radiant heat]
열(熱)을 밖으로 내놓음[放]. 열을 발산함.

백열 白熱 | 흰 백, 더울 열
[white heat; incandescence]
물리 물체에서 흰[白] 빛이 날만큼 몹시 높은 열(熱).

신열 身熱 | 몸 신, 더울 열 [fever]
병 때문에 오르는 몸[身]의 열(熱).

작열 灼熱 | 사를 작, 뜨거울 열 [be burning]
불을 사르는[灼]듯한 뜨거움[熱]. ¶작열하는 태양 아래 낙타가 묵묵히 걷고 있다.

전:열 電熱 | 전기 전, 더울 열 [electric heat]
물리 전기(電氣) 에너지를 열에너지로 변환시켰을 때 발생하는 열(熱).

정열 情熱 | 마음 정, 뜨거울 열
[passion; enthusiasm]
어떤 마음[情]이 불[熱]같이 활활 타오름. 또는 그런 감정. ¶연구에 정열을 쏟다.

지열 地熱 | 땅 지, 더울 열
[geothermal heat; road heat]
지리 땅[地] 속에서 나는 열(熱). ¶지열 에너지를 이용한 발전(發電).

해:열 解熱 | 풀 해, 더울 열 [bring down fever]
의학 몸에 오른 열(熱)을 풀어[解] 내림.

0464 [재]

災
재앙 재
㊟ 火부 ㊟ 7획 ㊥ 灾 [zāi]

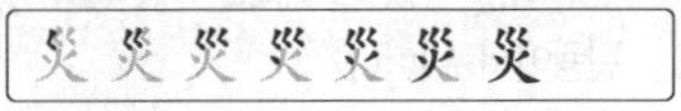

災자는 水災(수재)와 火災(화재)를 합친 '재앙'(a disaster; a calamity)을 뜻한다. 아득한 옛날에는 수재는 '巛'로, 화재는 '灾'로 각각 달리 쓰다가 하나로 합친 것이 바로 '災'다. 참고로 현대 중국식 약자(簡化字)는 '灾'로 쓴다.

재난 災難 | 재앙 재, 어려울 난 [calamity; disaster]
재앙(災殃)으로 인한 어려움[難]. 뜻밖의 불행한 일. ¶우리 마을에 큰 재난이 닥쳤다. ⊕재앙(災殃).

재해 災害 | 재앙 재, 해칠 해 [calamity; disaster]
재앙(災殃)으로 말미암은 피해(被害). ¶정부는 지진으로 인한 재해를 복구하고 있다.

• 역순어휘

방재 防災 | 막을 방, 재앙 재 [disaster prevention]
화재, 수재, 한재(旱災) 따위의 재해(災害)를 막음[防]. ¶이 건물은 방재 설비를 갖추었다.

수재 水災 | 물 수, 재앙 재 [flood damage]
홍수나 범람 따위의 물[水]로 입는 재해(災害). ¶이번 홍수로 아랫마을은 큰 수재를 겪었다. ⊕물난리, 수해(水害).

이재 罹災 | 걸릴 리, 재앙 재 [suffer from a calamity; fall victim]
재해(災害)를 입음[罹]. 재앙을 당함. ¶이재 구호금.

천재 天災 | 하늘 천, 재앙 재 [natural disaster]
하늘[天]이 내리는 재앙(災殃). 자연현상으로 일어나는 재난. 지진, 홍수 따위. ¶천재를 입다.

화:재 火災 | 불 화, 재앙 재 [fire; conflagration]
불[火]로 인한 재앙(災殃). ¶화재 신고는 119로 하세요.

0465 [탄]

炭

숯 탄:
㊊ 火부 ㊋ 9획 ⊕ 炭 [tàn]

炭炭炭炭炭炭炭炭炭

炭자는 '숯'(=재, charcoal)을 뜻하기 위한 것이다. 산(山)의 벼랑[厂·한] 아래 있는 나무에 불[火]이 나 타고난 나머지를 가리킨다고 풀이할 수 있다.

탄:광 炭鑛 | 숯 탄, 쇳돌 광 [colliery]
광업 석탄(石炭)을 캐내는 광산(鑛山). ¶그녀의 남편은 탄광에서 일한다.

탄:산 炭酸 | 숯 탄, 산소 산 [carbonic acid]
화학 이산화탄소(二酸化炭素)가 물에 녹아서 생기는 약한 산(酸).

탄:소 炭素 | 숯 탄, 요소 소 [carbon]
❶속뜻 숯[炭]을 이루는 주요 요소(要素). ❷화학 빛깔과 냄새가 없는 고체. 독자적으로는 금강석·석탄·아연 따위로 존재하며, 화합물에서는 이산화탄소·탄산염·탄수화물 등으로 존재한다.

탄:화 炭化 | 숯 탄, 될 화 [carbonize]
화학 유기물이 열분해 또는 다른 화학적 변화로 말미암아 탄소(炭素)가 됨[化].

• 역순어휘

도탄 塗炭 | 진흙 도, 숯 탄 [dire distress; great misery]
❶속뜻 진흙탕[塗]에 빠지고 숯불[炭]에 탐. ❷'몹시 곤궁하여 고통스러운 지경'을 비유하여 이르는 말. ¶도탄에 빠지다.

목탄 木炭 | 나무 목, 숯 탄 [charcoal]
나무[木]를 태워 만든 숯[炭].

석탄 石炭 | 돌 석, 숯 탄 [coal]
❶속뜻 숯[炭]처럼 불에 타는 돌[石]. ❷광업 가연성 퇴적암의 총칭. 연료나 화학 공업의 원료 등으로 쓰인다. ¶석탄은 세계 여러 지역에 흩어져 있어 주요 공업연료로 쓰인다. ㊎탄.

연:탄 煉炭 | 불릴 련, 석탄 탄 [briquette]
❶속뜻 반죽한 다음 불려[煉] 만든 석탄(石炭). ❷광업 주원료인 무연탄과 목탄 등을 섞어 굳혀 만든 연료. 잘 타게 하기 위하여 상하로 통하는 여러 개의 구멍을 뚫는다. ¶강원도에는 연탄을 때는 집이 많다.

0466 [경]

競

다툴 경:
㊊ 立부 ㊋ 20획 ⊕ 竞 [jìng]

競競競競競競競競競
競競競競競競競競競

競자의 원형은 '겨루다'(compete)는 뜻을 나타내기 위하여, 머리 부분에 辛(죄인을 처벌할 때 목에 끼던 칼의 일종)이 첨가된 두 사람(아마 죄인으로 추정됨)이 목숨을 걸고 열심히 달리고 있는 모습이다.

속뜻 속음 겨룰 경.

경:기 競技 | 겨룰 경, 재주 기 [game; match]
일정한 규칙 아래 기량(技倆)과 기술(技術)을 겨룸

[競]. 또는 그런 일. ¶운동 경기. [비]겨루기.

경:마 競馬 | 겨룰 경, 말 마 [horse racing]
[운동]말[馬]을 타고 달려 빠르기를 겨루는 경기(競技).

경:매 競賣 | 겨룰 경, 팔 매 [auction]
사려는 사람이 많을 경우, 서로 경쟁(競爭)시켜, 가장 비싸게 사겠다는 사람에게 물건을 파는[賣] 일. ¶집을 경매에 부치다.

경:보 競步 | 겨룰 경, 걸음 보 [walking race]
[운동]일정한 거리를 어느 한쪽 발이 반드시 땅에 닿은 상태로 하여 걸어서[步] 빠르기를 겨루는 경기(競技).

경:선 競選 | 겨룰 경, 가릴 선 [election]
둘 이상의 후보가 경쟁(競爭)하는 선거(選擧). ¶경선으로 반장을 뽑았다.

경:연 競演 | 겨룰 경, 펼칠 연 [contest; match]
개인이나 단체가 모여서 연기(演技)나 기능 따위를 겨룸[競]. ¶요리 경연 대회.

경:쟁 競爭 | 겨룰 경, 다툴 쟁
[compete; contend]
서로 앞서거나 이기려고 겨루고[競] 다툼[爭]. ¶치열한 경쟁을 벌이다. [비]경합(競合). [반]독점(獨占).

경:주 競走 | 겨룰 경, 달릴 주
[race; run]
일정한 거리를 달음질[走]하여 그 빠르기를 겨루는[競] 운동. ¶100미터 경주.

경:합 競合 | 겨룰 경, 싸울 합 [compete with]
❶[속뜻]겨루어[競] 맞서 싸움[合]. ❷[법률]동일한 대상에 대하여 같은 효력을 가지는 권리 따위가 중복되는 일. ¶올림픽을 유치하기 위해 두 도시가 경합했다. [비]경쟁(競爭).

0467 [시]

示

보일 시:
[部] 示부 [획] 5획 [中] 示 [shì]

示示示示示

> 示자는 神主(신주) 모양을 본뜬 것으로, '신주'(a memorial tablet), 즉 제사를 받는 죽은 사람의 위패가 본래 의미다. 이것이 표의요소(부수)로 쓰인 글자들은 모두 제사와 관련이 있다. 옛날 사람들은 福이나 禍를 주관하는 조상신이나 하늘의 뜻이 제사를 통하여 나타난다고 여겼기 때문에, '나타내다'(appear; show), '보이다'(let see)는 뜻도 따로 글자를 만들지 않고 이 글자로 나타냈다.

시:범 示範 | 보일 시, 본보기 범 [set an example]
본보기[範]를 보임[示]. ¶시범을 보이다.

시:위 示威 | 보일 시, 위엄 위 [demonstrate]
위력(威力)을 드러내어 보임[示]. ¶대규모 시위가 벌어지다.

• 역순어휘

게:시 揭示 | 내걸 게, 보일 시
[notice; bulletin]
내붙이거나 내걸어[揭] 두루 보게[示] 함. ¶게시를 벽에 붙이다.

계:시 啓示 | 열 계, 보일 시 [reveal]
❶[속뜻]열어[啓] 보여 줌[示]. ❷사람의 지혜로는 알 수 없는 진리를 신이 영감(靈感)으로 알려 줌. ¶신의 계시를 받다. [비]현시(現示).

공시 公示 | 드러낼 공, 보일 시 [announce officially]
[법률]어떤 사실을 일반에게 드러내어[公] 널리 보여줌[示]. ¶공시 가격 / 회의 결과를 공시하다.

과:시 誇示 | 자랑할 과, 보일 시
[display; show off]
❶[속뜻]자랑하여[誇] 보임[示]. ❷실제보다 과장하여 보임. ¶권력을 과시하다.

명시 明示 | 밝을 명, 보일 시 [express clearly]
분명(分明)하게 나타냄[示]. ¶설명서에 약의 복용법이 명시되어 있다.

암:시 暗示 | 몰래 암, 보일 시 [hint; suggest]
뜻하는 바를 넌지시[暗] 알림[示]. 또는 그 내용. ¶이 소설에서 흰 옷은 죽음을 암시한다.

예:시 例示 | 본보기 례, 보일 시
[exemplify; illustrate]
본보기[例]를 들어 보임[示]. ¶적절한 예시를 들다.

전:시 展示 | 펼 전, 보일 시 [exhibit; display]
여러 가지 물품을 한곳에 벌여 놓고[展] 보임[示]. ¶졸업 작품을 전시하다.

제시 提示 | 들 제, 보일 시
[present; indicate]
❶[속뜻]의견 따위를 말이나 글로 들어내[提] 보임[示]. ¶의견을 제시하다. ❷검사나 검열 따위를 위하여 물품을 내보임. ¶입구에서 신분증을 제시하십시오.

지시 指示 | 가리킬 지, 보일 시 [direct]
❶[속뜻]가리켜[指] 보임[示]. ❷무엇을 하라고 일러서 시킴.

표시[1] 表示 | 겉 표, 보일 시
[express; show; indicate]
겉[表]으로 드러내어 보임[示]. ¶성의를 표시하다.

표시[2] 標示 | 우듬지 표, 보일 시

[mark; indicate]
❶속뜻 우듬지[標]같이 잘 보이도록[示] 함. ❷잘 알아보도록 문자나 기호로 나타냄. ¶가격표시 / 원산지 표시 / 답안지에 정답을 표시하다.

훈:시 訓示 | 가르칠 훈, 보일 시
[instruct; admonish]
❶속뜻 가르쳐[訓] 보임[示]. ❷윗사람이 아랫사람에게 교훈과 지시를 주는 것. ¶교장선생님의 훈시 / 어머니는 나에게 늦지 말라고 훈시하셨다.

0468 [축]

祝
빌 축
部 示부 劃 10획 中 祝 [zhù]
祝 祝 祝 祝 祝 祝 祝 祝 祝 祝

祝자는 신주[示·시] 앞에 입을 크게 벌리고[口·구] 무릎을 꿇어 앉아 기도하는 사람[人→儿]을 본뜬 것이다. '祭主(제:주)가 神明(신명)에게 고하는 것'을 '祝'이라 하며, 그것을 글로 적어 놓은 것을 '祝文'(축문)이라 한다. 그래서 '祝'자가 '빌다'(pray)는 뜻으로도 쓰이게 됐다.

축도 祝禱 | 빌 축, 빌 도 [blessing]
기독교 예배를 마칠 때 목사가 복을 비는[祝] 기도(祈禱). '축복기도'(祝福祈禱)의 준말.

축문 祝文 | 빌 축, 글월 문
[written prayer; memorial address]
❶속뜻 복을 비는[祝] 글[文]. ❷제사 때, 신명에게 읽어 고하는 글. ¶축문을 쓰다.

축배 祝杯 | 빌 축, 잔 배
[toast; drink in celebration]
축하(祝賀)의 술을 마시는 술잔[杯]. ¶신랑, 신부를 위해 축배를 들자.

축복 祝福 | 빌 축, 복 복 [bless]
❶속뜻 행복(幸福)하기를 빎[祝]. ¶신랑, 신부의 앞날을 축복해 줍시다. ❷기독교 하나님이 복을 내림. ¶신의 축복이 있기를! 비 축하.

축사 祝辭 | 빌 축, 말씀 사
[congratulatory address; greetings]
축하(祝賀)의 뜻으로 하는 말[辭]. ¶축사를 낭독하다.

축원 祝願 | 빌 축, 바랄 원 [pray]
신이나 부처에게 자기 소원(所願)을 이루어 달라고 빎[祝]. ¶모두 평안하시기를 축원합니다.

축의 祝儀 | 빌 축, 의식 의 [celebration]
축하(祝賀)하는 의례나 의식(儀式). ¶축의를 표하다.

축전¹ 祝典 | 빌 축, 의식 전
[celebration; festival]
축하(祝賀)하는 의식이나 식전(式典). ¶크리스마스 축전 행사.

축전² 祝電 | 빌 축, 전기 전
[congratulatory telegram]
축하(祝賀)의 뜻을 나타내는 전보(電報). ¶축전을 보내다.

축제 祝祭 | 빌 축, 제사 제 [festival]
❶속뜻 축하(祝賀)하는 뜻에서 거행하는 제전(祭典). ❷경축하여 벌이는 큰 잔치나 행사를 이르는 말. ¶도시는 온통 축제 분위기에 휩싸였다.

축포 祝砲 | 빌 축, 대포 포 [cannon salute]
행사에서 축하(祝賀)의 뜻으로 쏘는 총이나 대포의 공포(空砲). ¶대회의 개막을 알리는 축포가 터졌다.

축하 祝賀 | 빌 축, 하례할 하
[celebrate; congratulate]
❶속뜻 복을 빌어주는[祝] 하례(賀禮). ❷남의 기쁜 일에 대하여 더 큰 기쁨이 있기를 빌어주는 뜻으로 하는 인사. ¶졸업을 진심으로 축하합니다.

• 역순어휘 •

경:축 慶祝 | 기쁠 경, 빌 축 [congratulate]
경사(慶事)로운 일을 축하(祝賀)함. ¶광복절 경축 행사 / 개교 50주년을 경축하다.

0469 [고]

考
생각할 고(:)
部 老부 劃 6획 中 考 [kǎo]
考 考 考 考 考 考

考자의 부수가 '늙을 로'(老)임을 유의하자. 긴 머리의 노인이 지팡이를 짚고 서 있는 모습을 그린 老자의 생략형에 표음요소가 첨가된 것이 바로 考자다. '오래 살다'(live long)가 본뜻인데, '(곰곰이) 생각하다'(think over; ponder on), '살피다'(consider; study) 등으로 확대 사용됐다. 攷(고)자는 본래 '치다'(hit)는 뜻으로, 考자와 통용되기도 한다.
속뜻훈음 ①생각할 고, ②살필 고.

고:고 考古 | 고찰할 고, 옛 고
[study of antiquities]
유물이나 유적으로 옛[古] 일을 고찰(考察)함. ¶고고인류학.

고려 考慮 | 살필 고, 생각할 려 [consider]
잘 살피고[考] 깊이 생각함[慮]. ¶신중히 고려하였다.

고사 考査 | 생각할 고, 살필 사
[consider; examine]
❶속뜻 자세히 생각하여[考] 알뜰히 살펴봄[査]. ❷학교에서 학생의 학업 성적을 시험함. 또는 그 시험. ¶월말고사.

고:시 考試 | 살필 고, 시험할 시 [examination]
❶역사 과거(科擧) 시험(試驗) 성적을 살펴서[考] 등수를 매기던 일. ❷공무원의 임용 자격을 결정하는 시험. ¶삼촌은 사법고시에 합격했다.

고안 考案 | 생각할 고, 안건 안
[device; contrivance]
새로운 방안(案)을 생각해[考] 냄. 또는 그 안. ¶새로운 방법을 고안하다.

고증 考證 | 생각할 고, 증명할 증
[study historical evidence]
옛 문헌이나 유물 등에 대하여 고찰(考察)하여 사실을 증명(證明)함. ¶역사학자들의 고증으로 궁궐을 복원했다.

고찰 考察 | 생각할 고, 살필 찰
[consider; contemplate]
깊이 생각하여[考] 살핌[察]. ¶문제를 여러 각도에서 고찰하다.

• 역순어휘

비:고 備考 | 갖출 비, 생각할 고 [note; remark]
❶속뜻 훗날 더 생각해 보기[考] 위해 미리 갖추어[備] 둠. ❷어떤 내용에 참고가 될 만한 사항을 덧붙여 적음. 또는 덧붙인 그 사항. ¶비고를 참조하다.

사고 思考 | 생각 사, 살필 고 [think]
곰곰이 생각하여[思] 잘 살펴[考]봄. ¶사고 능력 / 사고의 영역을 넓히다. ⓑ생각.

숙고 熟考 | 익을 숙, 생각할 고
[think over; mull over]
곰곰이[熟] 생각함[考]. ¶결정하기 전에 숙고하십시오.

재:고 再考 | 다시 재, 생각할 고
[reconsider; rethink]
한 번 정한 일을 다시[再] 한 번 생각함[考]. ¶그 계획은 재고의 여지가 없다.

참고 參考 | 헤아릴 참, 생각할 고
[refer to; consult]
❶속뜻 헤아려[參] 곰곰이 생각함[考]. ❷살펴서 도움이 될 만한 자료로 삼음. ¶참고로 제 의견을 말씀드려도 되겠습니까? / 사전을 자주 참고하다.

0470 [죄]

罪 허물 죄:
㊕ 罒부 ㊀ 13획 ㊥ 罪 [zuì]

罪 罪 罪 罪 罪 罪 罪 罪 罪 罪 罪 罪 罪

罪자는 '(새가 날아가다가 잘못하여 그물에) 걸리다'(be trapped)는 뜻을 나타내기 위하여 '그물 망'(罒=网)과 '날개 비'(非)를 합쳐놓은 것이다. '죄'(=허물, sin)라는 뜻은 원래 '自'(코 자)와 '辛'(벨 신)이 상하로 조합된 글자로 나타냈는데, 진시황이 '皇'(황)자와 비슷하여 좋지 않다고 하자 '罪'자로 바꾸어 버렸다고 한다. 그래서 '허물'(a fault) 같은 의미로도 쓰인다.

죄:명 罪名 | 허물 죄, 이름 명 [charge]
죄(罪)의 이름[名]. 절도죄, 살인죄, 위증죄 따위.

죄:상 罪狀 | 허물 죄, 형상 상 [guilt; charge]
죄(罪)를 짓게 된 구체적인 상황(狀況). ¶그의 죄상을 말해 주는 여러 가지 사실이 드러났다.

죄:송 罪悚 | 허물 죄, 두려워할 송
[be sorry; regret]
죄(罪)스럽고 송구(悚懼)하다. ¶늦어서 죄송합니다 / 부모님께 죄송스러워 고개를 들 수 없었다.

죄:수 罪囚 | 허물 죄, 가둘 수 [prisoner]
죄(罪)를 저지르고 옥에 갇힌[囚] 사람. ¶죄수들은 수갑을 차고 있었다. ⓑ수인(囚人).

죄:악 罪惡 | 허물 죄, 나쁠 악 [sin; vice]
죄(罪)가 될 만한 나쁜[惡] 일. ¶남을 죽이는 것은 큰 죄악이다.

죄:인 罪人 | 허물 죄, 사람 인 [criminal]
죄(罪)를 지은 사람[人]. ¶죄인들을 풀어주기로 결정하다.

죄:책 罪責 | 허물 죄, 꾸짖을 책
[liability for a crime]
잘못[罪]을 저지른 책임(責任).

• 역순어휘

무죄 無罪 | 없을 무, 허물 죄 [innocent; guiltless]
❶속뜻 잘못이나 허물[罪]이 없음[無]. ❷법률 피고 사건이 범죄가 되지 않거나 범죄의 증명이 없음. ¶무죄를 주장하다. ⓑ유죄(有罪).

범:죄 犯罪 | 범할 범, 허물 죄 [crime]
죄(罪)를 지음[犯]. 또는 지은 죄. ¶범죄를 저지르다.

사:죄 謝罪 | 용서 빌 사, 허물 죄
[apologize; beg pardon]

지은 죄(罪)나 잘못에 대하여 용서를 빎[謝]. ¶정중히 사죄하다.

속죄 贖罪 | 속바칠 속, 허물 죄 [atone for; make atonement for]
❶[속뜻] 금품을 주거나 공로를 세워 죄(罪)를 씻음[贖]. ¶그는 속죄하는 마음으로 여생을 보냈다. ❷[기독교] '예수의 희생'을 이르는 말.

유ː죄 有罪 | 있을 유, 허물 죄 [guilty; culpable]
❶[속뜻] 죄(罪)가 있음[有]. ❷[법률] 법원의 판결에 따라 범죄 사실이 인정되는 일. ¶법원은 그에게 유죄를 판결했다. [반]무죄(無罪).

중ː죄 重罪 | 무거울 중, 허물 죄 [serious crime]
무거운[重] 죄(罪). 큰 죄. ¶예전에 불효(不孝)는 중죄로 다스려 무거운 형벌을 내렸다.

0471 [급]

給

줄 급
[部] 糸부 [획] 12획 [中] 给 [gěi, jǐ]

給 給 給 給 給 給 給 給 給 給

給자는 '(실이) 충분하다'(enough; sufficient)는 뜻을 위한 것이었으니, '실 사'(糸)가 표의요소로 쓰였다. 合(합할 합)은 표음요소인데 음이 약간 달라졌다. 후에 충분하도록 해주다, 즉 '주다'(give)는 뜻으로도 쓰였다.

급료 給料 | 줄 급, 삯 료 [pay; salary]
일한 대가로 주는[給] 품삯[料]. 일한 데에 대한 보수(報酬). ¶한 달 치 급료를 받았다. [비]급여(給與).

급식 給食 | 줄 급, 밥 식 [provide meals]
학교나 공장 등에서 아동이나 종업원에게 음식(飮食)을 주는[給] 일. 또는 그 끼니 음식.

급여 給與 | 줄 급, 줄 여 [allowance; pay]
일한 대가로 돈이나 물품 따위를 공급(供給)하여 줌[與]. 또는 그 돈이나 물품. [비]급료(給料).

• 역순어휘 •

공ː급 供給 | 이바지할 공, 줄 급 [supply; provide]
❶[속뜻] 물품 따위를 제공(提供)하여 줌[給]. ❷[경제] 교환하거나 판매하기 위하여 시장에 재화나 용역을 제공하는 일. ¶이재민들에게 물을 공급하다. [비]제공(提供), 조달(調達). [반]수요(需要).

발급 發給 | 드러낼 발, 줄 급 [issue]
발행(發行)하여 줌[給]. ¶여권을 발급하다. [비]발부(發付).

배ː급 配給 | 나눌 배, 줄 급 [distribute; supply]
❶[속뜻] 나누어[配] 줌[給]. ❷영리를 목적으로 하지 않고 상품을 나누어 주는 일. 물자를 일정한 비례에 따라 몫을 떼어 나누어 준다. ¶식량 배급을 받다.

보ː급 補給 | 기울 보, 줄 급 [supply; replenishment]
물자 등을 계속 보태어[補] 줌[給]. ¶식량 보급 / 물자를 보급하다.

봉ː급 俸給 | 녹 봉, 줄 급 [salary; pay]
❶[속뜻] 일의 대가로 녹봉(祿俸)을 줌[給]. ❷일정한 직장에서 일의 대가로 받는 정기적인 보수. ¶이번 달 봉급이 밀렸다.

월급 月給 | 달 월, 줄 급 [monthly salary]
다달이[月] 받는 정해진 봉급(俸給). ¶이번 달부터 월급이 오른다. [비]봉급(俸給).

자급 自給 | 스스로 자, 줄 급 [be self-sufficient]
필요한 것을 자기(自己) 스스로 공급(供給)함. 스스로 마련함. ¶브라질은 총 에너지의 90%를 자급한다 / 식량 자급률.

지급 支給 | 가를 지, 줄 급 [give; provide; pay]
갈라서[支] 내어줌[給]. ¶장학금을 지급하다.

0472 [종]

終

마칠 종
[部] 糸부 [획] 11획 [中] 终 [zhōng]

終 終 終 終 終 終 終 終 終 終 終

終자의 본래 글자인 冬자(겨울 동, #0103)는 발꿈치 모양을 본뜬 것이다. 인체는 머리에서 시작되어 발꿈치로 끝난다. 그래서 '끝'(end)이 본뜻인데, 계절의 끝인 '겨울'(winter)을 뜻하는 것으로 확대 사용되는 예가 잦아지자, 본뜻은 실 사'(糸)를 첨가한 終자를 만들어 나타냈다. 후에 終은 '끝내다'(finish), '마치다'(complete) 등으로 확대 사용됐다.

[속뜻훈음] ①마칠 종, ②끝날 종.

종결 終結 | 마칠 종, 맺을 결 [conclude]
일을 마치어[終] 끝맺음[結]. ¶수사의 종결 / 마침내 전쟁이 종결되었다. [비]종료(終了).

종국 終局 | 마칠 종, 판 국 [end; conclusion]
일을 마치는[終] 마지막 상황[局]. ¶그 공사는 종국에는 실패하고야 말았다.

종내 終乃 | 마칠 종, 이에 내 [at last; finally]
마침[終]내(乃). 끝내. ¶그는 병상에 눕더니 종내 일어나지 못했다.

종례 終禮 | 마칠 종, 예도 례 [day end assembly]
학교에서 하루 일과를 마친[終] 뒤에 모여 나누는 의식[禮]. ¶종례가 끝나자 아이들은 서둘러 교실을 나갔다. [반]조례(朝禮).

종료 終了 | 끝낼 종, 마칠 료 [close; conclude]
어떤 행동이나 일 따위를 끝내어[終] 마침[了]. ¶오 분 뒤에 경기가 종료된다. [반]개시(開始).

종말 終末 | 마칠 종, 끝 말 [end; close]
일 따위를 마치는[終] 맨 끝[末]. ¶그 노인은 지구의 종말이 가까웠다고 믿는다.

종일 終日 | 끝날 종, 날 일 [all the day]
하루[日]가 다 끝날[終] 때까지. ¶오늘은 종일 흐려서 빨래를 할 수 없었다. [비]온종일, 진종일.

종장 終章 | 끝날 종, 글 장 [last part of a song]
[문학] 시조와 같이 세 장으로 나뉜 시가에서 마지막[終] 장(章).

종점 終點 | 끝날 종, 점 점 [terminal station]
기차, 버스, 전차 따위를 운행하는 일정한 구간이 끝나는[終] 지점(地點). ¶종점이 가까워지자 승객들도 줄어들었다. [비]종착역(終着驛). [반]기점(起點).

종지 終止 | 끝날 종, 그칠 지
[stop; termination; end]
무엇을 끝마쳐[終] 그만함[止].

종착 終着 | 끝날 종, 붙을 착 [last to arrive]
마지막으로[終] 도착(到着)함.

• 역순어휘

시:종 始終 | 처음 시, 끝날 종 [throughout]
처음[始]과 끝[終]을 아울러 이르는 말. ¶그는 시종 아무 말이 없었다.

유:종 有終 | 있을 유, 끝날 종
끝[終]맺음이 있음[有]. ¶유종의 아름다움.

임종 臨終 | 임할 림, 끝날 종 [facing death]
❶[속뜻] 죽음[終]에 다다름[臨]. 또는 그때. ¶임종의 말. ❷부모님이 운명할 때에 그 옆에 모시고 있음. ¶어머니가 돌아가실 때 임종 못한 것이 평생의 한이다.

최:종 最終 | 가장 최, 끝날 종 [last; final]
가장[最] 마지막[終]. 맨 나중. ¶나는 아직 최종 결정을 내리지 못했다. [반]최초(最初).

0473 [이]

耳

귀 이:
[部] 耳부 [획] 6획 [中] 耳 [ěr]

耳 耳 耳 耳 耳 耳

耳자는 '귀'(an ear)를 뜻하기 위하여 사람의 귀 모양을 본뜬 것인데, 모양이 크게 달라졌다. 쓰기 편함을 추구한 결과이다.

이:목 耳目 | 귀 이, 눈 목
[eye and ear; public attention]
❶[속뜻] 귀[耳]와 눈[目]. ❷다른 사람의 주의나 주목. ¶그는 공연으로 사람들의 이목을 끌었다.

• 역순어휘

중이 中耳 | 가운데 중, 귀 이 [middle ear]
[의학] 외이(外耳)와 내이(內耳)의 중간(中間) 쯤에 고막이 있는 부분의 귀[耳].

0474 [선]

船

배 선
[部] 舟부 [획] 11획 [中] 船 [chuán]

船 船 船 船 船 船 船 船 船 船 船

船자는 표의요소(舟·배 주)의 의미와 완전히 일치하는 희귀한 예이다. 오른쪽의 것은 鉛(납 연)의 생략형으로 표음요소로 쓰였다는 설이 있다. 수상 운송 수단인 '배'(a vessel; a ship)를 총칭하는 것으로 널리 쓰인다.

선박 船舶 | 배 선, 큰 배 박 [vessel; ship]
배[船=舶]. 주로 규모가 큰 축에 드는 배를 이르는 말. ¶대형 선박을 건조하다.

선상 船上 | 배 선, 위 상 [on the ship]
배[船]의 갑판 위[上]. ¶섬이 가까워지자 사람들이 모두 선상으로 올라왔다.

선실 船室 | 배 선, 방 실 [(ship's) cabin]
승객이 쓰도록 된 배[船] 안의 방[室]. ¶선실을 예약하다.

선원 船員 | 배 선, 사람 원 [crew]
선박(船舶)의 승무원(乘務員). ¶폭풍으로 선원 일곱 명이 실종되었다. [비]선인(船人).

선장 船長 | 배 선, 어른 장 [captain; master]
배[船]에 탄 승무원의 우두머리[長]로서 항해를 지휘하고 선원을 감독하는 사람. ¶선장은 수천 명의 생명을 맡고 있다.

선적 船積 | 배 선, 쌓을 적
[ship a cargo; load a ship]
배[船]에 짐을 실음[積]. ¶수출품을 선적하다.

선체 船體 | 배 선, 몸 체 [ship]

배[船]의 몸체[體]. ¶암초에 부딪혀 선체가 두 동강이 났다.

• 역순어휘

기선 汽船 | 수증기 기, 배 선 [steamship]
증기[汽]기관을 동력으로 하여 항해하는 배[船].

범:선 帆船 | 돛 범, 배 선 [sailing ship]
돛[帆]을 단 배[船]. [비]돛단배.

상선 商船 | 장사 상, 배 선
[merchant ship; trading vessel]
삯을 받고 사람이나 짐을 나르는 등 상업적(商業的)으로 이용되는 배[船]. 여객선, 화물선, 화객선 따위가 있다.

승선 乘船 | 탈 승, 배 선 [embark; board a ship]
배[船]를 탐[乘]. ¶승객 여러분은 10시까지 승선해 주십시오. [반]하선(下船).

어선 漁船 | 고기 잡을 어, 배 선
[fishing boat; fisher boat]
고기잡이[漁]를 위한 배[船]. ¶어선은 만선이 되어 돌아왔다. [비]고깃배.

적선 敵船 | 원수 적, 배 선 [enemy ship]
적(敵)의 배[船]. ¶이순신 장군은 노량해전에서 적선 삼백여 척을 격파했다.

조:선 造船 | 만들 조, 배 선
[shipbuilding; ship construction]
배[船]를 만듦[造]. ¶한국의 조선 기술은 수준급이다.

풍선 風船 | 바람 풍, 배 선 [balloon]
❶[속뜻]바람[風]으로 움직이는 배[船]. ❷얇은 고무주머니 속에 공기나 수소가스를 넣어 공중으로 뜨게 만든 물건. ¶풍선을 불다.

함:선 艦船 | 싸움배 함, 배 선
[warships and other ships]
군함(軍艦)과 선박(船舶).

0475 [치]

致

이를 치:
[部] 至부 [획] 10획 [中] 致 [zhì]

致 致 致 致 致 致 致 致 致 致

致자는 '이를 지'(至)와 '뒤져 올 치'(夂), 두 표의요소가 조합된 것인데 夂(치)가 攵(=攴, 칠 복)으로 잘못 변화됐다. '뜻을 전하다'(report; communicate; tell)가 본래 의미인데 '이르다'(end up; result), '보내다'(send) 등으로 확대 사용됐다.

[속뜻훈음] ①이를 치, ②보낼 치.

치:명 致命 | 이를 치, 목숨 명 [fatal; killing]
목숨[命]을 다할 지경에 이름[致]. 죽을 지경에 이름.

치:부 致富 | 이를 치, 부자 부
[become rich; amass a fortune]
재물을 모아 부자(富者)가 됨[致]. ¶그는 무역으로 크게 치부했다.

치:사[1] 致死 | 이를 치, 죽을 사 [be fatal; kill]
죽음[死]에 이르게[致] 함. ¶과실 치사 / 그는 약물 과용으로 치사할 뻔했다.

치:사[2] 致辭 | =致詞, 보낼 치, 말씀 사
[appreciate; express gratitude]
❶[속뜻]행사에 앞서 특별히 한 말씀[辭]을 함[致]. ❷남을 칭찬하는 말을 함. 또는 그런 말. ¶입에 발린 치사를 하다.

치:하 致賀 | 보낼 치, 축하할 하 [congratulate]
❶[속뜻]축하(祝賀)하는 뜻을 보냄[致]. ❷남이 한 일에 대하여 고마움이나 칭찬의 뜻을 표하는 말. ¶사장은 사원들의 노고를 치하했다.

• 역순어휘

경치 景致 | 볕 경, 이를 치 [scenery; scene]
❶[속뜻]볕[景]이 듦[致]. ❷자연의 아름다운 모습. ¶경치가 좋다. [비]경광(景光), 풍경(風景).

극치 極致 | 다할 극, 이를 치
[attain the highest perfection]
극도(極度)에 다다름[致]. 또는 그런 경지. 그보다 더할 수 없을 만한 최고의 경지나 상태. ¶아름다움의 극치.

납치 拉致 | 끌어갈 랍, 보낼 치 [kidnap]
강제 수단을 써서 억지로 끌어서[拉] 데리고 감[致]. ¶항공기를 납치하다. [비]유괴(誘拐).

운:치 韻致 | 그윽할 운, 풍치 치 [elegance]
그윽한[韻] 풍치(風致). 고상하고 우아함. ¶정원을 운치 있게 꾸미다 / 가을의 고궁은 운치가 있다. [비]풍치(風致).

유치 誘致 | 꾈 유, 이를 치 [attract; invite]
설비 등을 갖추어 두고 권하여[誘] 이르게[致] 함. 오게 함. ¶올림픽 유치 / 정부는 관광객을 유치하기 위해 많은 활동을 한다.

이:치 理致 | 이치 리, 이를 치 [reason; logic]
도리(道理)에 이르는[致] 근본이 되는 뜻. ¶자연의 이치 / 그의 주장은 이치에 맞다.

일치 一致 | 한 일, 이를 치 [agree]
하나[一]에 이름[致]. 서로 어긋나지 않고 꼭 맞음. 어긋

나는 것이 없음. ¶의견 일치. 반 불일치(不一致).

재치 才致 | 재주 재, 이를 치 [wit; tact]
❶속뜻 재주[才]가 상당한 경지에 이름[致]. ❷눈치 빠른 말씨나 능란한 솜씨. ¶그는 나의 물음에 재치 있게 대답했다.

필치 筆致 | 붓 필, 이를 치 [literary style]
❶속뜻 붓[筆] 솜씨가 상당한 경지에 이름[致]. ❷글에 나타나는 맛이나 개성. ¶이 소설은 두 남녀의 순수한 사랑을 섬세한 필치로 그렸다.

0476 [락]

落

떨어질 락
부 艸부 획 13획 中 落 [luò, là]

落 落 落 落 落 落 落 落 落 落 落 落 落

落자는 '(풀잎이나 나뭇잎이 시들어) 떨어지다'(wither)는 뜻을 나타내기 위하여 만들어진 글자이다. '풀 초'(艸=++)가 표의요소로 쓰였고, 洛(강이름 락)은 표음요소다. 후에 '떨어지다'(fall), '(떨어져있는) 마을'(a village) 등으로 확대 사용됐다.

속뜻훈음 ①떨어질 락, ②마을 락.

낙담 落膽 | 떨어질 락, 쓸개 담
[be discouraged; be disappointed]
❶속뜻 너무 놀라서 간담(肝膽)이 떨어지는[落] 듯함. ❷바라던 일이 뜻대로 되지 않아 마음이 몹시 상함. ¶그렇게 낙담하지 마라. 비 낙심(落心), 실망(失望).

낙도 落島 | 떨어질 락, 섬 도 [isolated island]
육지에서 멀리 떨어진[落] 외딴섬[島]. ¶낙도의 초등학교 학생들이 서울 구경에 나섰다.

낙망 落望 | 떨어질 락, 바랄 망 [be disappoint]
희망(希望)을 잃음[落]. 비 낙담(落膽), 낙심(落心).

낙방 落榜 | 떨어질 락, 명단 방
[fail in an examination]
❶역사 과거시험에 응하였으나 급제 명단[榜]에 떨어짐[落]. ❷시험, 모집, 선거 따위에 응했다가 떨어짐. 비 낙과(落科), 낙제(落第), 하제(下第). 반 급제(及第).

낙선 落選 | 떨어질 락, 가릴 선 [lose an election]
선거(選擧)나 선발에서 떨어짐[落]. ¶총선에서 낙선하다. 반 당선(當選), 입선(入選).

낙심 落心 | 떨어질 락, 마음 심 [be discouraged]
마음[心]이 떨어지듯[落] 아픔. ¶성적이 떨어져 크게 낙심했다. 비 상심(傷心).

낙엽 落葉 | 떨어질 락, 잎 엽 [fallen leaves]
❶속뜻 나뭇잎[葉]이 떨어짐[落]. ❷말라서 떨어진 나뭇잎. ¶가을이 되면 낙엽이 떨어진다. 비 갈잎, 고엽(枯葉).

낙오 落伍 | 떨어질 락, 대오 오 [fall behind]
❶속뜻 대오(隊伍)에서 처져 뒤떨어짐[落]. ❷사회나 시대의 진보에 뒤떨어짐. ¶경쟁에서 낙오되다.

낙제 落第 | 떨어질 락, 등급 제
[fail in an examination]
❶속뜻 시험에서 일정한 등급[第]에 미치지 못하여 떨어짐[落]. ❷진학 또는 진급을 못함. ¶60점 미만은 낙제이다. 반 급제(及第).

낙조 落照 | 떨어질 락, 빛 조 [sunset]
저녁에 떨어지듯[落] 지는 햇빛[照]. 비 석양(夕陽).

낙차 落差 | 떨어질 락, 다를 차
[head; difference in elevation]
높은 곳에서 낮은 곳으로 떨어질[落] 때의 높낮이 차이(差異). ¶물의 낙차를 이용해 전기를 일으키다.

낙태 落胎 | 떨어질 락, 태아 태 [abort]
❶의학 인위적으로 태아(胎兒)를 모체로부터 떼어냄[落]. 또는 그 태아. ¶낙태를 반대하다. ❷태아가 달이 차기 전에 죽어서 나옴. 비 유산(流産).

낙하 落下 | 떨어질 락, 아래 하 [fall]
높은 곳에서 아래[下]로 떨어짐[落]. ¶자유 낙하하다. 반 상승(上昇).

낙화 落花 | 떨어질 락, 꽃 화 [falling of blossoms]
떨어진[落] 꽃[花]. 또는 꽃이 떨어짐. ¶낙화유수(落花流水). 반 개화(開花).

낙후 落後 | 떨어질 락, 뒤 후 [falling behind]
어떤 기준에 이르지 못하고 뒤[後]떨어짐[落]. ¶낙후된 농촌을 발전시키다. 반 선진(先進).

• 역순어휘

급락 急落 | 급할 급, 떨어질 락 [plunge; crash]
물가나 시세 따위가 갑자기[急] 떨어짐[落]. ¶주가(株價)가 급락하다. 비 폭락(暴落). 반 급등(急騰).

누:락 漏落 | 샐 루, 떨어질 락 [omit; leave out]
새거나[漏] 떨어짐[落]. 빠짐. 비 궐루(闕漏).

단락 段落 | 구분 단, 떨어질 락 [paragraph]
❶속뜻 구분[段]하여 떼어낸[落] 부분. 한 부분. ❷언어 긴 문장에서 내용상으로 일단 끊어지는 곳. ¶이 단락은 너무 길어서 이해하기 어렵다. 비 단원(單元), 문단(文段).

몰락 沒落 | 빠질 몰, 떨어질 락 [fall; collapse]
❶속뜻 물속으로 가라앉거나[沒] 바닥으로 떨어짐[落]. ❷잘 되던 것이 보잘것없이 됨. ¶그 집안은 몰락했다. ❸멸망하여 없어짐. ¶로마제국의 몰락. 반 번영(繁榮),

번창(繁昌), 번성(繁盛).

부락 部落 | 나눌 부, 마을 락 [village]
이곳저곳에 나뉘어[部] 있는 시골 마을[落]. ¶자연적으로 형성된 부락. [비]촌락(村落).

영락 零落 | 없어질 영, 떨어질 락 [ruin]
❶[속뜻] 풀잎이 없어지고[零] 나뭇잎이 떨어짐[落]. ❷세력이나 살림이 줄어들어 보잘것없이 됨. ¶영락한 집안. ❸조금도 틀리지 않고 들어맞다. ¶민지는 웃는 모습이 영락없이 그녀의 어머니를 닮았다. [비]틀림없다.

촌:락 村落 | 시골 촌, 마을 락 [village; hamlet]
시골[村]의 마을[落]. ¶강의 주변에는 촌락이 형성되어 있다. [반]도시(都市).

추락 墜落 | 떨어질 추, 떨어질 락 [fall; drop]
높은 곳에서 떨어짐[墜=落]. ¶비행기 추락사고 / 그의 지지도가 추락했다.

취:락 聚落 | 모일 취, 마을 락 [settlement; village]
[지리] 인가(人家)가 모여[聚] 있는 마을[落]. ¶강을 끼고 발달한 취락.

타:락 墮落 | 떨어질 타, 떨어질 락
[go wrong; corrupted]
❶[속뜻] 구렁텅이 따위에 떨어짐[墮=落]. ❷올바른 길에서 벗어나 잘못된 길로 빠지는 일. ¶그는 못된 친구들과 어울리더니 완전히 타락해 버렸다.

탈락 脫落 | 빠질 탈, 떨어질 락 [fail; drop out]
어떤 데에 끼지 못하고 빠지거나[脫] 떨어짐[落]. ¶우리 팀은 예선에서부터 탈락했다.

폭락 暴落 | 갑자기 폭, 떨어질 락
[sudden fall; slump]
물가나 주가 등 값이 갑자기[暴] 크게 떨어짐[落]. ¶주가가 하루 만에 폭락하다. [반]폭등(暴騰).

하:락 下落 | 아래 하, 떨어질 락 [decline]
❶[속뜻] 아래[下]로 떨어짐[落]. ❷값이나 등급 따위가 떨어짐. ¶미국의 경제순위가 세계 4위로 하락했다. [반]상승(上昇).

함:락 陷落 | 빠질 함, 떨어질 락 [surrender]
❶[속뜻] 빠져[陷] 바닥으로 떨어짐[落]. ❷성(城) 따위를 빼앗김. ¶적에게 수도가 함락되었다.

0477 [엽]

葉

잎 엽
[部] 艸부 [劃] 13획 [中] 叶 [yè]

葉자는 본래 '世+木'의 구조로, 나뭇가지에 매달린 나뭇잎을 본뜬 것이다. '풀 초'(++)는 몇 백 년 후에 덧붙여진 것이다. '잎사귀'(a leaf; a leaflet)가 본뜻인데 '무렵'(time; about; around)을 뜻하기도 한다.
[속뜻훈음] ①잎 엽, ②무렵 엽.

엽서 葉書 | 잎 엽, 쓸 서 [postcard]
❶[속뜻] 잎[葉]처럼 생긴 종이에 글을 씀[書]. ❷[통신] 한 쪽 면에는 사진이나 그림이 있고 다른 면에는 전하는 내용과 보내는 이와 받는 이의 주소를 적을 수 있도록 만든 한 장으로 된 우편물. ¶여행 중에 집으로 엽서를 보냈다.

엽전 葉錢 | 잎 엽, 돈 전 [brass coin]
❶[속뜻] 나뭇잎[葉] 같은 모양의 돈[錢]. ❷예전에 사용하던 놋쇠로 만든 돈. 둥글고 납작하며 가운데에 네모진 구멍이 있다. ¶엽전 한 냥.

엽차 葉茶 | 잎 엽, 차 차 [coarse green tea]
❶[속뜻] 잎[葉]을 따서 만든 차(茶). 또는 그것을 달이거나 우려낸 물. ❷차나무의 어린 잎으로 만든 찻감. 또는 그것을 달이거나 우려낸 물.

• 역순어휘 •

낙엽 落葉 | 떨어질 락, 잎 엽 [fallen leaves]
❶[속뜻] 나뭇잎[葉]이 떨어짐[落]. ❷말라서 떨어진 나뭇잎. ¶가을이 되면 낙엽이 떨어진다. [비]갈잎, 고엽(枯葉).

단엽 單葉 | 홑 단, 잎 엽 [simple leaf]
❶[식물] 잎사귀의 몸이 작은 잎으로 갈라져 있지 않고 한[單] 장으로 된 잎[葉]. ❷[식물] 홑으로 된 꽃잎. 단판(單瓣). ❸[항공] 하나로 된 비행기의 주익(主翼). [비]홑잎. [반]복엽(複葉).

말엽 末葉 | 끝 말, 무렵 엽 [close (of an age)]
어떤 시대의 끝[末] 무렵[葉]. 초기, 중기, 말기로 구분했을 때의 마지막 무렵. ¶고려 말엽 / 18세기 말엽. [비]말기(末期). [반]초엽(初葉).

일엽 一葉 | 한 일, 잎 엽 [one leaf; tiny boat]
❶[속뜻] 한[一] 잎[葉]. ¶일엽이 연못에 떨어지다. ❷한 척의 작은 배를 비유하여 이르는 말.

중엽 中葉 | 가운데 중, 세대 엽
[middle part of a period]
한 시대나 세기를 세 시기로 구분할 때, 그 중간(中間) 무렵[葉]. ¶신라 시대 중엽.

초엽 初葉 | 처음 초, 무렵 엽
[beginning; early days]
어떠한 시대를 처음·가운데·끝의 셋으로 나눌 때 첫[初]번째 무렵[葉]. ¶20세기 초엽.

침엽 針葉 | 바늘 침, 잎 엽 [needle leaf]

식물 바늘[針] 모양으로 가늘고 끝이 뾰족한 잎[葉].

태엽 胎葉 | 아이 밸 태, 잎 엽 [(coil) spring]
시계나 장난감 따위의 기계 안[胎]에 있는 잎[葉] 모양의 부속품. ¶태엽이 다 풀리자 장난감 자동차가 멈췄다.

활엽 闊葉 | 넓을 활, 잎 엽 [broadleaf]
식물 넓고[闊] 큰 잎사귀[葉].

0478 [경]

輕

가벼울 경
部 車부 劃 14획 简 轻 [qīng]

輕輕輕輕輕輕輕輕輕輕輕輕輕輕

輕자는 '가벼운 수레'(輕車, a light cart)란 뜻을 나타내기 위한 것이었으니 '수레 거'(車)가 표의요소로 쓰였고, 巠(경)은 표음요소일 따름이다. 후에 '가볍다'(light; not heavy)는 뜻으로 확대 사용됐다.

경거 輕擧 | 가벼울 경, 들 거 [rash action; ill]
경솔(輕率)하게 거동(擧動)함. 가벼이 행동함.

경망 輕妄 | 가벼울 경, 망령될 망
[rash; imprudent]
언행이 가볍고[輕] 망령됨[妄]. ¶경망한 행동을 삼가시오. 비경박(輕薄), 경솔(輕率). 반신중(愼重).

경멸 輕蔑 | 가벼울 경, 업신여길 멸
[contempt; scorn]
남을 가벼이[輕]보고 업신여김[蔑]. ¶남을 경멸해서는 안 된다. 비멸시(蔑視). 반존경(尊敬).

경박 輕薄 | 가벼울 경, 엷을 박 [frivolity]
말과 행실이 가볍고[輕] 신중하지 못함[薄]. ¶경박한 언행. 비경솔(輕率), 경망(輕妄). 반신중(愼重).

경상 輕傷 | 가벼울 경, 다칠 상 [slight wound]
가벼운[輕] 상처(傷處). ¶경상을 입다. 반중상(重傷).

경솔 輕率 | 가벼울 경, 거칠 솔
[frivolity; flippancy]
언행이 가볍고[輕] 거칢[率]. ¶경솔하게 행동하다. 비경망(輕妄), 경박(輕薄). 반신중(愼重).

경수 輕水 | 가벼울 경, 물 수 [light water]
중수(重水)에 상대하여 '가벼운[輕] 물[水]'의 뜻으로 보통의 물을 이르는 말.

경시 輕視 | 가벼울 경, 볼 시
[make light of; belittle]
가볍게[輕] 봄[視]. 대수롭지 않게 여김. ¶인명을 경시하는 풍조가 만연하다. 비멸시(蔑視), 무시(無視). 반중시(重視).

경유 輕油 | 가벼울 경, 기름 유
[light oil; diesel fuel]
화학 콜타르를 증류할 때, 맨 처음 얻는 가장 가벼운[輕] 기름[油]. 반중유(重油).

경중 輕重 | 가벼울 경, 무거울 중
[weight; importance]
❶속뜻 가벼움[輕]과 무거움[重]. 또는 그 정도. ❷중요한 것과 중요하지 않은 것. ¶사건의 경중을 따지다.

경쾌 輕快 | 가벼울 경, 기쁠 쾌
❶속뜻 마음이 가뜬하고[輕] 기쁨[快]. ❷몸놀림이 가볍고 날래다. ¶경쾌한 걸음.

0479 [규]

規

법 규
部 見부 劃 11획 简 规 [guī]

規規規規規規規規規規規

規자는 컴퍼스(compass), 즉 '걸음쇠'를 뜻하기 위한 것이었다. 컴퍼스 모양을 본뜬 '夫'(이 경우는 '지아비'란 뜻이 아님)와 동그라미가 잘 그려졌는지를 살펴보는 의미가 담긴 '見'으로 구성되어 있다. 후에 '동그라미'(a circle; a ring), '바로잡다'(straighten; correct; reform), '본뜨다'(model on), '법'(a law) 등으로 확대 사용됐다.

규격 規格 | 법 규, 격식 격 [standard]
❶속뜻 규정(規定)에 맞는 격식(格式). ❷공업 제품 등의 품질이나 치수, 모양 등에 대한 일정한 표준(標準). ¶규격 봉투.

규모 規模 | 법 규, 본보기 모
[rule; scale; budget limit]
❶속뜻 법[規]이 될 만한 본보기[模]. ❷사물의 구조나 구상(構想)의 크기. ¶이 사업은 규모가 크다. ❸씀씀이의 계획성이나 일정한 한도(限度). ¶그녀는 규모 있게 살림을 한다.

규범 規範 | 법 규, 틀 범 [model; pattern]
❶속뜻 법규(法規)와 모범(模範). ❷인간이 마땅히 따르고 지켜야 할 가치 판단의 기준. ¶규범에 어긋나다.

규약 規約 | 법 규, 묶을 약 [rules; regulations]
서로 협의하여 정한[約] 규칙(規則). ¶향약은 향촌에서 전해 내려오는 규약의 하나이다. 비협약(協約).

규율 規律 | 법 규, 법칙 률 [rules; discipline]
❶속뜻 따라야 할 법규(法規)와 기율(紀律). ❷질서 유지를 위한 행동 준칙이나 본보기. ¶규율을 지키다. 비규정(規定), 규약(規約).

규정 規定 | 법 규, 정할 정 [rules; regulations]
❶속뜻 규칙(規則)으로 정(定)함. 또는 정하여 놓은 것. ¶대회 규정. ❷어떤 것의 내용, 성격, 의미 등을 밝히어 정함. 또는 밝히어 정한 것. ¶사건에 대하여 명확히 규정하다.

규제 規制 | 법 규, 누를 제 [regulate; control]
규칙(規則)이나 규정에 의하여 일정한 한도를 넘지 못하게 억누름[制]. ¶수입 규제 정책. ⊞통제(統制).

규칙 規則 | 법 규, 법 칙 [rule; regulation]
국가나 어떤 단체에 속해 있는 사람의 행위. 또는 사무 절차 따위의 기준[規]으로 정해 놓은 준칙(準則). ¶경기 규칙 / 규칙을 어기다. ⊞법칙(法則).

• 역순어휘

법규 法規 | 법 법, 법 규 [laws and regulations]
법률 국민의 권리와 의무를 규정하여 활동을 제한하는 법률(法律)이나 규정(規程). ¶교통법규를 준수하다.

신규 新規 | 새 신, 법 규 [new regulation]
❶속뜻 새로운[新] 규범(規範)이나 규정(規定). ❷새롭게 어떤 일을 함. ¶직원을 신규로 모집하다.

정:규 正規 | 바를 정, 법 규 [formality; regularity]
정식(正式) 규정이나 규범(規範). ¶정규 방송 / 정규 직원.

0480 [량]

量

헤아릴 량
部里부 劃12획 中量 [liáng, liàng]

量 量 量 量 量 量 量 量 量 量 量 量

量자를 '旦(단)+里(리)' 또는 '日(왈)+一(일)+里(리)'의 구조로 보기 쉬운데 그렇게 해서는 바른 뜻을 구할 수 없다. 이 글자의 원형은 '재다'(measure; gauge; take measure of)는 뜻을 나타내기 위하여 자루에 담아 분량을 재는 모습을 본뜬 것이었다. '헤아리다'(consider; think over)는 뜻으로도 쓰이며, '분량'(a quantity; an amount)과 의미상 연관이 있는 낱말의 한 구성요소로 쓰이기도 한다. '質'(quality)에 반대되는 의미로도 많이 쓰인다.

속뜻훈음 ①헤아릴 량, ②분량 량.

양감 量感 | 분량 량, 느낄 감
[(a feeling of) massiveness]
미술 회화에서 대상물의 부피[量]나 무게에 대한 감촉(感觸). 또는 그 느낌이 나도록 그리는 일. ¶이 그림은 양감이 풍부하다. ⊕질감(質感).

양적 量的 | 분량 량, 것 적 [quantitative]
분량(分量)에 관한 것[的]. ¶수출은 양적으로 크게 팽창했다. ⊕질적(質的).

• 역순어휘

가:량 假量 | 임시 가, 헤아릴 량
[guess; conjecture]
❶속뜻 임시로[假] 대충 헤아려[量] 봄. ¶오늘 몇 명이나 참석할지 가량해 보았다. ❷정도. 쯤. ¶10% 가량 / 한 시간 가량.

감:량 減量 | 덜 감, 분량 량 [reduce the quantity]
양(量)을 덜어냄[減]. ¶경기를 위해 체중을 감량했다. ⊕증량(增量).

계:량 計量 | 셀 계, 분량 량 [measure; weigh]
분량(分量)이나 무게 따위를 잼[計]. ¶밀가루를 계량하여 담다. ⊞계측(計測).

다량 多量 | 많을 다, 분량 량 [large quantity]
분량(分量)이 매우 많음[多]. ¶물건을 다량으로 구입하다. ⊞대량(大量). ⊕소량(少量), 미량(微量).

대:량 大量 | 큰 대, 분량 량 [large quantity]
크게[大] 많은 분량(分量). ¶대량으로 사면 값이 싸다. ⊞다량(多量). ⊕소량(小量).

도:량 度量 | 정도 도, 헤아릴 량
[generosity; broad-mindedness]
❶속뜻 길이를 재는[度] 자와 양을 재는[量] 되. ❷넓은 마음과 깊은 생각. ¶그는 넓은 도량으로 친구를 용서했다. ⊞아량(雅量).

무량 無量 | 없을 무, 헤아릴 량 [immeasurable]
헤아릴[量] 수 없이[無] 많음. ⊞무한량(無限量).

물량 物量 | 만물 물, 분량 량 [amount of materials]
물건(物件)의 양(量). ¶공급 물량이 넉넉하다.

미량 微量 | 작을 미, 분량 량 [very small amount]
아주 적은[微] 분량(分量). ⊕다량(多量).

분량 分量 | 나눌 분, 분량 량 [quantity; amount]
❶속뜻 나눈[分] 단위의 양(量). ❷수효, 무게 따위의 많고 적음이나 부피의 크고 작은 정도. ¶찻숟가락 세 개 분량의 설탕을 넣으시오.

성량 聲量 | 소리 성, 분량 량
[volume of (one's) voice]
목소리[聲]의 크기[量]. ¶성량이 풍부하다. ⊞음량(音量).

소:량 少量 | 적을 소, 분량 량 [small quantity]
적은[少] 분량(分量). ⊕다량(多量).

수:량 數量 | 셀 수, 분량 량 [quantity; amount]

수효(數爻)와 분량(分量). ¶설을 맞아 농산품의 수량이 부족하다.

아:량 雅量 | 너그러울 아, 헤아릴 량 [tolerance]
너그럽고[雅] 속이 깊은 도량(度量)이나 마음씨. ¶가난한 사람들에게 아량을 베풀다 / 아량이 없다. ⓑ도량(度量).

역량 力量 | 힘 력, 분량 량 [capacity; capability]
❶속뜻 무엇이 가진 힘[力]의 양(量). ❷어떤 일을 해낼 수 있는 힘. ¶그녀는 기자의 역량이 뛰어나다.

열량 熱量 | 더울 열, 분량 량 [calorie]
물리 열(熱)에너지의 양(量). 단위는 보통 '칼로리'(cal)로 표시한다. ¶열량이 높다.

요량 料量 | 헤아릴 료, 헤아릴 량
[plan out; guess]
앞일을 잘 헤아려[料=量]봄. 또는 그런 생각. ¶낮잠을 잘 요량으로 소파에 누웠다.

용:량¹ 用量 | 쓸 용, 분량 량 [dose]
❶속뜻 사용(使用) 분량(分量). ❷약학 약제를 한 번 또는 하루에 사용하거나 복용하는 분량. ¶약을 복용할 때는 반드시 지시된 용량을 지키십시오.

용량² 容量 | 담을 용, 분량 량
[measure of capacity]
❶속뜻 가구나 그릇 같은 데 담을 수 있는[容] 분량(分量). ¶3백 리터 용량의 냉장고. ❷컴퓨터에 저장할 수 있는 정보의 양.

재량 裁量 | 분별할 재, 헤아릴 량 [discrete; judge]
스스로 분별하고[裁] 헤아려[量] 처리함. ¶자유 재량 / 이번 일은 자네가 재량하여 완수하게.

중:량 重量 | 무거울 중, 분량 량 [weight]
물건의 무거운[重] 분량[量]. 또는 무거운 정도 ¶이 소포는 중량 초과로 요금을 더 내셔야 합니다. ⓑ무게. ⓑ경량(輕量).

질량 質量 | 바탕 질, 분량 량 [mass]
물리 어떤 물질(物質)의 양(量). 국제 단위는 그램(g). ¶이 물체를 가열해도 질량은 변하지 않는다 / 질량 보존의 법칙.

총:량 總量 | 모두 총, 분량 량 [total amount]
모든[總] 양(量). 전체 분량. ¶상품의 총량은 2톤이다.

측량 測量 | 잴 측, 분량 량 [measure]
❶속뜻 양(量)을 잼[測]. 기기를 써서 물건의 높이, 깊이, 넓이, 방향 따위를 잼. ❷지표의 각 지점의 위치와 그 지점들 간의 거리를 구하고 지형의 높낮이, 면적 따위를 재는 일. ¶사진 측량 / 토지를 측량하다.

한:량 限量 | 한할 한, 분량 량 [limits; bounds]
한정(限定)된 분량(分量). ¶그들의 욕심은 한량이 없었다.

함량 含量 | 머금을 함, 분량 량 [content]
어떤 물질 속에 포함(包含)된 분량(分量). ¶수박은 수분 함량이 높다.

형량 刑量 | 형벌 형, 분량 량
형벌(刑罰)의 양(量). ¶범인에게 징역 3년의 형량이 선고되었다.

0481 [담]

談
말씀 담
部 言부 劃 15획 中 谈 [tán]
談 談 談 談 談 談 談 談 談 談 談 談 談 談 談

談자는 '(서로 주고받는) 말'(a talk; conversation)을 뜻하기 위하여 만들어진 것이었으니 '말씀 언'(言)이 표의요소이고, '불탈 염'(炎)이 표음요소임은 淡(맑을 담), 痰(가래 담)도 마찬가지다. '이야기'(talk; conversation)를 뜻하는 것으로도 많이 쓰인다.

속뜻 훈음 ①말씀 담, ②이야기 담.

담소 談笑 | 말씀 담, 웃을 소 [chat pleasantly]
말[談]을 주고받으며 웃음[笑]. ¶담소를 나누다. ⓑ언소(言笑).

담판 談判 | 말씀 담, 판가름할 판
[negotiate; have talks]
말[談]을 주고받아 옳고 그름을 판단(判斷)함. ¶담판을 짓다.

담합 談合 | 말씀 담, 합할 합 [fix; rig]
❶속뜻 서로 의논하여[談] 합의(合意)함. ❷법률 공사 입찰 등에서 입찰자들이 미리 상의하여 입찰 가격을 협정함.

담화 談話 | 이야기 담, 말할 화 [talk]
❶속뜻 서로 주고받는 이야기[談]나 말[話]. ❷어떤 일에 관한 견해나 취할 태도 따위를 공적으로 밝히는 말. ¶대통령의 담화가 발표되었다.

• 역순어휘

간:담 懇談 | 정성 간, 이야기 담 [familiar talk]
정성스럽게[懇] 주고받는 이야기[談].

농:담 弄談 | 놀릴 롱, 말씀 담 [joke]
장난삼아 놀리는[弄] 말[談]. ¶실없이 농담을 주고받다. ⓑ진담(眞談).

대:담 對談 | 대할 대, 이야기 담 [talk]
어떤 일에 대(對)하여 서로 이야기[談]를 주고받음. 또

는 그 이야기. ¶사업에 대해 대표자와 대담했다.

덕담 德談 | 베풀 덕, 말씀 담 [well wishing remarks]
남이 잘되기를 비는 덕행(德行)으로 하는 말[談]. ¶새해 첫날 덕담을 나누는 미풍양속이 있다. (반)악담(惡談).

만:담 漫談 | 멋대로 만, 이야기 담 [comic chat]
재미있고 익살스럽게 멋대로[漫] 세상과 인정을 풍자하는 이야기[談].

면:담 面談 | 낯 면, 이야기 담 [have an interview]
서로 만나 얼굴[面]을 마주하고 이야기함[談]. (비)면어(面語), 면화(面話).

미:담 美談 | 아름다울 미, 이야기 담 [praiseworthy anecdote]
사람을 감동시킬 만큼 아름다운[美] 내용을 가진 이야기[談]. ¶효(孝)에 관한 미담이 전해지다.

밀담 密談 | 몰래 밀, 말씀 담 [talk secretly]
은밀(隱密)히 주고받는 말[談]. 또는 그러한 의논. ¶밀담을 나누다.

상담 相談 | 서로 상, 말씀 담 [consult with; confer with]
서로[相] 상의하는 말[談]. ¶진학상담 / 건강상담. (비)상의(相議).

속담 俗談 | 속될 속, 이야기 담 [proverb; (common) saying]
❶[속뜻]속(俗)된 이야기[談]. ❷민중의 지혜가 응축되어 널리 구전되는 격언. ¶세 살 적 버릇이 여든까지 간다는 속담은 결코 헛말이 아니다. (비)속설(俗說).

잡담 雜談 | 섞일 잡, 말씀 담 [chat]
이런저런 얘기를 섞어[雜] 쓸데없이 하는 말[談]. ¶아낙들이 우물가에서 잡담을 나누고 있다.

장:담 壯談 | 씩씩할 장, 말씀 담 [affirm; assure]
확신을 가지고 씩씩하게[壯] 말함[談]. 또는 자신 있게 하는 말. ¶우리 팀이 이길 거라고 장담은 못하지만 최선을 다하겠습니다.

재담 才談 | 재주 재, 이야기 담 [talk wittily]
재치(才致) 있게 하는 재미있는 이야기[談]. ¶그는 재담을 섞어 가며 강연했다.

정담 情談 | 마음 정, 이야기 담 [friendly talk]
깊은 마음[情]을 주고받는 이야기[談]. ¶친구와 정담을 주고받다.

좌:담 座談 | 자리 좌, 이야기 담 [discussion]
여러 사람이 한자리[座]에 모여 앉아서 어떤 문제에 대하여 나누는 이야기[談].

진담 眞談 | 참 진, 말씀 담 [serious talk]
진심(眞心)에서 우러나온 거짓이 없는 참된 말[談]. ¶그는 진담 반 농담 반으로 이야기했다. (반)농담(弄談).

쾌담 快談 | 기쁠 쾌, 이야기 담 [pleasant talk]
기쁜[快] 내용의 이야기[談]. ¶그들은 술잔을 주고받으며 쾌담을 했다.

험:담 險談 | 험할 험, 말씀 담 [slander]
❶[속뜻]험(險)한 말[談]. ❷남을 헐뜯어서 말함. 또는 그 말. ¶그는 늘 뒤에서 남의 험담을 하기 바쁘다.

환담 歡談 | 기쁠 환, 이야기 담 [have a pleasant chat]
즐겁게[歡] 주고받는 이야기[談]. ¶환담을 나누다 / 환담을 가지다.

회:담 會談 | 모일 회, 말씀 담 [talk together; have a conference]
모여서[會] 의논하는 말[談]. 또는 그런 논의. ¶남북 정상 회담 / 양측은 임금 문제를 놓고 회담했다.

0482 [허]

許

허락할 허
(部) 言부 (劃) 11획 (簡) 许 [xǔ]

許 許 許 許 許 許 許 許 許 許 許

許자는 '(말을) 들어주다'(grant)는 뜻이었으니 '말씀 언'(言)이 표의요소로 쓰였고, 午(낮 오)는 표음요소이었는데 음이 상당히 달라졌다. 후에 '매우'(many; much)란 뜻으로 활용되고, '허락하다'(admit; allow)는 낱말과 의미상 관련이 있는 단어의 한 구성요소로 쓰이기도 한다.

[속뜻훈음] ①허락 허, ②매우 허, ③들어줄 허.

허가 許可 | 허락 허, 가히 가 [permit]
허락(許諾)하여 가능(可能)하게 해줌. 말을 들어줌. ¶입학 허가 / 나의 허가 없이 이곳을 출입할 수 없다. (비)허락(許諾). (반)불허(不許).

허구 許久 | 매우 허, 오랠 구 [be a very long time]
날이나 세월 따위가 매우[許] 오래다[久]. ¶삼촌은 허구한 날 술만 마신다.

허다 許多 | 매우 허, 많을 다 [common]
수효가 매우[許] 많다[多]. ¶그러한 사례는 주위에 허다하게 볼 수 있다 / 살아가면서 남의 신세를 져야 하는 경우가 허다하다. (비)수두룩하다.

허락 許諾 | 본음 [허낙], 들어줄 허, 승낙할 낙 [agree]
청하는 바를 들어주어[許] 승낙(承諾)함. ¶부모님께 결혼 허락을 받다. (비)승낙(承諾), 허가(許可). (반)불허(不許).

허용 許容 | 허락 허, 용납할 용 [allowance]
허락(許諾)하고 용납(容納)함. ¶소음의 허용 한도를 넘다.

• 역순어휘

면:허 免許 | 면할 면, 들어줄 허 [license; permit]
❶속뜻 면제(免除)해주는 일과 허가(許可)해주는 일. ❷법률 일반에게는 허가되지 아니하는 특수한 행위를 특정한 사람에게만 허가하는 행정 처분. ¶총기 소지면허 / 수출 면허. ❸법률 특정한 일을 할 수 있는 공식적인 자격을 관청이 허가하는 일. ¶운전 면허.

불허 不許 | 아닐 불, 들어줄 허 [do not permit]
들어주지[許] 아니함[不]. 또는 허용하지 아니함. ¶입국불허 / 그의 재주는 타의 추종을 불허한다.

특허 特許 | 특별할 특, 들어줄 허 [license to do; patent]
❶속뜻 특별(特別)히 들어줌[許]. ❷법률 어떤 사람이나 기관의 발명품에 대하여 남이 그대로 흉내 내지 못하게 하고 그것을 이용할 권리를 국가가 그 사람이나 기관에 주는 것. ¶특허를 내다.

0483 [도]

都
도읍 도
部 邑부 劃 12획 中 都 [dū, dōu]
都 都 都 者 者 者 者 者 者 都 都 都

都자는 옛날에 초대 제왕의 조상들에게 제사를 지내기 위한 사당, 즉 宗廟(종묘:,the Royal Ancestors' Shrine)가 있는 '고을'(a district; a county)을 뜻하기 위한 것이었다. 그래서 '고을 읍'(邑)이 표의요소로 쓰였고, 者가 표음요소임은 睹(볼 도), 賭(걸 도)도 마찬가지다. '모두'(all; everything)를 뜻하기도 하고, '도읍'(the capital)과 의미상 관련이 있는 단어의 한 구성요소로 쓰이기도 한다.
속뜻풀음 ①도읍 도, ②모두 도.

도감 都監 | 모두 도, 살필 감
❶속뜻 모든[都] 일을 살펴봄[監]. ❷역사 나라의 일이 있을 때 임시로 설치하던 관아.

도매¹ 都買 | 모두 도, 살 매 [buying wholesale]
물건을 낱개로 사지 않고 하나로 묶어서[都] 삼[買]. ¶도매로 사면 물건 값이 훨씬 싸다.

도매² 都賣 | 모두 도, 팔 매 [wholesale]
낱개로 팔지 않고 모아서[都] 대량으로 판매(販賣)함. 반 소매(小賣).

도성 都城 | 도읍 도, 성곽 성 [capital city]
도읍(都邑)을 둘러싼 성곽(城郭). 성 안의 도읍.

도시 都市 | 도읍 도, 저자 시 [city; town]
❶속뜻 도읍(都邑)의 시장(市場). ❷일정한 지역에서 사람들이 많이 모여 사는 지역. ¶도시를 건설하다. 비 도회지(都會地). 반 시골.

도심 都心 | 도읍 도, 가운데 심 [downtown]
도시(都市)의 가운데[心]. 시내 중심. ¶도심에는 고층 빌딩이 즐비하다.

도읍 都邑 | 도읍 도, 고을 읍 [capital]
수도(首都)에 상당하는 큰 고을[邑]. 또는 수도를 정함. ¶한양은 조선의 도읍이다 / 평양성에 도읍하다. 비 서울.

도통 都統 | 모두 도, 묶을 통 [in all; (not) at all]
❶속뜻 모두[都] 묶어[統] 합한 셈. ¶도통 10개였다. ❷이러니저러니 할 것 없이 아주. 전혀. ¶무슨 말씀인지 도통 모르겠습니다. 비 도합(都合), 도무지.

도회 都會 | 모두 도, 모일 회 [city]
❶속뜻 사람들이 모두[都] 모임[會]. ❷'도회지'(都會地)의 준말.

• 역순어휘

고:도 古都 | 옛 고, 도읍 도 [ancient city; former capital]
옛[古] 도읍(都邑). ¶경주는 신라의 고도이다.

수도 首都 | 머리 수, 도읍 도 [capital (city); national capital]
한 나라에서 으뜸[首] 가는 도시(都市). 일반적으로 정부(政府)가 있는 도시를 말한다. ¶대한민국의 수도는 서울이다.

천:도 遷都 | 옮길 천, 도읍 도 [transfer the capital]
도읍(都邑)을 옮김[遷]. ¶신돈은 평양으로 천도할 것을 주장했다.

환도 還都 | 돌아올 환, 도읍 도 [return to the capital]
정부가 다시 수도(首都)로 돌아옴[還]. ¶고려 원종은 몽골과 강화를 맺고 개경으로 환도했다.

0484 [적]

赤
붉을 적
部 赤부 劃 7획 中 赤 [chì]
赤 赤 赤 赤 赤 赤 赤

赤자는 원래 '성인 대'(大)의 밑에 '불 화'(火)가 합쳐진 것이었다. 아득한 옛날 중국에서는 비가 오도록 제사를 지낼 때 희생으로 바쳐진 사람을 나무에다 꽁꽁 묶어 두고 불을 질러 태우는 焚人求雨(분인구우)의 끔직한 풍속이 있었다고 한다. '붉다'(red), '아무 것도 없음'(vacant), '발가벗다'(strip oneself bare)는 뜻을 그러한 풍속을 빌어 나타냈다.

적도 赤道 | 붉을 적, 길 도 [equator; line]
❶속뜻 지도에 붉은[赤] 색으로 표시한 길[道]. ❷지리 지구의 중심을 지나는 지축에 직각인 평면과 지표가 교차되는 선.

적색 赤色 | 붉을 적, 빛 색 [red color; crimson]
붉은[赤] 빛[色]. ¶적색경보 / 정지를 알리는 적색 불빛이 깜빡거렸다.

적자 赤字 | 붉을 적, 글자 자 [deficit; loss]
❶속뜻 붉은[赤] 글씨의 숫자[字]. ❷경제 장부에서 수입을 초과한 지출로 생기는 모자라는 금액. ¶빚을 갚고 나면 이번 달도 적자이다. 반흑자(黑字).

적조 赤潮 | 붉을 적, 바닷물 조 [red tide]
생물 조수(潮水)가 붉게[赤] 보이는 현상. 동물성 플랑크톤의 이상번식으로 바닷물이 부패하여 나타난다. ¶적조 때문에 물고기가 떼죽음을 당했다.

적화 赤化 | 붉을 적, 될 화 [communization; bolshevize]
❶속뜻 붉은[赤] 색으로 됨[化]. ❷공산주의 국가가 됨을 상징적으로 나타낸 말. ¶적화 통일은 막아야 한다.

0485 [선]

選

가릴 선:
부 辶부 획 16획 中 选 [xuǎn]

選 選 選 選 選 選 選 選 選 選 選 選 選 選 選 選

選자는 '(적임자를) 뽑아서 보내다'(dispatch; send)는 뜻을 위하여 고안된 것이니 '길갈 착'(辶=辵)이 표의요소로 쓰였고, 단상 위에 무릎을 꿇고 공손하게 앉아 있는 두 사람을 본뜬 巽(손)도 표의요소로 쓰인 것이다. 후에 '뽑다'(choose), '가리다'(select) 등의 뜻도 따로 글자를 만들지 아니하고 이것으로 나타냈다.

속뜻 훈음 ①가릴 선, ②뽑을 선.

선:거 選擧 | 가릴 선, 들 거 [elect; vote for]
대표자나 임원을 투표 등의 방법으로 가려[選] 냄[擧]. ¶대통령 선거.

선:발 選拔 | 가릴 선, 뽑을 발 [select; pick out]
많은 가운데서 가려[選] 뽑음[拔]. ¶미스코리아 선발 대회.

선:수 選手 | 뽑을 선, 사람 수 [player]
어떠한 기술이나 운동 따위에 뛰어나 여럿 중에서 대표로 뽑힌[選] 사람[手]. ¶야구 선수.

선:정 選定 | 가릴 선, 정할 정 [select; choose]
많은 것 중에서 가려서[選] 정(定)함. ¶최우수 선수 선정 / 주제 선정.

선:집 選集 | 가릴 선, 모을 집 [selection]
문학 한 사람 또는 여러 사람의 작품 가운데, 어떤 기준을 두고 골라 뽑은[選] 작품을 한데 모은[集] 책. ¶문학 선집.

선:출 選出 | 뽑을 선, 날 출 [elect]
여럿 가운데서 고르거나 뽑아[選] 냄[出]. ¶학급 대표를 선출하다.

선:택 選擇 | 가릴 선, 고를 택 [choose; select]
마음에 드는 것을 가려서[選] 고름[擇]. ¶직업을 선택하다 / 선택의 자유.

선:호 選好 | 가릴 선, 좋을 호 [prefer (to); favor]
여러 가지 중에서 특별히 가려서[選] 좋아함[好]. ¶남아 선호 사상 / 무공해식품을 선호하는 사람이 늘고 있다.

• 역순어휘

간:선 間選 | 사이 간, 가릴 선 [indirect election]
'간접선거'(間接選擧)의 준말. 반직선(直選).

결선 決選 | 결정할 결, 가릴 선 [final election]
❶속뜻 결선 투표로 당선자(當選者)를 결정(決定)함. 또는 그 선거. ❷일등 또는 우승자를 가리는 마지막 겨룸. ¶우리 팀은 결선에 진출했다. 반예선(豫選).

경:선 競選 | 겨룰 경, 가릴 선 [election]
둘 이상의 후보가 경쟁(競爭)하는 선거(選擧). ¶경선으로 반장을 뽑았다.

낙선 落選 | 떨어질 락, 가릴 선 [lose an election]
선거(選擧)나 선발에서 떨어짐[落]. ¶총선에서 낙선하다. 반당선(當選), 입선(入選).

당선 當選 | 당할 당, 가릴 선 [be elected]
❶속뜻 선거(選擧)에서 뽑힘[當]. ¶대통령에 당선되다. ❷출품작 따위가 심사에서 뽑힘. ¶단편소설 당선작. 반입선(入選). 반낙선(落選).

대:선 大選 | 큰 대, 가릴 선 [election]
정치 '대통령선거'(大統領選擧)의 준말.

민선 民選 | 백성 민, 뽑을 선 [popular election]
국민(國民)이 뽑음[選]. 반관선(官選), 국선(國選).

본선 本選 | 뿌리 본, 가릴 선 [final selection]
❶속뜻 본격적(本格的)으로 승부를 가림[選]. ❷운동 예선이 아닌 우승자를 결정하는 최종 선발. ¶월드컵 본선

에 오르다. (반)예선.

예:선 豫選 | 미리 예, 뽑을 선 [preliminary election]
본선에 나갈 선수나 팀을 미리[豫] 뽑음[選]. ¶12개 조가 예선을 통과했다. (반)결선(決選).

입선 入選 | 들 입, 뽑을 선
[be accepted; be selected]
응모, 출품한 작품 따위가 뽑는[選] 범위 안에 듦[入]. ¶그의 그림이 미술 전람회에서 입선했다. (반)낙선(落選).

재:선 再選 | 다시 재, 가릴 선
[reelect; select a second time]
한 번 당선된 사람이 다시[再] 두 번째 당선(當選)됨. ¶재선의원(議員) / 그는 대통령에 재선되었다.

직선 直選 | 곧을 직, 가릴 선 [direct election]
[정치] 선거인이 직접(直接) 피선거인을 뽑는 선거(選擧). '직접선거'의 준말.

총:선 總選 | 모두 총, 가릴 선 [general election]
모든 국회의원을 다시 뽑는 '총선거'(總選擧)의 준말.

특선 特選 | 특별할 특, 뽑을 선 [special selection]
❶[속뜻] 특별(特別)히 골라 뽑음[選]. ¶점심 특선 요리를 주문하다. ❷대회에서 입선된 것 중에서 특히 우수한 작품. ¶그의 사진은 콘테스트에서 특선으로 뽑혔다.

피:선 被選 | 당할 피, 뽑을 선 [elected]
선거(選擧)에서 뽑힘[被]. ¶의장으로 피선되다.

0486 [귀]

貴

귀할 귀:
(부) 貝부 (획) 12획 (中) 贵 [guì]

貴 貴 貴 貴 貴 貴 貴 貴 貴 貴 貴 貴

貴자는 '비싸다'(expensive; high-priced)는 뜻을 나타내기 위한 것이었으니 '돈 패'(貝)가 표의요소로 쓰였다. 위 부분의 것은 臾(잠깐 유)의 변형으로 표음요소 구실을 한다. 후에 '귀하다'(uncommon; precious)는 뜻으로 확대 사용됐다. 물건이 귀하면 비싸게 마련이니 둘 간의 의미상 연관성이 매우 높음을 알 수 있다.

귀:빈 貴賓 | 귀할 귀, 손님 빈
[very important person]
귀(貴)한 손님[賓]. ¶존경하는 내외 귀빈 여러분! (비)상빈(上賓).

귀:인 貴人 | 귀할 귀, 사람 인 [noble man]
❶[속뜻] 사회적 지위가 높은[貴] 사람[人]. ¶귀인을 만나다. ❷[역사] 조선 시대에, 왕의 후궁에게 내리던 종일품 내명부의 봉작. (반)천인(賤人).

귀:족 貴族 | 귀할 귀, 무리 족 [nobility; aristocracy]
가문이나 신분 따위가 높아[貴] 정치적·사회적 특권을 가진 계층이나 무리[族]. (반)평민(平民), 서민(庶民), 노예(奴隸).

귀:중 貴重 | 귀할 귀, 무거울 중 [precious; valuable]
매우 귀(貴)하고 소중(所重)하다. (비)진귀(珍貴), 중요(重要).

귀:천 貴賤 | 귀할 귀, 천할 천
[high and the low; noble and the base]
신분이 귀(貴)하거나 천(賤)한 일. 또는 신분이 높은 사람과 낮은 사람. ¶직업에는 귀천이 없다.

귀:하 貴下 | 귀할 귀, 아래 하 [you; Mr]
❶[속뜻] 상대편을 높여[貴] 그의 이름 뒤[下]에 쓰는 말. ¶담당자 귀하. ❷상대편을 높여 그의 이름 대신 부르는 말. ¶귀하의 편지는 잘 받았습니다. (비)당신(當身).

• 역순어휘

고귀 高貴 | 높을 고, 귀할 귀
[be expensive; valuable]
❶[속뜻] 인품이나 지위가 높고[高] 귀(貴)함. ¶고귀한 정신. ❷값이 비쌈.

부:귀 富貴 | 넉넉할 부, 귀할 귀
[riches and honors]
재산이 많고[富] 사회적 지위가 높음[貴]. ¶그는 부귀와 명예를 모두 얻었다. (반)빈천(貧賤).

존귀 尊貴 | 높을 존, 귀할 귀 [be high and noble]
지위나 신분이 높고[尊] 귀(貴)함. ¶이 세상 사람들은 모두 존귀하다. (반)비천(卑賤).

진귀 珍貴 | 보배 진, 귀할 귀
[valuable; rare and precious]
보배[珍]롭고 보기 드물게 귀(貴)하다. ¶창고에는 진귀한 물건들로 가득 차 있었다.

희귀 稀貴 | 드물 희, 귀할 귀 [rare]
드물어서[稀] 매우 진귀(珍貴)하다. ¶희귀한 보물.

0487 [매]

買

살 매:
(부) 貝부 (획) 12획 (中) 买 [mǎi]

買 買 買 買 買 買 買 買 買 買 買 買

買자는 '그물 망'(网→罒)과 '조개 패'(貝)가 합쳐진 것으로, 그물로 조개를 건어 올리는 모습이다. 조개는 돈으로 활용됐고, 돈이 있으면 물건을 구입할 수 있었으니 '사다'

(buy; purchase)는 뜻을 그렇게 나타냈다.

매:수 買收 | 살 매, 거둘 수 [purchase; buy]
❶[속뜻] 물건을 사[買]들임[收]. ¶주식을 매수하다. ❷금품 따위를 주어가며 남을 제 편으로 끌어들임. ¶그는 돈으로 정치인들을 매수했다.

매:입 買入 | 살 매, 들 입 [purchase; buy]
물건을 사[買]들이는[入] 것. ¶금을 매입하다. [비]구매(購買). [반]매각(賣却), 매출(賣出).

매:점 買占 | 살 매, 차지할 점 [corner; buy up]
[경제] 가격이 오르거나 물건이 부족할 것을 예상하고 미리 사서[買] 재두는[占] 것.

• 역순어휘

구매 購買 | 살 구, 살 매 [purchase; buy]
물건 따위를 사들임[購=買]. ¶상품을 구매하신 고객은 사은품을 받아가세요.

도매 都買 | 모두 도, 살 매 [buying wholesale]
물건을 낱개로 사지 않고 하나로 묶어서[都] 삼[買]. ¶도매로 사면 물건 값이 훨씬 싸다.

매매 賣買 | 팔 매, 살 매 [buy and sell]
팔고[賣] 삼[買]. ¶토지 매매 / 자동차를 매매하다.

불매 不買 | 아닐 불, 살 매 [boycott]
사지[買] 아니함[不]. ¶불매 운동.

예:매 豫買 | 미리 예, 살 매 [buy in advance]
❶[속뜻] 물건을 받기 전에 미리[豫] 값을 치르고 사[買] 둠. ❷정해진 때가 되기 전에 미리 삼. ¶영화표를 예매하다.

0488 [매]

賣

팔 매(:)
[部] 貝부 [劃] 15획 [中] 卖 [mài]

賣자는 본래 '내보낼 출'(出)과 '살 매'(買)가 합쳐진 것이었다. 쓰기 편하기만을 추구하다보니 出이 士로 바뀌는 바람에 원형과 거리가 멀어졌고 뜻을 알기도 힘들어졌다. 물건을 내다가 다른 사람에게 사도록 하는 것, 즉 '팔다'(sell)라는 뜻을 그렇게 나타낸 것이 자못 흥미롭다.

매:각 賣却 | 팔 매, 물리칠 각 [sell; dispose]
팔아[賣] 버림[却]. [비]매도(賣渡). [반]매입(買入).

매:국 賣國 | 팔 매, 나라 국 [betrayal of one's country]
이익을 위해 다른 나라에 자기 나라[國]를 파는[賣] 일. 또는 나라를 파는 것처럼 해를 끼치는 일.

매매 賣買 | 팔 매, 살 매 [buy and sell]
팔고[賣] 삼[買]. ¶토지 매매 / 자동차를 매매하다.

매:상 賣上 | 팔 매, 위 상 [sales; selling]
❶[속뜻] 물건을 팔아서[賣] 수입을 올림[上]. ❷상품을 파는 일. ❸물건을 판 수량이나 금액의 총계. ¶어제는 100만 원의 매상을 올렸다.

매:장 賣場 | 팔 매, 마당 장 [shop; store]
물건을 파는[賣] 곳[場]. ¶할인매장 / 매장을 관리하다. [비]판매소(販賣所).

매:점 賣店 | 팔 매, 가게 점 [stand; booth]
일상용품을 파는[賣] 작은 가게[店]. ¶매점에서 우유를 샀다.

매:진 賣盡 | 팔 매, 다할 진 [sell out]
모두 팔려[賣] 남은 것이 없음[盡]. ¶좌석이 매진되었다. [비]절품(切品), 품절(品切).

매:출 賣出 | 팔 매, 날 출 [sale]
팔아서[賣] 내보냄[出]. 판매함. ¶여름에 에어컨 매출이 늘었다 / 매출액이 급감하다. [반]매입(買入).

매:표 賣票 | 팔 매, 쪽지 표 [sell tickets]
쪽지(티켓)[票]를 팖[賣].

• 역순어휘

강:매 強賣 | 억지 강, 팔 매 [force to buy]
남에게 물건을 억지로[強] 팖[賣]. ¶행사장에서 물건을 강매했다. [반]강매(強買).

경:매 競賣 | 겨룰 경, 팔 매 [auction]
사려는 사람이 많을 경우, 서로 경쟁(競爭)시켜 가장 비싸게 사겠다는 사람에게 물건을 파는[賣] 일. ¶집을 경매에 부치다.

도매 都賣 | 모두 도, 팔 매 [wholesale]
낱개로 팔지 않고 모아서[都] 대량으로 판매(販賣)함. [반]소매(小賣).

소:매 小賣 | 작을 소, 팔 매 [sell retail]
상품을 작은[小] 단위로 나누어 파는[賣] 일. [반]도매(都賣).

예:매 豫賣 | 미리 예, 팔 매 [sell in advance]
❶[속뜻] 물건을 주기 전에 미리[豫] 값을 받고 팖[賣]. ❷정해진 때가 되기 전에 미리 팖. ¶예매를 받다 / 오늘부터 티켓 예매가 시작됐다.

전매 專賣 | 오로지 전, 팔 매 [monopolize]
❶[속뜻] 어떤 물건을 오로지[專] 혼자서만 팖[賣]. ❷[법률] 국가가 국고 수입을 위하여 어떤 재화의 판매를 독점하는 일. ¶옛날에는 소금과 철을 전매했다.

직매 直賣 | 곧을 직, 팔 매 [sell directly]
경제 중간상인을 거치지 아니하고 직접[直] 팖[賣]. ¶직매하는 계란을 사기 때문에 싸게 살 수 있다.

판매 販賣 | 팔 판, 팔 매 [sell]
물건 따위를 팖[販=賣]. ¶할인판매 / 이 물건은 내일부터 판매된다. 반구매(購買).

0489 [비]

費 쓸 비:
部 貝부 획 12획 中 费 [fèi]

費자는 '(돈을) 쓰다'(spend)가 본뜻이었으니, '조개(돈) 패'(貝)가 표의요소이고, 弗(아니 불)이 표음요소인 것은 沸(끓을 비)도 마찬가지다. '弗'자를 농담 삼아 '달러 불'이라고도 한다.

비:용 費用 | 쓸 비, 쓸 용 [expense(s)]
무엇을 사거나 어떤 일을 하는 데 쓰는[費=用] 돈. ¶결혼 비용. 비경비(經費).

• 역순어휘

경비 經費 | 지날 경, 쓸 비 [expense; cost]
❶속뜻 어떠한 일을 하는 데 드는[經] 비용(費用). ¶여행 경비 / 경비를 줄이다. ❷일정하게 정해진 평소의 비용.

국비 國費 | 나라 국, 쓸 비 [national expenditure]
나라[國]의 재정으로 부담하는 비용(費用). ¶국비 유학생. 비국고(國庫). 반사비(私費).

군비 軍費 | 군사 군, 쓸 비 [war expenditure]
군사(軍事)에 드는 비용(費用). '군사비'의 준말. ¶군비를 감축하다.

낭:비 浪費 | 함부로 랑, 쓸 비 [waste; squander]
함부로[浪] 씀[費]. ¶시간을 낭비하다. 반절약(節約).

사비 私費 | 사사로울 사, 쓸 비 [private expense]
개인이 사사로이[私] 부담하는 비용(費用). ¶사비로 여행을 가다. 비자비(自費). 반공비(公費).

소비 消費 | 사라질 소, 쓸 비 [consume; spend]
돈이나 물건, 시간, 노력 따위를 써서[費] 사라지게[消] 함. ¶그 차는 연료를 많이 소비한다. 반생산(生産).

식비 食費 | 먹을 식, 쓸 비 [price of a meal]
음식을 먹는데[食] 드는 비용(費用). ¶매월 식비로 50만원을 쓴다.

여비 旅費 | 나그네 려, 쓸 비 [travel expenses]
여행(旅行)에 드는 비용(費用). ¶이모가 여비에 보태라고 돈을 주셨다. 비노자(路資).

잡비 雜費 | 섞일 잡, 쓸 비 [incidentals]
여러 가지 비용(費用)을 섞어 놓은[雜] 것. 또는 그 비용. ¶이번 달은 잡비가 꽤 많이 들었다.

차비 車費 | 수레 차, 쓸 비 [fare; carfare]
차(車)를 타는 데 드는 비용(費用). ¶거기까지 가는 데는 차비가 별로 안 든다.

학비 學費 | 배울 학, 쓸 비 [educational expenses]
학업(學業)을 닦는 데에 드는 비용(費用). ¶학비를 벌다 / 학비를 대다.

허비 虛費 | 헛될 허, 쓸 비 [waste]
헛되이[虛] 씀[費]. 또는 그 비용. ¶시간 허비 / 쓸데없는 일에 돈을 허비하다.

회:비 會費 | 모일 회, 쓸 비 [membership fee; dues of a member]
모임[會]의 유지에 드는 비용(費用). ¶회비는 한 달에 만 원이다.

0490 [상]

賞 상줄 상
部 貝부 획 15획 中 赏 [shǎng]

賞자는 공을 세운 사람에게 '돈을 주다'(award)는 뜻을 나타내기 위한 것이었으니, '돈 패'(貝)가 표의요소로 쓰였고, 尙(오히려 상)은 표음요소다. '즐기다'(appreciate), '칭찬하다'(praise)는 뜻으로도 쓰인다.
속뜻 훈음 ①상줄 상, ②즐길 상.

상금 賞金 | 상줄 상, 돈 금 [prize; (cash) reward]
상(賞)으로 주는 돈[金]. ¶소설이 당선되어 상금을 받았다. 반벌금(罰金).

상벌 賞罰 | 상줄 상, 벌할 벌 [reward and punishment]
상(賞)을 주는 것과 벌(罰)을 주는 것. ¶공정하게 상벌을 주다 / 상벌위원회.

상여 賞與 | 상줄 상, 줄 여 [reward]
❶속뜻 상(賞)으로 돈이나 물건 따위를 줌[與]. ❷관청이나 회사에서 직원에게 정기 급여와 별도로 업적이나 공헌도에 따라 돈을 줌. 또는 그 돈.

상장 賞狀 | 상줄 상, 문서 장 [diploma of merit; testimonial]
상(賞)을 수여할 때 주는 증서[狀]. ¶모범생에게 상장을 수여하다.

상품 賞品 | 상줄 상, 물건 품 [prize]
상(賞)으로 주는 물품(物品). ¶상품으로 컴퓨터를 받았다.

• 역순어휘

감상 鑑賞 | 볼 감, 즐길 상 [appreciate]
예술 작품을 보고[鑑] 즐김[賞]. ¶미술 작품을 감상하다.

관상 觀賞 | 볼 관, 즐길 상 [view with admiration]
동식물이나 자연 따위를 보고[觀] 감상(感賞)함. ¶관상을 위한 식물을 심었다.

금상 金賞 | 황금 금, 상줄 상 [gold prize]
상(賞)의 등급을 금(金), 은(銀), 동(銅)으로 구분하였을 때의 일등상.

대:상 大賞 | 큰 대, 상줄 상 [grand prize]
경연 대회 등에서 가장 우수한[大] 사람이나 단체에 주는 상(賞). ¶전국노래자랑에서 대상을 받았다.

동상 銅賞 | 구리 동, 상줄 상 [third prize]
상(賞)의 등급을 매길 때 금, 은, 동(銅) 중 3등상.

부:상 副賞 | 곁들일 부, 상줄 상 [supplementary prize]
정식의 상(賞) 외에 따로 곁들여[副] 주는 상(賞). ¶부상으로 사전을 받았다.

수상 受賞 | 받을 수, 상줄 상 [be awarded a prize]
상(賞)을 받음[受]. ¶그는 노벨 물리학상을 수상했다.

시:상 施賞 | 베풀 시, 상줄 상 [award a prize]
상장(賞狀)이나 상품(賞品) 또는 상금(賞金)을 줌[施]. ¶공(功)이 큰 사람을 골라 시상하다.

은상 銀賞 | 은 은, 상줄 상 [second prize]
금, 은, 동 중 은(銀)에 해당되는 2등상(賞). ¶동생은 수학경시대회에서 은상을 받았다.

입상 入賞 | 들 입, 상줄 상 [win a prize]
상(賞)을 탈 수 있는 등수 안에 듦[入]. ¶입상 소감 / 그는 과학경시대회에서 입상했다.

현:상 懸賞 | 매달 현, 상줄 상 [prize contest]
어떤 목적으로 조건을 붙여 상금(賞金)이나 상품을 내거는 일[懸]. ¶현상 공모 / 현상 수배.

0491 [저]

貯

쌓을 저:
[部] 貝부 [劃] 12획 [中] 贮 [zhù]

貯자는 '(돈을) 쌓아 두다'(save up; store up)는 뜻을 나타내기 위하여, 궤짝 안에 돈으로 쓰인 조개를 넣어둔 모양을 본뜬 것이었다. 약 1,000년 후에 궤짝 모양이 宁(쌓을 저)로 바뀜으로써 표의요소와 표음요소의 결합 구조로 변모됐다. 물론 宁는 표의 기능과 표음 기능을 겸하는 셈이다.

저:금 貯金 | 쌓을 저, 돈 금 [save; deposit]
❶[속뜻] 돈[金]을 모아[貯] 둠. 또는 그 돈. ❷돈을 금융기관이나 우체국 등에 맡겨 저축(貯蓄)함. 또는 그 돈. ¶은행에 100만 원을 저금하다. [비]저축(貯蓄).

저:수 貯水 | 쌓을 저, 물 수 [storage of water; reservoir water]
산업용으로나 상수도용으로 물[水]을 가두어 모아둠[貯]. 또는 그 물.

저:장 貯藏 | 쌓을 저, 감출 장 [store; lay in]
물건 따위를 쌓아서[貯] 잘 간직함[藏]. ¶냉동 저장 / 생선을 소금에 절여 저장하다.

저:축 貯蓄 | 쌓을 저, 모을 축 [save; deposit]
❶[속뜻] 쌓아[貯] 모아둠[蓄]. ❷[경제] 소득의 일부를 아껴 금융기관에 맡겨 둠. 또는 그 돈. ¶나는 월급의 절반을 저축한다. [비]저금(貯金).

0492 [철]

鐵

쇠 철
[部] 金부 [劃] 21획 [中] 铁 [tiě]

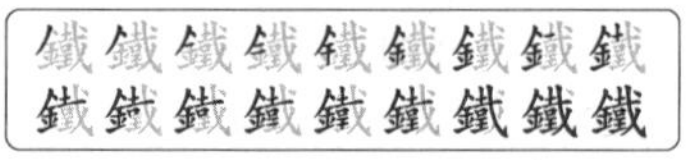

鐵자는 '쇠 금'(金)이 부수이자 표의요소이고, 그 나머지가 표음요소임은 驖(구렁말 철)도 마찬가지다. '쇠'(iron; metal)가 본뜻이 변함없이 애용되고 있다.

철갑 鐵甲 | 쇠 철, 갑옷 갑 [iron amor; coating]
쇠[鐵]로 만든 갑옷[甲]. ¶철갑을 두른 장군.

철강 鐵鋼 | 쇠 철, 강철 강 [iron and steel]
[공업] 주철(鑄鐵)과 강철(鋼鐵)을 아울러 이르는 말.

철공 鐵工 | 쇠 철, 장인 공 [ironworker; ironsmith]
쇠[鐵]를 다루어 제품을 만드는 직공(職工).

철광 鐵鑛 | 쇠 철, 쇳돌 광 [iron mine]
[광업] ❶'철광석'(鐵鑛石)의 준말. 쇠. ❷철광석이 나는 광산.

철교 鐵橋 | 쇠 철, 다리 교 [iron bridge]
철(鐵)을 주재료로 하여 놓은 다리[橋]. ¶한강에 철교를 건설하다.

철근 鐵筋 | 쇠 철, 힘줄 근 [iron reinforcing bar]

건설 건물이나 구조물을 지을 때 힘줄[筋] 같은 역할을 하는 쇠[鐵] 막대. ¶철근 콘크리트.

철기 鐵器 | 쇠 철, 그릇 기 [ironware]
쇠[鐵]로 만든 그릇[器]. ¶철기를 사용하면서 농업이 발달하였다.

철도 鐵道 | 쇠 철, 길 도
[railroad track; railroad line]
❶속뜻 쇠[鐵]로 만든 길[道]. ❷열차의 운행을 위한 갖가지 시설과 교통수단을 통틀어 이르는 말. ¶철도를 놓다 / 철도를 이용하면 편안하다.

철로 鐵路 | 쇠 철, 길 로 [railroad]
쇠[鐵]로 만든 길[路]. ¶기적을 울리며 기차가 철로 위를 지나갔다.

철마 鐵馬 | 쇠 철, 말 마 [train]
❶속뜻 쇠[鐵]로 된 말[馬]. ❷'기차'를 달리 이르는 말. ¶철마가 빠르게 달리고 있다.

철망 鐵網 | 쇠 철, 그물 망
[wire net; wire entanglements]
가는 쇠[鐵]를 얽어서 만든 그물[網]. ¶철망 속에 갇힌 원숭이.

철면 鐵面 | 쇠 철, 낯 면 [convex surface]
쇠[鐵]처럼 두꺼운 얼굴[面].

철모 鐵帽 | 쇠 철, 모자 모
[steel helmet; trench helmet; steel cap]
군사 전투할 때 군인이 쓰는 강철(鋼鐵)로 만든 둥근 모자(帽子). ¶머리에 철모를 쓴 군인.

철물 鐵物 | 쇠 철, 만물 물 [metal goods; hardware]
❶속뜻 쇠[鐵]로 만든 온갖 물건(物件). ❷특히 쇠로 만든 자질구레한 물건을 이르는 말.

철봉 鐵棒 | 쇠 철, 몽둥이 봉
[iron rod; horizontal bar]
❶속뜻 쇠[鐵]로 만든 몽둥이[棒]. ❷운동 두 개의 기둥에 쇠막대기를 걸쳐 고정시킨 체조 용구. ¶철봉에 일 분 넘게 매달리다.

철분 鐵分 | 쇠 철, 나눌 분 [iron content]
어떤 물질 속에 들어 있는 철(鐵)의 성분(成分). ¶미역은 철분이 많은 식품 중 하나이다.

철사 鐵絲 | 쇠 철, 실 사 [steel wire]
쇠[鐵]로 만든 가는 실[絲] 모양의 것. ¶구부러진 철사를 펴다. ⓑ쇠줄.

철석 鐵石 | 쇠 철, 돌 석 [iron and stone; firmness]
❶속뜻 쇠[鐵]와 돌[石]. ❷마음이나 의지, 약속 따위가 '굳고 단단함'을 비유하여 이르는 말. ¶나는 친구의 말을 철석같이 믿고 기다렸다.

철심 鐵心 | 쇠 철, 마음 심
[firm mind; iron will; iron core]
❶속뜻 쇠[鐵]처럼 단단한 마음[心]. ❷쇠로 속을 박은 물건의 심. ¶다리에 철심을 박다.

철인 鐵人 | 쇠 철, 사람 인 [iron man]
쇠[鐵]처럼 강한 몸을 가진 사람[人]. ¶철인 3종 경기.

철제 鐵製 | 쇠 철, 만들 제 [iron; iron preparation]
쇠[鐵]로 만듦[製]. 또는 그 물건. ¶철제 사다리.

철조 鐵條 | 쇠 철, 가지 조 [metal engraving]
❶속뜻 가지[條] 모양의 긴 쇠[鐵]. ❷'굵은 철사'를 일컬음.

철창 鐵窓 | 쇠 철, 창문 창
[iron-barred window; prison bars]
쇠[鐵]로 만든 창살이 달린 창문(窓門). ¶창문을 모두 철창으로 바꾸다 / 철창에 갇히다.

철칙 鐵則 | 쇠 철, 법 칙
[ironclad rule; strict regulation]
쇠[鐵]처럼 굳은 법칙(法則). 변경하거나 어길 수 없는 규칙. ¶어떤 경우에도 때리지 않는다는 게 내 철칙이다.

철통 鐵桶 | 쇠 철, 통 통 [steel tub]
❶속뜻 쇠[鐵]로 만든 통(桶). ❷철통처럼 조금도 빈틈없이 튼튼히 에워싸고 있다. ¶철통같이 경계하다.

철퇴 鐵槌 | 쇠 철, 몽둥이 퇴
[iron hammer; iron mace]
❶속뜻 쇠[鐵]로 만든 몽둥이[槌]. ❷'호된 처벌이나 타격'을 비유하여 이르는 말. ¶뇌물을 받은 공무원들에게 철퇴를 가하다.

철판 鐵板 | 쇠 철, 널빤지 판 [iron plate]
쇠[鐵]로 된 넓은 조각[板]. ¶철판에 고기를 굽다 / 얼굴에 철판을 깔다.

• 역순어휘

강철 鋼鐵 | 강철 강, 쇠 철 [steel]
❶속뜻 굳고 질기게[鋼] 만든 쇠[鐵]. ❷공업 탄소의 함유량이 0.035~1.7%인 철. ❸아주 단단하고 굳센 것을 비유하여 이르는 말. ¶그 사람은 강철이다. ⓟ연철(軟鐵).

고:철 古鐵 | 옛 고, 쇠 철 [scrap iron; steel scraps]
낡은[古] 쇠[鐵]. ¶고철을 모아 팔다.

양철 洋鐵 | 서양 양, 쇠 철 [galvanized iron]
❶속뜻 서양(西洋)에서 발명된 철판(鐵板). ❷안팎에 주석을 입힌 얇은 철판. ¶양철 그릇.

자:철 磁鐵 | 자석 자, 쇠 철 [magnetic iron]
광업 자성(磁性)이 강한 광물[鐵]. ¶경상북도 쇠골안은 자철이 많이 산출된다.

전:철 電鐵 | 전기 전, 쇠 철 [electric railroad]

교통 전기(電氣)를 동력으로 하여 궤도 위에 차량을 운전하는 철도(鐵道). '전기철도'의 준말. ¶그녀는 전철로 출퇴근을 한다.

제:철 製鐵 | 만들 제, 쇠 철 [iron making]
공업 광석에서 철(鐵)을 뽑아내는[製] 일. ¶영국은 제철 산업이 발달했다.

패:철 佩鐵 | 찰 패, 쇠 철
지관이 몸에 지남철(指南鐵)을 지님[佩]. 또는 그 지남철. ¶풍수지리가는 패철을 가지고 방위를 찾는다.

0493 [원]

院

집 원
부 阜부 획 10획 중 院 [yuàn]

院 院 院 院 院 院 院 院 院 院

院자는 '(언덕처럼 높은) 담'(a wall; a fence)이란 뜻을 나타내기 위한 것이었으니 '언덕 부'(阜→阝)가 표의요소로 쓰였다. 完(완전할 완)은 표음요소였다. '(높은 담장이 있는 커다란) 집'(a grand house)이나 '관청' 등을 가리키는 것으로 애용된다.

원생 院生 | 집 원, 사람 생
학원이나 고아원, 소년원 따위의 '원'(院)에 소속되어 있는 사람[生]. ¶그 학원은 원생의 수가 꽤 많다.

원장 院長 | 집 원, 어른 장 [director]
'원'(院) 자가 붙은 시설이나 기관의 우두머리[長]. ¶병원 원장.

• 역순어휘

법원 法院 | 법 법, 집 원 [law court]
법률 사법권(司法權)을 가진 국가기관[院]. ¶법원에 출두하다. ㊥재판소(裁判所).

병:원 病院 | 병 병, 집 원 [hospital]
병자(病者)나 부상자를 진찰하고 치료하는 곳[院]. ¶종합 병원 / 병원에서 다리를 치료하다.

사원 寺院 | 절 사, 집 원 [Buddhist temple]
절[寺] 따위의 종교 교당[院]. ¶회교 사원을 방문하다. ㊥사찰(寺刹).

상:원 上院 | 위 상, 집 원 [Upper House]
정치 상하로 구분한 양원(兩院)제도에서 상급(上級) 의원(議院). 영국의 상원처럼 특권 계급의 대표자로 구성되는 것과 미국의 상원처럼 각 주의 대표로 구성되는 것 따위. ㊥상의원(上議院).

서원 書院 | 글 서, 집 원 [lecture hall]
❶ 속뜻 글[書]을 익히는 집[院]. ❷ 역사 조선 시대, 선비들이 모여 명현(明賢)을 제사하고 학문을 강론하며 인재를 키우던 사설기관. ¶도산서원.

의원 醫院 | 치료할 의, 집 원 [clinic]
진료 시설을 갖추고 의사가 의료(醫療) 행위를 하는 집[院]. ¶의원에 가서 진료를 받다.

입원 入院 | 들 입, 집 원 [enter a hospital]
환자가 치료 또는 요양을 위하여 병원(病院)에 들어감[入]. ¶약물중독은 입원 치료를 받아야 한다. ㊀퇴원(退院).

퇴:원 退院 | 물러날 퇴, 집 원 [leave a hospital]
입원했던 환자가 병원(病院)에서 나옴[退]. ¶수술이 끝났으니 곧 병원에서 퇴원하게 될 것이다. ㊀입원(入院).

하:원 下院 | 아래 하, 집 원
[Lower House; House of Commons]
정치 양원제 의회에서, 국민[下]이 직접 뽑은 의원으로 구성된 의회[院]. ㊀상원(上院).

학원 學院 | 배울 학, 집 원 [educational institute]
❶ 속뜻 배우는[學] 집[院]. ❷ 교육 학교 설립 조건을 갖추지 못한 사립 교육 기관. ¶미술 학원.

0494 [웅]

雄

수컷 웅
부 隹부 획 12획 중 雄 [xióng]

雄 雄 雄 雄 雄 雄 雄 雄 雄 雄 雄 雄

雄자는 '(새의) 수컷'(a cock)이란 뜻을 나타내기 위하여 만들어진 것이었으니 '새 추'(隹)가 표의요소다. 왼편의 것은 표음요소라는 설이 있는데, 독립하여 쓰이는 글자가 아니다 보니 그러한 구실을 제대로 못한다. '뛰어나다'(surpass; excel), '씩씩하다'(manly; brave)는 뜻으로도 쓰인다. 참고, 雌(암컷 자, #1994).

속뜻 훈음 **①뛰어날 웅, ②씩씩할 웅, ③수컷 웅.**

웅대 雄大 | 뛰어날 웅, 큰 대 [grand; magnificent]
기개 따위가 뛰어나고[雄] 규모 따위가 크다[大]. ¶그 곳의 경치는 정말 웅대하다.

웅변 雄辯 | 씩씩할 웅, 말 잘할 변
[eloquence; oratory; fluency]
청중을 감동시킬 수 있도록 조리 있고 씩씩하게[雄] 말을 잘함[辯]. ¶웅변대회.

웅장 雄壯 | 뛰어날 웅, 씩씩할 장
[grand; magnificent]
빼어날[雄] 만큼 씩씩하게[壯] 보이다. 또는 매우 우람

하다. ¶웅장한 경치에 넋을 잃었다.

• 역순어휘

간웅 奸雄 | 간사할 간, 뛰어날 웅
[villainous hero; great villain]
간사(奸邪)한 영웅(英雄). 간사한 남자. ¶난세의 간웅.

대:웅 大雄 | 큰 대, 뛰어날 웅
❶속뜻 위대(偉大)한 영웅(英雄). ❷불교 '부처'에 대한 덕호(德號).

자웅 雌雄 | 암컷 자, 수컷 웅
❶속뜻 암컷[雌]과 수컷[雄]. ❷승부, 강약 따위를 비유적으로 이르는 말. ¶자웅을 겨루다 / 자웅을 다투다. 비 암수.

영웅 英雄 | 뛰어날 영, 뛰어날 웅
[hero; great man]
지혜와 재능이 뛰어나고[英=雄] 용맹하여 보통 사람이 하기 어려운 일을 해내는 사람. ¶그녀는 진정한 영웅이다.

환웅 桓雄 | 굳셀 환, 뛰어날 웅
❶속뜻 굳세고[桓] 뛰어남[雄]. ❷문학 단군신화에 나오는 천제(天帝)의 아들이자 단군의 아버지.

0495 [령]

領 거느릴 령
부 頁부 획 14획 中 领 [lǐng]
領 領 領 領 領 領 領 領 領 領 領 領 領 領

領자는 '목'(a neck)을 지칭하기 위해 만든 글자이니 '머리 혈'(頁)이 부수이자 표의요소로 쓰였고, 令(명령 령)은 표음요소다. 후에 '거느리다'(lead; head), '다스리다'(govern; administer), '차지하다'(occupy), '요점'(the substance) 등으로 확대 사용됐다.

속뜻 훈음 **①거느릴 령, ②다스릴 령, ③차지할 령, ④요점 령.**

영도 領導 | 거느릴 령, 이끌 도 [lead]
거느리고[領] 이끎[導]. 지도함. ¶지도자의 영도에 복종하다 / 공화제에서는 대통령이 나라를 영도한다.

영사 領事 | 거느릴 령, 섬길 사 [consul]
❶속뜻 사람들을 거느리고[領] 임금을 섬김[事]. ❷정치 외국에 있으면서 본국의 무역 통상의 이익을 도모하며 아울러 자국민의 보호를 담당하는 공무원.

영세 領洗 | 차지할 령, 씻을 세 [baptize; christen]
가톨릭 세례(洗禮)를 받는[領] 일. ¶우리나라 사람으로 최초로 영세한 사람은 이승훈이다.

영수 領收 | =領受, 받을 령, 거둘 수 [receive]
돈이나 물품 따위를 받아[領] 들임[收]. ¶위 금액을 정히 영수함.

영역 領域 | 다스릴 령, 지경 역 [domain]
❶속뜻 다스릴[領] 수 있는 권한이 미치는 지역[域]. ❷활동, 기능, 효과, 관심 따위가 미치는 일정한 범위. ¶그 일은 내 영역 밖이다.

영유 領有 | 차지할 령, 있을 유 [possess]
자기의 것으로 차지하여[領] 가짐[有]. ¶독도는 대한민국이 영유하고 있는 섬이다.

영토 領土 | 거느릴 령, 흙 토 [territory]
❶속뜻 다스리는[領] 땅[土]. ¶광개토대왕은 고구려의 영토를 확장했다. ❷법률 국제법에서 국가의 통치권이 미치는 구역. ¶헌법에는 '한반도와 부속도서'(附屬島嶼)를 대한민국의 영토로 명시하고 있다. 비 국토(國土).

• 역순어휘

강령 綱領 | 벼리 강, 요점 령 [general principles]
❶속뜻 벼리[綱] 같이 매우 중요한 요점[領]. ❷정당·단체 등에서 그 기본 목표·정책·운동 규범 등을 정한 것. ¶행동 강령 / 정치적 강령을 따르다. 비 목적(目的), 목표(目標), 방침(方針).

대:령 大領 | 큰 대, 거느릴 령 [colonel; captain]
군사 영관(領官) 계급 중 가장 윗[大]계급. 중령의 위, 준장의 아래.

두령 頭領 | 머리 두, 거느릴 령 [boss; leader]
여러 사람을 거느리는[領] 우두머리[頭]. 또는 그를 부르는 칭호. ¶청석골 임 두령 / 두령! 분부만 내리십시오. 비 두목(頭目).

소:령 少領 | 적을 소, 거느릴 령 [major]
❶속뜻 적은[少] 병사를 거느림[領]. ❷군사 국군의 영관(領官) 계급 중 맨 아랫계급. 대위의 위, 중령의 아래.

수령[1] 受領 | 받을 수, 거느릴 령 [receive]
❶속뜻 받아[受] 거느림[領]. ❷돈이나 물품을 받음. ¶연금을 수령하다.

수령[2] 首領 | 머리 수, 거느릴 령 [leader; boss]
한 당파나 무리를 거느리는[領] 우두머리[首]. ¶송시열 선생은 노론의 수령이었다.

요령 要領 | 요할 요, 요점 령 [main point]
❶속뜻 중요(重要)한 골자나 요점[領]. ❷일을 하는 데 필요한 효과적인 방법. ¶논문 작성 요령. ❸적당히 해 넘기는 잔꾀. ¶요령을 부리다.

점령 占領 | 차지할 점, 거느릴 령
[occupy; capture]

❶속뜻 차지하여[占] 거느림[領]. ❷교전국의 군대가 적국의 영토에 들어가 그 지역을 군사적으로 지배함. ¶영국군은 거문도를 점령했다.

중령 中領 | 가운데 중, 거느릴 령 [lieutenant major; commander]
군사 중급(中級) 영관(領官) 계급. 소령의 위, 대령의 아랫계급.

횡령 橫領 | 멋대로 횡, 차지할 령 [usurp; seize upon]
공금이나 남의 재물을 멋대로[橫] 불법으로 차지하여[領] 가짐. ¶공금 횡령 / 그는 횡령 혐의로 구속되었다.

0496 [원]

願

원할 원:
部 頁부 劃 19획 中 愿 [yuàn]

願 願 願 願 願 願 願 願 願 願 願 願 願 願 願 願 願 願

願자는 '(머리가) 커지다'(grow big)는 뜻을 나타내기 위한 것이었으니 '머리 혈'(頁)이 표의요소로 쓰였고, 原(근원 원)은 표음요소다. 머리가 커질수록 바라는 것이 많아지기 때문인지 '바라다'(=원하다 desire; wish; hope), '빌다'(pray)는 뜻으로 확대 사용됐다.
속뜻훈음 ①원할 원, ②바랄 원.

원:서 願書 | 원할 원, 글 서 [application; application form]
지원(志願)하는 뜻을 적은 서류(書類). ¶한국대학에 원서를 냈다 / 원서접수는 내일 마감합니다.

• 역순어휘

기원 祈願 | 빌 기, 원할 원 [pray; supplicate]
소원(所願)이 이루어지기를 빎[祈]. ¶행복을 기원하다.

민원 民願 | 백성 민, 원할 원 [civil appeal]
국민(國民)의 소원(所願)이나 청원(請願). ¶민원을 제기하다.

소:원 所願 | 것 소, 바랄 원 [one's desire]
이루어지기를 바라는[願] 어떤 것[所]. ¶소원을 빌다. ㊥바람, 소망(所望).

숙원 宿願 | 묵을 숙, 원할 원 [heart's desire]
오래 묵을[宿] 정도로 예전부터 바라던 소원(所願). ¶남북통일은 우리 민족의 숙원이다.

애원 哀願 | 슬플 애, 바랄 원 [entreat; beseech]
소원이나 요구 따위를 들어 달라고 슬피[哀] 사정하여 간절히 바람[願]. ¶마지막으로 하는 애원이다 / 나는 그녀에게 가지 말라고 애원했다.

염:원 念願 | 생각 념, 바랄 원 [desire; wish]
간절히 생각하고[念] 바람[願]. 또는 그런 것. ¶그는 의사가 되겠다던 염원을 이루었다. ㊥바람, 희망(希望), 소망(所望).

자원 自願 | 스스로 자, 원할 원 [volunteer]
스스로[自] 원(願)함. ¶자원봉사 / 그는 오지 근무를 자원했다.

지원 志願 | 뜻 지, 바랄 원 [apply; volunteer]
어떤 일이나 조직에 뜻[志]을 두어 끼기를 바람[願]. ¶지원 입대 / 명문대학에 지원하다.

청원 請願 | 청할 청, 바랄 원 [petition; request]
바라는[願] 바를 말하고 이루어지게 해 달라고 청(請)함. ¶청원을 받아들이다 / 특별 휴가를 청원하다.

축원 祝願 | 빌 축, 바랄 원 [pray]
신이나 부처에게 자기 소원(所願)이 이루어주기를 빎[祝]. ¶모두 평안하시기를 축원합니다.

탄:원 歎願 | =嘆願, 한숨지을 탄, 바랄 원 [beg; appeal to; entreat for]
한숨을 지으며[歎] 간절히 바람[願]. ¶사람들은 그의 목숨을 살려주도록 왕에게 탄원했다.

0497 [마]

馬

말 마:
部 馬부 劃 10획 中 马 [mǎ]

馬 馬 馬 馬 馬 馬 馬 馬 馬 馬

馬자는 '말'(a horse)을 나타내기 위하여, 뒷목의 털을 휘날리며 달리는 말 모습을 본뜬 것이다. 아래의 네 점은 네 발이 잘못 변화된 것이니 '불 화'(火)의 변형인 '灬'로 보면 안 된다.

마:력 馬力 | 말 마, 힘 력 [horse power]
❶속뜻 말[馬] 한 마리가 끄는 힘[力]. ❷물리 동력이나 일의 양을 나타내는 실용 단위. 기호는 'HP'. ¶200마력의 엔진.

마:부 馬夫 | 말 마, 사나이 부 [footman; groom]
말[馬]을 부려 마차나 수레를 모는 사람[夫]. ㊥마정(馬丁).

마:분 馬糞 | 말 마, 똥 분 [horse-manure]
말[馬]의 똥[糞].

마:적 馬賊 | 말 마, 도둑 적 [mounted thieves]
말[馬]을 타고 떼를 지어 다니는 도둑[賊]. ¶마적에게 몽땅 털렸다.

마:차 馬車 | 말 마, 수레 차 [carriage; coach]
말[馬]이 끄는 수레[車]. ¶마차를 타다 / 마차를 몰다 / 마차에 오르다.

• 역순어휘

경:마 競馬 | 겨룰 경, 말 마 [horse racing]
[운동] 말[馬]을 타고 달려 빠르기를 겨루는 경기(競技).

곡마 曲馬 | 굽을 곡, 말 마 [circus]
말[馬]을 타고 부리는 여러 가지 곡예(曲藝).

기마 騎馬 | 말 탈 기, 말 마 [ride horse]
말[馬]을 탐[騎]. ¶기마자세.

목마 木馬 | 나무 목, 말 마 [wooden horse]
❶[속뜻] 나무[木]로 말[馬] 모양을 깎아 만든 물건. ¶목마를 타고 놀다. ❷[운동] 기계체조에 쓰는 말의 모양처럼 만든 기구의 하나.

백마 白馬 | 흰 백, 말 마 [white horse]
털빛이 흰[白] 말[馬]. ¶백마 탄 왕자님을 기다리다.

승마 乘馬 | 탈 승, 말 마 [ride a horse]
❶[속뜻] 말[馬]을 탐[乘]. ❷[운동] 사람이 말을 타고 여러 가지 동작을 함. 또는 그런 경기.

우마 牛馬 | 소 우, 말 마 [cattle and horses]
소[牛]와 말[馬]을 아울러 이르는 말. ¶우마를 키우다.

준:마 駿馬 | 빠를 준, 말 마 [swift horse]
썩 잘 달리는[駿] 좋은 말[馬]. ¶야생마를 훈련하여 천 리를 거뜬히 달리는 준마로 만들다. [비]명마(名馬).

천마 天馬 | 하늘 천, 말 마 [flying horse; Pegasus]
하늘[天]을 달린다는 상제(上帝)의 말[馬].

철마 鐵馬 | 쇠 철, 말 마 [train]
❶[속뜻] 쇠[鐵]로 된 말[馬]. ❷'기차'를 달리 이르는 말. ¶철마가 빠르게 달리고 있다.

출마 出馬 | 날 출, 말 마 [run for office; stand as a candidate]
❶[속뜻] 말[馬]을 몰고 나감[出]. ❷선거 따위에서 입후보자로 나섬. ¶올해 누가 시장 선거에 출마합니까?

쾌마 快馬 | 시원할 쾌, 말 마 [swift horse]
시원스럽게[快] 잘 달리는 말[馬].

하마 河馬 | 물 하, 말 마 [hippo]
❶[속뜻] 강물[河]에 사는 말[馬]. ❷[동물] 넓죽한 입이 매우 크고 몸통이 둥근 포유동물.

0498 [어]

魚

고기/물고기 어
[部] 魚부 [劃] 11획 [中] 鱼 [yú]

魚 魚 魚 魚 魚 魚 魚 魚 魚 魚 魚

魚자는 '물고기'(a fish)를 뜻하기 위하여 잉어 같은 물고기를 세워 놓은 모습을 본뜬 것이다. 아래의 네 점은 꽁지 모양이 변화된 것이니 '불 화'(火)의 변형인 '灬'로 오인하지 말아야겠다.

어류 魚類 | 물고기 어, 무리 류 [fishes]
❶[속뜻] 물고기[魚] 종류(種類). ❷[동물] 등뼈동물에 딸린 한 무리. 물속에서 살기에 알맞은 모양새로 몸은 비늘로 덮이고 아가미로 숨을 쉬며 지느러미로 헤엄을 친다. ¶이 강에는 많은 어류가 산다.

어망 魚網 | =漁網, 물고기 어, 그물 망 [fishing net]
물고기[魚]를 잡는 데 쓰는 그물[網]. ¶강에 어망을 던져 놓고 다음날 아침에 건져올렸다.

어물 魚物 | 물고기 어, 만물 물 [fishes; dried fish]
생선[魚]이나 생선을 가공하여 만든 물품(物品).

어족 魚族 | 물고기 어, 무리 족 [fishes; finny tribe]
[동물] 물고기[魚]의 종족(種族). ¶독도 부근의 바다는 어족이 풍부하다. [비]어류(魚類).

어항 魚缸 | 물고기 어, 항아리 항 [fish bowl]
물고기[魚]를 기르는 데 사용하는 유리 따위로 모양 있게 만든 항아리[缸].

• 역순어휘

건어 乾魚 | 마를 건, 물고기 어 [dried fish]
말린[乾] 물고기[魚]. ¶읍내에 가서 건어를 사왔다.

광:어 廣魚 | 넓을 광, 물고기 어 [flatfish; flounder]
❶[속뜻] 넓게[廣] 펼쳐 말린 물고기[魚]. ❷[동물] 넙치.

대:어 大魚 | 큰 대, 물고기 어 [big fish]
큰[大] 물고기[魚]. ¶대어를 낚다.

문어 文魚 | 무늬 문, 물고기 어 [octopus]
❶[속뜻] 무늬[文]가 있는 물고기[魚]. ❷[동물] 낙지과의 연체동물로 낙지과에서 가장 큼. 몸통은 공처럼 둥글고 여덟 개의 발이 있다.

민어 民魚 | 백성 민, 물고기 어 [croaker]
[동물] 길고 납작하며 주둥이가 둔하게 생긴 바닷물고기. 식용으로 맛이 좋다.

북어 北魚 | 북녘 북, 물고기 어 [dried pollack]
❶[속뜻] 북(北)쪽 바다에서 나는 물고기[魚]. ❷말린 명태. [비]건명태(乾明太).

송어 松魚 | 소나무 송, 물고기 어 [trout]
❶[속뜻] 소나무[松] 껍질 무늬 모양이 있는 물고기[魚]. ❷[동물] 연어과의 물고기. 등은 짙은 남색, 배는 은백색이다. 산란기에 강을 거슬러 올라간다.

악어 鰐魚 | 악어 악, 물고기 어 [crocodile]
[동물] 도마뱀과 비슷하지만, 굉장히 큰 파충류 동물.

양:어 養魚 | 기를 양, 물고기 어 [fish farming]
물고기[魚]를 길러[養] 번식하게 함. 또는 그 물고기.

연어 鰱魚 | 연어 연, 물고기 어 [salmon]
[동물] 연어[鰱]과의 바닷물고기[魚]. 가을에 강 상류에 올라와 모랫바닥에 알을 낳고 죽는다. 동해 북부의 일부 하천으로 회귀하며 일본 북부 등지에 분포한다.

은어 銀魚 | 은 은, 물고기 어 [silver fish; sweetfish]
[동물] 몸은 가늘고 긴 은(銀)색 물고기[魚]. 맑은 강물에서만 산다.

인어 人魚 | 사람 인, 물고기 어 [mermaid]
상반신은 사람[人]의 몸이며 하반신은 물고기[魚]의 몸인 상상의 동물. ¶인어공주는 마녀에게 목소리를 주고 두 발을 얻었다.

장어 長魚 | 길 장, 물고기 어 [eel]
[동물] 몸이 가늘고 길쭉하여[長] 뱀과 비슷한 민물고기[魚]. '뱀장어'의 준말.

청어 靑魚 | 푸를 청, 물고기 어 [herring]
[동물] 푸른[靑] 빛을 띤 바닷물고기[魚]. 가을에서 봄에 걸쳐 잡히며 맛이 좋다.

추어 鰍魚 | 미꾸라지 추, 물고기 어 [mudfish]
❶[속뜻] 미꾸라지[鰍] 물고기[魚]. ❷[동물] 등은 푸른빛을 띤 검은색이며, 배가 흰 민물고기. 몸이 몹시 미끄럽다.

0499 [흑]

黑

검을 흑
[部] 黑부 [획] 12획 [中] 黑 [hēi]

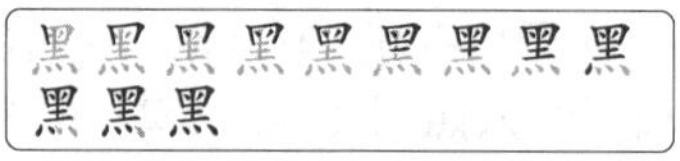

黑자는 '검다'(black)는 뜻을 나타내기 위하여 불[火→灬]의 연기에 얼굴이 검게 그을린 사람의 모습을 본뜬 것이다. 후에 '캄캄하다'(pitch-dark)는 뜻도 이것으로 나타냈다.

흑백 黑白 | 검을 흑, 흰 백
[black and white; good and bad]
❶[속뜻] 검은[黑] 빛과 흰[白] 빛. ¶흑백 영화. ❷잘잘못. 옳고 그름. ¶흑백을 가리다.

흑색 黑色 | 검을 흑, 빛 색 [black]
검은[黑] 빛[色]. [비]검은색, 검정. [반]백색(白色).

흑연 黑鉛 | 검을 흑, 납 연
[black lead; graphite]
❶[속뜻] 검은[黑] 빛을 띤 납[鉛] 같은 화합물. ❷[광업] 금속광택이 있고 검은빛이 나는 탄소 화합물. 연필심, 도가니, 전극, 감마제 따위로 쓰인다.

흑인 黑人 | 검을 흑, 사람 인 [black]
❶[속뜻] 털과 피부의 빛깔이 검은[黑] 사람[人]. ❷흑색 인종의 사람. ¶만델라는 최초의 흑인 대통령이다.

흑자 黑字 | 검을 흑, 글자 자
[figures in black ink; surplus]
❶[속뜻] 먹 따위로 쓴 검은[黑] 글자[字]. ❷수입이 지출보다 많아서 생기는 잉여나 이익. 장부에 쓸 때 통상 검은색 글자로 쓰는 것에서 유래하였다. ¶그 회사는 올해 100억의 흑자를 냈다. [반]적자(赤字).

흑점 黑點 | 검을 흑, 점 점 [black spot]
❶[속뜻] 검은[黑] 점(點). ❷[천문] 태양 표면에 보이는 검은 반점. '태양흑점'(太陽黑點)의 준말.

흑판 黑板 | 검을 흑, 널빤지 판 [blackboard]
검은[黑] 칠을 하여 그 위에 분필로 글씨나 그림을 쓰게 만든 널빤지[板]. [비]칠판(漆板).

• 역순어휘

암:흑 暗黑 | 어두울 암, 검을 흑 [darkness]
어둡고[暗] 캄캄함[黑]. 캄캄한 어둠. ¶전기가 들어오지 않아 우리는 암흑 속에 있었다. [반]광명(光明).

칠흑 漆黑 | 옻 칠, 검을 흑 [jet black]
옻칠(漆)처럼 검고[黑] 캄캄함. ¶칠흑 같은 밤거리.

0500 [비]

鼻

코 비:
[部] 鼻부 [획] 14획 [中] 鼻 [bí]

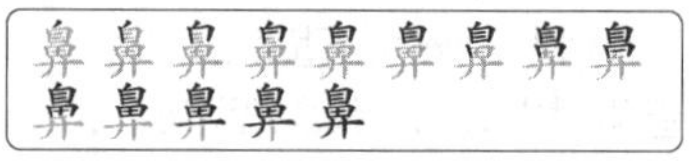

鼻자의 원형은 코 모양을 본뜬 '自'(자)다(참고 #0090). 그런데 自가 다른 뜻('자기' '~로부터')으로 차용되는 예가 잦아지자, 본래 의미인 '코'(a nose)를 위해서는 표음요소인 畀(줄 비)를 덧붙여 나타내어 '鼻'자가 탄생되었다. 그런데 옛날 사람들은 태아 상태에서 코가 가장 먼저 생긴다고 여겨 '시초'(the beginning; the start)라는 의미도 이것으로 나타냈다.

비:염 鼻炎 | 코 비, 염증 염 [nasal catarrh]
[의학] 코[鼻]의 점막에 생기는 염증(炎症).

제2부

제2부 실 제 : 한자 및 한자어 지도

8장. 4급II 배정한자 250

[0501-0750]

0501 [부]

副

버금 부:
(部) 刀부 (劃) 11획 (中) 副 [fù]

副자는 '쪼개다'(split)는 뜻을 위하여 만들어진 것이니 '칼 도'(刀)가 표의요소로 쓰였고, 왼쪽의 것이 표음요소임은 富(부자 부)도 마찬가지다. '버금'(second; next), '돕다'(aid; assist), '곁들이다'(add; accompany)는 뜻으로도 쓰인다.

[속뜻훈음] **①버금 부, ②도울 부, ③곁들일 부.**

부:사 副詞 | 도울 부, 말씀 사 [adverb]
[언어] 동사 또는 형용사를 돕는[副] 역할을 하는 말[詞]. ¶'매우 빠르다'의 '매우'는 부사다.

부:상 副賞 | 곁들일 부, 상줄 상 [supplementary prize]
정식의 상(賞) 외에 따로 곁들여[副] 주는 상(賞). ¶부상으로 사전을 받았다.

부:식 副食 | 곁들일 부, 밥 식 [side dish; subsidiary food]
곁들여[副] 먹는 음식(飮食). ¶부식 재료를 사다. (반)주식(主食).

부:업 副業 | 버금 부, 일 업 [side job; subsidiary business]
본업 다음[副]으로 따로 가지는 직업(職業). ¶농가에서는 부업으로 버섯을 재배한다. (비)여업(餘業). (반)본업(本業).

부:응 副應 | 곁들일 부, 응할 응 [suit; answer; satisfy]
어떤 요구나 기대 따위에 곁들여[副] 응(應)함. ¶기대에 부응하다.

0502 [렬]

列

벌릴 렬
(部) 刀부 (劃) 6획 (中) 列 [liè]

列자는 '(칼로 뼈와 살을) 분리하다'(separate)는 뜻을 나타내기 위하여 '칼 도'(刀)가 표의요소로 쓰였다. 왼쪽 것도 표의요소인데, 이것은 뼈와 살을 가르는 모양이 변화된 것이다. 후에 '벌이다'(arrange), '여러'(several; many), '줄(a line; a row) 등으로 확대 사용됐다.

[속뜻훈음] **①벌일 렬, ②여러 렬, ③줄 렬.**

열강 列強 | 여러 렬, 강할 강 [world powers]
❶[속뜻] 여러[列] 강국(強國). ❷국제적(國際的)으로 큰 역할을 맡은 강대한 몇몇 나라. ¶서구 열강의 침입으로 청의 국력은 약화되었다.

열거 列擧 | 벌일 렬, 들 거 [enumerate; list]
여러 가지 예나 사실을 낱낱이 죽 늘어[列] 놓음[擧]. ¶그의 장점은 이루 다 열거할 수 없다.

열도 列島 | 여러 렬, 섬 도 [chain of islands]
[지리] 길게 늘어서 있는 여러[列] 개의 섬[島]. ¶일본 열도.

• 역순어휘

계:열 系列 | 이어 맬 계, 벌일 렬 [system; series]
서로 관련이 있는 것을 이어지게[系] 벌여[列] 놓음. 또는 그런 조직. ¶언니는 인문계열 고등학교에 입학했다. (비)계통(系統).

대열 隊列 | 무리 대, 줄 렬 [column; file; rank]
❶[속뜻] 질서 있게 늘어선[隊] 행렬(行列). ❷어떤 활동을 목적으로 이루어진 한 떼. ¶휴식이 끝나고 대열을 정돈했다. (비)대오(隊伍).

병:렬 竝列 | 나란히 병, 벌일 렬 [arrange in a row]
❶[속뜻] 여럿이 나란히[竝] 벌여[列] 섬. 여럿을 나란히 벌려 세움. ❷[전기] 두 개 이상의 도선이나 전지 따위를 같은 극끼리 연결하는 일. ¶전기회로에 병렬로 접속하다. (반)직렬(直列).

서:열 序列 | 차례 서, 줄 렬 [rank]
연령, 지위, 성적 따위의 일정한 순서(順序)에 따라 줄 세워[列] 정리하는 일. ¶서열을 매기다 / 서열이 높다.

일렬 一列 | 한 일, 줄 렬 [line]
한[一] 줄[列]. ¶일렬 종대 / 강당에는 좌석이 일렬로 배치되어 있었다.

전:열 戰列 | 싸울 전, 줄 렬 [battle line; line of battle]
전쟁(戰爭)에 참가하는 부대의 대열(隊列). ¶전열을 갖추어 행군을 시작하다.

정:렬 整列 | 가지런할 정, 줄 렬 [stand in a row; array]
가지런히[整] 벌여 줄을 세움[列]. ¶학생들은 한 줄로 정렬했다.

직렬 直列 | 곧을 직, 줄 렬 [series]
[전기] 전기 회로에서 전지나 저항기 따위를 곧게[直] 줄지어[列] 연결하는 것. '직렬연결'(直列連結)의 준말. (반)병렬(竝列).

진:열 陳列 | 늘어놓을 진, 벌일 렬 [display; exhibit; put on show]

물건을 죽 늘어놓거나[陳] 벌여 놓음[列]. ¶점원은 수많은 상품을 진열하느라 바빴다.

치열 齒列 | 이 치, 줄 렬 [set of teeth]
잇몸에 이[齒]가 줄지어[列] 박혀 있는 생김새. ¶치열이 고르지 않다.

항렬 行列 | 줄 항, 줄 렬
[degree of kin relationship]
❶속뜻 죽 늘어선 줄[行=列]. ❷같은 혈족의 직계에서 갈라져 나간 계통 사이의 대수 관계를 나타내는 말. 형제자매 관계는 같은 항렬로 같은 항렬자를 써서 나타낸다. ¶항렬이 낮다.

행렬 行列 | 갈 행, 줄 렬 [parade; procession]
여럿이 줄[列]을 지어 감[行]. 또는 그 줄. ¶가장(假裝) 행렬.

0503 [제]

制 절제할 제 :
部 刀부 劃 8획 中 制 [zhì]

制자는 가지 많은 나무 모양을 본뜬 未(미)의 변형에 '칼 도'(刀⇒刂)가 합쳐진 것이다. 나뭇가지를 잘라 생활에 필요한 도구를 '만들다'(make; produce)가 본뜻이다. '(옷감 따위를) 마르다'(cut out), '누르다'(control; suppress), '정하다'(lay down; establish) 등을 뜻하기도 한다.

속뜻훈음 **①마를 제, ②만들 제, ③누를 제, ④정할 제.**

제:도 制度 | 정할 제, 법도 도
[system; institution]
❶속뜻 국가나 사회에 의하여 정해진[制] 법도(法度). ❷관습이나 도덕, 법률 따위의 규범이나 사회 구조의 체계. ¶교육제도.

제:동 制動 | 누를 제, 움직일 동 [brake]
기계나 자동차 따위를 눌러[制] 움직이지[動] 못하게 함. ¶제동 장치 / 노루가 뛰어들어 급히 차를 제동했다.

제:모 制帽 | 만들 제, 모자 모 [regulation cap]
학교, 관청, 회사 따위에서 쓰도록 특별히 만든[制] 모자(帽子).

제:복 制服 | 만들 제, 옷 복
[uniform; regulation dress]
학교나 관청, 회사 따위에서 입도록 특별히 만든[制] 옷[服]. 반 사복(私服), 평복(平服).

제:승 制勝 | 누를 제, 이길 승
겨루어 눌러[制] 이김[勝].

제:압 制壓 | 누를 제, 무너뜨릴 압
[control; gain control over]
상대방을 눌러서[制] 무너뜨림[壓]. ¶그는 반대파로부터 제압을 당했다 / 기선을 제압하다.

제:약 制約 | 누를 제, 묶을 약 [restrict; limit]
❶속뜻 누르거나[制] 묶어[約] 못하게 함. ❷조건을 붙여 활동을 못하게 함. ¶단체 생활에는 제약이 따른다.

제:어 制御 | 누를 제, 다스릴 어 [control]
❶속뜻 억눌러서[制] 마음대로 다스림[御]. ❷감정, 충동, 생각 따위를 막거나 누름. ¶감정을 제어하기가 어렵다. ❸기계나 설비 또는 화학 반응 따위가 목적에 알맞은 작용을 하도록 조절함. ¶제어 장치.

제:재 制裁 | 마름질할 제, 마를 재
[sanctions; punish; restrict]
❶속뜻 옷감을 마름질[制]하거나 마름[裁]. ❷법률 법이나 규정을 어겼을 때 국가가 처벌이나 금지 따위를 행함. 또는 그런 일. ¶무력 시위를 벌이면 법적 제재를 받는다. ❸일정한 규칙이나 관습의 위반에 대하여 제한(制限)하거나 금지함. ¶핵무기를 개발하는 나라에 경제적인 제재를 가할 것이다.

제:정 制定 | 만들 제, 정할 정 [establish by law]
제도나 법률 따위를 만들어서[制] 정(定)함. ¶특별법안 제정 / 개천절을 국경일로 제정하다.

제:지 制止 | 누를 제, 멈출 지 [restrain; check]
어떤 일을 억눌러[制] 멈추게[止]함. ¶경찰은 불법 집회를 제지했다.

제:패 制霸 | 누를 제, 으뜸 패
[conquer; dominate]
❶속뜻 적을 누르고[制] 패권(霸權)을 차지함. ¶나폴레옹은 한때 유럽을 제패했다. ❷경기 따위에서 우승함. ¶선수들은 이제 올림픽 제패를 꿈꾸고 있다.

제:한 制限 | 누를 제, 끝 한 [restrict; limit]
일정한 한도(限度)를 정해 이를 넘지 못하게 막거나 억누름[制]. ¶시험시간을 한 시간으로 제한하다.

제:헌 制憲 | 만들 제, 법 헌
[establish the constitution]
헌법(憲法)을 만들어[制] 정함. ¶제헌 이래 우리나라 법은 계속 바뀌어 왔다.

• 역순어휘

강:제 強制 | 억지 강, 누를 제 [force; coerce]
억지로[強] 억누름[制]. 억지로 따르게 함. ¶강제로 그를 끌고 갔다. 비 강압(強壓). 반 임의(任意), 자의(自意), 자의(恣意).

견제 牽制 | 끌 견, 누를 제 [keep in check]
❶속뜻 아군에게 유리한 곳으로 적을 끌어들여[牽] 억누

름[制]. ❷일정한 작용을 가함으로써 상대편이 지나치게 세력을 펴거나 자유롭게 행동하지 못하게 억누름. ¶투수가 주자를 견제하다.

관제[1] 官制 | 벼슬 관, 정할 제 [government organization]
법률 국가의 행정 조직[官] 및 권한에 관한 제도(制度).

관제[2] 管制 | 관리할 관, 누를 제 [control]
관리(管理)하여 통제(統制)함. ¶중앙 관제 시스템.

규제 規制 | 법 규, 누를 제 [regulate; control]
규칙(規則)이나 규정에 의하여 일정한 한도를 넘지 못하게 억누름[制]. ¶수입 규제 정책. ㊐통제(統制).

상제 喪制 | 죽을 상, 정할 제 [mourning practice]
❶속뜻 상례(喪禮)에 관한 제도(制度). ❷부모나 조부모가 세상을 떠나서 거상(居喪) 중에 있는 사람. ¶상제들이 통곡을 하였다.

선제 先制 | 먼저 선, 누를 제 [leading off]
먼저[先] 손을 써서 상대를 누름[制].

압제 壓制 | 무너뜨릴 압, 누를 제 [condense]
폭력으로 남을 무너뜨리거나[壓] 억누름[制]. ¶압제에서 벗어나다.

억제 抑制 | 누를 억, 누를 제 [control; restrain]
못하게 누름[抑=制]. 제지함. ¶불필요한 지출을 억제하다 / 감정을 억제하다.

자제 自制 | 스스로 자, 누를 제 [refrain from]
욕망, 감정 따위를 스스로[自] 억누름[制]. ¶건물에서는 흡연을 자제해 주십시오.

전제 專制 | 오로지 전, 정할 제 [absolutism; despotism]
❶속뜻 오로지[專] 혼자서 정함[制]. ❷국가의 권력을 개인이 장악하고 그 개인의 의사에 따라 모든 일을 처리함. ¶전제 정치.

절제 節制 | 알맞을 절, 누를 제 [moderate]
정도에 넘지 아니하도록 알맞게[節] 억누름[制]. ¶건강하자면 음식을 절제해야 한다.

체제 體制 | 몸 체, 정할 제 [structure; system; organization]
❶속뜻 사회적 기본 구조[體]를 정함[制]. ❷사회적인 제도와 조직의 형체. ¶냉전 체제 / 왕이 나라의 정치를 이끄는 체제.

통:제 統制 | 거느릴 통, 누를 제 [control; regulate]
❶속뜻 일정한 방침에 따라 거느리기[統] 위하여 억누름[制]. ❷제한이나 제약을 가함. ¶사고지역에 출입을 통제하다.

0504 [창]

創
비롯할 창:
㊀ 刀부 ㊁ 12획
㊥ 创 [chuàng, chuāng]

創자는 본래 '칼날 인'(刃)의 오른쪽에 점 하나가 더 있었다. '(칼에 다친) 상처'(a cut; a wound)가 본래 의미였다. 후에 표음요소인 倉(창)이 덧붙여진 創, 井(정)이 첨가된 㓨이 경합을 벌이다 표음요소의 구실이 확실한 앞의 것이 많이 쓰이게 됐다. '처음(으로)'(the beginning; the start)의 뜻으로 많이 쓰인다.
속뜻훈음 처음 창.

창:간 創刊 | 처음 창, 책 펴낼 간 [publish the first edition]
정기 간행물 따위를 처음으로[創] 발간(發刊)함. 신문, 잡지 따위 정기 간행물의 첫 호를 간행함. ¶창간 10주년 / 주간지가 창간되다. ㊥종간(終刊).

창:건 創建 | 처음 창, 세울 건 [establish; found; organize]
건물 따위를 처음으로[創] 만들어 세움[建]. ¶저 건물은 전쟁 직후에 창건되었다.

창:립 創立 | 처음 창, 설 립 [found; establish; set up]
학교나 회사, 기관 따위를 처음으로[創] 세움[立]. ¶창립 기념 행사. ㊐창설(創設).

창:설 創設 | 처음 창, 세울 설 [establish; found]
조직 따위를 처음으로[創] 세움[設]. ¶축구부를 창설하다. ㊐창립(創立).

창:세 創世 | 처음 창, 세상 세 [creation of the world]
맨 처음[創] 세상(世上).

창:시 創始 | 처음 창, 처음 시 [initiate; originate; create]
처음으로[創] 시작(始作)함. 처음 만듦. ¶진화론을 창시하다.

창:안 創案 | 처음 창, 생각 안 [originate; devise; invent]
전에 없었던 생각[案]을 처음[創] 함. ¶새로운 사업을 창안해 내다.

창:업 創業 | 처음 창, 일 업 [found; start business]
❶속뜻 사업(事業)을 창설(創設)함. ¶회사 창업도 힘들지만 경영은 더 힘들다. ❷나라를 처음으로 세움. ¶조선 왕조 창업의 일등 공신.

창:의 創意 | 처음 창, 뜻 의
[original idea; originality of thought]
처음으로[創] 해낸 생각이나 의견(意見).

창:작 創作 | 처음 창, 지을 작
[create; write an original work]
❶속뜻 처음으로[創] 만들어[作] 냄. ❷예술 작품을 독창적으로 만들거나 표현하는 일. 또는 그 작품. ¶소설을 창작하다.

창:제 創製 | =創制, 처음 창, 만들 제
[invent; create]
전에 없던 것을 처음으로[創] 만듦[製]. ¶한글을 창제하다.

창:조 創造 | 처음 창, 만들 조 [create]
전에 없던 것을 처음으로[創] 만듦[造]. ¶새로운 문학의 창조 / 유행을 창조하다. 반모방(模倣).

• 역순어휘

개창 開創 | 열 개, 처음 창
[establish]
처음[創] 새로 엶[開]. ¶새로운 왕조를 개창하였다.

거:창 巨創 | 클 거, 처음 창
[large-scale; tremendous]
❶속뜻 처음으로[創] 크게[巨] 함. ❷규모나 크기가 엄청나게 크다. ¶거창한 계획 / 거창하게 떠벌리다.

독창 獨創 | 홀로 독, 처음 창 [originality]
혼자서[獨] 처음[創] 생각해 냄. 또는 처음 만들어 냄. ¶독창적인 발상.

초창 草創 | 거칠 초, 처음 창
[beginning; start; early stage]
❶속뜻 거칠게[草] 처음[創] 시작함. ❷사업을 일으켜 시작함.

0505 [노]

努

힘쓸 노
部 力부 劃 7획 中 努 [nǔ]

努자는 '힘쓰다'(endeavor; try hard)는 뜻을 위하여 고안된 것이니, '힘 력'(力)이 표의요소이다. 奴(종 노)는 표음요소인데, 의미와 전혀 무관하지는 않는 것 같다.

노력 努力 | 힘쓸 노, 힘 력
[make an effort]
힘[力]을 다하여 애씀[努]. 또는 그 힘. ¶꿈을 이루기 위해서는 노력해야 한다.

0506 [무]

務

힘쓸 무:
部 力부 劃 11획 中 务 [wù]

務자는 '(일을 하는데 온힘을) 다 쏟다'(endeavor; strive; try hard)는 뜻을 위하여 만들어진 것이니 '힘 력'(力)이 표의요소이다. 그 나머지가 표음요소임은 堥(언덕 무)와 瞀(어두울 무)도 마찬가지다. '꼭 해야 할 일'(a duty), '(일반적인) 일'(a task)을 뜻하는 것으로도 쓰인다.

속뜻훈음 ①힘쓸 무, ②일 무.

• 역순어휘

공무¹ 工務 | 장인 공, 일 무 [engineering works]
❶속뜻 공장[工]의 사무[務]. ❷토목·건축에 관한 일.

공무² 公務 | 관공서 공, 일 무 [public duties]
국가나 공공단체[公]의 사무(事務). 공무원의 직무. ¶공무 집행 방해죄 / 그는 공무로 바쁘다. 비공사(公事). 반사무(私務).

교:무 教務 | 가르칠 교, 일 무
❶교육 학생을 가르치는[教] 일에 대한 사무(事務). ❷종교 종교적인 사무.

국무 國務 | 나라 국, 일 무 [state affairs]
❶속뜻 나라[國]의 정무(政務). ❷나라를 맡아 다스리고 이끌어 가는 일. 비국정(國政).

근:무 勤務 | 부지런할 근, 일 무 [service; duty]
직장 등에서 부지런히[勤] 맡은 일[務]을 함. ¶충실히 근무하다. 비근로(勤勞).

내:무 內務 | 안 내, 일 무 [internal affairs]
나라 안[內]의 정무(政務). 반외무(外務).

법무 法務 | 법 법, 일 무 [judicial affairs]
법률(法律)에 관한 일[務].

병무 兵務 | 군사 병, 일 무 [military affair]
병사(兵事)에 관한 사무(事務).

복무 服務 | 일할 복, 힘쓸 무 [(public) service]
맡은 바 일[服]에 힘씀[務]. 직무를 맡아 일함. ¶아버지는 경찰관으로 복무하고 있다.

사:무 事務 | 일 사, 일 무 [office work]
주로 책상에서 처리해야 하는 일[事=務]. ¶사무를 보다.

서:무 庶務 | 여러 서, 일 무 [general affairs]
일반적이고 잡다한 여러[庶] 사무(事務). 또는 그런 일을 맡아 하는 사람.

세:무 稅務 | 세금 세, 일 무 [taxation business]

세금(稅金)을 매기고 거두어들이는 일[務]. ¶세무 조사를 하다.

시무 時務 | 때 시, 일 무
때[時]에 따라 필요한 일[務]. 당장에 시급한 일.

실무 實務 | 실제 실, 일 무 [practical business]
실제(實際)로 하는 업무(業務). ¶실무에 밝다 / 그는 실무 경험이 많다.

업무 業務 | 일 업, 일 무 [business; service]
직장 따위에서 맡아서 하는 일[業=務]. ¶처리해야 할 업무가 산더미같이 많다.

외:무 外務 | 밖 외, 일 무 [foreign affairs]
외교(外交)에 관한 사무(事務). ¶외무 당국은 이번 사태에 큰 우려를 표명했다.

용:무 用務 | 쓸 용, 일 무 [business]
힘이나 마음을 써야[用] 할 일[務]. ¶용무를 말하다. ㊐볼일, 용건(用件).

의:무 義務 | 옳을 의, 일 무 [duty; obligation]
마땅히 해야 할 옳은[義] 일[務]. ¶권리를 주장하기 전에 의무를 다해야 한다. ㊥권리(權利).

임:무 任務 | 맡길 임, 일 무 [duty]
맡은[任] 일[務]. ¶맡은 바 임무에 최선을 다하다.

재무 財務 | 재물 재, 일 무 [financial affairs]
재정(財政)에 관한 사무(事務). ¶재무 관리.

전무 專務 | 오로지 전, 일 무 [executive director]
어떤 일을 전문적(專門的)으로 맡아보는 사무(事務). 또는 그런 사람.

직무 職務 | 맡을 직, 일 무 [job; duties]
직책이나 직업상에서 책임을 지고 담당하여 맡은[職] 일[務]. ¶직무에 충실하다.

집무 執務 | 잡을 집, 일 무
[conduct one's official duties]
사무(事務)를 집행(執行)함. ¶집무를 보느라 바쁘다.

채:무 債務 | 빚 채, 힘쓸 무
[debt; financial obligation; liabilities]
법률 남에게 진 빚[債]을 갚기 위하여 힘써야 할 의무(義務). 재산상의 처리에 관련하여 일정한 당사자의 요구에 응하여 급부를 해야 하는 의무. ¶천만 원의 채무가 있다. ㊥채권(債權).

총:무 總務 | 모두 총, 일 무
[general affairs; manager; director]
기관이나 단체의 일반적인 모든[總] 사무(事務). 또는 그 일을 맡은 사람. ¶작년에 총무였던 그가 동창회의 새 회장이 되었다.

형무 刑務 | 형벌 형, 일 무 [affairs of prison]
형벌(刑罰)의 집행에 관한 사무(事務)나 업무(業務).

0507 [세]

勢

형세 세:
㊙ 力부 ㊗ 13획 ㊥ 势 [shì]

勢자는 '(물리적, 정치적) 힘'(power; force; authority)을 뜻하는 것이었으니 '힘 력'(力)이 표의요소로 쓰였다. 윗부분의 것은 표음요소라고 하는데 낱글자로 쓰이는 예가 없어, 음을 알지 못하니 표음요소 구실을 제대로 못한다. '형세'(the tide), '권세' (influence), '세력'(strength), '기세'(spirit), '태세' (attitude) 같은 낱말 또는 이와 의미상 유관한 낱말의 한 구성요소로 사용되기도 한다.

속뜻훈음 ①힘 세, ②형세 세, ③권세 세, ④세력 세, ⑤기세 세.

세:도 勢道 | 권세 세, 길 도 [power; authority]
❶속뜻 권세(權勢)를 누리는 길[道]에 들어섬. ❷정치상의 권세. 또는 그 권세를 마구 휘두르는 일.

세:력 勢力 | 권세 세, 힘 력 [influence; power]
권세(權勢)의 힘[力]. ¶세력을 떨치다 / 세력을 얻다.

• 역순어휘

가세¹ 加勢 | 더할 가, 힘 세 [aid; assistance]
힘[勢]을 보태다[加]. 어떤 세력에 끼어들다. ¶일반 시민들까지 가세하여 범인을 잡았다.

가세² 家勢 | 집 가, 형세 세
[family's financial condition]
집안[家] 살림살이의 형세(形勢). 살림살이의 형세. ¶가세가 기울다.

강세 強勢 | 강할 강, 세력 세 [stress; accent]
❶속뜻 강(強)한 세력(勢力). 세력이 강함. ❷언어 한 낱말에서, 어떤 음절의 발음에 특히 힘을 주는 일. ¶'supper'는 첫 음절에 강세가 온다. ㊥약세(弱勢).

공:세 攻勢 | 칠 공, 세력 세 [offensive]
공격(攻擊)하는 세력(勢力)이나 태세. ¶질문 공세를 퍼붓다. ㊥수세(守勢).

교:세 教勢 | 종교 교, 세력 세
[religious influence]
종교(宗教)의 세력(勢力).

권세 權勢 | 권력 권, 세력 세 [power; influence]
권력(權力)과 세력(勢力)을 아울러 이르는 말. ¶권세를 부리다.

기세 氣勢 | 기운 기, 형세 세 [spirit; enthusiasm]
기운(氣運)차게 내뻗는 형세(形勢). ¶기세를 떨치다.

대:세 大勢 | 큰 대, 형세 세

[general tendency; trend]
❶속뜻 대체(大體)의 형세(形勢). ❷큰 세력. ¶대세가 우리 쪽으로 기울었다. ⓑ형세(形勢), 사세(事勢).

병:세 病勢 | 병 병, 형세 세
[condition of a disease]
병(病)이 들어 앓는 정도나 형세(形勢). ¶수술 후 병세가 호전되었다.

산세 山勢 | 메 산, 형세 세
[physical aspect of a mountain]
산(山)의 형세(形勢). ¶산세가 험하다.

수세 守勢 | 지킬 수, 형세 세 [defensive attitude]
❶속뜻 공격을 못하고 지키기만[守]하는 형세(形勢). ❷힘이 부쳐서 밀리는 형세. ¶우리 팀은 다음 회까지도 수세에 몰렸다. ⓑ공세(攻勢).

시세 時勢 | 때 시, 형세 세
[signs of the times; current price]
❶속뜻 어떤 시기(時期)의 형세(形勢). 시대(時代)의 추세(趨勢). ❷거래할 당시의 가격. ¶아파트 시세가 좋다. ⓑ시가(時價).

실세 實勢 | 실제 실, 세력 세 [actual power]
실제(實際)의 세력(勢力). 또는 그런 세력을 가진 사람. ¶그는 회사의 실세이다.

약세 弱勢 | 약할 약, 세력 세 [bears; shorts]
약(弱)한 세력(勢力). 약한 기세. ¶증권시장은 강세에서 약세로 변했다. ⓑ강세(強勢).

여세 餘勢 | 남을 여, 힘 세 [surplus power]
어떤 일을 하고 남은[餘] 힘[勢]. ¶우리 팀은 승리의 여세를 몰아 결승전에 진출했다.

열세 劣勢 | 약할 렬, 힘 세 [inferior in strength]
상대편보다 약함[劣] 힘[勢]. 또는 약한 세력. ¶한국은 국력의 열세를 극복하고 드디어 선진국의 대열에 들어섰다. ⓑ우세(優勢).

외:세 外勢 | 밖 외, 힘 세 [foreign power]
❶속뜻 외국(外國)의 힘[勢]. ¶외세의 침략에서 벗어나고자 농민들은 힘을 모았다. ❷바깥의 형세. ¶외세를 살피다.

우세 優勢 | 뛰어날 우, 형세 세 [superior]
남보다 나은[優] 형세(形勢). ¶우세 국면 / 그들이 이길 것이라는 전망이 우세하다. ⓑ열세(劣勢).

위세 威勢 | 으를 위, 힘 세
[power; influence; high spirits]
❶속뜻 남을 으를[威] 듯한 강한 힘[勢]. ❷사람을 두렵게 하여 복종시키는 힘. ¶나는 그녀의 위세에 눌려 한 마디도 할 수 없었다.

유:세 有勢 | 있을 유, 힘 세
[powerful; influential]
❶속뜻 힘[勢]이 있음[有]. ❷자랑삼아 세도를 부림. ¶그는 돈 꽤나 번다고 유세를 부린다.

자:세 姿勢 | 맵시 자, 형세 세 [posture; attitude]
❶속뜻 몸맵시[姿]와 태도[勢]. ❷몸이 가지는 모양. 앉았거나 섰거나 하는 따위. ¶편한 자세로 앉으세요. ❸무슨 일에 대하는 마음가짐. 곧 정신적인 태도. ¶그는 언제나 성실한 자세로 일했다.

전:세 戰勢 | 싸울 전, 형세 세
[war situation; tide of the war]
전쟁(戰爭)이 전개되어 가는 형세(形勢). ¶동남풍이 불자 전세가 역전되었다.

정세 情勢 | 실상 정, 형세 세
[state of things; situation]
일이 되어 가는 실상[情]과 형세(形勢). ¶국내 정세를 분석하다.

증세 症勢 | 증상 증, 형세 세 [symptoms]
병이나 상처 때문에 나타나는 여러 가지 증상(症狀)이나 형세(形勢). ¶증세가 조금 호전되었다. ⓑ증상(症狀).

추세 趨勢 | 향할 추, 힘 세 [tendency; trend; tide]
어떤 현상이 일정한 방향으로 향하는[趨] 힘[勢]. 그때의 대세의 흐름이나 경향. ¶요즘은 결혼을 늦게 하는 추세다.

태:세 態勢 | 모양 태, 자세 세 [attitude; setup]
태도(態度)와 자세(姿勢)를 아울러 이르는 말. ¶그는 내가 한마디만 더 하면 때릴 태세였다.

합세 合勢 | 합할 합, 세력 세 [join forces]
세력(勢力)을 한데 모음[合]. ¶여럿이 합세하여 범인을 잡았다.

행세 行勢 | 행할 행, 권세 세 [exercise power]
권세(權勢)를 행함[行]. 또는 그런 태도. ¶그는 우리 마을에서 행세깨나 하는 집 아들이다.

허세 虛勢 | 헛될 허, 기세 세 [bluff]
실상이 없는 헛된[虛] 기세(氣勢). ¶허세를 부리다.

형세 形勢 | 모양 형, 기세 세
[situation; the state of affairs]
❶속뜻 살림살이의 형편(形便)이나 기세(氣勢). ❷일이 되어 가는 형편. ¶형세가 불리하다.

0508 [조]

助 도울 조:
㊥ 力부 ㊥ 7획 ㊥ 助 [zhù]

助자는 '돕다'(help; aid; assist)는 뜻을 위하여 만들어진 것이다. 남을 돕자면 힘이 필요하므로

'힘 력'(力)이 표의요소로 쓰였다. 且(차)가 표음요소임은 阻(험할 조), 租(세금 조)도 마찬가지다.

조ː교 助教 | 도울 조, 가르칠 교 [assistant instructor]
❶교육 대학 교수(教授)를 돕는[助] 직위. 또는 그 직위에 있는 사람. ¶보고서는 조교에게 제출하세요. ❷군사 군사 교육·훈련을 할 때에 교관을 도와 교재 관리, 시범 훈련, 피교육자 인솔 따위를 맡아보는 사병. ¶훈련에 앞서 숙달된 조교가 시범을 보이겠다.

조ː사 助詞 | 도울 조, 말씀 사 [postposition]
언어 명사를 돕는[助] 역할을 하는 말[詞]. ¶'밥을 먹다'의 '을'은 조사이다.

조ː수 助手 | 도울 조, 사람 수 [assistant; helper]
어떤 책임자 밑에서 지도를 받으면서 그 일을 도와주는[助] 사람[手]. ¶목수 밑에서 허드렛일을 하며 조수 노릇을 한 적이 있다.

조ː언 助言 | 도울 조, 말씀 언 [advise; counsel]
말[言]로 거들거나 깨우쳐 주어서 도움[助]. 또는 그 말. ¶전문가의 조언 / 학생에게 공부하는 방법을 조언하다. ㊥도움말.

조ː연 助演 | 도울 조, 펼칠 연 [supporting actor]
연영 주연의 연기(演技)를 보조(補助)함. 또는 그 역(役)을 맡은 사람. ¶조연을 맡은 배우. ㊥주연(主演).

• 역순어휘 •

구ː조 救助 | 도울 구, 도울 조 [rescue; relief]
재난 따위를 당하여 어려운 처지에 빠진 사람을 도와줌[救=助]. ¶인명을 구조하다. ㊥구명(救命).

내ː조 內助 | 안 내, 도울 조 [one's wife's help]
안[內] 사람의 도움[助]. ¶내가 성공한 것은 아내의 내조 덕분이다.

방조 幇助 | =幫助, 도울 방, 도울 조 [aid; assist]
❶속뜻 어떤 일을 하도록 도와줌[幇=助]. ❷법률 형법에서, 남의 범죄 수행에 편의를 주는 모든 행위. ¶범행을 방조한 죄를 지었다.

보ː조 補助 | 기울 보, 도울 조 [help; assist; aid]
보태어[補] 도움[助]. ¶학비를 보조하다.

부조 扶助 | 도울 부, 도울 조 [contribute; help]
❶속뜻 잔칫집이나 상가(喪家) 따위에 돈이나 물건을 보내 도와줌[扶=助]. 또는 그 돈이나 물건. ¶친구 결혼식에 부조를 했다. ❷남을 거들어서 도와주는 일. ¶상호 부조.

원ː조 援助 | 도울 원, 도울 조 [help; aid; support]
물품이나 돈 따위로 도와줌[援=助]. ¶전세계는 북한에 식량을 원조하고 있다.

일조 一助 | 한 일, 도울 조 [help]
조금[一]의 도움[助]이 됨. 또는 그 도움. ¶제가 일조가 되기를 바랍니다 / 우리가 축제에 일조할 만한 일을 찾아보도록 하자.

자조 自助 | 스스로 자, 도울 조 [self help]
스스로[自] 자기를 도움[助]. ¶자조 정신 / 자조는 최상의 도움이다.

협조 協助 | 합칠 협, 도울 조 [cooperate; concord]
힘을 합쳐[協] 서로 도와줌[助]. ¶여러분의 협조를 부탁드립니다.

0509 [박]

博

넓을 박
㊀ 十부 ㊁ 12획 ㊥ 博 [bó]

博자는 '매우 넓다'(extensive; wide)는 의미를 나타내기 위하여, '많다' '전부'의 뜻인 '十'(십)과 '펴다', '깔다'는 뜻인 尃(부)가 합쳐 놓은 것이다. '쌍륙'(gambling)을 뜻하기도 한다.
속뜻훈음 **①넓을 박, ②쌍륙 박.**

박람 博覽 | 넓을 박, 볼 람 [wide reading; extensive knowledge]
❶속뜻 여러 가지 책을 많이[博] 읽음[覽]. ❷여러 곳을 다니며 널리 많은 것을 봄.

박물 博物 | 넓을 박, 만물 물 [having wide knowledge]
❶속뜻 여러[博] 사물(事物)에 대하여 두루 앎. ❷여러 가지 사물과 그에 대한 참고가 될 만한 물건.

박사 博士 | 넓을 박, 선비 사 [doctor; expert]
❶속뜻 널리[博] 아는 사람[士]. ❷교육 대학에서 수여하는 가장 높은 학위. ¶아빠는 박사 학위를 받고 무척 기뻐하였다. ❸어떤 일에 정통하거나 숙달된 사람을 비유적으로 이르는 말. ¶컴퓨터 박사.

박식 博識 | 넓을 박, 알 식 [erudite]
보고 들은 것이 많아 널리[博] 앎[識]이 많음. ¶그녀의 박식에 놀랐다 / 여러 방면에 두루 박식하다. ㊥다식(多識).

박애 博愛 | 넓을 박, 사랑 애 [philanthropy; benevolence]
뭇사람을 차별 없이 두루[博] 사랑함[愛]. ¶박애 정신. ㊥범애(汎愛).

• 역순어휘

도박 賭博 | 걸 도, 쌍륙 박 [gambling; gaming]
❶[속뜻] 쌍륙[博]으로 돈을 걸고[賭] 하는 놀음놀이. ¶도박으로 재산을 탕진하다. ❷요행수를 바라고 불가능하거나 위험한 일에 손을 댐. [비]노름.

해박 該博 | 맞을 해, 넓을 박 [profound]
❶[속뜻] 하는 말이 다 맞고[該] 앎이 넓음[博]. ❷배움이 넓고 아는 것이 많음. ¶해박한 지식 / 상식이 해박한 사람.

0510 [협]

協

화할 협
[部] 十부 [획] 8획 [中] 协 [xié]

協자에는 힘이 많이 든다고 '힘 력'(力) 자 세 개나 들어 있고, 그것도 모자라서 '많다'는 뜻으로 '열 십'(十)자까지 합쳐져 있다. 力은 농기구의 일종인 쟁기를 본뜬 것이다. '(힘을) 합치다'(cooperate)는 뜻을 여러 사람들이 힘을 합쳐 밭을 가는 모습으로 나타낸 것이 자못 재미있다.
[속뜻훈음] **합칠 협.**

협동 協同 | 합칠 협, 한가지 동
[work together; cooperate]
힘을 합쳐[協] 하나로[同] 노력함. 서로 마음과 힘을 하나로 합함. ¶협동 정신.

협력 協力 | 합칠 협, 힘 력
[cooperate; collaborate]
서로 돕는 마음으로 힘[力]을 합침[協]. ¶협력 관계 / 협력해서 일하다.

협상 協商 | 합칠 협, 헤아릴 상 [negotiate; agree]
❶[속뜻] 힘을 합쳐[協] 서로 상의(商議)함. ❷어떤 목적에 부합되는 결정을 하기 위하여 여럿이 의논함. ¶임금 협상. [비]협의(協議).

협연 協演 | 합칠 협, 펼칠 연 [perform with]
[음악] 힘을 합쳐[協] 함께 연주(演奏)함. 동일한 곡을 한 독주자(獨奏者)가 다른 독주자나 악단과 함께 연주함. 또는 그러한 연주.

협의 協議 | 합칠 협, 의논할 의
[confer; consult; discuss]
여럿이 모여[協] 의논(議論)함. ¶그 문제는 지금 협의 중이다. [비]협상(協商).

협정 協定 | 합칠 협, 정할 정 [agree; arrange]
서로 힘을 합치[協]기로 결정(決定)함. 국가 간에 약정을 맺음. ¶한미 양국은 관세 협정을 맺었다.

협조 協助 | 합칠 협, 도울 조
[cooperate; concord]
힘을 합쳐[協] 서로 도와줌[助]. ¶여러분의 협조를 부탁드립니다.

협주 協奏 | 도울 협, 연주할 주
[concert; ensemble]
[음악] 독주 악기의 연주를 돕기[協] 위하여 함께 하는 연주(演奏). ¶바이올린 협주.

협찬 協贊 | 합칠 협, 도울 찬
[support; cooperate]
힘을 합쳐[協] 서로 도움[贊]. 어떤 일 따위에 재정적으로 도움을 줌. ¶의상 협찬을 받다.

협회 協會 | 합칠 협, 모일 회
[society; association]
어떤 목적을 위하여 회원들이 힘을 합쳐[協] 설립한 모임[會]. ¶건설협회 / 보험협회.

• 역순어휘

농협 農協 | 농사 농, 합칠 협
[agricultural association]
'농업협동조합'(農業協同組合)의 준말.

수협 水協 | 물 수, 합칠 협
[fisheries cooperative union]
[사회] 수산업(水産業)에 종사하는 사람들이 협력(協力)하기 위한 조직체. '수산업협동조합'(水産業協同組合)의 준말.

타:협 妥協 | 온당할 타, 합칠 협 [compromise]
❶[속뜻] 두 편이 온당하게[妥] 협의(協議)함. ❷어떤 일을 서로 양보하여 협의함. ¶적당한 선에서 타협하세요.

0511 [수]

受

받을 수(:)
[部] 又부 [획] 8획 [中] 受 [shòu]

受자는 본래 爪(조), 舟(주), 又(우), 이상 세 가지 표의요소로 구성된 것이었는데, 舟가 冖(멱)으로 잘못 바뀌었다. 나루터에서 조각배 위에 실어 놓은 물건을 주고받던 모습을 본뜬 것으로, '주고받다'(give and receive)가 본뜻이다. 후에 이것은 '받다'(receive)는 의미로만 쓰이고, '주다'(give)는 뜻은 따로 授(수)자를 만들어 나타냈다.

수강 受講 | 받을 수, 익힐 강
[attend a lecture; take a course]

강의(講義)를 듣거나 강습(講習)을 받음[受]. ¶수강 신청 / 한국사 과목을 수강하다.

수난 受難 | 받을 수, 어려울 난 [ordeals; severe trial]
재난 따위의 어려움[難]을 당함[受]. ¶그들은 말도 못 할 수난을 겪었다.

수납 受納 | 받을 수, 들일 납 [receive; accept]
받아서[受] 넣어 둠[納]. ¶옷을 수납할 공간이 부족하다.

수동 受動 | 받을 수, 움직일 동 [passive]
다른 것의 움직임[動]이나 영향을 받음[受]. [반]능동(能動).

수락 受諾 | 본음 [수낙], 받을 수, 승낙할 낙 [accept; agree]
요구를 받아들여[受] 승낙(承諾)함. ¶그는 고개를 끄덕이며 수락했다.

수령 受領 | 받을 수, 거느릴 령 [receive]
❶[속뜻]받아[受] 거느림[領]. ❷돈이나 물품을 받음. ¶연금을 수령하다.

수모 受侮 | 받을 수, 업신여길 모 [suffer insult; be humiliated]
업신여김[侮]을 받음[受]. 모욕을 당함. ¶갖은 수모를 당하다.

수상¹ 受像 | 받을 수, 모양 상 [receive the image]
[물리] 텔레비전이나 사진 전송 따위에서 사물의 영상(映像)을 신호로 받은[受] 후 재생하는 일.

수상² 受賞 | 받을 수, 상줄 상 [be awarded (a prize)]
상(賞)을 받음[受]. ¶그는 노벨 물리학상을 수상했다.

수신 受信 | 받을 수, 소식 신 [receive a message]
우편이나 전보 따위로 소식[信]을 받음[受]. 또는 전화, 텔레비전 방송 따위의 신호를 받음. ¶이 전화는 수신 전용이다. [반]발신(發信), 송신(送信).

수업 受業 | 받을 수, 일 업 [take lessons in; study]
학업(學業)을 전수(傳受)받음. ¶인간문화재 선생님에게 놋그릇 만드는 법을 수업했다.

수용 受容 | 받을 수, 담을 용 [accept; embrace]
받아[受]들임[容]. ¶외국 문화를 무비판적으로 수용하면 안 된다.

수정 受精 | 받을 수, 정액 정 [fertilize; pollinate]
❶[속뜻] 정액(精液)의 정자를 받음[受]. ❷[생물] 암수의 생식 세포가 새로운 개체를 이루기 위해 하나로 합쳐지는 일. ¶벌은 식물의 수정을 돕는다.

수취 受取 | 받을 수, 가질 취 [receive]
받아서[受] 가짐[取]. ¶물품을 수취하고 영수증을 썼다.

수험 受驗 | 받을 수, 시험할 험 [take an examination]
시험(試驗)을 받음[受]. 시험을 치름. ¶수험 자격이 있는지 알아보다.

수화 受話 | 받을 수, 말할 화 [hear; receive]
전화(電話)를 받음[受]. [반]송화(送話).

• 역순어휘 •

감수¹ 甘受 | 달 감, 받을 수 [ready to suffer]
질책, 고통, 모욕 따위를 군말 없이 달게[甘] 받음[受]. ¶고통을 감수하다.

감:수² 感受 | 느낄 감, 받을 수 [be impressed]
[심리] 외부의 자극을 감각(感覺) 신경을 통해 받아들임[受].

인수 引受 | 끌 인, 받을 수 [charge]
물건이나 권리를 가져와[引] 넘겨받음[受]. ¶그는 부도난 공장을 인수했다. [반]인도(引渡).

전수 傳受 | 전할 전, 받을 수 [learn]
기술이나 지식 따위를 전(傳)하여 받음[受]. ¶어머니에게 장 담그는 법을 전수받았다.

접수 接受 | 맞이할 접, 받을 수 [receive; accept]
맞이하여[接] 받아들임[受]. ¶접수번호 / 접수를 마감하다.

0512 [취]

取

가질 취:
[部] 又부 [획] 8획 [中] 取 [qǔ]

取자는 끔찍한 사연이 있다. 옛날 전쟁에서는 戰功(전:공)에 대한 상을 주는 근거로 삼기 위하여 무찌른 적군의 왼쪽 귀를 떼어오도록 하였다. 물론 그렇게 떼어온 귀의 수가 많을수록 큰 상을 받았다. 取자는 바로 그렇게 떼어온 귀[耳]를 손에 쥐고 있는[又] 모습이다. '(빼앗다) 가지다'(exploit), '취하다'(adopt; take), '얻다'(obtain; acquire; achieve)는 뜻을 그렇게 나타낸 것이 흥미롭다기보다 끔찍하다는 생각이 먼저 든다.

취:급 取扱 | 가질 취, 다룰 급 [treat]
❶[속뜻] 물건을 가지고[取] 다룸[扱]. ¶취급 주의 / 이 서점은 외국 서적을 전문으로 취급하고 있다. ❷사람을 얕잡아서 대우하는 것. ¶더 이상 어린애 취급받기 싫다.

취:득 取得 | 가질 취, 얻을 득 [acquire; obtain]

❶속뜻 취(取)하여 얻음[得]. ❷자기의 것으로 함. ¶자격증을 취득하다.

취:소 取消 | 가질 취, 사라질 소
[cancel; withdraw; revoke]
발표한 의사를 거두어들이거나[取] 예정된 일을 없애버림[消]. ¶면허취소 / 예약을 취소하다.

취:재 取材 | 가질 취, 재료 재
[collect data; gather news]
기사 따위의 재료(材料)를 찾아내어 가짐[取]. ¶취재에 응하다.

취:조 取調 | 가질 취, 헤아릴 조
[investigate; inquire]
범죄 사실을 알아내기[取] 위하여 속속들이 조사(調査)함. ¶그는 취조하듯 나에게 이것저것 물었다.

• 역순어휘

섭취 攝取 | 당길 섭, 가질 취 [intake]
양분을 빨아들여[攝] 취(取)함. ¶음식을 골고루 섭취하다.

수취 受取 | 받을 수, 가질 취 [receive]
받아서[受] 가짐[取]. ¶물품을 수취하고 영수증을 썼다.

쟁취 爭取 | 다툴 쟁, 가질 취 [win; gain; obtain]
싸워서[爭] 빼앗아 가짐[取]. ¶금메달 쟁취 / 시민들은 자유를 쟁취하기 위해 혁명을 일으켰다.

진:취 進取 | 나아갈 진, 가질 취 [progress]
적극적으로 나아가서[進] 일을 취(取)하여 이룩함. ¶지도자가 되려면 먼저 진취의 기상을 지녀야 한다.

착취 搾取 | 짤 착, 가질 취
[squeeze out; extract; extort]
❶속뜻 무엇을 쥐어짜서[搾] 나오는 것을 취(取)함. ❷자본가나 지주가 근로자나 농민에 대하여 노동에 비해 싼 임금을 지급하고 그 이익의 대부분을 차지하는 일. ¶아이들의 노동력을 착취하다. ⓑ수탈(收奪), 약탈.

채:취 採取 | 캘 채, 가질 취
[collect; gather; mine]
❶속뜻 자연물에서 일부분을 캐거나[採] 뜯어서 가짐[取]. ¶미역 채취 / 고모는 약초를 채취하러 나가셨다. ❷연구나 조사 등을 위하여 표본이나 자료가 될 것을 찾거나 골라서 거두어 챙김. ¶지문채취 / 전라도 지방의 민요를 채취하다.

청취 聽取 | 들을 청, 가질 취 [listen to; hear]
들어[聽] 자기 것으로 가짐[取]. 자세히 들음. ¶라디오 방송을 청취하다.

탈취 奪取 | 빼앗을 탈, 가질 취 [extort; seize]
남의 것을 억지로 빼앗아[奪] 가짐[取]. ¶군부대에서 총기 탈취 사건이 발생했다.

0513 [가]

假
거짓 가:
部 人부 劃 11획 中 假 [jiǎ, jià]

假자는 '거짓'(falsehood)의 뜻을 나타내기 위하여 만든 글자이다. '사람 인'(人)이 표의요소로 쓰인 것을 보니 사람들 중에는 거짓된 사람도 있기 때문인 듯. 이 경우 叚(빌 가)는 표음요소인데, '빌리다'(borrow)는 뜻을 假자가 대신하기도 한다. '임시로'(temporary)의 뜻으로도 쓰인다.

속뜻 훈음 ①거짓 가, ②임시 가, ③빌릴 가.

가:량 假量 | 임시 가, 헤아릴 량
[guess; conjecture]
❶속뜻 임시로[假] 대충 헤아려[量] 봄. ¶오늘 몇 명이나 참석할지 가량해 보았다. ❷정도. 쯤. ¶10% 가량 / 한 시간 가량.

가:령 假令 | 임시 가, 명령 령 [if; suppose]
가정(假定)하여 말하면[令]. ¶가령 한 권에 2천 원이라면 / 가령 이렇게 한다면 어떻게 될까? ⓑ예를 들면, 예컨대.

가:면 假面 | 거짓 가, 낯 면 [mask]
나무나 종이 등으로 꾸며[假] 만든 얼굴[面] 형상. ¶연극이 끝나자 그는 가면을 벗었다. ⓑ탈.

가:명 假名 | 거짓 가, 이름 명 [false name]
거짓[假]으로 일컫는 이름[名]. ¶가명 계좌 / 가명을 사용하다. ⓟ본명(本名), 실명(實名).

가:발 假髮 | 거짓 가, 머리털 발 [false hair]
머리에 쓰는 가짜[假] 머리털[髮]. ¶할아버지는 가발을 쓰신다.

가:봉 假縫 | 임시 가, 꿰맬 봉 [fit; bast]
양복을 임시로[假] 듬성듬성 시쳐 놓는 바느질[縫]. 또는 그런 옷. ¶그녀는 웨딩드레스를 가봉했다.

가:불 假拂 | 임시 가, 지불 불
[receive in advance]
❶속뜻 임시로[假] 지불(支拂)함. ❷기일 전에 미리 받은 돈이나 월급. ¶월급에서 30만 원을 가불했다.

가:상 假想 | 임시 가, 생각 상
[suppose; assume]
임시로[假] 생각함[想]. ¶가상의 인물 / 가상 현실. ⓑ가공(架空), 가정(假定).

가:설[1] 假設 | 임시 가, 세울 설

[put up temporarily]
❶속뜻 임시로[假] 설치(設置)함. ¶가설 계단이 와르르 무너졌다. ❷실제에 없는 것을 있는 것으로 가정함.

가:설² 假說 | 임시 가, 말씀 설 [hypothesis]
논리 가정(假定)을 바탕으로 설정한 명제[說]. ¶가설을 검증하다. 반진리(眞理).

가:성 假聲 | 거짓 가, 소리 성 [feigned voice]
❶속뜻 일부러 꾸며내는[假] 목소리[聲]. ¶가성을 써서 그녀의 말씨를 흉내냈다. ❷음악 가장 높고 여린 목소리.

가:식 假飾 | 거짓 가, 꾸밀 식 [hypocrisy]
❶속뜻 거짓으로[假] 꾸밈[飾]. ¶가식적인 미소를 짓다. ❷임시로 장식해 놓음. 비꾸밈.

가:장 假裝 | 거짓 가, 꾸밀 장 [disguise oneself]
거짓으로[假] 꾸밈[裝]. ¶그는 우연을 가장하여 나에게 다가왔다. 비꾸밈, 거짓, 변장(變裝), 위장(僞裝).

가:정 假定 | 임시 가, 정할 정
[suppose; assume]
❶속뜻 임시로[假] 정(定)함. ❷어떤 조건을 임시로 내세움. ¶그 말은 가정에 불과하다.

가:차 假借 | 빌릴 가, 빌릴 차 [hire; rent]
❶속뜻 빌려[假] 쓰거나 빌려[借] 받음. ❷사정을 보아 줌. ¶재산을 탕진한 아들을 가차 없이 쫓아냈다. ❸언어 한자 육서(六書)의 하나. 음이 똑같은 다른 글자를 빌려서 뜻을 나타내는 방법. 원래 '태우다'의 뜻으로 만들어진 然(연)자를 가차하여 '그러하다'의 뜻을 나타낸 것을 말한다.

가:칭 假稱 | 임시 가, 일컬을 칭
[designate tentatively]
임시로[假] 일컬음[稱].

0514 [개]

個

낱 개(:)
部 人부 획 10획 中 个 [gè, gě]

個자는 본래 箇자로 썼으며 '대나무 줄기'(the trunk of a bamboo)가 본뜻이다. '대 죽'(竹)이 표의요소이고, 固(굳을 고)는 표음요소이다. 약 1,000년 전 쯤에 個로 간략하게 바뀌었고, '낱낱'(a piece; each piece)을 가리키기도 하였다.

개:개 個個 | =箇箇, 낱 개, 낱 개
[one by one; individually]
낱[個]낱[個]. 하나하나. ¶개개의 나라에는 수도가 있다.

개국 個國 | 낱 개, 나라 국 [country; nation]
❶속뜻 낱낱[個]의 나라[國]. ❷나라를 세는 단위. ¶10 개국 선수들이 참가하였다.

개년 個年 | 낱 개, 해 년 [year]
❶속뜻 낱낱[個]의 해[年]. ❷해를 세는 단위. ¶경제 개발 5개년 계획.

개:별 個別 | 낱 개, 나눌 별 [individual]
하나하나[個] 나뉜[別] 것. ¶학생을 개별 지도하다. 비낱개, 별개(別個). 반종합(綜合), 전체(全體).

개:성 個性 | 낱 개, 성질 성
[individuality; personality]
❶속뜻 사람마다[個] 지닌 남과 다른 특성(特性). ❷개체가 지닌 고유의 특성. ¶타인의 개성을 존중하다. 비개인성(個人性).

개:수 個數 | 낱 개, 셀 수 [number of article]
한 개씩 낱[個]으로 셀 수 있는 물건의 수효(數爻). ¶상자의 개수를 헤아리다.

개월 個月 | 낱 개, 달 월 [months]
낱낱[個]의 달[月]. 달의 수를 나타내는 말. ¶그들은 결혼한 지 2개월이 되었다.

개:인 個人 | 낱 개, 사람 인
[individual; private person]
❶속뜻 단체 구성원인 낱낱[個]의 사람[人]. ❷단체의 제약에서 벗어난 한 인간. ¶개인의 권리를 보호하다. 비개체(個體). 반단체(團體), 전체(全體).

개:중 個中 | 낱 개, 가운데 중 [among them]
여러 개(個) 가운데[中]. ¶귤을 한 상자 샀는데, 개중에는 상한 것도 있었다.

• 역순어휘

별개 別個 | 다를 별, 낱 개
[different one; separate one]
어떤 것에 함께 포함시킬 수 없는 딴[別] 것[個]. ¶아는 것과 가르치는 것은 별개이다.

0515 [계]

係

맬 계:
部 人부 총 획 9획 中 系 [xì]

係자는 '매다'(bind; tie)는 뜻을 나타내기 위하여 줄[系]을 들고 있는 사람[亻]을 본뜬 것이다. 후에 '연결하다'(link; connect), '끌다'(pull; draw)는 뜻으로 확대 사용됐고, 사무 분담의 작은 '단위'(a unit)로 쓰이기도 한다.

• 역순어휘

관계 關係 | 빗장 관, 맬 계
[relate; be connected with]
❶속뜻 둘 이상이 서로 관련(關聯)을 맺음[係]. ¶관계를 끊다. ❷어떤 방면이나 영역에 관련이 있거나 영향을 미치다. ¶교육 관계 서적 / 네가 있든 없든 관계 없다. ⓑ관련(關聯), 상관(相關).

0516 [벌]

伐
칠[討] 벌
部 人부 획 6획 中 伐 [fá]

伐자는 창[戈·과]으로 사람[亻]의 목을 '베다'(cut down)는 뜻을 나타냈다. 후에 '치다(attack; assail)', '공격'(an attack) 등으로 확대 사용됐다.
속뜻훈음 ①칠 벌, ②목 벨 벌.

벌목 伐木 | 칠 벌, 나무 목
[cut down a tree; log]
나무[木]를 벰[伐]. ¶벌목을 금지하다 / 불법으로 벌목하다. ⓑ간목(刊木).

벌채 伐採 | 칠 벌, 캘 채
[cut down; fell trees]
나무를 베고[伐] 덩굴을 뽑음[採]. ¶산림을 벌채하다. ⓑ채벌(採伐).

벌초 伐草 | 칠 벌, 풀 초
[mow; cut the weeds]
봄과 가을에 무덤의 잡풀[草]을 베어서[伐] 깨끗이 함. ¶명절 전에 벌초를 하다.

• 역순어휘 •

북벌 北伐 | 북녘 북, 칠 벌 [attack the north]
북방(北方)의 지역을 정벌(征伐)함. ¶효종은 북벌 계획을 세웠다. ⓑ남벌(南伐).

살벌 殺伐 | 죽일 살, 목 벨 벌
[bloodthirsty; brutal; savage]
❶속뜻 죽여[殺] 목을 벰[伐]. ❷분위기나 풍경 또는 인간관계 따위가 거칠고 무시무시함. ¶살벌한 기운이 감돌다.

정벌 征伐 | 칠 정, 칠 벌 [conquer; subjugate]
무력을 써서 적이나 죄 있는 무리를 치는[征=伐] 일. ¶이종무는 대마도 정벌에 나섰다.

토벌 討伐 | 칠 토, 칠 벌
[conquest; subjugate; suppress]
적을 쳐서[討=伐] 공격함. ¶대대적인 산적 토벌 작전에 나섰다.

0517 [보]

保
지킬 보:
部 人부 획 9획 中 保 [bǎo]

保자는 '기르다'(bring up)는 뜻을 나타내기 위하여 어린 아이를 업고 있는 어른의 모습을 본뜬 것이다. 오른쪽의 呆(어리석을 태)는 '아이 자'(子)의 변형이다. 후에 비슷한 뜻인 '지키다'(protect), '도와주다'(help; aid) 등도 따로 글자를 만들지 않고 이것으로 나타냈다.
속뜻훈음 ①지킬 보, ②도울 보.

보:건 保健 | 지킬 보, 튼튼할 건 [keep a health]
건강(健康)을 잘 지켜[保] 나감.

보:관 保管 | 지킬 보, 관리할 관
[take charge; keep]
물건을 맡아서 지키고[保] 관리(管理)함. ¶보관이 간편하다 / 귀중품을 금고에 보관하다.

보:균 保菌 | 지킬 보, 세균 균
[carry germs; be infected]
병균(病菌)을 몸에 지니고[保] 있음.

보:류 保留 | 지킬 보, 머무를 류
[reserve; suspend]
어떤 일을 결정하지 않고 그대로[保] 둠[留]. 결정을 미루어 놓은 상태. ¶여행을 보류하다. ⓑ유보(留保).

보:모 保姆 | 도울 보, 유모 모 [nurse]
일정한 자격을 가지고 유치원, 보육원, 양호 시설 등에서 아이들을 돌보는[保] 여자[姆]. ¶보모를 구하다.

보:석 保釋 | 지킬 보, 풀 석 [bail; bailment]
❶속뜻 보증(保證)을 받고 풀어줌[釋]. ❷법률 일정한 보증금의 납부를 조건으로 구속의 집행을 정지하고 구금을 해제하여 구속된 피고인을 석방하는 제도. ¶그는 보석으로 풀려났다.

보:세 保稅 | 지킬 보, 세금 세 [bond]
법률 관세(關稅)의 부과를 유보(留保)하는 일. 관세 부과를 미룸.

보:수 保守 | 지킬 보, 지킬 수 [conservativeness]
오랜 습관, 제도, 방법 등을 소중히 여겨 그대로 보존(保存)하여 지킴[守]. ¶보수 세력. ⓑ진보(進步), 혁신(革新).

보:안¹ 保安 | 지킬 보, 편안할 안 [security]
사회의 안녕(安寧)과 질서를 지킴[保]. ¶보안을 위해 출입을 통제하다.

보:안² 保眼 | 지킬 보, 눈 안
눈[眼]을 보호(保護)함. ¶보안을 위해 안경을 낀다.

보:온 保溫 | 지킬 보, 따뜻할 온 [keep warmth]
주위의 온도에 관계없이 일정한 온도(溫度)를 유지하여 지킴[保]. ¶보온 효과가 뛰어나다.

보:우 保佑 | 지킬 보, 도울 우 [protection; assistance]
보호(保護)하고 도움[佑]. ¶하느님이 보우하사 우리나라 만세.

보:유 保有 | 지킬 보, 있을 유 [possess]
간직하고[保] 있음[有]. ¶핵무기를 보유하다.

보:육 保育 | 도울 보, 기를 육 [bring up; rear; nurse]
어린 아이들을 돌보아[保] 기름[育]. ¶아동 보육을 지원하다 / 보육시설.

보:장 保障 | 지킬 보, 막을 장 [guarantee; security]
❶속뜻 지켜주고[保] 막아줌[障]. ❷잘못될 만한 것을 맡아 책임짐. ¶안전 보장.

보:전 保全 | 지킬 보, 온전할 전 [preserve intact]
온전하게[全] 잘 지킴[保]. ¶환경 보전.

보:존 保存 | 지킬 보, 있을 존 [preserve; conserve]
잘 보호(保護)하고 간수하여 남김[存]. ¶이 식품은 장기간 보존할 수 있다.

보:증 保證 | 지킬 보, 증명할 증 [guarantee; vouch for]
어떤 사물이나 사람에 대하여 책임지고[保] 틀림이 없음을 증명(證明)함. ¶그 사람은 내가 보증한다 / 보증을 서다.

보:험 保險 | 지킬 보, 험할 험 [insurance]
❶속뜻 각종 위험(危險)으로 인한 손해를 지켜[保] 줌. ❷경제 사고나 질병 따위로 생긴 손해를 보상하기 위해, 금융기관이나 회사와 개인 간에 맺는 계약이나 제도. ¶국민의료보험 / 보험에 들다.

보:호 保護 | 지킬 보, 돌볼 호 [protect]
위험 따위로부터 지켜주고[保] 돌보아줌[護]. ¶환경을 보호하다.

• 역순어휘

담보 擔保 | 멜 담, 지킬 보 [give as security]
❶속뜻 맡아서[擔] 지킴[保]. ❷법률 민법에서 채무 불이행 때 채무의 변제를 확보하는 수단으로 채권자에게 제공하는 것. ¶집을 담보로 돈을 빌리다. (비)보장(保障).

안보 安保 | 편안할 안, 지킬 보 [national security]
❶속뜻 안전(安全)을 보장(保障)함. ❷정치 외부의 위협이나 침략으로부터 국가와 국민의 안전을 지키는 일. '안전보장'의 준말. ¶국가의 안보 문제.

확보 確保 | 굳을 확, 지킬 보 [secure; insure]
확실(確實)하게 보유(保有)함. ¶자금을 확보하다.

0518 [불]

佛

부처 불
(부) 人부 (획) 7획 (중) 佛 [fó, fú]

佛·彿(불)·髴(불)은 모두 '비슷하다'(similar; resembling)는 뜻의 같은 글자였다. 후에 佛은 발음상의 유사성 때문에 '깨달은 자'를 뜻하는 梵語(범:어)인 Buddha(佛陀)의 약칭으로 쓰였다. 慧眼(혜:안)을 지닌 사람의 눈에는 모든 사람들이 부처로 보인다고 한다.

불경 佛經 | 부처 불, 책 경 [Buddhist scriptures]
불교 불교(佛敎)의 가르침을 적은 경전(經典). (준)경.

불공 佛供 | 부처 불, 이바지할 공 [Buddhist service]
불교 부처[佛] 앞에 공양(供養)하는 일.

불교 佛敎 | 부처 불, 종교 교 [Buddhism]
❶속뜻 부처[佛]를 믿는 종교(宗敎). ❷종교 기원전 6세기경 인도의 석가모니가 창시한 후 동양 여러 나라에 전파된 종교. 이 세상의 고통과 번뇌를 벗어나 그로부터 해탈하여 부처가 되는 것을 궁극적인 이상으로 삼는다.

불국 佛國 | 부처 불, 나라 국
불교 부처[佛]가 사는 나라[國]. 곧 극락정토(極樂淨土)를 이른다.

불당 佛堂 | 부처 불, 집 당 [Buddhist temple]
불교 부처[佛]를 모신 집[堂].

불상 佛像 | 부처 불, 모양 상 [image of Buddha]
불교 부처님[佛] 모양[像]을 표현한 조각이나 그림.

불어 佛語 | 부처 불, 말씀 어 [Buddhistic terms; French]
❶불교 부처[佛]의 말[語]. 불교 경전. ❷언어 프랑스어. 라틴어에서 분화한 언어의 한 갈래로 프랑스, 벨기에 남부, 스위스 서부 등지에서 쓴다. '프랑스'를 '佛蘭西'라 음역한 데서 유래되어, 프랑스어를 '佛語'라 한다.

불타 佛陀 | 부처 불, 비탈질 타 [Buddha]
불교 '바른 진리를 깨달은 사람'이라는 뜻의 산스크리트어 'Buddha'의 한자 음역어. (비)부처.

• 역순어휘

석불 石佛 | 돌 석, 부처 불 [stone Buddhist image]

불교 돌[石]로 만든 불상(佛像). ¶석불에 절을 하며 소원을 빌었다. ㊥돌부처.

염:불 念佛 | 생각 념, 부처 불 [pray to Buddha]
불교 ❶부처[佛]의 모습과 공덕을 생각하면서[念] 아미타불을 부르는 일. ❷불경을 외는 일. ¶스님은 목탁을 치면서 염불했다. 속담 염불에는 맘이 없고 잿밥에만 맘이 있다.

0519 [비]

備
갖출 비:
部 人부 畫 12획 中 备 [bèi]

備자는 원래 '사람 인'(亻)변이 없었다. '갖추다'(store)는 뜻을 나타내기 위하여 화살을 준비하여 통에 꼽아 둔 모양을 본뜬 것이다. 사람이라면 누구나 준비성이 있어야 하기 때문인지, 후에 '사람 인'(亻)변이 추가됐다.

비:고 備考 | 갖출 비, 생각할 고 [note; remark]
❶속뜻 훗날 더 생각해 보기[考] 위해 미리 갖추어[備] 둠. ❷어떤 내용에 참고가 될 만한 사항을 덧붙여 적음. 또는 덧붙인 그 사항. ¶비고를 참조하다.

비:축 備蓄 | 갖출 비, 쌓을 축
[save for emergency]
만일의 경우에 대비하여 미리 갖추어[備] 쌓아둠[蓄]. ¶석유를 비축하다.

비:치 備置 | 갖출 비, 둘 치 [furnish; equip]
갖추어[備] 둠[置]. ¶비치 도서 / 방에 가구를 비치하다 / 이 교실에는 컴퓨터가 비치되어 있다.

비:품 備品 | 갖출 비, 물건 품
[fixtures; furniture]
관공서나 회사 등에서 업무용으로 갖추어[備] 두는 용품(用品). ¶비품을 구입하다. ㊤소모품(消耗品).

• 역순어휘

겸비 兼備 | 겸할 겸, 갖출 비 [have both]
두 가지 이상의 좋은 점을 겸(兼)하여 갖춤[備]. ¶문무(文武)를 겸비한 인재.

경:비 警備 | 타이를 경, 갖출 비 [defense; guard]
경계(警戒)하고 대비(對備)함. 경계하여 지킴. ¶경비 초소

구비 具備 | 갖출 구, 갖출 비 [have all]
갖추어야[備] 할 것을 빠짐없이 다 갖춤[具]. ¶구비 서류. ㊥완비(完備).

군비 軍備 | 군사 군, 갖출 비
[armaments; military preparedness]
전쟁을 수행하기 위하여 갖춘 군사력, 군사(軍事) 시설이나 장비(裝備). ¶군비를 증강하다.

대:비 對備 | 대할 대, 갖출 비 [prepare]
앞으로 있을 어떤 일에 대응(對應)하여 미리 준비(準備)함. 또는 그런 준비. ¶노후를 대비해 저축하다.

미:비 未備 | 아닐 미, 갖출 비 [unprepared]
제대로 갖추어져[備] 있지 아니함[未]. 완전하지 못함. ¶미비한 점이 많다. ㊤완비(完備).

방비 防備 | 막을 방, 갖출 비 [defense]
적의 침공이나 재해 따위를 막을[防] 준비(準備)를 함. 또는 그 준비. ¶방비를 강화하다.

상비 常備 | 늘 상, 갖출 비
[reserve; have always ready]
늘[常] 갖추어[備] 둠. ¶가정에 구급약을 상비하다.

설비 設備 | 베풀 설, 갖출 비 [equip]
건물이나 장치, 기물 따위를 베풀어[設] 갖추는[備] 일. 또는 그런 물건. ¶최신식 설비 / 방범 장치를 설비하다.

수비 守備 | 지킬 수, 갖출 비 [defend; guard]
재해나 침입에 대비(對備)하여 지킴[守]. ¶우리 팀은 수비가 약하다. ㊤공격(攻擊).

예:비 豫備 | 미리 예, 갖출 비
[prepare for; reserve]
미리[豫] 마련하거나 갖추어 놓음[備]. 또는 미리 갖춘 준비. ¶예비 식량이 떨어졌다.

완비 完備 | 완전할 완, 갖출 비
[equip completely]
빠짐없이 완전(完全)히 다 갖춤[備]. ¶이 호텔에는 연회실이 완비되어 있습니다. ㊥완구(完具). ㊤미비(未備).

우:비 雨備 | 비 우, 갖출 비 [raincoat]
비[雨]를 피하기 위하여 갖추어야[備] 할 물품을 통틀어 이르는 말. 우산, 비옷, 삿갓, 도롱이 따위. ㊥비옷, 우의(雨衣).

장비 裝備 | 꾸밀 장, 갖출 비 [equip; furnish]
어떤 장치와 설치 등을 차려[裝] 갖춤[備]. 또는 그 장치나 비품. ¶우리 병원은 최신 의료장비를 갖추고 있습니다.

정:비 整備 | 가지런할 정, 갖출 비 [fix; service]
❶속뜻 흐트러진 체계를 가지런히[整] 하여 제대로 갖춤[備]. ❷기계나 설비가 제대로 작동하도록 보살피고 손질함. ¶삼촌은 직접 자동차를 정비하신다.

준:비 準備 | 고를 준, 갖출 비 [prepare]
필요한 것을 미리 골고루[準] 다 갖춤[備]. ¶내일 소풍 갈 준비는 다 되었느냐.

0520 [속]

俗

풍속 속
[部] 人부 [획] 9획 [中] 俗 [sú]

俗자는 '(사람들의) 풍속'(manners; customs)을 뜻하기 위한 것이었다. '사람 인'(亻)이 표의요소이고, 谷(골 곡)은 표음요소인데 음이 약간 달라졌다. 후에 '평범하다'(common; ordinary), '속되다'(=천하다, humble; low)는 뜻으로 확대 사용됐다.

[속뜻훈음] ①풍속 속, ②속될 속.

속담 俗談 | 속될 속, 이야기 담
[proverb; (common) saying]
❶[속뜻] 속(俗)된 이야기[談]. ❷민중의 지혜가 응축되어 널리 구전되는 격언. ¶세 살 적 버릇이 여든까지 간다는 속담은 결코 헛말이 아니다. [비]속설(俗說).

속물 俗物 | 속될 속, 만물 물 [snob; philistine]
돈이나 권력 등 자신의 이익만을 좇는 천한[俗] 사람[物].

속설 俗說 | 속될 속, 말씀 설 [common talk]
❶[속뜻] 속(俗)된 학설(學說). ❷민간에 전하여 내려오는 설(說). ¶소의 간이 시력 회복에 좋다는 속설이 있다.

속세 俗世 | 속될 속, 세상 세
[this world; mundane life]
❶[속뜻] 속(俗)된 세상(世上). ❷[불교] 불가에서 일반 사회를 이르는 말. ¶속세를 떠나다 / 속세와의 인연을 끊다. [비]세속.

속어 俗語 | 속될 속, 말씀 어 [slang word]
❶[속뜻] 민간에서 통속적으로 쓰이는 속(俗)된 말[語]. ❷세간의 상스러운 말. ¶상스러운 속어를 쓰지 말자.

속칭 俗稱 | 속될 속, 일컬을 칭 [popular name]
세속(世俗)에서 흔히 일컫는[稱] 말. 또는 그러한 호칭이나 명칭. ¶'김병연'은 속칭 '김삿갓'으로 알려져 있다.

• 역순어휘 •

민속 民俗 | 백성 민, 풍속 속 [folk customs]
민간(民間)의 풍속(風俗). ¶민속의 날. [비]민풍(民風).

비:속 卑俗 | 낮을 비, 속될 속 [vulgar; coarse]
격이 낮고[卑] 속됨[俗]. 또는 그러한 풍속. ¶비속한 말.

세:속 世俗 | 세대 세, 풍속 속 [secular world]
❶[속뜻] 세상(世上)에 흔히 있는 풍속(風俗). ❷보통 사람들이 늘 살아가는 세상. ¶세속을 떠나다 / 세속을 등지다.

야:속 野俗 | 거칠 야, 속될 속
[inhospitable; unkind]
❶[속뜻] 인심이 거칠고[野] 성품이 속(俗)됨. ❷무정한 행동이나 그런 행동을 한 사람이 섭섭하게 여겨져 언짢음. ¶세상인심 참 야속도 하구나 / 야속한 말.

저:속 低俗 | 낮을 저, 속될 속 [vulgar; base; low]
품위 따위가 낮고[低] 속(俗)됨. ¶그는 말씨가 저속하다 / 저속한 소설. [반]고상(高尙)하다.

토속 土俗 | 흙 토, 풍속 속 [local customs]
그 지방[土] 특유의 습관이나 풍속(風俗). ¶토속 음식을 특별히 좋아하다.

통속 通俗 | 온통 통, 풍속 속
[popular custom; commonness]
❶[속뜻] 세상에 널리[通] 퍼져 있는 풍속(風俗). ❷비전문적이고 대체로 저속하며 일반 대중이 쉽게 알 수 있는 일. ¶사진이 잡지의 표지처럼 통속하다.

풍속 風俗 | 바람 풍, 속될 속 [manners; customs]
❶[속뜻] 한 사회의 풍물(風物)과 습속(習俗). ❷옛날부터 그 사회에 전해 오는 생활 전반에 걸친 습관. ¶이 마을에는 옛날 풍속이 잘 보존되어 있다. [비]풍습(風習).

0521 [수]

修

닦을 수
[部] 人부 [획] 10획 [中] 修 [xiū]

修자는 '사람 인'(人)이 부수이나 표의요소는 아니다. '장식하다'(decorate)가 본뜻이니 '터럭 삼'(彡)이 표의요소로 쓰였다. 짐승의 터럭(털)이 장식용으로 애용되었기 때문인 듯. 攸(바 유)가 표음요소임은 脩(말린 고기 수)도 마찬가지다. 후에 '(마음 등을) 닦다'(cultivate one's mind), '고치다'(repair)는 뜻으로 확대 사용됐다.

[속뜻훈음] ①닦을 수, ②고칠 수.

수교 修交 | 닦을 수, 사귈 교
[form a good relationship]
나라와 나라 사이에 교제(交際)의 길을 닦아[修] 맺음. ¶수교를 맺다 / 중국과 수교하다.

수녀 修女 | 닦을 수, 여자 녀 [nun; sister; Mother]
[가톨릭] 수도(修道)하는 여자(女子). 청빈·정결·복종을 서약하고 독신으로 수도원 등에서 지낸다. ¶그 수녀는 고아들에게 어머니와 같은 존재였다.

수도 修道 | 닦을 수, 길 도 [practice asceticism]
도(道)를 닦음[修]. ¶수도 생활 / 이곳에서 많은 승려들이 수도했다.

수련 修鍊 | 닦을 수, 익힐 련 [train; practice]
정신이나 학문, 기술 따위를 닦고[修] 익히다[鍊]. ¶심신을 수련하다.

수료 修了 | 닦을 수, 마칠 료 [complete; finish]
일정한 학업이나 과정을 다 공부하여[修] 마침[了]. ¶석사 과정을 수료하다.

수리 修理 | 닦을 수, 다스릴 리 [repair; mend]
고장이 나거나 허름한 데를 손보아[修] 고침[理]. ¶자전거를 수리하다.

수선 修繕 | 고칠 수, 기울 선 [repair(s); mending]
낡거나 허름한 것을 기워서[繕] 고침[修]. ¶구두를 수선하다.

수습 修習 | 닦을 수, 익힐 습 [practice oneself]
정식으로 실무를 맡기 전에 배워[修] 익힘[習]. 또는 그러한 일. ¶신입 사원들은 6개월의 수습 기간을 거친다.

수신 修身 | 닦을 수, 몸 신 [moral training]
마음과 행실을 바르게 하도록 심신(心身)을 닦음[修].

수양 修養 | 닦을 수, 기를 양 [improve oneself]
몸과 마음을 갈고 닦아[修] 품성이나 지식, 도덕 따위를 기름[養]. ¶정신 수양을 게을리 하지 않다.

수정 修訂 | 고칠 수, 바로잡을 정 [correct]
책의 글자나 내용 등을 고쳐[修] 바로잡음[訂]. ¶초고 수정.

수학 修學 | 닦을 수, 배울 학
[study; learn; pursue knowledge]
학업(學業)을 닦음[修]. 배움.

• 역순어휘

감수 監修 | 볼 감, 닦을 수
[supervise the compilation]
책을 편찬하고 수정(修正)하는 일을 감독(監督)하는 일. ¶이 책은 국문학자가 감수했다.

보:수 補修 | 기울 보, 닦을 수 [mend; repair]
상하거나 부서진 부분을 기우고[補] 수리(修理)함. ¶도로를 보수하다.

삼수 三修 | 석 삼, 닦을 수
❶속뜻 배웠던 것을 세[三] 번 다시 배움[修]. ❷상급 학교의 입학시험에 두 번 실패하고 또다시 이듬해의 시험을 준비하는 일. ¶삼수로 겨우 대학에 들어갔다.

연:수 研修 | 갈 연, 닦을 수 [study; master]
학문 따위를 갈고[研] 닦음[修]. ¶해외 연수를 가다.

0522 [저]

低 낮을 저:
部 人부 획 7획 中 低 [dī]

低자는 '(키가) 작다'(be short)는 뜻을 나타내기 위한 것이었으니 '사람 인'(亻)이 표의요소로 쓰였고, 氐(근본 저)는 표음요소다. 후에 '낮다'(low), '숙이다'(hang down) 등으로 확대 사용됐다.

저:능 低能 | 낮을 저, 능할 능
[low intelligence; feeble]
지능(知能)이 보통보다 썩 낮음[低]. 또는 그런 상태. ¶본디 저능이었다.

저:렴 低廉 | 낮을 저, 값쌀 렴
[cheap; low in price]
값이 낮고[低] 싸다[廉]. ¶이 가게는 다른 곳보다 저렴하다. 비싸다.

저:속¹ 低俗 | 낮을 저, 속될 속
[vulgar; base; low]
품위 따위가 낮고[低] 속(俗)됨. ¶그는 말씨가 저속하다 / 저속한 소설. 반고상(高尙)하다.

저:속² 低速 | 낮을 저, 빠를 속 [low speed]
낮은[低] 속력(速力)이나 속도. ¶버스는 저속으로 출발했다. 반고속(高速).

저:온 低溫 | 낮을 저, 따뜻할 온
[low temperature]
낮은[低] 온도(溫度). ¶생선은 부패하기 쉬우므로 저온에서 보관해야 한다. 반고온(高溫).

저:음 低音 | 낮을 저, 소리 음
[low tone; low voice]
낮은[低] 음(音). 또는 낮은 목소리. ¶그는 저음으로 노래를 불렀다. 반고음(高音).

저:조 低調 | 낮을 저, 가락 조 [low toned; dull]
❶속뜻 낮은[低] 가락[調]. ❷능률이나 성적이 낮음. ¶출석 저조 / 시청률이 저조하다.

저:질 低質 | 낮을 저, 바탕 질 [low quality]
질(質)이 낮음[低]. 바탕이 좋지 않음. ¶저질 상품 / 저질 만화.

저:하 低下 | 낮을 저, 아래 하 [fall; decline]
사기, 정도, 수준, 물가, 능률 따위가 아래로[下] 낮아짐[低]. ¶판매 저하 / 요즘 학생들의 체력이 크게 저하되었다. 반향상(向上).

• 역순어휘

고저 高低 | 높을 고, 낮을 저
[rise and fall; pitch]
높음[高]과 낮음[低]. 비높낮이.

최:저 最低 | 가장 최, 밑 저 [lowest]
가장[最] 낮음[低]. ¶최저 혈압 / 한 달에 최저 5만원이 들 것이다. 반최고(最高).

0523 [침]

侵

침노할 침(:)
[部] 人부 [획] 9획 [中] 侵 [qīn]

侵자의 원형인 갑골문은 소가 밭에 들어와 곡식을 뜯어먹는 것을 급한 김에 빗자루를 들고 때려서 내쫓는 사람의 모습을 본뜬 것이었다. 그로부터 약 1,000년 후에 牛(소 우)가 人(사람 인)으로 둔갑하였다. '습격하다'(attack; assault)가 본뜻인데, '쳐들어가다'(=침노하다, invade; raid)는 뜻으로 많이 쓰인다.

[속뜻 훈음] ①쳐들어갈 침.

침:공 侵攻 | 쳐들어갈 침, 칠 공 [invade; attack]
남의 나라에 쳐들어가[侵] 공격(攻擊)함. ¶적의 침공에 대비하다 / 나폴레옹의 군대가 러시아를 침공했다.

침:략 侵略 | 쳐들어갈 침, 다스릴 략 [invade; raid]
남의 나라에 쳐들어가[侵] 다스림[略]. ¶적의 침략에 대비해야 한다.

침:범 侵犯 | 쳐들어갈 침, 범할 범
[invade; violate]
남의 권리나 영토 따위에 쳐들어가[侵] 죄를 저지르거나[犯] 해침. ¶내 영역을 침범하지 마라.

침:입 侵入 | 쳐들어갈 침, 들 입
[invade; raid into]
쳐들어[侵]옴[入]. 또는 쳐들어감. ¶오랑캐의 침입으로 멸망하였다.

침:탈 侵奪 | 쳐들어갈 침, 빼앗을 탈
[plunder; pillage; sack]
쳐들어가[侵] 물건을 빼앗음[奪]. ¶재산을 침탈하다.

침:해 侵害 | 쳐들어갈 침, 해칠 해
[invade; violate]
쳐들어가[侵] 해(害)를 끼침. ¶사생활이 침해되고 있다.

• 역순어휘 •

남침 南侵 | 남녘 남, 쳐들어갈 침
[invade the south]
북쪽에 있는 나라가 남(南)쪽에 있는 나라를 쳐들어 옴[侵]. ¶1950년 6월 25일 북한이 남침했다. [반]북침(北侵).

0524 [량]

兩

두 량:
[部] 入부 [획] 8획 [中] 两 [liǎng]

兩자에 대하여는 여러 설이 있는데 수레의 끌채와 가름대를 그린 것에, 두 개의 멍에를 본뜬 것(ʌʌ)이 합쳐진 것으로, '2'(two), '짝'(a pair; twins; a couple)의 뜻으로 쓰였다. 이것이 중국에서는 무게·군대(포로) 등의 단위를 나타내는 데 사용되기는 하였으나, 돈 단위로 쓰인 적은 없다. 돈 단위인 '냥'(nyang)은 순수 우리말인데, 음이 비슷하여 '兩'으로 나타낸 것 같다.

양:가 兩家 | 두 량, 집 가
[both houses; both families]
양(兩)쪽 집[家]. ¶양가 부모님을 모시고 저녁 식사를 하다.

양:교 兩校 | 두 량, 학교 교
두[兩] 학교(學校). ¶양교 선수들이 입장하였다.

양:국 兩國 | 두 량, 나라 국
[two countries]
두[兩] 나라[國]. ¶양국의 외교 관계 / 양국의 지도자가 회담을 갖다.

양:극 兩極 | 두 량, 끝 극
[both poles; north and south poles]
❶[속뜻] 양(兩)쪽 끝[極]. ❷[지리] 북극(北極)과 남극(南極). ¶양극의 빙하가 서서히 녹고 있다.

양:면 兩面 | 두 량, 낯 면 [two faces]
사물의 두[兩] 면(面). 또는 겉과 안. ¶양면 복사 / 개발과 파괴는 동전의 양면과도 같다.

양:반 兩班 | 두 량, 나눌 반
❶[역사] 두[兩] 개의 반열(班列). 고려·조선 시대에, 지배층을 이루던 신분. 원래 관료 체제를 이루는 동반(東班)과 서반(西班)을 일렀으나 점차 그 가족이나 후손까지 포괄하게 됐다. ❷점잖고 예의 바른 사람. ¶그 분은 그야말로 양반이다. ❸자기 남편을 남에게 이르는 말. ¶우리집 양반은 매일 아침 운동을 한다. ❹남자를 범상히 또는 홀하게 이르는 말. ¶이런 답답한 양반을 봤나.

양:분 兩分 | 두 량, 나눌 분 [bisect]
둘[兩]로 나눔[分]. ¶미국과 소련은 한반도를 양분하여 점령하기로 합의했다.

양:일 兩日 | 두 량, 날 일
[two days; couple of days]
두[兩] 날[日]. ¶그 연극은 토요일과 일요일 양일간 공연한다.

양:친 兩親 | 두 량, 어버이 친
[parents]
두[兩] 분의 부모님[親]. 부친(父親)과 모친(母親)을 아울러 이르는 말. ¶그는 양친을 모시고 살고 있다. [비]어버이.

0525 [인]

印 도장 인
㊊ 卩부 ㊋ 6획 ㊥ 印 [yìn]

印자의 갑골문은 '억누르다'(put down; suppress)는 뜻을 나타내기 위하여 사람을 손으로 머리를 눌러 꿇어앉히는 모습을 본뜬 것이다. 卩(절)은 꿇어앉은 사람의 모습이며, 왼쪽의 것은 '손 우'(又)의 변형이다. 후에 '찍다'(stamp), '도장'(a seal; a stamp)으로 확대 사용되자, 그 본래 의미는 抑(억)자를 따로 만들어 나타냈다.
속뜻 글속 훈음 ①도장 인, ②새길 인, ③찍을 인.

인상 印象 | 새길 인, 모양 상 [impression]
❶속뜻 마음에 깊이 새겨진[印] 모습[象]. ❷외래의 사물이 사람의 마음에 남긴 느낌. ¶서울에 대해 어떤 인상을 받으셨어요?

인쇄 印刷 | 찍을 인, 박을 쇄 [print]
글이나 그림 따위를 종이, 천 따위에 찍거나[印] 박아[刷] 냄. ¶시험지는 이미 인쇄에 들어갔다 / 이곳에서는 여전히 수동으로 책을 인쇄한다.

인장 印章 | 도장 인, 글 장 [seal]
❶속뜻 도장[印]에 새겨진 글[章]. ❷도장(圖章). ¶계약 서류에 인장을 찍다.

인주 印朱 | 도장 인, 붉을 주 [red stamp pad]
도장[印]을 찍을 때 묻혀 쓰는 붉은[朱] 물감.

인지 印紙 | 도장 인, 종이 지 [revenue stamp]
❶속뜻 도장[印]이 찍힌 종이[紙]. ❷국가가 세금이나 수수료 등을 거두어들일 때 그 증서 등에 붙여 일정한 금액을 나타낸 종이 증표. 세금을 수납한 표지로 스탬프를 찍은 데서 유래. ¶이곳에 오천 원짜리 인지를 붙이시오.

인화 印畵 | 찍을 인, 그림 화
[print; make a print (of)]
연영 필름이나 건판의 모습을 감광지에 비추어 화상(畵像)을 찍어[印] 나타나게 하는 일. ¶사진을 몇 장 인화해 드릴까요?

• 역순어휘

검:인 檢印 | 검사할 검, 도장 인
[seal of approval]
서류나 물건을 검사(檢査)한 표시로 찍는 도장[印]. ¶검인된 상품만 판매할 수 있다.

낙인 烙印 | 지질 락, 도장 인 [brand; stigma]
❶속뜻 쇠붙이로 만들어 불에 달구어 찍는[烙] 도장[印]. ❷'다시 씻기 어려운 불명예스럽고 욕된 판정이나 평판'을 비유하여 이르는 말. ¶그는 사고뭉치로 낙인이 찍혔다. ㊊화인(火印).

소인 消印 | 사라질 소, 도장 인 [postmark]
❶속뜻 지우는[消] 표시로 인장(印章)을 찍음. 또는 그 인장. ❷우체국에서 접수된 우편물의 우표 따위에 도장을 찍음. 또는 그 도장. 접수 날짜, 국명(局名) 따위가 새겨져 있다. ¶편지에는 서울 소인이 찍혀 있었다.

조인 調印 | 헤아릴 조, 도장 인 [sign]
❶속뜻 사정을 잘 살펴 헤아려[調] 도장[印]을 찍음. ❷서로 약속하여 만든 문서에 도장을 찍음. ¶일부 국가들은 핵실험 금지협약에 조인을 거부했다.

해:인 海印 | 바다 해, 찍을 인
불교 부처의 지혜로 우주의 모든 만물을 깨달아 아는 일. 법을 관조(觀照)함을 '바다[海]에 만상(萬象)이 비치어 각인(刻印)되는 것'에 비유하여 이르는 말이다.

0526 [포]

包 쌀 포(:)
㊊ 勹부 ㊋ 5획 ㊥ 包 [bāo]

包자는 누구나 가장 처음에 입었던 옷, 즉 '태의'(胎衣, a fetal membrane)를 뜻하기 위하여 태아[巳]를 감싸고[勹, 쌀 포]고 있는 모양을 본뜬 것이다. 후에 이것이 '싸다'(pack; wrap), '감싸다'(protect), '꾸러미'(a bundle; a package) 같은 뜻으로 확대 사용되는 예가 잦아지자, 본뜻은 胞(태보 포)자를 따로 만들어 나타냈다.

포:괄 包括 | 쌀 포, 묶을 괄
[include; comprehend; comprise]
어떤 사물이나 현상 따위를 온통 휩싸서[包] 하나로 묶음[括]. ¶외국어 학습은 읽기, 듣기, 말하기, 쓰기의 영역을 포괄한다.

포:용 包容 | 쌀 포, 담을 용 [include; tolerate]
❶속뜻 감싸고[包] 담음[容]. ❷남을 아량 있고 너그럽게 감싸 받아들임. ¶대북 포용정책 / 그는 남을 포용할 줄 아는 사람이다.

포:위 包圍 | 쌀 포, 둘레 위 [surround]
둘레[圍]를 에워쌈[包]. ¶경찰은 그들의 은신처를 포위했다.

포장 包裝 | 쌀 포, 꾸밀 장 [pack; wrap]
물건을 싸서[包] 꾸림[裝]. ¶선물을 포장하다.

포함 包含 | 쌀 포, 넣을 함
[include; contain; imply]
❶속뜻 싸서[包] 한 군데 넣음[含]. ❷어떤 사물이나 현

상 가운데 함께 들어 있거나 함께 넣음. ¶조사 대상에 포함되다 / 이 사건은 나를 포함한 많은 사람에게 책임이 있다.

• 역순어휘

내:포 內包 | 안 내, 쌀 포 [connote; involve]
어떤 성질이나 뜻 따위를 속[內]에 품음[包]. ¶이 글은 중요한 뜻을 내포하고 있다. ⓑ외연(外延).

소:포 小包 | 작을 소, 쌀 포 [parcel; package]
❶속뜻 조그마하게[小] 포장(包裝)한 물건. ❷통신 어떤 물건을 포장하여 보내는 우편. ¶나는 친구의 생일 선물을 소포로 보냈다.

0527 [대]

帶 띠 대(:)
部 巾부 劃 11획 ⊕ 带 [dài]

帶자는 '허리띠'(a belt)의 뜻을 나타내기 위하여, 허리띠를 졸라매어 옷에 주름이 진 모양을 본뜬 것이다. 후에 '(허리에) 차다'(put on; wear), '지니다'(carry; have)는 뜻도 이것으로 나타냈다.
속뜻 훈음 ①띠 대, ②지닐 대.

• 역순어휘

냉:대 冷帶 | 찰 랭, 띠 대 [subarctic regions]
지리 날씨나 기후가 차가운[冷] 지대(地帶). 온대(溫帶)와 한대(寒帶)의 사이이다. ¶러시아는 냉대에 속한다.

붕대 繃帶 | 묶을 붕, 띠 대 [bandage; dressing]
상처나 헌 곳 따위에 감는[繃] 소독한 얇은 헝겊 띠[帶]. ¶다친 팔에 붕대를 감았다.

성대 聲帶 | 소리 성, 띠 대 [vocal cords]
의학 후두(喉頭)의 중앙에 있는 소리[聲]를 내는 울림대[帶]. ¶성대 결절 / 성대모사(模寫). ⓑ목청.

세:대 世帶 | 대 세, 띠 대 [family]
❶속뜻 대대로[世] 띠[帶]같이 이어져 오는 가구. ❷법률 현실적으로 주거 및 생계를 같이하는 사람의 집단. ¶농사를 짓는 세대가 해마다 줄고 있다. ⓑ가구(家口).

안:대 眼帶 | 눈 안, 띠 대 [eye bandage]
눈병이 났을 때 아픈 눈[眼]을 가리는 띠[帶] 모양의 천 조각. ¶결막염에 걸려서 안대를 했다.

연대 連帶 | 이을 련, 띠 대 [solidarity]
❶속뜻 쭉 연결(連結)되어 띠[帶] 모양을 이룸. ❷한 덩어리로 서로 연결되어 있음. ¶연대 의식.

열대 熱帶 | 더울 열, 띠 대 [tropics]
❶속뜻 몹시 더운[熱] 지대(地帶). ❷지리 적도를 중심으로 남북 회귀선 사이에 있는 지대. 연평균 기온이 20℃ 이상 또는 최한월 평균 기온이 18℃ 이상인 지역으로 연중 기온이 높고 강우량이 많은 것이 특징이다.

온대 溫帶 | 따뜻할 온, 띠 대 [temperate zones]
❶속뜻 따뜻한[溫] 지대(地帶). ❷지리 연평균 기온이 0~20℃이거나 가장 추운 달의 평균 기온이 영하 18~3℃의 지역. 열대(熱帶)와 한대(寒帶) 사이에 위치한다.

유대 紐帶 | 끈 유, 띠 대 [bond; link; tie]
❶속뜻 끈[紐]과 띠[帶]. ❷둘 이상의 관계를 연결 또는 결합시킴. 또는 그런 관계를 돈독히 함. ¶긴밀한 유대를 맺다.

인대 靭帶 | 질길 인, 띠 대 [ligament]
의학 척추동물의 뼈와 뼈를 잇는 매우 질긴[靭] 끈[帶] 모양의 결합 조직. 관절의 운동 및 억제 작용을 한다. ¶인대가 끊어지다 / 격렬하게 운동을 하면 인대가 늘어난다.

일대 一帶 | 한 일, 띠 대 [area]
❶속뜻 하나[一]의 띠[帶]. 혹은 그러한 모양을 이루고 있는 것. ❷일정한 범위의 어느 지역 전부. ¶중부 지방 일대에 가뭄이 극심하다.

지대 地帶 | 땅 지, 띠 대 [area; belt]
❶속뜻 한정된 지역(地域)의 일대(一帶). ¶높은 지대로 이동하세요. ❷자연적 또는 인위적으로 한정된 일정한 구역. ¶공장 지대에서는 많은 소음과 매연이 발생했다.

한대 寒帶 | 찰 한, 띠 대 [frigid zones]
지리 추운[寒] 기후의 지대(地帶). 또는 추운 지대. 위도상 남북으로 각각 66.3도에서 양 극점까지의 지대를 이른다.

혁대 革帶 | 가죽 혁, 띠 대 [leather belt]
가죽[革]으로 만든 띠[帶]. ¶혁대를 졸라매다. ⓑ허리띠.

휴대 携帶 | 들 휴, 지닐 대
[carry (along with one)]
어떤 물건을 손에 들거나[携] 몸에 지님[帶]. ¶휴대전화 / 이 제품은 휴대하기 간편하다.

0528 [사]

師 스승 사
部 巾부 劃 10획 ⊕ 师 [shī]

師자가 '스승'을 가리키는 말로 많이 쓰이다보니, 군대의 師團(사단)을 '교사 단체'로 오인하는 사람도 있다고 한다. 이 글자는 본래 '(약 2,500명의) 병력'(the strength of an army)을 가리키는 것이었다. '스승'(a teacher; a master)은 이 글자가 만들어진지 몇 백 년 후부터 쓰인 의미다. 군대의 숙달된 조교가 교사의 기원인가 보다.

[속뜻훈음] ①스승 사, ②병력 사.

사단 師團 | 병력 사, 모일 단 [division; team]
❶[속뜻]일정 인원[團]의 병력[師]. 옛날에는 약 2,500명의 병력을 '師'라고 하였다. ❷[군사]군대 편성 단위의 하나. 군단(軍團)의 아래, 연대(聯隊)나 여단(旅團)의 위.

사범 師範 | 스승 사, 본보기 범 [teacher; master]
❶[속뜻]스승[師]의 본보기[範]를 보임. ❷학술, 기예, 무술 따위를 가르치는 사람. ¶태권도 사범.

사부 師父 | 스승 사, 아버지 부
[one's father and master]
스승[師]을 아버지[父]처럼 높여 이르는 말. ¶사부로부터 태권도를 전수받다.

사사 師事 | 스승 사, 섬길 사 [study under]
스승[師]으로 섬기며[事] 가르침을 받음. ¶그는 세계적인 첼리스트를 사사했다.

사제 師弟 | 스승 사, 제자 제 [teacher and pupil]
스승[師]과 제자(弟子)를 아울러 이르는 말. ¶사제 관계가 친밀하다.

사표 師表 | 스승 사, 본보기 표 [model; pattern]
❶[속뜻]스승[師]의 본보기[表]. ❷학식과 덕행이 높아 남의 모범이 될 인물. ¶사표로 삼다.

• 역순어휘

강:사 講師 | 익힐 강, 스승 사
[lecturer; instructor]
강의(講義)를 하는 교원[師]. ¶그는 우리 대학의 강사이다.

교:사 教師 | 가르칠 교, 스승 사 [teacher]
일정한 자격을 가지고 초등학교·중학교·고등학교 등에서 학생을 가르치는[教] 스승[師]. ¶체육 교사. [비]교원(教員), 선생(先生).

국사 國師 | 나라 국, 스승 사
[Most Reverend Priest]
[역사]❶나라[國]를 통치하던 임금의 스승[師]. ❷통일신라·고려·조선 전기의 법계(法階) 가운데 가장 높은 등급. [비]국승(國乘).

기사 技師 | 재주 기, 스승 사
[engineer; technician]
전문적인 기술(技術)을 가진 사람을 스승[師]으로 높여 부르는 말. ¶촬영 기사.

대:사 大師 | 큰 대, 스승 사
[saint; great Buddhist priest]
[불교]❶'고승'(高僧)을 스승[師]으로 높여[大] 일컫는 말. ❷고려·조선 때, 덕이 높은 선사(禪師)에게 내리던 승려 법계(法階)의 한 가지.

목사 牧師 | 다스릴 목, 스승 사
[minister; clergyman]
[기독교]교회를 맡아 다스리고[牧] 신자를 인도하는 스승[師] 같은 교역자(教役者).

법사 法師 | 법 법, 스승 사 [Buddhist monk]
[불교]불법(佛法)에 정통하여 다른 이들의 스승[師]이 될 만한 승려. ¶삼장법사.

약사 藥師 | 약 약, 스승 사 [pharmacist]
약(藥)을 짓거나 다루는 일을 하는 사람을 스승[師]으로 높여 부르는 말.

은사 恩師 | 은혜 은, 스승 사
[one's respected teacher]
은혜(恩惠)로운 스승[師]. 스승을 감사한 마음으로 이르는 말. ¶고등학교 은사를 찾아 뵈었다.

의사 醫師 | 치료할 의, 스승 사
[doctor; medical man]
병을 치료하는[醫] 것을 직업으로 삼는 사람을 스승[師]으로 높여 부르는 말. ¶피부과 의사.

0529 [상]

常

떳떳할 상
[部] 巾부 [劃] 11획 [中] 常 [cháng]

常자는 '치마'(a skirt)가 본뜻으로, '수건 건'(巾)이 표의요소로 쓰였다. 예전에는 긴 수건으로 하반신을 휘감은 것이 '치마'의 원조였나 보다. 尙(숭상할 상)은 표음요소이니 뜻과는 무관하다. 그런데 치마는 늘 입고 있어야 하므로 '늘'(always; at all times; constantly; usually)이라는 의미로 확대 사용되는 예가 많아지자, 본래 의미는 따로 裳(치마 상)자를 만들어 나타냈다. '보통'(ordinary; common)의 뜻으로도 쓰인다.

[속뜻훈음] ①늘 상, ②보통 상.

상례 常例 | 늘 상, 본보기 례
[common usage; custom]
주위에서 흔히[常] 볼 수 있는 본보기[例]. 또는 그런 사례. ¶추석이나 설에는 한복을 입는 것이 상례이다. [비]통례(通例), 항례(恒例).

상록 常綠 | 늘 상, 초록빛 록 [evergreen]
겨울에도 잎이 떨어지지 않고 사철 늘[常] 초록빛[綠]

을 띤 상태.

상민 常民 | 늘 상, 백성 민 [common people]
예전에, 양반이 아닌 보통[常] 백성[民]을 이르던 말. ㊐평민(平民). ㊥양반(兩班).

상비 常備 | 늘 상, 갖출 비
[reserve; have always ready]
늘[常] 갖추어[備] 둠. ¶가정에 구급약을 상비하다.

상설 常設 | 늘 상, 베풀 설
[establish permanently]
언제든지[常] 이용할 수 있도록 설비와 시설을 갖추어[設] 둠. ¶상설 할인매장.

상수 常數 | 늘 상, 셀 수
[constant; invariable (number)]
수학 늘[常] 일정한 값을 가진 수(數). ㊥변수(變數).

상습 常習 | 늘 상, 버릇 습
[regular custom; common practice]
몇 차례든 항상(恒常) 되풀이하는 습관(習慣).

상시 常時 | 보통 상, 때 시 [at all times; always]
❶속뜻 임시가 아닌 관례대로의 보통[常] 때[時]. ¶할머니는 손자의 사진을 상시 지니고 다닌다. ❷보통 때. '평상시'(平常時)의 준말. ¶상시 연습을 철저히 해라. ㊐항시(恒時).

상식 常識 | 늘 상, 알 식 [common sense]
사람들이 늘[常] 알고 있어야 할 지식(知識). 일반적 견문, 이해력, 판단력, 사리 분별 따위. ¶상식에 어긋나다 / 상식이 부족하다. ㊐보통지식(普通知識).

상용 常用 | 늘 상, 쓸 용
[common use; daily use]
일상적(日常的)으로 씀[用]. ¶상용 어휘.

상임 常任 | 늘 상, 맡길 임 [permanent]
일정한 일을 늘[常] 계속하여 맡음[任].

상투 常套 | 늘 상, 버릇 투 [conventionality]
늘[常] 써서 버릇[套]이 되다시피 한 것.

상평 常平 | 늘 상, 평평할 평
역사 변방 지방에 창고를 지어 놓고 실시하던 미곡 정책. 미곡이 흔하면 비싼 값으로 사들이고 미곡이 귀하면 싼 값에 팔아서 그 시세가 늘[常] 일정하도록[平] 조절하였다.

• 역순어휘

괴상 怪常 | 이상할 괴, 보통 상 [strange; queer]
보통[常]과 달리 괴이(怪異)하고 이상함. ¶괴상한 물건. ㊐기괴(奇怪), 기이(奇異).

무상 無常 | 없을 무, 늘 상 [uncertain; mutable]
❶속뜻 늘[常] 그대로인 것이 없음[無]. ❷덧없음. ¶인생의 무상과 허무를 느끼다 / 인생은 무상한 것이다.

범:상 凡常 | 무릇 범, 늘 상
[ordinary; common; normal]
무릇[凡] 늘[常] 있을 수 있음. 흔히 있을 수 있는 예사로움. ¶그는 범상한 인물이 아닌 것 같다.

비:상 非常 | 아닐 비, 늘 상
[unusual; uncommon]
❶속뜻 늘[常] 있는 것이 아님[非]. ❷뜻밖의 긴급한 사태. ¶비상 대책. ❸평범하지 아니하고 뛰어남. ¶비상한 재주를 선보이다.

수상 殊常 | 다를 수, 보통 상
[suspicious; doubtful]
언행이나 차림새 따위가 보통[常] 사람과는 다른[殊]. 이상한. ¶수상한 사람.

심상 尋常 | 찾을 심, 보통 상 [ordinary; common]
❶속뜻 보통[常] 찾아[尋] 볼 수 있는 정도. ❷대수롭지 않고 예사롭다. ¶심상치 않은 일이 벌어졌다.

십상 十常 | 열 십, 늘 상 [just; right]
❶속뜻 '열[十] 가운데 여덟[八]이나 아홉[九] 정도는 늘[常] 그러함'을 이르는 '십상팔구'(十常八九)의 준말. ❷그러할 가능성이 아주 높은 것. ¶생선은 여름에 상하기 십상이다.

이:상 異常 | 다를 이, 보통 상
[strange; abnormal]
보통[常]과 다른[異]. ¶이상 고온 현상 / 음식 맛이 좀 이상하다 / 아이가 이상스러운 행동을 하면 반드시 병원에 가야 한다.

일상 日常 | 날 일, 늘 상 [every day]
날[日]마다 늘[常]. ¶바쁜 일상을 보내다. ㊐평소(平素), 항상(恒常).

정:상 正常 | 바를 정, 늘 상
[normalcy; normality]
바른[正] 상태(常態). 이상한 데가 없는 보통의 상태. ¶오후에는 정상 수업을 한다. ㊥비정상(非正常).

통상 通常 | 온통 통, 늘 상
[usually; normally; generally]
❶속뜻 모두[通] 늘[常] 그러함. ❷일반적으로. 대개. ¶편지가 도착하기까지 통상 사흘 정도 걸린다.

평상 平常 | 보통 평, 늘 상
[normal (times)]
보통[平] 늘[常]. ¶평상의 기분을 회복하다. ㊐평상시(平常時).

항상 恒常 | 늘 항, 늘 상 [constantly]
늘[恒=常]. ¶나는 항상 네 편이야. ㊐언제나. ㊥가끔.

0530 [포]

布

베/펼 포(:), 보시 보:
部 巾부 劃 5획 中 布 [bù]

布자는 '베'(hemp cloth)를 뜻하기 위한 것이었으니 '수건 건'(巾)이 표의요소로 쓰였다. 그 나머지는 父(부/보)의 변형으로 표음요소로 쓰인 것이다. 참고로 '父'가 인명으로 쓰일 경우에는 [보]로 읽어야 한다. 후에 '널리 알리다'(make public; announce officially)는 뜻으로 차용됐다. 그리고 '베풀다'(bestow; grant)는 뜻으로도 쓰이는데, 이 경우에는 [보:]로 읽는다.

속뜻훈음 ①펼 포, ②베 포, ③베풀 보.

포:고 布告 | =佈告, 펼 포, 알릴 고
[proclaim; announce; notify]
❶속뜻 일반에게 널리[布] 알림[告]. ❷국가의 결정 의사를 공식으로 일반에게 발표하는 일. ¶선전포고 / 포고된 칙령이 실시되다.

포:교 布敎 | 펼 포, 종교 교
[evangelize; propagandize]
종교(宗敎)를 널리 폄[布]. ¶포교 활동을 펼치다. 비선교(宣敎).

포목 布木 | 베 포, 나무 목
[linen and cotton; dry goods]
베[布]와 목면(木綿), 즉 무명. ¶포목을 세금으로 바치다.

포장 布帳 | 베 포, 휘장 장 [linen screen; curtain]
베[布]나 무명 따위로 만든 휘장(揮帳). ¶포장을 치다 / 그는 포장을 들추고 안을 들여다보았다.

• 역순어휘

공포 公布 | 드러낼 공, 펼 포 [proclaim]
❶속뜻 공개적(公開的)으로 퍼트려[布] 널리 알게 함. ❷법률 새로 제정된 법령이나 조약 등을 국민에게 두루 알림. 또는 그 절차. ¶앙리 4세는 낭트칙령을 공포했다.

반포 頒布 | 나눌 반, 펼 포 [distribute]
세상에 널리 나누고[頒] 퍼뜨려[布] 모두 알게 함. ¶경국대전의 반포 / 훈민정음을 반포하다.

배:포[1] 配布 | 나눌 배, 베풀 포 [distribute]
널리 나누어[配] 줌[布]. ¶관광객에게 안내책자를 배포했다. 비배부(配付).

배포[2] 排布 | =排鋪, 밀칠 배, 펼 포
[arrangement; scale of thinking]
❶속뜻 밀치거나[排] 펼쳐[布] 놓음. 배치함. ❷머리를 써서 일을 조리 있게 계획함. 또는 그런 속마음. ¶배포가 두둑하다 / 배포가 남다르다.

분포 分布 | 나눌 분, 펼 포
[be distributed; be spread]
여기저기 흩어져[分] 널리 퍼져[布] 있음. ¶인구 분포

사포 沙布 | =砂布, 모래 사, 베 포
[sandpaper; emery paper]
유리가루 따위의 보드라운 모래[沙]를 발라 붙인 베[布]나 종이. 쇠붙이의 녹을 닦거나 물체의 거죽을 반들반들하게 문지르는 데에 쓴다. ¶자른 부분을 사포나 줄로 문질러 매끄럽게 다듬는다.

살포 撒布 | 뿌릴 살, 펼 포
[scatter; sprinkle; spray]
뿌려서[撒] 골고루 폄[布]. ¶논에 농약을 살포하다.

선포 宣布 | 알릴 선, 펼 포
[proclaim; promulgate]
세상에 널리 알려서[宣] 뜻을 펼침[布]. ¶전쟁을 선포하다.

폭포 瀑布 | 물거품 폭, 베 포 [waterfall; cascade]
물이 거품[瀑]을 일며 베[布]를 드리워 놓은 것처럼 곧장 쏟아져 내림.

0531 [희]

希

바랄 희
部 巾부 劃 7획 中 希 [xī]

希자는 '성기다'(sparse; loose)는 뜻을 나타내기 위하여 수건[巾·건]의 실[爻·효]이 성글어진 모습을 본뜬 것이다. 후에 '드물다'(rare)는 뜻으로 확대 사용됐다. 그리고 성긴 수건으로는 눈을 가려도 그 틈새로 앞을 바라볼 수 있었으니 '바라보다'(see through)는 뜻으로도 쓰이게 됐다는 설이 있다. 후에 稀(드물 희), 睎(바라볼 희)가 추가로 만들어졌고, 이것은 '바라다'(desire; wish; want)는 뜻으로만 쓰이게 됐다.

희망 希望 | 바랄 희, 바랄 망 [hope; wish]
❶속뜻 바람[希=望]. ❷앞일에 대하여 어떤 기대를 가지고 바람. ¶장래 희망 / 현우는 변호사가 되기를 희망하고 있다. 반절망(絶望).

0532 [구]

句

글귀 구
部 口부 劃 5획 中 句 [jù, gōu]

句자는 '갈고랑이'(a hook; a crook)란 뜻을 나타내기 위하여 그 모양을 본뜬 것이 변화된 '勹'(포)

가 표의요소로 쓰였고, '입 구'(口)는 표음요소이다. 후에 '(글의 한) 단락'(=글귀, a phrase; a paragraph)을 뜻하는 것으로 차용되는 예가 많아지자 본래 의미는 '쇠 금'(金)을 덧붙인 鉤(갈고랑이 구)를 만들어 나타냈다.

구두 句讀 | 글귀 구, 구절 두 [punctuation]
글[句]을 읽거나 쓸 때 단락[讀]을 짓는 방법.

구절 句節 | 글귀 구, 마디 절 [phrase; passage]
❶언어 구(句)와 절(節)을 아울러 이르는 말. ❷한 토막의 말이나 글. ¶유명한 구절.

• 역순어휘

문구 文句 | 글월 문, 글귀 구 [phrase]
글[文]의 구절(句節). ¶그는 책을 읽다가 마음에 드는 문구가 있으면 수첩에 적는 습관이 있다.

시구 詩句 | 시 시, 글귀 구 [verse; stanza]
문학 시(詩)의 구절(句節). ¶그녀는 감명 깊은 시구를 낭송했다.

어:구 語句 | 말씀 어, 글귀 구 [words and phrases]
말[語]의 마디나 구절(句節). ¶그 어구의 뜻을 잘 풀이해 보다.

0533 [기]

器

그릇 기
部 口부 劃 16획 中 器 [qì]

器자는 그릇을 진열해 놓은 모습이다. '개 견'(犬)자가 들어간 것은 누가 훔쳐가지 않도록 지키기 위한 것이었다고 한다. '그릇'(a vessel)이란 본뜻으로 변함없이 많이 쓰이고 있다.

기계 器械 | 그릇 기, 기구 계 [machine; gin]
그릇[器]이나 연장, 기구[械] 따위를 통틀어 이르는 말. 구조가 간단하며 제조나 생산을 목적으로 하지 아니하고 사용하는 도구를 이른다. ¶의료 기계 / 실험용 기계.

기관 器官 | 그릇 기, 벼슬 관 [organ]
❶속뜻 그릇[器]같이 일정한 기능을 하는 감관(感官). ❷생물 일정한 모양과 생리 기능을 가진 생물체의 부분.

기구 器具 | 그릇 기, 갖출 구 [utensil; tool]
그릇[器] 따위의 도구(道具)를 통틀어 이르는 말.

기물 器物 | 그릇 기, 만물 물 [vessel; utensil]
그릇[器] 따위의 물건(物件). ¶기물 파손죄. ㊐기명(器皿).

기악 器樂 | 그릇 기, 음악 악 [instrumental music]
음악 악기(樂器)로 연주하는 음악(音樂). ㊥성악(聲樂).

• 역순어휘

계:기 計器 | 셀 계, 그릇 기 [meter; gauge]
길이, 면적, 무게, 양, 온도, 속도, 시간 따위를 재는[計] 기계나 기구(器具). ¶고도의 계기를 장치한 비행기. ㊐계측기(計測器).

공기 空器 | 빌 공, 그릇 기 [bowl]
❶속뜻 아무것도 담겨 있지 않은 빈[空] 그릇[器]. ❷위가 넓게 벌어지고 밑이 좁은 작은 그릇. ❸밥 따위를 담아 그 분량을 세는 단위. ¶밥 세 공기 주세요.

기기 機器 | =器機, 틀 기, 그릇 기 [machinery; equipment]
기계(機械)와 기구(器具)의 통칭. ¶음향기기.

도기 陶器 | 질그릇 도, 그릇 기 [pottery]
진흙을 원료로 빚어서[陶] 비교적 낮은 온도로 구운 그릇[器]. ㊐오지그릇.

목기 木器 | 나무 목, 그릇 기 [wooden ware]
나무[木]로 만든 그릇[器].

무:기 武器 | 굳셀 무, 그릇 기 [weapon]
❶속뜻 무력(武力)에 사용하는 각종 병기(兵器). ❷'어떤 일을 하거나 이루기 위한 중요한 수단이나 도구'를 비유하여 이르는 말. ¶눈물을 무기로 삼는다.

변기 便器 | 똥오줌 변, 그릇 기 [toilet stool]
똥오줌[便]을 받아 내는 그릇[器] 모양의 기구. ¶변기가 막히다.

병기 兵器 | 군사 병, 그릇 기 [weapon of war]
군사[兵]들에게 필요한 여러 가지 무기(武器). ¶병기를 정비하다. ㊐병구(兵具), 병장기(兵仗器).

사기 沙器 | =砂器, 모래 사, 그릇 기 [porcelain; china (ware)]
모래[沙] 같은 백토로 구워 만든 그릇[器]. ¶사기에 요리를 담았다.

석기 石器 | 돌 석, 그릇 기 [stoneware; stonework]
여러 가지 돌[石]로 만든 기구(器具). 특히 석기 시대의 유물을 이른다.

성:기 性器 | 성별 성, 그릇 기 [sexual organs; genitals]
남성(男性)이나 여성(女性)의 외부 생식기(生殖器). 남자의 '음경'과 '고환', 여자의 '음문'을 두루 이르는 말. ㊐생식기(生殖器).

식기 食器 | 밥 식, 그릇 기 [dinner set]
❶속뜻 음식(飮食)을 담는 그릇[器]. ❷식사에 쓰이는

여러 가지 그릇이나 기구를 통틀어 이르는 말.

악기 樂器 | 음악 악, 그릇 기 [musical instrument]
음악 음악(音樂)을 연주하는 데 쓰는 기구(器具)를 통틀어 이르는 말. ¶아빠는 여러 가지 악기를 다루신다.

옹:기 甕器 | 독 옹, 그릇 기
[pottery with a dark brown glaze]
❶속뜻 독[甕] 모양의 그릇[器]. ❷유약을 바르지 않고 구운 질그릇과 유약을 발라 구운 오지그릇을 통틀어 이르는 말. 간장, 김치 따위를 담가 둘 때 쓴다.

용기 容器 | 담을 용, 그릇 기 [instrument]
물건을 담는[容] 그릇[器]. ¶플라스틱 용기.

유기 鍮器 | 놋쇠 유, 그릇 기 [brassware]
놋쇠[鍮]로 만든 그릇[器]. ¶유기에 차례음식을 담았다.

이:기 利器 | 날카로울 리, 그릇 기 [convenience]
❶속뜻 매우 날카로운[利] 도구[器]나 병기. ❷실용에 편리한 기계나 기구. ¶컴퓨터는 문명의 이기이다.

자:기 瓷器 | =磁器, 오지그릇 자, 그릇 기
[porcelain]
구운 도자기(陶瓷器) 그릇[器]. 백토 따위를 원료로 하여 빚어서 1300~1500도의 비교적 높은 온도로 구운 것.

장기 臟器 | 내장 장, 그릇 기 [internal organs]
의학 내장(內臟)의 여러 기관(器官). ¶장기 기증 / 장기 이식.

제:기 祭器 | 제사 제, 그릇 기
[ritual dishes or utensils]
제사(祭祀)에 쓰는 그릇[器].

철기 鐵器 | 쇠 철, 그릇 기 [iron ware]
쇠[鐵]로 만든 그릇[器]. ¶철기를 사용하면서 농업이 발달하였다.

총기 銃器 | 총 총, 그릇 기 [small arms; firearms]
소총(小銃)이나 권총(拳銃) 따위 무기(武器). ¶범인은 총기를 소지하고 있다.

칠기 漆器 | 옻 칠, 그릇 기 [lacquered ware]
옻칠(漆)을 한 그릇[器]. ¶칠기는 동양 특유의 공예품이다 / 나전칠기.

토기 土器 | 흙 토, 그릇 기
[earthen vessel; earthen ware]
수공 흙[土]으로 빚어 구운 그릇[器]. ¶이곳에서 선사시대의 토기가 출토되었다.

흉기 凶器 | =兇器, 흉할 흉, 그릇 기
[offensive weapon]
❶속뜻 흉(凶)한 일에 쓰이는 도구[器]. ❷사람을 다치게 하는 데 쓰는 기구. ¶흉기를 휘두르다.

0534 [단]

單 홑 단
部 口부 획 12획 简 单 [dān, chán]

單자는 Y자형의 나뭇가지 끝에 돌을 매달아 만든 무기의 일종을 일컫는 것이었음은 戰(싸울 전)의 표의요소를 통하여 증명할 수 있다. 그런데 후에 이 글자는 '홑'(single), '단지 하나'(only one), '홀로'(alone) 같은 차용 의미로만 사용됐다.

단가 單價 | 홑 단, 값 가 [unit cost]
낱개[單]의 값[價]. 각 단위의 값. ¶생산 단가를 절감하다.

단독 單獨 | 홑 단, 홀로 독 [single; solitary]
❶속뜻 혼자[單=獨]. ¶단독으로 결정하다. ❷단 하나. 반 공동(共同), 단체(團體).

단방 單放 | 홑 단, 놓을 방 [single shot; at once]
❶속뜻 한번[單] 놓음[放]. 단 한 방의 발사. ¶단방에 맞히다. ❷일방(一放)에, 단참(單站)에. ¶그는 내 제의를 단방에 거절했다.

단번 單番 | 홑 단, 차례 번 [at once; immediately]
단 한[單] 번(番). 한차례. ¶단번에 시험에 합격하다. 비 단방(單放).

단색 單色 | 홑 단, 빛 색
[single color; monochrome]
한[單] 가지 빛깔[色]. ¶단색으로 그리다. 반 다색(多色).

단선 單線 | 홑 단, 줄 선 [single line; single track]
❶속뜻 외[單] 줄[線]. ❷교통 '단선궤도'(單線軌道)의 준말. ¶이 노선은 현재 단선 운행 중이다. 반 복선(複線).

단수 單數 | 홑 단, 셀 수 [singular number; unit]
단일(單一)한 수(數). 한번. 비 홑수. 반 복수(複數), 겹수.

단순 單純 | 홑 단, 순수할 순 [simple]
❶속뜻 간단(簡單)하고 순수(純粹)함. ❷잡것이 섞이지 않고 홑짐. ¶사태를 단순하게 생각하지 마라 / 그는 단순한 사람이다. 비 단일(單一), 간단(簡單). 반 복잡(複雜).

단식 單式 | 홑 단, 법 식 [simple system; singles]
❶속뜻 단순(單純)한 방식(方式)이나 형식(形式). ❷운동 '단식경기'(單式競技)의 준말. ¶그는 여자 단식에서 우승하였다. 반 복식(複式).

단신 單身 | 홑 단, 몸 신 [single person; alone]
혼자[單]의 몸[身].

단어 單語 | 홑 단, 말씀 어 [word; vocabulary]

❶[속뜻] 말뜻을 간단(簡單)하게 하는 말[語]. ❷[언어] 문법상의 일정한 뜻과 기능을 지닌 최소 단위의 말. ¶단어 실력을 늘리다 / 영어 단어를 많이 알고 있다. [비]낱말.

단엽 單葉 | 홑 단, 잎 엽 [simple leaf]
❶[식물] 잎사귀의 몸이 작은 잎으로 갈라져 있지 않고 한[單] 장으로 된 잎[葉]. ❷[식물] 홑으로 된 꽃잎. 단판(單瓣). ❸[항공] 하나로 된 비행기의 주익(主翼). [비]홑잎. [반]복엽(複葉).

단원 單元 | 홑 단, 으뜸 원 [monad; unit]
❶[철학] 단일(單一)한 근원[元]. ❷어떤 주제를 중심으로 전개되는 학습 활동의 한 단위(單位). ¶이 책은 10단원으로 되어 있다.

단위 單位 | 홑 단, 자리 위 [unit; denomination]
❶[속뜻] 하나의 조직 따위를 구성하는 기본적인 한[單] 덩어리[位]. ¶가족은 사회의 기본 구성 단위이다. ❷길이, 무게, 수효, 시간 등의 수량을 수치로 나타낼 때 기초가 되는 일정한 기준. ¶미터는 길이의 단위이다.

단일 單一 | 홑 단, 한 일 [single; simple]
❶[속뜻] 오직[單] 하나[一]. 혼자. ❷다른 것이 섞이지 않고 순수함. ¶단일 민족. ❸구성이나 구조가 복잡하지 않음. ¶남북한은 단일팀. [반]복합(複合).

단조 單調 | 홑 단, 가락 조 [monotonous; dull]
변화 없이 단일(單一)한 가락[調]. ¶이 음악은 가락이 단조롭다. [비]단순(單純), 평이(平易).

단층 單層 | 홑 단, 층 층 [single story; one-story]
단 하나[單]의 층(層). 또는 단 하나의 층으로 된 사물. ¶단층집.

단행 單行 | 홑 단, 갈 행
❶[속뜻] 동행이 없이 혼자서[單] 감[行]. ❷단 한 번만 하는 행동. ❸혼자서 하는 행동.

• 역순어휘

간단 簡單 | 간략할 간, 홑 단 [simple]
❶[속뜻] 간략(簡略)하고 단순(單純)하다. ❷번거롭지 않고 손쉽다. 단출하다. ¶간단한 문제. [반]복잡(複雜)하다.

명단 名單 | 이름 명, 홑 단 [list of names]
관계자의 이름[名]을 적은 표[單]. ¶참석자 명단. [비]명부(名簿).

식단 食單 | 밥 식, 홑 단 [menu]
❶[속뜻] 식당에서 파는 음식(飮食)의 단가(單價)를 적은 표. ¶아버지는 식단을 보고 음식을 주문했다. ❷일정한 기간 먹을 음식의 종류와 순서를 계획한 것. ¶균형 잡힌 식단 / 식단을 짜다.

전단 傳單 | 전할 전, 홑 단 [bill; leaflet]
광고나 선전(宣傳)의 내용을 적은 낱장[單]의 인쇄물. ¶수배 전단 / 전단을 뿌리다.

0535 [미]

味

맛 미
[部] 口부 [劃] 8획 [中] 味 [wèi]

味자는 '(입에 쏙 드는) 맛'(good taste)이 본뜻이니 '입 구'(口)가 표의요소로 쓰였다. 未(아닐 미)는 표음요소이니 뜻과는 상관이 없다. 후에 음식, 말, 글 따위에서 느껴지는 모든 종류의 '맛'(taste; flavor)을 통칭하는 것으로 확대 사용됐다.

미각 味覺 | 맛 미, 느낄 각 [(sense of) taste]
[의학] 무엇을 혀 따위로 맛보아[味] 일어나는 감각(感覺). 단맛, 짠맛, 쓴맛, 신맛 따위를 느낀다. ¶미각을 돋우는 음식. [비]미감(味感).

• 역순어휘

가미 加味 | 더할 가, 맛 미 [season to; add]
❶[속뜻] 음식에 다른 재료를 더하여[加] 맛[味]을 좋게 하다. ¶바닐라 맛을 가미하다. ❷다른 요소를 보태어 넣다.

감미 甘味 | 달 감, 맛 미 [sweet taste]
달콤한[甘] 맛[味]. ¶감미로운 목소리.

구:미 口味 | 입 구, 맛 미 [appetite; taste]
입[口]으로 느끼는 맛[味]. ¶구미가 당기다.

묘:미 妙味 | 묘할 묘, 맛 미
[(exquisite) beauty; charm]
❶[속뜻] 야릇한[妙] 맛[味]. ❷미묘한 재미나 흥취. ¶등산의 묘미. [비]묘취(妙趣).

무미 無味 | 없을 무, 맛 미 [tasteless; flat]
맛이나 재미[味]가 없음[無].

별미 別味 | 다를 별, 맛 미
[exquisite flavor; tidbit]
특별(特別)히 좋은 맛[味]. 또는 그런 음식. ¶메밀묵은 겨울철 별미이다.

성:미 性味 | 성질 성, 맛 미
[nature; temperament]
성질(性質), 마음씨, 비위, 버릇 따위를 맛[味]에 빗대어 이르는 말. ¶그는 성미가 까다롭다.

오:미 五味 | 다섯 오, 맛 미 [five tastes]
다섯[五] 가지 맛[味]. 신맛, 쓴맛, 매운맛, 단맛, 짠맛을 이른다.

음미 吟味 | 읊을 음, 맛 미
[appreciate; examine closely]

❶속뜻 시가를 읊조리며[吟] 그 깊은 뜻을 맛봄[味]. ❷사물의 내용이나 속뜻을 깊이 새기어 맛봄. ¶녹차의 향기와 맛을 음미하다.

의:미 意味 | 뜻 의, 맛 미 [mean]
❶속뜻 말이나 글의 뜻[意]이나 맛[味]. 말뜻. ¶이 단어는 무슨 의미인지 모르겠다. ❷사물이나 현상의 가치. ¶의미 있는 삶. ❸행위나 현상이 지닌 뜻. ¶돈은 나에게 아무런 의미가 없다.

일미 一味 | 첫째 일, 맛 미 [good flavor]
첫째[一]가는 좋은 맛[味]. ¶그 집의 빈대떡은 천하 일미이다.

조미 調味 | 고를 조, 맛 미 [flavor; spice]
음식의 맛[味]을 알맞게 맞춤[調]. ¶간장과 설탕으로 조미하다.

진미 珍味 | 보배 진, 맛 미 [food of delicate flavor]
보배[珍]같이 귀하고 좋은 음식의 맛[味]. 또는 그런 맛이 나는 음식물. ¶국수의 진미를 맛보다.

취:미 趣味 | 뜻 취, 맛 미 [interest]
❶속뜻 하고자 하는 뜻[趣]과 좋아하는 맛[味]. ❷좋아하여 재미로 즐겨하는 일. ¶독서에 취미를 붙이다. ❸직업이나 의무에 관계없이 자기 성질에 어울리거나 마음이 끌리고 재미가 있는 것. ¶취미 삼아 난을 기르다.

흥:미 興味 | 흥겨울 흥, 맛 미 [interest; zest]
흥(興)을 느끼는 재미나 맛[味]. ¶흥미가 나다 / 바둑에 흥미를 붙이다 / 흥미로운 생각.

0536 [원]

員

인원 원
部 口부 劃 10획 中 员 [yuán]

員자는 둥근 모양의 솥을 본뜬 것으로 '둥근 솥'(a round pot)이 본래 의미였다. 口는 솥의 손잡이 부분이 잘못 변한 것이고, 貝는 '鼎'(정)이 잘못 변한 것이니 '조개'나 '돈'이란 의미와 연결시키면 안 된다. 후에 '둥글다'(round)는 뜻으로 확대 사용됐는데, 이 의미는 다시 圓자를 만들어 나타냈고, 員은 '사람 수'(=인원, the number of persons), '사람'(a person), '수효'(a number)를 나타내는 것으로 차용됐다.

속뜻 훈음 ①인원 원, ②사람 원, ③수효 원.

• 역순어휘

감:원 減員 | 덜 감, 인원 원 [lay off; reduce the staff]
인원(人員)을 줄임[減]. ¶직원을 대폭 감원하다. 반증원(增員).

결원 缺員 | 모자랄 결, 사람 원 [vacancy]
정원(定員)에서 사람이 빠져 모자람[缺]. ¶결원을 보충하다. 비공석(空席). 반전원(全員).

관원 官員 | 벼슬 관, 사람 원 [government official]
벼슬[官]에 있는 사람[員].

교:원 教員 | 가르칠 교, 사람 원 [teacher]
교육 각 급 학교에서 학생을 가르치는[教] 사람[員]. 비교사(教師), 선생(先生).

단원 團員 | 모일 단, 사람 원 [member of a party]
단체(團體)를 구성하고 있는 사람[員]. 단체에 딸린 사람. ¶합창단 단원.

당원 黨員 | 무리 당, 사람 원 [member of a party]
정당(政黨)에 든 사람[員]. 당적을 가진 사람. 비정당원(政黨員).

대원 隊員 | 무리 대, 사람 원 [member]
부대(部隊)나 집단을 이루고 있는 사람[員]. ¶행동대원 / 탐험대 대원.

동:원 動員 | 움직일 동, 사람 원 [mobilize]
❶속뜻 어떤 목적을 달성하기 위하여 사람[員]이나 물건을 옮겨[動] 한데 모음. ¶어떤 방법을 동원해서라도 아이를 찾아야 한다. ❷군사 전쟁 따위에 대비하여 병력, 군수 물자를 모으는 것. ¶테러 진압을 위해 군대를 동원했다.

만원 滿員 | 찰 만, 인원 원 [no vacancy; sold out]
❶속뜻 정원(定員)이 다 참[滿]. ❷어떤 곳에 사람이 가득 들어참. ¶만원버스 / 극장은 만원이었다.

반원 班員 | 나눌 반, 인원 원 [squaddie]
반(班)을 이루고 있는 구성원(構成員).

부원 部員 | 나눌 부, 인원 원 [staff; member]
부(部)에 딸려 있는 인원(人員). ¶신입 부원 / 부원 체육대회.

사원 社員 | 회사 사, 인원 원 [member; staff member]
회사(會社)에 근무하는 직원(職員). ¶신입사원을 채용하다. 비회사원(會社員).

생원 生員 | 날 생, 인원 원
❶속뜻 학생(學生) 신분의 인원(人員). ❷역사 조선 시대에 과거 시험의 생원과(生員科)에 합격한 사람. ❸예전에 나이 많은 선비를 대접하여 이르던 말. ¶허생원이 이웃에 살고 있다. 비상사(上舍).

선원 船員 | 배 선, 사람 원 [crew]

선박(船舶)의 승무원(乘務員). ¶폭풍으로 선원 일곱 명이 실종되었다. ㊥선인(船人).

성원 成員 | 이룰 성, 인원 원 [member]
❶속뜻 어떤 단체나 조직을 구성(構成)하고 있는 인원(人員). ¶성원의 지지를 받다. ❷어떤 회의 등을 성립시키는 데 필요한 인원. ¶성원이 미달되다. ㊥구성원(構成員).

요원 要員 | 구할 요, 인원 원 [needed personnel]
꼭 필요(必要)한 인원(人員). ¶수사 요원을 배치하다.

위원 委員 | 맡길 위, 사람 원
[committee; member of a committee]
특정 사항의 처리를 위임(委任) 받은 사람[員]. 대개 선거나 임명에 의해 지명된다. ¶운영위원.

의원¹ 醫員 | 치료할 의, 사람 원
[physician; doctor]
병을 치료하는[醫] 기술이 있는 사람[員]. ¶최 의원이 직접 왕진(往診)을 나왔다.

의원² 議員 | 따질 의, 사람 원
[Congressman; assemblyman]
국회나 지방의회와 같은 합의체의 구성원으로 의결권(議決權)을 가진 사람[員]. ¶그는 시의원으로 당선되었다.

인원 人員 | 사람 인, 수효 원 [number of persons]
❶속뜻 사람[人]의 수효[員]. ❷단체를 이룬 여러 사람. ¶인원을 줄이다 / 인원이 다 차서 신청할 수 없다.

일원 一員 | 한 일, 인원 원 [member]
어떤 단체나 사회를 이루는 한[一] 구성원(構成員). ¶국민의 일원으로 투표에 참여합시다.

임:원 任員 | 맡길 임, 사람 원 [officer]
어떤 단체의 중임(重任)을 맡아 처리하는 사람[員]. ¶그녀는 대기업의 임원이다.

전원 全員 | 모두 전, 인원 원
[all the members; entire staff]
전체(全體)의 인원(人員). ¶우리 반 전원이 봉사 활동에 참여했다.

점:원 店員 | 가게 점, 사람 원 [store clerk]
상점(商店)에 고용되어 물건을 팔거나 그 밖의 일을 맡아 하는 사람[員]. ¶그 옷 가게의 점원들은 친절하다.

정:원 定員 | 정할 정, 인원 원
[number limit; quota]
일정한 규정에 따라 정(定)해진 인원(人員). ¶참가 정원이 다 찼다.

조원 組員 | 짤 조, 사람 원 [member]
한 조(組)를 이루는 사람[員]. ¶조장은 조원들을 모두 불러 모았다.

증원 增員 | 더할 증, 인원 원
[increase the personnel]
인원(人員)을 늘림[增]. ¶재해지역에 봉사 인력을 증원했다. ㊥감원(減員).

직원 職員 | 일 직, 사람 원 [employee; staff]
직장에서 각각의 직무(職務)를 맡고 있는 사람[員]. ¶이 화장실은 직원 전용이다.

충원 充員 | 채울 충, 인원 원
[recruit; supplement the personnel; reinforce]
모자란 인원(人員)을 채움[充]. ¶병력을 충원하는 데 1년이 걸린다.

회:원 會員 | 모일 회, 사람 원
[member; membership]
어떤 모임[會]을 구성하는 사람[員]. ¶회원 모집.

0537 [호]

呼

부를 호
㊀ 口부 ㊀ 8획 ㊥ 呼 [hū]

呼자는 입 밖으로 내쉬는 숨, 즉 '날숨'(expiration; breathing)을 뜻하기 위한 것이니 '입 구'(口)가 표의요소로 쓰였고, 乎(호)는 표음요소이니 뜻과는 무관하다. 후에 '부르다'(call), '부르짖다'(clamor; advocate)는 뜻도 나타냈다. 숨을 들여 쉴 때는 소리를 지르기가 어려우므로 吸(마실 흡)이 아니라 呼로 '부르짖다'를 나타냈으니, 한자에는 대단한 과학성이 곁들여 있음을 엿볼 수 있다.

속뜻 훈음 ①부를 호, ②내쉴 호.

호명 呼名 | 부를 호, 이름 명 [call name]
이름[名]을 부름[呼]. ¶호명하는 학생은 앞으로 나오세요.

호소 呼訴 | 부를 호, 하소연할 소
[complain of; appeal to]
억울하거나 원통한 사정을 남을 불러[呼] 하소연함[訴]. ¶아무도 그의 호소에 귀를 기울이지 않았다.

호응 呼應 | 부를 호, 응할 응
[respond; hail each other]
❶속뜻 부름[呼]에 응답(應答)함. ❷남의 주장이나 요구를 옳게 여겨 따르는 것. ¶신제품이 큰 호응을 얻었다.

호출 呼出 | 부를 호, 날 출 [call out]
불러[呼] 냄[出]. ¶그는 사장의 호출을 받고 나갔다.

호칭 呼稱 | 부를 호, 일컬을 칭 [name; title]
불러[呼] 일컬음[稱]. 이름을 지어 부름. ¶아직은 사장님이라는 호칭이 낯설다.

호흡 呼吸 | 내쉴 호, 마실 흡 [breath; time]

❶속뜻 숨을 내쉬고[呼] 들여 마심[吸]. 또는 그 숨. ¶입으로 호흡하다. ❷두 사람 이상이 함께 일할 때의 서로의 마음. ¶호흡이 잘 맞다. ⓑ숨, 장단. 관용 호흡을 맞추다.

• 역순어휘

점호 點呼 | 점 점, 부를 호 [roll call; muster]
인원을 점검(點檢)하기 위하여 이름을 부름[呼]. ¶취침 점호.

환호 歡呼 | 기쁠 환, 부를 호 [cheer; acclaim]
기뻐서[歡] 부르짖음[呼]. ¶마을 사람들은 그를 환호로 맞이했다.

0538 [흡]

吸

마실 흡
部 口부 劃 7획 中 吸 [xī]

吸자는 '입 구'(口)가 표의요소이고, 及(미칠 급)은 표음요소인데 음이 약간 달라졌다. '들이키는 숨'(inhalation)이 본뜻인데 '(빨아) 마시다'(breathe in; inhale)는 뜻으로 확대 사용됐다.

흡수 吸收 | 마실 흡, 거들 수
[absorb; suck in]
빨아서[吸] 거두어[收]들임. ¶이 옷은 땀을 잘 흡수한다.

흡연 吸煙 | 마실 흡, 담배 연 [smoke]
담배[煙] 연기를 빨아들여 마심[吸]. ¶흡연은 건강에 매우 해롭다 / 흡연은 폐암을 유발할 수 있다.

흡입 吸入 | 마실 흡, 들 입
[inhale; suck; imbibe]
기체나 액체 따위를 빨아 마셔[吸] 들임[入]. ¶산소 흡입 / 맑은 공기를 흡입하다.

흡착 吸着 | 마실 흡, 붙을 착
[stick to; adhere to]
어떤 물질이 빨아 마셔[吸] 달라붙음[着]. ¶안료가 옷감에 흡착되다.

흡혈 吸血 | 마실 흡, 피 혈
[suck up blood]
피[血]를 빨아 마심[吸]. ¶흡혈동물.

• 역순어휘

호흡 呼吸 | 내쉴 호, 마실 흡 [breath; time]
❶속뜻 숨을 내쉬고[呼] 들여 마심[吸]. 또는 그 숨. ¶입으로 호흡하다. ❷두 사람 이상이 함께 일할 때의 서로의 마음. ¶호흡이 잘 맞다. ⓑ숨, 장단. 관용 호흡을 맞추다.

0539 [원]

圓

둥글 원
部 口부 劃 13획 中 圆 [yuán]

圓자는 '둥글다'(round)는 뜻을 나타내기 위하여 둥근 솥을 뜻하는 員(원, #0536)과 둥근 테두리 모양이 변화된 '口'(위)를 합쳐 놓은 것이다. 본뜻이 지금도 변함없이 널리 쓰이고 있다.

원만 圓滿 | 둥글 원, 가득할 만
[harmonious; amicable]
❶속뜻 성격이 둥글고[圓] 마음이 넉넉함[滿]. ¶원만한 성격. ❷일의 진행이 순조로움. ¶노사 협상은 원만하게 해결되었다.

원반 圓盤 | 둥글 원, 소반 반 [disk; discus]
❶속뜻 둥근[圓] 소반[盤] 같은 판. ❷원반던지기에 쓰이는 운동 기구. 나무 바탕에 쇠붙이로 심과 테두리를 씌우고 둥글넓적하게 만든 판이다.

원삼 圓衫 | 둥글 원, 적삼 삼
❶속뜻 소매가 크고 둥근[圓] 모양의 적삼[衫]. ❷역사 여성들이 입던 예복의 하나. 주로 신부나 궁중에서 내명부들이 입었다. ¶족두리에 원삼을 입은 신부가 먼저 절을 했다.

원숙 圓熟 | 둥글 원, 익을 숙 [mature; mellow]
❶속뜻 둥글게[圓] 모든 부분까지 다 익음[熟]. ❷나무랄 데 없이 익숙하다. 아주 숙달하다. ¶구조 요원은 원숙한 손길로 물에 빠진 아이를 구했다. ❸인격이나 지식, 기예 따위가 깊은 경지에 이름. ¶원숙한 연기 / 나이를 먹으면 인격이 원숙해진다.

원주 圓周 | 둥글 원, 둘레 주
[circumference of a circle]
❶속뜻 원(圓)의 둘레[周]. ❷수학 일정한 점에서 같은 거리에 있는 점의 자취.

원탁 圓卓 | 둥글 원, 높을 탁 [round table]
둥근[圓] 탁자(卓子). ¶원탁토의.

원통 圓筒 | 둥글 원, 대롱 통 [cylinder]
❶속뜻 둥근[圓] 모양의 대롱[筒]. ❷수학 원기둥.

원판 圓板 | 둥글 원, 널빤지 판 [circular plate]
판판하고 넓으며 둥근[圓] 모양의 판(板).

원형 圓形 | 둥글 원, 모양 형 [round shape; circle]
둥글게[圓] 생긴 모양[形]. 원 모양. ¶원형 무대에서 오케스트라가 합주하였다.

원활 圓滑 | 둥글 원, 미끄러울 활
[smooth; harmonious]
❶속뜻 둥글고[圓] 매끄러움[滑]. ❷거침이 없이 잘되어

나감. ¶만사가 원활하게 진행되고 있다.

• 역순어휘

타:원 楕圓 | 길쭉할 타, 둥글 원 [ellipse]
❶속뜻 길쭉한[楕] 동그라미[圓]. ❷수학 평면 위에 있는 두 정점(定點)으로부터의 거리의 합이 항상 일정한 점을 이루는 자취.

0540 [회]

回
돌아올 회
部 口부 劃 6획 中 回 [huí]

回자는 '돌다'(revolve)는 뜻을 나타내기 위하여 물이 소용돌이쳐 도는 모습을 본뜬 것이다. '돌아오다'(return; come back), '돌이키다'(turn round) 등으로도 쓰인다.
속뜻 훈음 ①돌 회, ②돌아올 회, ③돌이킬 회.

회갑 回甲 | 돌아올 회, 천간 갑 [60th birthday]
❶속뜻 다시 돌아와[回] 맞은 갑자(甲子). ❷자신이 태어난 해에 해당되는 간지(干支)를 60년 만에 다시 맞이함. 만 60세의 나이. ¶회갑잔치를 베풀다. ⑪환갑(還甲), 화갑(華甲).

회고 回顧 | 돌 회, 돌아볼 고 [look back; reflect]
❶속뜻 돌아[回] 봄[顧]. ❷지난 일을 돌이켜 생각함. ¶그는 사진을 보며 어린 시절을 회고했다.

회교 回教 | 돌 회, 종교 교 [Islam]
종교 회족(回族)이 전래한 종교(宗教). 610년에 아라비아의 예언자 마호메트가 완성시켰다. ⑪이슬람 교.

회군 回軍 | 돌아올 회, 군사 군 [withdraw an army]
군사(軍師)를 거두어 돌아옴[回]. 또는 돌아감. ¶회군 명령 / 이성계는 위화도에서 회군했다. ⑪환군(還軍).

회귀 回歸 | 돌 회, 돌아갈 귀 [revolve; recur]
한 바퀴 돌아서[回] 다시 본디의 자리로 돌아감[歸]. ¶연어는 회귀하는 성질이 있다.

회답 回答 | 돌아올 회, 답할 답 [reply; answer]
❶속뜻 돌아온[回] 대답(對答). ❷물음이나 편지 따위에 반응함. 또는 그런 반응. ¶그로부터 아무런 회답이 없다 / 문서로 회답해 주십시오. ⑪회신(回信).

회로 回路 | 돌아올 회, 길 로 [return way; electrical circuit]
❶속뜻 돌아오는[回] 길[路]. ❷전기 전류가 통하는 통로. ¶전기 회로. ⑪귀로(歸路).

회복 回復 | =恢復, 돌아올 회, 돌아올 복 [recover; restore]
이전의 상태로 다시 돌아옴[回=復]. 또는 이전의 상태로 돌이킴. ¶신용 회복 / 건강을 회복하다.

회상 回想 | 돌이킬 회, 생각 상 [recollect; retrospect]
지난 일을 돌이켜[回] 생각함[想]. ¶그는 눈을 감고 회상에 잠겼다 / 어린 시절을 회상하다.

회생 回生 | 돌아올 회, 날 생 [revive]
거의 죽어 가다가 다시 돌아와[回] 살아남[生]. ¶회생 불능 / 그 회사는 회생할 가능성이 없다. ⑪소생(蘇生).

회수 回收 | 돌 회, 거둘 수 [withdraw; collect]
도로[回] 거두어[收]들임. ¶자금 회수 / 불량품을 회수하다.

회신 回信 | 돌아올 회, 소식 신 [reply; answer]
❶속뜻 돌아온[回] 소식[信]. ❷편지, 전신, 전화 따위로 회답을 함. ¶그에게서 회신이 없다 / 회사에 출장 결과를 회신했다. ⑪회답(回答), 반신(返信).

회전 回轉 | =廻轉, 돌 회, 구를 전 [turn; revolve]
❶속뜻 돌고[回] 구름[轉]. ❷어떤 것을 축으로 물체 자체가 빙빙 돌거나 축의 둘레를 돎. ¶공중 3회전 / 지구는 태양의 주위를 주기적으로 회전한다.

회진 回診 | 돌 회, 살펴볼 진 [go the rounds of one's patients]
의사가 병실을 돌며[回] 진찰(診察)함. ¶회진 시간은 오전 10시이다 / 의사가 환자를 회진하다.

회피 回避 | 돌 회, 피할 피 [evade; avoid]
❶속뜻 이리저리 돌며[回] 피(避)함. ❷책임을 지지 않고 꾀만 부림. ¶면담회피 / 책임을 회피하다.

횟수 回數 | 본음 [회수], 돌아올 회, 셀 수 [number of times; frequency]
돌아오는[回] 차례의 수효(數爻). ¶횟수를 거듭하다 / 횟수가 늘다 / 횟수가 많다.

• 역순어휘

만회 挽回 | 당길 만, 돌아올 회 [recover; retrieve]
뒤쳐진 것을 바로잡아[挽] 회복(回復)함. 처음 상태로 돌이킴. ¶실수를 만회하다.

선회 旋回 | 돌 선, 돌 회 [circle / turn round]
❶속뜻 원을 그리며 빙빙 돎[旋=回]. ❷항공 항공기가 곡선을 그리듯 진로를 바꿈. ¶비행기가 김포공항의 상공을 선회했다.

철회 撤回 | 거둘 철, 돌이킬 회 [withdraw; recall]
벌인 일을 거두어[撤]들여 원래 상태로 돌아감[回]. ¶국회의 결정을 철회시키다.

0541 [인]

引

끌 인

部 弓부 劃 4획 中 引 [yǐn]

引자는 '(활줄을) 당기다'(draw)는 뜻을 나타내기 위해 '활 궁'(弓)이 표의요소로 쓰였고, 'ㅣ'은 당기는 방향을 나타내는 부호이다. '끌다'(pull)는 뜻으로도 쓰인다.

속뜻훈음 **①끌 인, ②당길 인.**

인계 引繼 | 끌 인, 이을 계 [transfer]
어떤 일이나 물건을 가져와[引] 남에게 넘겨[繼] 줌. 또는 남으로부터 이어 받음. ¶그는 출근 첫날 업무를 인계받았다.

인도¹ 引渡 | 끌 인, 건넬 도 [transfer; extradite]
물건이나 권리 따위를 남에게 넘겨[引] 건넴[渡]. ¶현장 인도 / 범인을 경찰에 인도하다. 반인수(引受).

인도² 引導 | 끌 인, 이끌 도 [guidance]
❶속뜻 이끌어[引=導] 줌. ❷가르쳐 일깨움. ¶그는 비행 청소년을 바른 길로 인도했다. ❸길을 안내함.

인력 引力 | 끌 인, 힘 력 [gravitation]
물리 떨어져 있는 두 물체가 서로 끌어당기는[引] 힘[力]. ¶조수 간만의 차는 달의 인력 때문에 생긴다. 반척력(斥力).

인상 引上 | 끌 인, 위 상 [pulling up]
❶속뜻 끌어[引] 올림[上]. ❷값을 올림. ¶대학은 매년 등록금을 인상한다. 반인하(引下).

인솔 引率 | 끌 인, 거느릴 솔 [guide]
손아랫사람이나 무리를 끌어[引] 통솔(統率)함. ¶선생님의 인솔 아래 학생들은 공연을 관람했다.

인수 引受 | 끌 인, 받을 수 [charge]
물건이나 권리를 가져와[引] 넘겨받음[受]. ¶그는 부도난 공장을 인수했다. 반인도(引渡).

인양 引揚 | 끌 인, 오를 양 [pull up; refloat]
끌어서[引] 들어 올림[揚]. ¶사고가 난 선박을 인양했다 / 인양선(引揚船).

인용 引用 | 끌 인, 쓸 용 [quote; cite]
남의 글이나 말 가운데서 필요한 부분만을 끌어다[引] 씀[用]. ¶이 부문은 성경의 한 구절을 인용한 것이다.

인출 引出 | 끌 인, 날 출 [draw out]
예금을 찾아[引] 냄[出]. ¶현금인출 / 그는 통장에서 5만 원을 인출했다.

인하 引下 | 끌 인, 아래 하 [reduce; lower]
❶속뜻 끌어[引]내림[下]. ❷값을 떨어뜨림. ¶가격 인하 / 금리가 크게 인하되었다. 반인상(引上).

인화 引火 | 끌 인, 불 화 [ignite]
불[火]을 끌어옴[引]. ¶이 물질은 인화되기 쉽다 / 인화성 제품.

• 역순어휘

견인 牽引 | 끌 견, 당길 인 [pull; haul]
끌어[牽] 당김[引]. ¶주차위반 차량을 견인하다.

색인 索引 | 찾을 색, 끌 인 [index]
❶속뜻 어떤 것을 뒤져 찾아내거나[索] 필요한 정보를 이끌어냄[引]. ❷책 속의 내용 중에서 중요한 단어나 항목, 인명 따위를 쉽게 찾아볼 수 있도록 일정한 순서에 따라 별도로 배열하여 놓은 목록. 비찾아보기.

유인 誘引 | 꾈 유, 끌 인 [tempt; allure]
남을 꾀어[誘] 끌어들임[引]. ¶아귀는 머리위에 달린 가시로 물고기를 유인해 잡아먹는다.

할인 割引 | 나눌 할, 당길 인 [discount]
❶속뜻 나누어[割] 당겨[引] 뺌. ❷일정한 값에서 얼마를 뺌. ¶할인 가격 / 학생 할인 / 회원은 정가의 20%를 할인해 준다.

0542 [부]

婦

며느리 부

部 女부 劃 11획 中 妇 [fù]

婦자는 '부녀자'(a woman)를 나타내기 위하여 빗자루를 들고 청소를 하고 있는 여자의 모습을 본뜬 것이다. 帚(빗자루 추)는 빗자루 모양을 본뜬 것이다. 후에 '아내'(a wife), '며느리'(a daughter-in-law; one's son's wife)를 지칭하는 것으로도 확대 사용됐다.

속뜻훈음 **①며느리 부, ②여자 부, ③부인 부.**

부녀 婦女 | 여자 부, 여자 녀 [woman]
결혼한 여자[婦]와 성숙한 여자[女]. ¶범인은 부녀만을 대상으로 범행을 저질렀다. 비부녀자(婦女子).

부인 婦人 | 부인 부, 사람 인
[married woman; lady]
❶속뜻 결혼하여 남의 부인(婦人)이 된 사람[人]. ❷결혼한 여자. ¶동네 부인들이 모여 집안 이야기를 나누고 있다 / 부인병(婦人病) 전문 병원.

• 역순어휘

고부 姑婦 | 시어머니 고, 며느리 부
시어머니[姑]와 며느리[婦]. 비고식(姑息).

과:부 寡婦 | 적을 과, 여자 부 [widow]
남편이 죽어 혼자 사는[寡] 여자[婦]. 비미망인(未亡

人). ⓑ홀아비.

부부 夫婦 | 지아비 부, 부인 부
[husband and wife]
남편[夫]과 그의 부인[婦]. ⓑ내외(內外), 부처(夫妻).
속담 부부싸움은 칼로 물 베기.

산:부 產婦 | 낳을 산, 여자 부
[woman in her confinement]
아이를 낳은[產] 여자[婦]. ⓑ산모(產母).

신부 新婦 | 새 신, 여자 부 [bride]
곧 결혼하거나 갓[新] 결혼한 여자[婦]. ¶신부는 눈물을 흘렸다. ⓑ신랑(新郞).

유:부 有婦 | 있을 유, 부인 부
부인[婦]이 있음[有]. 결혼한 남자를 이르는 말. ¶유부남(有婦男).

주부 主婦 | 주인 주, 부인 부 [housewife]
한 가정 주인(主人)의 부인(婦人). ¶자녀 셋을 둔 주부.

효:부 孝婦 | 효도 효, 며느리 부
[faithful daughter-in-law]
효성(孝誠)스러운 며느리[婦].

0543 [여]

如 같을 여
部 女부 劃 6획 中 如 [rú]

如자는 '여자 여'(女)와 '입 구'(口)가 조합된 것으로, '(말을 잘) 따르다'(obey; follow)가 본래 의미라고 한다. 順從(순:종)을 미덕으로 삼은 전통 여성관이 담겨 있는 것이라고 볼 수 있다. 후에 '같다'(same)는 뜻으로도 확대 사용됐다.

여간 如干 | 같을 여, 방패 간 [some; little]
❶속뜻 작은 방패[干] 같음[如]. ❷주로 부정하는 말과 함께 쓰여 보통으로. 조금. 어지간하게. ¶이 문제는 여간 복잡한 것이 아니다 / 형은 여간해서는 화를 내지 않는다.

여래 如來 | 같을 여, 올 래 [Buddha; tathagata]
❶속뜻 진리의 세계에서 중생 구제를 위해 이 세상에 온[來] 것 같음[如]. ❷불교 부처의 존칭. '석가모니여래'(釋迦牟尼如來)의 준말.

여실 如實 | 같을 여, 실제 실
[realistically; true to life]
사실(事實)과 똑같음[如]. 현실 그대로임. ¶화나지 않은 척했지만 그녀의 표정은 그렇지 않다는 것을 여실히 보여 주고 있었다.

여의 如意 | 같을 여, 뜻 의
❶속뜻 뜻[意]과 같이[如] 됨. ❷불교 법회나 설법 때, 법사가 손에 드는 물건. 대, 나무, 뿔, 쇠 따위로 '心'자를 나타내는 고사리 모양의 머리가 있고 한 자쯤의 자루가 달렸다.

여전 如前 | 같을 여, 앞 전
[be as before; be as it used to be]
전(前)과 같다[如]. ¶할머니의 병세는 여전하시다 / 그녀는 여전히 아름답다. ⓑ그대로이다.

여차 如此 | 같을 여, 이 차 [be like this]
이와[此] 같음[如]. ¶여차한 이유로.

여하 如何 | 같을 여, 무엇 하 [how; what]
무엇[何] 같은[如]가. 어떠한가. ¶성공은 당신의 노력 여하에 달려 있습니다.

• 역순어휘

결여 缺如 | 빠질 결, 같을 여 [deficiency; lack]
마땅히 있어야 할 것이 빠져서[缺] 없거나 모자라는 것 같음[如]. ¶그 아이는 자신감이 결여되어 있다. ⓑ부족(不足), 결핍(缺乏). ⓑ충분(充分), 완전(完全).

0544 [호]

好 좋을 호:
部 女부 劃 6획 中 好 [hǎo, hào]

好자는 '아름답다'(beautiful)는 뜻을 나타내기 위하여 여자[女]가 아이[子]를 품에 안고 있는 모습을 본뜬 것이다. 여자가 가장 아름답게 보일 때는 바로 자기의 아이를 안고 있는 모습이라고 생각하였나 보다. 후에 '좋다'(good), '좋아하다'(love) 등으로도 확대 사용됐다.

호:감 好感 | 좋을 호, 느낄 감
[good feeling; goodwill]
좋은[好] 감정(感情). ¶호감을 느끼다. ⓑ악감(惡感).

호:기¹ 好奇 | 좋을 호, 기이할 기
[curiosity; inquisitiveness]
새롭고 기이(奇異)한 것을 좋아함[好].

호:기² 好機 | 좋을 호, 때 기
[good opportunity; good chance]
무슨 일을 하는 데 좋은[好] 때[機]. 또는 그런 기회. ¶호기를 잡다 / 호기를 놓치다.

호:사 好事 | 좋을 호, 일 사 [good thing]
좋은[好] 일[事]. 기쁜 일. ⓑ악사(惡事).

호:의¹ 好衣 | 좋을 호, 옷 의 [dress well]
좋은[好] 옷[衣]. ¶호의호식(好衣好食).

호:의² 好意 | 좋을 호, 뜻 의
[goodwill; good wishes]

좋게[好] 생각하여 주는 마음[意]. 남에게 보이는 친절한 마음씨. ¶호의를 베풀다 / 친구의 호의를 거절하다. ㊥선의(善意). ㊦악의(惡意).

호:인 好人 | 좋을 호, 사람 인 [good-natured person]
좋은[好] 사람[人]. ¶그는 호인으로 소문이 나 있다.

호:전 好轉 | 좋을 호, 구를 전 [take a favorable turn]
일의 형세가 좋은[好] 쪽으로 바뀜[轉]. ¶경기가 호전되다. ㊦악화(惡化).

호:조 好調 | 좋을 호, 고를 조 [favorable tone]
상태가 좋고[好] 고름[調]. 또는 좋은 상태. ¶매출이 호조를 보이다.

호:평 好評 | 좋을 호, 평할 평 [favorable comment]
좋게[好] 평가(評價)함. 좋은 평가. ¶그 영화는 관객들로부터 호평을 받았다. ㊦악평(惡評), 혹평(酷評).

호:황 好況 | 좋을 호, 상황 황 [prosperous condition]
경기가 좋은[好] 상황(狀況). ¶호황을 누리다. ㊦불황(不況).

• 역순어휘

기호 嗜好 | 즐길 기, 좋을 호 [taste; liking]
어떤 사물을 즐기고[嗜] 좋아함[好].

동호 同好 | 한가지 동, 좋을 호 [share the same taste]
어떤 일이나 물건을 함께[同] 좋아함[好].

선:호 選好 | 가릴 선, 좋을 호 [prefer (to); favor]
여러 가지 중에서 특별히 가려서[選] 좋아함[好]. ¶남아 선호 사상 / 무공해식품을 선호하는 사람이 늘고 있다.

애:호 愛好 | 사랑 애, 좋을 호 [love; be fond of]
무엇을 즐기고[愛] 좋아함[好]. ¶음악을 애호하다.

양호 良好 | 좋을 량, 좋을 호 [good; fine]
대단히 좋음[良=好]. ¶이 학생은 성적이 양호하다.

우:호 友好 | 벗 우, 좋을 호 [friendly; amicable]
개인이나 나라 간에, 친구[友]처럼 사이가 좋음[好]. 또는 그러한 사귐. ¶양국은 오랫동안 우호 관계를 유지하고 있다 / 회담은 우호적인 분위기에서 이루어졌다. ㊦적대(敵對).

절호 絶好 | 뛰어날 절, 좋을 호 [splendid; grand; capital]
뛰어나게[絶] 좋음[好]. 아주 딱 좋음. ¶절호의 기회를 맞았다.

0545 [관]

官 벼슬 관
㊀ 宀부 ㊁ 8획 ㊥ 官 [guān]

官자는 '집 면'(宀)과 '언덕 부'(阜)의 생략형이 조합된 것으로, 언덕의 비탈진 곳에 마련된 '객사'(a lodging place; an inn)가 본뜻이다. 그 집을 관리나 외국 사신에게 제공하였기 때문인지 '벼슬'(a government post)로 확대 사용되는 예가 많아지자, 본래 의미를 위해서는 館(객사 관)자를 추가로 만들어 나타냈다.

관가 官家 | 벼슬 관, 집 가 [district office]
관리(官吏)가 업무를 보던 집[家]. ㊥관공서(官公署). ㊦민가(民家).

관군 官軍 | 벼슬 관, 군사 군 [government forces]
군사 예전에, 국가[官]에 소속되어 있던 정규 군대(軍隊). ¶관군과 동학군이 백병전을 벌였다. ㊥관병(官兵).

관권 官權 | 벼슬 관, 권리 권 [government authority]
관청(官廳) 또는 관리의 권한이나 권리(權利). ¶관권을 남용하다. ㊦민권(民權).

관기 官妓 | 벼슬 관, 기생 기
궁중 또는 관청(官廳)에 속하여 노래하고 춤을 추던 기생(妓生). ¶관기를 데리고 술판을 벌였다.

관노 官奴 | 벼슬 관, 종 노 [man slave in government employ]
역사 봉건시대에, 관청(官廳)에 소속된 노비(奴婢). ¶원님은 관노를 풀어주었다. ㊦사노(私奴).

관료 官僚 | 벼슬 관, 벼슬아치 료 [government official; bureaucrat]
❶속뜻 같은 관직(官職)에 있는 벼슬아치[僚]. ❷정부의 관리. 특히 정치적인 영향력을 지닌 고급 관리. ㊥관리(官吏), 관원(官員).

관리 官吏 | 벼슬 관, 벼슬아치 리 [government official]
관직(官職)에 있는 사람[吏]. ¶그 관리는 원님만 믿고 위세를 부렸다.

관립 官立 | 벼슬 관, 설 립 [government institution]
국가기관[官]에서 세움[立]. ¶관립 학교

관민 官民 | 벼슬 관, 백성 민 [government and the people]
공무원[官]과 민간인[民]을 아울러 이르는 말. ¶관민 협동으로 추진하다. ㊥민관(民官).

관복 官服 | 벼슬 관, 옷 복 [official outfit]

❶속뜻 관리(官吏)의 제복(制服). ❷공복(公服).

관비 官婢 | 벼슬 관, 여자종 비
봉건시대에, 관가(官家)에 속하여 있던 여자종[婢]. ¶그는 관비를 데리고 도망쳤다. ㉿관노(官奴).

관사 官舍 | 벼슬 관, 집 사 [official residence]
관리가 살도록 국가나 공공단체[官]에서 지은 집[舍]. ¶선생님은 관사에서 머물고 계신다. ㉥관저(官邸), 공사(公舍).

관아 官衙 | 벼슬 관, 관청 아 [government office]
예전에, 벼슬아치들[官]이 모여 나랏일을 처리하던 곳[衙].

관용 官用 | 벼슬 관, 쓸 용 [official use]
정부기관이나 국립 공공기관[官]에서 사용(使用)함. ¶관용 차량.

관원 官員 | 벼슬 관, 사람 원
[government official]
벼슬[官]에 있는 사람[員].

관저 官邸 | 벼슬 관, 집 저 [official residence]
정부에서 장관급 이상의 고관(高官)들이 살도록 마련한 집[邸]. ¶국무총리 관저. ㉥사저(私邸).

관제[1] 官制 | 벼슬 관, 정할 제
[government organization]
법률 국가의 행정 조직[官] 및 권한에 관한 제도(制度).

관제[2] 官製 | 벼슬 관, 만들 제
[government manufacture]
정부가 경영하는 기업체나 관청(官廳)에서 물건을 만듦[製]. 또는 그렇게 만든 물품.

관직 官職 | 벼슬 관, 일 직 [government office]
❶속뜻 벼슬[官]을 하면서 맡은 일[職]. ❷공무원 또는 관리가 국가로부터 위임받은 일정한 직무. 또는 그런 지위.

관청 官廳 | 벼슬 관, 관아 청 [government office]
국가[官]의 사무를 집행하는 국가기관[廳]. 또는 그런 곳.

관헌 官憲 | 벼슬 관, 법 헌
[government authorities]
❶속뜻 정부나 관청(官廳)에서 정한 법규[憲]. ¶관헌에 따르자면. ❷예전에, '관청'을 달리 이르던 말. ¶중국 관헌에 붙잡혀 갔다. ❸예전에, 관직에 있는 사람을 달리 이르던 말. ¶지방 관헌.

• 역순어휘 •

경:관 警官 | 지킬 경, 벼슬 관
[police officer; policeman]
국민의 안전과 재산을 지키는[警] 일을 하는 관직(官職). '경찰관'(警察官)의 준말.

고관 高官 | 높을 고, 벼슬 관 [high official]
높은[高] 벼슬자리[官]. 또는 그런 지위에 있는 관리. ¶회의에는 정부 고관들이 참석했다.

교:관 教官 | 가르칠 교, 벼슬 관
[drillmaster; instructor]
군사 군사 교육이나 훈련을 맡아 가르치는[教] 교사나 장교[官].

구:관 舊官 | 옛 구, 벼슬 관 [former magistrate]
예전[舊]의 관리(官吏). 먼저 재임했던 벼슬아치. 속담 구관이 명관이다.

기관 器官 | 그릇 기, 벼슬 관 [organ]
❶속뜻 그릇[器]같이 일정한 기능을 하는 감관(感官). ❷생물 일정한 모양과 생리 기능을 가진 생물체의 부분.

대:관 大官 | 큰 대, 벼슬 관
[dignitary; high official]
❶속뜻 높은[大] 벼슬[官]. 또는 그 벼슬에 있는 사람. ❷역사 정승(政丞). ❸역사 지역이 넓고 인구가 많으며 물산이 풍부한 큰 고을.

무:관 武官 | 굳셀 무, 벼슬 관 [military officer]
❶역사 무과(武科) 출신의 벼슬아치[官]. ❷군무(軍務)를 맡아보는 관리. ㉥문관(文官).

문관 文官 | 글월 문, 벼슬 관
[civil official; civil servant]
❶역사 문과(文科) 출신의 관리(官吏)를 이르던 말. ❷'군무원'(軍務員)을 달리 이르는 말. ㉥무관(武官).

백관 百官 | 여러 백, 벼슬 관
[all the government officials]
모든[百] 벼슬아치[官]. ¶조정의 백관이 나서서 왕에게 간언했다. ㉥백공(百工), 백규(百揆), 백료(百僚).

법관 法官 | 법 법, 벼슬 관 [judge]
법률 사법권(司法權)을 행사하여 민(民)·형사(刑事上)의 재판을 맡아보는 공무원[官]. ㉥사법관(司法官).

사:관[1] 士官 | 선비 사, 벼슬 관 [officer]
❶속뜻 병사(兵士)를 거느리는 무관(武官). ❷군사 장교(將校)를 통틀어 이르는 말. ¶당직 사관은 누구인가?

사:관[2] 史官 | 역사 사, 벼슬 관
[historiographer; chronicler]
역사 왕조 때 역사(歷史)를 기록하던 관원(官員).

상:관 上官 | 위 상, 벼슬 관 [higher officer; chief]
주로 공무원 사회에서 어떤 사람보다 높은 자리[上]에 있는 관리(官吏). ¶상관의 명령에 복종하다. ㉥상사(上司), 상급자(上級者). ㉥부하(部下), 하관(下官).

의관 醫官 | 치료할 의, 벼슬 관

[medical officer; surgeon]
역사 조선 시대에, 내의원에 속하여 의술(醫術)에 종사하던 벼슬아치[官].

장:관 長官 | 어른 장, 벼슬 관 [minister]
법률 국무를 맡아보는 행정 각부의 으뜸[長] 관리(官吏). ¶교육부 장관.

제:관 祭官 | 제사 제, 벼슬 관 [officiating priest]
제사(祭祀)를 맡은 관원(官員).

차관 次官 | 버금 차, 벼슬 관
[vice-minister; undersecretary]
❶역사 대한제국 때, 궁내부와 각 부(部)의 버금가는[次] 관직(官職). 또는 그 관리. ❷법률 소속 장관을 보좌하고 장관의 직무를 대행할 수 있는 정무직(政務職) 국가공무원.

탐관 貪官 | 탐낼 탐, 벼슬 관 [corrupt official]
백성의 재물을 탐(貪)하는 벼슬아치[官].

0546 [궁]

宮

집 궁
部 宀부 획 10획 中 宮 [gōng]

宮자는 '집 면'(宀)과 방이 서로 연이어 많이 있음을 가리키는 呂(려)로 구성된 것이다. 방이 많은 집, 즉 '대궐'(the royal palace)이 본래 뜻인데, 일반적인 의미의 '집'(a house)을 가리키는 것으로 확대 사용됐다.

궁궐 宮闕 | 집 궁, 대궐 궐 [royal palace]
임금이 거처하는 집[宮=闕]. 비왕궁(王宮).

궁녀 宮女 | 집 궁, 여자 녀
[court lady; lady of the court]
역사 궁궐(宮闕) 안에서 왕과 왕비를 가까이 모시는 여자[女]. ¶삼천 명의 궁녀.

궁성 宮城 | 집 궁, 성곽 성 [royal palace]
❶속뜻 궁궐(宮闕)을 둘러싼 성곽(城郭). ❷궁궐(宮闕). ¶왕은 궁성을 빠져나가 피신하였다.

궁전 宮殿 | 궁궐 궁, 대궐 전 [palace]
궁궐(宮闕)의 대전(大殿).

궁정 宮庭 | 집 궁, 뜰 정 [Royal Court]
궁궐(宮闕) 안의 마당[庭].

궁중 宮中 | 궁궐 궁, 가운데 중
[(within) the (Royal) Court]
궁궐(宮闕)의 한가운데[中]. 대궐 안.

궁체 宮體 | 궁궐 궁, 모양 체
조선 시대, 궁녀(宮女)들이 쓰던 한글 서체(書體). ¶그는 특히 궁체를 잘 썼다.

궁합 宮合 | 집 궁, 맞을 합 [marital harmony as predicted by a fortuneteller]
❶속뜻 자궁(子宮)에 잘 맞음[合]. ❷민속 혼인에 앞서 신랑 신부의 사주(四柱)를 오행에 맞추어 보아 부부 생활의 좋고 나쁨을 미리 알아보는 점.

• 역순어휘 •

고:궁 故宮 | 옛 고, 집 궁 [old palace]
옛[故] 궁궐(宮闕). ¶고궁으로 소풍을 가다.

동궁 東宮 | 동녘 동, 집 궁 [Crown Prince]
❶속뜻 동(東)쪽에 있는 궁궐(宮闕). ❷역사 동쪽 궁궐에 살던 '황태자'나 '왕세자'를 달리 이르던 말. 비춘궁(春宮).

미:궁 迷宮 | 헤맬 미, 집 궁 [labyrinth; maze]
❶속뜻 궁전(宮殿)에 들어가 길을 잃고 헤맴[迷]. ❷한 번 들어가면 빠져나오는 길을 쉽게 찾을 수 없는 곳. ❸사건, 문제 따위가 복잡하게 얽혀서 판단하거나 해결하기 어렵게 된 상태. ¶사건은 미궁에 빠졌다.

상궁 尙宮 | 받들 상, 집 궁 [court lady]
❶속뜻 왕실[宮] 사람들을 받들어[尙] 모시는 일을 하던 여자 벼슬. ❷역사 조선 시대에, 내명부의 하나인 여관(女官)의 정오품 벼슬.

수궁 水宮 | 물 수, 집 궁
물[水] 속에 있다는 상상의 궁궐(宮闕). ¶자라는 토끼를 수궁으로 데려왔다. 비용궁(龍宮).

왕궁 王宮 | 임금 왕, 집 궁 [king's palace]
임금[王]이 거처하는 궁전(宮殿). ¶경복궁은 조선시대 왕궁 중 하나이다.

용궁 龍宮 | 용 룡, 집 궁 [Palace of the Sea King]
전설에서 바다 속에 있다고 하는 용왕(龍王)의 궁전(宮殿).

자궁 子宮 | 아이 자, 집 궁 [uterus]
❶속뜻 아이[子]가 자라는 어머니 뱃속의 집[宮]. ❷의학 여성 생식기의 일부로 수정란이 착상하여 자라는 곳.

후:궁 後宮 | 뒤 후, 집 궁 [royal harem]
❶속뜻 뒤[後]에 있는 궁궐(宮闕). ❷역사 제왕의 첩. 반정비(正妃).

0547 [밀]

密

빽빽할 밀
部 宀부 획 11획 中 密 [mì]

密자의 부수가 '宀'(집 면)이기 때문에 '宀 + 必 + 山'의 구조로 잘못 보기 쉽다. '(집 모양의) 산'(a mountain)을 뜻하는 것이었으니 '메 산'(山)이 표의요소이고, 宓(편안할 밀/성 복)이 표음요소임은 蜜(꿀 밀)도 마찬가지다. 산에는 나무들이 빼곡하므로 '빽빽하다'(dense)로 확대 사용됐다. 참고로 '宓'자가 '몰래'(secretly)란 뜻의 주인이었는데, 이 글자가 사람들의 버림을 받자 그 뜻은 密자에 맡기고 자신은 자취를 감추고 말았다.

속뜻훈음 ①빽빽할 밀, ②몰래 밀.

밀고 密告 | 몰래 밀, 알릴 고 [inform against]
남몰래[密] 고자질함[告]. ¶누가 경찰에 나를 밀고했다.

밀담 密談 | 몰래 밀, 말씀 담 [talk secretly]
은밀(隱密)히 주고받는 말[談]. 또는 그러한 의논. ¶밀담을 나누다.

밀도 密度 | 빽빽할 밀, 정도 도
[density; consistency]
어떤 면적이나 부피에 들어 있는 물질의 빽빽한[密] 정도(定度). ¶인구 밀도 / 이 물질은 밀도가 높다.

밀렵 密獵 | 몰래 밀, 사냥 렵 [poach]
허가를 받지 않고 몰래[密] 사냥함[獵]. 또는 그런 사냥. ¶야생 여우를 밀렵하다.

밀림 密林 | 빽빽할 밀, 수풀 림 [thick forest]
큰 나무들이 빽빽하게[密] 들어선 깊은 숲[林]. ¶밀림 지대 / 울창한 밀림. ⓑ정글.

밀사 密使 | 몰래 밀, 부릴 사 [secret envoy]
몰래[密] 보내어 심부름을 시키는[使] 사람. ¶헤이그 밀사 / 밀사를 보내다.

밀수 密輸 | 몰래 밀, 나를 수 [smuggle in]
법을 어기고 몰래[密] 하는 수출(輸出)이나 수입(輸入). ¶총기를 밀수하다. ⓑ밀무역(密貿易).

밀실 密室 | 몰래 밀, 방 실 [secret room]
아무나 함부로 드나들지 못하게 하고 비밀(秘密)스럽게 쓰는 방[室].

밀접 密接 | 빽빽할 밀, 닿을 접 [close]
아주 가깝게[密] 맞닿음[接]. 또는 그런 관계에 있음. ¶두 기업은 밀접한 관계를 맺고 있다.

밀집 密集 | 빽빽할 밀, 모일 집 [mass; crowd]
빽빽이[密] 모임[集]. ¶인구 밀집지역.

밀착 密着 | 빽빽할 밀, 붙을 착 [close adhesion]
❶속뜻 빈틈없이 탄탄히[密] 달라붙음[着]. ¶밀착 수비. ❷서로의 관계가 매우 가깝게 됨. ¶유교는 우리 민족의 삶과 밀착되어 있다.

밀폐 密閉 | 빽빽할 밀, 닫을 폐 [shut tightly]
빈틈없이[密] 꼭 막거나 닫음[閉]. ⓟ개봉(開封).

• 역순어휘 •

과:밀 過密 | 지나칠 과, 빽빽할 밀 [overcrowded]
한곳에 지나치게[過] 빽빽하게[密] 모여 있음. ¶서울은 과밀 도시이다. ⓟ과소(過疏).

기밀 機密 | 실마리 기, 숨길 밀 [secrecy]
어떤 일의 실마리[機]나 단서가 되는 중요 비밀(秘密). ¶국가기밀을 누설하다.

긴밀 緊密 | 팽팽할 긴, 빽빽할 밀 [close; intimate]
❶속뜻 팽팽하고[緊] 빽빽하다[密]. ❷관계가 서로 밀접하다. ¶긴밀한 협력.

면밀 綿密 | 이어질 면, 촘촘할 밀
[detailed; thorough]
❶속뜻 촘촘하게[密] 이어짐[綿]. ❷자세하고 빈틈이 없다. ¶면밀한 계획. ⓑ빈틈없다. ⓟ엉성하다.

비:밀 祕密 | 숨길 비, 몰래 밀 [secret]
❶속뜻 숨기어[祕] 몰래[密] 간직해야 할 일. ¶비밀에 붙이다. ❷밝혀지지 않은 사실이나 내용. ¶우주의 비밀.

세:밀 細密 | 가늘 세, 빽빽할 밀 [be minute]
가늘고[細] 빽빽함[密]. 빈틈없이 자세한. ¶세밀한 검사.

엄밀 嚴密 | 엄할 엄, 빽빽할 밀
[strict; exact; strictly secret]
❶속뜻 엄중(嚴重)하고 세밀(細密)하다. ¶엄밀한 조사를 받았다. ❷매우 비밀스럽게 하다. ¶엄밀하게 일을 추진하다.

은밀 隱密 | 숨길 은, 몰래 밀 [secret; covert]
숨어서[隱] 몰래[密]. 또는 남몰래. ¶그는 나에게 은밀히 말했다.

정밀 精密 | 쓿을 정, 빽빽할 밀
[minute; be detailed]
쓿은 쌀[精]같이 세밀(細密)함. 빈틈이 없고 자세함. ¶정밀검사.

치밀 緻密 | 촘촘할 치, 빽빽할 밀
[minute; elaborate; accurate]
❶속뜻 촘촘하고[緻] 빽빽함[密]. ¶이 천은 올이 가늘고 치밀하다. ❷자세하고 꼼꼼하다. ¶치밀한 계획을 세우다.

친밀 親密 | 친할 친, 빽빽할 밀
[be intimate; close to]
지내는 사이가 아주 친(親)하고 가까움[密]. ¶나는 주호와 영미가 매우 친밀하다고 들었다.

0548 [보]

寶

보배 보:
部 宀부 劃 20획 ⊕ 宝 [bǎo]

寶자는 원래 '집 면'(宀)·'구슬 옥'(玉)·

'조개=돈 패'(貝)로 구성된 것이었다. 집안에 고이 간직해 둔 옥이나 돈을 통하여 '보배'(a treasure)라는 뜻을 나타냈다. 缶(부)는 음을 나타내기 위하여 후에 첨가한 표음요소다.

보:고 寶庫 | 보배 보, 곳집 고
[treasure house; treasury]
❶속뜻 보물(寶物)을 보관하고 있는 창고(倉庫). ❷귀중한 것이 많이 나거나 간직되어 있는 곳을 비유적으로 이르는 말. ¶문화유산의 보고.

보:물 寶物 | 보배 보, 만물 물 [treasure]
보배로운[寶] 물건(物件). 썩 드물고 귀한 물건. ¶동대문은 대한민국 보물 제1호이다. ㊐보배, 보화(寶貨).

보:석 寶石 | 보배 보, 돌 석
[jewel; precious stone]
보배[寶]로 쓰이는 광석(鑛石). ¶보석으로 온 몸을 치장하다. ㊐보옥(寶玉).

보:화 寶貨 | 보배 보, 재물 화 [treasure]
보물[寶]과 화폐[貨幣]. ¶왕궁 안의 보화를 노략질하였다. ㊐보물(寶物), 보배.

• 역순어휘

가보 家寶 | 집 가, 보배 보 [family treasure]
한 집안[家]에 전해오는 보배[寶]로운 물건. ¶이 그림은 우리집 가보이다.

국보 國寶 | 나라 국, 보배 보
[national treasure; asset to the nation]
❶속뜻 나라[國]의 보배[寶]. ❷나라에서 지정하여 법률로 보호하는 문화재. ¶남대문은 우리나라 국보 1호이다.

다보 多寶 | 많을 다, 보배 보
❶속뜻 많은[多] 보물(寶物). ❷불교 '다보여래'(多寶如來)의 준말.

칠보 七寶 | 일곱 칠, 보배 보 [Seven Treasures]
❶속뜻 일곱[七] 가지 보물(寶物). ❷수공 금은이나 구리의 바탕에 유리질의 유약을 발라 구워서 여러 가지 무늬를 나타낸 세공.

0549 [부]

富 부자 부:
㊕宀부 ㊕12획 ㊥富 [fù]

富자는 (집에 필요한 설비 따위를) '갖추다'(prepare)가 본뜻이니 宀(집 면)이 표의요소로 쓰였다. 그 나머지가 표음요소임은 副(버금 부)도 마찬가지다. 이 글자를 흔히 '가멸 부'라고 말하는데, '가멸다'는 '재산 많다'는 뜻의 옛말이다. '부자'(a rich man), '넉넉하다'(enough; sufficient)는 뜻으로 많이 쓰인다.
속뜻훈음 ①넉넉할 부, ②부자 부.

부:강 富強 | 넉넉할 부, 강할 강
[wealth and power]
부유(富裕)하고 강(強)함. ¶국가의 부강 / 부강한 나라를 만들다.

부:국 富國 | 넉넉할 부, 나라 국 [rich country]
부유(富裕)한 나라[國]. 나라를 부유하게 만듦. ¶이라크는 중동의 석유 부국이다.

부:귀 富貴 | 넉넉할 부, 귀할 귀
[riches and honors]
재산이 많고[富] 사회적 지위가 높음[貴]. ¶그는 부귀와 명예를 모두 얻었다. ㊥빈천(貧賤).

부:농 富農 | 넉넉할 부, 농사 농 [rich farmer]
많은 농지를 가지고 있어 생활이 넉넉한[富] 농가(農家). 또는 그런 농민(農民). ¶일반 농민들은 부농의 밭을 소작했다. ㊥빈농(貧農).

부:유 富裕 | 넉넉할 부, 넉넉할 유 [wealthy; rich]
재물이 많아 생활이 넉넉하다[富=裕]. ¶그는 부유한 사람과 결혼을 했다. ㊥곤궁(困窮)하다.

부:자 富者 | 넉넉할 부, 사람 자
[millionaire; rich]
살림이 넉넉한[富] 사람[者]. 재산이 많은 사람. ㊥빈자(貧者). 속담 부자는 망해도 삼 년 먹을 것이 있다.

부:호 富豪 | 넉넉할 부, 호걸 호 [millionaire]
재산이 많고[富] 세력이 있는 호걸(豪傑). 큰 부자. ㊐부자.

• 역순어휘

갑부 甲富 | 첫째 갑, 부자 부
[wealthiest; millionaire]
첫째[甲]가는 큰 부자(富者). ¶그는 세계적인 갑부이다. ㊐일부(一富), 수부(首富).

빈부 貧富 | 가난할 빈, 넉넉할 부
[poverty and wealth]
가난함[貧]과 넉넉함[富]. ¶빈부의 격차를 줄이다.

치:부 致富 | 이를 치, 부자 부
[become rich; amass a fortune]
재물을 모아 부자(富者)가 됨[致]. ¶그는 무역으로 크게 치부했다.

풍부 豐富 | 넉넉할 풍, 넉넉할 부
[rich (in); plentiful]
매우 많아 넉넉함[豐=富]. ¶형은 상식이 풍부하다.

0550 [수]

守 지킬 수
㊀宀부 ㊁6획 ㊥守 [shǒu]

守자는 '집 면'(宀)과 '잡을 촌'(寸)이 조합된 것이다. 초(楚)나라 문헌에서는 '寸'이 '又'로 쓰였는데, 둘 다 '잡다'는 뜻이기 때문에 통용이 가능했다. '(집을) 지키다'(guard)는 본뜻이 요즘도 널리 쓰인다.

수령 守令 | 지킬 수, 시킬 령 [magistrate]
❶속뜻 고을을 지키고[守] 부하를 시킴[令]. ❷역사 고려·조선 시대에, 각 고을을 맡아 다스리던 관리. 절도사, 관찰사, 목사, 부사, 군수, 현감, 현령 따위.

수문 守門 | 지킬 수, 문 문 [keeping a gate]
문(門)을 지킴[守].

수비 守備 | 지킬 수, 갖출 비 [defend; guard]
재해나 침입에 대비(對備)하여 지킴[守]. ¶우리 팀은 수비가 약하다. ㊥공격(攻擊).

수세 守勢 | 지킬 수, 형세 세 [defensive attitude]
❶속뜻 공격을 못하고 지키기만[守]하는 형세(形勢). ❷힘이 부쳐서 밀리는 형세. ¶우리 팀은 다음 회까지도 수세에 몰렸다. ㊥공세(攻勢).

수위 守衛 | 지킬 수, 지킬 위 [guard; defend]
❶속뜻 성문 따위를 잘 지킴[守=衛]. ❷관청, 학교, 공장, 회사 따위의 경비를 맡아봄. 또는 그런 일을 맡은 사람. ¶정문의 수위가 문을 열어 주었다.

수절 守節 | 지킬 수, 지조 절
[maintain one's integrity]
지조[節]나 정절(貞節)을 지킴[守]. ¶그녀는 청상과부로 평생 수절하며 살았다.

수칙 守則 | 지킬 수, 법 칙 [rules; directions]
행동이나 절차에 관하여 지켜야[守] 할 사항을 정한 규칙(規則). ¶근무수칙 / 안전 수칙.

수호 守護 | 지킬 수, 돌볼 호 [protect; guard]
지켜주고[守] 돌보아줌[護]. ¶자유와 정의를 수호하다 / 수호천사.

• 역순어휘

간수 看守 | 볼 간, 지킬 수 [guard]
❶속뜻 보살피고[看] 지킴[守]. ❷철도의 건널목을 지키는 사람.

고수 固守 | 굳을 고, 지킬 수 [stick to; adhere to]
굳게[固] 지킴[守]. 단단히 지킴. ¶자신의 의견을 고수하다. ㊥묵수(墨守).

공:수 攻守 | 칠 공, 지킬 수
[offense and defense]
공격(攻擊)과 수비(守備). ¶그 팀은 공수가 다 약하다.

군:수 郡守 | 고을 군, 지킬 수
[magistrate of a county]
법률 군(郡)의 치안[守]과 행정을 맡아보는 으뜸 직위에 있는 사람. 또는 그 직위.

보:수 保守 | 지킬 보, 지킬 수 [conservativeness]
오랜 습관, 제도, 방법 등을 소중히 여겨 그대로 보존(保存)하여 지킴[守]. ¶보수 세력. ㊥진보(進步), 혁신(革新).

사:수 死守 | 죽을 사, 지킬 수 [defend to the last]
목숨을 걸고 죽을[死] 각오로 지킴[守]. ¶독도 사수를 결의했다 / 우리 군은 어려운 상황 속에서도 기지를 사수했다.

엄수 嚴守 | 엄할 엄, 지킬 수 [observe strict]
명령이나 약속 따위를 엄격(嚴格)하게 지킴[守]. 반드시 그대로 지킴. ¶약속 시간을 엄수하다.

준:수 遵守 | 따를 준, 지킬 수 [obey; follow]
규칙이나 명령 따위를 그대로 따르고[遵] 지킴[守]. ¶교칙을 준수하다.

태수 太守 | 클 태, 직책 수
역사 ❶신라 때, 군(郡)의 으뜸[太] 벼슬[守]. ❷예전에, 주·부·군·현의 행정 책임을 맡던 으뜸 벼슬.

파수 把守 | 잡을 파, 지킬 수 [watch; guard]
❶속뜻 손에 무기를 쥐고[把] 성 따위를 지킴[守]. ❷경계하여 지킴. 또는 그러는 사람. ¶파수를 서다.

0551 [용]

容 얼굴 용
㊀宀부 ㊁10획 ㊥容 [róng]

容자는 '집 면'(宀)과 '골짜기 곡'(谷)이 조합된 것으로 '받아들이다'(receive; accept)가 본뜻이다. 집은 사람을 받아들이고, 낮은 골짜기는 모든 물을 받아들이는 것과 관련이 있다고 한다. 후에 '담다'(fill; put in), '얼굴'(a face) 등으로 확대 사용됐다.

속뜻훈음 ①담을 용, ②얼굴 용.

용기 容器 | 담을 용, 그릇 기 [instrument]
물건을 담는[容] 그릇[器]. ¶플라스틱 용기.

용납 容納 | 담을 용, 들일 납 [tolerate; permit]
너그러운 마음으로 포용(包容)하여 받아들임[納]. ¶너의 그런 무례한 행동은 도저히 용납할 수 없다.

용량 容量 | 담을 용, 분량 량
[measure of capacity]

❶속뜻 가구나 그릇 같은 데 담을 수 있는[容] 분량(分量). ¶3백 리터 용량의 냉장고. ❷컴퓨터에 저장할 수 있는 정보의 양.

용모 容貌 | 얼굴 용, 모양 모 [features]
사람의 얼굴[容] 모양[貌]. ¶용모가 단정하다.

용서 容恕 | 담을 용, 동정할 서 [forgive; pardon]
❶속뜻 동정심[恕]을 마음에 담음[容]. ❷꾸짖거나 벌하지 아니하고 덮어 줌. ¶용서를 빌다.

용의 容疑 | 담을 용, 의심할 의 [suspicion]
❶속뜻 의심(疑心)을 받음[容]. ❷범죄를 저지른 사실이 있으리라는 의심을 하는 것을 가리킴. ¶용의 차량을 집중 추적하다.

용이 容易 | 담을 용, 쉬울 이 [be easy]
❶속뜻 담겨[容] 있는 것이 쉬움[易]. ❷아주 쉽다. 어렵지 않다. ¶이 컴퓨터는 조립이 용이한 것이 장점이다. ㊟난해(難解)하다.

용인 容認 | 담을 용, 알 인 [approve]
너그러운 마음에 담아서[容] 인정(認定)함. ¶이런 식의 실수는 용인할 수 없다.

용적 容積 | 담을 용, 쌓을 적 [capacity]
물건을 담고[容] 쌓을[積] 수 있는 부피. 혹은 용기 안을 채우는 분량. ¶물이 냉각되면 그 용적이 늘어난다.

• 역순어휘

관용 寬容 | 너그러울 관, 담을 용
[toleration; tolerance]
남의 잘못을 너그럽게[寬] 받아들이거나[容] 용서함. 또는 그런 용서. ¶관용을 베풀다. ㊐관면(寬免).

내:용 內容 | 안 내, 담을 용 [contents]
❶속뜻 그릇이나 포장 따위의 속[內]에 들어있는[容] 것 ❷글이나 말 따위에 담겨져 있는 사항. ¶글의 내용을 잘 알아야 한다. ㊟형식(形式).

미:용 美容 | 아름다울 미, 얼굴 용
[beauty art; cosmetic treatment]
얼굴[容]이나 머리 등을 곱게[美] 매만짐. ¶피부미용에 관심을 갖다. ㊐미장(美粧).

수용[1] 收容 | 거둘 수, 담을 용 [take in; admit]
사람이나 물품 따위를 거두어[收] 일정한 곳에 담음[容]. ¶이 강당은 천 명을 수용할 수 있다.

수용[2] 受容 | 받을 수, 담을 용 [accept; embrace]
받아[受]들임[容]. ¶외국 문화를 무비판적으로 수용하면 안 된다.

포:용 包容 | 쌀 포, 담을 용 [include; tolerate]
❶속뜻 감싸고[包] 담음[容]. ❷남을 아량 있고 너그럽게 감싸 받아들임. ¶대북 포용정책 / 그는 남을 포용할 줄 아는 사람이다.

허용 許容 | 허락 허, 담을 용 [allowance]
허락(許諾)하고 용납(容納)함. ¶소음의 허용 한도를 넘다.

형용 形容 | 모양 형, 얼굴 용
[describe; put into words]
❶속뜻 모양[形]과 얼굴[容] 생김새. ❷말이나 글, 몸짓 따위로 사물이나 사람의 모양을 나타냄. ¶그곳의 경치는 형용할 수 없을 만큼 아름답다.

0552 [종]

宗

마루 종
㊀宀부 ㊁8획 ㊥宗 [zōng]

宗자는 신주(示·시)를 모셔 놓은 집(宀·면)을 가리키는 것이니, '祖廟'(조묘), 즉 '선조의 사당'(an ancestral shrine)이 본뜻이다. 전통적으로 이 글자를 '마루 종'이라고 하였는데, '마루'는 '집의 지붕이나 산의 꼭대기'를 뜻하니 '으뜸', '근원' 등과 일맥상통하는 점이 있다.

종가 宗家 | 마루 종, 집 가 [head family]
족보로 보아 한 문중에서 맏이[宗]로만 이어 온 큰집[家]. ¶시어머니는 종가의 대를 이을 아들을 바라셨다.

종교 宗教 | 마루 종, 가르칠 교 [religion]
신이나 초자연적인 절대자 또는 힘에 대한 믿음을 통하여 삶의 근원[宗] 문제를 가르치는[教] 문화 체계. ¶당신이 믿는 종교는 무엇입니까?

종묘 宗廟 | 마루 종, 사당 묘
[Royal Ancestral Shrine]
역사 조선 시대에, 역대 임금과 왕비의 위패를 모시던 왕실[宗]의 사당[廟]. ㊐궁묘(宮廟), 대묘(大廟).

종손 宗孫 | 마루 종, 손자 손
[eldest grandson of the main family]
종가(宗家)의 대를 이을 손자(孫子). ¶종손이라 그런지 예의범절이 바르다.

종씨 宗氏 | 마루 종, 성씨 씨
[paternal cousin older than oneself]
한 일가[宗]에 속하는 같은 성씨[氏]의 사람들. 또는 그들끼리 부르는 말. ¶이런 데서 종씨를 만나니 참으로 반갑습니다.

종친 宗親 | 마루 종, 친할 친 [kindred]
한 일족[宗]에 속하는 친척(親戚). ¶명절이 되어 가깝게 사는 종친들이 다 모였다.

종파 宗派 | 마루 종, 갈래 파
[main branch of a family]

❶속뜻 종가(宗家)에서 떨어져 나온 갈래[派]. ❷같은 종교의 갈린 갈래. ¶다른 종파라고 해서 서로 싸우면 안 된다.

• 역순어휘

개:종 改宗 | 바꿀 개, 마루 종 [convert to]
종교 믿던 종교(宗教)를 바꾸어[改] 다른 종교를 믿음. ¶그는 불교로 개종했다.

정:종 正宗 | 바를 정, 종파 종
❶불교 창시자의 정통(正統)을 이어받은 종파(宗派). ❷일본식으로 빚어 만든 맑은 술. 일본 상품명이다.

주종 主宗 | 주될 주, 으뜸 종 [main part]
여러 가지 가운데 주(主)가 되고 으뜸[宗]이 되는 것. ¶그 나라의 수출품은 가전제품이 주종을 이룬다.

태종 太宗 | 클 태, 마루 종
❶속뜻 가장 크고[太] 높은 산마루[宗]. ❷역사 한 왕조의 선조 가운데 그 공과 덕이 태조에 버금할 만한 임금.

0553 [찰]

察 살필 찰
部 宀부 劃 14획 中 察 [chá]

察자는 '살피다'(look at; observe)가 본뜻으로 '집 면'(宀)과 '제사 제'(祭) 모두 표의요소이다. 종묘(宀)에서 제사를 지내기 전에 祭需(제:수)를 잘 살펴 보는 것과 관련이 있는 것 같다.

• 역순어휘

감찰 監察 | 볼 감, 살필 찰 [inspect]
❶속뜻 감시(監視)하여 살핌[察]. 또는 그 직무. ❷단체의 규율과 단원의 행동을 살피고 감독하는 일. 또는 그 직무. ¶비리사건에 연루된 기관을 모두 감찰했다. 비감시(監視), 감사(監查), 감독(監督), 단속(團束).

검:찰 檢察 | 검사할 검, 살필 찰
[investigate and examine]
❶속뜻 검사(檢查)하고 사정을 잘 살펴[察] 밝힘. ❷법률 형사사건에서 범죄의 형적(形跡)을 수사하여 증거를 모으는 일.

경:찰 警察 | 타이를 경, 살필 찰 [police]
❶속뜻 경계(警戒)하여 살핌[察]. ❷법률 국가 사회의 공공질서와 안녕을 보장하고 국민의 안전과 재산을 보호하는 일. 또는 그 일을 하는 조직.

고찰 考察 | 생각할 고, 살필 찰
[consider; contemplate]
깊이 생각하여[考] 살핌[察]. ¶문제를 여러 각도에서 고찰하다.

관찰 觀察 | 볼 관, 살필 찰 [observe; watch]
사물이나 현상을 주의하여 자세히 보고[觀] 살핌[察]. ¶현미경으로 미생물을 관찰하다.

불찰 不察 | 아닐 불, 살필 찰
[negligence; carelessness]
잘 살피지[察] 아니한[不] 잘못. ¶그런 사람을 믿은 것은 내 불찰이었다.

성찰 省察 | 살필 성, 살필 찰
[introspect; reflect (on)]
자신이 한 일을 돌이켜 보고 깊이 살핌[省=察]. ¶자신을 성찰하다.

순찰 巡察 | 돌 순, 살필 찰 [patrol]
순회(巡廻)하며 살핌[察]. ¶경비원이 아파트를 순찰하고 있다.

시:찰 視察 | 볼 시, 살필 찰 [inspect; observe]
돌아다니며 실지 사정을 보고[視] 살핌[察]. ¶수해 지역을 시찰하다.

정찰 偵察 | 염탐할 정, 살필 찰 [reconnoiter]
군사 적의 동태 따위를 몰래 염탐[偵]하여 살핌[察]. ¶정찰위성 / 소형비행기가 적진을 정찰하고 있다.

진:찰 診察 | 살펴볼 진, 살필 찰
[examine; see a patient]
의학 의사가 여러 가지 방법으로 환자의 병이나 증상을 보고[診] 살핌[察]. ¶병원에 가서 진찰을 받다.

통:찰 洞察 | 꿰뚫을 통, 살필 찰
[discern; see through]
예리하게 꿰뚫어[洞] 살펴봄[察]. ¶밝은 이성으로 깊이 통찰하다.

0554 [강]

康 편안 강
部 广부 劃 11획 中 康 [kāng]

康자는 원래 타악기인 징을 그린 것(庚·경)과 대칭으로 찍힌 네 개의 점으로 구성된 글자로, '화락하다'(harmonious; peaceful)가 본뜻이다. '편안하다'(comfortable; easy)는 뜻으로 많이 쓰인다.
속뜻 훈음 **편안할 강.**

• 역순어휘

건:강 健康 | 튼튼할 건, 편안할 강 [health; fit]
❶속뜻 육체가 튼튼하고[健] 마음이 편안함[康]. ¶담배

는 건강에 해롭다. ❷의식이나 사상이 바르고 건실함. [반]허약(虛弱).

0555 [부]

府

마을[官廳] 부:
[部] 广부 [劃] 8획 [中] 府 [fǔ]

府자는 표의요소인 '집 엄'(广)과 표음요소인 付(줄 부)로 구성된 글자다. 나라의 문서나 재물을 넣어두는 집, 즉 '곳집'(a storehouse)이 본뜻이다. '관청'(a government office)을 가리키는 것으로 확대 사용됐고, '귀하의 집'(your home)이라는 높임말로 활용되기도 하였다.

[속뜻훈음] 관청 부.

• 역순어휘

막부 幕府 | 휘장 막, 관청 부 [shogun]
[역사] 1192년에서 1868년까지 일본을 통치한 무인들의 정부(政府). 근위대장의 처소[幕]를 지칭하다가 이후 장군 자체를 지칭한데서 유래하였다.

정부 政府 | 정사 정, 관청 부 [government]
❶[속뜻] 정사(政事)를 보는 관청[府]. ❷[법률] 입법, 사법, 행정의 삼권을 포함하는 통치기구를 통틀어 이르는 말. ¶한민족은 20세기에 근대적인 정부를 수립했다.

0556 [상]

床

상 상
[部] 广부 [劃] 7획 [中] 床 [chuáng]

床자는 牀(상)의 속자다. '평상'(a flat wooden bed)을 뜻하는 牀자가 갑골문에서는 평상을 세워 놓은 모습인 '爿'(장)이었는데, 후에 그 재질과 관련하여 '나무 목'(木)을 첨가시킨 것이 牀자이고, 이것을 보다 빨리 쉽게 쓰기 위하여 만든 속자가 床이다. 굳이 풀이하자면 집안[广]에서 쓰는 나무[木] 평상을 가리킨다고 볼 수 있다.

[속뜻훈음] 평상 상.

상보 床褓 | 평상 상, 보자기 보 [tablecloth]
밥상[床]을 덮는 데에 쓰는 보자기[褓]. ¶상보로 상을 덮었다.

상석 床石 | 평상 상, 돌 석
[stone offertory table in front of a tomb]
[민속] 무덤 앞에 제물(祭物)을 차려 올려놓기 위하여 돌[石]로 만든 상(床). ¶할아버지의 상석에 햇과일을 놓았다.

• 역순어휘

겸상 兼床 | 아우를 겸, 평상 상 [table for two]
둘 또는 그 이상의 사람이 아울러[兼] 함께 먹을 수 있도록 차린 밥상[床]. 또는 그렇게 차려 먹음. ¶그는 부인과 겸상을 차려 식사했다. [반]각상(各床), 독상(獨床).

독상 獨床 | 홀로 독, 평상 상 [table for one]
혼자서[獨] 먹도록 차린 음식상(飮食床). ¶손님을 위해 독상을 차리다. [비]외상. [반]겸상(兼床).

온상 溫床 | 따뜻할 온, 평상 상 [warm nursery]
[농업] 인공적으로 따뜻하게[溫] 하여 식물을 기르는 상(床) 모양의 설비. ¶겨울철에는 딸기를 온상에서 재배한다.

제:상 祭床 | 제사 제, 평상 상 [sacrificial table; table used in a religious service]
제사(祭祀)를 지낼 때 제물을 올려놓는 평상(平床). '제사상'의 준말.

책상 冊床 | 책 책, 평상 상 [writing table; desk]
책(冊)을 읽거나 글씨를 쓰는 데 쓰는 평상(平床). ¶책상 위에 책을 두었다.

0557 [득]

得

얻을 득
[部] 彳부 [劃]11획 [中]得 [dé, děi, de]

得자는 원래 '돈'을 가리키는 貝(패)와 '손으로 잡다'는 뜻인 又(우)가 합쳐진 꼴로 '(돈을 손으로) 줍다'(pick up)는 뜻이었는데, 후에 '길거리 척'(彳)이 덧붙여졌다. 따라서 본래부터 不勞所得(불로소득)의 의미가 다소 담겨 있는 셈이다. 후에 일반적 의미의 '얻다'(obtain; acquire)로 확대 사용됐다.

득남 得男 | 얻을 득, 사내 남 [birth of a son]
사내[男] 아이를 낳음[得]. [비]생남(生男), 생자(生子). [반]득녀(得女).

득음 得音 | 얻을 득, 소리 음
❶[속뜻] 참된 소리[音]가 무엇인지를 체득(體得)함. ❷노래나 연주 솜씨가 매우 뛰어난 경지에 이름.

득점 得點 | 얻을 득, 점 점 [make a score]
시험이나 경기 따위에서 점수(點數)를 얻음[得]. 또는 그 점수. ¶그는 한 경기에서 30점을 득점했다. [반]실점(失點).

득표 得票 | 얻을 득, 쪽지 표 [poll votes]
투표(投票)에서 자신을 지지하는 표(票)를 얻음[得].

또는 그 얻은 표. ¶그는 과반수 득표로 당선되었다.

• 역순어휘

납득 納得 | 들일 납, 얻을 득 [understand]
남의 말이나 행동을 받아들여[納] 이해함[得]. ¶네 말은 납득할 수 없다.

설득 說得 | 말씀 설, 얻을 득 [persuade; convince; coax]
잘 설명(說明)하거나 타일러 납득(納得)시킴. ¶그는 가족의 설득에 넘어가 금연하기로 결심했다 / 나는 그를 설득해서 집으로 돌아가게 했다. ⓑ설복(說服).

소:득 所得 | 것 소, 얻을 득 [income; earnings]
❶속뜻 어떤 일의 결과로 얻는[得] 것[所]. ❷경제 경제 활동을 하고 그 대가로 받는 돈 따위. ¶그는 매달 소득의 5%를 기부한다. ⓑ이익(利益).

습득[1] 習得 | 익힐 습, 얻을 득 [learn; acquire]
배워서[習] 지식 따위를 얻음[得]. 배워 터득함. ¶나는 영국에 살면서 자연스럽게 영어를 습득했다.

습득[2] 拾得 | 주울 습, 얻을 득 [pick up]
남이 잃어버린 물건을 주워서[拾] 얻음[得]. ⓟ분실(紛失).

이:득 利得 | 이로울 리, 얻을 득 [gain; profit]
이익(利益)을 얻음[得]. ¶그는 재작년에 산 땅을 팔아서 큰 이득을 보았다. ⓑ이익(利益). ⓟ손실(損失).

체득 體得 | 몸 체, 얻을 득 [realize; master; comprehend]
몸[體]으로 직접 터득(攄得)함. 몸소 경험하여 알아냄. ¶경험에서 체득된 지식.

취:득 取得 | 가질 취, 얻을 득 [acquire; obtain]
❶속뜻 취(取)하여 얻음[得]. ❷자기의 것으로 함. ¶자격증을 취득하다.

터:득 攄得 | 펼 터, 얻을 득 [master; learn; grasp]
❶속뜻 손을 펴서[攄] 얻어[得]냄. ❷연구하거나 생각하여 사물의 이치를 깨달아 앎. ¶공부의 비결을 터득하다.

획득 獲得 | 잡을 획, 얻을 득 [get; acquire]
잡아[獲] 얻음[得]. 손에 넣음. ¶금메달 획득.

0558 [복]

復

되돌릴 복, 다시 부:
ⓑ 彳부 ⓗ 12획 ⓒ 复 [fù]

復자는 원래 复(갈 복)으로 썼다. 复은 갑골문에도 등장되는데, 이것은 '반복하다'(repeat)는 뜻을 나타내기 위하여 대장간에서 바람을 일으킬 때 쓰는 풀무를 반복해서 발로 밟는 모양을 본뜬 것이다. 夊(쇠)는 발 모양을 본뜬 '止'의 변형으로 풀무를 밟던 발을 가리키고 그 위의 것은 풀무 모양을 그린 것이었다. 후에 이것이 '되돌아오다'(return; turn back)는 뜻으로도 쓰이자 그 뜻을 더욱 분명하게 나타내기 위하여 '길 척'(彳)이 첨가됨으로써 오늘날의 '復'자가 됐다. 그 다음에 다시 '되돌리다'(recover; get back)로 확대 사용됐다. '다시'(again; once more)라는 뜻으로 쓰일 때에는 [부:]로 읽는다.

속뜻훈음 ①되돌릴 복, ②돌아올 복, ③다시 부.

복수 復讐 | 되돌릴 복, 원수 수 [revenge; vengeance]
원수(怨讐)를 보복(報復)함. 원수를 갚음. ¶그 놈들에게 복수하고 말겠다! ⓑ앙갚음, 보복(報復).

복고 復古 | 돌아올 복, 옛 고 [restore; recover]
과거의[古] 모양, 정치, 사상, 제도, 풍습 따위로 돌아감[復]. ¶왕정(王政)을 복고하다.

복구 復舊 | 되돌릴 복, 옛 구 [restore]
파괴된 것을 예전[舊]의 본래 상태대로 되돌림[復]. ¶피해 지역을 복구하다.

복귀 復歸 | 돌아올 복, 돌아갈 귀 [return; comeback]
본디의 자리나 상태로 돌아오거나[復] 돌아감[歸]. ¶부대로 복귀하다.

복습 復習 | 돌아올 복, 익힐 습 [review]
배운 것을 되풀이하여[復] 익힘[習]. ¶틀린 문제를 복습하다. ⓟ예습(豫習).

복원 復元 | =復原, 돌아올 복, 으뜸 원 [restore to the original state]
본래[元]대로 회복(回復)함. ¶숭례문 복원 사업. ⓑ복구(復舊).

복직 復職 | 돌아올 복, 일자리 직 [resume office]
원래의 일자리[職]로 다시 돌아옴[復]. ¶나는 지난달에 복직했다.

복창 復唱 | 돌아올 복, 부를 창 [repeat]
남의 말을 그대로 받아서 다시[復] 부름[唱]. ¶우리는 선생님이 하시는 말씀을 일제히 복창했다.

복학 復學 | 돌아올 복, 배울 학 [return to school]
정학이나 휴학을 하고 있던 학생이 다시 학교(學校)로 돌아감[復]. ¶다음 학기에 복학할 예정이다. ⓑ복교(復校).

부:활 復活 | 다시 부, 살 활 [revive; resurrect]
❶속뜻 죽었다가 다시[復] 살아남[活]. ¶예수의 부활. ❷없어졌던 것이 다시 생김. ¶교복 착용 제도의 부활.

부ː흥 復興 | 다시 부, 일어날 흥 [reconstruct]
쇠하였던 것이 다시[復] 일어남[興]. 또는 쇠하였던 것을 다시 일어나게 함. ¶경제 부흥 / 문예 부흥.

• 역순어휘

광복 光復 | 빛 광, 돌아올 복
[regain independence]
❶[속뜻]빛[光]이 회복(回復)됨. ❷빼앗긴 주권을 도로 찾음. ¶조국의 광복을 위해 투쟁하다.

반ː복 反復 | 되돌릴 반, 돌아올 복 [repeat]
처음으로 되돌아[反]가 같은 일을 되풀이함[復]. ¶반복 훈련.

보ː복 報復 | 갚을 보, 되돌릴 복 [take a reprisal]
❶[속뜻]앙갚음[報]을 하여 되돌려[復] 줌. ❷남이 저에게 해를 준 대로 저도 그에게 해를 줌. ¶보복을 당하다 / 테러리스트를 보복하다. [비]앙갚음, 복수.

수복 收復 | 거둘 수, 돌아올 복
[recover; recapture; reclaim]
잃었던 땅을 도로 거두어[收] 회복(回復)함. ¶국군은 9월 28일 서울을 수복했다.

왕ː복 往復 | 갈 왕, 돌아올 복
[travel back and forth]
갔다가[往] 돌아옴[復]. ¶왕복 차표 / 이 여객선은 부산과 제주를 왕복한다. [반]편도(片道).

쾌복 快復 | 빠를 쾌, 돌아올 복
[recover completely]
건강이 빨리[快] 회복(恢復)됨. ¶병이 쾌복하여 다행입니다.

회복 回復 | =恢復, 돌아올 회, 돌아올 복
[recover; restore]
이전의 상태로 다시 돌아옴[回=復]. 또는 이전의 상태로 돌이킴. ¶신용 회복 / 건강을 회복하다.

0559 [왕]

往

갈 왕ː
[部] 彳부 [劃] 8획 [中] 往 [wǎng]

往자의 갑골문은 표의요소인 '발 지'(止)와 표음요소인 王(왕)으로 구성된 것으로 '간다'(go; proceed)는 뜻을 나타냈다. 후에 '止 + 王'의 구조가 '主'로 잘못 변화되고 뜻을 분간하기 힘들어지자 의미를 보강하기 위하여 '길 척'(彳)이 첨가되어 지금의 '往'자가 됐다.

왕ː년 往年 | 갈 왕, 해 년 [past]
지나간[往] 해[年]. ¶이래 봬도 왕년에는 스타였다.

왕ː래 往來 | 갈 왕, 올 래
[come and go; associate with]
❶[속뜻]가고[往] 오고[來] 함. ¶이 길은 사람들의 왕래가 잦다. ❷서로 교제하여 사귐. ¶나는 그와 주로 편지로 왕래한다.

왕ː복 往復 | 갈 왕, 돌아올 복
[travel back and forth]
갔다가[往] 돌아옴[復]. ¶왕복 차표 / 이 여객선은 부산과 제주를 왕복한다. [반]편도(片道).

왕ː왕 往往 | 갈 왕, 갈 왕 [often]
❶[속뜻]가고[往] 또 감[往]. ❷시간의 간격을 두고 이따금. ¶이런 일은 왕왕 생긴다.

왕ː진 往診 | 갈 왕, 살펴볼 진
[doctor's visit to a patient]
의사가 병원 밖의 환자가 있는 곳으로 가서[往] 진찰(診察)함. ¶선생님은 지금 왕진하러 가셨습니다.

• 역순어휘

기왕 旣往 | 이미 기, 갈 왕 [past; bygones]
❶[속뜻]이미[旣] 지나간[往]. 과거. ❷이미. 벌써. ¶기왕 늦었으니 자고 가자. [비]이왕(以往), 이전(以前).

내ː왕 來往 | 올 래, 갈 왕 [come and go]
오고[來] 감[往]. ¶내왕이 잦았다. [비]왕래(往來).

이ː왕 已往 | 이미 이, 갈 왕
[already; now that]
❶[속뜻]이미[已] 지나간[往] 때. ❷이미 정해진 사실로서 그렇게 된 바에. ¶이왕 갈 거면 빨리 서두르자. [비]이전(以前), 기왕(旣往).

0560 [률]

律

법칙 률
[部] 彳부 [劃] 9획 [中] 律 [lü]

律자는 '붓'(聿·율)으로 글을 써서 널리 알리기 위하여 길거리(彳·척)에 붙이는 것이니 '법칙'(law)이 본뜻이라는 설이 유력하다. 그렇다면 聿은 표의와 표음을 겸하는 요소인 셈이다. '가락'(rhythm)을 뜻하기도 한다.

[속뜻 훈음] ①법칙 률, ②가락 률.

율동 律動 | 가락 률, 움직일 동
[rhythmic movement]
❶[속뜻]가락[律]에 맞추어 움직임[動]. ❷가락에 맞추어 추는 춤. ¶아이들은 선생님의 율동을 따라했다.

율령 律令 | 법칙 률, 명령 령 [law; statute]

[법률] 형률(刑律)과 법령(法令)을 아울러 이르는 말. 모든 법률을 말한다. ¶백제의 고이왕(古爾王)은 율령(律令)을 반포했다.

율법 律法 | 법칙 률, 법 법 [law; rule]
❶[속뜻] 규범[律]과 법[法]. ❷[기독교] 하나님이 인간에게 지키도록 내린 규범을 이르는 말.

• 역순어휘

계:율 戒律 | 경계할 계, 법칙 률 [commandments]
경계(警戒)하여 지켜야 할 규율(規律). ¶불교의 계율을 따르다.

규율 規律 | 법 규, 법칙 률 [rules; discipline]
❶[속뜻] 따라야 할 법규(法規)와 기율(紀律). ❷질서 유지를 위한 행동 준칙이나 본보기. ¶규율을 지키다. [비] 규정(規定), 규약(規約).

법률 法律 | 법 법, 법칙 률 [law]
❶[속뜻] 법(法)과 규율(規律). ❷[법률] 국민이 지켜야 할 모든 법(法)을 통틀어 일컫는 말. ¶법률을 제정하다 / 법률을 지키다.

선율 旋律 | 돌 선, 가락 률 [melody]
[음악] 높낮이와 리듬을 지니고 흐르는[旋] 가락[律]. ¶감미로운 피아노 선율이 흐른다. [비] 가락.

운:율 韻律 | 운 운, 가락 률 [rhythm]
[문학] 시(詩) 따위에서 운(韻)을 이용해 만든 리듬[律]. 음의 강약, 장단, 고저 또는 동음(同音)이나 유음(類音)을 반복하는 방법을 쓴다. ¶운율에 맞추어 시를 낭송하다.

음률 音律 | 소리 음, 가락 률 [pitch; rhythm]
[음악] ❶아악(雅樂)의 오음(五音)과 육률(六律). ❷소리와 음악의 가락.

자율 自律 | 스스로 자, 법칙 률 [self-control]
스스로의 의지로 자신(自身)의 행동을 규제함[律]. ¶자율 학습. [반] 타율(他律).

조율 調律 | 어울릴 조, 가락 률 [tune up; meditate]
❶[속뜻] 가락[律]이 잘 어울리도록[調] 함. ¶이 피아노는 조율이 필요하다. ❷문제를 알맞게 조절함을 비유하는 말. ¶각 정당의 이견(異見)을 조율하다.

타율 他律 | 다를 타, 규칙 률 [heteronomy]
❶[속뜻] 다른[他] 사람의 규율[律]을 따름. ❷자기의 의지가 아니라 남의 명령이나 구속에 따라 행동하는 일. [반] 자율(自律).

0561 [도]

導

인도할 도:
[部] 寸부 [劃] 16획 [中] 导 [dǎo]

導자는 '(손으로 잡고) 이끌다'(guide; lead)는 뜻을 나타내기 위한 것이었으니, '손잡을 촌'(寸)이 표의요소로 쓰였고, 道(길 도)는 표음요소인데 표의요소 구실도 겸하는 셈이다. 길을 이끌고 안내하는 경우가 많기 때문이다.

[속뜻훈음] 이끌 도.

도:선 導線 | 이끌 도, 줄 선 [leading wire]
전기의 양극을 이어 전류를 이끌어[導] 통하게 하는 쇠붙이 줄[線].

도:입 導入 | 이끌 도, 들 입 [introduce; induce]
❶[속뜻] 기술, 방법, 물자 따위를 끌어[導] 들임[入]. ¶최신 기술을 도입하다. ❷수업에서 본격적인 내용을 다루기 전의 첫 단계.

도:체 導體 | 이끌 도, 몸 체 [conductor]
[물리] 열 또는 전기 따위를 잘 전도(傳導)하는 물체(物體). '도전체'(導電體)의 준말. [반] 부도체(不導體).

도:출 導出 | 이끌 도, 날 출 [deduce; draw]
판단이나 결론 따위를 이끌어[導] 냄[出]. ¶합의 도출 / 결론을 도출하다.

도:화 導火 | 이끌 도, 불 화 [fuze; direct cause]
❶[속뜻] 폭약이 터지도록 이끄는[導] 불[火]. ❷사건의 원인이나 동기를 비유하여 이르는 말.

• 역순어휘

교:도¹ 教導 | 가르칠 교, 이끌 도 [teach; instruct]
가르치고[教] 이끌어줌[導]. [비] 교화(教化).

교:도² 矯導 | 바로잡을 교, 이끌 도 [reform; correct]
❶[속뜻] 바로잡아[矯] 이끌어 줌[導]. ❷[법률] 교정직 9급 공무원의 직급.

선도¹ 先導 | 먼저 선, 이끌 도 [guidance; leadership]
앞장서서[先] 이끎[導]. ¶그녀는 유행을 선도한다.

선:도² 善導 | 착할 선, 이끌 도 [proper guidance]
올바른[善] 길로 인도(引導)함. ¶비행 청소년을 올바르게 선도하다.

영도 領導 | 거느릴 령, 이끌 도 [lead]
거느리고[領] 이끎[導]. 지도함. ¶지도자의 영도에 복종하다 / 공화제에서는 대통령이 나라를 영도한다.

유도 誘導 | 꾈 유, 이끌 도 [induce; lead]
사람이나 물건을 어떤 장소나 상태로 꾀어[誘] 이끄는[導] 일. ¶유도 분만(分娩) / 유도 신문(訊問) / 교통경찰이 과속 차량을 갓길로 유도했다.

인도 引導 | 끌 인, 이끌 도 [guidance]
❶속뜻 이끌어[引=導] 줌. ❷가르쳐 일깨움. ¶그는 비행 청소년을 바른 길로 인도했다. ❸길을 안내함.

전도 傳導 | 전할 전, 이끌 도 [conduct; transmit]
❶속뜻 전(傳)하여 인도(引導)함. ❷물리 열 또는 전기가 물체 속을 이동하는 일. 또는 그런 현상. 열전도, 전기전도 따위. ¶은은 열을 잘 전도한다.

주도 主導 | 주인 주, 이끌 도 [lead]
주인(主人)이 되어 이끌어 나감[導]. ¶정부 주도 하의 산업화 / 정미는 모임을 주도하는 능력이 있다.

지도 指導 | 가리킬 지, 이끌 도 [guide; tutor; instruct]
어떤 목적이나 방향으로 남을 가리켜주고[指] 이끌어[導] 줌. ¶선배의 지도를 받다 / 선수들을 지도하며 시합을 준비하다.

향:도 嚮導 | 향할 향, 이끌 도 [lead]
❶속뜻 목적지를 향(嚮)하여 이끎[導]. ❷길을 인도함. 또는 그 사람.

0562 [사]

寺 절 사
部 寸부 劃 6획 中 寺 [sì]

寺자는 원래 '모시다'(wait upon)는 뜻을 나타내기 위하여 '발 지'(止) 밑에 '손 우'(又)가 합쳐진 것이었다. 후에 '止 → 土', '又 → 寸'같은 변화를 거쳐 寺가 됐다. 상대방의 발까지 손으로 씻어줄 정도였음은 그 받들어 모심이 얼마나 지극정성이었는지를 알고도 남음이 있다. 그래서 '내시'(a eunuch)란 뜻으로도 쓰였고, '마을'(a village), '관청'(a public office)을 지칭하기도 하였다. 그런데 後漢(후:한) 때 불교가 전래된 이후로는 '절'(a Buddhist temple)을 뜻하는 예가 많아져 본뜻을 잊어버리는 경향이 있자 '사람 인'(亻)을 첨가한 '侍'자를 따로 만들어 본뜻을 나타냈다.

사원 寺院 | 절 사, 집 원 [(Buddhist) temple]
절[寺] 따위의 종교 교당[院]. ¶회교 사원을 방문하다. 비사찰(寺刹).

사찰 寺刹 | 절 사, 절 찰 [Buddhist temple]
절[寺=刹]. ¶깊은 산속에 있는 사찰에서 하루를 묵었다.

0563 [장]

將 장수 장(:)
部 寸부 劃 11획
中 将 [jiāng, jiàng, qiāng]

將자는 부수를 알기 어렵다. '잡을 촌'(寸)이 부수이자 표의요소로 쓰였고, 그 나머지는 표음요소였다고 하는데 지금은 낱글자로 쓰이지 않는다. '군대의 우두머리'(將帥·장수, a commander; a general)가 본뜻이다. '거느리다'(command), '앞으로'(future) 같은 뜻으로도 쓰인다.
속뜻훈음 ①장수 장, ②앞으로 장, ③거느릴 장.

장:교 將校 | 거느릴 장, 부대 교 [officer]
❶속뜻 군부대[校]를 거느림[將]. ❷군사 육해공군의 소위 이상의 무관을 통틀어 이르는 말. 반사병(士兵).

장군 將軍 | 장수 장, 군사 군 [general]
군(軍)을 통솔하는 장수(將帥). ¶이순신 장군은 병사들을 지휘하여 왜구를 물리쳤다. 비장관(將官).

장:기 將棋 | 장수 장, 바둑 기 [Korean chess]
운동 32짝을 붉은 글자, 푸른 글자의 두 종류로 나누어 장기판에 정해진 대로 배치하고 둘이 교대로 두면서 장군(將軍)을 막지 못하면 지는 바둑[棋]같은 놀이. ¶할아버지가 평상에서 장기를 두고 계신다.

장래 將來 | 앞으로 장, 올 래 [future]
❶속뜻 앞으로[將] 닥쳐 올[來] 날. ¶장래 희망. ❷앞날의 전망이나 전도. ¶그는 장래가 불확실하다. 비앞날, 미래(未來).

장:병 將兵 | 장수 장, 군사 병 [military men]
군사 장교(將校)에서부터 하급 병사(兵士)에 이르기까지 모두를 이르는 말. ¶국군 장병 / 외출 나온 장병.

장:성 將星 | 장수 장, 별 성 [generals]
❶속뜻 별[星] 모양의 휘장(徽章)을 붙이는 계급의 장군(將軍). ❷군사 준장, 소장, 중장, 대장을 포함하는 장군을 통틀어 이르는 말. ¶그의 아버지는 육군 장성이다. 비장군(將軍).

장:수 將帥 | 장수 장, 장수 수 [general]
군사 군사를 지휘 통솔하는 장군[將=帥].

장차 將次 | 앞으로 장, 순서 차 [in future; some day]
❶속뜻 앞으로[將] 돌아올 순서[次]. ❷미래의 어느 때를 나타내는 말. ¶장차 커서 무엇이 되고 싶니?

• 역순어휘 •

노:장 老將 | 늙을 로, 장수 장 [veteran general; old general]

❶속뜻 늙은[老] 장군(將軍). 경험이 많은 노련한 장군. ❷'어떤 분야에서 많은 경험을 쌓은 노련한 사람'을 비유하여 이르는 말. ¶노장 선수들은 경기 운영이 노련하다. (비)백전노장(百戰老將).

대:장 大將 | 큰 대, 장수 장 [general; admiral]
❶군사 국군의 장성(將星) 중 가장 위[大] 계급. ❷그 방면에 능하거나 몹시 즐기는 사람. ¶지각대장. (비)수장(首長).

명장 名將 | 이름 명, 장수 장 [distinguished general]
이름난[名] 장수(將帥). 뛰어난 장수. ¶이순신 장군은 지용(智勇)을 겸비한 명장이었다.

소:장 少將 | 젊을 소, 장수 장 [major general]
❶속뜻 젊은[少] 장수[將]. ❷군사 군인 계급의 하나. 준장의 위, 중장의 아래.

용:장 勇將 | 날쌜 용, 장수 장 [brave general]
용감(勇敢)한 장수(將帥). ¶용장 밑에 약졸(弱卒) 없다.

적장 敵將 | 원수 적, 장수 장 [enemy's general]
적(敵)의 장수(將帥). ¶그는 적장의 목을 베었다.

주장 主將 | 주인 주, 장수 장 [captain]
❶속뜻 한 군대의 으뜸가는[主] 장수(將帥). ❷운동 한 팀을 대표하는 선수. ¶주장이 팀을 대표하여 트로피를 받았다.

준:장 准將 | 비길 준, 장수 장 [brigadier general]
❶속뜻 장성(將星)급에 비기는[准] 계급. ❷군사 군대 계급의 하나. 소장의 아래, 대령의 위.

중장 中將 | 가운데 중, 장수 장 [lieutenant general]
군사 국군 장성(將星) 계급으로 소장(少將)과 대장(大將)의 중간(中間)에 위치한 계급.

0564 [존]

尊

높을 존
(部) 寸부 (劃) 12획 ㊥ 尊 [zūn]

尊자의 상단에 '추장 추'(酋)자가 들어 있다고 추장이나 두목과 관련시키면 오산이다. 酋는 '묵은 술'을 뜻하는 '술병 유'(酉)가 변화된 것이다. 하단은 원래 '받들다'는 뜻인 廾(공)이 '잡다'는 뜻의 寸(촌)으로 바뀐 것이다. 제사 지낼 때 좋은 술을 따라 올리는 모습을 통하여 '(높이) 받들다'(respect; esteem)는 뜻을 나타냈다. 후에 '(사회적 지위나 덕망 따위가) 높다'(high and noble)는 뜻으로 확대 사용됐다.

하나 더!! 獨尊(독존)은 덕망이 높아 사람들의 '존경을 독차지하다'는 뜻인데, '자기만 잘난 체 하다'는 뜻으로 잘못 쓰는 사례가 많다. 唯我獨尊(유아독존)은 불교에서 쓰는 '天上天下, 唯我獨尊'에서 온 것이다. '唯我獨尊'의 '我'는 개인의 '나'를 뜻하는 것이 아니라 '우리' 즉 '모든 인간'을 지칭하는 것이라 한다. 고대 인도의 카스트(Caste)제도라는 계급주의를 타파하려는 깊은 의도가 깔려 있다. 따라서 이 말은 모든 인간의 존귀함을 뜻하는 것이므로 더 이상 '자기 자신만의 존귀함'으로 오해하지 말아야겠다.

존경 尊敬 | 높을 존, 공경할 경 [respect]
남의 인격, 사상, 행위 따위를 높이[尊] 받들어 공경(恭敬)함. ¶세종대왕은 존경스러운 위인이다. (반)무시(無視), 멸시(蔑視).

존귀 尊貴 | 높을 존, 귀할 귀 [be high and noble]
지위나 신분이 높고[尊] 귀(貴)함. ¶이 세상 사람들은 모두 존귀하다. (반)비천(卑賤).

존대 尊待 | 높을 존, 대접할 대 [treat with respect]
❶속뜻 높이[尊] 받들어 대접(待接)함. ❷존경하는 말투로 대함. ¶그는 항상 나를 깍듯이 존대했다. (반)하대(下待).

존속 尊屬 | 높을 존, 무리 속 [ascendant]
법률 혈연관계에서 자기보다 높은[尊] 항렬의 친속(親屬). 부모 항렬 이상에 속하는 친족을 말한다. ¶존속범죄를 저지르면 더 큰 처벌을 받는다.

존엄 尊嚴 | 높을 존, 엄할 엄 [dignified; majestic]
인물이나 지위 따위가 높고[尊] 위엄(威嚴)이 있음. ¶왕실의 명예와 존엄을 유지하다.

존중 尊重 | 높을 존, 무거울 중 [respect; esteem]
높여[尊] 귀중(貴重)하게 대함. ¶존중받고 싶다면 남부터 존중하라.

존칭 尊稱 | 높을 존, 일컬을 칭 [honorific title]
남을 공경하는 뜻으로 높여[尊] 부름[稱]. 또는 그 칭호. ¶존칭을 붙이다.

존함 尊銜 | 높을 존, 직함 함 [your esteemed name]
남의 이름[銜]을 높여[尊] 이르는 말. ¶존함을 여쭈다. (비)성함(姓銜), 함자(銜字).

• 역순어휘

본존 本尊 | 뿌리 본, 높을 존 [principal image]
❶속뜻 본당(本堂)에서 가장 높음[尊]. ❷불교 법당에 모신 부처 가운데 가장 으뜸인 부처.

자존 自尊 | 스스로 자, 높을 존 [self-respect]
스스로[自] 자기를 높이거나[尊] 잘난 체함.

0565 [경]

境 지경 경
㊟ 土부 ㊟ 14획 ㊥ 境 [jìng]

境은 '흙 토'(土)가 표의요소이고, 竟(경)은 표음요소이다. '(땅의) 경계'(=지경, a boundary; a border)가 본뜻이다. '처지'(a state), '상태'(a situation)를 뜻하기도 한다.

속뜻훈음 ①지경 경, ②처지 경, ③상태 경.

경계 境界 | 지경 경, 지경 계 [boundary; border]
❶속뜻 지역이 갈라지는[境] 한계(限界). ¶경계 분쟁. ❷두 분야의 갈라지는 한계. ¶학문 간의 경계가 허물어지고 있다. ㊥임계(臨界).

경내 境內 | 지경 경, 안 내 [precincts; grounds]
일정한 지경(地境)의 안[內]. 구역의 안. ¶사찰 경내에서는 금연하십시오. ㊦경외(境外).

경우 境遇 | 상태 경, 만날 우
[circumstance; situation]
❶속뜻 어떤 조건이나 상태[境]에 놓이게 됨[遇]. ❷놓여 있는 사정이나 형편. ¶만일의 경우를 대비하다.

경지 境地 | 지경 경, 땅 지 [stage]
❶속뜻 경계(境界) 안의 땅[地]. ❷자신의 특성과 연구로 이룩한 독자적 방식이나 세계. ¶수필문학의 새로운 경지를 열다. ❸어떠한 단계에 이른 상태. ¶해탈의 경지에 도달하다.

• 역순어휘

곤:경 困境 | 괴로울 곤, 처지 경 [fix; straits]
곤란한[困] 처지[境]. 딱한 사정. ¶곤경에 빠지다. ㊥난관(難關).

국경 國境 | 나라 국, 지경 경
[boundary; border of a country]
나라[國]와 나라의 영역을 가르는 경계(境界).

변경 邊境 | 가 변, 지경 경 [borderland]
나라의 경계가 되는 변두리[邊]의 땅[境]. ¶변경을 지키다 / 변경의 방어가 허술하다. ㊥변방(邊方).

사:경 死境 | 죽을 사, 상태 경 [deadly situation]
죽음[死]에 이른 상태[境]. 죽게 된 지경. ¶사경을 헤매다.

심경 心境 | 마음 심, 상태 경 [state of mind]
마음[心]의 상태[境]. 또는 경지. ¶현재 심경이 어떠십니까?

역경 逆境 | 거스를 역, 처지 경
[adversity; adverse situation]
❶속뜻 물이 흐르는 반대로 거슬러[逆] 올라가야 하는 어려운 처지[境]. ❷일이 순조롭지 않아 매우 어렵게 된 처지나 환경. ¶우리는 역경 속에서도 희망을 저버리지 않았다.

지경 地境 | 땅 지, 지경 경
[border; situation; condition]
❶속뜻 땅[地]의 경계(境界). ❷어떤 처지나 형편. ¶너무 억울해 눈물이 날 지경이다.

환경 環境 | 고리 환, 처지 경
[environment; surroundings]
❶속뜻 고리[環]같이 둘러싸여 있는 처지[境]. 자연이나 사회적 조건 따위. ¶지리적 환경 / 환경 파괴. ❷주위의 사물이나 사정. ¶가정 환경 / 주변 환경.

0566 [벽]

壁 벽 벽
㊟ 土부 ㊟ 16획 ㊥ 壁 [bì]

壁자는 '(흙으로 쌓은) 담'(a wall)을 뜻하기 위하여 고안된 것이니 '흙 토'(土)가 표의요소로 쓰였다. 辟(임금 벽)은 표음요소로 뜻과는 무관하다. 후에 '벼랑 / 낭떠러지'(a cliff)를 뜻하는 것으로 확대 사용됐다.

속뜻훈음 담 벽.

벽면 壁面 | 담 벽, 낯 면 [surface of a wall]
담[壁]의 거죽[面]. ¶화장실 벽면에 타일을 붙이다.

벽보 壁報 | 담 벽, 알릴 보
[wall newspaper; poster]
종이에 써서 담[壁]이나 게시판 등에 붙여 여러 사람에게 알리는[報] 글. ¶선거 벽보를 붙이다.

벽장 壁欌 | 담 벽, 장롱 장 [wall closet]
건설 담[壁]을 뚫어 작은 문을 내고 그 안에 물건을 넣어 두게 만든 장(欌). ¶철 지난 옷을 벽장에 넣어 두었다.

벽지 壁紙 | 담 벽, 종이 지 [wallpaper]
건물의 담[壁]에 바르는 종이[紙]. ¶꽃무늬 벽지를 바르다. ㊥도배지(塗褙紙).

벽화 壁畵 | 담 벽, 그림 화 [wall painting]
건물이나 고분 등의 벽(壁)에 장식으로 그린 그림[畵]. 넓게는 기둥이나 천장에 그린 것도 포함한다. ¶고분에는 수렵이나 무용을 그린 벽화가 있다.

• 역순어휘

성벽 城壁 | 성 성, 담 벽 [castle wall]
성곽(城郭)의 담[壁]. ¶적은 성벽을 허물고 진입했다.

암벽 巖壁 | 바위 암, 담 벽 [rock wall; rock face]

깎아지른 듯 높이 솟은 벽(壁) 모양의 바위[巖]. ¶그는 암벽 등반을 하다 추락하는 바람에 허리를 크게 다쳤다.

장벽 障壁 | 막을 장, 담 벽 [barrier]
가리어 막은[障] 담[壁]. ¶장벽을 쌓다.

절벽 絶壁 | 끊을 절, 담 벽 [cliff]
담[壁]처럼 끊어질[絶] 듯이 가파르고 급한 낭떠러지. ¶그는 절벽 아래로 몸을 던졌다. ⓑ낭떠러지, 벼랑.

0567 [보]

報

갚을/알릴 보:
㊀土부 ㊁12획 ㊥报 [bào]

報자는 '흙 토'(土)가 부수이나 의미와는 무관하다. 범인의 발이나 손에 채우던 '차꼬'를 본뜬 幸(행)이 표의요소로 쓰였다. 그 나머지는 꿇어앉은 죄인을 잡고 있던 모습이 변모된 것이다. '(죄에 대한 형벌에) 복종하다'(obey; submit)가 본뜻이다. '갚다'(return; repay), '알리다'(tell; report)는 뜻으로 더 많이 쓰인다.

속뜻훈음 **①알릴 보, ②갚을 보.**

보:고 報告 | 알릴 보, 알릴 고 [report on; inform]
주어진 임무에 대하여 그 결과나 내용을 말이나 글로 알림[報=告]. ¶사건을 상관에게 보고하다.

보:답 報答 | 갚을 보, 답할 답
[reward; recompense]
은혜나 호의에 답(答)하여 갚음[報]. ¶좋은 일을 하면 반드시 보답을 받는다.

보:도 報道 | 알릴 보, 말할 도 [report; cover]
❶속뜻 널리 알리거나[報] 말해[道]줌. ❷신문이나 방송으로 소식을 널리 알림. 또는 그 소식. ¶사건을 보도하다.

보:복 報復 | 갚을 보, 되돌릴 복 [take a reprisal]
❶속뜻 앙갚음[報]을 하여 되돌려[復] 줌. ❷남이 저에게 해를 준 대로 저도 그에게 해를 줌. ¶보복을 당하다 / 테러리스트를 보복하다. ⓑ앙갚음, 복수.

보:상 報償 | 갚을 보, 갚을 상
[recompense; remunerate]
❶속뜻 남에게 진 빚을 갚음[報=償]. ¶빌린 돈의 보상이 어렵게 됐다. ❷어떤 것에 대한 대가로 갚음. ¶노고에 대해 보상을 받다.

보:수 報酬 | 갚을 보, 갚을 수
[reward; remuneration; pay]
❶속뜻 고마움에 보답(報答)하여 갚음[酬]. ❷일한 대가로 주는 돈이나 물품. 또는 그 금품. ¶직급이 올라가면 보수도 올라간다.

보:은 報恩 | 갚을 보, 은혜 은
[requite of kindness]
은혜(恩惠)를 갚음[報]. ⓑ배은(背恩).

• 역순어휘

경:보 警報 | 타이를 경, 알릴 보 [alarm; warning]
위험 또는 재해가 닥쳐 올 때, 사람들에게 경계(警戒)하도록 알리는[報] 일. 또는 그 보도. ¶지진경보 / 태풍경보.

공보 公報 | 공공 공, 알릴 보 [official report]
관공서(官公署) 등이 일반에게 각종 활동 사항을 알리는[報] 일. ⓑ사보(私報).

벽보 壁報 | 담 벽, 알릴 보
[wall newspaper; poster]
종이에 써서 담[壁]이나 게시판 등에 붙여 여러 사람에게 알리는[報] 글. ¶선거 벽보를 붙이다.

비:보 悲報 | 슬플 비, 알릴 보
[sad news; sad tidings]
슬픈[悲] 소식[報]. ¶그는 할머니가 오늘 아침에 돌아가셨다는 비보를 들었다. ⓑ낭보(朗報), 희보(喜報).

속보 速報 | 빠를 속, 알릴 보
[report promptly; announce quickly]
빨리[速] 알림[報]. 또는 그 신속한 보도. ¶재해 속보.

시보 時報 | 때 시, 알릴 보
[news sheet; review; time signal]
표준 시간(時間)을 알리는[報] 일. ¶라디오에서 12시를 알리는 시보가 울렸다.

업보 業報 | 일 업, 갚을 보 [fate; visitation]
❶속뜻 자기가 한 일[業] 때문에 받는[報] 것. 화(禍)나 복(福) 따위. ❷불교 선악(善惡)의 행업(行業)으로 말미암은 과보(果報).

예:보 豫報 | 미리 예, 알릴 보 [forecast]
앞으로 일어날 일을 미리[豫] 알림[報]. 또는 그런 보도. ¶일기 예보 / 기상청은 내일 비가 내릴 것이라고 예보했다.

전:보 電報 | 전기 전, 알릴 보
[telegram; telegraph]
통신 전기(電氣) 신호를 이용해 알림[報]. 또는 그 통보. ¶할머니가 위독하시다는 전보를 받았다.

정보 情報 | 실상 정, 알릴 보
[intelligence; report; news]
❶속뜻 실상[情]에 대한 보고(報告). ❷관찰이나 측정을 통하여 수집한 자료를 실제 문제에 도움이 될 수 있도록 정리한 지식. 또는 그 자료. ¶생활 정보 / 정보를 교환하다.

제보 提報 | 들 제, 알릴 보 [give information]

정보(情報)를 제공(提供)함. ¶제보 전화 / 그는 회사의 비리를 검찰에 제보했다.

첩보 諜報 | 염탐할 첩, 알릴 보 [intelligence; secret information]
적의 형편을 염탐하여[諜] 알려[報]줌. ¶적 부대가 산을 넘어온다는 첩보가 들어왔다.

쾌보 快報 | 기쁠 쾌, 알릴 보 [good news; joyful report]
뜻밖에 듣게 되는 매우 기쁜[快] 소식[報]. ¶우리 팀이 이겼다는 쾌보를 들었다.

통보 通報 | 온통 통, 알릴 보 [report; inform]
관계되는 사람 모두[通]에게 다 알림[報]. ¶합격통보를 하다 / 학부모들에게 통보하여 학교 소식을 알려 드렸다.

특보 特報 | 특별할 특, 알릴 보 [special report; special news]
특별(特別)히 알림[報]. ¶뉴스특보를 말씀드리겠습니다.

홍보 弘報 | 넓을 홍, 알릴 보 [publicize; promote]
일반에 널리[弘] 알림[報]. 또는 그 보도나 소식. ¶홍보 포스터 / 경제정상회의를 홍보하다.

화:보 畫報 | 그림 화, 알릴 보 [pictorial; graphic]
여러 가지 일을 그림[畫]으로 그리거나 사진을 찍어 발행한 책자[報]. 또는 그런 인쇄물. ¶이것은 꽃을 주제로 한 화보이다.

회:보 會報 | 모일 회, 알릴 보 [assembly reports; bulletin]
모임[會]의 일을 회원에게 알리는[報] 간행물. ¶동창회 회보를 발행하다.

0568 [성]

城

재 성
(부) 土부 (획) 10획 (中) 城 [chéng]

城자는 '흙 토'(土)가 부수이자 표의요소로 쓰였고, '이룰 성'(成)은 표의와 표음을 겸하는 요소다. 흙으로 이루어진 성, 즉 '土城'(토성, a mud rampart)이 본뜻이다. '성곽'(a castle; a citadel)을 통칭하는 것으로 많이 쓰인다.

속뜻 훈음 ①성곽 성, ②내성 성.

성곽 城郭 | =城廓, 내성 성, 외성 곽 [castle]
❶ 속뜻 두 겹의 성벽 가운데 안쪽 부분의 담을 '城'이라 하고 바깥 부분의 담을 '郭'이라 함. ❷내성(內城)과 외성(外城)을 아울러 이르는 말. ¶성곽 도시 / 성곽을 쌓다.

성내 城內 | 성곽 성, 안 내 [within the city]
성(城)의 안쪽[內]. 성안. (반)성외(城外).

성문 城門 | 성곽 성, 문 문 [castle gate]
성곽(城郭)의 문(門). ¶성문이 열렸다.

성벽 城壁 | 성곽 성, 담 벽 [castle wall]
성곽(城郭)의 벽(壁). ¶적은 성벽을 허물고 진입했다.

성주 城主 | 성곽 성, 주인 주 [lord of a castle]
성(城)의 우두머리[主].

• 역순어휘

궁성 宮城 | 집 궁, 성곽 성 [royal palace]
❶ 속뜻 궁궐(宮闕)을 둘러싼 성곽(城郭). ❷궁궐(宮闕). ¶왕은 궁성을 빠져나가 피신하였다.

나성 羅城 | 늘어설 라, 성곽 성
❶ 속뜻 도읍지를 둘러 죽 늘어선[羅] 성(城). ¶서울 외곽에 나성을 쌓다. ❷'로스앤젤레스'(Los Angeles)의 음역어. (비)외성(外城).

내:성 內城 | 안 내, 성곽 성
이중으로 쌓은 성에서 안[內]쪽의 성(城). ¶내성과 외성 사이에 못을 파놓았다. (반)외성(外城).

도성 都城 | 도읍 도, 성곽 성 [capital city]
도읍(都邑)을 둘러싼 성곽(城郭). 성 안의 도읍.

산성 山城 | 메 산, 성곽 성 [mountain fortress wall]
산(山)에 쌓은 성(城).

아성 牙城 | 어금니 아, 성곽 성 [inner citadel]
❶ 속뜻 어금니[牙]처럼 가장 안쪽에 있는 성(城). ❷우두머리 장수가 거처하던 성. ¶적군의 아성을 공격하다. ❸아주 중요한 근거지를 비유하여 이르는 말. ¶한 순간의 실수로 수십 년 쌓아 온 그의 아성이 무너졌다.

옹성 甕城 | 독 옹, 성곽 성
❶ 속뜻 독[甕] 모양으로 성 밖을 둘러쌓은 성(城). ❷성을 튼튼히 지키기 위하여 큰 성문 밖에 원형(圓形)이나 방형(方形)으로 쌓은 작은 성.

외:성 外城 | 밖 외, 성곽 성
성 밖[外]에 겹으로 둘러쌓은 성(城). ¶적이 외성을 공격하는 사이 우리는 성을 빠져나가 적의 뒤를 쳤다. (반)내성(內城).

읍성 邑城 | 고을 읍, 성곽 성
한 고을[邑] 전체를 성벽으로 둘러쌓은 성(城). ¶충남 서산에 해미읍성이 있다.

입성 入城 | 들 입, 성곽 성 [enter a castle]
성(城) 안으로 들어감[入]. ¶성문이 닫혀 입성할 수 없었다. (반)출성(出城).

토성 土城 | 흙 토, 성곽 성

[wall of earth; mud wall]
흙[土]으로 쌓아 올린 성(城). ¶토성을 쌓다 / 몽촌토성.

한:성 漢城 | 한양 한, 성곽 성
❶속뜻 한양(漢陽)의 도성(都城). ❷역사 조선 시대, 서울의 이름.

화성 華城 | 꽃 화, 성곽 성
❶속뜻 꽃[華]처럼 아름답게 잘 쌓은 성(城). ❷고적 조선 정조 때, 경기도 수원시에 쌓은 성. 1997년 유네스코 세계 문화유산으로 지정되었다. ⓑ수원성.

0569 [압]

壓
누를 압
部 土부 劃 17획 中 压 [yā, yà]

壓자가 본래는 '흙덩어리'(a lump of earth)를 뜻하기 위하여 고안된 것이었으니 '흙 토'(土)가 표의요소로 쓰였다. 厭(싫을 염)은 표음요소였는데 음이 크게 달라졌다. '누르다'(suppress; put down)는 뜻으로 많이 쓰인다.

압도 壓倒 | 누를 압, 넘어질 도 [overwhelm]
❶속뜻 눌러서[壓] 넘어뜨림[倒]. ❷보다 뛰어난 힘이나 재주로 남을 눌러 꼼짝 못하게 함. ¶그의 기세에 압도를 당하다 / 그는 뛰어난 연기로 관객을 압도했다.

압력 壓力 | 누를 압, 힘 력 [pressure; stress]
❶속뜻 누르는[壓] 힘[力]의 크기. ❷물리 두 물체가 접촉면을 경계로 하여 서로 그 면에 수직으로 누르는 단위 면적에서의 힘의 단위. ¶압력이 높다. ❸권력이나 세력에 의하여 타인을 자기 의지에 따르게 하는 힘. ¶나는 회사를 그만두라는 압력을 받았다.

압박 壓迫 | 누를 압, 다그칠 박 [pressure; press]
❶속뜻 힘을 못 쓰게 누르거나[壓] 다그침[迫]. ¶군사적 압박을 가하다. ❷강한 힘으로 내리 누름. ¶상처 부위를 압박하면 출혈을 막을 수 있다.

압제 壓制 | 무너뜨릴 압, 누를 제 [condense]
폭력으로 남을 무너뜨리거나[壓] 억누름[制]. ¶압제에서 벗어나다.

압축 壓縮 | 누를 압, 줄일 축
[compress; condensation]
❶속뜻 물질 따위에 압력(壓力)을 가하여 부피를 줄임[縮]. ¶공기 압축 / 가스를 압축하다. ❷문장 따위를 줄여 짧게 함. ¶시의 특징은 압축과 생략이다 / 다섯 장의 본문을 한 장으로 압축하다.

• 역순어휘 •

강:압 強壓 | 억지 강, 누를 압 [put pressure]
❶속뜻 강제(强制)로 누름[壓]. 강하게 누름. ❷함부로 억누름. ¶민중을 강압하여 복종시키다 / 그의 태도는 강압적이다. ⓑ강제(強制), 강박(強迫), 억압(抑壓), 압박(壓迫).

고압 高壓 | 높을 고, 누를 압 [high tension]
❶속뜻 높은[高] 압력(壓力). 강한 압력. ❷전기 높은 전압(電壓). ¶고압주의. ⓟ저압(低壓).

기압 氣壓 | 공기 기, 누를 압 [air pressure]
물리 대기(大氣)의 압력(壓力). ¶산 정상은 기압이 낮아 귀가 멍멍해진다.

변:압 變壓 | 바뀔 변, 누를 압
[transform a current]
압력(壓力)을 바꿈[變].

수압 水壓 | 물 수, 누를 압 [water pressure]
물리 물[水]의 압력(壓力). ¶이곳은 수압이 약해서 물이 잘 안 나온다.

억압 抑壓 | 누를 억, 누를 압 [suppress; oppress]
자기 뜻대로 행동하지 못하도록 억누름[抑=壓]. ¶자유를 억압하다.

위압 威壓 | 위엄 위, 누를 압
[overawe; overpower]
위엄(威嚴)이나 위력 따위로 압박(壓迫)함. 정신적으로 억누름. ¶모두 그의 시퍼런 서슬에 완전히 위압되고 말았다.

전:압 電壓 | 전기 전, 누를 압 [voltage]
❶속뜻 전기(電氣) 마당의 압력(壓力). ❷전기 전기 마당이나 도체 안에 있는 두 점 사이의 에너지 차이. ¶전압을 올리다.

제:압 制壓 | 누를 제, 무너뜨릴 압
[control; gain control over]
상대방을 눌러서[制] 무너뜨림[壓]. ¶그는 반대파로부터 제압을 당했다 / 기선을 제압하다.

중:압 重壓 | 무거울 중, 누를 압 [heavy pressure]
❶속뜻 무겁게[重] 내리누름[壓]. ¶다리가 중압을 이기지 못하고 무너져버렸다. ❷참기 어려운 부담을 주거나 강요하는 것 ¶나는 시험을 잘 봐야 한다는 중압을 받았다 / 무거운 세금에 중압감(重壓感)을 느끼다.

지압 地壓 | 땅 지, 누를 압
[ground pressure; acupressure]
땅[地]속의 물체가 그것의 무게나 외부 힘의 영향으로 내부로 또는 다른 물체를 향하여 누르는[壓] 힘. ¶유물이 지압을 받지 않고 잘 보존되다.

진:압 鎭壓 | 누를 진, 누를 압
[repress; put down]

진정(鎭靜)시키기 위하여 강압적인 힘으로 억누름[壓]. ¶폭동이 진압되지 못하고 있다 / 소방관들은 화재를 진압했다.

탄:압 彈壓 | 퉁길 탄, 누를 압
[suppress; crackdown on]
❶속뜻 퉁기고[彈] 억누름[壓]. ❷무력 따위로 억눌러 꼼짝 못하게 함. ¶강력한 탄압 속에서도 독립운동을 펼쳤다.

혈압 血壓 | 피 혈, 누를 압 [blood pressure]
의학 혈액(血液)이 혈관 속을 흐를 때 생기는 압력(壓力). ¶혈압을 재다 / 할머니는 혈압이 높다.

0570 [증]

增 더할 증
部 土부 劃 15획 中 增 [zēng]

增자는 '(흙을) 돋우다'(raise)는 뜻을 나타내기 위한 것이었으니 '흙 토'(土)가 표의요소로 쓰였고, 曾(일찍 증)은 표음요소다. 그 본뜻보다 '더하다'(add; increase)는 뜻으로 많이 쓰인다.

증가 增加 | 더할 증, 더할 가 [increase]
수나 양을 더하고[增] 또 더함[加]. 많아짐. ¶인구 증가 / 도서관의 책이 매년 증가하고 있다. 반 감소(減少).

증감 增減 | 더할 증, 덜 감
[increase and decrease]
늘림[增]과 줄임[減]. ¶인구의 증감이 별로 없다 / 하천의 물은 조수의 간만에 따라 증감한다.

증강 增強 | 더할 증, 강할 강
[reinforce; strengthen]
수나 양을 늘려[增] 더 강(強)하게 함. ¶군사력 증강에 힘쓰다.

증대 增大 | 더할 증, 큰 대 [enlarge; increase]
수량이나 정도 따위가 늘어서[增] 커짐[大]. 늘려서 크게 함. ¶수출 증대를 목표로 하다 / 생산성을 증대시키다.

증산 增産 | 더할 증, 낳을 산
[increase production]
계획이나 기준보다 생산량(生産量)이 늚[增]. ¶식량증산 / 올해는 농작물이 증산되었다. 반 감산(減産).

증설 增設 | 더할 증, 세울 설
[establish more; install more]
늘려[增] 설치(設置)함. ¶두 개의 학급을 더 증설하다.

증식 增殖 | 더할 증, 불릴 식 [multiply; increase]
❶속뜻 더해져[增] 불어남[殖]. ❷늘어서 많아짐. 또는 늘려서 많게 함. ¶암세포의 증식 / 저금해둔 돈이 증식해서 큰돈이 되었다.

증원 增員 | 더할 증, 인원 원
[increase the personnel]
인원(人員)을 늘림[增]. ¶재해지역에 봉사 인력을 증원했다. 반 감원(減員).

증진 增進 | 더할 증, 나아갈 진
[increase; promote; advance]
점점 더하여[增] 나아감[進]. ¶운동을 하니 식욕이 증진되었다. 반 감퇴(減退).

증축 增築 | 더할 증, 지을 축 [extend a building]
지금 있는 건물에 더 늘려서[增] 지음[築]. ¶학생들이 늘어남에 따라 도서관을 증축할 필요가 있다.

증편 增便 | 더할 증, 편할 편
[increase the number of transportation]
교통편(交通便)의 횟수를 늘림[增]. ¶여름철에는 여객기 운항을 증편한다. 반 감편(減便).

증폭 增幅 | 더할 증, 너비 폭 [amplify]
❶속뜻 너비[幅]를 늘림[增]. ❷물리 빛이나 음향·전기 신호 따위의 진폭(震幅)을 늘림. ¶확성기를 대면 목소리가 증폭된다. ❸생각이나 일의 범위가 아주 넓어져서 커지는 것. ¶그의 말은 거짓으로 드러나 의혹이 증폭되고 있다.

• 역순어휘

격증 激增 | 격할 격, 더할 증 [increase rapidly]
급격(急激)하게 불어남[增]. ¶인구가 격증하다. 반 격감(激減).

급증 急增 | 급할 급, 더할 증 [increase rapidly]
급작스럽게[急] 늘어남[增]. ¶이 지역 인구가 급증했다. 반 급감(急減).

0571 [상]

狀 형상 상, 문서 장:
部 犬부 劃 8획 中 状 [zhuàng]

狀자는 '형상'(shape; form)이란 뜻을 나타내기 위하여 나무판자[爿·장] 위에 올라가 있는 개[犬·견]의 모습을 본뜬 것이다. 발상이 참으로 이채롭고 재미있다. '문서'(a document)나 '편지'(a letter)를 뜻할 때에는 [장]으로 읽는다.
속뜻훈음 ①형상 상, ②문서 장, ③편지 장.

상태 狀態 | 형상 상, 모양 태
[condition; situation]

❶속뜻 실제의 형상(形狀)이나 모양[態]. ❷사물·현상이 놓여 있는 모양이나 형편. ¶기상 상태 / 혼수 상태.

상황 狀況 | 형상 상, 형편 황
[conditions; situation]
어떤 일의 그때의 모습[狀]이나 형편[況]. ¶상황을 판단하다 / 상황이 나빠지다.

장:원 狀元 | 壯元(×) 문서 장, 으뜸 원
❶속뜻 과거 급제자 이름을 적은 문서[狀]에 으뜸[元]으로 적힌 이름. ❷역사 과거시험에서, 갑과에 첫째로 급제함. 또는 그런 사람. 장두(狀頭)라고도 한다. ¶이몽룡은 장원으로 급제했다. ❸대회에서 최우수상을 차지함. 또는 그런 사람. ¶그는 백일장에서 장원을 차지하였다. 하나 더!! '壯元'이라고도 쓰는데, 엄격하게 말하자면 잘못된 것이다.

• 역순어휘

갑상 甲狀 | 갑옷 갑, 형상 상 [shape of armor]
갑옷[甲] 모양[狀].

궁상 窮狀 | 궁할 궁, 형상 상
[sad plight; distressed state]
어렵고 곤궁(困窮)한 상태(狀態). ¶궁상을 떨다 / 궁상맞아 보이다.

실상 實狀 | 실제 실, 형상 상 [real situation]
실제(實際)의 상태(狀態). 실제의 상황. ¶그는 겉으로는 행복해 보이지만 실상은 그렇지 않다.

원상 原狀 | 본디 원, 형상 상
[original state; former condition]
본디[原]의 상태(狀態). 원래 있던 그대로의 상태. ¶1시간 안에 원상 회복(回復)해 놓아라.

이:상 異狀 | 다를 이, 형상 상
[something wrong; trouble]
❶속뜻 평소와는 다른[異] 상태(狀態). ❷보통과는 다른 상태나 모양. ¶몸에 이상이 나타나다. ⓑ정상(正狀).

정상 情狀 | 실상 정, 형상 상
[circumstances; conditions]
❶속뜻 실상[情]과 형태[狀]. ❷어떤 결과에 이르기까지의 사정. ¶정상을 참작해 형(刑)을 줄여주었다.

죄:상 罪狀 | 죄 죄, 형상 상 [guilt; charge]
죄(罪)를 짓게 된 구체적인 상황(狀況). ¶그의 죄상을 말해 주는 여러 가지 사실이 드러났다.

증상 症狀 | 증세 증, 형상 상 [symptoms]
병을 앓을 때의 증세(症勢)나 상태(狀態). ¶다음과 같은 증상이 보이면 감기를 의심해야 한다. ⓑ증세(症勢).

참상 慘狀 | 참혹할 참, 형상 상
[horrible scene; sad situation]
참혹(慘酷)한 모양이나 상태(狀態). ¶태풍이 지나간 뒤의 참상은 눈 뜨고 볼 수 없었다.

험:상 險狀 | 험할 험, 형상 상
[grimness; sinisterness]
험악(險惡)한 모양[狀]. 또는 그 상태.

현:상 現狀 | 지금 현, 형상 상
[present state; the actual state]
현재(現在)의 상태(狀態). 지금의 형편. ¶현상을 유지하다.

답장 答狀 | 답할 답, 문서 장 [answer a letter]
회답(回答)으로 보내는 편지나 문서[狀]. ¶친구는 답장이 없었다. ⓑ회신(回信), 답신(答信).

상장 賞狀 | 상줄 상, 문서 장
[diploma of merit; testimonial]
상(賞)을 수여할 때 주는 증서[狀]. ¶모범생에게 상장을 수여하다.

영장 令狀 | 명령 령, 문서 장 [warrant]
❶속뜻 명령(命令)의 뜻을 기록한 문서[狀]. ❷군대의 소집이나 징집을 명령한 관청에서 보내는 문서. ¶동생은 영장을 받고 군에 입대했다. ❸법률 사람 또는 물건에 대하여 압수, 체포 따위를 허락하는 내용을 담아 법원 또는 법관이 발부하는 서류. ¶법원은 심 씨에 대해 구속 영장을 발부했다.

0572 [단]

斷

끊을 단:
部 斤부 畫 18획 中 断 [duàn]

斷자의 왼쪽 부분은 어떤 물건을 실로 엮어 놓은 것인데, 그것에 '낫 근'(斤)을 덧붙여 놓아 '끊다'(sever; cut)는 뜻을 나타냈다. 참고로 '실 사'(糸)가 덧붙여 있는 繼(계)자는 '잇다'는 뜻이다.

단:념 斷念 | 끊을 단, 생각 념
[abandon; relinquish]
품었던 생각[念]을 끊어[斷] 버림. ¶그는 가정 형편 때문에 진학을 단념했다. ⓑ체념(諦念), 포기(抛棄).

단:두 斷頭 | 끊을 단, 머리 두
[cut off head; behead]
죄인의 목[頭]을 자름[斷].

단:면 斷面 | 끊을 단, 낯 면 [section]
❶속뜻 물체의 잘린[斷] 면(面). ¶나무의 단면에는 나이테가 있다. ❷사물 현상의 부분적인 상태. ¶이 사건은

현대 사회의 어두운 단면을 나타내고 있다. ㊐단절면(斷截面), 단구(斷口), 절단면(切斷面).

단:발 斷髮 | 끊을 단, 머리털 발
[bobbed hair; bob]
머리털[髮]을 짧게 깎거나 자름[斷]. 또는 그 머리털. ㊥장발(長髮).

단:수 斷水 | 끊을 단, 물 수 [cut off the water]
❶속뜻 물[水]길이 막힘[斷]. 또는 물길을 막음. ❷수도(水道)의 급수가 끊어짐. 또는 급수를 끊음. ¶수도관 공사로 단수되었다.

단:식 斷食 | 끊을 단, 먹을 식 [fast]
식사(食事)를 끊음[斷]. 일정 기간 음식물을 먹지 않음. ㊐금식(禁食).

단:언 斷言 | 끊을 단, 말씀 언 [declare; affirm]
딱 잘라서[斷] 말함[言]. ¶쉬운 문제라고 단언할 수 없다. ㊐확언(確言).

단:연 斷然 | 끊을 단, 그러할 연
[decisive; resolute]
❶속뜻 확실히 단정(斷定)할 만하게 그러함[然]. ¶단연 반대한다. ❷두드러지게. 뚜렷하게. ¶단연 앞서다.

단:열 斷熱 | 끊을 단, 열 열 [insulation]
물리 열(熱)의 전도(傳導)를 끊어[斷] 막음. ¶이 벽은 단열이 필요하다.

단:전 斷電 | 끊을 단, 전기 전
[shut off electricity]
전기(電氣)의 공급이 중단(中斷)되거나 공급을 중단함. ¶예고 없이 단전되었다.

단:절 斷絶 | 끊을 단, 끊을 절 [sever; cut off]
어떤 관계나 교류를 끊음[斷=絶]. ¶양국의 국교가 단절되었다. ㊐절단(絶斷).

단:정 斷定 | 끊을 단, 정할 정 [conclude; decide]
❶속뜻 자르듯이[斷] 분명한 태도로 결정(決定)함. ❷명확하게 판단을 내림. 또는 그 판단. ¶결과를 성급히 단정해서는 안 된다.

단:층 斷層 | 끊을 단, 층 층 [fault; dislocation]
지리 지각 변동으로 생긴 지각의 틈을 따라 지층이 아래위로 어그러져[斷] 층(層)을 이룬 현상. 또는 그러한 현상으로 나타난 서로 어그러진 지층.

단:행 斷行 | 끊을 단, 행할 행 [carry out]
반대나 위험 등을 무릅쓰고 결단(決斷)하여 실행(實行)함. ¶반대를 무릅쓰고 개혁안을 단행했다. ㊐감행(敢行), 결행(結行).

단:호 斷乎 | 끊을 단, 어조사 호
[firm; determined]
결심한 것을 처리함에 과단성(果斷性)이 있음[乎]. ¶전에 없이 단호한 태도를 보였다.

• 역순어휘

결단 決斷 | 결정할 결, 끊을 단
[decide; determine]
무엇에 대한 생각을 결정(決定)하여 판단(判斷)함. ¶신속한 결단 / 결단을 내리다.

과:단 果斷 | 날랠 과, 끊을 단
[make prompt decisions]
날래게[果] 딱 잘라서[斷] 결정함. ¶사장은 회사의 미래를 위해 과단을 내렸다.

무:단[1] 武斷 | 굳셀 무, 끊을 단 [militarism]
❶속뜻 무력(武力)으로 억압하여 못하게 함[斷]. ❷무력으로 일을 처리함. ¶해적이 경비선을 무단으로 점거했다.

무단[2] 無斷 | 없을 무, 끊을 단
[without permission]
❶속뜻 엄단(嚴斷)한 것을 지키지 아니함[無]. ❷미리 승낙을 얻지 않음. ¶무단 외박을 하다.

분단 分斷 | 나눌 분, 끊을 단
[divide into sections]
두 동강으로 나누어[分] 끊음[斷]. ¶분단된 우리나라.

속단 速斷 | 빠를 속, 끊을 단
[conclude hastily; make a hasty conclusion]
성급하게 빨리[速] 판단(判斷)함. 또는 그러한 판단. ¶속단은 금물이다.

재단 裁斷 | 마를 재, 끊을 단 [judge; cut out]
❶속뜻 옷을 만들기 위하여 옷감을 마르거나[裁] 끊음[斷]. ¶재단 가위. ❷옳고 그름을 분별하여 판단함. ¶근거도 없이 다른 사람을 재단하지 마라. ㊐마름질.

절단 切斷 | 벨 절, 끊을 단 [cut off; sever]
자르거나 베어[切] 끊어[斷]냄. 잘라냄. ¶종양이 퍼지기 전에 다리를 절단해야 한다.

종단 縱斷 | 세로 종, 끊을 단
[cut from north to south]
❶속뜻 세로[縱]로 끊거나[斷], 길이로 자름. ¶그 산맥이 한국을 종단하고 있다. ❷남북의 방향으로 건너가거나 건너옴. ¶국토 종단계획. ㊥횡단(橫斷).

중단 中斷 | 가운데 중, 끊을 단
[stop; discontinue; suspend]
중도(中途)에서 끊어짐[斷]. ¶태풍으로 인해 유람선 운항을 중단한다. ㊐중지(中止). ㊥계속(繼續), 지속(持續).

진:단 診斷 | 살펴볼 진, 끊을 단 [diagnose]
의학 의사가 환자의 병 상태를 살펴보아[診] 판단(判斷)하는 일. ¶의사의 진단을 받다 / 의사는 그의 병을 암으

로 진단했다.

차:단 遮斷 | 막을 차, 끊을 단
[intercept; cut off]
❶[속뜻]가로막아[遮] 사이를 끊음[斷]. ❷끊거나 막아서 서로 통하지 못하게 하는 것. ¶전자파 차단 / 외부와의 접촉을 차단하다.

처:단 處斷 | 처리할 처, 끊을 단
[decide; deal with; punish]
결단(決斷)하여 처리(處理)함.

판단 判斷 | 판가름할 판, 끊을 단
[judge; decide; conclude]
판가름하여[判] 단정(斷定)함. ¶정확한 판단을 내리다 / 너무 성급하게 판단하지 마라.

횡단 橫斷 | 가로 횡, 끊을 단 [cross; cut across]
❶[속뜻]가로[橫]로 끊음[斷]. ❷어디를 건너서 가는 것. 건너지르는 것. ¶국토 횡단 / 무단으로 도로를 횡단하다. [반]종단(縱斷).

0573 [두]

斗

말 두
[部] 斗부 [劃] 4획 [中] 斗 [dǒu]

斗자는 곡식의 분량을 잴 때 쓰는 긴 자루 달린 말 모양을 본뜬 것으로 '말'(a mal = 4.765 U.S. gallons)이 본뜻이다. 후에 '되'(a doe = 0.477 U.S. gallon)라는 뜻으로도 쓰였고, '별'(a star) 이름으로 쓰이기도 한다.

두둔 斗頓 | 본음 [두돈], 말 두, 조아릴 돈
[screen; shelter]
편들어 감싸주거나 역성을 들어줌. ¶두둔을 받다 / 죄인을 두둔하다.

0574 [모]

毛

터럭 모
[部] 毛부 [劃] 4획 [中] 毛 [máo]

毛자는 '털'(hair; fur; wool; feather; down)을 뜻하기 위하여 털이 숭숭 자란 모양을 본뜬 것인데, 지금의 자형은 털 모양과 거리가 멀다. 풀이 무성한 것도 이와 비슷했으니 '풀'(grass)을 뜻하는 것으로도 쓰였다.

[속뜻 훈음] **털 모.**

모발 毛髮 | 털 모, 머리털 발 [hair]
❶[속뜻]몸에 난 털[毛]과 머리에 난 털[髮]. ❷사람의 몸에 난 터럭을 통틀어 이르는 말.

모직 毛織 | 털 모, 짤 직 [woolen fabric]
[수공]털[毛]로 짠[織] 천. ¶모직 바지.

모피 毛皮 | 털 모, 가죽 피 [fur]
털[毛]이 그대로 붙어 있는 짐승의 가죽[皮]. ¶모피로 만든 외투.

• 역순어휘

발모 發毛 | 나타날 발, 털 모
몸에 털[毛]이 돋아남[發]. 주로 머리털이 새로 돋아나는 것을 이른다. ¶발모를 촉진하는 약. [반]탈모(脫毛).

불모 不毛 | 아닐 불, 털 모 [sterility]
❶[속뜻]자라지 않는[不] 털[毛]. ❷땅이 메말라 농작물이 자라지 않음을 비유적으로 이르는 말. 또는 그런 땅.

상모 象毛 | 모양 상, 털 모
❶[속뜻]털[毛] 모양[象]의 장식. ❷[민속]벙거지의 꼭지에 참대와 구슬로 장식하고 그 끝에 털이나 긴 백지 오리를 붙인 것. ¶상모를 돌리며 꽹과리를 치다.

순모 純毛 | 순수할 순, 털 모 [pure wool]
다른 것이 섞이지 않은 순수(純粹)한 모직물이나 털실[毛]. ¶순모로 털옷을 만들다.

양모 羊毛 | 양 양, 털 모 [sheep's wool]
양(羊)의 털[毛]. ¶이 옷은 양모 100%로 만들었다.

탈모 脫毛 | 빠질 탈, 털 모 [loss of hair]
털[毛]이 빠짐[脫]. 빠진 털. ¶머리가 훤히 들여다보일 정도로 탈모가 되었다.

0575 [검]

檢

검사할 검:
[部] 木부 [劃] 17획 [中] 检 [jiǎn]

檢자는 '(나무) 봉함'(a seal; sealing)을 뜻하기 위한 것이었으니 '나무 목'(木)이 표의요소로 쓰였다. 僉(다 첨)이 표음요소임은 儉(검소할 검), 劍(칼 검)도 마찬가지다. 중요한 문서를 넣은 봉투에 검인을 하는 오랜 관습과 관련이 있다. '검사하다'(inspect; examine; test)는 낱말, 또는 이와 의미상 관련이 깊은 낱말의 한 구성 요소로 많이 쓰인다.

[속뜻 훈음] **①봉함 검, ②검사할 검.**

검:거 檢擧 | 검사할 검, 들 거
[arrest; apprehend]
[법률]수사기관에서 범법 용의자를 찾아내어[檢] 잡아들이는[擧] 일. ¶마침내 범인을 검거했다.

검:문 檢問 | 검사할 검, 물을 문

[inspect; examine]
범법자 여부를 검사(檢査)하고 심문(審問)함. ¶경찰이 행인들을 검문했다 / 불심(不審)검문.

검:사¹ 檢査 | 봉함 검, 살필 사 [inspect; examine]
❶[속뜻] 봉함[檢]을 하여 조사(調査)에 대비함. ❷적합 여부와 이상 유무를 조사함. ¶정밀검사 / 숙제를 검사하다. [비]조사(調査), 검열(檢閱), 점검(點檢).

검:사² 檢事 | 봉함 검, 일 사 [prosecutor]
❶[속뜻] 봉함[檢]을 해두는 일[事]. ❷[법률] 형사사건의 공소를 제기하고 형벌의 집행을 감독하는 사법관. ¶검사가 증인에게 질문을 했다.

검:산 檢算 | 검사할 검, 셀 산 [check accounts]
계산(計算)의 맞고 안 맞음을 검사(檢査)함. ¶검산해 보니 계산이 틀렸다.

검:색 檢索 | 검사할 검, 찾을 색 [reference]
❶[속뜻] 증거 따위를 검사(檢査)하여 찾아봄[索]. ¶검색을 당하다. ❷목적에 따라 필요한 자료들을 찾아내는 일. ¶인터넷으로 신문 기사를 검색하다.

검:시 檢屍 | 검사할 검, 시체 시 [autopsy]
[법률] 시체(屍體)를 검사(檢査)함. ¶검시 결과 타살인 것으로 드러났다.

검:역 檢疫 | 검사할 검, 돌림병 역 [quarantine; inspect]
돌림병[疫]의 유무를 검사(檢査)하고 소독하는 일. ¶수입 농산물을 검역하다.

검:열 檢閱 | 검사할 검, 훑어볼 열 [inspect]
검사(檢査)하여 훑어봄[閱]. ¶검열을 강화하다 / 기사를 검열하다. [비]점검(點檢), 검사(檢査).

검:인 檢印 | 검사할 검, 도장 인 [seal of approval]
서류나 물건을 검사(檢査)한 표시로 찍는 도장[印]. ¶검인된 상품만 판매할 수 있다.

검:정 檢定 | 검사할 검, 정할 정 [official approval]
검사(檢査)하여 그 자격을 정(定)하는 일.

검:증 檢證 | 검사할 검, 증명할 증 [verify; inspect]
검사(檢査)하여 증명(證明)함. ¶가설을 검증하다.

검:진 檢診 | 검사할 검, 살펴볼 진 [check up]
[의학] 병의 유무를 검사(檢査)하기 위한 진찰(診察). ¶건강 검진.

검:찰 檢察 | 검사할 검, 살필 찰 [investigate and examine]
❶[속뜻] 검사(檢査)하고 사정을 잘 살펴[察] 밝힘. ❷[법률] 형사사건에서 범죄의 형적(形跡)을 수사하여 증거를 모으는 일.

검:출 檢出 | 검사할 검, 날 출 [detect]
검사(檢査)하여 찾아냄[出]. ¶그 지역에서 방사능이 검출되었다. [비]검색(檢索), 색출(索出).

검:침 檢針 | 검사할 검, 바늘 침 [check a meter]
전기 계량기 따위의 바늘[針]이 가리키는 눈금을 검사(檢査)함. ¶전기계량기를 검침하다.

검:토 檢討 | 검사할 검, 따질 토 [examine; discuss]
내용을 자세히 검사(檢査)하며 잘 따져 봄[討]. ¶제안서를 검토하다.

• 역순어휘

점검 點檢 | 점 점, 검사할 검 [check; inspect]
문제가 되는 점(點)이 있는지 검사(檢査)함. 또는 그런 검사. ¶정기적인 점검을 하다.

0576 [권]

權

권세 권
[部] 木부 [劃] 22획 [中] 权 [quán]

權자는 본래, 노란 꽃이 피는 '黃華木'(황화목)을 나타내기 위한 것이었으니, '나무 목'(木)이 표의요소로 쓰였다. 雚(황새 관)이 표음요소였음은 勸(권할 권)도 마찬가지다. 후에 독음이 같았던 '저울추'(the weight)를 뜻하는 것으로 차용됐고, '저울질하다'(weigh; scale)는 뜻으로도 쓰였다. 아울러 '권리'(a right), '권세'(power; influence), '권력'(authority) 같은 낱말, 또는 이와 의미상 관련이 깊은 낱말들의 한 구성요소로 널리 사용됐다.

[속뜻훈음] ①권세 권, ②권리 권, ③권력 권, ④저울질 할 권.

권력 權力 | 권리 권, 힘 력 [power; authority]
남을 복종시키거나 지배할 수 있는 공인된 권리(權利)와 힘[力]. 특히 국가나 정부가 국민에 대하여 가지고 있는 강제력을 이른다. ¶군대가 권력을 장악하다. [비]권세(權勢), 강제력(強制力).

권리 權利 | 권세 권, 이로울 리 [right; claim]
❶[속뜻] 권세(權勢)와 이익(利益). ❷[법률] 어떤 일을 행하거나 타인에 대하여 당연히 요구할 수 있는 힘이나 자격. ¶투표는 국민의 권리이다. [반]의무(義務).

권모 權謀 | 저울질할 권, 꾀할 모 [trick; intrigue]
때와 형편에 따라 이리저리 저울질하여[權] 꾀를 부림

[謀].

권세 權勢 | 권력 권, 세력 세 [power; influence]
권력(權力)과 세력(勢力)을 아울러 이르는 말. ¶권세를 부리다.

권위 權威 | 권세 권, 위엄 위 [authority; power]
❶[속뜻] 권세(權勢)와 위엄(威嚴). ¶권위를 잃다. ❷남을 지휘하거나 통솔하여 따르게 하는 힘. ¶그는 권위를 잃었다. ❸일정한 분야에서 뛰어난 실력을 가진 데서 오는 위신. ¶권위 있는 학자의 연구에 따르면….

권익 權益 | 권리 권, 더할 익
[rights (and) interests]
권리(權利)와 그에 따르는 이익(利益). ¶국민의 권익을 보호하다.

권한 權限 | 권리 권, 끝 한
[competence; competency]
어떤 사람이나 기관의 권리(權利)나 권력(權力)이 미치는 범위[限]. ¶국회는 법률을 제정할 수 있는 권한이 있다. [비]권리(權利).

• 역순어휘

강권 強權 | 강할 강, 권력 권 [power of authority]
❶[속뜻] 강(強)한 힘을 가진 권력(權力). ❷국가가 사법적, 행정적으로 행사하는 강력한 권력 작용. ¶경찰은 강권을 발동하였다.

공권 公權 | 관공서 공, 권리 권
[civil rights; citizenship]
[법률] 공법(公法)상으로 인정된 권리(權利). [반]사권(私權).

관권 官權 | 벼슬 관, 권리 권
[government authority]
관청(官廳) 또는 관리의 권한이나 권리(權利). ¶관권을 남용하다. [반]민권(民權).

교:권 教權 | 가르칠 교, 권리 권
[educational authority]
교사(教師)로서 지니는 권위나 권리(權利).

국권 國權 | 나라 국, 권력 권
[national rights; state power]
[정치] 국가(國家)가 행사하는 권력(權力). ¶국권을 회복하다.

기권 棄權 | 버릴 기, 권리 권 [renounce; give up]
부여받은 권리(權利)를 스스로 포기(抛棄)하고 행사하지 아니함. ¶그는 이번 경기에 기권했다.

대:권 大權 | 큰 대, 권리 권
[supreme power; prerogative]
대통령(大統領)의 권한이나 권리(權利). ¶그는 차기 대권에 도전했다.

민권 民權 | 백성 민, 권리 권 [people's rights]
국민(國民)의 권리(權利). 신체와 재산 등을 보호받을 권리나 정치에 참여할 수 있는 권리 따위.

삼권 三權 | 석 삼, 권리 권 [three powers]
❶[속뜻] 세[三] 종류의 권리(權利). ❷[법률] 입법권(立法權), 사법권(司法權), 행정권(行政權)을 아울러 이르는 말.

상권 商權 | 장사 상, 권리 권 [commercial power]
[법률] ❶상업(商業)상의 권리(權利). ❷어떤 지역을 중심으로 상업기능에 영향을 미치는 범위. ¶기차역을 중심으로 상권이 발달했다.

실권 實權 | 실제 실, 권리 권 [real power]
실제(實際)로 행사할 수 있는 권리(權利)나 권세(權勢). ¶그가 회사의 모든 실권을 쥐고 있다.

왕권 王權 | 임금 왕, 권력 권 [royal authority]
임금[王]이 지닌 권력(權力). ¶왕권 정치.

유:권 有權 | 있을 유, 권리 권
권리(權利)가 있음[有].

이:권 利權 | 이로울 리, 권리 권
[rights and interests]
이익(利益)을 얻을 수 있는 권리(權利). ¶일본과 러시아는 블라디보스토크를 두고 이권 다툼을 벌였다.

인권 人權 | 사람 인, 권리 권 [human rights]
[법률] 사람[人]의 권리(權利). 사람이라면 누구에게나 주어진 생명·자유·평등 등에 관한 기본적인 권리. ¶외국인 노동자의 인권 문제가 심각하다.

정권 政權 | 정치 정, 권리 권 [political power]
정치(政治)를 하는 권력(權力). 나라의 통치기관을 움직이는 권력. ¶민주정권 / 정권을 장악하다.

주권 主權 | 주인 주, 권리 권 [sovereignty]
❶[속뜻] 주인(主人)의 권리(權利). ❷[법률] 국가 의사를 최종적으로 결정하는 최고·독립·절대의 권력. ¶주권을 행사하다.

집권 執權 | 잡을 집, 권세 권
[grasp political power]
권세(權勢)나 정권(政權)을 잡음[執]. ¶이번 선거로 야당이 집권하게 되었다.

채:권 債權 | 빚 채, 권리 권 [credit; claim]
[법률] 빚[債]을 빌려 준 데 대한 권리(權利). 재산상의 급부를 요구할 수 있는 권리. [반]채무(債務).

친권 親權 | 어버이 친, 권리 권
[parental authority]
[법률] 부모[親]가 미성년인 자식에 대하여 가지는 신분·재산상의 여러 권리(權利)와 의무를 통틀어 이르는 말.

¶친권을 행사하다.

특권 特權 | 특별할 특, 권리 권 [privilege; special right]
❶속뜻 특별(特別)한 권리(權利). ❷특정한 개인이나 집단에 대하여 인정하는 특별한 권리나 이익. ¶회원이 되면 다양한 특권이 주어진다.

패:권 霸權 | =覇權, 으뜸 패, 권세 권 [supremacy; mastery]
❶속뜻 어떤 무리의 으뜸[霸]이 되어 누리는 권세(權勢). ❷어떤 분야에서 1등을 차지함. ¶전국 대회 패권을 노리다.

0577 [극]

極 다할/극진할 극
部 木부 획 13획 中 极 [jí]

極자는 '(굵은 나무로 만든) 대들보'(a girder)를 뜻하기 위한 것이었으니, '나무 목'(木)이 표의요소로 쓰였다. 亟(빠를 극)은 표음요소일 따름이다. 대들보는 가장 높은 곳에 있으니 '가장'(most), '지극히'(extremely; exceedingly)같은 의미로도 쓰인다. '다하다'(finish; accomplish; perform)는 뜻으로 확대 사용되기도 했다.

속뜻훈음 **①다할 극, ②끝 극, ③지극할 극.**

극구 極口 | 다할 극, 입 구 [exceedingly; very]
❶속뜻 입[口]으로 온갖 말을 다함[極]. ❷온갖 말을 다하여. ¶극구 사양하다.

극단 極端 | 다할 극, 끝 단 [extreme; extremity]
❶속뜻 맨[極] 끄트머리[端]. ❷중용을 벗어나 한쪽으로 치우치는 일. ¶극단에 치우치다. ❸극도에 이르러 더 나아갈 수 없는 상태. ¶사태가 극단으로 치닫다.

극대 極大 | 다할 극, 클 대 [greatest; largest]
❶속뜻 더 없이[極] 큼[大]. ❷극댓값. 반극소(極小).

극도 極度 | 다할 극, 정도 도 [extreme; utmost]
더할 수 없이 극심(極甚)한 정도(程度). ¶극도로 긴장하다. 비극한(極限).

극동 極東 | 끝 극, 동녘 동 [Far East]
❶속뜻 동(東)쪽의 맨 끝[極]. ❷지리 아시아 대륙의 동쪽에 위치한 지역. ¶극동 아시아. 비원동(遠東). 반극서(極西).

극락 極樂 | 다할 극, 즐길 락 [paradise]
❶속뜻 더없이[極] 안락(安樂)하고 깨끗한 땅. ❷불교 아미타불이 살고 있는 괴로움이 없으며 지극히 안락하고 자유로운 세상. '극락정토'(極樂淨土)의 준말. 반지옥(地獄).

극렬 極烈 | 다할 극, 세찰 렬 [severe; violent]
더할 수 없이[極] 매우 세참[烈]. 지독히 심함. ¶유림(儒林)들은 극렬하게 반대했다.

극비 極祕 | 다할 극, 숨길 비 [top secret]
절대 알려져서는 안 되는 몹시[極] 중요한 비밀(祕密). '극비밀'의 준말.

극빈 極貧 | 다할 극, 가난할 빈 [extreme poverty]
더할 수 없이[極] 몹시 가난함[貧].

극성 極盛 | 다할 극, 가득할 성 [very prosperous]
❶속뜻 더 이상 빈곳이 없을 정도로[極] 가득함[盛]. ❷성질이나 행동이 매우 드세거나 적극적임. ¶아이가 장난감을 사달라고 극성이다.

극심 極甚 | =劇甚, 다할 극, 심할 심 [extreme; terrible]
지극(至極)히 심(甚)하다. ¶피해가 극심했다. 비지독(至毒)하다.

극악 極惡 | 다할 극, 악할 악 [atrocity; villainy]
더없이[極] 악(惡)함. 지독히 나쁨. 반극선(極善).

극진 極盡 | 다할 극, 다할 진 [kind; devoted]
❶속뜻 다하여[極] 남음이 없음[盡]. ❷마음과 힘을 들이는 정성이 그 이상 더 할 수 없다. ¶심청은 효성이 극진했다.

극찬 極讚 | 다할 극, 기릴 찬 [high praise]
지극(至極)히 칭찬(稱讚)함. 또는 그 칭찬. ¶그는 뛰어난 연주로 극찬을 받았다.

극치 極致 | 다할 극, 이를 치 [attain the highest perfection]
극도(極度)에 다다름[致]. 또는 그런 경지. 그보다 더 할 수 없을 만한 최고의 경지나 상태. ¶아름다움의 극치.

극한 極限 | 다할 극, 한할 한 [limit; bounds]
❶속뜻 사물의 끝이 다하여[極] 닿은 곳이나 한계(限界). ❷사물이 더 이상은 나아갈 수 없는 한계. ¶양측의 대립이 극한에 이르다. 비극치(極致).

극형 極刑 | 다할 극, 형벌 형 [capital punishment]
❶속뜻 가장[極] 무거운 형벌(刑罰). ❷사형(死刑)을 달리 이르는 말. ¶극형을 받다.

• 역순어휘 •

궁극 窮極 | 다할 궁, 끝 극 [extremity; eventuality]
어떤 과정의 마지막[窮]이나 끝[極].

남극 南極 | 남녘 남, 끝 극 [the South Pole]
지리 지구의 남(南)쪽 끝[極]. 반북극(北極).

등극 登極 | 오를 등, 끝 극 [ascend the throne]

❶[속뜻] 가장 높은[極] 임금의 자리에 오름[登]. ¶드디어 선덕여왕이 등극했다. ❷어떤 분야에서 가장 높은 자리나 지위에 오름. ¶챔피언 등극. [비]등조(登祚), 즉위(即位).

망극 罔極 | 없을 망, 끝 극 [immeasurable]
끝[極]이 없음[罔]. 주로 임금이나 어버이의 은혜가 매우 큼을 나타낼 때 쓴다. ¶성은(聖恩)이 망극하옵니다.

북극 北極 | 북녘 북, 끝 극 [North Pole]
❶[속뜻] 북(北)쪽 끝[極]. 북쪽 끝의 지방. ❷[지리] 지구의 자전축을 연장할 때, 천구와 마주치는 북쪽 점. ¶펭귄은 북극에 서식하지 않는다. [반]남극(南極).

소극 消極 | 모자랄 소, 끝 극
❶[속뜻] 끝[極]을 보려는 의지가 모자람[消]. ❷스스로 앞으로 나아가거나 상황을 개선하려는 기백이 부족하고 비활동적임. [반]적극(積極).

양:극¹ 兩極 | 두 량, 끝 극
[both poles; north and south poles]
❶[속뜻] 양(兩)쪽 끝[極]. ❷[지리] 북극(北極)과 남극(南極). ¶양극의 빙하가 서서히 녹고 있다.

양극² 陽極 | 볕 양, 끝 극
[anode; plus terminal]
❶[속뜻] 음양(陰陽) 가운데 양(陽)에 해당하는 쪽이나 끝[極]. ❷[물리] 두 개의 전극 사이에 전류가 흐를 때에 전위가 높은 쪽의 극. ¶양극은 이쪽에, 음극은 저쪽에 연결해라. [비]플러스(plus)극. [반]음극(陰極).

음극 陰極 | 응달 음, 끝 극
[negative pole; cathode]
❶[속뜻] 음양(陰陽) 가운데 음(陰)에 해당하는 쪽이나 끝[極]. ❷[물리] 두 개의 전극 사이에 전류가 흐를 때에 전위가 낮은 쪽의 극. ¶양극과 음극을 각각 따로 연결하다. [반]양극(陽極).

적극 積極 | 쌓을 적, 끝 극 [positive]
❶[속뜻] 끝[極]까지 쌓음[積]. ❷어떤 일에 대하여 바짝 다잡는 성향이나 태도. ¶현지는 나를 적극 도와주었다. [반]소극(消極).

전:극 電極 | 전기 전, 끝 극 [electrode; pole]
[물리] 전기(電氣)가 드나드는 양극(兩極)의 단자(端子). ¶전구에 전극을 연결하다.

지극 至極 | 이를 지, 다할 극
[be extreme; exceed; utmost]
어떠한 정도나 상태 따위가 극도(極度)에 이르다[至]. ¶그는 어머니에 대한 효성이 지극하다 / 이것은 지극히 중요한 문제다.

태극 太極 | 클 태, 끝 극 [Great Absolute]
❶[속뜻] 매우 큰[太] 끝[極]쪽. [철학] ❷중국 철학에서, 우주 만물의 근원이 되는 실체. ❸하늘과 땅이 분리되기 이전의 세상 만물의 원시 상태.

0578 [단]

檀 박달나무 단
[部] 木부 [획] 17획 [中] 檀 [tán]

檀자는 '박달나무'(a birch)를 뜻하기 위한 것이었으니 '나무 목'(木)이 표의요소로 쓰였다. 亶(믿음 단)은 표음요소이니 뜻과는 무관하다.

단군 檀君 | 박달나무 단, 임금 군
❶[속뜻] 박달나무[檀] 같이 굳센 임금[君]. ❷우리 겨레의 시조.

단기 檀紀 | 박달나무 단, 연대 기
'단군기원'(檀君紀元)의 준말. ¶서기 2000년은 단기 4333년이다. [반]서기(西紀).

0579 [미]

未 아닐 미:
[部] 木부 [획] 5획 [中] 未 [wèi]

未자의 갑골문은 잎이 무성한 나무 모양을 본뜬 것으로 '나뭇잎'(a leaf)이 본래 의미이다. 후에 이 뜻으로는 쓰이는 않고 地支(지지)의 여덟 번째 명칭이나 '아직 ~ 아니다'(not yet)같은 부정사로 많이 쓰이게 됐다. 12지(支)의 하나로도 쓰일 때에는 '양'(sheep)을 상징한다.
[속뜻훈음] ①아닐 미, ②양 미.

미:개 未開 | 아닐 미, 열 개 [uncivilized]
아직 개화(開化)하지 못한[未] 상태. 문명이 깨지 못한 상태에 있음. ¶미개한 민족. [비]야만(野蠻). [반]문명(文明).

미:납 未納 | 아닐 미, 바칠 납 [default]
내야 할 돈을 아직 내지[納] 못함[未]. ¶세금을 미납하다.

미:달 未達 | 아닐 미, 이를 달 [be short of]
어떤 한도나 표준에 아직 이르지[達] 못함[未]. ¶체중 미달 / 기준에 미달되다. [반]초과(超過).

미:래 未來 | 아닐 미, 올 래 [future]
현재를 기준으로 아직 다가오지[來] 않은[未] 때. [비]앞날, 장래(將來). [반]과거(過去).

미:련 未練 | 아닐 미, 익힐 련
[lingering attachment]
❶[속뜻] 새로운 상황이나 사물에 익숙하지[練] 않음[未]. ❷깨끗이 잊지 못하고 끌리는 데가 남아 있는 마음. ¶아

직 미련이 남아 있다.

미:만 未滿 | 아닐 미, 찰 만 [under; below] 정한 수나 정도에 차지[滿] 못함[未]. ¶18세 미만 출입 금지. [반]초과(超過).

미:비 未備 | 아닐 미, 갖출 비 [unprepared] 제대로 갖추어져[備] 있지 아니함[未]. 완전하지 못함. ¶미비한 점이 많다. [반]완비(完備).

미:상 未詳 | 아닐 미, 자세할 상 [being unknown] 자세하지[詳] 않음[未]. 알려지지 않음. ¶작자 미상의 작품.

미:성 未成 | 아닐 미, 이룰 성 [unfinished; uncompleted]
❶[속뜻]아직 다 이루지[成] 못함[未]. ❷아직 성인(成人)이 못 됨.

미:수 未遂 | 아닐 미, 이룰 수 [attempt]
❶[속뜻]뜻한 바를 아직 이루지[遂] 못함[未]. ❷[법률]범죄에 착수하여 행위를 끝내지 못했거나 결과가 발생하지 않은 일. ¶살인미수. [반]기수(旣遂).

미:숙 未熟 | 아닐 미, 익을 숙 [unripe; inexperienced]
❶[속뜻]음식이나 과실 따위가 아직 익지[熟] 않음[未]. ❷일에 익숙하지 아니하여 서투름. ¶운전미숙 / 나는 아직 일에 미숙하다.

미:심 未審 | 아닐 미, 살필 심 [be doubtful]
❶[속뜻]자세히 알지[審] 못함[未]. ❷일이 확실하지 않아 마음을 놓을 수 없음. [비]불심(不審).

미:안 未安 | 아닐 미, 편안할 안 [regrettable; sorry]
❶[속뜻]남에게 폐를 끼쳐 마음이 편하지[安] 못하고[未] 거북함. ❷남을 대하기가 조금 부끄럽고 겸연쩍음. ¶도와줄 수 없어 미안합니다. [비]죄송(罪悚).

미:완 未完 | 아닐 미, 완전할 완 [incompletion] 아직 완성(完成)지 못함[未]. ¶미완의 작품.

미:정 未定 | 아닐 미, 정할 정 [unsettled] 아직 결정(決定)하지 못함[未]. ¶결혼식 날짜는 아직 미정이다. [반]기정(旣定).

미:지 未知 | 아닐 미, 알 지 [(being) unknown] 아직 알지[知] 못함[未]. ¶미지의 세계를 탐험하다. [반]기지(旣知).

미:진 未盡 | 아닐 미, 다할 진 [unexhausted] 아직 다하지[盡] 못하다[未]. 아직 충분하지 못하다. ¶미진한 설명에 불만을 품다.

미:혼 未婚 | 아닐 미, 혼인할 혼 [single] 성인으로서 아직 결혼(結婚)하지 않음[未]. ¶저는 아직 미혼입니다. [반]기혼(旣婚).

미:흡 未洽 | 아닐 미, 넉넉할 흡 [insufficient] 넉넉하지[洽] 못함[未]. 마음에 흡족하지 못함. ¶미흡한 설명.

• 역순어휘 ———— •

신미 辛未 | 천간 신, 양 미
[민속]천간의 '辛'과 지지의 '未'가 만난 간지(干支). ¶신미년생은 양띠다.

을미 乙未 | 천간 을, 양 미
[민속]천간의 '乙'과 지지의 '未'가 만난 간지(干支). ¶을미년에 태어난 사람은 양띠이다.

0580 [영]

榮

영화 영
[部]木부 [획]14획 [中]荣 [róng]

榮자는 나무 가지에 꽃이 무성하게 핀 모양을 본뜬 것이다. 木을 뺀 나머지는 무성한 꽃 모양이 잘못 변화된 것이니 '불'과는 아무런 상관이 없다. '(나무에 꽃이) 만발하다'(be in full bloom)가 본래 의미이다. '영화'(prosperity)라는 낱말, 또는 이와 의미상 관련이 깊은 낱말의 한 구성 요소로 많이 쓰인다.
[속뜻훈음] ①영화 영, ②꽃필 영.

영광 榮光 | 영화 영, 빛 광 [glory] 영화(榮華)롭게 빛[光]남. 또는 그러한 영예. ¶이 영광을 부모님께 돌리겠습니다 / 학교 대표로 뽑힌 것이 영광스럽다.

영예 榮譽 | 꽃필 영, 기릴 예 [honor] 꽃을 피우는[榮] 것 같은 훌륭한 업적으로 남들의 칭송이나 기림[譽]을 받음. 또는 그러한 영광. ¶우승의 영예를 안다 / 영예로운 자리. [비]영광(榮光).

• 역순어휘 ———— •

번영 繁榮 | 번성할 번, 영화 영 [prosper] 일이 번성(繁盛)하고 영화(榮華)롭게 됨. ¶국가의 번영.

허영 虛榮 | 헛될 허, 영화 영 [vanity]
❶[속뜻]헛된[虛] 영화(榮華). ❷필요 이상의 겉치레. ¶그녀는 사치와 허영으로 가득 차 있다.

0581 [독]

毒

독 독
[部]毋부 [획]8획 [中]毒 [dú]

毒자는 '싹날 철'(屮)과 '음란할 애'(毐)

가 합쳐진 것으로 '독풀'(a poisonous herb)이 본뜻이다. '독하다'(poisonous), '해롭다'(harmful) 등으로도 쓰인다.
[속뜻 훈음] 독할 독.

독감 毒感 | 독할 독, 느낄 감 [influenza]
❶[속뜻] 지독(至毒)한 감기(感氣). 병세가 심한 감기. ❷[의학] 인플루엔자 바이러스에 의해 일어나는 감기. 고열과 함께 폐렴, 중이염, 뇌염 따위의 합병증을 일으킨다. [비]유행성 감기.

독기 毒氣 | 독할 독, 기운 기
[poisonous character; malice]
❶[속뜻] 독(毒)의 기운(氣運)이나 성분. ❷사납고 모진 기운이나 기색. ¶독기를 품다. [비]독성(毒性), 독소(毒素), 살기(殺氣), 악의(惡意).

독사 毒蛇 | 독할 독, 뱀 사 [poisonous snake]
독(毒)을 내뿜는 뱀[蛇]. 이빨에 독액을 뿜는 구멍이 있다. ¶독사에게 물리다.

독살 毒殺 | 독할 독, 죽일 살 [poison]
독약이나 독침과 같은 독(毒)으로 사람을 죽임[殺]. ¶왕을 독살하였다.

독설 毒舌 | 독할 독, 말 설 [malicious tongue]
남을 해치거나 비방하는 모질고 악독(惡毒)한 말[舌]. ¶그는 연설 중 독설을 퍼부었다. [비]독변(毒辯), 독언(毒言).

독성 毒性 | 독할 독, 성질 성 [toxicity]
❶[속뜻] 독(毒)이 있는 성분(性分). ¶정화 시설로 독성을 제거하다. ❷독한 성질. [비]독력(毒力).

독소 毒素 | 독할 독, 바탕 소 [toxin]
❶[속뜻] 해로운[毒] 요소(要素). ❷[생물] 생명체에 유독한 모든 물질. ¶패스트푸드를 많이 먹으면 몸 안에 독소가 쌓인다.

독약 毒藥 | 독할 독, 약 약 [poison]
독성(毒性)을 가진 약제(藥劑). ¶술은 마시기에 따라서 보약이 될 수도 있고 독약이 될 수도 있다. [비]극약(劇藥). [반]보약(補藥).

독종 毒種 | 독할 독, 갈래 종 [malicious person]
성질이 매우 독(毒)한 인종(人種). ¶그는 담배를 끊은 독종이다.

독충 毒蟲 | 독할 독, 벌레 충 [poisonous insect]
독(毒)을 가진 벌레[蟲]. 모기, 벼룩, 빈대 따위. ¶독충들이 달라붙다.

독침 毒針 | 독할 독, 바늘 침 [poison stinger]
독(毒)을 묻힌 바늘 따위의 침(針). ¶벌은 독침을 갖고 있다.

• 역순어휘

방독 防毒 | 막을 방, 독할 독
[protect oneself from poison]
독(毒)가스를 막음[防].

소독 消毒 | 사라질 소, 독할 독 [disinfect]
[약학] 해로운 균[毒]을 약품, 열, 빛 따위로 죽이는[消] 일. ¶이불을 마당에 널어 소독하다.

악독 惡毒 | 악할 악, 독할 독 [vicious]
마음이 흉악(凶惡)하고 독살(毒煞)스러움. ¶장희빈은 악독한 짓을 서슴지 않았다.

유:독 有毒 | 있을 유, 독할 독 [poisonous; noxious]
독성(毒性)이 있음[有]. ¶유독 폐기물 / 이 물질은 사람에게 유독하다. [반]무독(無毒).

중독 中毒 | 맞을 중, 독할 독
[be poisoned; be addicted to]
❶[속뜻] 독(毒)을 맞음[中]. ❷몸 안에 약물의 독성이 들어가 신체 기능의 장애를 일으키는 일. ¶연탄가스 중독으로 쓰러지다. ❸술이나 마약 따위를 지나치게 복용한 결과, 그것 없이는 견디지 못하는 병적 상태. ¶알코올 중독 치료를 받다 / 컴퓨터 중독에 빠지다.

지독 至毒 | 지극할 지, 독할 독 [vicious; severe]
지극(至極)히 독하다[毒]. 매우 심하거나 모질다. ¶지독한 냄새 / 이곳의 겨울은 지독하게 춥다.

표독 慓毒 | 날랠 표, 독할 독 [fierce; savage]
성질이 사납고[慓] 독살(毒殺)스러움. ¶그녀는 내게 표독스럽게 굴었다.

해:독¹ 害毒 | 해칠 해, 독할 독 [harm]
해(害)를 끼치는 독소(毒素). 나쁜 영향을 끼치는 요소. ¶환경에 심각한 해독을 끼친다.

해:독² 解毒 | 풀 해, 독할 독
[remove the poison; detoxify]
독기(毒氣)를 풀어서[解] 없앰. ¶해독 작용 / 뱀독을 해독하다.

혹독 酷毒 | 심할 혹, 독할 독 [severe; harsh]
❶[속뜻] 매우 심하게[酷] 독(毒)하다. ¶혹독한 훈련을 견디다. ❷마음씨나 하는 짓 따위가 모질고 독하다. ¶혹독하게 꾸짖다.

0582 [시]

施

베풀 시:
[部] 方부 [劃] 9획 [中] 施 [shī]

施자는 편의상 '모 방'(方)이 부수로 지정되어 있으나 표의요소는 아니다. '(깃발이) 펄럭이다'(flutter; flap)는 뜻을 나타내기 위한 것이니 깃발 모양을 본뜬 것[方+人]이 표의요소이고 也(어조사 야)는 표음요소였다고 한다. '베풀다'(hold; give)는 뜻으로도 많이 쓰인다.

시:공 施工 | 베풀 시, 일 공 [construct; build]
공사(工事)를 시행(施行)함. ¶부실 시공 / 이 건물은 우리가 시공했다.

시:상 施賞 | 베풀 시, 상줄 상 [award a prize]
상장(賞狀)이나 상품(賞品) 또는 상금(賞金)을 줌[施]. ¶공(功)이 큰 사람을 골라 시상하다.

시:설 施設 | 베풀 시, 세울 설 [establish; equip]
편리를 베풀어[施] 구조물 따위를 세움[設]. 또는 그 차린 설비. ¶의료 시설 / 전선을 시설하기 위해 전봇대를 세웠다.

시:주 施主 | 베풀 시, 주인 주 [offer; donate]
[불교] 중이나 절에 물건을 바치는[施] 사람[主]. 또는 그 일.

시:책 施策 | 베풀 시, 꾀 책 [enforce a policy]
국가나 행정기관 등에서 어떤 계획[策]을 실시(實施)함. 또는 그 계획. ¶정부 시책을 홍보하다.

시:행 施行 | 베풀 시, 행할 행
[put in operation; enforce]
❶[속뜻] 실시(實施)하여 행(行)함. 실제로 행함. ❷[법률] 법령의 효력을 실제로 발생시킴.

• 역순어휘

실시 實施 | 실제 실, 베풀 시
[put in operation; enforce]
계획 따위를 실제(實際)로 시행(施行)함. ¶주5일 근무제를 실시하다. (비)시행(施行).

0583 [고]

故 연고 고(:)
(部) 攴부 (劃) 9획 (中) 故 [gù]

故자는 '칠 복'(攵=攴)과 '옛 고'(古)로 이루어졌으니, '(어떤 일이 있게 된 근원이나) 까닭'(a cause; a factor)이 본뜻인데, '옛'(old times)의 뜻으로도 쓰인다. '연고'(a reason; a cause), '사고'(an accident)란 낱말, 또는 이와 의미상 관련이 깊은 낱말들의 한 구성요소로도 쓰인다.

[속뜻훈음] ①옛 고, ②연고 고, ③사고 고, ④까닭 고.

고:국 故國 | 옛 고, 나라 국 [one's homeland]
❶[속뜻] 예전[故]에 살던 나라[國]. ❷남의 나라에 가 있는 사람의 처지에서 '자기 나라'를 이르는 말. ¶고국을 그리다. (비)모국(母國), 본국(本國), 조국(祖國). (반)타국(他國).

고:궁 故宮 | 옛 고, 집 궁 [old palace]
옛[故] 궁궐(宮闕). ¶고궁으로 소풍을 가다.

고:의 故意 | 옛 고, 뜻 의 [deliberation; intention]
❶[속뜻] 본래[故] 가지고 있던 생각이나 뜻[意]. ❷일부러 하는 생각이나 태도. ¶이 사고는 고의가 아니었다. (반)과실(過失).

고:인 故人 | 옛 고, 사람 인 [dead; deceased]
옛[故] 사람[人]. 죽은 사람. ¶고인의 무덤.

고:장 故障 | 사고 고, 막을 장
[breakdown; hindrance]
❶[속뜻] 사고(事故)와 장애(障礙). ❷기계 따위의 기능에 이상이 생기는 일. ¶고물이라 고장이 잦다. ❸몸에 탈이 생기는 일. ¶머리가 고장이 났는지…. (비)탈.

고향 故鄕 | 옛 고, 시골 향 [one's old home]
예전[故]에 살던 시골[鄕]. 태어나서 자란 곳. 조상 때부터 대대로 살아온 곳. ¶고향을 떠나다. (반)타향(他鄕), 객지(客地).

• 역순어휘

별고 別故 | 다를 별, 사고 고
[accident; something wrong; trouble]
특별(特別)한 사고(事故). 별다른 탈. ¶별고 없으십니까? (비)별탈, 별사고(別事故).

사:고 事故 | 일 사, 연고 고 [reasons; accident]
❶[속뜻] 어떤 일[事]이 일어난 까닭이나 연고(緣故). ¶그가 결석한 사고를 알아보아라. ❷뜻밖에 일어난 불행한 일. ¶자동차 사고.

연고 緣故 | 인연 연, 까닭 고 [reason; cause]
❶[속뜻] 인연(因緣)이 된 까닭[故]. ❷일의 까닭. ¶미희는 무슨 연고로 결석했을까? ❸혈통, 정분, 법률 따위로 맺어진 관계. ¶이 환자는 아무런 연고가 없다. (비)사유(事由).

작고 作故 | 지을 작, 옛 고 [pass away]
❶[속뜻] 옛[故] 사람이 됨[作]. ❷죽은 사람을 높여 그의 '죽음'을 이르는 말. ¶그분은 60세에 작고하셨다.

0584 [수]

收 거둘 수
(部) 攴부 (劃) 6획 (中) 收 [shōu]

收자는 '(때려) 잡다'(arrest; capture; catch)가 본래 의미였으니 '칠 복'(攴)이 표의요소로 쓰였다. 왼편의 것은 표음요소였다고 하는데 지금은 낱글자로 쓰이지 않으니 제 구실을 못한다. '거두다'(harvest; acquire; achieve)는 뜻으로도 많이 쓰인다.

수감 收監 | 거둘 수, 감방 감 [confine in prison] 죄인 등을 감방(監房)에 가둠[收]. ¶그는 교도소에 수감 중이다.

수거 收去 | 거둘 수, 갈 거 [take away; remove] 거두어[收] 감[去]. ¶분리수거 / 집배원이 우편물을 수거해 갔다.

수금 收金 | 거둘 수, 돈 금 [collect money] 돈[金]을 거둠[收]. ¶외상값을 수금하다.

수납 收納 | 거둘 수, 들일 납 [receive payment] 관공서 같은 곳에서 금품을 거두어[收]들임[納]. ¶세금을 수납하다.

수렴 收斂 | 거둘 수, 거둘 렴 [exact taxes; collect] ❶[속뜻] 돈이나 물건 따위를 거둠[收=斂]. ❷의견이나 사상 따위가 여럿으로 나뉘어 있는 것을 하나로 모아 정리함. ¶의견을 수렴하여 결정하겠습니다.

수록 收錄 | 거둘 수, 기록할 록 [gather; record] 모아서[收] 기록(記錄)함. 또는 그렇게 한 기록. ¶이 사전에는 5만 개의 단어가 수록되어 있다.

수복 收復 | 거둘 수, 돌아올 복 [recover; recapture; reclaim] 잃었던 땅을 도로 거두어[收] 회복(回復)함. ¶국군은 9월 28일 서울을 수복했다.

수세 收稅 | 거둘 수, 세금 세 [collect taxes] [법률] 세금(稅金)을 거둠[收]. 조세(租稅)를 징수함.

수습 收拾 | 거둘 수, 주울 습 [collect; handle] ❶[속뜻] 흩어진 것을 거두고[收] 주워 담음[拾]. ¶사고 현장에서 희생자들의 시신을 수습했다. ❷어수선한 사태나 마음을 가라앉히어 바로잡음. ¶민심을 수습하다 / 혼란이 원만히 수습됐다.

수용 收容 | 거둘 수, 담을 용 [take in; accommodate; admit] 사람이나 물품 따위를 거두어[收] 일정한 곳에 담음[容]. ¶이 강당은 천 명을 수용할 수 있다.

수익 收益 | 거둘 수, 더할 익 [earn a profit] 일이나 사업 등을 하여 이익(利益)을 거두어[收] 들임. 또는 그 이익. ¶막대한 수익을 올리다.

수입 收入 | 거둘 수, 들 입 [income; receipt] 돈이나 물건 따위를 벌어들이거나 거두어[收] 들이는[入] 일. 또는 그 돈이나 물건. ¶수입이 일정하지 않다. [반]지출(支出).

수지 收支 | 거둘 수, 가를 지 [income and outgo; revenue and expenditure] ❶[속뜻] 수입(收入)과 지출(支出). ¶수지 균형을 유지하다. ❷거래 관계에서 얻는 이익.

수집 收集 | 거둘 수, 모을 집 [collect; gather] 여러 가지 것을 거두어[收] 모음[集]. ¶재활용품을 수집하다.

수축 收縮 | 거둘 수, 줄일 축 [contract; shrink] 안쪽으로 거두어[收] 줄어듦[縮]. 또는 오므라듦. ¶심장은 끊임없이 수축하고 이완한다. [반]팽창(膨脹).

수탈 收奪 | 거둘 수, 빼앗을 탈 [plunder; exploit] 강제로 거두어[收] 들이거나 빼앗음[奪]. 강제로 빼앗음. ¶경제적 수탈 / 백성을 수탈하다 / 토지를 수탈당하다. [비]착취(搾取).

수확 收穫 | 거둘 수, 거둘 확 [harvest] ❶[속뜻] 농작물을 거두어들임[收=穫]. ¶벼를 수확하다 / 가을은 수확의 계절이다. ❷어떤 일에서 얻은 좋은 성과. ¶그를 만난 것이 이번 여행에서 얻은 가장 큰 수확이다.

• 역순어휘

매:수 買收 | 살 매, 거둘 수 [purchase; buy] ❶[속뜻] 물건을 사[買]들임[收]. ¶주식을 매수하다. ❷금품 따위를 주어가며 남을 제 편으로 끌어들임. ¶그는 돈으로 정치인들을 매수했다.

몰수 沒收 | 없어질 몰, 거둘 수 [confiscate] 남은 재산이 하나도 없도록[沒] 모두 거두어[收] 들임. ¶법원은 그의 재산을 몰수했다.

압수 押收 | 누를 압, 거둘 수 [impound; confiscate; seize] ❶[속뜻] 강제로 눌러[押] 빼앗음[收]. ¶감독관이 시험자의 휴대전화를 압수했다. ❷[법률] 법원이나 수사 기관 등이 증거물이나 몰수할 물건 등을 강제로 확보함. 또는 그 행위. ¶압수 수색.

영수 領收 | =領受, 받을 령, 거둘 수 [receive] 돈이나 물품 따위를 받아[領]들임[收]. ¶위 금액을 정히 영수함.

징수 徵收 | 거둘 징, 거둘 수 [charge; assess; impose on] ❶[속뜻] 나라, 공공 단체, 지주 등이 돈·곡식·물품 따위를 거둠[徵=收]. ❷[법률] 행정기관이 법에 따라서 조세, 수수료, 벌금 따위를 국민으로부터 거두어들이는 일. ¶세금은 공정하게 징수해야 한다.

철수 撤收 | 거둘 철, 거둘 수 [evacuate; withdraw from] ❶[속뜻] 거두어[撤] 들임[收]. ❷있던 곳에서 시설이나 장비 따위를 거두어 가지고 물러남. ¶군대가 철수하다

/ 비가 내려서 텐트를 철수시켰다.

추수 秋收 | 가을 추, 거둘 수 [harvest]
가을[秋]에 익은 곡식을 거두어[收] 들임. ¶이 밥은 올해 추수한 쌀로 지은 것이다. ⓑ가을걷이.

회수 回收 | 돌 회, 거둘 수 [withdraw; collect]
도로[回] 거두어[收]들임. ¶자금 회수 / 불량품을 회수하다.

흡수 吸收 | 마실 흡, 거들 수 [absorb; suck in]
빨아서[吸] 거두어[收]들임. ¶이 옷은 땀을 잘 흡수한다.

0585 [적]

敵

대적할 적
㊎ 攴부 ㊐ 15획 ㊥ 敌 [dí]

敵자는 '원수'(a foe; an enemy)가 본뜻이니 '칠 복'(攵=攴)이 표의요소로는 안성맞춤이다. 啇(밑동 적)은 표음요소로 뜻과는 상관없다.

속뜻훈음 **원수 적.**

적개 敵愾 | 원수 적, 성낼 개 [hostility; animosity]
적(敵)에 대한 분노와 증오[愾].

적국 敵國 | 원수 적, 나라 국 [hostile country]
적대(敵對) 관계에 있는 나라[國]. ¶그는 회담을 통해 적국의 침략을 막았다.

적군 敵軍 | 원수 적, 군사 군
[enemy force; enemy troops]
적국(敵國)의 군대(軍隊)나 병사. ¶그는 혼자서 적군을 무찔렀다. ⓑ아군(我軍).

적기 敵機 | 원수 적, 틀 기 [enemy plane]
적(敵)의 비행기(飛行機). ¶백령도 영공(領空)에 적기가 나타났다.

적대 敵對 | 원수 적, 대할 대 [show hostility]
적(敵)으로 맞서[對] 버팀. ¶적대 관계 / 적대적인 태도 / 상대방을 적대하면 좋을 것이 없다. ⓑ우호(友好).

적병 敵兵 | 원수 적, 군사 병
[enemy soldier; enemy]
적(敵)의 병사(兵士). ¶풀숲에 적병이 숨어 있으리라고는 생각하지 못했다.

적선 敵船 | 원수 적, 배 선 [enemy ship]
적(敵)의 배[船]. ¶이순신 장군은 노량해전에서 적선 삼백여 척을 격파했다.

적수 敵手 | 원수 적, 사람 수 [rival; competitor]
❶속뜻 적(敵)이 될 만한 사람[手]. ❷재주나 힘이 서로 비슷해서 상대가 되는 사람. ¶나는 그의 적수가 못 된다.

적의 敵意 | 원수 적, 뜻 의
[hostile feelings; hostility]
❶속뜻 적대(敵對)하는 마음[意]. ❷해치려는 마음. ¶적의를 품다 / 그는 적의에 찬 눈으로 나를 노려보았다.

적장 敵將 | 원수 적, 장수 장 [enemy's general]
적(敵)의 장수(將帥). ¶그는 적장의 목을 베었다.

적지 敵地 | 원수 적, 땅 지 [enemy's territory]
적(敵)의 땅[地]. 적의 세력 아래 들어가 있는 지역. ¶그는 적지를 뚫고 들어가 포로를 구했다.

적진 敵陣 | 원수 적, 진칠 진
[enemy's camp; enemy's position]
적(敵)의 진영(陣營). 적군(敵軍)의 진지(陣地). ¶적진을 향해, 돌격하라!

• 역순어휘

강적 強敵 | 강할 강, 원수 적 [powerful enemy]
강(強)한 적(敵). ¶강적을 만나다. ⓑ맞수.

대:적 對敵 | 대할 대, 원수 적 [match]
❶속뜻 적(敵)을 마주 대(對)함. 적과 맞섬. ❷서로 맞서 겨룸. ¶저 선수를 대적할 사람은 없다.

무적 無敵 | 없을 무, 원수 적 [invincibility]
맞서 싸울 상대[敵]가 없을[無] 정도로 아주 셈. ¶천하무적 / 무적 함대.

외:적 外敵 | 밖 외, 원수 적 [foreign enemy]
외국(外國)으로부터 쳐들어오는 적(敵). ⓑ외구(外寇).

천적 天敵 | 하늘 천, 원수 적 [natural enemy]
❶속뜻 천연(天然)의 적(敵). ❷동물 어떤 생물에 대하여 해로운 적이 되는 생물. 개구리에 대한 뱀, 쥐에 대한 고양이 따위.

0586 [정]

政

정사(政事) 정
㊎ 攴부 ㊐ 9획 ㊥ 政 [zhèng]

政자는 '매질하다'는 뜻의 攵(=攴)과 '바로잡다'는 뜻의 正이 합쳐진 것이다. 이 경우의 正(바를 정)은 표음과 표의를 겸하는 요소다. '다스리다'(govern; administer)는 뜻으로도 쓰인다. 아울러 '정사'(political affairs), '정치'(politics)같은 낱말, 또는 이와 의미상 연관이 있는 낱말들의 한 구성 요소로도 많이 쓰인다.

속뜻훈음 **①다스릴 정, ②정사 정, ③정치 정.**

정계 政界 | 정치 정, 지경 계
[world of politics; political world]
정치(政治) 및 정치가의 세계(世界). '정치계'의 준말.

¶그는 10년 넘게 정계에 몸담고 있다.

정권 政權 | 정치 정, 권리 권 [political power]
정치(政治)를 하는 권력(權力). 나라의 통치기관을 움직이는 권력. ¶민주정권 / 정권을 장악하다.

정당 政黨 | 정치 정, 무리 당 [political party]
정치(政治)를 하기 위해 조직한 무리[黨]. 이념이나 주장이 같은 사람들이 모이며, 정권을 잡고 행사하기 위해 노력한다. ¶정당에 가입하다 / 그들은 새로운 정당을 만들었다.

정변 政變 | 정치 정, 바뀔 변
[political change; change of government]
혁명이나 쿠데타 따위로 생긴 정치(政治) 상의 큰 변동(變動). ¶갑신정변 / 페루에서 정변이 일어났다.

정부 政府 | 정사 정, 관청 부 [government]
❶[속뜻] 정사(政事)를 보는 관청[府]. ❷[법률] 입법, 사법, 행정의 삼권을 포함하는 통치기구를 통틀어 이르는 말. ¶한민족은 20세기에 근대적인 정부를 수립했다.

정사 政事 | 정치 정, 일 사
[political affairs; administration]
정치(政治) 또는 행정상의 일[事]. ¶흥선대원군은 고종을 대신해 정사를 돌보았다.

정승 政丞 | 정사 정, 도울 승 [minister of States]
❶[속뜻] 정사(政事)를 도움[丞]. ❷[역사] 조선 시대, 문하부의 정일품 으뜸 벼슬. 태조 3년(1394)에 시중(侍中)을 고친 것.

정책 政策 | 정치 정, 꾀 책 [policy]
정치적(政治的) 목적을 실현하기 위한 책략(策略). ¶교육정책 / 정책을 수립하다.

정치 政治 | 정사 정, 다스릴 치
[politics; government]
나라의 정무(政務)를 다스림[治]. 또는 그런 일. ¶정치 활동 / 조선시대는 유교를 정치 이념으로 삼았다.

• 역순어휘 ——————————— •

국정 國政 | 나라 국, 정치 정
[conditions of a country]
나라[國]의 정치(政治). 국가의 행정. ¶국정에 참여하다. [비]국무(國務), 국사(國事).

군정 軍政 | 군사 군, 정치 정
[military administration]
❶[정치] 군부(軍部)가 국가의 실권을 장악하고 행하는 정치(政治). ❷[역사] 조선 시대의 삼정(三政) 가운데 정남(丁男)으로부터 군포를 받아들이던 일.

내:정 內政 | 안 내, 정치 정 [internal affairs]
국내(國內)의 정치(政治). ¶청나라는 조선의 내정을 간섭했다.

민정 民政 | 백성 민, 정치 정 [civil government]
❶[속뜻] 국민(國民)의 안녕과 복리를 위한 정치적(政治的) 업무. ¶민정을 실시하다. ❷군인이 아닌 민간인이 하는 정치. 또는 그 정부. [반]군정(軍政).

선:정 善政 | 좋을 선, 정치 정 [good government]
바르고 좋은[善] 정치(政治). ¶선정을 펼치다. [반]폭정(暴政), 악정(惡政).

섭정 攝政 | 도울 섭, 다스릴 정 [rule as regent]
임금이 직접 통치할 수 없을 때 임금을 도와[攝] 대신하여 나라를 다스리는[政] 것. 또는 그 사람. ¶고종을 대신하여 흥선대원군이 섭정하였다.

우정 郵政 | 우편 우, 다스릴 정 [postal services]
우편(郵便)에 관한 행정(行政) 업무.

의정 議政 | 의논할 의, 정사 정
[be active in parliamentary]
❶[속뜻] 정사(政事)를 의논(議論)함. ¶그는 국회의원이 되어 의정 활동을 하고 있다. ❷[역사] 조선 시대, 의정부(議政府)의 영의정, 좌의정, 우의정을 통틀어 이르는 말.

재정 財政 | 재물 재, 정사 정
[finance(s); financial affairs]
❶[속뜻] 재산(財産)을 조달, 관리, 사용하는 일체의 정사(政事). ❷[경제] 개인, 가정, 단체 등의 경제 상태. ¶회사의 재정 상태가 좋아졌다.

참정 參政 | 참여할 참, 정치 정
[participate in government]
정치(政治)에 참여(參與)함.

폭정 暴政 | 사나울 폭, 정치 정
[tyranny; despotic rule]
포악(暴惡)한 정치(政治). ¶백성들이 폭정에 시달리다. [비]학정(虐政). [반]선정(善政).

학정 虐政 | 모질 학, 정치 정 [tyranny]
모질고[虐] 포악한 정치(政治). 국민을 괴롭히는 정치. ¶농민들은 학정을 견디다 못해 민란을 일으켰다.

행정 行政 | 행할 행, 정치 정 [administration]
❶[속뜻] 정치(政治)나 사무를 행(行)함. ¶행정 경험이 많다. ❷[법률] 국가가 공익을 실현하기 위하여 행하는 사무나 정책.

0587 [살]

殺

죽일 살, 감할 쇄:
[部] 殳부 [劃] 11획 [中] 杀 [shā]

殺자는 '창 수'(殳)가 표의요소이다. 왼쪽 부분은 표음요소라는 설, 절지동물인 '지네'를 본뜬 표의요소라는 설이 있다. 왼편의 아랫부분은 원래 朮(차조 출)이니 점이 있어야 하지만, 편의상 木(목)으로 쓰기도 한다. '죽이다'(kill; slay; murder)가 본뜻이다. '빨리'(quickly), '줄다'(=감하다, get fewer; lessen; decrease)는 뜻으로도 쓰이는데, 이 경우에는 [쇄]로 읽는다.

속뜻훈음 ①죽일 살, ②빠를 쇄.

살균 殺菌 | 죽일 살, 세균 균 [sterilize; pasteurize]
약품이나 열 따위로 세균(細菌)을 죽임[殺]. ¶살균우유 / 칫솔을 살균하다. ㉥멸균(滅菌).

살기 殺氣 | 죽일 살, 기운 기 [violent temper; murderous spirit]
남을 죽일[殺] 듯한 기세(氣勢)나 분위기. ¶눈에 살기가 가득하다.

살벌 殺伐 | 죽일 살, 목벨 벌 [bloodthirsty; brutal; savage]
❶속뜻 죽여[殺] 목을 벰[伐]. ❷분위기나 풍경 또는 인간관계 따위가 거칠고 무시무시함. ¶살벌한 기운이 감돌다.

살상 殺傷 | 죽일 살, 다칠 상 [kill and injure; shed blood]
죽이거나[殺] 부상(負傷)을 입힘. ¶적군을 모조리 살상했다.

살생 殺生 | 죽일 살, 날 생 [take life]
생명(生命)을 죽임[殺]. 산 것을 죽임. ¶불교에서는 살생을 금지한다.

살육 殺戮 | 죽일 살, 죽일 륙 [kill; massacre]
사람을 마구 죽임[殺=戮].

살인 殺人 | 죽일 살, 사람 인 [commit murder; kill]
사람[人]을 죽임[殺]. 남을 죽임. ¶살인을 저지르다.

살충 殺蟲 | 죽일 살, 벌레 충 [kill insects]
벌레[蟲]를 죽임[殺]. ¶이 약은 살충 효과가 높다.

살해 殺害 | 죽일 살, 해칠 해 [murder; kill; slay]
사람을 해쳐[害] 죽임[殺]. ¶살해 현장.

쇄:도 殺到 | 빠를 쇄, 이를 도 [rush in]
세차고 빠르게[殺] 몰려듦[到]. ¶상품을 문의하는 전화가 쇄도하다.

• 역순어휘

도살 屠殺 | 잡을 도, 죽일 살 [slaughter; butcher]
❶속뜻 마구[屠] 죽임[殺]. ❷짐승을 잡아 죽임. ¶감염된 동물을 도살하다. ㉥도륙(屠戮).

독살 毒殺 | 독할 독, 죽일 살 [poison]
독약이나 독침과 같은 독(毒)으로 사람을 죽임[殺]. ¶왕을 독살하였다.

말살 抹殺 | 문지를 말, 죽일 살 [annihilate; obliterate]
❶속뜻 문질러서[抹] 죽임[殺]. ❷뭉개어 아주 없애 버림. ¶기록을 말살해 버렸다.

몰살 沒殺 | 빠질 몰, 죽일 살 [massacre; annihilate]
❶속뜻 물에 빠트려[沒] 죽임[殺]. ❷모조리 죽임. ¶강감찬 장군이 적을 몰살시켰다. ㉥몰사(沒死), 전멸(全滅).

묵살 默殺 | 입 다물 묵, 죽일 살 [ignore; take no notice]
❶속뜻 말하지 않고[默] 묻어 둠[殺]. ❷의견이나 제안 따위를 듣고도 못 들은 척함. ¶제안을 묵살하다.

사살 射殺 | 쏠 사, 죽일 살 [shoot dead]
활이나 총으로 쏘아[射] 죽임[殺]. ¶적은 탈주병을 사살했다.

암:살 暗殺 | 몰래 암, 죽일 살 [assassinate]
몰래[暗] 사람을 죽임[殺]. ¶암살 기도 / 대통령을 암살하다 / 그는 테러리스트들에게 암살되었다.

자살 自殺 | 스스로 자, 죽일 살 [kill oneself]
스스로[自] 자기를 죽임[殺]. 자기 목숨을 끊음. ¶자살 소동을 벌이다 / 그는 신세를 비관하여 자살했다. ㉥자결(自決). ㉤타살(他殺).

총살 銃殺 | 총 총, 죽일 살 [shoot a person dead]
총(銃)으로 쏘아 죽임[殺]. ¶총살에 처하다.

타살 他殺 | 다를 타, 죽일 살 [murder]
다른[他] 사람이 죽임[殺]. ¶경찰은 타살로 보고 수사에 들어갔다. ㉤자살(自殺).

피:살 被殺 | 당할 피, 죽일 살 [be killed]
살해(殺害)를 당함[被]. ¶어젯밤 한 여성이 피살된 채 발견되었다.

학살 虐殺 | 모질 학, 죽일 살 [massacre]
참혹하고 모질게[虐] 죽임[殺]. ¶전쟁 중에 많은 사람이 학살을 당했다.

뇌쇄 惱殺 | 괴로울 뇌, 빠를 쇄 [captivate; fascinate; enchant]
❶속뜻 괴로움[惱]이 빠르게 심해짐[殺]. ❷애가 타도록 몹시 괴로워함. 또는 그렇게 괴롭힘. 특히 여자의 아름다움이 남자를 매혹시켜 애가 타게 함을 이른다. ¶사람을 뇌쇄시킬 듯한 매력.

0588 [담]

擔

멜 담

[部] 手부 [劃] 16획 [中] 担 [dān, dàn]

擔자는 '어깨에 메다'(shoulder)가 본뜻으로, '손 수'(扌=手)가 표의요소이자 부수로 쓰였다. 詹(이를 첨)이 표음요소임은 膽(쓸개 담), 澹(담박할 담)도 마찬가지다. 이 글자는 원래 '儋'(멜 담)이었는데 표의요소가 개량됐다(亻→ 手=扌). 후에 일반적인 의미의 '메다'(bear)로 확대 사용됐다.

담당 擔當 | 멜 담, 맡을 당 [take charge]
책임을 지고[擔] 일을 맡아 처리함[當]. 일을 맡음. [비] 담임(擔任).

담보 擔保 | 멜 담, 지킬 보 [give as security]
❶[속뜻] 맡아서[擔] 지킴[保]. ❷[법률] 민법에서 채무 불이행 때 채무의 변제를 확보하는 수단으로 채권자에게 제공하는 것. ¶집을 담보로 돈을 빌리다. [비] 보장(保障).

담임 擔任 | 멜 담, 맡길 임 [take charge of]
주로 학교에서 학급을 맡아서[擔] 책임(責任)짐. 또는 그런 사람. ¶담임 선생님. [비] 담당(擔當).

• 역순어휘

가담 加擔 | 더할 가, 멜 담 [participate]
무리에 가입(加入)해 일을 함께 해 나가다[擔]. 일을 거들어 도와줌. ¶시위에 가담하다.

부:담 負擔 | 질 부, 멜 담 [load; charge]
❶[속뜻] 등에 짊어지고[負] 어깨에 둘러멤[擔]. ❷어떠한 의무나 책임을 짐. ¶그녀의 도움으로 부담을 덜었다.

분담 分擔 | 나눌 분, 멜 담
[divide of labor; take a share]
나누어서[分] 맡음[擔]. ¶가사 분담 / 비용을 셋이 분담하다. [비] 전담(全擔).

전담 全擔 | 모두 전, 멜 담
[take complete charge of]
어떤 일의 전부(全部)를 담당(擔當)함. ¶비용은 회사에서 전담한다.

0589 [배]

拜

절 배:

[部] 手부 [劃] 9획 [中] 拜 [bài]

拜자는 '(손을 모아 머리를 숙여) 절하다'(bow)는 뜻을 나타내기 위한 것이었으니 '손 수'(手)가 표의요소로 쓰였다. 오른쪽의 것은 풀이 자라는 땅바닥을 가리킨다는 설, 머리를 숙인 모습이 변화된 것이라는 설 등이 있다. '공경하다'(respect)는 낱말 또는 이와 의미상 연관이 있는 낱말들의 한 구성요소로도 많이 쓰인다.

[속뜻 훈음] ①절 배, ②공경할 배.

• 역순어휘

경:배 敬拜 | 공경할 경, 절 배 [bow respectfully]
공경(恭敬)하여 공손히 절함[拜]. ¶아기 예수에게 경배하다.

세:배 歲拜 | 해 세, 절 배 [New Year's kowtow]
섣달 그믐이나 정초에 새해[歲]를 맞아 하는 인사[拜]. ¶세배를 드리다.

숭배 崇拜 | 높을 숭, 공경할 배 [worship; adore]
어떤 사람을 거룩하게 높여[崇] 마음으로부터 우러러 공경함[拜]. ¶조상숭배 / 태양을 숭배하다.

예배 禮拜 | 예도 례, 절 배 [worship]
❶[속뜻] 공손한 예의(禮儀)를 갖추어 절함[拜]. ❷[기독교] 성경(聖經)을 읽고 기도(祈禱)와 찬송으로 하나님에 대한 숭경(崇敬)의 뜻을 나타내는 일. ¶예배를 드리다.

참배 參拜 | 뵐 참, 절 배
[worship; pray before a temple]
❶[속뜻] 신이나 부처를 보며[參] 절하고[拜] 빎. ¶부처님께 참배를 드리다. ❷무덤이나 기념탑 등의 앞에서 절하고 기림. ¶신사참배 / 김구 선생 묘를 참배하다.

0590 [소]

掃

쓸[掃除] 소(:)

[部] 手부 [劃] 11획 [中] 扫 [sǎo, sào]

掃자는 '(비로) 쓸다'(sweep)는 뜻을 나타내기 위하여 '손 수'(手 →扌)와 '빗자루 추'(帚)를 합쳐 놓은 것이다.

소탕 掃蕩 | 쓸 소, 씻어버릴 탕
[sweep; clear; mop up]
모조리 쓸고[掃] 씻어 버림[蕩]. 완전히 없앰. ¶소탕 작전 / 적군을 소탕하다.

• 역순어휘

일소 一掃 | 한 일, 쓸 소 [sweep away]
하나[一]도 남김없이 모조리 쓸어[掃]버림. ¶폭력배를 일소하다 / 정부는 부정부패 일소에 총력을 기울이고 있다.

청소 清掃 | 맑을 청, 쓸 소 [clean; sweep]

더럽거나 어지러운 것을 깨끗하게[淸] 쓸어냄[掃]. ¶청소 당번 / 내 방을 청소하다.

0591 [수]

授

줄 수

部 手부 劃 11획 中 授 [shòu]

授자는 손으로 집어 건네주다, 즉 '주다'(give)는 뜻을 나타내기 위한 것이었으니 '손 수'(手)가 표의요소로 쓰였다. 受는 원래 '주고받다'는 뜻이었는데, 후에 '주다'는 뜻은 授자에 맡기고 자신은 '받다'는 뜻으로만 쓰였다.

수업 授業 | 줄 수, 일 업 [teach; instruct]
교육 학업(學業)을 가르쳐 줌[授]. ¶수업 시간 / 수업 분위기가 좋다.

수여 授與 | 줄 수, 줄 여 [confer; award]
공식절차에 의해 증서, 상장, 훈장 따위를 줌[授=與]. ¶상장을 수여하다.

수유 授乳 | 줄 수, 젖 유 [nurse; feed]
젖먹이에게 젖[乳]을 먹여 줌[授]. ¶모유를 수유하다.

• 역순어휘

교:수 教授 | 가르칠 교, 줄 수 [professor]
대학 등에서 전문 학술을 가르쳐[教] 주는[授] 사람. 반 학생(學生).

전수 傳授 | 전할 전, 줄 수 [pass down; initiate]
기술이나 지식 따위를 전(傳)하여 줌[授]. ¶아들에게 비법을 전수하다.

0592 [승]

承

이을 승

部 手부 劃 8획 中 承 [chéng]

承자는 '받들다'(uphold; raise)는 뜻을 나타내기 위하여 만들어진 것이다. 쭈그려 앉은 사람을 본뜬 卩(절)과 두 손으로 받든 모습을 본뜬 廾(=又+又, 공)으로 이루어진 것이었다. 篆書(전:서)에서 '손 수'(手)가 첨가 됐고 隸書(예:서)에서 뒤죽박죽이 되어 본래의 구조를 알기 힘들게 됐고, 부수가 手인 것조차 알기 어렵게 됐다. 후에 '이어받다'(succeed to)는 뜻으로도 확대 사용됐다.

속뜻훈음 받들 승.

승낙 承諾 | 받들 승, 허락할 낙 [consent; assent]
청하는 바를 받아들여[承] 허락(許諾)함. ¶그는 결국 딸의 결혼을 승낙했다. 비 허락(許諾).

승복 承服 | 받들 승, 따를 복 [submit]
남의 의견 따위를 받아들이고[承] 그에 따름[服]. ¶그 의견에 승복할 수 없다.

승인 承認 | 받들 승, 알 인 [approve]
어떤 사실을 마땅하다고 받아들이고[承] 인정(認定)함. ¶승인을 얻다.

• 역순어휘

계:승 繼承 | 이을 계, 받들 승 [succeed; inherit]
조상이나 선임자의 뒤를 이어[繼] 받들음[承]. ¶아버지의 유업을 계승하다. 비 승계(承繼). 반 단절(斷絶).

전승 傳承 | 전할 전, 받들 승 [be passed down]
문화, 풍속, 제도 따위를 전(傳)해 이어받음[承]. ¶전통문화의 전승 / 문화유산을 전승하다.

0593 [접]

接

이을 접

部 手부 劃 11획 中 接 [jiē]

接자는 '(손으로 가까이) 끌어당기다'(draw)는 뜻이었으니 '손 수'(手)가 표의요소로 쓰였고, 妾(첩 첩)이 표음요소임은 椄(접붙일 접)도 마찬가지다. '잇다'(join), '맞이하다'(meet; receive), '닿다'(touch; reach)는 뜻으로도 쓰인다.

속뜻훈음 ①이을 접, ②맞이할 접, ③닿을 접.

접견 接見 | 맞이할 접, 볼 견 [receive; interview]
공식적으로 손님을 맞이하여[接] 만나 봄[見]. ¶접견시간 / 접견장소

접골 接骨 | 이을 접, 뼈 골 [set bone]
의학 어긋나거나 부러진 뼈[骨]를 이어[接] 맞춤. ¶접골 치료 / 지난번에 접골한 곳을 또 다쳤다.

접근 接近 | 맞이할 접, 가까울 근 [move in close; approach]
맞이하여[接] 가까이 다가감[近]. ¶접근 금지 / 그는 접근하기 쉬운 사람이다.

접대 接待 | 맞이할 접, 대접할 대 [attend to; welcome]
손님을 맞이하여[接] 대접(待接)함. ¶따뜻한 접대 / 그녀는 미소를 지으며 손님을 접대하였다. 비 대접(待接).

접목 接木 | 이을 접, 나무 목 [graft trees together]
나무[木]를 접붙여 이음[接]. 또는 그 나무.

접속 接續 | 맞이할 접, 이을 속 [interface]

❶[속뜻]서로 맞닿도록[接] 이어줌[續]. ❷컴퓨터 통신 등이 연결되는 것. ¶인터넷 접속.

접수 接受 | 맞이할 접, 받을 수 [receive; accept]
맞이하여[接] 받아들임[受]. ¶접수번호 / 접수를 마감하다.

접전 接戰 | 맞이할 접, 싸울 전
[fight hand-to-hand]
❶[속뜻]경기나 전투에서 서로 맞붙어[接] 싸움[戰]. 또는 그런 경기나 전투. ❷서로 힘이 비슷하여 승부가 쉽게 나지 아니하는 경기나 전투. ¶팽팽한 접전을 벌이다.

접종 接種 | 이을 접, 씨 종 [inoculate; vaccinate]
❶[속뜻]종자(種子)를 접합(接合)시킴. ❷[의학]병의 예방, 치료, 진단, 실험 따위를 위하여 병원균이나 항독소, 항체 따위를 사람이나 동물의 몸에 주입함. 또는 그렇게 하는 일. ¶예방 접종.

접지 接地 | 닿을 접, 땅 지
[ground connection; grounding]
❶[속뜻]땅[地]에 닿음[接]. 또는 땅에 댐. ❷[전기]전기 회로를 동선(銅線) 따위의 도체로 땅과 연결함.

접착 接着 | 닿을 접, 붙을 착 [stick to; adhere to]
착 달라[接]붙음[着]. ¶접착 테이프 / 접시의 조각을 접착했다.

접촉 接觸 | 맞이할 접, 닿을 촉 [contact; touch]
❶[속뜻]맞이하여[接] 서로 닿음[觸]. ¶신체접촉. ❷가까이 대하고 사귐. ¶그녀와의 접촉을 되도록 피하고 싶다.

접합 接合 | 이을 접, 합할 합
[join; unite; connect]
하나로 이어[接] 합함[合]. 또는 한데 닿아 붙음. ¶접합 수술.

• 역순어휘 •

간:접 間接 | 사이 간, 맞이할 접
[indirect; mediate]
중간(中間)에서 관계 따위를 맺어줌[接]. ¶간접흡연 / 간접사회자본. [반]직접(直接).

근:접 近接 | 가까울 근, 닿을 접
[proximity; approach]
가까이[近] 닿음[接]. 또는 가까이 다가감. ¶공장은 항구와 근접해 있다. [비]접근(接近).

대:접 待接 | 기다릴 대, 맞이할 접 [treat]
❶[속뜻]남을 기다려[待] 맞이함[接]. ❷음식을 차려 손님을 맞이함. ¶대접할 것이 마땅찮다. ❸어떤 인격적 수준으로 사람을 대우하거나 대함. ¶자녀를 동등한 인격체로 대접하다. [비]영접(迎接), 응접(應接). [반]푸대접.

면:접 面接 | 낯 면, 맞이할 접 [interview]
❶[속뜻]얼굴[面]을 맞이함[接]. ❷직접 만나보고 됨됨이를 시험하는 일. '면접시험'(面接試驗)의 준말. [비]면대(面對).

밀접 密接 | 빽빽할 밀, 닿을 접 [close]
아주 가깝게[密] 맞닿음[接]. 또는 그런 관계에 있음. ¶두 기업은 밀접한 관계를 맺고 있다.

영접 迎接 | 맞이할 영, 맞이할 접 [receive; greet]
손님을 맞아서[迎] 대접(待接)하는 일. ¶외국 귀빈을 영접하다.

용접 鎔接 | 녹일 용, 이을 접 [weld]
[공업]녹여서[鎔] 서로 이어붙임[接]. 또는 그런 일

응:접 應接 | 응할 응, 맞이할 접 [receive]
손님의 요구에 응(應)하여 접대(接待)함. ¶그는 미소를 지으며 손님을 응접했다.

인접 鄰接 | 이웃 린, 닿을 접
[adjoin; be adjacent]
이웃[鄰]하여 맞닿아[接] 있음. ¶인접 국가 / 서울과 인접한 도시.

직접 直接 | 곧을 직, 맞이할 접
[directly; personally]
중간에 매개 따위가 없이 곧바로[直] 맞이함[接]. ¶이 목걸이는 직접 만든 것이다. [반]간접(間接).

0594 [제]

提

끌 제
[部] 手부 [劃] 12획 [中] 提 [tí, dī]

提자는 '(손으로 집어) 들다'(put up; hold up)는 뜻을 나타내기 위하여 '손 수'(手)를 표의요소로 썼다. 是(옳을 시)가 표음요소임은 題(표제 제), 堤(방죽 제)도 마찬가지다. '거느리다'(command)는 뜻으로도 쓰인다.

[속뜻 훈음] ①들 제, ②거느릴 제.

제공 提供 | 들 제, 드릴 공 [offer; supply]
들어서[提] 갖다 드림[供]. ¶자료 제공 / 이곳은 아침 식사를 무료로 제공한다.

제기 提起 | 들 제, 일어날 기
[presentation; introduction]
❶[속뜻]들어내어[提] 문제를 일으킴[起]. ❷소송을 일으킴.

제독 提督 | 거느릴 제, 살필 독
[admiral; commodore]
함대를 거느리고[提] 군사를 감독(監督)하는 사령관. ¶삼촌이 해군 제독이 되었다.

제보 提報 | 들 제, 알릴 보 [give information]
정보(情報)를 제공(提供)함. ¶제보 전화 / 그는 회사의 비리를 검찰에 제보했다.

제소 提訴 | 들 제, 하소연할 소
[bring a lawsuit against]
법률 소송(訴訟)을 제기(提起)함. 또는 그런 일. ¶그는 계약 위반으로 제소되었다.

제시 提示 | 들 제, 보일 시 [present; indicate]
❶ 속뜻 의견 따위를 말이나 글로 들어내[提] 보임[示]. ¶의견을 제시하다. ❷검사나 검열 따위를 위하여 물품을 내보임. ¶입구에서 신분증을 제시하십시오.

제안 提案 | 들 제, 생각 안 [propose; suggest]
생각[案]을 들어[提] 내놓음. 또는 그런 생각. ¶이번 봄 소풍은 그의 제안이었다.

제의 提議 | 들 제, 따질 의 [suggest; offer]
논의(論議)할 내용을 들어[提] 내놓음. ¶그는 입사제의를 받았다.

제창 提唱 | 들 제, 부를 창
[put forward; propose; advocate]
어떤 주장을 들어놓고[提] 부르짖음[唱]. ¶남녀평등을 제창하다.

제청 提請 | 들 제, 청할 청
[recommend; nominate]
어떤 안건을 제시(提示)하여 결정하여 달라고 청구(請求)함. ¶장관은 국무총리의 제청으로 대통령이 임명한다.

제출 提出 | 들 제, 날 출 [present; submit]
안건 따위를 들어[提] 내놓음[出]. ¶내일까지 답안을 제출하십시오.

제휴 提携 | 들 제, 이끌 휴
[cooperate; tie up with]
행동을 함께 하기 위하여 서로 붙들어[提] 이끎[携]. ¶기술 제휴 / 외국 회사와 제휴하여 상품을 판매하다.

• 역순어휘

전제 前提 | 앞 전, 들 제 [be required]
어떠한 일을 이루기 위하여 앞서[前] 제시(提示)하는 것. ¶그들은 결혼을 전제로 만나고 있다.

0595 [지]

指

가리킬 지
부 手부 획 9획 中 指 [zhǐ]

指자는 '손가락'(a finger)을 뜻하기 위한 것이었으니, '손 수'(手=扌)가 표의요소로 쓰였고 旨(뜻 지)는 표음요소다. 후에 손가락으로 하는 행위, 즉 '가리키다'(point to; indicate)도 이것으로 나타냈다.

속뜻 훈음 ①가리킬 지, ②손가락 지.

지남 指南 | 가리킬 지, 남녘 남
남(南)쪽을 가리킴[指].

지도 指導 | 가리킬 지, 이끌 도
[guide; tutor; instruct]
어떤 목적이나 방향으로 남을 가리켜주고[指] 이끌어[導] 줌. ¶선배의 지도를 받다 / 선수들을 지도하며 시합을 준비하다.

지령 指令 | 가리킬 지, 명령 령 [order; notify]
활동 방침에 관한 지시(指示)와 명령(命令). ¶지령을 내리다 / 즉각 후퇴하라고 지령하다.

지명 指名 | 가리킬 지, 이름 명
[nominate; designate]
여러 사람 가운데 누구의 이름[名]을 지정(指定)하여 가리킴. ¶그녀는 국무총리로 지명되었다.

지목 指目 | 가리킬 지, 눈 목 [point out]
❶ 속뜻 어떤 사람의 눈[目]을 가리킴[指]. ❷여러 사람이나 사물 가운데서 일정한 것에 대하여 어떠하다고 가리키어 정함. ¶사건의 용의자로 지목되다.

지문 指紋 | 손가락 지, 무늬 문 [fingerprint]
손가락[指] 끝마디의 안쪽 무늬[紋]. 또는 그것이 어떤 물건에 남긴 흔적. ¶지문을 남기지 않도록 장갑을 끼다.

지수 指數 | 가리킬 지, 셀 수
[exponent; index number]
❶ 속뜻 어떤 사실이나 정도 따위를 가리키는[指] 수(數). ¶지능지수 / 종합주가지수. ❷ 수학 어떤 수나 문자의 오른쪽 위에 덧붙여 쓰여 거듭제곱을 한 횟수를 나타내는 문자나 숫자. ¶제곱지수.

지시 指示 | 가리킬 지, 보일 시 [direct]
❶ 속뜻 가리켜[指] 보임[示]. ❷무엇을 하라고 일러서 시킴.

지장 指章 | 손가락 지, 글 장 [thumbprint]
손가락의 지문(指紋)으로 찍는 도장(圖章). ¶도장이 없으면 대신 지장을 찍어도 된다.

지적 指摘 | 가리킬 지, 딸 적 [point out; indicate]
❶ 속뜻 어떤 사물을 가리켜[指] 꼭 집어냄[摘]. ¶내가 지적한 학생은 일어나서 책을 읽어라. ❷허물 따위를 들추어 가려냄. ¶그 문제에 대한 몇 가지 지적이 나오고 있다 / 선생님은 내 글에 창의성이 없다고 지적하셨다.

지정 指定 | 가리킬 지, 정할 정
[appoint; designate; assign]
❶ 속뜻 가리키어[指] 확실하게 정(定)함. ❷관공서, 학교,

회사, 개인 등이 어떤 것에 특정한 자격을 줌. ¶문화재로 지정되다 / 그들은 미리 지정된 장소로 떠났다.

지침 指針 | 가리킬 지, 바늘 침 [compass needle; indicator]
❶[속뜻] 무엇을 가리키는[指] 바늘[針] 같은 것. 시계, 나침반, 계량기 등에 붙어 있는 바늘. ¶나침반의 지침이 북쪽을 가리키고 있다. ❷생활이나 행동 따위의 지도적 방법이나 방향을 지도하여 주는 준칙. ¶정부에서 지침이 내려왔다.

지칭 指稱 | 가리킬 지, 일컬을 칭 [call; designate]
어떤 대상을 가리켜[指] 일컬음[稱]. 또는 그런 이름. ¶21세기는 흔히 정보화 사회라고 지칭된다.

지탄 指彈 | 손가락 지, 튕길 탄 [blame; criticize]
❶[속뜻] 손가락[指]으로 튕김[彈]. ❷잘못을 지적하여 비난함. 손가락질. ¶국민들로부터 지탄을 받다 / 뇌물을 받은 정치인을 지탄하다.

지표 指標 | 가리킬 지, 나타낼 표 [index]
방향이나 목적, 기준 따위를 가리키는[指] 표지(標識). ¶그는 아버지의 말씀을 지표로 삼고 살았다.

지향 指向 | 가리킬 지, 향할 향 [point to a place]
방향(方向)을 가리킴[指]. 지정된 방향으로 나아감. ¶등산하러 온 사람들은 정상을 지향해 걸어갔다.

지휘 指揮 | 손가락 지, 휘두를 휘 [command; lead; conduct]
❶[속뜻] 손가락[指]을 휘두름[揮]. ❷목적을 효과적으로 이루기 위하여 단체의 행동을 통솔함. ¶그의 지휘 아래 열심히 싸우다 / 군사들을 지휘하다. ❸[음악] 합주 따위에서, 많은 사람의 노래나 연주가 예술적으로 조화를 이루도록 앞에서 이끄는 일. ¶합창단을 지휘하다.

• 역순어휘 •

굴지 屈指 | 굽힐 굴, 손가락 지 [count on one's fingers]
❶[속뜻] 무엇을 셀 때, 손가락[指]을 꼽음[屈]. ❷수많은 가운데서 손가락을 꼽아 셀 만큼 아주 뛰어남. ¶국내 굴지의 기업.

무:지 拇指 | 엄지손가락 무, 손가락 지 [thumb]
엄지[拇] 손가락[指].

반지 半指 | =斑指, 반 반, 손가락 지 [finger ring]
두 짝의 반(半), 즉 한 짝으로만 손가락[指]에 끼는 것. 두 짝을 끼는 것은 가락지라고 한다.

약지 藥指 | 약 약, 손가락 지 [ring finger; third finger]
가운뎃손가락과 새끼손가락 사이의 손가락. 약(藥)을 탈 때 주로 쓰이는 손가락[指]이라 하여 붙여진 이름이다. [비]무명지(無名指), 약손가락.

장지 長指 | =將指, 길 장, 손가락 지 [middle finger]
❶[속뜻] 가장 긴[長] 손가락[指]. ❷가운뎃손가락.

중지 中指 | 가운데 중, 손가락 지 [middle finger]
가운데[中] 손가락[指]. ¶그는 사고로 중지 한 마디가 잘렸다. [비]장지(長指).

0596 [감]

減 덜 감:
[部] 水부 [劃] 12획 [中] 减 [jiǎn]

減자는 '(물이) 줄다'(get fewer; decrease)는 뜻을 나타내기 위한 것이었으니 '물 수'(水)가 표의요소로 쓰였고, 咸(다 함)이 표음요소임은 堿(짤 감), 嵅(산 이름 감)도 마찬가지다. 후에 '빼다'(subtract), '덜다'(deduct) 등으로 확대 사용됐다.

감:량 減量 | 덜 감, 분량 량 [reduce the quantity]
양(量)을 덜어냄[減]. ¶경기를 위해 체중을 감량했다. [반]증량(增量).

감:면 減免 | 덜 감, 면할 면 [exempt; remit]
부담 따위를 감(減)해 주거나 면제(免除)해 줌. ¶흉년이 들어 세금을 감면했다.

감:소 減少 | 덜 감, 적을 소 [lessen; drop]
❶[속뜻] 줄어서[減] 적어짐[少]. ❷덜어서 적게 함. ¶출생률이 감소하다. [비]감량(減量). [반]증가(增加).

감:속 減速 | 덜 감, 빠를 속 [reduce speed]
속도(速度)를 줄임[減]. ¶이곳은 길이 좁으니 감속하십시오. [반]가속(加速).

감:원 減員 | 덜 감, 인원 원 [lay off; reduce the staff]
인원(人員)을 줄임[減]. ¶직원을 대폭 감원하다. [반]증원(增員).

감:점 減點 | 덜 감, 점 점 [deduct points]
점수(點數)를 줄임[減]. 또는 그 점수. ¶맞춤법이 틀려 감점되었다. [반]가산점(加算點).

감:축 減縮 | 덜 감, 줄일 축 [reduce]
덜고[減] 줄임[縮]. 또는 줄여 적게 함. ¶예산 감축 / 쌀 소비량이 줄자 생산량을 감축했다.

감:퇴 減退 | 덜 감, 물러날 퇴 [decline; decrease]
❶[속뜻] 줄어들고[減] 뒤로 물러남[退]. ❷체력이나 의욕 따위가 줄어져 약해짐. ¶병 때문에 식욕도 감퇴했다. [반]

증진(增進).

• 역순어휘

가감 加減 | 더할 가, 덜 감 [add and subtract]
❶[속뜻]더하기[加]와 빼기[減]. ❷적당히 조절함. ¶수요에 따라 공급량을 가감하다. [비]첨감(添減).

삭감 削減 | 깎을 삭, 덜 감
[cut down; curtail; retrench]
깎아서[削] 줄임[減]. ¶임금을 삭감하다.

절감 節減 | 알맞을 절, 덜 감 [cut down; reduce]
알맞게[節] 씀씀이를 줄임[減]. ¶비용을 절감하기 위해 배송방식을 바꾸었다.

증감 增減 | 더할 증, 덜 감
[increase and decrease]
늘림[增]과 줄임[減]. ¶인구의 증감이 별로 없다 / 하천의 물은 조수의 간만에 따라 증감한다.

0597 [결]

潔

깨끗할 결
[部] 水부 [劃] 15획 [中] 洁 [jié]

潔자는 '깨끗한 물'(clean water)이라는 뜻이었으니 '물 수'(水)가 표의요소로 쓰였고, 絜(헤아릴 혈)이 표음요소임은 稧(볏집 결)도 마찬가지다. 후에 일반적인 의미의 '깨끗하다'(clean)로 확대 사용됐다.

결백 潔白 | 깨끗할 결, 흰 백 [pure; innocent]
❶[속뜻]깨끗하고[潔] 흼[白]. ❷행동이나 마음 따위가 조촐하여 얼룩이나 허물이 없음. ¶범인이 결백을 주장하다. [비]무죄(無罪). [반]부정(不正).

결벽 潔癖 | 깨끗할 결, 버릇 벽
[fastidiousness; love of cleanliness]
❶[속뜻]남달리 깨끗함[潔]을 좋아하는 성벽(性癖). ❷부정이나 악 따위를 극단적으로 미워하는 성질.

• 역순어휘

간결 簡潔 | 간단할 간, 깨끗할 결 [concise; brief]
간단(簡單)하고 깔끔하다[潔]. ¶자신의 느낌을 간결한 문장으로 적었다.

고결 高潔 | 높을 고, 깨끗할 결
[lofty; noble; pure]
고상(高尙)하고 깨끗함[潔]. ¶성품이 강직하고 고결하다.

불결 不潔 | 아닐 불, 깨끗할 결
[uncleanliness; filthiness]
깨끗하지[潔] 않음[不]. ¶주방이 불결하다. [반]청결(淸潔).

순결 純潔 | 순수할 순, 깨끗할 결 [pure; virginia]
❶[속뜻]잡된 것이 없이 순수(純粹)하고 깨끗함[潔]. ¶흰색은 순결을 상징한다. ❷이성과의 성적인 관계가 없어 마음과 몸이 깨끗함. ¶순결을 잃다 / 순결한 신부.

정결 淨潔 | 말끔할 정, 깨끗할 결
[clean and neat; undefiled]
매우 말끔하고[淨] 깨끗함[潔]. ¶정결한 마음 / 그의 방은 늘 정결하다.

청결 淸潔 | 맑을 청, 깨끗할 결 [clean; neat]
지저분한 것을 없애어 맑고[淸] 깨끗함[潔]. ¶항상 몸을 청결히 해라. [반]불결(不潔).

0598 [구]

求

구할[索] 구
[部] 水부 [劃] 7획 [中] 求 [qiú]

求자의 원형은 짐승의 털가죽으로 만든 옷 모양을 본뜬 것으로 '털가죽 옷'(a fur coat)이 본래 의미다. 그 옷은 누구나 탐내고 구하고 싶은 것이어서 '탐내다'(wish for; covet), '구하다'(seek for)는 뜻으로도 쓰이는 예가 많아지자, 본뜻은 다시 '옷 의'(衣)를 첨가한 裘(가죽옷 구)자를 따로 만들어 나타냈다.

구걸 求乞 | 구할 구, 빌 걸 [beg]
거저 달라고[求] 빎[乞]. ¶구걸하여 목숨을 이었다. [비]동냥.

구도 求道 | 구할 구, 길 도 [seek after truth]
❶[불교]불법의 정도(正道)를 구(求)함. ❷진리나 종교적인 깨달음의 경지를 구함.

구심 求心 | 구할 구, 마음 심 [seek the center]
❶[불교]참된 마음[心]을 찾아[求] 참선함. ❷[물리]중심으로 가까워져 옴.

구애 求愛 | 구할 구, 사랑 애 [make love to; court]
이성에게 사랑[愛]을 구(求)함. ¶그가 적극적으로 구애하자 그녀가 결혼을 허락했다.

구인 求人 | 구할 구, 사람 인 [job offer]
일할 사람[人]을 구(求)함. [반]구직(求職).

구직 求職 | 구할 구, 일자리 직 [seek a job]
직업(職業)을 찾음[求]. [반]구인(求人).

구형 求刑 | 구할 구, 형벌 형 [demand a penalty]
[법률]형사재판에서 피고인에게 어떤 형벌(刑罰)을 줄 것을 검사가 판사에게 요구(要求)하는 일. ¶징역 10년을 구형하다.

구혼 求婚 | 구할 구, 혼인할 혼 [propose]
❶속뜻 결혼(結婚)할 상대자를 구(求)함. ❷결혼을 청함. ¶그녀는 구혼을 거절했다. ㊥청혼(請婚).

• 역순어휘 ———————————— •

갈구 渴求 | 목마를 갈, 구할 구 [desire eagerly]
갈망(渴望)하여 애타게 구(求)함.

요구 要求 | 구할 요, 구할 구 [demand]
받아야 할 것을 필요(必要)에 의하여 달라고 청구(請求)함. ¶요구 사항 / 지나치게 요구하다. ㊥요청(要請).

욕구 欲求 | 하고자할 욕, 구할 구 [desire]
무슨 일을 하고자[欲] 하거나 무엇을 얻고자[求] 함. 또는 그런 마음. ¶생리적 욕구.

청구 請求 | 청할 청, 구할 구
[demand; request; claim]
요청(要請)하여 요구(要求)함. 무엇을 공식적으로 내놓거나 주기를 요구함. ¶손해배상 청구 / 구속영장을 청구하다.

촉구 促求 | 재촉할 촉, 구할 구
[stimulate; urge; call]
무엇을 하기를 재촉[促]하여 요구(要求)함. ¶신속한 결정을 촉구하다.

추구 追求 | 따를 추, 구할 구 [pursue; seek]
끝까지 따라가[追] 구(求)함. ¶인간은 행복을 추구하는 존재이다.

0599 [만]

滿

찰 만(:)
㊌ 水부 ㊋ 14획 ⊕ 满 [mǎn]

滿자는 '(물이 가득 차서 흘러) 넘치다'(overflow)가 본뜻이니 '물 수'(水)가 표의요소임은 누구나 쉽게 알 수 있다. 오른쪽 부분은 독립하여 낱글자로 쓰이는 예가 없기는 하지만, 瞞(속일 만), 懣(잊을 만)의 경우를 보면 그것이 표음요소임을 금방 알 수 있다. '가득하다'(full up), '차다'(fill up; be full of) 등으로도 많이 쓰인다.
속뜻 훈음 ①찰 만, ②가득할 만, ③넘칠 만.

만:개 滿開 | 찰 만, 열 개 [be in full bloom]
❶속뜻 활짝[滿] 열어[開] 놓음. ❷꽃이 활짝 다 핌. 활짝 핌. ¶벚꽃이 만개하다. ㊥만발.

만기 滿期 | 찰 만, 때 기 [expiration (of term)]
정해진 기한(期限)이 다 참[滿]. ¶이 보험은 십 년 만기이다.

만끽 滿喫 | 넘칠 만, 마실 끽
[eat to one's fill; have enough]
❶속뜻 양이 다 차도록[滿] 많이 마심[喫]. ¶그 식당에서는 진짜 중국 요리를 만끽했다. ❷충분히 만족(滿足)할 만큼 즐김. ¶아름다운 경치를 만끽하다. ㊥포식(飽食)하다, 누리다.

만료 滿了 | 찰 만, 마칠 료
[expire; come to an end]
정해진 기간이 차서[滿] 일이 끝남[了]. ¶임기가 만료되다.

만:면 滿面 | 가득할 만, 낯 면 [whole face]
얼굴[面]에 가득함[滿]. 온 얼굴.

만:발 滿發 | 가득할 만, 필 발 [be in full bloom]
많은 꽃이 한꺼번에 활짝[滿] 핌[發]. ¶길가에 코스모스가 만발하다. ㊥만개(滿開).

만삭 滿朔 | 찰 만, 초하루 삭
[completion of time for childbirth]
아이를 낳을 시기[朔]가 참[滿]. ㊥산(産)달, 만월(滿月).

만:신 滿身 | 찰 만, 몸 신 [whole body]
온[滿] 몸[身]. ¶만신의 힘을 기울여 노력하겠습니다. ㊥전신(全身).

만원 滿員 | 찰 만, 인원 원
[no vacancy; sold out]
❶속뜻 정원(定員)이 다 참[滿]. ❷어떤 곳에 사람이 가득 들어참. ¶만원버스 / 극장은 만원이었다.

만:월 滿月 | 찰 만, 달 월 [full moon]
원이 꽉 차도록[滿] 이지러진 데가 없이 생긴 달[月]. ㊥보름달, 망월(望月), 영월(盈月). ㊤휴월(虧月).

만:장 滿場 | 찰 만, 마당 장 [whole house]
회장(會場)에 가득 참[滿]. 혹은 그곳에 모인 사람들.

만점 滿點 | 찰 만, 점 점
[full marks; perfection]
❶속뜻 규정된 점수를 다 채운[滿] 점수(點數). ¶국어 시험에서 만점을 맞았다. ❷결점이나 부족한 데가 없이 아주 만족할 만한 정도. ¶서비스가 만점이다.

만:조 滿潮 | 찰 만, 바닷물 조 [high water]
❶속뜻 바닷물[潮]이 밀려들어서 가득참[滿]. 지리 ❷밀물로 해면이 가장 높아진 상태. ㊥고조(高潮). ㊤간조(干潮).

만족 滿足 | 가득할 만, 넉넉할 족
[be satisfied; be pleased]
가득하고[滿] 넉넉함[足]. 부족함이 없다고 여김. 충분함. ¶만족스러운 결과가 나왔다. ㊥흡족(洽足). ㊤불만(不滿), 불만족(不滿足).

• 역순어휘 ———————————— •

간만 干滿 | 막을 간, 찰 만 [ebb and flow; tide]
[지리] 간조(干潮)와 만조(滿潮)를 아울러 이르는 말. ¶서해안은 간만의 차가 심하다.

미:만 未滿 | 아닐 미, 찰 만 [under; below]
정한 수나 정도에 차지[滿] 못함[未]. ¶18세 미만 출입 금지. [반]초과(超過).

불만 不滿 | 아닐 불, 찰 만 [dissatisfied]
마음에 차지[滿] 않음[不]. 또는 그런 마음의 표시. ¶주민들의 불만이 쌓여가다 / 불만스러운 표정으로 대답하다. [반]불만족(不滿足). [반]만족(滿足).

비:만 肥滿 | 살찔 비, 넉넉할 만 [corpulence; fatness]
살이 쪄서[肥] 몸이 뚱뚱함[滿]. ¶과식으로 비만해지다 / 비만 예방.

원만 圓滿 | 둥글 원, 가득할 만 [harmonious; amicable]
❶[속뜻] 성격이 둥글고[圓] 마음이 넉넉함[滿]. ¶원만한 성격. ❷일의 진행이 순조로움. ¶노사 협상은 원만하게 해결되었다.

충만 充滿 | 채울 충, 넘칠 만 [full]
넘치도록[滿] 가득 채움[充]. ¶마음에 기쁨이 충만하다 / 그 안내서는 유익한 기사로 충만하다.

포:만 飽滿 | 배부를 포, 찰 만 [be full of]
배부르게[飽] 먹어 배가 가득 참[滿]. 또는 그렇게 먹음. ¶포만상태.

풍만 豐滿 | 넉넉할 풍, 가득할 만 [abundant; plump]
❶[속뜻] 넉넉하고[豐] 가득함[滿]. ❷몸에 살이 탐스럽게 많다. ¶가슴이 풍만하다.

0600 [심]

深 깊을 심:
[部] 水부 [劃] 11획 [中] 深 [shēn]

深자는 '(물이) 깊다'(deep)는 뜻을 나타내기 위하여 '물 수'(水)를 표의요소로 썼다. 오른쪽의 것이 표음요소임은 㴱(땅이름 심)도 마찬가지다.

심:각 深刻 | 깊을 심, 새길 각 [be serious]
❶[속뜻] 마음에 깊이[深] 새김[刻]. ❷매우 중대하고 절실하다. ¶심각한 문제 / 심각한 표정.

심:사 深思 | 깊을 심, 생각 사 [debate]
깊이[深] 생각함[思]. 또는 그 생각.

심:야 深夜 | 깊을 심, 밤 야 [midnight]
깊은[深] 밤[夜]. ¶심야 영화.

심:오 深奧 | 깊을 심, 오묘할 오 [be profound]
사상이나 이론 따위가 깊고[深] 오묘(奧妙)하다. ¶그의 작품은 너무 심오해서 이해하기 어렵다.

심:층 深層 | 깊을 심, 층 층 [depths]
생각이나 사물 속의 깊은[深] 층(層). ¶심층분석.

심:해 深海 | 깊을 심, 바다 해 [deep sea]
깊은[深] 바다[海]. ¶바다거북은 주로 심해에서 산다.

심:화 深化 | 깊을 심, 될 화 [deepen]
사물의 정도를 깊게[深] 되도록[化] 함. 정도가 깊어지거나 심각해짐. ¶심화 학습.

• 역순어휘

수심 水深 | 물 수, 깊을 심 [depth of water; water depth]
물[水]의 깊이[深]. ¶그 호수는 가장 깊은 곳의 수심이 50미터다.

0601 [액]

液 진 액
[部] 水부 [劃] 11획 [中] 液 [yè]

液자는 '액체'(=진, liquid; resin)를 뜻하기 위한 것이었으니 '물 수'(水)가 표의요소로 쓰였다. 夜(밤 야)가 표음요소임은 掖(겨드랑 액)도 마찬가지다.

액정 液晶 | 진 액, 밝을 정 [liquid crystal]
[물리] 액체(液體)와 결정(結晶)의 중간 상태에 있는 물질. 전자기력, 압력, 온도 따위에 민감하게 반응하므로 시계, 탁상 계산기의 문자 표시나 텔레비전의 화면 따위에 응용한다. ¶휴대전화의 액정이 깨졌다.

액체 液體 | 진 액, 몸 체 [liquid; fluid]
❶[속뜻] 진액(津液)과 같은 상태의 물체(物體). ❷[물리] 일정한 부피는 가졌으나 일정한 형태를 가지지 못한 물질. ¶물은 액체이다.

액화 液化 | 진 액, 될 화 [be liquefied]
[물리] 기체가 냉각·압축되어 액체(液體)로 변하거나 고체가 녹아 액체로 되는[化] 현상. 또는 그렇게 만드는 일. ¶액화 천연 가스.

• 역순어휘

수액 樹液 | 나무 수, 진 액 [(tree) sap]
❶[속뜻] 땅속에서 나무[樹]의 줄기를 통하여 잎으로 올라가는 진액[液]. ❷나무껍질 따위에서 나오는 액. ¶고로쇠나무의 수액은 위장병에 좋다고 알려져 있다.

용액 溶液 | 녹을 용, 진 액 [solution]

화학 어떤 물질이 다른 물질에 녹아서[溶] 혼합된 액체(液體). 녹아 있는 물질은 용질, 녹인 액체는 용매라 한다.

위액 胃液 | 밥통 위, 진 액 [gastric juices]
의학 위(胃)샘에서 분비되는 소화액(消化液).

점액 粘液 | 끈끈할 점, 진 액 [mucus; mucilage]
❶속뜻 끈끈한[粘] 성질이 있는 액체(液體). ❷생물 생물체의 점액선 따위에서 분비되는 끈끈한 액체. ¶위는 점액을 분비해 위벽을 보호한다.

정액 精液 | 쓿을 정, 진 액
[extract; essence; semen]
❶의학 수컷의 정자(精子)를 내포하고 있는 액체(液體). ❷생물의 몸 안이나 줄기, 뿌리, 열매 등의 안에서 만들어진 순수한 액체. ¶인삼 정액.

체액 體液 | 몸 체, 진 액 [body fluid]
생물 동물의 체내(體內)를 흐르는 액체(液體)의 물질.

혈액 血液 | 피 혈, 진 액 [blood]
의학 동물의 혈관(血管) 속을 순환하는 체액(體液). 생체 조직에 산소와 영양분을 공급하고 노폐물을 날라다 제거한다. 피. ¶혈액검사.

0602 [연]

演

펼 연:
部 水부 劃 14획 中 演 [yǎn]

演자는 '길게 흐르는 물'(a long stream)의 뜻을 나타내기 위한 것이었으니 '물 수'(氵=水)가 표의요소이고, 寅(삼갈 인)은 표음요소인데 縯(길 연)의 경우도 마찬가지다. '널리 펼치다'(stretch widely), '펼쳐 보이다'(perform; play)는 뜻으로 확대 사용됐다.

속뜻 결合 분음 ①행할 연, ②연출할 연, ③공연 연, ④연기할 연, ⑤출연할 연, ⑥펼칠 연.

연:극 演劇 | 펼칠 연, 연극 극 [play; drama]
❶속뜻 극본(劇本)의 내용을 연기로 펼쳐[演] 보임. ❷연영 배우가 무대 위에서 대본(臺本)에 따라 동작과 대사를 통하여 표현하는 예술. ¶내일 연극 보러 갈래?

연:기 演技 | 펼칠 연, 재주 기 [perform; act]
연영 관객 앞에서 연극, 노래, 춤, 곡예 따위의 재주[技]를 행동으로 펼쳐[演] 보임. 또는 그 재주. ¶그의 연기는 자연스럽다.

연:단 演壇 | 펼칠 연, 단 단 [platform; rostrum]
연설(演說)이나 강연(講演)을 하는 사람이 올라서는 단(壇). ¶연단에 오르자 다리가 후들거렸다.

연:사 演士 | 펼칠 연, 선비 사
[lecturer; (public) speaker]
연설(演說)하는 사람[士]. ¶연사가 강단을 내려왔다.

연:산 演算 | 펼칠 연, 셀 산 [operation]
수학 식이 나타낸 일정한 규칙에 따라 펼쳐서[演] 계산(計算)함. ¶사칙 연산.

연:설 演說 | 펼칠 연, 말씀 설 [speak; address]
여러 사람 앞에서 자기의 주장 또는 의견을 펼쳐서[演] 말함[說]. ¶대통령 연설 / 교장선생님이 개천절에 대하여 연설하신다. 비 강연(講演).

연:예 演藝 | 펼칠 연, 재주 예
[perform; entertain]
❶속뜻 기예(技藝)를 펼쳐[演] 보임. ❷대중 앞에서 음악, 무용, 만담, 마술 따위를 공연함. 또는 그런 재주. ¶연예 활동.

연:주 演奏 | 펼칠 연, 곡조 주 [play; perform]
어떤 곡조[奏]를 악기로 펼쳐[演] 보임. ¶바이올린 연주 / 그녀는 베토벤의 곡을 연주했다.

연:출 演出 | 펼 연, 날 출 [produce; stage]
❶속뜻 대본의 내용을 행동으로 펼쳐[演] 드러냄[出]. ❷연영 연극·영화·방송극 따위에서, 대본(臺本)에 따라 배우의 연기나 무대 장치, 조명, 음향 효과 따위를 지도하고 전체를 종합하여 하나의 작품이 되게 하는 일. ¶그 연극은 연출이 훌륭했다.

• 역순어휘

강:연 講演 | 익힐 강, 펼칠 연
[give a lecture; address]
청중에게 강의(講義) 내용을 말로 펼쳐[演] 보임. ¶환경문제에 대해 강연했다. 비 연설(演說).

경:연 競演 | 겨룰 경, 펼칠 연 [contest; match]
개인이나 단체가 모여서 연기(演技)나 기능 따위를 겨룸[競]. ¶요리 경연 대회.

공연 公演 | 여럿 공, 펼칠 연 [perform]
연극이나 음악, 무용 등을 여러 사람[公]이 모인 자리에서 펼쳐[演]보임.

구:연 口演 | 입 구, 펼칠 연 [oral narration]
❶속뜻 동화, 야담 따위를 여러 사람 앞에서 입[口]으로 실감나게 펼쳐[演] 보임. ¶동화를 재미있게 구연하다. ❷문서에 의하지 않고 입으로 사연을 말함. 비 구술(口述).

상:연 上演 | 위 상, 펼칠 연 [present; perform]
연극이나 공연(公演)을 무대에 올림[上]. ¶내일부터 '리어왕'을 상연한다.

재:연 再演 | 다시 재, 펼칠 연
[revive; break up again]

❶[속뜻]다시[再] 공연(公演)함. ❷다시 되풀이함. ¶범인은 범행을 재연했다.

조:연 助演 | 도울 조, 펼칠 연 [supporting actor]
[연영]주연의 연기(演技)를 보조(補助)함. 또는 그 역(役)을 맡은 사람. ¶조연을 맡은 배우. [반]주연(主演).

주연 主演 | 주인 주, 펼칠 연 [leading role]
[연영]연극이나 영화 등에서 주인공(主人公)으로 출연(出演)함. 또는 주인공으로 출연한 배우. ¶그가 주연한 영화가 흥행에 성공했다. [반]조연(助演).

출연 出演 | 날 출, 펼칠 연 [act]
무대나 영화, 방송 따위에 나와[出] 연기(演技)함. ¶출연해 주셔서 감사합니다.

협연 協演 | 합칠 협, 펼칠 연 [perform with]
[음악]힘을 합쳐[協] 함께 연주(演奏)함. 동일한 곡을 한 독주자(獨奏者)가 다른 독주자나 악단과 함께 연주함. 또는 그러한 연주.

0603 [제]

濟 건널 제:
[部] 水부 [劃] 17획 [中] 济 [jì, Jǐ]

濟자는 '(물에 빠진 사람을) 건지다'(take out of water)는 뜻을 나타내기 위한 것이었으니, '물 수'(水)가 표의요소로 쓰였다. 齊(가지런할 제)는 표음요소이니 뜻과는 무관하다. '그치다'(=마무리하다, end; put an end to)는 뜻으로도 쓰인다.
[속뜻 훈음] ①**건질 제**, ②**그칠 제**.

제:중 濟衆 | 건질 제, 무리 중 [salvation of the people]
[불교]대중(大衆)을 구제(救濟)함.

• 역순어휘

결제 決濟 | 결정할 결, 끝낼 제 [pay; settle]
❶[속뜻]지불 금액, 조건 따위를 결정하고[決] 대금을 지불하여 거래 관계를 끝냄[濟]. ❷증권 또는 현금을 주고받아 매매 당사자 간의 거래 관계를 마무리함. ¶현금으로 결제하다.

경제 經濟 | 다스릴 경, 건질 제 [economy]
❶[속뜻]세상을 다스리고[經] 백성을 구제(救濟)함. '경세제민'(經世濟民)의 준말. ❷[경제]인간이 공동생활을 하는 데에 필요한 재화를 획득·이용하는 활동 및 이를 통하여 이루어지는 사회관계. ¶자본주의 경제 / 경제가 회복되다.

구:제 救濟 | 건질 구, 건질 제 [help; aid]
❶[속뜻]강물에 빠진 사람을 구하여[救] 건져[濟] 줌. ❷어려운 처지에 있는 사람을 도와줌. ¶빈민 구제.

백제 百濟 | 여러 백, 건질 제
[역사]우리나라 고대 왕국의 하나. 고구려 왕족인 온조(溫祚)가 한반도의 남서쪽에 자리잡아 세운 나라. '백성(百姓)을 모두 구제(救濟)한다'는 뜻이 담겨 있다는 설이 있다.

0604 [준]

準 준할 준:
[部] 水부 [劃] 13획 [中] 准 [zhǔn]

準자는 '평평하다'(flat)는 뜻을 위해 고안된 글자다. '물'보다 더 평평한 것은 없기에 '물 수'(水→氵)가 표의요소로 쓰였고, 隼(새매 준)은 표음요소이니 뜻과는 무관하다. '고르다'(level)는 뜻으로도 쓰인다.
[속뜻 훈음] ①**평평할 준**, ②**고를 준**.

준:비 準備 | 고를 준, 갖출 비 [prepare]
필요한 것을 미리 골고루[準] 다 갖춤[備]. ¶내일 소풍 갈 준비는 다 되었느냐.

• 역순어휘

기준 基準 | 터 기, 고를 준 [standard; basis]
기본(基本)이 되는 표준(標準). ¶평가 기준.

수준 水準 | 물 수, 평평할 준 [level; standard]
❶[속뜻]수면(水面)처럼 평평함[準]. ❷사물의 가치, 등급, 품질 따위의 일정한 표준이나 정도. ¶수준이 낮다 / 수준 높은 작품.

조:준 照準 | 비칠 조, 고를 준 [aim]
❶[속뜻]목표물을 찾기 위하여 골고루[準] 비추어[照] 봄. ❷탄환 따위를 목표물에 비추어 겨냥함. ¶대포는 성벽을 조준했다.

표준 標準 | 우듬지 표, 고를 준 [standard]
❶[속뜻]나무 가지[標]를 고르게[準]함. ❷사물의 정도를 정하는 목표. 기준. ¶평균가격 / 평균치수. ❸일반적인 것. 또는 평균적인 것. ¶그의 키는 우리나라 남자들의 표준 정도는 된다.

0605 [측]

測 헤아릴 측
[部] 水부 [劃] 12획 [中] 测 [cè]

測자는 '水+貝+刀'가 아니라 '水+則'의 구조로 분석해야 올바르게 풀이할 수 있다. '(물의 깊이를) 재다'(guess)는 뜻을 위한 것이었으니 '물 수'(水)가 표의요소로 쓰였다. 則(본받을 측/즉/칙)이 표음요소임은 側(곁 측)도 마찬가지다. 후에 깊이뿐만 아니라 넓이·길이·높이 등 모든 計量(계량)을 나타내는 '재다'(measure)와 '헤아리다'(count; calculate) 등으로 확대 사용됐다.

속뜻 훈음 ①잴 측, ②헤아릴 측.

측량 測量 | 잴 측, 분량 량 [measure]
❶속뜻 양(量)을 잼[測]. 기기를 써서 물건의 높이, 깊이, 넓이, 방향 따위를 잼. ❷지표의 각 지점의 위치와 그 지점들 간의 거리를 구하고 지형의 높낮이, 면적 따위를 재는 일. ¶사진 측량 / 토지를 측량하다.

측정 測定 | 헤아릴 측, 정할 정 [measure]
❶속뜻 헤아려서[測] 정(定)함. ❷어떤 단위를 기준으로 하여 어떤 양의 크기를 기계나 장치로 잼. ¶물의 깊이를 측정하다. ㊐측량(測量).

측후 測候 | 헤아릴 측, 기후 후
[observe the weather]
기후(氣候)를 관측(觀測)함.

• 역순어휘

계:측 計測 | 셀 계, 잴 측 [measure]
부피·무게·길이 따위를 기계나 기구로 헤아려[計] 재어 봄[測]. ¶치수를 계측하다. ㊐계량(計量).

관측 觀測 | 볼 관, 헤아릴 측 [observe]
❶속뜻 어떤 사정이나 형편 따위를 잘 살펴보고[觀] 그 장래를 헤아림[測]. ❷관찰하여 측정함. ¶천문을 관측하다.

망측 罔測 | 없을 망, 헤아릴 측 [inordinate]
❶속뜻 헤아릴[測] 수 없다[罔]. ❷상식에서 벗어나거나 어이가 없어서 차마 보기가 어렵다. ¶여자에게 그런 망측한 소리를 하다니!

억측 臆測 | 생각 억, 헤아릴 측
[speculate; conjecture]
이유와 근거가 없이 짐작하여[臆] 헤아림[測]. 또는 그런 짐작. ¶그의 생각은 억측에 지나지 않다 / 근거도 없이 억측하지 마라.

예:측 豫測 | 미리 예, 헤아릴 측
[predict; foresee]
미리[豫] 헤아려 짐작함[測]. ¶우리의 예측은 적중했다 / 두 팀은 승패를 예측할 수 없는 경기를 펼쳤다. ㊐예상(豫想).

추측 推測 | 밀 추, 헤아릴 측 [guess; suppose]
미루어[推] 헤아림[測]. ¶사람들의 반응을 추측하다.

흉측 凶測 | 흉할 흉, 헤아릴 측 [terribly heinous]
헤아릴[測] 수 없이 몹시 흉악(凶惡)함. '흉악망측'(凶惡罔測)의 준말. ¶흉측한 이야기.

0606 [치]

治

다스릴 치
部 水부 劃 8획 中 治 [zhì]

治자는 원래 중국 산동성에 있는 강 이름을 짓기 위하여 만들어진 글자였으니 '물 수'(水)가 표의요소로 쓰였고, 台(태/이)가 표음요소임은 耛(김맬 치)도 마찬가지다. 후에 본래 뜻보다는 '다스리다'(rule over; govern)는 뜻으로 많이 쓰이게 됐다.

치료 治療 | 다스릴 치, 병고칠 료 [treat; cure]
병이나 상처를 다스려서[治] 낫게[療] 함. ¶약물 치료를 받다 / 그는 정신질환을 치료하러 병원에 갔다.

치안 治安 | 다스릴 치, 편안할 안
[public peace and order]
잘 다스려[治] 편안(便安)하게 함. ¶이 지역은 치안이 좋은 편이다.

치유 治癒 | 다스릴 치, 병 나을 유
[cure; heal; recover]
치료(治療)하여 병이 나음[癒]. ¶상처는 점차 치유되었다.

치장 治粧 | 다스릴 치, 단장할 장 [decorate]
잘 매만지고[治] 곱게 꾸밈[粧]. ¶값비싼 보석으로 몸을 치장하다.

치하 治下 | 다스릴 치, 아래 하 [under the reign]
❶속뜻 다스리는[治] 범위 안이나 그 상황 아래[下]. ❷한 나라가 어떤 세력의 다스림을 받는 상황. ¶한국은 일제 치하에서 갖은 치욕을 겪었다.

• 역순어휘

난치 難治 | 어려울 난, 다스릴 치
[almost incurable; inveteracy]
병을 치료(治療)하기 어려움[難].

법치 法治 | 법 법, 다스릴 치
[constitutional government]
법률(法律)에 따라 다스림[治]. 또는 그 정치.

불치 不治 | 아닐 불, 다스릴 치
[incurability; malignity]
병을 고칠[治] 수 없음[不]. ㊊완치(完治).

완치 完治 | 완전할 완, 다스릴 치
[recover completely]
병을 완전(完全)히 낫게 함[治]. ¶수술로 암을 완치하

다. [반]불치(不治).

자치 自治 | 스스로 자, 다스릴 치 [self government]
❶[속뜻]스스로[自] 다스림[治]. ❷[법률]지방 자치 단체 등의 공선(公選)된 사람들이 그 범위 안의 행정이나 사무를 자주적으로 처리함. ¶자치 도시.

정치 政治 | 정사 정, 다스릴 치 [politics; government]
나라의 정무(政務)를 다스림[治]. 또는 그런 일. ¶정치 활동 / 조선시대는 유교를 정치 이념으로 삼았다.

주치 主治 | 주될 주, 다스릴 치 [have patient in charge]
어떤 의사가 치료(治療)를 주관(主管)함. 또는 그런 일.

통:치 統治 | 묶을 통, 다스릴 치 [rule over; govern; administer]
❶[속뜻]하나로 묶어서[統] 도맡아 다스림[治]. ❷지배자가 주권을 행사하여 국토 및 국민을 다스림. ¶나라를 통치하다.

퇴:치 退治 | 물러날 퇴, 다스릴 치 [exterminate; get rid of]
❶[속뜻]물러나도록[退] 잘 다스림[治]. ❷없애 버림. ¶마약 퇴치 / 병충해를 퇴치하다.

0607 [파]

波 물결 파
[部] 水부 [劃] 8획 [中] 波 [bō]

波자는 '물결'(a wave)을 뜻하기 위하여 만들어진 것이니 '물 수'(水→氵)가 표의요소이다. 皮(가죽 피)가 표음요소임은 破(깨뜨릴 파), 坡(고개 파)도 마찬가지다.
[하나 더!!] 중국 송나라 때 한 사람이, 波는 "물(水)의 거죽(皮)"이라며 아는 체 하자, 그 말을 들은 사람이 되묻기를 "그럼, 「滑」은 물(水)의 뼈(骨)란 말입니까?"라고 하니 그만 말문이 막혀 버렸다는 野談(야:담)이 있다(참고, 滑 미끄러울 활).

파고 波高 | 물결 파, 높을 고 [height of a wave; wave height]
파도(波濤)의 높이[高]. ¶전 해상에 2~3미터의 높은 파고가 예상된다.

파급 波及 | 물결 파, 미칠 급 [spread; extend; reach]
❶[속뜻]물결[波]이 멀리까지 미침[及]. ❷어떤 일의 영향이나 여파가 차차 전하여 먼 데까지 미침. ¶그 영향이 전국적으로 파급되다.

파도 波濤 | 물결 파, 큰 물결 도 [waves; billows]
바다에 이는 작은 물결[波]과 큰 물결[濤]. ¶파도가 거세서 배가 뜨지 못한다.

파동 波動 | 물결 파, 움직일 동 [wave; shock]
❶[속뜻]물결[波]을 이루어 움직임[動]. ¶수면에 파동이 일어나다. ❷공간으로 퍼져 가는 진동. ¶소리의 파동. ❸'사회적으로 새로운 변화를 가져올 만한 변동'을 비유하여 이르는 말. ¶석유 파동으로 물가가 크게 올랐다.

파란 波瀾 | 물결 파, 물결 일 란 [turmoil; hardship]
❶[속뜻]물결[波]이 일어남[瀾]. ❷심한 변화. 어수선한 상황. ¶한국은 파란 많은 역사를 가지고 있다 / 신인 선수가 우승을 차지하는 파란을 일으켰다.

파력 波力 | 물결 파, 힘 력 [force of the wave]
파도(波濤)의 압력(壓力). ¶파력발전소 / 파력에 의해 깎여진 바위가 있다.

파문 波紋 | 물결 파, 무늬 문 [wave pattern; ripple; sensation]
❶[속뜻]물결[波] 모양의 무늬[紋]. ❷수면에 이는 물결. ¶연못에 돌을 던지자 파문이 일었다. ❸어떤 일이 다른 데에 미치는 영향. ¶큰 파문을 몰고 오다 / 파문이 확산되다.

파시 波市 | 물결 파, 저자 시 [seasonal fish market]
고기가 한창 잡힐 때에 파도(波濤)가 치는 바다 위에서 열리는 생선시장(市場). ¶거문도는 고등어 파시로 유명하다.

파장 波長 | 물결 파, 길 장 [wavelength; impact]
❶[속뜻]물결[波] 사이의 길이[長]. ❷[물리]전파나 음파 따위에서 같은 높이를 가진 파동 사이의 거리. ¶파장 20미터의 단파로 방송하다. ❸충격적인 일이 끼치는 영향 또는 그 정도를 비유하여 이르는 말. ¶신문 기사의 파장은 매우 컸다.

• 역순어휘

세:파 世波 | 세대 세, 물결 파 [rough-and-tumble of life]
세상(世上)을 살아가는 어려움을 거센 파도[波]에 비유하여 이르는 말. ¶모진 세파에 시달리다.

여파 餘波 | 남을 여, 물결 파 [trail; aftereffect]
❶[속뜻]큰 물결이 지나간 뒤에 일어나는 잔[餘] 물결[波]. ❷어떤 일이 끝난 뒤에 남아 미치는 영향. ¶해일의 여파로 동남아 관광객이 크게 줄었다.

음파 音波 | 소리 음, 물결 파 [sound wave]
[물리]소리[音]의 물결[波]. 발음체의 진동으로 말미암

아 공기나 그 밖의 매질에 생기는 파동(波動).

인파 人波 | 사람 인, 물결 파 [crowd]
❶속뜻 사람들[人]이 물결[波]같이 모임. ❷많이 모여 움직이는 사람의 모양을 파도에 비유하여 이르는 말. ¶전시회에는 많은 인파가 모여들었다. ⓑ인산인해(人山人海).

전:파 電波 | 전기 전, 물결 파
[electric wave; radio wave]
❶속뜻 전류(電流)의 파동(波動). ❷물리 도체 중의 전류가 진동함으로써 방사되는 전자기파. 특히 전기 통신에서 쓰는 것을 가리킨다. ¶전파를 보내다 / 안테나는 전파를 수신하기 위한 장치이다.

풍파 風波 | 바람 풍, 물결 파
[rough seas; hardships]
❶속뜻 세찬 바람[風]과 험한 물결[波]. ¶배가 풍파를 만나지 않기만을 간절히 빌었다. ❷세상살이의 어려움이나 고통. ¶그는 세상의 모진 풍파를 이겨냈다.

한파 寒波 | 찰 한, 물결 파 [cold wave]
❶속뜻 한기(寒氣)가 물결[波]처럼 밀려오는 것. ❷지리 겨울철에 기온이 갑자기 내려가는 현상. ¶전국에 한파가 몰아쳤다.

0608 [항]

港

항구 항:
部 水부 畫 12획 中 港 [gǎng]

港자는 큰 강의 작은 '지류'(a branch of a river)를 뜻하기 위하여 고안한 것이었으니 '물 수'(水)가 표의요소로 쓰였고, 巷(거리 항)은 표음요소다. '뱃길'(a waterway)이란 뜻으로도 쓰이며, '항구'(a harbor; a port)란 낱말 또는 이와 의미상 관련이 있는 낱말의 한 구성요소로도 많이 쓰인다.

항:구 港口 | 뱃길 항, 어귀 구 [port]
뱃길[港]의 어귀[口]. 배가 드나들 수 있도록 시설이 있음. ¶홍콩은 항구 도시이다.

항:만 港灣 | 항구 항, 물굽이 만 [harbors]
바닷가의 굽어 들어간 곳[灣]에 만든 항구(港口). 또는 그렇게 만든 해역(海域). ¶항만시설.

• 역순어휘

개항 開港 | 열 개, 항구 항 [open a port]
❶속뜻 항구(港口)를 외국에 개방(開放)함. ❷항구나 공항의 구실을 처음으로 시작함. ¶2001년 인천국제공항이 개항했다.

공항 空港 | 하늘 공, 항구 항 [airport]
❶속뜻 하늘[空]을 나는 비행기를 위한 항구(港口) 같은 곳. ❷항공 수송을 위해 여러 가지 시설을 갖춘 곳. ⓑ비행장(飛行場).

귀:항 歸港 | 돌아갈 귀, 항구 항 [return to port]
배가 출발하였던 항구(港口)로 다시 돌아가거나 돌아옴[歸]. ¶만선의 배가 포구로 귀항하다. ⓑ출항(出港).

출항 出港 | 날 출, 항구 항 [sail; leave port]
배가 항구(港口)를 떠남[出]. ¶태풍 경보가 내려지면 모든 어선의 출항이 금지된다. ⓑ입항(入港).

0609 [경]

慶

경사 경:
部 心부 畫 15획 中 庆 [qìng]

慶자는 '(축하해줄 만한) 기쁜 일'(a matter of congratulation)을 가리키기 위한 것이었다. 갑골문이나 금문 같은 초기 자형은 '사슴 록'(鹿)과 '마음 심'(心)이 조합된 것이었다. 축하를 할 때는 마음이 중요하니 心이 들어 있고, 사슴 가죽(鹿皮)같은 귀중한 예물을 가져다주는 예가 있으므로 鹿자가 들어 있다. 후에 '발 지'(止)의 변형인 夊(치)가 들어간 것을 직접 가서 동참하는 의미를 지닌다. 부수를 广(집 엄)으로 오인하기 쉽다. 표의 요소 가운데 하나인 心이 부수인 점을 유의하여야겠다.
속뜻 훈음 기쁠 경.

경:사 慶事 | 기쁠 경, 일 사 [happy occasion]
매우 즐겁고 기쁜[慶] 일[事]. ¶그 집에 경사가 났다. ⓑ흉사(凶事).

경:조 慶弔 | 기쁠 경, 조상할 조
[occasion for celebration or sorrow]
경축(慶祝)할 일과 조문(弔問)할 일.

경:축 慶祝 | 기쁠 경, 빌 축 [congratulate]
경사(慶事)로운 일을 축하(祝賀)함. ¶광복절 경축 행사 / 개교 50주년을 경축하다.

• 역순어휘

국경 國慶 | 나라 국, 기쁠 경
나라[國]의 경사(慶事).

0610 [노]

怒

성낼 노:
部 心부 畫 9획 中 怒 [nù]

怒자는 '성내다'(get angry)는 뜻이니

'마음 심'(心)이 표의요소이고, 奴(종 노)는 표음요소일 따름이다. '恕'(용서할 서)와 모양이 비슷하여 혼동하기 쉬우니 주의해야 한다.

노:기 怒氣 | 성낼 노, 기운 기 [anger; indignation; angry mood]
성난[怒] 얼굴빛이나 기색(氣色). ¶노기를 띠다 / 얼굴에 노기를 드러내다. ⓑ화기(和氣).

• 역순어휘

격노 激怒 | 거셀 격, 성낼 노 [violent anger; rage]
격렬(激烈)하게 성냄[怒]. ¶격노하여 말이 나오지 않다. ⓑ격분(激忿).

분:노 忿怒 | =憤怒, 성낼 분, 성낼 노 [anger]
분하여 몹시 성을 냄[忿=怒]. ¶분노가 폭발하다. ⓑ희열(喜悅).

진:노 震怒 | 벼락 진, 성낼 노 [be enraged; be fill with wrath]
존엄한 존재가 벼락[震]같이 크게 성냄[怒]. ¶신의 진노를 부르다 / 할아버지가 몹시 진노하셨다.

희로 喜怒 | 본음 [희노], 기쁠 희, 성낼 노 [delight and anger]
기쁨[喜]과 노여움[怒]. ¶희로가 교차되는 기분을 느꼈다.

0611 [비]

悲 슬플 비:
ⓑ 心부 ⓑ 12획 ⓑ 悲 [bēi]

悲는 '아프다'(painful; sore)가 본뜻이다. 非(아닐 비)는 표음요소이니 뜻과는 무관하고, 心이 표의요소다. '슬퍼하다'(feel sad)는 뜻으로도 쓰인다. '슬퍼하다'는 것은, 바로 '마음 아파하다'는 것임을 悲자와 그 쓰임을 통하여 여실히 알 수 있다.

비:관 悲觀 | 슬플 비, 볼 관 [be pessimistic]
❶속뜻 인생 따위를 슬퍼하거나[悲] 절망스럽게 봄[觀]. ❷앞으로의 일이 잘 안될 것이라고 봄. ¶앞날을 비관하다. ⓑ낙관(樂觀).

비:극 悲劇 | 슬플 비, 연극 극 [tragedy; tragic drama]
❶연영 인생의 불행이나 슬픔을 제재로 하여 슬픈[悲] 결말로 끝맺는 극(劇). ¶『햄릿』은 셰익스피어의 비극이다. ❷매우 비참한 사건. ⓑ희극(喜劇).

비:명 悲鳴 | 슬플 비, 울 명 [scream; shriek]
❶속뜻 슬픈[悲] 울음소리[鳴]. ❷몹시 놀라거나 괴롭고 다급할 때에 지르는 외마디 소리. ¶골목에서 비명이 들렸다.

비:보 悲報 | 슬플 비, 알릴 보 [sad news; sad tidings]
슬픈[悲] 소식[報]. ¶그는 할머니가 오늘 아침에 돌아가셨다는 비보를 들었다. ⓑ낭보(朗報), 희보(喜報).

비:애 悲哀 | 슬플 비, 슬플 애 [sorrow; grief]
슬퍼하고[悲] 서러워함[哀]. 또는 그런 마음. ¶비애를 맛보다 / 비애에 잠기다.

비:운 悲運 | 슬플 비, 운명 운 [misfortune]
슬픈[悲] 운명(運命). 불행한 운명. ¶비운의 왕자. ⓑ행운(幸運).

비:장 悲壯 | 슬플 비, 씩씩할 장 [pathetic]
슬프지만[悲] 씩씩하다[壯]. 슬픔 속에서도 의기를 잃지 않고 꿋꿋하다. ¶비장한 각오.

비:참 悲慘 | 슬플 비, 참혹할 참 [miserable; wretched]
매우 슬프고[悲] 참혹(慘酷)함. ¶비참한 생활.

비:탄 悲嘆 | 슬플 비, 탄식할 탄 [grief; sorrow]
슬퍼하고[悲] 탄식(嘆息)함. ¶그는 어머니를 여의고 비탄에 잠겨 있다.

비:통 悲痛 | 슬플 비, 아플 통 [sad; grievous]
몹시 슬프고[悲] 가슴이 아픔[痛]. ¶비통에 빠지다 / 비통한 부르짖음.

• 역순어휘

자비 慈悲 | 사랑할 자, 슬플 비 [mercy]
❶속뜻 고통받는 이를 사랑하고[慈] 같이 슬퍼함[悲]. 또는 그런 마음. ¶자비를 베풀다. ❷불교 부처가 중생을 불쌍히 여겨 고통을 덜어 주고 안락하게 해 주려는 마음. '자비심'(慈悲心)의 준말.
하나 더!! '무자비'의 반대말인 慈悲는 불교 용어지만, 오늘날 종교적 색채가 없을 만큼 우리에게 매우 친숙한 말이 됐다. 모든 사람들과 더불어 즐거움을 같이 하는 것은 '慈'이고, 슬픔이나 고통을 함께 하는 것은 '悲'라고 한다.

희비 喜悲 | 기쁠 희, 슬플 비 [joy and sorrow]
기쁨[喜]과 슬픔[悲]. ¶희비가 엇갈리다.

0612 [상]

想 생각 상:
ⓑ 心부 ⓑ 13획 ⓑ 想 [xiǎng]

想 자는 '(마음속으로 무엇을) 생각하다'(imagine)는 뜻을 나타내기 위하여 만들어진 것이니 '마음 심'(心=忄)이 표의요소이다. 相(서로 상)은 표음요소이니 뜻과는 무관하다. '추측하다'(guess), '그리워하다'(long for)는 뜻으로 확대 사용됐다.

속뜻 훈음 ①생각 상, ②생각할 상.

상:기 想起 | 생각 상, 일어날 기 [remember; call to mind]
지난 일을 생각해[想] 떠올림[起]. ¶6·25를 상기하다.

상:념 想念 | 생각 상, 생각 념 [notion; conception]
마음속에 떠오르는 생각[想=念]. ¶깊은 상념에 잠기다.

상:상 想像 | 생각 상, 모양 상 [imagine; picture]
실제로 보지 못한 것의 모양[像]을 생각해[想] 봄. 또는 그런 모양. ¶10년 후 그는 어떤 모습일지 상상이 안 된다.

• 역순어휘

가:상 假想 | 임시 가, 생각 상 [suppose; assume]
임시로[假] 생각함[想]. ¶가상의 인물 / 가상 현실. ㊥가공(架空), 가정(假定).

감:상 感想 | 느낄 감, 생각 상 [thoughts; impressions]
마음에 느끼어[感] 일어나는 생각[想]. ¶한국에 대한 감상을 말하다. ㊥소감(所感), 의견(意見).

공상 空想 | 빌 공, 생각 상 [fancy]
실행할 수 없거나 실현될 수 없는 헛된[空] 생각[想]. ¶공상에 빠지다. ㊥몽상(夢想). ㊦현실(現實).

구상 構想 | 얽을 구, 생각 상 [plan; map out]
❶속뜻 생각을[想] 얽어냄[構]. ❷앞으로 하려는 일의 내용이나 규모, 실현 방법 따위를 어떻게 정할 것인지 이리저리 생각함. 또는 그 생각. ¶조직 개편을 구상하다. ❸예술 작품을 창작할 때, 작품의 주요 내용이나 표현 형식 따위에 대하여 생각함. 또는 그 생각. ¶작품을 구상하다. ㊥구사(構思), 구안(構案).

망:상 妄想 | 헛될 망, 생각 상 [wild fancy]
있지도 않은 사실을 마치 사실인 양 믿는 허망(虛妄)한 생각[想]. ¶과대망상 / 그는 자신이 최고라는 망상에 빠져 있다. ㊥망념(妄念).

명상 瞑想 | =冥想, 눈 감을 명, 생각 상 [meditate]
고요히 눈을 감고[瞑] 깊이 생각함[想]. 또는 그 생각. ¶그는 명상에 잠겼다.

묵상 默想 | 입 다물 묵, 생각 상 [meditate (on); contemplate]
입을 다물고[默] 조용히 생각함[想]. ¶묵상에 잠기다.

발상 發想 | 일으킬 발, 생각 상 [concept; think]
궁리하여 새로운 생각[想]을 일으켜[發] 내는 일. 또는 그 새로운 생각. ¶참신한 발상.

사:상 思想 | 생각 사, 생각 상 [thought; idea]
어떤 사물에 대하여 갖고 있는 생각[思=想]. ¶동양사상 / 그는 사상이 불순하다. ㊥견해(見解).

시상 詩想 | 시 시, 생각 상 [poetical idea; poetical imagination]
시(詩)를 짓기 위한 생각이나[想] 느낌. ¶시상이 떠오르다.

악상 樂想 | 음악 악, 생각 상 [melodic motif]
음악(音樂)의 주제, 구성, 곡풍(曲風) 따위에 대한 생각이나 착상(着想). ¶악상이 떠오르다.

연상 聯想 | 잇달 련, 생각 상 [be reminiscent of; remind]
❶속뜻 관련(關聯)지어 생각함[想]. ❷심리 하나의 관념이 다른 관념을 불러일으키는 현상. '기차'하면 '여행'을 떠올리는 따위의 현상. ¶'겨울'하면 무엇이 연상되세요?

예:상 豫想 | 미리 예, 생각 상 [expect; anticipate]
어떤 일을 직접 당하기 전에 미리[豫] 생각하여[想] 둠. 또는 그런 내용. ¶한국 팀은 예상 밖으로 큰 성과를 거두었다. ㊥예측(豫測).

이:상 理想 | 이치 리, 생각 상 [ideal]
이성(理性)에 의하여 생각할[想] 수 있는 범위 안에서 가장 바람직한 상태.

착상 着想 | 붙을 착, 생각 상 [get an idea]
생각하는[想] 일에 착수(着手)함. 어떤 일이나 계획 등에 대한 새로운 생각이나 구상이 마음에 떠오르는 일. ¶착상이 기발하다.

환:상 幻想 | 홀릴 환, 생각 상 [fantasy; illusion]
❶속뜻 홀린[幻] 것 같은 생각[想]. ❷현실로는 있을 수 없는 일을 있는 것처럼 상상하는 일. '상상', '망상'을 뜻하는 영어 'fantasy'를 의역한 말이다. ¶환상이 깨지다 / 환상 속에 살다.

회상 回想 | 돌이킬 회, 생각 상 [recollect; retrospect]
지난 일을 돌이켜[回] 생각함[想]. ¶그는 눈을 감고 회상에 잠겼다 / 어린 시절을 회상하다.

0613 [식]

息

쉴 식
㊘ 心부 ㊔ 10획 ㊥ 息 [xī]

息자를 처음 만든 약 3,000년 전 사람들의 말을 재현해 보자. "'숨'을 뜻하는 글자를 만들어야 겠는데, 어떻게 하면 좋을까? 숨은 눈으로 볼 수도 없으니..." "그러게 말이야! 일정한 형태의 모양도 없으니 그림으로 나타낼 수도 없겠고..." "생각났다! 이렇게 하자!" "어떻게! 빨리 말해 봐! 궁금해 미치겠어!" "숨은, 코에서 심장(心臟)이 있는 가슴으로 왔다 갔다 하잖아!" "그래서 어떻게 하자는 말이야!" "코를 가리키는 '自'와 심장을 가리키는 '心'을 상하로 합쳐 놓으면 어떨까?" "기발한 생각이다. 이 두 가지 귀띔으로 '숨'을 쉽게 연상할 수 있겠으니 말이다." 그렇다. '코 자'(自)와 '마음 심'(心), 두 표의요소를 힌트로 제공한 것이 바로 '息'자이다. 문자학에서는 이러한 것을 會意(회:의)라고 한다. '숨'(a breath)이 본뜻인데 '숨쉬다'(breathe), '쉬다'(rest), '불어나다'(increase; grow; swell) 등으로 확대 사용됐다.

속뜻훈음 ①숨쉴 식, ②쉴 식, ③불어날 식.

• 역순어휘

서:식 棲息 | 깃들 서, 쉴 식 [inhabit; live]
동물이 어떤 곳에 깃들여[棲] 쉼[息]. ¶이 숲에는 많은 동물들이 서식하고 있다.

소식 消息 | 사라질 소, 불어날 식 [news; information]
❶ 속뜻 사라짐[消]과 불어남[息]. ❷'변화', '증감', '동정', '사정', '안부', '편지' 같은 의미로 쓰임. ¶요즘은 그 친구 소식이 뜸하다.

순식 瞬息 | 눈 깜작할 순, 숨쉴 식 [brief instant]
❶ 속뜻 눈 깜빡하거나[瞬] 숨을 한 번 쉴[息] 정도의 시간. ❷매우 짧은 시간. '순식간'(瞬息間)의 준말.

안식 安息 | 편안할 안, 쉴 식 [rest]
편안(便安)히 쉼[息]. ¶여름휴가 때 그는 고향에서 안식을 취했다.

자식 子息 | 아이 자, 불어날 식 [one's children; guy; fellow]
❶ 속뜻 아이들[子]이 불어남[息]. ❷자신의 아들과 딸의 총칭. ¶그는 자식이 둘이다. ❸남자를 욕하여 이르는 말. ¶의리 없는 자식. (비)자녀(子女).

질식 窒息 | 막힐 질, 숨쉴 식 [be suffocated]
숨[息]이 막힘[窒]. 또는 산소가 부족하여 숨을 쉴 수 없게 됨. ¶뜨거운 열기와 고약한 냄새로 질식할 것 같다.

천식 喘息 | 헐떡거릴 천, 숨쉴 식 [asthma]
❶ 속뜻 헐떡거리면서[喘] 숨을 쉼[息]. ❷ 의학 기관지에 경련이 일어나는 병. ¶천식에 걸려 지지러지는 소리로 기침을 했다.

탄:식 歎息 | =嘆息, 한숨지을 탄, 숨쉴 식 [sigh]
한탄(恨歎)의 숨을 쉼[息]. ¶그는 어떻게 이럴 수가 있느냐고 탄식했다.

휴식 休息 | 멈출 휴, 쉴 식 [rest; repose]
하던 일을 멈추고[休] 잠깐 쉼[息]. ¶휴식 공간 / 나무 그늘에서 잠시 휴식하다.

0614 [은]

恩 은혜 은
部 心부 劃 10획 中 恩 [ēn]

恩자는 '(남에게 받은 고마운) 인정'(human kindness)을 뜻하기 위하여 만들어진 것이니, '마음 심'(心)이 표의요소로 쓰였다. 因(인할 인)은 표음요소인데 음이 약간 달라졌다. '은혜'(a favor)라는 낱말, 또는 이와 의미상 연관이 깊은 낱말들의 한 구성 요소로 많이 쓰인다.

은공 恩功 | 은혜 은, 공로 공 [favor; merits]
은혜(恩惠)와 공로(功勞). ¶그 배우는 수상의 영광을 부모님의 은공으로 돌렸다.

은덕 恩德 | 은혜 은, 베풀 덕 [beneficial influence]
은혜(恩惠)를 베풂[德]. ¶선생님의 은덕에 깊이 감사드립니다.

은사 恩師 | 은혜 은, 스승 사 [one's respected teacher]
은혜(恩惠)로운 스승[師]. 스승을 감사한 마음으로 이르는 말. ¶고등학교 은사를 찾아 뵈었다.

은인 恩人 | 은혜 은, 사람 인 [benefactor; patron]
은혜(恩惠)를 베풀어 준 사람[人]. ¶그는 내 생명의 은인이다. (반)원수(怨讐).

은총 恩寵 | 인정 은, 영예 총 [favor; grace]
❶ 속뜻 높은 사람이 베푼 인정[恩]과 각별한 사랑[寵]. ❷ 기독교 하나님이 인간에게 내리는 은혜. ¶하나님의 은총.

은혜 恩惠 | 인정 은, 사랑 혜 [favor; benefit]
남으로부터 받는 인정[恩]과 고마운 사랑[惠]. ¶스승의 은혜 / 은혜롭게도 우리는 사계절을 고루 누리고 있다.

• 역순어휘

감:은 感恩 | 느낄 감, 은혜 은 [feel gratitude]
은혜(恩惠)에 감사(感謝)함.

보:은 報恩 | 갚을 보, 은혜 은 [requite of kindness]

은혜(恩惠)를 갚음[報]. ㊥배은(背恩).

사:은 謝恩 | 고마워할 사, 은혜 은
[express gratitude; repay a kindness]
받은 은혜(恩惠)에 대하여 고마워함[謝]. ¶고객 사은 행사.

성:은 聖恩 | 거룩할 성, 은혜 은 [Royal favor]
거룩한[聖] 임금의 은혜(恩惠). ¶성은이 망극하옵니다.

0615 [응]

應
응할 응:
㊀心부 ㊁17획 ㊥应 [yīng]

應자는 '마땅하다'(right; proper)가 본뜻이다. 마땅하다는 판단은 마음에서 우러나오는 것이어야 하므로 '마음 심'(心)이 표의요소로 쓰였다. 그 나머지가 표음요소임은 膺(가슴 응), 鷹(매 응)도 마찬가지다. '응하다'(answer; reply), '맞다'(harmonize)는 뜻으로도 많이 쓰인다.

속뜻훈음 ①응할 응, ②맞을 응.

응:급 應急 | 응할 응, 급할 급 [emergency]
위급(危急)한 사항을 임시로 대응(對應)함. ¶응급 수술 / 응급 상황이 발생하면 119로 전화하시오.

응:낙 應諾 | 응할 응, 승낙할 낙
[agree (to); respond (to)]
부탁의 말을 응(應)하여 들어줌[諾]. ¶나는 형의 제안에 응낙했다.

응:답 應答 | 응할 응, 답할 답
[response; answer]
물음이나 부름에 응(應)하여 대답(對答)함. ¶나는 벨을 눌렀지만 아무도 응답이 없었다. ㊥질의(質疑).

응:당 應當 | 응할 응, 마땅 당
[for sure; without fail]
응(應)해야 마땅함[當]. 당연히. ¶식사 전에는 응당 손을 씻어야 한다 / 죄를 지은 사람이 벌을 받는 것은 응당한 일이다.

응:대 應對 | 응할 응, 대할 대
[talk personally with; answer]
부름이나 물음 또는 요구 따위에 응답(應答)하여 상대(相對)함. ¶몇 번 물어보았으나 응대가 시큰둥하다.

응:모 應募 | 응할 응, 뽑을 모
[apply for; subscribe to]
모집(募集)에 응(應)함. ¶응모 자격 / 각종 경연대회에 응모하다.

응:분 應分 | 맞을 응, 신분 분
[appropriate; proper]
제 신분(身分)에 맞음[應]. 분수나 능력에 맞음. ¶응분의 할 일을 하다.

응:수 應酬 | 응할 응, 보낼 수
[respond; retort; return]
❶속뜻 대응(對應)하여 보냄[酬]. ❷상대편의 말을 되받아 반박함. ¶아이는 상인(商人)의 말에 지지 않고 응수했다. ㊐대수(對酬).

응:시 應試 | 응할 응, 시험할 시
[apply for an examination]
시험(試驗)에 응(應)함. ¶응시 원서 / 시험 중 부정행위를 하면 1년간 응시할 수 없다.

응:용 應用 | 맞을 응, 쓸 용
[apply; put to practical use]
❶속뜻 실제에 맞게[應] 사용(使用)함. ❷원리나 지식, 기술 따위를 실제로 다른 일에 활용(活用)함을 이름. ¶응용 문제 / 과학을 일상생활에 응용하다.

응:원 應援 | 맞을 응, 도울 원
[aid; help; support]
❶속뜻 맞게[應] 편들어줌[援]. ❷운동 경기 따위에서 선수들이 힘을 낼 수 있도록 도와주는 일. 노래, 손뼉 치기 따위 여러 가지 방식이 있다. ¶그녀는 팀을 응원하느라 목이 다 쉬었다.

응:접 應接 | 응할 응, 맞이할 접 [receive]
손님의 요구에 응(應)하여 접대(接待)함. ¶그는 미소를 지으며 손님을 응접했다.

• 역순어휘 •

감:응 感應 | 느낄 감, 응할 응
[respond; sympathize]
❶속뜻 마음에 느끼어[感] 반응(反應)함. ❷신심(信心)이 부처나 신령에게 통함. ¶그의 정성에 신도 감응했나 보다.

대:응 對應 | 대할 대, 응할 응
[deal with; correspond to]
❶속뜻 맞서서[對] 서로 응(應)함. ❷어떤 일이나 사태에 알맞은 조치를 취함. ¶폭력사태에 대해 강력하게 대응하다. ❸수학 합동이나 닮은꼴인 두 도형의 같은 자리에서 짝을 이루는 요소끼리의 관계. ㊐상대(相對), 대등(對等).

반:응 反應 | 되돌릴 반, 응할 응 [react]
❶속뜻 되돌아[反] 나온 대응(對應). ❷생체가 자극이나 작용을 받으면 튕겨 나오는 변화나 움직임. ¶과도한 반응 / 신경은 자극에 반응한다. ❸화학 물질과 물질이 서로 작용하여 화학 변화를 일으키는 일. ¶나트륨은 염소와

반응하여 소금을 만든다.

부ː응 副應 | 곁들일 부, 응할 응 [suit; answer]
어떤 요구나 기대 따위에 곁들여[副] 응(應)함. ¶기대에 부응하다.

불응 不應 | 아닐 불, 응할 응 [do not accept]
응(應)하지 아니함[不]. 듣지 아니함. ¶초대에 불응하다. [반]순응(順應).

상응 相應 | 서로 상, 응할 응
[correspond; be appropriate]
서로[相] 응(應)하거나 어울림. ¶그는 자신과 상응하는 역할을 맡았다.

순ː응 順應 | 따를 순, 맞을 응 [adapt oneself]
환경에 따르고[順] 맞게[應] 바뀜. ¶자연에 순응하다.

적응 適應 | 알맞을 적, 응할 응
[adapt; accommodate]
어떠한 상황이나 조건에 알맞게[適] 잘 어울림[應]. ¶시차 적응 / 그는 전학 간 학교에서 잘 적응하고 있다.

호응 呼應 | 부를 호, 응할 응
[respond; hail each other]
❶[속뜻] 부름[呼]에 응답(應答)함. ❷남의 주장이나 요구를 옳게 여겨 따르는 것. ¶신제품이 큰 호응을 얻었다.

0616 [지]

志
뜻 지
[部] 心부 [劃] 7획 [中] 志 [zhì]

志자는 '(어떻게 하고자 하는) 마음'(an intention)을 뜻하기 위한 것이었으니 '마음 심'(心)이 표의요소로 쓰였다. 원래는 '止+心'의 구조로, 止(발 지)가 표음요소였다. 止가 隸書(예ː서)에서 土(흙 토)로 잘못 바뀌었고, 후에 다시 士(선비 사)로 바뀌어 표음요소도 아니고 표의요소도 아니게 되고 말았다. '뜻'(=의지, will; volition)을 나타내는 것으로 많이 쓰인다.

[속뜻훈음] ①뜻 지, ②마음 지.

지망 志望 | 뜻 지, 바랄 망 [wish; desire; prefer]
뜻[志]하여 바람[望]. ¶나는 한때 외교관을 지망했다.

지사 志士 | 뜻 지, 선비 사 [patriot]
크고 높은 뜻[志]을 가진 사람[士]. 국가·민족·사회를 위하여 자기 몸을 바쳐 일하려는 포부를 가진 사람. ¶나라의 앞날을 걱정하는 지사.

지원 志願 | 뜻 지, 바랄 원 [apply; volunteer]
어떤 일이나 조직에 뜻[志]을 두어 끼기를 바람[願]. ¶지원 입대 / 명문대학에 지원하다.

지조 志操 | 뜻 지, 잡을 조 [fidelity; constancy]
원칙과 신념을 굽히지 아니하고 꿋꿋한 의지(意志)로 끝까지 지킴[操]. ¶지조 높은 선비. [비]절개(節槪).

• 역순어휘 •

독지 篤志 | 도타울 독, 마음 지 [benevolence]
도탑고[篤] 친절한 마음[志]. ¶그는 독지사업에 온 재산을 쏟아 부었다.

동지 同志 | 같을 동, 뜻 지
[same mind; fellow member]
목적이나 뜻[志]이 서로 같음[同]. 또는 그런 사람. ¶동지를 규합하다 / 동지 의식. [비]사우(社友).

심지 心志 | 마음 심, 뜻 지 [will]
마음[心] 속에 갖고 있는 뜻[志]. ¶저 애는 어린데도 심지가 굳다.

유ː지 有志 | 있을 유, 뜻 지
[have intention; a man of influence]
❶[속뜻] 어떤 일을 이루려는 뜻[志]이 있음[有]. ❷마을이나 지역에서 명망 있고 영향력을 가진 사람. '유지가'(有志家)의 준말. ¶할아버지는 마을에서 가장 영향력이 큰 유지이다.

의ː지 意志 | 뜻 의, 뜻 지
[will; volition; intention]
어떠한 일을 이루고자 하는 마음이나 뜻[意=志]. ¶그는 자신의 의지로 술을 끊었다.

초지 初志 | 처음 초, 뜻 지
[one's original purpose]
처음[初]에 품은 뜻[志].

촌ː지 寸志 | 작을 촌, 마음 지
[little token of one's gratitude]
❶[속뜻] 작은[寸] 마음[志]. ❷얼마 되지 않는 적은 선물. ¶촌지를 받기는 했지만 조용히 되돌려 주었다.

투지 鬪志 | 싸울 투, 뜻 지 [fighting spirit]
싸우고자[鬪] 하는 굳센 뜻[志]이나 마음. ¶그들은 강한 투지를 지니고 있다.

0617 [충]

忠
충성 충
[部] 心부 [劃] 8획 [中] 忠 [zhōng]

忠자는 '(몸과 마음을 다) 바치다'(sacrifice)가 본뜻이니 '마음 심'(心)이 표의요소로 쓰였다. 中이 표음요소임은 忡(근심할 충), 衷(속마음 충, =衣+中)도 마찬가지다. '충성'(loyalty; faithfulness) 같은 낱말, 또는 이와 의미상 연관이 있는 낱말들의 한 구성 요소로 널리 쓰인다.

[속뜻훈음] ①충성 충, ②바칠 충.

충고 忠告 | 충성 충, 알릴 고 [advice]
충성(忠誠)하는 뜻으로 남의 허물이나 결점 따위를 알려 줌[告]. ¶의사는 그에게 담배를 끊으라고 충고했다.

충복 忠僕 | 바칠 충, 종 복 [faithful servant]
몸과 마음을 다 바쳐[忠] 주인을 섬기는 종[僕]. ¶죽을 때까지 장군의 충복으로 남겠습니다. [비]충노(忠奴).

충성 忠誠 | 바칠 충, 공경할 성
[be loyal (to); be devoted (to)]
❶[속뜻] 몸과 마음을 다 바쳐[忠] 공경함[誠]. ❷나라나 임금에 바치는 곧고 지극한 마음. ¶충성을 맹세하다 / 충성스러운 신하.

충신 忠臣 | 충성 충, 신하 신
[loyal subject; faithful retainer]
충성(忠誠)을 다하는 신하(臣下). [반]간신(奸臣).

충실 忠實 | 바칠 충, 참될 실 [be faithful]
몸과 마음을 다 바쳐[忠] 성실(誠實)히 함. ¶임무를 충실히 수행해야 한다.

충의 忠義 | 충성 충, 옳을 의
[loyalty; devotion; faithfulness]
임금과 나라에 대한 충성(忠誠)과 절의(節義). ¶충의로 뭉친 신하들.

충절 忠節 | 충성 충, 지조 절 [loyalty; fidelity]
충성(忠誠)과 지조[節]. ¶이 비석은 그녀의 충절을 기리기 위해 세워졌다.

충직 忠直 | 충성 충, 곧을 직 [faithful]
충성(忠誠)스럽고 곧음[直]. ¶개는 주인에게 충직한 동물로 알려져 있다.

충효 忠孝 | 충성 충, 효도 효
[loyalty and filial piety]
충성(忠誠)과 효도(孝道). ¶충효도 나라가 있은 뒤에 할 수 있다.

• 역순어휘 •

현:충 顯忠 | 드러낼 현, 바칠 충
[give high praise to faithfulness]
나라를 위하여 몸을 바친[忠] 사람들의 큰 뜻을 드러내어[顯] 기림.

0618 [쾌]

快

쾌할 쾌
[部]心부 [획]7획 [中]快 [kuài]

快자는 '기쁘다'(joyful; delightful)는 뜻을 위하여 고안된 것이니, '마음 심'(心=忄)이 표의요소로 쓰였고, 夬(터놓을 쾌)는 표음요소다. '시원하다'(fresh), '빠르다'(quick; fast) 등으로도 쓰인다.

[속뜻훈음] ①기쁠 쾌, ②시원할 쾌, ③빠를 쾌.

쾌감 快感 | 기쁠 쾌, 느낄 감 [pleasant feeling]
기쁜[快] 느낌[感]. 기쁘고 즐거움. ¶승리의 쾌감을 맛보다.

쾌거 快擧 | 기쁠 쾌, 들 거
[spectacular achievement]
통쾌(痛快)하고 장한 거사(擧事). ¶그녀는 올림픽 3관왕이라는 쾌거를 이룩했다.

쾌과 快果 | 시원할 쾌, 열매 과 [pear]
시원한[快] 맛의 과실(果實). 먹는 '배'를 달리 이르는 말.

쾌기 快氣 | 기쁠 쾌, 기운 기 [cheerful feeling]
기쁜[快] 기분(氣分). 유쾌하고 상쾌한 기분.

쾌남 快男 | 기쁠 쾌, 사내 남 [brick]
성격상 잘 기뻐하는[快] 사내[男].

쾌담 快談 | 기쁠 쾌, 이야기 담 [pleasant talk]
기쁜[快] 내용의 이야기[談]. ¶그들은 술잔을 주고받으며 쾌담을 했다.

쾌도 快刀 | 시원할 쾌, 칼 도 [sharp blade]
시원스럽게[快] 잘 드는 칼[刀].

쾌락¹ 快樂 | 기쁠 쾌, 즐길 락 [pleasure]
기쁘고[快] 즐거움[樂]. ¶정신적 쾌락을 추구하다.

쾌락² 快諾 | 본음 [쾌낙], 시원할 쾌, 승낙할 낙
[accept readily]
시원스럽게[快] 단번에 승낙(承諾)함. ¶담임선생님이 우리의 제안을 쾌락해 주셨다.

쾌로 快路 | 기쁠 쾌, 길 로
기쁜[快] 마음이 드는 여행길[路].

쾌론 快論 | 시원할 쾌, 말할 론 [hearty chat]
거리낌없이 시원하게[快] 말함[論]. ¶그의 쾌론에 모두가 감동했다.

쾌마 快馬 | 시원할 쾌, 말 마 [swift horse]
시원스럽게[快] 잘 달리는 말[馬].

쾌면 快眠 | 기쁠 쾌, 잠잘 면 [have a good sleep]
기쁘고[快] 가뿐하게 잘 잠[眠]. ¶쾌면은 건강에 좋다.

쾌몽 快夢 | 기쁠 쾌, 꿈 몽
기분이 상쾌(爽快)한 꿈[夢]. ¶쾌몽 때문인지 기분이 상쾌하다.

쾌문 快聞 | 기쁠 쾌, 들을 문
기쁜[快] 내용의 소문(所聞). ¶쾌문을 듣고 기분이 좋아졌다.

쾌미 快美 | 시원할 쾌, 아름다울 미

성격이 시원스럽고[快] 외모가 아름다움[美]. ¶그녀는 쾌미의 상징이다.

쾌변 快辯 | 시원할 쾌, 말 잘할 변
[fluency of speech; eloquence]
거침없이 시원스럽게[快] 말을 잘함[辯]. 또는 그 말. ¶그의 쾌변을 듣고 모두 즐거워했다.

쾌보 快報 | 기쁠 쾌, 알릴 보
[good news; joyful report]
뜻밖에 듣게 되는 매우 기쁜[快] 소식[報]. ¶우리 팀이 이겼다는 쾌보를 들었다.

쾌복 快復 | 빠를 쾌, 돌아올 복
[recover completely]
건강이 빨리[快] 회복(恢復)됨. ¶병이 쾌복하여 다행입니다.

쾌분 快奔 | 빠를 쾌, 달릴 분
빨리[快] 달림[奔]. 빨리 달아남.

쾌사 快事 | 기쁠 쾌, 일 사
[pleasant matter; delight]
기쁜[快] 소식이나 일[事]. ¶성공의 쾌사가 들려왔다.

쾌설 快雪 | 시원할 쾌, 씻을 설
[clear oneself of disgrace]
욕되고 부끄러운 일을 시원스럽게[快] 씻어[雪] 버림.

쾌소 快笑 | 기쁠 쾌, 웃을 소
기뻐서[快] 짓는 웃음[笑]. ¶승리자의 쾌소.

쾌속 快速 | 시원할 쾌, 빠를 속 [high speed]
시원스럽게[快] 빨리[速] 잘 달림. 또는 그런 속도. ¶쾌속 냉각.

쾌승 快勝 | 기쁠 쾌, 이길 승 [win very easily]
통쾌(痛快)하게 이김[勝]. ¶내일 시합에서 쾌승을 거둘 것으로 기대된다.

쾌식 快食 | 기쁠 쾌, 먹을 식 [enjoy the meal]
기쁘게[快] 음식을 잘 먹음[食]. ¶쾌식 후에 기분이 좋아졌다.

쾌심 快心 | 기쁠 쾌, 마음 심
유쾌(愉快)한 마음[心]. ¶쾌심은 건강에도 좋다.

쾌우 快雨 | 시원할 쾌, 비 우 [shower]
더운 여름에 시원스레[快] 내리는 비[雨]. 세차게 내리는 비. ¶쾌우가 내린 후로 하늘이 맑아졌다.

쾌유[1] 快遊 | 기쁠 쾌, 놀 유
유쾌(愉快)하게 놂[遊]. ¶그 때의 쾌유를 잊을 수 없다.

쾌유[2] 快癒 | 빠를 쾌, 병 나을 유
[recover completely]
병이 빨리[快] 다 나음[癒]. ¶선생님의 쾌유를 빌었다. ⓑ쾌차(快差).

쾌음 快飮 | 기쁠 쾌, 마실 음
술을 유쾌(愉快)하게 마심[飮]. ¶아버지는 그날의 쾌음을 잊지 못하셨다.

쾌인 快人 | 시원할 쾌, 사람 인
성격이 시원시원한[快] 사람[人].

쾌작 快作 | 기쁠 쾌, 지을 작
[masterpiece; great work]
기쁜[快] 마음으로 만듦[作]. 또는 그런 작품.

쾌재 快哉 | 기쁠 쾌, 어조사 재 [yells of delight]
❶속뜻 기쁘[快]도다[哉]! ❷일 따위가 마음먹은 대로 잘 되어 만족스럽게 여김. 또는 그럴 때 나는 소리. ¶승진할 것이라는 소식을 듣고 쾌재를 불렀다.

쾌적 快適 | 시원할 쾌, 알맞을 적
[agreeable; comfortable]
기분이 상쾌(爽快)할 정도로 몸과 마음에 흡족하게 맞다[適]. ¶쾌적한 공기.

쾌전 快戰 | 기쁠 쾌, 싸울 전
통쾌(痛快)하게 승리한 싸움[戰]이나 시합. ¶이번 쾌전으로 우리 팀이 사기가 크게 올랐다.

쾌정 快艇 | 빠를 쾌, 거룻배 정 [speedboat]
속도가 매우 빠른[快] 소형의 배[艇]. ¶바다 저쪽에서 쾌정이 나타났다.

쾌조 快調 | 시원할 쾌, 어울릴 조
[excellent condition]
일 따위가 시원스럽게[快] 잘 어울림[調]. 또는 그런 상태. ¶시작 단계부터 쾌조를 보였다.

쾌주 快走 | 빠를 쾌, 달릴 주 [run fast]
빨리[快] 잘 달림[走]. ¶초반의 쾌주가 점차 조금씩 느려졌다.

쾌차 快差 | 빠를 쾌, 다를 차 [completely cured]
병세 따위가 빠르게[快] 달라짐[差]. 병이 완전히 나음. ¶아버님은 쾌차하셨습니까? ⓑ쾌유(快癒).

쾌척 快擲 | 기쁠 쾌, 던질 척
[make a generous contribution]
금품 따위를 기쁜[快] 마음으로 내놓음[擲]. ¶그는 남몰래 고아원에 큰돈을 쾌척했다.

쾌청 快晴 | 시원할 쾌, 갤 청 [fair and clear]
구름 한 점 없이 상쾌(爽快)하도록 날씨가 맑게 개다[晴]. ¶쾌청한 날에는 여기서 산이 보인다.

쾌투 快投 | 빠를 쾌, 던질 투 [pitch well]
운동 야구에서 투수가 공을 자기가 원하는 곳으로 빠르게[快] 잘 던지는[投] 일. ¶그의 쾌투가 승리를 이끌었다.

쾌한 快漢 | 시원할 쾌, 사나이 한 [nice man]
성격이 씩씩하고 시원시원한[快] 사나이[漢]. ¶그는 쾌한이라고 할 수 있다.

쾌활[1] 快活 | 시원할 쾌, 살 활 [cheerful; lively]

성격이 시원시원하고[快] 활발(活潑)하다. ¶그는 무척 쾌활한 사람이다.

쾌활² 快闊 | 시원할 쾌, 트일 활
[get cleared; opened]
시원스럽게[快] 탁 트임[闊]. 탁 트여 넓음. ¶쾌활한 바다를 보면 마음도 넓어진다.

• 역순어휘

경쾌 輕快 | 가벼울 경, 기쁠 쾌
❶[속뜻] 마음이 가뜬하고[輕] 기쁨[快]. ❷몸놀림이 가볍고 날래다. ¶경쾌한 걸음.

명쾌 明快 | 밝을 명, 기쁠 쾌 [lucid; explicit]
❶[속뜻] 마음이 밝아지고[明] 기쁘게[快] 됨. ❷말이나 글의 조리가 분명하여 시원스럽다. ¶그의 해설은 정말 명쾌하다.

불쾌 不快 | 아닐 불, 기쁠 쾌 [unpleasant]
어떤 일로 기분이 상하여 마음이 기쁘지[快] 않음[不]. ¶그의 태도는 나를 아주 불쾌하게 했다.

상:쾌 爽快 | 시원할 상, 기쁠 쾌
[refreshing; exhilarating]
느낌이 산뜻하고[快] 마음이 기쁨[爽]. ¶양치를 하면 입안이 매우 상쾌하다.

완쾌 完快 | 완전할 완, 빠를 쾌
[complete recovery]
병의 완전(完全)하고 빠르게[快] 나음. ¶완쾌를 빌다.

유쾌 愉快 | 즐거울 유, 기쁠 쾌 [cheerful; jolly]
마음이 즐겁고[愉] 기분이 좋음[快]. ¶유쾌한 분위기. [반]불쾌(不快).

통:쾌 痛快 | 아플 통, 기쁠 쾌
[most pleasant; extremely delightful]
❶[속뜻] 아플[痛] 정도로 기분이 상쾌함[快]. ❷마음이 매우 시원함. ¶통쾌한 승리를 거두다.

흔쾌 欣快 | 기뻐할 흔, 시원할 쾌
[pleasant; delightful]
기쁘고[欣] 시원스럽게[快]. ¶그는 우리의 제안을 흔쾌하게 받아들였다 / 흔쾌히 수락하다.

0619 [태]

態

모습 태:
[部] 心부 [획] 14획 [中] 态 [tài]

態자는 곰 모양을 본뜬 能(능)과 마음을 뜻하는 心(심)으로 이루어진 것이다. 이것이 어떻게 '모양'(appearance; a look)이나 '태도'(bearing)란 뜻으로 쓰이게 됐는지에 관해서는 정설이 없다. 억지로 풀이하는 것보다는 의문에 부쳐두는 것이 낫겠다. 態(bearing)와 能(←熊, bear)이 우연일치겠지만 영어와 흡사한 점이 흥미롭다.

[속뜻훈음] 모양 태.

태:도 態度 | 모양 태, 모양 도 [attitude]
❶[속뜻] 몸의 자태(姿態)와 풍도(風度). ❷어떤 사물에 대한 감정이나 생각 따위가 겉으로 나타난 모습. ¶진지한 태도를 보이다. [비]자세(姿勢).

태:세 態勢 | 모양 태, 자세 세
[attitude; setup; preparations]
태도(態度)와 자세(姿勢)를 아울러 이르는 말. ¶그는 내가 한마디만 더 하면 때릴 태세였다.

• 역순어휘

구:태 舊態 | 옛 구, 모양 태
[old state of affairs]
뒤떨어진 옛날[舊] 그대로의 모습[態].

동:태 動態 | 움직일 동, 모양 태 [movement]
움직이는[動] 상태(狀態). 변하여 가는 상태. ¶인구동태 / 적의 동태를 살피다. [비]동정(動靜), 동향(動向). [반]정태(靜態).

변:태 變態 | 바뀔 변, 모양 태 [metamorphose]
❶[속뜻] 바뀐[變] 모습[態]. 모습을 바꿈. ❷[동물] 동물이 알에서 부화하여 성체(成體)가 되기까지 여러 가지 형태로 변하는 일. [비]탈바꿈.

사:태 事態 | 일 사, 모양 태 [situation]
일[事]의 되어 가는 상태(狀態). ¶사태가 심각하다.

상태 狀態 | 형상 상, 모양 태
[condition; situation]
❶[속뜻] 실제의 형상(形狀)이나 모양[態]. ❷사물·현상이 놓여 있는 모양이나 형편. ¶기상 상태 / 혼수 상태.

생태 生態 | 살 생, 모양 태 [mode of life; ecology]
생물이 살아가는[生] 모양이나 상태(狀態). ¶식물의 생태를 연구하다.

세:태 世態 | 세대 세, 모양 태 [phase of life]
세상(世上)의 형편이나 상태(狀態). ¶이 소설은 세태를 잘 반영하고 있다.

실태 實態 | 실제 실, 모양 태 [realities]
있는 그대로[實]의 모양[態]. 실제의 상태(狀態). ¶환경오염 실태를 조사하다. [비]실상(實狀), 실정(實情).

의태 擬態 | 흉내낼 의, 모양 태 [imitate]
모양[態]을 흉내냄[擬].

자태 姿態 | 맵시 자, 모양 태 [figure]
맵시[姿]와 모양[態]. 몸가짐. ¶한라산이 웅장한 자태를 드러냈다.

중:태 重態 | 무거울 중, 모양 태
[serious condition]
병이 위중(危重)한 상태(狀態). ¶교통사고로 중태에 빠지다.

추태 醜態 | 추할 추, 모양 태 [shameful conduct]
추한[醜] 행동이나 모양[態]. ¶술에 취하여 추태를 부리다.

행태 行態 | 다닐 행, 모양 태 [behavior]
행동(行動)하는 모양[態]. ¶비도덕적인 행태 / 부당한 영업행태.

형태 形態 | 모양 형, 모양 태 [form; shape]
❶속뜻 사물의 생긴 모양[形=態]. ❷어떠한 구조나 전체를 이루고 있는 구성체가 일정하게 갖추고 있는 모양. ¶가정의 형태.

0620 [혜]

惠

은혜 혜:
部 心부 劃 12획 中 惠 [huì]

惠자는 '(다른 사람에게 받은) 사랑'(a favor; a benefit)을 뜻하기 위하여 만들어진 것이니, '마음 심'(心)이 표의요소이다. 그 윗부분([혜]/[전])은 표음요소라는 설과 표의요소라는 설이 있다. '은혜'(kindness; goodness)란 낱말, 또는 이와 의미상 연관이 있는 낱말들의 한 구성 요소로 많이 쓰인다.
속뜻훈음 ①은혜 혜, ②사랑 혜.

혜:택 惠澤 | 은혜 혜, 은덕 택 [favor; benefit]
❶속뜻 고마운[惠] 은덕[澤]. ❷은혜(恩惠)와 덕택(德澤). ¶복지 혜택.

• 역순어휘

은혜 恩惠 | 인정 은, 사랑 혜 [favor; benefit]
남으로부터 받는 인정[恩]과 고마운 사랑[惠]. ¶스승의 은혜 / 은혜롭게도 우리는 사계절을 고루 누리고 있다.

천혜 天惠 | 하늘 천, 은혜 혜
[Heaven's blessing; gift of nature]
하늘[天]이 베풀어 준 은혜(恩惠). 자연의 은혜. ¶천혜의 관광자원.

0621 [목]

牧

칠[養] 목
部 牛부 劃 8획 中 牧 [mù]

牧자는 손에 막대기를 들고[攵=攴] 소[牛]를 먹이는 모습을 본뜬 것으로 '(소를) 먹이다'(=치다, raise; keep)가 본래 의미이다. '기르다'(breed), '다스리다'(rule over) 등으로도 쓰인다.
속뜻훈음 ①칠 목, ②다스릴 목, ③기를 목.

목동 牧童 | 칠 목, 아이 동
[shepherd boy; herdboy]
소나 양을 치는[牧] 아이[童]. ¶목동이 피리를 분다.

목민 牧民 | 다스릴 목, 백성 민
[govern the people]
백성[民]을 다스리는[牧] 일.

목사 牧師 | 다스릴 목, 스승 사
[minister; clergyman]
기독교 교회를 맡아 다스리고[牧] 신자를 인도하는 스승[師] 같은 교역자(敎役者).

목자 牧者 | 칠 목, 사람 자 [shepherd]
양을 치는[牧] 사람[者]. 비 양치기.

목장 牧場 | 칠 목, 마당 장 [ranch]
마소나 양 따위를 치는[牧] 넓은 땅[場].

목초 牧草 | 칠 목, 풀 초 [grass; pasture]
가축을 치기[牧] 위한 풀[草]. 비 꼴.

목축 牧畜 | 칠 목, 기를 축
[raise cattle; engage in stock farming]
소·말·양 따위를 방목(放牧)하여 기르는[畜] 일. 비 목양(牧養).

목회 牧會 | 다스릴 목, 모일 회
[shepherd a flock of souls]
기독교 목사가 교회(敎會)를 맡아 다스림[牧]. 설교하거나 신자의 신앙생활을 지도하는 일을 말한다.

• 역순어휘

방:목 放牧 | 놓을 방, 기를 목 [graze]
소나 말, 양 따위의 가축을 놓아[放] 기름[牧]. ¶들에 소를 방목하다. 비 방축(放畜).

유목 遊牧 | 떠돌 유, 기를 목 [nomadize]
물과 풀밭을 찾아 주기적으로 옮겨 다니며[遊] 소나 양 등의 가축을 기름[牧]. 또는 그런 목축 형태. ¶요즘은 유목 생활을 하는 사람들이 거의 없다.

0622 [난]

暖

따뜻할 난:
部 日부 劃 13획 中 暖 [nuǎn]

暖자는 '(날이) 따뜻하다'(warm)는 뜻을

위하여 만든 글자이니 '날 일'(日)이 표의요소로 쓰였다. 爰(이에 원)은 표음요소인데 음 차이가 상당히 큰 편이다.

난:로 暖爐 | =煖爐, 따뜻할 난, 화로 로 [stove; heater]
방안을 따뜻하게[暖] 해주는 화로(火爐) 따위의 기구. ¶난로에 손을 데다.

난:류 暖流 | =煖流, 따뜻할 난, 흐를 류 [warm current]
지리 따뜻한[暖] 해류(海流). ¶고등어는 난류성 물고기이다. ⓑ한류(寒流).

난:방 暖房 | =煖房, 따뜻할 난, 방 방 [heating]
건물 전체 또는 방(房)을 따뜻하게[暖] 하는 일. ⓑ냉방(冷房).

• 역순어휘

온난 溫暖 | =溫煖, 따뜻할 온, 따뜻할 난 [be warm]
날씨가 따뜻함[溫=暖]. ¶온난 기후 / 이곳은 겨울에도 비교적 온난하다.

춘난 春暖 | 봄 춘, 따뜻할 난 [spring warmth]
봄철[春]의 따뜻함[暖]. 따뜻한 기운.

0623 [성]

星 별 성
㊀ 日부 ㊁ 9획 ㊥ 星 [xīng]

星자는 원래 '밝을 정'(晶)이 표의요소였는데, '해 일'(日)로 바뀐 것은 일종의 간략화 현상으로 풀이할 수 있다. 生(날 생)이 표음요소임은 性(성품 성)도 마찬가지다. '별'(the stars)이란 본뜻이 요즘도 변함없이 그대로 많이 쓰이고 있다.

성운 星雲 | 별 성, 구름 운 [nebulosity]
천문 구름[雲]처럼 보이는 별[星]들. 가스나 우주 먼지로 이루어진 은하계 내의 성운과 항성의 대집단인 은하계 외의 성운으로 나뉜다.

성좌 星座 | 별 성, 자리 좌 [constellation]
천문 별[星]이 위치하는 자리[座]. 천구상의 여러 별을 신화나 전설에 나오는 신, 영웅, 동물, 기물 따위의 형상으로 가상하여 구분한 것으로, 현재 여든 여덟 개의 성좌가 있다. ⓑ별자리.

• 역순어휘

금성 金星 | 쇠 금, 별 성 [Venus; Hesperus; daystar]
❶속뜻 금(金)을 상징하는 별[星]. ❷천문 태양에서 두 번째로 가깝고 지구에 가장 가까이 있는 행성. 크기는 지구와 비슷하다. ⓑ샛별, 태백성(太白星).

목성 木星 | 나무 목, 별 성 [Jupiter]
천문 태양으로부터 다섯 번째로 가깝고 음양오행설에서 목(木)에 해당되는 행성(行星). 태양계의 행성 가운데 가장 크다. ⓑ덕성(德星), 세성(歲星).

수성 水星 | 물 수, 별 성 [Mercury]
❶속뜻 로마신화에서 저녁에 빛나는 별을 'mercury'라는 신에 비유한데서 유래. mercury를 화학에서는 '수은'(水銀), 천문학에서는 '수성'(水星)이라고 한다. ❷천문 태양계의 행성 가운데 가장 작고 태양에 가장 가까이 있는 별.

위성 衛星 | 지킬 위, 별 성 [satellite]
❶속뜻 행성을 지키듯이[衛] 그 주위를 도는 별[星]. ❷천문 행성의 인력에 의하여 행성의 주위를 도는 별. ¶달은 지구의 위성이다. ❸천문 '인공위성'(人工衛星)의 준말. ¶위성방송.

유성 流星 | 흐를 류, 별 성 [shooting star; meteor; planet]
❶속뜻 마치 하늘을 흐르는[流] 것 같이 보이는 별[星]빛. ❷천문 우주의 먼지가 지구의 대기권에 들어와 공기의 압축과 마찰로 빛을 내는 현상. ¶나는 유성이 떨어지는 것을 보면서 소원을 빌었다. ⓑ별똥별.

장:성 將星 | 장수 장, 별 성 [generals]
❶속뜻 별[星] 모양의 휘장(徽章)을 붙이는 계급의 장군(將軍). ❷군사 준장, 소장, 중장, 대장을 포함하는 장군을 통틀어 이르는 말. ¶그의 아버지는 육군 장성이다. ⓑ장군(將軍).

점성 占星 | 점칠 점, 별 성 [horoscope]
별[星]의 빛이나 위치, 운행 따위를 보고 길흉을 점 침[占].

직성 直星 | 당번 직, 별 성
❶민속 사람의 나이에 따라 그 운명에 대한 당번[直]을 하고 있는 아홉 가지 별[星]. 제웅직성, 토직성, 수직성, 금직성, 일직성, 화직성, 계도직성, 월직성, 목직성으로 남자는 열 살에 제웅직성이 들기 시작하고, 여자는 열한 살에 목직성이 들기 시작하여 차례로 돌아간다. ❷타고난 성질이나 성미. ¶일이 직성에 맞지 않는다 / 나는 하고 싶은 일을 해야 직성이 풀린다. 관용 직성이 풀리다.

토성 土星 | 흙 토, 별 성 [Saturn]
❶속뜻 땅[土]을 관장하는 신을 상징하는 별[星]. 'Saturn'은 로마신화에서 농업의 신을 이르는 말이다. ❷천문 태양계의 안쪽에서 여섯 번째 행성. ¶토성에는

30개 이상의 위성이 있다.

항성 恒星 | 늘 항, 별 성 [permanent star]
❶속뜻 항상(恒常) 그 자리에 있는 별[星]. ❷천문 천구 위에서 서로의 상대 위치를 바꾸지 아니하고 별자리를 구성하는 별. 북극성, 북두칠성, 삼태성, 견우성, 직녀성 따위. ㊥행성(行星).

행성 行星 | 갈 행, 별 성 [planet; globe]
천문 태양의 둘레를 공전하며 운행(運行)하는 별[星]을 통틀어 이르는 말. 태양에 가까운 것부터 수성, 금성, 지구, 화성, 목성, 토성, 천왕성, 해왕성 등의 여덟 개의 별이 있다. ㊥항성(恒星).

혜:성 彗星 | 꼬리별 혜, 별 성
[comet; sudden prominence]
❶속뜻 꼬리가 달린[彗] 것 같이 보이는 별[星]. ❷천문 태양을 초점으로 긴 꼬리를 타원이나 포물선 또는 쌍곡선의 궤도로 그리며 운동하는 천체.

화:성 火星 | 불 화, 별 성 [Mars]
❶속뜻 불[火]을 상징하는 별[星]. ❷천문 태양계에서, 지구의 바로 바깥쪽에서 타원형의 궤도로 태양을 돌고 있는 네 번째 행성. 공전 주기는 1.8년이며 두 개의 위성을 가지고 있다.

0624 [시]

是

이[斯]/옳을 시:
㊀ 日부 ㊁ 9획 ㊥ 是 [shì]

是자는 '해 일'(日)과 '바를 정'(正)이 합쳐진 것이다. 해를 향하여 똑바로 걸어가는 모습을 통하여 '똑바로'(straight)라는 뜻을 나타냈다. 후에 '옳다'(right)는 뜻으로도 확대 사용됐다.

속뜻훈음 ①이 시, ②옳을 시.

시:비 是非 | 옳을 시, 아닐 비
[right and wrong; dispute; quarrel]
❶속뜻 옳고[是] 그름[非]. ¶시비를 가리다. ❷옳고 그름을 따지는 말다툼. ¶시비를 걸다. ㊥시시비비(是是非非), 잘잘못.

시:인 是認 | 옳을 시, 알 인
[approve of; acknowledge]
옳다고[是] 인정(認定)함. ¶민지는 자기 잘못을 시인했다. ㊥부인(否認).

시:정 是正 | 옳을 시, 바를 정 [correct]
잘못된 것을 옳고[是] 바르게[正] 함. ¶잘못된 점은 반드시 시정해야 한다.

• 역순어휘

국시 國是 | 나라 국, 옳을 시 [national policy]
❶속뜻 나라[國]를 위하여 옳다[是]고 여기는 주의나 방침. ❷국가 이념이나 정책의 기본 방침. ¶국시를 정하다.

역시 亦是 | 또 역, 옳을 시 [too; also; after all]
❶속뜻 그것 또한[亦] 옳음[是]. ❷또한. ¶나 역시 그렇게 생각해. ❸아무리 생각해도. ¶이 일은 역시 네가 하는 것이 좋겠다. ❹생각했던 대로. ¶역시 네가 그랬구나.

필시 必是 | 반드시 필, 옳을 시 [certainly]
반드시[必] 옳음[是]. 어김없이. ¶그의 얼굴 표정을 보니 필시 몸이 아픈가 보다.

혹시 或是 | 혹시 혹, 옳을 시 [if; maybe]
❶속뜻 혹(或) 옳을지[是] 모름. 확실한 것은 아니지만. ¶혹시 모르니까 우산을 챙겨 가거라. ❷만일에. ¶혹시 한국에 오게 되면 꼭 연락주세요.

0625 [암]

暗

어두울 암:
㊀ 日부 ㊁ 13획 ㊥ 暗 [àn]

暗자는 햇빛이 없다, 즉 '어둡다'(dark)는 뜻을 나타내기 위한 것이었으니 '해 일'(日)이 표의요소로 쓰였다. 音(소리 음)이 표음요소임은 闇(닫힌 문 암)도 마찬가지다. 어두울 때 남몰래 하는 일이 많았든지 '몰래'(secretly), '넌지시'(by hints)라는 뜻도 따로 글자를 만들지 않고 이것으로 나타냈다.

속뜻훈음 ①어두울 암, ②몰래 암.

암:기 暗記 | 어두울 암, 외울 기 [blind memory]
❶속뜻 어두운[暗] 상태에서 무턱대고 외움[記]. ❷보지 않고 외움. ¶구구단을 암기하다.

암:담 暗澹 | 어두울 암, 싱거울 담 [dark; gloomy]
❶속뜻 어두컴컴하고[暗] 선명하지 않음[澹]. ❷앞날에 대한 전망이 어둡다. 희망이 없다. ¶암담한 미래 / 앞으로 어떻게 해야 할지 암담하다.

암:산 暗算 | 어두울 암, 셀 산 [mental arithmetic]
계산기, 수판 따위를 이용하지 아니하고 어렴풋이[暗] 계산(計算)함. ¶암산이 빠르다.

암:살 暗殺 | 몰래 암, 죽일 살 [assassinate]
몰래[暗] 사람을 죽임[殺]. ¶암살 기도 / 대통령을 암살하다 / 그는 테러리스트들에게 암살되었다.

암:송 暗誦 | 어두울 암, 욀 송
[recite; repeat from memory]
글을 보지 아니하고[暗] 입으로 욈[誦]. ¶암송시험 / 동시(童詩)를 암송하다.

암:시 暗示 | 몰래 암, 보일 시 [hint; suggest]
뜻하는 바를 넌지시[暗] 알림[示]. 또는 그 내용. ¶이 소설에서 흰 옷은 죽음을 암시한다.

암:실 暗室 | 어두울 암, 방 실 [photo darkroom]
빛이 들어오지 않는 어두운[暗] 방[室]. 주로 물리, 화학, 생물학의 실험과 사진 현상 따위에 사용한다.

암:울 暗鬱 | 어두울 암, 답답할 울 [gloomy; dark]
❶[속뜻] 어두컴컴하고[暗] 답답함[鬱]. ❷절망적이고 침울함. ¶암울의 세월 / 암울한 기분.

암:초 暗礁 | 어두울 암, 잠긴 바위 초
[sunken rock; reef]
눈에 보이지 아니하는[暗] 물속에 잠겨 있는 바위[礁]. ¶배가 암초에 걸리다.

암:투 暗鬪 | 몰래 암, 싸울 투 [feud silently]
남 몰래[暗] 다툼[鬪]. ¶숨막히는 암투 / 두 정당은 격렬하게 암투하고 있다.

암:표 暗票 | 몰래 암, 쪽지 표
[illegal ticket; scalpers ticket]
몰래[暗] 사고파는 입장권 따위의 표(票). ¶표는 벌써 매진되고 암표만 나돌았다.

암:행 暗行 | 몰래 암, 다닐 행 [travel incognito]
자기 정체를 숨기고 남몰래[暗] 돌아다님[行]. ¶암행조사 / 감사반이 공사(公司)를 암행하고 있다.

암:호 暗號 | 몰래 암, 표지 호 [password; sign]
다른 사람은 모르도록 몰래[暗] 꾸민 표지[號]. ¶그 쪽지는 암호로 쓰여 있었다.

암:흑 暗黑 | 어두울 암, 검을 흑
[darkness; blackness]
어둡고[暗] 캄캄함[黑]. 캄캄한 어둠. ¶전기가 들어오지 않아 우리는 암흑 속에 있었다. [반]광명(光明).

• **역순어휘**

명암 明暗 | 밝을 명, 어두울 암
[light and darkness]
밝음[明]과 어두움[暗]. ¶그림에 명암을 넣다.

0626 [조]

早

이를 조:
[部] 日부 [劃] 6획 ㊥ 早 [zǎo]

早자는 원래 '해 일'(日)과 '으뜸 갑'(甲)이 합쳐진 것으로 '이른 아침'(early morning)을 뜻하는 것이었다. 후에 甲이 十으로 간략화 됐다. 일반적 의미의 '이른'(early)을 뜻하는 것으로 널리 쓰인다.

조:기[1] 早起 | 이를 조, 일어날 기
[getting up early; early rising]
아침 일찍[早] 일어남[起]. ¶조기 축구단.

조:기[2] 早期 | 이를 조, 때 기 [early stage]
이른[早] 시기(時期). ¶조기 교육 / 암(癌)은 조기에 발견하는 것이 중요하다. [비]초기(初期).

조:만 早晩 | 이를 조, 늦을 만
이름[早]과 늦음[晩]을 아울러 이르는 말.

조:속 早速 | 이를 조, 빠를 속
[as soon as possible]
이르고도[早] 빠르다[速]. ¶조속한 시일 내에 처리해 주십시오 / 불합리한 법률은 조속히 개정되어야 한다.

조:숙 早熟 | 이를 조, 익을 숙
[mature early; grow early]
❶[속뜻] 식물의 열매가 일찍[早] 익음[熟]. ❷나이에 비하여 정신적·신체적 발달이 빠름. ¶요즘 아이들은 나이에 비해 조숙하다.

조:조 早朝 | 이를 조, 아침 조 [early morning]
이른[早] 아침[朝]. ¶조조 할인.

조:퇴 早退 | 이를 조, 물러날 퇴
[leave earlier than usual]
정해진 시간보다 일찍[早] 물러나옴[退]. ¶오늘은 몸이 좋지 않아 선생님께 말씀드리고 조퇴했다.

조:혼 早婚 | 이를 조, 혼인할 혼
[early marriage]
어린 나이에 일찍[早] 결혼(結婚)함. 또는 그렇게 한 혼인. ¶아내와 조혼하여 일찍 첫아들을 보았다. [반]만혼(晩婚).

0627 [폭]

暴

사나울 폭, 모질 포:
[部] 日부 [劃] 15획 ㊥ 暴 [bào, pù]

暴자는 '해 일'(日)·'나갈 출'(出)·'받들 공'(廾)·'쌀 미'(米) 등 네 가지가 모두 표의요소로 쓰였다. 햇볕에 벼(쌀)를 내다 말리는 모습을 통하여 '말리다'(=쬐다, make dry)는 뜻을 나타냈다. 후에 '사납다'(fierce)는 뜻으로 활용되는(이 경우 [포]로 읽어야 옳은데 [폭]으로 읽는 예가 많음) 예가 많아지자, 본래 뜻은 따로 曝(쬘 폭)자를 만들어 나타냈다.

[속뜻훈음] ①사나울 폭, ②갑자기 폭, ③모질 포.

폭군 暴君 | 사나울 폭, 임금 군 [tyrant; despot]
난폭(亂暴)한 임금[君]. ¶폭군 때문에 백성들이 괴로웠다. [반]성군(聖君).

폭도 暴徒 | 사나울 폭, 무리 도 [mob; rioters]
폭동(暴動)을 일으키는 무리[徒]. ¶폭도들은 닥치는 대로 상점에 불을 질렀다.

폭동 暴動 | 사나울 폭, 움직일 동
[riot; disturbance; mutiny]
어떤 집단이 폭력(暴力)으로 소동(騷動)을 일으켜서 사회의 안녕을 어지럽히는 일. ¶폭동이 일어나다.

폭등 暴騰 | 갑자기 폭, 오를 등 [jump; soar]
물건 값 따위가 갑자기[暴] 크게 오름[騰]. ¶물가가 폭등하여 살기가 어려워졌다. ⓑ폭락(暴落).

폭락 暴落 | 갑자기 폭, 떨어질 락
[sudden fall; slump]
물가나 주가 등 값이 갑자기[暴] 크게 떨어짐[落]. ¶주가가 하루 만에 폭락하다. ⓑ폭등(暴騰).

폭력 暴力 | 사나울 폭, 힘 력
[violence; brute force]
❶속뜻 사나운[暴] 힘[力]. ❷남을 거칠고 사납게 제압할 때에 쓰는 주먹이나 발 또는 몽둥이 따위의 수단이나 힘. ¶학교폭력은 심각한 사회문제다.

폭로 暴露 | 갑자기 폭, 드러낼 로
[disclose; reveal; expose]
❶속뜻 갑자기[暴] 남들에게 드러냄[露]. ❷알려지지 않았거나 감춰져 있던 사실을 드러냄. ¶그녀는 증거를 들이대며 거짓을 폭로했다.

폭리 暴利 | 사나울 폭, 이로울 리
[excessive profits; exorbitant interest]
❶속뜻 사나울[暴] 정도로 지나친 이익(利益). ❷지나치게 많이 남기는 부당한 이익. ¶원산지를 속여 폭리를 취하다. ⓑ박리(薄利).

폭설 暴雪 | 갑자기 폭, 눈 설 [heavy snow]
갑자기[暴] 많이 내리는 눈[雪]. ¶폭설이 쏟아지다.

폭언 暴言 | 사나울 폭, 말씀 언 [violent language]
난폭(亂暴)하게 하는 말[言]. ¶아이에게 폭언을 퍼붓다.

폭염 暴炎 | 사나울 폭, 불꽃 염
[scorching heat; heat wave]
사나운[暴] 불꽃[炎]처럼 뜨거운 무더위. ¶폭염으로 농작물이 시들어가고 있다. ⓑ폭서(暴暑).

폭우 暴雨 | 사나울 폭, 비 우 [heavy rain]
갑자기 세차게[暴] 쏟아지는 비[雨]. ¶폭우로 한치 앞도 보이지 않았다.

폭정 暴政 | 사나울 폭, 정치 정
[tyranny; despotic rule]
포악(暴惡)한 정치(政治). ¶백성들이 폭정에 시달리다. ⓑ학정(虐政). ⓑ선정(善政).

폭풍 暴風 | 사나울 폭, 바람 풍 [wild wind]
매우 사납고[暴] 세차게 부는 바람[風]. ¶폭풍이 불어닥치다.

폭행 暴行 | 사나울 폭, 행할 행 [attack; assault]
남에게 폭력[暴力]을 쓰는[行] 일. ¶폭행을 휘두르다.

포:악 暴惡 | 사나울 포, 악할 악
[be atrocious; outrageous; heinous]
행동이 사납고[暴] 성질이 악(惡)함. ¶그는 포악한 사람이라 사람들이 좋아하지 않는다.

• 역순어휘

난:폭 亂暴 | 어지러울 란, 사나울 폭 [violent]
행동이 몹시 거칠고[亂] 사나움[暴]. ¶그는 술에 취하면 난폭해진다.

횡포 橫暴 | 멋대로 횡, 사나울 포
[violent; oppressive]
제멋대로 전횡(專橫)하며 사납게[暴] 굶. ¶횡포를 부리다.

0628 [위]

爲

하/할 위(:)
㊀爪부 ㊁12획 ㊥为 [wéi, wèi]

爲자는 손[又→爪]으로 코끼리의 코를 잡고 부리는 모습으로 '길들이다'(tame)가 본래 의미였다. 爪(조)를 뺀 나머지는 코끼리의 모습이 변화된 것이다. 특히 네 점은 네 다리에서 온 것이니 '불 화'(火 = 灬)로 착각하지 말아야겠다. '하다'(do; behave)는 뜻으로도 많이 쓰인다.

위시 爲始 | 할 위, 처음 시
[begin; commence; start]
여럿 중에서 어떤 대상을 첫[始] 자리. 또는 대표로 삼음[爲]. ¶아버지를 위시하여 집안 식구가 다 모였다.

위주 爲主 | 할 위, 주인 주 [put first]
주(主)되는 것으로 삼음[爲]. 으뜸으로 삼음. ¶교과서 위주로 공부하면 된다.

• 역순어휘

무위 無爲 | 없을 무, 할 위 [idle; inactive]
아무 일도 하지[爲] 아니함[無].

영위 營爲 | 지을 영, 할 위 [manage; administer]
일 따위를 지어내어[營] 스스로 함[爲]. ¶행복한 삶을 영위하는 것이 그의 목표이다.

인위 人爲 | 사람 인, 할 위 [human work; human power]
사람[人]의 힘으로 함[爲]. [반]자연(自然), 천연(天然).

행위 行爲 | 행할 행, 할 위 [act]
행동(行動)을 함[爲]. 특히, 자유의사에 따라서 하는 행동을 이른다. ¶행위예술 / 불법행위. [비]행동(行動).

0629 [무]

武

호반 무:
[部] 止부 [劃] 8획 [中] 武 [wǔ]

武자는 '창 과'(戈)와 '발자국 지'(止⇒趾)가 합쳐진 것으로 창을 메고 전쟁터에 나가는 모습이라는 설, 창을 메고 춤을 추는 모습(劍舞의 일종)이라는 설이 있다. '굳세다'(strong)는 뜻으로 많이 쓰인다. 반대자는 文(글월 문)이다.

[속뜻훈음] 굳셀 무.

무:공 武功 | 굳셀 무, 공로 공 [military exploits]
굳센[武] 군인으로 쌓은 공(功). ¶전투에서 혁혁한 무공을 세우다.

무:과 武科 | 굳셀 무, 과목 과 [military service examination]
[역사] 무관(武官)을 뽑던 과거(科擧). [반]문과(文科).

무:관 武官 | 굳셀 무, 벼슬 관 [military officer]
❶[역사] 무과(武科) 출신의 벼슬아치[官]. ❷군무(軍務)를 맡아보는 관리. [반]문관(文官).

무:기 武器 | 굳셀 무, 그릇 기 [weapon]
❶[속뜻] 무력(武力)에 사용하는 각종 병기(兵器). ❷'어떤 일을 하거나 이루기 위한 중요한 수단이나 도구'를 비유하여 이르는 말. ¶눈물을 무기로 삼는다.

무:단 武斷 | 굳셀 무, 끊을 단 [militarism]
❶[속뜻] 무력(武力)으로 억압하여 못하게 함[斷]. ❷무력으로 일을 처리함. ¶해적이 경비선을 무단으로 점거했다.

무:력 武力 | 굳셀 무, 힘 력 [military power]
굳센[武] 군사상의 위력(威力). ¶무력 시위 / 무력으로 빼앗다.

무:사 武士 | 굳셀 무, 선비 사 [warrior; knight]
[역사] 굳센[武] 기예를 닦은 사람[士]. [비]무인(武人). [반]문사(文士).

무:술 武術 | 굳셀 무, 꾀 술 [military arts]
무인(武人)으로서 갖추어야 할 여러 기술(技術). [비]무예(武藝).

무:신 武臣 | 굳셀 무, 신하 신 [military official]
무과(武科) 출신의 신하(臣下). [반]문신(文臣).

무:예 武藝 | 굳셀 무, 재주 예 [military arts]
검술(劍術), 궁술(弓術) 등 무술(武術)에 관한 재주[藝]. [비]무기(武技).

무:용 武勇 | 굳셀 무, 날쌜 용 [bravery; prowess]
❶[속뜻] 무예(武藝)와 용맹(勇猛). ❷싸움에서 용맹스러움. ¶무용을 자랑하다.

무:인 武人 | 굳셀 무, 사람 인 [soldier; warrior]
무예(武藝)를 닦은 사람[人]. [비]무사(武士). [반]문인(文人).

무:장 武裝 | 굳셀 무, 꾸밀 장 [arm; equip an army]
❶[속뜻] 전쟁이나 전투[武]를 위한 장비(裝備)나 필요한 것을 갖춤. ¶무장 군인 / 총으로 무장하다. ❷필요한 사상이나 기술 따위를 단단히 갖춤. ¶정신 무장을 새롭게 하자 / 투철한 애국심으로 무장하다.

• 역순어휘

문무 文武 | 글월 문, 굳셀 무 [pen and sword]
❶[속뜻] 문관(文官)과 무관(武官). ❷문식(文識)과 무략(武略). 문화적인 방면과 군사적인 방면. ¶이순신은 문무를 겸비한 위인이다.

현무 玄武 | 검을 현, 굳셀 무 [dark and strong]
❶[속뜻] 빛깔은 검고[玄] 굳센[武] 성질을 가진 동물. ❷[민속] 사신(四神)의 하나. 북쪽 방위의 수(水) 기운을 맡은 태음신(太陰神)을 상징한 짐승. 거북과 뱀이 뭉친 형상이다.

0630 [보]

步

걸음 보:
[部] 止부 [劃] 7획 [中] 步 [bù]

步자는 두 개의 발자국 모양을 본뜬 것이었다. 상단의 '止'(발자국 지)가 옛 모습을 약간 유지하고 있다. 하단은 '止'가 거꾸로 써져 있으므로 '少'(적을 소)로 쓰면 틀리니 주의해야 한다. '걸음'(a step)을 그렇게 나타낸 것은 참으로 기발한 생각으로 당시 사람들의 창의성이 돋보이는 대목이다.

보:도 步道 | 걸음 보, 길 도 [sidewalk]
사람이 걸을[步] 때 사용되는 길[道]. ¶차도로 다니지 말고 보도로 다녀라. [비]인도(人道). [반]차도(車道).

보:병 步兵 | 걸음 보, 군사 병 [foot soldier]
❶[속뜻] 걸어 다니면서[步] 싸우는 병사(兵士). ❷[군사] 육군 병과의 하나. 소총이나 기관총 등을 가지고 육상에서 싸우는 군인. [비]보졸(步卒).

보:조 步調 | 걸음 보, 고를 조 [pace; step]
❶[속뜻] 걸음걸이[步]의 속도나 모양 따위의 상태[調]. ¶보조를 빨리 하다. ❷여럿이 함께 일을 할 때의 진행 속도나 조화. ¶보조를 맞추어 일하다.

보:초 步哨 | 걸음 보, 망볼 초 [sentry; guard]
❶[속뜻] 걸어 다니며[步] 망을 봄[哨]. ❷[군사] 부대의 경계선이나 각종 출입문에서 경계와 감시의 임무를 맡은 병사. ¶보초를 서다. [비]보초병(步哨兵).

보:폭 步幅 | 걸음 보, 너비 폭 [step; pace]
걸음[步]의 너비[幅]. ¶그는 보폭이 크다.

보:행 步行 | 걸음 보, 갈 행 [walk]
걸어[步] 다님[行]. ¶인간은 직립 보행한다.

• 역순어휘

경:보 競步 | 겨룰 경, 걸음 보 [walking race]
[운동] 일정한 거리를 어느 한쪽 발이 반드시 땅에 닿은 상태로 하여 걸어서[步] 빠르기를 겨루는 경기(競技).

구보 驅步 | 달릴 구, 걸음 보 [run]
달리듯[驅] 빨리 걸어감[步]. 또는 그런 걸음걸이. ¶단체구보

도보 徒步 | 걸을 도, 걸음 보 [walking]
탈것을 타지 않고 걸어서[步=徒] 감. ¶우리 집은 역에서 도보로 10분 거리에 있다. [비]보행(步行).

독보 獨步 | 홀로 독, 걸음 보 [going on alone]
남이 감히 따를 수 없을 만큼 혼자[獨] 앞서 걸어 감[步]. 매우 뛰어남.

산:보 散步 | 한가로울 산, 걸음 보 [take a walk]
한가로이[散] 거니는 걸음걸이[步]. ¶점심을 먹은 후 산보를 나갔다. [비]산책(散策).

속보 速步 | 빠를 속, 걸음 보 [quick pace]
빠른[速] 걸음걸이[步]. ¶속보로 걸으면 체중 감량에 도움이 된다.

양:보 讓步 | 사양할 양, 걸음 보 [yield; concess]
❶[속뜻] 앞서 걸어[步]가기를 사양(辭讓)함. ❷길이나 자리, 물건 따위를 사양하여 남에게 미루어 줌. ¶자리를 양보하다. ❸자기 주장을 굽혀 남의 의견을 좇음. ¶그들은 서로 한 치도 양보하지 않았다.

일보 一步 | 한 일, 걸음 보 [step]
❶[속뜻] 한[一] 걸음[步]. ¶일보 앞으로! / 그 회사는 도산 일보 전에 있다. ❷첫걸음. 시작. 초보. ¶정부는 장애인 문제 해결을 향해 일보 전진했다.

진:보 進步 | 나아갈 진, 걸음 보 [make advance]
한 걸음[步] 더 나아감[進]. 정도나 수준이 나아지거나 높아짐. ¶진보 세력 / 진보하는 과학 기술. [반]퇴보(退步).

초보 初步 | 처음 초, 걸음 보
[first steps; beginner; early stage]
❶[속뜻] 첫[初] 번째 걸음[步]. ❷학문이나 기술 따위의 가장 낮고 쉬운 정도의 단계. ¶초보 운전 / 물리학을 초보부터 배우다.

퇴:보 退步 | 물러날 퇴, 걸음 보
[fall backward; retrocede]
❶[속뜻] 뒤로 물러서서[退] 걸음[步]. ❷정도나 수준이 이제까지의 상태보다 뒤떨어지거나 못하게 됨. ¶전쟁으로 나라의 경제가 20년 이상 퇴보했다. [비]퇴행(退行). [반]진보(進步).

활보 闊步 | 넓을 활, 걸음 보 [stride; strut]
넓고[闊] 크게 걸음[步]. 당당히 걷는 일. ¶거리를 활보하다.

0631 [지]

支

지탱할 지
[部] 支부 [劃] 4획 [中] 支 [zhī]

支자는 '열 십'(十)과 '오른손 우'(又)가 조합된 것 같지만, 이 경우의 '十'은 '대나무 가지'를 본뜬 것이 잘못 변화된 것이다. 즉 '손에 대나무 가지를 들고 있는 모습'이었으니 '가지'(a branch)나 '줄기'(trunk)가 본뜻이었다. '가르다'(divide), '버티다'(stand; hold)로 확대 사용되는 예가 많아지자, 그 본뜻은 따로 枝(가지 지)자를 만들어 나타냈다.

[속뜻훈음] ①가를 지, ②버틸 지,

지국 支局 | 가를 지, 관청 국 [branch office]
본사나 본국에서 갈라져[支] 나가 각 지방에 설치되어 그 지역의 업무를 맡아보는 곳[局]. ¶신문사 지국.

지급 支給 | 가를 지, 줄 급 [give; provide; pay]
갈라서[支] 내어줌[給]. ¶장학금을 지급하다.

지류 支流 | 가를 지, 흐를 류
[tributary; branch stream]
원줄기에서 갈라져[支] 나간 물줄기[流]. 원줄기로 흘러 들어가는 물줄기. ¶양재천은 한강의 지류이다.

지배 支配 | 가를 지, 나눌 배
[control; govern; manage]
❶[속뜻] 가르고[支] 나눔[配]. ❷자기의 의사대로 복종하게 하여 다스림. ¶강한 나라의 지배를 받다 / 인간은 자연을 지배할 수 없다.

지불 支拂 | 가를 지, 털어낼 불 [pay]
❶[속뜻] 갈라서[支] 털어냄[拂]. ❷돈을 주어 값을 치름. ¶임금 지불 / 상점에서 물건 값을 지불하고 나왔다.

지사 支社 | 가를 지, 회사 사 [branch office]
본사에서 갈라져[支] 나가 일정 지역의 업무를 맡아보는 회사(會社). ¶해외지사를 설립하다. [반]본사(本社).

지서 支署 | 가를 지, 관청 서
[branch office; substation]
본서에서 갈라져[支] 나와 그 지역의 업무를 맡아보는 관청[署]. ¶지서에 불려가 조사를 받았다.

지소 支所 | 가를 지, 곳 소
[branch office; substation]
본소에서 갈라져[支] 나와 그 지역의 업무를 맡아보는 곳[所]. ¶각 지방에 지소를 설치하다.

지원 支援 | 버틸 지, 도울 원 [support]
버틸[支] 수 있도록 도와줌[援]. ¶아낌없는 지원에 깊이 감사드립니다.

지장 支障 | 버틸 지, 막을 장 [trouble; obstacle]
앞에 버티고[支] 가로막고[障] 있어 방해가 됨. ¶공사장에서 나오는 소음이 수업에 지장을 준다. [비]장애(障礙).

지점 支店 | 가를 지, 가게 점 [branch shop]
본점에서 갈라져[支] 나온 점포(店鋪). ¶그 은행은 전국에 150개 지점이 있다.

지주 支柱 | 버틸 지, 기둥 주 [pillar; support]
❶[속뜻]어떠한 물건이 쓰러지지 아니하도록 버티는[支] 기둥[柱]. ¶지진에 지주가 흔들거리기 시작했다. ❷'정신적·사상적으로 의지할 수 있는 근거나 힘'을 비유하여 이르는 말. ¶아저씨는 제 정신적 지주이십니다.

지지 支持 | 버틸 지, 지킬 지 [support]
❶[속뜻]버틸[支] 수 있도록 지켜줌[持]. ❷어떤 사람이나 단체 따위의 의견에 찬동하여 이를 위하여 힘을 씀. ¶어떤 후보를 지지하십니까?

지출 支出 | 가를 지, 날 출 [expend; pay]
갈라서[支] 내줌[出]. ¶수입에서 지출을 떼면 약간의 이익이 남는다 / 용돈의 대부분을 책 사는 데 지출했다. [반]수입(收入).

지탱 支撑 | 버틸 지, 버팀목 탱
[maintain; support; sustain]
❶[속뜻]버티어[支] 놓은 버팀목[撑]. ❷오래 버티어 유지함. ¶산소 호흡기로 목숨을 지탱하고 있다.

• 역순어휘 ————————————— •

수지 收支 | 거둘 수, 가를 지
[income and outgo; revenue and expenditure]
❶[속뜻]수입(收入)과 지출(支出). ¶수지 균형을 유지하다. ❷거래 관계에서 얻는 이익.

의지 依支 | 기댈 의, 버틸 지 [lean on]
❶[속뜻]다른 것에 기대어[依] 몸을 지탱(支撑)함. 또는 그렇게 하는 대상. ¶문기둥을 의지하여 간신히 서 있다 / 할머니는 지팡이에 의지하여 걸었다. ❷다른 것에 마음을 기대어 도움을 받음. 또는 그렇게 하는 대상. ¶언니는 나에게 큰 의지가 되었다 / 의지할 수 있는 사람이 필요하다.

0632 [방]

房

방 방
[部] 戶부 [劃] 8획 [中] 房 [fáng]

房은 집 몸 채(正室)의 '작은 방'(small room)을 가리키는 것이다. 방문은 대개 외짝 미닫이문이므로 '지게 호'(戶)자가 표의요소로 쓰였고, 方(모 방)은 표음요소이다.

방문 房門 | 방 방, 문 문 [chamber-door]
방(房)으로 드나드는 문(門). ¶누군가 방문을 두드렸다.

방세 房貰 | 방 방, 세놓을 세 [room rent]
남의 방(房)에 세(貰)를 들고 내는 돈. ¶방세가 비싸다.

• 역순어휘 ————————————— •

감방 監房 | 볼 감, 방 방 [cell]
교도소에서 죄수를 감시(監視)하기 위하여 가두어 두는 방(房). ¶사형수를 감방에 가두다.

난:방 暖房 | =煖房, 따뜻할 난, 방 방 [heating]
건물 전체 또는 방(房)을 따뜻하게[暖] 하는 일. [반]냉방(冷房).

냉:방 冷房 | 찰 랭, 방 방 [air-condition a room]
❶[속뜻]불을 피우지 않아 차게[冷] 된 방(房). ❷더위를 막기 위해 실내의 온도를 낮추는 일. ¶날이 더우니 냉방해 주십시오. [반]난방(煖房).

다방 茶房 | 차 다, 방 방 [tea house; coffee shop]
차[茶] 종류를 조리하여 팔거나 청량 음료 및 우유 따위 음료수를 파는 영업소[房]. [비]찻집.

독방 獨房 | 홀로 독, 방 방 [single room; cell]
❶[속뜻]혼자서[獨] 쓰는 방(房). ❷[법률]죄수 한 사람만을 가두어 놓는 감방. '독거감방'(獨居監房)의 준말. [비]독실(獨室).

문방 文房 | 글월 문, 방 방 [study; stationery]
❶[속뜻]글[文] 공부를 하는 방(房). ❷'문방구'(文房具)의 준말. ¶종이, 붓, 먹, 벼루는 문방사우(四友)이다. [비]서재(書齋).

서방 書房 | 쓸 서, 방 방 [one's husband]
❶[속뜻]글 쓰는[書] 방(房). ❷'남편'(男便)을 달리 이르

는 말. ❸지난날, 벼슬이 없는 남자의 성 아래에 붙여 일컫던 말. ❹손아래 친척 여자의 남편 성 아래에 붙여 일컫는 말.

셋:-방 貰房 | 세놓을 세, 방 방 [room for rent; room to let]
남에게 세(貰)를 놓은 방(房).

신방 新房 | 새 신, 방 방 [bridal room]
신랑과 신부가 첫날밤을 치르도록 새로[新] 꾸민 방(房). ¶신방에 불이 꺼지자 밖에서 구경하던 사람들이 까르르 웃었다.

약방 藥房 | 약 약, 방 방 [pharmacy]
약사가 약(藥)을 조제하거나 파는 곳[房]. [속담] 약방에 감초.

유방 乳房 | 젖 유, 방 방 [breast; mamma]
❶[속뜻] 젖[乳]을 분비하는 방(房) 형태의 부위. ❷성숙한 여자나 포유류의 암컷의 가슴 또는 배에 달려 있어 아기나 새끼에게 젖을 먹이는 기관. (비)젖, 가슴.

이:방 吏房 | 벼슬아치 리, 방 방
[역사] 조선 시대, 육방(六房) 중 관리(官吏)들의 인사에 관한 일과 비서 일을 맡던 관직[房].

주방 廚房 | 부엌 주, 방 방 [kitchen]
부엌[廚]이 있는 방(房). 음식을 만들거나 차리는 방. ¶그녀는 음식점 주방에서 일하고 있다.

책방 冊房 | 책 책, 방 방 [bookstore]
책(冊)을 팔거나 사는 집[房]. ¶책방에서 낡은 책을 하나 사오다. (비)서점(書店).

0633 [호]

戶

집 호:
部 戶부 畫 4획 中 戶 [hù]

戶자는 '지게문', 즉 '미닫이문'(a swing door)을 뜻하기 위하여 그 모양(門의 반쪽)을 본뜬 것이다. 옛날에 일반 백성의 집은 두 쪽 달린 대문[門]이 아니라 외짝 미닫이 문이었기에 평민들의 '집'(a residence)을 가리키는 것으로 쓰이는 예가 많다.

[속뜻훈음] **①집 호, ②지게 호.**

호:구 戶口 | 집 호, 입 구 [number of houses and families]
호적(戶籍)상 집[戶]의 수효와 식구(食口)의 수. ¶전국 단위로 호구 조사를 실시한다.

호:적 戶籍 | 집 호, 문서 적 [census registration]
❶[속뜻] 호수(戶數)와 식구 단위로 기록한 장부[籍]. ❷한 집안의 호주를 중심으로 그 가족들의 본적지, 성명, 생년월일 등 신분에 관한 것을 적은 공문서. ¶호적에 올리다.

호:주 戶主 | 집 호, 주인 주 [head of a family]
❶[속뜻] 한 집안[戶]의 주인(主人). ❷[법률] 한 집안의 주인으로서 가족을 거느리며 부양하는 일에 대한 권리와 의무가 있는 사람. ¶호주 상속 / 우리 집 호주는 아버지이시다.

• 역순어휘

문호 門戶 | 문 문, 집 호 [door]
❶[속뜻] 집[戶]으로 드나드는 문(門). ❷외부와 교류하기 위한 통로나 수단을 비유적으로 이르는 말. ¶외국에 문호를 개방하다.

창호 窓戶 | 창문 창, 지게 호 [windows and doors]
창문(窓)과 지게문[戶]을 아울러 이르는 말.

0634 [등]

燈

등 등
部 火부 畫 16획 中 灯 [dēng]

燈자는 본래 鐙(등불 등)자로 썼는데, 표의요소가 金(쇠 금)에서 火(불 화)로 바뀜으로써 뜻이 더욱 분명해졌다. 登(오를 등)은 표음요소이니 뜻과는 무관하다. '등불'(a lamplight)이란 본뜻으로 여전히 애용되고 있다.

[속뜻훈음] **등불 등.**

등대 燈臺 | 등불 등, 돈대 대 [lighthouse; beacon]
섬이나 바닷가에 세운 등불[燈]을 밝히는 탑[臺] 모양의 시설. 밤에 다니는 배에 목표, 뱃길, 위험한 곳 따위를 알려 주려고 불을 켜 비춘다. ¶등대의 불빛 덕분에 항로를 찾았다.

등유 燈油 | 등불 등, 기름 유 [lamp oil; kerosene]
등(燈)불을 켤 때 쓰는 기름[油]. 원유(原油)를 증류할 때 150℃에서 280℃ 사이에서 얻어지는 기름으로 가정용이나 공업용으로 쓰인다.

등잔 燈盞 | 등불 등, 잔 잔 [oil cup for a lamp]
기름을 담아 등(燈)불을 켜는 데에 쓰는 그릇[盞]. ¶등잔에 불을 붙이다. [속담] 등잔 밑이 어둡다.

• 역순어휘

관등 觀燈 | 볼 관, 등불 등 [Festival of Lanterns]
[불교] 초파일이나 절의 주요 행사 때에 온갖 등(燈)을 달아 불을 밝히고 구경하는[觀] 일.

석등 石燈 | 돌 석, 등불 등 [stone lantern]
돌[石]로 만든 등(燈). ¶석등에 불을 켜다.

연등 燃燈 | 태울 연, 등불 등
❶속뜻 심지를 불태워[燃] 밝게 밝힌 등(燈)불. ❷불교 연등놀이를 할 때에 밝히는 등불.

잔등 殘燈 | 남을 잔, 등불 등 [light]
밤늦게 심지가 다 타고 남은[殘] 희미한 등불[燈]. ¶어머니는 잔등의 불빛에 편지를 읽어 내려갔다.

전:등 電燈 | 전기 전, 등불 등 [electric lamp]
전기(電氣)의 힘으로 밝은 빛을 내는 등(燈). 흔히 백열전기등을 이른다. ¶그는 전등을 켜 놓은 채 잠들었다.

환:등 幻燈 | 헛보일 환, 등불 등
[movie projector; magic lantern]
실제로 있는 것처럼 헛보이게[幻] 비추는 등(燈). 'magic lantern'을 의역한 말.

0635 [연]

煙 연기 연
部 火부 劃 13획 中 烟 [yān]

煙자는 '그을음'(soot)를 뜻하기 위한 것이었으니 '불 화'(火)가 표의요소로 쓰였다. 垔(막을 인)은 표음요소였는데 음이 약간 달라졌다. 후에 '垔'과 음은 같지만 획수가 적어 쓰기 편리한 '因'으로 대체한 '烟'자로 쓰기도 하였다. 우리나라에서는 원래 글자인 '煙'을 즐겨 쓴다. 1616년(광해군 8년)에 전래된 '담배'(tobacco)를 가리키는 것으로도 사용된다. '연기'(smoke)같은 낱말, 또는 이와 의미상 연관이 있는 낱말들의 한 구성 요소로도 많이 쓰인다.

속뜻훈음 **①연기 연, ②그을음 연, ③ 담배 연.**

연기 煙氣 | 그을음 연, 기운 기 [smoke]
무엇이 불에 탈 때에 생겨나는 그을음[煙]이나 기체(氣體). ¶담배 연기 / 굴뚝에서 연기가 피어오른다.

연막 煙幕 | 연기 연, 막 막 [smoke screen]
❶속뜻 연기(煙氣)로 막(幕)을 쳐서 감추거나 숨김. ❷군사 적의 관측이나 사격으로부터 아군의 군사 행동 따위를 감추기 위하여 약품을 써서 피워 놓는 짙은 연기. ¶연막전술 / 연막탄(煙幕彈). 관용 연막을 치다.

연통 煙筒 | 연기 연, 대롱 통 [chimney]
연기(煙氣)가 지나가는 대롱[筒]. ¶그을음이 껴서 연통이 꽉 막혔다.

• 역순어휘 •

금:연 禁煙 | 금할 금, 담배 연 [prohibit smoking]
❶속뜻 담배[煙] 피우는 것을 금(禁)함. ¶금연 구역. ❷담배를 끊음. ¶아빠는 금연하기로 약속하셨다.

매연 煤煙 | 그을음 매, 연기 연 [sooty smoke]
그을음[煤]이 섞인 연기(煙氣). ¶매연이 적게 나오는 자동차를 개발했다.

흡연 吸煙 | 마실 흡, 담배 연 [smoke]
담배[煙] 연기를 빨아들여 마심[吸]. ¶흡연은 건강에 매우 해롭다 / 흡연은 폐암을 유발할 수 있다.

0636 [차]

次 버금 차
部 欠부 劃 6획 中 次 [cì]

次자는 입을 크게 벌리고 하품(欠·흠)을 하다가 침을 두 방울(二) 흘리는 모습이라는 설이 있다. 하품을 하고 침을 흘리며 공부하여 어찌 1등을 할 수 있으리오. 그래서 '버금'(second), '순서'(order)의 뜻으로도 쓰인다. '차례'(time; round) 같은 낱말, 또는 이와 의미상 연관이 있는 낱말의 한 구성 요소로도 많이 쓰인다.

속뜻훈음 **①버금 차, ②차례 차, ③순서 차.**

차관 次官 | 버금 차, 벼슬 관
[vice-minister; undersecretary]
❶역사 대한제국 때, 궁내부와 각 부(部)의 버금가는[次] 관직(官職). 또는 그 관리. ❷법률 소속 장관을 보좌하고 장관의 직무를 대행할 수 있는 정무직(政務職) 국가공무원.

차기 次期 | 버금 차, 때 기 [next term]
다음[次] 시기(時期). ¶그가 차기 이사장으로 선출되었다.

차남 次男 | 버금 차, 사내 남 [one's second son]
둘째[次] 아들[男]. ¶이 아이가 제 차남입니다. 반차녀(次女).

차례 次例 | 순서 차, 법식 례
[turn; table of contents; time]
❶속뜻 순서[次]에 따라 정한 법식[例]. 또는 순서대로 돌아오는 기회. ¶내가 노래할 차례가 되었다 / 숫자가 큰 것부터 차례대로 늘어놓다. ❷책이나 글 따위에서 벌여 적어 놓은 항목. ¶나는 책을 펴면 차례부터 읽는다. ❸일이 일어나는 횟수를 세는 단위. ¶그를 여러 차례 만났다. 비순서(順序).

차선 次善 | 버금 차, 좋을 선 [second best thing]
최선에 버금[次]가는 좋은[善] 방도. ¶차선이라고는 도망가는 방법밖에 없다.

차원 次元 | 버금 차, 으뜸 원 [dimension; level]

❶[속뜻] 으뜸[元]과 버금[次]의 정도나 수준. ❷사물을 보거나 생각하는 처지. 또는 어떤 생각이나 의견 따위를 이루는 사상이나 학식의 수준. ¶국가 차원의 문제 / 차원이 다른 대화. ❸[수학] 일반적으로 공간의 넓이 정도를 나타내는 수. 보통 직선은 1차원, 평면은 2차원, 입체는 3차원이지만, 4차원이나 무한 차원도 생각할 수 있다.

차장 次長 | 버금 차, 어른 장
[assistant director; vice-chief]
회사나 단체에서 부장 다음[次]의 직위[長]. 또는 그 사람.

차차 次次 | 차례 차, 차례 차
[gradually; by and by; later]
어떤 상태나 정도가 차례대로[次+次] 조금씩 진행하는 모양. ¶자세한 것은 차차 알게 될 것이다. [비]점점, 점차, 차츰.

• 역순어휘

누:차 屢次 | 여러 루, 차례 차
[many times; repeatedly]
여러[屢] 차례(次例). ¶누차 당부하다.

목차 目次 | 눈 목, 차례 차 [(a table of) contents]
내용의 항목(項目)이나 제목(題目)을 차례(次例)대로 배열한 것. ¶책의 목차. [비]차례(次例), 목록(目錄).

석차 席次 | 자리 석, 차례 차
[class order; ranking]
❶[속뜻] 자리[席]의 차례(次例). ❷성적의 차례. ¶석차를 매기다 / 석차가 지난번보다 떨어졌다. [비]등수(等數).

수:차 數次 | 셀 수, 차례 차 [several times]
몇[數] 차례(次例). 여러 차례. ¶나는 그에게 수차 경고했다.

일차 一次 | 한 일, 차례 차 [one time]
❶[속뜻] 한[一] 차례(次例). 한 번. ¶내일 중에 일차 방문하겠습니다. ❷첫 번. ¶일차 시험.

장차 將次 | 앞으로 장, 순서 차
[in future; some day]
❶[속뜻] 앞으로[將] 돌아올 순서[次]. ❷미래의 어느 때를 나타내는 말. ¶장차 커서 무엇이 되고 싶니?

재:차 再次 | 다시 재, 차례 차
[second time; twice]
다시[再] 온 두 번째 차례(次例). 두 번째. ¶답안지를 재차 확인하다. [비]거듭.

절차 節次 | 알맞을 절, 순서 차
[formalities; procedures]
일을 치르는 데 알맞은[節] 단계나 순서[次]. ¶절차를 밟다 / 복잡한 절차.

점:차 漸次 | 점점 점, 차례 차
[gradually; by degrees]
점점[漸] 차례(次例)대로. ¶현지는 점차 공부에 흥미를 느꼈다. [비]점점(漸漸), 차츰.

행차 行次 | 갈 행, 차례 차 [go; visit]
❶[속뜻] 길을 가는[行] 차례(次例). ❷웃어른이 길 가는 것을 높여 이르는 말. ¶왕의 행차를 따르다.

0637 [단]

端

끝 단
[部] 立부 [획] 14획 [中] 端 [duān]

端자는 '(자세가) 바르다'(correct; right)는 뜻을 나타내기 위한 것으로 '설 립'(立)이 표의요소로 쓰였다. 耑(시초 단)은 표음요소다. 耑은 '시초'(=처음, the start), '실마리'(a clue), '끝'(an end)이란 뜻이니 '단서'는 원래 耑緖로 써야 옳은데, 端緖로 쓰는 예가 많아지자 결국 端자를 '끝 단'이라고 하게 됐다.

[속뜻훈음] ①끝 단, ②바를 단, ③처음 단.

단말 端末 | 끝 단, 끝 말 [terminal]
❶[속뜻] 끄트머리[端=末]. 끝. ❷전기 회로의 전류의 출입구. ❸'단말기'(端末機)의 준말.

단서 端緖 | 끝 단, 실마리 서
[beginning; clue; key]
❶[속뜻] 끄트머리[端]나 실마리[緖]. ❷어떤 문제를 해결하는 실마리. ¶그녀는 문제 해결의 단서를 찾아냈다. [비]단초(端初).

단아 端雅 | 바를 단, 고울 아 [graceful; elegant]
자세가 바르고[端] 모습이 곱다[雅]. ¶단아한 모습.

단역 端役 | 끝 단, 부릴 역 [minor part; extra]
[연영] 영화나 연극의 배역 중에서 중요하지 않고 간단한 말단(末端) 배역(配役). 또는 그러한 역을 맡은 배우. ¶단역 배우 생활을 10년이나 했다. [반]주역(主役).

단오 端午 | 처음 단, 낮 오
[민속] 음력 5월에서 맨 첫[端] 5[五]일에 해당되는 명절을 '端五'라 했는데, 당나라 현종(玄宗)의 생일이 8월 5일이었으므로 '五'를 피하여 '端午'라 불렀다고 한다. [비]수릿.

단자 端子 | 끝 단, 접미사 자 [terminal]
[전기] 전기 기계나 기구 따위에서 쓰는 회로의 끝[端] 부분[子].

단적 端的 | 바를 단, 것 적 [direct; flat]
바르고[端] 명백한 것[的]. ¶단적인 예를 들어보겠다.

단정 端正 | 바를 단, 바를 정 [neat; tidy]

자세가 바르고[端] 마음이 올바름[正]. 품행이 단정함. ¶단정하게 앉다. [비]얌전하다.

• 역순어휘

극단 極端 | 다할 극, 끝 단 [extreme; extremity]
❶[속뜻]맨[極] 끄트머리[端]. ❷중용을 벗어나 한쪽으로 치우치는 일. ¶극단에 치우치다. ❸극도에 이르러 더 나아갈 수 없는 상태. ¶사태가 극단으로 치닫다.

남단 南端 | 남녘 남, 끝 단 [southern extremity]
남(南)쪽의 끝[端]. ¶한반도 남단에 위치한 부산.

발단 發端 | 나타날 발, 첫 단 [begin; commence]
❶[속뜻]어떤 일이 생겨난[發] 그 첫머리[端]. 처음으로 시작함. ¶민란이 발단되다. ❷어떤 일이 벌어지게 된 이유. ¶사건의 발단.

야:단 惹端 | 흐트러질 야, 바를 단
[raise an uproar]
❶[속뜻]바른[端] 것을 흐트림[惹]. ❷떠들썩하고 부산하게 일을 벌임. ¶밖에 눈이 왔다고 야단이다/ 명절이라 잔치한다고 온 동네가 야단났다. ❸소리를 높여 마구 꾸짖는 일. ¶야단을 맞다 / 나리는 거짓말을 하다가 어머니한테 야단맞았다. ❹난처하거나 딱한 일. ¶일이 빨리 수습돼야지, 이것 참 야단났네!

이:단 異端 | 다를 이, 끝 단 [heresy]
❶[속뜻]다른[異] 쪽 끝[端]. ❷전통이나 권위에 반항하는 주장이나 이론. ¶갈릴레이의 천동설은 당시 이단으로 간주되었다. ❸[종교]자기가 믿는 종교의 교리에 어긋나는 이론이나 행동. 또는 그런 종교. ¶그 종파는 이단으로 간주되고 있다.

첨단 尖端 | 뾰족할 첨, 끝 단
[point; tip; spearhead]
❶[속뜻]물건의 뾰족한[尖] 끝[端]. ❷시대의 흐름·유행 따위의 맨 앞장. ¶첨단 기술을 도입하다.

폐:단 弊端 | 해질 폐, 끝 단 [abuse; evil]
❶[속뜻]옷 따위의 찢어지고 해진[弊] 끝[端] 부분. ❷좋지 못한 나쁜 점. ¶사교육의 폐단을 줄이다. [준]폐.

하:단 下端 | 아래 하, 끝 단 [lower end]
아래쪽[下]의 끝[端]. ¶바지의 하단을 잘라 길이를 줄였다. [반]상단(上端).

0638 [감]

監

볼 감
[部]皿부 [劃]14획 [中]监 [jiān, jiàn]

監자의 원형은 물이 담긴 대야[皿·명] 앞에 엎드려 앉아서[人과 一] 눈(臣은 目이 잘못 변한 것임)으로 들여 다 보고 있는 모습이었다. '(얼굴을) 비쳐 보다'(look at oneself in a mirror)가 본뜻이다. 인류 최초의 거울은 수면이었다. '살피다'(observe; guard)는 뜻으로도 많이 쓰인다.

[속뜻훈음] ①볼 감, ②살필 감.

감금 監禁 | 볼 감, 금할 금 [imprison; confine]
감시(監視)하기 위하여 일정한 곳에 가두어 둠[禁]. 가두어서 신체의 자유를 속박함. ¶구치소에 감금하다.

감독 監督 | 볼 감, 살필 독 [supervise; control]
보살피고[監] 잘 살펴봄[督]. 또는 그런 사람. ¶시험을 감독하다 / 축구 감독.

감방 監房 | 볼 감, 방 방 [cell]
교도소에서 죄수를 감시(監視)하기 위하여 가두어 두는 방(房). ¶사형수를 감방에 가두다.

감사[1] 監司 | 볼 감, 벼슬 사 [governor]
❶[속뜻]감시(監視)하는 직책을 맡은 벼슬[司]. ❷[역사]관찰사(觀察使). [속담]평양감사도 저 싫으면 그만.

감사[2] 監査 | 볼 감, 살필 사 [audit]
감독(監督)하고 검사(檢査)함. ¶국정 감사 / 회계감사. [비]감독(監督), 검사(檢査), 감찰(監察).

감수 監修 | 볼 감, 닦을 수
[supervise the compilation]
책을 편찬하고 수정(修正)하는 일을 감독(監督)하는 일. ¶이 책은 국문학자가 감수했다.

감시 監視 | 볼 감, 볼 시 [observe]
단속하기 위하여 주의 깊게 살펴[監]봄[視]. ¶죄수를 감시하다.

감영 監營 | 살필 감, 꾀할 영 [government office]
❶[속뜻]잘 살펴서[監] 일을 꾀함[營]. ❷[역사]조선 시대, 관찰사가 직무를 보던 관청.

감옥 監獄 | 볼 감, 가둘 옥 [prison; jail]
죄인을 감시(監視)하기 위하여 가둠[獄]. 또는 그런 곳. ¶경찰은 범인을 감옥에 가두었다. [비]감방(監房), 형무소(刑務所), 교도소(矯導所).

감찰 監察 | 볼 감, 살필 찰 [inspect]
❶[속뜻]감시(監視)하여 살핌[察]. 또는 그 직무. ❷단체의 규율과 단원의 행동을 살피고 감독하는 일. 또는 그 직무. ¶비리사건에 연루된 기관을 모두 감찰했다. [비]감시(監視), 감사(監査), 감독(監督), 단속(團束).

• 역순어휘

교:감 校監 | 학교 교, 볼 감 [vice-principal]
[교육]학교장을 도와서 학교(學校)를 관리하거나 감독(監督)하는 일을 수행하는 직책. 또는 그런 사람.

대:감 大監 | 큰 대, 볼 감
[His your Excellency]
❶속뜻 큰[大] 일을 맡아보던[監] 벼슬아치. ❷역사 조선 시대, 정이품 이상의 벼슬아치의 존칭. ❸대신이나 장관 등의 지위에 있는 관리의 존칭.

도감 都監 | 모두 도, 살필 감
❶속뜻 모든[都] 일을 살펴봄[監]. ❷역사 나라의 일이 있을 때 임시로 설치하던 관아.

사감 舍監 | 집 사, 볼 감 [dormitory dean]
기숙사(寄宿舍)에서 기숙생들의 생활을 감독(監督)하는 사람. ¶B사감과 러브레터.

상:감 上監 | 위 상, 볼 감 [His Majesty; King]
❶속뜻 위[上]에서 살펴봄[監]. ❷'임금'의 높임말. ¶상감께서 명을 내리셨다.

수감 收監 | 거둘 수, 감방 감 [confine in prison]
죄인 등을 감방(監房)에 가둠[收]. ¶그는 교도소에 수감 중이다.

영:감 令監 | 시킬 령, 볼 감
[old man; one's husband]
❶속뜻 명령(命令)하고 감찰(監察)하는 사람. ❷나이가 많아 중년이 지난 남자를 대접하여 이르는 말. ¶스크루지 영감. ❸나이 든 부부 사이에서 아내가 그 남편을 이르는 말. ¶이 목걸이는 우리 영감이 사준 거예요.

현:감 縣監 | 고을 현, 볼 감
❶속뜻 고을[縣]의 감찰(監察). ❷역사 고려와 조선 시대, 작은 현(縣)의 우두머리.

0639 [성]

盛

성할 성:
部 皿부 劃 12획
中 盛 [shèng, chéng]

盛자는 '(그릇에 가득) 담다'(put in; fill)는 뜻하기 위한 것이었으니 '그릇 명'(皿)이 표의요소로 쓰였다. 成(이룰 성)은 표음요소로 뜻과는 무관하다. '가득하다'(be filled up)는 뜻으로 확대 사용됐다.

속뜻 훈음 ①가득할 성, ②담을 성.

성:대 盛大 | 가득할 성, 큰 대
[be grand; magnificent]
가득할[盛] 정도로 크게[大]. ¶결혼식은 성대하게 치러졌다.

성:행 盛行 | 가득할 성, 행할 행 [prevail]
가득할[盛] 정도로 널리 행(行)해짐. ¶인터넷 쇼핑의 성행.

성:황 盛況 | 가득할 성, 상황 황 [prosperity]
어떤 장소에 가득한[盛] 상황(狀況). 또는 그런 모임이나 행사. ¶성황을 이루다.

• 역순어휘

강성 強盛 | 굳셀 강, 가득할 성
[powerful; thriving]
굳센[強] 투지로 가득 참[盛]. ¶강성한 국력.

극성 極盛 | 다할 극, 가득할 성 [very prosperous]
❶속뜻 더 이상 빈곳이 없을 정도로[極] 가득함[盛]. ❷성질이나 행동이 매우 드세거나 적극적임. ¶아이가 장난감을 사달라고 극성이다.

무:성 茂盛 | 우거질 무, 가득할 성 [thick]
초목 따위가 우거져[茂] 가득함[盛]. ¶풀이 무성하다.

번성 繁盛 | =蕃盛, 많을 번, 담을 성
[prosper; flourish]
❶속뜻 많이[繁] 담겨 있음[盛]. ❷한창 성하게 일어나 퍼짐. ¶자손의 번성 / 사업이 번성하다.

왕:성 旺盛 | 성할 왕, 가득할 성 [be prosperous]
한창 성하고[旺] 가득 참[盛]. ¶혈기 왕성 / 식욕이 왕성하다.

융성 隆盛 | 높을 륭, 가득할 성 [prosperity]
매우 높고[隆] 크게 번성(繁盛)함. ¶국가의 융성.

전성 全盛 | 완전할 전, 가득할 성
[height of prosperity]
완전(完全)히 가득함[盛]. 한창 무르익음.

풍성 豐盛 | 넉넉할 풍, 가득할 성
[be abundant; plentiful]
❶속뜻 넉넉하고[豐] 가득함[盛]. ❷넉넉하고 많음. ¶풍성하게 맺은 열매.

0640 [익]

益

더할 익
部 皿부 劃 10획 中 益 [yì]

益자는 그릇[皿]에 물[水]이 철철 흘러 넘치는 모양으로 '넘치다'(overflow)가 본래 의미였다. 후에 '더하다'(add up; sum up)는 뜻으로 확대 사용되는 예가 많아지자, 본래의 뜻은 溢(넘칠 일)자를 따로 만들어 나타냈다.

익충 益蟲 | 더할 익, 벌레 충 [beneficial insect]
인간생활에 유익(有益)한 곤충(昆蟲). 해충을 잡아먹거나 식물의 꽃가루를 옮기는 등 직접·간접으로 도움을 준다. 반 해충(害蟲).

• 역순어휘 •

공익 公益 | 여럿 공, 더할 익 [public good]
개인이 아닌 여러 사람[公]의 이익(利益). ¶공익광고 / 공익을 도모하다. (반)사익(私益).

국익 國益 | 나라 국, 더할 익 [national interest]
나라[國]의 이익(利益). ¶국익을 증진하다. (비)국리(國利).

권익 權益 | 권리 권, 더할 익
[rights (and) interests]
권리(權利)와 그에 따르는 이익(利益). ¶국민의 권익을 보호하다.

무익 無益 | 없을 무, 더할 익 [useless; futile]
이익(利益)이 없음[無]. ¶담배는 무익하다. (반)유익(有益)하다.

손:익 損益 | 덜 손, 더할 익
[profit and loss; loss and gain]
❶속뜻 덜어짐[損]과 더해짐[益]. ❷손실(損失)과 이익(利益). ¶손익을 따지다.

수익 收益 | 거둘 수, 더할 익 [earn a profit]
일이나 사업 등을 하여 이익(利益)을 거두어[收] 들임. 또는 그 이익. ¶막대한 수익을 올리다.

유:익 有益 | 있을 유, 더할 익
[profitable; advantageous; useful]
이로움[益]이 있음[有]. 이점(利點)이 있음. ¶유익을 주다 / 이 동영상은 영어를 배우는 데 유익하다. (반)무익(無益).

이:익 利益 | 이로울 리, 더할 익
[benefit; profit; gains]
❶속뜻 이(利)롭고 보탬[益]이 됨. ❷물질적으로나 정신적으로 보탬이 되는 것. ¶이익을 보다 / 공공의 이익. ❸경제 기업의 결산 결과 모든 경비를 빼고 남은 순소득. ¶우리 회사는 상반기 이익이 증가했다. (비)이득(利得). (반)손실(損失), 손해(損害).

편익 便益 | 편할 편, 더할 익
[convenience; facility]
편리(便利)하고 유익(有益)함. ¶에너지의 사용으로 우리는 많은 편익을 얻었다.

홍익 弘益 | 클 홍, 더할 익 [public advantage]
❶속뜻 크게[弘] 이롭게[益]함. ❷널리 이롭게 함. ¶홍익인간의 이념을 오늘에 되살리다.

0641 [독]

督

감독할 독
(部) 目부 (總) 13획 (中) 督 [dū]

督자는 '(눈을 부릅뜨고) 살피다'(look at)는 뜻을 나타내기 위한 것이었으니 '눈 목'(目)이 표의요소로 쓰였다. 叔(숙)이 표음요소임은 䂷(등솔기 독)도 마찬가지이다.

독촉 督促 | 살필 독, 재촉할 촉 [press; demand]
일이나 행동을 잘 살펴보아[督] 재촉함[促]. ¶그렇게 독촉하지 마. (비)재촉, 독책(督責).

• 역순어휘 •

감독 監督 | 볼 감, 살필 독 [supervise; control]
보살피고[監] 잘 살펴봄[督]. 또는 그런 사람. ¶시험을 감독하다 / 축구 감독.

기독 基督 | 터 기, 살필 독 [Christ]
기독교 '제사장', '예언자'를 뜻하는 포르투갈어 'Christo'를 일본 한자음으로 음역한 '基利斯督'(일본음, Kirisuto)의 줄임말.

제독 提督 | 거느릴 제, 살필 독
[admiral; commodore]
함대를 거느리고[提] 군사를 감독(監督)하는 사령관. ¶삼촌이 해군 제독이 되었다.

총:독 總督 | 거느릴 총, 살필 독
[governor-general; viceroy]
하위 조직을 거느리고[總] 감독(監督)함. 또는 그런 사람.

0642 [안]

眼

눈 안:
(部) 目부 (總) 11획 (中) 眼 [yǎn]

眼자는 '눈동자'(the pupil of the eye)를 뜻하기 위한 것이었으니 '눈 목'(目)이 표의요소로 쓰였다. 艮(어긋날 간)은 표음요소였는데 음이 다소 달라졌다. 후에 '눈'(an eye)을 통칭하는 것으로 확대 사용됐다.

안:경 眼鏡 | 눈 안, 거울 경 [glasses]
시력이 나쁜 눈[眼]을 잘 보이도록 눈에 쓰는 거울[鏡]. ¶안경을 쓰다. 속담 제 눈에 안경이다.

안:과 眼科 | 눈 안, 분과 과
[department of ophthalmology]
의학 눈[眼]에 관계된 질환을 연구하고 치료하는 의학의 한 분과[科]. 또는 병원의 그 부서. ¶안과 의사.

안:대 眼帶 | 눈 안, 띠 대 [eye bandage]
눈병이 났을 때 아픈 눈[眼]을 가리는 띠[帶] 모양의 천 조각. ¶결막염에 걸려서 안대를 했다.

안:목 眼目 | 볼 안, 눈 목 [appreciative eye]
❶속뜻 보는[眼] 눈[目]. ❷사물을 보고 분별하는 견식. ¶그녀는 그림을 보는 안목이 있다.

안:약 眼藥 | 눈 안, 약 약 [eyewash]
약학 눈[眼]병을 고치는 데 쓰는 약(藥).

안:중 眼中 | 눈 안, 가운데 중 [mind]
❶속뜻 눈[眼]의 안[中]. ❷관심이나 의식의 범위 내. ¶그는 자기 밖에는 안중에 없다.

안:하 眼下 | 눈 안, 아래 하 [under one's eyes]
눈[眼] 아래[下].

• 역순어휘

보:안 保眼 | 지킬 보, 눈 안
눈[眼]을 보호(保護)함. ¶보안을 위해 안경을 낀다.

육안 肉眼 | 몸 육, 눈 안 [naked eye]
❶속뜻 몸[肉]에 붙은 눈[眼]이나 시력. ❷눈으로 보는 표면적인 안식(眼識). ¶그 별은 육안으로는 볼 수 없다. ⓑ맨눈.

착안 着眼 | 붙을 착, 눈 안
[pay attention to; fix one's eyes upon]
❶속뜻 눈[眼]을 가까이 대어[着] 봄. ❷어떤 일을 주의하여 봄. 또는 어떤 문제를 해결하기 위한 실마리를 잡음. ¶착안 사항 / 이 제품은 지렛대의 원리에서 착안된 것이다.

혈안 血眼 | 피 혈, 눈 안 [bloodshot eye]
❶속뜻 기를 쓰고 덤벼서 핏발[血]이 선 눈[眼]. ❷어떠한 일을 힘을 다하여 애타게 하는 것. ¶그는 돈을 버는 데에 혈안이 되어 있다.

0643 [진]

眞

참 진
部 目부 劃 10획 ⊕ 真 [zhēn]

眞자의 구조 풀이에 대하여 '진짜' 정설은 없다. 확실하지 않은 억지는 부리지 말자. 본래 의미가 '신선이 모습을 바꾸어 하늘로 오르는 것'이라고 하는데, 이것도 道家(도:가)사상에 감염된 것이니 신빙성이 낮다. 어쨌든 '참'(=진짜, true; genuine)을 뜻하는 것으로 많이 쓰이는 것만큼은 분명한 사실이다.

진가 眞價 | 참 진, 값 가 [true value; real worth]
참된[眞] 값어치[價]. ¶진가를 발휘하다 / 작품의 진가를 인정하다.

진골 眞骨 | 참 진, 뼈 골
❶속뜻 진(眞)급의 골품(骨品). ❷역사 신라 시대 신분제인 골품제도의 둘째 등급. 부계와 모계 가운데 한쪽만 왕족이고 한쪽은 귀족일 때 성립한다. ¶태종 무열왕 이후로는 진골 출신이 왕이 되었다.

진공 眞空 | 참 진, 빌 공 [vacuum]
물리 물질이 전혀 존재하지 아니하고 진정(眞正)으로 비어있는[空] 곳. 인위적으로 만들어낼 수는 없고, 실제 극히 저압의 상태를 이른다. ¶진공으로 포장하면 음식을 오래 보존할 수 있다.

진담 眞談 | 참 진, 말씀 담 [serious talk]
진심(眞心)에서 우러나온 거짓이 없는 참된 말[談]. ¶그는 진담 반 농담 반으로 이야기했다. ⓑ농담(弄談).

진리 眞理 | 참 진, 이치 리 [truth; fact]
참된[眞] 이치(理致). 또는 참된 도리. ¶그 진리를 깨닫는 데 오랜 시간이 걸렸다.

진범 眞犯 | 참 진, 범할 범 [real offender]
참[眞] 범인(犯人). 직접 죄를 저지른 사람. ¶그가 구속되었지만 사실 진범은 따로 있었다.

진상 眞相 | 참 진, 모양 상 [truth; actual facts]
참된[眞] 모습[相]. 사물이나 현상의 거짓 없는 모습이나 내용. ¶사건의 진상을 밝히다.

진성 眞性 | 참 진, 성질 성 [one's true character]
사물이나 현상의 있는 그대로의 진짜[眞] 성질(性質).

진솔 眞率 | 참 진, 소탈할 솔 [honest; sincere]
진실(眞實)하고 소탈하다[率]. ¶자신의 꿈을 진솔하게 이야기하다.

진수 眞髓 | 참 진, 골수 수 [essence]
진짜[眞] 중요한 골수(骨髓)가 되는 부분. 사물이나 현상의 가장 중요하고 본질적인 부분. ¶이것이 고전음악의 진수이다.

진실 眞實 | 참 진, 실제 실
[truthful; honest; frank]
거짓이 아닌[眞] 사실(事實). ¶진실 혹은 거짓 / 사람들을 진실하게 대하다/ 나는 진실로 너를 사랑한다. ⓑ참. ⓑ거짓, 허위(虛僞).

진심 眞心 | 참 진, 마음 심 [whole heart; sincerity]
거짓이 없는 참된[眞] 마음[心]. ¶합격을 진심으로 축하한다.

진위 眞僞 | 참 진, 거짓 위
[genuineness or spuriousness]
참[眞]과 거짓[僞]. 또는 진짜와 가짜를 통틀어 이름. ¶보석의 진위를 밝히다.

진의 眞意 | 참 진, 뜻 의 [real intention]
속에 품고 있는 참[眞] 뜻[意]. 또는 진짜 의도. ¶그의 진의가 무엇인지 걷잡을 수가 없다.

진정[1] 眞正 | 참 진, 바를 정 [truly]

❶[속뜻] 참되고[眞] 바르게[正]. ❷거짓 없이 참으로. ¶진정한 애국자 / 선생님을 뵙게 되어 진정 반갑습니다.

진정² 眞情 | 참 진, 실상 정 [sincerity]
❶[속뜻] 거짓이나 꾸밈이 없는 참된[眞] 실상[情]. ¶일부러 진정을 숨겼다. ❷참되고 애틋한 정이나 마음. ¶진정을 털어놓다 / 진정으로 사랑하다 / 진정으로 말하다.

진주 眞珠 | 참 진, 구슬 주 [pearl]
❶[속뜻] 진짜[眞] 구슬[珠]. ❷연체동물 부족류 조개의 체내에 생긴 탄산칼슘이 주성분인 구슬 모양의 광택이 나는 이상 분비물. 우아하고 아름다운 빛깔의 광택이 나서 장신구로 쓴다. ¶진주 목걸이가 피부색과 잘 어울린다.

진지 眞摯 | 참 진, 지극할 지 [serious; sincere]
말이 참답고[眞] 태도가 지극하다[摯]. ¶농담을 너무 진지하게 받아들인다.

진품 眞品 | 참 진, 물건 품
[genuine article; real thing]
진짜[眞] 물건[品]. ¶진품을 가려내기가 쉽지 않다. [반] 모조품(模造品), 위조품(僞造品).

진홍 眞紅 | 참 진, 붉을 홍 [dark red; crimson]
❶[속뜻] 참으로[眞] 붉음[紅]. ❷짙은 붉은빛.

• 역순어휘 •

박진 迫眞 | 닥칠 박, 참 진
[truthfulness to life; verisimilitude]
표현 따위가 사실[眞]처럼 다가옴[迫]. 현실의 모습과 똑같다고 느낌.

사진 寫眞 | 베낄 사, 참 진 [photograph; picture]
❶[속뜻] 진짜[眞]처럼 그대로를 베낌[寫]. ❷물체의 형상을 감광막 위에 나타나도록 찍어 오랫동안 보존할 수 있게 만든 영상. ¶사진을 찍다 / 가족 사진.

순진 純眞 | 순수할 순, 참 진 [naive; pure]
마음이 순수(純粹)하고 진실(眞實)됨. ¶순진을 잃지 않다 / 순진한 마음.

천진 天眞 | 하늘 천, 참 진
[innocent; simple; natural]
천성(天性) 그대로 꾸밈이 없이 참됨[眞]. 자연 그대로 거짓이 없고 순진함. ¶천진한 표정 / 아이가 눈을 깜박이며 천진스럽게 웃는다.

0644 [연]

研

갈 연:
[部] 石부 [劃] 11획 ㊥ 研 [yán]

研자는 '(돌로) 갈다'(grind)는 뜻을 나타내기 위한 것이었으니 '돌 석'(石)이 표의요소로 쓰였다. 그 나머지가 표음요소임은 姸(고울 연)도 마찬가지다. 숫돌에 칼을 갈면서 무언가 골똘히 생각에 잠기는 예가 많았는지 '깊이 생각하다'(think over)는 뜻도 이것으로 나타냈다. 먹을 갈 때 쓰는 '벼루'(an ink stone)도 이것으로 쓰다가 따로 '硯'자를 만들었다.

연:구 研究 | 갈 연, 생각할 구 [study; research]
❶[속뜻] 머리를 문지르며[研] 골똘히 생각함[究]. ❷어떤 일이나 사물에 대하여 깊이 있게 조사하고 생각하여 진리를 따져 보는 일. ¶위암 연구 / 우리말 한자어 연구에 평생을 바쳤다.

연:수 研修 | 갈 연, 닦을 수 [study; master]
학문 따위를 갈고[研] 닦음[修]. ¶해외 연수를 가다.

0645 [파]

破

깨뜨릴 파:
[部] 石부 [劃] 10획 ㊥ 破 [pò]

破자는 '(돌을) 깨뜨리다'(break; crack)가 본뜻이므로 '돌 석'(石)이 표의요소로 쓰였고, 皮(가죽 피)가 표음요소임은 頗(자못 파)도 마찬가지이다.

파:격 破格 | 깨뜨릴 파, 격식 격
[breaking rules; make an exception]
격식(格式)을 깨뜨림[破]. 격식에 벗어남. ¶전품목 파격 세일.

파:계 破戒 | 깨뜨릴 파, 경계할 계
[violate the commandments]
계율(戒律)을 깨뜨림[破]. ¶그는 파계를 하고 속세로 돌아왔다.

파:괴 破壞 | 깨뜨릴 파, 무너질 괴
[destroy; ruin; demolish]
부수어[破] 무너뜨림[壞]. ¶환경 파괴 / 지진은 순식간에 도시를 파괴했다. [반] 건설(建設).

파:국 破局 | 깨뜨릴 파, 판 국
[collapse; catastrophe]
❶[속뜻] 깨어진[破] 장면이나 형세[局]. ❷일이나 사태가 잘못되어 결판이 남. ¶사태는 파국으로 치달았다.

파:멸 破滅 | 깨뜨릴 파, 없어질 멸
[be ruined; be wrecked]
완전히 깨어져[破] 없어짐[滅]. ¶지나친 욕심이 그의 파멸을 가져왔다 / 인류는 전쟁 때문에 파멸할 것이다.

파:산 破産 | 깨뜨릴 파, 재물 산
[be ruined; become bankrupt]

❶ 속뜻 재산(財産)을 모두 잃어 망함[破]. ¶사장은 회사의 파산을 막으려고 갖은 애를 쓰고 있다 / 다니던 회사가 파산되어 나는 일자리를 잃었다. ❷ 법률 빚진 사람이 돈을 갚을 수 없게 되는 경우, 그의 재산 모두를 털어서 고루 갈라 갚을 것을 법으로 명령하는 것. ㊥도산(倒産).

파:상 破傷 | 깨뜨릴 파, 다칠 상 [injury; wound]
깨지고[破] 다침[傷]. 또는 그 상처.

파:손 破損 | 깨뜨릴 파, 상할 손
[be damaged; be destroyed]
깨어지거나[破] 상하게[損] 됨. ¶자동차는 사고로 심하게 파손되었다.

파:안 破顔 | 깨뜨릴 파, 얼굴 안
[break into a smile]
얼굴[顔]이 일그러질[破] 정도. ¶파안대소(破顔大笑).

파:열 破裂 | 깨뜨릴 파, 찢어질 렬
[explode; burst]
깨어지고[破] 찢어짐[裂]. 쪼개짐. ¶보일러 파열로 사람이 다쳤다.

파:지 破紙 | 깨뜨릴 파, 종이 지
[waste paper; useless paper]
❶ 속뜻 찢어진[破] 종이[紙]. ❷못쓰게 된 종이. ¶종이를 오리는 과정에서 파지가 많이 생겼다.

파:탄 破綻 | 깨뜨릴 파, 터질 탄
[break; fail; come to a rupture]
❶ 속뜻 그릇이 깨지고[破] 옷이 터짐[綻]. ❷일이나 계획 따위가 중도에서 잘못됨. ¶가정 파탄 / 양측의 협상은 파탄되었다.

파:편 破片 | 깨뜨릴 파, 조각 편
[broken piece; fragment]
깨진[破] 조각[片]. ¶유리 파편이 발바닥에 박혔다.

파:혼 破婚 | 깨뜨릴 파, 혼인할 혼
[break off a marriage engagement]
혼인(婚姻) 관계를 깨뜨림[破]. ¶그녀는 결혼 일주일 전에 파혼했다. ㊥약혼(約婚).

• 역순어휘

간파 看破 | 볼 간, 깨뜨릴 파 [see through]
보아서[看] 속사정을 꿰뚫어[破] 알아차림. ¶상대의 의도를 간파했다.

격파 擊破 | 칠 격, 깨뜨릴 파 [defeat; destruct]
주먹 따위로 쳐서[擊] 부숨[破]. ¶맨손으로 벽돌을 격파하다.

난파 難破 | 어려울 난, 깨뜨릴 파
[be shipwrecked]
배가 항해 중에 폭풍우 따위의 어려움[難]을 만나 부서지거나[破] 뒤집힘.

대:파 大破 | 큰 대, 깨뜨릴 파
[be greatly destroyed]
크게[大] 부서지거나 깨뜨림[破]. 또는 크게 쳐부숨. ¶적군을 대파하다.

독파 讀破 | 읽을 독, 깨뜨릴 파 [reading through]
많은 분량의 책이나 글을 처음부터 끝까지 모두 다 읽어[讀] 버림[破]. ㊥독료(讀了).

돌파 突破 | 부딪칠 돌, 깨뜨릴 파 [break through]
❶ 속뜻 부딪쳐서[突] 깨뜨려[破] 뚫고 나아감. ¶범인은 경찰 저지선을 돌파하고 도망쳤다. ❷일정한 기준이나 기록 따위를 지나서 넘어섬. ¶세계 인구가 65억을 돌파했다. ❸장애나 어려움 따위를 이겨냄. ¶난관을 돌파하다.

동:파 凍破 | 얼 동, 깨뜨릴 파
[be frozen to burst]
얼어서[凍] 터짐[破]. ¶추운 날씨에 수도관이 동파했다.

주파 走破 | 달릴 주, 깨뜨릴 파
[run the whole distance]
정해진 거리를 달려서[走] 끝까지 감[破]. ¶그 선수는 100미터를 10초 안에 주파하였다.

타:파 打破 | 칠 타, 깨뜨릴 파
[abolish; break down]
쳐서[打] 깨뜨림[破]. ¶나쁜 관습(慣習)을 타파하다.

폭파 爆破 | 터질 폭, 깨뜨릴 파 [blast; explode]
폭발(爆發)시켜 깨뜨림[破]. ¶건물을 산산이 폭파하다.

0646 [포]

砲

대포 포(:)
㊀石부 ㊀10획 ㊥砲 [pào]

砲자는 '(돌로 만든) 탄알'(a bullet)을 나타내기 위하여 만들어진 것이었으니 '돌 석'(石)이 표의 요소로 쓰였고, 包(보따리 포)는 표음요소이다. '대포'(a gun)라는 낱말, 또는 이와 의미상 연관이 깊은 낱말들의 한 구성 요소로 쓰이기도 한다.

속뜻 훈음 **①대포 포, ②탄알 포.**

포격 砲擊 | 대포 포, 칠 격
[bombard; cannonade]
대포(大砲)를 쏨[擊]. ¶일주일째 계속된 포격으로 도시는 폐허로 변했다.

포대 砲臺 | 대포 포, 돈대 대 [battery; casemate]

군사 포(砲)를 설치하여 쏠 수 있도록 견고하게 만든 시설물[臺].

포병 砲兵 | 대포 포, 군사 병 [artilleryman]
군사 대포(大砲) 종류로 장비된 군대. 또는 그에 딸린 군인[兵]. ¶포병이 장전하기 위해 대포로 갔다.

포성 砲聲 | 대포 포, 소리 성 [sound of gunfire]
대포(大砲)를 쏠 때 나는 소리[聲]. ¶우르르하는 포성이 천지를 뒤흔들었다.

포:수 砲手 | 탄알 포, 사람 수 [hunter]
총알[砲]을 쏘아 짐승을 잡는 사냥꾼[手]. ¶사슴을 쫓는 포수는 산을 보지 못한다.

포탄 砲彈 | 대포 포, 탄알 탄 [cannon ball; shell]
대포(大砲)의 탄환(彈丸). ¶적진에 포탄을 퍼붓다.

포화 砲火 | 대포 포, 불 화 [gunfire; shellfire]
총포(銃砲)를 쏠 때 일어나는 불[火].

포환 砲丸 | 대포 포, 알 환 [cannonball; shot]
❶속뜻 대포(大砲)의 탄알[丸]. ¶화약과 포환. ❷운동 포환던지기에 쓰이는 쇠로 만든 공. ¶운동장에서 선수가 포환을 던졌다.

• 역순어휘

대:포 大砲 | 큰 대, 탄알 포 [gun; cannon]
❶속뜻 화약의 힘으로 큰[大] 탄알[砲]을 멀리 내쏘는 무기. ¶대포 소리에 깜짝 놀랐다. ❷'허풍'이나 '거짓말'을 비유하여 이르는 말. ¶대포도 어지간히 놓아라. ㊟포

발포 發砲 | 쏠 발, 탄알 포 [fire; shoot]
탄알[砲]를 쏨[發]. ¶발포를 명령하다.

축포 祝砲 | 빌 축, 대포 포 [cannon salute]
행사에서 축하(祝賀)의 뜻으로 쏘는 총이나 대포의 공포(空砲). ¶대회의 개막을 알리는 축포가 터졌다.

화:포 火砲 | 불 화, 대포 포 [gun; firearm]
❶속뜻 화약(火藥)으로 쏘는 대포(大砲). ❷군사 대포 따위처럼 화약의 힘으로 탄환을 내쏘는 대형 무기. ¶화포 공격.

0647 [확]

確
굳을 확
㊀石부 ㊀15획 ㊥ 确 [què]

確자는 '(돌처럼 단단할 정도로) 굳다'(hard; solid)를 뜻하기 위한 것이었으니, '돌 석'(石)이 표의요소로 쓰였고, 隺(새 높이 날 확)은 표음요소다.

확고 確固 | 굳을 확, 굳을 고 [firm; definite]
확실하고[確] 굳음[固]. ¶그의 결심은 매우 확고했다.

확답 確答 | 굳을 확, 답할 답 [definite answer]
확실(確實)히 대답(對答)함. ¶확답을 주세요.

확률 確率 | 굳을 확, 비율 률 [probability]
수학 사건 따위가 일어날 확실성(確實性)의 정도나 비율(比率). ¶복권이 당첨될 확률은 매우 낮다.

확립 確立 | 굳을 확, 설 립 [establish; settle]
확고(確固)하게 세움[立]. ¶가치관을 확립하다.

확보 確保 | 굳을 확, 지킬 보 [secure; insure]
확실(確實)하게 보유(保)함. ¶자금을 확보하다.

확신 確信 | 굳을 확, 믿을 신 [be convinced; be sure]
굳게[確] 믿음[信]. ¶확신에 찬 목소리.

확실 確實 | 굳을 확, 실제 실 [certain; definite]
확고(確固)한 사실(事實)이 됨. 실제와 틀림없다. ¶그가 훔쳐갔다는 확실한 증거는 없다 / 그가 언제 올지 확실히 모르겠다.

확언 確言 | 굳을 확, 말씀 언 [state definitely; assert; assure]
확실(確實)한 말[言]. ¶그는 확언을 피했다 / 감독은 팀의 승리를 확언했다.

확인 確認 | 굳을 확, 알 인 [confirm; make sure]
❶속뜻 확실(確實)하게 인정(認定)함. ❷틀림없는지를 알아보는 것. ¶주문 확인 / 예약 확인.

확정 確定 | 굳을 확, 정할 정 [decide; confirm]
확실(確實)하게 정(定)함. ¶소풍 날짜를 확정 짓다.

확증 確證 | 굳을 확, 증거 증 [confirm; prove definitely]
확실(確實)한 증거(證據). 확실히 증명함. ¶그가 범인이라는 확증을 잡았다 / 그의 이론은 실험으로 확증되었다.

• 역순어휘

명확 明確 | 밝을 명, 굳을 확 [definite; clear]
분명(分明)하고 확실(確實)함. ¶명확한 증거가 있다.

정:확 正確 | 바를 정, 굳을 확 [correct; exact]
바르고[正] 확실(確實)함. ¶그는 모든 일에 정확을 기한다 / 좀 더 정확히 이야기해 줘. ㊥부정확(不正確).

0648 [금]

禁
금할 금:
㊀示부 ㊀13획 ㊥ 禁 [jìn, jīn]

禁자는 '제사 시'(示)가 표의요소이며, 林(수풀 림)은 표음요소라는 설이 있다. '피하다'(avoid)가 본뜻이라 한다. 옛날에는 제사지낼 때 갖은 정성을 다하였으므로 삼가 하거나 피해야 하는 일이 많았다. '못하게 하

다'(=금하다, forbid)는 뜻으로 더 많이 쓰인다.

금:기 禁忌 | 금할 금, 꺼릴 기 [taboo]
❶[속뜻] 신앙이나 관습 등으로 금(禁)하거나 꺼림[忌]. ❷ 어떤 약이나 치료법이 좋지 않은 것으로 여겨 쓰지 않는 일.

금:물 禁物 | 금할 금, 만물 물 [prohibited thing]
❶[속뜻] 매매나 사용이 금지(禁止)된 물건(物件). ❷해서는 안 되는 일. ¶방심은 금물이다.

금:식 禁食 | 금할 금, 먹을 식 [fast]
치료나 종교, 또는 그 밖의 이유로 얼마 동안 음식물을 먹지[食] 않는 일[禁]. ¶이 환자는 금식해야 합니다.

금:연 禁煙 | 금할 금, 담배 연 [prohibit smoking]
❶[속뜻] 담배[煙] 피우는 것을 금(禁)함. ¶금연 구역. ❷ 담배를 끊음. ¶아빠는 금연하기로 약속하셨다.

금:욕 禁慾 | 금할 금, 욕심 욕
[asceticism; abstinence]
성적(性的) 욕구(慾求)나 욕망을 억제함[禁]. ¶수도사는 금욕 생활을 한다.

금:주 禁酒 | 금할 금, 술 주 [stop drinking]
❶[속뜻] 술[酒]을 못 마시게 함[禁]. ❷술을 끊음. ¶금주를 결심하다.

금:지 禁止 | 금할 금, 멈출 지 [prohibit; ban]
❶[속뜻] 금(禁)하여 멈추게[止] 함. ❷말리어 못하게 함. ¶총기류의 수입을 금지하다. [비]저지(沮止). [반]허가(許可).

• 역순어휘

감금 監禁 | 볼 감, 금할 금 [imprison; confine]
감시(監視)하기 위하여 일정한 곳에 가두어 둠[禁]. 가두어서 신체의 자유를 속박함. ¶구치소에 감금하다.

구금 拘禁 | 잡을 구, 금할 금 [detain; confine]
[법률] 피고인 또는 피의자를 구치소나 교도소 따위에 가두어[拘] 신체의 자유를 금(禁)하는 것. ¶경찰서에 구금되다. [비]구류(拘留).

엄금 嚴禁 | 엄할 엄, 금할 금
[prohibit strictly; forbid strictly]
엄격(嚴格)하게 금지(禁止)함. 절대로 못하게 함. ¶출입 엄금 / 주유소에서의 흡연을 엄금한다.

0649 [제]

祭

제사 제:
[部] 示부 [총] 11획 [中] 祭 [jì]

祭자는 삶은 고기 덩어리[肉→月]을 손[又]으로 집어 제사상[示] 위에 바치는 모습을 통하여 '제사 지내다'(perform an ancestral sacrifice) '제사'(sacrificial rites)라는 뜻을 나타낸 것이다.

제:관 祭官 | 제사 제, 벼슬 관 [officiating priest]
제사(祭祀)를 맡은 관원(官員).

제:기 祭器 | 제사 제, 그릇 기
[ritual dishes or utensils]
제사(祭祀)에 쓰는 그릇[器].

제:단 祭壇 | 제사 제, 단 단 [altar]
❶[속뜻] 제사(祭祀)를 지내는 단(壇). ❷[종교] 제물(祭物)을 바치기 위하여 다른 곳과 구별하여 마련한 신성한 단(壇). 종교적으로 의례의 중심을 이룬다.

제:례 祭禮 | 제사 제, 예도 례 [sacrificial rituals]
제사(祭祀)를 지내는 예법(禮法)이나 예절. [비]제식(祭式).

제:물 祭物 | 제사 제, 만물 물
[things offered in sacrifice]
제사(祭祀)에 쓰는 음식물(飮食物). ¶양을 제물로 바치다. [비]제수(祭需).

제:사[1] 祭司 | 제사 제, 맡을 사 [priest; officiant]
제사(祭祀)를 주관하는[司] 사람.

제:사[2] 祭祀 | 제사 제, 제사 사
[religious service; sacrificial rites]
신령이나 죽은 사람의 넋에게 정성을 다하여 제물(祭物)을 바쳐 추모하고 복을 비는 의식[祀]. ¶제사를 지내다. [속담] 남의 제사에 감 놓아라 배 놓아라 한다.

제:상 祭床 | 제사 제, 평상 상 [sacrificial table; table used in a religious service]
제사(祭祀)를 지낼 때 제물을 올려놓는 평상(平床). '제사상'의 준말.

제:수 祭需 | 제사 제, 쓰일 수
[expenses of the service]
제사(祭祀)에 쓰이는[需] 여러 가지 물품. ¶제수를 장만하다.

제:전 祭典 | 제사 제, 의식 전
[religious celebration]
❶[속뜻] 제사(祭祀)의 의식[典]. ❷문화, 예술, 체육 따위와 관련하여 성대히 열리는 사회적인 행사. ¶민속놀이 제전.

제:주 祭主 | 제사 제, 주인 주 [chief mourner]
제사(祭祀)의 주체(主體)가 되는 상제. ¶큰 형이 제주가 되어 아버지 제사를 지냈다.

제:천 祭天 | 제사 제, 하늘 천
하늘[天]에 제사(祭祀)를 지냄. ¶부여의 제천 의식은 '영고'라고 불렀다.

• 역순어휘

사제 司祭 | 맡을 사, 제사 제 [(Catholic) priest]
[가톨릭] ❶의식과 전례[祭]를 맡은[司] 성직자. 주교 아래의 직위이다. ❷주교와 신부를 통틀어 이르는 말.

축제 祝祭 | 빌 축, 제사 제 [festival]
❶[속뜻] 축하(祝賀)하는 뜻에서 거행하는 제전(祭典). ❷경축하여 벌이는 큰 잔치나 행사를 이르는 말. ¶도시는 온통 축제 분위기에 휩싸였다.

0650 [표]

票

표 표
[部] 示부 [획] 11획 [中] 票 [piào]

票자는 본래 '불똥'(sparks of fire)을 뜻하기 위한 것이었으니 '불 화'(火)가 표의요소로 쓰였는데, 특별한 이유 없이 '제사 시'(示)로 바뀌었다. 윗부분은 쪽지를 들고 불에 태우는 모습이 변화된 것이었다. 후에 '쪽지'(a ticket)를 뜻하는 것으로 많이 쓰이게 되자, '불똥'은 熛(표)자를 따로 만들어 나타냈다.

[속뜻훈음] 쪽지 표.

• 역순어휘

개:표[1] 改票 | 고칠 개, 쪽지 표 [check tickets]
차표나 입장권[票] 따위를 입구에서 개찰(改札)하는 일. [비]개찰(改札).

개표[2] 開票 | 열 개, 쪽지 표 [count the votes]
투표함을 열어[開] 투표(投票)의 결과를 점검하는 일. ¶모두가 보는 가운데 개표하다.

기표 記票 | 기록할 기, 쪽지 표 [fill in a ballot]
투표(投票) 용지에 써넣음[記].

득표 得票 | 얻을 득, 쪽지 표 [poll votes]
투표(投票)에서 자신을 지지하는 표(票)를 얻음[得]. 또는 그 얻은 표. ¶그는 과반수 득표로 당선되었다.

매:표 賣票 | 팔 매, 쪽지 표 [sell tickets]
쪽지(티켓)[票]를 팖[賣].

수표 手票 | 손 수, 쪽지 표 [check]
❶[속뜻] 손[手]바닥만한 크기의 종이쪽지[票]. ❷[경제] 은행에 당좌 예금을 가진 사람이 소지인에게 일정한 금액을 줄 것을 은행 등에 위탁하는 유가증권.

암:표 暗票 | 몰래 암, 쪽지 표
[illegal ticket; scalpers ticket]
몰래[暗] 사고파는 입장권 따위의 표(票). ¶표는 벌써 매진되고 암표만 나돌았다.

우표 郵票 | 우편 우, 쪽지 표 [postage stamp]
우편 요금을 낸 표시로 우편물(郵便物)에 붙이는 증표(證票). ¶엄마는 우표를 수집하신다.

전표 傳票 | 전할 전, 쪽지 표 [voucher; slip; chit]
은행, 회사, 상점 따위에서 금전의 출납이나 거래 내용 따위를 간단히 적어 전(傳)하는 쪽지[票]. ¶매출전표를 작성하다.

증표 證票 | 증거 증, 쪽지 표 [token; memento]
증거(證據)로 주는 표(票). 증거가 될 만한 표. ¶돈을 받았다는 증표로 영수증을 주었다.

차표 車票 | 수레 차, 쪽지 표 [ticket; pass]
차(車)를 탈 수 있음을 증명한 쪽지[票]. ¶차표가 없으면 들어갈 수 없다. [비]승차권(乘車券).

투표 投票 | 던질 투, 쪽지 표 [vote; ballot]
❶[속뜻] 표(票)를 던짐[投]. ❷선거를 하거나 가부를 결정할 때에 투표용지에 의사를 표시하여 일정한 곳에 내는 일. ¶이번 방학 때 어디로 놀러 갈지 투표로 정하자.

0651 [옥]

玉

구슬 옥
[部] 玉부 [획] 5획 [中] 玉 [yù]

玉자는 '옥'(=구슬, jade)을 나타내기 위하여 납작하고 둥근 고리 모양의 옥 세 개를 실로 꿰어 놓은 모양을 그린 것이다. 점을 찍어놓은 것은 '임금 왕'(王)과 혼동을 피하기 위함이었다. 중국의 대표적인 보물이 바로 옥이므로 '보물'(a treasure), '귀하다'(precious)같은 의미를 나타내는 것으로도 널리 쓰였다.

옥동 玉童 | 구슬 옥, 아이 동
옥(玉)처럼 귀한 어린(童) 아이. '옥동자'(玉童子)의 준말.

옥루 玉漏 | 구슬 옥, 샐 루
옥(玉)으로 만든 물시계. 물이 새어[漏] 떨어지는 힘으로 기륜이 회전되면서 12개의 인형이 북·종·징 등을 쳐서 시간을 알려준다. ¶장영실은 자격루(自擊漏)와 옥루를 만들었다.

옥새 玉璽 | 구슬 옥, 도장 새 [Royal Seal]
옥(玉)으로 만든 나라를 대표하는 도장[璽]. ¶조서를 옥새로 봉인했다. [비]국새(國璽).

옥색 玉色 | 구슬 옥, 빛 색 [jade green]
옥(玉)의 빛깔[色]과 같이 엷은 푸른색.

옥좌 玉座 | 구슬 옥, 자리 좌 [king's chair]
임금이 앉는 옥(玉)으로 만든 자리[座]. 또는 임금의 지위. [비]왕좌(王座).

옥편 玉篇 | 구슬 옥, 책 편

[dictionary of Chinese characters]
❶[속뜻] 옥(玉)같이 귀한 책[篇]. ❷낱낱의 한자 뜻을 풀이한 책. [비]자전(字典).

• 역순어휘 •

백옥 白玉 | 흰 백, 구슬 옥 [white gem]
흰[白] 빛깔의 옥(玉). ¶그녀의 피부는 백옥 같다.

주옥 珠玉 | 구슬 주, 구슬 옥 [gem; jewel]
❶[속뜻] 구슬[珠]과 옥(玉)을 통틀어 이르는 말. ❷'여럿 가운데 가장 아름답고, 값지며 귀한 것'을 비유하는 말. ¶그는 200여 편의 주옥같은 시를 썼다.

0652 [신]

申

납[猿] 신
[部] 田부 [획] 5획 [中] 申 [shēn]

申자는 번갯불이 번쩍이는 모양을 본뜬 것으로 '번개'(lightning)가 본래 의미였다. 후에 '알리다'(tell; inform)는 뜻으로 활용되는 예가 많아지자 본뜻은 電(번개 전)자를 따로 만들어 나타냈다. 아홉 번째 地支(지지)로도 쓰이고 띠로는 '원숭이'(a monkey)에 해당되므로 순우리말인 '납'을 써서 '납 신'이라는 훈을 달기도 하였다. 앞으로는 알기 쉽도록 '원숭이 신'으로 바꾸어 부르는 것이 낫겠다.
[속뜻훈음] ①알릴 신, ②원숭이 신.

신고 申告 | 알릴 신, 알릴 고 [state; report]
[법률] 국민이 법령의 규정에 따라 행정 관청에 일정한 사실을 알림[申=告]. ¶혼인 신고 / 세관에 카메라를 신고하다.

신청 申請 | 알릴 신, 청할 청
[apply for; request]
원하는 바를 알리고[申], 그것을 해달라고 요청(要請)함. ¶그녀에게 데이트를 신청했다 / 주민등록등본 신청.

• 역순어휘 •

갑신 甲申 | 천간 갑, 원숭이 신
[민속] 천간의 '甲'과 지지의 '申'이 만난 간지(干支). ¶갑신년에 태어난 사람은 원숭이 띠이다.

내:신 內申 | 안 내, 아뢸 신
[confidential report]
❶[속뜻] 내적(內的)으로 남몰래 아룀[申]. ❷[교육] 상급 학교 진학이나 취직과 관련하여 선발의 자료가 될 수 있도록 지원자의 출신 학교에서 학업 성적, 품행 등을 적어 보냄. 또는 그 성적. ¶이 학교는 내신 1등급만 지원할 수 있다.

0653 [류]

留

머무를 류
[部] 田부 [획] 10획 [中] 留 [liú]

留자는 '(어떤 곳에) 머무르다'(stay)는 뜻을 나타내기 위하여 만들어진 것이었으니, '밭'이나 '땅'을 가리키는 田(전)이 표의요소에 해당된다. 卯(네째 지지 묘)가 표음요소임은 柳(버들 류)도 마찬가지다.

유념 留念 | 머무를 류, 생각 념
[consider; mind; regard; attend to]
❶[속뜻] 어떤 생각[念]에 오래 머무름[留]. ❷기억하여 오래오래 생각함. ¶각별히 건강에 유념하다.

유의 留意 | 머무를 류, 뜻 의
[keep in mind; be mindful]
마음[意]에 두고[留] 관심을 가짐. ¶유의 사항 / 건강에 특별히 유의하십시오. [비]유념(留念).

유치 留置 | 머무를 류, 둘 치 [custody; detain]
❶[속뜻] 남의 물건을 보관해[留] 둠[置]. ❷[법률] 구속의 집행 및 재판의 진행이나 그 결과의 집행을 위하여 일정한 곳에 사람을 가두어 두는 일.

유학 留學 | 머무를 류, 배울 학 [study abroad]
외지나 외국에 머물며[留] 공부함[學]. ¶해외 유학을 떠나다 / 그는 영국에서 3년간 유학했다.

• 역순어휘 •

거류 居留 | 살 거, 머무를 류 [live in]
❶[속뜻] 어떤 곳에 살며[居] 머무름[留]. ❷외국의 거류지에 삶. ¶외국에 거류하고 있는 한국인을 대피시켰다.

구류 拘留 | 잡을 구, 머무를 류
[detain; hold into custody]
❶[속뜻] 붙잡아[拘] 일정한 곳에 머무르게[留] 함. ❷[법률] 죄인을 1일 이상 30일 미만 동안 교도소나 경찰서 유치장에 가두어 자유를 속박하는 일. 또는 그런 형벌. [비]구금(拘禁), 유치(留置).

만류 挽留 | 당길 만, 머무를 류
[hold back; detain]
붙잡아[挽] 머무르게[留] 함. 못하게 말림. ¶그는 만류를 뿌리치고 집으로 돌아갔다. [비]만지(挽止), 만집(挽執).

보:류 保留 | 지킬 보, 머무를 류
[reserve; suspend]
어떤 일을 결정하지 않고 그대로[保] 둠[留]. 결정을 미루어 놓은 상태. ¶여행을 보류하다. [비]유보(留保).

억류 抑留 | 누를 억, 머무를 류 [detain; intern]
가지 못하게 억눌러[抑] 머무르게[留] 함. ¶억류상태에 있다.

정류 停留 | 멈출 정, 머무를 류
[stoppage; stop]
멈추어[停] 머무름[留].

체류 滯留 | 막힐 체, 머무를 류 [stay; sojourn]
❶[속뜻] 길이 막히어[滯] 그곳에 머물러[留] 있음. ❷어떤 곳에 머물러 있음. ¶이모는 외국에 체류 중이다.

0654 [전]

田

밭 전
[部] 田부 [劃] 5획 [中] 田 [tián]

田자는 갑골문 이래 약 3400년 동안 자형이 고스란히 잘 보존되어 있는 매우 희귀한 예다. 글자 모양으로부터 누구나 짐작할 수 있듯이 '밭'(a dry field)을 뜻한다. 예전에는 '논'(a rice field)도 이것으로 나타냈다. '사냥하다'(hunt)는 뜻도 이것으로 나타내다가 후에 따로 畋(사냥할 전)자를 만들어 나타냈다.

전답 田畓 | 밭 전, 논 답
[dry fields and paddy fields]
밭[田]과 논[畓]. [비]논밭.

전원 田園 | 밭 전, 동산 원 [country]
❶[속뜻] 논밭[田]과 동산[園]. ❷도시에서 떨어진 시골이나 교외(郊外)를 이르는 말. ¶전원 생활 / 아름다운 전원의 풍경을 바라보다.

• 역순어휘

단전 丹田 | 붉을 단, 밭 전
[hypogastric center]
❶[속뜻] 붉은[丹] 밭[田] 같은 곳. ❷배꼽 아래 한 치 다섯 푼(4.53cm) 되는 곳. 도가(道家)에서는 이곳을 힘의 원천이라고 여겼다. ¶단전에 힘을 주다.

염전 鹽田 | 소금 염, 밭 전 [salt field]
소금[鹽]을 만들기 위하여 바닷물을 끌어들여 논[水田]처럼 만든 곳. 바닷물을 여기에 모아서 막아 놓고 햇볕에 증발시켜서 소금을 얻는다. ¶신안에는 염전이 많다.

유전 油田 | 기름 유, 밭 전
[oil field; oil land]
석유(石油)가 나는 곳을 밭[田]에 비유하여 이르는 말. ¶연구팀이 알래스카에서 유전을 발견했다.

화:전 火田 | 불 화, 밭 전
[농업] 농사를 짓기 위해 산이나 들에 불[火]을 질러 일군 밭[田]. ¶화전을 일구다.

0655 [구]

究

연구할 구
[部] 穴부 [劃] 7획 [中] 究 [jiū]

究자는 '구멍의 맨 끝'(the end of a hole)을 이르는 것이었으니 '구멍 혈'(穴)이 표의요소로 발탁됐고, 九(아홉 구)는 표음요소로 뜻과는 무관하다. 후에 '다하다'(be exhausted)는 뜻으로도 쓰였으며, 막다른 곳에 이르면 생각이 골똘해지는 때문인지 '골똘히 생각하다'(think over)는 뜻으로도 확대 사용됐다.

[속뜻훈음] **생각할 구.**

구명 究明 | 생각할 구, 밝을 명 [study; inquiry]
물의 본질, 원인 따위를 깊이 연구(硏究)하여 밝힘[明]. ¶사고 원인을 구명하다.

• 역순어휘

강:구 講究 | 익힐 강, 생각할 구
[study; considerate]
❶[속뜻] 사물을 깊이 조사하여[講] 연구(硏究)함. ❷알맞은 방법이나 방책을 연구함. ¶대책을 강구하다.

연:구 硏究 | 갈 연, 생각할 구 [study; research]
❶[속뜻] 머리를 문지르며[硏] 골똘히 생각함[究]. ❷어떤 일이나 사물에 대하여 깊이 있게 조사하고 생각하여 진리를 따져 보는 일. ¶위암 연구 / 우리말 한자어 연구에 평생을 바쳤다.

탐구 探究 | 찾을 탐, 생각할 구
[investigate; make researches in]
진리나 법칙 따위를 찾아[探] 깊이 연구(硏究)함. ¶야생동물을 탐구하다.

0656 [세]

稅

세금 세:
[部] 禾부 [劃] 12획 [中] 税 [shuì]

稅자는 '벼 화'(禾)가 표의요소이다. 兌(태)가 표음요소임은 說(달랠 세)와 涗(잿물 세)를 통하여 짐작할 수 있다. '구실'(a tax)이 본뜻이다. '구실'이 각종 세금을 일컫는 우리말임을 아는 사람은 국어 수준이 대단한 셈이다. '세금'(a tax)이라는 낱말, 또는 이와 의미상 연관이 깊은 낱말들의 한 구성 요소로 많이 쓰인다.

[속뜻훈음] **①세금 세, ②구실 세.**

세:관 稅關 | 세금 세, 빗장 관 [customs]

법률 공항, 국경[關] 등에서 드나드는 화물이나 선박을 검사하고 세금(稅金)을 물리는 등의 일을 하는 관청.

세:금 稅金 | 구실 세, 돈 금 [tax]
법률 국가나 지방 공공단체가 구실[稅]로 징수하는 돈[金].

세:무 稅務 | 세금 세, 일 무
[taxation business]
세금(稅金)을 매기고 거두어들이는 일[務]. ¶세무 조사를 하다.

• 역순어휘

과세 課稅 | 매길 과, 세금 세 [tax]
세금(稅金)을 매김[課]. 또는 그 세금. ¶개인 소득의 1%를 과세하다.

관세 關稅 | 빗장 관, 세금 세
[tariff; customs duties]
법률 세관(稅關)을 통과(通過)하는 화물에 대하여 부과되는 조세(租稅). ¶수입 자동차에 높은 관세를 물리다. ⓑ통관세(通關稅).

국세 國稅 | 나라 국, 세금 세 [national tax]
법률 국가(國家)의 재정을 충당하기 위하여 국민에게 부과하여 거두어들이는 세금(稅金). ¶국세를 징수하다. ⓟ지방세(地方稅).

납세 納稅 | 바칠 납, 세금 세
[payment of taxes]
세금(稅金)을 바침[納]. ¶납세의 의무. ⓑ세납(稅納).

면:세 免稅 | 면할 면, 세금 세
[exempt from taxation]
법률 세금(稅金)을 면제(免除)함. ¶면세제품.

보:세 保稅 | 지킬 보, 세금 세 [bond]
법률 관세(關稅)의 부과를 유보(留保)하는 일. 관세 부과를 미룸.

수세 收稅 | 거둘 수, 세금 세 [collect taxes]
법률 세금(稅金)을 거둠[收]. 조세(租稅)를 징수함.

조세 租稅 | 구실 조, 세금 세 [taxes; taxation]
법률 세금으로 거두어들이는 돈[稅=租]. ¶정부는 농민들의 조세부담을 덜어 주기로 했다. ⓒ세. ⓑ세금(稅金).

탈세 脫稅 | 벗을 탈, 세금 세
[evade taxes]
❶속뜻 교묘하게 납세(納稅)의 의무를 벗어남[脫]. ❷납세자가 납세액(納稅額)의 전부 또는 일부를 내지 않는 일. ¶거액을 탈세하다.

혈세 血稅 | 피 혈, 세금 세 [blood tax]
❶속뜻 피[血] 같은 세금(稅金). ❷매우 귀중한 세금. ¶국민의 혈세가 낭비되고 있다.

0657 [이]

移

옮길 이
部 禾부 劃 11획 中 移 [yí]

> 移자의 본래 뜻은 '(벼의 이삭같이) 약함'(frail)을 이르는 것이었기에 '벼 화'(禾)가 표의요소로 쓰였다. 多(많을 다)는 표음요소였다고 한다. 후에 본래 의미로는 거의 쓰이지 않고 '옮기다'(move)는 차용 의미로 많이 쓰이고 있다.

이동 移動 | 옮길 이, 움직일 동 [move; travel]
옮겨[移] 움직임[動]. 움직여서 자리를 바꿈. ¶이동전화 / 공연 중에는 자리를 이동하지 마십시오 / 차를 다른 곳으로 이동시키십시오.

이민 移民 | 옮길 이, 백성 민 [emigrate]
다른 나라의 땅으로 옮겨가서[移] 사는 사람[民]. ¶그는 중국에서 캐나다로 이민했다.

이사 移徙 | 옮길 이, 옮길 사 [move]
살던 곳을 떠나 다른 데로 옮김[移=徙]. ¶영철이는 시골로 이사를 간다.

이식 移植 | 옮길 이, 심을 식 [transplant; implant]
❶속뜻 농작물이나 나무를 다른 데로 옮겨[移] 심음[植]. ¶울릉도에서 가져온 나무를 마당에 이식했다. ❷의학 생체(生體)의 일부 조직을 다른 생체나 부위에 옮겨 붙이는 일. 또는 그런 치료법. ¶간이식 수술. ⓑ이종(移種).

이앙 移秧 | 옮길 이, 모 앙
[transplant rice seedlings]
농업 모[秧]를 옮겨[移] 심음. ⓑ모내기.

이양 移讓 | 옮길 이, 사양할 양
[transfer; hand over]
권리 따위를 남에게 넘겨[移]주어 양보(讓步)함. ¶민정이양(民政移讓) / 미얀마에서는 평화롭게 정권이 이양되었다.

이장 移葬 | 옮길 이, 장사 지낼 장
무덤을 옮겨[移] 새로 장사지냄[葬]. ¶할아버지의 묘를 이장하다. ⓑ개장(改葬).

이전 移轉 | 옮길 이, 옮길 전
[move; remove; transfer]
처소나 주소 따위를 다른 데로 옮김[移=轉]. ¶주소 이전 / 사무실을 이전하다.

이주 移住 | 옮길 이, 살 주 [move; emigrate]
다른 곳이나 다른 나라로 옮겨[移] 가서 삶[住]. ¶많은 농촌 청년들이 도시로 이주했다. ⓟ정착(定着).

이체 移替 | 옮길 이, 바꿀 체 [transfer]
서로 옮기어[移] 바꿈[替]. ¶이체 수수료 / 계좌로 돈을 이체하다.

• 역순어휘

전:이 轉移 | 구를 전, 옮길 이
[spread; metastasize]
❶속뜻 자리나 위치 따위를 다른 곳으로 굴러[轉] 옮김[移]. ¶한 나라의 문화는 다른 나라로 전이되기도 한다. ❷의학 병원체나 종양 세포가 혈류나 림프류를 타고 흘러서 다른 장소로 옮겨와 변화를 일으킴. ¶암세포가 뇌까지 전이되었다.

추이 推移 | 밀 추, 옮길 이 [change; advance]
❶속뜻 밀어[推] 옮김[移]. ❷시간이 흐름에 따라 사물의 상태가 변하여 가는 일. ¶사건의 추이를 지켜보다.

0658 [정]

程

한도/길[道] 정
部 禾부 劃 12획 中 程 [chéng]

程자는 '(벼의) 품급'(a grade)을 나타내기 위한 것이었으니 '벼 화'(禾)가 표의요소로 쓰였고, 呈(드릴 정)은 표음요소다. 후에 본래 의미보다는 '(일정한) 분량'(a measure), '거리'(an interval; a road) 등을 나타내는 것으로 많이 활용됐다.
속뜻훈음 ①거리 정, ②분량 정.

정도 程度 | 분량 정, 법도 도 [limit; degree]
❶속뜻 일정한 분량[程]과 법도[度]. ❷얼마의 분량. 또는 알맞은 어떠한 한도. ¶한 숟가락 정도의 소금 / 장난도 정도껏 해라 / 어느 정도는 인정할 수 있다.

• 역순어휘

공정 工程 | 장인 공, 과정 정 [progress of work]
기술적 작업[工]이 진행되어 가는 과정(過程).

과:정¹ 過程 | 지날 과, 거리 정
[process; course]
지나온[過] 거리[程]. 또는 일이 되어가는 경로. ¶생산 과정.

과정² 課程 | 매길 과, 분량 정 [curriculum]
정해진[課] 일이나 학업의 분량[程]. ¶대학 과정을 마치다.

방정 方程 | 모 방, 과정 정
중국 고대 수학서인 『구장산술』(九章算術) 가운데 한 장. 『구장산술』에 따르면 자 모양으로 배열한 것을 '方'이라 하고, 계산 과정을 '程'이라 하였다.

상:정 上程 | 위 상, 과정 정
[bring up (a bill) for discussion]
❶속뜻 바로 위[上] 단계의 과정[過程]. ❷토의할 안건을 회의에 올림. ¶법안을 본회의에 상정하다.

여정 旅程 | 나그네 려, 거리 정
[itinerary; plan for one's journey]
여행(旅行)하는 거리[程]. ¶나는 매일 밤 숙소에 돌아와 그날의 여정을 기록했다.

음정 音程 | 소리 음, 거리 정 [interval; tone; step]
음악 높이가 다른 두 음(音) 사이의 거리[程]. ¶음정을 잘 맞추면 노래가 재미있다.

이:정 里程 | 거리 리, 거리 정
[mileage; distance]
목적지까지 거리[程]의 이수(里數). ¶이곳에서 서울까지의 이정이 얼마나 될까?

일정 日程 | 날 일, 거리 정 [day's schedule]
❶속뜻 하루[日]에 가야할 거리[程]. ❷하루하루 해야 할 일. ¶나의 일정은 아침 7시부터 시작된다. ❸일정한 기간에 해야 할 일을 날짜별로 짜 놓은 것. 또는 그 계획. ¶대통령은 5일 간의 일정으로 미국을 공식 방문한다.

장정 長程 | 길 장, 거리 정
[long way; great distance]
매우 멀고 긴[長] 거리[程]. 먼 여로(旅路). ¶기러기는 장정 5천 킬로미터를 쉬지 않고 날아갔다. 비장로(長路).

0659 [흥]

興

일[盛] 흥(:)
部 臼부 劃 16획
中 兴 [xīng, xìng]

興자는 네 사람(又 손→사람)이 농기구의 일종[同, '같다'는 뜻이 아님]을 들고 함께 일을 하고 있는 모습을 그린 것이다. 이 경우의 臼(절구 구)는 '절구'를 가리키는 것이 아니고 두 개의 '손 우'(又)가 변한 것이다. 아래 부분은 廾(두 손으로 받들 공)의 변형이다. 그러니 '힘을 합치다'(work together)가 본래 의미였는데, '일어나다'(become prosperous), '흥겹다'(be glad of) 등으로 확대 사용됐다.
속뜻훈음 ①일어날 흥, ②흥겨울 흥.

흥망 興亡 | 일어날 흥, 망할 망
[rise and fall; ups and downs]
일어남[興]과 망(亡)함. 부흥과 멸망. ¶로마제국의 흥망.

흥:미 興味 | 흥겨울 흥, 맛 미 [interest; zest]

흥(興)을 느끼는 재미나 맛[味]. ¶흥미가 나다 / 바둑에 흥미를 붙이다 / 흥미로운 생각.

흥분 興奮 | 일어날 흥, 흔들릴 분 [be excited]
자극으로 인하여 감정이 일어나거나[興] 흔들림[奮]. ¶흥분을 가라앉히다 / 그 소식에 나는 몹시 흥분했다.

흥행 興行 | 일어날 흥, 행할 행 [performance; show]
❶속뜻 유행(流行)을 불러일으킴[興]. ❷영리를 목적으로 연극, 영화, 서커스 따위를 요금을 받고 대중에게 보여 줌. ¶이 영화는 흥행에 성공했다 / 그 연극은 서울에서 흥행하고 있다.

• 역순어휘

감:흥 感興 | 느낄 감, 일어날 흥 [fun; interest]
느낌[感]이 생겨남[興]. ¶그의 음악은 나에게 큰 감흥을 주었다. ⓑ흥취(興趣), 흥미(興味).

부:흥 復興 | 다시 부, 일어날 흥 [reconstruct]
쇠하였던 것이 다시[復] 일어남[興]. 또는 쇠하였던 것을 다시 일어나게 함. ¶경제 부흥 / 문예 부흥.

신흥 新興 | 새 신, 일어날 흥 [rise newly]
새로[新] 일어남[興]. ¶신흥 국가 / 신흥 산업.

유흥 遊興 | 놀 유, 흥겨울 흥 [merry; pleasure]
흥겹게[興] 노는[遊] 일. ¶유흥업소 / 유흥비(遊興費)로 가산을 탕진하다.

중흥 中興 | 가운데 중, 일어날 흥 [revive; restore]
집안이나 나라 따위가 쇠퇴하던 것이 중간(中間)에서 다시 일어남[興]. ¶민족 중흥의 주역 / 쇠퇴한 불교를 중흥시키다.

즉흥 即興 | 곧 즉, 흥겨울 흥 [impromptu amusement]
즉석(即席)에서 일어나는 흥취(興趣). ¶즉흥으로 피아노를 연주하다.

진:흥 振興 | 떨칠 진, 일어날 흥 [develop; advance; promote]
떨치고[振] 일어남[興]. 또는 그렇게 되게 함. ¶과학 연구가 진흥하다.

0660 [라]

羅

벌릴 라
㊎ 罓부 ㊥ 19획 ㊥ 罗 [luó]

羅 자의 갑골문은 '그물 망'(网→罒)과 '새 추'(隹)가 합쳐진 것으로 '(그물을 쳐서 새를) 잡다'를 뜻하는 것이었다. '그물'(netting), '벌리다'(stretch), '망을 치다'(cast a net) 등으로 확대 사용됐고, '얇은 비단'을 지칭하기도 하였다. '실 사'(糸)는 비단과 관련하여 후에 첨가된 표의요소다.

속뜻훈음 ①늘어설 라, ②벌릴 라, ③비단 라.

나성 羅城 | 늘어설 라, 성곽 성
❶속뜻 도읍지를 둘러 죽 늘어선[羅] 성(城). ¶서울 외곽에 나성을 쌓다. ❷'로스앤젤레스'(Los Angeles)의 음역어. ⓑ외성(外城).

나열 羅列 | 늘어설 라, 줄 렬 [enumeration]
나란히 줄[列]을 지어 늘어놓음[羅]. ¶숫자를 순서대로 나열하다.

• 역순어휘

망라 網羅 | 그물 망, 벌릴 라 [include everything]
❶속뜻 그물[網]을 벌여 놓음[羅]. ❷촘촘한 그물로 건지듯이 빠짐없이 모음. ¶이번 회의에는 사회의 각계각층을 망라한 인사들이 참석했다.

삼라 森羅 | 수풀 삼, 늘어설 라
숲[森]처럼 빽빽하게 늘어서[羅] 있음.

항:라 亢羅 | 가릴 항, 비단 라 [sheer silk]
명주[羅], 모시, 무명실 따위로 짠[亢] 피륙의 하나. 씨를 세 올이나 다섯 올씩 걸러서 구멍이 송송 뚫어지게 짠 것으로 여름 옷감으로 적당하다. ¶항라 치마저고리를 즐겨 입다.

0661 [벌]

罰

벌할 벌
㊎ 罓부 ㊥ 14획 ㊥ 罚 [fá]

罰 자는 '(가벼운 죄에 대한) 벌'(punishment)를 뜻하기 위한 것이었으니 '칼 도'(刀)와 '꾸짖을 리'(詈)가 표의요소로 쓰였다. 무거운 죄에 대한 벌은 '刑'(형, #0759)이라 했다.

벌금 罰金 | 벌할 벌, 돈 금 [fine; (monetary) penalty]
규약을 위반했을 때에 벌(罰)로 내게 하는 돈[金]. ¶모임에 늦어 벌금을 냈다. ⓑ상금(賞金).

벌점 罰點 | 벌할 벌, 점 점 [demerit marks]
잘못에 대한 벌(罰)로 따지는 점수(點數). ¶그는 과속으로 벌점 30점을 받았다.

벌칙 罰則 | 벌할 벌, 법 칙 [penal regulations]
법규를 어겼을 때의 처벌(處罰)을 정해 놓은 규칙(規則). ¶벌칙에 따라 처벌하다.

• 역순어휘

상벌 賞罰 | 상줄 상, 벌할 벌
[reward and punishment]
상(賞)을 주는 것과 벌(罰)을 주는 것. ¶공정하게 상벌을 주다 / 상벌위원회.

엄벌 嚴罰 | 엄할 엄, 벌할 벌 [punish severely]
엄(嚴)하게 처벌(處罰)함. 또는 엄한 벌. ¶그는 엄벌을 받아 마땅하다 / 살인범을 엄벌하다.

징벌 懲罰 | 혼낼 징, 벌할 벌 [punish]
❶[속뜻] 혼내는[懲] 뜻으로 벌(罰)을 줌. ❷옳지 아니한 일을 하거나 죄를 지은 데 대하여 벌을 줌. 또는 그 벌. ¶악한 자를 징벌하다.

처:벌 處罰 | 처할 처, 벌할 벌
[punish; discipline]
가벼운 죄를 범한 사람에게 벌(罰)을 줌[處]. ¶처벌 기준을 정하다.

천벌 天罰 | 하늘 천, 벌할 벌 [divine punishment]
하늘[天]이 주는 벌(罰). ¶그렇게 거짓말을 하면 천벌을 받는다.

체벌 體罰 | 몸 체, 벌할 벌 [physical punishment]
신체(身體)에 직접 고통을 주는 벌(罰). ¶체벌 금지 / 학생을 체벌하지 않다.

형벌 刑罰 | 형벌 형, 벌할 벌 [punish; penalize]
❶[속뜻] 무거운 죄에 대한 벌[刑]과 가벼운 죄에 대한 벌(罰). ❷[법률] 나라의 법을 어긴 사람에게 그 죄에 맞게 벌을 줌. 또는 그러한 처벌. ¶가혹한 형벌을 내리다.

0662 [치]

置

둘[措] 치:
[部] 罒부 [劃] 13획 [中] 置 [zhì]

置자는 '그물 망'(罒=网)이 표의요소이고, 直(곧을 직)이 표음요소임은 値(값 치)도 마찬가지다. '(그물에 걸린 것을) 놓아주다'(set free)가 본뜻이라고 한다. '두다'(set)는 뜻으로 많이 쓰인다.

치:부 置簿 | 둘 치, 장부 부
[enter in an account book; keep in mind]
❶[속뜻] 물품의 출납 따위를 장부[簿]같은 데 적어 두다[置]. ¶오늘 받은 돈을 치부하다. ❷마음속에 잊지 않고 새겨 두거나 그렇다고 여김. ¶그 정보는 근거 없는 소문으로 치부됐다.

치:중 置重 | 둘 치, 무거울 중
[focus (on); concentrate (on)]
무엇에 중점(重點)을 둠[置]. ¶그는 공부에만 치중하느라 건강이 나빠졌다.

• 역순어휘

구치 拘置 | 잡을 구, 둘 치 [detain; confine]
[법률] 피의자나 범죄자 따위를 잡아서[拘] 일정한 곳에 가둠[置].

대:치 代置 | 바꿀 대, 둘 치 [replace]
다른 것으로 바꾸어[代] 놓음[置]. 다른 것으로 갈아 놓음. ¶노동력을 기계로 대치하다. [비]개치(改置), 대체(代替), 환치(換置).

도:치 倒置 | 거꾸로 도, 둘 치 [reverse; invert]
❶[속뜻] 차례나 위치(位置)가 거꾸로[倒] 뒤바뀜. ❷[언어] 문장에서 어순이 뒤바뀌는 일.

방:치 放置 | 놓을 방, 둘 치 [leave alone]
그대로 버려[放] 둠[置]. ¶자전거를 대문 밖에 방치하다.

배:치 配置 | 나눌 배, 둘 치 [arrange; place]
사람이나 물건을 알맞은 자리에 나누어[配] 둠[置]. ¶좌석을 배치하다.

비:치 備置 | 갖출 비, 둘 치 [furnish; equip]
갖추어[備] 둠[置]. ¶비치 도서 / 방에 가구를 비치하다 / 이 교실에는 컴퓨터가 비치되어 있다.

설치 設置 | 세울 설, 둘 치 [establish; set up]
❶[속뜻] 기계나 설비 따위를 마련하거나 세워[設] 둠[置]. ¶에어컨 설치. ❷어떤 기관을 마련함. ¶위원회 설치.

안치 安置 | 편안할 안, 둘 치
[lay in state; install; enshrine]
❶[속뜻] 안전(安全)하게 잘 둠[置]. ❷상(像), 위패, 시신 따위를 잘 모셔 둠. ¶병원의 영안실에 시신을 안치하다.

위치 位置 | 자리 위, 둘 치 [position; location]
사물을 일정한 자리[位]에 둠[置]. 또는 그 자리. ¶책상 위치를 바꾸다 / 그 집은 바닷가에 위치해 있다. [비]자리.

유치 留置 | 머무를 류, 둘 치 [custody; detain]
❶[속뜻] 남의 물건을 보관해[留] 둠[置]. ❷[법률] 구속의 집행 및 재판의 진행이나 그 결과의 집행을 위하여 일정한 곳에 사람을 가두어 두는 일.

장치 裝置 | 꾸밀 장, 둘 치 [equip; install; set up]
❶[속뜻] 기계나 설비 따위를 차려[裝] 둠[置]. 또는 그 물건. ¶난방 장치. ❷무대 따위를 차리어 꾸밈. 또는 그 차리어 꾸민 것. ¶무대 장치.

조치 措置 | 놓을 조, 둘 치 [take a measure]
일이나 문제 따위를 해결해 놓거나[措] 적절히 처치(處置)함. ¶조치를 취하다 / 단호하게 조치하다. [비]조처(措處).

차:치 且置 | 잠깐 차, 둘 치 [put aside]
잠시[且] 내버려 둠[置]. ¶그 문제는 차치하고 이것에 대해 의논해 봅시다.

처:치 處置 | 처리할 처, 둘 치
[deal with; treat; remove]
❶ 속뜻 일을 처리(處理)하여 치워 둠[置]. ¶쓰레기가 처치 곤란이다 / 적군을 처치하다. ❷상처나 헌데 따위를 치료함. ¶응급처치.

0663 [정]

精

정할 정
部 米부 劃 14획 中 精 [jing]

精자는 '곱게 잘 쓿은 쌀'(polished rice)을 나타내기 위하여 만들어진 것이다. '쌀 미'(米)가 표의요소이고, 靑(푸를 청)이 표음요소임은 情(뜻 정), 靖(편안할 정)도 마찬가지다. '쓿다'(polish), '마음'(mind), '도깨비'(a bogey)를 뜻하기도 한다. '정액'(a sperm), '정신'(soul; spirit) 같은 낱말, 또는 이와 의미상 연관성이 있는 낱말들의 한 구성 요소로 많이 쓰인다.

속뜻 훈음 **①쓿을 정, ②마음 정, ③도깨비 정, ④정액 정, ⑤정신 정.**

정관 精管 | 정액 정, 대롱 관
[spermatic duct; seminal duct]
동물 정액(精液)을 나르는 긴 관(管).

정교 精巧 | 쓿을 정, 예쁠 교 [elaborate;exquisite]
쓿은 쌀[精] 같이 예쁨[巧]. 또는 그렇게 다듬음. ¶정교한 솜씨 / 무늬가 정교하다.

정기 精氣 | 정신 정, 기운 기 [spirit and energy]
❶ 속뜻 민족 따위의 정신(精神)과 기운(氣運). ¶고려청자에는 우리 겨레의 정기가 서려 있다. ❷천지 만물을 생성하는 원천이 되는 기운. ¶백두산의 정기를 받다.

정낭 精囊 | 정액 정, 주머니 낭
[seminal vesicle; spermatic sac]
의학 정액(精液)을 생산하는 길쭉한 주머니[囊]. 남자 생식기의 한 부분.

정독 精讀 | 쓿을 정, 읽을 독 [read carefully]
쌀을 쓿듯이[精] 뜻을 새겨 가며 읽음[讀]. ¶글의 내용을 깊이 이해하기 위해서는 정독이 필요하다.

정력 精力 | 정액 정, 힘 력 [energy; vigor; vitality]
정액(精液)을 쏟는 성적 능력(能力). 심신의 활동력. ¶나는 공부에 모든 정력을 쏟았다.

정미 精米 | 쓿을 정, 쌀 미 [polished rice]
벼를 쓿어[精] 깨끗하게 만든 쌀[米].

정밀 精密 | 쓿을 정, 빽빽할 밀
[minute; be detailed]
쓿은 쌀[精]같이 세밀(細密)함. 빈틈이 없고 자세함. ¶정밀검사.

정성 精誠 | 쓿을 정, 진심 성
[true heart; sincerity]
쓿은 쌀[精]처럼 순백한 진심[誠]. ¶정성어린 선물 / 부모님을 정성스럽게 모시다 / 음식을 정성껏 준비하다.

정신 精神 | 쓿을 정, 혼 신
[mind; spirit; consciousness]
❶ 속뜻 쓿은 쌀[精]처럼 순백한 혼[神]이나 마음. ❷사물을 느끼고 생각하며 판단하는 능력. 또는 그런 작용. ¶정신을 집중하다. ❸마음의 자세나 태도. ¶근면 정신. ❹사물의 근본적인 의의나 목적 또는 이념이나 사상. ¶화랑도 정신. 관용 정신을 차리다.

정액 精液 | 쓿을 정, 진 액 [extract; essence]
❶ 의학 수컷의 정자(精子)를 내포하고 있는 액체(液體). ❷생물의 몸 안이나 줄기, 뿌리, 열매 등의 안에서 만들어진 순수한 액체. ¶인삼 정액.

정육 精肉 | 쓿을 정, 고기 육
[fresh meat; dressed meat]
굳기름이나 뼈 따위를 발라내 깨끗이 쓿은[精] 고기[肉].

정유 精油 | 찧을 정, 기름 유 [essential oil]
❶ 속뜻 어떤 식물을 채취해 정제(精製)한 기름[油]. ❷ 화학 정제한 석유나 정제한 동물 지방. 또는 그러한 일. ¶정유업체.

정자 精子 | 정액 정, 씨 자 [sperm]
생물 정액(精液)에 있는 수컷의 생식 세포[子]. 사람의 경우 길이는 0.05mm 가량이고 머리, 목, 꼬리로 이루어져 있다. 난자와 정자가 만나면 수정이 된다. 반 난자(卵子).

• 역순어휘

도정 搗精 | 찧을 도, 쓿을 정 [polish by pounding]
곡식을 찧거나[搗] 쓿음[精]. ¶쌀을 도정하다.

몽:정 夢精 | 꿈 몽, 정액 정 [wet dream]
꿈[夢]속에서 실제로 정액(精液)을 내쏘는 일. 비 몽설(夢泄).

사정 射精 | 쏠 사, 정액 정 [ejaculate]
의학 남성의 생식기에서 정액(精液)을 내쏘는[射] 일. 성기에 가해지는 자극에 의하여 사정 중추가 흥분하면 일어난다.

수정 受精 | 받을 수, 정액 정 [fertilize; pollinate]
❶ 속뜻 정액(精液)의 정자를 받음[受]. ❷ 생물 암수의 생

식 세포가 새로운 개체를 이루기 위해 하나로 합쳐지는 일. ¶벌은 식물의 수정을 돕는다.

요정 妖精 | 아리따울 요, 도깨비 정 [fairy]
❶속뜻 아리따운[妖] 도깨비[精]. ❷사람의 모습을 한 젊고 귀여운 마녀. 서양의 동화나 전설에 많이 나온다. ¶숲 속의 요정.

0664 [결]

缺 이지러질 결
部 缶부 劃 10획 中 缺 [quē]

缺자는 원래 '(그릇이) 깨지다'는 뜻이었으니 '장군 부'(缶)가 표의요소로 쓰였다. '장군'은 물이나 간장 등을 담아 옮길 때 쓰는 오지그릇을 말한다. 夬(깍지 결/쾌)는 표음요소다. 후에 '모자라다'(be insufficient; lack), '빠지다'(be omitted; be missing) 등으로 확대 사용됐다.

속뜻 훈음 ①빠질 결, ②모자랄 결.

결근 缺勤 | 빠질 결, 부지런할 근 [be absent]
근무(勤務)해야 할 날에 나오지 않고 빠짐[缺]. ¶그는 독감 때문에 결근하였다. 반출근(出勤).

결례 缺禮 | 모자랄 결, 예도 례 [lack of courtesy]
예의(禮儀) 범절에 벗어나거나 모자람[缺]. ¶수업 중에 휴대전화를 켜 놓는 것은 결례다. 비실례(失禮).

결석 缺席 | 빠질 결, 자리 석
[be absent; miss a class]
출석해야 할 자리[席]에 빠짐[缺]. ¶감기로 결석하다. 비궐석(闕席). 반출석(出席).

결손 缺損 | 빠질 결, 덜 손 [loss]
❶속뜻 빠지거나[缺] 모자람[損]. ❷수입보다 지출이 많아서 생기는 금전상의 손실. ¶결손을 메우다. 비손해(損害). 반이득(利得), 이익(利益).

결여 缺如 | 빠질 결, 같을 여 [deficiency; lack]
마땅히 있어야 할 것이 빠져서[缺] 없거나 모자라는 것 같음[如]. ¶그 아이는 자신감이 결여되어 있다. 비부족(不足), 결핍(缺乏). 반충분(充分), 완전(完全).

결원 缺員 | 모자랄 결, 사람 원 [vacancy]
정원(定員)에서 사람이 빠져 모자람[缺]. ¶결원을 보충하다. 비공석(空席). 반전원(全員).

결점 缺點 | 모자랄 결, 점 점 [fault; defect]
잘못되거나 모자라는[缺] 점(點). ¶결점을 보완하다. 비단점(短點), 약점(弱點), 흠(欠). 반장점(長點).

결핍 缺乏 | 빠질 결, 모자랄 핍 [want; lack]
❶속뜻 빠지거나[缺] 모자람[乏]. ❷있어야 할 것이 없거나 모자라거나 함. ¶철분이 결핍되면 빈혈이 생긴다. 비부족(不足), 궁핍(窮乏). 반충분(充分), 충족(充足).

결함 缺陷 | 모자랄 결, 빠질 함 [defect; fault]
일정한 수에 모자라거나[缺] 빠짐[陷]. ¶결함 제품 / 결함을 드러내다. 비결점(缺點).

0665 [경]

經 지날/글 경
部 糸부 劃 13획 中 经 [jīng, jìng]

經자의 '실 사'(糸)는 원래 없다가 후에 첨가된 것이다. '베틀에 세로로 줄을 메어 놓은 모습'인 巠(경)은 표의요소와 표음요소를 겸한다(輕·가벼울 경). '날실'(a meridian)이 본뜻인데 '지나다'(pass), '다스리다'(rule over), '책'(a book; a volume) 등으로 확대 사용됐다.

속뜻 훈음 ①지날 경, ②다스릴 경, ③날실 경, ④책 경.

경과 經過 | 지날 경, 지날 과 [pass; elapse]
❶속뜻 어떤 곳이나 단계를 거쳐[經] 지나감[過]. ❷시간이 지남에 따라 진행하고 변화하는 상태. ¶수술 경과가 좋다. 비과정(過程), 변천(變遷), 변화(變化).

경국 經國 | 다스릴 경, 나라 국 [govern a nation]
나라[國]를 다스림[經].

경도 經度 | 날실 경, 정도 도 [longitude]
❶속뜻 날실[經] 같이 세로로 표시한 도수(度數). ❷지리 지구 위의 위치를 세로로 표시한 것. ¶서울의 경도는 동경(東經) 126도 59분이다. 반위도(緯度).

경력 經歷 | 지날 경, 지낼 력 [one's career]
어제까지 거쳐 온[經] 학업, 직업, 지위 따위의 이력(履歷). ¶경력을 쌓다. 비이력(履歷), 관록(貫祿).

경로 經路 | 지날 경, 길 로 [course; channel]
❶속뜻 지나는[經] 길[路]. ❷사람이나 사물이 거쳐 온 길. ¶태풍의 경로를 살펴보다.

경륜 經綸 | 날실 경, 실 륜 [govern; administer]
❶속뜻 베틀의 날실[經]로 쓰인 실[綸]. ❷일정한 포부를 가지고 일을 조직적으로 계획함. 또는 그 계획이나 포부. ¶경륜을 쌓다.

경리 經理 | 다스릴 경, 다스릴 리 [account]
❶속뜻 일을 경영(經營)하고 관리(管理)함. ❷어떤 기관이나 단체에서 물자의 관리나 금전의 출납 따위를 맡아 보는 사무. 비회계(會計).

경비 經費 | 지날 경, 쓸 비 [expense; cost]
❶속뜻 어떠한 일을 하는 데 드는[經] 비용(費用). ¶여

행 경비 / 경비를 줄이다. ❷일정하게 정해진 평소의 비용.

경선 經線 | 날실 경, 줄 선
[meridian; line of longitude]
지리 지구를 세로의 날실[經]로 연결한 가상의 선(線). ⓑ자오선(子午線). ⓟ위선(緯線).

경세 經世 | 다스릴 경, 세상 세
[govern; administer]
세상(世上)을 다스림[經]. ¶경세치용(致用).

경영 經營 | 다스릴 경, 꾀할 영
[manage; conduct]
❶속뜻 일이나 사람을 다스리어[經] 이익을 꾀함[營]. ❷기업체나 사업체 따위를 관리하여 운영함. ¶기업 경영으로 큰돈을 벌다.

경위 經緯 | 날실 경, 씨실 위
[warp and woof; details; longitude and latitude]
❶속뜻 직물(織物)의 날실[經]과 씨실[緯]. ❷일이 진행되어 온 과정. ¶사건의 경위를 밝히다. ❸지리 경도(經度)와 위도(緯度).

경유 經由 | 지날 경, 말미암을 유
[passage through]
❶속뜻 지나거나[經] 말미암음[由]. ❷거쳐 지나감. ¶일본을 경유하여 귀국하다.

경전 經典 | 책 경, 법 전 [scripture]
❶속뜻 경서(經書)나 법전(法典)같이 중요한 책. ❷성현이 짓거나 성현의 말이나 행실을 적은 책. ❸종교의 교리를 적은 책. ¶유교(儒教) 경전.

경제 經濟 | 다스릴 경, 건질 제 [economy]
❶속뜻 세상을 다스리고[經] 백성을 구제(救濟)함. '경세제민'(經世濟民)의 준말. ❷경제 인간이 공동생활을 하는 데에 필요한 재화를 획득·이용하는 활동 및 이를 통하여 이루어지는 사회관계. ¶자본주의 경제 / 경제가 회복되다.

경판 經板 | 책 경, 널빤지 판
책으로 만들기 위하여 불경(佛經)을 새긴 판(板).

경학 經學 | 책 경, 배울 학
[(the study of) Chinese classics]
❶속뜻 경서(經書)를 연구하는 학문(學問). ❷유교(儒教)의 정통 학문.

경험 經驗 | 지날 경, 겪을 험 [experience]
자신이 실제로 해 보거나[經] 겪어봄[驗]. 또는 거기서 얻은 지식이나 기능. ¶경험을 쌓다 / 다양한 경험을 하다. ⓑ체험(體驗). ⓟ관념(觀念), 사변(思辨).

• 역순어휘 •

동경 東經 | 동녘 동, 날실 경 [east longitude]
지리 지구 동반구(東半球)의 경도(經度). 본초 자오선을 0도로 하여 동쪽으로 180도까지의 경선이다. ¶서울은 동경 127도에 위치해 있다. ⓟ서경(西經).

불경 佛經 | 부처 불, 책 경 [Buddhist scriptures]
불교 불교(佛教)의 가르침을 적은 경전(經典). ⓒ경.

서경 西經 | 서녘 서, 날실 경 [west longitude]
지리 지구의 서반구(西半球)의 경도(經度). 본초 자오선을 0도로 하여 서쪽으로 180도까지의 사이를 이른다. ¶영국은 서경 9도에 위치해 있다. ⓟ동경(東經).

성:경 聖經 | 거룩할 성, 책 경 [Holy Bible]
각 종교에서 거룩한[聖] 내용을 담은 경전(經典). 기독교의 성서, 불교의 대장경, 유교의 사서삼경, 회교의 코란 따위. ⓑ성서(聖書), 성전(聖典).

신경 神經 | 정신 신, 날실 경
[nerve; consideration]
❶의학 생물이 자신의 몸과 주위에서 일어나는 자극을 감지하고 적절한 반응이나 정신(精神)을 일으키도록 하는 실[經] 모양의 기관. ¶중추 신경. ❷어떤 일에 대한 느낌이나 생각. ¶신경이 날카롭다.

월경 月經 | 달 월, 지날 경
[menstruation; menses]
❶속뜻 매달[月] 겪음[經]. ❷의학 성숙기의 정상적인 여성에게 있는 생리 현상. 난소 기능으로 일어나는 자궁 점막의 출혈로 보통 28일 정도의 주기로 반복된다. ⓑ달거리, 생리(生理).

초경 初經 | 처음 초, 지날 경
[first menstrual period; menarche]
첫[初] 월경(月經). ¶열세 살에 초경을 하다.

0666 [세]

細

가늘 세:
部 糸부 획 11획 中 细 [xì]

細자를 '실 사'(糸)와 '밭 전'(田)의 조합으로 잘못 보기 쉽다. 원래 '실 사'(糸)와 '정수리 신'(囟)이 합쳐진 것이다. 囟이 隸書(예:서) 서체에서 田으로 잘못 바뀌었다. '가는 실'이 본뜻이다. 후에 '가늘다'(thin), '작다'(small; little; tiny) 등으로 확대 사용됐다.

속뜻훈음 ①가늘 세, ②작을 세.

세:공 細工 | 가늘 세, 장인 공
[workmanship; craftsmanship]
섬세(纖細)한 잔손질이 많이 가는 수공(手工). ¶금속 세공.

세ː균 細菌 | 작을 세, 버섯 균 [bacterium; germ]
[생물] 눈으로 볼 수 없을 만큼 매우 작은[細] 버섯[菌]같은 단세포 생물을 두루 이르는 말. ¶세균에 감염되다. [준]균. [비]박테리아.

세ː밀 細密 | 가늘 세, 빽빽할 밀 [be minute]
가늘고[細] 빽빽함[密]. 빈틈없이 자세한. ¶세밀한 검사.

세ː부 細部 | 가늘 세, 나눌 부
[details; particulars]
자세(仔細)한 부분(部分). ¶세부 사항은 서류를 참고하십시오.

세ː분 細分 | 가늘 세, 나눌 분
[subdivide; fractionize]
❶[속뜻] 잘고 가늘게[細] 나눔[分]. ❷사물을 여러 갈래로 자세히 나누거나 잘게 가름. ¶업무를 세분하다.

세ː세 細細 | 가늘 세, 가늘 세 [detailed; minute]
매우 자세하다[細+細]. ¶세세하게 알려 주다 / 세세히 살펴보다.

세ː심 細心 | 가늘 세, 마음 심 [be very careful]
작은 일에도 마음[心]을 꼼꼼하게[細] 기울이다. ¶아이에게는 엄마의 세심한 관심이 필요하다.

세ː포 細胞 | 작을 세, 태보 포 [cell]
[생물] 생물체를 이루는 기본 단위. 그 모양이 작은[細] 태보[胞] 같다고 하여 붙여진 명칭으로 추정된다. ¶인체는 수십억 개의 세포로 이루어져 있다.

• 역순어휘 ————————•

명세 明細 | 밝을 명, 가늘 세 [particulars on]
분명(分明)하고 자세(仔細)함. 또는 그러한 내용.

미세 微細 | 작을 미, 가늘 세
작고[微] 가늘음[細]. 아주 작음. ¶미세한 분말.

상세 詳細 | 자세할 상, 가늘 세 [minute; detailed]
자세하고[詳] 세밀(細密)하다. ¶상세한 설명. [비]자세(仔細)하다, 치밀(緻密)하다. [반]간단(簡單)하다.

섬세 纖細 | 가늘 섬, 가늘 세 [be delicate]
❶[속뜻] 매우 자잘하고[纖] 가늘음[細]. ❷자질구레한 일에까지 아주 찬찬하고 세밀하다. ¶어머니는 모든 일을 섬세하게 처리한다.

영세 零細 | 떨어질 령, 가늘 세 [small]
❶[속뜻] 힘이 떨어지고[零] 몸이 가늘어짐[細]. ❷살림이 보잘것없고 몹시 가난함. ¶영세 가정 / 이것은 자본이 영세한 기업을 돕기 위한 정책이다.

자세 仔細 | 어릴 자, 가늘 세 [detailed]
❶[속뜻] 어리고[仔] 가늘다[細]. ❷사소한 부분까지 아주 구체적이고 분명하다. ¶자세하게 약도를 그리다 / 자세히 설명하다.

0667 [소]

素

본디/흴 소(ː)
[部] 糸부 [劃] 10획 [中] 素 [sù]

素자는 염색을 하지 아니한 본래 색깔의 '비단'(silk)을 가리키는 것이니 '실 사'(糸)가 표의요소로 쓰였고, 그 위는 비단의 윤기가 나는 것을 가리킨다. 후에 '본디'(originally), '바탕'(a basis)라는 뜻으로도 확대 사용됐다.

[속뜻훈음] ①본디 소, ②바탕 소.

소ː묘 素描 | 바탕 소, 그릴 묘
[rough drawing; rough sketch]
[미술] 형태와 명암을 위주로 하여 그 바탕[素]만을 그린[描] 그림. [비]데생.

소ː박 素朴 | 본디 소, 순박할 박
[simplicity; naivety]
꾸밈없이 본디[素] 그대로의 순박(淳朴)함. ¶나는 그의 소박함에 마음이 좋다. [비]수수하다.

소ː복 素服 | 본디 소, 옷 복 [white clothes]
염색을 하지 않은 본디[素]의 흰색 옷[服]. 흔히 상복으로 입는다. ¶소복을 입은 여인이 울고 있었다.

소수 素數 | 본디 소, 셀 수 [prime (number)]
❶[속뜻] 본디[素]의 숫자[數]. ❷[수학] 1보다 크며 1과 그 수 자체 이외의 정수(整數)로는 똑 떨어지게 나눌 수 없는 정수. 2, 3, 5, 7, 11… 따위가 있다.

소양 素養 | 본디 소, 기를 양
[grounding in; attainments]
평소(平素) 닦아 쌓은 교양(教養). ¶소양이 있다 / 국제적 소양을 갖춘 인물을 발탁하다.

소재 素材 | 바탕 소, 재료 재 [(raw) material]
❶[속뜻] 가장 기본적인 밑바탕[素]이 되는 재료(材料). ¶이 상품은 어떤 소재로 만든 것입니까? ❷[문학] 문학 작품의 기본 재료가 되는 모든 대상. ¶글을 쓰기 위한 소재.

소지 素地 | 본디 소, 바탕 지 [making]
본래[素]의 바탕[地]. 가능성. ¶오해의 소지가 있다.

소질 素質 | 본디 소, 바탕 질
[makings; temperament]
본디[素]부터 가지고 있는 성질(性質). 또는 타고난 능력이나 기질. ¶그는 음악에 소질이 있다.

• 역순어휘 ————————•

간소 簡素 | 간단할 간, 수수할 소 [simple]
생활이나 차림새 등이 간략(簡略)하고 수수함[素]. ¶간소한 살림살이. [비]꾸밈없다, 수수하다.

검:소 儉素 | 수수할 검, 수수할 소 [frugal; simple]
치레하지 않고 수수함[儉=素]. 꾸밈없이 무던함. ¶옷차림이 검소하다.

독소 毒素 | 독할 독, 바탕 소 [toxin]
❶[속뜻]해로운[毒] 요소(要素). ❷[생물]생명체에 유독한 모든 물질. ¶패스트푸드를 많이 먹으면 몸 안에 독소가 쌓인다.

불소 弗素 | 아닐 불, 바탕 소 [fluorine]
[화학]할로겐 원소의 한 가지. 상온에서는 특유한 냄새를 가진 황록색의 기체이며 화합력이 강하다. 플루오르(fluor)를 음역한 '弗'에 '원소'를 가리키는 '素'를 덧붙여 만들었다. ¶불소가 들어간 치약.

산소 酸素 | 신맛 산, 바탕 소 [oxygen]
[화학]공기의 주성분이면서 맛과 빛깔과 냄새가 없는 원소(元素). 1783년 라부아지에가 실험한 물의 분석에서 대부분 산(酸)의 성질을 가지는 기체 생성물이 나온다는 것을 발견하여 그리스어의 '신맛[酸]이 있다'는 뜻의 oxys와 '생성된다'는 뜻의 gennao를 합쳐 oxygen이라고 이름 붙였다. 기호는 'O'. ¶고지대에는 산소가 희박하다.

색소 色素 | 빛 색, 바탕 소 [coloring matter]
물체의 색깔[色]이 나타나도록 해 주는 바탕[素]이나 성분. ¶식용 색소.

수소 水素 | 물 수, 바탕 소 [hydrogen]
❶[속뜻]태우면 물[水]이 생기는 원소(元素). ❷[화학]빛깔과 냄새와 맛이 없고 불에 타기 쉬운 원소. 프랑스의 라부아지에는 수소를 태우면 물이 생기는 사실을 발견하여 그리스어로 '물'을 뜻하는 'hydro와 '생성하다'는 뜻의 'gennao'를 합쳐 'hydrogen'이라 명명하였다. 모든 물질 가운데 가장 가볍다. ¶수소는 공기보다 가볍다.

요소¹ 尿素 | 오줌 뇨, 바탕 소 [urea]
[화학]포유류의 오줌[尿]에 들어 있는 질소 질소화합 원소(元素). 체내에서는 단백질이 분해하여 생성되고 공업적으로는 암모니아와 이산화탄소에서 합성된다. 비료, 요소 수지, 의약 따위에 쓴다.

요소² 要素 | 구할 요, 바탕 소
[essential element]
꼭 필요(必要)한 바탕[素]이나 성분. 또는 근본 조건. ¶핵심적 요소.

원소 元素 | 으뜸 원, 바탕 소 [original element]
❶[속뜻]으뜸[元]이 되는 요소(要素). ❷[수학]집합을 이루는 낱낱의 대상이나 요소. ¶공집합은 원소가 하나도 없는 집합이다. ❸[화학]한 종류의 원자로만 만들어진 물질. 또는 그 물질의 구성 요소. 현재 106종 정도가 알려져 있다. 홑원소 물질. ¶동위원소(同位元素).

질소 窒素 | 질소 질, 바탕 소 [nitrogen]
[화학]공기의 약 5분의 4를 차지하는 무색·무미·무취의 질화물(窒化物)을 만드는 기체 원소(元素).

탄:소 炭素 | 숯 탄, 바탕 소 [carbon]
❶[속뜻]숯[炭]을 이루는 주요 요소(要素). ❷[화학]빛깔과 냄새가 없는 고체. 독자적으로는 금강석·석탄·아연 따위로 존재하며, 화합물에서는 이산화탄소·탄산염·탄수화물 등으로 존재한다.

평소 平素 | 보통 평, 본디 소 [ordinary times]
❶[속뜻]평상(平常)처럼 아무것도 꾸밈이 없는 본디[素] 상태. ❷특별한 일이 없는 보통 때. ¶평소에 하던 대로 하면 실수하지 않을 것이다. [비]평상시(平常時).

효:소 酵素 | 발효 효, 바탕 소 [enzyme]
❶[속뜻]발효(醱酵)를 주도하는 바탕[素]이 되는 물질. ❷[화학]생물체 내에서 각종 화학 반응을 촉매하는 단백질.

0668 [속]

續

이을 속
[部]糸부 [劃]21획 [中]续 [xù]

> 續자는 '(실을) 잇다'는 뜻을 나타내기 위한 것이었으니 '실 사'(糸)가 표의요소로 쓰였고, 그 나머지가 표음요소임은 贖(바칠 속)도 마찬가지다.

속개 續開 | 이을 속, 열 개 [continue; resume]
일단 멈추었던 회의 따위를 계속(繼續)하여 엶[開]. ¶회의는 내일 속개한다.

속출 續出 | 이을 속, 날 출 [occur in succession]
잇달아[續] 나옴[出]. ¶걱정거리가 속출하다.

속편 續編 | 이을 속, 엮을 편
[sequel; second volume]
책이나 영화 등에서 본편에 이어[續] 엮은[編] 것. ¶속편은 전편보다 내용이 풍부하다.

• 역순어휘

계:속 繼續 | 이을 계, 이을 속
[continue; maintain]
끊이지 않고[繼] 이어 나감[續]. ¶여행을 계속하다. [비]지속(持續). [반]중단(中斷).

근:속 勤續 | 부지런할 근, 이을 속
[continuous service]
근무(勤務)를 계속(繼續)함. 한 일자리에서 오래 근무함. ¶아버지는 30년을 이곳에서 근속하셨다.

상속 相續 | 서로 상, 이을 속 [succeed to; inherit; fall heir to]
❶속뜻 서로[相] 이어주거나 이어받음[續]. ❷법률 일정한 친족 관계가 있는 사람 사이에서 한 사람의 사망으로 다른 사람이 재산에 관한 권리와 의무의 일체를 이어받는 일. ¶유산 상속.

수속 手續 | 손 수, 이을 속 [process; procedure]
어떤 일에 착수(着手)하여 일을 해나가는 데 필요한 일련[續]의 과정이나 단계. ¶출국 수속. ㊊절차(節次).

연속 連續 | 잇닿을 련, 이을 속 [continue]
잇달아[連] 죽 이어짐[續]. ¶그의 인생은 고통의 연속이었다. ㊥불연속.

접속 接續 | 맞이할 접, 이을 속 [interface]
❶속뜻 서로 맞닿도록[接] 이어줌[續]. ❷컴퓨터 통신 등이 연결되는 것. ¶인터넷 접속.

존속 存續 | 있을 존, 이을 속 [continue; endure]
어떤 대상이 그대로 있거나[存] 어떤 현상이 계속(繼續)됨. ¶세습 제도의 존속 / 고구려는 약 700년 동안 존속했다.

지속 持續 | 지킬 지, 이을 속 [continue; maintain]
❶속뜻 오래 지켜[持] 이어[續] 나감. ❷끊임없이 이어짐. ¶지속 가능성 / 어려움 속에서도 학업을 지속하다.

후:속 後續 | 뒤 후, 이을 속 [succeed; follow]
뒤[後]를 이음[續]. ¶후속 작품.

0669 [순]

純

순수할 순
㊊ 糸부 ㊊ 10획 ㊥ 纯 [chún]

純자는 屯(둔/준)에 그 뿌리를 두고 있다. '屯'은 누에 꼬치에서 실을 뽑는 모양을 본뜬 것으로 '누에 실'(=생사 silk yarn)이 본뜻이다. '진을 치다'(encamp; pitch a camp)는 뜻으로 차용되자 '실 사'(糸)를 덧붙여 본뜻을 더욱 분명하게 나타냈다. '순수하다'(pure; genuine; unmixed) 같은 낱말, 또는 이와 의미상 연관이 깊은 낱말들의 한 구성요소로도 많이 쓰인다.
속뜻 훈음 ①순수할 순, ②생사 순.

순결 純潔 | 순수할 순, 깨끗할 결 [pure; virginia]
❶속뜻 잡된 것이 없이 순수(純粹)하고 깨끗함[潔]. ¶흰색은 순결을 상징한다. ❷이성과의 성적인 관계가 없어 마음과 몸이 깨끗함. ¶순결을 잃다 / 순결한 신부.

순금 純金 | 순수할 순, 쇠 금 [solid gold]
불순물이 섞이지 않은 순수(純粹)한 황금(黃金). ¶순금은 쉽게 구부러진다.

순도 純度 | 순수할 순, 정도 도 [degree of purity]
물질의 순수(純粹)한 정도(程度). ¶불상은 순도 99.9%의 금으로 만들었다.

순모 純毛 | 순수할 순, 털 모 [pure wool]
다른 것이 섞이지 않은 순수(純粹)한 모직물이나 털실[毛]. ¶순모로 털옷을 만들다.

순수 純粹 | 생사 순, 생쌀 수 [purity; genuine]
❶속뜻 생사[純]나 생쌀[粹]처럼 불순물이 없음. ❷다른 것이 조금도 섞임이 없음. ¶순수 혈통 / 순수한 금. ❸마음에 딴 생각이나 그릇된 욕심이 전혀 없음. ¶순수한 마음.

순은 純銀 | 순수할 순, 은 은 [pure silver]
광업 불순물이 섞이지 않은 순수(純粹)한 은(銀).

순전 純全 | 순수할 순, 완전할 전 [pure; spotless]
순수(純粹)하고 완전(完全)하다. ¶순전한 오해 / 그건 순전히 내 실수였다.

순정 純情 | 순수할 순, 마음 정 [pure heart]
순수(純粹)하고 사심이 없는 마음[情]. ¶순정을 바치다.

순종 純種 | 순수할 순, 갈래 종 [unmixed breed]
생물 딴 계통과 섞이지 않은 순수(純粹)한 종(種). ¶이 개는 순종이다. ㊥잡종(雜種).

순진 純眞 | 순수할 순, 참 진 [naive; pure]
마음이 순수(純粹)하고 진실(眞實)됨. ¶순진을 잃지 않다 / 순진한 마음.

순화 純化 | 순수할 순, 될 화 [purify; refine]
잡스러운 것을 순수(純粹)하게 바꿈[化]. ¶음악은 정서 순화에 도움이 된다.

• 역순어휘

단순 單純 | 홑 단, 순수할 순 [simple]
❶속뜻 간단(簡單)하고 순수(純粹)함. ❷잡것이 섞이지 않고 홑짐. ¶사태를 단순하게 생각하지 마라 / 그는 단순한 사람이다. ㊊단일(單一), 간단(簡單). ㊥복잡(複雜).

불순 不純 | 아닐 불, 순수할 순 [impure; foul]
순수(純粹)하지 못함[不]. ¶불순한 의도 / 자네는 나의 목적이 불순하다는 건가?

청순 淸純 | 맑을 청, 순수할 순 [pure; innocent]
깨끗하고[淸] 순수(純粹)함. ¶그 소녀는 앳되고 청순하다.

0670 [절]

絶

끊을 절
㊊ 糸부 ㊊ 12획 ㊥ 绝 [jué]

絶 자는 '실 사'(糸), '칼 도'(刀), '꿇어앉은 사람 절'(卩=㔾), 등 세 가지 표의요소가 합쳐진 것이다. 즉 무릎을 꿇고 앉아 바느질하는 아낙네가 칼을 들고 실을 끊는 모습을 통하여 '끊다'(cut)는 뜻을 나타냈다. '刀+㔾'이 色으로 합병되는 바람에 본래의 구조를 알기 힘들게 됐다. '뛰어나다'(excel; exceed)는 뜻으로도 쓰인다.
[속뜻훈음] ①끊을 절, ②뛰어날 절.

절경 絶景 | 뛰어날 절, 볕 경
[magnificent view; fine scenery]
뛰어난[絶] 경치(景致). ¶천하의 절경이로다!

절교 絶交 | 끊을 절, 사귈 교
[break off friendship]
서로 교제(交際)를 끊음[絶]. ¶우리는 사소한 말다툼으로 절교했다. [반]교제(交際).

절규 絶叫 | 끊을 절, 부르짖을 규
[cry out; scream]
숨이 끊어지도록[絶] 부르짖음[叫]. ¶부상자들은 도와달라고 절규했다.

절대 絶對 | 끊을 절, 대할 대 [absoluteness]
❶[속뜻]비교하거나 상대되어 맞설[對] 만한 것이 끊어져[絶] 없음. ¶절대 진리 / 절대 권력. ❷[법률]아무런 조건이나 제약이 붙지 아니함. ¶절대 안정 / 절대 자유. ❸무조건. 무슨 사정이 있어도. 결단코. ¶절대로 그를 만나지 않겠다.

절망 絶望 | 끊을 절, 바랄 망
[despair; give up hope]
모든 희망(希望)이 끊어짐[絶]. ¶그는 절망을 딛고 일어서서 세계 최고의 가수가 되었다. [반]희망(希望).

절묘 絶妙 | 뛰어날 절, 묘할 묘
[exquisite; superb; superexcellent]
뛰어나게[絶] 기묘(奇妙)함. ¶절묘한 재주.

절벽 絶壁 | 끊을 절, 담 벽 [cliff]
담[壁]처럼 끊어질[絶] 듯이 가파르고 급한 낭떠러지. ¶그는 절벽 아래로 몸을 던졌다. [비]낭떠러지, 벼랑.

절연 絶緣 | 끊을 절, 인연 연
[sever relations; break off relations]
인연(因緣)이나 관계를 끊음[絶]. ¶그와의 절연은 생각도 해 본 적이 없다.

절정 絶頂 | 뛰어날 절, 꼭대기 정 [the top; peak]
❶[속뜻]뛰어나게[絶] 높은 꼭대기[頂]. ❷사물의 진행이나 상태 따위가 최고에 이른 때. ¶인기 절정의 가수. [비]정상(頂上).

절찬 絶讚 | 뛰어날 절, 기릴 찬 [highest praise]
뛰어날[絶] 정도로 매우 칭찬(稱讚)함. 극히 칭찬함. ¶절찬을 받을 만하다.

절판 絶版 | 끊을 절, 널빤지 판
[going out of print]
❶[속뜻]책의 출판(出版)을 그만 둠[絶]. ❷출판했던 책을 계속 간행할 수 없게 됨.

절호 絶好 | 뛰어날 절, 좋을 호
[splendid; grand; capital]
뛰어나게[絶] 좋음[好]. 아주 딱 좋음. ¶절호의 기회를 맞았다.

• 역순어휘

거:절 拒絶 | 막을 거, 끊을 절 [refuse; reject]
받아들이지 아니하고[拒] 물리침[絶]. ¶제의를 거절했다. [비]거부(拒否). [반]응낙(應諾).

근절 根絶 | 뿌리 근, 끊을 절 [eradicate]
다시 살아날 수 없게 뿌리째[根] 없애 버림[絶]. ¶부정부패를 근절하다.

기절 氣絶 | 숨 기, 끊을 절 [faint]
잠깐 동안 정신을 잃고 숨[氣息]이 끊어짐[絶]. [비]실신(失神), 혼절(昏絶).

단:절 斷絶 | 끊을 단, 끊을 절 [sever; cut off]
어떤 관계나 교류를 끊음[斷=絶]. ¶양국의 국교가 단절되었다. [비]절단(絶斷).

두절 杜絶 | 막힐 두, 끊을 절 [stop; interrupt]
교통이나 통신 따위가 막히거나[杜] 끊어짐[絶]. ¶연락이 두절되었다.

사:절 謝絶 | 거절할 사, 끊을 절 [decline; refuse]
❶[속뜻]거절하여[謝] 딱 자름[絶]. ❷요구나 제의를 받아들이지 않고 딱 잘라 거절함. ¶면회 사절 / 외상은 사절합니다.

의:절 義絶 | 옳을 의, 끊을 절
[cut off relationship]
❶[속뜻]의리(義理) 관계가 끊어짐[絶]. ❷친구나 친척 사이의 정이 끊어짐. ¶그는 자식과 의절을 선언했다.

처절 悽絶 | 슬퍼할 처, 뛰어날 절
[desperate; horrible]
슬프기[悽]가 더할 나위 없음[絶]. ¶처절한 몸부림.

0671 [총]

總

다[皆] 총:
[部] 糸부 [획] 17획 [中] 总 [zǒng]

總자는 '(실을 한 다발로) 묶다'(bind; bundle)는 뜻을 나타내기 위한 것이었으니, '실 사'(糸)가 표의요소로 쓰였다. 悤(바쁠 총)은 표음요소로 뜻과는 무관하다. 후에 '거느리다'(command), '모두'(all; total) 등으로 확대 사용됐다.

속뜻 훈음 ①모두 총, ②묶을 총, ③거느릴 총.

총:각 總角 | 묶을 총, 뿔 각 [unmarried man]
상투를 틀지 않은 '결혼하지 않은 성년 남자'를 이르는 말. 미혼 남성들은 머리를 뿔[角] 모양으로 묶었던[總] 풍습에서 유래된 것으로 추정된다. ¶옆집 형이 드디어 총각 딱지를 떼었다. ㊥처녀(處女).

총:계 總計 | 묶을 총, 셀 계
[total; total amount]
전체를 한데 모아서[總] 헤아림[計]. ¶이번 달 지출의 총계를 내다. ㊐합계(合計).

총:괄 總括 | 묶을 총, 묶을 괄
[generalize; summarize]
개별적인 것을 하나로 묶음[總=括]. ¶전국의 민요를 총괄하여 분류하다.

총:독 總督 | 거느릴 총, 살필 독
[governor general; viceroy]
하위 조직을 거느리고[總] 감독(監督)함. 또는 그런 사람.

총:량 總量 | 모두 총, 분량 량 [total amount]
모든[總] 양(量). 전체 분량. ¶상품의 총량은 2톤이다.

총:력 總力 | 모두 총, 힘 력
[total strength; all one's energy]
집단 따위의 모든[總] 힘[力]. 전체의 힘. ¶조직의 총력을 기울이다.

총:리 總理 | 거느릴 총, 다스릴 리
[Premier; Prime Minister]
❶속뜻 전체를 거느리고[總] 관리(管理)함. ❷법률 '국무총리'(國務總理)의 준말. ❸내각책임제 국가의 내각에서 제일 높은 사람.

총:무 總務 | 모두 총, 일 무
[general affairs; manager; director]
기관이나 단체의 일반적인 모든[總] 사무(事務). 또는 그 일을 맡은 사람. ¶작년에 총무였던 그가 동창회의 새 회장이 되었다.

총:선 總選 | 모두 총, 가릴 선
[general election]
모든 국회의원을 다시 뽑는 '총선거'(總選擧)의 준말.

총:수 總數 | 모두 총, 셀 수
[total number; whole sum]
전체[總] 수효(數爻). ¶사망자의 총수를 헤아릴 수 없을 정도다.

총:액 總額 | 모두 총, 액수 액
[total amount; sum total]
모두[總]를 합한 액수(額數). ¶지출 총액은 천만 원을 훨씬 넘는다.

총:장 總長 | 묶을 총, 어른 장
[president of a university]
❶속뜻 모든 업무를 총괄(總括)하는 우두머리[長]. ❷교육 종합 대학의 총책임자. ¶김 교수가 총장에 취임하다.

총:재 總裁 | 묶을 총, 처리할 재 [president]
사무를 총괄(總括)하여 처리함[裁]. 또는 그런 직위의 사람. ¶은행 총재.

총:점 總點 | 모두 총, 점 점
[total of one's marks; total score]
전체[總]의 점수(點數). 득점의 총계. ¶다섯 과목의 시험 총점은 495점이다.

총:칭 總稱 | 묶을 총, 일컬을 칭
[give a general name; call generically]
모두 뭉뚱그려[總] 일컬음[稱]. 또는 그 명칭. ¶이런 동물들을 포유류라고 총칭한다.

총:회 總會 | 모두 총, 모일 회
[general meeting; plenary session]
어떤 단체에서 구성원 전체[總]의 모임[會]. ¶유엔 총회 / 정기 총회를 열다.

0672 [통]

統

거느릴 통:
㊕ 糸부 ㊔ 12획 ㊥ 统 [tǒng]

統자는 '실마리'(a clue)가 본뜻이니 '실 사'(糸)가 표의요소로 발탁됐고, 充(가득할 충)은 표음요소일 따름이다. 실마리만 잡으면 줄줄이 끌어당길 수 있으므로, '거느리다'(lead; head)→'묶다'(tie up)→'모두'(all) 같은 의미 확대 적용 과정을 거쳤다. '계통'(descent; lineage), 또는 이와 의미상 연관이 있는 낱말의 한 구성요소로도 쓰인다.

속뜻 훈음 ①거느릴 통, ②묶을 통, ③큰 줄기 통, ④계통 통.

통:계 統計 | 묶을 통, 셀 계
[statistics; numerical statement]
❶속뜻 한데 몰아서[統] 셈함[計]. ❷수학 어떤 현상을 종합적으로 한눈에 알아보기 쉽게 일정한 체계에 따라 숫자로 나타냄. 또는 그런 것. ¶공식 통계에 따르면 청년 실업률이 높아지고 있다고 한다.

통:솔 統率 | 거느릴 통, 거느릴 솔

[command; lead; direct]
어떤 조직체를 온통 몰아서 거느림[統=率]. ¶그 장군은 부하들을 잘 통솔한다. ㊐지휘(指揮).

통:일 統一 | 묶을 통, 한 일
[unify; unite; become one]
나누어진 것들을 묶어[統] 하나[一]로 합침. ¶의견을 통일하다 / 남북은 반드시 통일이 되어야 한다.

통:장 統長 | 큰 줄기 통, 어른 장
[subdivision of a city's district]
행정 구역의 단위인 통(統)을 대표하여 일을 맡아보는 사람[長]. ¶아주머니는 동네 통장 일을 맡으셨다.

통:제 統制 | 거느릴 통, 누를 제
[control; regulate]
❶속뜻 일정한 방침에 따라 거느리기[統] 위하여 억누름[制]. ❷제한이나 제약을 가함. ¶사고지역에 출입을 통제하다.

통:치 統治 | 묶을 통, 다스릴 치
[rule over; govern; administer]
❶속뜻 하나로 묶어서[統] 도맡아 다스림[治]. ❷지배자가 주권을 행사하여 국토 및 국민을 다스림. ¶나라를 통치하다.

통:합 統合 | 묶을 통, 합할 합
[combine; integrate; unify]
묶고[統] 합쳐[合] 하나로 만듦. ¶세 개의 부서가 하나로 통합되었다.

• 역순어휘

계:통 系統 | 이어 맬 계, 큰 줄기 통
[system; party]
❶속뜻 일정한 차례에 따라 이어져[系] 있는 큰 줄기[統]. ❷같은 방면이나 같은 종류 등에 딸려 있는 것. ¶소화기 계통 / 계통에 따라 동물을 나누다.

도통 都統 | 모두 도, 묶을 통
[in all; (not) at all]
❶속뜻 모두[都] 묶어[統] 합한 셈. ¶도통 10개였다. ❷이러니저러니 할 것 없이 아주. 전혀. ¶무슨 말씀인지 도통 모르겠습니다. ㊐도합(都合), 도무지.

전통 傳統 | 전할 전, 계통 통 [tradition]
❶속뜻 대대로 전(傳)해 내려온 계통(系統). ❷어떤 집단이나 공동체에서, 지난 시대에 이미 계통을 이루며 전하여 오는 사상·관습·행동 따위의 양식. ¶이 제과점은 100년의 전통을 자랑한다.

정:통 正統 | 바를 정, 계통 통
[orthodoxy; legitimacy]
❶속뜻 바른[正] 계통(系統). ¶일본의 정통 요리를 맛보다. ❷빗나가지 않고 정확한 것. ¶그는 머리를 정통으로 얻어맞고 쓰러졌다.

체통 體統 | 몸 체, 계통 통
[face; respectability; dignity]
❶속뜻 본체(本體)에 속하는 계통[統]. ❷점잖은 체면. ¶체통을 지키세요.

혈통 血統 | 피 혈, 계통 통 [blood; lineage]
같은 핏줄[血]을 타고난 겨레붙이의 계통(繼統). 조상과의 혈연관계. ¶그는 영국 귀족의 혈통이다.

0673 [사]

舍 집 사
㊗舌부 ㊕8획 ㊥舍 [shè, shě]

숨자의 口는 반지하의 움집 모양인 凵(감)의 변형이고, 윗부분은 그 위에 텐트를 친 것 같은 집 모양으로 '집'(a house; a dwelling)을 나타냈다.

사감 舍監 | 집 사, 볼 감 [dormitory dean]
기숙사(寄宿舍)에서 기숙생들의 생활을 감독(監督)하는 사람. ¶B사감과 러브레터.

사랑 舍廊 | 집 사, 결채 랑 [detached living room]
❶속뜻 집[舍]의 곁채[廊]. ❷바깥주인이 거처하며 손님을 대접하는 곳.

사리 舍利 | 집 사, 사사로울 리 [Buddha's bones]
❶속뜻 범어 'sarira'의 한자 음역어. ❷불교 석가모니나 성자의 유골. 후세에는 화장한 뒤에 나오는 구슬 모양의 것만 이른다.

• 역순어휘

관사 官舍 | 벼슬 관, 집 사 [official residence]
관리가 살도록 국가나 공공단체[官]에서 지은 집[舍]. ¶선생님은 관사에서 머물고 계신다. ㊐관저(官邸), 공사(公舍).

교:사 校舍 | 학교 교, 집 사 [school building]
학교(學校)의 건물[舍]. ¶신축 교사.

막사 幕舍 | 막 막, 집 사 [barracks; camp]
❶속뜻 판자나 천막(天幕) 따위로 임시로 간단하게 지은 집[舍]. ¶피난민을 막사에 수용하다. ❷군사 군인들이 주둔할 수 있도록 만든 건물 또는 가건물. ¶사병 막사 / 야전군 지휘 막사.

옥사 獄舍 | 감옥 옥, 집 사 [jail]
감옥(監獄)으로 쓰이는 집[舍].

우사 牛舍 | 소 우, 집 사 [cow shed]
소[牛]를 기르는 집[舍]. ¶우사 옆 머슴방으로 들어갔다.

청사 廳舍 | 관청 청, 집 사
[government office building]
관청(官廳)의 사무실로 쓰이는 건물[舍]. ¶정부 종합청사.

축사 畜舍 | 가축 축, 집 사 [cattle shed; pigsty]
가축(家畜)을 기르는 건물[舍]. ¶형은 축사를 지어 소를 키웠다.

0674 [양]

羊

양 양
㊊ 羊부 ㊍ 6획 ㊥ 羊 [yáng]

羊자는 '양'(a sheep)을 뜻하기 위하여 양의 머리와 그 뿔 모양을 본뜬 것이다. 원래의 자형은 아래쪽으로 향하여 굽은 뿔 모양을 특징적으로 묘사한 것이었다. 위쪽으로 향하여 솟구쳐 있는 뿔 모양을 특징적으로 묘사한 '소 우'(牛)자와 대비가 된다.

양모 羊毛 | 양 양, 털 모 [(sheep's) wool]
양(羊)의 털[毛]. ¶이 옷은 양모 100%로 만들었다.

• 역순어휘 •

산양 山羊 | 메 산, 양 양 [goat]
❶속뜻 산(山)에 사는 양(羊)과 같은 동물. ❷동물 어깨의 높이는 60~90㎝이며, 몸빛은 흰색, 갈색 따위의 동물. 성질이 활달하며 가축으로 기른다. ㊐염소.

0675 [의]

義

옳을 의:
㊊ 羊부 ㊍ 13획 ㊥ 义 [yì]

義자는 '톱날 모양의 날이 있는 의장용 무기'(我, 아)에 양(羊) 뿔 모양의 장식이 달려 있는 것으로 '위엄'(dignity)의 뜻을 나타낸 것이다. 후에 '옳다'(righteous), '뜻'(meaning), '(인공으로) 해 넣은'(artificial) 등의 뜻으로 확대 사용됐다.

속뜻훈음 ①옳을 의, ②뜻 의, ③해 넣을 의.

의:거 義擧 | 옳을 의, 들 거
[worthy undertaking; heroic deed]
정의(正義)로운 일을 일으킴[擧]. ¶윤봉길 의사의 의거 / 일제의 학정(虐政)에 국민이 의거했다.

의:경 義警 | 옳을 의, 지킬 경
[conscripted policeman]
법률 병역 의무(義務)를 지고 업무를 수행하는 경찰(警察). '의무경찰'(義務警察)의 준말.

의:리 義理 | 옳을 의, 이치 리
[obligation; justice; fidelity]
❶속뜻 사람으로서 마땅히 지켜야 할 옳은[義] 도리(道理). ❷사람과의 관계에 있어서 지켜야 할 바른 도리. ¶의리를 지키다 / 의리에 살고 의리에 죽는다.

의:무 義務 | 옳을 의, 일 무 [duty; obligation]
마땅히 해야 할 옳은[義] 일[務]. ¶권리를 주장하기 전에 의무를 다해야 한다. ㊐권리(權利).

의:병 義兵 | 옳을 의, 군사 병
[righteous army; loyal troops]
옳다고[義] 여기는 일을 위하여 싸우러 나선 군사[兵]. ¶의병은 산성에서 왜군들에 맞서 싸웠다.

의:분 義憤 | 옳을 의, 성낼 분
[public indignation]
의(義)로운 마음에서 우러나오는 분노(憤怒). ¶이순신 장군은 의분을 참고 백의종군하였다.

의:사 義士 | 옳을 의, 선비 사
[righteous person; martyr]
의(義)로운 선비[士]. 의로운 지사(志士). ¶의사 윤봉길.

의:수 義手 | 해 넣을 의, 손 수
[artificial arm; arm prosthesis]
인공으로 해 넣은[義] 손[手]. 손이 없는 사람을 위하여 나무나 고무 따위로 만들어 붙인 손.

의:연 義捐 | 옳을 의, 내놓을 연
[contribute to; subscribe; donate]
옳다[義]고 여기어 돈이나 물품을 내놓음[捐]. ¶의연한 모든 금액은 독거노인을 위해 사용합니다.

의:용 義勇 | 옳을 의, 날쌜 용
[loyalty and courage; heroism]
❶속뜻 옳다[義]고 여기는 일을 위하여 용기(勇氣)를 부림. ❷정의와 용기를 가지고 자원하는 것.

의:의 意義 | 뜻 의, 뜻 의 [meaning; sense]
❶속뜻 말이나 글의 뜻[意=義]. ❷어떤 사실이나 행위 따위가 갖는 중요성이나 가치. ¶3·1 운동의 역사적 의의.

의:인 義人 | 옳을 의, 사람 인 [righteous man]
옳은[義] 일을 위하여 나서는 사람[人]. ¶그는 아이를 구하려다 팔을 잃은 의인이다.

의:절 義絶 | 옳을 의, 끊을 절
[cut off relationship]
❶속뜻 의리(義理) 관계가 끊어짐[絶]. ❷친구나 친척 사이의 정이 끊어짐. ¶그는 자식과 의절을 선언했다.

의:족 義足 | 해 넣을 의, 발 족

[artificial leg; prosthetic limb]
인공으로 만들어 넣은[義] 발[足]. ¶그는 오른쪽 다리에 의족을 하고 있다.

의:창 義倉 | 옳을 의, 곳집 창
❶속뜻 의(義)로운 일에 쓸 물건을 보관하고 있는 창고(倉庫). ❷역사 고려 시대에 곡식을 저장하여 두었다가 흉년이나 비상 때에 가난한 백성들에게 대여하던 기관.

의:치 義齒 | 해 넣을 의, 이 치
[artificial tooth; set of false teeth]
인공으로 해 넣은[義] 가짜 이[齒]. ¶할머니는 의치를 해 넣으셨다.

의:협 義俠 | 옳을 의, 도울 협
[chivalry; heroism; gallantry]
의(義)로운 일로 약자를 돕는 일[俠]. 또는 그런 사람.

의:형 義兄 | 옳을 의, 맏 형 [sworn elder brother]
의리(義理)로 맺은 형(兄). 반의제(義弟).

• 역순어휘

강:의 講義 | 익힐 강, 뜻 의 [lecture]
❶속뜻 학술·기술 등에 관한 어떤 뜻[義]을 익히도록[講]함. 풀이하여 설명해 줌. ❷대학 수업. ¶한국 문학을 강의하다. 비강설(講說), 강론(講論).

광:의 廣義 | 넓을 광, 뜻 의 [broad sense]
어떤 말의 개념을 정의할 때에 넓은[廣] 의미(義味). ¶광의로 해석하다. 반협의(狹義).

대:의 大義 | 큰 대, 옳을 의 [great duty; loyalty]
사람, 특히 국민으로서 마땅히 행하거나 지켜야 할 큰[大] 도리[義]. ¶대의를 따르다.

도:의 道義 | 길 도, 뜻 의
[moral justice; moral principles]
사람이 마땅히 지키고 행해야 할 도덕적(道德的) 의리(義理). ¶그는 도의를 모르는 사람이다.

불의 不義 | 아닐 불, 옳을 의 [immorality]
옳지[義] 아니한[不] 일. ¶나는 불의를 보면 참지 못한다. 반정의(正義).

신:의 信義 | 믿을 신, 옳을 의 [faithfulness]
믿음[信]과 의리(義理). ¶신의를 지키다.

정:의[1] 正義 | 바를 정, 옳을 의 [justice; right]
❶속뜻 올바른[正] 도리[義]. ❷바른 뜻이나 가치. ¶정의를 위해 싸우다 / 정의의 사나이.

정:의[2] 定義 | 정할 정, 뜻 의 [define]
말이나 사물의 뜻[義]을 명백히 규정(規定)함. 또는 그 뜻. ¶정의를 내리다 / 교육에 대하여 정의해 보라.

주의 主義 | 주될 주, 뜻 의
[belief; principle; ism]
❶속뜻 중심[主]이 되는 뜻[義]이나 의견. ❷굳게 지키는 주장이나 방침. ¶그는 주의가 강한 사람이다. ❸체계화된 이론이나 학설. ¶민족자결주의 / 제국주의.

충의 忠義 | 충성 충, 옳을 의
[loyalty; devotion; faithfulness]
임금과 나라에 대한 충성(忠誠)과 절의(節義). ¶충의로 뭉친 신하들.

0676 [맥]

脈 줄기 맥
部 肉부 획 10획 中 脉 [mài, mò]

脈자는 피가 몸으로 순환하는 줄기, 즉 '맥'(the pulse)을 뜻하기 위하여 '고기 육'(肉=月)과 '길 영'(永)이 합쳐진 것이다. 脈의 오른쪽 요소는 '永'의 이체이다. '脉'으로 쓰기도 한다. 맥박이 계속되지 않으면 곧 죽음이니 '길 영'(永)이 표의요소로 쓰인 것은 매우 과학적임을 알 수 있다. '줄기'(a trunk; a stem)를 뜻하는 것으로도 많이 쓰인다.
속뜻 훈음 ①맥 맥, ②줄기 맥.

맥락 脈絡 | 맥 맥, 이을 락
[veins; line of connection; context]
❶속뜻 혈맥(血脈) 같이 이어져[絡] 있음. ❷사물의 줄기가 서로 얽혀 있는 것. ¶그 사건들은 같은 맥락에서 이해할 수 있다. 준맥.

맥박 脈搏 | 맥 맥, 뛸 박 [beat of the pulse]
의학 맥(脈)이 뜀[搏]. 심장이 오그렸다 폈다 하면서 피가 흘러 혈관 벽을 주기적으로 두드리는 것. ¶맥박이 빠르다 / 맥박이 약하다.

• 역순어휘

동:맥 動脈 | 옮길 동, 줄기 맥 [artery]
의학 심장에서 피를 신체 각 부분에 보내는[動] 혈관 줄기[脈]. 일반적으로 혈관의 벽이 두꺼우며 탄력성과 수축성이 많다. '동맥관'(動脈管)의 준말. 반정맥(靜脈).

명:맥 命脈 | 목숨 명, 맥 맥 [life; thread of life]
살아가는데 필요한 목숨[命]과 맥박(脈搏). ¶간신히 명맥을 이어가다. 비생명(生命).

문맥 文脈 | 글월 문, 맥 맥 [context]
언어 글[文]의 맥락(脈絡). ¶작가의 의견이 문맥에 드러나 있다.

산맥 山脈 | 메 산, 줄기 맥 [mountain range]
산(山)봉우리가 이어진 줄기[脈]. ¶태백산맥 / 알프스 산맥.

일맥 一脈 | 한 일, 줄기 맥 [vein]
하나[一]로 이어진 줄기[脈].

정맥 靜脈 | 고요할 정, 맥 맥 [vein]
❶[속뜻] 고요한[靜] 맥(脈). ❷[의학] 정맥혈(靜脈血)을 심장으로 보내는 순환 계통의 하나. 피의 역류를 막는 역할을 하며 살갗 겉으로 퍼렇게 드러난다. [반]동맥(動脈).

진:맥 診脈 | 살펴볼 진, 맥 맥
[examine the pulse]
[한의] 병을 진찰하기 위하여 손목의 맥(脈)을 짚어 보는[診] 일. ¶의원은 요모조모 진맥해 보더니 약을 지어 주었다.

0677 [배]

背

등 배:
[部] 肉부 [劃] 9획 [中] 背 [bèi, bēi]

背자의 본래 글자인 北(북/배)은 두 사람이 등을 돌리고 있는 모양으로 '등을 돌리다'(turn one's back; betray)가 본뜻이었다. '북쪽'(the north)을 가리키는 것으로 차용되는 예가 많아지자, 본뜻을 위하여 추가로 만든 것이 바로 '背'다. '등'(the back)을 뜻하는 것으로도 쓰인다.

[속뜻훈음] ①등 배, ②등질 배.

배:경 背景 | 등 배, 볕 경 [background; scenery]
❶[속뜻] 뒤쪽[背]의 경치(景致). ¶산을 배경으로 사진을 찍다 ❷[연영] 무대의 안쪽 벽에 그린 그림. 또는 무대 장치. ¶배경을 꾸미다. ❸[문학] 작품의 시대적·역사적인 환경. ¶그 소설은 한반도를 배경으로 하고 있다.

배:낭 背囊 | 등 배, 주머니 낭 [knapsack]
물건을 넣어 등[背]에 질 수 있도록 천이나 가죽으로 주머니[囊]처럼 만든 것. ¶배낭을 어깨에 둘러매다.

배:반 背反 | =背叛, 등질 배, 되돌릴 반 [betray]
신의를 저버리고 등지고[背] 돌아섬[反]. ¶약속을 배반하다. [비]배신(背信).

배:신 背信 | 등질 배, 믿을 신 [betray]
신의(信義)를 등짐[背]. ¶혼자만 살려고 친구들을 배신했다. [비]배반(背反).

배:영 背泳 | 등 배, 헤엄칠 영 [backstroke]
[운동] 등[背]을 대고 눕듯이 하여 치는 헤엄[泳].

배:후 背後 | 등 배, 뒤 후 [back; rear]
❶[속뜻] 등[背] 뒤[後]. 뒤쪽. ❷사건 따위의 표면에 드러나지 않는 부분. ¶배후세력 / 사건의 배후를 밝히다.

• 역순어휘

위배 違背 | 어길 위, 등질 배 [violate; break]
약속한 바를 어기고[違] 등짐[背]. ¶위배 행위 / 이것은 헌법 정신에 위배된다. [비]위반(違反).

0678 [육]

肉

고기 육
[部] 肉부 [劃] 6획 [中] 肉 [ròu]

肉자는 짐승의 '살코기'(meat)를 나타내기 위하여 고기 덩어리 모양을 본뜬 것이다. 사람의 신체 각 부위를 나타내는 어떤 글자의 표의요소로 쓰일 때는 '月'로 간략화 된다. 腸(창자 장)의 경우가 그렇다. 후에 사람의 '몸'(the body), 과일 따위의 '살'(flesh; pulp; sarcocarp)을 뜻하는 것으로 확대 사용됐다.

[속뜻훈음] ①고기 육, ②몸 육, ③살 육.

육류 肉類 | 고기 육, 무리 류
[meat; flesh; flesh and meat]
먹을 수 있는 짐승의 고기[肉] 종류(種類)를 두루 이르는 말.

육박 肉薄 | 고기 육, 엷을 박
[close in upon; be close at hand]
몸[肉] 가까이 바싹[薄] 다가붙음. ¶적들과 육박전(肉薄戰)을 벌였다 / 5만 명에 육박하는 관중이 경기장에 모였다.

육성 肉聲 | 몸 육, 소리 성
[live voice; natural voice]
기계를 통하지 않고 사람의 몸[肉]에서 직접 나오는 소리[聲]. ¶그녀는 마이크 없이 육성으로 노래를 불렀다.

육식 肉食 | 고기 육, 먹을 식
[meat eating; flesh-eating]
❶[속뜻] 짐승의 고기[肉]로 만든 것을 먹음[食]. 또는 그 음식. ¶언니는 육식보다 채식을 좋아한다. ❷동물이 동물을 먹이로 함. ¶티라노사우루스는 육식 공룡이다.

육신 肉身 | 몸 육, 몸 신 [body]
구체적인 물체인 사람의 몸[肉=身]. ¶육신의 고통을 견디다. [비]육체(肉體). [반]영혼(靈魂).

육안 肉眼 | 몸 육, 눈 안 [naked eye]
❶[속뜻] 몸[肉]에 붙은 눈[眼]이나 시력. ❷눈으로 보는 표면적인 안식(眼識). ¶그 별은 육안으로는 볼 수 없다. [비]맨눈.

육중 肉重 | 몸 육, 무거울 중
[bulky and heavy; ponderous]
몸집[肉]이나 생김새 따위가 투박하고 무겁다[重]. ¶그는 육중한 몸을 의자에서 일으켰다.

육체 肉體 | 몸 육, 몸 체 [flesh; body]
구체적인 물질인 사람의 몸[肉=體]. ¶건전한 육체에 건전한 정신이 깃든다. ⓗ육신(肉身). ⓑ영혼(靈魂), 정신(精神).

육친 肉親 | 몸 육, 친할 친 [blood relative]
혈연[肉] 관계에 있는 친척(親戚). ¶유비, 관우, 장비는 육친처럼 서로 의지하며 살기로 약속했다.

육포 肉脯 | 고기 육, 포 포 [jerked beef]
쇠고기[肉]를 얇게 저며서 말린 포(脯).

육회 肉膾 | 고기 육, 회 회
[dish of minced raw beef]
소의 살코기[肉]로 만든 회(膾).

• 역순어휘

근육 筋肉 | 힘줄 근, 살 육 [muscle; sinew]
힘줄[筋]과 살[肉]. ¶꾸준하게 운동하면 근육이 발달한다.

다육 多肉 | 많을 다, 살 육 [fleshy; pulpy]
과일의 살[肉]이 많음[多].

정육 精肉 | 쓿을 정, 고기 육
[fresh meat; dressed meat]
굳기름이나 뼈 따위를 발라내 깨끗이 쓿은[精] 고기[肉].

혈육 血肉 | 피 혈, 살 육
[one's flesh and blood; one's offspring]
❶속뜻 피[血]와 살[肉]. ❷부모, 자식, 형제 따위처럼 한 혈통으로 맺어진 육친. ¶그에게는 누나가 유일한 혈육이다. ⓗ피붙이.

0679 [제]

製

지을 제:
部 衣부 劃 14획 中 制 [zhì]

製자는 制(만들 제)에서 분화된 것이다. 制는 가지 많은 나무 모양을 본뜬 未(미)의 변형에 '칼 도'(刀⇒刂)가 합쳐진 것이다. 나무 가지를 잘라 생활에 필요한 도구를 '만들다'(manufacture)가 본뜻이다. 후에 '옷을 만들다'(tailor)는 뜻을 위해 '옷 의'(衣)가 첨가된 것이 바로 製자다. 둘 다 '만들다'는 뜻으로 쓰이지만, 制는 '(제도를) 정하다'(determine)는 의미가, 製는 '(물품을) 만들다'(make)는 의미가 강하다.

속뜻훈음 만들 제.

제:강 製鋼 | 만들 제, 강철 강 [make steel]
강철(鋼鐵)을 만듦[製]. 또는 그 강철. ¶제강산업 / 이곳에서 제강한 재료는 외국으로 수출한다.

제:과 製菓 | 만들 제, 과자 과 [confectionery]
과자(菓子)나 빵을 만듦[製]. ¶제과 기술 / 제과회사.

제:당 製糖 | 만들 제, 엿 당
[sugar manufacture; sugar refining]
당분(糖分)의 함유량이 많은 식물의 즙으로 설탕을 만듦[製]. ¶제당 공장.

제:도 製圖 | 만들 제, 그림 도 [draft; draw]
기계, 건축물, 공작물 따위의 도면(圖面)이나 도안(圖案)을 만들어냄[製]. ¶제도연필(製圖鉛筆).

제:련 製鍊 | 만들 제, 쇠 불릴 련
[refine metals; smelt copper]
공업 광석을 용광로에 넣어 녹이고 불려서[鍊] 금속을 만듦[製]. ¶제련 기술 / 우리나라는 삼국시대부터 철을 제련해 왔다.

제:분 製粉 | 만들 제, 가루 분 [mill; pulverize]
밀을 빻아 밀가루를 만들 듯, 곡식이나 약재 따위를 빻아서 가루[粉]로 만듦[製].

제:약 製藥 | 만들 제, 약 약
[medicine manufacture; pharmacy]
약재(藥材)를 섞어서 약(藥)을 만듦[製]. 또는 그 약. ¶제약회사.

제:염 製鹽 | 만들 제, 소금 염 [salt manufacture]
소금[鹽]을 만듦[製].

제:작 製作 | 만들 제, 지을 작 [make; produce]
재료를 가지고 기능과 내용을 가진 새로운 물건이나 예술 작품을 만듦[製=作]. ¶독도를 외국에 알릴 포스터를 제작했다.

제:재 製材 | 만들 제, 재목 재 [lumber]
베어 낸 나무로 재목(材木)을 만듦[製]. ¶나무를 제재하여 가구를 만들다.

제:조 製造 | 만들 제, 만들 조 [make; produce]
❶속뜻 공장에서 큰 규모로 물건을 만듦[製=造]. ❷원료에 인공을 가하여 정교한 제품을 만듦. ¶제조된 자동차는 전 세계로 수출된다.

제:지 製紙 | 만들 제, 종이 지
[paper manufacture]
종이[紙]를 만듦[製]. ¶중국은 일찍부터 제지 기술이 발달하였다.

제:철 製鐵 | 만들 제, 쇠 철 [iron making]
공업 광석에서 철(鐵)을 뽑아내는[製] 일. ¶영국은 제철 산업이 발달했다.

제:품 製品 | 만들 제, 물건 품
[manufactured goods; product]
원료를 써서 물품(物品)을 만듦[製]. 또는 그렇게 만들

어 낸 물품. '제조품'(製造品)의 준말. ¶그 가게에는 싸고 질 좋은 제품이 많다. [비]상품(商品).

• 역순어휘

관제 官製 | 벼슬 관, 만들 제
[government manufacture]
정부가 경영하는 기업체나 관청(官廳)에서 물건을 만듦[製]. 또는 그렇게 만든 물품.

금제 金製 | 황금 금, 만들 제 [gold made product]
금(金)으로 만든 제품(製品).

마제 磨製 | 갈 마, 만들 제 [polished]
돌 따위를 갈아서[磨] 연장이나 기구를 만드는[製] 일. 또는 그렇게 만든 것.

목제 木製 | 나무 목, 만들 제
[wooden; made of wood]
나무[木]를 재료로 하여 만듦[製]. 또는 그 물건.

미제 美製 | 미국 미, 만들 제 [made in U.S.A]
미국(美國)에서 만든[製] 물건.

박제 剝製 | 벗길 박, 만들 제 [stuff]
동물의 살과 내장을 발라낸[剝] 다음 살아 있을 때와 같은 모양으로 만듦[製]. 또는 그 표본.

복제 複製 | 겹칠 복, 만들 제 [copy]
본디의 것과 똑같이 겹쳐[複] 만듦[製]. 또는 그렇게 만든 것. ¶불법으로 영화를 복제하다.

봉제 縫製 | 꿰맬 봉, 만들 제 [sew]
재봉틀 따위로 박거나 꿰매어[縫] 만듦[製]. ¶봉제 인형.

사제 私製 | 사사로울 사, 만들 제
[private manufacture]
개인[私]이 만듦[製]. ¶사제 권총 / 사제 엽서. [반]관제(官製).

완제 完製 | 완전할 완, 만들 제
완전(完全)하게 만듦[製]. 또는 그런 제품. ¶완제 생산.

외:제 外製 | 밖 외, 만들 제
[of foreign manufacture]
외국(外國)에서 만듦[製]. '외국제'의 준말. ¶외제차. [반]국산(國産).

일제 日製 | 일본 일, 만들 제
[Japanese manufacture]
일본(日本) 제품(製品). ¶일제 만년필 / 전자제품은 일제보다 국산이 좋다.

창:제 創製 | =創制, 처음 창, 만들 제
[invent; create]
전에 없던 것을 처음으로[創] 만듦[製]. ¶한글을 창제하다.

철제 鐵製 | 쇠 철, 만들 제 [iron; iron preparation]
쇠[鐵]로 만듦[製]. 또는 그 물건. ¶철제 사다리.

훈제 燻製 | 연기낄 훈, 만들 제 [smoking of meat]
소금에 절인 고기를 연기[燻]에 그슬려 말리어 만듦[製]. ¶훈제 오리.

0680 [성]

聖

성인 성:
[部] 耳부 [劃] 13획 [中] 圣 [shèng]

聖자는 지금부터 약 3,400년 전에 쓰인 甲骨文(갑골문)에서는 서있는 사람[人]의 상단에 귀[耳·이] 모양이 첨가되어 있는 형체(口자가 첨가된 것도 있음)를 취하고 있는 것으로 보아 '귀'가 매우 강조되어 있음을 알 수 있다. '총명할 총'(聰)자에도 '귀'가 강조되어 있는 것은 우연한 것이 아니다. '거룩하다'(holy; sacred; great)가 본뜻이다. 거룩한 사람이 되자면 귀를 크게 하여 남의 말을 경청해야 함을 聖자를 통하여 알 수 있다.

[속뜻훈음] 거룩할 성.

성:가 聖歌 | 거룩할 성, 노래 가
[sacred song; hymn]
❶[속뜻] 거룩한[聖] 내용의 노래[歌]. ❷[기독교] 기독교에서 부르는 가곡을 통틀어 이르는 말. [비]성악(聖樂).

성:경 聖經 | 거룩할 성, 책 경 [Holy Bible]
각 종교에서 거룩한[聖] 내용을 담은 경전(經典). 기독교의 성서, 불교의 대장경, 유교의 사서삼경, 회교의 코란 따위. [비]성서(聖書), 성전(聖典).

성:군 聖君 | 거룩할 성, 임금 군 [sage king]
어질고 거룩한[聖] 임금[君]. ¶세종대왕은 학문과 과학에 조예가 깊은 성군이었다. [비]성왕(聖王), 성제(聖帝), 성주(聖主).

성:당 聖堂 | 거룩할 성, 집 당 [Catholic church]
❶[속뜻] 거룩한[聖] 집[堂]. ❷[가톨릭] 가톨릭의 교회당.

성:령 聖靈 | 성스러울 성, 신령 령 [Holy Spirit]
❶[속뜻] 성(聖)스러운 신령(神靈). ❷[기독교] 성삼위 중의 하나인 하나님의 영을 이르는 말. ¶성령의 힘을 받았다.

성:모 聖母 | 거룩할 성, 어머니 모 [Holy Mother]
❶[속뜻] 거룩한[聖] 어머니[母]. ❷지난날, 국모(國母)를 성스럽게 일컫던 말. ❸[가톨릭] 예수의 어머니 '마리아'를 일컫는 말.

성:서 聖書 | 거룩할 성, 책 서 [Holy Bible]
❶[속뜻] 거룩한[聖] 분의 행적 따위에 대하여 쓴 책[書]. ❷[기독교] 기독교의 경전. 신약과 구약으로 되어 있다. [비]성경(聖經).

성:역 聖域 | 거룩할 성, 지경 역 [holy precincts]
거룩한[聖] 지역(地域). 특히 종교적으로 신성하여 범해서는 안 되는 곳을 말한다. ¶성역이 침략자에게 짓밟혔다.

성:왕 聖王 | 거룩할 성, 임금 왕 [sage king]
어질고 거룩한[聖] 임금[王]. ㊥성군(聖君).

성:은 聖恩 | 거룩할 성, 은혜 은 [Royal favor]
거룩한[聖] 임금의 은혜(恩惠). ¶성은이 망극하옵니다.

성:인 聖人 | 거룩할 성, 사람 인 [sage; saint]
❶속뜻 거룩하여[聖] 본받을만한 사람[人]. 유교에서는 요(堯)·순(舜)·우(禹)·탕(湯) 및 문왕(文王)·무왕(武王)·공자(孔子) 등을 가리킨다. ❷가톨릭 신앙과 성덕(聖德)이 특히 뛰어난 사람에게 교회에서 시성식(諡聖式)을 통하여 내리는 칭호.

성:자 聖者 | 거룩할 성, 사람 자 [sage; saint]
지혜나 덕(德)이 뛰어나고 거룩하여[聖] 본받을만한 사람[者].

성:전 聖殿 | 거룩할 성, 대궐 전 [sacred hall]
❶속뜻 신성(神聖)한 전당(殿堂). ❷가톨릭 가톨릭의 성당. ❸기독교 개신교의 예배당.

성:지 聖地 | 거룩할 성, 땅 지 [Holy Land]
종교 신성(神聖)스럽게 여기는 땅[地]. ¶성지 순례.

성:직 聖職 | 거룩할 성, 일 직
[holy orders; ministry]
❶속뜻 거룩한[聖] 직무(職務). ❷기독교 교칙에 따라 하나님께 봉사하는 직무. 또는 그러한 직분.

성:탄 聖誕 | 거룩할 성, 태어날 탄
[sacred birth; Christmas Day]
❶속뜻 거룩한[聖] 분의 탄생(誕生). 또는 임금의 탄생.
❷기독교 '성탄절'(聖誕節)의 준말.

성:현 聖賢 |거룩할 성, 어질 현 [saints; sages]
성인(聖人)과 현인(賢人)을 일컬음.

성:화 聖火 | 거룩할 성, 불 화 [sacred fire]
❶속뜻 신성(神聖)한 불[火]. ❷운동 올림픽 대회 때, 그리스의 올림피아에서 태양열로 채화(採火)한 불을 릴레이 방식으로 운반하여 대회가 끝날 때까지 주경기장의 성화대에 켜 놓는 횃불. ¶성화를 봉송하다.

• 역순어휘

대:성 大聖 | 큰 대, 거룩할 성
[great sage; mahatma Sans.]
❶속뜻 지극히 크게[大] 거룩한[聖] 분. ❷공자(孔子)를 높여 이르는 말. ❸불교 석가처럼 정각(正覺)을 얻은 사람을 이르는 말.

신성 神聖 | 귀신 신, 거룩할 성 [be holy]
❶속뜻 신(神)과 같이 거룩함[聖]. ❷매우 거룩하고 존귀함. ¶신성을 모독하다 / 결혼은 신성한 것이다.

0681 [성]

聲 소리 성
㊏ 耳부 ㊕ 17획 ㊥ 声 [shēng]

聲자는 손에 막대기를 쥐고[殳·수] 석경(石磬)을 쳐서 울리는 소리를 귀[耳·이]로 듣고 있는 모습을 통하여 '악기 소리'(sound of music)란 뜻을 나타낸 것이다. 후에 각종 '소리'(a voice; sound)를 총칭하는 것으로 확대 사용됐다.

성대 聲帶 | 소리 성, 띠 대 [vocal cords]
의학 후두(喉頭)의 중앙에 있는 소리[聲]를 내는 울림대[帶]. ¶성대 결절 / 성대모사(模寫). ㊥목청.

성량 聲量 | 소리 성, 분량 량
[volume of (one's) voice]
목소리[聲]의 크기[量]. ¶성량이 풍부하다. ㊥음량(音量).

성명 聲明 | 소리 성, 밝을 명
[declare; announce; make a statement]
❶속뜻 소리[聲]내어 분명(分明)하게 밝힘. ❷일정한 사항에 관한 견해나 태도를 여러 사람에게 공개적으로 밝히는 일. ¶두 나라 정상은 양국의 긴밀한 협력을 성명하였다.

성부 聲部 | 소리 성, 나눌 부
음악 음악에서 독립된 선율[聲]의 각 부분(部分). 소프라노, 알토, 테너, 베이스 따위.

성악 聲樂 | 소리 성, 음악 악
[vocal music; singing]
음악 사람의 음성(音聲)으로 이루어진 음악(音樂). ¶그녀는 대학에서 성악을 전공했다. ㊥기악(器樂).

성우 聲優 | 소리 성, 광대 우
[radio actor; dubbing artist]
연영 목소리[聲]만으로 출연하는 배우(俳優).

• 역순어휘

가:성 假聲 | 거짓 가, 소리 성 [feigned voice]
❶속뜻 일부러 꾸며내는[假] 목소리[聲]. ¶가성을 써서 그녀의 말씨를 흉내냈다. ❷음악 가장 높고 여린 목소리.

고성 高聲 | 높을 고, 소리 성 [loud voice]
높고[高] 큰 목소리[聲]. ¶회의에서 고성이 오갔다. ㊥저성(低聲).

곡성 哭聲 | 울 곡, 소리 성

[sound of keening; a wail]
우는[哭] 소리[聲]. [비]곡소리.

괴:성 怪聲 | 이상할 괴, 소리 성
[horrible shriek; eerie shriek]
괴상(怪狀)한 소리[聲]. ¶괴성을 지르다.

뇌성 雷聲 | 천둥 뢰, 소리 성 [peal of thunder]
천둥[雷] 소리[聲]. ¶먼 데서 뇌성이 들린다. [비]우레소리. [관용]뇌성에 벽력(霹靂).

명성 名聲 | 이름 명, 소리 성
[fame; renown; popularity]
❶[속뜻]널리 알려진 이름[名]과 목소리[聲]. ❷세상에 널리 떨친 이름이나 평판. [비]성명(聲名), 성문(聲聞).

무성 無聲 | 없을 무, 소리 성 [silent; unvoiced]
소리[聲]가 없음[無]. 아무 소리도 나지 않음. [반]유성(有聲).

발성 發聲 | 드러낼 발, 소리 성 [utter; speak]
소리[聲]를 냄[發]. ¶발성연습을 하다.

변:성 變聲 | 바뀔 변, 소리 성 [change of voice]
목소리[聲]를 바꿈[變]. 목소리가 달라짐. ¶사춘기가 되면 변성하여 목소리가 굵어진다.

언성 言聲 | 말씀 언, 소리 성 [(tone of) voice]
말[言] 소리[聲]. ¶둘은 서로 잘났다고 언성을 높였다.

원:성 怨聲 | 원망할 원, 소리 성
[murmur of grievances]
원망(怨望)하는 소리[聲]. ¶야산을 헐어 골프장을 만들겠다는 발표에 주민들의 원성이 자자하다.

육성 肉聲 | 몸 육, 소리 성
[live voice; natural voice]
기계를 통하지 않고 사람의 몸[肉]에서 직접 나오는 소리[聲]. ¶그녀는 마이크 없이 육성으로 노래를 불렀다.

음성 音聲 | 소리 음, 소리 성 [voice; tone]
❶[속뜻]사람이 내는 소리[音]와 악기가 내는 소리[聲]. ❷[언어]발음기관에서 생기는 음향. ¶음성변조 / 음성 메시지. [비]목소리.

의성 擬聲 | 흉내낼 의, 소리 성
[onomatopoeia; imitating sounds]
사물의 소리[聲]를 본떠 흉내냄[擬].

총성 銃聲 | 총 총, 소리 성 [report of a gun]
총(銃)을 쏠 때 나는 소리[聲]. 총소리. ¶총성이 울리다.

탄:성 歎聲 | =嘆聲, 한숨지을 탄, 소리 성
[sigh of admiration]
❶[속뜻]한숨짓는[歎] 소리[聲]. ¶가혹한 정치에 백성들의 탄성이 자자하다. ❷감탄하는 소리. ¶그의 작품은 많은 사람의 탄성을 자아낸다.

포성 砲聲 | 대포 포, 소리 성 [sound of gunfire]
대포(大砲)를 쏠 때 나는 소리[聲]. ¶우르르하는 포성이 천지를 뒤흔들었다.

함:성 喊聲 | 소리칠 함, 소리 성 [great outcry]
여럿이 함께 고함지르는[喊] 소리[聲]. ¶함성을 지르다.

혼:성 混聲 | 섞을 혼, 소리 성 [mixed voices]
❶[속뜻]뒤섞인[混] 소리[聲]. ❷[음악]남녀의 목소리를 혼합하여 노래하는 일. ¶남녀 혼성그룹.

환성 歡聲 | 기쁠 환, 소리 성
[shout of joy; hurrah]
기뻐서[歡] 지르는 소리[聲]. ¶환성을 지르다 / 환성이 울려 퍼지다.

0682 [직]

職
직분 직
[部] 耳부 [획] 18획 [中] 职 [zhí]

職자는 본래 귀가 밝아 잘 '알아듣다'(understand)는 뜻을 나타내기 위한 것이었으니 '귀 이'(耳)가 표의요소로 쓰였다. 戠(찰진 흙 시)가 표음요소임은 織(짤 직)도 마찬가지이다. '일'(a task), '일자리'(a job; a position), '맡다'(be in charge) 등으로 확대 사용됐다.
[속뜻훈음] ①일 직, ②일자리 직, ③맡을 직,

직공 職工 | 일 직, 장인 공 [worker]
❶[속뜻]자기 손 기술로 물건을 만드는 일[職]을 업으로 하는 장인[工] 같은 사람. ❷공장에서 일하는 사람. ¶인쇄소 직공들은 열심히 일했다.

직무 職務 | 맡을 직, 일 무 [job; duties]
직책이나 직업상에서 책임을 지고 담당하여 맡은[職] 일[務]. ¶직무에 충실하다.

직분 職分 | 일자리 직, 나눌 분 [duty; job]
❶[속뜻]직무(職務)상의 본분(本分). ¶맡은 바 직분을 충실히 하다. ❷마땅히 해야 할 본분. ¶사람은 각자 지켜야 할 직분이 있다.

직업 職業 | 일 직, 일 업 [job; career; vocation]
생계를 유지하기 위하여 하는 직무(職務)나 생업(生業). ¶그녀의 직업은 간호사다.

직원 職員 | 일 직, 사람 원 [employee; staff]
직장에서 각각의 직무(職務)를 맡고 있는 사람[員]. ¶이 화장실은 직원 전용이다.

직위 職位 | 일 직, 자리 위 [position]
직무(職務)에 따라 규정되는 사회적·행정적 위치(位置). ¶높은 지위를 박탈하다.

직장 職場 | 일자리 직, 마당 장 [one's workplace]

사람들이 일정한 직업(職業)을 가지고 일하는 곳[場]. ¶이번 기회에 직장을 옮기려고 한다.

직종 職種 | 일자리 직, 갈래 종 [type of occupation]
직업(職業)이나 직무의 종류(種類). ¶이런 직종에서 일해 본 경험이 있나요?

직책 職責 | 일 직, 꾸짖을 책 [one's duty]
직무(職務)상의 책임[責]. ¶맡은 직책을 성실히 수행하다.

• 역순어휘

공직 公職 | 관공서 공, 일 직 [official position]
국가나 지방 공공단체[公]에서 맡은 직무(職務).

관직 官職 | 벼슬 관, 일 직 [government office]
❶속뜻 벼슬[官]을 하면서 맡은 일[職]. ❷공무원 또는 관리가 국가로부터 위임받은 일정한 직무. 또는 그런 지위.

교:직 教職 | 가르칠 교, 일 직 [teaching profession]
❶교육 학생을 가르치는[教] 직무(職務). ❷기독교 교회에서 신도의 지도와 교회의 관리를 맡은 직책.

구직 求職 | 구할 구, 일자리 직 [seek a job]
직업(職業)을 찾음[求]. ⓑ구인(求人).

무직 無職 | 없을 무, 일자리 직 [inoccupation]
일정한 직업(職業)이 없음[無].

복직 復職 | 돌아올 복, 일자리 직 [resume office]
원래의 일자리[職]로 다시 돌아옴[復]. ¶나는 지난달에 복직했다.

사직 辭職 | 물러날 사, 일 직 [leave office; resign from]
맡은 직무(職務)를 내놓고 물러남[辭]. ¶그는 신병을 이유로 사직했다 / 사직서(辭職書)를 제출하다.

성:직 聖職 | 거룩할 성, 일 직 [holy orders; ministry]
❶속뜻 거룩한[聖] 직무(職務). ❷기독교 교칙에 따라 하나님께 봉사하는 직무. 또는 그러한 직분.

실직 失職 | 잃을 실, 일자리 직 [lose one's job]
직업(職業)을 잃음[失]. ¶그는 회사가 부도나면서 실직했다. ⓑ실업(失業). ⓑ취직(就職).

재:직 在職 | 있을 재, 일자리 직 [hold office; be in office]
어떤 직장(職場)에 근무하고 있음[在]. ¶그는 이 회사에서 20년 동안 재직하고 있다.

전직 前職 | 앞 전, 일자리 직 [office held previously; one's former office]
이전(以前)에 가졌던 직업(職業). ¶전직 농구선수였던 그는 사업가가 되었다.

천직 天職 | 하늘 천, 일자리 직 [calling; vocation]
❶속뜻 하늘[天]이 내려 준 직업(職業). ❷그 사람의 천성에 알맞은 직업. ¶그는 자기 직업을 천직으로 여기고 열심히 일한다.

취:직 就職 | 나아갈 취, 일자리 직 [get a job; find a work]
직장(職場)에 나아가[就] 일함. ¶지난달 은행에 취직했습니다. ⓑ취업(就業). ⓑ실직(失職).

퇴:직 退職 | 물러날 퇴, 일자리 직 [retire; resign]
❶속뜻 직위(職位)에서 물러남[退]. ❷직장을 그만둠. ¶아버지는 직장에서 퇴직하신 후 다른 사업을 하려고 한다. ⓑ취직(就職).

파:직 罷職 | 그만둘 파, 일자리 직 [fore; dismiss from office]
관직(官職)을 그만두게 함[罷]. 물러남. ¶탐관오리를 파직하다.

해:직 解職 | 풀 해, 일자리 직 [dismiss]
직책(職責)에서 물러나게[解] 함. ¶해직 근로자.

현:직 現職 | 지금 현, 일자리 직 [present office]
현재(現在) 종사하는 직업(職業)이나 직임(職任). ¶그는 현직 경찰관이다. ⓑ전직(前職).

0683 [항]

航

배 항:
㊇ 舟부 ㊀ 10획 ㊥ 航 [háng]

航자는 '(큰) 배'를 뜻하기 위하여 만들어진 것이니, '배 주'(舟)가 표의요소로 쓰였고, 亢(목 항)은 표음요소다. '건너다'(cross over)는 뜻으로 확대 사용됐다.

속뜻 풀음 ①배 항, ②건널 항.

항:공 航空 | 건널 항, 하늘 공 [airline]
❶속뜻 하늘[空]을 건넘[航]. ❷비행기로 하늘을 날아다님. ¶항공 노선 / 항공요금.

항:로 航路 | 배 항, 길 로 [route]
❶속뜻 배[航]가 다니는 길[路]. 뱃길. ¶그는 뉴욕으로 항로를 바꾸었다. ❷항공기가 통행하는 공로. ¶비행기가 항로를 벗어났다.

항:해 航海 | 배 항, 바다 해 [voyage]
배[航]를 타고 바다[海]를 다님. ¶그는 또 다시 기나긴 항해를 떠났다.

• 역순어휘

운:항 運航 | 움직일 운, 배 항 [operate]
배[航]나 항공기를 운행(運行)함. ¶태풍으로 모든 선박의 운항이 중단되었다.

0684 [소]

笑

웃음 소:
[部] 竹부 [劃] 10획 [中] 笑 [xiào]

笑자가 '웃다'(laugh)는 의미로 쓰이게 된 것을 자형으로는 설명하기가 어렵다. 바람이 불면 대나무(竹)가 요굴(夭屈)하는 것이 마치 사람의 웃음을 방불케 한다는 설이 있지만 어쩐지 어색하다. 다른 설도 있는데 문제가 많다. 확실한 것은, '웃다'는 뜻으로 쓰인다는 사실뿐이다.
[속뜻훈음] 웃을 소.

• 역순어휘

가:소 可笑 | 가히 가, 웃을 소 [be laughable]
가(可)히 웃을[笑] 만하다. 우습다. ¶너 같이 약해빠진 녀석이 덤비다니, 가소롭다!

냉:소 冷笑 | 찰 랭, 웃을 소 [cold smile]
쌀쌀한[冷] 태도로 비웃음[笑]. ¶얼굴에 냉소를 띠고 있다.

담소 談笑 | 말씀 담, 웃을 소 [chat pleasantly]
말[談]을 주고받으며 웃음[笑]. ¶담소를 나누다. [비]언소(言笑).

미소 微笑 | 작을 미, 웃을 소 [smile]
작게[微] 웃음[笑]. 소리를 내지 않고 빙긋이 웃는 웃음.

실소 失笑 | 잃을 실, 웃을 소 [burst out laughing]
저도 모르게 절로[失] 터져 나오는 웃음[笑]. ¶그의 말은 사람들의 실소를 자아냈다.

조소 嘲笑 | 비웃을 조, 웃을 소 [laugh scornfully]
조롱(嘲弄)하여 웃음[笑]. ¶친구들의 조소를 받다 / 돈과 물질에 사로잡힌 현실을 조소했다. [비]비웃음.

쾌소 快笑 | 기쁠 쾌, 웃을 소
기뻐서[快] 짓는 웃음[笑]. ¶승리자의 쾌소.

폭소 爆笑 | 터질 폭, 웃을 소
[burst out laughing; explosive laugh]
갑자기 세차게 터져 나오는[爆] 웃음[笑]. ¶사람들은 폭소를 터뜨렸다.

0685 [죽]

竹

대 죽
[部] 竹부 [劃] 6획 [中] 竹 [zhú]

竹자는 두 줄기의 대나무 가지를 그린 것이다. 탄생 이후 줄곧 '대나무'(a bamboo)라는 본뜻으로 쓰이고 있다. 관악기는 대개 대나무로 만들었으므로 '관악기'(a wind instrument)를 뜻하기도 한다.
[속뜻훈음] 대나무 죽.

죽도 竹刀 | 대나무 죽, 칼 도 [bamboo sword]
❶[속뜻] 대나무[竹]로 만든 칼[刀]. ❷[운동] 검도에 쓰는 도구. 네 가닥으로 쪼갠 대나무를 묶어 칼 대신 쓴다.

죽림 竹林 | 대나무 죽, 수풀 림 [bamboo grove]
대나무[竹]가 무성한 숲[林].

죽순 竹筍 | 대나무 죽, 죽순 순 [bamboo sprout]
대나무[竹]의 땅속줄기에서 돋아나는 어리고 연한 싹[筍]. ¶이 음식은 죽순으로 만들었다.

죽염 竹鹽 | 대나무 죽, 소금 염
[약학] 대나무[竹] 통 속에 천일염(天日鹽)을 다져 넣고 황토로 봉한 후, 높은 열에 아홉 번 거듭 구워 내어 얻은 가루.

죽창 竹槍 | 대나무 죽, 창 창 [bamboo spear]
대나무[竹]로 만든 창(槍). ¶농민들은 죽창을 들고 대항하였다.

• 역순어휘

폭죽 爆竹 | 터질 폭, 대나무 죽 [firecracker]
❶[속뜻] 터지는[爆] 화약을 넣은 대나무[竹]. ❷가는 대나무 통이나 종이로 만든 통에 불을 지르거나 화약을 재어 터뜨려서 소리가 나게 하는 물건. ¶폭죽 터지는 소리가 요란하다.

합죽 合竹 | 합할 합, 대나무 죽
대나무[竹] 조각을 맞붙임[合].

0686 [축]

築

쌓을 축
[部] 竹부 [劃] 16획 [中] 築 [zhù]

築자는 '대 죽'(竹)이 부수로 지정되어 있으나, 표의요소는 아니다. 즉 '대나무'와 의미상 아무런 관련이 없다. '나무 목'(木)이 표의요소이고 筑(악기 이름 축)은 표음요소일 따름이다. 이 경우의 '木'은 땅을 다질 때 쓰는 나무로 만든 공이를 가리킨다. '땅을 다지다'(tamp)가 본래 의미이고 '쌓다'(heap up), '(집을) 짓다'(build) 등으로 확대 사용됐다.
[속뜻훈음] ①쌓을 축, ②지을 축.

축대 築臺 | 쌓을 축, 돈대 대

[terrace; elevation; embankment]
높이 쌓아[築] 올린 대(臺). ¶축대가 무너져 아래에 있는 집들을 덮쳤다.

축조 築造 | 쌓을 축, 만들 조 [build; construct]
제방이나 담을 다지고 쌓아서[築] 만듦[造]. ¶피라미드를 축조하다.

• 역순어휘

건:축 建築 | 세울 건, 쌓을 축 [construct; build]
집, 성, 다리 따위를 짓거나[建] 쌓음[築]. ¶지진에 견딜 수 있는 집을 건축하다. ⓑ건조(建造), 축조(築造). ⓑ파괴(破壞).

구축 構築 | 얽을 구, 쌓을 축 [build; construct]
❶속뜻 얽어서[構] 만들어 쌓음[築]. ❷체제나 체계 따위의 기초를 닦아 세움. ¶신뢰를 구축하다.

신축 新築 | 새 신, 쌓을 축 [build new (building)]
건물 따위를 새로[新] 건축(建築)함. ¶신축 건물 / 아파트를 신축하다.

증축 增築 | 더할 증, 지을 축 [extend a building]
지금 있는 건물에 더 늘려서[增] 지음[築]. ¶학생들이 늘어남에 따라 도서관을 증축할 필요가 있다.

0687 [지]

至

이를 지
部 至부 ⓗ 6획 ⊕ 至 [zhì]

至자는 원래 矢(화살 시)가 거꾸로 된 것과 목표지점을 표시하는 '一'로 구성되었다. 화살이 목표지점에 떨어지는 것을 본떠 '이르다'(arrive)는 뜻을 나타낸 것이다. '지극하다'(extreme; utmost), 또는 이와 의미상 연관이 있는 낱말의 한 구성 요소로 널리 쓰인다.

속뜻훈음 ①이를 지, ②지극할 지.

지극 至極 | 이를 지, 다할 극 [be extreme]
어떠한 정도나 상태 따위가 극도(極度)에 이르다[至]. ¶그는 어머니에 대한 효성이 지극하다 / 이것은 지극히 중요한 문제다.

지당 至當 | 지극할 지, 마땅 당 [be quite right]
지극(至極)히 당연(當然)하다. 이치에 꼭 맞다. ¶참으로 지당한 말씀입니다.

지대 至大 | 지극할 지, 큰 대
[great; immense; profound]
지극(至極)히 크다[大]. ¶이번 월드컵의 경제적 효과는 지대하다. ⓑ지소(至小).

지독 至毒 | 지극할 지, 독할 독 [vicious; severe]
지극(至極)히 독하다[毒]. 매우 심하거나 모질다. ¶지독한 냄새 / 이곳의 겨울은 지독하게 춥다.

지상 至上 | 지극할 지, 위 상 [supremacy]
지극(至極)히 높은 위[上]. ¶세계의 평화를 지상 과제로 삼다.

지성 至誠 | 지극할 지, 정성 성 [perfect sincerity]
지극(至極)한 정성(精誠). 또는 그러한 정성. ¶환자를 지성으로 돌보다. 속담 지성이면 감천.

지엄 至嚴 | 지극할 지, 엄할 엄
[be extremely strict]
지극(至極)히 엄(嚴)하다. ¶왕실의 지엄한 법도.

지천 至賤 | 지극할 지, 천할 천 [abundance]
❶속뜻 지극(至極)히 천(賤)함. 매우 천함. ❷매우 흔함. ¶가을이면 코스모스가 지천으로 피어난다.

• 역순어휘

내:지 乃至 | 이에 내, 이를 지 [from … to …; or]
❶속뜻 이에[乃] 얼마에 이름[至]. ❷수량을 나타내는 말 사이에서 '얼마에서 얼마까지'의 정도를 말한다. ¶열 명 내지 스무 명 정도가 올 것 같다. ❸사물의 이름 사이에서 '또는', '혹은'의 뜻을 나타냄. ¶미국 내지는 캐나다로 갈 계획이다.

동지 冬至 | 겨울 동, 이를 지 [winter solstice]
겨울[冬]이 절정에 이른[至] 때. 태양이 동지점(冬至點)을 통과하는 12월 22일이나 23일경. ⓑ하지(夏至).

하:지 夏至 | 여름 하, 이를 지
❶속뜻 가장 더운 여름[夏]에 이름[至]. ❷24절기의 하나. 망종(芒種)과 소서(小暑) 사이로 6월 22일경. 북반구에서는 낮이 가장 긴 날이다. ⓑ동지(冬至).

0688 [예]

藝

재주 예:
部 艸부 ⓗ 19획 ⊕ 艺 [yì]

藝자의 본래 글자인 埶는 묘목[木]을 손에 잡고(丮→丸) 땅[土]에 심고 있는 모습이다. 후에 艹(초)가 합쳐진 蓺자로 쓴 것은 그런 대로 이해가 되지만, 다시 云(운)이 덧붙여진 까닭에 대해서는 알 길이 묘연하다. '심다'(plant)가 본뜻이다. 나무를 심는 데에도 재주가 있어야 했으므로 '재주'(talent)라는 뜻을 나타내기도 한다.

속뜻훈음 ①재주 예, ②심을 예.

예:능 藝能 | 재주 예, 능할 능 [arts]
❶속뜻 재주[藝]와 기능(技能). ❷연극, 영화, 음악, 미술 따위의 예술과 관련된 능력을 통틀어 이르는 말. ¶예능

에 소질이 있다.

예:명 藝名 | 재주 예, 이름 명 [stage name]
예능(藝能) 분야에 종사하는 사람이 본명 이외에 따로 지어 부르는 이름[名]. ¶많은 연예인들이 본명보다는 예명을 사용한다. (반)본명(本名).

예:술 藝術 | 심을 예, 꾀 술 [art]
❶[속뜻] 아름다움을 가꾸어[藝] 나타내는 기술(技術). ❷아름다움을 표현하려는 인간의 활동 및 그 작품. ¶예술 창작.

• 역순어휘

곡예 曲藝 | 굽을 곡, 재주 예 [circus]
곡마(曲馬), 요술 따위 신기한 재주[藝]. 또는 그 활동. ¶곡예를 펼치다. (비)기예(技藝).

공예 工藝 | 장인 공, 재주 예 [industrial arts]
❶[속뜻] 물건을 만드는[工] 기술에 관한 재주[藝]. ❷직물, 칠기, 도자기 따위의 실용적이면서도 아름다운 물건을 만드는 기술. ¶도자기 공예.

기예 技藝 | 재주 기, 재주 예 [arts; handicrafts]
훌륭한 기술(技術)이나 재주[藝].

도예 陶藝 | 질그릇 도, 재주 예 [ceramic art]
[수공] 도자기(陶瓷器)를 만들어내는 공예(工藝). 또는 그 기술. ¶현대 도예 작품 / 그는 세계적인 도예가이다.

무:예 武藝 | 굳셀 무, 재주 예 [military arts]
검술(劍術), 궁술(弓術) 등 무술(武術)에 관한 재주[藝]. (비)무기(武技).

문예 文藝 | 글월 문, 재주 예
[literature; literary art]
글[文]을 잘 쓰는 재주[藝]. ¶그는 문예에 조예가 깊다.

서예 書藝 | 쓸 서, 재주 예
[calligraphy; penmanship]
붓글씨를 잘 쓰는[書] 재주[藝]. 또는 그 예술. ¶김정희는 서예의 대가이다.

수예 手藝 | 손 수, 재주 예
[handicraft; manual arts]
손[手]으로 실을 잘 뜨는 재주[藝]. ¶수예가 뛰어나다 / 수예 작품.

연:예 演藝 | 펼칠 연, 재주 예
[perform; entertain]
❶[속뜻] 기예(技藝)를 펼쳐[演] 보임. ❷대중 앞에서 음악, 무용, 만담, 마술 따위를 공연함. 또는 그런 재주. ¶연예 활동.

원예 園藝 | 동산 원, 심을 예 [gardening]
동산[園] 같은 곳에 채소, 과일, 화초 따위를 심어서[藝] 가꾸는 일이나 기술. ¶원예식물.

학예 學藝 | 배울 학, 재주 예 [art and science]
배워서[學] 익힌 재주[藝].

0689 [축]

蓄

모을 축
部 艸부 劃 14획 中 蓄 [xù]

蓄자는 '(풀을) 쌓다'(store)는 뜻을 적기 위한 것이었으니 '풀 초'(艸)가 표의요소로 쓰였고, 畜(기를 축)은 표음요소인데 의미 관련성도 높다(참고, 畜 #1301). 짐승을 기르자면[畜] 풀을 말려 비축해 두어야 하니까 말이다. '모으다'(gather)는 뜻으로도 쓰인다.
[속뜻훈음] ①쌓을 축, ②모을 축.

축재 蓄財 | 모을 축, 재물 재
[amass; accumulate riches]
재물(財物)을 모음[蓄]. 모은 재산. ¶부정 축재를 하다.

축적 蓄積 | 모을 축, 쌓을 적
[store; accumulate; pile up]
지식, 경험, 자금 따위를 많이 모아[蓄] 쌓아둠[積]. ¶기술력을 축적하다.

• 역순어휘

비:축 備蓄 | 갖출 비, 쌓을 축
[save for emergency]
만일의 경우에 대비하여 미리 갖추어[備] 쌓아둠[蓄]. ¶석유를 비축하다.

저:축 貯蓄 | 쌓을 저, 모을 축 [save; deposit]
❶[속뜻] 쌓아[貯] 모아둠[蓄]. ❷[경제] 소득의 일부를 아껴 금융기관에 맡겨 둠. 또는 그 돈. ¶나는 월급의 절반을 저축한다. (비)저금(貯金).

전:축 電蓄 | 전기 전, 쌓을 축
[electric gramophone]
전기(電氣)를 동력으로 작동하는 축음기(蓄音機).

함축 含蓄 | 머금을 함, 쌓을 축 [imply; involve]
❶[속뜻] 속에 품고[含] 쌓아[蓄] 둠. ❷말이나 글이 많은 뜻을 담고 있음. ¶문장에 함축된 의미를 찾아보자.

0690 [충]

蟲

벌레 충
部 虫부 劃 18획 中 虫 [chóng]

蟲자는 '벌레'(a worm)란 뜻을 나타내기 위하여 많은 벌레들이 꿈틀거리는 모습을 본뜬 것이다. '벌레 충'(虫) 세 개를 모아둔 것은, 숫자 '3'을 나타내려는 것이 아니라, '많다'는 뜻을 내포하기 위한 것이다. 이처럼 똑같은 요소를 두 개 이상 합쳐 놓은 것을 문자학에서는 동문회의(同文會意)라고 한다.

충치 蟲齒 | 벌레 충, 이 치 [decayed tooth]
벌레[蟲]가 먹어 상한 이[齒]. ¶양치질하는 습관은 충치 예방에 도움이 된다.

• 역순어휘

곤충 昆蟲 | 여러 곤, 벌레 충 [insect; bug]
❶속뜻 여러[昆] 벌레[蟲]. ❷곤충류에 딸린 동물.

구충 驅蟲 | 몰 구, 벌레 충 [exterminate insects]
약품 따위로 해충이나 기생충[蟲] 따위를 몰아[驅] 없앰. (비)살충(殺蟲).

독충 毒蟲 | 독할 독, 벌레 충 [poisonous insect]
독(毒)을 가진 벌레[蟲]. 모기, 벼룩, 빈대 따위. ¶독충들이 달라붙다.

방충 防蟲 | 막을 방, 벌레 충
해충(害蟲)을 막음[防]. ¶이 장롱은 방충가공을 했다.

병:충 病蟲 | 병 병, 벌레 충
농작물을 병들게[病] 하는 벌레[蟲].

살충 殺蟲 | 죽일 살, 벌레 충 [kill insects]
벌레[蟲]를 죽임[殺]. ¶이 약은 살충 효과가 높다.

성충 成蟲 | 이룰 성, 벌레 충 [adult insect]
동물 애벌레가 다 자라서[成] 생식 능력이 있는 곤충(昆蟲). (반)유충(幼蟲).

요충 蟯蟲 | 요충 요, 벌레 충 [threadworm]
동물 몸이 가늘고 흰 벌레[蟯]같은 기생충(寄生蟲). 사람이나 척추동물의 장(腸)에 기생한다.

유충 幼蟲 | 어릴 유, 벌레 충 [larva]
동물 어린[幼] 새끼벌레[蟲]. ¶매미의 유충. (반)성충(成蟲).

익충 益蟲 | 더할 익, 벌레 충 [beneficial insect]
인간생활에 유익(有益)한 곤충(昆蟲). 해충을 잡아먹거나 식물의 꽃가루를 옮기는 등 직접·간접으로 도움을 준다. (반)해충(害蟲).

촌:충 寸蟲 | 마디 촌, 벌레 충 [tapeworm]
❶속뜻 마디[寸]로 이어진 모양의 벌레[蟲]. ❷동물 창자에 기생하며 체벽에서 영양을 빨아먹는 마디 모양으로 생긴 기생충.

파충 爬蟲 | 기어 다닐 파, 벌레 충 [reptile]
기어 다니는[爬] 벌레[蟲].

해:충 害蟲 | 해칠 해, 벌레 충 [harmful insect]
동물 사람이나 농작물에 해(害)가 되는 벌레[蟲]를 통틀어 이르는 말. ¶해충의 피해를 보다. (반)익충(益蟲).

회충 蛔蟲 | 회충 회, 벌레 충 [roundworm]
동물 회충[蛔]과의 기생충(寄生蟲). 채소나 먼지에 섞여 사람의 몸에 들어와 기생한다.

0691 [가]

街

거리 가(:)
部 行부 획 12획 中 街 [jiē]

街자는 '길거리 행'(行)이 표의요소이고, 圭(홀 규)가 표음요소임은 佳(아름다울 가)도 마찬가지다. 四通八達(사통팔달)의 '큰 길거리'(a great street)를 뜻한다. 참고로 '작은 골목길'(a side street)은 巷(항)이라 한다.

가로 街路 | 거리 가, 길 로 [street; road]
시가지(市街地)의 도로(道路).

• 역순어휘

상가 商街 | 장사 상, 거리 가 [shopping street]
상점(商店)이 많이 늘어서 있는 거리[街]. ¶지하 상가 / 아파트 상가.

시:가 市街 | 저자 시, 거리 가 [streets]
도시(都市)의 큰 거리[街]. 또는 번화한 거리.

0692 [위]

衛

지킬 위
部 行부 획 16획 中 卫 [wèi]

衛자는 최초 갑골문에서 韋(위)로 쓰다가 후에 行(행)이 보태졌다. 韋의 口는 성곽을 가리키고 나머지는 '발 지'(止) 두 개가 각각 달리 변형된 것이다. 성벽 주위를 돌며 보초를 서서 성을 잘 지킨다는 뜻이다. '다닐 행'(行)이 추가된 것은 '지키다'(guard)는 뜻을 보강하기 위해서였다.

위생 衛生 | 지킬 위, 살 생
[hygiene; sanitation; health]
❶속뜻 생명(生命)을 지킴[衛]. ❷건강에 유익하도록 조건을 갖추거나 대책을 세우는 일. ¶위생상태가 좋다.

위성 衛星 | 지킬 위, 별 성 [satellite]
❶속뜻 행성을 지키듯이[衛] 그 주위를 도는 별[星]. ❷천문 행성의 인력에 의하여 행성의 주위를 도는 별. ¶달은 지구의 위성이다. ❸천문 '인공위성'(人工衛星)의 준말. ¶위성방송.

• 역순어휘

근:위 近衛 | 가까울 근, 지킬 위 [royal guard]
임금을 가까이[近]에서 호위(護衛)함.

방위 防衛 | 막을 방, 지킬 위 [defend]
적이 쳐들어오는 것을 막아[防] 지킴[衛]. ¶방위산업 / 수도를 방위하다.

수위 守衛 | 지킬 수, 지킬 위 [guard; defend]
❶[속뜻]지킴[守=衛]. ❷관청, 학교, 공장, 회사 따위의 경비를 맡아봄. 또는 그런 일을 맡은 사람. ¶정문의 수위가 문을 열어 주었다.

호:위 護衛 | 돌볼 호, 지킬 위 [guard; escort]
따라다니며 곁에서 돌보고[護] 지킴[衛]. ¶호위 차량 / 대통령은 호위를 받으며 지나갔다.

0693 [중]

衆

무리 중:
[部] 血부 [劃] 12획 [中] 众 [zhòng]

衆자에 '피 혈'(血)이 표의요소로 쓰였지만 '피'와 관련이 없다. 이것이 甲骨文(갑골문)에서는 日(날 일)로, 金文(금문)에서는 目(눈 목)이었다. 아랫부분은 人(사람 인)자 세 개를 포개놓은 것이다. 따가운 햇살 아래에서, 또는 감독자의 따가운 눈초리를 맞으며 일하던 노예들을 그린 것으로 '무리'(a group; a crowd)란 뜻을 나타냈다.

중:론 衆論 | 무리 중, 말할 론 [public opinion]
여러 사람[衆]의 말[論]이나 의견. ¶중론에 따라 결정하다 / 상황을 좀 더 지켜보아야 한다는 게 중론이다.

중:생 衆生 | 무리 중, 사람 생 [mankind]
❶[속뜻]많은[衆] 사람[生]. ❷[불교]부처의 구제 대상이 되는 이 세상의 모든 생물. ¶어리석은 중생을 구제하다.

중:지 衆智 | 무리 중, 슬기 지
[wisdom of many people]
여러 사람[衆]의 의견이나 슬기[智]. ¶문제를 해결하려면 중지를 모아야 한다.

• 역순어휘

공중 公衆 | 여럿 공, 무리 중 [general public]
여러 사람[公]의 무리[衆]. 일반 사람들.

관중 觀衆 | 볼 관, 무리 중
[spectators; onlookers]
연극이나 운동 경기 따위를 구경하는[觀] 무리[衆]. ¶관중들의 환호를 받다. [비]관객(觀客).

군중 群衆 | 무리 군, 무리 중
[crowd (of people); multitude]
❶[속뜻]한곳에 모인[群] 많은 사람[衆]. ❷수많은 사람. [비]대중(大衆). [반]개인(個人).

대:중 大衆 | 큰 대, 무리 중 [general public]
❶[속뜻]신분의 구별이 없이 한 사회의 대다수(大多數)를 이루는 무리[衆]. ❷[불교]불가의 모든 승려. [비]뭇사람, 민중(民衆), 군중(群衆).

민중 民衆 | 백성 민, 무리 중 [general public]
❶[속뜻]백성[民]의 무리[衆]. ❷국가나 사회를 구성하는 일반 국민. ¶민중의 지지를 받다 / 민중 심리.

백중 百衆 | =百中, 일백 백, 무리 중
❶[속뜻]많은[百] 사람들[衆]이 절에 모임. ❷[불교]음력 칠월 보름. 승려들이 재(齋)를 설(設)하여 부처를 공양하는 날로 큰 명절을 삼았다. 근래 민간에서는 여러 과실과 음식을 마련하여 먹고 논다.

제:중 濟衆 | 건질 제, 무리 중
[salvation of the people]
[불교]대중(大衆)을 구제(救濟)함.

청중 聽衆 | 들을 청, 무리 중 [audience; hearers]
강연이나 설교 등을 들으려고[聽] 모인 사람들[衆]. ¶그가 무대에 나타나자 청중들은 소리를 질렀다.

출중 出衆 | 뛰어날 출, 무리 중
[excellent; outstanding; remarkable]
뭇사람[衆] 가운데 가장 뛰어나다[出]. ¶그녀는 영어 실력이 출중하다.

0694 [혈]

血

피 혈
[部] 血부 [劃] 6획 [中] 血 [xuè, xiě]

血자는 아득한 옛날 하늘에 제사를 지낼 때 짐승의 피를 그릇에 담아 바치는 풍습을 통하여 '피'(blood)를 글자로 나타낸 것이다. 皿(그릇 명)과 一(일)로 구성되어 있는데, 이 경우 '一'은 '하나'라는 뜻이 아니라, 그릇에 담겨진 피를 상징하던 '◇'가 간략화된 것이다.

혈관 血管 | 피 혈, 대롱 관 [blood vessel]
[의학]피[血]가 통하여 흐르는 관(管). 동맥, 정맥, 모세혈관으로 나뉜다. ¶혈관은 우리 몸에 나뭇가지처럼 퍼져 있다. [비]핏줄.

혈기 血氣 | 피 혈, 기운 기 [vitality; strength]
❶[속뜻]목숨을 유지하는 피[血]와 기운(氣運). ❷힘차게 활동하게 하는 기운. ¶혈기 왕성한 젊은이.

혈색 血色 | 피 혈, 빛 색 [complexion; color]
❶[속뜻]피[血]의 빛[色]. ❷살갗에 나타난 핏기. ¶혈색

이 좋다.

혈서 血書 | 피 혈, 쓸 서 [writing in blood]
제 몸의 피[血]로 글씨를 쓰는[書] 일. 또는 그 글자나 글.

혈세 血稅 | 피 혈, 세금 세 [blood tax]
❶ 속뜻 피[血] 같은 세금(稅金). ❷매우 귀중한 세금. ¶국민의 혈세가 낭비되고 있다.

혈안 血眼 | 피 혈, 눈 안 [bloodshot eye]
❶ 속뜻 기를 쓰고 덤벼서 핏발[血]이 선 눈[眼]. ❷어떠한 일을 힘을 다하여 애타게 하는 것. ¶그는 돈을 버는 데에 혈안이 되어 있다.

혈압 血壓 | 피 혈, 누를 압 [blood pressure]
의학 혈액(血液)이 혈관 속을 흐를 때 생기는 압력(壓力). ¶혈압을 재다 / 할머니는 혈압이 높다.

혈액 血液 | 피 혈, 진 액 [blood]
의학 동물의 혈관(血管) 속을 순환하는 체액(體液). 생체 조직에 산소와 영양분을 공급하고 노폐물을 날라다 제거한다. ¶혈액검사. (비)피.

혈연 血緣 | 피 혈, 인연 연 [blood ties(relation)]
같은 핏줄[血]로 이어진 인연(因緣). 같은 핏줄의 관계. ¶혈연 관계.

혈육 血肉 | 피 혈, 살 육
[one's flesh and blood; one's offspring]
❶ 속뜻 피[血]와 살[肉]. ❷부모, 자식, 형제 따위 의 한 혈통으로 맺어진 육친. ¶그에게는 누나가 유일한 혈육이다. (비)피붙이.

혈전 血戰 | 피 혈, 싸울 전
[desperate fight; bloody battle]
❶ 속뜻 피[血]를 흘리며 싸움[戰]. ❷생사를 헤아리지 않고 매우 격렬하게 싸움. 또는 그 전투. ¶우리는 10여 시간에 걸친 혈전 끝에 승리를 거두었다. (비)혈투(血鬪).

혈중 血中 | 피 혈, 가운데 중 [blood serum]
피[血] 가운데[中]. 피 안에. ¶혈중 알코올 농도.

혈통 血統 | 피 혈, 계통 통 [blood; lineage]
같은 핏줄[血]을 타고난 겨레붙이의 계통(繼統). 조상과의 혈연관계. ¶그는 영국 귀족의 혈통이다.

혈투 血鬪 | 피 혈, 싸울 투 [fight desperately]
❶ 속뜻 피[血]를 흘리며 싸움[鬪]. ❷죽음을 무릅쓰고 싸움. ¶월드컵에서 한국은 연장 혈투 끝에 독일에 승리했다. (비)혈전(血戰).

• 역순어휘

냉:혈 冷血 | 찰 랭, 피 혈 [cold bloodedness]
❶ 속뜻 차가운[冷] 피[血]. ❷ 동물 체온이 바깥 기온보다 낮은 상태. ❸'인간다운 정이 없이 냉정함'을 비유적으로 이르는 말. ¶그는 냉혈한(冷血漢)이다. (반)온혈(溫血).

다혈 多血 | 많을 다, 피 혈 [sanguineness]
❶ 속뜻 몸에 피[血]가 많음[多]. ❷쉽게 감정에 치우치거나 쉽게 감격함. (반)빈혈(貧血).

빈혈 貧血 | 모자랄 빈, 피 혈 [poverty of blood]
의학 혈액(血液) 속에 적혈구나 헤모글로빈이 모자라는[貧] 상태. ¶그녀는 빈혈로 자주 쓰러졌다. (반)다혈(多血).

선혈 鮮血 | 싱싱할 선, 피 혈 [fresh blood]
갓 흘러나온 싱싱한[鮮] 피[血]. ¶코에서 선혈이 흘러내렸다.

수혈 輸血 | 나를 수, 피 혈
[give a blood transfusion; transfuse]
의학 피가 모자란 환자의 혈관에 건강한 사람의 피[血]를 넣음[輸]. ¶나는 수혈을 받아 살아났다.

심혈 心血 | 마음 심, 피 혈 [one's whole energy]
❶ 속뜻 심장(心臟)의 피[血]. ❷온갖 힘. 온갖 정신력. ¶심혈을 기울이다.

지혈 止血 | 멈출 지, 피 혈 [stop bleeding]
나오는 피[血]를 멎게[止] 함. ¶팔을 붕대로 묶어 흐르는 피를 지혈했다. (반)출혈(出血).

출혈 出血 | 날 출, 피 혈 [bleed]
피[血]가 혈관 밖으로 나옴[出]. ¶출혈이 심해 중태에 빠지다.

충혈 充血 | 채울 충, 피 혈
[be congested with blood]
❶ 속뜻 피[血]가 가득 참[充]. ❷ 의학 혈액 순환의 장애로 몸의 어느 한 부위에 피가 지나치게 많아짐. ¶피로로 눈이 충혈되다.

헌:혈 獻血 | 바칠 헌, 피 혈 [donate blood]
수혈하는 데 쓰도록 자기 피[血]를 바침[獻]. ¶헌혈 캠페인 / 그는 정기적으로 헌혈을 한다.

혼:혈 混血 | 섞을 혼, 피 혈
[mixed blood; racial mixture]
서로 인종이 다른 혈통(血統)이 섞임[混]. (반)순혈(純血).

흡혈 吸血 | 마실 흡, 피 혈 [suck up blood]
피[血]를 빨아 마심[吸]. ¶흡혈동물.

0695 [처]

處

곳 처:
(부)虍부 (획)11획 (중)处 [chù, chǔ]

處자는 머리에 가죽 관을 쓰고 사람이 등받침이 없는 의자[几·궤]에 앉아서 쉬고 있는 모습을 본뜬 것이다. 虍는 가죽 관을 쓴 모양이 잘못 변한 것이고, 夂(치)는 앉아있는 사람의 발 모양이 변한 것이다. '(일손을 멈추고) 쉬다'(rest)가 본래 의미이다. '살다'(live; exist), '처하다'(sentence; condemn), '곳'(a place; a spot)의 뜻으로 많이 쓰인다. '처리하다'(handle; manage), '처방하다'(prescribe) 같은 낱말, 또는 이와 의미상 연관이 있는 낱말들의 한 구성 요소로도 쓰인다.

속뜻 훈음 **①곳 처, ②살 처, ③처할 처, ④처리할 처, ⑤처방할 처.**

처:녀 處女 | 살 처, 여자 녀 [maiden; virgin]
❶속뜻 시집가기 전에 부모와 함께 사는[處] 여자[女]. ❷아직 결혼하지 않은 다 자란 여자. ¶다 큰 처녀가 저렇게 천방지축이라니. ⓑ총각(總角).

처:단 處斷 | 처리할 처, 끊을 단
[decide; deal with; punish]
결단(決斷)하여 처리(處理)함.

처:리 處理 | 처방할 처, 다스릴 리
[manage; treat; handle]
❶속뜻 처방(處方)하여 잘 다스림[理]. ❷정리하여 치우거나 마무리를 지음. ¶일을 적당히 처리해서는 안 된다. ❸어떤 결과를 얻으려고 화학적·물리적 작용을 일으킴. ¶천장을 물이 새지 않게 처리했다.

처:방 處方 | 처리할 처, 방법 방 [prescribe]
❶속뜻 일을 처리(處理)하는 방법(方法). ¶그만의 독특한 처방을 받다. ❷증세에 따라 약을 짓는 방법. ¶항생제를 처방하다. ❸의학 '처방전'(處方箋)의 준말. ¶처방을 쓰다.

처:벌 處罰 | 처할 처, 벌할 벌
[punish; discipline]
가벼운 죄를 범한 사람에게 벌(罰)을 줌[處]. ¶처벌 기준을 정하다.

처:분 處分 | 처리할 처, 나눌 분
[dispose of; deal with; punish]
❶속뜻 처리(處理)하여 나눠[分] 치움. ¶집을 처분하다. ❷명령을 받거나 내려 일을 처리함. ¶관대한 처분을 기다립니다 / 그를 불구속으로 처분하다.

처:세 處世 | 살 처, 세상 세 [conduct of life]
세상(世上)에서 남과 더불어 살아감[處]. 또는 그런 일. ¶그는 처세에 능하다.

처:소 處所 | 살 처, 곳 소
[location; living place; residence]
사람이 살고[處] 있는 곳[所]. ¶회사 가까운 곳에 처소를 마련하다.

처:신 處身 | 살 처, 몸 신 [act; behave oneself]
세상을 살아가는[處] 데 필요한 몸[身]가짐이나 행동. ¶처신을 똑바로 하다.

처:지 處地 | 살 처, 땅 지
[situation; position; relationship]
❶속뜻 현재 살고[處] 있는 땅[地]. 또는 현재의 형편. ¶내 처지에 그런 사치스런 생활을 할 수는 없다. ❷서로 사귀어 지내는 관계. ¶우리는 서로 말을 놓고 지내는 처지다.

처:치 處置 | 처리할 처, 둘 치
[deal with; treat; remove]
❶속뜻 일을 처리(處理)하여 치워 둠[置]. ¶쓰레기가 처치 곤란이다 / 적군을 처치하다. ❷상처나 헌데 따위를 치료함. ¶응급처치.

처:형 處刑 | 처할 처, 형벌 형 [punish; execute]
무거운 죄를 범한 죄인에게 형(刑)을 집행함[處]. ¶살인범을 처형하다.

• 역순어휘 •

각처 各處 | 여러 각, 곳 처 [every place]
여러[各] 곳[處]. 모든 곳. ¶전국 각처에서 대회가 열렸다. ⓑ각지(各地), 방방곡곡(坊坊曲曲).

거처 居處 | 살 거, 곳 처 [dwell in]
사는[居] 곳[處]. ¶그는 우리집에서 거처하고 있다. ⓑ처소(處所), 거주지(居住地).

근:처 近處 | 가까울 근, 곳 처 [neighborhood]
가까운[近] 곳[處]. ¶근처에 서점이 있나요? ⓑ부근(附近).

난처 難處 | 어려울 난, 처리할 처
[puzzled; embarrassed]
처리(處理)하기 어렵다[難]. ¶아주 난처한 표정을 지었다.

대:처 對處 | 대할 대, 처리할 처
[coup with; deal with]
어떤 일에 대(對)하여 알맞게 처리(處理)함. 또는 그런 처리. ⓑ조치(措置), 대비(對備).

도:처 到處 | 이를 도, 곳 처 [everywhere]
발길이 닿거나 이르는[到] 곳[處]마다. ¶도처에 위험이 도사리고 있다. ⓑ각처(各處).

부처 部處 | 나눌 부, 곳 처
[ministries and offices]
정부기관의 '부'(部)와 '처'(處)를 아울러 이르는 말. ¶관계 부처 / 해당 부처로 일을 넘기다.

상처 傷處 | 다칠 상, 곳 처 [wound; injury]
다친[傷] 곳[處]. ¶상처에 약을 바르다.

선:처 善處 | 잘할 선, 처리할 처

[take the appropriate steps ; make the best]
어떤 문제를 잘[善] 처리(處理)함. 적절히 조처함. ¶선처를 부탁드립니다.

자처 自處 | 스스로 자, 살 처 [think oneself as]
스스로[自] 그렇게 처신(處身)함. ¶한국 핸드볼팀은 세계 최강임을 자처한다.

정:처 定處 | 정할 정, 곳 처
[fixed place; definite destination]
정(定)한 곳[處]. ¶정처 없이 떠돌다.

조처 措處 | 놓을 조, 처리할 처 [act; conduct]
일이나 문제 따위를 해결해 놓거나[措] 잘 처리(處理)함. ¶다시는 이런 일이 없도록 단호히 조처하겠습니다. ㊥조치(措置).

출처 出處 | 날 출, 곳 처 [source; origin]
사물이 나온[出] 본래의 곳[處]. ¶출처를 밝히다 / 소문은 무성하지만 출처는 불확실하다.

0696 [허]

虛 빌 허
㊎ 虍부 ㊊ 12획 ㊥ 虚 [xū]

虛자는 표의요소인 '언덕 구'(丘)와 표음요소인 '호랑이 호'(虎)의 생략형(虍)으로 이루어졌다. 표음요소인 虍(호)가 부수로 지정된 예외적인 글자다. '큰 언덕'(a great hill)이 본뜻이다. 큰 언덕은 인적이 드물고 늘 텅 비어 있기 때문에 '텅 비다'(hollow; quite empty), '헛되다'(in vain; uselessly)는 뜻도 이것으로 나타냈다. 道教(도:교)에서는 清淨無慾(청정무욕)한 마음을 일러 '虛'라 했다.

속뜻 훈음 ①빌 허, ②헛될 허.

허공 虛空 | 빌 허, 하늘 공 [empty sky]
텅 빈[虛] 하늘[空]. ¶가만히 허공을 바라보다. ㊥공중(空中).

허구 虛構 | 헛될 허, 얽을 구 [fiction]
사실이 아닌 헛된[虛] 것을 사실처럼 얽어[構] 만듦. ¶그 이야기 속의 모든 인물은 허구이다.

허기 虛飢 | 빌 허, 주릴 기 [hunger]
굶어서[飢] 속이 비어[虛] 배가 몹시 고픔. ¶우유 한 잔으로 허기를 달래야 했다.

허례 虛禮 | 빌 허, 예도 례
[dead forms; empty formalities]
겉으로만 꾸며 정성이 없는[虛] 예절(禮節). ¶허례를 없애다.

허망 虛妄 | 빌 허, 헛될 망 [vain]
❶ 속뜻 실속 없고[虛] 헛됨[妄]. ❷거짓이 많아 미덥지 않음. ¶쓸데없이 허망한 소리를 하고 다니다. ❸어이없고 허무함. ¶한창 일할 나이에 허망하게 죽고 말았다.

허무 虛無 | 빌 허, 없을 무 [vain; futile]
❶ 속뜻 아무것도 없이[無] 텅 빔[虛]. ❷무가치하고 무의미하게 느껴져 매우 허전하고 쓸쓸함. ¶인생의 허무를 느끼다. ㊥공허(空虛).

허비 虛費 | 헛될 허, 쓸 비 [waste]
헛되이[虛] 씀[費]. 또는 그 비용. ¶시간 허비 / 쓸데없는 일에 돈을 허비하다.

허사 虛事 | 헛될 허, 일 사 [vain attempt]
헛된[虛] 일[事]. ¶우리의 노력은 허사로 돌아갔다.

허상 虛像 | 헛될 허, 모양 상 [virtual image]
❶ 속뜻 실제가 헛된[虛] 모양[像]. ❷실제 없는 것이 있는 것처럼 나타나 보이거나 실제와는 다른 것으로 드러나 보이는 모습. ¶그 일은 내가 마음속에서 만들어낸 허상일 뿐이다. ㊥실상(實像).

허세 虛勢 | 헛될 허, 기세 세 [bluff]
실상이 없는 헛된[虛] 기세(氣勢). ¶허세를 부리다.

허식 虛飾 | 빌 허, 꾸밀 식 [display]
실속이 없이[虛] 겉만 꾸밈[飾]. 겉치레. ¶일체의 허식을 없애자.

허심 虛心 | 빌 허, 마음 심 [open mind]
❶ 속뜻 비운[虛] 마음[心]. ❷마음속에 다른 생각이나 거리낌이 없음. ¶허심하게 이야기하다.

허약 虛弱 | 빌 허, 약할 약 [weak]
❶ 속뜻 속이 비고[虛] 약(弱)함. ❷몸이나 세력 따위가 약함. ¶허약 체질 / 동희는 몸이 허약해 보인다.

허영 虛榮 | 헛될 허, 영화 영 [vanity]
❶ 속뜻 헛된[虛] 영화(榮華). ❷필요 이상의 겉치레. ¶그녀는 사치와 허영으로 가득 차 있다.

허욕 虛慾 | 헛될 허, 욕심 욕
[vain ambitions]
헛된[虛] 욕심(慾心). ¶허욕으로 패가(敗家)를 자초하다.

허위 虛僞 | 헛될 허, 거짓 위 [falsehood]
❶ 속뜻 헛된[虛] 거짓[僞]. ❷진실이 아닌 것을 진실인 것처럼 꾸민 것. ¶허위 보도. ㊥진실(眞實).

허점 虛點 | 빌 허, 점 점 [loophole]
허술한[虛] 점(點). 허술한 구석. ¶상대 팀의 허점을 노리다.

허탈 虛脫 | 빌 허, 빠질 탈 [prostrated]
속이 텅 비고[虛] 힘이 빠짐[脫]. 또는 그런 상태. ¶허탈에 빠지다 / 허탈한 기분 / 허탈한 웃음.

허풍 虛風 | 헛될 허, 바람 풍 [exaggeration]

❶속뜻 헛된[虛] 바람[風]. ❷지나치게 과장되고 믿음성이 적은 말이나 행동. ¶허풍이 심하다.

허황 虛荒 | 헛될 허, 어이없을 황 [absurd]
❶속뜻 헛되거나[虛] 어이없음[荒]. ❷거짓되고 근거가 없다. ¶허황한 일 / 허황된 꿈.

• 역순어휘 •

겸허 謙虛 | 겸손할 겸, 빌 허 [humble; be modest]
❶속뜻 겸손(謙遜)하게 마음을 비움[虛]. ❷아는 체하거나 잘난 체하지 않음. ¶겸허하게 남의 말에 귀를 기울이다.

공허 空虛 | 빌 공, 빌 허 [be empty; hollow]
❶속뜻 속이 텅 빔[空=虛]. ❷헛됨. ¶공허한 글. 반충실(充實).

0697 [해]

解

풀 해:
부 角부 획 13획 中 解 [jiě, jiè]

解자의 갑골문은 소[牛]의 뿔[角]을 두 손[又]으로 잡고 있는 모양이었다. 그로부터 약 1,000년 후인 전서 서체에서는 又가 '칼 도'(刀)로 교체되어 소의 뿔을 칼로 해체하는 의미가 더욱 여실히 나타났다. '가르다'(divide; separate)가 본래 의미인데, '풀다'(untie)는 뜻으로도 쓰인다.

속뜻훈음 ①풀 해, ②가를 해.

해:결 解決 | 풀 해, 터놓을 결 [solve; settle]
❶속뜻 얽힌 것을 풀고[解] 막힌 물을 터놓음[決]. ❷문제의 핵심을 밝혀서 가장 좋은 결과를 찾아냄. ¶복잡한 문제를 해결하다.

해:고 解雇 | 풀 해, 품팔 고 [dismiss]
사회 고용(雇用) 계약을 해지(解止)함. 고용한 사람을 내보냄. ¶해고를 당하다 / 사장은 그녀를 해고했다. 반임용(任用), 채용(採用).

해:답 解答 | 풀 해, 답할 답 [answer]
❶속뜻 문제를 풀어서[解] 밝히거나 답(答)함. 또는 그 답. ¶해답은 뒷장에 있다. ❷어려운 일을 해결하는 방법. ¶해답은 늘 가까운 곳에 있다. 반문제(問題).

해:독¹ 解毒 | 풀 해, 독할 독 [remove the poison; detoxify]
독기(毒氣)를 풀어서[解] 없앰. ¶해독 작용 / 뱀독을 해독하다.

해:독² 解讀 | 풀 해, 읽을 독 [decode]
알기 쉽도록 풀어서[解] 읽음[讀]. ¶고전을 해독하여 들려주다.

해:동 解凍 | 풀 해, 얼 동 [thaw]
얼었던 것[凍]이 녹아서 풀림[解]. ¶고기를 전자레인지에 넣고 5분간 해동하세요.

해:명 解明 | 풀 해, 밝을 명 [explain]
까닭이나 내용 따위를 풀어서[解] 밝힘[明]. ¶그는 이 사건에 대해 아무런 해명도 하지 않았다.

해:몽 解夢 | 풀 해, 꿈 몽 [interpret of dreams]
꿈[夢]의 내용을 풀어서[解] 길흉(吉凶)을 판단함. ¶어젯밤에 꾼 꿈 해몽 좀 해 주세요.

해:방 解放 | 풀 해, 놓을 방 [liberate]
몸과 마음의 속박이나 제한 따위를 풀어서[解] 자유롭게 놓아줌[放]. ¶노예 해방.

해:부 解剖 | 가를 해, 쪼갤 부 [dissect]
❶속뜻 가르고[解] 쪼갬[剖]. ❷생물 생물체의 일부 또는 전부를 절개(切開)하여 내부를 조사하는 일. ¶개구리 해부 / 인체 해부.

해:빙 解氷 | 풀 해, 얼음 빙 [thaw]
❶속뜻 얼음[氷]이 풀림[解]. ¶한강이 해빙되다. ❷'국제간의 긴장이 완화됨'을 비유하여 이르는 말. ¶동서 양대 진영의 해빙기. 반결빙(結氷).

해:산¹ 解産 | 풀 해, 낳을 산 [give birth to a baby]
몸을 풀어[解] 아이를 낳음[産]. ¶해산의 고통 / 무사히 여아를 해산했다. 비분만(分娩).

해:산² 解散 | 가를 해, 흩을 산 [break up]
❶속뜻 이리저리 갈리어[解] 흩어짐[散]. ❷모였던 사람이 흩어짐. 또는 흩어지게 함. ¶회의가 끝나자 회원들이 해산하였다. ❸집단, 조직, 단체 따위가 해체하여 없어짐. 또는 없어지게 함. ¶강제 해산. 반집합(集合).

해:석 解釋 | 풀 해, 풀 석 [interpret]
❶속뜻 이해(理解)하기 쉽도록 풀어냄[釋]. ❷문장이나 사물 따위로 표현된 내용을 이해하고 설명함. 또는 그 내용. ¶이 영어 문장을 해석해 주세요.

해:설 解說 | 풀 해, 말씀 설 [explain]
알기 쉽게 풀어서[解] 설명(說明)함. 또는 그 설명. ¶경기 해설 / 작품 해설.

해:소 解消 | 풀 해, 사라질 소 [solve]
❶속뜻 풀어서[解] 없앰[消]. ❷좋지 않은 상태를 없애는 것. ¶스트레스 해소 / 교통 체증을 해소하다.

해:약 解約 | 풀 해, 묶을 약 [cancel a contract]
약속(約束)을 해지(解止)하여 취소함. ¶보험을 해약하다.

해:열 解熱 | 풀 해, 더울 열 [bring down fever]

[의학] 몸에 오른 열(熱)을 풀어[解] 내림.

해:이 解弛 | 풀 해, 늦출 이 [slacken up]
마음이나 규율이 풀리어[解] 느슨해짐[弛]. ¶교민 관리가 해이하다.

해:임 解任 | 풀 해, 맡길 임 [dismiss]
❶[속뜻] 임용(任用)계약을 해지(解止)함. ❷어떤 지위나 맡은 임무를 그만두게 함. ¶이사장의 해임을 요구하다.

해:제 解除 | 풀 해, 덜 제 [remove]
❶[속뜻] 설치하였거나 장비한 것 따위를 풀어[解] 없앰[除]. ¶패전국의 군인들은 총기 해제를 당하였다. ❷묶인 것이나 행동에 제약을 가하는 법령 따위를 풀어 자유롭게 함. ¶계엄을 해제하다.

해:직 解職 | 풀 해, 일자리 직 [dismiss]
직책(職責)에서 물러나게[解] 함. ¶해직 근로자.

해:체 解體 | 풀 해, 몸 체 [take apart]
❶[속뜻] 단체(團體) 따위를 풀어[解] 없앰. ¶교내 야구팀을 해체하다. ❷여러 부분을 모아 만든 물건을 작은 부분으로 다시 나누는 것. ¶라디오를 해체하다.

해:탈 解脫 | 풀 해, 벗을 탈 [be delivered]
❶[속뜻] 굴레에서 벗어남[解=脫]. ❷[불교] 속세의 번뇌와 속박을 벗어나 편안한 경지에 이르는 일. ¶그는 온갖 번뇌를 끊고 해탈했다. (비)열반(涅槃).

• 역순어휘

견:해 見解 | 볼 견, 풀 해 [opinion; view]
❶[속뜻] 무엇을 보고[見] 그 의미 따위를 풀이함[解]. ❷어떤 사물이나 현상에 대한 의견(意見)이나 생각. ¶견해를 밝히다.

곡해 曲解 | 굽을 곡, 풀 해 [interpret wrongly]
사실과 어긋나게[曲] 잘못 생각함[解]. ¶나는 그의 말을 곡해했다. (비)오해(誤解).

난해 難解 | 어려울 난, 풀 해
[be hard to understand]
이해(理解)하기 어렵다[難]. ¶이 영화는 난해하다.

독해 讀解 | 읽을 독, 풀 해
[read and comprehend]
글을 읽어서[讀] 뜻을 이해(理解)함.

분해 分解 | 나눌 분, 가를 해 [disjoint; dismantle]
나누고[分] 가름[解]. 여러 부분이 결합되어 이루어진 것을 낱낱으로 나눔. ¶컴퓨터를 분해하다.

양해 諒解 | 살필 량, 풀 해 [excuse; understand]
남의 사정을 잘 살피어[諒] 너그러이 이해(理解)해 줌. ¶손님에게 양해를 구하다 / 양해해 주시기 바랍니다.

언:해 諺解 | 상말 언, 풀 해
한문을 우리말[諺]로 풀어서[解] 씀. 또는 그런 책.

오:해 誤解 | 그르칠 오, 풀 해 [misunderstand]
그릇되게[誤] 해석(解釋)하거나 뜻을 잘못 앎. 또는 그런 해석. ¶긴 머리 때문에 나는 그를 여자로 오해했다 / 싸움은 사소한 오해에서 시작된다.

와해 瓦解 | 기와 와, 풀 해 [collapse]
❶[속뜻] 기와[瓦]를 만들 때 원통의 틀이 두 개로 분해(分解)됨. ❷조직이 갈라져 흩어짐. ¶전통적인 가족 형태가 급속도로 와해되고 있다.

용해 溶解 | 녹을 용, 풀 해 [melt]
❶[속뜻] 녹아[溶] 풀어짐[解]. ❷[화학] 물질이 액체 속에서 균일하게 녹아 용액을 만드는 일. ¶소금은 물에 용해된다.

이:해 理解 | 이치 리, 풀 해 [understand]
❶[속뜻] 이유(理由)를 풀어[解] 찾아냄. ❷이치를 똑똑하게 알게 됨. ¶원리를 이해해야 문제를 쉽게 풀 수 있다. ❸깨달아 앎. ¶그의 뜻을 분명히 이해할 수 있다. ❹양해(諒解). ¶참가자 여러분의 이해를 구합니다.

전:해 電解 | 전기 전, 풀 해 [electrolyze]
❶[속뜻] 어떤 화합물을 전류(電流)를 보내 분해(分解)하는 것. ❷[물리] 녹아 있는 상태의 화합물에 전극을 넣고 전류를 통하여 양이온·음이온을 각각 양극·음극 위에서 방전시켜 각 전극에서 성분을 추출하는 일. '전기분해'(電氣分解)의 준말.

화해 和解 | 화합할 화, 풀 해
[reconcile; make peace]
싸움하던 것을 멈추고 화합(和合)하여 안 좋은 감정을 풀어[解] 없앰. ¶우리 이제 그만 화해하자.

0698 [시]

視

볼 시:
(部) 見부 (획) 12획 (中) 视 [shì]

視자는 '쳐다보다'(look up)는 뜻을 위하여 고안된 것이니 '볼 견'(見)이 표의요소로 쓰였다. 示(제사 시)는 표음요소다. 부수를 '보일 시'(示)로 착각하기 쉬우니 조심해야 한다. 음이 같은 것(示시=視시)은 부수일 가능성이 매우 낮음을 알아두면 좋은 참고가 된다.

시:각¹ 視角 | 볼 시, 뿔 각 [visual angle]
사물을 관찰하는[視] 각도(角度)나 기본자세. ¶시각의 차이 / 여성의 시각으로 접근하다. (비)관점(觀點).

시:각² 視覺 | 볼 시, 깨달을 각
[sense of sight; vision]
[의학] 무엇을 눈으로 보고[視] 일어나는 감각(感覺). ¶시각 장애인.

시ː계 視界 | 볼 시, 지경 계 [field of vision]
일정한 자리에서 바라볼[視] 수 있는 범위[界]. ¶안개로 인해 시계가 흐려졌다. ㊐시야(視野).

시ː력 視力 | 볼 시, 힘 력 [eyesight; sight]
눈이 물체의 존재나 모양 따위를 보는[視] 능력(能力). ¶나는 요즘 시력이 많이 떨어졌다.

시ː선 視線 | 볼 시, 줄 선 [one's eyes; sight]
❶속뜻 보이는[視] 물체와 눈을 잇는 선(線). ❷의학 눈동자의 중심점과 외계의 주시점(注視點)을 잇는 직선. ¶시선을 피하다. ㊐눈길.

시ː야 視野 | 볼 시, 들 야 [range of vision; view]
❶속뜻 시력(視力)이 미치는 범위[野]. ¶건물이 시야를 가리다. ❷식견이나 사려가 미치는 범위. ¶그는 세계를 여행하며 시야를 넓혔다.

시ː찰 視察 | 볼 시, 살필 찰 [inspect; observe]
돌아다니며 실지 사정을 보고[視] 살핌[察]. ¶수해 지역을 시찰하다.

시ː청 視聽 | 볼 시, 들을 청
[looking and listening]
눈으로 보고[視] 귀로 들음[聽]. ¶텔레비전을 시청하다.

• 역순어휘

감시 監視 | 볼 감, 볼 시 [observe]
단속하기 위하여 주의 깊게 살펴[監]봄[視]. ¶죄수를 감시하다.

경시 輕視 | 가벼울 경, 볼 시
[make light of; belittle]
가볍게[輕] 봄[視]. 대수롭지 않게 여김. ¶인명을 경시하는 풍조가 만연하다. ㊐멸시(蔑視), 무시(無視). ㊀중시(重視).

괄시 恝視 | 소홀히 할 괄, 볼 시
[treat coldly; receive with indifference]
업신여겨 하찮게[恝] 대함[視]. ¶가진 것이 없다고 괄시하지 마라. ㊐푸대접, 홀대(忽待). ㊀후대(厚待), 환대(歡待).

근ː시 近視 | 가까울 근, 볼 시 [shortsightedness]
먼 곳은 잘 못 보지만, 가까운[近] 곳은 잘 봄[視]. '근시안'(近視眼)의 준말. ㊀원시(遠視).

난ː시 亂視 | 어지러울 란, 볼 시
[astigmatism; distorted vision]
의학 각막(角膜)이나 수정체의 굴절면이 고르지 않아 물체가 어지럽게[亂] 보이는[視] 현상.

멸시 蔑視 | 업신여길 멸, 볼 시 [despise; scorn]
남을 업신여겨[蔑] 봄[視]. 깔봄. ¶가난하다고 멸시하면 안 된다. ㊐무시(無視), 백안시(白眼視). ㊀존경(尊敬).

무시 無視 | 없을 무, 볼 시 [disregard; neglect]
❶속뜻 보아[視] 주지 아니함[無]. ❷사물의 존재 의의나 가치를 알아주지 아니함. ¶무시하지 못하다 / 신호를 무시하고 달리다. ❸사람을 업신여김. ¶그에게 무시를 당하다 / 동생이 나를 무시했다.

사시 斜視 | 비낄 사, 볼 시 [squint]
❶속뜻 옆으로 비스듬히[斜] 곁눈질로 봄[視]. ❷의학 양쪽 눈의 방향이 달라서 무엇을 바라볼 때 양쪽 눈의 시선이 평행하게 되지 않는 상태. ㊐사팔뜨기.

순시 巡視 | 돌 순, 볼 시
[make a tour of inspection]
돌아다니며[巡] 살펴봄[視]. 또는 그러한 사람. ¶교장 선생님이 교실을 순시하고 계신다.

약시 弱視 | 약할 약, 볼 시 [weak eyesight]
약(弱)한 시력(視力). 또는 그런 시력을 가진 사람.

원ː시 遠視 | 멀 원, 볼 시 [look far off at]
❶속뜻 멀리[遠] 바라봄[視]. ¶세계 경제를 원시하여 대책을 강구합시다. ❷의학 가까이 있는 물체를 잘 볼 수 없는 눈. ¶할머니는 원시라서 가까운 것을 보실 때는 돋보기를 쓴다. ㊀근시(近視).

응ː시 凝視 | 엉길 응, 볼 시 [stare at; gaze at]
눈길을 한곳으로 모아[凝] 가만히 바라봄[視]. ¶그는 한참 동안 먼 산을 응시했다. ㊐주시(注視).

주ː시 注視 | 쏟을 주, 볼 시
[gaze at; watch carefully]
어떤 사물이나 상황에 정신을 쏟아[注] 자세히 봄[視]. ¶온 세계의 주시를 받다 / 경찰에서는 그의 행동을 주시했다.

중ː시 重視 | 무거울 중, 볼 시
[take a serious view; value much of]
중요(重要)하게 봄[視]. ¶우리 학교는 학생들의 개성을 중시한다. ㊀경시(輕視).

질시 疾視 | 미워할 질, 볼 시
[look on with dislike; regard with jealousy]
밉게[疾] 봄[視]. ¶질시의 눈으로 바라보다.

천ː시 賤視 | 천할 천, 볼 시 [despise; scorn]
천(賤)하게 봄[視]. ¶예전에는 상인을 천시했다. ㊐천대(賤待).

투시 透視 | 뚫을 투, 볼 시 [see through]
막힌 물체를 환히 꿰뚫어[透] 봄[視]. 또는 대상의 의미까지 봄. ¶엑스선을 이용하여 물체를 투시하다.

호ː시 虎視 | 호랑이 호, 볼 시 [watch vigilantly for]
❶속뜻 호랑이[虎]처럼 날카로운 눈으로 노려봄[視]. ❷

'기회를 노림'을 비유하여 이르는 말.

0699 [두]

豆 콩 두
㊥ 豆부 ㊞ 7획 ㊥ 豆 [dòu]

豆자는 짧고 둥근 발이 있는, 제사 때 음식을 담는 그릇 모양을 본뜬 것으로, 그러한 '그릇'(ritual vessel)을 가리키는 것이었다. 콩을 뜻하는 낱말의 독음이 이것과 같아서 '콩'(beans)을 가리키는 것으로도 쓰인다. 후에 '콩'을 뜻하는 荳(콩 두)자를 만들었는데도 '豆'를 애용하고 '荳'는 잘 쓰지 않는다.

두부 豆腐 | 콩 두, 썩을 부
[soybean curd]
❶속뜻 콩[豆]을 썩혀[腐] 만든 것. ❷콩으로 만든 식품의 하나. 물에 불린 콩을 갈아서 짜낸 콩물을 끓인 다음 간수를 넣어 엉기게 하여 만든다. ㊥두포(豆泡).

두유 豆乳 | 콩 두, 젖 유 [soybean milk]
물에 불린 콩[豆]을 간 다음, 물을 붓고 끓여 걸러서 만든 우유(牛乳) 같은 액체.

• 역순어휘

녹두 綠豆 | 초록빛 록, 콩 두
[mung beans; green gram]
식물 초록빛이[綠] 나는 콩[豆]이 달리는 풀. 열매 모양이 팥과 비슷하다.

대:두 大豆 | 큰 대, 콩 두 [soybean]
식물 콩[豆]과의 한해살이풀. 콩. '팥'을 이르는 '소두'(小豆)와 구분을 위하여 '大'자를 붙여 부른다.

연:두 軟豆 | 연할 연, 콩 두 [yellowish green]
❶속뜻 부드러운[軟] 콩[豆]. ❷노랑과 녹색의 중간색. ㊥연둣빛, 연두색(軟豆色).

완두 豌豆 | 완두 완, 콩 두 [pea; pease]
식물 겹잎의 잎이 감아 올라가며 자라는 식물. 열매는 요리해서 먹는다. ¶멘델은 완두로 유전현상을 연구했다.

0700 [풍]

豐 풍년 풍
㊥ 豆부 ㊞ 18획 ㊥ 丰 [fēng]

豐자는 곡물의 이삭을 그릇[豆]에다 풍성하게 담아 놓은 모양을 본뜬 것이다. 속자인 豊자로 쓰기도 한다. '넉넉하다'(sufficient)는 본뜻이 여전히 많이 쓰인다. '풍년'(a year of abundance), 또는 이와 의미상 연관이 있는 낱말의 한 구성 요소로도 많이 쓰인다.

속뜻 술술 ①풍년 풍, ②넉넉할 풍.

풍년 豐年 | 넉넉할 풍, 수확 년
[year of abundance]
❶속뜻 넉넉한[豐] 수확[年]. ❷풍성한 수확을 거둔 해. ¶올해는 포도가 풍년이다. ㊥흉년(凶年).

풍만 豐滿 | 넉넉할 풍, 가득할 만
[abundant; plump]
❶속뜻 넉넉하고[豐] 가득함[滿]. ❷몸에 살이 탐스럽게 많다. ¶가슴이 풍만하다.

풍부 豐富 | 넉넉할 풍, 넉넉할 부
[rich (in); plentiful]
매우 많아 넉넉함[豐=富]. ¶형은 상식이 풍부하다.

풍성 豐盛 | 넉넉할 풍, 가득할 성
[be abundant; plentiful]
❶속뜻 넉넉하고[豐] 가득함[盛]. ❷넉넉하고 많음. ¶풍성하게 맺은 열매.

풍어 豐漁 | 넉넉할 풍, 고기 잡을 어 [good catch]
넉넉하게[豐] 많이 잡힘[漁]. ¶풍어를 기원하다. ㊥대어(大漁). ㊥흉어(凶漁).

풍요 豐饒 | 넉넉할 풍, 넉넉할 요
[rich; abundant; plentiful]
풍성(豐盛)하고 넉넉함[饒]. 매우 넉넉함. ¶정신적 풍요 / 풍요한 사회/ 풍요로운 생활을 즐기다. ㊥궁핍(窮乏), 부족(不足).

풍작 豐作 | 풍년 풍, 지을 작 [good harvest]
풍년[豐]이 들어 농사를 잘 지음[作]. 또는 그런 농사. ¶올해는 비가 적당히 와서 풍작이 예상된다. ㊥흉작(凶作).

풍족 豐足 | 넉넉할 풍, 넉넉할 족 [be plentiful]
풍성(豐盛)하고 넉넉함[足]. ¶그는 풍족한 가정에서 자랐다. ㊥부족하다.

• 역순어휘

대:풍 大豐 | 큰 대, 풍년 풍
[bumper crop; heavy crop]
곡식이 매우[大] 잘 되어 풍년(豐年)이 듦. 또는 그런 해. '대풍년'의 준말. ¶올해는 벼농사가 대풍이다. ㊥어거리풍년(豐年). ㊥대흉(大凶).

0701 [강]

講 욀 강:
㊥ 言부 ㊞ 17획 ㊥ 讲 [jiǎng]

講자는 '화해하다'(compromise)는 뜻을 위하여 만든 글자이니 '말씀 언'(言)이 표의요소로 쓰였다. 천 냥 빚도 말 한마디로 갚는다는 속담이 있듯이 말의 중요함을 일깨워 주는 대목이다. 음 차이가 크지만 冓(짤 구)가 표음요소임은 耩(김 맬 강), 顜(밝을 강)도 마찬가지다. '익히다'(learn)는 뜻으로도 쓰이며 '강구하다' (study; devise), 또는 이와 의미상 연관이 있는 낱말의 한 구성요소로도 쓰인다.

속뜻훈음 ①강의할 강, ②익힐 강, ③강구할 강.

강:구 講究 | 익힐 강, 생각할 구
[study; considerate]
❶속뜻 사물을 깊이 조사하여[講] 연구(硏究)함. ❷알맞은 방법이나 방책을 연구함. ¶대책을 강구하다.

강:단 講壇 | 익힐 강, 단 단 [lecture platform]
강의(講義)할 때 올라서도록 약간 높게 만든 자리[壇]. ¶강단에 서다.

강:당 講堂 | 익힐 강, 집 당
[lecture hall; auditorium]
학교 등에서 강연(講演)이나 의식 등을 하기 위하여 특별히 마련한 큰방이나 집[堂]. ¶학교 강당 / 강당에서 특별강연이 열렸다.

강:론 講論 | 익힐 강, 말할 론 [discuss; teach]
어떤 문제에 대하여 강설(講說)하고 토론(討論)함. ¶스님이 교리를 강론했다.

강:사¹ 講士 | 익힐 강, 선비 사 [speaker]
강연(講演)하는 유명 인사(人士). ¶강사를 초청하다. ㊥강연자(講演者).

강:사² 講師 | 익힐 강, 스승 사
[lecturer; instructor]
강의(講義)를 하는 교원[師]. ¶그는 우리 대학의 강사이다.

강:습 講習 | 익힐 강, 익힐 습 [take lessons in]
강의(講義)를 들으며 학습(學習)함. ¶요리강습 / 이번 학기에 전자공학 과목을 강습했다.

강:연 講演 | 익힐 강, 펼칠 연
[give a lecture; address]
청중에게 강의(講義) 내용을 말로 펼쳐[演] 보임. ¶환경문제에 대해 강연했다. ㊥연설(演說).

강:의 講義 | 익힐 강, 뜻 의 [lecture]
❶속뜻 학술·기술 등에 관한 어떤 뜻[義]을 익히도록[講]함. 풀이하여 설명해 줌. ❷대학 수업. ¶한국 문학을 강의하다. ㊥강설(講說), 강론(講論).

강:좌 講座 | 익힐 강, 자리 좌 [lecture; course]
❶속뜻 강의(講義)하는 자리[座]. ❷일정한 주제에 따른 강의 형식을 취하여 체계적으로 편성한 강습회. ¶교양 강좌를 개설하다.

강:화 講和 | 강구할 강, 어울릴 화
[make peace with]
싸움을 그치고 화해(和解)할 것을 강구(講究)함. ¶강화 조약 / 양국은 강화에 동의했다. ㊥화해(和解).

• 역순어휘

수강 受講 | 받을 수, 익힐 강
[attend a lecture; take a course]
강의(講義)를 듣거나 강습(講習)을 받음[受]. ¶수강 신청 / 한국사 과목을 수강하다.

0702 [경]

警 깨우칠 경:
㊞ 言부 ㊐ 20획 ㊥ 警 [jǐng]

警자는 말로 '타이르다'(warn)는 뜻을 나타내기 위한 것이었으니 '말씀 언'(言)이 표의요소로 쓰였다. 敬(공경할 경)은 표음요소다(참고, 驚 놀랄 경, 擎 들 경). '지키다'(guard; protect)는 뜻으로도 쓰인다.

속뜻훈음 ①타이를 경, ②지킬 경.

경:각 警覺 | 타이를 경, 깨달을 각
[warn; awaken; remonstrate]
정신을 바짝 차리도록 타이르고[警] 일깨워 줌[覺]. ¶그 조치가 공무원들에게는 큰 경각이 되었다.

경:계 警戒 | 타이를 경, 주의할 계 [be on alert]
❶속뜻 타일러[警] 주의하도록[戒] 함. ❷잘못을 저지르지 않도록 미리 타일러 조심하게 함. ¶경계경보 / 낯선 사람을 경계하다. ㊥주의(注意).

경:고 警告 | 타이를 경, 알릴 고 [warn against]
❶속뜻 타이르고[警] 알려[告]줌. ¶엄중히 경고하다. ❷운동 경기에서 반칙을 범했을 때 심판이 일깨우는 주의. ㊥주의(注意).

경:관 警官 | 지킬 경, 벼슬 관
[police officer; policeman]
국민의 안전과 재산을 지키는[警] 일을 하는 관직(官職). '경찰관'(警察官)의 준말.

경:보 警報 | 타이를 경, 알릴 보 [alarm; warning]
위험 또는 재해가 닥쳐 올 때, 사람들에게 경계(警戒)하도록 알리는[報] 일. 또는 그 보도. ¶지진경보 / 태풍경보

경:비 警備 | 타이를 경, 갖출 비 [defense; guard]
경계(警戒)하고 대비(對備)함. 경계하여 지킴. ¶경비 초소

경:적 警笛 | 타이를 경, 피리 적

[alarm whistle; horn]
위험을 알리거나 경계(警戒)를 위하여 울리는 피리[笛] 소리 같은 고동. 또는 그 소리. ¶자동차 경적. ㊥호각(號角), 사이렌(siren).

경:종 警鐘 | 타이를 경, 쇠북 종 [alarm bell]
❶속뜻 경계(警戒)의 뜻으로 치는 종(鐘). ❷'주의나 충고'를 비유하여 이르는 말. ¶그 사건은 우리 사회에 경종을 울렸다.

경:찰 警察 | 타이를 경, 살필 찰 [police]
❶속뜻 경계(警戒)하여 살핌[察]. ❷법률 국가 사회의 공공질서와 안녕을 보장하고 국민의 안전과 재산을 보호하는 일. 또는 그 일을 하는 조직.

경:호 警護 | 지킬 경, 돌볼 호 [guard; escort]
지켜주어[警] 보호(保護)함. ¶경찰이 증인을 경호했다.

• 역순어휘 •

군경 軍警 | 군사 군, 지킬 경
[military and the police]
군대(軍隊)와 경찰(警察).

순경 巡警 | 돌 순, 지킬 경
[policeman; patrolman]
❶속뜻 여러 곳을 돌아다니며[巡] 지켜줌[警]. ❷법률 경장의 아래로 가장 낮은 계급의 경찰공무원. ¶도둑은 순경을 보자 도망갔다.

의:경 義警 | 옳을 의, 지킬 경
[conscripted policeman]
법률 병역 의무(義務)를 지고 업무를 수행하는 경찰(警察). '의무경찰'(義務警察)의 준말.

0703 [론]

論 논할 론
㊥言부 ㊥15획 ㊥论 [lùn, lún]

論자는 '(이치를) 논하다'(comment)는 뜻을 위한 것이었으니, '말씀 언'(言)이 표의요소로 쓰였다. 侖(륜)이 표음요소임은 倫(생각할 론), 碖(돌 떨어질 론)도 마찬가지다. '侖'은 冊(책), 즉 木簡(목간)을 조리 있게 모아 놓은 것으로 '조리 있다'는 뜻이 있으니 '論'은 '조리[侖] 있는 말[言]'로 풀이하는 설도 있다.
속뜻 훈음 ①논할 론, ②말할 론.

논거 論據 | 논할 론, 근거할 거
[basis of an argument]
의론(議論)이나 논설(論說)이 성립하는 근거(根據)가 되는 것. ¶논거가 확실하다.

논고 論告 | 논할 론, 알릴 고
[prosecutor's final address]
❶속뜻 자기의 주장이나 믿는 바를 논술(論述)하여 알림[告]. ❷법률 검사가 피고의 범죄 사실과 그에 대한 법률 적용에 관한 의견을 진술하는 일. ¶논고를 펼치다.

논란 論難 | 본음 [논난], 논할 론, 꾸짖을 난
[criticize; denounce]
잘못된 점 따위를 논(論)하여 비난(非難)함. ㊥논쟁(論爭).

논리 論理 | 논할 론, 이치 리 [logic]
의론(議論)이나 사고·추리 따위를 끌고 나가는 조리(條理). ¶그의 주장은 논리에 맞지 않다. ㊥이치(理致).

논문 論文 | 논할 론, 글월 문 [essay; thesis]
❶속뜻 어떤 일에 대하여 자기 의견을 논술(論述)한 글[文]. ❷학술 연구의 업적이나 결과를 발표한 글.

논박 論駁 | 말할 론, 칠 박 [argue against]
상대의 의견의 잘못을 말하여[論] 공격함[駁]. ¶그의 주장을 논박했다. ㊥반박(反駁).

논설 論說 | 말할 론, 말씀 설 [essay; discourse]
❶속뜻 자기의 의견이나 주장[論]을 조리 있게 설명(說明)함. 또는 그러한 글. ❷신문이나 잡지 따위의 사설(社說). ㊥논평(論評).

논술 論述 | 논할 론, 지을 술 [state; discuss]
의견이나 주장을 논(論)하는 글을 지음[述]. 또는 그 글. ¶이 문제에 대하여 논술하시오.

논어 論語 | 말할 론, 말씀 어
[Analects of Confucius]
책명 공자(孔子)의 논설(論說)과 어록(語錄)을 모아 엮은 책.

논의 論議 | 말할 론, 따질 의 [discuss; debate]
어떤 문제에 대하여 서로 의견을 말하며[論] 토의(討議)함. ¶대책을 논의하다. ㊥담론(談論), 토론(討論).

논쟁 論爭 | 말할 론, 다툴 쟁 [dispute; argue]
여럿이 자신의 의견을 주장하며[論] 다툼[爭]. ¶열띤 논쟁을 벌이다.

논점 論點 | 논할 론, 점 점 [point at issue]
논의(論議)의 요점(要點). 논의의 중심이 되는 문제. ¶논점을 벗어나다.

논제 論題 | 논할 론, 주제 제
[topic for discussion]
토의나 논의(論議)의 주제(主題).

논증 論證 | 논할 론, 증명할 증
[demonstrate; prove]
옳고 그름을 따져서[論] 증명(證明)함. 또는 그 근거나 이유. ¶주장을 논증하다 / 직접 논증. ㊥증명(證明).

논지 論旨 | 논할 론, 뜻 지 [point of an argument]
의론(議論)의 요지(要旨)나 취지(趣旨). ¶논지를 요약하면 다음과 같다.

논평 論評 | 말할 론, 평할 평
[review; comment on]
어떤 사건이나 작품 등의 내용에 대하여 설명하면서[論] 비평(批評)함. ¶정부는 이 사건에 대해 공식적으로 논평했다. ㊐평론(評論).

• 역순어휘 •

강:론 講論 | 익힐 강, 말할 론 [discuss; teach]
어떤 문제에 대하여 강설(講說)하고 토론(討論)함. ¶스님이 교리를 강론했다.

거:론 擧論 | 들 거, 논할 론
[make a subject of discussion]
어떤 사항을 논제(論題)를 들어[擧] 말함. ¶그건 이 자리에서 거론할 문제가 아니다.

결론 結論 | 맺을 결, 말할 론 [conclusion]
❶속뜻 끝맺는[結] 부분의 말[論]. ❷최후로 내려진 의견. ¶결론을 내리다. ㊐맺음말, 결어(結語). ㊍서론(序論), 머리말.

공론 公論 | 여럿 공, 말할 론
[public opinion; consensus]
사회 전체 여러 사람[公]의 여론(輿論). ¶공론이 분분하다. ㊐세론(世論). ㊍사론(私論).

국론 國論 | 나라 국, 말할 론 [national opinion]
국민(國民) 또는 사회 일반의 공통된 의견[論]. ¶국론을 모으다.

막론 莫論 | 없을 막, 말할 론
[be a matter of course; be needless to say]
❶속뜻 말할[論]할 것조차 없음[莫]. ❷이것저것 따지고 가려 말하지 아니하다. ¶오늘은 누구를 막론하고 먼저 갈 수 없다.

물론 勿論 | 없을 물, 말할 론 [of course]
❶속뜻 말할[論] 필요가 없음[勿]. ¶학식은 물론이고 경험도 풍부하다. ❷말할 것도 없이. ¶그는 영어는 물론 중국어도 할 줄 안다.

반:론 反論 | 반대로 반, 말할 론 [refute]
남의 의견에 대하여 반대(反對) 의견을 말함[論]. 또는 그 의론(議論).

변:론 辯論 | 말 잘할 변, 말할 론
[discuss; argue; debate]
❶속뜻 변호(辯護)하는 말을 함[論]. ❷사리를 밝혀 옳고 그름을 따짐. ❸법률 소송 당사자나 변호인이 법정에서 주장하거나 진술함. 또는 그런 진술. ¶피고를 위해 변론하다.

본론 本論 | 뿌리 본, 말할 론 [main subject]
❶속뜻 본격적(本格的)인 토론(討論). ❷말이나 글에서 중심 내용을 담은 부분. ¶이제 본론으로 들어가자!

서:론 序論 | 차례 서, 논할 론 [introduction]
서두(序頭) 부분의 논설(論說). ¶서론에서 글을 쓴 이유를 밝혔다.

언론 言論 | 말씀 언, 말할 론
[speech; discussion]
말[言]이나 글로 자기 사상을 발표함[論]. 또는 그 말이나 글. 보도, 출판 따위의 방법이 있다. ¶언론의 자유를 보장하다.

여:론 輿論 | 많을 여, 말할 론
[public opinion; prevailing view]
많은[輿] 사람의 공통된 의견[論]. ¶여론을 반영하다.

의논 議論 | 본음 [의론], 따질 의, 말할 론
[discuss; consult]
어떤 의견이 옳은지 따지어[議] 말함[論]. ¶의논 상대 / 나는 부모님과 진학 문제에 대해 의논했다. ㊐논의(論議), 토의(討議).

이:론 理論 | 이치 리, 논할 론 [theory]
사물의 이치(理致)나 지식 따위를 논(論)함. 또는 그러한 명제의 체계. ¶이론과 실제는 반드시 일치하지 않는다. ㊍실천(實踐).

재:론 再論 | 다시 재, 말할 론
[argue again; reargue]
다시[再] 말하거나[論] 거론(擧論)함. ¶재론의 여지가 없다 / 그 일은 이후에 재론하기로 합시다.

중:론 衆論 | 무리 중, 말할 론 [public opinion]
여러 사람[衆]의 말[論]이나 의견. ¶중론에 따라 결정하다 / 상황을 좀 더 지켜보아야 한다는 게 중론이다.

쾌론 快論 | 시원할 쾌, 말할 론 [hearty chat]
거리낌없이 시원하게[快] 말함[論]. ¶그의 쾌론에 모두가 감동했다.

토:론 討論 | 따질 토, 말할 론 [discuss; debate]
상대방 의견의 문제점을 따지며[討] 자기의 주장을 말함[論]. ¶사형제도 폐지에 대해 토론하다. ㊐토의(討議).

평:론 評論 | 평할 평, 말할 론
[criticize; review; comment]
비평(批評)하여 토론(討論)함. ¶영화를 평론하다.

0704 [방]

訪

찾을 방:
㊀ 言부 ㊁ 11획 ㊥ 访 [fǎng]

訪자는 '(널리 의견을) 묻다'(ask)가 본뜻이니 '말씀 언'(言)이 표의요소로 쓰였다. '모 방'(方)은 표음요소이니 뜻과는 무관하다. '찾아가다'(visit; go to see)는 뜻으로도 쓰인다.
속뜻 훈음 ①찾을 방, ②물을 방.

방:문 訪問 | 찾을 방, 물을 문 [call; visit]
찾아가서[訪] 안부 등을 물음[問]. ¶총리가 중국을 방문하다.

• 역순어휘

순방 巡訪 | 돌 순, 찾을 방
[visit one after another]
나라나 도시 따위를 돌아가며[巡] 방문(訪問)함. ¶대통령은 유럽 5개국을 순방하고 오늘 귀국했다.

탐방 探訪 | 찾을 탐, 물을 방 [visit]
어떤 사람을 찾아가[探] 소식 따위를 물어[訪] 봄. ¶유적지를 탐방하다.

0705 [사]

謝 사례할 사:
部 言부 劃 17획 中 谢 [xiè]

謝자는 '(관직에서) 물러나다'(retire)는 뜻을 위하여 고안된 것이다. 물러날 때는 퇴임의 말이 빠질 수 없으니 '말씀 언'(言)이 표의요소로 쓰였고, 射(궁술 사)는 표음요소다. 후에 '거절하다'(refuse), '(용서를) 빌다'(beg pardon), '고마워하다'(thank; appreciate) 등으로 확대 사용됐다.
속뜻 훈음 ①고마워할 사, ②거절할 사, ③용서 빌 사.

사:과 謝過 | 용서 빌 사, 지나칠 과
[pardon; excuse]
자신의 과오(過誤)에 대하여 용서를 빎[謝]. ¶진심으로 사과드립니다.

사:례 謝禮 | 고마워할 사, 예도 례
[thanks; gratitude]
언행이나 금품으로 고마운[謝] 뜻을 나타내는 인사[禮]. ¶사례의 뜻으로 그에게 식사를 대접했다.

사:은 謝恩 | 고마워할 사, 은혜 은
[express gratitude; repay a kindness]
받은 은혜(恩惠)에 대하여 고마워함[謝]. ¶고객 사은 행사.

사:의 謝意 | 고마워할 사, 뜻 의
[thank; appreciate]
고마워하는[謝]의 뜻[意]. ¶여러분의 노고에 심심한 사의를 표합니다.

사:절 謝絶 | 거절할 사, 끊을 절
[decline; refuse; reject]
❶속뜻 거절하여[謝] 딱 자름[絶]. ❷요구나 제의를 받아들이지 않고 딱 잘라 거절함. ¶면회 사절 / 외상은 사절합니다.

사:죄 謝罪 | 용서 빌 사, 허물 죄
[apologize; beg pardon]
지은 죄(罪)나 잘못에 대하여 용서를 빎[謝]. ¶정중히 사죄하다.

• 역순어휘

감:사 感謝 | 느낄 감, 고마워할 사
[thanks; gratitude]
❶속뜻 고마움[謝]을 느낌[感]. ❷고마움을 표함. ¶성원에 감사드립니다. 비 사의(謝意), 은혜(恩惠).

후:사 厚謝 | 두터울 후, 고마워할 사
[recompense handsomely; thank heartily]
후(厚)하게 사례(謝禮)함. ¶범인을 찾아주면 후사하겠습니다.

0706 [설]

設 베풀 설
部 言부 劃 11획 中 设 [shè]

設자는 연장을 들고 있는[殳·수] 일을 하는 사람에게 말[言]하는 것으로 풀이된다. 일을 차리고 벌이다, 즉 '베풀다'(set up)가 본래 의미이고 '세우다'(establish) 등으로 확대 사용됐다.
속뜻 훈음 ①베풀 설, ②세울 설,

설계 設計 | 세울 설, 셀 계
[draw (up) a plan; plan; design]
❶속뜻 앞으로 이루어야 할 일에 대해 구체적인 계획(計劃)을 세움[設]. ¶노후를 설계하다. ❷설계나 공작 등에서 공사비, 재료, 구조 따위의 계획을 세워 도면 같은 데에 구체적으로 명시하는 일. ¶설계가 잘된 건물.

설령 設令 | 세울 설, 시킬 령
[even if; even though]
❶속뜻 가령(假令)이라는 말을 설정(設定)함. ❷그렇다 하더라도. ¶설령 그가 오지 않더라도 나는 상관없다. 비 설사(設使), 설혹(設或).

설립 設立 | 세울 설, 설 립
[establish; found; set up]

학교, 회사 따위의 단체나 기관을 새로 설치(設置)하여 세움[立]. ¶대학교 설립 / 우리는 중국에 공장을 설립할 계획이다.

설문 設問 | 베풀 설, 물을 문
[make up a question]
문제(問題)를 설정(設定)함. 질문을 만들어 냄. 또는 그 문제나 질문. ¶설문 조사 / 학교 폭력에 대해 설문하다.

설비 設備 | 베풀 설, 갖출 비 [equip (with)]
건물이나 장치, 기물 따위를 베풀어[設] 갖추는[備] 일. 또는 그런 물건. ¶최신식 설비 / 방범 장치를 설비하다.

설사 設使 | 세울 설, 부릴 사 [even if]
설령(設令) 그렇게 한다[使]면. ¶설사 자기 것이 아니더라도 낭비해서는 안 된다. ㊐설령(設令), 설혹(設或).

설정 設定 | 세울 설, 정할 정 [set (up)]
새로 마련하여[設] 정(定)함. ¶목표 설정.

설치 設置 | 세울 설, 둘 치 [establish; set up]
❶[속뜻] 기계나 설비 따위를 마련하거나 세워[設] 둠[置]. ¶에어컨 설치. ❷어떤 기관을 마련함. ¶위원회 설치.

설혹 設或 | 세울 설, 혹 혹 [even if]
설령(設令) 또는 혹시(或是). ¶설혹 알고 있더라도 아는 체하지 마라. ㊐설령(設令), 설사(設使).

• 역순어휘 •

가설¹ 架設 | 건너지를 가, 세울 설
[construct temporarily]
공중에 건너질러[架] 설치(設置)함. ¶골목에 전깃줄을 가설했다.

가:설² 假設 | 임시 가, 세울 설
[put up temporarily]
❶[속뜻] 임시로[假] 설치(設置)함. ¶가설 계단이 와르르 무너졌다. ❷실제에 없는 것을 있는 것으로 가정함.

개설 開設 | 열 개, 세울 설 [establish]
❶[속뜻] 어떤 시설을 새로 설치(設置)하여 업무를 시작함[開]. ¶수업을 개설하다. ❷은행 등에서 새로운 계좌를 설정함. ¶저금하려고 통장을 개설했다.

건:설 建設 | 세울 건, 세울 설 [construct; build]
❶[속뜻] 건물 따위를 만들어 세움[建=設]. ¶건설 현장 / 댐을 건설하다. ❷어떤 조직체를 이룩하여 꾸려나감. ¶복지사회를 건설하다. ㊐건조(建造), 건축(建築). ㊥파괴(破壞).

공설 公設 | 관공서 공, 세울 설
[public installation]
국가나 공공단체[公]에서 설립(設立)함. ¶공설 운동장. ㊥사설(私設).

병:설 竝設 | =併設, 나란히 병, 세울 설
[establishment as an annex]
같은 곳에 둘 이상의 것을 함께 나란히[竝] 설치(設置)함. ¶대한초등학교 병설 유치원.

부:설¹ 附設 | 붙을 부, 세울 설 [attach]
부속(附屬)시켜 설치(設置)함. ¶사범대학 부설 초등학교.

부:설² 敷設 | 펼 부, 세울 설 [lay; construct]
다리, 철도, 지뢰 따위를 펼치듯이[敷] 설치(設置)함. ¶철도를 부설하다.

사설 私設 | 사사로울 사, 세울 설
[privately established]
개인이나 민간에서 사적(私的)으로 설립(設立)함. 또는 그 기관이나 시설. ¶사설학원. ㊥공설(公設), 관설(官設).

상설 常設 | 늘 상, 베풀 설
[establish permanently]
언제든지[常] 이용할 수 있도록 설비와 시설을 갖추어[設] 둠. ¶상설 할인매장.

시:설 施設 | 베풀 시, 세울 설
[establish; equip]
편리를 베풀어[施] 구조물 따위를 세움[設]. 또는 그 차린 설비. ¶의료 시설 / 전선을 시설하기 위해 전봇대를 세웠다.

신설 新設 | 새 신, 세울 설
[establish newly; create]
설비, 설비 따위를 새로[新] 마련함[設]. ¶신설 학교 / 공예 강좌를 신설하다.

증설 增設 | 더할 증, 세울 설
[establish more; install more]
늘려[增] 설치(設置)함. ¶두 개의 학급을 더 증설하다.

창:설 創設 | 처음 창, 세울 설 [establish; found]
조직 따위를 처음으로[創] 세움[設]. ¶축구부를 창설하다. ㊐창립(創立).

0707 [성]

誠

정성 성
㊀言부 ㊁14획 ㊥诚 [chéng]

誠자는 언젠가는 믿음을 얻을 수 있는 '진심'(a true heart; earnest)을 뜻하기 위한 것으로 '말씀 언'(言)이 표의요소로 쓰였다. 말은 진심에서 울어 나오는 것이라야 믿음을 살 수 있다는 뜻이 담긴 셈이다. 成(이룰 성)은 표음요소다. '정성'(sincere), '진심'(true), '공경하다'(respect) 등의 뜻으로도 쓰인다.

속뜻 풀음

①정성 성, ②진심 성, ③공경할 성.

성금 誠金 | 정성 성, 돈 금
[donation; contribution]
정성(精誠)을 모아내는 돈[金]. ¶불우 이웃 돕기 성금.

성실 誠實 | 정성 성, 참될 실 [sincere; faithful]
태도나 언행 등이 정성(精誠)스럽고 참됨[實]. 착하고 거짓이 없음. ¶그는 모든 일에 성실하다. 반불성실(不誠實).

성심 誠心 | 정성 성, 마음 심 [sincerity; good faith]
정성(精誠)스러운 마음[心]. 거짓 없는 참된 마음.

성의 誠意 | 진심 성, 뜻 의 [sincerity; good faith]
진심[誠]에서 우러나오는 뜻[意]. 참된 마음. ¶성의가 없다.

• 역순어휘

불성 不誠 | 아닐 불, 정성 성 [insincere]
성실(誠實)하지 못함[不]. '불성실'의 준말.

열성 熱誠 | 뜨거울 열, 정성 성 [enthusiasm]
열렬(熱烈)한 정성(精誠). ¶열성 팬 / 엄마는 열성을 기울여 화초를 길렀다.

정성 精誠 | 쓿을 정, 진심 성 [true heart; sincerity]
쓿은 쌀[精]처럼 순백한 진심[誠]. ¶정성어린 선물 / 부모님을 정성스럽게 모시다 / 음식을 정성껏 준비하다.

지성 至誠 | 지극할 지, 정성 성
[perfect sincerity; devotion]
지극(至極)한 정성(精誠). 또는 그러한 정성. ¶환자를 지성으로 돌보다. 속담 지성이면 감천.

충성 忠誠 | 바칠 충, 공경할 성
[be loyal; be devoted]
❶속뜻 몸과 마음을 다 바쳐[忠] 공경함[誠]. ❷나라나 임금에 바치는 곧고 지극한 마음. ¶충성을 맹세하다 / 충성스러운 신하.

치:성 致誠 | 다할 치, 정성 성
❶속뜻 온갖 정성(精誠)을 다함[致]. ❷신이나 부처에게 정성을 드림. ¶아들을 낳게 해 달라고 치성을 드렸다.

효:성 孝誠 | 효도 효, 정성 성
[filial piety; love for one's parents]
어버이를 섬기는[孝] 정성(精誠). ¶효성이 지극해야 집안이 잘 된다. 비효(孝), 효심(孝心). 속담 효성이 지극하면 돌 위에 풀이 난다.

0708 [시]

詩

시 시
部 言부 劃 13획 中 诗 [shī]

詩 자는 '뜻'(meaning; sense)을 나타내기 위한 것이었으니, '말씀 언'(言)이 표의요소로 쓰였다. 시에는 뜻이 담겨야 한다(詩言志)는 것이 중국의 전통 시가(詩歌) 관념이었다. 寺(사/시)가 표음요소임은 恃(믿을 시)도 마찬가지다. '시'(a poem)를 가리키는 것으로 널리 쓰인다.

시가 詩歌 | 시 시, 노래 가
[poems and songs; poetry]
❶속뜻 시(詩)와 노래[歌]. ❷가사를 포함한 시문학을 통틀어 이르는 말.

시구 詩句 | 시 시, 글귀 구 [verse; stanza]
문학 시(詩)의 구절(句節). ¶그녀는 감명 깊은 시구를 낭송했다.

시비 詩碑 | 시 시, 비석 비
[monument inscribed with a poem]
❶속뜻 시(詩)를 새긴 비(碑). ❷이름 있는 시인의 문학적 업적을 기리어 세우는 비.

시상 詩想 | 시 시, 생각 상
[poetical idea; poetical imagination]
시(詩)를 짓기 위한 생각이나[想] 느낌. ¶시상이 떠오르다.

시어 詩語 | 시 시, 말씀 어 [poetic word]
❶속뜻 시(詩)에 쓰이는 말[語]. ❷문학 시인의 감정이나 사상을 나타낸 함축성 있는 말.

시인 詩人 | 시 시, 사람 인 [poet]
전문적으로 시(詩)를 짓는 사람[人]. ¶여류 시인 / 원로 시인.

시일 時日 | 때 시, 날 일 [day]
❶속뜻 때[時]와 날[日]. 날짜. ❷기일이나 기한. ¶시일을 늦추다.

시적 詩的 | 시 시, 것 적 [poetical]
사물이 시(詩)의 정취를 가진 것[的]. ¶그는 시적 정서가 풍부하다.

시집 詩集 | 시 시, 모을 집 [collection of poems]
여러 편의 시(詩)를 모아[集] 엮은 책. ¶윤동주의 시집을 읽다.

시화 詩畫 | 시 시, 그림 화 [pictorial poem]
❶속뜻 시(詩)와 그림[畫]. ¶황진이는 시화에 뛰어났다. ❷시를 곁들인 그림.

• 역순어휘

동:시 童詩 | 아이 동, 시 시 [children's verse]
❶문학 주로 어린이를 독자로 예상하고 어린이[童]의 정서를 읊은 시(詩). ❷어린이가 지은 시.

명시 名詩 | 이름 명, 시 시 [famous poetry]
유명(有名)한 시(詩). 썩 잘 지은 시.

장시 長詩 | 길 장, 시 시
문학 길이가 긴[長] 형식의 시(詩). ⓑ단시(短詩).

한:시 漢詩 | 한나라 한, 시 시 [Chinese poetry]
문학 한문(漢文)으로 지은 시(詩).

0709 [시]

試

시험 시(:)
部 言부 劃 13획 中 试 [shì]

試자는 '(말로) 따지다'(question; query)는 뜻을 나타내기 위한 것이었으니 '말씀 언'(言)이 표의요소에 해당한다. 式(법 식)이 표음요소임은 弑(죽일 시)도 마찬가지다. '시험'(test), 또는 이와 의미상 연관이 있는 낱말의 한 구성 요소로 많이 쓰인다.

속뜻훈음 ①시험할 시, ②따질 시.

시:금 試金 | 시험할 시, 쇠 금 [assay]
금(金)의 품질을 시험(試驗)함.

시:도 試圖 | 시험할 시, 꾀할 도 [try; attempt]
무엇을 시험(試驗) 삼아 꾀하여[圖] 봄. 또는 꾀한 바를 시험해 봄. ¶나는 네 번째 시도에서 성공했다.

시:련 試鍊 | 시험할 시, 불릴 련 [try; make a trial]
의지나 참을성을 시험(試驗)하거나 단련(鍛鍊)시키는 것. ¶시련을 극복하다.

시:사 試寫 | 시험할 시, 베낄 사 [preview]
영화의 정식 개봉 전에서 여러 관계자에게 시험적(試驗的)으로 먼저 영사(映寫)하여 보임.

시:식 試食 | 시험할 시, 먹을 식 [taste; sample]
맛이나 요리 솜씨를 시험(試驗)하기 위하여 먹어[食] 봄. ¶우리는 여러 종류의 케이크를 시식해 보았다.

시:약 試藥 | 시험할 시, 약 약 [test]
❶속뜻 시험(試驗) 삼아 써보는 데 필요한 약(藥). ❷화학 화학 분석에서 물질의 검출이나 정량을 위한 반응에 쓰이는 화학 약품.

시:추 試錐 | 시험할 시, 송곳 추 [drill]
공업 지하자원을 탐사하거나 지층의 구조나 상태를 시험(試驗)하기 위하여 땅속 깊이 구멍을 뚫는[錐] 일. ¶해저 가스전을 시추하다.

시합 試合 | 따질 시, 싸울 합
[play against; have a game]
❶속뜻 우열을 따지기[試] 위하여 겨룸[合]을 벌임. ❷운동이나 그 밖의 경기 따위에서 승부를 겨루는 일. ¶야구 시합. ⓑ경기(競技).

시험 試驗 | 따질 시, 효과 험 [test; try out]
❶속뜻 사물의 성질이나 기능을 따져서[試] 그 효과[驗]를 알아보는 일. ¶성능을 시험하다. ❷재능이나 실력 따위를 일정한 절차에 따라 검사하고 평가하는 일. ¶시험에 합격하다.

• 역순어휘

고:시 考試 | 살필 고, 시험할 시 [examination]
❶역사 과거(科擧) 시험(試驗) 성적을 살펴서[考] 등수를 매기던 일. ❷공무원의 임용 자격을 결정하는 시험. ¶삼촌은 사법고시에 합격했다.

응:시 應試 | 응할 응, 시험할 시
[apply for an examination]
시험(試驗)에 응(應)함. ¶응시 원서 / 시험 중 부정행위를 하면 1년간 응시할 수 없다.

입시 入試 | 들 입, 시험할 시
[entrance examination]
학교에 들어가기[入] 위한 시험(試驗). ¶입시 전문 학원 / 입시제도.

초시 初試 | 처음 초, 시험할 시
역사 과거의 첫[初] 시험(試驗). 또는 그 시험에 급제한 사람.

0710 [오]

誤

그르칠 오:
部 言부 劃 14획 中 误 [wù]

誤자는 '(말 따위를) 그르치다'(mistake; err)는 뜻을 위한 것이었으니 '말씀 언'(言)이 표의요소로 쓰고, 吳(나라 이름 오)는 표음요소이니 뜻과는 무관하다. '그르치다'는 말은 '잘못하여 그릇되게 하다'는 뜻이다.

오:류 誤謬 | 그르칠 오, 그르칠 류 [mistake]
❶속뜻 그르치거나[誤] 그릇됨[謬]. ❷이치에 맞지 않는 일. ¶오류를 범하다. ⓑ잘못.

오:발 誤發 | 그르칠 오, 쏠 발 [fire by accident]
총포 따위를 잘못[誤] 쏨[發]. ¶총기 오발 사고로 두 명이 사망했다.

오:산 誤算 | 그르칠 오, 셀 산 [miscalculate]
❶속뜻 잘못 그르치게[誤] 셈함[算]. 또는 그 셈. ❷추측이나 예상을 잘못함. 또는 그런 추측이나 예상. ¶그가 돌아온다고 생각하면 오산이다.

오:용 誤用 | 그르칠 오, 쓸 용 [misuse]
잘못 그르치게[誤] 사용(使用)함. ¶단어의 오용이 심각하다 / 약물을 오용하면 건강을 해친다.

오:인 誤認 | 그르칠 오, 알 인 [misconceive]
잘못 그르치게[誤] 앎[認]. 잘못 생각함. ¶사실 오인 / 사람을 동물로 오인하여 총을 쏘는 사고가 발생하였다.

오:자 誤字 | 그르칠 오, 글자 자 [wrong word]
잘못 그르치게[誤] 쓴 글자[字]. ¶책의 오자를 수정하다.

오:진 誤診 | 그르칠 오, 살펴볼 진 [misdiagnose]
[의학] 병을 잘못 그르치게[誤] 진단(診斷)하는 일. 또는 그런 진단. ¶그는 폐렴을 감기로 오진했다.

오:차 誤差 | 그르칠 오, 어긋날 차
[accidental error]
❶[속뜻] 잘못하여 그르치거나[誤] 어긋남[差]. ❷[수학] 실제 셈하여 측정한 값과 이론적으로 정확한 값과의 차이. ¶오차가 나다. ❸[수학] 참값과 근삿값과의 차이.

오:판 誤判 | 그르칠 오, 판가름할 판 [misjudge]
잘못 보거나 잘못 그르치게[誤] 판단(判斷)함. 또는 잘못된 판단. ¶선수는 심판의 오판에 항의했다.

오:해 誤解 | 그르칠 오, 풀 해 [misunderstand]
그릇되게[誤] 해석(解釋)하거나 뜻을 잘못 앎. 또는 그런 해석. ¶긴 머리 때문에 나는 그를 여자로 오해했다 / 싸움은 사소한 오해에서 시작된다.

• 역순어휘

과:오 過誤 | 지나칠 과, 그르칠 오 [mistake]
지나침[過]과 그르침[誤]. ¶놀부는 과오를 뉘우쳤다. [비]과실(過失).

착오 錯誤 | 어긋날 착, 그르칠 오 [mistake; err]
착각(錯覺)을 하여 잘못 그르침[誤]. 또는 그런 잘못. ¶착오를 겪다보면 성공하게 된다 / 착오로 거스름돈을 덜 받았다.

0711 [요]

謠

노래 요
[部] 言부 [劃] 17획 [中] 谣 [yáo]

謠자는 악기 반주가 없이 입으로 하는 '노래'(singing)는 뜻을 나타내기 위한 것이었으니 '말씀 언'(言)이 표의요소로 쓰였다. 오른쪽의 것이 표음요소임은 遙(멀 요), 搖(흔들릴 요)도 마찬가지다.

• 역순어휘

가요 歌謠 | 노래 가, 노래 요 [song]
[음악] ❶노래[歌=謠]. ❷민요, 동요, 유행가 따위의 노래를 통틀어 이르는 말. ¶대중가요. ❸악가(樂歌)와 속요(俗謠)를 아울러 이르는 말.

농요 農謠 | 농사 농, 노래 요
농부(農夫)들 사이에 전해져 불리는 속요(俗謠). ¶농요를 부르며 김매기를 하다.

동:요 童謠 | 아이 동, 노래 요
[nursery song; children's song]
어린이들의[童] 감정을 반영하여 만든 노래[謠].

민요 民謠 | 백성 민, 노래 요 [folk song]
[음악] 민간(民間)에서 자연적으로 생겨나 오랫동안 전해 내려오는 노래[謠]. ¶배따라기는 서도 민요이다.

0712 [의]

議

의논할 의
[部] 言부 [劃] 20획 [中] 议 [yì]

議자는 '(말을 주고받으며) 따지다'(distinguish)는 뜻을 나타내기 위한 것이었으니, '말씀 언'(言)이 표의요소로 쓰였다. 義(의)는 '옳다'는 뜻이니 표의와 표음을 겸하는 요소다. '의논하다'(discuss), 또는 이와 의미상 연관이 있는 낱말들의 한 구성 요소로도 많이 쓰인다.

[속뜻훈음] ①의논할 의, ②따질 의.

의결 議決 | 의논할 의, 결정할 결
[decide; resolve]
의논(議論)하여 결정(決定)함. 또는 그런 결정. ¶과반수의 찬성으로 새 법률안을 의결했다.

의논 議論 | 본음 [의론], 따질 의, 말할 론
[discuss; consult]
어떤 의견이 옳은지 따지어[議] 말함[論]. ¶의논 상대 / 나는 부모님과 진학 문제에 대해 의논했다. [비]논의(論議), 토의(討議).

의사 議事 | 따질 의, 일 사 [deliberate; consult]
어떤 일[事]을 토의(討議)함. ¶의회에서 의사 진행을 방해하면 퇴장시킨다.

의안 議案 | 따질 의, 안건 안 [bill; measure]
토의(討議)할 안건(案件). ¶그는 보행자의 안전을 위한 의안을 국회에 상정했다.

의원 議員 | 따질 의, 사람 원
[Congressman; assemblyman]
국회나 지방의회와 같은 합의체의 구성원으로 의결권(議決權)을 가진 사람[員]. ¶그는 시의원으로 당선되었다.

의장 議長 | 따질 의, 어른 장
[assembly hall; chamber]
회의(會議)를 주재하고 그 회의의 집행부를 대표하는

사람[長]. ¶그가 오늘 회의의 의장을 맡았다.

의정 議政 | 의논할 의, 정사 정
[be active in parliamentary]
❶[속뜻]정사(政事)를 의논(議論)함. ¶그는 국회의원이 되어 의정 활동을 하고 있다. ❷[역사]조선 시대, 의정부(議政府)의 영의정, 좌의정, 우의정을 통틀어 이르는 말.

의제 議題 | 의논할 의, 문제 제
[subject for discussion; agenda]
회의에서 의논(議論)할 문제(問題). ¶이번 회의의 의제는 급식 개선 방안이다.

의회 議會 | 따질 의, 모일 회 [assembly]
[법률]국민이 선출한 의원(議員)들로 구성된 단체[會].

• 역순어휘 •

건:의 建議 | 세울 건, 의논할 의
[propose; suggest]
의논(議論) 거리를 냄[建]. 자신의 의견을 내놓음. ¶노동조건 개선을 건의했다.

결의 決議 | 결정할 결, 의논할 의 [resolve]
회의에서 의안(議案)이나 제의 등의 가부를 결정(決定)함. ¶법안을 폐지하기로 결의했다. ㉥의결(議決), 결정(決定).

논의 論議 | 말할 론, 따질 의 [discuss; debate]
어떤 문제에 대하여 서로 의견을 말하며[論] 토의(討議)함. ¶대책을 논의하다. ㉥담론(談論), 토론(討論).

대:의 代議 | 대신할 대, 따질 의 [representation]
❶[속뜻]많은 사람을 대표(代表)하여 나온 사람끼리의 논의(論議). ❷[정치]선거로 뽑힌 의원이 국민의 의사를 대표하여 정치를 논의하는 일. ¶대의 정치 / 대의 민주주의.

모의 謀議 | 꾀할 모, 의논할 의 [plot]
어떤 일을 꾸미고[謀] 의논(議論)함. ¶대통령 암살을 모의하다.

문:의 問議 | 물을 문, 의논할 의 [inquire]
물어서[問] 의논(議論)함. ¶문의사항 / 전화 문의.

물의 物議 | 만물 물, 의논할 의
[public discussion; controversy]
❶[속뜻]어떤 사물(事物)에 대해 논의(論議)함. ❷어떤 사람 또는 단체의 처사에 대하여 많은 사람이 이러쿵저러쿵 논평하는 상태. ¶물의를 빚다 / 물의를 일으키다.

상:의 相議 | 서로 상, 의논할 의
[consult with; take counsel with]
어떤 일을 서로[相] 의논(議論)함. ¶나는 부모님과 오랜 상의 끝에 진로를 결정했다. ㉥상담(相談).

심의 審議 | 살필 심, 따질 의 [discuss; consider]
안건 등을 상세히 살펴[審] 그 가부를 논의(論議)함. ¶그 노래는 심의에 걸렸다 / 새해 예산을 심의하다.

이:의 異議 | 다를 이, 따질 의
[objection; dissent]
다른[異] 의견이나 논의(論議). ¶그 안(案)에 대하여 이의 없습니까? / 이의를 제기하실 분은 손을 들어주세요. [반]동의(同議).

제의 提議 | 들 제, 따질 의 [suggest; offer]
논의(論議)할 내용을 들어[提] 내놓음. ¶그는 입사제의를 받았다.

토:의 討議 | 따질 토, 의논할 의
[discuss; debate]
어떤 문제에 대하여 검토(檢討)하고 의논(議論)함. ¶환경문제를 토의하다. ㉥토론(討論).

합의 合議 | 합할 합, 의논할 의 [consult together]
두 사람 이상이 한 자리에 모여서[合] 의논(議論)함. ¶회칙 개정은 회원들의 합의를 통해 이루어진다.

항:의 抗議 | 겨룰 항, 따질 의 [protest]
❶[속뜻]대항(對抗)의 뜻으로 따짐[議]. ❷반대의 뜻을 주장함. ¶항의전화가 빗발치다 / 그는 심판의 판정에 강력히 항의했다.

협의 協議 | 합칠 협, 의논할 의
[confer; consult; discuss]
여럿이 모여[協] 의논(議論)함. ¶그 문제는 지금 협의 중이다. ㉥협상(協商).

회:의 會議 | 모일 회, 의논할 의 [confer; meet]
여럿이 모여[會] 의논(議論)함. 또는 그 모임. ¶학급 회의를 열다.

0713 [인]

認

알[知] 인
[部] 言부 [劃] 14획 [中] 认 [rèn]

認자는 말을 듣고 '분간하다'(identify)는 뜻을 나타내기 위한 것이었으니 '말씀 언'(言)이 표의요소로 쓰였다. 忍(참을 인)은 표음요소다. '알다'(know), '허락하다'(permit)는 뜻으로도 쓰인다.

[속뜻훈음] ①알 인, ②허락할 인.

인가 認可 | 알 인, 옳을 가 [permit; approve]
어떤 일을 인정(認定)하여 허가(許可)함. ¶대학을 설립할 수 있도록 인가를 받았다. ㉥인허(認許).

인식 認識 | 알 인, 알 식 [know; recognize]
❶[속뜻]이치를 알아 아는[認=識] 일. ❷사물을 분별하고 판단하여 앎. ¶흡연이 얼마나 심각한지 인식하는 사람이

적다.

인정 認定 | 알 인, 정할 정 [admit]
확실히 알아서[認] 그렇게 결정(決定)함. ¶나는 그의 정직함만은 인정해 주고 싶어 / 그녀는 자신의 잘못을 인정했다.

인지 認知 | 알 인, 알 지 [cognize]
어떠한 사실을 분명히 앎[認=知]. ¶인지 발달 단계 / 그는 사태의 심각성을 인지하지 못했다.

• 역순어휘

공인 公認 | 여럿 공, 알 인 [recognize officially]
❶속뜻 여러 사람[公]이 다 같이 인정(認定)함. ❷국가나 공공 단체가 인정함.

묵인 默認 | 입 다물 묵, 허락할 인 [permit tacitly; tolerate]
입을 다물고[默] 암암리에 슬며시 허락함[認]. ¶상급자의 묵인이 없었다면 불가능했다 / 시험 부정행위를 묵인할 수 없다.

부:인 否認 | 아닐 부, 알 인 [deny; negative]
인정(認定)하지 않음[否]. ¶사실을 부인하다. ⓑ시인(是認).

승인 承認 | 받들 승, 알 인 [approve]
어떤 사실을 마땅하다고 받아들이고[承] 인정(認定)함. ¶승인을 얻다.

시:인 是認 | 옳을 시, 알 인 [approve of; acknowledge]
옳다고[是] 인정(認定)함. ¶민지는 자기 잘못을 시인했다. ⓑ부인(否認).

오:인 誤認 | 그르칠 오, 알 인 [misconceive]
잘못 그르치게[誤] 앎[認]. 잘못 생각함. ¶사실 오인 / 사람을 동물로 오인하여 총을 쏘는 사고가 발생하였다.

용인 容認 | 담을 용, 알 인 [approve]
너그러운 마음에 담아서[容] 인정(認定)함. ¶이런 식의 실수는 용인할 수 없다.

자인 自認 | 스스로 자, 알 인 [acknowledge]
스스로[自] 인정(認定)함. ¶그는 자신의 잘못을 자인했다.

확인 確認 | 굳을 확, 알 인 [confirm; make sure]
❶속뜻 확실(確實)하게 인정(認定)함. ❷틀림없는지를 알아보는 것. ¶주문 확인 / 예약 확인.

0714 [청]

請 청할 청
부 言부 획 15획 中 请 [qǐng]

請 자는 '(말로) 부탁하다'(ask; beg; wish)는 뜻을 위해 고안된 것이니 '말씀 언'(言)이 표의요소로 쓰였다. 靑(푸를 청)은 표음요소이니 뜻과는 무관하다. '청하다'(invite)는 뜻으로도 쓰인다.
속뜻훈음 ①청할 청, ②부탁할 청.

청구 請求 | 청할 청, 구할 구 [demand; request; claim]
요청(要請)하여 요구(要求)함. 무엇을 공식적으로 내놓거나 주기를 요구함. ¶손해배상 청구 / 구속영장을 청구하다.

청약 請約 | 청할 청, 묶을 약 [subscribe for stock]
법률 계약(契約)을 신청(申請)함. 유가증권의 공모나 매출에 응모하여 인수 계약을 신청하는 일. ¶회사 주식 청약의 단위는 10주이다.

청원 請願 | 청할 청, 바랄 원 [petition; request; apply for]
바라는[願] 바를 말하고 이루어지게 해 달라고 청(請)함. ¶청원을 받아들이다 / 특별 휴가를 청원하다.

청첩 請牒 | 청할 청, 글씨판 첩 [invitation card]
❶속뜻 경사가 있을 때 남을 청(請)하는 문서[牒]. ❷'청첩장'(請牒狀)의 준말. ¶청첩을 띄우다.

청탁 請託 | 청할 청, 부탁할 탁 [ask; beg; request]
무엇을 해 달라고 청(請)하며 부탁(付託)함. ¶청탁을 넣다 / 빨리 처리해 줄 것을 청탁하다.

청혼 請婚 | 청할 청, 혼인할 혼 [propose to; ask for a marriage]
혼인(婚姻)하기를 청(請)함. ¶청혼을 받아들이다 / 그녀에게 청혼하다. ⓑ구혼(求婚).

• 역순어휘

간:청 懇請 | 정성 간, 부탁할 청 [entreat]
간곡(懇曲)히 부탁함[請]. 또는 그러한 청원. ¶임금은 아이의 간청을 들어주었다. ⓑ청탁(請託), 부탁(付託).

신청 申請 | 알릴 신, 청할 청 [apply for; request]
원하는 바를 알리고[申], 그것을 해달라고 요청(要請)함. ¶그녀에게 데이트를 신청했다 / 주민등록등본 신청.

요청 要請 | 구할 요, 부탁할 청 [demand; request]
❶속뜻 요구(要求)하여 부탁함[請]. ❷요긴하게 부탁함. 또는 그런 부탁. ¶협력 요청.

자청 自請 | 스스로 자, 청할 청 [volunteer]
어떤 일을 자기 스스로[自] 청(請)함. ¶그녀는 자신이 가겠다고 자청 했다 / 그는 힘든 일을 자청하여 떠맡았다.

재:청 再請 | 다시 재, 부탁할 청

[request a second time; second]
❶[속뜻] 다시[再] 부탁함[請]. ❷회의에서, 남의 동의를 찬성하여 거듭 청함. ¶그를 대표로 선출하자고 몇 사람이 재청했다. ❸출연자의 훌륭한 솜씨를 찬양하여 박수 따위로 재연을 청하는 일. ¶그의 연주가 끝나자 사람들은 재청을 외치기 시작했다.

제청 提請 | 들 제, 청할 청
[recommend; nominate]
어떤 안건을 제시(提示)하여 결정하여 달라고 청구(請求)함. ¶장관은 국무총리의 제청으로 대통령이 임명한다.

초청 招請 | 부를 초, 부탁할 청 [invite]
남을 불러서[招] 무슨 일을 부탁함[請]. ¶초청 강연 / 친지들을 생일잔치에 초청하다. [비]초대(招待), 초빙(招聘).

0715 [호]

護
도울 호:
[部] 言부 [획] 21획 [中] 护 [hù]

護자의 본래 의미는 '(말이나 행동거지를) 감시하다'(observe)는 것이었기에 '말씀 언'(言)이 표의요소로 쓰였다. 오른쪽의 것이 표음요소임은 濩(퍼질 호), 頀(구할 호)도 마찬가지다. 후에 '돌보다'(care for) '지키다'(protect)는 뜻으로 확대 사용됐다. 감시하는 것과 돌보는 것은 누구를 위한 것이냐는 차이 밖에 없으니 동전의 양면 같은 것이다.
[속뜻 훈음] ①돌볼 호, ②지킬 호.

호:국 護國 | 지킬 호, 나라 국
[defense of one's fatherland]
외적으로부터 나라[國]를 지킴[護]. ¶호국 정신을 함양하다.

호:송 護送 | 지킬 호, 보낼 송 [escort; convoy]
❶[속뜻] 목적지까지 보호(保護)하여 보냄[送]. ❷[법률] 죄인 따위를 감시하면서 데려감. ¶그는 경찰의 호송을 받으며 법정으로 들어왔다.

호:신 護身 | 지킬 호, 몸 신 [protection oneself]
외부의 위험으로부터 자기 몸[身]을 지키는[護] 일. ¶그녀는 자신의 호신을 위하여 태권도를 배웠다.

호:위 護衛 | 돌볼 호, 지킬 위 [guard; escort]
따라다니며 곁에서 돌보고[護] 지킴[衛]. ¶호위 차량 / 대통령은 호위를 받으며 지나갔다.

• 역순어휘 •

가호 加護 | 더할 가, 돌볼 호 [protect]
보호(保護)해 줌[加]. ¶신의 가호를 빌다. [비]보살핌.

간호 看護 | 볼 간, 돌볼 호 [nurse; tend; care]
환자나 노약자를 돌보고[看] 보살펴[護] 줌. ¶병든 아버지를 간호하다. [비]간병(看病).

경:호 警護 | 지킬 경, 돌볼 호 [guard; escort]
지켜주어[警] 보호(保護)함. ¶경찰이 증인을 경호했다.

구:호 救護 | 도울 구, 돌볼 호 [relief; aid]
❶[속뜻] 어려움에 처한 사람을 구(救)하여 돌봄[護]. ¶난민을 구호하다. ❷병자나 부상자를 간호하거나 치료함. [비]구제(救濟), 구휼(救恤).

변:호 辯護 | 말 잘할 변, 돌볼 호
[defend; vindicate]
❶[속뜻] 그 사람에게 유리하도록 말을 잘하여[辯] 돌보아[護]줌. ❷[법률] 법정에서 변호인이 검사의 공격으로부터 피고인의 처지를 해명하고 옹호함. ¶사건을 변호하다.

보:호 保護 | 지킬 보, 돌볼 호 [protect]
위험 따위로부터 지켜주고[保] 돌보아줌[護]. ¶환경을 보호하다.

비:호 庇護 | 덮을 비, 지킬 호 [protect; cover]
덮어주고[庇] 돌보아줌[護]. ¶그 경찰관은 범죄자를 비호했다.

수호 守護 | 지킬 수, 돌볼 호 [protect; guard]
지켜주고[守] 돌보아줌[護]. ¶자유와 정의를 수호하다 / 수호천사.

애:호 愛護 | 사랑 애, 돌볼 호
[protection; preservation]
사랑[愛]으로 잘 돌봄[護]. ¶문화재를 애호하다.

양:호 養護 | 기를 양, 돌볼 호 [protect; nurse]
❶[속뜻] 길러주고[養] 돌보아줌[護]. ❷학교에서 학생의 건강이나 위생에 대하여 돌보아 줌. ¶양호 선생님.

옹:호 擁護 | 껴안을 옹, 돌볼 호
[support; back up]
❶[속뜻] 껴안아서[擁] 잘 돌봄[護]. ❷두둔하고 편들어 지키는 것. ¶정치체제를 옹호하기 위해 화폐제도를 개혁했다 / 자유를 옹호하다.

원:호 援護 | 도울 원, 돌볼 호
[support; back up]
도와주고[援] 돌보아[護] 줌. ¶원호 대상자 / 그 기자는 여러 군인이 원호하여 적진에서 무사히 빠져나왔다.

0716 [배]

配
나눌/짝 배:
[部] 酉부 [획] 10획 [中] 配 [pèi]

配 자는 술 단지[酉] 앞에 쭈그리고 앉은 사람[㔾→己]이 술 빛깔을 살펴보는 것을 통하여 '술 빛깔'(the color of wine)의 뜻을 나타낸 것이다. 본뜻보다는 '짝짓다'(mate), '나누다'(part) 등으로도 많이 쓰인다.
속뜻 훈음 ①나눌 배, ②짝 배.

배:급 配給 | 나눌 배, 줄 급 [distribute; supply]
❶속뜻 나누어[配] 줌[給]. ❷영리를 목적으로 하지 않고 상품을 나누어 주는 일. 물자를 일정한 비례에 따라 몫을 떼어 나누어 준다. ¶식량 배급을 받다.

배:달 配達 | 나눌 배, 이를 달 [deliver]
받는 사람별로 나누어[配] 전달(傳達)함. ¶우유를 배달하다.

배:당 配當 | 나눌 배, 마땅 당 [distribute; allocate]
일정한 기준에 따라 적당(適當)하게 나누어[配] 줌. ¶이윤을 배당하다.

배:려 配慮 | 나눌 배, 생각할 려 [consider]
마음을 나누어[配] 남도 생각[慮]해줌. ¶세심하게 배려하다.

배:분 配分 | 나눌 배, 나눌 분 [distribute]
몫을 따로 나눔[配=分]. ¶권력 배분 / 이익을 배분하다. ⓑ분배(分配).

배:색 配色 | 나눌 배, 빛 색 [arrange the colors]
두 가지 이상의 색(色)을 배합(配合)함. 또는 섞은 그 색. ¶저고리와 치마의 배색이 좋다.

배:선 配線 | 나눌 배, 줄 선 [wire]
전기 전기를 보낼 전선(電線)을 나누어[配] 설치함. '배전선'(配電線)의 준말. ¶전화 배선을 하다.

배:식 配食 | 나눌 배, 밥 식 [distribute food]
음식(飮食)을 나누어[配] 줌. ¶노숙자에게 점심을 배식하다.

배:역 配役 | 나눌 배, 부릴 역 [cast (of a play)]
연영 영화나 연극 따위에서 배우들에게 어떤 역(役)을 나누어[配] 맡김. 또는 맡긴 그 역. ¶신데렐라 배역을 정하다.

배:우 配偶 | 짝 배, 짝 우 [spouse; mate]
부부가 될 짝[配=偶]. 또는 그런 남녀. ⓑ배필(配匹).

배:점 配點 | 나눌 배, 점 점 [distribute of marks]
문제마다 점수(點數)를 나누어[配] 매김. ¶문제에 따라 배점이 다르다.

배:정 配定 | 나눌 배, 정할 정 [assign]
나누어서[配] 몫을 정(定)함. ¶좌석을 배정하다.

배:차 配車 | 나눌 배, 수레 차 [allocate cars]
일정한 노선이나 구간에 차(車)를 알맞게 나눔[配]. ¶10분 간격으로 버스를 배차하다.

배:치 配置 | 나눌 배, 둘 치 [arrange; place]
사람이나 물건을 알맞은 자리에 나누어[配] 둠[置]. ¶좌석을 배치하다.

배:포 配布 | 나눌 배, 베풀 포 [distribute]
널리 나누어[配] 줌[布]. ¶관광객에게 안내책자를 배포했다. ⓑ배부(配付).

배:필 配匹 | 짝 배, 짝 필 [spouse; mate]
부부로서의 짝[配=匹]. ¶배필을 만나다. ⓑ배우(配偶).

배:합 配合 | 나눌 배, 합할 합 [match; combine; mix]
두 가지 이상을 일정한 비율로 나누어[配] 한데 섞어 합(合)침. ¶배합 비율.

• 역순어휘

교배 交配 | 서로 교, 짝 배 [interbreed]
생물의 암수를 서로[交] 짝[配]짓기 시키는 일.

분배 分配 | 나눌 분, 나눌 배 [distribute; divide; share]
각자 몫을 따로따로 나눔[分=配]. ¶이익을 공정하게 분배하다. ⓑ배분(配分).

수배 手配 | 손 수, 나눌 배 [search]
❶속뜻 여러 사람의 손[手]을 빌려 해야 할 일을 나누어[配] 맡김. ❷범인을 잡으려고 수사망을 폄. ¶용의자를 공개 수배하다.

유배 流配 | 흐를 류, 나눌 배 [exile; banish]
❶속뜻 흘러[流] 보내거나 멀리 떨어져[配] 살게 함. ❷역사 죄인을 귀양 보냄. ¶먼 섬으로 유배를 보내다. ⓑ귀양.

지배 支配 | 가를 지, 나눌 배 [control; govern; manage]
❶속뜻 가르고[支] 나눔[配]. ❷자기의 의사대로 복종하게 하여 다스림. ¶강한 나라의 지배를 받다 / 인간은 자연을 지배할 수 없다.

집배 集配 | 모을 집, 나눌 배 [collect and deliver]
한 군데로 모았다가[集] 다시 나누어[配] 보냄. 우편물이나 화물 따위를 모아서 주소지로 배달하는 따위를 일컫는다.

택배 宅配 | 집 택, 나눌 배 [home delivery]
짐 따위를 각자 집[宅]으로 나누어[配] 보내 주는 일.

¶택배 상품 / 택배 서비스를 실시했다.

0717 [향]

鄕 시골 향
部 邑부 劃 13획 中 乡 [xiāng]

鄕자는 '잔치'(a party)의 뜻을 나타내기 위하여, 밥상을 마주하고 앉아 있는 두 사람의 모습을 본뜬 것이다. 후에 '시골'(a rural district)을 지칭하는 것으로 자주 쓰이자, 본래 뜻은 '먹을 식'(食)을 더 보탠 '饗'(향)자를 추가로 만들어 나타냈다.

향가 鄕歌 | 시골 향, 노래 가 [native songs]
문학 향찰(鄕札)로 적혀 전해오는 우리나라 고유의 시가(詩歌). 신라 중엽에서 고려 초엽에 걸쳐 민간에 널리 퍼졌다. ¶삼국유사(三國遺事)에 향가가 전해진다.

향교 鄕校 | 시골 향, 학교 교
역사 왕조 때, 시골[鄕]에 두었던 문묘와 그에 딸린 관립 학교(學校).

향수 鄕愁 | 시골 향, 시름 수 [nostalgia]
고향(故鄕)을 그리워하는 마음이나 시름[愁]. ¶어린 시절에 대한 향수에 젖다.

향악 鄕樂 | 시골 향, 음악 악 [Korean music]
음악 ❶향토(鄕土) 음악(音樂). ❷삼악(三樂)의 하나. 우리나라 고유의 음악을 당악(唐樂)에 상대하여 이르는 말.

향약 鄕約 | 시골 향, 묶을 약
역사 조선 시대, 권선징악과 상부상조를 목적으로 만든 마을[鄕]의 자치 규약(規約).

향토 鄕土 | 시골 향, 흙 토 [one's native place]
자기가 태어나서 자란 시골[鄕] 땅[土]. ¶향토를 지키다.

• 역순어휘

고향 故鄕 | 옛 고, 시골 향 [one's old home]
예전[故]에 살던 시골[鄕]. 태어나서 자란 곳. 조상 때부터 대대로 살아온 곳. ¶고향을 떠나다. 반 타향(他鄕), 객지(客地).

귀:향 歸鄕 | 돌아갈 귀, 시골 향
[return to one's hometown]
고향(故鄕)으로 돌아가거나 돌아옴[歸]. 비 낙향(落鄕).

동향 同鄕 | 같을 동, 시골 향 [same native place]
같은[同] 고향(故鄕). 또는 고향이 같음. '동고향'의 준말. ¶객지에서 동향 사람을 만나다.

망:향 望鄕 | 바라볼 망, 시골 향
[homesickness; nostalgia]
❶속뜻 고향(故鄕)을 바라봄[望]. ❷고향을 그리워함.

실향 失鄕 | 잃을 실, 고향 향 [displaced]
고향(故鄕)을 잃음[失].

애:향 愛鄕 | 사랑 애, 시골 향
[love of one's home]
고향(故鄕)을 사랑함[愛].

타향 他鄕 | 다를 타, 시골 향
[another countryside]
자기 고향이 아닌 다른[他] 고장[鄕]. 비 타지(他地). 반 고향(故鄕).

0718 [기]

起 일어날 기
部 走부 劃 10획 中 起 [qǐ]

起자는 '일어나다'(get up)는 뜻을 나타내기 위한 것이었으니 '달릴 주'(走)가 표의요소로 쓰였다. 표음요소는 원래 巳(태아 사)였는데 지금은 己(자기 기)로 바뀌어서 표음요소 구실을 제대로 하게 됐다.

기거 起居 | 일어날 기, 살 거 [one's daily life]
❶속뜻 몸을 일으켜[起] 살아감[居]. ❷일정한 곳에서 먹고 자고 하는 따위의 일상적인 생활을 함. 또는 그 생활. ¶잠시 친척집에서 기거하다.

기공 起工 | 일어날 기, 일 공 [start work]
공사(工事)를 시작함[起]. 비 착공(着工). 반 준공(竣工), 완공(完工).

기동 起動 | 일어날 기, 움직일 동 [move; stir]
몸을 일으켜[起] 움직임[動]. ¶허리를 다쳐 기동이 불편하다.

기립 起立 | 일어날 기, 설 립 [stand up; rise]
일어나서[起] 섬[立]. ¶기립박수. 반 착석(着席).

기복 起伏 | 일어날 기, 엎드릴 복
[rise and fall; ups and downs]
❶속뜻 일어났다[起] 엎드렸다[伏] 함. ❷지세(地勢)가 높아졌다 낮아졌다 함. 또는 그런 상태. ❸세력이 강해졌다 약해졌다 함. ¶감정의 기복이 심하다. 비 굴곡(屈曲).

기상 起牀 | 일어날 기, 평상 상
[get up from bed; rise]
잠자리[牀]에서 일어남[起]. ¶아침 7시에 기상하다. 비 기침(起寢/起枕). 반 취침(就寢).

기소 起訴 | 일어날 기, 하소연할 소
[prosecute; indict]

❶[속뜻]소송(訴訟)을 일으킴[起]. ❷[법률]형사사건에서 검사가 법원에 공소를 제기함. ¶그는 살인죄로 기소됐다.

기용 起用 | 일어날 기, 쓸 용 [appoint; promote]
인재를 높은 자리에 올려[起] 씀[用]. [비]등용(登用).

기원 起源 | =起原, 일어날 기, 근원 원
[origin; source]
사물이 생기기 시작한[起] 근원(根源). ¶인류의 기원. [비]발원(發源), 남상(濫觴), 발상(發祥).

기점 起點 | 일어날 기, 점 점
[starting point; railhead]
무엇이 시작되는[起] 지점(地點)이나 시점(時點). ¶이 노선의 기점은 청량리이다. [비]출발점(出發點). [반]종점(終點).

기폭 起爆 | 일어날 기, 터질 폭 [detonation]
화약이 압력이나 열 따위의 충동을 받아서 폭발(爆發)을 일으키는[起] 현상.

• 역순어휘

궐기 蹶起 | 넘어질 궐, 일어날 기
[rise up; stand up]
❶[속뜻]넘어졌다가[蹶] 벌떡 일어남[起]. ❷어떤 목적을 이루기 위하여 마음을 돋우고 기운을 내서 힘차게 일어남. ¶궐기 대회를 열었다.

돌기 突起 | 갑자기 돌, 일어날 기
[project; protrude]
❶[속뜻]어떤 일이 갑자기[突] 일어남[起]. ❷뾰족하게 내밀거나 도드라짐. 또는 그런 부분. ¶해삼은 겉에 많은 돌기가 있다.

봉기 蜂起 | 벌 봉, 일어날 기
[rise in revolt; rise against]
벌[蜂]떼처럼 많은 사람이 한꺼번에 들고 일어남[起]. ¶농민들이 봉기했다.

상:기 想起 | 생각 상, 일어날 기
[remember; call to mind]
지난 일을 생각해[想] 떠올림[起]. ¶6·25를 상기하다.

융기 隆起 | 높을 륭, 일어날 기 [be uplifted]
❶[속뜻]어느 한 부분이 높이[隆] 솟아오름[起]. ❷[지리]땅이 해면에 대하여 높아짐. 또는 그러한 자연현상. [반]침강(沈降).

재:기 再起 | 다시 재, 일어날 기
[come back; rise again]
한 번 망하거나 실패했다가 다시[再] 일어나는[起] 일. ¶그는 재기의 발판을 마련했다 / 그는 재기에 성공했다.

제기 提起 | 들 제, 일어날 기
[presentation; introduction]
❶[속뜻]들어내어[提] 문제를 일으킴[起]. ❷소송을 일으킴.

조:기 早起 | 이를 조, 일어날 기
[getting up early; early rising]
아침 일찍[早] 일어남[起]. ¶조기 축구단.

환:기 喚起 | 부를 환, 일어날 기 [awaken; evoke]
관심이나 기억 따위를 불러[喚] 일으킴[起]. ¶주의 환기 / 여론을 환기하다.

0719 [주]

走

달릴 주
[部] 走부 [劃] 7획 [中] 走 [zǒu]

走자의 상단은 大(대)의 변형으로 달리는 모습을 본뜬 것이고, 하단은 '발자국 지'(止)의 변형이다. '달리다'(run)는 본뜻으로 변함없이 많이 쓰이고 있다.

주자 走者 | 달릴 주, 사람 자 [runner]
❶[속뜻]달리는[走] 사람[者]. ¶선두주자 / 마지막 주자가 결승점에 도착했다. ❷[운동]야구에서 아웃되지 않고 누(壘)에 나가 있는 사람. ¶주자를 2루로 보내다.

주파 走破 | 달릴 주, 깨뜨릴 파
[run the whole distance]
정해진 거리를 달려서[走] 끝까지 감[破]. ¶그 선수는 100미터를 10초 안에 주파하였다.

주행 走行 | 달릴 주, 갈 행 [drive; run; navigate]
자동차 따위 바퀴가 달린 탈것이 달려[走] 감[行]. ¶자동차 주행 전에 점검을 하다.

• 역순어휘

경:주 競走 | 겨룰 경, 달릴 주 [race; run]
일정한 거리를 달음질[走]하여 그 빠르기를 겨루는[競] 운동. ¶100미터 경주.

계:주 繼走 | 이을 계, 달릴 주 [relay race]
[운동]일정한 거리를 몇 사람이 나누어 이어[繼] 달리는[走] 경기. ¶400미터 계주 경기.

도주 逃走 | 달아날 도, 달릴 주
[escape; run away]
달아나[逃] 달림[走]. ¶범인들이 도주했다. [비]도망(逃亡), 도피(逃避).

독주 獨走 | 홀로 독, 달릴 주 [run alone]
❶[속뜻]혼자서[獨] 뜀[走]. ❷승부를 다투는 일에서 다른 경쟁 상대를 뒤로 떼어 놓고 혼자서 앞서 나감. ¶자동차시장에서 그 기업의 독주를 막을 수 없다. ❸남을 아랑곳하지 아니하고 혼자서 행동함. ¶국회는 행정부의 독주

를 견제하는 기구이다.

분주 奔走 | 달릴 분, 달릴 주 [busy]
이리저리 뛰어다녀야[奔=走] 할 만큼 몹시 바쁨. ¶분주를 떨다 / 눈코 뜰 사이 없이 분주하다.

역주 力走 | 힘 력, 달릴 주 [sprint; spurt]
힘[力]을 다하여 달림[走]. ¶그는 전속력으로 3분간 역주했다.

완주 完走 | 완전할 완, 달릴 주
[run the whole distance]
목표한 지점까지 완전히[完] 다 달림[走]. ¶80대 노인이 마라톤 전 구간을 완주했다.

질주 疾走 | 빠를 질, 달릴 주 [run fast]
빨리[疾] 달림[走]. ¶도로를 질주하는 수많은 차들.

쾌주 快走 | 빠를 쾌, 달릴 주 [run fast]
빨리[快] 잘 달림[走]. ¶초반의 쾌주가 점차 조금씩 느려졌다.

탈주 脫走 | 벗을 탈, 달릴 주 [escape]
몸을 빼어[脫] 달아남[走]. ¶죄수들은 호송 도중 탈주했다.

활주 滑走 | 미끄러울 활, 달릴 주 [glide; skate]
❶속뜻 미끄러지듯[滑] 내달림[走]. ¶스키장 신나게 활주했다. ❷항공기 따위가 뜨거나 앉을 때 땅이나 물위를 미끄러져 달리는 일. ¶착륙 활주 / 활주 속도.

0720 [달]

達 통달할 달
㊂ 辶부 ㊀ 13획 ㊥ 达 [dá]

達자는 착(辶=辵)과 행(幸)이 합쳐진 것으로 오인하여 잘못 쓰기 쉽다. 幸이 아니라 '큰 대'(大)와 '염소 양'(羊)으로 구성된 羍(어린 양 달)이 변화된 것이다. 여기에서는 표음요소 역할을 하고 있다. '이르다'(arrive)가 본뜻이다. '보내다'(send), '통하다'(lead to) 등으로도 쓰인다.

속뜻 훈음 ①통달할 달, ②이를 달, ③통할 달, ④보낼 달.

달변 達辯 | 통달할 달, 말 잘할 변
[fluency; eloquence]
통달할[達] 정도로 말을 잘함[辯]. ¶그는 달변이지만 곧잘 실언을 한다. ㊥능변(能辯). ㊥눌변(訥辯).

달성 達成 | 이를 달, 이룰 성
[achieve; accomplish]
목적지에 이르러[達] 뜻한 바를 이룸[成]. ¶상반기 영업 목표를 달성했다. ㊥성취(成就), 성공(成功). ㊥실패(失敗).

달인 達人 | 통달할 달, 사람 인 [expert; master]
❶속뜻 사물의 이치에 통달(通達)한 사람[人]. ❷학문이나 기예 따위에 뛰어난 사람. ¶달인의 경지. ㊥달자(達者).

• 역순어휘

건달 乾達 | 하늘 건, 통달할 달 [penniless rake]
❶속뜻 산스크리트어 'gandharva'를 음역(音譯)한 '乾達婆'의 준말. ❷빈둥빈둥 놀거나 게으름을 부리는 사람. ¶백수 건달. ❸난봉을 부리고 돌아다니는 사람. ¶건달들의 행패가 심하다.

도:달 到達 | 이를 도, 이를 달 [arrive]
목적한 곳에 이르거나[到] 목표한 수준에 다다름[達]. ¶합의를 통해 결론에 도달하다. ㊥출발(出發).

미:달 未達 | 아닐 미, 이를 달 [be short of]
어떤 한도나 표준에 아직 이르지[達] 못함[未]. ¶체중 미달 / 기준에 미달되다. ㊥초과(超過).

발달 發達 | 나타날 발, 이를 달 [develop; grow]
❶속뜻 생체 따위가 나서[發] 차차 완전한 모양과 기능을 갖추는 단계에 이르다[達]. ¶신체 발달. ❷어떤 것의 구실·규모 등이 차차 커져 감. 진보 발전함. ¶문명의 발달. ㊥발육(發育), 성장(成長), 진보(進步), 발전(發展).

배:달 配達 | 나눌 배, 이를 달 [deliver]
받는 사람별로 나누어[配] 전달(傳達)함. ¶우유를 배달하다.

선달 先達 | 먼저 선, 통달할 달
❶속뜻 먼저[先] 통달함[達]. ❷역사 무과에 급제하고도 벼슬을 받지 못한 사람. ¶봉이(鳳伊) 김 선달은 대동강 물을 팔아먹었다는 인물이다.

속달 速達 | 빠를 속, 이를 달 [deliver by express]
❶속뜻 빨리[速] 전달(傳達)함. ❷통신 '속달우편'(郵便)의 준말. ¶이 소포를 속달로 보내고 싶습니다.

숙달 熟達 | 익을 숙, 통달할 달
[proficiency; mastery]
무엇에 익숙하고[熟] 통달(通達)함. ¶숙달된 솜씨. ㊥미숙(未熟).

전달 傳達 | 전할 전, 이를 달 [transmit; deliver]
지시, 명령, 물품 따위를 전(傳)하여 이르게[達] 함. ¶이 편지를 그에게 전달해 주세요.

조달 調達 | 고를 조, 보낼 달 [supply; procure]
❶속뜻 고루[調] 보냄[達]. ❷자금이나 물자 따위를 대어 줌. ¶명수는 학비를 조달하기 위해 여러 가지 일을 했다.

통달 通達 | 온통 통, 이를 달
[have a thorough knowledge]
온통[通] 다 아는 높은 수준에 이름[達]. 환히 잘 앎. ¶그녀는 몇 개 언어에 통달해 있다. ㊐창달(暢達).

하:달 下達 | 아래 하, 이를 달
[notify to an inferior]
윗사람의 뜻이나 명령 따위가 아랫사람[下]에게 이름[達]. 또는 미치도록 알림. ¶명령 하달. ㊀상달(上達).

활달 豁達 | 뚫릴 활, 통할 달 [liberal; generous]
❶속뜻 뚫리고[豁] 통하다[達]. ❷도량이 넓고 크다. ¶혁진이는 성격이 활달하고 모든 일에 적극적이다.

0721 [변]

邊

가 변
㊂ 辶 부 ㊊ 19획 ㊥ 边 [biān]

邊자는 낯선 길을 가다 벼랑에 '닿다'(reach)는 뜻을 나타내기 위한 것이었으니, '길갈 착'(辶)이 표의요소로 쓰였다. 그 오른쪽의 것은 표음요소라고 한다. 후에 '옆'(side), '변두리'(a suburb), '가장자리'(=가, the border) 등으로 확대 사용됐다.

변경 邊境 | 가 변, 지경 경 [borderland]
나라의 경계가 되는 변두리[邊]의 땅[境]. ¶변경을 지키다 / 변경의 방어가 허술하다. ㊐변방(邊方).

변방 邊方 | 가 변, 모 방 [border areas; frontier]
❶속뜻 중심지에서 멀리 떨어진 가장자리[邊] 지역이나 지방(地方). ❷변경(邊境). ¶북쪽 변방 오랑캐 / 변방 이민족.

• 역순어휘

강변 江邊 | 강 강, 가 변 [riverside]
강(江) 주변(周邊) 일대. ¶강변을 산책하다. ㊐강가.

신변 身邊 | 몸 신, 가 변 [one's person]
몸[身]의 주변(周邊). ¶신변에 위협을 느끼다.

양:변 兩邊 | 두 량, 가 변
❶속뜻 양(兩)쪽의 가장자리[邊]. ¶도로 양변에 은행나무를 심었다. ❷수학 등호나 부등호의 양쪽을 아울러 이르는 말.

연변 沿邊 | 따를 연, 가 변 [area along a river]
국경, 강, 철도, 도로 따위를 따라[沿] 있는 언저리 일대[邊]. ¶도로 연변에 가로수가 늘어서 있다.

우:변 右邊 | 오른쪽 우, 가 변 [edge of right side]
❶속뜻 오른[右] 편[邊]. ❷수학 등식이나 부등식에서 등호 또는 부등호의 오른쪽에 적은 수나 식. ㊀좌변(左邊).

저:변 底邊 | 밑 저, 가 변 [base]
❶수학 도형의 밑[底]을 이루는 변(邊). ❷어떤 생각이나 현상 따위의 겉으로 드러나지 않는 부분. ¶그 작품 저변에는 유교사상이 깔려 있다. ❸사회의 기본을 이루는 요소나 계층. ¶우리 경제의 저변을 확대하다.

좌:변 左邊 | 왼쪽 좌, 가 변 [edge of left side]
❶속뜻 왼쪽[左] 가장자리[邊]. ❷수학 등식이나 부등식에서, 등호 또는 부등호의 왼쪽에 적은 수나 식. ㊀우변(右邊).

주변 周邊 | 두루 주, 가 변 [surroundings]
주위(周圍)의 가장자리[邊]. ¶영호는 주변에 친구가 많다 / 주변 경치가 정말 좋다. ㊐주위(周位).

해:변 海邊 | 바다 해, 가 변 [beach]
바다[海]의 가장자리[邊]. ¶해변을 거닐다. ㊐바닷가.

0722 [송]

送

보낼 송:
㊂ 辶 부 ㊊ 10획 ㊥ 送 [sòng]

送자는 '보내다'(see a person off)는 뜻을 나타내기 위하여, '길 갈 착'(辶 = 辵)과 손에 등불을 들고 있는 모습[火+廾]을 합쳐 놓은 것이었다. 어두운 밤에 손님이 길을 떠날 때 등불을 밝혀들고 전송하는 모습이 연상된다. 후에 '부치다'(send), '이별하다'(part; separate) 등으로도 쓰인다.

송:금 送金 | 보낼 송, 돈 금 [remit money]
돈[金]을 부침[送]. 또는 그 돈. ¶송금 수수료 / 월급의 반 이상을 동생에게 송금했다.

송:년 送年 | 보낼 송, 해 년
[bidding the old year out]
한 해[年]를 보냄[送]. ¶송년모임. ㊀영년(迎年).

송:별 送別 | 보낼 송, 나눌 별 [farewell]
멀리 떠나는[別] 이를 보냄[送]. ¶송별의 정을 나누다.

송:사 送辭 | 보낼 송, 말씀 사 [farewell speech]
떠나는 사람을 이별하여 보내면서[送] 하는 인사말[辭]. ¶교장 선생님이 송사를 하셨다. ㊐송별사(送別辭). ㊀답사(答辭).

송:신 送信 | 보낼 송, 소식 신
[transmit a message]
전보, 전화, 편지 따위로 소식[信]을 보냄[送]. ¶무선으로 전파를 송신하다. ㊀수신(受信).

송:전 送電 | 보낼 송, 전기 전
[supply the (electric) current]
전력(電力)을 보냄[送].

송:화 送話 | 보낼 송, 말할 화 [transmit]
전화로 상대편에게 말[話]을 보냄[送]. (반)수화(受話).

송:환 送還 | 보낼 송, 돌아올 환 [send back; repatriate]
돌려[還] 보냄[送]. ¶탈북자를 강제로 송환하다.

• 역순어휘 ──────────── •

반:송 返送 | 돌아올 반, 보낼 송 [send back; return]
도로 돌려[返] 보냄[送]. ¶주소가 틀린 편지는 반송한다. (비)환송(還送).

발송 發送 | 보낼 발, 보낼 송 [send; forward]
물건이나 우편물 따위를 보냄[發=送]. ¶우편물을 발송하다.

방:송 放送 | 놓을 방, 보낼 송 [release offender; go on radio]
❶[역사] 죄인을 석방(釋放)하여 내보냄[送]. ❷라디오나 텔레비전을 통하여 음성이나 영상을 전파로 내보내는 일. ¶방송에 출연하다.

봉:송 奉送 | 받들 봉, 보낼 송 [carry]
영령, 유골, 성물(聖物) 따위를 정중히 받들어[奉] 운송(運送)함. ¶성화를 봉송하다.

수송 輸送 | 나를 수, 보낼 송 [transport; carry]
차, 선박, 비행기 따위로 짐이나 사람을 날라[輸] 보냄[送]. ¶물건이 수송 중에 파손됐다. (비)운송(運送).

압송 押送 | 붙잡을 압, 보낼 송 [escort; send in custody]
[법률] 피고인 또는 죄인을 붙잡아[押] 어느 한 곳에서 다른 곳으로 보내는[送] 일. ¶범인을 서울로 압송했다.

운:송 運送 | 옮길 운, 보낼 송 [transport; convey]
화물 따위를 운반(運搬)하여 보냄[送]. ¶항공운송 / 석탄은 대개 철도로 운송한다. (비)수송(輸送).

장:송 葬送 | 장사 지낼 장, 보낼 송 [escort a funeral; attend a funeral]
시신을 장지(葬地)로 보냄[送]. ¶장송하러 나온 사람들이 줄을 지어 묘역으로 들어섰다.

전:송1 電送 | 전기 전, 보낼 송 [transmit; send]
사진 따위를 전류(電流) 또는 전파로 먼 곳에 보냄[送]. ¶전자우편으로 초대장을 전송했다.

전:송2 餞送 | 보낼 전, 보낼 송 [see off; send off]
서운하여 전별(餞別)의 잔치를 베풀어 보냄[送]. ¶우리는 성대한 전송을 받았다. (비)배웅.

호:송 護送 | 지킬 호, 보낼 송 [escort; convoy]
❶[속뜻] 목적지까지 보호(保護)하여 보냄[送]. ❷[법률] 죄인 따위를 감시하면서 데려감. ¶그는 경찰의 호송을 받으며 법정으로 들어왔다.

환송 歡送 | 기쁠 환, 보낼 송 [bid; farewell to]
기뻐하며[歡] 보냄[送]. ¶그는 가족의 환송을 받았다 / 친구를 환송하다. (반)환영(歡迎).

후:송 後送 | 뒤 후, 보낼 송 [evacuate; send back]
후방(後方)으로 보냄[送]. 또는 안전한 곳으로 보내는 것. ¶환자후송이 제일 시급하다.

0723 [역]

逆

거스를 역
(부) ⻌부 (획) 10획 (中) 逆 [nì]

逆자는 해를 등지고 반대편에서 이쪽으로 오는 사람의 그림자 모습을 그린 것이다. 즉, 서 있는 사람의 모습인 '大'가 거꾸로 된 것과 길을 가다는 뜻인 '⻌'이 합쳐진 것이다. '맞이하다'(receive)가 본래 의미인데, '거스르다'(go against), '거꾸로'(conversely) 등으로도 쓰인다. 맞이할 때 두 사람의 발걸음은 서로 반대 방향인 것에서 착안한 것이다.

역경 逆境 | 거스를 역, 처지 경 [adversity; adverse situation]
❶[속뜻] 물이 흐르는 반대로 거슬러[逆] 올라가야 하는 어려운 처지[境]. ❷일이 순조롭지 않아 매우 어렵게 된 처지나 환경. ¶우리는 역경 속에서도 희망을 저버리지 않았다.

역류 逆流 | 거스를 역, 흐를 류 [flow backward]
물이 거슬러[逆] 흐름[流]. 또는 그렇게 흐르는 물. ¶거센 역류를 헤집고 올라가다.

역모 逆謀 | 거스를 역, 꾀할 모 [conspire to rise in revolt]
반역(反逆)을 꾀함[謀]. 또는 그런 일. ¶참모들은 모여서 역모를 꾸몄다.

역습 逆襲 | 거스를 역, 습격할 습 [counterattack]
수비하던 쪽에서 거꾸로[逆] 공격을 감행함[襲]. ¶적에게 역습을 당했다.

역적 逆賊 | 거스를 역, 도둑 적 [rebellious subject; rebel]
임금에게 반역(叛逆)한 사람을 도둑[賊]에 비유하여 이르는 말. ¶정약용은 역적으로 몰려 귀양살이를 했다.

역전 逆轉 | 거스를 역, 구를 전 [turn around; turn the tables (on)]
❶[속뜻] 거꾸로[逆] 돎[轉]. ❷형세가 뒤집혀짐. ¶바람이

불자 전세(戰勢)가 순식간에 역전됐다.

역정 逆情 | 거스를 역, 마음 정 [anger; displeasure]
❶속뜻 상대방의 마음[情]을 거스름[逆]. ❷몹시 언짢거나 못마땅하게 여김. ¶아버지는 버럭 역정을 내고는 방으로 들어가셨다. 비성, 화(火).

역풍 逆風 | 거스를 역, 바람 풍 [adverse wind]
❶속뜻 거슬러[逆] 부는 바람[風]. ❷배가 가는 반대쪽으로 부는 바람. ¶역풍이 불어 항해가 순조롭지 않았다. 반순풍(順風).

역행 逆行 | 거스를 역, 갈 행 [go back; reverse]
❶속뜻 보통의 방향과 반대 방향으로 거슬러[逆] 나아감[行]. ❷일정한 방향, 순서, 체계 따위를 바꾸어 행함. ¶러시아에서는 시대에 역행하는 사건이 벌어졌다. 반순행(順行).

• 역순어휘

거:역 拒逆 | 막을 거, 거스를 역 [protest; disobey]
윗사람의 뜻이나 명령을 어기어[拒] 거스름[逆]. ¶부모를 거역하고 집을 나갔다. 반순종(順從), 복종(服從).

구역 嘔逆 | 토할 구, 거스를 역 [nausea]
음식물 따위가 거꾸로 솟아[逆] 토할[嘔] 듯 메스꺼운 느낌. 비구토(嘔吐).

반:역 叛逆 | =反逆, 배반할 반, 거스를 역 [rise in revolt; rebel (against)]
배반(背叛)하여 돌아섬[逆]. ¶그는 민족을 반역하고 적에게 동조했다.

0724 [련]

連 이을 련
부 辶부 획 11획 中 连 [lián]

連자는 '길을 가다'는 뜻인 착(辶=辵=彳+止='길'+'발자국')과 '수레 거'(車)가 합쳐진 것으로, '인력거'(a rickshaw)가 본뜻이라고 한다. 후에 '이어지다'(be connected)는 뜻으로 확대 사용되자, 본래 의미는 輦(인력거 련)자를 따로 만들어 나타냈다.

연결 連結 | 이을 련, 맺을 결 [connect]
서로 이어서[連] 맺음[結]. ¶내 컴퓨터를 인터넷에 연결했다.

연대 連帶 | 이을 련, 띠 대 [solidarity]
❶속뜻 쭉 연결(連結)되어 띠[帶] 모양을 이룸. ❷한 덩어리로 서로 연결되어 있음. ¶연대 의식.

연락 連絡 | 이을 련, 이을 락 [connect; contact]
❶속뜻 여러 사람을 이어줌[連=絡]. ❷어떤 사실을 상대편에게 알림. ¶마침내 그와 연락이 닿았다.

연루 連累 | 이을 련, 엮일 루 [be involved in]
❶속뜻 이어져[連] 한데 엮임[累]. ❷남이 일으킨 사건이나 행위에 걸려들어 죄를 덮어쓰거나 피해를 보게 됨. ¶그는 뇌물사건에 연루됐다.

연발 連發 | 이을 련, 쏠 발 [fire in rapid succession; occur one after another]
❶속뜻 총 따위를 잇달아[連] 쏨[發]. ❷잇따라 일어남. ¶실수를 연발하다.

연방 連方 | 이을 련, 바로 방 [continuously; successively]
연이어[連] 금방(今方). 잇따라 자꾸. ¶연방 고개를 끄덕이다 / 연방 담배를 피우다.

연비 連比 | 이을 련, 견줄 비 [continued ratio]
수학 세 개 이상의 이어진[連] 수나 양의 비(比).

연속 連續 | 잇닿을 련, 이을 속 [continue]
잇달아[連] 죽 이어짐[續]. ¶그의 인생은 고통의 연속이었다. 반불연속.

연쇄 連鎖 | 이을 련, 쇠사슬 쇄 [chain; links; series]
❶속뜻 한 줄로 연결(連結)된 쇠사슬[鎖]. ❷사물이나 현상이 사슬처럼 서로 이어져 통일체를 이룸. ¶연쇄 반응을 일으키다.

연승 連勝 | 이을 련, 이길 승 [win straight victories]
싸움이나 경기에서 계속하여[連] 이김[勝]. ¶그 팀은 5연승을 달리고 있다 / 타이거 우즈가 세 번의 경기에서 연승했다. 반연패(連敗).

연일 連日 | 이을 련, 날 일 [day after day; every day]
여러 날[日]을 계속함[連]. ¶연일 비가 내리고 있다. 비날마다, 매일(每日).

연재 連載 | 이을 련, 실을 재 [publish serially]
신문이나 잡지 따위에 긴 글이나 만화 따위를 여러 차례로 나누어서 계속하여[連] 싣는 일[載]. ¶연재 만화 / 그녀는 신문에 소설을 연재하고 있다.

연패1 連敗 | 이을 련, 패할 패 [suffer successive defeats]
싸움이나 경기에서 계속하여[連] 짐[敗]. ¶3연패 끝에 승리를 거두었다.

연패2 連霸 | 이을 련, 으뜸 패 [win victory after victory]
운동 경기 따위에서 연달아[連] 우승하여 으뜸[霸]이

됨. ¶그 선수는 지난 대회에 이어 2연패를 기록했다. [반]연승(連勝).

연행 連行 | 이을 련, 갈 행 [haul; bring in]
❶[속뜻]잇달아[連] 감[行]. ❷강제로 데리고 감. 특히 경찰관이 피의자를 체포하여 경찰서로 데리고 가는 일을 이른다. ¶경찰이 그를 연행해 갔다.

연휴 連休 | 이을 련, 쉴 휴 [consecutive holidays]
휴일(休日)이 이틀 이상 계속되는[連] 일. 또는 그 휴일. ¶설 연휴 / 연휴에는 비행기 요금이 비싸다.

• 역순어휘

일련 一連 | 한 일, 이을 련 [series]
하나[一]로 이어짐[連]. 또는 그런 체계. ¶일련의 검사 / 일련의 사건은 1952년에 시작되었다.

0725 [조]

造

지을 조:
[部] 辶부 [劃] 11획 [中] 造 [zào]

造자는 '찾아가 알리다'는 뜻을 나타내기 위하여 만들어진 것이다. '길갈 착'(辶)과 '알릴 고'(告), 둘 다 표의요소이다. 후에 '이르다'(reach), '만들다'(create) 등으로 확대 사용됐다.
[속뜻훈음] ①만들 조, ②이를 조.

조:경 造景 | 만들 조, 볕 경
[landscape architecture]
경치(景致)를 아름답게 만듦[造]. ¶이번에 새로 만든 공원은 조경에 특히 신경을 썼다.

조:림 造林 | 만들 조, 수풀 림 [reforest]
인위적인 방법으로 숲[林]을 만듦[造]. ¶공원을 조림하여 삼림욕장을 만들다.

조:물 造物 | 만들 조, 만물 물
❶[속뜻]만물(萬物)을 만듦[造]. ❷조물주가 만든 온갖 물건.

조:선 造船 | 만들 조, 배 선
[shipbuilding; ship construction]
배[船]를 만듦[造]. ¶한국의 조선 기술은 수준급이다.

조:성 造成 | 만들 조, 이룰 성
[make; develop; create]
❶[속뜻]무엇을 만들어서[造] 이룸[成]. ¶시장은 대규모 관광 단지 조성을 추진하고 있다. ❷분위기나 정세 따위를 만듦. ¶여론 조성 / 면학 분위기를 조성하다.

조:예 造詣 | 이를 조, 이를 예
[knowledge; attainments]
지식이나 기술 따위가 매우 높은 수준에 이름[造=詣]. ¶음악에 대한 조예가 깊다.

조:작 造作 | 만들 조, 지을 작
[fabricate; fake; manufacture]
어떤 일을 사실인 듯이 만들어[造] 지음[作]. ¶그는 성적을 조작했다.

조:청 造淸 | 만들 조, 맑을 청
[grain syrup; molasses]
엿 따위를 만드는[造] 과정에서 묽게[淸] 고아서 굳지 않은 엿. ¶떡을 조청에 찍어 먹다.

조:폐 造幣 | 만들 조, 화폐 폐 [mint]
화폐(貨幣)를 만듦[造]. ¶조폐공사.

조:형 造形 | 만들 조, 모양 형 [mould]
형상(形象)을 만듦[造]. 형체가 있는 것을 만들어 냄. ¶동양적으로 조형된 동상.

조:화[1] 造化 | 만들 조, 될 화
[marvelous phenomenon]
❶[속뜻]무엇을 창조(創造)하고 변화(變化)시킴. ❷만물을 창조하고 기르는 대자연의 이치. ¶자연의 조화. ❸어떻게 이루어진 것인지 알 수 없을 정도로 신통하게 된 일. ¶길바닥에 돈이 떨어져 있다니 이게 웬 조화냐?

조:화[2] 造花 | 만들 조, 꽃 화 [artificial flower]
인공적으로 만든[造] 꽃[花]. ¶화병에 조화를 꽂았다. [반]생화(生花).

• 역순어휘

개:조 改造 | 고칠 개, 만들 조 [remodel]
고치어[改] 다시 만듦[造]. ¶창고를 공장으로 개조하다.

건:조 建造 | 세울 건, 만들 조 [construct; build]
건물이나 배 따위를 짓거나[建] 만듦[造]. ¶유조선을 건조하다. [비]건축(建築). [반]파괴(破壞).

구조 構造 | 얽을 구, 만들 조
[organize; construct]
❶[속뜻]얽어서[構] 만듦[造]. ❷부분이나 요소가 어떤 전체를 짜 이룸. ¶가옥 구조 / 컴퓨터의 구조.

모조 模造 | 본보기 모, 만들 조 [imitate]
❶[속뜻]모방(模倣)하여 만듦[造]. 또는 그 물품. ¶명화를 모조하다. ❷'모조지'(模造紙)의 준말.

목조 木造 | 나무 목, 만들 조 [wooden manger]
나무[木]로 지음[造]. 또는 그 건축물. ¶목조 주택.

변:조 變造 | 바뀔 변, 만들 조 [alter; forge]
❶[속뜻]이미 만들어진 물체를 손질하여 고쳐[變] 만듦[造]. ❷문서의 형태나 내용을 다르게 고침. ¶변조수표. [비]변작(變作), 위조(僞造).

석조 石造 | 돌 석, 만들 조 [stone construction]
돌[石]로 무엇을 만드는[造] 일. 또는 그 물건. ¶석조 건물.

양:조 釀造 | 빚을 양, 만들 조 [brew]
술이나 간장, 식초 따위를 발효시켜[釀] 만드는[造] 일. ¶양조 간장 / 막걸리는 쌀로 양조한다.

위조 僞造 | 거짓 위, 만들 조 [forge; fake]
진품과 똑같게 거짓으로[僞] 만드는[造] 일. ¶범인은 여권을 위조하여 해외로 도피했다.

인조 人造 | 사람 인, 만들 조 [artificiality]
사람[人]이 만듦[造]. ¶인조 잔디. [비]인공(人工).

제:조 製造 | 만들 제, 만들 조 [make; produce]
❶[속뜻] 공장에서 큰 규모로 물건을 만듦[製=造]. ❷원료에 인공을 가하여 정교한 제품을 만듦. ¶제조된 자동차는 전 세계로 수출된다.

주:조 鑄造 | 쇠 불릴 주, 만들 조 [cast]
쇳물을 거푸집에 부어[鑄] 필요한 물건을 만듦[造]. ¶기념 주화를 주조하다.

창:조 創造 | 처음 창, 만들 조 [create]
전에 없던 것을 처음으로[創] 만듦[造]. ¶새로운 문학의 창조 / 유행을 창조하다. [반]모방(模倣).

축조 築造 | 쌓을 축, 만들 조 [build; construct]
제방이나 담을 다지고 쌓아서[築] 만듦[造]. ¶피라미드를 축조하다.

0726 [진]

進

나아갈 진:
[部] 辶부 [劃] 12획 [中] 进 [jìn]

進자의 갑골문은 '새 추'(隹)와 '발 지'(止)가 합쳐진 모양이었다. 후에 彳(길거리 척)이 합쳐졌고, 止와 彳이 합병되어 辵(갈 착=辶)이 됐다. '(새를 위로) 날려 보내다'(let fly)가 본뜻이다. '올리다'(offer; present), '나아가다'(go forward) 등으로도 확대 사용됐다.

[속뜻훈음] ①나아갈 진, ②올릴 진.

진:갑 進甲 | 나아갈 진, 첫째 천간 갑 [one's 61st birthday]
환갑(還甲)보다 한 해 더 나아간[進] 해. 환갑의 이듬해. 62세. ¶할머니는 올해 진갑을 맞으신다.

진:격 進擊 | 나아갈 진, 칠 격 [attack; move against]
앞으로 나아가[進] 적을 침[擊]. ¶새벽에 진격을 개시한다. [비]진공(進攻). [반]퇴각(退却).

진:군 進軍 | 나아갈 진, 군사 군 [march]
적을 치러 군대(軍隊)가 나아감[進]. 또는 군대를 나아가게 함. ¶진군의 북소리 / 반란군의 거점으로 진군하다.

진:급 進級 | 나아갈 진, 등급 급 [get promotion; move up]
등급(等級), 계급, 학년 따위가 올라감[進]. ¶아버지가 부장으로 진급하셨다.

진:도 進度 | 나아갈 진, 정도 도 [progress]
일이 진행(進行)되는 속도나 정도(程度). ¶쉬는 날이 많아 진도가 늦었다.

진:로 進路 | 나아갈 진, 길 로 [course; way]
앞으로 나아갈[進] 길[路]. ¶태풍의 진로 / 선생님과 진로에 대해 상담하다.

진:보 進步 | 나아갈 진, 걸음 보 [make advance]
한 걸음[步] 더 나아감[進]. 정도나 수준이 나아지거나 높아짐. ¶진보 세력 / 진보하는 과학 기술. [반]퇴보(退步).

진:사 進士 | 나아갈 진, 선비 사
❶[속뜻] 벼슬에 나아간[進] 선비[士]. ❷[역사] 조선시대 진사시(進士試)에 합격한 사람에게 준 칭호.

진:상 進上 | 올릴 진, 위 상 [present to the king]
❶[속뜻] 윗[上]사람에게 올리어[進] 바침. ❷진귀한 물품이나 지방의 토산물 따위를 임금이나 고관 따위에게 바침. ¶이 비단은 임금님께 진상할 것이다.

진:수 進水 | 나아갈 진, 물 수 [launch]
❶[속뜻] 물[水]로 나아가게[進] 함. ❷새로 만든 배를 조선대(造船臺)에서 처음으로 물에 띄움. ¶거북선을 진수하다.

진:입 進入 | 나아갈 진, 들 입 [enter]
앞으로 나아가[進] 안으로 들어감[入]. ¶월드컵 본선 진입 / 고속도로에 진입하다.

진:전 進展 | 나아갈 진, 펼 전 [develop; progress]
일이 진행(進行)되어 발전(發展)됨. ¶연구에 큰 진전이 있다 / 둘의 관계는 급속도로 진전되었다.

진:척 進陟 | 나아갈 진, 오를 척 [progress]
한걸음 더 나아가고[進] 한 단계 더 오름[陟]. 일이 목적한 방향대로 진행되어 감. ¶공사가 진척을 보이지 않는다. [비]진전(進展), 진행(進行).

진:출 進出 | 나아갈 진, 날 출 [advance; enter into]
❶[속뜻] 앞으로 나아가[進] 밖으로 나감[出]. ❷어떤 방면으로 활동 범위나 세력을 넓혀 나아감. ¶여성의 사회 진출 / 한국 영화가 국제무대에 진출하고 있다.

진:취 進取 | 나아갈 진, 가질 취 [progress]

적극적으로 나아가서[進] 일을 취(取)하여 이룩함. ¶지도자가 되려면 먼저 진취의 기상을 지녀야 한다.

진:퇴 進退 | 나아갈 진, 물러갈 퇴 [advance and retreat]
앞으로 나아가고[進] 뒤로 물러남[退]. ¶두 선수는 씨름판에서 진퇴를 거듭하고 있다.

진:학 進學 | 나아갈 진, 배울 학 [go on to the next stage of education]
❶속뜻 학문의 길에 나아가[進] 배움[學]. ❷상급 학교에 올라감. ¶명수는 올해 대학에 진학했다.

진:행 進行 | 나아갈 진, 갈 행 [progress]
❶속뜻 앞으로 향하여 나아[進] 감[行]. ¶태풍의 진행 방향 ❷일 따위를 처리하여 나감. ¶회의를 매끄럽게 진행하다.

진:화 進化 | 나아갈 진, 될 화 [develop; evolve]
❶속뜻 진보(進步)하여 차차 더 나은 것이 됨[化]. ¶시간에 따라 언어도 진화한다. ❷생물 생물이 외계의 영향과 내부의 발전에 의하여 간단한 구조에서 복잡한 구조로, 하등한 것에서 고등한 것으로 발전하는 일. ¶사람이 유인원(類人猿)에서 진화한 것인지는 확신할 수 없다. ⓑ퇴화(退化).

• 역순어휘

누:진 累進 | 여러 루, 나아갈 진 [successive promotion]
등급, 가격 따위가 올라가는 비율이 여러[累]번 거듭 올라감[進].

돌진 突進 | 갑자기 돌, 나아갈 진 [rush; make a dash]
세찬 기세로 거침없이[突] 곧장 나아감[進]. ⓑ돌입(突入), 돌격(突擊).

매:진 邁進 | 힘쓸 매, 나아갈 진 [push on]
힘차게[邁] 나아감[進]. ¶일에 매진하다 / 나는 오로지 학업에만 매진했다.

북진 北進 | 북녘 북, 나아갈 진 [go north]
북(北)쪽으로 진출하거나 진격(進擊)함. ¶아군(我軍)은 북진하며 적군을 섬멸했다. ⓑ남진(南進).

선진 先進 | 먼저 선, 나아갈 진 [advance]
❶속뜻 어떤 분야에서 나이, 지위, 기량 등이 앞서[先] 나가 있는[進] 일. 또는 그런 사람. ❷발전의 단계나 진보의 정도 등이 다른 것보다 앞서거나 앞서 있는 일. ¶선진 기술. ⓑ후진(後進).

승진 昇進 | =陞進, 오를 승, 나아갈 진 [be promoted to; rise to]
직위가 올라[昇] 진급(進級)함. ¶아버지는 부장으로 승진하셨다.

신진 新進 | 새 신, 나아갈 진 [rising]
어떤 분야에 새로[新] 나아감[進]. 또는 그 사람. ¶고려 말의 신진 사대부가 조선을 건국했다.

십진 十進 | 열 십, 나아갈 진 [progressing by tens]
십(十)을 단위로 한 등급 올려[進] 계산함.

약진 躍進 | 뛸 약, 나아갈 진 [make rapid advance]
❶속뜻 힘차게 앞으로 뛰어[躍] 나아감[進]. ❷빠르게 발전하거나 진보함. ¶한국 경제의 약진이 눈부시다 / 그는 한 달 만에 5위에서 1위로 약진했다.

자진 自進 | 스스로 자, 나아갈 진 [volunteer]
제 스스로[自] 나감[進]. ¶자진신고.

전진 前進 | 앞 전, 나아갈 진 [advance]
앞[前]으로 나아감[進]. ¶이번 일을 이보 전진을 위한 일보 후퇴로 여기다. ⓑ후진(後進), 후퇴(後退).

정진 精進 | 정력 정, 나아갈 진 [devote oneself to; apply oneself to]
정력(精力)을 다하여 힘써 매진(邁進)함. ¶학문에 정진하다.

증진 增進 | 더할 증, 나아갈 진 [increase; promote; advance]
점점 더하여[增] 나아감[進]. ¶운동을 하니 식욕이 증진되었다. ⓑ감퇴(減退).

직진 直進 | 곧을 직, 나아갈 진 [go straight on]
곧바로[直] 나아감[進]. ¶계속 직진하면 우체국이 나옵니다.

촉진 促進 | 재촉할 촉, 나아갈 진 [promote; accelerate; expedite]
나아가도록[進] 재촉함[促]. ¶성장을 촉진하다.

추진 推進 | 밀 추, 나아갈 진 [propel; drive forward; promote]
❶속뜻 앞으로 밀고[推] 나아감[進]. ¶계획대로 일을 추진하다. ❷물체를 밀어 앞으로 내보냄. ¶추진장치.

행진 行進 | 다닐 행, 나아갈 진 [march]
여럿이 줄을 지어 다니며[行] 앞으로 나아감[進]. ¶거리 행진.

후:진 後進 | 뒤 후, 나아갈 진 [back; junior; underdevelopment]
❶속뜻 차량 따위가 뒤[後]쪽으로 나아감[進]. ¶차가 후진을 하다가 전봇대를 들이받았다. ❷사회나 관계(官界) 따위에 뒤늦게 나아감. 또는 그런 사람. ❸같은 분야에서 자기보다 늦게 종사하게 된 사람. ¶후진 양성에 힘쓰다.

❹문물의 발달이 뒤떨어짐. ¶후진 국가. ⊕후배(後輩). ⊕전진(前進), 선진(先進).

0727 [퇴]

退 물러날 퇴:
部 辶부 획 10획 中 退 [tuì]

退자는 '(뒤로) 물러나다'(leave; retire)는 뜻을 나타내기 위하여, '가다'는 뜻인 착(辶=辵)과 '어긋나다'는 뜻인 간(艮)을 합쳐 놓은 것이다.

퇴:각 退却 | 물러날 퇴, 물리칠 각 [retreat; fall back]
물러나게[退]하거나 물리침[却]. ¶적이 퇴각하다.

퇴:근 退勤 | 물러날 퇴, 일할 근 [leave the office]
하루 일과[勤]를 마치고 직장에서 물러나옴[退]. ¶일이 밀려서 아직 퇴근을 못하고 있다. ⊕출근(出勤).

퇴:보 退步 | 물러날 퇴, 걸음 보 [fall backward; retrocede]
❶속뜻 뒤로 물러서서[退] 걸음[步]. ❷정도나 수준이 이제까지의 상태보다 뒤떨어지거나 못하게 됨. ¶전쟁으로 나라의 경제가 20년 이상 퇴보했다. ⊕퇴행(退行). ⊕진보(進步).

퇴:색 退色 | 물러날 퇴, 빛 색 [fade; discolor]
❶속뜻 빛[色]이 물러나[退] 바램. ¶이 옷은 햇빛으로 퇴색되었다. ❷'무엇이 낡거나 몰락하면서 그 존재가 희미해지거나 볼품없이 됨'을 비유하여 이르는 말. ¶공산주의 이념이 갈수록 퇴색하고 있다.

퇴:실 退室 | 물러날 퇴, 방 실 [leave the room; get out of the room]
방[室]에서 나감[退]. ¶투숙객은 12시까지 퇴실해 주십시오.

퇴:원 退院 | 물러날 퇴, 집 원 [leave hospital]
입원했던 환자가 병원(病院)에서 나옴[退]. ¶수술이 끝났으니 곧 병원에서 퇴원하게 될 것이다. ⊕입원(入院).

퇴:위 退位 | 물러날 퇴, 자리 위 [step down from the throne; abdicate]
자리[位]에서 물러남[退]. ¶1814년 나폴레옹은 황제의 자리에서 퇴위했다. ⊕즉위(即位).

퇴:임 退任 | 물러날 퇴, 맡길 임 [retire from office]
임무(任務)를 띤 자리에서 물러남[退]. ¶그는 교장으로 명예롭게 퇴임하였다. ⊕퇴직(退職).

퇴:장 退場 | 물러날 퇴, 마당 장 [leave; walkout]
어떤 장소(場所)에서 물러남[退]. ¶선수는 비신사적인 행동을 하여 퇴장을 당했다 / 관객들은 질서 있게 퇴장했다. ⊕입장(入場).

퇴:직 退職 | 물러날 퇴, 일자리 직 [retire; resign]
❶속뜻 직위(職位)에서 물러남[退]. ❷직장을 그만둠. ¶아버지는 직장에서 퇴직하신 후 다른 사업을 하려고 한다. ⊕취직(就職).

퇴:진 退陣 | 물러날 퇴, 진칠 진 [decamp; resign from; step down]
❶속뜻 군사의 진지(陣地)를 뒤로 물림[退]. ❷관여하던 직장이나 직무에서 물러남. ¶장관이 책임을 지고 퇴진할 것을 요구하다.

퇴:치 退治 | 물러날 퇴, 다스릴 치 [exterminate; get rid of]
❶속뜻 물러나도록[退] 잘 다스림[治]. ❷없애 버림. ¶마약 퇴치 / 병충해를 퇴치하다.

퇴:학 退學 | 물러날 퇴, 배울 학 [leave school; withdraw from school]
졸업 전에 학생이 다니던 학교(學校)를 물러나[退] 그만 둠. ¶학생 두 명이 물건을 훔쳐서 퇴학을 당했다.

퇴:행 退行 | 물러날 퇴, 갈 행 [move back; degrade; regress]
현재의 위치에서 뒤로 물러가거나[退] 현재보다 앞선 과거로 되돌아 감[行]. ¶과거로의 퇴행.

퇴:화 退化 | 물러날 퇴, 될 화 [degenerate; degrade; retrograde]
쇠퇴(衰退)하는 쪽으로 변화(變化)함. ¶박쥐는 눈이 퇴화되었다. ⊕진화(進化).

• 역순어휘

감:퇴 減退 | 덜 감, 물러날 퇴 [decline; decrease]
❶속뜻 줄어들고[減] 뒤로 물러남[退]. ❷체력이나 의욕 따위가 줄어져 약해짐. ¶병 때문에 식욕도 감퇴했다. ⊕증진(增進).

격퇴 擊退 | 칠 격, 물러날 퇴 [repulse; drive back]
적을 쳐서[擊] 물리침[退]. ¶적의 공격을 격퇴하다.

사퇴 辭退 | 물러날 사, 물러갈 퇴 [refuse to accept]
어떤 일을 그만두고 물러감[辭=退]. ¶공직을 사퇴하다.

쇠퇴 衰退 | =衰頹, 쇠할 쇠, 물러날 퇴 [decline; decay]
기세나 쇠(衰)하여 무너짐[退]. ¶국력의 쇠퇴 / 나이가 들면 기억력이 점점 쇠퇴한다. ⊕왕성(旺盛), 흥성(興盛), 번창(繁昌), 번성(繁盛).

은퇴 隱退 | 숨길 은, 물러날 퇴 [retire from one's post]
❶속뜻 몸을 숨기거나[隱] 자리에서 물러남[退]. ❷사회

활동에서 물러나 한가히 지냄. ¶우리 아버지는 은퇴하셨습니다.

자퇴 自退 | 스스로 자, 물러날 퇴
[leave of one's own accord]
스스로[自] 물러남[退].

조:퇴 早退 | 이를 조, 물러날 퇴
[leave earlier than usual]
정해진 시간보다 일찍[早] 물러나옴[退]. ¶오늘은 몸이 좋지 않아 선생님께 말씀드리고 조퇴했다.

중퇴 中退 | 가운데 중, 물러날 퇴
[drop out of school; leave school halfway]
❶[속뜻] 중도(中途)에서 물러남[退]. 도중에 그만둠. ❷[교육] 학생이 과정을 다 마치지 못하고 중도에서 학교를 그만둠. '중도퇴학'(中途退學)을 줄여 이르는 말. ¶집안 사정으로 대학을 중퇴하다.

`진:퇴 進退 | 나아갈 진, 물러갈 퇴
[advance and retreat]
앞으로 나아가고[進] 뒤로 물러남[退]. ¶두 선수는 씨름판에서 진퇴를 거듭하고 있다.

탈퇴 脫退 | 벗을 탈, 물러날 퇴 [withdraw]
정당이나 단체 따위의 옷을 벗고[脫] 물러남[退]. ¶모임에서 탈퇴하기로 작정하다. (반)가입(加入).

후:퇴 後退 | 뒤 후, 물러날 퇴 [retreat; regress]
❶[속뜻] 뒤[後]로 물러남[退]. ¶작전상 후퇴 / 적군은 후퇴했다. ❷발전하지 못하고 기운이 약해짐. ¶개혁의지의 후퇴 / 경기가 후퇴하여 실업자가 늘어났다. (반)전진(前進).

0728 [빈]

貧

가난할 빈
(部) 貝부 (劃) 11획 (中) 贫 [pín]

貧자는 재물[貝]을 다 나누어[分] 주고 나니 남은 것이 없다, 즉 '가난하다'(poor)는 뜻이다. '조개(=돈) 패'(貝)와 '나눌 분'(分), 두 표의요소가 '가난하다'는 암시하는 힌트 구실을 톡톡히 잘 하고 있다. '모자라다'(lack)는 뜻으로도 쓰인다.

[속뜻훈음] ①가난할 빈, ②모자랄 빈.

빈곤 貧困 | 가난할 빈, 괴로울 곤 [poverty]
❶[속뜻] 가난[貧]으로 괴로워[困] 함. ¶빈곤에 허덕이다. ❷내용 따위가 모자람. ¶상상력의 빈곤. (비)가난, 부족(不足). (반)부유(富裕), 풍족(豐足).

빈궁 貧窮 | 가난할 빈, 궁할 궁 [poverty]
생활이 몹시 가난하여[貧] 곤궁(困窮)함. ¶빈궁한 생활에 시달리다.

빈농 貧農 | 가난할 빈, 농사 농 [poor farmer]
가난한[貧] 농민(農民). 또는 농가(農家). ¶빈농을 구제하는 법안이 가결되었다. (반)부농(富農).

빈민 貧民 | 가난할 빈, 백성 민 [poor people]
가난한[貧] 사람들[民]. ¶빈민 지역에 공부방을 설치하다.

빈부 貧富 | 가난할 빈, 넉넉할 부
[poverty and wealth]
가난함[貧]과 넉넉함[富]. ¶빈부의 격차를 줄이다.

빈약 貧弱 | 가난할 빈, 약할 약 [poor; scanty]
❶[속뜻] 가난하고[貧] 약(弱)함. ¶빈약한 국가. ❷보잘것없음. ¶그 책은 내용이 빈약하다.

빈천 貧賤 | 가난할 빈, 천할 천 [poor and lowly]
가난하고[貧] 천(賤)함. ¶빈천한 집안에서 태어나다. (반)부귀(富貴).

빈혈 貧血 | 모자랄 빈, 피 혈 [poverty of blood]
[의학] 혈액(血液) 속에 적혈구나 헤모글로빈이 모자라는[貧] 상태. ¶그녀는 빈혈로 자주 쓰러졌다. (반)다혈(多血).

• 역순어휘

극빈 極貧 | 다할 극, 가난할 빈 [extreme poverty]
더할 수 없이[極] 몹시 가난함[貧].

청빈 淸貧 | 맑을 청, 가난할 빈 [poor but honest]
성품이 청렴(淸廉)하여 가난함[貧]. ¶청빈한 선비.

0729 [현]

賢

어질 현
(部) 貝부 (劃) 15획 (中) 贤 [xián]

賢자는 원래 '돈이 많다'(wealthy)는 뜻을 나타내기 위한 것이었으니 '조개(=돈) 패'(貝)가 표의요소로 쓰였다. 그 나머지는 표음요소라고 한다. 후에 '어질다'(wise)는 뜻을 나타내는 것으로도 활용됐다.

현명 賢明 | 어질 현, 밝을 명
[wise; sensible; intelligent]
어질고[賢] 사리에 밝음[明]. ¶현명한 결정을 내리다.

현모 賢母 | 어질 현, 어머니 모 [wise mother]
어진[賢] 어머니[母]. 현명한 어머니.

현자 賢者 | 어질 현, 사람 자 [wise man; sage]
어진[賢] 사람[者]. (비)현인(賢人).

• 역순어휘

성ː현 聖賢 | 거룩할 성, 어질 현 [saints; sages]
성인(聖人)과 현인(賢人)을 일컬음.

0730 [화]

貨
재물 화ː
部 貝부 劃 11획 中 货 [huò]

貨자는 '재물'(property)을 뜻하기 위한 것이었으니 '조개(=돈) 패'(貝)가 표의요소로 쓰였다. 化(될 화)는 표음요소일 따름이다. 후에 '물품'(goods), '돈'(money)을 뜻하는 것으로 확대 사용됐다.

속뜻 훈음 ①재물 화, ②돈 화.

화ː물 貨物 | 재물 화, 만물 물 [freight; cargo]
경제 재물[貨]의 가치가 있는 물품(物品). ¶트럭에 화물을 싣다.

화ː폐 貨幣 | 재물 화, 예물 폐 [money; currency]
❶속뜻 재물[貨]과 예물[幣]. ❷경제 상품 교환의 매개물, 지불의 수단, 가치 척도 등으로 쓰이는 돈. 금화, 은화, 은행권 따위가 있다. ¶화폐 수집 / 화폐를 발행하다. ⓑ돈.

• 역순어휘

금화 金貨 | 황금 금, 돈 화
[gold coin; gold currency]
금(金)으로 만든 돈[貨].

백화 百貨 | 여러 백, 재물 화
여러[百] 가지 상품이나 재물[貨].

보ː화 寶貨 | 보배 보, 재물 화 [treasure]
보물[寶]과 화폐[貨幣]. ¶왕궁 안의 보화를 노략질하였다. ⓑ보물(寶物), 보배.

외ː화 外貨 | 밖 외, 돈 화 [foreign money]
경제 외국(外國)의 돈[貨]. 외국의 통화로 표시된 수표나 유가 증권 따위도 포함한다. ¶외화를 벌어들이다.

은화 銀貨 | 은 은, 돈 화 [silver coin]
은(銀)으로 만든 돈[貨]. ¶미국의 1달러는 은화이다.

잡화 雜貨 | 섞일 잡, 재물 화
[miscellaneous goods]
잡다(雜多)한 상품[貨]. ¶잡화는 저쪽에서 팝니다.

재화 財貨 | 재물 재, 재물 화
[goods; commodities]
재산(財産)이 될 만한 물건[貨]. ⓑ재물(財物).

주ː화 鑄貨 | 쇠 불릴 주, 돈 화 [coin]
쇠붙이를 녹여 만든[鑄] 화폐(貨幣). 또는 그러한 일. ¶주화를 발행하다.

통화 通貨 | 통할 통, 돈 화
[currency; medium of exchange]
경제 한 나라 안에서 통용(通用)되고 있는 화폐(貨幣)를 통틀어 이르는 말. ¶유럽연합은 '유로'라는 단일 통화를 사용한다.

0731 [록]

錄
기록할 록
部 金부 劃 16획 中 录 [lù]

錄자는 '금색'(a golden color)이 본뜻이니 '쇠 금'(金)이 표의요소로 쓰였다. 彔(나무 깎을 록)은 표음요소로 뜻과는 무관하다. '베껴 쓰다'(write; copy)는 뜻으로도 쓰이며, '기록하다'(record) 또는 이와 의미상 연관이 있는 낱말의 한 구성 요소로도 많이 쓰인다.

속뜻 훈음 ①기록할 록, ②베낄 록.

녹음 錄音 | 기록할 록, 소리 음 [record]
소리[音]를 재생할 수 있도록 기계로 기록(記錄)하는 일. ¶테이프에 음악을 녹음하다.

녹화 錄畵 | 기록할 록, 그림 화 [record]
재생을 목적으로 텔레비전 카메라로 찍은 화상(畵像)을 필름 따위에 기록(紀錄)함.

• 역순어휘

기록 記錄 | 적을 기, 베낄 록 [record]
❶속뜻 적어두고[記] 베껴둠[錄]. ❷주로 후일에 남길 목적으로 어떤 사실을 적음. 또는 그런 글. ❸운동 경기 따위에서 세운 성적이나 결과를 수치로 나타낸 것. ¶그는 세계 최고 기록을 경신했다.

등록 登錄 | 오를 등, 기록할 록 [register; enter]
❶속뜻 문서에 올려[登] 기록함[錄]. ❷일정한 자격 조건을 갖추기 위하여 단체나 학교 따위에 문서를 올림. ¶신입생 등록을 마치다.

목록 目錄 | 눈 목, 기록할 록 [list; catalog]
목차(目次)를 기록(記錄)해 놓은 것. ¶도서목록.

부ː록 附錄 | 붙을 부, 기록할 록
[appendix; supplement]
❶속뜻 본문 끝에 덧붙이는[附] 기록(記錄). ❷신문, 잡지 따위의 본지에 덧붙인 지면이나 따로 내는 책자. ¶이 책을 사면 부록으로 가계부를 준다.

수록 收錄 | 거둘 수, 기록할 록 [gather; record]
모아서[收] 기록(記錄)함. 또는 그렇게 한 기록. ¶이 사전에는 5만 개의 단어가 수록되어 있다.

실록 實錄 | 실제 실, 기록할 록 [authentic record]
❶속뜻 사실(事實)을 있는 그대로 적은 기록(記錄). ¶사

건의 실록을 찾아보다. ❷한 임금이 재위한 동안의 정령(政令)과 그 밖의 모든 사실을 적은 기록. 임금이 승하한 뒤, 실록청을 두고 시정기(時政記)를 거두어 연대순으로 정리한 것이다. ¶조선왕조실록.

0732 [동]

銅

구리 동
(部) 金부 (劃) 14획 (中) 铜 [tóng]

銅자는 '구리'(copper)를 뜻하기 위한 것이었으니 '쇠 금'(金)이 표의요소로 쓰였다. 銅자가 만들어지기 이전에는 구리를 吉金(길금) 또는 赤金(적금)이라 했다. 同(한가지 동)은 표음요소이니 뜻과는 무관하다.

동상[1] 銅像 | 구리 동, 모양 상 [bronze statue]
구리[銅]로 만든 사람이나 동물 모양[像]. 또는 그 기념물. ¶광장에 이순신 동상을 세웠다.

동상[2] 銅賞 | 구리 동, 상줄 상 [third prize]
상(賞)의 등급을 매길 때 금, 은, 동(銅) 중 3등상.

동전 銅錢 | 구리 동, 돈 전 [copper coin]
구리[銅]와 주석의 합금으로 만든 돈[錢]. (비)동화(銅貨). (반)지폐(紙幣).

동종 銅鐘 | 구리 동, 쇠북 종 [bronze bell]
구리[銅]로 만든 종(鐘). ¶동종 소리.

동판 銅版 | 구리 동, 널빤지 판 [copper plate]
구리[銅]로 만든 판(版).

• 역순어휘 •

고:동 古銅 | 옛 고, 구리 동 [old copper]
❶속뜻 고대(古代)의 구리[銅]. ❷헌 구리쇠. ❸오래된 동전.

금동 金銅 | 황금 금, 구리 동 [gilt bronze]
금(金)으로 도금한 구리[銅].

분동 分銅 | 나눌 분, 구리 동
[balance weight; counterbalance]
❶속뜻 양쪽에 똑같이 나누어[分] 놓은 구리[銅] 덩어리. ❷천평칭(天平秤)이나 대저울 따위로 무게를 달 때, 무게의 표준이 되는 추.

청동 靑銅 | 푸를 청, 구리 동 [bronze]
❶속뜻 푸른[靑] 색을 띠는 구리[銅]. ❷화학 구리와 주석의 합금. ¶그 상은 청동으로 만든 것이다.

0733 [총]

銃

총 총
(部) 金부 (劃) 14획 (中) 铳 [chòng]

銃자는 쇠로 만든 '총'(a gun)을 뜻하기 위한 것이었으니 '쇠 금'(金)이 표의요소로 쓰였다. 充(찰 충)은 표음요소인데 음이 약간 달라졌다.

총격 銃擊 | 총 총, 칠 격
[shooting; gunfire; gunshot]
총기(銃器)로 공격(攻擊)함. ¶총격을 가하다.

총구 銃口 | 총 총, 구멍 구 [muzzle]
총(銃)의 구멍[口]. 총알이 나가는 앞부분. ¶총구를 심장에 겨누다. (비)총구멍.

총기 銃器 | 총 총, 그릇 기 [small arms; firearms]
소총(小銃)이나 권총(拳銃) 따위 무기(武器). ¶범인은 총기를 소지하고 있다.

총살 銃殺 | 총 총, 죽일 살 [shoot a person dead]
총(銃)으로 쏘아 죽임[殺]. ¶총살에 처하다.

총상 銃傷 | 총 총, 다칠 상 [bullet wound]
총(銃)에 맞아 다친 상처(傷處). ¶어깨에 총상을 입다.

총성 銃聲 | 총 총, 소리 성 [report of a gun]
총(銃)을 쏠 때 나는 소리[聲]. 총소리. ¶총성이 울리다.

총탄 銃彈 | 총 총, 탄알 탄 [(rifle) bullet]
총(銃)의 탄알[彈]. ¶그는 적군의 총탄을 맞고 쓰러졌다. (비)총알, 탄환(彈丸).

• 역순어휘 •

권:총 拳銃 | 주먹 권, 총 총 [pistol; gun]
한 손[拳]으로 다룰 수 있는 짧고 작은 총(銃). (반)장총(長銃).

소:총 小銃 | 작을 소, 총 총 [rifle; small arms]
군사 혼자 가지고 다니면서 사용할 수 있는 소형(小形) 화기[銃]. ¶소총으로 무장한 군인이 민가로 잠입했다.

조총 鳥銃 | 새 조, 총 총 [fowling piece]
새[鳥]를 잡는 데 쓰는 총(銃).

0734 [대]

隊

무리 대
(部) 阜부 (劃) 12획 (中) 队 [duì]

隊자는 언덕(阜=阝)에서 굴러 떨어지는 사람의 모습을 본뜬 것으로 '떨어지다'(fall)가 본뜻이다. 후에 '무리'(a crowd; a throng)를 뜻하는 것으로 쓰이는 예가 많아지자, 본래 의미는 따로 墜(떨어질 추)자를 만들어 나타냈다.

대상 隊商 | 무리 대, 장사 상 [caravan]

사막 지방에서 낙타나 말에 상품을 싣고 떼[隊]를 지어 먼 곳을 다니면서 장사하는 상인(商人). [비]상대(商隊).

대열 隊列 | 무리 대, 줄 렬 [column; file; rank]
❶[속뜻]질서 있게 늘어선[隊] 행렬(行列). ❷어떤 활동을 목적으로 이루어진 한 떼. ¶휴식이 끝나고 대열을 정돈했다. [비]대오(隊伍).

대원 隊員 | 무리 대, 사람 원 [member]
부대(部隊)나 집단을 이루고 있는 사람[員]. ¶행동대원 / 탐험대 대원.

대장 隊長 | 무리 대, 어른 장
[captain; commander; leader]
한 부대(部隊)를 지휘하는 우두머리[長].

대형 隊形 | 무리 대, 모양 형 [formation; order]
여러 사람이 줄지은[隊] 형태(形態). ¶전투 대형을 갖추다.

• 역순어휘

군대 軍隊 | 군사 군, 무리 대 [army; troops]
일정한 규율과 질서를 가지고 조직된 군인(軍人)의 집단[隊].

대:대 大隊 | 큰 대, 무리 대 [battalion]
❶[속뜻]대규모(大規模)의 사람으로 조직된 한 무리[隊]. ❷[군사]군대 편제상의 단위. 연대(聯隊)의 아래, 중대(中隊)의 위.

부대 部隊 | 나눌 부, 무리 대 [military unit]
❶[군사]일정한 규모로 나누어[部] 편성한 군대(軍隊) 조직. ¶그는 최전방 부대에서 복무했다. ❷어떠한 공통의 목적을 위하여 한데 모여 행동을 취하는 무리. ¶응원 부대.

분대 分隊 | 나눌 분, 무리 대 [squad]
[군사]❶본대에서 갈라져[分] 나온 편대(編隊). ❷소대 아래의 단위로 가장 작은 부대.

소:대 小隊 | 작을 소, 무리 대 [platoon]
❶[속뜻]규모가 작은[小] 무리[隊]. ❷[군사]군대 편성 단위의 한 가지. 중대(中隊)의 하위 부대로 보통 4개 부대로 구성된다.

악대 樂隊 | 음악 악, 무리 대 [musical band]
[음악]기악(器樂)을 연주하는 합주대(合奏隊). 주로 취주악의 단체를 이른다.

연대 聯隊 | 잇달 련, 무리 대 [regiment]
❶[속뜻]연합(聯合) 부대(部隊). ❷[군사]군대 편성 단위의 하나. 사단 또는 여단의 아래, 대대의 위이다.

입대 入隊 | 들 입, 무리 대 [join the army]
[군사]군대(軍隊)에 들어가[入] 군인이 됨. ¶입대를 거부하다 / 그는 자원해서 해군에 입대했다. [반]제대(除隊).

제대 除隊 | 덜 제, 무리 대
[discharge from military service]
규정된 기한이 차거나 질병 또는 집안 사정으로 군대(軍隊)를 나와 군인의 의무를 덜게[除] 됨. ¶삼촌은 올 여름 제대했다. [반]입대(入隊).

종대 縱隊 | 세로 종, 무리 대 [column of troops]
세로[縱]로 줄을 지어 나란히 선 대형(隊形). ¶3열 종대로 돌격하다. [비]횡대(橫隊).

중대 中隊 | 가운데 중, 무리 대 [company]
❶[속뜻]규모가 중급(中級)인 부대(部隊). ❷[군사]보통 4개 소대로 편성되는 육군과 해병대 부대 편제의 한 단위. ¶2중대 장병들은 훈련 준비가 한창이다.

편대 編隊 | 엮을 편, 무리 대 [formation]
[군사]❶대열(隊列)을 갖춤[編]. ❷비행기 따위가 대형(隊形)을 갖추는 일. 또는 그 대형. ¶편대를 지어 비행하다.

함:대 艦隊 | 싸움배 함, 무리 대 [fleet]
[군사]여러 군함(軍艦)으로 이루어진 편대(編隊). ¶스페인은 무적 함대를 이끌고 영국으로 향했다.

0735 [방]

防

막을 방
[部]阜부 [획]7획 [中]防 [fáng]

防자는 '언덕 부'(阜→阝)가 표의요소이고 方(모 방)은 표음요소이니 뜻과는 무관하다. 공격을 막기 위하여 쌓아 놓은 '둑'(a bank)이 본뜻인데 '막다'(block up)는 뜻으로 더 많이 쓰인다.

[속뜻 훈음] ①막을 방, ②둑 방.

방공 防空 | 막을 방, 하늘 공 [air defense]
항공기나 미사일에 의한 공중(空中) 공격을 막음[防]. ¶방공 훈련.

방독 防毒 | 막을 방, 독할 독
[protect oneself from poison]
독(毒)가스를 막음[防].

방범 防犯 | 막을 방, 범할 범 [prevent crimes]
범죄(犯罪)가 일어나지 않도록 막음[防]. ¶방범대책을 세우다.

방부 防腐 | 막을 방, 썩을 부 [preserve from decay]
썩는[腐] 것을 막음[防]. 건조, 냉장, 밀폐, 소금 절임, 훈제, 가열 따위의 방법이 있다.

방비 防備 | 막을 방, 갖출 비 [defense]
적의 침공이나 재해 따위를 막을[防] 준비(準備)를 함. 또는 그 준비. ¶방비를 강화하다.

방수 防水 | 막을 방, 물 수 [waterproof]
물[水]이 새거나 넘쳐흐르는 것을 막음[防]. ¶방수 설비 / 방수 대책.

방어 防禦 | 막을 방, 막을 어 [defend]
적이 쳐들어오는 것을 막음[防=禦]. ¶산성(山城)에서 적의 공격을 방어하다. ㊥공격(攻擊).

방역 防疫 | 막을 방, 돌림병 역
[prevention of epidemics]
돌림병[疫]의 발생, 침입, 전염 따위를 막음[防]. 또는 그것을 위해 마련하는 조처.

방위 防衛 | 막을 방, 지킬 위 [defend]
적이 쳐들어오는 것을 막아[防] 지킴[衛]. ¶방위산업 / 수도를 방위하다.

방음 防音 | 막을 방, 소리 음 [soundproof]
시끄러운 소리[音]를 막음[防]. ¶방음시설.

방재 防災 | 막을 방, 재앙 재 [disaster prevention]
화재, 수재, 한재(旱災) 따위의 재해(災害)를 막음[防]. ¶이 건물은 방재 설비를 갖추었다.

방지 防止 | 막을 방, 그칠 지 [prevent; head off]
어떤 일을 막아[防] 그만두게[止] 함. ¶재난을 미연에 방지하다. ㊞예방(豫防), 방비(防備).

방충 防蟲 | 막을 방, 벌레 충
해충(害蟲)을 막음[防]. ¶이 장롱은 방충가공을 했다.

방패 防牌 | 막을 방, 패 패 [warrior's shield]
칼이나 창, 화살 등을 막는데[防] 쓰던 널찍한[牌] 무기. ¶화살이 방패를 뚫었다.

방풍 防風 | 막을 방, 바람 풍
[protect against wind]
바람[風]을 막음[防]. ¶이 제품은 방풍 효과가 뛰어나다.

방한 防寒 | 막을 방, 찰 한
[protection against the cold]
추위[寒]를 막음[防]. ¶이 옷은 방한 기능이 있다.

방화 防火 | 막을 방, 불 화 [fire prevention]
화재(火災)를 미리 막음[防]. ¶그 건물은 방화 시설을 갖추고 있다.

• **역순어휘**

공:방 攻防 | 칠 공, 막을 방
[offense and defense]
적을 공격(攻擊)하는 것과 적의 공격을 방어(防禦)하는 일. ¶양측의 공방이 치열하다.

국방 國防 | 나라 국, 막을 방
[national defense; defense of a country]
외국의 침략에 대비 태세를 갖추고 국토(國土)를 방위(防衛)하는 일. ¶국방의 의무를 다하다.

소방 消防 | 사라질 소, 막을 방
[fight a fire; extinguish a fire]
불이 났을 때 불을 끄고[消] 불이 나지 않도록 미리 막는[防] 일. ¶학교에서 소방 훈련을 하다.

예:방 豫防 | 미리 예, 막을 방
[prevent; stave off]
질병이나 재해 따위가 일어나기 전에 미리[豫] 대처하여 막는[防] 일. ¶화재를 예방합시다 / 비타민 C는 감기 예방에 도움이 된다.

제방 堤防 | 둑 제, 둑 방 [bank; embankment]
물이 넘쳐 들어오지 못하도록 물가에 쌓은 둑[堤=防]. ¶제방을 쌓다.

0736 [음]

陰

그늘 음
㊌ 阜부 ㊐ 11획 ㊥ 阴 [yīn]

陰자는 '산기슭의 비탈진 곳'을 뜻하는 阝(=阜·부)가 표의요소로 쓰였고, 오른쪽의 것은 표음요소라고 한다. 산의 북쪽, 즉 '응달'(=그늘, a shaded ground)이란 본뜻이 그대로 많이 쓰이고 있다. 그 반대자는 陽(볕 양)이다.

[속뜻훈음] 응달 음.

음각 陰刻 | 응달 음, 새길 각 [intaglio; engrave]
[미술] 평면에 글씨나 그림 따위를 오목하게[陰] 새김[刻]. 또는 그러한 조각. ¶이 판화는 음각하여 만들었다. ㊥양각(陽刻).

음경 陰莖 | 응달 음, 줄기 경 [phallus; penis]
❶[속뜻] 남자 음부(陰部)에 나무줄기[莖]같이 달린 것. ❷[의학] 남성의 외부 생식기.

음극 陰極 | 응달 음, 끝 극
[negative pole; cathode]
❶[속뜻] 음양(陰陽) 가운데 음(陰)에 해당하는 쪽이나 끝[極]. ❷[물리] 두 개의 전극 사이에 전류가 흐를 때에 전위가 낮은 쪽의 극. ¶양극과 음극을 각각 따로 연결하다. ㊥양극(陽極).

음기 陰氣 | 응달 음, 기운 기 [chill; dreariness]
❶[속뜻] 음산(陰散)하고 찬 기운(氣運). ❷만물이 생성하는 근본이 되는 정기(精氣)의 한 가지. ㊥양기(陽氣).

음낭 陰囊 | 응달 음, 주머니 낭 [scrotum]
[의학] 음경(陰莖)을 싸고 있는 주머니[囊] 모양의 기관.

음력 陰曆 | 응달 음, 책력 력 [lunar calendar]
[천문] 해를 양(陽)으로, 달을 음(陰)으로 보았을 때, 달

모양의 변화를 기초로 하여 만든 책력(冊曆). ¶그의 음력 생일은 3월 21일이다. [반]양력(陽曆).

음모 陰謀 | 응달 음, 꾀할 모 [plot; conspiracy]
잘 안 보이는 응달[陰]에서 남몰래 좋지 못한 일을 꾸밈[謀]. 또는 그 꾸민 일. ¶그들의 음모가 백일하에 드러났다.

음부 陰部 | 응달 음, 나눌 부 [pubic region]
❶[속뜻] 몸에서 응달진[陰] 부분(部分). ❷[의학] 남녀의 생식기가 있는 자리. [비]국부(局部), 치부(恥部).

음산 陰散 | 응달 음, 흩을 산 [gloomy; dreary]
❶[속뜻] 응달[陰]에 흩어져[散] 있는 듯한 차가운 기운. ❷을씨년스럽고 썰렁하다. ¶음산한 날씨.

음성 陰性 | 응달 음, 성질 성 [passive character]
❶[속뜻] 양(陽)이 아닌 음(陰)에 속하는 성질(性質). ❷어둡고 소극적인 성질. ¶위암 검사 결과는 음성으로 나왔다. [반]양성(陽性).

음수 陰數 | 응달 음, 셀 수
[negative number; minus]
[수학] 0을 기준으로 수를 음과 양으로 나눌 때, 0보다 작아 음(陰)에 해당하는 수(數). [반]양수(陽數).

음양 陰陽 | 응달 음, 볕 양 [cosmic dual forces]
❶[속뜻] 응달[陰]과 양지(陽地). ❷[철학] 역학에서 이르는 만물의 근원이 되는 상반된 성질을 가진 두 가지 것. ¶음양의 조화.

음영 陰影 | 응달 음, 그림자 영
[shadow; shade]
사람이나 물체가 빛을 가리어 반대쪽에 나타나는 그늘[陰]이나 그림자[影]. ¶그림에 음영을 넣어 윤곽을 나타내다.

음지 陰地 | 응달 음, 땅 지
[shady spot; shaded lot]
그늘진[陰] 곳[地]. [비]응달. [반]양지(陽地).

음침 陰沈 | 응달 음, 잠길 침 [gloomy; dismal]
❶[속뜻] 응달[陰]이 지거나 물에 잠긴[沈] 것 같이 어둡고 쌀쌀하다. ¶음침한 날씨. ❷성질이 명랑하지 못하다. ¶표정이 음침하다.

음핵 陰核 | 응달 음, 씨 핵 [clitoris]
[의학] 여자의 음부(陰部)에 있는 작은 씨[核] 같은 돌기.

음흉 陰凶 | 응달 음, 흉할 흉 [cunning; wily]
마음속이 음침(陰沈)하고 흉악(凶惡)함. ¶음흉을 떨다 / 그는 음흉한 속셈으로 그녀에게 접근했다.

• 역순어휘

녹음 綠陰 | 초록빛 록, 응달 음
[shade of trees; shady nook]
초록빛[綠] 잎이 우거진 나무의 그늘[陰]. ¶녹음이 우거진 숲길을 걷다.

0737 [장]

障

막을 장
[部] 阜부 [畫] 14획 [中] 障 [zhàng]

障자는 '언덕 부'(阜=阝)가 표의요소로 쓰였고, 章(글 장)은 표음요소다. '가로막다'(block)가 본뜻이다. '막다'(block up), '한계'(a boundary) 등으로 확대됐고, 반대인 '뒷받침해 주다'(guarantee)는 뜻으로도 쓰인다.

[속뜻훈음] ①가로막을 장, ②막을 장, ③장애 장.

장벽 障壁 | 막을 장, 담 벽 [barrier]
가리어 막은[障] 담[壁]. ¶장벽을 쌓다.

장애 障礙 |=障碍 막을 장, 거리낄 애 [obstacle]
❶[속뜻] 무슨 일을 하는데 가로막고[障] 거리낌[礙]이 됨. 또는 그런 일. ¶언어 장애 / 수입 규제는 무역에 장애가 되고 있다. ❷신체상의 고장. ¶위장 장애.

장해 障害 | 막을 장, 해칠 해
[obstruction; impediment]
무슨 일을 가로막거나[障] 방해(妨害)함. ¶그 산을 오르는 데에 큰 장해는 없었다. [비]장애(障礙).

• 역순어휘

고:장 故障 | 사고 고, 막을 장
[breakdown; hindrance]
❶[속뜻] 사고(事故)와 장애(障礙). ❷기계 따위의 기능에 이상이 생기는 일. ¶고물이라 고장이 잦다. ❸몸에 탈이 생기는 일. ¶머리가 고장이 났는지…. [비]탈.

보:장 保障 | 지킬 보, 막을 장
[guarantee; security]
❶[속뜻] 지켜주고[保] 막아줌[障]. ❷잘못될 만한 것을 맡아 책임짐. ¶안전 보장.

지장 支障 | 버틸 지, 막을 장 [trouble; obstacle]
앞에 버티고[支] 가로막고[障] 있어 방해가 됨. ¶공사장에서 나오는 소음이 수업에 지장을 준다. [비]장애(障礙).

천장 天障 | 하늘 천, 막을 장 [ceiling; roof]
❶[속뜻] 하늘[天]을 가리어 막음[障]. ❷[건설] 집의 안에서 위쪽 면. ¶천장에 파리가 붙어 있다.

0738 [제]

除

덜 제
[部] 阜부 [畫] 10획 [中] 除 [chú]

除자는 원래 언덕진 곳을 잘 오르도록 쌓아 놓은 '(궁전의) 섬돌'(a stone step)을 가리키던 것이었으니 '언덕 부'(阜=阝)가 표의요소로 쓰였다. 余(나 여)는 표음요소였다고 한다. 참고로 '음력 사월'을 가리키는 除月은 [여월]이라 읽는다. '덜다'(remove), '나누다'(divide)는 뜻으로 많이 쓰인다.

[속뜻훈음] ①덜 제, ②나눌 제.

제거 除去 | 덜 제, 없앨 거
[remove; exclude; eliminate]
덜어[除] 없앰[去]. ¶불순물 제거 / 친일파 제거 / 악취 제거.

제대 除隊 | 덜 제, 무리 대
[discharge from military service]
규정된 기한이 차거나 질병 또는 집안 사정으로 군대(軍隊)를 나와 군인의 의무를 덜게[除] 됨. ¶삼촌은 올 여름 제대했다. [반]입대(入隊).

제명 除名 | 덜 제, 이름 명
[be expelled; be dropped]
구성원 명단에서 이름[名]을 뺌[除]. 구성원 자격을 박탈함. ¶제명을 당하다 / 그는 결국 팀에서 제명되었다.

제수 除數 | 나눌 제, 셀 수
[divisor; number to be divided by]
[수학] 나눗셈에서, 어떤 수를 나누는[除] 수(數). 예를 들면, '10÷5=2'에서의 '5'. [반]피제수(被除數).

제야 除夜 | 덜 제, 밤 야 [New Year's Eve]
❶[속뜻] 한 해를 덜어 보내는[除] 밤[夜]. ❷'섣달 그믐날 밤'을 이름. ¶제야의 종소리.

제외 除外 | 덜 제, 밖 외 [except from]
따로 떼어[除] 밖[外]에 둠. ¶제외사항 / 세금을 제외하고 5만원을 받았다. [반]포함(包含).

제적 除籍 | 덜 제, 서적 적
[remove from a register]
호적(戶籍), 학적(學籍), 당적(黨籍) 따위에서 이름을 지워버림[除]. ¶그는 무단결석이 잦아 제적되었다.

제초 除草 | 덜 제, 풀 초 [weed]
잡초[草]를 뽑아 없앰[除]. ¶괭이로 정원의 잡초를 제초하다. [비]살초(殺草).

• 역순어휘

공:제 控除 | 당길 공, 덜 제 [deduct]
❶[속뜻] 당겨서[控] 빼냄[除]. ❷받을 몫에서 일정한 금액이나 수량을 빼냄. ¶월급에서 세금을 공제하다.

면:제 免除 | 면할 면, 덜 제 [exempt from]
책임이나 의무를 면(免)하거나 덜어줌[除]. ¶병역을 면제받다.

배제 排除 | 밀칠 배, 덜 제 [exclude; eliminate]
장애가 되는 것을 한곳에서 밀어내[排] 없앰[除]. ¶그러한 가능성을 완전히 배제할 수는 없다.

삭제 削除 | 깎을 삭, 덜 제
[eliminate; remove; cancel]
❶[속뜻] 깎아서[削] 없앰[除]. ❷지워 버림. ¶내용의 일부를 삭제하다. [반]첨가(添加), 추가(追加).

해:제 解除 | 풀 해, 덜 제 [remove]
❶[속뜻] 설치하였거나 장비한 것 따위를 풀어[解] 없앰[除]. ¶패전국의 군인들은 총기 해제를 당하였다. ❷묶인 것이나 행동에 제약을 가하는 법령 따위를 풀어 자유롭게 함. ¶계엄을 해제하다.

0739 [제]

際

즈음/가[邊] 제:
[部] 阜부 [획] 14획 [中] 际 [jì]

際자는 언덕진 곳에 쌓아 놓은 두 담이 서로 '맞닿는 곳'(an intersecting point)을 뜻하는 것이었으니 '언덕 부'(阝)가 표의요소로 쓰였다. 祭(제사 제)는 표음요소이니 뜻과는 무관하다. '사이'(an interval)를 뜻하는 것으로 더 많이 쓰인다.

[속뜻훈음] 사이 제.

• 역순어휘

교제 交際 | 사귈 교, 사이 제 [associate with]
❶[속뜻] 서로 사귀어[交] 가까운 사이[際]가 됨. ¶교제를 넓히다. ❷어떤 목적을 달성하기 위한 수단으로 남과 가까이 사귐. [비]사교(社交). [반]절교(絶交).

국제 國際 | 나라 국, 사이 제 [international]
❶[속뜻] 나라[國] 사이[際]에 관계됨. ❷여러 나라에 공통됨. ¶국제무역. ❸여러 나라가 모여서 이루거나 함. ¶국제 학술대회.

실제 實際 | 실제 실, 사이 제 [fact]
❶[속뜻] 사실(事實)적인 관계나 사이[際]. ❷실지의 상태나 형편. ¶그는 실제 나이보다 훨씬 어려 보인다.

0740 [한]

限

한할 한:
[部] 阜부 [획] 9획 [中] 限 [xiàn]

限자는 金文(금문) 같은 초기 자형에서

'언덕 부'(阝), '눈 목'(目), '사람 인'(亻) 등 세 가지 표의요소로 이루어졌다. 언덕으로 막혀 있는 곳을 눈을 크게 뜨고 살펴보는 모습이 연상된다. 사방이 둘러막혀서 '볼 수 없다'(can not see)가 본래 의미였는데, '한하다'(limit; restrict), '끝'(a limit; end) 등으로 더 많이 쓰인다.

[속뜻 훈음] ①한할 한, ②끝 한.

한:계 限界 | 끝 한, 지경 계 [limits]
❶[속뜻] 땅 따위의 끝[限]을 이은 경계(境界). ❷사물의 정하여진 범위. ¶한계를 극복하다.

한:도 限度 | 끝 한, 정도 도 [limit]
한계(限界)가 되는 정도(定度). ¶내가 알고 있는 한도 내에서 알려줄게.

한:량 限量 | 한할 한, 분량 량 [limits; bounds]
한정(限定)된 분량(分量). ¶그들의 욕심은 한량이 없었다.

한:정 限定 | 한할 한, 정할 정 [limit]
제한적(制限的)으로 정(定)함. ¶한정판매 / 회원을 30명으로 한정하다.

• 역순어휘

국한 局限 | 판 국, 한할 한 [localize; limit]
범위를 일정한 부분[局]에 한정(限定)함. ¶환경오염 문제는 우리나라에만 국한된 것이 아니다.

권한 權限 | 권리 권, 끝 한 [competence; competency]
어떤 사람이나 기관의 권리(權利)나 권력(權力)이 미치는 범위[限]. ¶국회는 법률을 제정할 수 있는 권한이 있다. [비]권리(權利).

극한 極限 | 다할 극, 한할 한 [limit; bounds]
❶[속뜻] 사물의 끝이 다하여[極] 닿은 곳이나 한계(限界). ❷사물이 더 이상은 나아갈 수 없는 한계. ¶양측의 대립이 극한에 이르다. [비]극치(極致).

기한 期限 | 때 기, 한할 한 [term; period of time]
미리 한계(限界)로 정해 놓은 일정한 시기(時期). [비]시한(時限).

무한 無限 | 없을 무, 끝 한 [unlimited; limitless]
끝[限]이 없음[無]. ¶초대해 주셔서 무한한 영광입니다. [반]유한(有限).

시한 時限 | 때 시, 끝 한 [deadline]
어떤 일을 끝마치기로 한 시간(時間)의 한계(限界). ¶원서 제출 시한은 이번 주 토요일까지이다.

유:한 有限 | 있을 유, 끝 한 [limited; finite]
한계(限界)가 있음[有]. ¶인간의 수명은 유한하다. [반]무한(無限).

제:한 制限 | 누를 제, 끝 한 [restrict; limit]
일정한 한도(限度)를 정해 이를 넘지 못하게 막거나 억누름[制]. ¶시험시간을 한 시간으로 제한하다.

0741 [비]

非

아닐 비(:)
[部] 非부 [劃] 8획 [中] 非 [fēi]

非자는 두 날개가 서로 딴 방향을 향하고 있는 것을 본뜬 것으로 '(서로) 어긋나다'(cross each other)가 본뜻이다. '아니다'(non-)는 뜻으로도 많이 쓰인다.

[속뜻 훈음] ①아닐 비, ②어긋날 비.

비:난 非難 | 아닐 비, 꾸짖을 난 [criticize; reproach; blame]
❶[속뜻] 잘한 것이 아니라고[非] 꾸짖음[難]. ❷남의 잘못이나 결점을 책잡아서 나쁘게 말함. ¶거짓말을 일삼는 그의 행동은 비난받아 마땅하다. [비]힐난(詰難). [반]칭찬(稱讚).

비단 非但 | 아닐 비, 다만 단 [simply]
❶[속뜻] 단지[但] 그 무엇만은 아님[非]. ❷'아니다' 따위의 부정하는 말 앞에 쓰여 '다만'의 뜻을 나타냄. ¶비단 나만의 문제가 아니다. [비]다만, 단지(但只), 오직.

비:리 非理 | 어긋날 비, 다스릴 리 [irrationality]
도리(道理)에 어긋나는[非] 일. ¶비리를 저지르다. [비]부조리(不條理), 부정(不正).

비:범 非凡 | 아닐 비, 평범할 범 [extraordinary]
평범(平凡)하지 않음[非]. 특히 뛰어남. ¶그는 음악에 비범한 재능을 갖고 있다. [반]평범(平凡)하다.

비:상 非常 | 아닐 비, 늘 상 [unusual; uncommon]
❶[속뜻] 늘[常] 있는 것이 아님[非]. ❷뜻밖의 긴급한 사태. ¶비상 대책. ❸평범하지 아니하고 뛰어남. ¶비상한 재주를 선보이다.

비:정 非情 | 아닐 비, 마음 정 [cold-hearted]
❶[속뜻] 따뜻한 마음[情]을 가지지 않음[非]. ❷인정 없이 몹시 쌀쌀함. ¶자식을 버린 비정한 아버지.

비:행 非行 | 어긋날 비, 행할 행 [irregularity; misdeed]
도리나 도덕 또는 법규에 어긋나는[非] 행위(行爲). ¶비행 청소년 / 비행을 저지르다.

• 역순어휘

시:비 是非 | 옳을 시, 아닐 비

[right and wrong; dispute; quarrel]
❶속뜻 옳고[是] 그름[非]. ¶시비를 가리다. ❷옳고 그름을 따지는 말다툼. ¶시비를 걸다. ㊐시시비비(是是非非), 잘잘못.

0742 [난]

難 어려울 난
㊇ 隹부 ㊍ 19획 ⊕ 难 [nán, nàn]

難자는 '새 추'(隹)가 표의요소다. 그 왼쪽의 것, 즉 堇(근)은 표음요소인데 세월에 따라 음이 크게 달라졌다. 본래 '堇+鳥' 꼴로 쓰다가, 획수를 줄이기 위하여 '難'자로 바뀌었다. '새의 일종'(a kind of birds)이 본뜻이다. '어렵다'(difficult), '꾸짖다'(scold; rebuke)는 뜻으로 더 많이 쓰인다.
속뜻훈음 ①어려울 난, ②꾸짖을 난.

난감 難堪 | 어려울 난, 견딜 감
[unbearable; be hard to stand]
❶속뜻 견디어[堪] 내기 어려움[難]. ❷이러기도 어렵고 저러기도 어려워 처지가 매우 딱하다. ¶입장이 난감하다.

난관 難關 | 어려울 난, 빗장 관
[obstacle; difficulty]
❶속뜻 통과하기 어려운[難] 관문(關門). ❷뚫고 나가기 어려운 사태나 상황. ¶난관을 이겨내다. ㊐곤경(困境).

난민 難民 | 어려울 난, 백성 민 [sufferers]
전쟁이나 재난으로 집을 잃고 떠돌아다니며 고생하는[難] 사람[民].

난색 難色 | 어려울 난, 빛 색 [disapproval]
승낙이나 찬성을 하지 않고 난처(難處)해 하는 기색(氣色). ¶그의 제의에 난색을 표하다.

난이 難易 | 어려울 난, 쉬울 이
[difficulty; hardness or ease]
어려움[難]과 쉬움[易].

난점 難點 | 어려울 난, 점 점 [difficult point]
처리하거나 해결하기가 곤란(困難)한 점(點). ㊐난제(難題).

난제 難題 | 어려울 난, 문제 제 [difficult problem]
❶속뜻 풀기 어려운[難] 문제(問題). ❷처리하기 어려운 일. ¶쓰레기 처리는 피할 수 없는 난제이다.

난처 難處 | 어려울 난, 처리할 처
[puzzled; embarrassed]
처리(處理)하기 어렵다[難]. ¶아주 난처한 표정을 지었다.

난치 難治 | 어려울 난, 다스릴 치
[almost incurable; inveteracy]
병을 치료(治療)하기 어려움[難].

난파 難破 | 어려울 난, 깨뜨릴 파
[be shipwrecked]
배가 항해 중에 폭풍우 따위의 어려움[難]을 만나 부서지거나[破] 뒤집힘.

난해 難解 | 어려울 난, 풀 해
[be hard to understand]
이해(理解)하기 어렵다[難]. ¶이 영화는 난해하다.

• 역순어휘

고:난 苦難 | 괴로울 고, 어려울 난
[suffering; hardship]
괴로움[苦]과 어려움[難]을 아울러 이르는 말. ¶고난 속에 인생의 기쁨이 있다. ㊐고초(苦楚).

곤:란 困難 | 본음 [곤난], 괴로울 곤, 어려울 난
[difficult; suffer]
❶속뜻 괴롭고[困] 어려움[難]. ❷처리하기 어려움. ¶지금은 통화하기가 곤란하다. ❸생활이 쪼들림. ❹괴로움.

국난 國難 | 나라 국, 어려울 난 [national crisis]
나라[國]가 당면한 어려움[難]. ¶힘을 모아 국난을 극복하다.

논란 論難 | 본음 [논난], 논할 론, 꾸짖을 난
[criticize; denounce]
잘못된 점 따위를 논(論)하여 비난(非難)함. ㊐논쟁(論爭).

도난 盜難 | 도둑 도, 어려울 난 [robbery]
도둑[盜]을 맞은 재난(災難). 도둑맞음.

무난 無難 | 없을 무, 어려울 난 [easy; simple]
❶속뜻 어려움[難]이 없다[無]. 어렵지 않다. ¶무난하게 목표를 달성하다. ❷무던하다. ¶무난한 사람.

비:난 非難 | 아닐 비, 꾸짖을 난
[criticize; reproach; blame]
❶속뜻 잘한 것이 아니라고[非] 꾸짖음[難]. ❷남의 잘못이나 결점을 책잡아서 나쁘게 말함. ¶거짓말을 일삼는 그의 행동은 비난받아 마땅하다. ㊐힐난(詰難). ㊏칭찬(稱讚).

수난 受難 | 받을 수, 어려울 난
[ordeals; severe trial]
재난 따위의 어려움[難]을 당함[受]. ¶그들은 말도 못할 수난을 겪었다.

재난 災難 | 재앙 재, 어려울 난 [calamity; disaster]
재앙(災殃)으로 인한 어려움[難]. 뜻밖의 불행한 일. ¶우리 마을에 큰 재난이 닥쳤다. ㊐재앙(災殃).

조난 遭難 | 만날 조, 어려울 난 [be in distress]

항해나 등산 따위를 하는 도중에 재난(災難)을 만남[遭]. ¶등산객 한 명이 등산 도중 조난을 당했다.

피:난 避難 | 피할 피, 어려울 난
[take refuge; find shelter]
재난(災難)을 피(避)함. 재난을 피하여 있는 곳을 옮김. ¶피난 행렬 / 온 가족이 부산으로 피난했다.

험:난 險難 | 험할 험, 어려울 난
[rough and difficult]
위험(危險)하고 어렵다[難]. ¶험난한 길을 건너다.

환:난 患難 | 근심 환, 어려울 난
[hardships; distress; misfortune]
근심[患]과 재난(災難). ¶환난을 겪다 / 환난을 극복하다.

힐난 詰難 | 따질 힐, 꾸짖을 난
[blame; censure; reproach]
트집을 잡아 따지고[詰] 근거 없이 비난(非難)함. ¶그러한 힐난을 도저히 참을 수 없었다.

0743 [비]

飛 날 비
㊊ 飛부 ㊌ 9획 ㊥ 飞 [fēi]

飛자는 '날다'(fly)는 뜻을 나타내기 위하여 하늘을 나는 새의 날개 모양을 본뜬 것이다. 모양이 많이 변화되었지만, 지금의 자형에서도 어렴풋이 짐작할 수 있다.

비약 飛躍 | 날 비, 뛰어오를 약 [jump]
❶속뜻 날듯이[飛] 높이 뛰어오름[躍]. ❷급격히 발전하거나 향상됨. ¶올림픽 개최를 통해 서울은 세계적인 도시로 비약했다. ❸이론이나 말과 생각 따위가 밟아야 할 단계나 순서를 거치지 않고 앞으로 나아감. ¶그의 논리는 비약이 심하다.

비행 飛行 | 날 비, 갈 행 [fly; make a flight]
항공기 따위가 하늘을 날아[飛] 다님[行]. ¶그는 장시간 비행으로 매우 피곤해 보였다.

비호 飛虎 | 날 비, 호랑이 호 [agile tiger]
나는[飛] 듯이 빠르게 달리는 호랑이[虎]. ¶질주하는 비호의 눈은 사냥감에 고정되어 있다.

0744 [여]

餘 남을 여
㊊ 食부 ㊌ 16획 ㊥ 馀 [yú]

餘자는 배불리 먹고도 '남음이 있다'(have surplus)는 뜻을 위해 만들어진 것이니 '먹을 식'(食)이 표의요소로 쓰였다. 余(나 여)는 표음요소이니 뜻과는 무관하다.

여가 餘暇 | 남을 여, 겨를 가 [leisure; spare time]
시간이 남아[餘] 한가(閑暇)로운 시간. ¶책을 쓰느라 여가가 없다.

여념 餘念 | 남을 여, 생각 념
[wandering thoughts]
주된 것에서 남는[餘] 생각[念]. ¶미영이는 공부에 여념이 없다.

여력 餘力 | 남을 여, 힘 력 [remaining power]
어떤 일에 주력하고 아직 남아[餘] 있는 힘[力]. ¶나는 그를 도와줄 여력이 없다.

여백 餘白 | 남을 여, 빌 백 [blank; space]
종이 따위에 글씨를 쓰거나 그림을 그리고 남은[餘] 빈[白] 자리. ¶그는 교과서의 여백에 필기를 했다.

여분 餘分 | 남을 여, 나눌 분 [surplus; excess]
필요한 양 외에 남는[餘] 분량(分量). ¶엄마는 급할 때를 대비해 여분의 돈을 모아두었다.

여생 餘生 | 남을 여, 살 생 [rest of one's life]
앞으로 남은[餘] 인생(人生). ¶나는 여생을 고향에서 보내고 싶다.

여세 餘勢 | 남을 여, 힘 세 [surplus power]
어떤 일을 하고 남은[餘] 힘[勢]. ¶우리 팀은 승리의 여세를 몰아 결승전에 진출했다.

여운 餘韻 | 남을 여, 그윽할 운
[aftertaste; aftereffect]
아직 가시지 않고 남아 있는[餘] 그윽함[韻]. ¶영화의 여운이 마음속에 남았다.

여유 餘裕 | 남을 여, 넉넉할 유
[composure; space]
❶속뜻 물질·공간·시간이 남고[餘] 넉넉함[裕]. ¶시간의 여유가 없다. ❷느긋하고 차분하게 생각하거나 행동하는 마음의 상태. 또는 대범하고 너그럽게 일을 처리하는 마음의 상태. ¶여유 있는 태도

여지 餘地 | 남을 여, 땅 지 [scope; space]
❶속뜻 쓰고 남은[餘] 땅[地]. ¶건물 한 채는 충분히 지을 여지가 있다. ❷어떤 일을 하거나 어떤 일이 일어날 가능성이나 희망. ¶선택의 여지가 없다.

여진 餘震 | 남을 여, 떨 진
[after-shock; after tremor]
❶속뜻 큰 지진 뒤에 일어나는 남은[餘] 지진(地震). ❷지리 큰 지진이 일어난 다음에 얼마 동안 잇따라 일어나는 작은 지진. ¶여진은 20분 동안 계속됐다.

여타 餘他 | 남을 여, 다를 타 [others; rest]

그밖에 남은[餘] 다른[他] 일. 또는 다른 것. ¶우리는 침대, 세탁기, 냉장고 그리고 여타 다른 것들을 새 아파트로 옮겼다.

여파 餘波 | 남을 여, 물결 파 [trail; aftereffect]
❶ 속뜻 큰 물결이 지나간 뒤에 일어나는 잔[餘] 물결[波]. ❷어떤 일이 끝난 뒤에 남아 미치는 영향. ¶해일의 여파로 동남아 관광객이 크게 줄었다.

여한 餘恨 | 남을 여, 원한 한 [smoldering grudge]
풀지 못하고 남은[餘] 원한(怨恨). ¶여한을 품다 / 여한이 없다.

• 역순어휘

잉:여 剩餘 | 남을 잉, 남을 여 [surplus]
쓰고 난 나머지[剩=餘]. ¶잉여 식량 / 잉여농산물.

잔여 殘餘 | 남을 잔, 남을 여 [rest]
남은 것[殘=餘]. ¶잔여임기가 두 달 밖에 안 남았다.

0745 [향]

香

향기 향
(部) 香부 (劃) 9획 (中) 香 [xiāng]

香자는 갓 지은 쌀[禾] 밥을 담아 놓은 그릇(그릇 모양이 '日'로 잘못 변함) 위로 솔솔 피어나는 '향기'(fragrance)를 뜻한다. 갑골문에서는 그 향기를 상징하는 네 개의 점이 찍혀 있었으나 후에 쓰기 편하도록 생략됐다.

향기 香氣 | 향기 향, 기운 기 [fragrance]
향긋한[香] 기운(氣運). 꽃이나 향 따위에서 나는 기분 좋은 냄새. ¶은은한 커피 향기 / 향기로운 라일락. (반)악취(惡臭).

향로 香爐 | 향기 향, 화로 로 [incense burner]
향(香)을 피우는 자그마한 화로(火爐). ¶향로에 향을 피우다.

향료 香料 | 향기 향, 거리 료 [aromatic essence]
향기(香氣)를 내는 데 필요한 거리[料]. ¶이 음식에는 특별한 향료를 넣었다.

향수 香水 | 향기 향, 물 수 [perfume]
❶ 속뜻 향기(香氣)가 나는 물[水]. ❷향료를 알코올 따위에 풀어서 만든 액체 화장품의 한 가지. ¶향수를 뿌리다.

• 역순어휘

분향 焚香 | 불사를 분, 향기 향 [burn incense]
향(香)을 사름[焚]. ¶법당에 들어가 불전에 분향하였다.

춘향 春香 | 봄 춘, 향기 향
❶ 속뜻 봄[春]의 향기(香氣)가 물씬 풍김. ❷『춘향전』(春香傳)의 여자 주인공 이름.

0746 [험]

驗

시험 험:
(部) 馬부 (劃) 23획 (中) 验 [yàn]

驗자는 원래 '말'(a horse)의 일종을 나타내기 위하여 고안된 것이었으니 '말 마'(馬)가 표의요소로 쓰였다. 僉(다 첨)이 표음요소임은 險(험할 험)도 마찬가지다. '겪다'(undergo; experience), '효과'(effect)를 뜻하기도 하며 '시험하다'(examine) 또는 이와 의미상 연관이 있는 낱말의 한 구성 요소로도 많이 쓰인다.

속뜻 훈음 ①시험할 험, ②겪을 험, ③효과 험.

• 역순어휘

경험 經驗 | 지날 경, 겪을 험 [experience]
자신이 실제로 해 보거나[經] 겪어봄[驗]. 또는 거기서 얻은 지식이나 기능. ¶경험을 쌓다 / 다양한 경험을 하다. (비)체험(體驗). (반)관념(觀念), 사변(思辨).

수험 受驗 | 받을 수, 시험할 험
[take an examination]
시험(試驗)을 받음[受]. 시험을 치름. ¶수험 자격이 있는지 알아보다.

시험 試驗 | 따질 시, 효과 험 [test; try out]
❶ 속뜻 사물의 성질이나 기능을 따져서[試] 그 효과[驗]를 알아보는 일. ¶성능을 시험하다. ❷재능이나 실력 따위를 일정한 절차에 따라 검사하고 평가하는 일. ¶시험에 합격하다.

실험 實驗 | 실제 실, 겪을 험 [experiment]
❶ 속뜻 실제(實際)로 관찰하여 겪어[驗]봄. ❷과학에서 이론이나 현상을 관찰하고 측정함. ¶화학 실험.

영험 靈驗 | 신령 령, 효과 험
[wonderfully efficacious]
기원하는 대로 되는 신령(神靈)스러운 효과[驗]. ¶비는 대로 뜻이 다 이루어지는 영험이 신통한 바위.

체험 體驗 | 몸 체, 겪을 험 [experience]
몸소[體] 겪어봄[驗]. ¶직접 다양한 체험을 하다.

효:험 效驗 | 효과 효, 겪을 험 [effect; efficacy]
❶ 속뜻 효과(效果)를 실지로 겪어봄[驗]. ❷실제의 효과나 보람. ¶이 약초는 위장병에 효험이 있다.

0747 [려]

麗

고울 려

㊃ 鹿부 ㊄ 19획 ㊥ 丽 [lì]

麗자는 양쪽 뿔이 매우 특이하고 아름다운 사슴 모양을 본뜬 것이다. '한 쌍'(a pair), '한 짝'(a counterpart)이 본래 뜻이었는데, '곱다'(=아름답다, beautiful)는 뜻으로 사용되는 예가 많아지자, 본뜻은 儷(짝 려)를 만들어 나타냈다.

• 역순어휘

수려 秀麗 | 빼어날 수, 고울 려
[beautiful; handsome; fine]
경치나 용모가 빼어나게[秀] 아름답다[麗]. ¶수려한 외모.

화려 華麗 | 빛날 화, 고울 려
[fancy; colorful; gorgeous]
❶속뜻 빛나고[華] 아름답다[麗]. ¶화려한 옷차림. ❷어떤 일이나 생활 따위가 호화롭다. ¶화려한 결혼식.

0748 [조]

鳥 새 조
㊃ 鳥부 ㊄ 11획 ㊥ 鸟 [niǎo]

鳥자는 날짐승, 즉 '새'(birds)를 나타내기 위하여 한 마리의 새 모양을 본뜬 것이다. 네 점은 새의 발가락이 변화된 것이니 '불 화'(火)의 변형인 '灬'로 혼동하지 말아야겠다.

조감 鳥瞰 | 새 조, 볼 감 [bird's eye view]
새[鳥]가 높은 하늘에서 아래를 내려다보는[瞰] 것처럼 전체를 한눈으로 관찰함. ¶언덕 꼭대기에서 저 아래 마을을 조감하다.

조롱 鳥籠 | 새 조, 대그릇 롱 [cage]
새[鳥]를 넣어두고 기르는 장[籠]. ¶새는 조롱 속에서 날개를 파닥이고 있었다.

조류 鳥類 | 새 조, 무리 류
[birds; fowls; feathered tribe]
새[鳥]의 특징을 가진 동물 종류(種類). ¶야생 조류를 연구하다. ㊐날짐승.

조총 鳥銃 | 새 조, 총 총 [fowling piece]
새[鳥]를 잡는 데 쓰는 총(銃).

• 역순어휘

문조 文鳥 | 무늬 문, 새 조 [paddy(bird)]
❶속뜻 예쁜 무늬[文]가 있는 새[鳥]. ❷동물 참새와 비슷하나 등은 회색인 애완용 새.

백조 白鳥 | 흰 백, 새 조 [swan; cob]
❶속뜻 몸이 흰색[白]인 새[鳥]. ❷동물 몸이 순백색이고 다리가 검은 물새. ㊐고니.

타:조 駝鳥 | 낙타 타, 새 조 [an ostrich]
❶속뜻 낙타(駱駝)처럼 몸집이 큰 새[鳥]. 학명 'Struthio camelus'를 의역한 말. ❷동물 날개는 퇴화하여 날지 못하는 큰 새. ¶타조는 시속 90km로 달릴 수 있다.

0749 [당]

黨 무리 당
㊃ 黑부 ㊄ 20획 ㊥ 党 [dǎng]

黨자는 '흐릿하다'(obscure)는 뜻을 위해 고안된 것이니 '검을 흑'(黑)이 표의요소로 쓰였다. 尙(숭상할 상)이 표음요소임은 堂(집 당)도 마찬가지다. 周(주)나라 때 호적 편제 단위로 500가구가 사는 땅을 일러 '1 黨'이라 한 데에서 유래되어 '무리'(a party), '단체'(a group)를 뜻하기도 한다.

당수 黨首 | 무리 당, 머리 수
[leader of a political party]
당(黨)의 우두머리[首].

당원 黨員 | 무리 당, 사람 원 [member of a party]
정당(政黨)에 든 사람[員]. 당적을 가진 사람. ㊐정당원(政黨員).

당쟁 黨爭 | 무리 당, 다툴 쟁 [party strife]
역사 당파(黨派)를 이루어 서로 싸움[爭]. 또는 그 싸움. ¶당쟁을 일삼다 / 국회는 당쟁으로 얼룩졌다. ㊐당파(黨派) 싸움.

당파 黨派 | 무리 당, 갈래 파
[party; school; league]
주장과 이해를 같이하는 사람끼리 무리지어[黨] 나뉜 갈래[派]. ¶당파를 결성하다. ㊐파당(派黨), 파벌(派閥).

• 역순어휘

악당 惡黨 | 악할 악, 무리 당 [villain]
❶속뜻 악(惡)한 사람의 무리[黨]. ❷나쁜 짓을 일삼는 사람. ㊐악한(惡漢).

야:당 野黨 | 들 야, 무리 당 [opposition party]
집권하지 못하여 정권의 밖[野]에 있는 정당(政黨). ¶야당 의원. ㊕여당(與黨).

여:당 與黨 | 도울 여, 무리 당

[Government party]
정부의 정책을 지지하고 참여(參與)하는 정당(政黨). [반] 야당(野黨).

일당 一黨 | 한 일, 무리 당 [ring; gang; party]
❶[속뜻] 목적과 행동을 함께 하는 하나[一]의 무리[黨]. ¶경찰은 일당 4명을 체포했다. ❷하나의 정당 또는 당파. ¶북한은 일당 독재체제를 고수하고 있다.

입당 入黨 | 들 입, 무리 당 [join a political party]
정당(政黨) 등에 가입(加入)함. ¶입당 신청서 / 그는 공화당에 입당했다. [반]탈당(脫黨).

정당 政黨 | 정치 정, 무리 당 [political party]
정치(政治)를 하기 위해 조직한 무리[黨]. 이념이나 주장이 같은 사람들이 모이며, 정권을 잡고 행사하기 위해 노력한다. ¶정당에 가입하다 / 그들은 새로운 정당을 만들었다.

0750 [치]

齒

이 치
[部] 齒부 [劃] 15획 [中] 齿 [chǐ]

齒자의 갑골문은 止(발 지)가 없는 형태였다. 즉, '앞니'를 뜻하기 위하여 앞니 모양을 본뜬 것이었다. 후에 음을 나타내기 위하여 '止'가 첨가됐다. 참고로 '어금니'는 牙자로 나타냈다. 齒가 앞니와 어금니를 통칭하는 '이'(teeth)를 뜻하기도 한다.

치과 齒科 | 이 치, 분과 과 [dental surgery]
[의학] 이[齒]를 전문으로 치료하고 연구하는 의학의 한 분과(分科).

치아 齒牙 | 이 치, 어금니 아 [teeth]
❶[속뜻] 앞니[齒]와 어금니[牙]. ❷사람의 이를 점잖게 이르는 말. ¶치아를 잘 닦아야 한다.

치약 齒藥 | 이 치, 약 약 [toothpaste]
이[齒]를 닦는 데 쓰는 약품(藥品). ¶치약은 끝에서부터 짜서 쓰세요.

치열 齒列 | 이 치, 줄 렬 [set of teeth]
잇몸에 이[齒]가 줄지어[列] 박혀 있는 생김새. ¶치열이 고르지 않다.

치통 齒痛 | 이 치, 아플 통 [toothache]
[의학] 이[齒]가 아픔[痛]. ¶치통이 심해서 제대로 씹을 수가 없다.

• 역순어휘

의:치 義齒 | 해 넣을 의, 이 치
[artificial tooth; set of false teeth]
인공으로 해 넣은[義] 가짜 이[齒]. ¶할머니는 의치를 해 넣으셨다.

충치 蟲齒 | 벌레 충, 이 치
[decayed tooth]
벌레[蟲]가 먹어 상한 이[齒]. ¶양치질하는 습관은 충치 예방에 도움이 된다.

제2부

제2부 실 제 : 한자 및 한자어 지도

9장. 4급 배정한자 250

[0751-1000]

0751 [란]

亂

어지러울 란:
[部] 乙부 [劃] 13획 [中] 乱 [luàn]

亂자의 부수가 편의상 '새 을'(乙)로 지정되어 있지만 의미와는 무관하다. 두 사람이 흐트러진 실을 정리하여 타래로 감는 모양에서 유래된 것으로 '정리하다'(arrange)가 본래 의미였다. 실제로는 그 반대 의미에 가까운 '어지럽다'(disarranged; disturbed; troubled)는 뜻으로도 더 많이 쓰인다.

난:국 亂局 | 어지러울 란, 판 국
[difficult situation]
어지러운[亂] 판국[局]. ¶난국을 헤쳐 나가다.

난:동 亂動 | 어지러울 란, 움직일 동
[make a disturbance]
질서를 어지럽히며[亂] 함부로 행동(行動)함. ¶취객이 난동을 부리다. [비]소동(騷動).

난:리 亂離 | 어지러울 란, 떠날 리 [panic; fuss]
❶[속뜻] 난(亂)을 피하여 떠남[離]. ❷전쟁이나 재변(災變) 따위로 세상이 어지러워진 사태. 또는 그와 비슷하게 복잡하고 소란스러움. ¶난리가 나다 / 별것도 아닌 일로 난리다. [비]전란(戰亂).

난:립 亂立 | 어지러울 란, 설 립
[be all running for election at once]
❶[속뜻] 무질서하고 어지럽게[亂] 늘어섬[立]. ¶무허가 건물이 난립하다. ❷선거 따위에서 많은 후보가 무턱대고 마구 나섬.

난:무 亂舞 | 어지러울 란, 춤출 무
[rampant; be rife]
❶[속뜻] 한데 뒤섞여 어지럽게[亂] 춤을 춤[舞]. ❷함부로 나서서 마구 날뜀. ¶폭력이 난무하다.

난:사 亂射 | 어지러울 란, 쏠 사 [random firing]
어지럽게[亂] 마구 쏨[射]. ¶총을 난사하다. [비]난발(亂發).

난:시 亂視 | 어지러울 란, 볼 시
[astigmatism; distorted vision]
[의학] 각막(角膜)이나 수정체의 굴절면이 고르지 않아 물체가 어지럽게[亂] 보이는[視] 현상.

난:입 亂入 | 어지러울 란, 들 입
[intrude; break into]
함부로 어지럽게[亂] 우르르 몰려 들어감[入]. ¶궁에 난입하여 황후를 시해하다.

난:장 亂場 | 어지러울 란, 마당 장
[scene of confusion and disorder]
❶[속뜻] 어지러운[亂] 곳[場]. ❷난장판. ¶남의 일이라고 그렇게 함부로 난장을 치고 다니면 안 된다. ❸[역사] 과거를 보는 마당에서 선비들이 질서 없이 들끓어 뒤죽박죽이 된 곳.

난:전 亂廛 | 어지러울 란, 가게 전
어지럽게[亂] 널려 있는 가게[廛]. ¶난전에 좌판을 벌여 놓다. [비]노점(露店).

난:중 亂中 | 어지러울 란, 가운데 중
[midst of turmoil; time of war]
전란(戰亂)이 일어난 와중(渦中). ¶난중에 아버지가 돌아가셨다.

난:투 亂鬪 | 어지러울 란, 싸울 투
[confused fight]
양편이 서로 뒤섞여 어지럽게[亂] 싸움[鬪]. ¶난투가 벌어지다.

난:폭 亂暴 | 어지러울 란, 사나울 폭 [violent]
행동이 몹시 거칠고[亂] 사나움[暴]. ¶그는 술에 취하면 난폭해진다.

• 역순어휘 •

광란 狂亂 | 미칠 광, 어지러울 란
[go mad; become frantic]
미친[狂] 듯이 어지럽게[亂] 날뜀. ¶광란 같은 축제가 벌어졌다.

교란 攪亂 | 어지러울 교, 어지러울 란
[disturb; throw into confusion]
마음이나 상황 따위를 뒤흔들어서 어지럽고[攪] 혼란(混亂)하게 함. ¶교란작전을 펼치다.

내:란 內亂 | 안 내, 어지러울 란
[civil war; rebellion]
정부를 뒤엎을 목적으로 나라 안[內]에서 일으킨 난리(亂離). ¶장군은 내란을 평정했다. [비]내전(內戰).

대:란 大亂 | 큰 대, 어지러울 란
[serious disturbance]
❶[속뜻] 큰[大] 난리(亂離). 큰 변란. ❷몹시 어지러움. ¶귀향 인파가 몰려 교통대란이 예상된다.

동:란 動亂 | 움직일 동, 어지러울 란 [disturbance]
폭동(暴動), 반란, 전쟁 따위가 일어나 사회가 질서를 잃고 소란(騷亂)해지는 일. ¶동란이 일어나다 / 동란을 겪다.

문:란 紊亂 | 어지러울 문, 어지러울 란
[disordered; confused]
뒤죽박죽 뒤엉켜[紊] 어지러움[亂]. 질서가 없음. ¶공공질서를 문란하게 하다 / 문란한 생활.

민란 民亂 | 백성 민, 어지러울 란

[popular uprising]
포악한 정치 따위에 반대하여 백성[民]이 일으킨 폭동[亂].

반:란 叛亂 | =反亂, 배반할 반, 어지러울 란
[revolt]
정부나 지배자에게 반항하여[叛] 정국이나 나라를 어지럽게[亂] 하는 것. (비)역란(逆亂).

분란 紛亂 | 어수선할 분, 어지러울 란
[be in confusion]
어수선하고[紛] 떠들썩함[亂]. ¶의견 차이로 반에 분란이 생겼다.

산:란 散亂 | 흩을 산, 어지러울 란
[be littered with; discomposed]
❶[속뜻] 흩어져[散] 어지러움[亂]. ¶장난감을 늘어놓아 방안이 산란하다. ❷어수선하고 뒤숭숭하다. ¶마음이 산란하다. (비)어지럽다.

소란 騷亂 | 떠들 소, 어지러울 란
[noisy; boisterous]
시끄럽게 떠들어[騷] 어수선함[亂]. ¶시장에서 큰 소란이 있었다 / 그들은 소란스런 행동 때문에 도서관에서 쫓겨났다. (비)쟁란(諍亂).

심란 心亂 | 마음 심, 어지러울 란
[disturbed; uneasy]
마음[心]이 뒤숭숭하다[亂]. ¶마음이 심란하여 책을 읽을 수가 없다.

왜란 倭亂 | 일본 왜, 어지러울 란
❶[속뜻] 왜인(倭人)들이 일으킨 난리(亂離). ❷[역사] 임진왜란(壬辰倭亂).

요란 擾亂 | =搖亂, 흔들 요, 어지러울 란
[be noisy]
❶[속뜻] 정신이 흔들리거나[擾] 어지러움[亂]. ¶요란한 옷. ❷시끄럽고 떠들썩함. ¶박수 소리가 요란하다 / 코 고는 소리가 요란스럽다.

음란 淫亂 | 지나칠 음, 어지러울 란
[lewd; lascivious]
❶[속뜻] 지나치게[淫] 문란(紊亂)함. ❷음탕하고 난잡함. ¶음란 사이트 / 음란한 행위.

전:란 戰亂 | 싸울 전, 어지러울 란
[strife; disturbances of war]
전쟁(戰爭)으로 말미암은 난리(亂離). ¶전국이 전란에 휩쓸리게 되었다.

호란 胡亂 | 오랑캐 호, 어지러울 란 [Manchu war]
❶[속뜻] 오랑캐[胡]가 일으킨 난리(亂離). ❷[역사] '병자호란'(丙子胡亂)의 준말.

혼:란 混亂 | 섞을 혼, 어지러울 란
[confused; disordered]
❶[속뜻] 뒤섞여서[混] 어지러움[亂]. ❷뒤죽박죽이 되어 질서가 없음. ¶혼란에 빠지다 / 그 소식은 우리 가족을 혼란스럽게 했다. (비)혼잡(混雜). (반)평온(平穩).

0752 [유]

乳 젖 유
(部) 乙부 (劃) 8획 (中) 乳 [rǔ]

乳자의 '乙'(부수)은 다소곳이 앉은 여인의 모습인 女(여)가 잘못 변화된 것이고, 爪(조)는 손으로 껴안음을 가리키며, 子(자)는 '아들'이 아니라 '아이'를 뜻한다. '젖먹이다'(nurse) 또는 '젖'(milk)이란 뜻을 나타내기 위하여 어머니가 아이를 안고 젖을 먹이는 모습을 그린 것이다.

유두 乳頭 | 젖 유, 머리 두 [nipple; teat]
❶[속뜻] 젖[乳]의 한가운데 머리[頭]처럼 도드라져 나온 꼭지. ❷[생물] 생체 중 젖꼭지 모양으로 된 돌기(突起).

유모 乳母 | 젖 유, 어머니 모 [nanny]
어머니 대신 젖[乳]을 먹여 주는 어미[母]. ¶아기를 유모한테 맡기다.

유방 乳房 | 젖 유, 방 방 [breast; mamma]
❶[속뜻] 젖[乳]을 분비하는 방(房) 형태의 부위. ❷성숙한 여자나 포유류의 암컷의 가슴 또는 배에 달려 있어 아기나 새끼에게 젖을 먹이는 기관. (비)젖, 가슴.

유산 乳酸 | 젖 유, 신맛 산 [lactic acid]
[화학] 발효된 젖[乳] 속에 생기는 산(酸).

유아 乳兒 | 젖 유, 아이 아
[suckling; baby; infant]
젖[乳]을 먹는 나이의 어린아이[兒]. ¶이 가게는 유아들이 먹는 식품만 판매한다.

유화 乳化 | 젖 유, 될 화 [emulsification]
❶[속뜻] 젖[乳]처럼 됨[化]. ❷[물리] 섞이지 않는 두 가지 액체에 약물을 넣어 고르게 섞어 걸쭉한 액체로 만드는 것.

• 역순어휘 •

두유 豆乳 | 콩 두, 젖 유 [soybean milk]
물에 불린 콩[豆]을 간 다음, 물을 붓고 끓여 걸러서 만든 우유(牛乳) 같은 액체.

모:유 母乳 | 어머니 모, 젖 유
[mother's milk; breast milk]
어머니[母]의 젖[乳]. (비)어미젖.

분유 粉乳 | 가루 분, 젖 유 [powdered milk]

가루[粉]로 만든 우유(牛乳). ¶따뜻한 물에 분유를 타다.

수유 授乳 | 줄 수, 젖 유 [nurse; feed]
젖먹이에게 젖[乳]을 먹여 줌[授]. ¶모유를 수유하다.

우유 牛乳 | 소 우, 젖 유 [milk]
소[牛]의 젖[乳]. (비)타락(駝酪).

원유 原乳 | 본디 원, 젖 유 [cows milk; raw milk]
가공하지 않은 원래(原來) 상태의 우유(牛乳). ¶원유의 맛은 상당히 다르다.

이:유 離乳 | 떼놓을 리, 젖 유 [wean]
젖[乳]을 뗌[離]. 밥을 먹이기 위하여 젖을 먹지 않게 함.

포:유 哺乳 | 먹일 포, 젖 유
[give suck to; nurse]
어미가 젖[乳]으로 새끼를 먹여[哺] 기름.

0753 [정]

丁

고무래/장정 정
(部) 一부 (劃) 2획 ㊥丁[dīng, zhēng]

丁자는 원래 '못'(a nail)을 뜻하기 위하여 못 모양을 본뜬 것이었다. 그런데 이것이 '사나이'(a male)란 뜻으로 확대 사용되는 예가 많아지자, 본뜻은 '쇠 금'(金)을 보탠 釘(못 정)자를 만들어 나타냈다. 속칭 '고무래 정'은 고무래와 비슷한 이 글자의 모양에서 유래된 것이지, '고무래'를 뜻하는 것으로 쓰인 예는 없다.

속뜻 훈음 ①장정 정, ②성할 정, ③천간 정

정녕 丁寧 | 장정 정, 편안할 녕
[without fail; by all means; certainly]
❶속뜻 태도 따위가 장정[丁]처럼 편안함[寧]. ❷조금도 틀림없이 꼭. 또는 더 이를 데 없이 정말로 ¶정녕 꿈은 아니겠지요? / 정녕 가시겠다면 고이 보내 드리리다.

정유 丁酉 | 천간 정, 닭 유
민속 천간의 '丁'과 지지의 '酉'가 만난 간지(干支). ¶정유년 생은 닭띠다.

• 역순어휘

백정 白丁 | 흴 백, 사나이 정 [butcher]
❶속뜻 백수(白手) 상태의 사나이[丁]. ❷소나 개, 돼지 따위를 잡는 일을 직업으로 하는 사람.

병정 兵丁 | 군사 병, 장정 정
[serviceman; soldier]
병역(兵役)에 복무하는 장정(壯丁). ¶병정들과 함께 천막 속으로 들어갔다.

장:정 壯丁 | 씩씩할 장, 사나이 정
[strong young man; sturdy youth]
성년이 되어 씩씩하고[壯] 혈기왕성한 사나이[丁]. ¶그는 장정 세 사람 몫의 일을 한다.

0754 [책]

冊

책 책
(部) 冂부 (劃) 5획 ㊥ 册 [cè]

冊자는 오랜 세월에도 불구하고 원래의 모습이 비교적 고스란히 보존되어 있다. 隋唐(수당)시대 이전까지만 해도 종이로 책을 엮는 것이 불가능했다. 그래서 주로 대나무 쪽을 얇게 다듬은 것을 '簡'(간)이라 하고, 거기에다 글을 쓴 다음에 실로 엮어 놓은 것을 '冊'(books)이라 하였다.

책방 冊房 | 책 책, 방 방
[bookseller's; bookstore]
책(冊)을 팔거나 사는 집[房]. ¶책방에서 낡은 책을 하나 사오다. (비)서점(書店).

책상 冊床 | 책 책, 평상 상 [writing table; desk]
책(冊)을 읽거나 글씨를 쓰는 데 쓰는 평상(平床). ¶책상 위에 책을 두었다.

책자 冊子 | 책 책, 접미사 자 [booklet; leaflet]
얇거나 작은 책(冊). ¶학교에 대해 안내하는 책자를 보내다.

책장¹ 冊張 | 책 책, 벌릴 장
[leaf of a book; pages]
책(冊)을 펼치거나 벌임[張]. 또는 그런 종이. ¶조용히 책장을 넘기다.

책장² 冊欌 | 책 책, 장롱 장
[bookshelf; book chest]
책(冊)을 넣어 두는 장롱(欌籠). ¶책장에는 여러 종류의 책이 꽂혀 있다. (비)서가(書架).

• 역순어휘

공책 空冊 | 빌 공, 책 책 [notebook]
글씨를 쓸 수 있게 아무것도 쓰여지지 않은[空] 종이를 매어 놓은 책(冊).

0755 [각]

刻

새길 각
(部) 刀부 (劃) 8획 ㊥ 刻 [kè]

刻자는 '(칼로) 새기다'(inscribe)는 뜻

을 나타내기 위한 것이니 '칼 도'(刀=刂)가 표의요소로 쓰였다. 亥(돼지 해)는 표음요소인데 음이 크게 달라졌다. '시각'(time; hour), 또는 이와 의미상 연관이 있는 낱말의 한 구성 요소로도 쓰인다.

속뜻훈음 ①새길 각, ②시각 각.

각고 刻苦 | 새길 각, 괴로울 고 [work hard]
뼈를 깎아낼[刻] 정도의 괴로움[苦]을 견디며 몹시 애씀. ¶각고의 노력 끝에 작품을 완성했다.

각박 刻薄 | 새길 각, 엷을 박 [severe; harsh]
❶속뜻 마음에 새김[刻]이 매우 엷음[薄]. ❷인정이 없고 야박하다. ¶인심이 각박해지다. ㊥매정하다.

• 역순어휘

목각 木刻 | 나무 목, 새길 각 [wood carving]
그림이나 글씨 따위를 나무[木]에 새김[刻]. ¶목각 활자.

부각 浮刻 | 뜰 부, 새길 각 [relief]
❶미술 조각에서 평평한 면에 글자나 그림 따위를 도드라지게[浮] 새기는[刻] 일. ¶종에 관음보살을 부각하였다. ❷어떤 사물을 특징지어 두드러지게 함. ¶글의 배경은 주제를 더욱 부각했다. ❸주목받는 사람, 사물, 문제 따위로 나타나게 되다. ¶환경오염 문제가 또다시 부각되고 있다.

시각 時刻 | 때 시, 새길 각 [time; hour]
❶속뜻 때[時]를 나타내기 위해 새긴[刻] 점. ❷시간의 어느 한 시점. ¶나는 현지 시각으로 오후 4시에 시카고에 도착했다.

심:각 深刻 | 깊을 심, 새길 각 [be serious]
❶속뜻 마음에 깊이[深] 새김[刻]. ❷매우 중대하고 절실하다. ¶심각한 문제 / 심각한 표정.

양각 陽刻 | 밝을 양, 새길 각 [engrave in relief]
❶속뜻 밝게(陽) 보이도록 도드라지게 새김[刻]. ❷미술 조각에서 평평한 면에 글자나 그림 따위를 도드라지게 새기는 일. 또는 그 조각. ㊥돋을새김. ㉯음각(陰刻).

음각 陰刻 | 응달 음, 새길 각 [intaglio; engrave]
미술 평면에 글씨나 그림 따위를 오목하게[陰] 새김[刻]. 또는 그러한 조각. ¶이 판화는 음각하여 만들었다. ㉯양각(陽刻).

정:각 正刻 | 바를 정, 시각 각 [exact time]
틀림없는 바로[正] 그 시각(時刻). ¶12시 정각에 만나자.

조각 彫刻 | 새길 조, 새길 각 [statue; engrave]
미술 재료를 새기거나[彫=刻] 깎아서 입체 형상을 만듦. 또는 그런 미술 분야. ¶정교한 대리석 조각 / 나무로 비둘기를 조각하다. ㊥조소(彫塑).

즉각 即刻 | 곧 즉, 시각 각
[immediately; instantly; at once]
곧[即] 그 시각(時刻)에. ¶이 약은 즉각 효과가 나타난다.

지각 遲刻 | 늦을 지, 시각 각 [late]
정해진 시각(時刻)보다 늦음[遲]. ¶늦잠을 자서 학교에 지각했다.

투각 透刻 | 뚫을 투, 새길 각 [bratticing]
❶속뜻 구멍을 내어서 통하도록 뚫거나[透] 새김[刻]. ❷미술 조각에서 묘사할 대상의 윤곽만을 남겨 놓고 나머지 부분은 파서 구멍이 나도록 하거나 윤곽만을 파서 구멍이 나도록 만듦. 또는 그런 기법.

0756 [권]

券

문서 권
㉮ 刀부 ㉯ 8획 ㊥ 券 [quàn]

券자는 '계약'(an agreement)을 뜻하기 위한 것이었으니 '칼 도'(刀)가 표의요소로 쓰였다. 아득한 옛날에는 계약 내용을 나무쪽(木簡)에다 써서 칼로 반을 나누어 각각 한 쪽씩 가졌기 때문에 '刀'가 들어가 있다. 위쪽의 것이 표음요소임은 卷(쇠뇌 권)도 마찬가지이다. '문서'(document)를 뜻하는 것으로도 쓰인다.

• 역순어휘

복권 福券 | 복 복, 문서 권 [lottery ticket]
❶속뜻 복(福)을 가져다주는 증서[券]. ❷번호나 그림 따위의 특정 표시를 기입한 표(票). 추첨 따위를 통하여 일치하는 표에 대해서 상금이나 상품을 준다. ¶복권이 당첨되다.

여권 旅券 | 나그네 려, 문서 권 [passport]
❶속뜻 외국에 여행(旅行)하는 것을 승인하는 증서[券]. ❷외국을 여행하는 사람의 신분이나 국적을 증명하고 상대국에 보호를 의뢰하는 공문서.

증권 證券 | 증거 증, 문서 권
[stock; securities]
❶속뜻 증거(證據)가 되는 문서[券]. ❷경제 주식, 공채, 사채 등의 유가증권. ¶증권에 투자하다.

채:권 債券 | 빚 채, 문서 권
[loan bond; debenture]
경제 국가나 회사 등이 필요한 자금[債]을 빌리고자 할 때 발행하는 유가증권(證券). ¶다리를 짓기 위해 채권을 발행하다.

0757 [극]

劇

심할 극

㉿ 刀부 ㉿ 15획 ㊥ 剧 [jù]

劇자는 '심하다'(extreme)는 뜻을 나타내기 위한 것이었는데, 왜 '칼 도'(刀)가 표의요소로 쓰였는지는 정설이 없다. 豦(원숭이 거)는 표음요소로 보는 설이 있다. '연극'(a play) 또는 이와 의미상 연관이 있는 낱말의 한 구성 요소로도 많이 쓰인다.

속뜻훈음 ①심할 극, ②연극 극.

극단 劇團 | 연극 극, 모일 단 [theatrical company]
연영 연극(演劇)의 상연을 목적으로 결성된 단체(團體).

극본 劇本 | 연극 극, 책 본 [script of a play]
연영 연극(演劇)이나 방송극 등의 대본(臺本).

극약 劇藥 | 심할 극, 약 약 [poison]
❶약학 성분이 매우 심하게[劇] 독한 약(藥). 적은 분량으로 사람이나 동물에게 위험을 줄 수 있다. ❷'극단적인 해결 방법'을 비유하여 이르는 말.

극작 劇作 | 연극 극, 지을 작 [write a play]
연극(演劇)의 각본을 씀[作]. ¶극작 활동.

극장 劇場 | 연극 극, 마당 장 [theater]
연극(演劇), 영화, 무용 등을 감상할 수 있도록 무대와 관람석 등 여러 가지 시설을 갖춘 곳[場].

극적 劇的 | 연극 극, 것 적 [dramatic]
❶속뜻 연극(演劇)과 같은 요소가 있는 것[的]. ❷연극을 보는 것처럼 감격적이고 인상적인 것. ¶양측의 협상은 극적으로 타결되었다.

극중 劇中 | 연극 극, 가운데 중
연극(演劇) 가운데[中]. ¶극중 인물의 이름을 다 외웠다.

극화 劇化 | 연극 극, 될 화 [dramatize]
사건이나 소설 따위를 극(劇)의 형식이 되도록 함[化]. ¶이 드라마는 임진왜란을 극화한 것이다. ㊐각색(脚色).

• 역순어휘

비:극 悲劇 | 슬플 비, 연극 극
[tragedy; tragic drama]
❶연영 인생의 불행이나 슬픔을 제재로 하여 슬픈[悲] 결말로 끝맺는 극(劇). ¶『햄릿』은 셰익스피어의 비극이다. ❷매우 비참한 사건. ㊥희극(喜劇).

사:극 史劇 | 역사 사, 연극 극 [historical drama]
연영 역사(歷史)에 있었던 사실을 바탕으로 하여 만든 연극(演劇)이나 희곡(戲曲). '역사극'의 준말.

연:극 演劇 | 펼칠 연, 연극 극 [play; drama]
❶속뜻 극본(劇本)의 내용을 연기로 펼쳐[演] 보임. ❷연영 배우가 무대 위에서 대본(臺本)에 따라 동작과 대사를 통하여 표현하는 예술. ¶내일 연극 보러 갈래?

참극 慘劇 | 끔찍할 참, 연극 극
[tragedy; tragic event]
❶속뜻 끔찍하고[慘] 극적(劇的)인 사건. ❷참혹한 일이나 사건을 연극에 비유하여 이르는 말. ¶많은 사람이 죽거나 다치는 참극이 일어났다.

창:극 唱劇 | 부를 창, 연극 극
[Korean traditional opera]
❶속뜻 노래를 부르며[唱] 하는 연극[劇]. ❷연영 우리나라 구극(舊劇)의 한 가지. 판소리와 창을 중심으로 극적인 대화로 이루어지는 전통 연극.

희극 喜劇 | 기쁠 희, 연극 극 [comedy; farce]
❶속뜻 기쁜[喜] 내용을 담은 연극(演劇). ❷연영 웃음을 주조로 인간과 사회의 문제점을 경쾌하고 흥미 있게 다룬 연극이나 극 형식. ㊥비극(悲劇).

0758 [판]

判

판단할 판

㉿ 刀부 ㉿ 7획 ㊥ 判 [pàn]

判자는 어떤 물건을 칼[刂=刀]로 반[半]씩 두 토막으로 자르는 것을 통하여 '가르다'(divide)는 뜻을 나타낸 것이다. '판가름하다'(judge)는 뜻으로 더 많이 쓰인다.

속뜻훈음 판가름할 판.

판결 判決 | 판가름할 판, 결정할 결 [judge; decide]
❶속뜻 판단(判斷)하여 결정(決定)함. ❷법률 법원이 어떤 소송 사건을 법률에 따라 판단을 내림. ¶죄의 유무를 판결하다.

판단 判斷 | 판가름할 판, 끊을 단
[judge; decide; conclude]
판가름하여[判] 단정(斷定)함. ¶정확한 판단을 내리다 / 너무 성급하게 판단하지 마라.

판명 判明 | 판가름할 판, 밝을 명
[become clear; be known]
사실이 명백(明白)히 판가름[判] 남. ¶그 보도는 거짓임이 판명되었다.

판별 判別 | 판가름할 판, 나눌 별
[distinguish; discern; tell apart]
판단(判斷)하여 구별(區別)함. ¶진짜와 가짜를 판별하다.

판사 判事 | 판가름할 판, 일 사 [judge; justice]
법률 재판(裁判)에 관련된 일[事]. 또는 그런 일을 하는 사람. ¶판사는 그의 무죄를 선고했다.

판서 判書 | 판가름할 판, 글 서
❶ 속뜻 판가름하는[判] 글[書]. ❷ 역사 조선 시대, 육조의 으뜸 벼슬. ¶예조 판서 / 병조 판서.

판이 判異 | 판가름할 판, 다를 이
[completely different]
쉽게 판가름할[判] 정도로 크게 다르다[異]. ¶그들은 형제이지만 성격이 판이하게 다르다.

판정 判定 | 판가름할 판, 정할 정 [judge; decide]
어떤 일을 판별(判別)하여 결정(決定)함. ¶심판은 우리에게 불리한 판정을 내렸다 / 건물이 부실공사로 판정됐다.

• 역순어휘

결판 決判 | 결정할 결, 판가름할 판
[judgement; settlement]
승부나 시비를 결정(決定)짓는 판정(判定). ¶결판이 날 때까지 싸우다.

담판 談判 | 말씀 담, 판가름할 판
[negotiate; have talks]
말[談]을 주고받아 옳고 그름을 판단(判斷)함. ¶담판을 짓다.

비:판 批判 | 따질 비, 판가름할 판
[criticize; review]
❶ 속뜻 잘 따져[批]보고 나서 판단(判斷)함. ❷좋고 나쁨, 옳고 그름을 따져 말함. ¶정부의 새 외교정책은 비판을 불러 일으켰다.

심:판 審判 | 살필 심, 판가름할 판 [judge]
❶ 속뜻 문제가 되는 안건을 심의(審議)하여 판결(判決)을 내리는 일. ¶법의 심판을 받다 / 공정하게 심판하다. ❷ 운동 운동 경기에서 규칙의 적부 여부나 승부를 판정함. 또는 그런 일이나 사람. ¶축구 심판.

오:판 誤判 | 그르칠 오, 판가름할 판 [misjudge]
잘못 보거나 잘못 그르치게[誤] 판단(判斷)함. 또는 잘못된 판단. ¶선수는 심판의 오판에 항의했다.

재판 裁判 | 분별할 재, 판가름할 판
[administer justice; judge]
❶ 속뜻 옳고 그름을 분별하여[裁] 판단(判斷)함. ❷ 법률 구체적인 소송 사건을 해결하기 위하여 법원 또는 법관이 공권적 판단을 내리는 일. ¶형사재판 / 그 사건은 재판 중이다.

참판 參判 | 참여할 참, 판가름할 판
❶ 속뜻 재판(裁判)에 간여함[參]. ❷ 역사 조선 시대, 육조의 종이품 벼슬.

평:판 評判 | 평할 평, 판가름할 판
[fame; reputation; repute]
❶ 속뜻 비평(批評)하여 시비를 판정(判定)함. ❷세상 사람이 비평함. 또는 그 비평. ¶그는 효자라는 평판이 자자하다.

0759 [형]

刑

형벌 형
部 刀부 劃 6획 中 刑 [xíng]

刑 자는 무거운 죄에 대한 '벌'(punishment)을 가리키는 것이었으니 '칼 도'(刀)가 표의 요소이다. 왼쪽의 것이 표음요소임은 形(모양 형), 邢(나라 이름 형)도 마찬가지이다. 이와 반대로 가벼운 죄에 대한 벌은 '罰'(#0661)이라 했다.

형량 刑量 | 형벌 형, 분량 량
형벌(刑罰)의 양(量). ¶범인에게 징역 3년의 형량이 선고되었다.

형무 刑務 | 형벌 형, 일 무 [affairs of prison]
형벌(刑罰)의 집행에 관한 사무(事務)나 업무(業務).

형벌 刑罰 | 형벌 형, 벌할 벌 [punish; penalize]
❶ 속뜻 무거운 죄에 대한 벌[刑]과 가벼운 죄에 대한 벌(罰). ❷ 법률 나라의 법을 어긴 사람에게 그 죄에 맞게 벌을 줌. 또는 그러한 처벌. ¶가혹한 형벌을 내리다.

형법 刑法 | 형벌 형, 법 법 [criminal law]
법률 범죄와 형벌(刑罰)의 내용을 규정한 법률(法律).

형사 刑事 | 형벌 형, 일 사
[criminal case; police detective]
법률 ❶형법(刑法)의 적용을 받는 사건(事件). ¶형사 책임 / 형사소송. ❷주로 사복 차림으로 범죄를 수사하고 범인을 체포하는 따위의 일을 맡은 경찰관. ¶형사들이 마침내 범인을 찾아냈다. 반 민사(民事).

형장 刑場 | 형벌 형, 마당 장 [place of execution]
법률 사형(死刑)을 집행하는 곳[場]. ¶루이 16세는 형장의 이슬로 사라졌다.

• 역순어휘

구형 求刑 | 구할 구, 형벌 형 [demand a penalty]
법률 형사재판에서 피고인에게 어떤 형벌(刑罰)을 줄 것을 검사가 판사에게 요구(要求)하는 일. ¶징역 10년을 구형하다.

극형 極刑 | 다할 극, 형벌 형 [capital punishment]
❶ 속뜻 가장[極] 무거운 형벌(刑罰). ❷사형(死刑)을 달

리 이르는 말. ¶극형을 받다.

사:형 死刑 | 죽을 사, 형벌 형
[condemn to death; put to death]
법률 죄인을 죽이는[死] 형벌(刑罰). ¶사형을 선고하다.

실형 實刑 | 실제 실, 형벌 형 [prison sentence]
법률 실제(實際)로 받는 형벌(刑罰). ¶그는 징역 5년의 실형을 선고받았다.

중:형 重刑 | 무거울 중, 형벌 형
[heavy penalty; severe punishment]
크고 무거운[重] 형벌(刑罰). ¶징역 20년의 중형을 선고받다.

처:형 處刑 | 처할 처, 형벌 형 [punish; execute]
무거운 죄를 범한 죄인에게 형(刑)을 집행함[處]. ¶살인범을 처형하다.

체형 體刑 | 몸 체, 형벌 형
[jail sentence; corporal punishment]
법률 곤장을 치는 것같이 직접 사람의 몸[體]에 가하는 형벌(刑罰).

태형 笞刑 | 볼기칠 태, 형벌 형
[punishment by flogging; whipping]
역사 매로 볼기를 치던[笞] 형벌(刑罰). ¶태형 40대를 맞다.

0760 [권]

勸

권할 권:
部 力부 획 20획 中 劝 [quàn]

勸자는 '힘쓰다'(try hard)는 뜻을 나타내기 위한 것이었으니 '힘 력'(力)이 표의요소임은 누구나 쉽게 알 수 있다. 雚(황새 관)이 표음요소임은 權(저울추 권)도 마찬가지이다. 후에 '권하다'(recommend; counsel), '타이르다'(advise) 등으로 확대 사용됐다.

속뜻 훈음 ①권할 권, ②타이를 권.

권:고 勸告 | 타이를 권, 알릴 고
[advise; counsel]
타이르고[勸] 알려 줌[告]. 또는 그런 말. ¶금연을 권고하다. ㊐충고(忠告). ㊥만류(挽留).

권:선 勸善 | 권할 권, 착할 선
[encourage to do good]
❶속뜻 착한[善] 일을 하도록 권장(勸奬)함. ❷불교 불사를 위하여 신자들에게 보시(布施)를 청함.

권:유 勸誘 | 권할 권, 꾈 유 [advise; suggest]
어떤 일 따위를 하도록 권(勸)하고 유도(誘導)함. ¶가입을 권유하다. ㊐권고(勸告), 권장(勸奬).

권:장 勸奬 | 권할 권, 장려할 장
[encourage; recommend; promote]
권(勸)하여 장려(奬勵)함. ¶저축을 권장하다. ㊐장려(奬勵), 권유(勸誘).

0761 [근]

勤

부지런할 근(:)
部 力부 획 13획 中 勤 [qín]

勤자는 '일하다'(serve; work)는 뜻을 글로 적기 위한 것이었다. 일은 힘이 들기 마련이었으니 '힘 력'(力)이 표의요소로 쓰였다. 왼쪽의 것이 표음요소임은 槿(무궁화나무 근), 謹(삼갈 근)도 마찬가지이다. '부지런하다'(diligent)는 뜻으로도 더 많이 쓰인다.

속뜻 훈음 ①부지런할 근, ②일할 근.

근:검 勤儉 | 부지런할 근, 검소할 검
[diligence and frugality]
부지런하고[勤] 검소(儉素)함. ¶근검 절약 / 근검하는 생활 태도.

근:로 勤勞 | 부지런할 근, 일할 로
❶속뜻 힘써 부지런히[勤] 일함[勞]. ❷일정한 시간에 일정한 일을 함. ㊐노동(勞動), 근무(勤務). ㊥휴식(休息).

근:면 勤勉 | 부지런할 근, 힘쓸 면
[hard work; diligence]
부지런히[勤] 일에 힘씀[勉]. ¶그는 매사에 성실하고 근면하다. ㊥나태(懶怠).

근:무 勤務 | 부지런할 근, 일 무 [service; duty]
직장 등에서 부지런히[勤] 맡은 일[務]을 함. ¶충실히 근무하다. ㊐근로(勤勞).

근:속 勤續 | 부지런할 근, 이을 속
[continuous service]
근무(勤務)를 계속(繼續)함. 한 일자리에서 오래 근무함. ¶아버지는 30년을 이곳에서 근속하셨다.

• 역순어휘

개근 皆勤 | 모두 개, 부지런할 근
[attend regularly]
하루도 빠짐없이 모두[皆] 출석하거나 출근(出勤)함. ¶나는 3년 동안 개근했다.

결근 缺勤 | 빠질 결, 부지런할 근 [be absent]
근무(勤務)해야 할 날에 나오지 않고 빠짐[缺]. ¶그는 독감 때문에 결근하였다. ㊥출근(出勤).

야:근 夜勤 | 밤 야, 부지런할 근

[be on night work]
퇴근 시간이 지나 밤[夜] 늦게까지 하는 근무(勤務). ¶요즘 계속되는 야근으로 정말 피곤하다.

전:근 轉勤 | 옮길 전, 일할 근 [transfer]
자리를 옮겨[轉] 일함[勤]. 근무처를 옮김. ¶그는 다른 도시의 학교로 전근했다.

출근 出勤 | 날 출, 일할 근 [go to the office]
일하러[勤] 나감[出]. ¶오늘 출근이 조금 늦었다. [반]결근(缺勤), 퇴근(退勤).

통근 通勤 | 다닐 통, 일할 근
[attend office; go to work]
멀리 다니며[通] 직장 일을 함[勤]. ¶통근 버스

퇴:근 退勤 | 물러날 퇴, 일할 근 [leave the office]
하루 일과[勤]를 마치고 직장에서 물러나옴[退]. ¶일이 밀려서 아직 퇴근을 못하고 있다. [반]출근(出勤).

0762 [면]

勉

힘쓸 면:
[部] 力부 [획] 9획 [中] 勉 [miǎn]

勉자는 '힘쓰다'(try hard)는 뜻을 나타내기 위하여 만들어진 것이니, '힘 력(力)이 표의요소로 쓰인 것은 쉽게 알 수 있다. 免(면할 면)은 표음요소이니 뜻과는 무관하다.

면:려 勉勵 | 힘쓸 면, 힘쓸 려
[be industrious; be diligent]
❶[속뜻] 남에게 힘쓰도록[勉] 격려(激勵)함. ❷스스로 힘써 함.

• 역순어휘

근:면 勤勉 | 부지런할 근, 힘쓸 면
[hard work; diligence]
부지런히[勤] 일에 힘씀[勉]. ¶그는 매사에 성실하고 근면하다. [반]나태(懶怠).

0763 [점]

占

점령할/점칠 점(:)
[部] 卜부 [획] 5획 [中] 占 [zhān, zhàn]

占자는 '점치다'(ask fortune)는 뜻을 나타내기 위하여 '점 복(卜)과 '입 구'(口) 두 개의 힌트가 주어져 있다. 후에 '차지하다'(occupy)는 뜻으로도 쓰이게 됐다.

[속뜻훈음] ①차지할 점, ②점칠 점.

점거 占據 | 차지할 점, 근거할 거 [hold; occupy]
어떤 장소를 차지하여[占] 근거지(根據地)로 삼음. ¶폭도들이 그 건물을 점거했다. [비]점령(占領).

점괘 占卦 | 점칠 점, 걸 괘 [divination sign]
[민속]점(占)을 쳐서 나오는 괘(卦). ¶점괘가 좋다.

점령 占領 | 차지할 점, 거느릴 령
[occupy; capture]
❶[속뜻]차지하여[占] 거느림[領]. ❷교전국의 군대가 적국의 영토에 들어가 그 지역을 군사적으로 지배함. ¶영국군은 거문도를 점령했다.

점성 占星 | 점칠 점, 별 성 [horoscope]
별[星]의 빛이나 위치, 운행 따위를 보고 길흉을 점 침[占].

점유 占有 | 차지할 점, 있을 유
[possession; occupation]
물건이나 영역, 지위 따위를 차지하고[占] 있음[有]. ¶불법 점유 / 그 회사는 국내 가전제품 시장의 40%를 점유하고 있다.

• 역순어휘

강:점 強占 | 억지 강, 차지할 점 [occupy by force]
억지로[強] 빼앗아 차지함[占]. ¶일본은 대한제국을 강점했다.

독점 獨占 | 홀로 독, 차지할 점 [monopoly]
❶[속뜻] 혼자서[獨] 모두 차지함[占]. ¶그는 우리와 독점 계약을 맺었다. ❷[경제] 한 기업(개인)이 생산과 시장을 지배하여 이익을 독차지함. ¶석유 판매를 독점하다. [비]독차지. [반]공유(共有).

매:점 買占 | 살 매, 차지할 점 [corner; buy up]
[경제] 가격이 오르거나 물건이 부족할 것을 예상하고 미리 사서[買] 재두는[占] 것.

0764 [후]

厚

두터울 후:
[部] 厂부 [획] 9획 [中] 厚 [hòu]

厚자가 지금은 '厂+日+子'의 구조로 되어 있지만, 원래는 언덕[厂] 아래 있는 두툼한 그릇을 본뜬 것이라고 한다. 따라서 '날'(日)이나 '아이'(子)를 의미와 연관시키면 안 된다. '두껍다'(thick), '두텁다'(cordial), '후하다'(kind-hearted)는 의미로 쓰인다.

후:사 厚謝 | 두터울 후, 고마워할 사
[recompense handsomely; thank heartily]
후(厚)하게 사례(謝禮)함. ¶범인을 찾아주면 후사하겠

습니다.

후:생 厚生 | 두터울 후, 날 생
[welfare of people; public welfare]
생활(生活)을 넉넉하게[厚] 함. ¶복지 후생 시설.

• 역순어휘

농후 濃厚 | 짙을 농, 두터울 후 [thick; heavy]
❶[속뜻] 빛깔이 짙고[濃] 두께가 두꺼움[厚]. ❷그럴 가능성이나 요소 따위가 다분히 있다. ¶그가 범인일 가능성이 농후하다. [반]희박(稀薄)하다.

중후 重厚 | 무거울 중, 두터울 후
[be grave and generous]
❶[속뜻] 태도 따위가 무게가 있고[重] 부피가 있다[厚]. ¶그 신사는 중후한 멋을 풍긴다. ❷작품이나 분위기가 엄숙하고 무게가 있다. ¶집의 실내는 중후한 느낌의 가구들로 꾸며져 있다.

0765 [숙]

叔

아재비 숙
[部] 又부 [획] 8획 [中] 叔 [shū]

叔자는 손[又]으로 콩 꼬투리를 줍는 모습을 본뜬 것으로 '콩'(beans)을 뜻하는 것이었다. 후에 '아버지의 아우'(father's brother), '형제 가운데 셋째'(the third in brothers), '아저씨'(=삼촌, an uncle) 등으로 차용되는 예가 많아지자, '콩'은 '菽'(콩 숙)자를 따로 만들어 나타냈다.

[속뜻훈음] 아저씨 숙.

숙모 叔母 | 아저씨 숙, 어머니 모 [aunt]
삼촌[叔]의 아내를 어머니[母]처럼 높여 이르는 말. 작은 어머니. [반]백모(伯母).

숙부 叔父 | 아저씨 숙, 아버지 부 [uncle]
삼촌[叔]을 아버지[父]처럼 높여 이르는 말. 작은 아버지. [반]백부(伯父).

숙질 叔姪 | 아저씨 숙, 조카 질
[uncle and his nephew]
아저씨[叔]와 조카[姪].

• 역순어휘

당숙 堂叔 | 집 당, 아저씨 숙
[male cousin of one's father; uncle]
'종숙'(從叔)을 친근하게[堂] 일컫는 말. 아버지의 사촌 형제.

시숙 媤叔 | 시가 시, 아저씨 숙
[brothers of one's husband]
시가(媤家) 남편의 형제[叔]. [비]아주버니.

외:숙 外叔 | 밖 외, 아저씨 숙 [maternal uncle]
외가(外家) 쪽의 숙부(叔父). [비]외삼촌(外三寸).

0766 [걸]

傑

뛰어날 걸
[部] 人부 [획] 12획 [中] 杰 [jié]

傑자는 '재주와 슬기가 뛰어난 사람'(a great man)을 일컫기 위해서 만들어진 글자이니 '사람 인'(亻)이 표의요소로 쓰였다. 桀(홰 걸)은 표음요소이니 뜻과는 무관하다. 후에 '뛰어나다'(outstanding)는 뜻으로도 확대 사용됐다.

걸물 傑物 | 뛰어날 걸, 만물 물 [great man]
뛰어난[傑] 사람[物].

걸작 傑作 | 뛰어날 걸, 지을 작 [masterpiece]
❶[속뜻] 매우 뛰어난[傑] 작품(作品). ¶피카소의 걸작만을 골라 전시하다. ❷'익살스러운 사람'을 비꼬아 이르는 말. ¶사실이 탄로나자 그의 표정은 정말 걸작이었다. [비]명작(名作). [반]졸작(拙作).

• 역순어휘

호걸 豪傑 | 호쾌할 호, 뛰어날 걸
[hero; outstanding man]
성격이 호쾌(豪快)하고 외모가 뛰어난 사람[傑]. ¶그는 천하의 호걸이다.

0767 [검]

儉

검소할 검:
[部] 人부 [획] 15획 [中] 俭 [jiǎn]

儉자는 '수수하다'(frugal)는 뜻을 나타내기 위한 것인데 '사람 인'(亻)이 표의요소인 것을 보니 수수한 것을 사람의 미덕으로 여겼나 보다. 僉(다 첨)이 표음요소임은 檢(봉함 검), 劍(칼 검)도 마찬가지이다. '검소하다'(frugal; thrifty)와 의미상 연관이 있는 낱말의 한 구성요소로도 애용된다.

[속뜻훈음] ①검소할 검, ②수수할 검.

검:소 儉素 | 수수할 검, 수수할 소
[frugal; simple]
치레하지 않고 수수함[儉=素]. 꾸밈없이 무던함. ¶옷차림이 검소하다.

검:약 儉約 | 검소할 검, 아낄 약
[economize in; thrifty]
검소(儉素)하고 절약(節約)함. ¶생활비를 검약하다. ⓗ절약(節約). ⓑ사치(奢侈).

• 역순어휘

근:검 勤儉 | 부지런할 근, 검소할 검
[diligence and frugality]
부지런하고[勤] 검소(儉素)함. ¶근검 절약 / 근검하는 생활 태도.

0768 [경]

傾
기울 경
㊄ 人부 ㊅ 13획 ㊥ 倾 [qīng]

傾자를 '化(화)+頁(혈)'의 구조로 보기 쉬운데, '人(인)+頃(경)'의 구조로 보아야 옳다. '사람 인'과 '기울 경'이 합쳐진 것으로, '(머리를) 기울이다'가 본뜻이다. 이 경우 頃자는 표음요소를 겸하는 셈이다.

경사 傾斜 | 기울 경, 비낄 사 [slant; slope]
❶속뜻 기울어지고[傾] 비스듬한[斜] 정도나 상태. ❷지층면과 수평면이 어떤 각도를 이룸. 또는 그 각도. ¶바닥이 약간 경사가 졌다. ⓗ기울기.

경주 傾注 | 기울 경, 부을 주 [pour into]
❶속뜻 액체가 들어 있는 그릇 따위를 기울여[傾] 부음[注]. ❷정신이나 힘을 한곳에만 기울임. ¶국가 발전에 온 힘을 경주하다.

경청 傾聽 | 기울 경, 들을 청 [hear; listen]
귀를 기울여[傾] 주의해 들음[聽]. 귀담아 들음. ¶그의 연설을 경청하다.

경향 傾向 | 기울 경, 향할 향 [tendency; trend]
어떤 방향(方向)으로 기울어[傾] 쏠림. 또는 그런 방향. ¶그는 통계수치를 과신하는 경향이 있다.

0769 [복]

伏
엎드릴 복
㊄ 人부 ㊅ 6획 ㊥ 伏 [fú]

伏자는 '엎드리다'(prostrate)는 뜻을 나타내기 위하여, 사람[亻]의 발아래 엎드려 있는 개의 모습을 본뜬 것이다. '숨기다'(hide)는 뜻으로도 쓰인다.
속뜻훈음 ①엎드릴 복, ②숨길 복.

복병 伏兵 | 숨길 복, 군사 병
[ambush; surprise rival]
❶군사 적을 기습하기 위하여 적이 지날 만한 길목에 숨겨 놓은[伏] 군사[兵]. ¶이곳에 적의 복병이 있다. ❷어디엔가 숨어 있다 나타난 뜻밖의 경쟁 상대. ¶결승전에서 뜻밖의 복병을 만나다.

복선 伏線 | 숨길 복, 줄 선
[advance hint; convert reference]
❶속뜻 숨겨 놓은[伏] 줄[線]. ❷만일의 경우에 대비하여 남모르게 미리 꾸며 놓은 일. ¶복선을 가지고 있다. ❸문학 소설이나 희곡 따위에서 앞으로 일어날 사건에 대하여 미리 독자에게 넌지시 암시하는 서술. ¶복선을 깔다.

• 역순어휘

기복 起伏 | 일어날 기, 엎드릴 복
[rise and fall; ups and downs]
❶속뜻 일어났다[起] 엎드렸다[伏] 함. ❷지세(地勢)가 높아졌다 낮아졌다 함. 또는 그런 상태. ❸세력이 강해졌다 약해졌다 함. ¶감정의 기복이 심하다. ⓗ굴곡(屈曲).

말복 末伏 | 끝 말, 엎드릴 복
삼복(三伏)의 마지막[末] 복날[伏]. 입추(立秋)부터 첫째 경일(庚日).

매복 埋伏 | 묻을 매, 숨길 복 [ambush; lie in]
❶속뜻 으슥한 곳에 몸을 묻어[埋] 숨어 있음[伏]. ❷적군을 기습하기 위하여 적당한 곳에 숨어서 기다리는 일. ¶많은 병사가 적에게 매복공격을 당했다.

삼복 三伏 | 석 삼, 엎드릴 복
초복(初伏), 중복(中伏), 말복(末伏)의 세[三] 복(伏)날을 통틀어 이르는 말. ¶삼복에 삼계탕을 먹었다.

잠복 潛伏 | 잠길 잠, 엎드릴 복 [stake out]
❶속뜻 물속에 잠겨 있거나[潛] 땅바닥에 엎드려 있음[伏]. ❷겉으로 드러나지 아니함. ¶그는 잠복해 있다가 범인을 잡았다. ❸의학 병에 감염되어 있으면서도 증상이 겉으로 드러나지 않음. ¶이 병은 잠복 기간이 2주 정도이다.

중복 中伏 | 가운데 중, 엎드릴 복
삼복(三伏)의 가운데[中] 있는 복(伏)날. ¶중복 더위가 한창이다.

초복 初伏 | 처음 초, 엎드릴 복
삼복(三伏)의 첫[初] 번째 복(伏)날.

항복 降伏 | =降服, 굴복할 항, 엎드릴 복
[surrender]
❶속뜻 투항(投降)할 뜻으로 몸을 엎드림[伏]. ❷전쟁 등에서 자신이 진 것을 인정하고 상대방에게 굴복함. ¶왜군은 결국 이순신장군에게 항복했다.

0770 [상]

傷

다칠 상
部 人부 劃 13획 中 伤 [shāng]

傷자는 '다친 사람'(a wounded person)을 나타내기 위한 것이었으니 '사람 인'(亻)이 표의요소로 쓰였다. 그 나머지가 표음과 관련이 있는 것임은 觴(술잔 상)과 慯(근심할 상)을 통하여 알 수 있다. 후에 '다치다'(get hurt), '상하다'(harm; impair; grieve)로 확대 사용됐다.

속뜻 훈음 **①다칠 상, ②상할 상.**

상심 傷心 | 상할 상, 마음 심 [grieve; sorrow]
슬픔이나 걱정 따위로 마음[心]이 상(傷)함. 마음을 아프게 함. ¶그는 아내를 잃고 상심에 빠졌다.

상이 傷痍 | 다칠 상, 상처 이 [wound; injury]
다쳐서[傷] 상처[痍]를 입음. 부상을 당함. ¶상이군인.

상처 傷處 | 다칠 상, 곳 처 [wound; injury]
다친[傷] 곳[處]. ¶상처에 약을 바르다.

상해 傷害 | 다칠 상, 해칠 해 [injury; bodily harm]
몸을 다치거나[傷] 해(害)를 입힘. ¶그는 자동차 사고로 전치 4주의 상해를 입었다.

상흔 傷痕 | 다칠 상, 흉터 흔 [scar]
다친[傷] 자리에 남은 흔적(痕跡). ¶전쟁의 상흔이 남아 있다.

• 역순어휘 •

감:상 感傷 | 느낄 감, 상할 상 [sentiment]
❶속뜻 좋게 느껴[感]지지 않아 마음이 상(傷)함. ❷하찮은 사물에도 쉽게 슬픔을 느끼는 마음. ¶떨어지는 낙엽을 보고 감상에 빠졌다.

경상 輕傷 | 가벼울 경, 다칠 상 [slight wound]
가벼운[輕] 상처(傷處). ¶경상을 입다. 반 중상(重傷).

동:상 凍傷 | 얼 동, 상할 상 [frostbite; chilblains]
의학 추위 때문에 살갗이 얼어서[凍] 조직이 상(傷)함. ¶동상에 걸리다.

부:상 負傷 | 질 부, 다칠 상 [injury; wound]
몸에 상처(傷處)를 입음[負]. ¶교통사고로 머리에 부상을 입었다. 비 상이(傷痍).

사:상 死傷 | 죽을 사, 다칠 상 [death and injury; casualties]
죽거나[死] 다침[傷]. ¶사상자(死傷者).

살상 殺傷 | 죽일 살, 다칠 상 [kill and injure; shed blood]
죽이거나[殺] 부상(負傷)을 입힘. ¶적군을 모조리 살상했다.

손:상 損傷 | 덜 손, 다칠 상 [damage; injure]
온전한 것이 덜거나[損] 다침[傷]. ¶손상되지 않도록 잘 다루다.

외:상 外傷 | 밖 외, 다칠 상 [external injury]
의학 몸의 겉[外]에 생긴 상처(傷處)를 통틀어 이르는 말. ¶외상보다 눈에 보이지 않는 내상(內傷)이 더 위험할 수 있다.

중상[1] 中傷 | 가운데 중, 다칠 상 [slander]
중간(中間)에서 터무니없는 말로 남을 헐뜯어 명예를 손상(損傷)시킴.

중:상[2] 重傷 | 무거울 중, 다칠 상 [serious injury]
심하게[重] 다침[傷]. 또는 몹시 다친 상처. ¶교통사고로 사람들이 중상을 입었다. 반 경상(輕傷).

총상 銃傷 | 총 총, 다칠 상 [bullet wound]
총(銃)에 맞아 다친 상처(傷處). ¶어깨에 총상을 입다.

파:상 破傷 | 깨뜨릴 파, 다칠 상 [injury; wound]
깨지고[破] 다침[傷]. 또는 그 상처.

화:상 火傷 | 불 화, 다칠 상 [(skin) burn]
뜨거운 열[火]에 다침[傷]. 또는 그렇게 입은 상처. ¶온몸에 화상을 입었다.

0771 [우]

優

넉넉할 우
部 人부 劃 17획 中 优 [yōu]

優자는 '(배불리) 먹다'(eat)는 뜻을 나타내기 위한 것인데 '사람 인'(人)이 표의요소로 쓰인 것을 보니, 당시 사람들은 누구나 배불리 먹기가 소원이었기 때문인 듯하다. 憂(근심할 우)는 표음요소이니 뜻과는 무관하다. '넉넉하다'(sufficient), '뛰어나다'(be superior to), '광대'(a player) 등으로 쓰인다.

속뜻 훈음 **①넉넉할 우, ②뛰어날 우, ③광대 우.**

우대 優待 | 넉넉할 우, 대우할 대 [give preference to]
특별히 잘[優] 대우(待遇)함. 또는 그런 대우. 위대(爲待). ¶무역 우대 조치.

우등 優等 | 넉넉할 우, 무리 등 [excellence]
❶속뜻 우수(優秀)한 등급(等級). ❷성적 따위가 우수한 것. 또는 그런 성적. ¶그는 6년 내내 우리 반에서 우등을 놓치지 않은 모범생이었다. 반 열등(劣等).

우량 優良 | 뛰어날 우, 좋을 량 [superior]
물건의 품질이나 상태가 매우[優] 좋음[良]. ¶우량기업.

우선 優先 | 뛰어날 우, 먼저 선 [preference]
딴 것에 앞서[先] 특별하게[優] 대우함. ¶그에게는 친구들보다 공부가 우선이다.

우세 優勢 | 뛰어날 우, 형세 세 [superior]
남보다 나은[優] 형세(形勢). ¶우세 국면 / 그들이 이길 것이라는 전망이 우세하다. ㊥열세(劣勢).

우수 優秀 | 뛰어날 우, 빼어날 수 [excellent]
뛰어나고[優] 빼어남[秀]. ¶우수사원 / 이 제품은 품질이 우수하다. ㊥열등(劣等).

우승 優勝 | 뛰어날 우, 이길 승 [win the victory]
❶속뜻 실력이 뛰어난[優] 선수가 이김[勝]. ❷경기 따위에서 첫째로 이김. 또는 첫째 등위. ¶영광스러운 우승 / 그는 테니스에서 우승했다.

우아 優雅 | 넉넉할 우, 고울 아 [be elegant]
품위 있게 넉넉하고[優] 곱다[雅]. 부드럽고 곱다. ¶우아한 자태 / 그녀는 우아하게 춤을 추었다.

우열 優劣 | 넉넉할 우, 못할 렬
[superiority and inferiority]
❶속뜻 넉넉함[優]과 그렇지 못함[劣]. ❷우수함과 열등함. ¶실력의 우열을 가리다.

우월 優越 | 뛰어날 우, 넘을 월
[superior; better than]
뛰어나게[優] 월등(越等)함. ¶경제적 우월 / 현지는 공부 좀 잘한다고 자신이 나보다 우월하다고 생각한다.

우위 優位 | 뛰어날 우, 자리 위 [higher position]
남보다 나은[優] 위치(位置)나 수준. ¶비교 우위 / 군사력에서 그 나라는 우리보다 우위에 있다.

우유 優柔 | 넉넉할 우, 부드러울 유
❶속뜻 마음이 넉넉하고[優] 부드러움[柔]. ❷끊고 맺는 데가 없다.

• 역순어휘

배우 俳優 | 광대 배, 광대 우 [player; actor]
❶속뜻 익살을 잘 부리는 광대[俳]와 연극을 잘하는 광대[優]. ❷연영 영화나 연극 등에서 극중의 인물로 꾸며 연기하는 사람. ¶그녀는 배우 지망생이다 / 주연 배우.

성우 聲優 | 소리 성, 광대 우
[radio actor; dubbing artist]
연영 목소리[聲]만으로 출연하는 배우(俳優).

0772 [유]

儒
선비 유
㊀人부 ㊁16획 ㊥儒 [rú]

儒자는 원래 뛰어난 꾀를 지닌 사람, 즉 '術士'(술사, a man of resources)를 뜻하기 위해서 고안된 것이었으니 '사람 인'(人)이 표의요소로 쓰였다. 需(구할 수)가 표음요소임은 孺(젖먹이 유)도 마찬가지이다. 공자의 학문이 세상에 큰 빛을 발한 후로는 '공자의 가르침'(=유학, Confucian instructions)을 지칭하기도 하며, '학자'(a scholar), '선비'(a learned man) 등을 뜻하기도 한다.

속뜻훈음 ①유학 유, ②선비 유.

유교 儒教 | 유학 유, 종교 교 [Confucianism]
유학(儒學)을 종교(宗教)의 관점에서 이르는 말. 삼강오륜을 덕목으로 하며 사서삼경을 경전으로 한다. ¶유교 문화권 / 조선 시대에는 유교를 국가의 통치 이념으로 삼았다.

유생 儒生 | 유학 유, 사람 생
[student of Confucianism]
유학(儒學)을 공부하는 사람[生]. ¶전국 각지의 유생들이 상소(上疏)를 올렸다.

유학 儒學 | 선비 유, 배울 학 [Confucianism]
❶속뜻 선비[儒]들이 공부하던 학문(學問). ❷공자의 사상을 근본으로 하고 사서오경(四書五經)을 경전으로 삼아 정치·도덕의 실천을 중심 과제로 하는 학문. ¶조선 시대에는 유학을 숭상하였다.

0773 [의]

依
의지할 의
㊀人부 ㊁8획 ㊥依 [yī]

依자의 갑골문은 '옷 의'(衣) 안에 '사람 인'(亻)이 들어가 있는 구조였다. '(옷을) 입다'(put on)가 본뜻이다. 사람은 털이 거의 없으니 추위를 피하기 위하여 옷에 의지할 수밖에 없었기 때문인지, '의지하다'(depend on), '기대다'(rely on)는 뜻으로 확대 사용됐다.

속뜻훈음 ①의지할 의, ②기댈 의.

의거 依據 | 기댈 의, 근거할 거
[be based on; conform to]
어떤 사실이나 원리 따위에 기대거나[依] 근거함[據]. ¶규정에 의거하여 결정하다.

의뢰 依賴 | 의지할 의, 맡길 뢰
[depend on; request]
❶속뜻 의지(依支)하여 맡김[賴]. ❷남에게 부탁함. ¶그는 경찰에 수사를 의뢰했다.

의존 依存 | 의지할 의, 있을 존 [depend on]
남에게 의지(依支)하여 존재(存在)함. ¶지나친 의존에서 벗어나다. ㊥자립(自立).

의지 依支 | 기댈 의, 버틸 지 [lean on]
❶속뜻 다른 것에 기대어[依] 몸을 지탱(支撑)함. 또는 그렇게 하는 대상. ¶문기둥을 의지하여 간신히 서 있다 / 할머니는 지팡이에 의지하여 걸었다. ❷다른 것에 마음을 기대어 도움을 받음. 또는 그렇게 하는 대상. ¶언니는 나에게 큰 의지가 되었다 / 의지할 수 있는 사람이 필요하다.

의타 依他 | 의지할 의, 다를 타 [lean on]
남[他]에게 의지(依支)함.

• 역순어휘 ──────── •

귀:의 歸依 | 돌아갈 귀, 의지할 의 [be converted (to Buddhism)]
❶속뜻 돌아가거나 돌아와[歸] 몸을 의지(依支)함. ❷종교 불교 등에서 절대자에게 돌아가 의지하여 구원을 청함.

0774 [의]

儀

거동 의
㊀ 人부 ㊁ 15획 ㊥ 仪 [yí]

儀자는 생활상의 예법과 제도, 즉 '법도'(a regulation)를 나타내기 위한 것이었으니 '사람 인'(亻)이 표의요소이다. 사람[亻]이 남들[人]과 더불어 사람답게 살아가자면 법도가 있어야함을 옛 사람들도 너무나 잘 알고 있었던 것이다. 義(옳을 의)는 표음요소이다. '거동'(behavior)을 뜻하기도 하며, '예의'(courtesy), '의식'(a ceremony) 또는 이와 의미상 연관이 있는 낱말의 한 구성 요소로도 쓰인다.

속뜻훈음 ①예의 의, ②의식 의, ③거동 의

의식 儀式 | 예의 의, 법 식 [ceremony; formality]
예의(禮儀)를 갖추는 방식(方式). 행사를 치르는 정해진 법식. ¶의식을 거행하다.

의장 儀仗 | 의식 의, 지팡이 장
역사 나라 의식(儀式)에 쓰는 지팡이[仗]. 무기, 일산, 월부, 깃발 따위의 물건.

• 역순어휘 ──────── •

부:의 賻儀 | 도울 부, 예의 의 [goods to aid in a funeral; condolence gift]
상가에 부조를 보내는[賻] 예의(禮儀). 또는 그런 돈이나 물품.

예의 禮儀 | 예도 례, 거동 의 [good manners]
존경의 뜻을 표하기 위하여 예(禮)로써 나타내는 말투나 몸가짐[儀]. ¶예의가 바르다 / 예의를 차리다 / 예의를 지키다.

장:의 葬儀 | 장사 지낼 장, 의식 의 [funeral]
장사(葬事)를 지내는 의식(儀式). ¶어머니는 장의를 치르는 내내 눈물을 흘렸다. ㊈장례(葬禮), 장사(葬事).

축의 祝儀 | 빌 축, 의식 의 [celebration]
축하(祝賀)하는 의례나 의식(儀式). ¶축의를 표하다.

0775 [인]

仁

어질 인
㊀ 人부 ㊁ 4획 ㊥ 仁 [rén]

仁자는 '사람 인'(人)과 '둘 이'(二), 두 표의요소가 조합된 것이다. 남과 더불어 둘이 아니라 하나를 이루는, 즉 '친하다'(intimate)가 본래 의미인데, '어질다'(merciful)는 뜻으로 많이 쓰인다.

인자 仁慈 | 어질 인, 사랑할 자 [be benevolent]
마음이 어질고[仁] 남을 사랑함[慈]. ¶할머니는 늘 인자한 미소로 나를 반겨주셨다.

0776 [후]

候

기후 후(:)
㊀ 人부 ㊁ 10획 ㊥ 候 [hòu]

候자는 '(남의 동정) 살피다'(feel out)란 뜻을 나타내기 위한 것이었으니, '사람 인'(亻)이 표의요소로 쓰였다. 오른쪽의 것은 표음요소였다고 한다. 후에 '기다리다'(wait), '조짐'(symptoms; signs), '날씨'(=기후, weather) 등을 뜻하는 것으로 확대 사용됐다. 侯(제후 후), 俟(기다릴 사)와 모양이 비슷하여 혼동하기 쉽다.

속뜻훈음 ①기후 후, ②조짐 후, ③기다릴 후.

후보 候補 | 기다릴 후, 채울 보 [candidacy]
❶속뜻 빈자리 따위에 채워지기를[補] 기다리는[候] 사람. ❷선거에서 선출되기를 바라며 스스로 나선 사람. ¶대통령 후보 / 학생회장 후보. ❸시상식·운동 경기 따위에서 어떤 지위에 오를 자격이나 가능성이 있음. ¶우승 후보. ❹정원이 미달일 때 그 자리를 채울 자격을 가진 처지. 또는 그러한 사람. ¶후보 선수.

• 역순어휘 ──────── •

기후 氣候 | 기후 기, 기후 후 [climate; weather]
❶속뜻 일 년의 이십사절기(二十四節氣)와 칠십이후(七十二候)를 통틀어 이르는 말. '氣'는 15일, '候'는

5일을 뜻한다. ❷일정한 지역에서 여러 해에 걸쳐 나타난 기온, 비, 눈, 바람 따위의 평균 상태. ¶제주도는 기후가 온화하다.

증후 症候 | 증세 증, 조짐 후 [symptoms; sign]
병으로 앓는 여러 가지 증세(症勢)와 조짐[候]. ¶간에서 이상 증후를 발견했다.

징후 徵候 | 조짐 징, 조짐 후 [symptom; sign]
어떤 일이 일어날 조짐[徵=候]. ¶병이 날 징후가 보인다.

측후 測候 | 헤아릴 측, 기후 후 [observe the weather]
기후(氣候)를 관측(觀測)함.

0777 [권]

卷 책 권(ː)
部 卩부 劃 8획 中 卷 [juǎn, juàn]

卷자는 동글납작한 나무패를 가리키는 '병부 절'(㔾=卩)이 표의요소이다. 그 윗부분이 표음요소임은 券(증서 권), 眷(돌아볼 권)도 마찬가지이다. '(둘둘) 말다'(roll)가 본래 의미인데, '두루마리'(a roll), '책'(books) 등으로 확대 사용되는 예가 많아지자, 본래의 뜻은 따로 捲(말 권)자를 만들어 나타냈다.

속뜻훈음 ①책 권, ②말 권.

권수 卷數 | 책 권, 셀 수 [number of volumes]
책[卷]의 수효(數爻).

• 역순어휘

상ː권 上卷 | 위 상, 책 권 [first volume]
두 권이나 세 권으로 된 책의 첫째[上] 권(卷). ¶그 소설은 상권이 제일 재미있다.

석권 席卷 | =席捲, 자리 석, 말 권 [overwhelm; conquer]
❶속뜻 자리[席]를 말아[卷] 걷어냄. ❷한 번에 닥치는 대로 영토를 휩쓺. 무서운 기세로 세력을 펼치거나 휩쓺. ¶신제품으로 국내 시장을 석권하다.

하ː권 下卷 | 아래 하, 책 권 [last volume]
두 권이나 세 권으로 나눈 책[卷]의 끝[下]권.

0778 [란]

卵 알 란ː
部 卩부 劃 7획 中 卵 [luǎn]

卵자는 물고기의 '알'(spawn)을 뜻하기 위하여 물고기의 알 모양을 본뜬 것이다. 원래 모양이 많이 달라졌지만, 알고 보면 어렴풋이 짐작이 간다. 시골에서 어린 시절을 보낸 사람은, 봄철 연못에서 본 개구리 알 모양을 연상할 수도 있을 것 같다.

난ː관 卵管 | 알 란, 대롱 관 [oviduct; fallopian tube]
의학 난소에서 생긴 난자(卵子)를 자궁(子宮)으로 보내는 구실을 하는 나팔 모양의 관(管).

난ː생 卵生 | 알 란, 날 생 [oviparity; oviparousness]
동물 동물의 새끼가 알[卵]의 형태로 태어남[生]. ¶거북은 난생 동물이다. 반 태생(胎生).

난ː소 卵巢 | 알 란, 집 소 [ovary; ovarium]
의학 동물의 암컷 난자(卵子) 생식 기관의 한 부분[巢]. 난자를 만들어 내며 여성 호르몬을 분비한다. 반 정소(精巢).

난ː자 卵子 | 알 란, 씨 자 [ovum; egg cell]
생물 조류, 파충류, 어류, 곤충 따위의 암컷이 낳는 알[卵] 모양의 물질[子]. 비 난세포(卵細胞). 반 정자(精子).

• 역순어휘

계란 鷄卵 | 닭 계, 알 란 [egg]
닭[鷄]이 낳은 알[卵]. 비 달걀.

명란 明卵 | 명태 명, 알 란 [spawn of a pollack]
명태(明太)의 알[卵].

배란 排卵 | 밀칠 배, 알 란 [ovulate]
의학 성숙기에 이른 포유류 암컷의 난소에서 성숙한 난자(卵子)가 배출(排出)되는 일. ¶생리 예정일로부터 14일 전후로 배란된다.

산ː란 産卵 | 낳을 산, 알 란 [lay eggs; spawn]
알[卵]을 낳음[産]. ¶연어는 산란하기 위하여 태어난 곳으로 돌아온다.

토란 土卵 | 흙 토, 알 란 [taro]
❶속뜻 흙[土]속에 알[卵]모양의 뿌리를 내리는 식물. ❷식물 잎은 두껍고 넓은 방패 모양의 잎이 나는 천남성과의 풀. 뿌리줄기는 잎자루와 함께 식용한다. ¶토란으로 국을 끓였다.

0779 [위]

危 위태할 위
部 卩부 劃 6획 中 危 [wēi]

危자는 '두려워하다'(fear)는 뜻을 나타

내기 위해서 벼랑[厂] 위에 서 있는 사람[亻의 변형]과 겁이 나서 그 밑에 쭈그리고 앉아 있는 사람[㔾]의 모습을 그린 것이다. '위험하다'(risky; unsafe), '위태하다'(dangerous) 또는 이와 의미상 연관이 있는 낱말의 한 구성 요소로도 쓰인다.

[속뜻훈음] ①**위태할 위**, ②**두려울 위**.

위급 危急 | 두려워할 위, 급할 급 [critical; urgent]
두려울[危] 정도로 매우 급박(急迫)함. ¶매우 위급할 때 소방차가 달려왔다.

위기 危機 | 위태할 위, 때 기
[crisis; critical moment]
위험(危險)한 때[機]. 위험한 고비. ¶위기는 곧 기회다.

위독 危篤 | 위태할 위, 심할 독
[be critically ill; be in a critical condition]
생명이 위태(危殆)롭고 병세가 매우 심하다[篤]. ¶그의 어머니는 위독하시다.

위중 危重 | 위태할 위, 무거울 중
[be in a critical condition; serious; grave]
목숨이 위태(危殆)로울 만큼 병세가 심각하다[重]. ¶아버지가 위중하다는 전보를 받았다.

위태 危殆 | 두려울 위, 다급할 태
[dangerous; perilous; risky]
❶[속뜻] 두렵고[危] 다급함[殆]. ❷안심할 수 없을 정도로 다급하다. ¶생명이 위태하다 / 목숨이 위태롭다 / 위태위태한 줄타기 묘기.

위험 危險 | 두려울 위, 험할 험
[danger; peril; risk]
❶[속뜻] 두려울[危] 정도로 험(險)함. ❷안전하지 못하거나 신체나 생명에 위해(危害)·손실이 생길 우려가 있는 것. 또는 그런 상태. ¶그는 위험을 무릅쓰고 나를 구했다. [반]안전(安全), 안녕(安寧).

0780 [간]

干

방패 간
[部] 干부 [획] 3획 [中] 干 [gān, gàn]

干자는 공격과 방어를 겸하는 무기인 방패 모양을 본뜬 것으로 '방패'(a shield)가 본래 의미다. 쓰기 편하도록 자형이 매우 간략하게 변모됐다. 후에 '범하다(공격)'(attack), '막다(방어)'(defend)라는 뜻으로도 확대된 것은 그것의 용도와 관련이 있다. '얼마'(some), '천간'(the ten celestial stems)을 뜻하기도 한다.

[속뜻훈음] ①**방패 간**, ②**막을 간**, ③**얼마 간**, ④**천간 간**.

간만 干滿 | 막을 간, 찰 만 [ebb and flow; tide]
[지리] 간조(干潮)와 만조(滿潮)를 아울러 이르는 말. ¶서해안은 간만의 차가 심하다.

간섭 干涉 | 막을 간, 관여할 섭 [interfere]
❶[속뜻] 남의 일을 가로막고[干] 참견하거나 관여함[涉]. ¶남의 일에 간섭하다. ❷[물리] 두 개 이상의 파(波)가 한 점에서 서로 만날 때 합쳐진 파의 진폭이 변하는 현상. [비]참견(參見), 개입(介入), 관여(關與). [반]방관(傍觀), 방임(放任).

간여 干與 | 범할 간, 도울 여 [participate]
관계하여[干] 참여(參與)함. ¶네가 간여할 일이 아니다. [비]참견(參見). [반]방관(傍觀).

간척 干拓 | 막을 간, 넓힐 척 [reclaim by drainage]
바다나 호수의 일부를 둑으로 막고[干], 그 안의 물을 빼내어 육지로 만들어 땅을 넓히는[拓] 일. ¶해안을 간척하다.

• 역순어휘 •

난간 欄干 | 칸 란, 막을 간 [railing; balustrade]
[건설] 계단, 다리 따위의 가장자리를 칸막이[欄]로 막음[干]. 또는 그 구조물. ¶난간에 기대면 위험하다.

십간 十干 | 열 십, 천간 간 [ten calendar signs]
[민속] 육십갑자의 첫 글자로 쓰이는 열[十] 개의 천간(天干). 갑(甲), 을(乙), 병(丙), 정(丁), 무(戊), 기(己), 경(庚), 신(申), 임(壬), 계(癸) 등 10개이다.

약간 若干 | 같을 약, 얼마 간 [some; somewhat]
❶[속뜻] 만약(萬若) 얼마[干]. ❷얼마 안 되게. 또는 얼마쯤. ¶고개를 약간 수그리다. [비]다소(多少), 조금.

여간 如干 | 같을 여, 방패 간 [some; little]
❶[속뜻] 작은 방패[干] 같음[如]. ❷주로 부정하는 말과 함께 쓰여 보통으로. 조금. 어지간하게. ¶이 문제는 여간 복잡한 것이 아니다 / 형은 여간해서는 화를 내지 않는다.

0781 [장]

帳

장막 장
[部] 巾부 [획] 11획 [中] 帐 [zhàng]

帳자는 '장막'(a curtain)을 뜻하기 위한 것이었으니 '수건 건'(巾)이 표의요소로 쓰였다. 長(길 장)은 표음요소일 따름이다. 종이를 발명하기 이전에는 장막에다 치부를 했는지 치부책, 즉 '장부'(an account book)를 뜻하기도 하였다. '휘장'(a curtain screen)의 뜻으로도 쓰인다.

[속뜻훈음] ①**장막 장**, ②**휘장 장**, ③**장부 장**.

장막 帳幕 | 휘장 장, 막 막 [curtain]
볕이나 비를 피할 수 있도록 둘러친 휘장(揮帳)이나 천막[幕]. ¶이 지역 유목민은 유르트라는 장막 같은 곳에서 산다.

장부 帳簿 | 휘장 장, 문서 부 [book]
금품의 수입과 지출을 기록하는 휘장[帳]같은 문서[簿]나 책. ¶장부를 정리하다 / 나는 지출한 돈을 장부에 기재하였다.

• 역순어휘

대장 臺帳 | 돈대 대, 장부 장 [ledger; register]
❶[속뜻]근거나 밑받침[臺]이 되도록 어떤 사항을 기록한 장부(帳簿). ¶토지대장. ❷상업상의 모든 계산을 기록한 원부(原簿). ¶출납대장.

통장 通帳 | 온통 통, 장부 장
[bankbook; passbook]
❶[속뜻]금전의 출납에 관한 모든[通] 내용을 기록해 두는 장부(帳簿). ❷[경제]거래에 필요한 사항을 기록하는 장부. ¶통장에서 만 원을 인출하다.

포장 布帳 | 베 포, 휘장 장 [linen screen; curtain]
베[布]나 무명 따위로 만든 휘장(揮帳). ¶포장을 치다 / 그는 포장을 들추고 안을 들여다보았다.

휘장 揮帳 | 휘두를 휘, 휘장 장
[curtain; curtain screen]
피륙을 여러 폭으로 이어서 빙 둘러치는[揮] 장막(帳幕). ¶휘장을 건다.

0782 [제]

帝

임금 제:
[部] 巾부 [劃] 9획 [中] 帝 [dì]

帝자에 대하여는 여러 이설이 있다. 커다란 씨방이 있는 꽃 모양을 본뜬 것이라는 설이 유력하다. 옛날 중국인들은 꽃을 토템으로 숭배하였기 때문에 '하늘'(the heavens), '임금'(a monarch)을 이것으로 나타냈다고 한다.

제:국 帝國 | 임금 제, 나라 국 [empire]
황제(皇帝)가 다스리는 나라[國]. ¶로마 제국 / 훈족은 유럽 일대에 거대한 제국을 건설했다.

제:왕 帝王 | 임금 제, 임금 왕 [emperor; king]
황제(皇帝)와 국왕(國王).

제:위 帝位 | 임금 제, 자리 위
[imperial throne; Crown]
제왕(帝王)의 자리[位]. ¶진흥왕이 제위에 오른 뒤 신라는 융성했다 / 제위를 찬탈하다.

• 역순어휘

상:제 上帝 | 위 상, 임금 제 [God]
❶[속뜻]하늘 위[上]에 있는 임금[帝]. ❷[종교]하느님.

일제 日帝 | 일본 일, 임금 제
[Japanese imperialism]
[역사]'일본제국주의'(日本帝國主義)의 준말. ¶일제 식민 통치 / 일제 치하의 조국 땅에는 절대로 돌아가지 않겠다.

천제 天帝 | 하늘 천, 임금 제
[Lord of Heaven; God of Providence]
하늘[天]의 명을 받은 임금[帝].

황제 皇帝 | 임금 황, 임금 제 [emperor]
❶[역사]삼황(三皇)과 오제(五帝)의 준말. ❷왕이나 제후를 거느리고 나라를 통치하는 임금.

0783 [거]

巨

클 거:
[部] 工부 [劃] 5획 [中] 巨 [jù]

巨자의 부수를 匚(상자 방) 또는 匸(감출 혜)라 여기기 쉬운데, 둘 다 아니다. 부수는 工(장인 공)이다. '巨'자는 '자'(a ruler)를 뜻하기 위해, 장인이 자[尺]를 들고 있는 모습을 본뜬 것이다. 자는 크기를 재는 공구였으니 '크다'(big; huge; vast)는 뜻으로도 쓰인다.

거:구 巨軀 | 클 거, 몸 구 [big figure]
큰[巨] 몸뚱이[軀]. ¶할아버지는 육 척 장신의 거구였다.

거:금 巨金 | 클 거, 돈 금 [large sum of money]
거액(巨額)의 돈[金]. 큰돈. ¶불우 이웃을 위해 거액을 선뜻 내놓다. [비]거액(巨額). [반]푼돈.

거:대 巨大 | 클 거, 큰 대 [huge; enormous]
엄청나게[巨] 큼[大]. ¶몸집이 거대하다. [비]막대(莫大). [반]왜소(矮小).

거:두 巨頭 | 클 거, 머리 두 [leader]
❶[속뜻]큰[巨] 머리[頭] 같은 존재. ❷어떤 분야에서 큰 힘을 가진 지도급 인물. 유력한 우두머리. ¶그는 정계(政界)의 거두이다.

거:목 巨木 | 클 거, 나무 목
[great tree; great man]
❶[속뜻]매우 큰[巨] 나무[木]. ¶마을회관 앞에는 10미터 높이의 거목이 서 있다. ❷'큰 인물'을 비유하여 이르는 말. ¶그는 한국 경제계의 거목이다. [비]위인(偉人).

거:물 巨物 | 클 거, 만물 물 [big figure]
❶속뜻 거창(巨創)한 물건(物件). ❷사회적으로 큰 영향력을 가진 뛰어난 인물. ¶이 작가는 문단의 거물이다.

거:액 巨額 | 클 거, 액수 액 [huge amount]
많은[巨] 액수(額數)의 돈. ¶할머니는 거액을 기부했다. ⓑ소액(少額).

거:인 巨人 | 클 거, 사람 인 [giant; Titan]
❶속뜻 몸집이 유난히 큰[巨] 사람[人]. ¶그는 키가 2미터나 되는 거인이다. ❷신화, 전설, 동화 등에 나오는 초인간적인 힘을 가진 인물. ❸품성·재능 등이 뛰어난 인물. ⓑ위인(偉人).

거:장 巨匠 | 클 거, 장인 장
[great artist; maestro]
어떤 전문 분야에서 그 기능이 크게[巨] 뛰어난 사람[匠]. ¶모차르트는 고전음악의 거장이다. ⓑ대가(大家), 거물(巨物), 명인(名人).

거:창 巨創 | 클 거, 처음 창
[large-scale; tremendous]
❶속뜻 처음으로[創] 크게[巨] 함. ❷규모나 크기가 엄청나게 크다. ¶거창한 계획 / 거창하게 떠벌리다.

0784 [차]

差
다를 차
部 工부 劃 10획
中 差 [chā, chà, chāi]

差자는 고개를 숙인 채 늘어진 이삭[垂의 생략형]을 손[又의 변형]으로 잡고 있는 모양에, 그 이삭들의 크기가 약간씩 다름을 나타내기 위한 '二'(→工)가 첨가되어 있는 것이다. '(약간씩) 다르다'(differ a little)가 본래의 의미이며 '어긋나다'(be dislocated)는 뜻으로도 쓰인다.
속뜻훈음 ①어긋날 차, ②다를 차.

차도 差度 | 다를 차, 정도 도
[improvement of illness]
❶속뜻 조금씩 달라지는[差] 정도(程度). ❷병이 조금씩 나아가는 정도. ¶앓던 아이가 약을 먹고는 차도를 보였다.

차등 差等 | 다를 차, 무리 등
[grade; difference; discrimination]
무리[等]에 따라 차이(差異)가 나도록 함. 또는 차이가 나는 등급. ¶일의 양에 차등을 두다. ⓑ균등(均等).

차별 差別 | 다를 차, 나눌 별
[discriminate against]
❶속뜻 다르게[差] 나눔[別]. ❷차등이 있게 구별함. ¶인종 차별 / 이 제품은 품질부터 차별된다. ⓑ평등(平等).

차이 差異 | 어긋날 차, 다를 이
[difference; distinction; gap]
서로 어긋나고[差] 다름[異]. ¶세대 차이 / 나는 언니랑 세 살 차이가 난다.

• 역순어휘

격차 隔差 | 사이 뜰 격, 다를 차
[difference; differential]
❶속뜻 서로 사이가 뜨거나[隔] 다름[差]. ❷품질, 수량 따위가 서로 다른 정도. ¶빈부 격차가 줄었다.

낙차 落差 | 떨어질 락, 다를 차
[head; difference in elevation]
높은 곳에서 낮은 곳으로 떨어질[落] 때의 높낮이 차이(差異). ¶물의 낙차를 이용해 전기를 일으키다.

시차 時差 | 때 시, 다를 차 [time difference]
❶속뜻 세계 각 지역별 시간(時間) 차이(差異). ¶한국과 일본은 시차가 나지 않는다. ❷시간에 차이가 나게 하는 일. ¶1조와 2조는 2시간의 시차를 두고 출발했다.

오:차 誤差 | 그르칠 오, 어긋날 차
[accidental error]
❶속뜻 잘못하여 그르치거나[誤] 어긋남[差]. ❷수학 실제 셈하여 측정한 값과 이론적으로 정확한 값과의 차이. ¶오차가 나다. ❸수학 참값과 근삿값과의 차이.

쾌차 快差 | 빠를 쾌, 다를 차 [completely cured]
병세 따위가 빠르게[快] 달라짐[差]. 병이 완전히 나음. ¶아버님은 쾌차하셨습니까? ⓑ쾌유(快癒).

0785 [군]

君
임금 군
部 口부 劃 7획 中 君 [jūn]

君자는 손에 지휘봉을 들고 있는 모습인 尹(윤)에 신하들에게 명령하는 입[口]을 가리키는 것이 합쳐진 것이다. '임금'(a king; a ruler)이 본뜻이고, '두목'(a head), '왕자'(a prince), '조상'(an ancestor), '부모'(parents), '남편'(a husband), '자네'(you) 등으로도 쓰인다.
속뜻훈음 ①임금 군, ②군자 군, ③어진 이 군.

군신 君臣 | 임금 군, 신하 신
[sovereign and subject]
임금[君]과 신하(臣下)를 아울러 이르는 말.

군자 君子 | 임금 군, 접미사 자 [(true) gentleman]

❶[속뜻] 임금[君]같이 학식과 덕행이 높은 사람[子]. ¶참으로 군자답도다. ❷예전에 높은 벼슬에 있던 사람을 이르던 말. [반]소인(小人).

군주 君主 | 임금 군, 주인 주 [king; ruler]
임금[君]을 나라의 주인(主人)으로 이르던 말.

• 역순어휘

낭군 郎君 | 남편 랑, 임금 군 [(my) dear husband]
젊은 아내가 남편[郎]을 임금[君]에 빗대어 정답게 일컫던 말. [비]남편(男便).

단군 檀君 | 박달나무 단, 임금 군
❶[속뜻] 박달나무[檀] 같이 굳센 임금[君]. ❷우리 겨레의 시조.

대:군 大君 | 큰 대, 임금 군 [(Royal) prince]
❶[속뜻] 큰[大] 군주(君主). 군주를 높여 이르는 말. ❷[역사] 예전에 왕의 종친(宗親)에게 주던 정일품 벼슬. ¶효령대군.

부군 夫君 | 지아비 부, 임금 군 [one's husband]
❶[속뜻] 지아비[夫]를 임금[君]에 빗대어 정답게 일컫던 말. ❷'상대방의 남편'을 높여 부르는 말. ¶부군께서도 안녕하신지요.

성:군 聖君 | 거룩할 성, 임금 군 [sage king]
어질고 거룩한[聖] 임금[君]. ¶세종대왕은 학문과 과학에 조예가 깊은 성군이었다. [비]성왕(聖王), 성제(聖帝), 성주(聖主).

제군 諸君 | 모두 제, 군자 군 [you; Gentlemen!]
❶[속뜻] 모든[諸] 군자(君子). ❷통솔자나 지도자가 여러 명의 아랫사람을 높여 이르는 말.

폭군 暴君 | 사나울 폭, 임금 군 [tyrant; despot]
난폭(亂暴)한 임금[君]. ¶폭군 때문에 백성들이 괴로웠다. [반]성군(聖君).

0786 [부]

否
아닐 부:
[部] 口부 [劃] 7획 [中] 否 [fǒu, pǐ]

否자는 '입 구(口)와 '아니 불'(不)이 조합된 것이다. '(그것이) 아니다'(not it)가 본뜻이다. '不'과 혼동하기 쉽다. '否'는 의견 상의 반대를, '不'(아닐 불)은 동사나 형용사의 부정을 나타낸다. 否定(부:정)은 '긍정'의 반대로 '의견이 그러하지 아니함'이라는 뜻이고, 不定(부정)은 '정해 놓지 아니함'을 뜻한다.

부:결 否決 | 아닐 부, 결정할 결
[reject; vote down]
회의에서 안건을 승인하지 않기로[否] 결정(決定)함. ¶그 법안은 30대 22로 부결되었다. [반]가결(可決).

부:인 否認 | 아닐 부, 알 인 [deny; negative]
인정(認定)하지 않음[否]. ¶사실을 부인하다. [반]시인(是認).

부:정 否定 | 아닐 부, 정할 정 [deny; negate]
그렇다고 인정(認定)하지 아니함[否]. ¶그는 잘못을 부정하지 않았다. [반]긍정(肯定).

• 역순어휘

가:부 可否 | 옳을 가, 아닐 부 [right or wrong]
❶[속뜻] 옳고[可] 그름[否]. ❷찬성과 반대. ¶가부를 결정하다. [비]찬반(贊反), 여부(與否), 진위(眞僞), 시비(是非), 흑백(黑白).

거:부 拒否 | 막을 거, 아닐 부 [refuse; reject]
남의 제의나 요구 따위를 물리치고[拒] 동의하지 않음[否]. ¶감독의 제의를 거부했다. [비]거절(拒絶), 사절(謝絶). [반]수락(受諾), 승인(承認).

안부 安否 | 편안할 안, 아닐 부 [safety]
어떤 사람이 편안(便安)하게 잘 지내는지 그렇지 아니한지[否]에 대한 소식. 또는 인사로 그것을 전하거나 묻는 일. ¶안부를 묻다 / 부모님께 안부 전해 주세요.

여부 與否 | 줄 여, 아닐 부
[yes or no; whether or not]
❶[속뜻] 도와 줌[與]과 그렇지 아니함[否]. ❷그러함과 그러하지 아니함. ¶생사 여부를 묻다.

0787 [엄]

嚴
엄할 엄
[部] 口부 [劃] 20획 [中] 严 [yán]

嚴자는 원래 산 언저리[厂·한]에 있는 바위를 힘들게 옮기고 있는 모습으로 '바위'(a rock)를 나타낸 것이다. 후에 '엄하다'(strict), '혹독하다'(harsh)는 뜻으로 쓰이는 사례가 많아지자, 본래 의미는 따로 巖(바위 암, #1109)자를 만들어 나타냈다.
[속뜻 훈음] **①엄할 엄, ②혹독할 엄.**

엄격 嚴格 | 엄할 엄, 바를 격 [strict; severe]
❶[속뜻] 엄(嚴)하고 바르게[格]함. ❷조그만 잘못도 용서하지 않을 정도로 매우 엄함. ¶엄격한 지휘 체계 / 우리 아버지는 매우 엄격하다. [비]엄준(嚴峻).

엄금 嚴禁 | 엄할 엄, 금할 금
[prohibit strictly; forbid strictly]
엄격(嚴格)하게 금지(禁止)함. 절대로 못하게 함. ¶출입

엄금 / 주유소에서의 흡연을 엄금한다.

엄동 嚴冬 | 혹독할 엄, 겨울 동
[rigorous winter; midwinter]
혹독하게[嚴] 추운 겨울[冬].

엄밀 嚴密 | 엄할 엄, 빽빽할 밀
[strict; exact; strictly secret]
❶속뜻 엄중(嚴重)하고 세밀(細密)하다. ¶엄밀한 조사를 받았다. ❷매우 비밀스럽게 하다. ¶엄밀하게 일을 추진하다.

엄벌 嚴罰 | 엄할 엄, 벌할 벌 [punish severely]
엄(嚴)하게 처벌(處罰)함. 또는 엄한 벌. ¶그는 엄벌을 받아 마땅하다 / 살인범을 엄벌하다.

엄수 嚴守 | 엄할 엄, 지킬 수 [observe strict]
명령이나 약속 따위를 엄격(嚴格)하게 지킴[守]. 반드시 그대로 지킴. ¶약속 시간을 엄수하다.

엄숙 嚴肅 | 엄할 엄, 정숙할 숙 [grave; serious]
❶속뜻 장엄(莊嚴)하고 정숙(靜肅)하다. ¶엄숙한 분위기. ❷말이나 태도 따위가 위엄이 있고 정중하다. ¶그는 엄숙한 표정으로 자리에 앉아 있다.

엄정 嚴正 | 엄할 엄, 바를 정 [exacts; strict]
태도가 엄격(嚴格)하고 공정(公正)함. ¶엄정한 심사를 거쳐 작품을 선별했다.

엄중 嚴重 | 엄할 엄, 무거울 중 [strict; stringent]
태도가 엄격(嚴格)하고, 분위기가 무거움[重]. ¶엄중처벌 / 그 국회의원은 엄중한 조사를 받았다.

• 역순어휘 •

계:엄 戒嚴 | 경계할 계, 엄할 엄 [martial law]
❶속뜻 일정한 곳을 병력으로 엄하게[嚴] 경계(警戒)함. ❷법률 군사적 필요나 사회의 안녕과 질서 유지를 위하여 일정한 지역의 행정권과 사법권의 전부 또는 일부를 군이 맡아 다스리는 일. ¶계엄을 해제하다.

근:엄 謹嚴 | 삼갈 근, 엄할 엄
[dignified and serious; sober]
매우 점잖고[謹] 엄(嚴)하다. ¶근엄하게 꾸짖다.

냉:엄 冷嚴 | 찰 랭, 엄할 엄 [grim; stern; strict]
❶속뜻 태도가 냉정(冷情)하고 엄숙(嚴肅)하다. ❷상황이 적당히 할 수 없게 분명하고 확실하다. ¶냉엄한 현실과 맞닥뜨리다.

무엄 無嚴 | 없을 무, 엄할 엄 [rude]
엄(嚴)하게 여기지 아니함[無]. 삼가고 어려워함이 없음. ¶무엄한 소리.

삼엄 森嚴 | 빽빽할 삼, 엄할 엄 [solemn; grave]
분위기 따위가 매우[森] 엄숙(嚴肅)하다. ¶경비가 삼엄하다 / 삼엄한 표정.

위엄 威嚴 | 두려워할 위, 엄할 엄
[dignity; majesty; stateliness]
❶속뜻 두려움[威]과 엄(嚴)한 느낌을 받게 함. ❷존경할 만한 위세가 있고 엄숙함. 또는 그런 모습이나 태도. ¶이 불상은 석가모니의 위엄을 잘 표현하고 있다.

장엄 莊嚴 | 꾸밀 장, 엄할 엄 [majestic; solemn]
❶속뜻 꾸밈[莊] 따위에 위엄(威嚴)이 있음. ❷웅장하며 위엄 있고 엄숙함. ¶장엄한 음악 / 피렌체 성당은 규모가 웅대하고 장엄하다.

존엄 尊嚴 | 높을 존, 엄할 엄 [dignified; majestic]
인물이나 지위 따위가 높고[尊] 위엄(威嚴)이 있음. ¶왕실의 명예와 존엄을 유지하다.

준:엄 峻嚴 | 엄할 준, 엄할 엄 [stern; severe]
매우 엄하다[峻=嚴]. ¶준엄한 목소리로 꾸짖다.

지엄 至嚴 | 지극할 지, 엄할 엄
[be extremely strict]
지극(至極)히 엄(嚴)하다. ¶왕실의 지엄한 법도.

화엄 華嚴 | 꽃 화, 엄할 엄
불교 ❶연꽃[華]같이 장엄(莊嚴)한 부처님의 깨달음과 가르침. ❷부처님의 가르침을 몸소 실천하여 수행함.

0788 [주]

周

두루 주
部 口부 劃 8획 中 周 [zhōu]

周자는 옥의 조밀한 무늬를 다듬는 모습이 변화된 것으로, '(옥을) 다듬다'(face jade)는 뜻을 나타내기 위한 것이었다. 이것이 '周密(주밀)하다'(scrupulous)는 뜻으로 쓰이고, '두루'(all over), '둘레'(girth; circumference) 등으로 확대 사용되는 예가 잦아지자, 본래 의미는 琱(옥 다듬을 조)자를 추가로 만들어 나타냈다.

속뜻 훈음 ①둘레 주, ②두루 주.

주발 周鉢 | 둘레 주, 그릇 발 [brass rice bowl]
놋쇠로 둘러[周] 만든 밥그릇[鉢]. ¶할아버지가 밥을 반 주발 밖에 안 드셨다.

주변 周邊 | 두루 주, 가 변 [surroundings]
주위(周圍)의 가장자리[邊]. ¶영호는 주변에 친구가 많다 / 주변 경치가 정말 좋다. 비 주위(周位).

주선 周旋 | 두루 주, 돌 선
[arrange; organize; set up]
일이 잘 되도록 여러모로 두루[周] 돌보며[旋] 힘씀. ¶그의 주선으로 일자리를 얻었다.

주위 周圍 | 두루 주, 둘레 위 [surroundings]

❶[속뜻] 두루[周] 한 바퀴 도는 둘레[圍]. ¶달은 지구 주위를 돌고 있다. ❷어떤 사람이나 사물을 둘러싸고 있는 환경. ¶주위가 어두워지다. ❸어떤 사람의 가까이에 있는 사람들. ¶주위의 시선을 의식하다. [비] 주변(周邊).

• 역순어휘

원주 圓周 | 둥글 원, 둘레 주 [circumference of a circle]
❶[속뜻] 원(圓)의 둘레[周]. ❷[수학] 일정한 점에서 같은 거리에 있는 점의 자취.

일주 一周 | 한 일, 둘레 주 [travel around]
한[一] 바퀴[周]를 돎. 또는 그 한 바퀴. ¶세계 일주 / 지구가 자전하면서 행성이 일주하는 것처럼 보인다. [비] 일순(一巡).

0789 [희]

喜
기쁠 희
[部] 口부 [획] 12획 [中] 喜 [xǐ]

喜자는 '악기 주'(壴)와 '입 구'(口)가 합쳐진 것이다. 손으로는 북을 치고 입으로는 노래를 하는 모습을 통하여 '기쁘다'(delightful)는 뜻을 나타냈다. '좋아하다'(be delighted)는 뜻으로도 쓰인다.
[속뜻훈음] ①기쁠 희, ②좋아할 희.

희극 喜劇 | 기쁠 희, 연극 극 [comedy; farce]
❶[속뜻] 기쁜[喜] 내용을 담은 연극(演劇). ❷[연영] 웃음을 주조로 인간과 사회의 문제점을 경쾌하고 흥미 있게 다룬 연극이나 극 형식. [반] 비극(悲劇).

희로 喜怒 | 본음 [희노], 기쁠 희, 성낼 노 [delight and anger]
기쁨[喜]과 노여움[怒]. ¶희로가 교차되는 기분을 느꼈다.

희비 喜悲 | 기쁠 희, 슬플 비 [joy and sorrow]
기쁨[喜]과 슬픔[悲]. ¶희비가 엇갈리다.

희색 喜色 | 기쁠 희, 빛 색 [glad countenance; joyful look]
기뻐하는[喜] 얼굴 빛[色]. ¶얼굴에 희색이 가득하다.

희열 喜悅 | 기쁠 희, 기쁠 열 [joy; gladness; delight]
기쁨[喜=悅]. 즐거움. ¶희열의 소리를 질렀다. [반] 분노(憤怒).

• 역순어휘

환희 歡喜 | 기쁠 환, 좋아할 희 [great joy; delight]
기뻐하고[歡] 좋아함[喜]. 기쁨. ¶환희의 눈물.

0790 [곤]

困
곤할 곤ː
[部] 口부 [획] 7획 [中] 困 [kùn]

困자는 문 입구[口]에 세워져 있는 나무[木], 즉 '문지방'(a doorsill)을 뜻하는 것이다. 그런데 이것이 본래 의미와 달리 '곤하다'(be tired; weary), '괴롭다'(hard; difficult)는 뜻으로 확대 사용되는 예가 많았다. 하기야 그 나무의 처지에서 보자면 괴로울 것 같다. 후에 본래 의미는 따로 梱(문지방 곤)자를 만들어 나타냈다.
[속뜻훈음] ①괴로울 곤, ②곤할 곤.

곤ː경 困境 | 괴로울 곤, 처지 경 [fix; straits]
곤란한[困] 처지[境]. 딱한 사정. ¶곤경에 빠지다. [비] 난관(難關).

곤ː궁 困窮 | 괴로울 곤, 궁할 궁 [destitute; hard pressed]
곤란하고[困] 가난함[窮]. ¶곤궁한 생활을 하다. [반] 부유(富裕).

곤ː란 困難 | 본음 [곤난], 괴로울 곤, 어려울 난 [difficult; suffer]
❶[속뜻] 괴롭고[困] 어려움[難]. ❷처리하기 어려움. ¶지금은 통화하기가 곤란하다. ❸생활이 쪼들림. ❹괴로움.

곤ː욕 困辱 | 괴로울 곤, 욕될 욕 [bitter insult; contempt]
괴롭고[困] 심한 모욕(侮辱). 또는 참기 힘든 일. ¶곤욕을 치르다 / 곤욕을 겪다.

곤ː혹 困惑 | 괴로울 곤, 홀릴 혹
곤란(困難)한 일에 홀리어[惑] 어찌할 바를 모름. ¶곤혹스러운 질문을 받다.

• 역순어휘

노곤 勞困 | 일할 로, 괴로울 곤 [languid; heavy; weary]
일을 많이 하여[勞] 피곤(疲困)하다. 고달프고 고단하다. ¶온몸이 노곤하다.

빈곤 貧困 | 가난할 빈, 괴로울 곤 [poverty]
❶[속뜻] 가난[貧]으로 괴로워[困] 함. ¶빈곤에 허덕이다. ❷내용 따위가 모자람. ¶상상력의 빈곤. [비] 가난, 부족(不足). [반] 부유(富裕), 풍족(豐足).

춘곤 春困 | 봄 춘, 곤할 곤 [fatigue in the springtime; spring fever]
봄철[春]에 느끼는 노곤(勞困)한 기운.

피곤 疲困 | 지칠 피, 곤할 곤
[tired; exhausted; weary]
몸이나 마음이 지쳐서[疲] 고단함[困]. ¶대청소를 했더니 피곤하다.

0791 [위]

圍

에어쌀 위
[部] 口부 [劃] 12획 [中] 围 [wéi]

圍자는 본래 네모 형태의 성[口]을 지키는 군사들의 발자국[止]이 네 개 그려져 있는 것이었다. 후에 발자국 두 개를 없애고 대신에 외곽에 다시 쌓은 또 하나의 성을 상징하는 '口'가 보태진 것이 바로 圍자다. '에워싸다'(besiege), '둘레'(circumference) 등의 의미를 나타낸다.

[속뜻훈음] **둘레 위.**

• 역순어휘

범:위 範圍 | 틀 범, 둘레 위 [extent; range]
❶[속뜻]틀[範]의 둘레[圍]. ❷테두리가 정해진 구역. ¶시험 범위.

주위 周圍 | 두루 주, 둘레 위 [surroundings]
❶[속뜻]두루[周] 한 바퀴 도는 둘레[圍]. ¶달은 지구 주위를 돌고 있다. ❷어떤 사람이나 사물을 둘러싸고 있는 환경. ¶주위가 어두워지다. ❸어떤 사람의 가까이에 있는 사람들. ¶주위의 시선을 의식하다. [비]주변(周邊).

포:위 包圍 | 쌀 포, 둘레 위 [surround]
둘레[圍]를 에워쌈[包]. ¶경찰은 그들의 은신처를 포위했다.

0792 [장]

張

베풀 장
[部] 弓부 [劃] 11획 [中] 张 [zhāng]

張자는 '(활줄을) 당기다'(draw; drag)란 뜻을 나타내기 위한 것이었으니 '활 궁'(弓)이 표의요소이다. 長(길 장)은 표음요소이다. 반대로 '활줄을 풀다'(unbind)는 '弛'(늦출 이)자로 나타냈다. '(넓게) 벌이다'(open; widen; stretch)는 뜻으로도 쓰인다.

[속뜻훈음] ①**당길 장**, ②**벌릴 장**.

장력 張力 | 당길 장, 힘 력 [tension]
❶[속뜻]오므라들고 당겨지는[張] 힘[力]. ❷[물리]물체가 스스로 오므라들어 가능한 한 작은 면적을 가지려는 힘. ¶표면 장력.

장본 張本 | 벌릴 장, 뿌리 본
[fatal cause; origin; root]
❶[속뜻]뿌리[本]를 벌림[張]. ❷일의 발단이 되는 근원.

장황 張皇 | 벌릴 장, 클 황 [lengthy; tedious]
지나치게 벌이고[張] 커져서[皇] 번거롭다. ¶설명이 장황하여 이해할 수 없다.

• 역순어휘

과:장 誇張 | 자랑할 과, 벌릴 장
[exaggerate; magnify]
사실보다 부풀려[張] 떠벌림[誇]. ¶그는 과장이 심하다. [비]과대(誇大).

긴장 緊張 | 팽팽할 긴, 당길 장
[nervous; tense up]
❶[속뜻]팽팽하게[緊] 당김[張]. ❷마음을 조이고 정신을 바짝 차림. ❸정세나 분위기가 평온하지 않은 상태. ¶시험을 앞두고 긴장하다. [반]이완(弛緩).

신장 伸張 | 펼 신, 벌릴 장
[extend; expand; elongate]
무엇을 펴서[伸] 넓히거나 벌림[張]. ¶학력 신장 / 한국의 국력은 크게 신장되었다.

주장 主張 | 주될 주, 벌릴 장 [assert; contend]
자기의 의견이나 주의(主義)를 널리 떠벌임[張]. 또는 그런 주의. ¶변호사는 무죄를 주장했다.

책장 冊張 | 책 책, 벌릴 장
[leaf of a book; pages]
책(冊)을 펼치거나 벌임[張]. 또는 그런 종이. ¶조용히 책장을 넘기다.

출장 出張 | 날 출, 벌릴 장 [travel on business]
외부로 나가서[出] 일을 벌림[張]. 또는 외부에서 용무를 봄. ¶해외로 출장을 간다.

확장 擴張 | 넓힐 확, 벌림 장 [extend; expand]
❶[속뜻]넓게[擴] 벌림[張]. ❷범위나 세력 따위를 넓힘. ¶도로 확장 공사. [비]확대(擴大). [반]축소(縮小).

0793 [탄]

彈

탄알 탄:
[部] 弓부 [劃] 15획 [中] 弹 [dàn, tán]

彈자의 갑골문은 화살의 시위에 돌을 얹어 놓은 모습을 본뜬 것이었다. 그 모양이 弓(활 궁)으로 축약되고, 표음요소가 첨가된 것이 지금의 彈이다. 單(홑 단)이 표음요소임은 憚(꺼릴 탄)의 경우도 마찬가지이다. 화살 시위에 얹어 쏘는 돌 즉 '탄알'(a projectile)이 본뜻이며, '퉁기다'(thrum; strum)는 뜻으로도 쓰인다.
속뜻 훈음 ①탄알 탄, ②퉁길 탄.

탄:력 彈力 | 퉁길 탄, 힘 력 [elasticity]
용수철처럼 튀거나[彈] 팽팽하게 버티는 힘[力]. ¶고무줄이 낡아서 탄력이 없다 / 피부가 부드럽고 탄력이 있다.

탄:성 彈性 | 퉁길 탄, 성질 성 [elasticity]
❶속뜻 고무줄처럼 튕겨지는[彈] 성질(性質). ❷물리 외부에서 힘을 가하면 모양이 바뀌었다가도, 힘이 사라지면 원래대로 되돌아가려는 성질.

탄:압 彈壓 | 퉁길 탄, 누를 압
[suppress; crackdown on]
❶속뜻 퉁기고[彈] 억누름[壓]. ❷무력 따위로 억눌러 꼼짝 못하게 함. ¶강력한 탄압 속에서도 독립운동을 펼쳤다.

탄:약 彈藥 | 탄알 탄, 약 약 [ammunition]
탄알[彈]과 화약(火藥)을 아울러 이르는 말. ¶전쟁 통에 탄약이 바닥났다.

탄:핵 彈劾 | 퉁길 탄, 캐물을 핵
[impeach; denounce; accuse]
❶속뜻 잘못을 지적하여 퉁기며[彈] 낱낱이 캐물음[劾]. ❷법률 일반 파면이 어려운 대통령·국무위원·법관 등을 국회에서 소추하여 해임하거나 처벌하는 일. ¶국무총리 탄핵을 요구하다.

탄:환 彈丸 | 탄알 탄, 알 환 [bullet]
군사 총포에 재어서 쏘면 폭발하여 그 힘으로 탄알[彈]이 튀어나가게 된 둥그런 쇳덩이[丸]. ¶탄환이 그의 심장을 뚫고 나갔다. ⓑ총알, 탄알.

• 역순어휘

규탄 糾彈 | 따질 규, 퉁길 탄 [censure; condemn]
❶속뜻 잘못을 따지어[糾] 탄핵[彈劾]함. ❷잘못을 공식적으로 엄하게 따지고 나무람. ¶적국의 만행(蠻行)을 규탄하는 모임이 열렸다.

실탄 實彈 | 실제 실, 탄알 탄 [solid shot]
쏘았을 때 실제(實際)로 효력을 나타내는 탄알[彈]. ¶범인에게 함부로 실탄을 발사하면 안 된다.

지탄 指彈 | 손가락 지, 퉁길 탄 [blame; criticize]
❶속뜻 손가락[指]으로 퉁김[彈]. ❷잘못을 지적하여 비난함. 손가락질. ¶국민들로부터 지탄을 받다 / 뇌물을 받은 정치인을 지탄하다.

총탄 銃彈 | 총 총, 탄알 탄 [(rifle) bullet]
총(銃)의 탄알[彈]. ¶그는 적군의 총탄을 맞고 쓰러졌다. ⓑ총알, 탄환(彈丸).

포탄 砲彈 | 대포 포, 탄알 탄 [cannon ball; shell]
대포(大砲)의 탄환(彈丸). ¶적진에 포탄을 퍼붓다.

폭탄 爆彈 | 터질 폭, 탄알 탄 [bomb]
군사 폭발(爆發)하도록 만든 탄알[彈]. ¶폭탄을 터뜨리다.

0794 [매]

妹

누이 매
部 女부 劃 8획 中 妹 [mèi]

妹자는 '손아래 누이'(a younger sister)를 나타내기 위한 것이었으니 '여자 여'(女)가 표의 요소로 쓰였다. 未(아닐 미)가 표음요소임은 昧(새벽 매)도 마찬가지이다.

매부 妹夫 | 누이 매, 지아비 부
[one's sister's husband]
❶속뜻 누이[妹]의 남편[夫]. ❷손위 누이의 남편인 자형(姊兄), 손아래 누이의 남편인 매제(妹弟)를 통틀어 이르는 말.

매형 妹兄 | 누이 매, 맏 형
[one's elder sister's husband]
누이[妹]의 남편[兄]을 이르는 말. ⓟ매제(妹弟).

• 역순어휘

남매 男妹 | 사내 남, 누이 매 [brother and sister]
오빠[男]와 누이[妹]. 누나와 남동생. ⓑ오누이.

자매 姊妹 | 손윗누이 자, 누이 매 [sisters]
❶속뜻 누나나 언니[姊]와 여동생[妹]. ❷같은 계통에 속하거나 서로 비슷한 점을 많이 가진 둘 또는 그 이상의 것. ¶자매 학교 / 자매 회사. ⓑ여형제(女兄弟).

0795 [묘]

妙

묘할 묘:
部 女부 劃 7획 中 妙 [miào]

妙자는 '젊은[少] 여자[女]'(young lady)를 뜻하기 위하여 만들어진 것이다(예, 妙齡: 20살 안팎의 젊은 여자의 나이). '젊다'(young), '예쁘다'(pretty), '묘하다'(exquisite; subtle) 같은 뜻을 나타내기도 한다.

묘:기 妙技 | 묘할 묘, 재주 기
[skill; wonderful performance]
절묘(絶妙)한 기술(技術). 매우 뛰어난 기술. ¶곡예사가 묘기를 부리다.

묘ː미 妙味 | 묘할 묘, 맛 미
[exquisite beauty; charm]
❶속뜻 야릇한[妙] 맛[味]. ❷미묘한 재미나 흥취. ¶등산의 묘미. ㊥묘취(妙趣).

묘ː수 妙手 | 묘할 묘, 솜씨 수 [excellent skill]
운동 바둑이나 장기 따위에서, 절묘(絶妙)한 솜씨[手]. 또는 그런 사람.

묘ː안 妙案 | 묘할 묘, 생각 안 [wonderful idea]
아주 교묘(巧妙)한 생각[案]. 뛰어난 생각. 절묘(絶妙)한 방법. ¶묘안이 떠올랐다. ㊥묘책(妙策).

묘ː책 妙策 | 묘할 묘, 꾀 책 [excellent plan]
매우 절묘(絶妙)한 꾀[策]. ¶묘책을 생각해 내다. ㊥묘계(妙計), 묘산(妙算), 묘안(妙案).

• 역순어휘

교묘 巧妙 | 솜씨 교, 묘할 묘 [skillful; clever]
솜씨[巧]가 뛰어나고 묘하다[妙]. 매우 잘 되고 묘하다. ¶교묘히 속이다.

기묘 奇妙 | 기이할 기, 묘할 묘 [strange; curious]
기이(奇異)하고 묘(妙)하다. ¶기묘한 일이 벌어졌다.

미묘 微妙 | 작을 미, 묘할 묘 [delicate; subtle]
❶속뜻 섬세하고[微] 묘(妙)하다. ❷섬세하고 야릇하여 무엇이라고 딱 잘라 말할 수 없다. ¶이러지도 저러지도 못하는 미묘한 상황.

오ː묘 奧妙 | 깊을 오, 묘할 묘
[profound; abstruse]
심오(深奧)하고 미묘(微妙)하다. ¶자연의 섭리는 정말 오묘하다.

절묘 絶妙 | 뛰어날 절, 묘할 묘
[exquisite; superb; superexcellent]
뛰어나게[絶] 기묘(奇妙)함. ¶절묘한 재주.

0796 [방]

妨

방해할 방
㊎ 女부 ㊕ 7획 ㊥ 妨 [fáng]

妨자는 '거리끼다'(be restrained)는 뜻을 나타내기 위한 것인데 '여자 여'(女)가 표의요소로 쓰인 까닭은 무얼까? 여자가 남자에게 큰 힘이 되기도 하지만 때로는 큰 방해가 될 수도 있다고 여겼나 보다. '방해하다'(disturb; interrupt) 또는 이와 의미상 연관이 있는 낱말의 한 구성 요소로도 많이 쓰인다.

속뜻훈음 ①방해할 방, ②거리낄 방.

방해 妨害 | 거리낄 방, 해칠 해 [disturb; interrupt]
남에게 거리낌[妨]이나 해(害)를 끼침. ¶방해해서 죄송합니다. ㊥훼방(毁謗).

• 역순어휘

무방 無妨 | 없을 무, 방해할 방
[do no harm; do not matter]
방해(妨害)가 되지 않다[無]. 지장이 없다. ¶숙제는 내일까지 내도 무방하다. ㊥상관(相關)없다, 관계(關係)없다.

0797 [위]

委

맡길 위
㊎ 女부 ㊕ 8획 ㊥ 委 [wěi, wēi]

委자는 무릎을 꿇고 앉은 여인의 모습을 본뜬 '女'(여)와, 머리를 숙인 익은 벼의 모습을 그린 '禾'(화)가 합쳐진 것이다. 둘 다 다소곳한 모양이니 '순종하다'(obey)는 뜻을 나타냈다. '맡기다'(leave)는 뜻으로도 쓰인다.

위원 委員 | 맡길 위, 사람 원
[committee; member of a committee]
특정 사항의 처리를 위임(委任) 받은 사람[員]. 대개 선거나 임명에 의해 지명된다. ¶운영위원.

위임 委任 | 맡길 위, 맡길 임 [entrust; delegate]
어떤 일을 맡기는[委=任] 것. 또는 그 맡은 책임. ¶그 문제의 결정을 법원에 위임했다.

위탁 委託 | 맡길 위, 부탁할 탁 [entrust; consign]
❶법률 어떤 행위나 사무의 처리를 남에게 맡겨[委] 부탁(付託)하는 일. ¶전문 경영인에게 회사의 운영을 위탁했다. ❷남에게 사물이나 사람의 책임을 맡기는 것. ¶위탁교육.

0798 [위]

威

위엄 위
㊎ 女부 ㊕ 9획 ㊥ 威 [wēi]

威자는 '여자 여'(女)와 '무기 술'(戌)이 합쳐진 것으로 '시어머니'(one's husband's mother)가 본래 의미였다고 한다. 부수를 '창 과'(戈)로 오인하기 쉬우니 잘 알아두자. 후에 확대 사용된 '위엄'(dignity), '두려워하다'(fear) 같은 의미가 '시어머니'와 무슨 관계인지는 며느리의 처지에서 생각해 보면 쉽게 알 수 있겠다.

속뜻훈음 ①위엄 위, ②두려워할 위.

위력 威力 | 위엄 위, 힘 력
[power; might; authority]
위풍 있는 강대한[威] 힘[力]. ¶핵무기의 위력.

위세 威勢 | 으를 위, 힘 세
[power; influence; high spirits]
❶속뜻 남을 으를[威] 듯한 강한 힘[勢]. ❷사람을 두렵게 하여 복종시키는 힘. ¶나는 그녀의 위세에 눌려 한 마디도 할 수 없었다.

위신 威信 | 위엄 위, 믿을 신
[authority and confidence; prestige]
위엄(威嚴)과 신망(信望). ¶반기문씨는 유엔 사무총장으로 선출되어 국가의 위신을 높였다.

위압 威壓 | 위엄 위, 누를 압 [overawe; overpower]
위엄(威嚴)이나 위력 따위로 압박(壓迫)함. 정신적으로 억누름. ¶모두 그의 시퍼런 서슬에 완전히 위압되고 말았다.

위엄 威嚴 | 두려워할 위, 엄할 엄
[dignity; majesty; stateliness]
❶속뜻 두려움[威]과 엄(嚴)한 느낌을 받게 함. ❷존경할 만한 위세가 있고 엄숙함. 또는 그런 모습이나 태도. ¶이 불상은 석가모니의 위엄을 잘 표현하고 있다.

위풍 威風 | 위엄 위, 모습 풍
[stately appearance; imposing air]
위엄(威嚴) 있는 풍채(風采).

위협 威脅 | 위력 위, 협박할 협
[menace; intimidate]
위력(威力)으로 협박(脅迫)하는 것. ¶생명의 위협을 받다.

• 역순어휘 •

국위 國威 | 나라 국, 위엄 위 [national prestige]
나라[國]의 권위(權威)나 위력(威力). ¶국위를 선양하다.

권위 權威 | 권세 권, 위엄 위 [authority; power]
❶속뜻 권세(權勢)와 위엄(威嚴). ¶권위를 잃다. ❷남을 지휘하거나 통솔하여 따르게 하는 힘. ¶그는 권위를 잃었다. ❸일정한 분야에서 뛰어난 실력을 가진 데서 오는 위신. ¶권위 있는 학자의 연구에 따르면….

맹:위 猛威 | 사나울 맹, 위엄 위
[fierceness; ferocity; fury]
사납고[猛] 위엄(威嚴)있는 기세(氣勢). ¶한파가 맹위를 떨치다.

시:위 示威 | 보일 시, 위엄 위 [demonstrate]
위력(威力)을 드러내어 보임[示]. ¶대규모 시위가 벌어지다.

0799 [자]

姊

손윗누이 자
部 女부 획 8획 中 姊 [zǐ]

姊는 '손위누이'(an elder sister)를 나타내기 위한 것이니 '여자 여'(女)가 표의요소로 쓰였다. 그 나머지가 표음요소임은 第(평상 자), 秭(부피 이름 자)도 마찬가지이다. 속자인 姉로 쓰기도 한다. 姉의 '市'는 표음요소도 아니고 그렇다고 표의요소도 아니다. 이렇듯 속자(俗字)는 편의상 만들어진 것이기 때문에 일반 원칙에 부합되지 않는 경우가 많다.

자매 姊妹 | 손윗누이 자, 누이 매 [sisters]
❶속뜻 누나나 언니[姊]와 여동생[妹]. ❷같은 계통에 속하거나 서로 비슷한 점을 많이 가진 둘 또는 그 이상의 것. ¶자매 학교 / 자매 회사. 비여형제(女兄弟).

자형 姊兄 | 손윗누이 자, 맏 형
[one's elder sister's husband]
손윗누이[姊]의 남편[兄]. 비매형(妹兄).

0800 [자]

姿

모양 자:
部 女부 획 9획 中 姿 [zī]

姿자는 여자의 '맵시'(smartness)를 뜻하기 위한 것이었으니 '여자 여'(女)가 표의요소로 쓰였다. 次(버금 차)가 표음요소임은 資(재물 자), 恣(방자할 자)도 마찬가지이다.

속뜻 훈음 맵시 자.

자:세 姿勢 | 맵시 자, 형세 세 [posture; attitude]
❶속뜻 몸맵시[姿]와 태도[勢]. ❷몸이 가지는 모양. 앉았거나 섰거나 하는 따위. ¶편한 자세로 앉으세요. ❸무슨 일에 대하는 마음가짐, 곧 정신적인 태도. ¶그는 언제나 성실한 자세로 일했다.

자태 姿態 | 맵시 자, 모양 태 [figure]
맵시[姿]와 모양[態]. 몸가짐. ¶한라산이 웅장한 자태를 드러냈다.

0801 [혼]

婚

혼인할 혼
部 女부 획 11획 中 婚 [hūn]

婚자는 아내의 본집, 즉 '丈人(장:인)의 집(家)'(one's wife's home)이 본뜻이다. '저녁 때(昏) 여

자(女)의 집에서 식을 올리다', 즉 '장가가다'(take a wife)는 의미로 확대 사용됐다. 요즘도 저녁 때 예식을 올리는 것은 그 뿌리가 오랜 것임을 알 수 있다.

[속뜻 훈음] **①혼인할 혼, ②결혼할 혼.**

혼례 婚禮 | 혼인할 혼, 예도 례 [marriage ceremony]
❶[속뜻] 혼인(婚姻)의 의례(儀禮). ❷'혼례식'(婚禮式)의 준말. ¶혼례를 치르다.

혼사 婚事 | 혼인할 혼, 일 사 [marital matter]
혼인(婚姻)에 관한 일[事]. ¶부모님은 언니의 혼사를 의논했다 / 혼사가 성사되다.

혼수 婚需 | 혼인할 혼, 쓰일 수 [articles essential to a marriage]
혼사(婚事)에 쓰이는[需] 여러 가지 물품. ¶혼수를 장만하다.

혼인 婚姻 | 결혼할 혼, 시집갈 인 [marry]
❶[속뜻] 결혼(結婚)하여 시집감[姻]. ❷남자와 여자가 부부가 되는 일. ¶혼인 신고. [비]결혼(結婚). [하나 더!!] 婚姻(혼인)은 '장가들고 시집가다', 즉 '남자와 여자가 예를 갖추어 부부가 되는 일'을 가리키며, '婚娶'(혼취)라고도 하였다.

• 역순어휘 •

결혼 結婚 | 맺을 결, 혼인할 혼 [marry]
남녀가 정식으로 부부관계[婚]를 맺음[結]. ¶결혼 기념일. [비]혼인(婚姻). [반]이혼(離婚).

관혼 冠婚 | 갓 관, 혼인할 혼
관례(冠禮)와 혼례(婚禮).

구혼 求婚 | 구할 구, 혼인할 혼 [propose]
❶[속뜻] 결혼(結婚)할 상대자를 구(求)함. ❷결혼을 청함. ¶그녀는 구혼을 거절했다. [비]청혼(請婚).

기혼 既婚 | 이미 기, 혼인할 혼 [married]
이미[既] 결혼(結婚)함. [반]미혼(未婚).

미:혼 未婚 | 아닐 미, 혼인할 혼 [single]
성인으로서 아직 결혼(結婚)하지 않음[未]. ¶저는 아직 미혼입니다. [반]기혼(既婚).

신혼 新婚 | 새 신, 혼인할 혼 [be newly married]
갓[新] 결혼(結婚)함. ¶신혼 생활은 어떠세요?

약혼 約婚 | 묶을 약, 혼인할 혼 [be engaged]
혼인(婚姻)하기로 약속(約束)함. ¶약혼식 / 약혼 반지.

이:혼 離婚 | 떨어질 리, 혼인할 혼 [divorce]
[법률] 혼인(婚姻) 관계를 끊고 서로 떨어져[離] 삶. ¶이혼 가정 / 둘은 결혼 2년 만에 이혼했다. [반]결혼(結婚).

재:혼 再婚 | 다시 재, 혼인할 혼 [remarry]
다시[再] 결혼(結婚)함. 또는 그 혼인. ¶그녀는 남편이 죽은 지 얼마 안 돼 재혼했다. [반]초혼(初婚).

조:혼 早婚 | 이를 조, 혼인할 혼 [early marriage]
어린 나이에 일찍[早] 결혼(結婚)함. 또는 그렇게 한 혼인. ¶아내와 조혼하여 일찍 첫아들을 보았다. [반]만혼(晩婚).

청혼 請婚 | 청할 청, 혼인할 혼 [propose to; ask for a marriage]
혼인(婚姻)하기를 청(請)함. ¶청혼을 받아들이다 / 그녀에게 청혼하다. [비]구혼(求婚).

파:혼 破婚 | 깨뜨릴 파, 혼인할 혼 [break off a marriage engagement]
혼인(婚姻) 관계를 깨뜨림[破]. ¶그녀는 결혼 일주일 전에 파혼했다. [반]약혼(約婚).

0802 [기]

奇

기특할 기
[部] 大부 [획] 8획 [中] 奇 [qí, jī]

奇자는 '(발을) 절뚝거리다'(limp)는 뜻을 나타내기 위한 것이었는데 어찌, 두 발을 쭉 뻗고 서있는 모습인 大(대)와 '할 수 있다'는 뜻인 可(가)가 조합되었는지 이해가 되지 않는다. 다리를 다친 사람의 희망 사항을 통하여 뜻을 나타냈을까. 후에 이것이 '기이하다'(strange)는 뜻으로 많이 쓰이자, 본뜻은 따로 踦(절뚝발이 기)자를 만들어 나타냈다. '갑자기'(suddenly), '홀수'(an odd number)를 뜻하는 것으로도 쓰인다.

[속뜻 훈음] **①기이할 기, ②이상할 기, ③갑자기 기, ④홀수 기.**

기괴 奇怪 | 기이할 기, 이상할 괴 [strange; outlandish]
기이하고[奇] 이상한[怪]. ¶기괴한 사건이 일어났다.

기묘 奇妙 | 기이할 기, 묘할 묘 [strange; curious]
기이(奇異)하고 묘(妙)하다. ¶기묘한 일이 벌어졌다.

기발 奇拔 | 기이할 기, 빼어날 발 [novel; clever; smart]
유달리[奇] 재치 있고 빼어나다[拔]. ¶생각이 기발하다.

기수 奇數 | 홀수 기, 셀 수 [odd number]
[수학] 홀[奇] 수(數). 2로 나누어서 나머지 1이 남는 수. [반]우수(偶數), 짝수.

기습 奇襲 | 갑자기 기, 습격할 습 [raid; surprise attack]
몰래 움직여 갑자기[奇] 습격(襲擊)함. ¶기습을 당하다.

[비]급습(急襲).

기암 奇巖 | 기이할 기, 바위 암
[strangely shaped rock]
기이(奇異)하게 생긴 바위[巖].

기이 奇異 | 이상할 기, 다를 이 [strange; curious]
이상야릇할[奇] 정도로 보통과는 크게 다름[異]. ¶그곳에 갔다가 기이한 광경을 보았다.

기인 奇人 | 기이할 기, 사람 인
[eccentric; strange person]
성질이나 언행이 기이(奇異)한 사람[人]. [반]범인(凡人).

기적 奇跡 | =奇迹, 기이할 기, 발자취 적
[miracle]
상식으로는 생각할 수 없는 기이(奇異)한 일이나 업적[跡]. ¶한강의 기적. [비]이적(異跡).

기특 奇特 | 기이할 기, 특별할 특
[admirable; laudable]
❶[속뜻]기이(奇異)하고 특별(特別)하다. ❷말씨나 행동이 신통하여 귀염성이 있다. ¶아이는 기특하게도 혼자서 옷을 입는다.

기행 奇行 | 기이할 기, 행할 행
[eccentric conduct; eccentricity]
기이(奇異)한 행동(行動).

• 역순어휘 ————————— •

신기 新奇 | 새 신, 기이할 기 [be supernatural]
새롭고[新] 기이(奇異)하다. ¶신기한 물건.

진기 珍奇 | 보배 진, 기이할 기 [rare; strange]
진귀(珍貴)하고 기이(奇異)하다. ¶여행을 하면 진기한 풍경을 많이 보게 된다.

호:기 好奇 | 좋을 호, 기이할 기
[curiosity; inquisitiveness]
새롭고 기이(奇異)한 것을 좋아함[好].

0803 [기]

寄

부칠 기
[部] 宀부 [劃] 11획 [中] 寄 [jì]

寄자는 '집 면'(宀)이 표의요소이고, 奇(기이할 기)는 표음요소이다. '맡기다'(deposit)가 본뜻임은, 집은 몸을 맡기는 곳이라는 점에서 보면 쉽게 이해가 된다. '부치다'(send)는 뜻으로도 쓰인다.

[속뜻훈음] **①부칠 기, ②맡길 기.**

기고 寄稿 | 부칠 기, 원고 고 [contribute articles]
원고(原稿)를 써서 보냄[寄]. ¶환경에 대한 글을 기고하다. [비]투고(投稿).

기별 寄別 | 부칠 기, 나눌 별 [news; notice]
❶[속뜻]부치어[寄] 나누어 줌[別]. ❷소식을 전함. 또는 소식을 전하는 종이. ¶기별을 보내다. [속담]간에 기별도 안 간다.

기부 寄附 | 부칠 기, 붙을 부
[donate to; contribute to]
돈 따위를 대가없이 보내주거나[寄] 덧붙여[附] 내놓음. ¶적십자에 돈을 기부하다. [비]기증(寄贈), 기탁(寄託).
[하나 더!!] 寄附와 寄贈은 대체로 동일한 뜻으로 통용되고 있는데, 문자학적으로 굳이 구분하자면 寄附는 어떤 '물건'을, 寄贈은 '돈'을 거저 주는 것이라 할 수 있다. 贈자의 貝(패)가 '돈'을 의미하기 때문이다. 실제로 꼭 그렇게 구분하여 쓰이는 것은 아니다.

기생 寄生 | 맡길 기, 살 생 [be parasitic]
[생물]다른 생물에 붙어서[寄] 사는[生] 것. ¶오리는 벼에 기생하는 해충을 잡아먹는다.

기숙 寄宿 | 맡길 기, 잠잘 숙 [board]
남의 집에 위탁하여[寄] 먹고 자고[宿] 함.

기여 寄與 | 부칠 기, 줄 여 [contribute to]
❶[속뜻]물건을 부쳐[寄] 줌[與]. ❷도움이 되도록 이바지함. ¶승리에 결정적으로 기여하다. [비]증여(贈與).

기증 寄贈 | 부칠 기, 보낼 증 [donate; contribute]
돈이 될 만한 물건을 대가 없이 부쳐주거나[寄] 보내줌[贈]. ¶장기를 기증하다.

기탁 寄託 | 부칠 기, 맡길 탁 [deposit; entrust]
물건이나 돈을 부쳐[寄] 주어 그 관리를 맡김[託]. ¶장학금을 기탁하다.

0804 [선]

宣

베풀 선
[部] 宀부 [劃] 9획 [中] 宣 [xuān]

宣자는 궁궐의 '방'(a room)을 뜻하는 것이었으니 '집 면'(宀)이 표의요소로 쓰였다. 방안의 화려한 회전 무늬 모양을 본뜬 그 나머지도 표의요소인 셈이다. '(널리) 알리다'(publicize)는 뜻으로 더 많이 쓰인다. '베풀 선'이란 훈도 있는데, 이것은 한문에만 적용될 수 있을 뿐이다. 한자어 해석에는 도움이 되지 않기 때문에 속뜻 훈음은 '알릴 선'이라고 하였다.

[속뜻훈음] **알릴 선.**

선고 宣告 | 알릴 선, 알릴 고
[pronounce; sentence]

❶[속뜻] 중대한 사실을 알려줌[宣=告]. ¶암 선고를 받다. ❷[법률] 공판정에서 재판관이 재판의 판결을 당사자에게 알림. ¶그는 무죄를 선고받았다.

선교 宣敎 | 알릴 선, 가르칠 교
[evangelize; propagandize]
[종교] 종교(宗敎)를 전하여 널리 알림[宣]. ¶그는 선교 활동에 몸을 바쳤다. [비]포교(布敎).

선명 宣明 | 알릴 선, 밝을 명
[announce; proclaim]
어떤 사실을 분명히 알려[宣] 뜻을 밝힘[明].

선서 宣誓 | 알릴 선, 맹세할 서
[swear; take an oath]
여러 사람 앞에서 공개적으로 알려[宣] 맹세하는[誓] 일. ¶올림픽 선서.

선양 宣揚 | 알릴 선, 오를 양
[raise; increase; heighten]
여러 사람에게 널리 알려[宣] 명성을 드높임[揚]. ¶국위를 선양하고 돌아왔다.

선언 宣言 | 알릴 선, 말씀 언
[declare; make a declaration]
❶[속뜻] 여러 사람에게 분명하게 알리고자[宣] 하는 말[言]. ❷국가나 단체가 방침, 주장 따위를 정식으로 공표함. ¶독립 선언.

선전[1] 宣傳 | 알릴 선, 전할 전
[propagate; advertise]
여러 사람에게 널리 알리고[宣] 전달(傳達)함. ¶신제품을 선전하다.

선전[2] 宣戰 | 알릴 선, 싸울 전 [declare war]
[정치] 다른 나라에 대하여 전쟁(戰爭)을 시작할 것을 선언(宣言)함.

선포 宣布 | 알릴 선, 펼 포 [proclaim; promulgate]
세상에 널리 알려서[宣] 뜻을 펼침[布]. ¶전쟁을 선포하다.

0805 [침]

寢 잘 침:
[部] 宀부 [劃] 14획 [中] 寝 [qǐn]

寢자의 갑골문은 집[宀]안에 빗자루[帚]가 있는 모양이었다. '침실'(a bedroom)을 그렇게 나타낸 것은 빗자루로 싹싹 쓸어 놓은 곳이 잠자는 곳이었음을 말해 준다. 篆書(전:서) 서체에서 유래된 寑(잠잘 침)과 隸書(예:서) 서체에서 유래된 寝 같은 이체자가 있다. 특히 寢은 집[宀]안에 있는 침대[爿] 위를 빗자루를 들고[又] 쓸고 있는 모양이다. 이와 같이 예서 서체에서 의미 구조가 명확해진 예는 극히 드물고, 대부분은 그 반대였다. 하여튼 '침실'(a bedroom)이 본래 의미이고, '잠자다'(sleep), '눕다'(lay oneself on the bed) 등으로도 쓰인다.
[속뜻훈음] **잠잘 침.**

침:구 寢具 | 잠잘 침, 갖출 구 [bedding]
잠자는[寢] 데 쓰는 도구(道具). 이부자리나 베개 따위. ¶침구를 정돈하다. [비]이부자리.

침:낭 寢囊 | 잠잘 침, 주머니 낭 [sleeping bag]
잠을 잘[寢] 때 쓰는 자루[囊] 모양의 이불. ¶그는 누에고치처럼 좁은 침낭 속에 들어가서 잤다.

침:대 寢臺 | 잠잘 침, 돈대 대 [bed]
사람이 누워 잘[寢] 수 있도록 편평하게 만든 대(臺). 서양식의 침상. ¶침대에서 벌떡 일어나다.

침:상 寢牀 | 잠잘 침, 평상 상 [bed]
누워 잘[寢] 수 있게 만든 평상(平牀). ¶그 병원은 50개의 침상을 갖추고 있다.

침:식 寢食 | 잠잘 침, 먹을 식 [eating and sleeping]
잠자는[寢] 일과 먹는[食] 일. ¶침식을 제공하다. [비]숙식(宿食).

침:실 寢室 | 잠잘 침, 방 실 [bedroom]
잠을 잘 수 있게[寢] 마련된 방[室]. ¶침실을 아기자기하게 잘 꾸몄다.

• 역순어휘

취:침 就寢 | 나아갈 취, 잠잘 침 [go to bed]
잠자리에 들어[就] 잠을 잠[寢]. ¶그는 밤 10시에 취침한다. [반]기상(起牀).

0806 [장]

壯 장할 장(:)
[部] 士부 [劃] 7획 [中] 壮 [zhuàng]

壯자는 신체가 '큰 사람'(great man)을 뜻하기 위한 것이었으니 '선비 사'(士)가 표의요소로 쓰였다. 爿(나무 조각 장)은 표음요소이다. '씩씩하다'(manly), '장하다'(stout) 등으로 확대 사용됐다.
[속뜻훈음] **①씩씩할 장, ②장할 장.**

장:관 壯觀 | 씩씩할 장, 볼 관 [magnificent view]
굉장(宏壯)하여 볼만한 경관(景觀). ¶서울의 야경은 어디에도 비길 수 없는 장관이다.

장:년 壯年 | 장할 장, 나이 년 [prime of life]
혈기 왕성하여[壯] 한창 활동할 나이[年]. 또는 그런

나이의 사람. 일반적으로 서른 살에서 마흔 살 안팎을 이른다.

장:담 壯談 | 씩씩할 장, 말씀 담 [affirm; assure]
확신을 가지고 씩씩하게[壯] 말함[談]. 또는 자신 있게 하는 말. ¶우리 팀이 이길 거라고 장담은 못하지만 최선을 다하겠습니다.

장:대 壯大 | 씩씩할 장, 큰 대 [be mighty]
튼튼하고[壯] 체격이 매우 크다[大]. ¶장대한 체격.

장:렬 壯烈 | 씩씩할 장, 세찰 렬 [heroic]
기운이 있어 씩씩하고[壯] 의지가 강렬(強烈)하다. ¶장렬한 죽음.

장:사 壯士 | 씩씩할 장, 선비 사 [strong man]
❶속뜻 힘이 있어 씩씩한[壯] 사람[士]. ❷힘이 센 사람. ¶그는 힘이 장사다.

장:정 壯丁 | 씩씩할 장, 사나이 정
[strong young man; sturdy youth]
성년이 되어 씩씩하고[壯] 혈기왕성한 사나이[丁]. ¶그는 장정 세 사람 몫의 일을 한다.

장판 壯版 | 장할 장, 널빤지 판
[floor covered with laminated paper]
기름 먹여 두꺼워 장하게[壯] 보이는 널판[版] 형태의 종이. 또는 이것을 바른 방바닥. '장판지'(壯版紙)의 준말. ¶거실에 장판을 새로 깔다.

• 역순어휘

건:장 健壯 | 튼튼할 건, 씩씩할 장 [strong; healthy]
몸이 튼튼하고[健] 씩씩하다[壯]. ¶건장한 남자 셋이 집으로 들어왔다.

굉장 宏壯 | 클 굉, 씩씩할 장
[magnificent; wonderful]
❶속뜻 아주 크고[宏] 씩씩하다[壯]. ❷보통 이상으로 대단하다. ¶굉장한 인파 / 굉장한 미인.

비:장 悲壯 | 슬플 비, 씩씩할 장 [pathetic]
슬프지만[悲] 씩씩하다[壯]. 슬픔 속에서도 의기를 잃지 않고 꿋꿋하다. ¶비장한 각오.

웅장 雄壯 | 뛰어날 웅, 씩씩할 장
[grand; magnificent]
빼어날[雄] 만큼 씩씩하게[壯] 보이다. 또는 매우 우람하다. ¶웅장한 경치에 넋을 잃었다.

0807 [숭]

崇 높을 숭
㊙ 山부 ㊙ 11획 ㊥ 崇 [chóng]

崇자는 높고 큰 '산'(a mountain)을 뜻하기 위한 것이었으니, '메 산'(山)이 표의요소이다. 宗(마루 종)은 표음요소였다고 한다. 이 표음요소가 약간 개선된 崧(숭), 아예 표의요소로 바꿔치기 한 嵩(높을 숭)같은 이체자(異體字)가 만들어지기도 하였으나 널리 쓰이지 않았다. 후에 '높다'(high), '높이 받들다'(admire) 등으로 확대 사용됐다.

숭고 崇高 | 높을 숭, 높을 고 [sublime; lofty]
정신이 고상하고 뜻이 높다[崇=高]. ¶숭고한 정신을 기리다.

숭배 崇拜 | 높을 숭, 공경할 배 [worship; adore]
어떤 사람을 거룩하게 높여[崇] 마음으로부터 우러러 공경함[拜]. ¶조상숭배 / 태양을 숭배하다.

숭상 崇尙 | 높을 숭, 받들 상 [respect; revere]
높게[崇] 떠받들다[尙]. ¶예부터 우리 민족은 예의(禮義)를 숭상해 왔다.

• 역순어휘

융숭 隆崇 | 높을 륭, 높을 숭 [hospitable]
대접, 대우 따위의 수준이 매우 높음[隆=崇]. 또는 극진하게 대하다. ¶나는 융숭한 대접을 받았다. ㊟정성(精誠)스럽다, 정중(鄭重)하다.

0808 [거]

居 살 거
㊙ 尸부 ㊙ 8획 ㊥ 居 [jū]

居자는 '웅크리고 앉다'(squat oneself down)가 본뜻으로 '주검 시'(尸)가 표의요소로 쓰였다. '주검 시'(尸)가 표의요소로 쓰인 글자들은 모두 '의자에 걸터앉은 자세'나 '엉덩이'와 관련된 의미를 지닌다. 古(옛 고)는 표음요소인데, 음이 약간 달라졌다. '살다'(live)는 뜻으로 많이 쓰인다.

거류 居留 | 살 거, 머무를 류 [live in]
❶속뜻 어떤 곳에 살며[居] 머무름[留]. ❷외국의 거류지에 삶. ¶외국에 거류하고 있는 한국인을 대피시켰다.

거실 居室 | 살 거, 방 실 [living room]
온 가족이 살며[居] 공동으로 사용하는 방[室].

거주 居住 | 살 거, 살 주 [dwell; reside]
일정한 곳에 자리를 잡고 머물러 삶[居=住]. ¶그는 독도에서 30년째 거주하고 있다. ㊟주거(住居).

거처 居處 | 살 거, 곳 처 [dwell in]
사는[居] 곳[處]. ¶그는 우리집에서 거처하고 있다. ㊟처소(處所), 거주지(居住地).

• 역순어휘

기거 起居 | 일어날 기, 살 거 [one's daily life]
❶속뜻 몸을 일으켜[起] 살아감[居]. ❷일정한 곳에서 먹고 자고 하는 따위의 일상적인 생활을 함. 또는 그 생활. ¶잠시 친척집에서 기거하다.

동거 同居 | 같을 동, 살 거 [live together]
한집이나 한방에서 같이[同] 삶[居]. ¶동거하고 있는 가족은 모두 다섯이다. ⑪별거(別居).

별거 別居 | 나눌 별, 살 거 [separate]
부부 또는 한 가족이 따로[別] 떨어져 삶[居]. ¶나는 아내와 별거 중이다. ⑪동거(同居).

주:거 住居 | 살 주, 살 거 [dwell; reside; live in]
일정한 곳에 머물러[居] 삶[住]. 또는 그런 집. ¶주거환경이 좋다 / 주거를 옮기려고 한다. ⑪거주(居住).

0809 [굴]

屈

굽힐 굴
㊀ 尸부 ㊃ 8획 ㊥ 屈 [qū]

屈자가 전서 서체에서는 '尸 + 毛 + 出'의 구조였는데, 예서 때 이후로 지금의 구조로 바뀌었다. 尸는 몸을 굽힌 모양이니 '굽다'(bent)가 본래 의미이고 '굽히다'(yield)로 확대 사용됐다. 出(날 출)이 표음요소임은 䖦(볼기 굴), 詘(굽힐 굴)도 마찬가지이다.

굴곡 屈曲 | 굽힐 굴, 굽을 곡 [winding; curved]
❶속뜻 이리저리 꺾이거나 굽음[屈=曲]. ¶굴곡이 심한 해안선. ❷사람이 살아가면서 잘 되거나 잘 안 되거나 하는 일이 번갈아 나타나는 변동. ¶굴곡진 인생. ❸언어 굴절(屈折).

굴복 屈服 | 굽힐 굴, 따를 복 [submit to]
힘이 모자라서 몸을 굽혀[屈] 따름[服]. ⑪저항(抵抗).

굴욕 屈辱 | 굽힐 굴, 욕될 욕
[humiliation; disgrace]
남에게 굴복(屈服)되어 업신여김을 받음[辱]. ⑪모욕(侮辱).

굴절 屈折 | 굽힐 굴, 꺾을 절 [bend; be refracted]
❶속뜻 휘어져 굽히거나[屈] 꺾임[折]. ❷생각이나 말 따위가 어떤 것에 영향을 받아 본래의 모습과 달라짐. ❸물리 빛, 소리, 물결 따위가 진행 방향이 바뀌는 현상. ¶빛의 굴절.

굴지 屈指 | 굽힐 굴, 손가락 지
[count on one's fingers]
❶속뜻 무엇을 셀 때, 손가락[指]을 꼽음[屈]. ❷수많은 가운데서 손가락을 꼽아 셀 만큼 아주 뛰어남. ¶국내 굴지의 기업.

• 역순어휘

불굴 不屈 | 아닐 불, 굽힐 굴 [indomitable]
어려움에 부닥쳐도 굽히지[屈] 않고[不] 끝까지 해냄. ¶불굴의 의지.

비:굴 卑屈 | 낮을 비, 굽힐 굴 [mean; servile]
비겁(卑怯)하게 자신의 뜻을 굽힘[屈]. 용기가 없고 비겁함. ¶겸손이 지나치면 비굴이 된다 / 비굴한 행동.

0810 [속]

屬

붙일 속
㊀ 尸부 ㊃ 21획 ㊥ 属 [shǔ, zhǔ]

屬자는 본래 '(꼬리를) 잇다'(link)는 뜻이었으니 '꼬리 미'(尾)가 표의요소였는데, 지금의 자형에서는 모양이 약간 달라져 그러한 사실을 알기 힘들게 됐다. 蜀(나라 이름 촉)이 표음요소인데 음이 조금 달라졌다. '붙이다'(adhere), '속하다'(belong), '엮다'(plait; weave), '무리'(a group; a crowd) 등으로 쓰인다. '잇다'(succeed)는 뜻으로도 쓰이는데, 이 경우에는 [촉]으로 읽는다.

속뜻 훈음 **①붙일 속, ②엮을 속, ③속할 속, ④무리 속, ⑤이을 촉.**

속국 屬國 | 속할 속, 나라 국 [dependency]
주권이 다른 나라에 속(屬)해 있는 나라[國]. ¶우산국은 한때 신라의 속국이었다. ⑪종속국(從屬國), 식민지(植民地).

속성 屬性 | 붙일 속, 성질 성 [attribute; property]
사물의 본질을 이루거나 붙어 있는[屬] 특징이나 성질(性質). ¶물질의 속성.

• 역순어휘

귀:속 歸屬 | 돌아갈 귀, 속할 속
[revert; be restored]
❶속뜻 재산이나 영토, 권리 따위가 특정 주체에 돌아가[歸] 딸리거나 속함[屬]. ¶이 땅은 국가에 귀속된다. ❷어떤 개인이 특정 단체의 소속이 됨.

금속 金屬 | 쇠 금, 속할 속 [metal]
❶속뜻 쇠[金]에 속(屬)하는 물질. ❷열이나 전기를 잘 전도하고 펴지고 늘어나는 성질이 풍부하며 특수한 광택을 가진 물질을 이르는 말. ⑪비금속(非金屬).

부:속 附屬 | 붙을 부, 엮을 속

[belong to; be attached to]
❶[속뜻] 주된 것에 붙여[附] 엮어 놓음[屬]. ¶부속 건물. ❷'부속품'(附屬品)의 준말.

비:속 卑屬 | 낮을 비, 무리 속 [descendant]
[법률] 혈연관계에서 자기보다 낮은[卑] 항렬의 친속(親屬). [반]존속(尊屬).

소:속 所屬 | 것 소, 엮을 속 [one's position]
어떤 기관이나 조직에 엮여 있는[屬] 어떤 것[所]. 또는 그 딸린 사람이나 물건. ¶나는 야구부 소속이다.

예:속 隸屬 | 따를 례, 속할 속
[be subordinate (to)]
❶[속뜻] 남의 지휘에 따르거나[隸] 그 부하에 속함[屬]. ¶예속 관계 / 예전에 노비는 주인에게 예속되어 있었다. ❷윗사람에게 매여 있는 아랫사람. ¶예속을 거느리다. [참]속례(屬隸).

전속 專屬 | 오로지 전, 엮을 속 [belong exclusively]
오로지[專] 어떤 한 기구나 조직에만 소속(所屬)되거나 관계를 맺음. ¶전속모델.

족속 族屬 | 겨레 족, 속할 속 [kinsman; party]
❶[속뜻] 같은 겨레[族]에 속하는[屬] 무리. ❷같은 패거리에 속하는 사람들을 낮잡아 이르는 말. ¶그들은 인정이라고는 눈곱만큼도 없는 족속들이다.

존속 尊屬 | 높을 존, 무리 속 [ascendant]
[법률] 혈연관계에서 자기보다 높은[尊] 항렬의 친속(親屬). 부모 항렬 이상에 속하는 친족을 말한다. ¶존속범죄를 저지르면 더 큰 처벌을 받는다.

종속 從屬 | 따를 종, 엮을 속 [be subordinate to]
자주성이 없이 주가 되는 것에 딸리거나[從] 엮임[屬]. ¶부모는 자식을 종속적인 존재로 생각하면 안 된다.

직속 直屬 | 곧을 직, 속할 속 [belonging directly]
직접(直接) 소속(所屬)됨. 또는 그런 소속. ¶직속선배 / 몇몇 부서가 대통령에 직속되었다.

촉망 屬望 | =矚望, 이을 촉, 바랄 망
[expect; hope]
이어서[屬] 잘 되기를 바라고[望] 기대함. 또는 그런 대상. ¶장래가 촉망되는 사람. [비]속망(屬望).

0811 [층]

層

층[層階] 층
[部] 尸부 [劃] 15획 [中] 层 [céng]

層자는 '다락'(=이층집, a two-story house)을 뜻하기 위한 것이었는데, '주검 시'(尸)가 왜 표의요소로 쓰였는지는 정설이 없다. 曾(일찍 증)이 표음요소임은 蹭(비틀거릴 층)도 마찬가지이다. 건물의 '층'(a floor; a story)을 나타내는 것으로도 많이 쓰인다.

[속뜻훈음] ①다락 층, ②층 층.

층계 層階 | 다락 층, 섬돌 계 [stairs]
다락[層]을 오르내릴 수 있도록 만들어 놓은 섬돌[階]. ¶그는 층계에서 굴러 다리가 부러졌다. [비]계단(階段).

층수 層數 | 층 층, 셀 수 [number of layers]
건물 층(層)의 수(數). ¶건물의 층수를 15층으로 낮추다.

층암 層巖 | 층 층, 바위 암
층(層)을 이룬 바위[巖].

층층 層層 | 층 층, 층 층 [layer upon layer]
❶[속뜻] 거듭된 여러 층[層+層]. ❷낱낱의 층. ❸여러 층으로 겹겹이. ¶돌을 층층이 쌓아 올리다.

• 역순어휘

계층 階層 | 섬돌 계, 층 층 [class; social stratum]
사회적 지위에 따른[階] 여러 층(層). ¶계층 간의 차이. [비]계급(階級).

고층 高層 | 높을 고, 층 층 [higher stories]
❶[속뜻] 높은[高] 층(層). ❷상공의 높은 곳. ❸층이 여러 겹으로 되어 있는 것. ¶고층 건물이 들어서다.

다층 多層 | 많을 다, 층 층 [multistory]
여러[多] 층(層).

단층[1] 單層 | 홑 단, 층 층 [single story; one story]
단 하나[單]의 층(層). 또는 단 하나의 층으로 된 사물. ¶단층집.

단:층[2] 斷層 | 끊을 단, 층 층 [fault; dislocation]
[지리] 지각 변동으로 생긴 지각의 틈을 따라 지층이 아래위로 어그러져[斷] 층(層)을 이룬 현상. 또는 그러한 현상으로 나타난 서로 어그러진 지층.

상:층 上層 | 위 상, 층 층
[upper classes; upper layer]
위[上] 층(層). [반]하층(下層).

심:층 深層 | 깊을 심, 층 층 [depths]
생각이나 사물 속의 깊은[深] 층(層). ¶심층분석.

지층 地層 | 땅 지, 층 층 [geological stratum]
[지리] 자갈, 모래, 진흙, 생물체 따위가 물밑이나 지표(地表)에 퇴적하여 이룬 층(層). ¶지층에서 화석이 발견되다.

하:층 下層 | 아래 하, 층 층
[lower layer; lower social stratum]
❶[속뜻] 겹치거나 쌓인 것들 중에서 아래[下] 층(層). ¶건물의 하층. ❷등급이 아래인 계층. ¶하층 계급 / 하층 생활. [비]하급(下級). [반]상층(上層).

0812 [고]

庫

곳집 고
[部] 广부 [劃] 10획 [中] 库 [kù]

庫자는 군사용 수레[車]를 넣어 두는 집[广·엄], 즉 '무기 창고'(an armory)를 가리키는 것이었다. 후에 일반적인 의미의 '곳집'(=창고, a storehouse)을 가리키는 것으로 확대 사용됐다.

곳간 庫間 | 곳집 고, 사이 간 [storage; warehouse]
❶[속뜻] 창고(倉庫)의 칸[間]. ❷물건을 간직해 두는 곳. ¶쌀가마를 곳간에 쟁이다. [비]곳집, 창고(倉庫).

• 역순어휘

국고 國庫 | 나라 국, 곳집 고 [National Treasury]
❶[역사] 나라[國]의 재산인 곡식이나 돈 따위를 넣어 보관하던 창고(倉庫). ❷[경제] 국가의 재정적 활동에 따른 현금의 수입과 지출을 담당하기 위하여 한국은행에 설치한 예금 계정. 또는 그 예금.

금고 金庫 | 쇠 금, 곳집 고 [safe; strongbox]
❶[속뜻] 돈[金]이나 귀중품 따위를 안전하게 보관하는 데 쓰이는 상자[庫]. ¶보석을 금고에 넣어 두다. ❷국가나 공공 단체의 현금 출납 기관. ¶상호신용 금고.

문고 文庫 | 글월 문, 곳집 고 [library; archives]
❶[속뜻] 책이나 문서(文書)를 넣어 두는 방이나 상자[庫]. ❷서고(書庫). ❸[출판] 값이 싸고 가지고 다니기 편하게 작게 만든 출판물. 대중에게 널리 보급될 수 있도록 제작된다.

보:고 寶庫 | 보배 보, 곳집 고
[treasure house; treasury]
❶[속뜻] 보물(寶物)을 보관하고 있는 창고(倉庫). ❷귀중한 것이 많이 나거나 간직되어 있는 곳을 비유적으로 이르는 말. ¶문화유산의 보고.

사:고 史庫 | 역사 사, 곳집 고
[역사] 예전에 국가의 중요 역사(歷史) 서적을 보관하던 서고(書庫). ¶강화 마니산, 무주 적상산, 봉화 태백산, 강릉 오대산에 사고를 설치했다.

서고 書庫 | 책 서, 곳집 고 [library]
책[書]을 보관하는 일종의 창고(倉庫). [비]문고(文庫).

재:고 在庫 | 있을 재, 곳집 고 [stock; stockpile]
❶[속뜻] 창고(倉庫)에 쌓여 있음[在]. ❷팔리지 않은 채 창고에 남아 있는 물건. '재고품'(在庫品)의 준말. ¶재고 조사 / 재고 정리.

차고 車庫 | 수레 차, 곳집 고 [garage; car shed]
차량(車輛)을 넣어 두는 곳[庫]. ¶차고에 차를 대다.

창고 倉庫 | 곳집 창, 곳집 고 [warehouse]
물건을 간직하여 두는 곳집[倉=庫]. ¶창고에 곡식이 산더미처럼 쌓여 있다. [비]곳간.

0813 [저]

底

밑 저:
[部] 广부 [劃] 8획 [中] 底 [dǐ, de]

底자는 집의 '밑바닥'(the bottom)을 나타내기 위한 것이었으니, '집 엄'(广)이 표의요소로 쓰였다. 氐(근본 저)가 표음요소임은 低(밑 저), 抵(거스를 저)도 마찬가지이다.

저:력 底力 | 밑 저, 힘 력 [potential power]
❶[속뜻] 밑바닥[底]에 간직하고 있는 끈기 있는 힘[力]. ❷여차할 때 발휘되는 강한 힘. ¶그는 금메달을 딸 만한 저력이 있다.

저:변 底邊 | 밑 저, 가 변 [base]
❶[수학] 도형의 밑[底]을 이루는 변(邊). ❷어떤 생각이나 현상 따위의 겉으로 드러나지 않는 부분. ¶그 작품 저변에는 유교사상이 깔려 있다. ❸사회의 기본을 이루는 요소나 계층. ¶우리 경제의 저변을 확대하다.

저:의 底意 | 밑 저, 뜻 의 [one's original purpose]
드러내지 않고 밑바닥[底]속에 품고 있는 뜻[意]. ¶갑자기 나에게 잘해 주는 저의가 뭐니? [비]본심(本心), 본의(本意), 진심(眞心).

• 역순어휘

도:저 到底 | 이를 도, 밑 저 [very good; perfect]
❶[속뜻] 밑바닥[底]에 이를[到] 정도로 깊음. ❷학식 따위가 매우 깊다. ¶그는 서양 의술에 도저한 사람이다. ❸몸가짐이 바르고 훌륭하다. ¶그녀의 도저한 행동은 가히 본받을 만하다.

철저 徹底 | 뚫을 철, 밑 저
[thorough; exhaustive; radical]
속속들이 꿰뚫어[徹] 밑바닥[底]까지 빈틈이 없음. 또는 그런 태도.

해:저 海底 | 바다 해, 밑 저 [sea bottom]
바다[海]의 밑바닥[底]. ¶해저탐험 / 해저터널.

0814 [좌]

座

자리 좌:
[部] 广부 [劃] 10획 [中] 座 [zuò]

座자는 집[广] 안에 앉을[坐]만한 곳,

즉 '자리'(a seat)를 가리키는 것이다. 坐(앉을 좌)는 표음요소도 겸하는 셈이다. 이러한 예를 문자학에서는 회의겸형성(會意兼形聲)이라 한다. '같은 값이면 다홍치마'라는 관념이 한자를 만드는 데에도 적용되었다.

좌:담 座談 | 자리 좌, 이야기 담 [discussion]
여러 사람이 한자리[座]에 모여 앉아서 어떤 문제에 대하여 나누는 이야기[談].

좌:석 座席 | 자리 좌, 자리 석 [seat]
앉을 수 있게 마련된 자리[座=席]. ¶6시 공연에 좌석이 있습니까? ⓑ자리.

좌:우 座右 | 자리 좌, 오른쪽 우[right side]
앉은 자리[座]의 오른쪽[右]. 또는 그 옆.

좌:표 座標 | 자리 좌, 나타낼 표 [coordinates]
❶속뜻 자리해 있는[座] 곳에 붙인 표시(標示). ❷수학 평면이나 공간 안의 임의의 점의 위치를 나타내는 수나 수의 짝.

• 역순어휘

강:좌 講座 | 익힐 강, 자리 좌 [lecture; course]
❶속뜻 강의(講義)하는 자리[座]. ❷일정한 주제에 따른 강의 형식을 취하여 체계적으로 편성한 강습회. ¶교양 강좌를 개설하다.

계:좌 計座 | 셀 계, 자리 좌 [account]
❶속뜻 금액의 증감을 나누어 계산(計算)·기록하는 자리[座]. ❷'예금계좌'(預金計座)의 준말. ¶계좌 번호가 어떻게 됩니까?

구:좌 口座 | 입 구, 자리 좌 [account]
경제 예금을 한 사람[口]을 위하여 개설한 계좌(計座). '계좌'(計座)로 순화.

당좌 當座 | 마땅 당, 자리 좌 [current deposit]
경제 예금자가 수표를 발행하면 은행이 어느 때나 예금액으로 그 수표에 대한 지급을 마땅히[當] 하도록 되어 있는 예금계좌(計座). '당좌예금'(預金)의 준말.

성좌 星座 | 별 성, 자리 좌 [constellation]
천문 별[星]이 위치하는 자리[座]. 천구상의 여러 별을 신화나 전설에 나오는 신, 영웅, 동물, 기물 따위의 형상으로 가상하여 구분한 것으로, 현재 여든 여덟 개의 성좌가 있다. ⓑ별자리.

옥좌 玉座 | 구슬 옥, 자리 좌 [king's chair]
임금이 앉는 옥(玉)으로 만든 자리[座]. 또는 임금의 지위. ⓑ왕좌(王座).

왕좌 王座 | 임금 왕, 자리 좌 [throne]
임금[王]이 앉는 자리[座]. 또는 임금의 지위. ⓑ옥좌(玉座), 왕위(王位).

0815 [청]

廳
관청 청
㊀广부 ㊁25획 ㊥厅 [tīng]

廳자는 '관리의 사무실로 쓰이는 집'(=관청, a government house)을 나타내기 위한 것이었으니 '집 엄'(广)이 표의요소이다. 聽(들을 청)은 표음요소이다. 백성들의 말을 귀담아 들어야 하는 곳이기 때문에 그것을 표음요소로 취했다는 설도 있다. '관아'(a government agency), '마루'(a wooden floor)를 뜻하는 것으로도 쓰인다.

속뜻훈음 ①관청 청, ②관아 청, ③마루 청.

청사 廳舍 | 관청 청, 집 사 [government office building]
관청(官廳)의 사무실로 쓰이는 건물[舍]. ¶정부 종합청사.

• 역순어휘

관청 官廳 | 벼슬 관, 관아 청 [government office]
국가[官]의 사무를 집행하는 국가기관[廳]. 또는 그런 곳.

구청 區廳 | 나눌 구, 관청 청 [ward office]
법률 구(區)의 행정 사무를 맡은 관청(官廳).

군:청 郡廳 | 고을 군, 관청 청 [country office]
군(郡)의 행정 사무를 맡아보는 기관[廳]. 또는 그 청사.

대:청 大廳 | 큰 대, 마루 청 [main floored room]
한옥에서, 몸채의 방과 방 사이에 있는 큰[大] 마루[廳].

도:청 道廳 | 길 도, 관청 청 [provincial office]
도(道)의 행정을 맡아 처리하는 지방 관청(官廳). ¶도청 소재지.

시:청 市廳 | 도시 시, 관청 청 [city hall]
시(市)의 행정 사무를 맡아보는 관청(官廳). 또는 그 청사.

0816 [취]

就
나아갈 취:
㊀尤부 ㊁12획 ㊥就 [jiù]

就자는 '높이 올라가다'(ascend)는 뜻을 나타내기 위하여 '높다'의 뜻인 京(경)과 '더욱'의 뜻이 있는 尤(우)를 합쳐 놓은 것이다. 후에 '나아가다'(proceed), '이루다'(accomplish) 등으로 확대 사용됐다.

속뜻훈음 ①나아갈 취, ②이룰 취.

취:업 就業 | 나아갈 취, 일 업
[enter a profession; be employed]
일정한 직업을 갖고 직장에 나아가[就] 일[業]을 함. (비)취직(就職). (반)실업(失業).

취:임 就任 | 나아갈 취, 맡을 임
[take office; take up one's duties]
맡은 자리에 나아가[就] 임무(任務)를 수행함. ¶그가 우리 회사의 사장으로 취임할 예정이다. (반)퇴임(退任).

취:직 就職 | 나아갈 취, 일자리 직
[get a job; find a work]
직장(職場)에 나아가[就] 일함. ¶지난달 은행에 취직했습니다. (비)취업(就業). (반)실직(失職).

취:침 就寢 | 나아갈 취, 잠잘 침 [go to bed]
잠자리에 들어[就] 잠을 잠[寢]. ¶그는 밤 10시에 취침한다. (반)기상(起牀).

취:학 就學 | 나아갈 취, 배울 학 [enter a school]
스승에게 나아가[就] 학문을 배움[學]. 학교에 입학하여 공부함. ¶유치원은 아동들에게 취학 준비를 시켜 주는 기능을 한다.

• 역순어휘 —————————— •

성취 成就 | 이룰 성, 이룰 취 [achieve; accomplish]
목적한 바를 이룸[成=就]. ¶소원 성취 / 목표한 바를 성취하다.

0817 [연]

延

늘일 연
(部) 廴부 (劃) 7획 (中) 延 [yán]

延자는 '오래 가다'(last long)는 뜻을 나타내기 위하여 만들어진 것이다. '길갈 착'(辶)의 변이형으로 의미는 큰 차이가 없는 廴(길게 걸을 인)과 목적지를 향해 감을 뜻하는 正의 변이형이 합쳐 있다. 후에 '끌다'(draw), '늘이다'(extend) 등으로 확대 사용됐다.

[속뜻 훈음] **①끌 연, ②늘일 연.**

연기 延期 | 늘일 연, 때 기 [postpone; adjourn]
정해진 기한(期限)을 뒤로 늘림[延]. ¶무기한 연기 / 비가 와서 약속을 내일로 연기했다.

연명 延命 | 늘일 연, 목숨 명
[just managing to live]
목숨[命]을 겨우 연장(延長)해 감. 겨우 살아감. ¶우리는 연명을 하기 위하여 산나물을 캐어 먹었다.

연장 延長 | 늘일 연, 길 장 [extend; lengthen]
시간이나 거리 따위를 본래보다 길게[長] 늘임[延]. ¶연장근무 / 파견 기간을 3년으로 연장하다. (반)단축(短縮).

연착 延着 | 끌 연, 붙을 착 [arrive late]
시간을 끌어[延] 시간보다 늦게 도착(倒着)함. ¶열차는 한 시간이나 연착했다.

연체 延滯 | 끌 연, 막힐 체
[be in arrears; be overdue]
❶[속뜻] 기한을 끌어[延] 의무 이행을 지체(遲滯)함. ❷[법률] 기한 안에 이행해야 할 채무나 납세 따위를 지체하는 일. ¶연체요금 / 그는 집세를 연체했다.

• 역순어휘 —————————— •

지연 遲延 | 늦을 지, 끌 연 [delay; be overdue]
정해진 때보다 늦게[遲] 시간을 끎[延]. ¶약간의 문제가 생겨 열차의 출발이 지연되다.

0818 [계]

季

계절 계:
(部) 子부 (劃) 8획 (中) 季 [jì]

季자는 가을걷이의 마지막 과정에서 아이들[子]을 동원하여 떨어진 벼[禾]의 이삭을 줍게 한 옛날 관행과 관련이 있다고 한다. 그래서 '어리다'(young), '막내'(the last-born), '끝'(the last), '철'(=계절, a season) 등의 뜻을 나타내는 데 쓰인다.

[속뜻 훈음] **①계절 계, ②철 계, ③끝 계.**

계:절 季節 | 철 계, 마디 절 [season]
❶[속뜻] 일년 가운데 철[季]로 구분되는 마디[節]. ❷한 해를 날씨에 따라 나눈 그 한 철. 온대(溫帶)에는 봄, 여름, 가을, 겨울의 네 철이 있고 열대(熱帶)에는 건계(乾季)와 우계(雨季)가 있다. ❸어떤 일을 하는 데 가장 알맞은 시절. ¶가을은 독서의 계절이다.

• 역순어휘 —————————— •

동:계 冬季 | 겨울 동, 철 계 [winter season]
겨울[冬] 철[季]. ¶동계 올림픽 / 동계 훈련. (비)동절(冬節). (반)하계(夏季).

사:계 四季 | 넉 사, 철 계 [four seasons]
봄·여름·가을·겨울의 네[四] 계절[季]. ¶우리나라는 사계가 뚜렷하다. (비)사시(四時), 사철, 춘하추동(春夏秋冬).

하:계 夏季 | 여름 하, 철 계 [summer season]
여름[夏]에 해당되는 계절(季節). ¶하계 올림픽. (비)하기(夏期). (반)동계(冬季).

0819 [고]

孤

외로울 고
[部] 子부 [劃] 8획 [中] 孤 [gū]

孤자는 '아버지가 죽고 없는 아이'(an orphan)를 뜻하기 위한 것이었으니 '아이 자'(子)가 표의요소로 쓰였다. 瓜(오이 과)가 표음요소임은 苽(줄 고)도 마찬가지이다. '홀로'(alone), '외롭다'(lonely)는 뜻도 이것으로 나타냈다.

[속뜻훈음] ①외로울 고, ②홀로 고.

고고 孤高 | 홀로 고, 높을 고
[stand in lofty solitude]
홀로[孤] 세속에 초연(超然)하여 고상(高尚)하다. ¶고고한 생활을 하다.

고군 孤軍 | 외로울 고, 군사 군
[isolated force; forlorn garrison]
후방의 지원을 받을 수 없는 고립(孤立)된 군사(軍士).

고독 孤獨 | 외로울 고, 홀로 독 [lonely; solitary]
❶[속뜻] 짝 없이 외로운[孤] 홀[獨]몸. ❷외로움. ¶고독한 생활. ❸어려서 부모를 여읜 아이와 자식 없는 늙은이.

고립 孤立 | 외로울 고, 설 립 [be isolated]
❶[속뜻] 홀로 외따로[孤] 떨어져 있음[立]. ❷남과 어울리지 못하고 외톨이가 됨. ¶외부와 완전히 고립되다. [비] 사면초가(四面楚歌).

고아 孤兒 | 홀로 고, 아이 아 [orphan]
❶[속뜻] 아버지가 돌아가셔 홀로[孤] 된 아이[兒]. ❷부모님을 여읜 사람. ¶할머니는 고아를 맡아 길렀다.

0820 [공]

孔

구멍 공:
[部] 子부 [劃] 4획 [中] 孔 [kǒng]

孔자의 최초 자형인 金文(금문) 서체는 갓난아이의 머리숱 모양을 그린 것으로 '숫구멍'(the fontanel)이 본뜻이라고 한다. 후에 그 본래 의미는 囟(숫구멍 신)으로 나타내고, 이것은 일반적 의미의 '구멍'(a hole)을 뜻하는 것으로 확대 사용됐다고 한다.

공:작 孔雀 | 구멍 공, 참새 작 [peacock]
[동물] 꿩과의 새[雀]. 머리 위에 10cm 정도의 깃털이 삐죽하게 있으며[孔], 수컷이 꽁지를 펴면 큰 부채와 같으며 오색찬란하다. 암컷은 수컷보다 작고 꼬리가 짧으며 무늬가 없다.

• 역순어휘

기공 氣孔 | 숨 기, 구멍 공 [pore; stigma]
❶[동물] 곤충류의 몸 옆에 있는 숨[氣]구멍[孔]. ❷[식물] 호흡, 증산(蒸散)을 위하여 식물의 잎이나 줄기의 표피에 무수히 나 있는 구멍. [비] 기문(氣門).

동:공 瞳孔 | 눈동자 동, 구멍 공 [pupil of the eye]
눈동자[瞳]의 한가운데에 있는 구멍[孔] 같은 부분. 빛이 이곳을 통하여 들어간다. ¶놀라면 동공이 확대된다. [비] 눈동자.

0821 [존]

存

있을 존
[部] 子부 [劃] 6획 [中] 存 [cún]

存자는 '才 + 子'의 구조가 바뀐 것이다. '(아이를) 불쌍히 여기다'(feel pity for)는 뜻을 나타내기 위하여 만들어진 것이었으니, '아이 자'(子)가 표의요소이고, 才(재주 재)는 표음요소이다. 후에 '살피다'(observe), '있다'(exist) 등으로 확대 사용됐다.

존립 存立 | 있을 존, 설 립 [exist]
❶[속뜻] 생존(生存)하여 자립(自立)함. ❷국가, 제도, 단체, 학설 따위가 그 위치를 지키며 존재함. ¶사형제 존립에 대한 논쟁 / 국가가 존립하려면 우선 국민이 있어야 한다.

존망 存亡 | 있을 존, 망할 망 [life or death]
존속(存續)과 멸망(滅亡). 생존(生存)과 사망(死亡). ¶그것은 우리의 존망이 달린 문제이다.

존속 存續 | 있을 존, 이을 속 [continue; endure]
어떤 대상이 그대로 있거나[存] 어떤 현상이 계속(繼續)됨. ¶세습 제도의 존속 / 고구려는 약 700년 동안 존속했다.

존재 存在 | 있을 존, 있을 재 [exist]
현존(現存)하여 실제로 있음[在]. 또는 그런 대상. ¶그는 축구계에서 잊을 수 없는 존재이다 / 외계인이 존재할 가능성은 높지 않다.

• 역순어휘

공:존 共存 | 함께 공, 있을 존 [coexist with]
함께[共] 존재(存在)함. 함께 살아감. [비] 공생(共生).

기존 既存 | 이미 기, 있을 존 [exist; establish]
이미[既] 존재(存在)함. ¶『속뜻사전』은 기존의 사전보다 훨씬 유익하다.

보:존 保存 | 지킬 보, 있을 존
[preserve; conserve]
잘 보호(保護)하고 간수하여 남김[存]. ¶이 식품은 장

기간 보존할 수 있다.

생존 生存 | 살 생, 있을 존 [exist; live; survive]
살아서[生] 존재(存在)함. 또는 살아남음. ¶실종자들의 생존 가능성이 희박하다 / 나는 가족이 생존해 있기만을 바란다.

실존 實存 | 실제 실, 있을 존 [exist]
실제(實際)로 존재(存在)함. 또는 그런 존재. ¶실존주의(主義) / 영화의 주인공은 실존했던 인물이 아니다.

의존 依存 | 의지할 의, 있을 존 [depend on; rely on]
남에게 의지(依支)하여 존재(存在)함. ¶지나친 의존에서 벗어나다. [반]자립(自立).

현:존 現存 | 지금 현, 있을 존 [exist (actually); in existence]
현재(現在)에 있음[存]. 지금 살아 있음. ¶현존 인물 / 현존하는 가장 오래된 건물.

0822 [도]

徒

무리 도
[部] 彳부 [劃] 10획 [中] 徒 [tú]

徒자는 '걸어 다니다'(go on foot)는 뜻을 나타내기 위해서 '길 척'(彳)과 '달릴 주'(走)를 합쳐 놓았다. '무리'(a company)를 뜻하는 것으로도 쓰인다.

[속뜻 훈음] ①무리 도, ②걸을 도.

도보 徒步 | 걸을 도, 걸음 보 [walking]
탈것을 타지 않고 걸어서[步=徒] 감. ¶우리 집은 역에서 도보로 10분 거리에 있다. [비]보행(步行).

• 역순어휘

교:도 教徒 | 종교 교, 무리 도 [believer]
종교(宗教)를 믿는 사람이나 그 무리[徒].

사:도 使徒 | 부릴 사, 무리 도 [apostle]
❶[기독교] 예수가 복음을 널리 전하는 것을 시키기[使] 위하여 특별히 뽑은 열두 제자[徒]. ❷신성한 일을 위하여 헌신적으로 일하는 사람을 비유하여 이르는 말. ¶정의의 사도가 나가신다.

생도 生徒 | 사람 생, 무리 도 [pupil; cadet]
[교육] 군(軍)의 교육기관, 특히 사관학교의 학생(學生)들[徒].

신:도 信徒 | 믿을 신, 무리 도 [believer]
어떤 종교를 믿는[信] 사람들[徒]. ¶불교 신도들이 많이 모였다.

폭도 暴徒 | 사나울 폭, 무리 도 [mob; rioters]
폭동(暴動)을 일으키는 무리[徒]. ¶폭도들은 닥치는 대로 상점에 불을 질렀다.

학도 學徒 | 배울 학, 무리 도 [students]
❶[속뜻] 학문(學問)을 배우는[學] 무리[徒]. ❷'학생'(學生)의 이전 말.

0823 [종]

從

좇을 종(:)
[部] 彳부 [劃] 11획 [中] 从 [cóng]

從자는 '좇아가다'(follow)는 뜻을 나타내기 위하여 앞사람을 졸졸 좇아가는 사람의 모습[从]을 그린 것이었다. 후에 의미를 보강하기 위하여 '길 척'(彳)과 '발지국 지'(止)가 합쳐졌다. '따르다'(go after), '부터'(from) 등으로 확대 사용됐다. '사촌'(a cousin)을 뜻하는 것으로도 활용됐다.

[속뜻 훈음] ①좇을 종, ②따를 종, ③사촌 종.

종군 從軍 | 따를 종, 군사 군 [follow the army; service in war]
군대(軍隊)를 따라[從] 전쟁터로 나감. ¶종군기자 / 큰아버지께서는 베트남전에 종군했다.

종래 從來 | 좇을 종, 올 래 [heretofore]
일정한 시점을 기준으로 이전부터[從] 그 뒤[來].

종사 從事 | 좇을 종, 섬길 사 [be engaged in; follow; pursue]
❶[속뜻] 어떤 사람을 좇아[從] 섬김[事]. ❷마음과 힘을 다해 일함. ¶무슨 직업에 종사하고 계십니까?

종속 從屬 | 따를 종, 엮을 속 [be subordinate]
자주성이 없이 주가 되는 것에 딸리거나[從] 엮임[屬]. ¶부모는 자식을 종속적인 존재로 생각하면 안 된다.

종업 從業 | 좇을 종, 일 업 [work in service; be employed]
어떤 업무(業務)에 종사(從事)함. ¶쉽고 편한 업종에만 종업하려는 사람들이 너무 많다.

종전 從前 | 좇을 종, 앞 전 [previous; former]
지금보다 이전(以前)으로 거슬러간[從] 그 때에. ¶종전에 비해 훌륭한 대접을 받았다.

종:형 從兄 | 사촌 종, 맏 형 [older male cousin]
사촌[從] 형(兄).

• 역순어휘

고종 姑從 | 고모 고, 사촌 종
고모(姑母)의 아들이나 딸[從]. [비]내종(內從).

맹종 盲從 | 눈멀 맹, 따를 종 [follow blindly]

❶[속뜻] 눈이 멀어[盲] 남의 말을 그대로 따름[從]. ❷옳고 그름을 가리지 아니하고 남이 시키는 대로 무턱대고 따름. ¶그는 부모님의 말에 무조건 맹종한다.

복종 服從 | 따를 복, 좇을 종 [obey]
❶[속뜻] 남의 말 따위에 따르고[服] 좇음[從]. ❷남의 명령, 요구, 의지 등에 그대로 따름. ¶명령에 즉각 복종하다. [반]거역(拒逆), 반항(反抗).

상종 相從 | 서로 상, 따를 종 [associate with]
서로[相] 따르며[從] 의좋게 지냄. ¶상종하지 못할 인간 같으니라고!

순:종 順從 | 따를 순, 따를 종 [obey; submit]
순순(順順)히 따름[從]. ¶나는 부모님 말씀에 순종했다.

시:종 侍從 | 모실 시, 따를 종 [chamberlain]
❶[속뜻] 모시고[侍] 따름[從]. ❷[역사] 임금을 모시던 벼슬아치.

외:종 外從 | 밖 외, 사촌 종
[cousin on ones mothers side]
외삼촌(外三寸)의 아들이나 딸로 나와 사촌[從]이 되는 관계.

주종 主從 | 주인 주, 따를 종 [master and servant]
주인(主人)과 그를 따르는[從] 사람. ¶주종 관계를 이루다.

추종 追從 | 따를 추, 좇을 종 [follow; imitate]
❶[속뜻] 남의 뒤를 따라[追] 좇음[從]. ¶타의 추종을 불허하다. ❷남에게 빌붙어 따름. ¶연예인을 무조건 추종하는 것은 옳지 않다.

0824 [사]

射

쏠 사
[部] 寸부 [획] 10획 [中] 射 [shè]

射자의 身(신)은 활에 화살을 안착한 모양이 잘못 변한 것이고, 寸(촌)은 화살을 잡은 손 모양을 본뜬 又(우)의 변이형이다. 글자의 모양이 많이 바뀌다 보니 '(활을) 쏘다'(shoot a bow)는 뜻을 나타낸 자형 근거를 알아내기 내기 어렵게 됐다. 이 글자의 원형을 모르는 사람들은, 몸[身]이 한 뼘[寸] 밖에 안 되는 작은 사람을 가리킨다는 어처구니없는 풀이를 하기도 한다.

사격 射擊 | 쏠 사, 칠 격 [fire; shoot]
총이나 대포, 활 등을 쏘아[射] 맞힘[擊]. ¶적진을 집중 사격하다.

사살 射殺 | 쏠 사, 죽일 살 [shoot dead]
활이나 총으로 쏘아[射] 죽임[殺]. ¶적은 탈주병을 사살했다.

사수 射手 | 쏠 사, 사람 수 [marksman; shooter]
총포나 활 따위를 잘 쏘는[射] 사람[手]. '사격수'(射擊手)의 준말.

사정 射精 | 쏠 사, 정액 정 [ejaculate]
[의학] 남성의 생식기에서 정액(精液)을 내쏘는[射] 일. 성기에 가해지는 자극에 의하여 사정 중추가 흥분하면 일어난다.

• 역순어휘

곡사 曲射 | 굽을 곡, 쏠 사 [high-angle fire]
[군사] 탄환이 굽은[曲] 탄도로 높이 올라갔다가 목표물에 떨어지게 하는 사격(射擊).

난:사 亂射 | 어지러울 란, 쏠 사 [random firing]
어지럽게[亂] 마구 쏨[射]. ¶총을 난사하다. [비]난발(亂發).

반:사 反射 | 되돌릴 반, 쏠 사 [reflect]
❶[물리] 빛이나 전파 따위가 어떤 물체의 표면에 부딪혀 되돌아[反] 쏘는[射] 현상. ¶거울은 빛을 반사한다. ❷[생물] 자극에 대하여 기계적으로 일어나는 신체의 생리적인 반응.

발사 發射 | 쏠 발, 활 사 [discharge]
❶[속뜻] 활[射]을 쏨[發]. ❷총이나 로켓 따위를 쏨. ¶미사일을 발사하다. [비]방사(放射).

방:사 放射 | 놓을 방, 쏠 사 [radiate; emit]
❶[속뜻] 사방으로 방출(放出)하거나 쏘아[射] 내뻗침. ❷[물리] 물체가 빛이나 열 같은 에너지를 밖으로 내뿜음.

복사 輻射 | 바퀴살 복, 쏠 사 [radiate]
[물리] 물체로부터 열이나 전자기파가 바퀴살[輻]처럼 사방으로 쏘아[射] 방출됨. ¶태양은 복사에너지를 방출한다. [비]방사(放射).

일사 日射 | 해 일, 쏠 사 [insolate]
햇빛[日]이 내리쬠[射].

주:사 注射 | 물댈 주, 쏠 사 [inject]
[의학] 약물을 주사기에 넣어 생물체의 조직이나 혈관 안으로 들여보내[注] 쏘아[射] 넣는 일. ¶팔뚝에 주사를 맞았다 / 진통제를 주사하다.

0825 [전]

專

오로지 전
[部] 寸부 [획] 11획 [中] 专 [zhuān]

專자는 실을 짤 때 쓰는 '실패'(a reel)를 뜻하기 위하여 손[又→寸]에 실패를 잡고 있는 모양을 그린 것이다. 그 일은 전문가만이 할 수 있는 일이므로 '전문적으로'(professionally), '오로지'(devotedly) 등으로 확대 사용됐고, 때로는 제 마음대로 하기 때문인지 '제멋대로'(arbitrarily)란 뜻도 이것으로 나타냈다.

전공 專攻 | 오로지 전, 닦을 공 [specialize in; major in]
❶속뜻 오로지[專] 그것만 갈고 닦음[攻]. ❷어느 한 분야를 전문적으로 연구함. 또는 그 분야. ¶피아노 전공 / 대학에서 무엇을 전공하셨습니까?

전념 專念 | 오로지 전, 생각 념 [keep one's mind]
오로지[專] 한 가지 일만 마음에 두어 생각함[念]. ¶공부에 전념하다.

전매 專賣 | 오로지 전, 팔 매 [monopolize]
❶속뜻 어떤 물건을 오로지[專] 혼자서만 팖[賣]. ❷법률 국가가 국고 수입을 위하여 어떤 재화의 판매를 독점하는 일. ¶옛날에는 소금과 철을 전매했다.

전무 專務 | 오로지 전, 일 무 [executive director]
어떤 일을 전문적(專門的)으로 맡아보는 사무(事務). 또는 그런 사람.

전문 專門 | 오로지 전, 문 문 [be special]
어떤 분야에 상당한 지식과 경험을 가지고 오직[專] 그 분야[門]만 연구하거나 맡음. 또는 그 분야. ¶이 음식점은 삼계탕을 전문으로 한다.

전세 專貰 | 오로지 전, 세놓을 세 [charter; reserving]
오직[專] 어떤 사람에게만 빌려줌[貰]. ¶전세 버스.

전속 專屬 | 오로지 전, 엮을 속 [belong exclusively]
오로지[專] 어떤 한 기구나 조직에만 소속(所屬)되거나 관계를 맺음. ¶전속모델.

전업 專業 | 오로지 전, 일 업 [special occupation; full time job]
전문(專門)으로 하는 직업(職業). ¶전업 주부.

전용 專用 | 오로지 전, 쓸 용 [use exclusively]
❶속뜻 공동으로 쓰지 아니하고 오로지[專] 혼자서만 씀[用]. ¶버스전용차로. ❷오로지 한 가지만 씀. ¶한글 전용. ⓑ공용(共用).

전제 專制 | 오로지 전, 정할 제 [absolutism; despotism]
❶속뜻 오로지[專] 혼자서 정함[制]. ❷국가의 권력을 개인이 장악하고 그 개인의 의사에 따라 모든 일을 처리함. ¶전제 정치.

0826 [견]

堅 굳을 견
㊥ 土부 ⓗ 11획 ⓒ 坚 [jiān]

堅자는 땅이 '굳다'(harden)는 뜻을 타내기 위한 것이었으니 '흙 토'(土)가 표의요소로 쓰였다. 그 윗부분의 것이 표음요소임은 豎(누에 견), 鑒(강철 견)도 마찬가지이다. 후에 '굳세다'(strong), '튼튼하다'(solid) 등도 이것으로 나타냈다.

견고 堅固 | 굳을 견, 굳을 고 [strong; solid]
매우 튼튼하고[固] 단단하다[堅]. ¶견고한 성문을 부수다. ⓑ굳건하다.

• 역순어휘

중견 中堅 | 가운데 중, 굳을 견 [mainstay]
어떤 단체나 사회에서 중심(中心)을 굳건히[堅] 지키는 역할을 하는 사람. ¶중견배우답게 훌륭한 연기를 선보였다.

0827 [균]

均 고를 균
㊥ 土부 ⓗ 7획 ⓒ 均 [jūn]

均자는 '평평한 땅'을 뜻하기 위한 것이었으니 '흙 토'(土)가 표의요소로 쓰였고, 匀(적을 균)은 표음요소이다. 후에 '평평하다'(flat), '고르다'(level) 등으로 확대 사용됐다.

균등 均等 | 고를 균, 가지런할 등 [equal; uniform]
수량이나 상태 등이 고르고[均] 가지런함[等]. ⓑ균일(均一). ⓑ차등(差等).

균일 均一 | 고를 균, 같을 일 [equality]
금액이나 수량 따위가 골고루[均] 똑같음[一]. 차이가 없음. ¶요금은 어른이나 아이나 균일하다. ⓑ균등(均等).

균형 均衡 | 고를 균, 저울대 형 [balance; equilibrium]
균등(均等)하고 평형(平衡)을 이룸. 어느 한쪽으로 기울거나 치우치지 아니하고 고름. ¶균형 있는 발전 / 입법부와 행정부가 균형을 유지하다. ⓑ불균형(不均衡).

• 역순어휘

성균 成均 | 이룰 성, 고를 균
❶속뜻 학문을 이루고[成] 인품을 고르게[均] 함. ❷역사 고대 중국에서 '대학'(大學)을 일컫던 말.

평균 平均 | 평평할 평, 고를 균 [average; mean]
❶속뜻 높고 낮음이 없이 평평하고[平] 고르게 함[均]. ❷수학 몇 개 수의 중간 값을 구함. 또는 그 값. ¶우리 반 영어 성적은 전국 평균보다 높다.

0828 [묘]

墓

무덤 묘:

部 土부 劃 14획 中 墓 [mù]

墓자는 무덤이 있는 '땅'(land)을 나타내기 위한 것이었기에 '흙 토'(土)가 표의요소로 쓰였다. 莫(없을 막/저물 모)은 표음요소였다. 옛날에는 땅 속에 파묻기만 했던 平土葬(평토장)을 '墓'라 했고, 땅위로 볼록하게 흙을 쌓아 올린 封墳葬(봉분장)을 '墳'이라고 구분하였다. 요즘은 그런 구분이 없어져 '무덤'(a grave)을 통칭하여 墓라 한다.

묘:비 墓碑 | 무덤 묘, 비석 비 [tombstone; gravestone]
무덤[墓] 앞에 세우는 비석(碑石). ¶묘비에 이름을 새기다. 비 묘석(墓石).

묘:소 墓所 | 무덤 묘, 곳 소 [graveyard]
묘지(墓地)가 있는 곳[所]. '산소'(山所)의 높임말. 비 무덤, 산소(山所).

묘:지 墓地 | 무덤 묘, 땅 지 [graveyard]
무덤[墓]이 있는 땅[地]. 또는 그 구역. ¶공동묘지 / 국립묘지. 비 택조(宅兆).

• 역순어휘

분묘 墳墓 | 무덤 분, 무덤 묘 [grave; tomb]
무덤[墳=墓].

성묘 省墓 | 살필 성, 무덤 묘 [visit one's ancestral graves]
산소[墓]를 살핌[省]. ¶성묘를 가다 / 할아버지 산소에 성묘하다.

0829 [역]

域

지경 역

部 土부 劃 11획 中 域 [yù]

域자의 본래 글자는 或이었다. 나라의 영역을 가리키는 口, 땅을 상징하는 一, 그리고 국방 수단을 가리키는 戈를 통하여 '나라'(a country), '지경'(a boundary)을 뜻하였다. 후에 이것이 '혹시'(maybe)라는 뜻으로 차용되는 예가 많아지자, '나라'는 따로 國자를 만들어 나타내고, '지경'은 土를 첨가하여 추가로 만든 '域'으로 나타냈다.

• 역순어휘

광:역 廣域 | 넓을 광, 지경 역 [wide (large) area]
넓은[廣] 지경[域]. 또는 그 구역이나 범위. ¶광역단체장 선거.

구역 區域 | 나눌 구, 지경 역 [area; zone]
❶속뜻 갈라놓은[區] 지역(地域). ❷기독교 한 교회의 신자들을 지역에 따라 일정 수로 나누어 놓은 단위.

서역 西域 | 서녘 서, 지경 역 [countries to the west of China]
역사 중국의 서(西)쪽 지역(地域)에 있던 여러 나라를 통틀어 이르는 말. ¶현장(玄奘)은 불경을 찾아 서역으로 떠났다.

성:역 聖域 | 거룩할 성, 지경 역 [holy precincts]
거룩한[聖] 지역(地域). 특히 종교적으로 신성하여 범해서는 안 되는 곳을 말한다. ¶성역이 침략자에게 짓밟혔다.

영역 領域 | 다스릴 령, 지경 역 [domain]
❶속뜻 다스릴[領] 수 있는 권한이 미치는 지역[域]. ❷활동, 기능, 효과, 관심 따위가 미치는 일정한 범위. ¶그 일은 내 영역 밖이다.

유역 流域 | 흐를 류, 지경 역 [area drained by a river; drainage basin]
강물이 흐르는[流] 언저리의 지역(地域). ¶한강 유역에서 빗살무늬 토기가 발견되었다.

음역 音域 | 소리 음, 지경 역 [musical range; compass]
음악 사람의 목소리나 악기가 낼 수 있는 음(音)의 고저(高低) 범위[域]. ¶오르간은 음역이 넓다.

이:역 異域 | 다를 이, 지경 역 [alien land]
❶속뜻 다른[異] 나라의 땅[域]. ❷제 고장에서 멀리 떨어진 다른 곳. ¶그는 이역에서 숨을 거두었다.

전역 全域 | 모두 전, 지경 역 [whole area]
전체(全體)의 지역(地域). ¶부산 전역에 비가 내리고 있다.

지역 地域 | 땅 지, 지경 역 [area; region; zone]
일정한 땅[地]의 구역(區域). 또는 그 안의 땅. ¶이 지역에서는 물이 부족하다.

해:역 海域 | 바다 해, 지경 역 [sea area]
바다[海] 위의 일정한 구역(區域). ¶거제와 통영 일대는 청정 해역으로 지정되었다.

0830 [견]

犬

개 견

部 犬부 劃 4획 中 犬 [quǎn]

犬자는 '개'(a dog)를 나타내기 위하여

개 모양을 본뜬 것이었다. 갑골문에서는 큰 귀, 홀쭉한 배, 긴 꼬리라는 개의 특징적 묘사가 여실히 나타낸 형태였는데, 후에 쓰기 편함을 추구하다보니 모양이 크게 달라졌다. 犬의 점(丶)은 귀 모양이 바뀐 것이다. 왼쪽 부수로 쓰일 때의 자형인 '犭'이 犬보다는 원형에 가깝다.

• 역순어휘

맹:견 猛犬 | 사나울 맹, 개 견 [a fierce dog]
매우 사나운[猛] 개[犬]. ¶맹견이 있으니 주의하십시오.

0831 [범]

犯

범할 범:
(部) 犬부 (劃) 5획 (中) 犯 [fàn]

犯자는 '(함부로) 들어가다'는 뜻을 나타내기 위한 것이었다. '개 견'(犬→犭)이 표의요소로 쓰인 것은, 개가 어느 집이나 함부로 들락거리기 때문인 듯하다. 이상하게도 㔾(절)이 표음요소임은 氾(넘칠 범)도 마찬가지이다. 후에 '범하다'(commit), '어기다'(perpetrate) 등으로 확대 사용됐다.

(속뜻훈음) **①범할 범, ②어길 범.**

범:법 犯法 | 어길 범, 법 법 [violate the law]
법(法)을 어김[犯]. 법에 어긋나는 일을 함. ¶범법행위를 단속하다.

범:인 犯人 | 범할 범, 사람 인 [criminal]
(법률) 죄를 저지른[犯] 사람[人]. ¶범인을 체포하다. (비) 범죄인(犯罪人), 범죄자(犯罪者).

범:죄 犯罪 | 범할 범, 허물 죄 [crime]
죄(罪)를 지음[犯]. 또는 지은 죄. ¶범죄를 저지르다.

범:칙 犯則 | 어길 범, 법 칙 [infringe regulations]
규칙(規則)을 어김[犯]. ¶범칙 행위.

범:행 犯行 | 범할 범, 행할 행 [crime; offense]
범죄(犯罪) 행위를 함[行]. 또는 그 행위. ¶범행 계획 / 범행 현장 / 범행에 사용된 흉기.

• 역순어휘

공:범 共犯 | 함께 공, 범할 범 [accomplice]
(법률) 몇 사람이 함께[共] 저지른 범죄(犯罪). 또는 그 사람. ¶공범을 체포하다 / 이 사건은 세 사람이 공범했다. (반) 단독범(單獨犯).

방범 防犯 | 막을 방, 범할 범 [prevent crimes]
범죄(犯罪)가 일어나지 않도록 막음[防]. ¶방범대책을 세우다.

주범 主犯 | 주될 주, 범할 범 [principal offender]
어떤 범죄를 주동(主動)한 범인(犯人). ¶사건 발생 한 달 만에 주범이 잡혔다 / 자동차 매연은 대기오염의 주범이다.

진범 眞犯 | 참 진, 범할 범 [real offender]
참[眞] 범인(犯人). 직접 죄를 저지른 사람. ¶그가 구속되었지만 사실 진범은 따로 있었다.

침:범 侵犯 | 쳐들어갈 침, 범할 범 [invade]
남의 권리나 영토 따위에 쳐들어가[侵] 죄를 저지르거나[犯] 해침. ¶내 영역을 침범하지 마라.

0832 [장]

獎

장려할 장:
(部) 犬부 (劃) 15획 (中) 奖 [jiǎng]

獎자는 개를 싸우도록 '부추기다'(instigate; incite)는 뜻을 나타내기 위한 것이었으니, '개 견(犬)이 표의요소로 쓰였다. 편의상 犬을 大로 바꿔 쓰기도 하는데, 그것은 正字(정:자)가 아니라 俗字(속자)다. 자전에 따라서는 속자에 근거하여 '큰 대'(大)부수(총 14획)에 넣어 놓은 예도 있다. 將(장차 장)은 표음요소이니 뜻과는 무관하다. '장려하다'(encourage; promote) 또는 이와 의미상 연관이 있는 낱말의 한 구성요소로도 많이 쓰인다.

(속뜻훈음) **①부추길 장, ②장려할 장.**

장:려 獎勵 | 부추길 장, 힘쓸 려 [encourage; promote; support]
권하고 부추기어[獎] 어떤 일에 힘쓰게[勵] 함. ¶독서 장려 / 저축을 장려하다. (비) 권장(勸獎).

장:학 獎學 | 장려할 장, 배울 학 [encourage of learning]
학문(學問)을 장려(獎勵)함. 또는 그 일.

• 역순어휘

권:장 勸獎 | 권할 권, 장려할 장 [encourage; recommend; promote]
권(勸)하여 장려(獎勵)함. ¶저축을 권장하다. (비) 장려(獎勵), 권유(勸誘).

0833 [계]

戒

경계할 계:
(部) 戈부 (劃) 7획 (中) 戒 [jiè]

戒자는 '방비하다'(be cautious of)는

뜻을 나타내기 위한 것이다. 갑골문에서는 성을 지키는 군사가 창[戈]을 두 손으로 꼭 잡고[又+又 → 廾·받들 공] 있는 모습을 그려 뜻을 나타냈다. '주의하다'(be watchful of)는 뜻으로도 쓰이며, '경계하다'(take precautions) 또는 이와 의미상 연관이 있는 낱말의 한 구성 요소로도 애용된다.

속뜻 훈음 ①경계할 계, ②주의할 계.

계:엄 戒嚴 | 경계할 계, 엄할 엄 [martial law]
❶속뜻 일정한 곳을 병력으로 엄하게[嚴] 경계(警戒)함. ❷법률 군사적 필요나 사회의 안녕과 질서 유지를 위하여 일정한 지역의 행정권과 사법권의 전부 또는 일부를 군이 맡아 다스리는 일. ¶계엄을 해제하다.

계:율 戒律 | 경계할 계, 법 률 [commandments]
경계(警戒)하여 지켜야 할 규율(規律). ¶불교의 계율을 따르다.

• 역순어휘

경:계 警戒 | 타이를 경, 주의할 계 [be on alert]
❶속뜻 타일러[警] 주의하도록[戒] 함. ❷잘못을 저지르지 않도록 미리 타일러 조심하게 함. ¶경계경보 / 낯선 사람을 경계하다. ⊕주의(注意).

징계 懲戒 | 혼낼 징, 경계할 계
[punish; reprimand]
❶속뜻 허물이나 잘못을 뉘우치도록 나무라며[懲] 경계(警戒)함. ❷부정이나 부당한 행위에 대하여 제재를 가함. ¶반칙을 한 선수는 징계를 받는다.

파:계 破戒 | 깨뜨릴 파, 경계할 계
[violate the commandments]
계율(戒律)을 깨뜨림[破]. ¶그는 파계를 하고 속세로 돌아왔다.

훈:계 訓戒 | 가르칠 훈, 경계할 계
[admonish; exhort]
타일러[訓] 경계(警戒)시킴. 또는 그런 말. ¶훈계를 듣다 / 선생님이 학생들을 훈계하다.

0834 [혹]

或

혹 혹
部 戈부 劃 8획 ⊕ 或 [huò]

或자의 본래 뜻은 '나라'(a nation)를 뜻하는 것으로, 國(#0048)과 域(#0829)의 본래 글자였다. 이것이 '혹시'(maybe)의 뜻으로 쓰이게 된 것은 假借(가차) 용법이다.

속뜻 훈음 혹시 혹.

혹시 或是 | 혹시 혹, 옳을 시 [if; maybe]
❶속뜻 혹(或) 옳을지[是] 모름. 확실한 것은 아니지만. ¶혹시 모르니까 우산을 챙겨 가거라. ❷만일에. ¶혹시 한국에 오게 되면 꼭 연락주세요.

• 역순어휘

간:혹 間或 | 사이 간, 혹시 혹 [sometimes]
❶속뜻 간간(間間)이 또는 혹시(或是). ❷어쩌다가 띄엄띄엄. ¶원숭이도 간혹 나무에서 떨어질 때가 있다. ⊕때로.

설혹 設或 | 세울 설, 혹시 혹 [even if]
설령(設令) 또는 혹시(或是). ¶설혹 알고 있더라도 아는 체하지 마라. ⊕설령(設令), 설사(設使).

0835 [곡]

穀

곡식 곡
部 禾부 劃 15획 ⊕ 谷 [gǔ]

穀자는 여러 가지의 '곡식'(grain)을 뜻하기 위한 것이었으니, 그 대표적인 작물인 '벼 화'(禾)가 표의요소로 쓰였다. 부수가 '나무 목'(木)인데 간혹 '창 수'(殳)로 잘못 지정되어 있는 자전도 있다. 그 나머지가 표음요소임은 瑴(닥나무 곡), 螜(땅강아지 곡)도 마찬가지이다. '곡물'(cereal; corn) 또는 이와 의미상 연관이 있는 낱말의 한 구성 요소로도 쓰인다.

속뜻 훈음 ①곡식 곡, ②곡물 곡.

곡류 穀類 | 곡식 곡, 무리 류 [cereal; corn; grain]
쌀, 보리, 밀과 같은 곡식(穀食) 종류(種類)를 통틀어 이르는 말. ¶곡류 가격이 급등하다.

곡물 穀物 | 곡식 곡, 만물 물 [cereal; corn]
사람의 식량[穀]이 되는 먹을거리[物]. ¶곡물을 재배하다. ⊕곡식(穀食).

곡식 穀食 | 곡물 곡, 밥 식 [corn]
곡물[穀]로 만든 먹을거리[食]. 또는 그 곡물. ¶곡식이 잘 익었다.

곡창 穀倉 | 곡식 곡, 곳집 창
[granary; grain elevator]
❶속뜻 곡식(穀食)을 쌓아 두는 창고(倉庫). ❷곡식이 많이 나는 곳. ¶곡창 지대. ⊕곡향(穀鄕).

• 역순어휘

양곡 糧穀 | 양식 량, 곡식 곡 [grain; rice; cereals]
양식(糧食)으로 쓰는 곡식(穀食). ¶양곡 창고 / 양곡 원산지를 표기하다.

오:곡 五穀 | 다섯 오, 곡식 곡 [five grains]
다섯[五] 가지 중요한 곡식(穀食). 쌀, 보리, 콩, 조, 기장을 이른다.

잡곡 雜穀 | 섞일 잡, 곡식 곡 [miscellaneous cereals]
쌀 이외의 다른 곡식(穀食)을 섞은[雜] 것. 또는 그 곡식. ¶나는 잡곡을 넣어 지은 밥을 좋아한다.

추곡 秋穀 | 가을 추, 곡식 곡 [autumn harvested grains]
가을[秋]에 거두는 곡식(穀食). ¶추곡수매.

탈곡 脫穀 | 벗을 탈, 곡식 곡 [thresh the grain]
❶속뜻 곡식[穀]의 낟알에서 겉겨를 벗겨냄[脫]. ❷곡식의 낟알을 이삭에서 떨어냄. ¶벼를 탈곡하다.

0836 [구]

構
얽을 구
部 木부 劃 14획 中 构 [gòu]

構자는 본래, '(나무) 서까래'(a rafter)를 뜻하기 위한 것이었으니 '나무 목'(木)이 표의요소로 쓰였다. 冓(짤 구)는 표음요소인데 의미도 무관하지 않다. '얽다'(frame up)는 뜻으로 많이 쓰인다.

구내 構內 | 얽을 구, 안 내 [within the section]
❶속뜻 나무로 얽은[構] 집의 안쪽[內]. ❷큰 건물이나 시설의 내부.

구도 構圖 | 얽을 구, 그림 도 [composition; plot]
❶속뜻 얽거나[構] 짜놓은 그림[圖]. ❷미술 그림에서 모양, 색깔, 위치 따위의 짜임새. ¶구도를 잡다.

구상 構想 | 얽을 구, 생각 상 [plan; map out]
❶속뜻 생각을[想] 얽어냄[構]. ❷앞으로 하려는 일의 내용이나 규모, 실현 방법 따위를 어떻게 정할 것인지 이리저리 생각함. 또는 그 생각. ¶조직 개편을 구상하다. ❸예술 작품을 창작할 때, 작품의 주요 내용이나 표현 형식 따위에 대하여 생각함. 또는 그 생각. ¶작품을 구상하다. ㊥구사(構思), 구안(構案).

구성 構成 | 얽을 구, 이룰 성 [organize; constitute]
❶속뜻 몇 가지 부분이나 요소들을 모아서 일정한 전체를 짜서[構] 이룸[成]. ❷문학 문학 작품에서 형상화를 위한 여러 요소들을 유기적으로 배열하거나 서술하는 일. ❸미술 색채와 형태 따위의 요소를 조화롭게 조합하는 일. ㊥얼개, 구조(構造).

구조 構造 | 얽을 구, 만들 조 [organize; construct]
❶속뜻 얽어서[構] 만듦[造]. ❷부분이나 요소가 어떤 전체를 짜 이룸. ¶가옥 구조 / 컴퓨터의 구조.

구축 構築 | 얽을 구, 쌓을 축 [build; construct]
❶속뜻 얽어서[構] 만들어 쌓음[築]. ❷체제나 체계 따위의 기초를 닦아 세움. ¶신뢰를 구축하다.

• 역순어휘

기구 機構 | 틀 기, 얽을 구 [structure; organization]
❶속뜻 기계(機械)의 내부 구조(構造). ❷하나의 조직을 이루고 있는 구조적인 체계. ㊥구조(構造), 조직(組織).

허구 虛構 | 헛될 허, 얽을 구 [fiction]
사실이 아닌 헛된[虛] 것을 사실처럼 얽어[構] 만듦. ¶그 이야기 속의 모든 인물은 허구이다.

0837 [기]

機
틀 기
部 木부 劃 16획 中 机 [jī]

機자의 본래 글자인 幾는 베틀에 앉아 베를 짜는 사람의 모습으로 '베틀'(a hemp-cloth loom)이 본뜻이다. 후에 '기미'(signs), '얼마'(what number) 등의 의미로 차용되는 예가 잦아지자, '(나무로 짜여진) 베틀'은 '나무 목'(木)을 첨가한 機자를 따로 만들어 나타냈다. 후에 동력 장치가 딸린 모든 '틀'(machinery)을 나타내는 것으로 확대 사용됐고, '때'(a chance; time), '실마리'(a clue; a key)를 나타내기도 하였다.

속뜻 훈음 **①틀 기, ②베틀 기, ③때 기, ④실마리 기.**

기계 機械 | 베틀 기, 형틀 계 [machine; gin]
❶속뜻 베틀[機]과 형틀[械]. ❷동력으로 움직여서 일정한 일을 하게 만든 장치.

기관 機關 | 틀 기, 빗장 관 [engine; machine; system; organ]
❶속뜻 화력·수력 따위를 유용한 에너지로 바꾸는 기계(機械) 장치[關]. ¶증기기관. ❷사회생활의 영역에서 일정한 역할과 목적을 위하여 만든 기구나 조직.

기구 機構 | 틀 기, 얽을 구 [structure; organization]
❶속뜻 기계(機械)의 내부 구조(構造). ❷하나의 조직을 이루고 있는 구조적인 체계. ㊥구조(構造), 조직(組織).

기기 機器 | =器機, 틀 기, 그릇 기 [machinery; equipment]
기계(機械)와 기구(器具)의 통칭. ¶음향기기.

기능 機能 | 틀 기, 능할 능 [function; faculty]
기계(機械)의 능력(能力)이나 역할. ¶이 장치는 오래되어 기능이 약화되었다.

기동 機動 | 때 기, 움직일 동 [move; stir]

❶속뜻 그때그때[機] 재빠르게 움직임[動]. ❷군사 부대나 병기(兵器) 등을 상황에 따라 재빠르게 전개(展開)·운용(運用)하는 일. ¶기동 훈련/기동 부대.

기뢰 機雷 | 틀 기, 천둥 뢰 [underwater mine]
군사 적의 함선을 파괴하기 위하여 물속이나 물 위에 설치한 기계(機械)폭탄[雷].

기민 機敏 | 때 기, 재빠를 민 [agile; nimble]
동작 따위가 때[機]에 맞게 재빠름[敏]. ¶기민한 동작. ㊐민첩(敏捷).

기밀 機密 | 실마리 기, 숨길 밀 [secrecy]
어떤 일의 실마리[機]나 단서가 되는 중요 비밀(祕密). ¶국가기밀을 누설하다.

기선 機先 | 때 기, 먼저 선 [forestall; take a initiative]
❶속뜻 이길 수 있는 기회(機會)를 먼저[先] 잡음. ❷운동 경기나 싸움 따위에서 상대편의 세력이나 기세를 억누르기 위하여 먼저 행동하는 것. ¶기선을 잡다.

기수 機首 | 틀 기, 머리 수 [nose of an airplane]
항공기(航空機)의 앞머리[首]. ¶기수를 돌리다.

기장 機長 | 틀 기, 어른 장 [(senior) pilot]
항공기(航空機) 승무원들의 책임자[長].

기지 機智 | 때 기, 슬기 지 [wit; ready wits]
그때그때[機]에 맞게 재빨리 생각해내는 재치나 슬기[智]. ¶기지를 발휘하다.

기체 機體 | 틀 기, 몸 체 [airframe]
❶속뜻 기계(機械)의 몸체[體]. ❷비행기의 몸체. ¶바람이 세서 기체가 심하게 흔들렸다.

기회 機會 | 때 기, 모일 회 [opportunity; chance]
❶속뜻 적절한 때[機]를 만남[會]. ❷무슨 일을 하기에 알맞은 시기. ¶좋은 기회를 놓치다. ㊐적기(適期).

• 역순어휘

계:기 契機 | 맺을 계, 실마리 기 [opportunity; chance]
어떤 결과를 맺게[契] 된 실마리[機]. ¶불의 발견은 인류 진화의 계기가 됐다. ㊐원인(原因), 동기(動機).

대:기 待機 | 기다릴 대, 때 기 [watch and wait; stand ready]
❶속뜻 때나 기회(機會)를 기다림[待]. ❷군사 군대 등에서 출동 준비를 끝내고 명령을 기다림. ❸공무원의 대명(待命) 처분. ¶대기 발령.

동:기 動機 | 움직일 동, 실마리 기 [motive]
어떤 일이나 행동(行動)을 일으키게 된 실마리[機]. ¶동기를 부여하다 / 학습동기.

무기 無機 | 없을 무, 틀 기 [inorganic chemistry]
❶속뜻 스스로 살아갈 수 있는 기능(機能)이 없음[無]. ❷물, 공기, 광물처럼 생명 활동을 하지 않음. ㊉유기(有機).

시기 時機 | 때 시, 때 기 [opportunity; chance]
어떤 일을 하는 데 가장 알맞은 때[時]나 기회(機會). ¶시기를 엿보다.

심기 心機 | 마음 심, 실마리 기 [mental activity; mind]
어떤 마음[心]이 움직이게 된 실마리[機].

위기 危機 | 위태할 위, 때 기 [crisis; critical moment]
위험(危險)한 때[機]. 위험한 고비. ¶위기는 곧 기회다.

유:기 有機 | 있을 유, 틀 기[organic; systematic]
❶속뜻 스스로 살아갈 수 있는 기능(機能)을 갖추고 있음[有]. ❷생명력을 갖추기 위하여 각 부분이 기계적으로 긴밀하게 협력하는 일. ㊉무기(無機).

임기 臨機 | 임할 림, 때 기
그때그때[機]에 맞게 임시(臨時)로 대응함.

적기 敵機 | 원수 적, 틀 기 [enemy plane]
적(敵)의 비행기(飛行機). ¶백령도 영공(領空)에 적기가 나타났다.

추기 樞機 | 지도리 추, 틀 기 [most important affairs]
❶속뜻 문에 달린 지도리[樞]처럼 중요한 틀[機]이나 부분. ❷가장 중요한 일이나 역할.

투기 投機 | 던질 투, 때 기 [speculate]
일시적인 때[機]를 틈타 큰 이익을 얻으려고 투자(投資)하는 일. ¶그들은 부동산에 투기하여 돈을 벌었다.

호:기 好機 | 좋을 호, 때 기 [good opportunity; good chance]
무슨 일을 하는 데 좋은[好] 때[機]. 또는 그런 기회. ¶호기를 잡다 / 호기를 놓치다.

0838 [모]

模

본뜰 모
㊣木부 ㊥15획 ㊥模 [mó, mú]

模자는 원래 잎이 봄에는 푸르고 여름에는 붉고 가을에는 하얗고 겨울에는 검은 것으로 철 따라 변하는 '나무'(tree)를 지칭하는 것이었기에 '나무 목'(木)이 표의요소로 쓰였다. 莫(없을 막/저물 모)이 표음요소임은 募(모을 모), 慕(그리워할 모)도 마찬가지이다. 주나라에서는 정신적 지주였던 周公(주공)의 무덤 옆에 심어있던 신기한 나무의 잎 색깔을 보고 계절을 판단하는 풍속이 있었다고 한다. 그래서인지 '본뜨다'(model), '본보기'(a model)같은 뜻도 이것으로 나타냈다.

속뜻훈음 ①본뜰 모, ②본보기 모.

모방 模倣 | 본보기 모, 본뜰 방 [imitate; copy]
어떤 것을 본보기[模] 삼아 본뜸[倣]. 흉내냄. ¶아이들은 모방을 통해 배운다. ㊐모습(模襲), 모본(模本). ㊊창조(創造).

모범 模範 | 본보기 모, 틀 범 [model; example]
❶속뜻 본보기[模]가 될 만한 틀[範]. ❷본받아 배울 만한 본보기. ¶모범 답안 / 부모는 자식에게 모범이 되어야 한다. ㊐귀감(龜鑑), 모본(模本).

모사 模寫 | 본뜰 모, 그릴 사 [copy]
❶미술 어떤 그림의 본을 떠서[模] 똑같이 그림[寫]. ¶피카소의 작품을 모사하다. ❷똑같이 따라하거나 흉내 냄. ¶성대모사.

모양 模樣 | 본보기 모, 모습 양
[style; shape; appearance; situation]
❶속뜻 본보기[模]가 되는 모습[樣]. ❷겉으로 나타나는 생김새. ¶여학생들의 머리 모양. ❸외모에 부리는 멋. ¶거울을 보며 모양을 부리다. ❹어떠한 형편이나 되어 나가는 꼴. ¶사람들이 살아가는 모양은 가지각색이다. ❺남들 앞에서 세워야 하는 위신이나 체면. ¶너 때문에 내 모양이 엉망이다.

모의 模擬 | 본뜰 모, 흉내낼 의 [imitation]
실제의 것을 본뜨고[模] 흉내냄[擬]. 또는 그런 일. ¶모의고사 / 모의로 재판을 열다.

모조 模造 | 본보기 모, 만들 조 [imitate]
❶속뜻 모방(模倣)하여 만듦[造]. 또는 그 물품. ¶명화를 모조하다. ❷'모조지'(模造紙)의 준말.

모형 模型 | =模形, 본뜰 모, 거푸집 형 [model]
❶속뜻 똑같은 모양(模樣)의 물건을 만들기 위한 거푸집[型]. ❷실물을 모방하여 만든 물건.

모호 模糊 | 본보기 모, 풀 호
[faint; indistinct; ambiguous]
❶속뜻 모양(模樣)이 풀[糊]칠로 잘 안보임. ❷말이나 태도가 흐릿하여 분명하지 않음. ¶그는 내 질문에 모호하게 대답을 얼버무렸다. ㊐애매(曖昧)하다, 애매모호하다.

• 역순어휘

규모 規模 | 법 규, 본보기 모
[rule; scale; budget limit]
❶속뜻 법[規]이 될 만한 본보기[模]. ❷사물의 구조나 구상(構想)의 크기. ¶이 사업은 규모가 크다. ❸씀씀이의 계획성이나 일정한 한도(限度). ¶그녀는 규모 있게 살림을 한다.

0839 [송]

松

소나무 송
㊊ 木부 ㊋ 8획 ㊥ 松 [sōng]

松자는 '소나무'(a pine)를 지칭하기 위한 것이었으니 '나무 목'(木)이 표의요소이다. 公(공변될 공)이 표음요소임은 訟(송사할 송), 頌(기릴 송)도 마찬가지이다.

송림 松林 | 소나무 송, 수풀 림 [pine forest]
소나무[松]가 우거진 숲[林]. ¶해변을 따라 송림이 울창하게 우거져 있다. ㊐솔숲.

송어 松魚 | 소나무 송, 물고기 어 [trout]
❶속뜻 소나무[松] 껍질 무늬 모양이 있는 물고기[魚]. ❷동물 연어과의 물고기. 등은 짙은 남색, 배는 은백색이다. 산란기에 강을 거슬러 올라간다.

송이 松栮 소나무 송, 버섯 이 [pine mushroom]
식물 추석 무렵 솔[松]밭에 나는데 버섯[栮]. 향기가 좋고 맛이 있어 식용한다.

송진 松津 | 소나무 송, 진액 진 [pine resin; pitch]
소나무[松]에서 나오는 진액(津液).

송판 松板 | 소나무 송, 널빤지 판 [pine board
소나무[松]를 켜서 만든 널빤지[板]. ¶대패로 송판을 밀었다.

송화 松花 | 소나무 송, 꽃 화 [flowers of the pine]
소나무[松]의 꽃[花]. 또는 그 꽃가루.

• 역순어휘

노:송 老松 | 늙을 로, 소나무 송 [old pine tree]
늙은[老] 소나무[松]. ¶마을 어귀에 노송 한 그루가 서 있다.

0840 [양]

樣

모양 양
㊊ 木부 ㊋ 15획 ㊥ 样 [yàng]

樣자는 원래 '상수리나무'(an oak tree)를 뜻하기 위한 것이었으니 '나무 목'(木)이 표의요소로 쓰였고, 羕(길 양)은 표음요소이다. '본보기'(a model), '모양'(appearance), '모습'(a shape)의 뜻으로 차용되는 예가 많아지자, 본래 의미는 橡(상수리나무 상)자를 따로 만들어 나타냈다.
속뜻훈음 ①모양 양, ②모습 양.

양상 樣相 | 모양 양, 모양 상 [aspect; phase]

모양(模樣)이나 생김새[相]. ¶새로운 양상을 띠다.

양식 樣式 | 모양 양, 꼴 식 [form; style]
❶[속뜻] 일정한 모양(模樣)이나 형식(形式). ¶양식에 따라 보고서를 작성하다. ❷오랜 시간이 지나면서 자연히 정해진 방식. ¶생활 양식. ❸시대나 부류에 따라 각기 독특하게 지니는 문학, 예술 따위의 형식. ¶건축 양식.

• 역순어휘

각양 各樣 | 여러 각, 모양 양
[various ways; all manners]
여러[各] 가지 모양(模樣). 갖가지.

다양 多樣 | 많을 다, 모양 양 [various; diverse]
종류[樣]가 여러[多] 가지인 것. ¶다양한 의견 / 서비스가 다양하다. [반]획일(劃一).

모양 模樣 | 본보기 모, 모습 양
[style; shape; appearance; situation]
❶[속뜻] 본보기[模]가 되는 모습[樣]. ❷겉으로 나타나는 생김새. ¶여학생들의 머리 모양. ❸외모에 부리는 멋. ¶거울을 보며 모양을 부리다. ❹어떠한 형편이나 되어 나가는 꼴. ¶사람들이 살아가는 모양은 가지각색이다. ❺남들 앞에서 세워야 하는 위신이나 체면. ¶너 때문에 내 모양이 엉망이다.

문양 文樣 | 무늬 문, 모양 양 [pattern]
무늬[文]나 모양(模樣). ¶비슷한 문양이 고구려 벽화에도 보인다.

외:양 外樣 | 밖 외, 모양 양 [outward appearance]
겉[外] 모양(模樣). ¶저 개가 외양은 볼품없어도 집을 잘 지킨다. [비]겉모양.

0841 [류]

柳

버들 류:
[部] 木부 [劃] 9획 [中] 柳 [liǔ]

柳자는 '버드나무'(a willow)를 나타내기 위한 것이었으니 '나무 목'(木)이 표의요소로 쓰였다. 卯(네째 지지 묘)가 표음요소임은 留(머무를 류), 珋(돌 류)도 마찬가지이다.

0842 [조]

條

가지 조
[部] 木부 [劃] 11획 [中] 条 [tiáo]

條자는 나무의 가늘고 긴 '가지'(a branch)를 뜻하기 위한 것이었으니 '나무 목'(木)이 표의요소로 쓰였다. '사람 인'(亻)을 부수로 오인할 여지가 많다. 攸(바 유)가 표음요소임은 莜(김매는 연장 조), 鯈(피라미 조)도 마찬가지이다. '조목'(an article) 또는 이와 의미상 연관이 있는 낱말의 한 구성 요소로도 많이 쓰인다.

[속뜻훈음] ①가지 조, ②조목 조.

조건 條件 | 가지 조, 구분할 건 [condition]
❶[속뜻] 각가지[條]로 나누어 구분한[件] 사항. ❷어떤 일을 결정하기에 앞서 내놓는 요구나 견해. ¶협상 조건을 제시하다.

조리 條理 | 가지 조, 다스릴 리 [logic; reason]
❶[속뜻] 각가지[條]를 모두 다 잘 정리(整理)함. ❷말이나 글 또는 일이나 행동에서 앞뒤가 들어맞고 체계가 서는 갈피. ¶현수는 말을 조리 있게 잘한다. [비]두서(頭緖).

조목 條目 | 가지 조, 눈 목 [articles; clauses]
법률이나 규정 따위의 낱낱의 조항(條項)이나 항목(項目). ¶이 규정은 다섯 가지 조목으로 되어 있다. [비]조항(條項).

조문 條文 | 조목 조, 글월 문 [provisions]
규정이나 법령 따위에서 조목(條目)으로 나누어 적은 글[文]. ¶조문에 명시된 대로 일을 처리하세요.

조약 條約 | 조목 조, 묶을 약 [treaty; convention]
❶[속뜻] 조목(條目)으로 나누어 맺은 약속(約束). ❷[법률] 국가 간의 권리와 의무를 국가 간의 합의에 따라 법적 구속을 받도록 규정하는 조문. ¶두 나라는 조약을 맺었다.

조항 條項 | 조목 조, 목 항 [article]
법률이나 규정 따위의 조목(條目)이나 항목(項目). ¶낱낱의 조항을 잘 읽어보다. [비]조목(條目).

• 역순어휘

신:조 信條 | 믿을 신, 조목 조 [article of faith]
굳게 믿는[信] 조목(條目). ¶나는 절약을 신조로 삼고 있다.

약조 約條 | 묶을 약, 조목 조 [agreement; promise]
여러 가지 조항(條項)을 만들어 약속(約束)함. 또는 약속으로 정한 조항. ¶약조를 지키다 / 이달 말까지 일을 끝내기로 약조했다.

철조 鐵條 | 쇠 철, 가지 조 [metal engraving]
❶[속뜻] 가지[條] 모양의 긴 쇠[鐵]. ❷'굵은 철사'를 일컬음.

0843 [주]

朱

붉을 주
[部] 木부 [劃] 6획 [中] 朱 [zhū]

朱자는 고갱이, 즉 木心(목심)이 붉은

'나무'(tree)를 가리키기 위한 것이다. '나무 목'(木)에다 몸통 부분을 가리키는 '一'이 덧붙여진 것이었는데, 모양이 약간 달라졌다. 그 나무를 이르는 예는 거의 없고 '붉은 색'(red)을 뜻하는 것으로 더 많이 쓰인다.

주석 朱錫 | 붉을 주, 주석 석 [tin]
❶속뜻 붉은[朱] 빛의 금속[錫]. ❷화학 은백색의 광택이 나는 금속 원소.

주홍 朱紅 | 붉을 주, 붉을 홍 [scarlet red]
붉은 빛깔[朱=紅].

주황 朱黃 | 붉을 주, 누를 황 [orange color]
빨강[朱]과 노랑[黃]의 중간색.

• 역순어휘

인주 印朱 | 도장 인, 붉을 주 [red stamp pad]
도장[印]을 찍을 때 묻혀 쓰는 붉은[朱] 물감.

자:주 紫朱 | 자줏빛 자, 붉을 주 [purple]
짙은 남빛[紫]을 띤 붉은[朱] 색. 또는 그런 물감.

0844 [표]

標 표할 표
部 木부 劃 15획 中 标 [biāo]

標자는 나무의 꼭대기 줄기, 즉 '우듬지'(treetop)를 뜻하기 위한 것이었으니 '나무 목'(木)이 표의 요소로 쓰였다. 票(불똥 튈 표)는 표음요소이다. '나타내다'(represent; stand for)는 뜻으로도 쓰인다.
속뜻 훈음 ①나타낼 표, ②우듬지 표.

표기 標記 | 우듬지 표, 기록할 기 [mark; sign]
알아보기 쉽도록 어떤 표시(標示)를 기록(記錄)해 놓음. 또는 그런 부호나 기호. ¶금방 알 수 있도록 세모 표기를 해 놓았다.

표방 標榜 | 나타낼 표, 패 방
[claim to support; adopt a slogan]
❶속뜻 패[榜]를 높이 들어 널리 드러냄[標]. ❷어떤 명목을 붙여 주의나 주장 또는 처지를 앞에 내세움. ¶민주주의 정신을 표방하다.

표본 標本 | 나타낼 표, 본보기 본
[specimen; model; sample]
❶속뜻 표준(標準)이 될 만한 본(本)보기. ¶그를 성공의 표본으로 삼다. ❷생물 생물의 몸 전체나 그 일부에 적당한 처리를 가하여 보존할 수 있게 한 것. ¶화초 표본.

표시 標示 | 우듬지 표, 보일 시 [mark; indicate]
❶속뜻 우듬지[標]같이 잘 보이도록[示] 함. ❷잘 알아보도록 문자나 기호로 나타냄. ¶가격표시 / 원산지 표시 / 답안지에 정답을 표시하다.

표어 標語 | 나타낼 표, 말씀 어 [slogan; motto]
주의, 주장, 강령 따위를 간결하게 나타낸[標] 짧은 어구(語句). ¶불조심 표어를 내걸다.

표적 標的 | 나타낼 표, 과녁 적 [target; mark]
목표(目標)로 삼는 것[的]. ¶총알이 표적의 한가운데에 맞았다.

표제 標題 | =表題, 나타낼 표, 제목 제 [title]
❶속뜻 책의 겉에 나타내는[標] 그 책의 제목(題目). ¶그 책은 '국부론'이라는 표제가 붙어 있다. ❷연설, 강연 따위의 제목. ¶내일 할 연설에 표제를 붙였다. ❸예술 작품의 제목.

표준 標準 | 우듬지 표, 고를 준 [standard]
❶속뜻 나무 가지[標]를 고르게[準]함. ❷사물의 정도를 정하는 목표. 기준. ¶평균가격 / 평균치수. ❸일반적인 것. 또는 평균적인 것. ¶그의 키는 우리나라 남자들의 표준 정도는 된다.

표지 標識 | 나타낼 표, 기록할 지 [mark; sign]
알아보기 쉽도록 기호로 표시(標示)하거나 문자로 기록함[識]. ¶통행금지 표지.

표찰 標札 | 나타낼 표, 쪽지 찰 [plate]
❶속뜻 어떤 표시(標示)로 붙여 놓은 쪽지[札]. ¶가방에 표찰을 붙이다. ❷거주자의 성명을 써서 문 따위에 걸어 놓는 표.

• 역순어휘

목표 目標 | 눈 목, 우듬지 표 [goal; target; aim]
❶속뜻 눈[目]에 잘 띄는 우듬지[標]. 또는 그런 표적. ❷행동을 통하여 이루거나 도달하려는 대상이 되는 것. ¶목표를 세우다 / 목표를 달성하다.

상표 商標 | 장사 상, 나타낼 표
[trademark; brand]
경제 사업자가 자기 상품(商品)에 붙인 표시(標示). 경쟁 업체의 것과 구별하기 위하여 사용하는 기호, 문자, 도형 따위로 일정하게 표시한다.

음표 音標 | 소리 음, 나타낼 표
[musical note; musical score]
음악 악보에서 음(音)의 길이와 높낮이를 나타내는[標] 기호.

좌:표 座標 | 자리 좌, 나타낼 표 [coordinates]
❶속뜻 자리해 있는[座] 곳에 붙인 표시(標示). ❷수학 평면이나 공간 안의 임의의 점의 위치를 나타내는 수나 수의 짝.

지표 指標 | 가리킬 지, 나타낼 표 [index]

방향이나 목적, 기준 따위를 가리키는[指] 표지(標識). ¶그는 아버지의 말씀을 지표로 삼고 살았다.

0845 [핵]

核

씨 핵
部 木부 劃 10획 中 核 [hé, hú]

核자는 나무의 일종을 이름 하기 위하여 고안된 것이었으니 '나무 목'(木)이 표의요소로 쓰였다. 亥(돼지 해)가 표음요소임은 劾(캐물을 핵)도 마찬가지이다. 후에 본래 의미로는 쓰이지 않고 '씨'(a stone), '알맹이'(a kernel), '중심'(the core) 같은 확대된 의미로만 쓰이게 됐다.

핵심 核心 | 씨 핵, 가운데 심 [core]
사물의 중심(中心)이 되는 가장 요긴한 부분[核]. ¶문제의 핵심을 파악하다 / 핵심 인물 / 핵심 내용.

• 역순어휘

결핵 結核 | 맺을 결, 씨 핵 [tuberculosis]
❶속뜻 씨(核)를 맺음[結]. ❷의학 결핵균의 기생으로 국부에 맺히는 작은 결절 모양의 망울이나 핵. '결핵병'(結核病)의 준말. ¶그녀는 결핵에 걸렸다. ❸지리 수성암이나 응회암의 용액이 핵 주위에 침전하여 생긴 혹 모양의 불규칙한 덩이.

음핵 陰核 | 응달 음, 씨 핵 [clitoris]
의학 여자의 음부(陰部)에 있는 작은 씨[核] 같은 돌기.

0846 [공]

攻

칠[擊] 공:
部 攴부 劃 7획 中 攻 [gōng]

攻자는 오른편에 있는 '칠 복'(攵=攴)이 표의요소이고, 工(장인 공)은 표음요소이다. '치다'(attack)가 본뜻이고, '닦다'(cultivate; train), '연구하다'(study; research) 등으로 확대 사용됐다.

속뜻 훈음 ①칠 공, ②닦을 공.

공:격 攻擊 | 칠 공, 칠 격 [attack; assault]
❶속뜻 나아가 적을 침[攻=擊]. ¶적을 공격하다. ❷말로 상대편을 논박하거나 비난함. ❸운동 경기 따위에서 상대편을 수세에 몰아넣고 강하게 밀어붙임. ⓑ공박(攻駁), 논란(論難). ⓟ방어(防禦), 수비(守備).

공:략 攻略 | 칠 공, 빼앗을 략 [attack]
군사 군대의 힘으로 적의 영토 따위를 공격(攻擊)하여 빼앗음[略]. ¶적진을 공략하다.

공:방 攻防 | 칠 공, 막을 방
[offense and defense]
적을 공격(攻擊)하는 것과 적의 공격을 방어(防禦)하는 일. ¶양측의 공방이 치열하다.

공:세 攻勢 | 칠 공, 세력 세 [offensive]
공격(攻擊)하는 세력(勢力)이나 태세. ¶질문 공세를 퍼붓다. ⓟ수세(守勢).

공:수 攻守 | 칠 공, 지킬 수
[offense and defense]
공격(攻擊)과 수비(守備). ¶그 팀은 공수가 다 약하다.

• 역순어휘

속공 速攻 | 빠를 속, 칠 공
[launch a swift attack against]
운동 구기 경기에서 상대방에게 대비할 시간을 주지 않고 재빨리[速] 공격(攻擊)함. ¶그는 공을 가로채 속공으로 연결했다. ⓟ지공(遲攻).

전공 專攻 | 오로지 전, 닦을 공 [specialize; major]
❶속뜻 오로지[專] 그것만 갈고 닦음[攻]. ❷어느 한 분야를 전문적으로 연구함. 또는 그 분야. ¶피아노 전공 / 대학에서 무엇을 전공하셨습니까?

침:공 侵攻 | 쳐들어갈 침, 칠 공 [invade; attack]
남의 나라에 쳐들어가[侵] 공격(攻擊)함. ¶적의 침공에 대비하다 / 나폴레옹의 군대가 러시아를 침공했다.

협공 挾攻 | 낄 협, 칠 공 [attack on both sides]
사이에 끼워[挾] 놓고 양쪽에서 공격(攻擊)함. ¶협공 작전으로 스파이를 붙잡았다.

0847 [감]

敢

감히/구태여 감:
部 攴부 劃 12획 中 敢 [gǎn]

敢자는 손에 창 같은 무기를 들고[攵] 멧돼지와 맞서 씩씩하게 싸우는 모습을 본뜬 것으로 '씩씩하다'(brave)가 본래 의미였다고 한다. 후에 '굳세다'(stout-hearted), '용감하다'(brave; courageous), '감히'(daringly) 등으로 확대 사용됐다.

속뜻 훈음 ①감히 감, ②용감할 감, ③굳셀 감.

감:행 敢行 | 감히 감, 행할 행
[take decisive action]
어려움을 무릅쓰고 과감(果敢)하게 실행(實行)함. ¶내분이 일어났지만 공격을 감행했다.

• 역순어휘

과:감 果敢 | 날랠 과, 용감할 감 [resolute]
날래고[果] 용감(勇敢)함. ¶과감한 조치를 취하다.

용:감 勇敢 | 날쌜 용, 굳셀 감 [be brave]
씩씩하고 겁이 없으며[勇] 기운차다[敢]. ¶용감하게 싸우다.

0848 [산]

散

흩을 산:
部 攴부 劃 12획 中 散 [sǎn, sàn]

散자는 표의요소인 '고기 육'(肉⇒月)과 표음요소인 㪔(흩어질 산)으로 구성된 글자로 '雜肉'(잡육)이 본래 의미였다. 그런데 이 글자(散)가 원래 자신에게 부여된 의미로는 안 쓰이고, 표음요소인 㪔의 의미, 즉 '떼어놓다'(separate) '흩어지다'(scatter)는 뜻으로만 쓰이는 매우 희귀한 예이다. '한가롭다'(have spare time)는 뜻으로도 쓰인다.

속뜻 훈음 ①흩을 산, ②한가로울 산.

산:란 散亂 | 흩을 산, 어지러울 란
[be littered with; discomposed]
❶속뜻 흩어져[散] 어지러움[亂]. ¶장난감을 늘어놓아 방안이 산란하다. ❷어수선하고 뒤숭숭하다. ¶마음이 산란하다. 비 어지럽다.

산:만 散漫 | 흩을 산, 멋대로 만 [loose; discursive]
정신이 어수선하게 흐트러지고[散] 멋대로[漫] 함. ¶내 동생은 주의가 산만하다.

산:문 散文 | 흩을 산, 글월 문 [prose]
문학 규범에 얽매이지 않고 자유로이 내치는 대로[散] 쓴 글[文]. 소설, 수필 따위이다. 반 운문(韻文).

산:발¹ 散發 | 흩을 산, 쏠 발 [occur sporadically]
❶속뜻 총을 이곳저곳 마구 흩어서[散] 쏨[發]. ❷여기저기서 때때로 일어남.

산:발² 散髮 | 흩을 산, 머리털 발
[make ones hair disheveled]
머리털[髮]를 풀어 헤침[散]. 또는 그 머리.

산:보 散步 | 한가로울 산, 걸음 보 [take a walk]
한가로이[散] 거니는 걸음걸이[步]. ¶점심을 먹은 후 산보를 나갔다. 비 산책(散策).

산:재 散在 | 흩을 산, 있을 재
[be scattered about; lie here and there]
이곳저곳에 흩어져[散] 있음[在]. ¶그곳에는 아름다운 여행지가 산재해 있다.

산:조 散調 | 한가로울 산, 가락 조
❶속뜻 한가로운[散] 가락[調]. ❷음악 민속음악의 하나. 느린 속도의 진양조로 시작, 차츰 급하게 중모리·자진모리·휘모리로 끝나는 가락.

산:책 散策 | 한가로울 산, 지팡이 책 [take a walk]
❶속뜻 한가로이[散] 지팡이[策]를 짚고 거닒음. ❷휴식을 취하거나 건강을 위해서 천천히 걷는 일. ¶할머니는 공원으로 산책을 나가셨다. 비 산보(散步).

• 역순어휘

무:산 霧散 | 안개 무, 흩을 산 [dissipate; vanish]
안개[霧]가 걷히듯 흩어져[散] 사라짐. 또는 그렇게 흐지부지 취소됨. ¶계획이 무산되다.

발산 發散 | 드러낼 발, 흩을 산 [emit; exhale]
❶속뜻 밖으로 드러나[發] 흩어짐[散]. ❷감정이나 냄새 따위가 밖으로 퍼지거나 흩어지게 함. ¶매력 발산 / 감정을 발산하다 / 향기를 발산하다.

분산 分散 | 나눌 분, 흩을 산 [disperse; scatter]
갈라져[分] 흩어짐[散]. 또는 흩어지게 함. ¶인구 분산. 반 집중(集中).

음산 陰散 | 응달 음, 흩을 산 [gloomy; dreary]
❶속뜻 응달[陰]에 흩어져[散] 있는 듯한 차가운 기운. ❷을씨년스럽고 썰렁하다. ¶음산한 날씨.

이:산 離散 | 떨어질 리, 흩을 산
[be dispersed; be scattered]
떨어져[離] 흩어짐[散]. ¶전쟁으로 온 가족이 이산했다.

집산 集散 | 모일 집, 흩을 산
[receive and distribute]
모여들었다[集] 흩어졌다[散] 함.

한산 閑散 | =閒散, 한가할 한, 한가로울 산 [dull]
한가롭다[閑=散]. ¶한산한 거리. 반 복잡(複雜)하다, 번잡(煩雜)하다.

해:산 解散 | 가를 해, 흩을 산 [break up]
❶속뜻 이리저리 갈리어[解] 흩어짐[散]. ❷모였던 사람이 흩어짐. 또는 흩어지게 함. ¶회의가 끝나자 회원들이 해산을 하였다. ❸집단, 조직, 단체 따위가 해체하여 없어짐. 또는 없어지게 함. ¶강제 해산. 반 집합(集合).

확산 擴散 | 넓힐 확, 흩을 산 [spread; disseminate]
흩어져[散] 널리 퍼짐[擴]. ¶전염병이 전국으로 확산되었다.

0849 [정]

整

가지런할 정:
部 攴부 劃 16획 中 整 [zhěng]

整자는 '가지런하게 하다'(arrange)는

뜻을 나타내기 위하여, 나무 다발[束·속]을 잘 다독거려서 [攵=攴·복] 똑바르게[正]하는 뜻을 모아 놓은 것이다. 正(바를 정)은 표음요소 역할도 하므로, '마당 쓸고 돈 줍고', '꿩 잡고 알 먹는' 격이다.

정:돈 整頓 | 가지런할 정, 조아릴 돈 [put in order; arrange]
가지런히[整] 조아림[頓]. 가지런하게 함. 바로잡음. ¶책상 정돈.

정:렬 整列 | 가지런할 정, 줄 렬 [stand in a row; array]
가지런히[整] 벌여 줄을 세움[列]. ¶학생들은 한 줄로 정렬했다.

정:리 整理 | 가지런할 정, 다듬을 리 [arrange]
❶[속뜻] 가지런하게[整] 다듬음[理]. ❷흐트러진 것이나 어지러운 것을 가지런하고 바르게 하는 일. ¶서랍 정리 / 방정리.

정:비 整備 | 가지런할 정, 갖출 비 [fix; service]
❶[속뜻] 흐트러진 체계를 가지런히[整] 하여 제대로 갖춤[備]. ❷기계나 설비가 제대로 작동하도록 보살피고 손질함. ¶삼촌은 직접 자동차를 정비하신다.

정:수 整數 | 가지런할 정, 셀 수 [integral number; integer]
[수학] 하나 또는 그것에 가지런히[整] 순차를 가하여 이루어지는 자연수(自然數). 자연수의 음수 및 영을 통틀어 이르는 말. 즉 '-2, -1, 0, 1, 2, …' 따위의 수를 이른다.

정:연 整然 | 가지런할 정, 그러할 연 [orderly; regular]
가지런하게[整] 그러한[然]. 가지런하고 질서가 있다. ¶질서정연하게 배열해 놓다.

정:형 整形 | 가지런할 정, 모양 형 [orthopedic]
❶[속뜻] 모양[形]을 가지런히[整] 함. ❷몸의 생김새를 고쳐 바로잡음.

• 역순어휘

조정 調整 | 고를 조, 가지런할 정 [adjust]
어떤 기준이나 실정에 알맞게 다듬어[調] 정돈(整頓)함. ¶버스 노선을 조정하다. (비)조절(調節).

0850 [단]

段 층계 단
(部) 殳부 (획) 9획 (中) 段 [duàn]

段자는 쇠망치[几]를 들고[又] 언덕[厂]에 있는 돌[三]을 쪼는 모양을 본뜬 것으로 돌을 '깨뜨리다'(crack)가 본뜻이다. 요즘은 '구분'(section), '층계'(stairs) 등으로 많이 쓰인다.
[속뜻훈음] ①구분 단, ②층계 단.

단계 段階 | 층계 단, 섬돌 계 [stage; step; rank]
❶[속뜻] 층계[段]에 놓은 섬돌[階]. ❷일을 해 나갈 때 밟아야 할 일정한 과정. ¶다음 단계는 무엇입니까?

단락 段落 | 구분 단, 떨어질 락 [paragraph]
❶[속뜻] 구분[段]하여 떼어낸[落] 부분. 한 부분. ❷[언어] 긴 문장에서 내용상으로 일단 끊어지는 곳. ¶이 단락은 너무 길어서 이해하기 어렵다. (비)단원(單元), 문단(文段).

단수 段數 | 구분 단, 셀 수 [level]
❶[속뜻] 바둑이나 태권도 등, 단으로 등급을 매기는 기능이나 운동 따위의 단(段)의 수(數). ❷술수를 쓰는 재간의 정도. ¶그는 고단수이다.

• 역순어휘

계단 階段 | 섬돌 계, 층계 단 [staircase; stage]
❶[속뜻] 오르내리기 편하도록 건물이나 비탈에[階] 만든 층계[段]. ¶계단을 내려가다. ❷일을 하는 데 밟아야 할 순서. (비)층계(層階), 단계(段階).

다단 多段 | 많을 다, 구분 단
여러[多] 단(段). ¶다단 편집.

문단 文段 | 글 문, 구분 단 [paragraph]
전체 글[文]의 한 단락(段落). ¶문단을 나누다.

상:단 上段 | 위 상, 구분 단 [top row]
❶[속뜻] 위[上] 쪽에 있는 부분[段]. ¶시렁의 상단에 배치하였다. ❷글의 위쪽 단락(段落). ¶그 글의 상단을 보면 알 수 있다. (반)하단(下段).

수단 手段 | 솜씨 수, 구분 단 [means; way]
❶[속뜻] 솜씨[手]의 등급에 따른 구분[段]. ❷일을 처리하여 나가는 솜씨. ¶수단이 좋다. ❸어떤 목적을 이루기 위한 방법. 또는 그 도구. ¶수단과 방법을 가리지 않다.

하:단 下段 | 아래 하, 구분 단 [bottom; the lower part]
아래쪽[下] 부분[段]. ¶책장 하단 / 신문 하단에 광고가 실렸다. (반)상단(上段).

0851 [거]

拒 막을 거:
(部) 手부 (획) 8획 (中) 拒 [jù]

拒자는 손으로 '막다'(obstruct)는 뜻을 나타내기 위한 것이었으니 '손 수'(手=扌)가 표의요소로 쓰였다. 巨(클 거)는 표음요소이니 뜻과는 무관하다.

거:부 拒否 | 막을 거, 아닐 부 [refuse; reject]
남의 제의나 요구 따위를 물리치고[拒] 동의하지 않음[否]. ¶감독의 제의를 거부했다. (비)거절(拒絶), 사절(謝絶). (반)수락(受諾), 승인(承認).

거:역 拒逆 | 막을 거, 거스를 역
[protest; disobey]
윗사람의 뜻이나 명령을 어기어[拒] 거스름[逆]. ¶부모를 거역하고 집을 나갔다. (반)순종(順從), 복종(服從).

거:절 拒絶 | 막을 거, 끊을 절 [refuse; reject]
받아들이지 아니하고[拒] 물리침[絶]. ¶제의를 거절했다. (비)거부(拒否). (반)응낙(應諾).

• 역순어휘 •

항:거 抗拒 | 버틸 항, 막을 거 [resist]
❶[속뜻] 버티어[抗] 맞섬[拒]. ❷순종하지 아니하고 맞서서 반항함. ¶민중의 항거 / 일제에 대한 항거.

0852 [거]

據

근거 거:
(部) 手부 (획) 16획 (中) 据 [jù]

據자는 손으로 집는 '지팡이'(a stick)를 뜻하기 위하여 고안된 것이니 '손 수'(手)가 표의요소로 쓰였다. 豦(원숭이 거)는 표음요소이니 뜻과는 무관하다. '근거하다'(be based on), '의지하다'(rely on) 등으로 많이 쓰인다.

[속뜻훈음] ①근거할 거, ②의지할 거.

거:점 據點 | 근거할 거, 점 점 [position]
활동의 근거(根據)가 되는 중요 지점(地點). ¶군사 거점을 공격하다. (비)근거지(根據地), 본거지(本據地).

• 역순어휘 •

근거 根據 | 뿌리 근, 의지할 거 [basis; ground]
❶[속뜻] 뿌리[根]에 의지함[據]. ❷어떤 의견의 이유. ¶근거를 대다.

논거 論據 | 논할 론, 근거할 거
[basis of an argument]
의론(議論)이나 논설(論說)이 성립하는 근거(根據)가 되는 것. ¶논거가 확실하다.

본거 本據 | 뿌리 본, 의지할 거 [stronghold; base]
뿌리[本]가 되고 의지[據]됨. 또는 그런 바탕. ¶종파의 본거. (비)근거(根據).

의거 依據 | 기댈 의, 근거할 거
[be based on; conform to]
어떤 사실이나 원리 따위에 기대거나[依] 근거함[據]. ¶규정에 의거하여 결정하다.

점거 占據 | 차지할 점, 근거할 거 [hold; occupy]
어떤 장소를 차지하여[占] 근거지(根據地)로 삼음. ¶폭도들이 그 건물을 점거했다. (비)점령(占領).

증거 證據 | 증명할 증, 근거할 거
[evidence; proof]
어떤 사실을 증명(證明)할 수 있는 근거(根據). ¶그가 돈을 훔쳤다는 증거는 없다.

0853 [격]

擊

칠[打] 격
(部) 手부 (획) 17획 (中) 击 [jī]

擊자는 손으로 '치다'(beat)는 뜻을 나타내기 위하여, '부딪치다'는 뜻이 담긴 毄(격)에 '손 수'(手)를 보탠 것이다. 표음요소를 겸하는 毄(격)의 뜻인 '부딪치다'(be crashed against)는 의미를 나타내기도 한다.

[속뜻훈음] ①칠 격, ②부딪칠 격.

격몽 擊蒙 | 칠 격, 어두울 몽
[understand; realize]
어리석고 사리에 어두운[蒙] 어린이들을 일깨움[擊].

격추 擊墜 | 칠 격, 떨어질 추 [shoot down]
비행기 따위를 쏘아[擊] 떨어뜨림[墜]. ¶적의 전투기를 격추시키다.

격퇴 擊退 | 칠 격, 물러날 퇴 [repulse; drive back]
적을 쳐서[擊] 물리침[退]. ¶적의 공격을 격퇴하다.

격파 擊破 | 칠 격, 깨뜨릴 파 [defeat; destruct]
주먹 따위로 쳐서[擊] 부숨[破]. ¶맨손으로 벽돌을 격파하다.

• 역순어휘 •

공:격 攻擊 | 칠 공, 칠 격 [attack; assault]
❶[속뜻] 나아가 적을 침[攻=擊]. ¶적을 공격하다. ❷말로 상대편을 논박하거나 비난함. ❸운동 경기 따위에서 상대편을 수세에 몰아넣고 강하게 밀어붙임. (비)공박(攻駁), 논란(論難). (반)방어(防禦), 수비(守備).

돌격 突擊 | 갑자기 돌, 칠 격 [rush at; dash at]
❶[속뜻] 갑자기[突] 냅다 침[擊]. ¶그는 느닷없이 나에게 돌격했다. ❷[군사] 공격 전투의 마지막 단계에 적진으로 돌진하여 공격함. 또는 그런 일. ¶돌격 앞으로! (비)습격(襲擊), 돌진(突進).

목격 目擊 | 눈 목, 부딪칠 격
[witness; see with one's own eyes]
❶속뜻 눈[目]길이 부딪침[擊]. ❷우연히 보게 됨. ¶사고를 목격하다. 비 목견(目見), 목도(目睹).

박격 迫擊 | 닥칠 박, 칠 격 [close attack]
적에게 바싹 다가가서[迫] 침[擊].

반:격 反擊 | 반대로 반, 칠 격 [hit back]
쳐들어오는 적의 공격을 막아서 되잡아[反] 공격(攻擊)함. ¶반격할 기회를 엿보다.

배격 排擊 | 밀칠 배, 부딪칠 격 [reject; denounce]
어떤 사상, 의견, 물건 따위를 밀치고[排] 공격(攻擊)함. ¶군국주의를 배격하다.

사격 射擊 | 쏠 사, 칠 격 [fire; shoot]
총이나 대포, 활 등을 쏘아[射] 맞힘[擊]. ¶적진을 집중 사격하다.

습격 襲擊 | 갑자기 습, 부딪칠 격 [attack; raid]
갑자기[襲] 들이쳐 공격(攻擊)함. ¶적의 습격을 받다. 비 급습(急襲), 엄습(掩襲), 기습(奇襲).

유격 遊擊 | 떠돌 유, 공격할 격
[attack by a mobile unit]
❶속뜻 이리저리 떠돌다가[遊] 적을 불시에 공격함[擊]. ❷군사 그때그때 형편에 따라 적을 기습적으로 공격하는 일. ¶유격 훈련.

일격 一擊 | 한 일, 칠 격 [stroke]
한[一] 번 세게 침[擊]. 한 번의 공격. ¶상대방이 일격을 가했다.

저:격 狙擊 | 노릴 저, 칠 격
[snipe (at); shoot (at)]
어떤 대상을 겨냥하여[狙] 쏨[擊]. ¶저격을 당하다 / 누군가 옥상에서 그를 저격했다.

전:격 電擊 | 전기 전, 부딪칠 격
[electric shock; lightning attack]
❶속뜻 강한 전류(電流)에 의한 갑작스런 충격(衝擊). ❷번개처럼 빠르고 날카로움. 또는 번개처럼 갑작스러운 공격(攻擊). ¶전격 작전.

진:격 進擊 | 나아갈 진, 칠 격
[attack; move against]
앞으로 나아가[進] 적을 침[擊]. ¶새벽에 진격을 개시한다. 비 진공(進攻). 반 퇴각(退却).

총격 銃擊 | 총 총, 칠 격
[shooting; gunfire; gunshot]
총기(銃器)로 공격(攻擊)함. ¶총격을 가하다.

추격 追擊 | 쫓을 추, 칠 격 [pursue; chase]
도망하는 적을 뒤쫓아[追] 공격(攻擊)함. ¶경찰은 범인을 추격하여 검거했다.

출격 出擊 | 날 출, 칠 격 [sally; sortie]
주로 항공기가 적을 공격(攻擊)하러 나감[出]. ¶적의 수도를 공격하기 위해 전투기가 출격했다.

충격 衝擊 | 부딪칠 충, 칠 격 [shock]
❶속뜻 물체에 부딪치거나[衝] 쳐서[擊] 급격히 가하여지는 힘. ¶폭발의 충격으로 집이 흔들렸다. ❷심한 마음의 동요. 심한 자극. ¶그의 죽음은 우리 모두에게 큰 충격을 주었다.

타:격 打擊 | 칠 타, 칠 격 [hit; damage; batting]
❶속뜻 세게 때려[打] 침[擊]. ¶그는 머리에 심한 타격을 입고 쓰러졌다. ❷어떤 영향 때문에 기세나 의기가 꺾이는 일. ¶우리나라 산업에 치명적인 타격을 줄 수 있다. ❸운동 야구에서 투수가 던지는 공을 타자가 배트로 치는 일. ¶그는 오늘 경기에서 뛰어난 타격 실력을 선보였다.

포격 砲擊 | 대포 포, 칠 격 [bombard; cannonade]
대포(大砲)를 쏨[擊]. ¶일주일째 계속된 포격으로 도시는 폐허로 변했다.

폭격 爆擊 | 터질 폭, 칠 격 [bomb; fire]
비행기에서 폭탄(爆彈)으로 적군을 공격[擊]함. 또는 그런 일. ¶적의 기지를 폭격하다.

0854 [박]

拍

칠 박
부 手부 획 8획 中 拍 [pāi]

> 拍자는 '손뼉 치다'(clap one's hands)는 뜻을 위하여 고안된 것이니 '손 수'(手)가 표의요소로 쓰였다. 白(흰 백)이 표음요소임은 舶(큰 배 박), 迫(닥칠 박)도 마찬가지이다.

박수 拍手 | 칠 박, 손 수 [applaud; clap]
환영, 축하, 격려, 찬성 등의 뜻으로 손뼉[手]을 여러 번 침[拍]. 관용 우레와 같은 박수.

박자 拍子 | 칠 박, 접미사 자 [beat; time]
❶속뜻 두들겨 치는[拍] 것[子]. ❷음악 음악적 시간을 구성하는 기본적 단위. ¶박자가 빠르다 / 박자를 맞추다.

박장 拍掌 | 칠 박, 손바닥 장 [clap hands]
손바닥[掌]을 침[拍].

박차 拍車 | 칠 박, 수레 차 [spur; acceleration]
❶속뜻 수레[車]의 말을 차서[拍] 빨리 달리게 하는 도구. ❷말을 탈 때에 신는 구두의 뒤축에 달려 있는 물건. ¶말에 박차를 가하다. ❸어떤 일을 촉진하려고 더하는 힘. ¶기술 개발에 박차를 가하다. 관용 박차를 가하다.

0855 [비]

批

비평할 비:
[部] 手부 [劃] 7획 [中] 批 [pī]

批자는 손을 꼽으며 '따지다'(criticize)는 뜻을 위한 것이었으니 '손 수'(手)가 표의요소로 쓰였다. 比(견줄 비)는 표음요소이다. 옛날에 임금이 신하가 올린 글을 보고 그 끝에다 기록한 답을 일러 '批'라고 했다. 그래서 '의견을 밝히다'(state one's opinion)는 뜻으로도 많이 쓰이게 됐다.

[속뜻훈음] **따질 비.**

비:준 批准 | 따질 비, 승인할 준 [ratify]
❶[속뜻] 잘 따져[批] 보고 검토해본 후에 승인[准]함. ❷[법률] 체결된 조약에 대해 당사국에서 최종적으로 확인하여 동의하는 절차. ¶개혁안이 국회 비준을 통과했다.

비:판 批判 | 따질 비, 판가름할 판
[criticize; review]
❶[속뜻] 잘 따져[批]보고 나서 판단(判斷)함. ❷좋고 나쁨, 옳고 그름을 따져 말함. ¶정부의 새 외교정책은 비판을 불러 일으켰다.

비:평 批評 | 따질 비, 평할 평 [criticize; review]
❶[속뜻] 잘 따져[批] 보고 평(評)함. ❷사물의 좋고 나쁨, 옳고 그름 따위를 따져 평가함. ¶날카로운 비평 / 그는 그 영화가 지루하다고 비평했다.

0856 [손]

損

덜 손:
[部] 手부 [劃] 13획 [中] 损 [sǔn]

損자는 '수가 줄다'(get fewer)가 본뜻이다. '손 수'(手=扌)와 '인원 원'(員), 둘 다가 표의요소로 쓰였다. 손이 사람의 수, 즉 인원과 관련이 있는 것은 '일손이 달리다'는 우리말에서도 금방 알 수 있다. '덜다'(=감소하다, decrease), '상하다'(suffer damage) 등으로도 쓰인다.

[속뜻훈음] **①덜 손, ②상할 손.**

손:상 損傷 | 덜 손, 다칠 상
[damage; injure; impair]
온전한 것이 덜거나[損] 다침[傷]. ¶손상되지 않도록 잘 다루다.

손:실 損失 | 상할 손, 잃을 실
[damage; suffer a loss]
상하거나[損] 잃어버림[失]. 또는 그 손해. ¶재산 손실 / 전쟁으로 인명과 물자를 손실했다 / 전통 문화가 손실되는 것이 안타깝다. [반]이득(利得).

손:익 損益 | 덜 손, 더할 익
[profit and loss; loss and gain]
❶[속뜻] 덜어짐[損]과 더해짐[益]. ❷손실(損失)과 이익(利益). ¶손익을 따지다.

손:해 損害 | 덜 손, 해칠 해 [damage; loss]
금전, 물질 면에서 본디보다 밑지거나[損] 해(害)를 봄. ¶손해를 보다. [비]손실(損失). [반]이익(利益).

• 역순어휘

결손 缺損 | 빠질 결, 덜 손 [loss]
❶[속뜻] 빠지거나[缺] 모자람[損]. ❷수입보다 지출이 많아서 생기는 금전상의 손실. ¶결손을 메우다. [비]손해(損害). [반]이득(利得), 이익(利益).

파:손 破損 | 깨뜨릴 파, 상할 손
[be damaged; be destroyed]
깨어지거나[破] 상하게[損] 됨. ¶자동차는 사고로 심하게 파손되었다.

훼:손 毁損 | 헐 훼, 상할 손
[defamation (of character); damage]
❶[속뜻] 비방하는 험담을 하거나[毁] 체면이나 명예를 손상(損傷)함. ¶명예훼손 / 이번 사건으로 회사 이미지가 크게 훼손되었다. ❷헐거나 깨뜨려 못쓰게 함. ¶문화재 훼손 / 산림이 심하게 훼손되다.

0857 [원]

援

도울 원:
[部] 手부 [劃] 12획 [中] 援 [yuán]

援자의 본래 뜻은 손으로 '잡아당기다'(draw)이다. '천하가 물에 빠졌을 때에는 도(道)로써 구해야 하지만, 형수님이 물에 빠졌을 때에는 손으로 잡아당길 수밖에 없다'는 말이 '맹자'에 보인다. '돕다'(aid)는 뜻으로도 많이 쓰인다.

[속뜻훈음] **①도울 원, ②당길 원.**

원:군 援軍 | 도울 원, 군사 군
[rescue forces; relief]
도와[援]주기 위한 군대(軍隊). ¶이라크에 원군을 파견했다.

원:조 援助 | 도울 원, 도울 조
[help; aid; support]
물품이나 돈 따위로 도와줌[援=助]. ¶전 세계는 북한에 식량을 원조하고 있다.

원:호 援護 | 도울 원, 돌볼 호
[support; back up]
도와주고[援] 돌보아[護] 줌. ¶원호 대상자 / 그 기자는 여러 군인이 원호하여 적진에서 무사히 빠져나왔다.

• 역순어휘

구:원 救援 | 건질 구, 당길 원 [rescue; relieve]
❶[속뜻]물에 빠진 사람을 건져주기[救] 위해 잡아당김[援]. ❷[기독교]인류를 죽음과 고통과 죄악에서 건져내는 일. [비]구제(救濟).

응:원 應援 | 맞을 응, 도울 원
[aid; help; support]
❶[속뜻]맞게[應] 편들어줌[援]. ❷운동 경기 따위에서 선수들이 힘을 낼 수 있도록 도와주는 일. 노래, 손뼉 치기 따위 여러 가지 방식이 있다. ¶그녀는 팀을 응원하느라 목이 다 쉬었다.

지원 支援 | 버틸 지, 도울 원 [support]
버팀[支] 수 있도록 도와줌[援]. ¶아낌없는 지원에 깊이 감사드립니다.

후:원 後援 | 뒤 후, 도울 원 [support; back up]
뒤[後]에서 도와줌[援]. ¶후원 단체 / 독거 노인을 후원하다.

0858 [절]

折

꺾을 절
[部] 手부 [劃] 7획 [中] 折 [zhé, zhē]

折자는 원래 '싹 철'(屮) 두 개가 상하로 배열되어 있고 그 옆에 '낫 근'(斤)이 있는 것이었다. 즉 낫으로 풀이나 나무의 싹을 자르는 모습이었다. 후에 쓰기 편리하고 의미상으로도 그런 대로 통할 수 있는 '손 수'(手=扌)로 대체됐다. '자르다'(cut off)가 본뜻인데 '꺾다'(break off), '죽다'(die)는 의미로도 쓰인다.

[속뜻훈음] ①꺾을 절, ②죽을 절.

절반 折半 | 꺾을 절, 반 반 [half]
하나를 반(半)으로 가른[折] 것 중 하나. ¶과자를 절반으로 나누다.

절충 折衷 | 꺾을 절, 속마음 충
[compromise; blend]
❶[속뜻]각자의 속마음[衷]을 조금씩 꺾어[折] 타협을 모색함. ❷어느 편으로 치우치지 않고 이것과 저것을 취사(取捨)하여 알맞게 함. ¶의견절충 / 서로의 생각을 절충하다.

• 역순어휘

곡절 曲折 | 굽을 곡, 꺾을 절
[reason; complications]
❶[속뜻]굽음[曲]과 꺾임[折]. ❷복잡하게 뒤얽힌 사연이나 내용. ¶분명 무슨 곡절이 있을 것이다. ❸문맥 따위가 단조롭지 않고 변화가 많은 것. [비]사정(事情), 내막(內幕).

골절 骨折 | 뼈 골, 꺾을 절 [fracture]
[의학]뼈[骨]가 부러짐[折]. ¶다리가 골절되다. [반]접골(接骨).

굴절 屈折 | 굽힐 굴, 꺾을 절 [bend; be refracted]
❶[속뜻]휘어져 굽히거나[屈] 꺾임[折]. ❷생각이나 말 따위가 어떤 것에 영향을 받아 본래의 모습과 달라짐. ❸[물리]빛, 소리, 물결 따위가 진행 방향이 바뀌는 현상. ¶빛의 굴절.

요:절 夭折 | 어릴 요, 죽을 절 [die early death]
어린 나이[夭]에 죽음[折]. 젊어서 죽음. ¶그 나이에 요절이라니 너무 안타깝다.

좌:절 挫折 | 꺾을 좌, 꺾을 절
[be frustrated; fall through]
❶[속뜻]뜻이나 기운 따위가 꺾임[挫=折]. ¶입시 좌절 / 좌절을 딛고 성공하다. ❷어떤 계획이나 일이 헛되이 끝남. ¶효종의 북벌 계획이 좌절된 것은 참으로 애석한 일이었다.

0859 [지]

持

가질 지
[部] 手부 [劃] 9획 [中] 持 [chí]

持자는 손으로 '잡다'(grasp)는 뜻을 위한 것이었으니, '손 수'(手)가 표의요소로 쓰였다. 寺(사/시)가 표음요소임은 洔(섬 지)도 마찬가지이다. '가지다'(hold)는 뜻으로도 쓰인다.

[속뜻훈음] ①가질 지, ②잡을 지, ③지킬 지.

지구 持久 | 잡을 지, 오랠 구
[sustain; endure; persist]
❶[속뜻]오래도록[久] 잘 잡아[持] 둠. ❷오래도록 유지(維持)함.

지병 持病 | 가질 지, 병 병 [chronic disease]
❶[속뜻]계속 갖고[持] 있는 병(病). ❷잘 낫지 않아 늘 앓으면서 고통을 당하는 병. ¶지병으로 두통을 앓다.

지분 持分 | 가질 지, 나눌 분 [stake; share]
공유 재산이나 권리 따위에서, 공유자(共有者) 각자가 가지는[持] 부분(部分). ¶그는 회사 지분의 절반을 갖고 있다.

지속 持續 | 지킬 지, 이을 속 [continue; maintain]
❶속뜻 오래 지켜[持] 이어[續] 나감. ❷끊임없이 이어짐. ¶지속 가능성 / 어려움 속에서도 학업을 지속하다.

지참 持參 | 가질 지, 참여할 참 [bring with; carry]
무엇을 가지고서[持] 모임 따위에 참여(參與)함. ¶신분증을 지참해야 입장할 수 있다.

• 역순어휘

긍:지 矜持 | 아낄 긍, 가질 지
[pride; dignity self-respect]
❶속뜻 자신을 아끼는[矜] 마음을 가짐[持]. ❷자신의 능력을 믿음으로써 가지는 당당함. ¶긍지가 높다 / 긍지로 삼다. ⓑ자부심(自負心).

소:지 所持 | 것 소, 가질 지 [possess; own]
무엇을 가지고[持] 있는 어떤 것[所]. ¶마약을 불법으로 소지하다 / 그는 현금 오십만 원을 소지하고 있다.

유지 維持 | 맬 유, 지킬 지 [keep; maintain]
❶속뜻 단단히 잡아매어[維] 잘 지킴[持]. ❷어떤 상태나 상황을 그대로 보존하거나 변함없이 계속하여 지탱함. ¶경찰은 사회 질서 유지를 목적으로 활동한다 / 그녀는 몸매를 유지하기 위하여 매일 운동한다.

주:지 住持 | 살 주, 가질 지
[head priest of a Buddhist temple]
불교 안주(安住)하여 법을 유지(維持)하며 한 절을 책임지고 맡아보는 승려. ¶주지 스님께 합장(合掌)하다.

지지 支持 | 버틸 지, 지킬 지 [support]
❶속뜻 버틸[支] 수 있도록 지켜줌[持]. ❷어떤 사람이나 단체 따위의 의견에 찬동하여 이를 위하여 힘을 씀. ¶어떤 후보를 지지하십니까?

0860 [채]

採
캘 채:
㉯ 手부 ㉰ 11획 ⊕ 采 [cǎi]

採자의 본래 글자는 采(채)다. 이것은 나무의 과일을 따는 모습을 본뜬 것으로 '따다'(pick)가 본래 의미다. '손톱 조'(爪)는 '손 우'(又)의 변형으로 의미는 똑같이 '손으로 하는 동작'과 관련이 있다. 采자의 '나무 목'(木)은 원래 '과실 과'(果)였는데 편의상 간략하게 변화됐다. 후에 의미를 더욱 분명히 하기 위하여 '손 수'(手→扌)가 첨가된 採자가 만들어졌다. '캐다'(gather; pick; lift), '가려내다'(sort out; assort)는 뜻으로도 쓰인다.
속뜻 훈음 ①캘 채, ②가려낼 채.

채:광 採光 | 가려낼 채, 빛 광 [take in light]
실내를 밝게 하기 위하여 바깥 햇빛[光] 등을 받아들임[採]. ¶채광이 잘 되어 불을 안 켜도 된다.

채:굴 採掘 | 캘 채, 팔 굴 [mine; dig; exploit]
광물 따위를 캐내기[採] 위하여 땅을 팜[掘]. ¶채굴된 광석은 다른 나라로 수출된다.

채:석 採石 | 캘 채, 돌 석 [quarry stones]
채석장에서 석재(石材)를 캐냄[採]. ¶채석된 돌은 주택용 석재로 공급된다.

채:용 採用 | 가려낼 채, 쓸 용
[hire; recruit; employ]
사람을 뽑아[採] 씀[用]. ¶채용을 미루다 / 신입사원을 채용하다.

채:점 採點 | 가려낼 채, 점 점
[grade; mark; score]
점수(點數)를 매겨 우열을 가려냄[採]. ¶답안지를 채점하다.

채:집 採集 | 캘 채, 모을 집 [collect; gather]
무엇을 캐거나[採] 찾아서 모음[集]. ¶약초채집 / 곤충을 채집해서 표본을 만들었다.

채:취 採取 | 캘 채, 가질 취
[collect; gather; mine]
❶속뜻 자연물에서 일부분을 캐거나[採] 뜯어서 가짐[取]. ¶미역 채취 / 고모는 약초를 채취하러 나가셨다. ❷연구나 조사 등을 위하여 표본이나 자료가 될 것을 찾거나 골라서 거두어 챙김. ¶지문채취 / 전라도 지방의 민요를 채취하다.

채:택 採擇 | 캘 채, 고를 택
[adopt; choose]
❶속뜻 캐어 내거나[採] 골라냄[擇]. ❷작품, 의견, 제도 따위를 가려 뽑음. ¶채택된 원고에 대해서는 기념품을 드립니다.

• 역순어휘

벌채 伐採 | 칠 벌, 캘 채 [cut down; fell trees]
나무를 베고[伐] 덩굴을 뽑음[採]. ¶산림을 벌채하다. ⓑ채벌(採伐).

0861 [초]

招
부를 초
㉯ 手부 ㉰ 8획 ⊕ 招 [zhāo]

招자는 '(손짓하여) 부르다'(call)는 뜻을 나타내기 위한 것이었으니 '손 수'(手)가 표의요소로 쓰였고, '부를 소'(召)도 표의요소인데, 표음요소를 겸하는 것임은 貂(담비 초), 苕(능소화 초)를 통하여 알 수 있다.

초대 招待 | 부를 초, 대접할 대 [invite]
남을 초청(招請)하여 대접(待接)함. ¶초대에 응하다 / 초대해 주셔서 감사합니다.

초래 招來 | 부를 초, 올 래
[cause; bring about; lead to]
❶[속뜻] 불러서[招] 오게 함[來]. ❷어떤 결과를 가져 오게 함. ¶이 병은 잘못하면 사망을 초래할 수 있다.

초빙 招聘 | 부를 초, 부를 빙
[invite; engage; employ]
예를 갖추어 부름[招=聘]. ¶전문가를 초빙하여 의견을 듣다. [비]초청(招請).

초청 招請 | 부를 초, 부탁할 청 [invite]
남을 불러서[招] 무슨 일을 부탁함[請]. ¶초청 강연 / 친지들을 생일잔치에 초청하다. [비]초대(招待), 초빙(招聘).

• 역순어휘

문:초 問招 | 물을 문, 부를 초 [inquiry]
❶[속뜻] 물어보기[問] 위하여 불러옴[招]. ❷죄나 잘못을 따져 묻거나 심문함. ¶문초를 당하다 / 문초를 받다.

자초 自招 | 스스로 자, 부를 초 [incur; court]
어떤 결과를 자기 스스로[自] 불러들임[招]. ¶화(禍)를 자초하다.

0862 [추]

推 밀 추
[部] 手부 [劃] 11획 [中] 推 [tuī]

推자는 손으로 '밀다'(push; thrust)는 뜻을 나타내기 위하여 만들어진 것이었으니, '손 수'(扌=手)가 표의요소이고, 隹(새 추)는 표음요소이다. '받들다'(uphold)는 뜻으로도 쓰인다.

[속뜻 훈음] ①밀 추, ②받들 추.

추대 推戴 | 밀 추, 떠받들 대
[have a person as head]
❶[속뜻] 밀어[推] 떠받듦[戴]. ❷윗자리에 모심. ¶우리는 김 선생님을 회장으로 추대했다.

추리 推理 | 밀 추, 이치 리
[infer; deduce; figure out]
이유나 이치[理]를 근거로 미루어[推] 헤아림. ¶이 증거들을 가지고 범인을 추리해 보자.

추산 推算 | 밀 추, 셀 산 [estimate at; calculate]
미루어[推] 셈함[算]. ¶그의 재산은 약 10억 원으로 추산된다.

추앙 推仰 | 받들 추, 우러를 앙
[respect; revere; look up to]
높이 받들어[推] 우러러봄[仰]. ¶그는 가장 위대한 지도자로 추앙받는다.

추이 推移 | 밀 추, 옮길 이
[change; advance; progress]
❶[속뜻] 밀어[推] 옮김[移]. ❷시간이 흐름에 따라 사물의 상태가 변하여 가는 일. ¶사건의 추이를 지켜보다.

추정 推定 | 밀 추, 정할 정
[presume; assume; guess]
미루어[推] 셈하여 판정(判定)함. ¶이 나무는 500년 정도 되었을 것으로 추정된다.

추진 推進 | 밀 추, 나아갈 진
[propel; drive forward; promote]
❶[속뜻] 앞으로 밀고[推] 나아감[進]. ¶계획대로 일을 추진하다. ❷물체를 밀어 앞으로 내보냄. ¶추진장치.

추천 推薦 | 밀 추, 천거할 천
[recommend; say a good word (for)]
알맞은 사람이나 물건을 책임지고 밀어[推] 천거(薦擧)함. ¶저는 이 제품을 추천합니다.

추측 推測 | 밀 추, 헤아릴 측 [guess; suppose]
미루어[推] 헤아림[測]. ¶사람들의 반응을 추측하다.

• 역순어휘

유:추 類推 | 비슷할 류, 밀 추
[analogical inference; analogy]
같거나 비슷한[類] 원인을 근거로 결과를 미루어[推] 짐작함. 또는 그런 짐작. ¶행동을 보면 그 사람의 생각을 유추할 수 있다. [비]짐작, 추리(推理), 추론(推論).

0863 [탐]

探 찾을 탐
[部] 手부 [劃] 11획 [中] 探 [tàn]

探자는 '찾다'(search)가 본뜻이다. 손으로 더듬어 찾는 예가 많았던지 '손 수'(手=扌)가 표의요소로 쓰였다. 그 오른쪽의 것이 표음요소임은 㴔(실감할 탐)도 마찬가지이다.

[속뜻 훈음] ①찾을 탐, ②살필 탐.

탐구 探究 | 찾을 탐, 생각할 구
[investigate; make researches in]
진리나 법칙 따위를 찾아[探] 깊이 연구(硏究)함. ¶야생동물을 탐구하다.

탐방 探訪 | 찾을 탐, 물을 방 [visit]

어떤 사람을 찾아가[探] 소식 따위를 물어[訪] 봄. ¶유적지를 탐방하다.

탐사 探査 | 찾을 탐, 살필 사
[explore; investigate; inquire into]
알려지지 않은 사물이나 사실 따위를 찾아[探] 조사(調査)함. ¶달 표면을 탐사하다 / 해양생물 탐사대.

탐색 探索 | 살필 탐, 찾을 색 [search]
드러나지 않은 사물이나 현상 따위를 살펴[探] 찾아냄[索]. ¶경찰은 범인을 탐색 중이다.

탐정 探偵 | 찾을 탐, 염탐할 정
[investigate secretly; detect]
드러나지 않은 사정을 찾아[探] 몰래 염탐하여[偵] 알아냄. 또는 그런 일을 하는 사람. ¶그는 이번 사건을 탐정에게 의뢰했다 / 실종된 사람의 행방을 탐정하다.

탐조 探照 | 찾을 탐, 비칠 조 [throw a searchlight]
무엇을 더듬어 찾기[探] 위하여 광선을 멀리 비춤[照].

탐지 探知 | 찾을 탐, 알 지
[find out; detect; search out]
드러나지 않은 물건이나 사실을 찾아[探] 알아냄[知]. ¶이 비행기는 레이더로 탐지하기 어렵다.

탐험 探險 | 찾을 탐, 험할 험
[explore; make an exploration]
위험(危險)을 무릅쓰고 어떤 곳을 찾아가서[探] 살펴보고 조사함. ¶미지의 세계를 탐험하다.

• 역순어휘

염탐 廉探 | 살필 렴, 찾을 탐 [spy]
몰래 남의 사정을 살피고[廉] 조사함[探]. ¶적의 동태를 염탐하다.

정탐 偵探 | 염탐할 정, 찾을 탐 [spy out]
사건이나 남의 비밀을 몰래 염탐[偵]하여 찾아냄[探]. 또는 그 일을 하는 사람. [비]탐정(探偵).

0864 [택]

擇

가릴 택
[部]手부 [劃]16획 [中]择 [zé, zhái]

擇자는 '(손으로) 고르다'(select)는 뜻을 위하여 고안된 것이니 '손 수'(手)가 표의요소로 쓰였다. 그 나머지가 표음요소임은 澤(못 택)도 마찬가지이다.
[속뜻훈음] **고를 택.**

택일 擇一 | 고를 택, 한 일 [choose; select]
여럿 중에 하나[一]만 고름[擇]. ¶다음 문제 중에 택일하여 답하시오.

• 역순어휘

간:택 揀擇 | 가릴 간, 고를 택
[choose a suitable match]
❶[속뜻]옳고 그름, 좋고 나쁨을 가려[揀] 고름[擇]. ❷배우자를 고름. ¶후궁으로 간택되었다.

선:택 選擇 | 가릴 선, 고를 택
[choose; select; opt]
마음에 드는 것을 가려서[選] 고름[擇]. ¶직업을 선택하다 / 선택의 자유.

채:택 採擇 | 캘 채, 고를 택 [adopt; choose]
❶[속뜻]캐어 내거나[採] 골라냄[擇]. ❷작품, 의견, 제도 따위를 가려 뽑음. ¶채택된 원고에 대해서는 기념품을 드립니다.

0865 [투]

投

던질 투
[部]手부 [劃]7획 [中]投 [tóu]

投자는 '손 수'(手=扌)와 '몽둥이 수'(殳)가 합쳐진 것으로 '(몽둥이를) 던지다'(throw)가 본뜻이다. '보내다'(send; forward), '들여놓다'(put in; bring in)는 뜻으로도 쓰인다.
[속뜻훈음] **①던질 투, ②보낼 투, ③들일 투.**

투고 投稿 | 보낼 투, 원고 고
[contribute to; write for]
신문이나 잡지에 원고(原稿)를 보냄[投]. ¶학교 신문에 소설을 투고하다.

투구 投球 | 던질 투, 공 구 [throw]
[운동]투수가 공[球]을 던짐[投]. 또는 던진 그 공.

투기 投機 | 던질 투, 때 기 [speculate]
일시적인 때[機]를 틈타 큰 이익을 얻으려고 투자(投資)하는 일. ¶그들은 부동산에 투기하여 돈 번 사람들이었다.

투수 投手 | 던질 투, 사람 수 [pitcher; hurler]
[운동]야구에서 내야(內野)의 중앙에 위치하여 포수를 향해 공을 던지는[投] 사람[手]. [반]포수(捕手).

투숙 投宿 | 들여놓을 투, 묵을 숙
[stay at a hotel; check in at a hotel]
여관 따위에 들어서[投] 묵음[宿]. ¶그들은 여관에 투숙하고 있다.

투신 投身 | 들여놓을 투, 몸 신
[devote oneself to; suicide by drowning]
❶[속뜻]어떤 일에 몸[身]을 들여놓음[投]. ¶그는 평생을

교육계에 투신했다. ❷목숨을 끊기 위해 몸을 던짐. ¶그는 바다에 투신하여 스스로 목숨을 끊었다.

투여 投與 | 던질 투, 줄 여 [administer; inject]
❶속뜻 던져[投] 넣어 줌[與]. ❷약물 따위를 몸에 넣어 줌. ¶과다한 약물 투여는 환자에게 좋지 않다.

투옥 投獄 | 던질 투, 감옥 옥
[cast into prison; put in jail]
감옥(監獄)에 던져[投] 넣음. 감옥에 가둠. ¶그 남자는 절도죄로 투옥됐다. ㊥하옥(下獄).

투입 投入 | 던질 투, 들 입
[insert; inject; commit]
❶속뜻 던져[投] 넣음[入]. ¶자동판매기에 동전을 투입하다. ❷자본이나 인력 따위를 들여 넣음. ¶이 영화에는 엄청난 제작비가 투입되었다.

투자 投資 | 던질 투, 재물 자 [invest]
이익을 얻을 목적으로 사업 등에 자금(資金)을 댐[投]. ¶부동산에 투자하다 / 그는 아이들 교육에 돈을 많이 투자하고 있다.

투표 投票 | 던질 투, 쪽지 표 [vote; ballot]
❶속뜻 표(票)를 던짐[投]. ❷선거를 하거나 가부를 결정할 때에 투표용지에 의사를 표시하여 일정한 곳에 내는 일. ¶이번 방학 때 어디로 놀러 갈지 투표로 정하자.

투하 投下 | 던질 투, 아래 하
[throw down; drop]
❶속뜻 높은 곳에서 아래[下]로 던짐[投]. ¶적군의 기지에 폭탄을 투하하다. ❷물자나 자금 따위를 들임. ¶이 돈은 온갖 노력을 투하해 어렵게 번 것이다.

투항 投降 | 보낼 투, 항복할 항 [surrender]
❶속뜻 항복(降伏)할 의사를 보냄[投]. ❷적에게 항복함. ¶병사들은 무기를 내던지고 투항했다.

투호 投壺 | 던질 투, 단지 호
민속 두 사람이 일정한 거리에서 청·홍의 화살을 단지[壺] 속에 던져[投] 많이 넣는 수효로 승부를 가리는 놀이. 또는 단지.

• 역순어휘

쾌투 快投 | 빠를 쾌, 던질 투 [pitch well]
운동 야구에서 투수가 공을 자기가 원하는 곳으로 빠르게[快] 잘 던지는[投] 일. ¶그의 쾌투가 승리를 이끌었다.

0866 [항]

抗
겨룰 항:
㊀ 手부 ㊁ 7획 ㊥ 抗 [kàng]

抗자는 '손 수'(手→扌)가 표의요소이고, 亢(목 항)은 표음요소이다. '버티다'(persist in)가 본뜻인데, '(손으로) 막다'(obstruct), '겨루다'(compete) 등으로도 쓰인다.

속뜻훈음 ①겨룰 항, ②막을 항, ③버틸 항.

항:거 抗拒 | 버틸 항, 막을 거 [resist]
❶속뜻 버티어[抗] 맞섬[拒]. ❷순종하지 아니하고 맞서서 반항함. ¶민중의 항거 / 일제에 대한 항거.

항:생 抗生 | 막을 항, 살 생
다른 생물이 사는[生] 것을 막음[抗].

항:소 抗訴 | 버틸 항, 하소연할 소 [appeal]
❶속뜻 계속 버티며[抗] 상소(上訴)함. ❷법률 재판에서 하급 법원의 판결에 따르지 않고 상급 법원에 다시 하는 고소. ¶항소를 기각하다.

항:암 抗癌 | 막을 항, 암 암 [anticancer]
암(癌)세포의 증식을 막거나[抗] 암세포를 죽임. ¶항암 성분이 들어 있다 / 항암 치료를 받았다.

항:의 抗議 | 겨룰 항, 따질 의 [protest]
❶속뜻 대항(對抗)의 뜻으로 따짐[議]. ❷반대의 뜻을 주장함. ¶항의전화가 빗발치다 / 그는 심판의 판정에 강력히 항의했다.

항:일 抗日 | 겨룰 항, 일본 일
[resistance to Japan]
일본(日本) 제국주의에 항거(抗拒)함. ¶항일 운동.

항:쟁 抗爭 | 버틸 항, 다툴 쟁
[struggle; resist]
겨루고[抗] 다툼[爭]. ¶항쟁을 벌이다.

항:체 抗體 | 막을 항, 몸 체 [antibody]
❶속뜻 저항력(抵抗力)을 지닌 물질[體]. ❷의학 병균에 저항하거나 그것을 죽이는 몸속의 물질. ¶예방 접종으로 병균에 대한 항체가 형성되었다.

• 역순어휘

대:항 對抗 | 대할 대, 막을 항 [resist; defy]
굽히거나 지지 않으려고 맞서서[對] 버티거나 항거(抗拒)함. ¶적의 공격에 비폭력으로 대항했다. ㊤항복(降服), 굴복(屈服), 투항(投降), 귀순(歸順).

반:항 反抗 | 반대로 반, 막을 항
[resist; revolt]
순순히 따르지 아니하고 반대(反對)하거나 저항(抵抗)함. ¶부모에게 반항하다. ㊤복종(服從).

저:항 抵抗 | 맞설 저, 막을 항 [resist]
어떤 힘, 권위 따위에 맞서서[抵] 버티어 막음[抗]. ¶공기의 저항을 최소화하다 / 그들은 적에게 완강히 저항했다. ㊥항거(抗拒).

0867 [휘]

揮 휘두를 휘
㊞ 手부 ㊞ 12획 ㊥ 挥 [huī]

揮자는 '(손을) 휘두르다'(throw one's arms about)는 뜻을 나타내기 위한 것이었으니 '손 수'(手)가 표의요소로 쓰였다. 음 차이가 상당히 크지만 軍(군사 군)이 표음요소임은 輝(빛날 휘), 暉(빛 휘)도 마찬가지이다. '흩어지다'(disperse; scatter), '떨치다'(wield)는 뜻으로도 쓰인다.

속뜻훈음 ①휘두를 휘, ②흩어질 휘, ③떨칠 휘.

휘발 揮發 | 흩어질 휘, 떠날 발 [volatile]
보통 온도에서 액체가 기체로 변하여 흩어져[揮] 날아감[發]. 또는 그 작용. ¶기름이 휘발하고 얼룩이 남았다.

휘장 揮帳 | 휘두를 휘, 휘장 장
[curtain; curtain screen]
피륙을 여러 폭으로 이어서 빙 둘러치는[揮] 장막(帳幕). ¶휘장을 걷다.

• 역순어휘

발휘 發揮 | 드러낼 발, 떨칠 휘 [display; exhibit]
재주나 재능 따위를 드러내어[發] 널리 떨침[揮]. ¶실력을 발휘하다.

지휘 指揮 | 손가락 지, 휘두를 휘
[command; lead; conduct]
❶속뜻 손가락[指]을 휘두름[揮]. ❷목적을 효과적으로 이루기 위하여 단체의 행동을 통솔함. ¶그의 지휘 아래 열심히 싸우다 / 군사들을 지휘하다. ❸음악 합주 따위에서, 많은 사람의 노래나 연주가 예술적으로 조화를 이루도록 앞에서 이끄는 일. ¶합창단을 지휘하다.

0868 [격]

激 격할 격
㊞ 水부 ㊞ 16획 ㊥ 激 [jī]

激자는 물이 장애물에 부딪혀 '튀어 오르다'(splash)는 뜻을 나타내기 위한 것이었으니 '물 수'(水)가 표의요소로 쓰였다. 敫(노래할 교)가 표음요소임은 檄(격문 격)도 마찬가지이다. 후에 '(물살이) 거세다'(swift), '격하다'(fierce; violent) 등으로 확대 사용됐다.

속뜻훈음 ①거셀 격, ②격할 격.

격노 激怒 | 거셀 격, 성낼 노 [violent anger; rage]
격렬(激烈)하게 성냄[怒]. ¶격노하여 말이 나오지 않다. ㊐격분(激忿).

격돌 激突 | 거셀 격, 부딪힐 돌 [crash; clash]
격렬(激烈)하게 부딪침[突]. ¶두 팀은 결승에서 격돌하게 됐다.

격동 激動 | 거셀 격, 움직일 동 [shake violently]
❶속뜻 급격(急激)하게 변동(變動)함. ❷몹시 흥분하고 감동함. ¶민심이 격동하다.

격려 激勵 | 격할 격, 힘쓸 려 [encourage]
남의 용기나 의욕을 북돋워 격(激)하게 힘쓰도록[勵]함. ¶선수를 격려하다. ㊐고무(鼓舞), 고취(鼓吹).

격렬 激烈 | 거셀 격, 세찰 렬
[violent; severe]
몹시 거세고[激] 세차다[烈]. ¶격렬한 몸싸움을 하다.

격변 激變 | 격할 격, 바뀔 변 [change rapidly]
급격(急激)하게 바뀜[變]. ¶물가의 격변.

격분 激忿 | 격할 격, 성낼 분
[rage; be enraged]
격렬(激烈)한 분노(忿怒). 몹시 성을 냄. ¶그의 몰염치한 태도에 격분했다. ㊐격노(激怒).

격심 激甚 | 거셀 격, 심할 심 [extreme]
거셀[激] 정도로 매우 심함[甚]. ¶격심한 피해를 보다.

격앙 激昂 | 격할 격, 오를 앙
[be excited; be indignant]
감정이 격하게[激] 북받침[昂]. 몹시 흥분함.

격전 激戰 | 거셀 격, 싸울 전
[hot fight; fierce battle]
격렬(激烈)하게 싸움[戰]. 또는 그런 전투. ¶각지에서 격전이 벌어지고 있다. ㊐열전(熱戰), 격투(激鬪).

격정 激情 | 거셀 격, 마음 정
[strong violent emotion; passion]
격렬(激烈)한 마음[情]. ¶격정을 억누르다.

격증 激增 | 격할 격, 더할 증 [increase rapidly]
급격(急激)하게 불어남[增]. ¶인구가 격증하다. ㊀격감(激減).

격찬 激讚 | 격할 격, 기릴 찬 [high praise; extol]
매우 격렬(激烈)하게 칭찬(稱讚)함. ¶그가 만든 제품은 격찬을 받았다. ㊐극찬(極讚).

격투 激鬪 | 거셀 격, 싸울 투 [scuffle]
격렬(激烈)하게 싸움[鬪]. ¶적군과 격투를 벌이다.

• 역순어휘

감:격 感激 | 느낄 감, 격할 격
[be deeply impressed]
❶속뜻 고마움을 깊이[激] 느낌[感]. ❷마음속에 깊이 느껴 격동됨. ¶감격의 눈물 / 감격적인 장면. ㊐감동(感

動).

과:격 過激 | 지나칠 과, 격할 격

[violent; extreme]

말이나 행동이 지나치게[過] 격렬(激烈)함. ¶과격한 운동 / 행동이 과격하다. ⓑ온건(穩健).

급격 急激 | 급할 급, 격할 격 [sudden; abrupt]

급(急)하고 격렬(激烈)하다. ¶사춘기에는 몸이 급격히 발달한다.

0869 [원]

源 근원 원

部 水부 劃 13획 中 源 [yuán]

源자의 본래 글자인 '原'(#0409)은, 산언덕 밑의 계곡 같은 데에서 물이 솟아 흐르는 모습을 나타낸 것이다. 물이 처음 흘러나온 곳, 즉 '수원'(a river head)이 본래 의미인데, '본래'(the origin), '들'(a plain) 같은 확대된 의미로 많이 쓰이자, 본래 의미를 분명히 나타내기 위하여 '물 수'(水→氵)를 첨가한 것이 源자다. '수원'(a river head), '근원'(the root; the source; the origin) 또는 이와 의미상 연관이 있는 낱말의 한 구성 요소로 많이 쓰인다.

속뜻 훈음 ①근원 원, ②수원 원.

원천 源泉 | 근원 원, 샘 천

[fountainhead; source]

❶속뜻 강물의 근원(根源)이 되는 샘[泉]. ¶황지는 낙동강의 원천이다. ❷사물의 근원. ¶책은 지식의 원천이다.

• 역순어휘

근원 根源 | 뿌리 근, 수원 원 [root; source]

❶속뜻 나무의 뿌리[根]나 물의 수원(水源). 또는 그 같은 곳. ❷어떤 일이 생겨나는 본바탕. ¶소문의 근원. ⓑ남상(濫觴), 원본(原本).

기원 起源 | =起原, 일어날 기, 근원 원

[origin; source]

사물이 생기기 시작한[起] 근원(根源). ¶인류의 기원. ⓑ발원(發源), 남상(濫觴), 발상(發祥).

발원 發源 | 나타날 발, 근원 원 [source; rise]

❶속뜻 물줄기가 생겨나는[發] 근원(根源). ¶한강은 태백산맥에서 발원한다. ❷어떤 사상이나 현상 등이 발생하여 일어남. 또는 그 근원.

수원 水源 | 물 수, 근원 원

[riverhead; head spring]

물[水]이 흘러나오기 시작한 근원(根源). ¶이 강의 수원은 안데스 산맥이다.

어:원 語源 | =語原, 말씀 어, 근원 원

[derivation of a word; etymology]

어떤 단어(單語)가 생겨난 근원(根源). ¶'설거지'의 어원을 조사하다.

자원 資源 | 재물 자, 근원 원 [resources]

❶속뜻 재물[資]이 될 수 있는 근원[源]. ❷생활 및 생산에 이용될 수 있는 원료나 노동력을 통틀어 이르는 말. ¶물적 자원 / 인적 자원.

전:원 電源 | 전기 전, 근원 원

[source of electric power; power source]

물리 전류(電流)의 근원[源]. ¶라디오의 전원을 켜다.

진:원 震源 | 떨 진, 근원 원 [earthquake center]

지리 지진(地震) 발생의 근원(根源)이 되는 지점. 지각 내부의 지진 발생점이나 지진의 원인인 암석 파괴가 시작된 곳을 말한다.

0870 [조]

潮 밀물/조수 조

部 水부 劃 15획 中 潮 [cháo]

潮자는 강물이 바다로 향해 '흐르다'(stream in)는 뜻을 위한 것이었으니 '물 수'(水)가 표의요소로 쓰였다. 표음요소인 朝(아침 조)에 '향하다'(go toward)는 뜻도 있으니 표의요소를 겸하는 셈이다. '(밀물과 썰물)의 바닷물'(sea water)을 나타내는 것으로도 쓰인다.

속뜻 훈음 바닷물 조.

조력 潮力 | 바닷물 조, 힘 력 [tidal energy]

바닷물[潮] 흐름의 차이로 발생되는 힘[力].

조류 潮流 | 바닷물 조, 흐를 류

[(tidal) current; tide; trend]

❶속뜻 밀물과 썰물 때문에 일어나는 바닷물[潮]의 흐름[流]. ¶이 지역은 조류의 흐름이 빠른 편이다. ❷시대 흐름의 경향이나 동향. ¶밀려드는 세계화의 조류를 막을 수는 없다.

조수 潮水 | 바닷물 조, 물 수 [tide; tidewater]

❶속뜻 바다에서 밀려들었다가 밀려나가는[潮] 물[水]. ❷지리 달, 태양 따위의 인력에 의하여 주기적으로 높아졌다 낮아졌다 하는 바닷물. 밀물과 썰물을 통틀어 이르는 말. ¶서해안은 조수의 차가 심하다.

• 역순어휘

만:조 滿潮 | 찰 만, 바닷물 조 [high water]

❶속뜻 바닷물[潮]이 밀려들어서 가득참[滿]. 지리 ❷밀물로 해면이 가장 높아진 상태. ⓑ고조(高潮). ⓟ간조(干潮).

적조 赤潮 | 붉을 적, 바닷물 조
[red tide; red water]
생물 조수(潮水)가 붉게[赤] 보이는 현상. 동물성 플랑크톤의 이상번식으로 바닷물이 부패하여 나타난다. ¶적조 때문에 물고기가 떼죽음을 당했다.

풍조 風潮 | 바람 풍, 바닷물 조 [tendency]
❶속뜻 바람[風]과 바닷물[潮]. ❷시대에 따라 변하는 세태. ¶우리 사회 전반에 과소비 풍조가 만연해 있다.

0871 [천]

泉

샘 천
부 水부 획 9획 中 泉 [quán]

泉자의 白은 옹달샘 모양이 변한 것이다. 즉, 산골짜기 옹달샘[白]에서 물[水]이 졸졸 흘러나오는 모양을 본뜬 것으로 '샘'(a spring)을 나타낸 것이다. '白'과 '水'의 조합은 자형 구조를 말해 줄 수는 있으나, 이 글자의 본의(本義)를 찾아내는 근거는 못된다.

• 역순어휘

온천 溫泉 | 따뜻할 온, 샘 천 [spa]
❶속뜻 따뜻한[溫] 물이 솟는 샘[泉]. ❷지리 지열에 의하여 지하수가 그 지역의 평균 기온 이상으로 데워져 솟아 나오는 샘. ❸온천을 이용하는 목욕 시설이 있는 곳. ¶울진 부근에는 덕구온천이 유명하다.

원천 源泉 | 근원 원, 샘 천
[fountainhead; source]
❶속뜻 강물의 근원(根源)이 되는 샘[泉]. ¶황지는 낙동강의 원천이다. ❷사물의 근원. ¶책은 지식의 원천이다.

0872 [파]

派

갈래 파
부 水부 획 9획 中 派 [pài, pā]

派자의 오른 쪽의 것은 '길 영'(永)에서 변화된 것임은 脈(맥)자를 '脉'이라고 쓰는 것에서도 알 수 있다. 강물[水→氵]이 길게[永] 흐르는 중에는 갈래가 있게 마련이었기 때문에, '물갈래'(a branch of a river)를 그렇게 나타냈다. 후에 일반적 의미의 '갈래'(a branch), '보내다'(send) 등으로 확대 사용됐다.

속뜻 굳음 ①보낼 파, ②갈래 파.

파견 派遣 | 보낼 파, 보낼 견 [dispatch; despatch]
특별한 임무를 주어 임시로 보냄[派=遣]. ¶본사 파견 / 그는 케냐로 파견되었다.

파벌 派閥 | 갈래 파, 무리 벌
[clique; faction; coterie]
이해관계에 따라 따로따로 갈라진[派] 사람들의 무리[閥]. ¶그는 파벌 싸움에 말려들었다.

파병 派兵 | 보낼 파, 군사 병
[dispatch troops; send an army]
병사(兵士)를 파견(派遣)함. ¶유엔군이 파병을 결정하였다.

파생 派生 | 갈래 파, 날 생 [be derived; originate]
본체에서 갈려 나와[派] 다른 하나가 새롭게 생김[生]. ¶영어는 라틴어에서 파생되었다.

파출 派出 | 보낼 파, 날 출 [send out; dispatch]
파견(派遣)되어 나감[出].

• 역순어휘

급파 急派 | 급할 급, 보낼 파 [speedy dispatch]
급(急)히 파견(派遣)함. ¶사고 현장에 구조대를 급파하다.

남파 南派 | 남녘 남, 보낼 파
[send (a spy) into the south]
남(南)쪽으로 파견(派遣)함. ¶북한은 간첩을 남파했다.

당파 黨派 | 무리 당, 갈래 파
[party; school; league]
주장과 이해를 같이하는 사람끼리 무리지어서[黨] 나뉜 갈래[派]. ¶당파를 결성하다. ⓑ파당(派黨), 파벌(派閥).

종파 宗派 | 마루 종, 갈래 파
[main branch of a family]
❶속뜻 종가(宗家)에서 떨어져 나온 갈래[派]. ❷같은 종교의 갈린 갈래. ¶다른 종파라고 해서 서로 싸우면 안된다.

특파 特派 | 특별할 특, 보낼 파
[send on special assignment]
특별(特別)히 파견(派遣)함. ¶해외에 특파되다.

0873 [혼]

混

섞을 혼ː
부 水부 획 11획 中 混 [hùn, hún]

混자는 '물 수'(氵=水)가 표의요소이다.

昆(형 곤)이 표음요소임은 焜(빛날 혼)도 마찬가지이다. '(물살이) 거세다'(furious)이라는 본뜻에서 '섞다'(mix), '합치다'(combine)는 뜻으로 확대 사용됐다. 같은 뜻으로 掍(혼)자가 있으나 거의 사용되지 않는다.

혼:돈 混沌 | =渾沌, 섞을 혼, 어두울 돈 [chaotic; nebulous; confused]
마구 뒤섞여[混] 있어 갈피를 잡을 수 없음[沌]. ¶가치관의 혼돈 / 그 나라는 혼돈에 빠졌다.

혼:동 混同 | 섞을 혼, 한가지 동 [mistake; confuse]
❶속뜻 서로 뒤섞여[混] 하나가[同] 됨. ❷구별하지 못하고 뒤섞어서 생각함. ¶나는 그를 다른 사람과 혼동했다. ㊥구별(區別), 분별(分別).

혼:란 混亂 | 섞을 혼, 어지러울 란 [confused; disordered]
❶속뜻 뒤섞여서[混] 어지러움[亂]. ❷뒤죽박죽이 되어 질서가 없음. ¶혼란에 빠지다 / 그 소식은 우리 가족을 혼란스럽게 했다. ㊐혼잡(混雜). ㊥평온(平穩).

혼:선 混線 | 섞을 혼, 줄 선 [cross; entangle wires]
❶속뜻 줄[線] 따위가 뒤섞임[混]. ❷전신이나 전화, 무선통신 따위에서 신호나 통화가 뒤섞이며 엉클어짐. ¶전화가 혼선이 되고 있다.

혼:성 混聲 | 섞을 혼, 소리 성 [mixed voices]
❶속뜻 뒤섞인[混] 소리[聲]. ❷음악 남녀의 목소리를 혼합하여 노래하는 일. ¶남녀 혼성그룹.

혼:잡 混雜 | 섞을 혼, 어수선할 잡 [confused; crowded]
여럿이 한데 뒤섞여[混] 어수선함[雜]. ¶교통혼잡 / 혼잡을 빚다.

혼:탁 混濁 | 섞을 혼, 흐릴 탁 [muddy; turbid]
❶속뜻 불순한 것들이 섞여[混] 흐림[濁]. ¶강물의 혼탁을 막다 / 매연으로 공기가 혼탁해졌다. ❷정치나 사회현상 따위가 어지럽고 흐림. ¶혼탁 선거 / 혼탁한 사회.

혼:합 混合 | 섞을 혼, 합할 합 [mix; mingle; blend]
뒤섞여서[混] 한데 합쳐짐[合]. 또는 뒤섞어 한데 합함. ¶혼합 비료 / 밀가루와 물을 혼합해서 반죽을 만들다.

혼:혈 混血 | 섞을 혼, 피 혈 [mixed blood; racial mixture]
서로 인종이 다른 혈통(血統)이 섞임[混]. ㊥순혈(純血).

0874 [황]

況 상황 황:
㊞ 水부 ㊞ 8획 ㊥ 况 [kuàng]

況자는 '찬물'(cold water)이 본래 의미였으니 '물 수'(水)가 표의요소로 쓰였다. 兄(맏 형)이 표음요소임은 怳(멍할 황), 貺(줄 황)도 마찬가지이다. '형편'(a situation), '상황'(conditions) 등으로 확대 사용됐다. 속자인 '况'이 '찬물'이라는 본래 뜻과 더욱 잘 어울리는 편이다(冫, 얼음 빙).

속뜻훈음 ①상황 황, ②형편 황.

황:차 況且 | 하물며 황, 또 차 [much more]
하물며[況] 또[且]. 하물며. ¶친구인 나도 슬픈데, 황차 자식을 잃은 부모의 마음은 오죽하겠는가?

• 역순어휘

경황 景況 | 별 경, 상황 황 [interesting situation]
흥미를 느낄 만한 겨를[景]이나 상황(狀況). ¶너무 바빠서 인사할 경황도 없었다.

근:황 近況 | 가까울 근, 형편 황 [recent situation]
요즈음[近]의 형편[況]. ¶친구의 근황이 궁금하다.

불황 不況 | 아닐 불, 형편 황 [recession]
경제 경기 형편[況]이 좋지 못함[不]. 경제 활동 전체가 침체되는 상태. ¶불황으로 서민들의 생활이 어려워졌다. ㊐불경기(不景氣). ㊥호황(好況).

상황 狀況 | 형상 상, 형편 황 [conditions; situation]
어떤 일의 그때의 모습[狀]이나 형편[況]. ¶상황을 판단하다 / 상황이 나빠지다.

성:황 盛況 | 가득할 성, 상황 황 [prosperity]
어떤 장소에 가득한[盛] 상황(狀況). 또는 그런 모임이나 행사. ¶성황을 이루다.

실황 實況 | 실제 실, 상황 황 [real situation]
실제(實際)의 상황(狀況). ¶공연 실황을 방송하다.

작황 作況 | 지을 작, 상황 황 [crop]
농업 농사를 지어[作] 잘 되고 못 된 상황(狀況). ¶올해는 복숭아의 작황이 좋지 않다.

현:황 現況 | 지금 현, 상황 황 [present state; state of affairs]
현재(現在)의 상황(狀況). 지금의 형편. ¶피해 현황을 조사하다.

호:황 好況 | 좋을 호, 상황 황 [prosperous condition]
경기가 좋은[好] 상황(狀況). ¶호황을 누리다. ㊥불황

(不況).

0875 [분]

憤

분할 분:
[部] 心부 [劃] 15획 [中] 愤 [fèn]

憤 자는 '마음에 응어리가 맺히다'(harbor ill feeling against)는 뜻을 나타내기 위한 것이었으니 '마음 심'(心)이 표의요소로 쓰였다. 賁(클 분)은 표음요소이다. 후에 '분하다'(vexing), '성내다'(get angry)도 이것으로 나타냈다.

[속뜻훈음] ①분할 분, ②성낼 분.

분:개 憤慨 | 분할 분, 슬퍼할 개
[indignant; be enraged]
몹시 분(憤)하여 슬퍼함[慨]. 또는 분하게 여김. ¶너무나 분개한 나머지 고함을 질렀다.

분:통 憤痛 | 분할 분, 아플 통 [fury; indigent]
몹시 분(憤)하여 마음이 쓰리고 아픔[痛]. ¶나는 그의 말에 분통이 터졌다.

• 역순어휘

울분 鬱憤 | 답답할 울, 성낼 분
[pent up feelings; resentment]
가슴이 답답하여[鬱] 성이 남[憤]. 또는 그런 울화. ¶그는 참았던 울분을 터뜨렸다.

의:분 義憤 | 옳을 의, 성낼 분
[public indignation]
의(義)로운 마음에서 우러나오는 분노(憤怒). ¶이순신 장군은 의분을 참고 백의종군하였다.

0876 [려]

慮

생각할 려
[部] 心부 [劃] 15획 [中] 虑 [lǜ]

慮 자는 무엇을 도모하고자 하는 '생각'(discretion)을 뜻하기 위하여 만들어진 것이니, '생각할 사'(思)가 표의요소로 쓰였고, 虍(호피 무늬 호)는 표음요소라는 설이 있는데, 발음 차이가 너무나 커서 설득력이 약하다. 그렇다고 표의요소로 볼 근거도 없다. 후에 '생각하다'(consider), '걱정하다'(be anxious)는 뜻으로 확대 사용됐다.

[속뜻훈음] ①생각할 려, ②걱정할 려.

• 역순어휘

고려 考慮 | 살필 고, 생각할 려 [consider]
잘 살피고[考] 깊이 생각함[慮]. ¶신중히 고려하였다.

무려 無慮 | 없을 무, 생각할 려
[as many as; no less than]
❶[속뜻] 생각할[慮] 수가 없음[無]. ❷그 수가 예상보다 상당히 많음을 나타내는 말. 상상을 초월함. ¶사상자가 무려 백만 명이 넘었다.

배:려 配慮 | 나눌 배, 생각할 려 [consider]
마음을 나누어[配] 남도 생각[慮]해줌. ¶세심하게 배려하다.

사려 思慮 | 생각 사, 생각할 려
[thought; prudence]
여러 가지로 신중하게 생각함[思=慮]. 또는 그 생각. ¶그는 사려가 깊은 사람이다.

심려 心慮 | 마음 심, 걱정할 려 [anxious; worry]
마음[心] 속으로 걱정함[慮]. 또는 마음속의 근심. ¶심려를 끼쳐 죄송합니다.

염:려 念慮 | 생각 념, 걱정할 려 [worry; concern]
여러 모로 생각[念]하며 걱정함[慮]. 또는 그런 걱정. ¶염려를 끼쳐 드려 죄송합니다. [비]걱정, 근심.

우려 憂慮 | 근심할 우, 걱정할 려 [worry]
근심하거나[憂] 걱정함[慮]. ¶우려를 낳다 / 홍수로 산사태가 우려된다.

0877 [원]

怨

원망할 원:
[部] 心부 [劃] 9획 [中] 怨 [yuàn]

怨 자는 마음에 사무치는 '원망'(a grudge)을 나타내기 위한 것이었으니 '마음 심'(心)이 표의요소로 쓰였다. 夗(누워 뒹굴 원)이 표음요소임은 苑(동산 원)과 鴛(원앙 원)도 마찬가지이다. '원망하다'(resent; reproach), '미워하다'(hate)는 뜻으로 많이 쓰인다.

[속뜻훈음] ①원망할 원, ②미워할 원.

원:망 怨望 | 미워할 원, 바랄 망 [blame; resent]
바란[望] 대로 되지 않아 미워하고[怨] 분하게 여김. 또는 그런 마음. ¶원망을 품다 / 하늘을 원망해 봤자 소용없다 / 그녀는 나를 원망스러운 눈으로 쳐다보았다.

원:성 怨聲 | 원망할 원, 소리 성
[murmur of grievances]
원망(怨望)하는 소리[聲]. ¶야산을 헐어 골프장을 만들겠다는 발표에 주민들의 원성이 자자하다.

원:수 怨讐 | 미워할 원, 원수 수 [enemy; foe]
자기 또는 자기 집이나 나라에 해를 끼쳐 원한(怨恨)이

맺힌 사람[讐]. ¶아버지의 원수를 갚다. [반]은인(恩人).
[속담] 원수는 외나무다리에서 만난다.

원 : 한 怨恨 | 미워할 원, 한탄 한 [grudge; spite]
억울한 일을 당하여 미워하고[怨] 한스러워함[恨]. 또는 그런 마음. ¶나는 그에게 아무런 원한도 없다.

0878 [위]

慰

위로할 위
[部] 心부 [劃] 15획 [中] 慰 [wèi]

慰 자는 따뜻한 마음으로 '달래다'(fondle; dandle)는 뜻을 나타내기 위하여 '마음 심'(心)이 표의요소로 쓰였다. 尉(벼슬 위)는 표음요소이다. '위로하다'(recognize) 또는 이와 의미상 연관이 있는 낱말의 한 구성요소로도 쓰인다.
[속뜻 훈음] ①위로할 위, ②달랠 위.

위로 慰勞 | 달랠 위, 수고로울 로
[console; comfort]
수고로움[勞]이나 아픔을 달램[慰]. ¶어떻게 위로의 말씀을 드려야 할지 모르겠습니다 / 어머니는 기회가 또 있을 것이라며 나를 위로했다.

위문 慰問 | 달랠 위, 물을 문
[pay a visit of inquiry]
위로(慰勞)하기 위하여 방문(訪問)함. ¶위문 공연 / 사장은 사고로 죽은 직원을 위문하기 위해 빈소를 찾았다.

위안 慰安 | 위로할 위, 편안할 안
[console; solace]
위로(慰勞)하여 마음을 안심(安心)시키는 것. ¶사람들은 대부분 종교에서 위안을 구한다.

위자 慰藉 | 위로할 위, 도울 자 [console]
위로(慰勞)하고 도와줌[藉].

• 역순어휘

자위 自慰 | 스스로 자, 달랠 위
[console oneself; comfort oneself]
❶[속뜻] 스스로[自] 자기 마음을 달램[慰]. ¶그는 목숨을 건진 것만도 다행이라고 자위했다. ❷자기의 생식기를 자극하여 성적 쾌감을 얻는 것.

0879 [한]

恨

한[怨] 한:
[部] 心부 [劃] 9획 [中] 恨 [hèn]

恨 자는 마음속에 품은 '원한'(hatred; rancor)을 뜻하기 위한 것이었으니, '마음 심'(心)이 표의요소로 쓰였다. 艮(어긋날 간)이 표음요소임은 限(한계 한)도 마찬가지이다. '한탄'(deploring) 또는 이와 의미상 연관이 있는 낱말의 한 구성 요소로도 쓰인다.
[속뜻 훈음] ①원한 한, ②한탄 한.

한 : 탄 恨歎 | 원한 한, 한숨지을 탄 [sigh]
너무 원한(怨恨)이 사무쳐 한숨을 지음[歎]. ¶신세 한탄을 하다.

• 역순어휘

여한 餘恨 | 남을 여, 원한 한 [smoldering grudge]
풀지 못하고 남은[餘] 원한(怨恨). ¶여한을 품다 / 여한이 없다.

원 : 한 怨恨 | 미워할 원, 한탄 한 [grudge; spite]
억울한 일을 당하여 미워하고[怨] 한스러워함[恨]. 또는 그런 마음. ¶나는 그에게 아무런 원한도 없다.

포 : 한 抱恨 | 품을 포, 원한 한
[harbor enmity toward]
원한(怨恨)을 품음[抱]. ¶그에게 그런 포한이 있었는지 그 아내도 몰랐다.

0880 [헌]

憲

법 헌:
[部] 心부 [劃] 16획 [中] 宪 [xiàn]

憲 자는 '민첩하다'(quick)는 뜻을 나타내기 위한 것이다. '마음 심'(心)과 '눈 목'(目)이 표의요소로 쓰인 것을 보니, 민첩한 사람은 눈초리와 마음이 남다른 데가 있는가 보다. 그 윗부분은 害(해칠 해)의 생략형으로 표음요소라는 설이 있다. '법'(the law; an act), '본보기'(an example) 등으로도 쓰인다.

헌 : 법 憲法 | 법 헌, 법 법 [constitutional law]
❶[속뜻] 최상위에 있는 법[憲=法]. ❷[법률] 국가에서 정하는 모든 법의 기초법. 국가의 조직, 구성 및 작용에 관한 근본법으로, 다른 법률이나 명령으로 변경할 수 없는 한 국가의 최고 법규.

헌 : 병 憲兵 | 법 헌, 군사 병 [military policeman]
❶[속뜻] 군 내부의 경찰 또는 법[憲]에 관한 일을 맡은 군사[兵]. ❷[군사] 군의 병과(兵科)의 한 가지. 군의 경찰 업무를 맡아본다.

헌 : 장 憲章 | 법 헌, 글 장 [charter]
❶[속뜻] 헌법(憲法) 같이 중요한 글[章]. ❷어떠한 사실에 대하여 약속을 이행하기 위하여 정한 규범. ¶국민교

육헌장.

• 역순어휘

개:헌 改憲 | 고칠 개, 법 헌
[amend a constitution]
법률 헌법(憲法)을 고침[改]. ¶내각제를 대통령제로 개헌하다. ⊕호헌(護憲).

관헌 官憲 | 벼슬 관, 법 헌
[government authorities]
❶속뜻 정부나 관청(官廳)에서 정한 법규[憲]. ¶관헌에 따르자면. ❷예전에, '관청'을 달리 이르던 말. ¶중국 관헌에 붙잡혀 갔다. ❸예전에, 관직에 있는 사람을 달리 이르던 말. ¶지방 관헌.

입헌 立憲 | 설 립, 법 헌 [establish a constitution]
헌법(憲法)을 제정함[立].

제:헌 制憲 | 만들 제, 법 헌
[establish the constitution]
헌법(憲法)을 만들어[制] 정함. ¶제헌 이래 우리나라 법은 계속 바뀌어 왔다.

0881 [씨]

氏
각시/성씨 씨
部 氏부 劃 4획 中 氏 [shì]

氏자에 대한 글자 풀이는 異說(이:설)이 많다. 氏는, 하나의 부족이 하나의 '성'(a family name; a surname)을 가지고 있던 모계사회에서 아버지가 누군가를 구분하기 위하여 생겨난 것이다. 후에 부계사회로 변모되자 姓과 氏가 하나로 합쳐져 그 의미 차이가 없어졌다고 한다. 옛날에는 귀족들만이 성씨를 가질 수 있었다. '김씨'가 '김가'에 비하여 높임말인 것은 그러한 사실에 뿌리를 두고 있다.

씨족 氏族 | 성씨 씨, 겨레 족 [family]
사회 원시 사회에서 똑같은 조상[氏]을 가진 여러 가족(家族)의 성원. 원시 사회에서 흔히 찾아볼 수 있는 부족 사회의 기초 단위이다.

• 역순어휘

섭씨 攝氏 | 당길 섭, 성씨 씨 [Centigrade; Cent.]
물리 섭씨온도계의 준말. 1742년 섭씨온도계를 만든 스웨덴의 천문학자 '셀시우스'(Celsius, A)를 '섭이사'(攝爾思)로 음역하고, 줄여서 '섭씨'(攝氏)라고 한 데에서 유래되었다. ¶물은 섭씨 100도에서 끓는다. ⊕화씨(華氏).

성:씨 姓氏 | 성씨 성, 성씨 씨 [family name]
성(姓)과 씨(氏). 성을 높여 이르는 말.

종씨 宗氏 | 마루 종, 성씨 씨
[paternal cousin older than oneself]
한 일가[宗]에 속하는 같은 성씨[氏]의 사람들. 또는 그들끼리 부르는 말. ¶이런 데서 종씨를 만나니 참으로 반갑습니다.

화씨 華氏 | 꽃 화, 성씨 씨 [Fahrenheit; Fahr.]
물리 '화씨온도계'의 준말. 이 온도계를 고안한 독일의 파렌하이트를 '화륜해'(華倫海)로 음역하고, 줄여서 '화씨'(華氏)라고 한 데에서 유래되었다. 얼음이 녹는점을 32°F, 물이 끓는점을 212°F로 하여 그 사이를 등분한 온도 단위이다. 단위는 'F'. ⊕섭씨(攝氏).

0882 [잔]

殘
남을 잔
部 歹부 劃 12획 中 残 [cán]

殘자는 歹(부서진 뼈 알)과 戔(해칠 잔)이 합쳐진 것으로, '(모질게) 해치다'(harm)는 뜻을 나타낸 것이다. 戔(쌓일 전/ 해칠 잔)은 표음요소를 겸하는 셈이다. '남다'(remain)는 뜻으로도 쓰인다.
속뜻훈음 ①남을 잔, ②해칠 잔.

잔고 殘高 | 남을 잔, 높을 고
[balance in an account]
❶속뜻 남은[殘] 것의 높이[高]. ❷나머지 금액. 나머지. ¶예금 잔고를 확인하다 / 통장 잔고가 바닥나다.

잔금 殘金 | 남을 잔, 돈 금 [balance]
❶속뜻 남은[殘] 돈[金]. ❷갚다가 덜 갚은 돈. ¶잔금을 치르다.

잔등 殘燈 | 남을 잔, 등불 등 [light]
밤늦게 심지가 다 타고 남은[殘] 희미한 등불[燈]. ¶어머니는 잔등의 불빛에 편지를 읽어 내려갔다.

잔설 殘雪 | 남을 잔, 눈 설
[remaining snow on the ground]
녹다가 남은[殘] 눈[雪]. 또는 이른 봄까지 녹지 아니한 눈. ¶대관령에는 응달마다 잔설이 아직 남아 있다.

잔액 殘額 | 남을 잔, 액수 액
[balance in an account]
쓰고 남은[殘] 금액(金額). ¶계좌의 잔액을 조회하다 / 이 상품권은 잔액을 환불받을 수 있다.

잔여 殘餘 | 남을 잔, 남을 여 [rest]
남은 것[殘=餘]. ¶잔여임기가 두 달 밖에 안 남았다.

잔인 殘忍 | 해칠 잔, 모질 인 [be cruel]
해치고[殘] 모질게 함[忍]. 인정이 없고 모짊. ¶잔인한 말 / 적군은 아녀자를 잔인하게 살해했다.

잔재 殘滓 | 남을 잔, 찌끼 재 [remnants]
남아[殘] 있는 찌꺼기[滓]. ¶일제 강점기의 잔재를 청산하다.

잔학 殘虐 | 해칠 잔, 모질 학 [cruel]
남을 마구 해치고[殘] 모질게[虐] 굶다. ¶잔학행위 / 밤에 잔학한 내용의 영화를 보면 무서운 꿈을 꾼다.

잔해 殘骸 | 남을 잔, 뼈 해 [ruins]
❶속뜻 썩거나 타다가 남은[殘] 뼈[骸]. ❷부서지거나 못쓰게 되어 남아 있는 물체. ¶무너진 건물의 잔해 아래에서 생존자를 구조했다.

잔혹 殘酷 | 해칠 잔, 독할 혹 [be merciless]
성질이나 하는 짓이 잔인(殘忍)하고 몹시 독하다[酷]. ¶잔혹 행위 / 잔혹한 사람.

• 역순어휘

상잔 相殘 | 서로 상, 해칠 잔 [struggle with each other]
서로[相] 다투고 해침[殘]. ¶민족 상잔의 비극을 막아야 한다.

패:잔 敗殘 | 패할 패, 남을 잔 [survival after defeat]
전쟁에서 지고[敗] 남은[殘] 세력.

0883 [경]

更

고칠 경, 다시 갱:
㉻ 日부 ㉬ 7획
㊥ 更 [gēng, gèng]

更자는 때려서 잘못을 '바로잡다'(correct)는 뜻을 나타내기 위한 것이다. 원래 표음요소인 丙(남녘 병)과 표의요소인 攴(칠 복)이 상하 구조로 되어 있는 것이었다. 隸書(예:서) 서체에서 지금의 자형과 같이 변해 버렸다. 후에 '고치다'(reform), '바꾸다'(change)는 뜻으로 확대 사용됐다. '다시'(again; once more)라는 부사적 용법으로도 쓰이는데 이 경우에는 [갱]으로 읽는다. '시각'(a short time)을 가리키기도 한다.

속뜻훈음 ①고칠 경, ②시각 경, ③다시 갱.

경신 更新 | 고칠 경, 새 신 [renew]
❶속뜻 고쳐[更] 새롭게[新] 함. ❷종전의 기록을 깨뜨려 새로운 기록을 세움. ¶기록을 경신하였다.

경질 更迭 | =更佚, 고칠 경, 갈마들 질 [change; replace]
어떤 직위에 있는 사람을 갈아내고[迭] 다른 사람으로 바꿈[更]. ¶장관을 경질하다.

갱:신 更新 | 다시 갱, 새 신 [renew; renovate]
❶속뜻 다시[更] 새롭게[新] 함. ❷법률 법률관계의 존속 기간이 끝났을 때 그 기간을 연장하는 일. ¶여권을 갱신하다 / 자동차 보험을 갱신하다. 하나 더!! 更新(갱:신)은 '다시'라는 부사와 '새로워지다'는 동사적 의미가 합쳐져 '다시 새로워지다'는 뜻이다. 주로 법률관계의 기간을 연장할 때 쓰인다(예, '면허증 갱신'). 更新(경:신)은 '고치다'는 동사와 '새로워지다'는 동사적 의미가 합쳐져 '옛것을 고치어 새롭게 하다'의 뜻이다(예, '낡은 제도의 경신', '기록 경신'). 따라서 '죽을 지경에서 다시 살아나다' 또는 '올바른 생활을 다시 시작하다'의 뜻인 '更生'은 [갱생]이라 읽어야지 [경생]으로 읽지 않는다는 사실을 보면 둘의 뜻이 분명해진다.

• 역순어휘

변:경 變更 | 바뀔 변, 고칠 경 [change; alter]
바꾸어[變] 고침[更]. ¶주소를 변경하다. ㊐변개(變改), 변역(變易).

삼경 三更 | 셋째 삼, 시각 경 [around midnight]
하루의 밤을 다섯으로 나눈 중 셋째[三] 시각[更]. 밤 11시부터 이튿날 새벽 1시까지.

0884 [가]

暇

틈/겨를 가:
㉻ 日부 ㉬ 13획 ㊥ 暇 [xiá]

暇자는 '겨를'(= 틈, time to spare)같은 시간적 의미를 나타내기 위하여 고안된 것이니 '날 일'(日)이 표의요소로 쓰였고, 叚(빌 가)는 표음요소이니 뜻과는 무관하다.

• 역순어휘

여가 餘暇 | 남을 여, 겨를 가 [leisure; spare time]
시간이 남아[餘] 한가(閑暇)로운 시간. ¶책을 쓰느라 여가가 없다.

한가 閑暇 | 틈 한, 겨를 가 [leisured]
❶속뜻 틈[閑]과 겨를[暇]. ❷바쁘지 않고 여유가 있다. ¶오늘은 하루 종일 한가하다 / 한가로운 저녁 시간.

휴가 休暇 | 쉴 휴, 겨를 가 [holiday]
일정한 기간 쉬는[休] 겨를[暇]. 쉼. ¶여름휴가.

0885 [보]

普

넓을 보ː
㉿ 日부 ㉿ 12획 ㊥ 普 [pǔ]

普자는 竝(아우를 병)의 축약형과 日(해 일)이 합쳐진 것이다. 햇살은 누구에게나 두루두루, 그리고 널리 비친다. 그래서인지 '두루'(all over; all round), '널리'(widely), '넓다'(wide) 같은 의미를 그렇게 나타냈다.

보ː급 普及 | 넓을 보, 미칠 급 [popularize]
많은 사람에게 골고루 널리[普] 미치게[及] 함. ¶선진 문물을 보급하다.

보ː통 普通 | 넓을 보, 통할 통 [average; ordinary]
❶속뜻 널리[普] 통(通)함. ❷특별하지 아니하고 흔히 볼 수 있어 평범함. 또는 뛰어나지도 열등하지도 아니한 중간 정도. ¶내 키는 보통이다. ㊞통상(通常).

보ː편 普遍 | 넓을 보, 두루 편 [universalize]
널리[普] 두루 미침[遍]. ¶보편 타당성이 있어야 남을 설득할 수 있다. ㊞일반(一般). ㊥특수(特殊).

0886 [역]

易

바꿀 역 / 쉬울 이ː
㉿ 日부 ㉿ 8획 ㊥ 易 [yì]

易자의 갑골문은 그릇에 담긴 물을 다른 그릇으로 옮겨 붓는 모습이다. 易의 日은 그릇의 고리 모양이 잘못 변한 것이고, 勿은 따라 붓는 물 모양이 바뀐 것이다. '(물을) 갈다'(renew; refill)가 본래 의미인데, '바꾸다'(exchange)로 확대 사용됐다. '쉽다'(easy)는 뜻으로도 쓰이는데, 이 경우에는 [이]로 읽는다.
속뜻훈음 ①바꿀 역, ②쉬울 이.

• 역순어휘

교역 交易 | 서로 교, 바꿀 역
[trade (with); commerce]
물건을 사고팔고 하여 서로[交] 바꿈[易]. ¶아라비아 상인들은 인도항로를 오가며 교역했다. ㊞무역(貿易).

무ː역 貿易 | 바꿀 무, 바꿀 역
[trade; export and import business]
❶경제 상품을 팔고 사며 서로 바꾸는[貿=易] 상행위. ❷외국 상인과 물품을 수출입하는 상행위. ㊞교역(交易), 통상(通商).

간ː이 簡易 | 간단할 간, 쉬울 이 [simple; plain]
간단(簡單)하고 쉬움[易]. ¶고속도로 간이 휴게소(休憩所)에 들렀다.

난이 難易 | 어려울 난, 쉬울 이
[difficulty; hardness or ease]
어려움[難]과 쉬움[易].

안이 安易 | 편안할 안, 쉬울 이 [be easygoing]
❶속뜻 편안(便安)하여 만사를 쉽게[易] 여기다. ❷충분히 생각함이 없이 적당히 처리하려는 태도가 있다. ¶안이한 태도로는 무엇도 할 수 없다.

용이 容易 | 담을 용, 쉬울 이 [be easy]
❶속뜻 쉬운[易] 것을 담고[容] 있음. ❷아주 쉽다. 어렵지 않다. ¶이 컴퓨터는 조립이 용이한 것이 장점이다. ㊥난해(難解)하다.

평이 平易 | 보통 평, 쉬울 이 [easy; simple]
어렵지 않고 보통[平] 수준으로 쉽다[易]. ¶이 책은 평이하게 쓰여 있다.

0887 [영]

映

비칠 영(ː)
㉿ 日부 ㉿ 9획 ㊥ 映 [yìng]

映자는 햇빛이 '비치다'(shine)는 뜻을 나타내기 위한 것이니, '해 일'(日)이 표의요소이다. 央(가운데 앙)이 표음요소임은 英(꽃부리 영)도 마찬가지이다.

영상 映像 | 비칠 영, 모양 상 [image; reflection]
❶물리 빛의 굴절이나 반사에 의하여 물체의 모양[像]이 비침[映]. ¶거울에 비친 영상. ❷머릿속에서 그려지는 모습이나 광경. ❸영사막이나 브라운관, 모니터 따위에 비추어진 상. ¶TV의 브라운관은 전기 신호를 영상으로 바꾸는 역할을 한다.

영화 映畫 | 비칠 영, 그림 화 [movie]
❶속뜻 그림[畫]을 비춤[映]. ❷연영 연속 촬영한 필름을 연속으로 영사막에 비추어 물건의 모습이나 움직임을 실제와 같이 재현하여 보이는 것. ¶영화를 찍다 / 영화를 보다.

• 역순어휘

반ː영 反映 | 되돌릴 반, 비칠 영 [reflect]
❶속뜻 빛 따위가 반사(反射)하여 비침[映]. ❷어떤 영향이 다른 것에 미쳐 나타남. ¶그 드라마는 70년대의 시대상을 반영하고 있다.

방ː영 放映 | 놓을 방, 비칠 영
[broadcast; telecast]
텔레비전으로 영상(映像)을 방송(放送)함. ¶다큐멘터

리를 방영하다.

상:영 上映 | 위 상, 비칠 영 [screen; show]
❶속뜻 스크린 위[上]로 필름의 빛을 비춤[映]. ❷극장 따위에 영화를 영사(映寫)하여 공개함. ¶지금 어떤 영화를 상영하나요?

0888 [지]

智 슬기/지혜 지
部 日부 劃 12획 中 智 [zhì]

智자는 남이 말하는 것[日·왈]을 잘 아는[知·지] '슬기'(wisdom; intelligence)를 뜻한다. 물론 知(알 지)는 표음요소도 겸하니 일석이조(一石二鳥)의 효과가 있는 셈이다.
속뜻훈음 ①슬기 지, ②지혜 지.

지력 智力 | 슬기 지, 힘 력
[intellectual power; mentality]
슬기[智]의 힘[力]. ¶뛰어난 지력을 발휘하다.

지혜 智慧 | 슬기로울 지, 총명할 혜 [wisdom]
슬기롭고[智] 총명함[慧]. 사물의 이치를 빨리 깨닫고 사물을 정확하게 처리하는 능력. ¶조상들의 지혜가 담긴 문화 / 문제를 지혜롭게 해결하다. 비슬기.

• 역순어휘

기지 機智 | 때 기, 슬기 지 [wit; ready wits]
그때그때[機]에 맞게 재빨리 생각해내는 재치나 슬기[智]. ¶기지를 발휘하다.

무지 無智 | 없을 무, 슬기 지
[very; really; extremely]
❶속뜻 슬기[智]가 없음[無]. 꾀가 없음. ❷매우 많이. ¶오늘은 무지 춥다.

중:지 衆智 | 무리 중, 슬기 지
[wisdom of many people]
여러 사람[衆]의 의견이나 슬기[智]. ¶문제를 해결하려면 중지를 모아야 한다.

0889 [귀]

歸 돌아갈 귀:
部 止부 劃 18획 中 归 [guī]

歸자는 원래 '시집가다'(marry a man)는 뜻을 나타내기 위한 것이었으니 '발 지'(止), 그리고 婦(아내 부)의 생략형인 帚(추)가 표의요소로 쓰였다. 그 나머지는 표음요소라는 설이 있다. 시집간 후에도 친정 나들이가 자주 있었는지 '돌아가다'(go back)는 뜻으로도 확대 사용됐다.

귀:가 歸家 | 돌아갈 귀, 집 가 [return home]
집[家]으로 돌아감[歸]. ¶일찍 귀가하다.

귀:결 歸結 | 돌아갈 귀, 맺을 결
[bring to a conclusion]
어떤 결말(結末)이나 결과로 돌아감[歸]. 또는 그 결말이나 결과(結果). ¶결국은 공부 문제로 귀결된다.

귀:경 歸京 | 돌아갈 귀, 서울 경 [return to Seoul]
서울[京]로 돌아가거나 돌아옴[歸]. ¶터미널에는 귀경 인파가 몰려 혼잡했다.

귀:국 歸國 | 돌아갈 귀, 나라 국
[return to one's country]
외국에 나가 있던 사람이 자기 나라[國]로 돌아오거나 돌아감[歸]. ¶귀국 연주회. 반출국(出國).

귀:농 歸農 | 돌아갈 귀, 농사 농
[return to farming]
사회 농사를 지으려고 농촌(農村)으로 돌아가는[歸] 현상. 반이농(離農).

귀:로 歸路 | 돌아갈 귀, 길 로
[one's way home; road back]
돌아오는[歸] 길[路]. ¶귀로에 오르다.

귀:성 歸省 | 돌아갈 귀, 살필 성 [go home]
고향으로 돌아가[歸] 부모님을 보살펴 드림[省]. ¶기차역은 귀성하려는 사람들로 붐볐다. 비귀향(歸鄕).

귀:속 歸屬 | 돌아갈 귀, 속할 속
[revert; be restored]
❶속뜻 재산이나 영토, 권리 따위가 특정 주체에 돌아가[歸] 딸리거나 속함[屬]. ¶이 땅은 국가에 귀속된다. ❷어떤 개인이 특정 단체의 소속이 됨.

귀:순 歸順 | 돌아갈 귀, 따를 순
[defect to; submit to]
적이었던 사람이 반항심을 버리고 돌아서서[歸] 순종(順從)함. ¶무기를 버리고 귀순하다. 비투항(投降).

귀:의 歸依 | 돌아갈 귀, 의지할 의
[be converted (to Buddhism)]
❶속뜻 돌아가거나 돌아와[歸] 몸을 의지(依支)함. ❷종교 불교 등에서 절대자에게 돌아가 의지하여 구원을 청함.

귀:항 歸港 | 돌아갈 귀, 항구 항 [return to port]
배가 출발하였던 항구(港口)로 다시 돌아가거나 돌아옴[歸]. ¶만선의 배가 포구로 귀항하다. 반출항(出港).

귀:향 歸鄕 | 돌아갈 귀, 시골 향
[return to one's hometown]

고향(故鄕)으로 돌아가거나 돌아옴[歸]. [비]낙향(落鄕).

귀:화 歸化 | 돌아갈 귀, 될 화 [be naturalized]
❶[속뜻]왕의 어진 정치에 감화되어 돌아가[歸] 그 백성이 됨[化]. ❷[법률]다른 나라의 국적을 얻어 그 나라의 국민이 되는 일. ¶그는 한국인으로 귀화했다.

귀:환 歸還 | 돌아갈 귀, 돌아올 환 [return home]
본래 있던 곳으로 돌아가거나[歸] 돌아옴[還].

• 역순어휘

복귀 復歸 | 돌아올 복, 돌아갈 귀 [return; comeback]
본디의 자리나 상태로 돌아오거나[復] 돌아감[歸]. ¶부대로 복귀하다.

회귀 回歸 | 돌 회, 돌아갈 귀 [revolve; recur]
한 바퀴 돌아[回] 다시 본디의 자리로 돌아옴[歸]. ¶연어는 회귀하는 성질이 있다.

0890 [연]

燃

탈 연
[部] 火부 [劃] 16획 [中] 燃 [rán]

燃자의 본래 글자는 然(#0133)이다. '불태우다'(burn)는 뜻을 더욱 분명하게 하기 위하여 본래 글자에다 '불 화'(火)를 다시 추가시켰다.

[속뜻훈음] 태울 연.

연등 燃燈 | 태울 연, 등불 등
❶[속뜻]심지를 불태워[燃] 밝게 밝힌 등(燈)불. ❷[불교]연등놀이를 할 때에 밝히는 등불.

연료 燃料 | 태울 연, 거리 료 [fuel]
❶[속뜻]태우는[燃] 재료(材料). ❷[화학]연소하여 열, 빛, 동력의 에너지를 얻을 수 있는 물질을 통틀어 이르는 말. ¶연료를 공급하다 / 연료 부족. [비]땔감.

연소 燃燒 | 태울 연, 불사를 소 [burn]
❶[속뜻]불에 태우거나[燃] 불을 사름[燒]. ❷[화학]주로 물질이 산소와 화합할 때 다량의 열을 내는 동시에 빛을 발하는 현상. ¶완전 연소 / 이 물질은 연소될 때 유독가스를 배출한다.

0891 [렬]

烈

매울 렬
[部] 火부 [劃] 10획 [中] 烈 [liè]

烈자는 '불 화'(火→灬)가 표의요소이고, 列(줄 렬)은 표음요소이다. 맹렬히 타오르는 '불길'(a flame)이란 본뜻이다. '세차다'(fierce), '굳세다'(stout) 등으로도 쓰인다.

[속뜻훈음] ①세찰 렬, ②굳셀 렬.

열녀 烈女 | 굳셀 렬, 여자 녀
절개가 굳은[烈] 여자(女子). ¶이 마을에서는 열녀를 기리는 비석을 세웠다. [비]열부(烈婦).

열사 烈士 | 굳셀 렬, 선비 사 [patriot]
나라를 위하여 절의를 굳게[烈] 지키며 충성을 다하여 싸운 사람[士]. ¶민주열사 / 순국열사를 위해 묵념합시다.

열풍 烈風 | 세찰 렬, 바람 풍 [craze]
❶[속뜻]몹시 사납고 세차게[烈] 부는 바람[風]. ¶열풍이 잦을 때, 어민들은 일기 예보를 주의하여 들어야 한다. ❷매우 세차게 일어나는 기운이나 기세를 비유적으로 이르는 말. ¶독서 열풍.

• 역순어휘

강렬 強烈 | 강할 강, 세찰 렬 [be strong; intense]
강(強)하고 세차다[烈]. ¶이 그림은 색채가 강렬하다.

격렬 激烈 | 거셀 격, 세찰 렬 [violent; severe]
몹시 거세고[激] 세차다[烈]. ¶격렬한 몸싸움을 하다.

극렬 極烈 | 다할 극, 세찰 렬 [severe; violent]
더할 수 없이[極] 매우 세참[烈]. 지독히 심함. ¶유림(儒林)들은 극렬하게 반대했다.

맹:렬 猛烈 | 사나울 맹, 세찰 렬 [violent]
기세가 몹시 사납고[猛] 세차다[烈]. ¶맹렬한 공격.

선열 先烈 | 먼저 선, 세찰 렬 [patriotic forefathers]
의(義)를 위해 싸우다 먼저[先] 간 열사(烈士). ¶순국선열을 추모하다.

열렬 熱烈 | 뜨거울 열, 세찰 렬 [be passionate]
❶[속뜻]뜨겁고[熱] 세차다[烈]. ❷어떤 것에 대한 애정이나 태도가 매우 맹렬하다. ¶열렬한 사랑을 받다 / 귀국 장병을 열렬히 환영하다.

장:렬 壯烈 | 씩씩할 장, 세찰 렬 [heroic]
기운이 있어 씩씩하고[壯] 의지가 강렬(強烈)하다. ¶장렬한 죽음.

치열 熾烈 | 본음 [치렬], 사를 치, 세찰 렬 [be fierce]
세력이 불을 사르는[熾] 것처럼 맹렬(猛烈)함. ¶전쟁이 치열의 도를 더해 갈 것이다 / 경쟁이 치열하다. [하나 더!!] 熾烈(치열)은 경쟁이나 전투 등이 격렬함을 뜻하는데, [치렬]이라 하지 않고 [치열]로 읽는 것은 앞 음절이

'모음'이나 'ㄴ'으로 끝날 때 예외적으로 적용되는 두음법칙에 의거한 것이다. '武烈'(무:열)도 그러한 예이다. 그런데, '치열한 사랑'의 치열은 '熾熱'로 쓰며, '활활 타오르는 불같이 뜨거운 사랑'이라는 뜻이다.

0892 [영]

營 경영할 영
部 火부 劃 17획 中 营 [yíng]

營자는 밤이면 경비를 위하여 등불[𤇾(등불 형)의 생략형]을 환하게 밝혀 놓은 궁궐[宮·궁]같은 집, 즉 '(군인들이 집단 거주하는) 집'(a military camp)을 가리킨다. 軍營(군영)이나 兵營(병영)의 營이 본래의 뜻으로 쓰인 예이다. '짓다'(build), '(이익을) 꾀하다'(make a profit)는 뜻으로도 쓰인다.

속뜻훈음 ①지을 영, ②꾀할 영, ③집 영.

영농 營農 | 지을 영, 농사 농 [farm]
농사[農]를 지음[營]. ¶영농 후계자 / 영농 기계화.

영리 營利 | 꾀할 영, 이로울 리 [profit]
이익(利益)을 꾀함[營]. 또는 그 이익. ¶기업은 대개 영리를 추구한다. 반비영리(非營利).

영양 營養 | 지을 영, 기를 양 [nutrition]
❶속뜻 양분(養分)을 지어냄[營]. ❷생물 생명체에 유지에 필요한 성분이나 그것을 함유한 음식물. ¶삼계탕은 맛도 좋고 영양도 풍부하다.

영업 營業 | 꾀할 영, 일 업 [do business]
이익을 꾀하는[營] 것을 목적으로 하는 사업(事業). 또는 그런 행위. ¶영업사원 / 오늘은 10시까지 영업합니다.

영위 營爲 | 지을 영, 할 위 [manage; administer]
일 따위를 지어내어[營] 스스로 함[爲]. ¶행복한 삶을 영위하는 것이 그의 목표이다.

영창 營倉 | 집 영, 창고 창 [guardhouse]
❶속뜻 군인들이 집단으로 거주하는 집[營] 안의 창고[倉]. ❷군사 병영에 설치한 감옥. ¶김 상병은 명령 불복종으로 닷새 동안 영창에 갔다 왔다.

• 역순어휘

감영 監營 | 살필 감, 꾀할 영 [government office]
❶속뜻 잘 살펴서[監] 일을 꾀함[營]. ❷역사 조선 시대, 관찰사가 직무를 보던 관청.

경영 經營 | 다스릴 경, 꾀할 영 [manage; conduct]
❶속뜻 일이나 사람을 다스리어[經] 이익을 꾀함[營]. ❷기업체나 사업체 따위를 관리하여 운영함. ¶기업 경영으로 큰돈을 벌다.

공영 公營 | 여럿 공, 꾀할 영 [public management]
여러 사람[公]들의 이익을 꾀함[營]. ¶공영 기업 / 공영 방송. 반사영(私營), 민영(民營).

국영 國營 | 나라 국, 꾀할 영 [state operation]
나라[國]에서 직접 관리하여 이익을 꾀함[營]. 또는 그런 방식. ¶국영 기업. 비관영(官營). 반사영(私營), 민영(民營).

병영 兵營 | 군사 병, 집 영 [barracks]
병사(兵士)가 집단으로 거주하는 집[營]. ¶병영 생활 / 임시로 병영을 마련하다. 비병사(兵舍), 영사(營舍).

야:영 野營 | 들 야, 집 영 [camping; bivouac]
❶속뜻 들판[野]에 임시로 마련한 집[營]. ❷야외에 천막을 쳐 놓고 하는 생활. ¶우리는 산 속에서 야영을 했다.

운:영 運營 | 움직일 운, 꾀할 영 [manage; run]
❶속뜻 자금 따위를 운용(運用)하여 이익을 꾀함[營]. ❷단체나 조직을 관리하여 경영함. ¶학교 운영 / 그는 큰 회사를 운영한다.

직영 直營 | 곧을 직, 꾀할 영 [manage directly]
사업을 직접(直接) 관리하여 이익을 꾀함[營]. ¶본사 직영 매장 / 시청에서 직영하는 사업.

진영 陣營 | 진칠 진, 집 영 [camp]
❶군사 군대가 진(陣)을 치고 집단으로 거주하는 집[營]. ¶전투에 앞서 적의 진영에 사절을 보냈다. ❷정치적·사회적·경제적으로 구분된 서로 대립되는 세력의 어느 한 쪽. ¶동서 대립 진영 / 민족주의 진영에 가담하다. 비군영(軍營).

탈영 脫營 | 벗을 탈, 집 영 [break out of barracks]
군사 군인이 집단으로 거주하는 집[營]을 벗어나[脫] 달아남. ¶어젯밤에 병사 하나가 탈영했다.

0893 [폭]

爆 불터질 폭
部 火부 劃 19획 中 爆 [bào]

爆자는 '(불이) 터지다'(explode)는 뜻을 나타내기 위하여 만든 것이기 때문에 '불 화'(火)가 표의 요소로 쓰였다. 暴(쬐일 폭)은 표음과 표의를 겸하는 요소이다.

속뜻훈음 터질 폭.

폭격 爆擊 | 터질 폭, 칠 격 [bomb; fire]
비행기에서 폭탄(爆彈)으로 적군을 공격[擊]함. 또는 그런 일. ¶적의 기지를 폭격하다.

폭발 爆發 | 터질 폭, 일으킬 발 [explode; blow up]
갑작스럽게 터져[爆] 불을 일으킴[發]. ¶화산이 폭발하다.

폭소 爆笑 | 터질 폭, 웃을 소
[burst out laughing; explosive laugh]
갑자기 세차게 터져 나오는[爆] 웃음[笑]. ¶사람들은 폭소를 터뜨렸다.

폭약 爆藥 | 터질 폭, 약 약 [explosive compound]
❶속뜻 폭발(爆發)하는 성질을 지닌 화약(火藥). ❷화학 센 압력이나 열을 받으면 폭발하는 물질. ¶폭약을 터뜨리다.

폭음 爆音 | 터질 폭, 소리 음 [explosive sound]
폭발(爆發)할 때 나는 큰 소리[音]. '폭발음'의 준말. ¶어마어마한 폭음이 들렸다.

폭죽 爆竹 | 터질 폭, 대나무 죽
[firecracker; petard]
❶속뜻 터지는[爆] 화약을 넣은 대나무[竹]. ❷가는 대나무 통이나 종이로 만든 통에 불을 지르거나 화약을 재어 터뜨려서 소리가 나게 하는 물건. ¶폭죽 터지는 소리가 요란하다.

폭탄 爆彈 | 터질 폭, 탄알 탄 [bomb]
군사 폭발(爆發)하도록 만든 탄알[彈]. ¶폭탄을 터뜨리다.

폭파 爆破 | 터질 폭, 깨뜨릴 파
[blast; explode]
폭발(爆發)시켜 깨뜨림[破]. ¶건물을 산산이 폭파하다.

• 역순어휘

기폭 起爆 | 일어날 기, 터질 폭 [detonation]
화약이 압력이나 열 따위의 충동을 받아서 폭발(爆發)을 일으키는[起] 현상.

자폭 自爆 | 스스로 자, 터질 폭
[suicide explosion; self-destroy]
❶속뜻 스스로[自] 폭파(爆破)시킴. ❷자기가 지닌 폭발물을 스스로 폭발시켜 자기 목숨을 끊음. ¶자폭 테러 / 그는 수류탄을 터뜨려 자폭했다.

0894 [회]

灰
재 회
㊥ 火부 ㊥ 6획 ㊥ 灰 [huī]

灰자는 불타고 남은 '재'(ash)를 뜻하기 위하여, 손에 막대기를 잡고[又] 타고 남은 불[火]씨를 토닥거리는 모습을 본뜬 것이었는데, 모양이 약간 달라졌다. 알고 보면 어렴풋이나마 짐작이 된다.

회색 灰色 | 재 회, 빛 색 [ash color; gray color]
재[灰]의 빛깔[色]. ¶회색 치마. ㊥잿빛.

• 역순어휘

석회 石灰 | 돌 석, 재 회 [lime]
화학 석회석(石灰石)의 주요 성분. 칼슘의 알칼리성 무기화합물인 산화칼슘으로, 생석회(生石灰)와 소석회(消石灰)를 통틀어 이른다.

0895 [탄]

歎
탄식할 탄:
㊥ 欠부 ㊥ 15획 ㊥ 叹 [tàn]

歎자는 '한숨짓다'(sigh)는 뜻을 나타내기 위한 것이었으니 '입 크게 벌릴 흠'(欠)이 표의요소로 쓰였다. 나머지는 표음과 관련된 요소라고 한다. 표의요소를 바꾼 嘆(탄식할 탄)자로 쓰기도 한다. '감탄하다'(admire) 또는 이와 의미상 연관이 있는 낱말의 한 구성 요소로도 쓰인다.

속뜻훈음 **①한숨지을 탄, ②감탄할 탄.**

탄:복 歎服 | 감탄할 탄, 따를 복
[admire; impressed]
매우 감탄(感歎)하여 마음으로 따름[服]. ¶모두 그의 충성심에 탄복했다.

탄:성 歎聲 | =嘆聲, 한숨지을 탄, 소리 성
[sigh of admiration]
❶속뜻 한숨짓는[歎] 소리[聲]. ¶가혹한 정치에 백성들의 탄성이 자자하다. ❷감탄하는 소리. ¶그의 작품은 많은 사람의 탄성을 자아낸다.

탄:식 歎息 | =嘆息, 한숨지을 탄, 숨쉴 식 [sigh]
한탄(恨歎)의 숨을 쉼[息]. ¶그는 어떻게 이럴 수가 있느냐고 탄식했다.

탄:원 歎願 | =嘆願, 한숨지을 탄, 바랄 원
[beg; appeal to; entreat for]
한숨을 지으며[歎] 간절히 바람[願]. ¶사람들은 그의 목숨을 살려주도록 왕에게 탄원했다.

• 역순어휘

감:탄 感歎 | =感嘆, 느낄 감, 한숨지을 탄
[admire]
❶속뜻 느끼어[感] 한숨지음[歎]. ❷크게 감동하여 찬탄함. ¶귀신도 놀랄 솜씨에 감탄했다. ㊥감동(感動), 감격(感激).

개:탄 慨歎 | =慨嘆, 슬퍼할 개, 한숨지을 탄

[deplore; regret]
분하거나 슬퍼하여[慨] 한숨지음[歎]. ¶개탄의 소리 / 정치권의 부패를 개탄하다.

경탄 驚歎 | 놀랄 경, 감탄할 탄 [admire; wonder]
몹시 놀라[驚] 감탄(感歎)함. ¶나는 자연의 아름다움에 경탄했다.

찬:탄 讚歎 | 기릴 찬, 감탄할 탄 [admire; praise]
깊이 감동하여 찬양(讚揚)하고 감탄(感歎)함. ¶뛰어난 연기력에 찬탄을 보내다 / 그녀의 음식 솜씨에는 찬탄하지 않을 수 없다.

통:탄 痛歎 | 아플 통, 한숨지을 탄
[regret deeply; grieve]
너무 아파[痛] 한숨을 지음[歎]. ¶억울함을 당하니 참으로 통탄할 노릇이었다.

한:탄 恨歎 | 원한 한, 한숨지을 탄 [sigh]
너무 원한(怨恨)이 사무쳐 한숨을 지음[歎]. ¶신세 한탄을 하다.

0896 [환]

歡
기쁠 환
㊀ 欠부 ㊁ 22획 ㊥ 欢 [huān]

歡자는 '기뻐하다'(be pleased with)는 뜻을 위해 고안된 것이니 '입 크게 벌릴 흠'(欠)이 표의요소로 쓰였고, 雚(황새 관)이 표음요소임은 驩(말 이름 환)의 경우도 마찬가지이다.

환담 歡談 | 기쁠 환, 이야기 담
[have a pleasant chat]
즐겁게[歡] 주고받는 이야기[談]. ¶환담을 나누다 / 환담을 가지이다.

환대 歡待 | 기쁠 환, 대접할 대 [entertain warmly]
기쁘게[歡] 대접(待接)함. ¶환대를 받다 / 숙모님은 나를 환대해 주셨다. ㊐후대(厚待). ㊎냉대(冷待), 홀대(忽待).

환성 歡聲 | 기쁠 환, 소리 성
[shout of joy; hurrah]
기뻐서[歡] 지르는 소리[聲]. ¶환성을 지르다 / 환성이 울려 퍼지다.

환송 歡送 | 기쁠 환, 보낼 송 [bid; farewell to]
기뻐하며[歡] 보냄[送]. ¶그는 가족의 환송을 받았다 / 친구를 환송하다. ㊎환영(歡迎).

환심 歡心 | 기쁠 환, 마음 심 [good graces; favor]
기뻐하는[歡] 마음[心]. ¶나는 그녀의 환심을 사려고 꽃을 선물했다.

환영 歡迎 | 기쁠 환, 맞이할 영 [welcome]
기쁘게[歡] 맞이함[迎]. ¶열렬한 환영 / 박수로 환영하다. ㊎환송(歡送).

환호 歡呼 | 기쁠 환, 부를 호 [cheer; acclaim]
기뻐서[歡] 부르짖음[呼]. ¶마을 사람들은 그를 환호로 맞이했다.

환희 歡喜 | 기쁠 환, 좋아할 희
[(great) joy; delight]
기뻐하고[歡] 좋아함[喜]. 기쁨. ¶환희의 눈물.

• 역순어휘

애환 哀歡 | 슬플 애, 기쁠 환
[joys and sorrows]
슬픔[哀]과 기쁨[歡]을 아울러 이르는 말. ¶애환이 담긴 노래.

0897 [감]

甘
달 감
㊀ 甘부 ㊁ 5획 ㊥ 甘 [gān]

甘자는 원래 '맛있다'(delicious; sweet)는 뜻을 나타내기 위하여, 맛있는 음식을 보고 입을 벌리어 혀를 날름거리는 모습을 본뜬 것이었다. 갑골문 모양은 공교롭게도 曰(가로 왈)과 비슷하였다. 그래서 구분을 확실하게 하기 위하여 모양을 약간 달리 하였다. 후에 '(맛이) 달다'(sweet; sugary)는 뜻으로도 확대 사용됐다.

감미 甘味 | 달 감, 맛 미 [sweet taste]
달콤한[甘] 맛[味]. ¶감미로운 목소리.

감수 甘受 | 달 감, 받을 수
[ready to suffer]
질책, 고통, 모욕 따위를 군말 없이 달게[甘] 받음[受]. ¶고통을 감수하다.

감언 甘言 | 달 감, 말씀 언 [sweet-talk]
듣기 좋게 하는 달콤한[甘] 말[言]. ¶감언으로 물건을 빼앗다. ㊎고언(苦言).

감주 甘酒 | 달 감, 술 주
[sweet rice drink]
❶ 속뜻 단[甘] 술[酒]. 맛이 좋은 술. ❷엿기름을 우린 물에 밥알을 넣어 식혜처럼 삭혀서 끓인 음식. ㊐단술, 감례(甘醴), 식혜(食醯).

감초 甘草 | 달 감, 풀 초 [licorice root]
❶ 속뜻 단맛[甘]을 내는 풀[草]. ❷ 식물 높이는 1미터 가량이며, 붉은 갈색의 뿌리는 단맛이 나는데 먹거나 약으로 쓰는 풀. 속담 약방에 감초.

0898 [통]

痛 아플 통ː
㊎ 疒부 ㊐ 12획 ㊥ 痛 [tòng]

痛자는 '아프다'(painful)는 뜻을 나타내기 위하여 '병들어 누울 역'(疒)이 표의요소로 쓰였다. 甬(길 용)이 표음요소임은 桶(통 통)도 마찬가지이다.

통ː감 痛感 | 아플 통, 느낄 감
[feel keenly; fully realize]
❶속뜻 마음이 아플[痛] 정도로 깊이 느낌[感]. ❷마음에 사무치게 느낌. 절실히 느낌. ¶그는 자신의 경험 부족을 뼈저리게 통감하고 있었다.

통ː곡 痛哭 | 아플 통, 울 곡
[wail; keen; mourn bitterly]
마음이 아파[痛] 슬피 욺[哭]. ¶어머니의 시신을 붙들고 통곡하다.

통ː증 痛症 | 아플 통, 증세 증 [pain; ache]
아픔[痛]을 느끼는 증세(症勢). ¶오른쪽 무릎에 심한 통증을 느끼다.

통ː쾌 痛快 | 아플 통, 기쁠 쾌
[most pleasant; extremely delightful]
❶속뜻 아플[痛] 정도로 기분이 상쾌함[快]. ❷마음이 매우 시원함. ¶통쾌한 승리를 거두다.

통ː탄 痛歎 | 아플 통, 한숨지을 탄
[regret deeply; grieve]
너무 아파[痛] 한숨을 지음[歎]. ¶억울함을 당하니 참으로 통탄할 노릇이었다.

• 역순어휘

고통 苦痛 | 괴로울 고, 아플 통 [pain; agony]
몸이나 마음이 괴롭고[苦] 아픔[痛]. ¶고통을 견디다. ㊥쾌락(快樂).

두통 頭痛 | 머리 두, 아플 통 [headache]
머리[頭]가 아픈[痛] 증세.

복통 腹痛 | 배 복, 아플 통 [stomachache]
복부(腹部)에 일어나는 통증(痛症). ¶갑자기 복통을 일으키다.

분ː통 憤痛 | 분할 분, 아플 통 [fury; indigent]
몹시 분(憤)하여 마음이 쓰리고 아픔[痛]. ¶나는 그의 말에 분통이 터졌다.

비ː통 悲痛 | 슬플 비, 아플 통 [sad; grievous]
몹시 슬프고[悲] 가슴이 아픔[痛]. ¶비통에 빠지다 / 비통한 부르짖음.

산ː통 産痛 | 낳을 산, 아플 통
[labor pains; pains of childbirth]
❶속뜻 아이를 낳을[産] 때 느끼는 고통(苦痛). ❷의학 해산할 때 주기적으로 되풀이되는 복통(腹痛). 또는 그러한 일. ㊥진통(陣痛).

애통 哀痛 | 슬플 애, 아플 통 [grieve; lament]
슬퍼서[哀] 가슴이 아플[痛] 정도임. ¶유가족들은 애통에 빠졌다 / 아이가 실종되었다니 정말 애통한 일입니다.

요통 腰痛 | 허리 요, 아플 통 [backache]
의학 허리[腰]가 아픈[痛] 증상. 척추 질환, 외상, 임신, 부인과 질환, 신경·근육 질환 따위가 원인이다.

원통 寃痛 | 억울할 원, 아플 통
[grievous; lamentable]
억울하여[寃] 마음이 아픔[痛]. 분하고 억울함. ¶그는 도둑이라는 누명을 쓰고 죽기가 원통하여 눈물을 흘렸다.

진통¹ 陣痛 | 한바탕 진, 아플 통 [labor pains]
❶속뜻 한바탕[陣] 겪는 통증(痛症)이나 어려움. ¶오랜 진통 끝에 법률이 통과되었다. ❷의학 해산할 때, 짧은 간격을 두고 반복되는 복부의 통증. ¶임산부가 진통을 시작하자 즉시 병원으로 옮겼다.

진ː통² 鎭痛 | 누를 진, 아플 통 [relieve the pain]
의학 아픔[痛]을 눌러[鎭] 멎게 함. ¶이 약은 진통 효과가 뛰어나다.

치통 齒痛 | 이 치, 아플 통 [toothache]
의학 이[齒]가 아픔[痛]. ¶치통이 심해서 제대로 씹을 수가 없다.

침통 沈痛 | 잠길 침, 아플 통 [sad; grave]
근심이나 슬픔에 잠겨[沈] 마음이 몹시 아픔[痛]. ¶그는 장례식에서 침통한 표정을 하고 있었다.

0899 [피]

疲 피곤할 피
㊎ 疒부 ㊐ 10획 ㊥ 疲 [pí]

疲자는 '지치다'(get tired)는 뜻을 나타내기 위하여 만들어진 것이다. '병들어 누울 역'(疒)이 표의요소로 쓰였다. 皮(가죽 피)는 표음요소이니 뜻과는 무관하다.

속뜻 풀음 지칠 피.

피곤 疲困 | 지칠 피, 곤할 곤
[tired; exhausted; weary]
몸이나 마음이 지쳐서[疲] 고단함[困]. ¶대청소를 했더니 피곤하다.

피로 疲勞 | 지칠 피, 고달플 로
[tired; fatigued; weary]

몸이나 정신이 지치고[疲] 고달픔[勞]. 또는 그런 상태. ¶피로가 아직 완전히 풀리지 않았다 / 눈이 몹시 피로하다.

피폐 疲弊 | 지칠 피, 낡을 폐 [exhaustion]
지치고[疲] 낡아짐[弊]. ¶계속된 전쟁으로 나라가 피폐해졌다.

0900 [도]

盜

도둑 도
[部] 皿부 [劃] 12획 [中] 盗 [dào]

盜자는 두 개의 표의요소가 상하로 조합된 글자이다. 윗부분을 次(차)자로 쓰기도 하는데, 이것은 '침 연'(涎)자의 본래 글자라고 한다. 아랫부분은 '그릇 명'(皿)이다. 그릇에 담긴 음식을 보고 군침을 삼키는 것이 연상된다. '훔치다'는 의미를 그렇게 나타낸 것이 참으로 흥미롭다. 군침을 함부로 삼키지 말아야겠다. '훔치다'(steal)가 본래 의미이고 '도둑'(a thief)을 이르는 것으로 확대 사용됐다.

[속뜻훈음] ①훔칠 도, ②도둑 도.

도굴 盜掘 | 훔칠 도, 팔 굴 [rob a grave]
광물이나 유물을 훔치기[盜] 위해 광산이나 고분을 몰래 파는[掘] 것. ¶도굴로 많은 문화재가 사라졌다.

도난 盜難 | 도둑 도, 어려울 난 [robbery]
도둑[盜]을 맞은 재난(災難). 도둑맞음.

도루 盜壘 | 훔칠 도, 진 루
[base stealing; stolen base]
[순독] 주자(走者)가 수비의 허술한 틈을 타서 다음 베이스[壘]를 빼앗음[盜].

도벽 盜癖 | 훔칠 도, 버릇 벽
[thievish habits; proclivity to steal]
습관적으로 물건을 훔치는[盜] 버릇[癖]. ¶그는 도벽이 있다.

도용 盜用 | 훔칠 도, 쓸 용 [peculate]
남의 물건이나 명의를 몰래 훔쳐[盜] 씀[用]. ¶명의 도용 / 아이디어를 도용하다. [비]도답(盜踏).

도적 盜賊 | 훔칠 도, 도둑 적 [thief; robber]
남의 물건 따위를 훔친[盜] 도둑[賊]. ¶산속에서 도적을 만났다. [비]도둑.

도청 盜聽 | 훔칠 도, 들을 청 [tab listen]
남의 이야기, 회의의 내용, 전화 통화 따위를 몰래 훔쳐[盜] 듣거나[聽] 녹음하는 일.

• 역순어휘

강:도 強盜 | 억지 강, 훔칠 도 [robber]
폭행이나 협박을 하여 억지로[強] 남의 금품을 빼앗는[盜] 일. 또는 그러한 도둑. ¶강도가 금고를 털었다.

절도 竊盜 | 훔칠 절, 훔칠 도
[theft; pilferage; larceny]
남의 재물을 몰래 훔침[竊=盜]. ¶차량절도사건이 해마다 늘어나고 있다. [비]도둑질.

포:도 捕盜 | 잡을 포, 도둑 도
도둑[盜]을 잡음[捕]. ¶포도대장이 출동하였다.

0901 [진]

盡

다할 진:
[部] 皿부 [劃] 14획 [中] 尽 [jìn]

盡자의 갑골문은 손에 소꼬리를 들고 그릇을 깨끗이 닦는 모습을 본뜬 것이었다. '다하다'(be exhausted; run out)가 본래 의미이고 '끝나다'(end), '모두'(all) 등으로 확대 사용됐다.

[속뜻훈음] ①다할 진, ② 다될 진.

진:력 盡力 | 다할 진, 힘 력
[endeavor; make an effort]
있는 힘[力]을 다함[盡]. 또는 낼 수 있는 모든 힘. ¶경제를 살리기 위해 진력하다.

• 역순어휘

극진 極盡 | 다할 극, 다할 진 [kind; devoted]
❶[속뜻] 다하여[極] 남음이 없음[盡]. ❷마음과 힘을 들이는 정성이 그 이상 더 할 수 없다. ¶심청은 효성이 극진했다.

매:진 賣盡 | 팔 매, 다할 진 [sell out]
모두 팔려[賣] 남은 것이 없음[盡]. ¶좌석이 매진되었다. [비]절품(切品), 품절(品切).

무진 無盡 | 없을 무, 다할 진 [no end; no limit]
❶[속뜻] 다함[盡]이 없음[無]. ¶무진 고생을 하다. ❷'무궁무진'(無窮無盡)의 준말.

미:진 未盡 | 아닐 미, 다할 진 [unexhausted]
아직 다하지[盡] 못하다[未]. 아직 충분하지 못하다. ¶미진한 설명에 불만을 품다.

탈진 脫盡 | 빠질 탈, 다할 진 [drained; exhausted]
기운이 빠져[脫] 없어짐[盡]. ¶탈진한 선수가 병원으로 후송되었다.

탕:진 蕩盡 | 쓸 탕, 다할 진 [exhaust; squander]
재물 따위를 다 써서[蕩] 없어짐[盡]. ¶노름으로 재산을 탕진하다.

0902 [간]

看

볼 간

[部] 目부 [劃] 9획 [中] 看 [kàn, kān]

看자는 손[手]을 눈[目] 위에다 대고 먼 곳을 바라보는 모습을 그린 것이다. 햇살이 너무 강하여 눈이 부실 때를 연상하면 쉽게 알 수 있다. '바라보다'(look out over), '돌봐 주다'(look after)는 뜻으로도 쓰인다.

간과 看過 | 볼 간, 지날 과 [overlook]
❶[속뜻] 대강 보아[看] 넘김[過]. ❷관심 없이 예사로이 보아 내버려 둠. ¶이 문제는 간과할 일이 아니다.

간병 看病 | 볼 간, 병 병 [nurse; look after]
병(病)이 든 사람을 보살핌[看]. ¶시아버지를 간병하다. [비]간호(看護).

간수 看守 | 볼 간, 지킬 수 [guard]
❶[속뜻] 보살피고[看] 지킴[守]. ❷철도의 건널목을 지키는 사람.

간주 看做 | 볼 간, 지을 주 [regard]
상태, 모양, 성질 따위가 그와 같다고 보거나[看] 여김[做]. ¶그의 말을 농담으로 간주하다.

간파 看破 | 볼 간, 깨뜨릴 파 [see through]
보아서[看] 속사정을 꿰뚫어[破] 알아차림. ¶상대의 의도를 간파했다.

간판 看板 | 볼 간, 널빤지 판 [signboard; sign]
사람들의 눈에 잘 띄게[看] 내건 표지용 널빤지[板]. ¶옥상에 상점 간판을 달다.

간호 看護 | 볼 간, 돌볼 호 [nurse; tend; care]
환자나 노약자를 돌보고[看] 보살펴[護] 줌. ¶병든 아버지를 간호하다. [비]간병(看病).

0903 [비]

碑

비석 비

[部] 石부 [劃] 13획 [中] 碑 [bēi]

碑자는 돌을 다듬어 글을 새겨서 세워 놓은 '비석'(a tombstone)을 뜻하기 위한 것이었으니 '돌 석'(石)이 표의요소로 쓰였다. 卑(낮을 비)는 표음요소로 뜻과는 무관하다.

[속뜻훈음] ①비석 비, ②돌기둥 비.

비각 碑閣 | 돌기둥 비, 집 각 [tablet house]
비(碑)를 세우고 그 위를 덮어 지은 집[閣]. ¶예전에는 그곳에 꽤 큰 비각이 있었다.

비문 碑文 | 비석 비, 글월 문 [epitaph]
비석(碑石)에 새긴 글[文]. ¶조선시대 비문을 판독하다.

비석 碑石 | 비석 비, 돌 석 [tombstone]
돌[石]로 만든 비(碑). ¶할아버지 무덤 앞에 비석을 세웠다.

• 역순어휘

묘ː비 墓碑 | 무덤 묘, 비석 비 [tombstone; gravestone]
무덤[墓] 앞에 세우는 비석(碑石). ¶묘비에 이름을 새기다. [비]묘석(墓石).

시비 詩碑 | 시 시, 비석 비 [monument inscribed with a poem]
❶[속뜻] 시(詩)를 새긴 비(碑). ❷이름 있는 시인의 문학적 업적을 기리어 세우는 비.

0904 [진]

珍

보배 진

[部] 玉부 [劃] 9획 [中] 珍 [zhēn]

珍자는 옥 종류의 '보배'(a treasure)를 뜻하기 위한 것이었으니 '구슬 옥'(玉)이 표의요소로 쓰였고, 오른편의 것이 표음요소임은 診(볼 진)과 疹(홍역 진)도 마찬가지이다.

진귀 珍貴 | 보배 진, 귀할 귀 [valuable; rare and precious]
보배[珍]롭고 보기 드물게 귀(貴)하다. ¶창고에는 진귀한 물건들로 가득 차 있었다.

진기 珍奇 | 보배 진, 기이할 기 [rare; strange]
진귀(珍貴)하고 기이(奇異)하다. ¶여행을 하면 진기한 풍경을 많이 보게 된다.

진미 珍味 | 보배 진, 맛 미 [food of delicate flavor]
보배[珍]같이 귀하고 좋은 음식의 맛[味]. 또는 그런 맛이 나는 음식물. ¶국수의 진미를 맛보다.

진수 珍羞 | 보배 진, 음식 수 [delicious banquet]
진귀(珍貴)하고 맛이 좋은 음식[羞]. ¶진수를 차리어 대접하다.

0905 [환]

環

고리 환

[部] 玉부 [劃] 17획 [中] 环 [huán]

環자에는 원래 구슬 옥(玉)변이 없었다. 상의(上衣)의 중간에 매달려 있는 둥근 옥을 바라보는 눈

[目]을 그린 것인데, 지금은 표음요소 구실도 겸하고 있다(참고, 還·돌아올 환). 둥근 모양의 '옥'(a ring jade)이 본뜻이며, '고리'(a ring), '사방'(all directions), '주위'(surroundings)의 의미로 확대 사용됐다.

환경 環境 | 고리 환, 장소 경
[environment; surroundings]
❶ 속뜻 고리[環]같이 둘러싸고 있는 장소[境]. 자연이나 사회적 조건 따위. ¶지리적 환경 / 환경 파괴. ❷주위의 사물이나 사정. ¶가정 환경 / 주변 환경.

• 역순어휘

순환 循環 | 돌아다닐 순, 고리 환 [rotate; cycle]
❶ 속뜻 고리[環]같이 둥글게 돌아다님[循]. ❷돌아서 다시 먼저의 자리로 돌아옴. 또는 그것을 되풀이함. ¶순환 버스 / 계절은 순환한다.

일환 一環 | 한 일, 고리 환 [link in a chain]
❶ 속뜻 줄지어 있는 많은 고리[環] 가운데 하나[一]. ❷서로 밀접한 관계로 연결되어 있는 여러 것 가운데 한 부분. ¶고속도로 건설은 국토 개발의 일환이다.

화환 花環 | 꽃 화, 고리 환
[(floral) wreath; garland (of flowers)]
꽃[花]으로 만든 고리[環] 모양의 것. ¶결혼식에 화환을 보내다.

0906 [갑]

甲

갑옷 갑
部 田부 획 5획 中 甲 [jiǎ]

甲자를 최초에는 '十'으로 썼다. 후에 '十'(10)과 구분하기 위하여 바깥에 '口'가 둘러졌고, 한 획이 밑으로 빠져 나와 오늘날과 같은 모양이 됐다. '갑옷'(armor)이 본뜻인데, '껍질'(the skin)을 이르는 것으로 확대 사용됐다. 그리고 十干(십간=天干) 가운데 맨 첫 번째의 것이기에 '첫째'(first)의 뜻으로도 쓰인다.

속뜻 훈음 **①갑옷 갑, ②첫째 갑, ③천간 갑, ④껍질 갑.**

갑각 甲殼 | 갑옷 갑, 껍질 각 [shell; crust]
동물 갑옷[甲]같이 단단한 껍데기[殼]. ¶게나 새우 따위가 갑각을 지니고 있다.

갑부 甲富 | 첫째 갑, 부자 부
[wealthiest; millionaire]
첫째[甲]가는 큰 부자(富者). ¶그는 세계적인 갑부이다. ㊥일부(一富), 수부(首富).

갑상 甲狀 | 갑옷 갑, 형상 상 [shape of armor]
갑옷[甲] 모양[狀].

갑신 甲申 | 천간 갑, 원숭이 신
민속 천간의 '甲'과 지지의 '申'이 만난 간지(干支). ¶갑신년에 태어난 사람은 원숭이 띠이다.

갑오 甲午 | 천간 갑, 말 오
민속 천간의 '甲'과 지지의 '午'가 만난 간지(干支). ¶갑오년에 태어난 사람은 말 띠이다.

갑인 甲寅 | 천간 갑, 범 인
민속 천간의 '甲'과 지지의 '寅'이 만난 간지(干支). ¶갑인년 생은 범띠이다.

갑판 甲板 | 갑옷 갑, 널빤지 판 [deck]
큰 배 위의 바닥에 갑옷[甲] 같이 딱딱하게 깔아 놓은 목판(木板)이나 철판(鐵板). ¶선원은 갑판으로 올라갔다.

• 역순어휘

동갑 同甲 | 같을 동, 천간 갑 [same age]
❶ 속뜻 육십갑자(六十甲子)가 같음[同]. ❷같은 나이의 사람. ¶그는 나와 동갑이다.

둔:갑 遁甲 | 숨을 둔, 껍질 갑
[change oneself into]
❶ 속뜻 술법을 써서 껍질[甲]의 겉모습을 바꾸거나 감춤[遁]. ¶여우가 여자로 둔갑하다. ❷본디 형체나 성질이 바뀌거나 가리어짐. ¶국산품으로 둔갑하다.

장갑 裝甲 | 꾸밀 장, 갑옷 갑 [armor]
❶ 속뜻 갑(甲)옷 같이 단단하게 꾸밈[裝]. ❷선체(船體)·차체(車體) 따위를 특수한 강철판으로 둘러쌈. 또는 그 강철판.

진:갑 進甲 | 나아갈 진, 첫째 천간 갑
[one's 61st birthday]
환갑(還甲)보다 한 해 더 나아간[進] 해. 환갑의 이듬해. 62세. ¶할머니는 올해 진갑을 맞으신다.

철갑 鐵甲 | 쇠 철, 갑옷 갑
[iron amor; coating; crust]
쇠[鐵]로 만든 갑옷[甲]. ¶철갑을 두른 장군.

환:갑 還甲 | 돌아올 환, 천간 갑
[one's 60 th birthday (anniversary)]
❶ 속뜻 갑자(甲子)가 다시 돌아옴[還]. ❷61세를 이르는 말. ¶환갑 잔치 / 일요일은 우리 할머니의 환갑이다. ㊥화갑(華甲), 회갑(回甲).

회갑 回甲 | 돌아올 회, 천간 갑 [60th birthday]
❶ 속뜻 다시 돌아와[回] 맞은 갑자(甲子). ❷자신이 태어난 해에 해당되는 간지(干支)를 60년 만에 다시 맞이함. 만 60세의 나이. ¶회갑잔치를 베풀다. ㊥환갑(還甲), 화갑(華甲).

0907 [략]

略

간략할/약할 략
部 田부 劃 11획 中 略 [lüè]

略자는 토지를 '경영하다'(manage)는 뜻을 나타내기 위하여 만들어진 것이니 '밭 전'(田)이 표의 요소이다. 各(각각 각)은 표음요소이다. 상하 구조인 '畧'으로 쓰기도 한다. 후에 '꾀하다'(attempt), '탈취하다'(snatch), '줄이다'(reduce), '대강'(roughly) 등으로 확대 사용됐다.

속뜻훈음 ①줄일 략, ②다스릴 략, ③빼앗을 략, ④꾀할 략.

약도 略圖 | 줄일 략, 그림 도
[rough sketch; outline map]
간략(簡略)하게 줄여 주요한 것만 대충 그린 도면이나 지도(地圖). ¶여기에서 학교까지의 약도를 그려주세요.

약력 略歷 | 줄일 략, 지낼 력
[brief (personal) history]
간략(簡略)하게 적은 이력(履歷). ¶그의 약력을 소개하다.

약식 略式 | 줄일 략, 법 식 [informality]
절차를 생략(省略)한 의식(儀式)이나 양식(樣式). ¶약식으로 결혼식을 올리다. ⊕정식(正式).

• 역순어휘

간:략 簡略 | 간단할 간, 줄일 략 [simple]
❶속뜻 간단(簡單)하게 간추리다[略]. ¶책의 내용을 간략하게 소개했다. ❷간단하고 짤막하다. ⊞간단(簡單).

계:략 計略 | 꾀 계, 꾀할 략 [plan; trick]
계획(計劃)과 책략(策略). ¶계략을 꾸미다. ⊞계책(計策).

공:략 攻略 | 칠 공, 빼앗을 략 [attack]
군사 군대의 힘으로 적의 영토 따위를 공격(攻擊)하여 빼앗음[略]. ¶적진을 공략하다.

대:략 大略 | 큰 대, 다스릴 략 [outline; generally]
❶속뜻 큰[大] 계략(計略). 뛰어난 지략. ❷대체의 개략(槪略). ¶대략의 내용을 소개했다. ⊞대강(大綱), 개요(槪要).

모략 謀略 | 꾀할 모, 꾀할 략 [stratagem; trick]
남을 해치려고 꾸미는[謀] 계략(計略). ¶모략을 꾸미다 / 동료를 모략하다.

생략 省略 | 덜 생, 줄일 략 [omit; abbreviate]
전체에서 일부를 덜거나[省] 줄임[略]. ¶시간 관계상 설명은 생략하겠습니다.

전:략 戰略 | 싸울 전, 꾀할 략
[strategy; stratagem]
전쟁(戰爭)을 전반적으로 이끌어 가는 책략(策略). ¶전략을 세우다.

중략 中略 | 가운데 중, 줄일 략 [omit; skip]
말이나 글의 중간(中間)을 줄임[略]. ¶다 읽기에는 너무 길어서 중략하겠다.

책략 策略 | 꾀 책, 꾀할 략
[trick; stratagem]
❶속뜻 계책(計策)과 모략(謀略). 꾀. ❷어떤 일을 꾸미고 이루어 나가는 교묘한 방법. ¶돈을 벌기 위한 책략.

침:략 侵略 | 쳐들어갈 침, 다스릴 략
[invade; raid]
남의 나라에 쳐들어가[侵] 다스림[略]. ¶적의 침략에 대비해야 한다.

0908 [이]

異

다를 이:
部 田부 劃 12획 中 异 [yì]

異자의 갑골문은 가면을 쓰고 두 손을 흔들며 춤을 추는 기이한 귀신의 모습을 그린 것으로 '다르다'(unlike)는 뜻을 나타낸 것이다.

이:견 異見 | 다를 이, 볼 견
[different view; protest]
남과 다른[異] 의견(意見). ¶이 문제에 대해서는 이견이 많다.

이:국 異國 | 다를 이, 나라 국
[alien land; strange land]
풍속 등이 다른[異] 나라[國]. ¶그는 30년간 이국을 떠돌았다. ⊞외국(外國), 타국(他國).

이:단 異端 | 다를 이, 끝 단 [heresy]
❶속뜻 다른[異] 쪽 끝[端]. ❷전통이나 권위에 반항하는 주장이나 이론. ¶갈릴레이의 천동설은 당시 이단으로 간주되었다. ❸종교 자기가 믿는 종교의 교리에 어긋나는 이론이나 행동. 또는 그런 종교. ¶그 종파는 이단으로 간주되고 있다.

이:례 異例 | 다를 이, 본보기 례
[rare; exceptional]
보통의 것과 다른[異] 예(例). 특수한 예.

이:방 異邦 | 다를 이, 나라 방
[alien country; foreign country]
다른[異] 나라[邦]. ¶낯설은 이방에 발을 들여놓다. ⊞타국(他國).

이:변 異變 | 다를 이, 바뀔 변
[unusual change; disaster]
이상(異常)한 변화(變化)나 사건. ¶기상 이변 / 뜻밖의 이변이 일어났다.

이:상¹ 異狀 | 다를 이, 형상 상
[something wrong; trouble]
❶속뜻 평소와는 다른[異] 상태(狀態). ❷보통과는 다른 상태나 모양. ¶몸에 이상이 나타나다. ⓑ정상(正狀).

이:상² 異常 | 다를 이, 보통 상
[strange; abnormal]
보통[常]과 다른[異]. ¶이상 고온 현상 / 음식 맛이 좀 이상하다 / 아이가 이상스러운 행동을 하면 반드시 병원에 가야 한다.

이:색 異色 | 다를 이, 빛 색
[different color; novelty]
❶속뜻 다른[異] 빛깔[色]. ❷성질이나 상태 등이 색다르게 두드러진 것. ¶이색공연이 유행한다.

이:성 異性 | 다를 이, 성질 성
[different surname; other sex]
❶속뜻 성질(性質)이 다름[異]. 또는 그 다른 성질. ❷남성 쪽에서 본 여성. 또는 여성 쪽에서 본 남성을 이르는 말. ¶이성 친구. ⓑ동성(同性).

이:역 異域 | 다를 이, 지경 역
[alien land; remote place]
❶속뜻 다른[異] 나라의 땅[域]. ❷제 고장에서 멀리 떨어진 다른 곳. ¶그는 이역에서 숨을 거두었다.

이:의 異議 | 다를 이, 따질 의
[objection; dissent]
다른[異] 의견이나 논의(論議). ¶그 안(案)에 대하여 이의 없습니까? / 이의를 제기하실 분은 손을 들어주세요. ⓑ동의(同議).

이:질 異質 | 다를 이, 바탕 질 [heterogeneity]
다른[異] 성질(性質). 또는 성질이 다름. ⓑ동질(同質).

이:채 異彩 | 다를 이, 빛깔 채 [brilliance]
❶속뜻 다른[異] 빛깔[彩]. ❷남달리 뛰어남. ¶그는 현대의 화가 중 이채를 띠고 있는 인물이다 / 이채로운 작품 / 덕수궁의 건축양식은 매우 이채롭다.

• 역순어휘 •

경이 驚異 | 놀랄 경, 다를 이 [wonder; miracle]
놀랍고[驚] 이상(異常)함. ¶자연의 경이 / 경이로운 사건.

괴이 怪異 | 이상할 괴, 다를 이
[strange; mysterious]
❶속뜻 괴상(怪狀)하고 이상(異狀)함. ❷이상야릇하다. ¶괴이한 소리가 들리다.

기이 奇異 | 이상할 기, 다를 이
[strange; curious]
이상야릇할[奇] 정도로 보통과는 크게 다름[異]. ¶그곳에 갔다가 기이한 광경을 보았다.

차이 差異 | 어긋날 차, 다를 이
[difference; distinction; gap]
서로 어긋나고[差] 다름[異]. ¶세대 차이 / 나는 언니랑 세 살 차이가 난다.

특이 特異 | 유다를 특, 다를 이 [singular; peculiar]
❶속뜻 보통 것에 비하여 유달리[特] 다름[異]. ¶넌 이름이 상당히 특이하구나. ❷보통보다 훨씬 뛰어남. ¶그는 손재주가 특이해서 온갖 물건을 손수 만든다. ⓑ특수(特殊). ⓑ평범(平凡).

판이 判異 | 판가름할 판, 다를 이
[completely different]
쉽게 판가름할[判] 정도로 크게 다르다[異]. ¶그들은 형제이지만 성격이 판이하게 다르다.

0909 [의]

疑 의심할 의
部 疋부 劃 14획 中 疑 [yí]

疑자의 갑골문 자형은 갈래 길을 만난 사람이 어느 쪽으로 가야할지를 몰라 망설이는 모습을 본뜬 것이라는 설이 있다. 篆書(전:서) 자형은 뒤뚱거리는 아이의 걸음걸이를 걱정스럽게 바라보고 있는 모습을 본뜬 것이라는 설이 있다. 어쨌든 '알듯 말듯하다'(dubious)가 본뜻이고, '의심하다'(doubtful), '의아하다'(suspicious) 등으로 확대 사용됐다.

속뜻훈음 ①의심할 의, ②의아할 의.

의구 疑懼 | 의심할 의, 두려워할 구
[doubt; suspect]
의심(疑心)하고 두려워함[懼]. ¶의구를 품다.

의문 疑問 | 의심할 의, 물을 문
[doubt; problem; question]
❶속뜻 의심(疑心)하여 물음[問]. ❷의심스러운 생각을 함. 또는 그런 일. ¶선생님의 설명을 듣다 보니 몇 가지 의문이 생겼다 / 그 일이 가능할지 매우 의문스럽다.

의심 疑心 | 의아할 의, 마음 심
[doubt; question; distrust]
확실히 알 수 없어서 의아해하는[疑] 마음[心]. ¶누나는 정말 의심이 많다 / 그의 말이 사실인지 의심쩍다 / 그 소문이 사실인지 아닌지 의심스럽다.

의아 疑訝 | 의심할 의, 의심할 아
[dubious; suspicious; doubtful]
의심스럽고[疑=訝] 괴이함. ¶의아한 점이 한두 가지가 아니다 / 의아스러운 표정.

의혹 疑惑 | 의심할 의, 홀릴 혹 [suspicion; doubt]
의심(疑心)으로 정신이 홀려[惑] 더욱 수상히 여김. 또는 그런 마음. ¶그는 여전히 의혹에 찬 눈으로 나를 바라보았다.

• 역순어휘

용의 容疑 | 담을 용, 의심할 의 [suspicion]
❶속뜻 의심(疑心)을 받음[容]. ❷범죄를 저지른 사실이 있으리라는 의심을 하는 것을 가리킴. ¶용의 차량을 집중 추적하다.

질의 質疑 | 바탕 질, 의심할 의 [question]
❶속뜻 바탕[質]이 되는 중요한 것에 대하여 의문(疑問)을 품음. ❷의심나거나 모르는 점을 물음. ¶질의를 받다. ㊥질문(質問). ㊤답변(答辯), 응답(應答).

피ː의 被疑 | 당할 피, 의심할 의
의심(疑心)이나 혐의(嫌疑)를 받는[被] 일. ¶피의 사실을 인정하지 않다.

혐의 嫌疑 | 의심할 혐, 의심할 의
[suspicion; charge]
범죄를 저질렀으리라는 의심[嫌=疑]. ¶그는 절도 혐의로 체포되었다.

회의 懷疑 | 품을 회, 의심할 의
[be skeptical about; doubt]
의심(疑心)을 품음[懷]. 또는 그 의심. ¶삶에 회의를 느끼다 / 그들은 신의 존재에 대하여 회의하기 시작했다.

0910 [궁]

窮

다할/궁할 궁
㊊ 穴부 ㊋ 15획 ㊥ 穷 [qióng]

窮자는 '다하다'(end)는 뜻을 위하여 고안된 것이다. '구멍 혈'(穴)이 표의요소로 쓰였다. 躬(몸 궁)은 표음요소이기에 뜻과는 무관하니 '몸의 구멍'을 연상하지 말라! 모든 '구멍'은 반드시 '다함'(끝)이 있기에 '구멍 혈'(穴)을 표의요소로 채택한 것은 기막히게 좋은 발상이었다. '궁하다'(needy; poor)는 뜻으로도 많이 쓰인다.
속뜻 훈음 ①궁할 궁, ②다할 궁.

궁극 窮極 | 다할 궁, 끝 극 [extremity; eventuality]
어떤 과정의 마지막[窮]이나 끝[極].

궁리 窮理 | 다할 궁, 이치 리
[deliberate; consider]
❶속뜻 사물의 이치(理致)를 깊이 연구함[窮究]. ❷마음속으로 이리저리 따져 깊이 생각함. 또는 그런 생각. ¶궁리 끝에 답을 찾았다.

궁상 窮狀 | 궁할 궁, 형상 상
[sad plight; distressed state]
어렵고 곤궁(困窮)한 상태(狀態). ¶궁상을 떨다 / 궁상맞아 보이다.

궁색 窮塞 | 궁할 궁, 막힐 색 [poverty; distress]
❶속뜻 생활이 곤궁(困窮)하고 앞길이 막힘[塞]. ¶살림이 궁색하다. ❷말의 이유나 근거 따위가 부족하다. ¶궁색한 변명.

궁지 窮地 | 궁할 궁, 땅 지
[predicament; awkward position]
상황이 매우 곤궁(困窮)한 일을 당한 처지(處地). ¶궁지로 몰다. ㊥진퇴양난(進退兩難).

궁핍 窮乏 | 궁할 궁, 가난할 핍 [poverty; want]
생활이 몹시 곤궁(困窮)하고 가난함[乏]. ¶궁핍한 생활. ㊥삼순구식(三旬九食). ㊤풍요(豐饒), 풍족(豐足).

• 역순어휘

곤ː궁 困窮 | 괴로울 곤, 궁할 궁
[destitute; hard pressed]
곤란하고[困] 가난함[窮]. ¶곤궁한 생활을 하다. ㊤부유(富裕).

무궁 無窮 | 없을 무, 다할 궁 [eternal; infinite]
다함[窮]이 없음[無]. 한(限)이 없음. ¶잠재력이 무궁하다.

빈궁 貧窮 | 가난할 빈, 궁할 궁
[destitute; poverty]
생활이 몹시 가난하여[貧] 곤궁(困窮)함. ¶빈궁한 생활에 시달리다.

추궁 追窮 | 쫓을 추, 다할 궁
[press; question thoroughly]
❶속뜻 끝[窮]까지 쫓음[追]. ❷잘못이나 책임 따위를 캐어 물음. ¶추궁을 당하자 나는 말문이 막혔다 / 책임을 추궁하다.

0911 [비]

秘

숨길 비ː
㊊ 示부 ㊋ 10획 ㊥ 秘 [mì, bì]

祕자는 제사를 지내는 대상인 '귀신'(a ghost)을 뜻하기 위하여 만들어진 글자다. '示'(제사 시)가 표의요소이고, 必(반드시 필)이 표음요소임은 泌(분비할 비)의 경우도 마찬가지이다. 속자인 秘는 '벼 화'(禾)가 부수이지만, 의미와는 아무런 관계가 없다. 본래 글자인 祕(비)의 示가 모양이 비슷한 禾로 바뀌었기 때문이다. '숨기다'(hide)가 본뜻이고, '신비'(mystery), '비밀'(a secret) 등으로 확대 사용됐다.

속뜻 훈음 ①숨길 비, ②비밀 비.

비:결 秘訣 | 숨길 비, 방법 결 [secret; key (to)]
무슨 일을 하는 데 있어 남이 알지 못하는[秘] 가장 효과적인 방법[訣]. ¶장수(長壽)의 비결이 뭡니까? ㊥ 비법(秘法), 노하우(know-how).

비:밀 秘密 | 숨길 비, 몰래 밀 [secret]
❶속뜻 숨기어[秘] 몰래[密] 간직해야 할 일. ¶비밀에 붙이다. ❷밝혀지지 않은 사실이나 내용. ¶우주의 비밀.

비:방 秘方 | 숨길 비, 방법 방 [secret process]
남에게는 숨기는[秘] 자기만의 방법(方法). ¶그 의사는 비방을 공개하지 않았다. ㊥비법(秘法), 묘방(妙方).

비:법 秘法 | 숨길 비, 법 법 [secret process]
비밀(秘密)스러운 방법(方法). ¶비법을 전수하다. ㊥ 비방(秘方).

비:서 秘書 | 숨길 비, 책 서 [(private) secretary]
❶속뜻 남에게 숨기고[秘] 혼자만이 간직하고 있는 귀중한 책[書]. ❷요직에 있는 사람에 직속하여 그의 기밀 사무 따위를 맡아보는 직위. 또는 사람. ¶국무총리 비서.

비:장 秘藏 | 숨길 비, 감출 장 [store in secrecy]
숨겨서[秘] 소중히 간직함[藏]. ¶비장의 솜씨를 발휘하다.

• 역순어휘

극비 極秘 | 다할 극, 숨길 비 [top secret]
절대 알려져서는 안 되는 몹시[極] 중요한 비밀(秘密). '극비밀'의 준말.

묵비 默秘 | 입 다물 묵, 숨길 비 [silence]
입을 다물어[默] 말하지 않고 숨김[秘].

변비 便秘 | 똥오줌 변, 숨길 비 [constipation]
의학 대변(大便)이 꼭꼭 숨어서[秘] 잘 나오지 않음. ¶할머니는 변비 때문에 고생이 많으셨다.

신비 神秘 | 귀신 신, 비밀 비 [mysterious; magical]
매우 신기(神奇)하여 그 이치 등을 알기 어려움[秘]. ¶자연의 신비를 풀다 / 모나리자의 미소는 매우 신비하다 / 이 돌은 매우 신비스럽다.

0912 [사]

私

사사(私事) 사
部 禾부 획 7획 中 私 [sī]

私자는 원래 '벼의 일종'(a kind of rice)을 이름 하기 위한 것이었으니 '벼 화'(禾)가 표의요소로 쓰였다. 본래 의미에서 보자면 厶(사사 사)는 표음요소에 불과하다. 그런데 이것이 본래 의미보다는 표음요소인 厶의 의미 즉, '사사롭다'(personal; private)는 뜻으로 많이 쓰이는 매우 특이한 예이다.

속뜻 훈음 사사로울 사.

사리 私利 | 사사로울 사, 이로울 리 [personal profit]
사사로운[私] 이익(利益). ¶그는 사리에 눈이 멀어 친구를 배신했다. ㊥공리(公利).

사립 私立 | 사사로울 사, 설 립 [private establishment]
개인이나 민간단체가[私] 설립(設立)하여 유지하는 일. ¶사립학교. ㊥공립(公立), 국립(國立).

사물 私物 | 사사로울 사, 만물 물 [private thing]
개인[私]이 가지고 있는 물건(物件). ㊥관물(官物).

사복 私服 | 사사로울 사, 옷 복 [plain clothes; civilian clothes]
사사로운[私] 자리에서 마음대로 입는 옷[服]. ㊥제복(制服).

사비 私費 | 사사로울 사, 쓸 비 [private expense]
개인이 사사로이[私] 부담하는 비용(費用). ¶사비로 여행을 가다. ㊥자비(自費). ㊥공비(公費).

사생 私生 | 사사로울 사, 날 생
법률상 부부가 아닌 사사로운[私] 남녀 사이에서 아이가 태어나는[生] 일.

사서 私書 | 사사로울 사, 글 서 [private document]
❶속뜻 사사로운[私] 일을 적은 편지글[書]. ❷비밀스럽게 쓴 편지. ¶그녀의 사서를 몰래 읽어보았다.

사설 私設 | 사사로울 사, 세울 설 [privately established]
개인이나 민간에서 사적(私的)으로 설립(設立)함. 또는 그 기관이나 시설. ¶사설학원. ㊥공설(公設), 관설(官設).

사심 私心 | 사사로울 사, 마음 심 [selfishness]
사사로이[私] 제 욕심만을 채우려는 마음[心]. ¶공무원은 사심을 버려야 한다.

사욕 私慾 | 사사로울 사, 욕심 욕 [selfish desire]

사사로운[私] 자기의 이익만을 생각하는 욕심(慾心). ¶그는 사욕을 채우려다 구속됐다.

사유 私有 | 사사로울 사, 있을 유
[private ownership]
개인[私]이 소유(所有)함. 또는 그런 소유물. ㊥공유(公有), 국유(國有).

사재 私財 | 사사로울 사, 재물 재 [private funds]
개인의[私] 재산(財産). ¶그는 사재를 들여 복지재단을 만들었다.

사적 私的 | 사사로울 사, 것 적
[individual; personal]
개인[私]에 관계되는 것[的]. ¶사적인 일. ㊥공적(公的).

사제 私製 | 사사로울 사, 만들 제
[private manufacture]
개인[私]이 만듦[製]. ¶사제 권총 / 사제 엽서. ㊥관제(官製).

사창 私娼 | 사사로울 사, 창녀 창
[unlicensed prostitute; streetwalker]
관청의 허가 없이 사사로이[私] 몸을 파는 창녀(娼女). ㊥공창(公娼).

사채 私債 | 사사로울 사, 빚 채
[personal loan]
개인[私]끼리 지는 빚[債]. ¶사채를 쓰다 / 사채에 시달리다.

사택 私宅 | 사사로울 사, 집 택
[ones home; private residence]
개인[私] 소유의 집[宅]. ㊐관사(官舍).

사투 私鬪 | 사사로울 사, 싸울 투
[strive out of personal grudge]
사사로운[私] 이해관계나 감정 문제로 서로 싸움[鬪]. 또는 그런 싸움. ¶두 이웃 간의 사투가 비극적인 결과를 낳았다.

사학 私學 | 사사로울 사, 배울 학
[private school]
교육 개인[私]이 설립한 교육 기관[學]. ¶구한말에는 민족 사학이 많이 설립되었다. ㊐사립학교(私立學校). ㊥관학(官學).

• 역순어휘

공사 公私 | 여럿 공, 사사로울 사
[public and private affairs]
❶속뜻 여러 사람[公]의 것과 한 사람[私]의 것. ❷공적(公的)인 일과 사적(私的)인 일. ¶공사를 명확히 구별하다.

0913 [수]

秀
빼어날 수
㊞ 禾부 ㊟ 7획 ㊥ 秀 [xiù]

秀자는 벼의 이삭이 '패다'(come into ears)는 뜻을 나타내기 위한 것이었으니 '벼 화'(禾)가 표의요소로 쓰였다. 乃도 표의요소인 것만큼은 확실하지만 어떤 의미인지에 대하여는 정설이 없다. 본뜻보다는 '빼어나다'(be excellent)는 뜻으로 많이 쓰인다.

수려 秀麗 | 빼어날 수, 고울 려
[beautiful; handsome; fine]
경치나 용모가 빼어나게[秀] 아름답다[麗]. ¶수려한 외모.

수재 秀才 | 빼어날 수, 재주 재 [talented person]
재주[才]가 뛰어난[秀] 사람. ¶그 학교는 많은 수재들을 배출했다. ㊐영재(英才), 천재(天才). ㊥둔재(鈍才).

• 역순어휘

규수 閨秀 | 안방 규, 빼어날 수
[maiden; girl from a good family]
❶속뜻 안방[閨] 일에 빼어난[秀] 솜씨. 또는 그런 솜씨를 가진 여자. ❷혼기에 이른 남의 집 처녀를 점잖게 이르는 말. ㊐아가씨.

우수 優秀 | 뛰어날 우, 빼어날 수 [excellent]
뛰어나고[優] 빼어남[秀]. ¶우수사원 / 이 제품은 품질이 우수하다. ㊥열등(劣等).

준:수 俊秀 | 뛰어날 준, 빼어날 수
[be superior and refined]
슬기가 뛰어나고[俊] 풍채가 빼어나다[秀]. ¶그 젊은이는 용모가 준수하다.

0914 [적]

積
쌓을 적
㊞ 禾부 ㊟ 16획 ㊥ 积 [jī]

積자는 벼 같은 곡물을 '쌓다'(pile up; heap up)는 뜻을 나타내기 위한 것이었으니 '벼 화'(禾)가 표의요소로 쓰였다. 責(꾸짖을 책)이 표음요소임은 績(길쌈 적)도 마찬가지이다.

적극 積極 | 쌓을 적, 끝 극 [positive]
❶속뜻 끝[極]까지 쌓음[積]. ❷어떤 일에 대하여 바짝 다잡는 성향이나 태도. ¶현지는 나를 적극 도와주었다.

㊥소극(消極).

적금 積金 | 쌓을 적, 돈 금
[save up by installment; deposit funds]
❶속뜻 돈[金]을 모아[積] 둠. 또는 그 돈. ❷경제 일정 기간 일정 금액을 불입한 다음 만기가 되면 찾기로 약속된, 은행 저금의 한 가지. ¶매달 십 만원씩 적금을 붓다.

적선 積善 | 쌓을 적, 착한 선
[building up merits]
착한[善] 일을 많이 함[積]. ¶가난한 사람들에게 적선을 베풀다 / 한 푼만 적선해 주십시오.

적재 積載 | 쌓을 적, 실을 재 [carry; load]
차나 선박 따위에 짐을 쌓아[積] 실음[載]. ¶이 트럭은 3톤까지 적재할 수 있다.

• 역순어휘

견:적 見積 | 볼 견, 쌓을 적
[estimate at; estimate at]
필요한 비용 따위를 모두 모은[積] 금액을 미리 어림잡아 계산해 봄[見]. ¶차를 수리하기 전에 견적을 내다. ㊊추산(推算).

과:적 過積 | 지나칠 과, 쌓을 적
[overload; overcharge]
지나치게[過] 많이 쌓음[積]. ¶과적차량 진입 금지.

노:적 露積 | 드러낼 로, 쌓을 적 [stacked grain]
창고가 없어 밖에 드러내어[露] 쌓아[積] 둠. ¶물건을 길가에 노적해 두면 위험하다. ㊊야적(野積).

누:적 累積 | 포갤 루, 쌓을 적
[accumulate; cumulate]
포개져[累] 쌓임[積]. ¶피로가 누적되다. ㊊축적(蓄積).

면:적 面積 | 낯 면, 쌓을 적
[area; square measure]
일정한 평면(平面)이나 구면(球面)의 크기나 넓이[積].

산적 山積 | 메 산, 쌓을 적 [pile up; lie in a heap]
일이나 물건 따위가 산더미[山]처럼 많이 쌓여[積] 있음. ¶공책이 책상 위에 산적해 있다.

선적 船積 | 배 선, 쌓을 적
[ship a cargo; load a ship]
배[船]에 짐을 실음[積]. ¶수출품을 선적하다.

용적 容積 | 담을 용, 쌓을 적 [capacity]
물건을 담고[容] 쌓을[積] 수 있는 부피. 혹은 용기 안을 채우는 분량. ¶물이 냉각되면 그 용적이 늘어난다.

축적 蓄積 | 모을 축, 쌓을 적
[store; accumulate; pile up]
지식, 경험, 자금 따위를 많이 모아[蓄] 쌓아둠[積]. ¶기술력을 축적하다.

퇴적 堆積 | 쌓일 퇴, 쌓을 적
[accumulate; piled up]
많이 덮쳐 쌓임[堆=積]. 또는 많이 덮쳐 쌓음. ¶하구(河口)에 모래가 퇴적되다.

0915 [칭]

稱

일컬을 칭
㊀ 禾부 ㊁ 14획
㊥ 称 [chēng, chèng, chèn]

稱자는 본래 禾가 없는 형태였다. 그것은 어떤 물건을 손으로 들어서 무게를 '가늠하다'(estimate; guess)는 뜻을 나타낸 것이었다. 후에 '사람 인'(亻)을 보태어 偁을, '벼 화'(禾)를 보태어 稱을 만들었다. 앞의 것은 도태되고 뒤의 것이 애용됐다. 칭찬을 하기 전에 그렇게 할 만한가를 반드시 가늠(저울질)해보게 마련이었기에 '칭찬하다'(praise)는 뜻으로도 확대 사용됐고, '일컫다'(call; name)는 뜻으로도 쓰인다.

속뜻 훈음 ①일컬을 칭, ②칭찬할 칭, ③맞을 칭.

칭송 稱頌 | 칭찬할 칭, 기릴 송
[praise; compliment]
공덕을 칭찬(稱讚)하여 기림[頌]. ¶그는 보기 드문 효자로 칭송이 자자하다.

칭찬 稱讚 | 일컬을 칭, 기릴 찬 [praise]
좋은 점이나 훌륭한 일을 일컬어[稱] 높이 평가하여 기림[讚]. 또는 그런 말. ¶청소를 잘 한다고 선생님께서 칭찬하셨다. ㊥꾸중, 책망(責望), 질책(叱責).

칭호 稱號 | 일컬을 칭, 이름 호 [title]
어떠한 뜻으로 일컫는[稱] 이름[號]. ¶왕은 그녀에게 귀족의 칭호를 주었다.

• 역순어휘

가:칭 假稱 | 임시 가, 일컬을 칭
[designate tentatively]
임시로[假] 일컬음[稱].

개:칭 改稱 | 고칠 개, 일컬을 칭
[rename; change a name]
칭호(稱號)를 고침[改]. 또는 그 고친 칭호. ¶한성(漢城)을 '서울'로 개칭하다.

대:칭 對稱 | 대할 대, 맞을 칭 [symmetry]
❶속뜻 서로 마주 대하여[對] 있으면서 잘 맞음[稱]. ❷수학 도형 따위가 어떤 기준이 되는 점·선·면을 중심으로 서로 꼭 맞서는 자리에 놓이는 것.

명칭 名稱 | 이름 명, 일컬을 칭 [name; title]
사물을 일컫는[稱] 이름[名]. ㊥명호(名號), 명목(名目), 호칭(呼稱).

별칭 別稱 | 다를 별, 일컬을 칭 [another name]
달리[別] 부르는[稱] 이름. ¶그에게는 도시의 무법자라는 별칭이 있다. ㊥별명(別名).

속칭 俗稱 | 속될 속, 일컬을 칭 [popular name]
세속(世俗)에서 흔히 일컫는[稱] 말. 또는 그러한 호칭이나 명칭. ¶'김병연'은 속칭 '김삿갓'으로 알려져 있다.

애:칭 愛稱 | 사랑 애, 일컬을 칭
[pet name; nickname]
본래 이름 외에 친근하고 다정하게[愛] 부를[稱] 때 쓰는 이름. ¶그는 아이를 '똘똘이'라는 애칭으로 부른다.

자칭 自稱 | 스스로 자, 일컬을 칭 [self professed]
남에게 자기(自己)를 일컬음[稱]. 스스로 말함. ¶아까 자칭 가수라는 사람이 왔다 갔어요.

존칭 尊稱 | 높을 존, 일컬을 칭 [honorific title]
남을 공경하는 뜻으로 높여[尊] 부름[稱]. 또는 그 칭호. ¶존칭을 붙이다.

지칭 指稱 | 가리킬 지, 일컬을 칭 [call; designate]
어떤 대상을 가리켜[指] 일컬음[稱]. 또는 그런 이름. ¶21세기는 흔히 정보화 사회라고 지칭된다.

총:칭 總稱 | 묶을 총, 일컬을 칭
[give a general name; call generically]
모두 뭉뚱그려[總] 일컬음[稱]. 또는 그 명칭. ¶이런 동물들을 포유류라고 총칭한다.

호칭 呼稱 | 부를 호, 일컬을 칭 [name; title]
불러[呼] 일컬음[稱]. 이름을 지어 부름. ¶아직은 사장님이라는 호칭이 낯설다.

0916 [여]

與 더불/줄 여:
㊀臼부 ㊁14획 ㊂与 [yǔ, yú, yù]

與자는 与(줄 여)와 舁(마주들 여)가 조합된 것이다. 두 요소 모두 표의와 표음을 겸하는 극히 희귀한 예이다. '동아리'(a group; colleagues)가 본뜻이라고 하며, '함께 하다'(together with), '주다' (give)는 뜻으로도 쓰인다. 요즘 이 글자의 약자로 쓰이고 있는 '与'는 '주다'(give)는 뜻의 딴 글자였다. 즉 與가 '주다'는 뜻으로 쓰이게 된 사실은 '与'자 대신에 쓰이는 것에서 비롯됐다. '도와 주다'(help; aid; assist)는 뜻으로도 쓰인다.
속뜻 훈음 ①줄 여, ②도울 여.

여:건 與件 | 줄 여, 조건 건 [given condition]
주어진[與] 조건(條件). ¶그는 열악한 여건 속에서도 열심히 공부했다.

여:당 與黨 | 도울 여, 무리 당
[Government party]
정부의 정책을 지지하고 참여(參與)하는 정당(政黨). ㊦야당(野黨).

여:부 與否 | 줄 여, 아닐 부
[yes or no; whether or not]
❶속뜻 도와 줌[與]과 그렇지 아니함[否]. ❷그러함과 그러하지 아니함. ¶생사 여부를 묻다.

• 역순어휘

간여 干與 | 범할 간, 도울 여 [participate]
관계하여[干] 참여(參與)함. ¶네가 간여할 일이 아니다. ㊥참견(參見). ㊦방관(傍觀).

관여 關與 | 관계할 관, 도울 여
[take part in; be concerned in]
어떤 일에 관계(關係)하여 참여(參與)함. ¶넌 관여하지 마. ㊥간여(干與).

급여 給與 | 줄 급, 줄 여 [allowance; pay]
일한 대가로 돈이나 물품 따위를 공급(供給)하여 줌[與]. 또는 그 돈이나 물품. ㊥급료(給料).

기여 寄與 | 부칠 기, 줄 여 [contribute to]
❶속뜻 물건을 부쳐[寄] 줌[與]. ❷도움이 되도록 이바지함. ¶승리에 결정적으로 기여하다. ㊥증여(贈與).

대:여 貸與 | 빌릴 대, 줄 여 [lend; loan]
빌려[貸] 주거나 꾸어 줌[與]. ㊥대급(貸給), 임대(賃貸). ㊦차용(借用).

부:여 附與 | 붙을 부, 줄 여 [bestow; allow]
사물이나 일에 가치·의의 따위를 붙여[附] 줌[與]. ¶특권 부여 / 임무를 부여하다.

상여 賞與 | 상줄 상, 줄 여 [reward]
❶속뜻 상(賞)으로 돈이나 물건 따위를 줌[與]. ❷관청이나 회사에서 직원에게 정기 급여와 별도로 업적이나 공헌도에 따라 돈을 줌. 또는 그 돈.

수여 授與 | 줄 수, 줄 여 [confer; award]
공식절차에 의해 증서, 상장, 훈장 따위를 줌[授=與]. ¶상장을 수여하다.

참여 參與 | 헤아릴 참, 도울 여
[participation in; take part in]
❶속뜻 어떤 일을 잘 헤아려[參] 도움[與]. ❷어떤 일에 끼어들어 관계함. ¶적극적인 참여와 지지 / 축제에 참여하다.

투여 投與 | 던질 투, 줄 여 [administer; inject]
❶속뜻 던져[投] 넣어 줌[與]. ❷약물 따위를 몸에 넣어

줌. ¶과다한 약물 투여는 환자에게 좋지 않다.

0917 [분]

粉 가루 분(ː)
部 米부 劃 10획 中 粉 [fěn]

粉자는 쌀 등 곡물의 '가루'(flour)를 뜻하기 위한 것이었으니 '쌀 미'(米)가 표의요소로 쓰였다. 分(나눌 분)은 표의와 표음을 겸하는 요소이다. 후에 '(잘게) 부수다'(break), '빻다'(crush up) 등으로 확대 사용됐다.
속뜻 훈음 ①가루 분, ②빻을 분.

분말 粉末 | 빻을 분, 가루 말 [powder; dust]
빻아서[粉] 만든 가루[末]. ¶알약을 빻아 분말로 만들다.

분쇄 粉碎 | 가루 분, 부술 쇄 [pulverize]
가루[粉]가 되도록 부스러뜨림[碎]. ¶암석 조각을 분쇄하다.

분식 粉食 | 가루 분, 밥 식
[food made from flour]
빵, 국수 등 곡식의 가루[粉]로 만든 음식(飮食). 또는 그런 음식을 먹음. ¶요즘 아이들은 밥보다 분식을 좋아한다.

분유 粉乳 | 가루 분, 젖 유
[powdered milk]
가루[粉]로 만든 우유(牛乳). ¶따뜻한 물에 분유를 타다.

분진 粉塵 | 가루 분, 티끌 진 [dust; mote]
❶속뜻 가루[粉]와 먼지[塵]. ❷공기에 섞여 날리거나 물체 위에 쌓이는 매우 작고 가벼운 물질.

분필 粉筆 | 가루 분, 붓 필 [chalk]
탄산석회나 석고의 가루로[粉] 만든 필기구(筆記具). 주로 칠판에 쓸 때 사용한다. 비 백묵(白墨).

분ː홍 粉紅 | 가루 분, 붉을 홍 [pink color]
가루[粉] 같은 흰빛이 섞인 붉은[紅] 빛깔. '분홍색'(粉紅色)의 준말. ¶분홍색 립스틱.

• 역순어휘

전ː분 澱粉 | 앙금 전, 가루 분 [starch]
감자, 고구마, 물에 불린 녹두 따위를 갈아서 가라앉힌 앙금[澱]을 말린 가루[粉]. 비 녹말.

제ː분 製粉 | 만들 제, 가루 분
[mill; pulverize]
밀을 빻아 밀가루를 만들 듯, 곡식이나 약재 따위를 빻아서 가루[粉]로 만듦[製].

0918 [량]

糧 양식 량
部 米부 劃 18획 中 粮 [liáng]

糧자는 곡물, 즉 '먹을거리'(food)를 뜻하는 것이었으니, '쌀 미'(米)가 표의요소로 쓰였다. 量(헤아릴 량)은 표음요소이다. '양식'(a meal) 또는 이와 의미상 연관이 있는 낱말들의 한 구성 요소로 널리 쓰인다.
속뜻 훈음 ①양식 량, ②먹을거리 양.

양곡 糧穀 | 양식 량, 곡식 곡
[(food) grain; rice; cereals]
양식(糧食)으로 쓰는 곡식(穀食). ¶양곡 창고 / 양곡 원산지를 표기하다.

양식 糧食 | 먹을거리 양, 밥 식 [provisions]
생존을 위하여 필요한 사람의 먹을거리[糧=食]. ¶양식이 다 떨어지다.

• 역순어휘

군량 軍糧 | 군사 군, 양식 량
[military supplies; rations]
군대(軍隊)의 양식(糧食).

식량 食糧 | 먹을 식, 양식 량 [food]
먹을[食] 양식(糧食). ¶식량이 부족하다.

0919 [계]

系 이어맬 계ː
部 糸부 劃 7획 中 系 [xì]

系자는 '매달다'(hang up)는 뜻을 나타내기 위하여 실을 엮어 매달아 놓은 모습을 본뜬 것이다. 후에 '이어 매다'(chain; extend)는 뜻으로 확대 사용되는 예가 많아지자, 그 본래 의미는 繫(맬 계, #1718)자를 따로 만들어 나타냈다.

계ː보 系譜 | 이어 맬 계, 적어놓을 보
[pedigree; genealogy]
❶속뜻 조상 때부터 이어온[系] 혈통이나 집안의 역사를 적어 놓음[譜]. ❷사람의 혈연관계나 학문, 사상 등의 계통 또는 순서의 내용을 나타낸 기록. ¶전통문학의 계보를 잇다. 비 가계(家系).

계ː열 系列 | 이어 맬 계, 벌일 렬
[system; series]
서로 관련이 있는 것을 이어지게[系] 벌여[列] 놓음. 또는 그런 조직. ¶언니는 인문계열 고등학교에 입학했다.

[비]계통(系統).

계:통 系統 | 이어 맬 계, 큰 줄기 통 [system; party]
❶[속뜻] 일정한 차례에 따라 이어져[系] 있는 큰 줄기[統]. ❷같은 방면이나 같은 종류 등에 딸려 있는 것. ¶소화기 계통 / 계통에 따라 동물을 나누다.

• 역순어휘

가계 家系 | 집 가, 이어 맬 계 [family line]
한 집안[家]의 계통(系統)이나 혈통(血統). ¶그의 가계는 대대로 내려오는 선비의 집안이다. [비]가통(家統).

모:계 母系 | 어머니 모, 이어 맬 계 [maternal line; mother's side]
혈연관계에서 어머니[母] 쪽의 계통(系統). ¶모계 유전 / 원시농경사회는 대부분 모계사회였다. [반]부계(父系).

부계 父系 | 아버지 부, 이어 맬 계 [paternal side; male line]
아버지[父] 쪽의 혈통에 딸린 계통(系統). ¶부계 사회 / 호적제도가 바뀌어 기존의 부계 전통이 완화되었다. [반]모계(母系).

직계 直系 | 곧을 직, 이어 맬 계 [direct line]
혈연이 친자 관계에 의하여 직접(直接) 이어져 있는 계통(系統). ¶직계 가족이 아니면 들어오실 수 없습니다.

체계 體系 | 몸 체, 이어 맬 계 [system; organization]
❶[속뜻] 전체(全體)의 계통(系統). 낱낱이 다른 것을 계통을 세워 통일한 전체. ❷일정한 원리에 따라 조직한 지식의 통일된 전체. ¶명령 체계 / 체계가 잡히다.

0920 [계]

繼

이을 계:
[部] 糸부 [劃] 20획 [中] 继 [jì]

繼자는 본래 糸가 없는 형태였다. 그것은 '잇다'(connect)는 뜻을 나타내기 위하여 실을 이어 놓은 모습을 본뜬 것이었다. 후에 그 의미를 더욱 보강하기 위하여 '실 사'(糸)가 첨가됐다. '이어받다'(succeed to; inherit), '이어지다'(continue) 등으로도 쓰인다.

계:모 繼母 | 이을 계, 어머니 모 [stepmother]
친어머니의 뒤를 이은[繼] 새어머니[母]. 아버지의 후처. ¶콩쥐는 계모에게 구박을 받았다. [비]의붓어머니, 새어머니. [반]친모(親母).

계:속 繼續 | 이을 계, 이을 속 [continue; maintain]
끊이지 않고[繼] 이어 나감[續]. ¶여행을 계속하다. [비]지속(持續). [반]중단(中斷).

계:승 繼承 | 이을 계, 받들 승 [succeed; inherit]
조상이나 선임자의 뒤를 이어[繼] 받들음[承]. ¶아버지의 유업을 계승하다. [비]승계(承繼). [반]단절(斷絶).

계:주 繼走 | 이을 계, 달릴 주 [relay race]
[운동] 일정한 거리를 몇 사람이 나누어 이어[繼] 달리는[走] 경기. ¶400미터 계주 경기.

• 역순어휘

인계 引繼 | 끌 인, 이을 계 [transfer]
어떤 일이나 물건을 가져와[引] 남에게 넘겨[繼] 줌. 또는 남으로부터 이어 받음. ¶그는 출근 첫날 업무를 인계받았다.

중계 中繼 | 가운데 중, 이을 계 [translate; relay]
❶[속뜻] 중간(中間)에서 이어줌[繼]. ¶이 산장은 산간 지대에서 중계 역할을 하고 있다. ❷[언론] '중계방송'(放送)의 준말. ¶녹화 중계 / 텔레비전에서는 올림픽 경기가 중계되고 있다.

후:계 後繼 | 뒤 후, 이을 계 [succeed to]
어떤 일이나 사람의 뒤[後]를 이음[繼].

0921 [기]

紀

벼리 기
[部] 糸부 [劃] 9획 [中] 纪 [jì, Jǐ]

紀자는 실타래의 '실마리'(a clue)나 그물의 '벼리'(the border ropes of a fishing net)를 뜻하기 위한 것이었으니 '실 사'(糸)가 표의요소로 쓰였다. 己(자기 기)는 표음요소로 뜻과는 무관하다. 후에 '시초'(the beginning), '연대'(a period; an era) 등으로 확대 사용됐다. 음이 같고 모양도 비슷한 記(기록할 기)를 대신하여 쓰이다 보니 일반 사전에서는 '적다'(record; write down)의 의미 항목도 갖고 있다.
[속뜻 훈음] ①벼리 기, ②연대 기.

기강 紀綱 | 벼리 기, 벼리 강 [fundamental principles]
❶[속뜻] 그물코를 꿴 벼리[紀=綱]. ❷으뜸이 되는 중요한 규율과 질서. ¶사회 기강을 바로잡다.

기념 紀念 | =記念, 벼리 기, 생각 념 [commemorate]
벼리[紀]가 되는 중요한 일이나 인물을 오래오래 마음에 두고 생각함[念]. ¶순국 선열들의 희생을 기념하다.

기원 紀元 | 연대 기, 으뜸 원 [era; epoch]

❶[속뜻] 새로운 연대[紀]가 시작되는 그 으뜸[元]. ❷연대를 계산하는 데에 기준이 되는 해. ❸나라를 세우거나 종교가 만들어진 첫 해.

기행 紀行 | =記行, 벼리 기, 다닐 행
[account of a trip]
여행(旅行) 중의 견문이나 체험, 감상 따위를 적음[紀]. ¶경주 기행을 기록했다.

• 역순어휘

군기 軍紀 | 군사 군, 벼리 기
[military discipline; troop morals]
군대(軍隊)의 기강(紀綱). [비] 군율(軍律).

단기 檀紀 | 박달나무 단, 연대 기
'단군기원'(檀君紀元)의 준말. ¶서기 2000년은 단기 4333년이다. [반] 서기(西紀).

서기 西紀 | 서녘 서, 연대 기
[year of Christ; dominical year]
예수가 탄생한 해를 원년(元年)으로 삼는 서양(西洋)의 기원(紀元). '서력기원'(西曆紀元)의 준말. ¶올해는 서기 2010년이다. [반] 단기(檀紀).

세:기 世紀 | 세대 세, 연대 기 [century]
❶[속뜻] 역사를 구분하는 일정한 세대(世代)나 연대[紀]. ❷백 년을 단위로 하는 기간.

풍기 風紀 | 풍속 풍, 벼리 기 [public morality]
풍속(風俗)이나 풍습에 대한 기율(紀律). 주로 남녀가 교제할 때의 절도를 이른다. ¶풍기가 문란하다.

0922 [납]

納

들일 납
[部] 糸부 [획] 10획 [中] 纳 [nà]

納자의 전신은 '內'(내)였고, '內'는 '入'(입)에서 분가한 것이다(入→內→納). 古文字(고문자) 단계에서는 세 글자가 통용되다가 각자 저마다의 역할을 분담 받았다. '들이다'(bring in), '바치다'(pay; supply)는 뜻으로 쓰이는 納자에 '실 사'(糸)가 들어간 것으로 보아 옛날에는 주로 실이나 비단을 바쳤나 보다.

[속뜻훈음] **①바칠 납, ②들일 납.**

납골 納骨 | 바칠 납, 뼈 골
[laying (a person's) ashes to rest]
유골(遺骨)을 일정한 그릇에 담아[納] 모심.

납득 納得 | 들일 납, 얻을 득 [understand]
남의 말이나 행동을 받아들여[納] 이해함[得]. ¶네 말은 납득할 수 없다.

납량 納凉 | 들일 납, 서늘할 량
[enjoy the cool air; cool oneself]
여름에 시원한[凉] 곳에 나가서 바람을 쐼[納]. ¶납량 특집 프로그램.

납부 納付 | 바칠 납, 줄 부 [pay]
세금이나 공과금 따위를 관계기관에 바치거나[納] 건네 줌[付]. ¶가까운 은행에 납부하시오. [비] 납입(納入).

납세 納稅 | 바칠 납, 세금 세 [payment of taxes]
세금(稅金)을 바침[納]. ¶납세의 의무. [비] 세납(稅納).

납입 納入 | 바칠 납, 들 입 [payment]
세금이나 공과금 따위를 내는 것[納=入]. [비] 납부(納付).

납품 納品 | 바칠 납, 물건 품 [delivered goods]
물품(物品)을 가져다 줌[納].

• 역순어휘

격납 格納 | 바를 격, 바칠 납 [house]
제자리에 바르게[格] 잘 수납(收納)해 둠. ¶비행기의 격납이 편리하다.

공납 公納 | 관공서 공, 바칠 납
[public imposts; taxes]
관공서(官公署)에 의무적으로 조세를 내는[納] 일.

미:납 未納 | 아닐 미, 바칠 납 [default]
내야 할 돈을 아직 내지[納] 못함[未]. ¶세금을 미납하다.

반:납 返納 | 돌아올 반, 바칠 납 [return]
꾸거나 빌린 것을 되돌려[返] 줌[納]. ¶도서관에 책을 반납하다.

수납¹ 收納 | 거둘 수, 들일 납 [receive payment]
관공서 같은 곳에서 금품을 거두어[收] 들임[納]. ¶세금을 수납하다.

수납² 受納 | 받을 수, 들일 납 [receive; accept]
받아서[受] 넣어 둠[納]. ¶옷을 수납할 공간이 부족하다.

완납 完納 | 완전할 완, 바칠 납 [pay in full]
남김없이 완전(完全)히 납부(納付)함. ¶등록금을 완납하다.

용납 容納 | 담을 용, 들일 납 [tolerate; permit]
너그러운 마음으로 포용(包容)하여 받아들임[納]. ¶너의 그런 무례한 행동은 도저히 용납할 수 없다.

출납 出納 | 날 출, 들일 납 [incomings and outgoings; receipts and payments]
❶[속뜻] 금전이나 물품을 내주거나[出] 받아들임[納]. 특히 금전을 내주거나 받아들임. ¶그녀는 은행에서 출납 업무를 맡고 있다. ❷수입과 지출.

헌:납 獻納 | 바칠 헌, 바칠 납 [contribute]
금품을 바침[獻=納]. ¶찬조금을 헌납하다.

0923 [사]

絲

실 사
部 糸부 劃 12획 中 丝 [sī]

絲자는 누에고치에서 뽑은 '명주실'(silk yarn)을 뜻하기 위하여 두 타래의 실 모양을 본뜬 것이다. 후에 일반적 의미의 '실'(yarn), '비단'(silk fabrics), '현악'(string music)을 이르는 것으로 확대 사용됐다.

• 역순어휘

균사 菌絲 | 버섯 균, 실 사 [spawn; hypha]
식물 버섯[菌]의 몸을 이루고 있는 가는 실[絲] 오라기 모양의 구조체. 비 곰팡이실.

나사 螺絲 | 소라 라, 실 사 [screw]
소라[螺]의 껍데기에 실[絲]을 감은 것처럼 고랑이 진 물건.

원사 原絲 | 본디 원, 실 사
직물의 원료(原料)가 되는 실[絲]. ¶수공업으로 원사를 생산하다.

철사 鐵絲 | 쇠 철, 실 사 [steel wire]
쇠[鐵]로 만든 가는 실[絲] 모양의 것. ¶구부러진 철사를 펴다. 비 쇠줄.

0924 [연]

緣

인연 연
部 糸부 劃 15획 中 缘 [yuán]

緣자는 '가선'(hem; hem-line)이 본뜻이니 '실 사'(糸)가 표의요소이다. 彖(단 단)이 표음요소임은 椽(서까래 연)도 마찬가지이다. 순우리말 '가선'을 모르면 어쩌나! 이것은 '옷 가장자리를 딴 헝겊으로 가늘게 싸서 돌린 선'을 가리는 말이다. '인연'(cause and occasion), '연분'(a relation; ties) 또는 이와 의미상 연관이 있는 낱말의 한 구성 요소로 많이 쓰인다.

속뜻훈음 ①인연 연, ②연분 연.

연고 緣故 | 인연 연, 까닭 고 [reason; cause]
❶속뜻 인연(因緣)이 된 까닭[故]. ❷일의 까닭. ¶미희는 무슨 연고로 결석했을까? ❸혈통, 정분, 법률 따위로 맺어진 관계. ¶이 환자는 아무런 연고가 없다. 비 사유(事由).

연유 緣由 | 인연 연, 까닭 유 [reason; cause]
인연(因緣)과 이유(理由). 까닭. ¶무슨 연유로 그를 찾아 오셨습니까? / 그녀가 말수가 적은 것은 내성적인 성격에서 연유한다. 비 사유(事由).

• 역순어휘

결연 結緣 | 맺을 결, 인연 연
[make a connection]
인연(因緣)을 맺음[結]. ¶자매 결연을 맺다.

사:연 事緣 | 일 사, 인연 연 [(full) story; reasons]
일[事]이 그렇게 된 인연(因緣)이나 까닭. ¶사연이 복잡하다.

인연 因緣 | 인할 인, 연분 연 [tie; connect]
❶속뜻 원인(原因)과 연분(緣分). ❷사람들 사이에 맺어지는 관계. ¶기이한 인연. ❸어떤 사물과 관계되는 연줄. ¶정치와는 인연이 없다 / 난 이 책으로 인연하여 인생관이 바뀌었다.

절연 絶緣 | 끊을 절, 인연 연
[sever relations; break off relations]
인연(因緣)이나 관계를 끊음[絶]. ¶그와의 절연은 생각도 해 본 적이 없다.

혈연 血緣 | 피 혈, 인연 연
[blood ties; blood relation]
같은 핏줄[血]로 이어진 인연(因緣). 같은 핏줄의 관계. ¶혈연 관계.

0925 [적]

績

길쌈 적
部 糸부 劃 17획 中 绩 [jī]

績자는 삼(麻) 등에서 실을 '뽑아내다'(draw out)는 뜻을 나타내기 위한 것이었으니, '실 사'(糸)가 표의요소로 쓰였다. 責(꾸짖을 책)이 표음요소임은 蹟(자취 적), 積(쌓을 적) 등도 마찬가지이다. '업적'(achievements), '실적'(actual results) 또는 이와 의미상 연관이 있는 낱말의 한 구성 요소로 많이 쓰인다.

속뜻훈음 ①업적 적, ②실적 적, ③실낳을 적.

• 역순어휘

공적 功績 | 공로 공, 실적 적 [achievement]
공로(功勞)의 실적(實績). 쌓은 공로(功勞). ¶그는 학계 발전에 큰 공적을 세웠다. 비 공훈(功勳).

성적 成績 | 이룰 성, 실적 적 [result; grade]
❶속뜻 어떤 일을 이룬[成] 결과나 실적(實績). ❷교육

학교 등에서 학생들의 학업이나 시험의 결과. ¶성적이 좋다 / 성적이 오르다.

실적 實績 | 실제 실, 업적 적 [actual results]
실제(實際)로 쌓아 올린 업적(業績). ¶영업실적이 좋다 / 실적을 쌓다.

업적 業績 | 일 업, 실적 적 [work; achievements]
어떤 일[業]을 하여 쌓은 실적(實績)이나 공적. ¶정도전은 조선을 세우는데 큰 업적을 세웠다.

전:적 戰績 | 싸울 전, 실적 적
[war record; results; record]
상대와 싸워서[戰] 얻은 실적(實績). ¶나는 그에게 3전 전패의 전적이 있다.

0926 [조]

組 짤 조
部 糸부 畫 11획 中 组 [zǔ]

組자는 실로 만든 '끈'(a string; a cord)을 뜻하기 위한 것이었으니 '실 사'(糸)가 표의요소로 쓰였다. 且(또 차)가 표음요소임은 阻(험할 조), 租(구실 조)도 마찬가지이다. '짜다'(organize)는 뜻으로도 많이 쓰인다.
속뜻훈음 ①짤 조, ②끈 조.

조립 組立 | 끈 조, 설 립 [assemble; construct]
❶ 속뜻 끈[組]으로 엮거나 만들어 세움[立]. ❷여러 부품을 하나의 구조물로 엮어 만듦. ¶선물로 받은 장난감 로봇을 조립했다.

조원 組員 | 짤 조, 사람 원 [member]
한 조(組)를 이루는 사람[員]. ¶조장은 조원들을 모두 불러 모았다.

조장 組長 | 짤 조, 어른 장 [head; group leader]
조(組)를 단위로 편성한 조직의 책임자나 우두머리[長]. ¶조장을 선출하다.

조직 組織 | 짤 조, 짤 직 [form; organize]
❶ 속뜻 날실과 씨실로 짠 천의 짜임새[組=織]. ¶이 옷감은 조직이 치밀하다. ❷특정한 목적을 달성하기 위하여 여러 개체나 요소를 모아서 체계 있는 집단을 이룸. ¶조직 활동 / 독서 모임을 조직하다. ❸ 생물 동일한 기능과 구조를 가진 세포의 집단. ¶근육 조직이 파괴되다.

조판 組版 | 짤 조, 널빤지 판 [set up type]
❶ 속뜻 판(版)을 짜 맞춤[組]. ❷ 출판 원고에 따라서 골라 뽑은 활자를 원고의 지시대로 순서, 행수, 자간, 행간, 위치 따위를 맞추어 짬. 또는 그런 일. ¶팔만대장경을 조판하다.

조합 組合 | 짤 조, 합할 합
[combinate; organize; mix]
❶ 속뜻 여럿을 한데 엮어[組] 한 덩어리로 합(合)함. ¶부품을 조합하면 자동차가 완성된다. ❷ 사회 목적과 이해를 같이하는 두 사람 이상이 자기 이익을 지키고 공동의 목적을 이루려고 공동으로 출자하여 사업을 경영하는 조직이나 단체. ¶농업협동조합.

• 역순어휘

골조 骨組 | 뼈 골, 짤 조 [frame]
건물에 있어서 뼈대[骨]에 해당되는 주요 구조의 짜임[組]. ¶건물의 골조가 완성되었다.

노조 勞組 | 일할 로, 짤 조 [labor union]
사회 노동조건의 개선 및 노동자의 사회·경제적인 지위 향상을 목적으로 노동자(勞動者)들이 조직(組織)한 단체. '노동조합'(勞動組合)의 준말.

0927 [직]

織 짤 직
部 糸부 畫 18획 中 织 [zhī]

織자는 베를 '짜다'(weave; knit)는 뜻을 위한 것이었으니 '실 사'(糸)가 표의요소로 쓰였다. 戠(찰진 흙 시)가 표음요소임은 職(벼슬 직), 嬂(여자 이름 직)도 마찬가지이다.

직물 織物 | 짤 직, 만물 물 [textile fabrics; cloth]
실을 짜서[織] 만든 물건(物件). 면직물, 모직물, 견직물 따위. ¶자연 직물이라 느낌이 좋다.

• 역순어휘

면직 綿織 | 솜 면, 짤 직 [cotton fabrics]
수공 면(綿)으로 짠[織] 것. '면직물'(綿織物)의 준말.

모직 毛織 | 털 모, 짤 직 [woolen fabric]
수공 털[毛]로 짠[織] 천. ¶모직 바지.

방직 紡織 | 실뽑을 방, 짤 직
[spinning and weaving]
❶ 속뜻 실을 뽑아[紡] 피륙을 짬[織]. ❷실을 뽑아서 천을 짬. ¶방직산업 / 방직공장.

조직 組織 | 짤 조, 짤 직 [form; organize]
❶ 속뜻 날실과 씨실로 짠 천의 짜임새[組=織]. ¶이 옷감은 조직이 치밀하다. ❷특정한 목적을 달성하기 위하여 여러 개체나 요소를 모아서 체계 있는 집단을 이룸. ¶조직 활동 / 독서 모임을 조직하다. ❸ 생물 동일한 기능과 구조를 가진 세포의 집단. ¶근육 조직이 파괴되다.

0928 [축]

縮

줄일 축
[部] 糸부 [劃] 17획 [中] 缩 [suō, sù]

縮자는 줄을 '동여매다'(tie; fasten)는 뜻을 나타내기 위한 것이었으니 '실 사'(糸)가 표의요소로 쓰였고, 宿(잠잘 숙)이 표음요소임은 蹜(종종걸음 칠 축)도 마찬가지이다. '줄이다'(reduce), '작게 하다'(cut down) 등으로도 쓰인다.

축도 縮圖 | 줄일 축, 그림 도
[reduced drawing; miniature copy]
그림이나 대상의 본디 모양을 줄여서[縮] 그림[圖]. ¶1/1,000로 축소한 축도.

축소 縮小 | 줄일 축, 작을 소 [reduce; cut down]
줄여서[縮] 작게[小] 함. ¶축소 복사 / 사업을 축소하다. [반]확대(擴大).

축척 縮尺 | 줄일 축, 자 척 [reduced scale]
지도 따위를 실제보다 축소하여 그릴 때 축소(縮小)한 비례의 척도(尺度). ¶이 지도의 축척은 5만분의 1이다.

• 역순어휘

감:축 減縮 | 덜 감, 줄일 축 [reduce]
덜고[減] 줄임[縮]. 또는 줄여 적게 함. ¶예산 감축 / 쌀 소비량이 줄자 생산량을 감축했다.

군축 軍縮 | 군사 군, 줄일 축 [reduce armaments]
[군사] 군사력이나 군비(軍備)를 줄임[縮]. '군비축소'(軍備縮小)의 준말.

긴축 緊縮 | 팽팽할 긴, 줄일 축 [reduce; retrench]
❶[속뜻] 팽팽하게[緊] 조이거나 줄임[縮]. ❷재정의 기초를 다지기 위하여 지출을 줄임. ¶긴축정책 / 재정을 긴축하다.

농축 濃縮 | 짙을 농, 줄일 축
[enrichment; concentration]
액체를 진하게[濃] 졸임[縮]. 용액 따위의 농도를 높임.

단:축 短縮 | 짧을 단, 줄일 축 [shorten; cut]
일정 기준보다 짧게[短] 줄임[縮]. ¶기상악화로 행사 시간을 단축했다. [반]연장(延長).

수축 收縮 | 거둘 수, 줄일 축 [contract; shrink]
안쪽으로 거두어[收] 줄어듦[縮]. 또는 오므라듦. ¶심장은 끊임없이 수축하고 이완한다. [반]팽창(膨脹).

신축 伸縮 | 늘일 신, 줄일 축 [expand and contract]
늘거나[伸] 줄어듦[縮]. 늘이고 줄임. ¶고무는 신축하는 성질이 있다 / 지렁이는 신축 동작으로 몸을 움직인다.

압축 壓縮 | 누를 압, 줄일 축
[compress; condensation]
❶[속뜻] 물질 따위에 압력(壓力)을 가하여 부피를 줄임[縮]. ¶공기 압축 / 가스를 압축하다. ❷문장 따위를 줄여 짧게 함. ¶시의 특징은 압축과 생략이다 / 다섯 장의 본문을 한 장으로 압축하다.

위축 萎縮 | 시들 위, 줄일 축 [wither; shrivel]
❶[속뜻] 시들어서[萎] 줄어듦[縮]. ❷어떤 힘에 눌려서 졸아들고 기를 펴지 못하는 것. ¶그는 선생님 앞에서 위축되어 아무 말도 못했다.

0929 [홍]

紅

붉을 홍
[部] 糸부 [劃] 9획 [中] 红 [hóng]

紅자는 '붉은 비단'(red silk)을 나타내기 위한 것이었으니 '실 사'(糸)가 표의요소로 쓰였다. 工(장인 공)이 표음요소임은 虹(무지개 홍), 玒(여자 이름 홍) 등도 마찬가지이다. 후에 '붉다'(red)는 뜻을 나타내는 것으로 확대 사용됐다.

홍시 紅柹 | 붉을 홍, 감나무 시
[mellowed persimmon]
붉고[紅] 말랑말랑하게 무르익은 감[柹]. ¶우리 할머니는 홍시를 즐겨 드신다. [비]연시(軟柹).

홍역 紅疫 | 붉을 홍, 돌림병 역 [measles; rubeola]
[의학] 얼굴과 몸에 좁쌀 같은 발진이 돋아 온몸이 붉어지는[紅] 돌림병[疫]. [관용]홍역을 치르다.

홍의 紅衣 | 붉을 홍, 옷 의 [red garments]
❶[속뜻] 붉은[紅] 옷[衣]. ❷[역사] 지난날, 궁전의 별감과 묘사(廟社)와 능원(陵園)의 수복(守僕)이 입던 붉은 웃옷.

홍차 紅茶 | 붉을 홍, 차 차 [black tea]
차나무의 순을 발효시켜서 만들어 달인 붉은[紅] 물의 차(茶).

홍합 紅蛤 | 붉을 홍, 조개 합 [mussel]
❶[속뜻] 붉은[紅] 빛을 띤 조개[蛤]. ❷[동물] 껍데기는 삼각형에 가까우나 길쭉하고 둥근 모양의 바닷조개. 맛이 좋아 식용한다. ¶홍합으로 탕을 끓이다.

• 역순어휘

분:홍 粉紅 | 가루 분, 붉을 홍 [pink color]
가루[粉] 같은 흰빛이 섞인 붉은[紅] 빛깔. '분홍색'(粉紅色)의 준말. ¶분홍색 립스틱.

주홍 朱紅 | 붉을 주, 붉을 홍 [scarlet red]
붉은 빛깔[朱=紅].

진홍 眞紅 | 참 진, 붉을 홍 [dark red; crimson]
❶속뜻 참으로[眞] 붉음[紅]. ❷짙은 붉은빛.

0930 [설]

舌
혀 설
部 舌부 劃 6획 中 舌 [shé]

舌자는 입(口)에서 혀를 길게 내밀고 있는 모습을 본뜬 것이다. '혀'(a tongue)가 본래 의미인데, '말'(speech)을 가리키는 것으로도 쓰인다.
속뜻 훈음 ①혀 설, ②말 설.

설전 舌戰 | 말 설, 싸울 전
[verbal battle; hot discussion]
말[舌]로 하는 다툼[戰]. ¶설전을 벌이다. 비필전(筆戰).

• 역순어휘

구:설 口舌 | 입 구, 혀 설 [malicious gossip]
❶속뜻 입[口]과 혀[舌]. ❷남에게 시비하거나 헐뜯는 말.

독설 毒舌 | 독할 독, 말 설 [malicious tongue]
남을 해치거나 비방하는 모질고 악독(惡毒)한 말[舌]. ¶그는 연설 중 독설을 퍼부었다. 비독변(毒辯), 독언(毒言).

0931 [군]

群
무리 군
部 羊부 劃 13획 中 群 [qún]

群자는 '양 양(羊)이 표의요소이고, 君(임금 군)은 표음요소이니 뜻과는 아무런 상관이 없다. 羣이 본래 글자이고 群은 俗字(속자)였는데, 주객이 뒤바뀐 것은 群의 짜임새가 더 좋기 때문인 듯하다. '무리'(a group; a crowd)란 뜻을 나타내기 위하여, 대표적인 군집성 동물을 지칭하는 羊자가 표의요소로 쓰였다.

군무 群舞 | 무리 군, 춤출 무 [group dancing]
여러 사람이 무리[群]를 지어 추는 춤[舞]. ¶군무를 추다. 반독무(獨舞).

군중 群衆 | 무리 군, 무리 중
[crowd (of people); multitude]
❶속뜻 한곳에 모인[群] 많은 사람[衆]. ❷수많은 사람. 비대중(大衆). 반개인(個人).

• 역순어휘

학군 學群 | 배울 학, 무리 군 [school group]
교육 지역별로 나누어 놓은 중학교(中學校)나 고등학교(高等學校)의 무리[群].

0932 [장]

腸
창자 장
部 肉부 劃 13획 中 肠 [cháng]

腸자는 '창자'(the intestines)를 나타내기 위한 것이었으니 '고기 육'(肉→月)이 표의요소로 쓰였고, 昜(양)이 표음요소임은 暢(펼 창), 瑒(옥잔 창)도 마찬가지이다. 후에 '마음'(mind)을 가리키는 것으로도 쓰였다.

장:염 腸炎 | 창자 장, 염증 염
[enteritis; intestinal catarrh]
의학 창자[腸]에 생기는 염증(炎症). ¶보리수는 장염에 좋다.

• 역순어휘

간:장 肝腸 | 간 간, 창자 장 [liver and bowels; heart]
❶속뜻 간(肝)과 창자[腸]. ❷속. 애. 마음. ¶어찌나 걱정했는지 간장이 다 녹았다.

관장 灌腸 | 물 댈 관, 창자 장 [enema]
의학 약물을 항문으로 넣어서 직장이나 큰창자[腸]에 들어가게[灌] 하는 일.

대:장 大腸 | 큰 대, 창자 장 [large intestine; colon]
의학 큰[大] 창자[腸].

맹장 盲腸 | 눈멀 맹, 창자 장 [cecum; blind gut]
❶속뜻 통하는 데가 없이 끝이 막혀 있는[盲] 창자[腸]. ❷의학 척추동물의 작은창자에서 큰창자로 넘어가는 부분에 있는 주머니 모양의 부분.

소:장 小腸 | 작을 소, 창자 장 [small intestine]
의학 작은[小] 창자[腸]. 위(胃)와 대장(大腸)사이에 있으며 먹은 것을 소화하고 영양을 흡수하는 길이 6~7m의 기관.

환:장 換腸 | 바꿀 환, 창자 장 [go crazy; lose mind]
❶속뜻 마음의 속내[心腸]가 확 바뀜[換]. '환심장'(換心腸)의 준말. ❷마음이 비정상적인 상태로 크게 달라짐. ¶그 사건 때문에 환장할 지경이다.

0933 [탈]

脫
벗을 탈
部 肉부 劃 11획 中 脱 [tuō]

脫자는 '고기 육'(肉=月)이 표의요소이

므로 '고기'나 '살'과 관련이 있다고 보면 크게 틀리지 않는다. 兌(바꿀 태)가 표음요소임은 이해하기 힘들겠지만, 侻(추할 탈)이나 梲(막대기 탈)의 경우를 보면 알 수 있다. '살이 바싹 마르다'(become thin; lose flesh)가 본뜻이고, '빠지다'(leave; drop out), '벗어나다'(get out of)로 확대 사용됐다

속뜻 훈음 ①벗을 탈, ②빠질 탈.

탈곡 脫穀 | 벗을 탈, 곡식 곡 [thresh the grain]
❶속뜻 곡식[穀]의 낟알에서 겉겨를 벗겨냄[脫]. ❷곡식의 낟알을 이삭에서 떨어냄. ¶벼를 탈곡하다.

탈락 脫落 | 빠질 탈, 떨어질 락 [fail; drop out]
어떤 데에 끼지 못하고 빠지거나[脫] 떨어짐[落]. ¶우리 팀은 예선에서부터 탈락했다.

탈모 脫毛 | 빠질 탈, 털 모 [loss of hair]
털[毛]이 빠짐[脫]. 빠진 털. ¶머리가 훤히 들여다보일 정도로 탈모가 되었다.

탈상 脫喪 | 벗을 탈, 죽을 상 [finish mourning]
상복(喪服)을 벗음[脫]. 상을 마침. ¶탈상을 하자면 아직 한참 남았습니다.

탈색 脫色 | 벗을 탈, 빛 색 [decolorize]
섬유 제품 따위에 들어 있는 색깔[色]을 뺌[脫]. ¶이 옷은 햇빛에 탈색되었다. ⓑ염색(染色).

탈선 脫線 | 벗을 탈, 줄 선 [derail; deviate; go astray]
❶속뜻 기차나 전차 따위의 바퀴가 선로(線路)를 벗어남[脫]. ¶기차가 탈선해서 많은 승객들이 다쳤다. ❷'언행이 상규를 벗어나거나 나쁜 방향으로 빗나감'을 비유하여 이르는 말. ¶탈선한 청소년들을 보호하다.

탈세 脫稅 | 벗을 탈, 세금 세 [evade taxes]
❶속뜻 교묘하게 납세(納稅)의 의무를 벗어남[脫]. ❷납세자가 납세액(納稅額)의 전부 또는 일부를 내지 않는 일. ¶거액을 탈세하다.

탈수 脫水 | 벗을 탈, 물 수 [dehydrate]
어떤 물질 속에 들어 있는 수분(水分)을 제거함[脫]. ¶그녀는 심한 탈수 증세를 보였다 / 빨래를 탈수하다.

탈영 脫營 | 벗을 탈, 집 영 [break out of barracks]
군사 군인이 집단으로 거주하는 집[營]을 벗어나[脫] 달아남. ¶어젯밤에 병사 하나가 탈영했다.

탈옥 脫獄 | 벗을 탈, 감옥 옥 [break prison]
죄수가 감옥(監獄)을 빠져 나와[脫] 도망함. ¶죄수 두 명이 탈옥을 시도하다 붙잡혔다.

탈의 脫衣 | 벗을 탈, 옷 의 [disrobe; undress]
옷[衣]을 벗음[脫]. ⓑ착의(着衣).

탈주 脫走 | 벗을 탈, 달릴 주 [escape]
몸을 빼어[脫] 달아남[走]. ¶죄수들은 호송 도중 탈주했다.

탈지 脫脂 | 벗을 탈, 기름 지 [remove fat]
기름이나 기름기[脂]를 빼어냄[脫].

탈진 脫盡 | 빠질 탈, 다할 진 [drained; exhausted]
기운이 빠져[脫] 없어짐[盡]. ¶탈진한 선수가 병원으로 후송되었다.

탈출 脫出 | 빠질 탈, 날 출 [escape]
일정한 환경이나 구속에서 빠져[脫] 나감[出]. ¶비만 탈출을 위해 운동하다 / 그는 낙하산을 타고 비행기를 탈출했다.

탈퇴 脫退 | 벗을 탈, 물러날 퇴 [withdraw]
정당이나 단체 따위의 옷을 벗고[脫] 물러남[退]. ¶모임에서 탈퇴하기로 작정하다. ⓑ가입(加入).

탈피 脫皮 | 벗을 탈, 껍질 피 [molt; shed the skin; do away with]
❶속뜻 껍질[皮]을 벗음[脫]. ❷동물 파충류, 곤충류 따위가 자라면서 허물이나 껍질을 벗음. ¶뱀은 봄에 탈피를 한다. ❸일정한 상태나 처지에서 완전히 벗어남. ¶그는 따분한 일상에서 탈피하기 위하여 재미있는 일을 계획했다.

• 역순어휘

소탈 疏脫 | 트일 소, 벗을 탈 [informal]
❶속뜻 예절이나 형식에 얽매이지 않고[疏] 그 굴레에서 벗어나다[脫]. ❷수수하고 털털하다. ¶그는 성격이 소탈하여 친구들이 좋아한다.

이:탈 離脫 | 떨어질 리, 벗을 탈 [leave; desert; break away]
떨어져[離] 나가거나 벗어남[脫]. ¶통화권 이탈 / 인공위성이 궤도를 이탈했다.

일탈 逸脫 | 달아날 일, 벗을 탈 [deviate]
어떤 사상이나 조직, 규범 등에서 빗나가[逸] 벗어남[脫]. 빠져 나감. ¶일상으로부터의 일탈 / 구태의연한 방식에서 일탈해 새로운 제도를 만들었다.

해:탈 解脫 | 풀 해, 벗을 탈 [be delivered]
❶속뜻 굴레에서 벗어남[解=脫]. ❷불교 속세의 번뇌와 속박을 벗어나 편안한 경지에 이르는 일. ¶그는 온갖 번뇌를 끊고 해탈했다. ⓑ열반(涅槃).

허탈 虛脫 | 빌 허, 빠질 탈 [prostrated]
속이 텅 비고[虛] 힘이 빠짐[脫]. 또는 그런 상태. ¶허탈에 빠지다 / 허탈한 기분 / 허탈한 웃음.

0934 [포]

胞 세포 포
[部] 肉부 [劃] 9획 [中] 胞 [bāo]

胞자의 본래 글자인 包(포)는 어머니의 태보[勹]에 아기[巳]가 싸여 있는 모습을 본뜬 것으로 '태보'(the placenta)가 본래 의미인데, '싸다'(wrap; pack)는 뜻으로 확대 사용되는 예가 많아지자 '고기 육'(肉)을 첨가시켜 본래 뜻을 더욱 확실하게 나타냈다.
[속뜻훈음] 태보 포.

포자 胞子 | 태보 포, 씨 자 [spore]
❶[속뜻] 자기 태보[胞]에 씨[子]를 품고 있음, 또는 그런 씨. ❷[식물] 혼자서 새로운 개체로 발생할 수 있는 생식 세포. 홀씨. ¶건조한 날씨가 되면 이끼는 자신의 포자를 흩뿌린다.

• 역순어휘

교포 僑胞 | 더부살이 교, 태보 포
다른 나라에 살고 있는[僑] 동포(同胞). [비] 교민(僑民).

동포 同胞 | 같을 동, 태보 포
[brethren; fellow countrymen]
❶[속뜻] 같은[同] 태보[胞]에서 태어난 형제자매. 같은 부모의 형제자매. ❷같은 나라 또는 같은 민족의 사람. ¶해외 동포 / 재일동포 2세. [비] 동기(同氣), 동족(同族), 겨레.

세:포 細胞 | 작을 세, 태보 포 [cell]
[생물] 생물체를 이루는 기본 단위. 그 모양이 작은[細] 태보[胞] 같다고 하여 붙여진 명칭으로 추정된다. ¶인체는 수십억 개의 세포로 이루어져 있다.

0935 [숙]

肅 엄숙할 숙
[部] 聿부 [劃] 13획 [中] 肃 [sù]

肅자는 '수놓다'(embroider)는 뜻을 나타내기 위하여 자수를 놓으려고 붓을 잡고 밑그림(도안)을 그리고 있는 모습을 본뜬 것이었다. 자수를 놓을 때 바늘에 찔리지 않으려면 조심하고 엄숙해야 하므로 '엄숙하다'(solemn; grave)는 의미로 확대 사용되는 예가 많아지자 본래 뜻은 따로 繡(수놓을 수)자를 만들어 나타냈다.
[속뜻훈음] ①엄숙할 숙, ②정숙할 숙.

숙연 肅然 | 엄숙할 숙, 그러할 연 [solemn; silent]
분위기 따위가 고요하고 엄숙(嚴肅)한 그런[然] 모양이다. ¶숙연히 눈을 감고 기도하다.

숙청 肅淸 | 엄숙할 숙, 맑을 청
[stage a purge; clean up]
❶[속뜻] 엄하게[肅] 다스려 잘못된 것을 모두 없애 말끔하게[淸] 함. ❷독재국가 따위에서 반대파를 모두 제거하는 일. ¶당은 반대 세력을 숙청했다.

• 역순어휘

엄숙 嚴肅 | 엄할 엄, 정숙할 숙 [grave; serious]
❶[속뜻] 장엄(莊嚴)하고 정숙(靜肅)하다. ¶엄숙한 분위기. ❷말이나 태도 따위가 위엄이 있고 정중하다. ¶그는 엄숙한 표정으로 자리에 앉아 있다.

정숙 靜肅 | 고요할 정, 엄숙할 숙
[still; silent; quiet]
아무 소리 없이[靜] 매우 조용하고 엄숙(嚴肅)함. ¶실내 정숙 / 정숙한 분위기에서 책을 읽었다.

0936 [복]

複 겹칠 복
[部] 衣부 [劃] 14획 [中] 复 [fù]

複자는 '겹옷'(lined clothes)이란 뜻을 위해 고안된 글자이니 '옷 의'(衣⇒衤)가 표의요소로 쓰였고, 复(갈 복)은 표음요소이다. 후에 '겹치다'(duplicate; overlap; double)는 의미도 이것으로 나타낸 것은 본래 의미인 '겹옷'과의 유사성 때문이었다.

복도 複道 | 겹칠 복, 길 도 [passage; hallway]
❶[속뜻] 건물과 건물 사이에[複] 지붕을 씌워 만든 통로[道]. ❷건물 안에서 각 방을 이어주는 통로. ¶복도를 따라 교실로 들어가다.

복리 複利 | 겹칠 복, 이로울 리
[compound interest]
❶[속뜻] 이자(利子)를 원금에 겹쳐서[複] 계산함. ❷[경제] 복리법으로 계산된 이자.

복사 複寫 | 겹칠 복, 베낄 사 [copy; duplicate]
❶[속뜻] 그대로 본떠서 겹[複]으로 베낌[寫]. ¶문서를 복사하다. ❷종이를 두 장 이상 포개어 같은 문서를 한꺼번에 여러 벌 만드는 일.

복선 複線 | 겹칠 복, 줄 선 [two track line]
❶[속뜻] 겹[複]으로 된 줄[線]. 겹줄. ❷오고 가는 차가 따로 다닐 수 있도록 선로를 두 가닥 이상으로 깔아 놓은 궤도. ¶경부선 철도는 복선이다. [반] 단선(單線).

복수 複數 | 겹칠 복, 셀 수 [plural number]
둘[複] 이상의 숫자[數]. ¶복수 명사 / 복수전공. [반] 단수(單數).

복식 複式 | 겹칠 복, 법 식 [multiple forms]
❶[속뜻] 두 겹 또는 그 이상으로[複] 된 복잡한 방식(方式). ❷[운동] 탁구·테니스 따위에서, 서로 두 사람씩 짝을 지어서 하는 시합. ¶배드민턴 복식 경기. [반]단식.

복잡 複雜 | 겹칠 복, 섞일 잡 [complex]
무엇이 겹치고[複] 뒤섞여[雜] 어수선하다. ¶교통이 복잡하다 / 머릿속이 복잡하다.

복제 複製 | 겹칠 복, 만들 제 [copy]
본디의 것과 똑같이 겹쳐[複] 만듦[製]. 또는 그렇게 만든 것. ¶불법으로 영화를 복제하다.

복합 複合 | 겹칠 복, 합할 합 [compound]
두[複] 가지 이상의 것이 합(合)하여 하나가 됨. ¶주상 복합 건물 / 슬픔과 분노가 복합된 연기를 하다.

• 역순어휘

중:복 重複 | 거듭 중, 겹칠 복 [overlap; repeat]
같은 것이 두 번 이상 거듭[重]하여 겹침[複]. ¶한 문장에서 같은 단어의 중복은 피하는 것이 좋다.

0937 [장]

裝

꾸밀 장
[部] 衣부 [劃] 13획 [中] 装 [zhuāng]

裝자는 옷을 차려 '입다'(dress up)는 뜻을 나타내기 위한 것이었으니 '옷 의'(衣)가 표의요소로 쓰였고, 壯(씩씩할 장)은 표음요소이다. 후에 '차리다'(equip oneself for), '꾸미다'(decorate; make up) 등으로 확대 사용됐다.

장갑 裝甲 | 꾸밀 장, 갑옷 갑 [armor]
❶[속뜻] 갑(甲)옷 같이 단단하게 꾸밈[裝]. ❷선체(船體)·차체(車體) 따위를 특수한 강철판으로 둘러쌈. 또는 그 강철판.

장비 裝備 | 꾸밀 장, 갖출 비 [equip; furnish]
어떤 장치와 설치 등을 차려[裝] 갖춤[備]. 또는 그 장치나 비품. ¶우리 병원은 최신 의료장비를 갖추고 있습니다.

장식 裝飾 | 꾸밀 장, 꾸밀 식 [decorate]
겉모양을 아름답게 꾸밈[裝=飾]. 또는 그 꾸밈새나 장식물. ¶실내 장식 / 아이들과 크리스마스트리를 장식했다.

장착 裝着 | 꾸밀 장, 붙을 착 [install; furnish]
❶[속뜻] 장치(裝置)하고 부착(附着)함. ❷의복, 기구, 장비 따위를 붙이거나 착용함. ¶에어백 장착 / 차에 체인을 장착하다.

장치 裝置 | 꾸밀 장, 둘 치 [equip; install; set up]
❶[속뜻] 기계나 설비 따위를 차려[裝] 둠[置]. 또는 그 물건. ¶난방 장치. ❷무대 따위를 차리어 꾸밈. 또는 그 차리어 꾸민 것. ¶무대 장치.

• 역순어휘

가:장 假裝 | 거짓 가, 꾸밀 장 [disguise oneself]
거짓으로[假] 꾸밈[裝]. ¶그는 우연을 가장하여 나에게 다가왔다. [비]꾸밈, 거짓, 변장(變裝), 위장(僞裝).

남장 男裝 | 사내 남, 꾸밀 장
[male attire; men's clothes]
여자가 남자(男子)처럼 꾸며 차림[裝]. ¶그녀는 남장을 하고 아버지를 대신해 전쟁터에 나갔다. [반]여장(女裝).

무:장 武裝 | 굳셀 무, 꾸밀 장
[arm; equip an army]
❶[속뜻] 전쟁이나 전투[武]를 위한 장비(裝備)나 필요한 것을 갖춤. ¶무장 군인 / 총으로 무장하다. ❷필요한 사상이나 기술 따위를 단단히 갖춤. ¶정신 무장을 새롭게 하자 / 투철한 애국심으로 무장하다.

변:장 變裝 | 바뀔 변, 꾸밀 장 [disguise]
❶[속뜻] 다르게 바뀐[變] 꾸밈새[裝]. ❷본디 모습을 감추려고 얼굴, 옷차림, 머리 모양 등을 고쳐서 다르게 꾸밈. 또는 그 다르게 꾸민 모습. ¶범인은 집배원으로 변장하고 건물에 들어왔다.

복장 服裝 | 옷 복, 꾸밀 장 [(the style of) dress]
❶[속뜻] 옷[服]을 차려 입은[裝] 모양. ¶복장을 단정히 하다. ❷옷. ¶가벼운 복장을 하다.

분장 扮裝 | 꾸밀 분, 꾸밀 장 [make up]
❶[속뜻] 몸차림이나 옷차림을 매만져 꾸밈[扮=裝]. ¶분장을 하니 누군지 못 알아보겠다. ❷[연영] 배우가 작품 속의 인물의 모습으로 옷차림이나 얼굴을 꾸밈. 또는 그 모습. ¶영애는 피에로로 분장하였다.

안:장 鞍裝 | 안장 안, 꾸밀 장 [saddle]
❶[속뜻] 말, 나귀 따위의 등에 얹어서[鞍] 사람이 타기에 편리하도록 만든[裝] 도구. ❷자전거 따위에 사람이 앉게 된 자리. ¶안장이 딱딱해서 엉덩이가 아프다.

양장 洋裝 | 서양 양, 꾸밀 장
[Western-style clothes]
옷차림이나 머리 모양을 서양식(西洋式)으로 꾸밈[裝]. 또는 그런 옷이나 몸단장.

여장 女裝 | 여자 녀, 꾸밀 장
[dress up as a woman]
여자가 아니면서 여자(女子)처럼 옷차림이나 겉모양을 꾸밈[裝]. ¶저 사람은 여장한 남자이다. [반]남장(男裝).

위장 僞裝 | 거짓 위, 꾸밀 장
[camouflage; disguise]
❶[속뜻] 거짓[僞]으로 꾸밈[裝]. ❷본래의 정체나 모습이 드러나지 않도록 거짓으로 꾸밈. 또는 그런 수단이나 방법. ¶위장결혼을 하다.

정:장 正裝 | 바를 정, 꾸밀 장
[formal dress; full dress; full uniform]
정식(正式)의 복장(服裝)을 함. 또는 그 복장. ¶단정한 정장 차림.

포장 鋪裝 | 펼 포, 꾸밀 장 [pave; surface]
길바닥에 아스팔트 따위를 깔아[鋪] 단단히 다져 꾸미는[裝] 일. [반]비(非)포장.

포장 包裝 | 쌀 포, 꾸밀 장 [pack; wrap]
물건을 싸서[包] 꾸림[裝]. ¶선물을 포장하다.

행장 行裝 | 갈 행, 꾸밀 장 [traveler's equipment]
여행(旅行)할 때에 쓰는 물건과 차림[裝]. ¶행장을 꾸리다.

0938 [청]

聽

들을 청
[部] 耳부 [劃] 22획 [中] 听 [tīng]

聽자의 갑골문은 '귀 이'(耳)와 '입 구'(口)가 합쳐진 형태였는데 약, 2000년 전에 지금의 모양으로 변화됐다. '듣는 귀'(耳)와 '똑 바른 마음'(悳·덕)이 표의 요소이고, 壬(정)은 표음요소였다. '듣다'(hear; listen to)는 뜻을 그렇게 나타낸 것은 그냥 듣기만 하는 것이 아니라 '바르게 알아듣는 것'이 중요함은 悳(덕=直+心)을 통하여 알 수 있다.

청각 聽覺 | 들을 청, 깨달을 각 [sense of hear]
[의학] 무엇을 귀로 들어[聽] 일어나는 감각(感覺). ¶지나친 소음은 청각에 피해를 줄 수 있다.

청력 聽力 | 들을 청, 힘 력
[power of hearing; hearing ability]
귀로 소리를 듣는[聽] 능력(能力). ¶할머니의 청력이 많이 나쁘다.

청문 聽聞 | 들을 청, 들을 문 [listen]
설교나 연설 따위를 들음[聽=聞].

청자 聽者 | 들을 청, 사람 자 [audience; hearers]
이야기 따위를 듣는[聽] 사람[者]. ¶이야기할 때에는 청자의 나이나 직업 따위를 고려해야 한다. [반]화자(話者).

청중 聽衆 | 들을 청, 무리 중
[audience; hearers; auditors]
강연이나 설교 등을 들으려고[聽] 모인 사람들[衆]. ¶그가 무대에 나타나자 청중들은 소리를 질렀다.

청진 聽診 | 들을 청, 살펴볼 진
[auscultation; stethoscopy]
[의학] 의사가 환자의 몸 안에서 들리는 소리를 듣고[聽] 병증을 진단(診斷)하는 일.

청취 聽取 | 들을 청, 가질 취 [listen to; hear]
들어[聽] 자기 것으로 가짐[取]. 자세히 들음. ¶라디오 방송을 청취하다.

• 역순어휘

경청 傾聽 | 기울 경, 들을 청 [hear; listen]
귀를 기울여[傾] 주의해 들음[聽]. 귀담아 들음. ¶그의 연설을 경청하다.

도청 盜聽 | 훔칠 도, 들을 청 [tab listen]
남의 이야기, 회의의 내용, 전화 통화 따위를 몰래 훔쳐[盜] 듣거나[聽] 녹음하는 일.

방청 傍聽 | 곁 방, 들을 청 [hear; attend]
직접적인 관계가 없는 사람이 회의나 토론, 공판 따위를 곁[傍]에서 들음[聽]. ¶재판을 방청하다.

시:청 視聽 | 볼 시, 들을 청
[looking and listening]
눈으로 보고[視] 귀로 들음[聽]. ¶텔레비전을 시청하다.

0939 [간]

簡

대쪽/간략할 간(:)
[部] 竹부 [劃] 18획 [中] 简 [jiǎn]

簡자는 '대 죽'(竹)이 표의요소이고, 間(사이 간)은 표음요소이다. 종이가 발명되기 전 아득한 옛날에는 길고 납작하게 다듬은 대나무 쪽에다 글을 썼다. 그러한 '대쪽'(split bamboo)을 일러 簡이라 했다. '간략하다'(simple; brief), '간단하다'(short; easy), 또는 이와 의미상 연관이 있는 낱말의 한 구성 요소로도 쓰인다.
[속뜻훈음] ①간단할 간, ②간략할 간.

간결 簡潔 | 간단할 간, 깨끗할 결 [concise; brief]
간단(簡單)하고 깔끔하다[潔]. ¶자신의 느낌을 간결한 문장으로 적었다.

간단 簡單 | 간략할 간, 홑 단 [simple]
❶[속뜻] 간략(簡略)하고 단순(單純)하다. ❷번거롭지 않고 손쉽다. 단출하다. ¶간단한 문제. [반]복잡(複雜)하다.

간략 簡略 | 간단할 간, 줄일 략 [simple]
❶[속뜻] 간단(簡單)하게 간추리다[略]. ¶책의 내용을 간

략하게 소개했다. ❷간단하고 짤막하다. ㊥간단(簡單).

간소 簡素 | 간단할 간, 수수할 소 [simple]
생활이나 차림새 등이 간략(簡略)하고 수수함[素]. ¶간소한 살림살이. ㊥꾸밈없다, 수수하다.

간:이 簡易 | 간단할 간, 쉬울 이 [simple; plain]
간단(簡單)하고 쉬움[易]. ¶고속도로 간이 휴게소(休憩所)에 들렀다.

간편 簡便 | 간단할 간, 편할 편
[handy; convenient]
간단(簡單)하고 편리(便利)하다. ¶물만 부으면 되니 참 간편하다. ㊥간략(簡略), 간소(簡素). ㊦복잡(複雜).

0940 [관]

管

대롱/주관할 관
㊀竹부 ㊀14획 ㊥管 [guǎn]

管자는 쪼개지 아니한 가늘고 긴 대의 토막, 즉 '대롱'(a bamboo tube)을 뜻하기 위한 것이었으니 '대 죽'(竹)이 표의요소로 쓰였다. 官(벼슬 관)은 표음요소이다. 피리 같은 '관악기'(a wind instrument)를 지칭하기도 하고, '맡다'(keep; take charge of)는 뜻으로도 쓰인다.

속뜻 훈음 **①관리할 관, ②관리 관, ③대롱 관, ④피리 관, ⑤맡을 관.**

관내 管內 | 맡을 관, 안 내 [within the jurisdiction]
관할(管轄) 구역의 안[內]. ¶경찰이 관내를 순찰하고 있다. ㊦관외(管外).

관리 管理 | 맡을 관, 다스릴 리
[administer; manage]
어떤 일을 맡아서[管] 처리(處理)함. ¶그 공원은 시에서 관리한다.

관악 管樂 | 피리 관, 음악 악 [pipe music]
음악 관악기(管樂器)로 연주하는 음악(音樂). ㊟취주악(吹奏樂), 현악(絃樂), 타악(打樂).

관장 管掌 | 관리 관, 손바닥 장 [take charge of]
손바닥[掌]으로 쥔 듯이 맡아 관리(管理)함. ¶그는 업무를 관장하느라 바쁘다. ㊥관할(管轄).

관제 管制 | 관리할 관, 누를 제 [control]
관리(管理)하여 통제(統制)함. ¶중앙 관제 시스템.

관할 管轄 | 관리할 관, 다스릴 할
[have jurisdiction over]
일정한 권한에 의하여 관리(管理)하고 다스림[轄]. 또는 그런 지배가 미치는 범위. ¶관할 지역.

관현 管絃 | 대롱 관, 줄 현
[wind and stringed instruments]
음악 대롱[管]이 달린 관악기와 줄[絃]로 엮은 현악기.

• 역순어휘

기관 氣管 | 공기 기, 대롱 관 [windpipe]
❶의학 척추동물이 숨쉴 때 공기(空氣)가 흐르는 관(管) 모양의 기관. ❷동물 절지동물의 호흡 기관.

난:관 卵管 | 알 란, 대롱 관
[oviduct; fallopian tube]
의학 난소에서 생긴 난자(卵子)를 자궁(子宮)으로 보내는 구실을 하는 나팔 모양의 관(管).

뇌관 雷管 | 천둥 뢰, 대롱 관
[percussion cap; detonator]
포탄이나 탄환 따위의 화약을 점화(點火)하는 데[雷] 쓰는 금속으로 만든 대롱[管]. ¶뇌관이 터지다.

목관 木管 | 나무 목, 피리 관 [wooden pipe]
나무[木]로 만든 피리[管].

보:관 保管 | 지킬 보, 관리할 관
[take charge; keep]
물건을 맡아서 지키고[保] 관리(管理)함. ¶보관이 간편하다 / 귀중품을 금고에 보관하다.

정관 精管 | 정액 정, 대롱 관
[spermatic duct; seminal duct]
동물 정액(精液)을 나르는 긴 관(管).

주관 主管 | 주될 주, 맡을 관
[manage; be in charge of]
어떤 일에 중심이 되어[主] 맡아 관리(管理)함. ¶정부 주관으로 의식을 거행하다.

혈관 血管 | 피 혈, 대롱 관
[blood vessel; vascular tract]
의학 피[血]가 통하여 흐르는 관(管). 동맥, 정맥, 모세혈관으로 나뉜다. ¶혈관은 우리 몸에 나뭇가지처럼 퍼져 있다. ㊥핏줄.

0941 [근]

筋

힘줄 근
㊀竹부 ㊀12획 ㊥筋 [jīn]

筋자는 대나무처럼 쭉쭉 뻗친 '힘줄'(a tendon; a sinew)을 나타내기 위하여 '힘 력'(力), '살 육'(肉→月) 그리고 '대 죽'(竹)을 합쳐 놓은 것이다.

근력 筋力 | 힘줄 근, 힘 력 [muscular strength]
❶속뜻 근육(筋肉)의 힘[力]. 또는 그 지속성. ❷기력(氣力). ㊥체력(體力).

근육 筋肉 | 힘줄 근, 살 육 [muscle; sinew]
힘줄[筋]과 살[肉]. ¶꾸준하게 운동하면 근육이 발달한다.

• 역순어휘

복근 腹筋 | 배 복, 힘줄 근 [abdominal muscles]
의학 배[腹]에 붙어 있는 근육(筋肉). ¶복근 운동.

철근 鐵筋 | 쇠 철, 힘줄 근 [iron reinforcing bar]
건설 건물이나 구조물을 지을 때 힘줄[筋] 같은 역할을 하는 쇠[鐵] 막대. ¶철근 콘크리트.

0942 [범]

範

법 범:
部 竹부 劃 15획 中 范 [fàn]

範자는 '수레 거'(車)의 표의요소와 笵(법 범)의 생략형 표음요소로 구성된 것이다. 옛날에 수레를 타고 먼 길을 떠날 때 路神(노:신)에게 제사를 지내는 '의식'(a ceremony)을 나타내기 위하여 만들어진 것이라고 한다. 후에 본뜻으로 쓰이는 예는 거의 없고, '규범'(a standard; a norm), '틀'(framework), '표본'(=본보기, a specimen) 같은 笵자의 의미를 대신하는 것으로 많이 쓰이게 됐다.

속뜻 훈음 ①틀 범, ②본보기 범.

범:위 範圍 | 틀 범, 둘레 위 [extent; range]
❶속뜻 틀[範]의 둘레[圍]. ❷테두리가 정해진 구역. ¶시험 범위.

범:주 範疇 | 틀 범, 경계 주 [category]
일정한 범위(範圍)나 경계[疇]. ¶둘의 행동은 같은 범주에 속한다.

• 역순어휘

규범 規範 | 법 규, 틀 범 [model; pattern]
❶속뜻 법규(法規)와 모범(模範). ❷인간이 마땅히 따르고 지켜야 할 가치 판단의 기준. ¶규범에 어긋나다.

모범 模範 | 본보기 모, 틀 범 [model; example]
❶속뜻 본보기[模]가 될 만한 틀[範]. ❷본받아 배울 만한 본보기. ¶모범 답안 / 부모는 자식에게 모범이 되어야 한다. ㊥귀감(龜鑑), 모본(模本).

사범 師範 | 스승 사, 본보기 범 [teacher; master]
❶속뜻 스승[師]의 본보기[範]를 보임. ❷학술, 기예, 무술 따위를 가르치는 사람. ¶태권도 사범.

시:범 示範 | 보일 시, 본보기 범 [set an example]
본보기[範]를 보임[示]. ¶시범을 보이다.

0943 [적]

籍

문서 적
部 竹부 劃 20획 中 籍 [jí]

籍자는 관청의 호구지적·공납 등을 기록해두는 '장부'(an account book)를 뜻하기 위하여 만들어진 것이다. 옛날에는 그것을 대쪽에다 기록했으므로 '대 죽'(竹)이 표의요소로 쓰였다. 耤(적전 적)은 표음요소이다. 요즘은 '문서'(a document)를 뜻하는 것으로 많이 쓰인다.

• 역순어휘

국적 國籍 | 나라 국, 문서 적
[(one's) nationality; citizenship]
❶법률 한 나라[國]의 구성원이 되는 자격[籍]. ¶미국 국적을 취득하다. ❷배나 비행기 따위가 소속되어 있는 나라. ¶중국 국적의 비행기가 추락했다.

본적 本籍 | 뿌리 본, 문서 적
[one's home address]
❶속뜻 본래(本來)의 호적(戶籍). ❷법률 조상의 호적(戶籍)이 있는 곳. ¶그의 본적은 서울이다.

부:적 符籍 | 부신 부, 문서 적 [amulet; talisman]
민속 잡귀를 쫓고 재앙을 물리치는 부신(符信)으로 쓰이던 쪽지나 문서[籍].

서적 書籍 | 글 서, 문서 적 [books; publications]
글[書]을 써 놓은 책이나 문서[籍]. ㊥책, 도서(圖書).

재:적 在籍 | 있을 재, 문서 적 [be on the register]
학적, 호적, 병적 따위를 적은 문서[籍]에 올라 있음[在]. ¶재적 인원 / 워싱턴 대학에는 한국 학생이 다수 재적하고 있다.

제적 除籍 | 덜 제, 문서 적
[remove from a register]
호적(戶籍), 학적(學籍), 당적(黨籍) 따위에서 이름을 지워버림[除]. ¶그는 무단결석이 잦아 제적되었다.

호:적 戶籍 | 집 호, 문서 적 [census registration]
❶속뜻 호수(戶數)와 식구 단위로 기록한 장부[籍]. ❷한 집안의 호주를 중심으로 그 가족들의 본적지, 성명, 생년월일 등 신분에 관한 것을 적은 공문서. ¶호적에 올리다.

0944 [편]

篇

책 편
部 竹부 劃 15획 中 篇 [piān]

篇자는 대쪽으로 엮어 만든 '책'(a book;

a volume)을 뜻하기 위한 것이었으니 '대 죽'(竹)이 표의 요소로 쓰였다. 扁(넓적할 편)은 표음요소이므로 뜻과는 무관하다.

• 역순어휘

단:편 短篇 | 짧을 단, 책 편 [short piece; sketch]
문학 ❶길이가 짧은[短] 글이나 책[篇]. ❷'단편소설'(小說)의 준말. ⊕장편(長篇).

상:편 上篇 | 위 상, 책 편 [first volume]
두 편이나 세 편으로 된 책의 첫째[上] 책[篇].

옥편 玉篇 | 구슬 옥, 책 편
[dictionary of Chinese characters]
❶속뜻 옥(玉)같이 귀한 책[篇]. ❷낱낱의 한자 뜻을 풀이한 책. ⊕자전(字典).

장편 長篇 | 길 장, 책 편 [long work]
문학 시가나 소설·영화 따위에서, 내용이 긴[長] 작품이나 책[篇]. ⊕단편(短篇).

전편 前篇 | 앞 전, 책 편 [first volume]
여러 편으로 나누어진 책이나 영화 따위의 앞[前] 편(篇). ¶이 영화는 전편이 더 재미있다. ⊕후편(後篇).

중편 中篇 | 가운데 중, 책 편 [medium volume]
❶속뜻 셋으로 나눈 책이나 글의 가운데[中]편(篇). ¶어제까지 상편을 읽고 오늘부터 중편을 읽는다. ❷문학 '중편소설'(小說)의 준말.

하:편 下篇 | 아래 하, 책 편 [last volume]
상·중·하로 나눈 책[篇]의 끝[下] 편. ¶이 책은 상편보다 하편이 더 흥미진진하다.

후:편 後篇 | 뒤 후, 책 편 [last volume]
두 편으로 나누어진 책이나 영화 따위의 뒤[後]편(篇). ¶이 소설은 전편보다 후편이 낫다. ⊕전편(前篇).

0945 [무]

舞

춤출 무:
部 舛부 劃 14획 ⊕ 舞 [wǔ]

舞자는 '춤추다'(dance)는 뜻을 나타내기 위하여, 양손에 쇠꼬리 모양의 물건을 들고 춤을 추는 무당의 모습을 그린 것이었다. 이것이 '없다'(nothing; zero)는 뜻으로도 차용되는 예가 많아지자, '춤추다'는 뜻을 분명하게 하기 위하여, 두 발자국 모양을 본뜬 '舛'(천)이 첨가됐다.

무:대 舞臺 | 춤출 무, 돈대 대 [stage]
❶속뜻 연극이나 무용[舞], 음악 따위를 공연하기 위하여 특별히 좀 높게 마련한 자리[臺]. ¶배우가 무대에 오르다. ❷재능이나 역량 따위를 시험해 보거나 발휘할 수 있는 활동 분야. ¶세계를 무대로 활동하다.

무:도 舞蹈 | 춤출 무, 춤출 도
[dance; dancing]
춤을 춤[舞=蹈]. 또는 그 춤. ⊕무용(舞踊).

무:용 舞踊 | 춤출 무, 뛸 용 [dance]
❶속뜻 춤추며[舞] 즐겁게 뜀[踊]. ❷음악에 맞추어 몸을 움직여 감정과 의지를 나타내는 예술. ¶무용을 배우다. ⊕춤, 무도(舞蹈).

무:희 舞姬 | 춤출 무, 아가씨 희 [dancer]
춤을 잘 추거나[舞] 춤추는 일을 업으로 하는 아가씨[姬].

• 역순어휘

가무 歌舞 | 노래 가, 춤출 무
[singing and dancing]
❶속뜻 노래[歌]와 춤[舞]. ❷노래하고 춤을 춤. ¶연회에서 가무를 즐기다.

군무 群舞 | 무리 군, 춤출 무
[group dancing]
여러 사람이 무리[群]를 지어 추는 춤[舞]. ¶군무를 추다. ⊕독무(獨舞).

난:무 亂舞 | 어지러울 란, 춤출 무
[rampant; be rife]
❶속뜻 한데 뒤섞여 어지럽게[亂] 춤을 춤[舞]. ❷함부로 나서서 마구 날뜀. ¶폭력이 난무하다.

승무 僧舞 | 스님 승, 춤출 무
[Buddhist dance]
예술 승려(僧侶) 복장으로 추는 춤[舞]. 장삼(長衫)을 걸치고 고깔을 쓰고 두 개의 북채를 쥐고 장삼을 뿌려 가며 추는 춤.

0946 [화]

華

빛날 화
部 艸부 劃 12획 ⊕ 华 [huá, Huà]

華자는 '꽃'(a flower)을 나타내기 위하여 가지마다 꽃이 만발한 나무 모양을 본뜬 것이다. '빛나다'(flowery; brilliant)는 뜻으로도 많이 쓰인다.

속뜻 훈음 ①빛날 화, ②꽃 화.

화려 華麗 | 빛날 화, 고울 려 [fancy; colorful]
❶속뜻 빛나고[華] 아름답다[麗]. ¶화려한 옷차림. ❷어떤 일이나 생활 따위가 호화롭다. ¶화려한 결혼식.

화사 華奢 | 빛날 화, 사치할 사
[luxurious; pompous]
❶[속뜻] 화려(華麗)하고 사치(奢侈)스럽다. ❷밝고 환하다. ¶화사한 꽃무늬 치마.

화성 華城 | 꽃 화, 성곽 성
❶[속뜻] 꽃[華]처럼 아름답게 잘 쌓은 성(城). ❷[고적] 조선 정조 때, 경기도 수원시에 쌓은 성. 1997년 유네스코 세계 문화유산으로 지정되었다. [비] 수원성.

화씨 華氏 | 꽃 화, 성씨 씨 [Fahrenheit; Fahr.]
[물리] '화씨온도계'의 준말. 이 온도계를 고안한 독일의 파렌하이트를 '화륜해'(華倫海)로 음역하고, 줄여서 '화씨'(華氏)라고 한 데에서 유래되었다. 얼음이 녹는점을 32°F, 물이 끓는점을 212°F로 하여 그 사이를 등분한 온도 단위이다. 단위는 'F'. [반] 섭씨(攝氏).

화엄 華嚴 | 꽃 화, 엄할 엄
[불교] ❶연꽃[華]같이 장엄(莊嚴)한 부처님의 깨달음과 가르침. ❷부처님의 가르침을 몸소 실천하여 수행함.

• 역순어휘 ———— •

번화 繁華 | 번성할 번, 빛날 화 [flourishing]
번성(繁盛)하고 화려(華麗)하다. ¶번화한 거리.

선화 鮮華 | 고울 선, 꽃 화
[pretty and brilliant]
곱고[鮮] 화려함[華]. ¶그녀는 선화한 옷을 입고 나왔다.

승화 昇華 | 오를 승, 꽃 화 [sublimate]
❶[속뜻] 더 높이 오르거나[昇] 더 아름다운 꽃[華]을 피우는 일. ❷어떤 일이나 현상이 더 높고 더 좋은 상태로 발전함. ¶그는 실연의 아픔을 아름다운 음악으로 승화시켰다. ❸[물리] 고체에 열을 가하면 액체가 되는 일이 없이 곧바로 기체로 변하는 현상.

청화 靑華 | 푸를 청, 빛날 화
[수공] 조선 시대의 도자기에 그려진 파란[靑] 빛깔[華]의 그림.

호화 豪華 | 호걸 호, 빛날 화
[splendor; gorgeousness]
호걸[豪]스럽고 화려(華麗)함. ¶호화저택.

0947 [륜]

輪
바퀴 륜
[部] 車부 [획] 15획 [中] 轮 [lún]

輪자는 살[輻]이 달린 '수레바퀴'(a wagon wheel)를 지칭하기 위하여 고안한 글자이니 '수레 거'(車)가 표의요소이다. 侖(생각할 륜)은 표음요소이다. 후에 '둘레'(circumference) '돌다'(spin) 등으로 확대 사용됐다.
[속뜻훈음] ①바퀴 륜, ②돌 륜.

윤곽 輪廓 | 바퀴 륜, 둘레 곽 [outline; contours]
❶[속뜻] 바퀴[輪]의 둘레[廓]. ❷겉모양. ¶건물의 윤곽이 흐릿하게 보인다. ❸일이나 사건의 대체적인 줄거리. ¶사건의 윤곽이 드러나기 시작하다.

윤작 輪作 | 돌 륜, 지을 작
[rotation of crops; crop rotation]
[농업] 같은 경작지에 여러 농작물을 순서에 따라 돌려가며[輪] 재배하는 경작(耕作). [비] 돌려짓기.

윤회 輪廻 | 바퀴 륜, 돌 회
[cycle of reincarnation]
❶[속뜻] 바퀴[輪]처럼 끝없이 돎[廻]. ❷[불교] 중생이 번뇌와 업에 의하여 삼계육도(三界六道)의 생사 세계를 그치지 아니하고 돌고 도는 일.

• 역순어휘 ———— •

연륜 年輪 | 나이 년, 바퀴 륜
[annual ring; experience]
❶[식물] 나무의 줄기나 가지 등의 가로로 자른 면에 나타나는 그 나무의 나이[年]를 알 수 있는 바퀴[輪] 모양의 테. ❷여러 해 쌓은 경력. ¶저 배우에게는 연륜이 느껴진다.

0948 [전]

轉
구를 전:
[部] 車 [획] 18획
[中] 转 [zhuǎn, zhuàn]

轉자는 수레바퀴가 '구르다'(roll)는 뜻을 나타내기 위한 것이었으니 '수레 거'(車)가 표의요소로 쓰였다. 專(오로지 전)은 표음요소이니 뜻과는 무관하다. 후에 '옮기다'(divert; turn)는 뜻으로 확대 사용되기도 하였다.
[속뜻훈음] ①구를 전, ②옮길 전.

전:가 轉嫁 | 옮길 전, 떠넘길 가 [impute]
자기의 허물이나 책임 따위를 남에게 떠넘겨[嫁] 옮김[轉]. ¶책임을 친구에게 전가하다.

전:근 轉勤 | 옮길 전, 일할 근 [transfer]
자리를 옮겨[轉] 일함[勤]. 근무처를 옮김. ¶그는 다른 도시의 학교로 전근했다.

전:이 轉移 | 구를 전, 옮길 이
[spread; metastasize]

❶[속뜻] 자리나 위치 따위를 다른 곳으로 굴러[轉] 옮김[移]. ¶한 나라의 문화는 다른 나라로 전이되기도 한다. ❷[의학] 병원체나 종양 세포가 혈류나 림프류를 타고 흘러서 다른 장소로 옮겨와 변화를 일으킴. ¶암세포가 뇌까지 전이되었다.

전:입 轉入 | 옮길 전, 들 입 [move in; transfer]
거주지나 학교 따위의 소속을 다른 곳으로부터 옮겨[轉] 들어옴[入]. ¶전입 신고 / 그는 이번에 우리 부대로 전입해 왔다.

전:출 轉出 | 옮길 전, 날 출
[move out; transfer to]
❶[속뜻] 다른 곳으로 옮겨[轉] 나감[出]. ¶전출 신고 ❷근무지로 옮겨 감. ¶그는 지방으로 전출했다. [반]전입(轉入).

전:학 轉學 | 옮길 전, 배울 학
[change of schools]
다니던 학교에서 다른 학교로 학적(學籍)을 옮김[轉]. ¶그는 서울에서 전학왔다.

전:환 轉換 | 옮길 전, 바꿀 환 [convert; switch]
❶[속뜻] 다른 방향이나 상태로 옮기거나[轉] 바꿈[換]. ❷[심리] 마음속의 감정적 갈등이 신체적 운동 기능이나 감각 기능의 증상으로 나타나는 것. ¶기분 전환을 위해 공원에서 자전거를 탔다.

• 역순어휘 ————————————— •

공전¹ 公轉 | 섬길 공, 구를 전 [revolve]
[천문] 한 천체가 다른 천체를 섬기듯이[公] 그 둘레를 주기적으로 도는[轉] 일. ¶달은 지구를 공전한다. [반]자전(自轉).

공전² 空轉 | 빌 공, 구를 전 [skid; run idle]
❶[속뜻] 바퀴가 헛[空]도는[轉] 일. ❷일이나 행동이 헛되이 진행됨.

반:전 反轉 | 반대로 반, 구를 전 [reverse turn]
❶[속뜻] 반대(反對)쪽으로 구름[轉]. ❷일의 형세가 뒤바뀜. ¶유가가 상승세로 반전했다. [비]역전(逆轉).

역전 逆轉 | 거스를 역, 구를 전
[turn around; turn the tables (on)]
❶[속뜻] 거꾸로[逆] 돎[轉]. ❷형세가 뒤집혀짐. ¶바람이 불자 전세(戰勢)가 순식간에 역전됐다.

운:전 運轉 | 돌 운, 구를 전 [drive]
❶[속뜻] 기계 따위를 돌리거나[運] 구르게[轉] 함. ❷자동차, 열차 따위를 나아가게 하거나 멈추게 하고 방향을 바꾸게 하는 장치 등을 다루어 일정한 방향으로 움직이게 하는 것. ¶안전 운전.

이전 移轉 | 옮길 이, 옮길 전
[move; remove; transfer]
처소나 주소 따위를 다른 데로 옮김[移=轉]. ¶주소 이전 / 사무실을 이전하다.

자전 自轉 | 스스로 자, 구를 전
[turn on its axis; rotate]
❶[속뜻] 스스로[自] 돎[轉]. ❷[천문] 천체(天體)가 그 내부를 지나는 축(軸)을 중심으로 회전하는 일. ¶지구의 자전으로 밤과 낮이 생긴다. [반]공전(公轉).

호:전 好轉 | 좋을 호, 구를 전
[take a favorable turn]
일의 형세가 좋은[好] 쪽으로 바뀜[轉]. ¶경기가 호전되다. [반]악화(惡化).

회전 回轉 | =迴轉, 돌 회, 구를 전 [turn; revolve]
❶[속뜻] 돌고[回] 구름[轉]. ❷어떤 것을 축으로 물체 자체가 빙빙 돌거나 축의 둘레를 돎. ¶공중 3회전 / 지구는 태양의 주위를 주기적으로 회전한다.

0949 [각]

覺 깨달을 각
[部] 見부 [획] 20획 [中] 觉 [jué, jiào]

覺자는 잠에서 깨어나 두 눈을 똑똑히 뜨고 '보다'(observe; view)는 뜻을 나타내기 위한 것이었으니 '볼 견'(見)이 표의요소로 쓰였다. 나머지가 표음요소임은 嚳(돌 소리 각)도 마찬가지이다. 잠에서 깨어나 눈을 뜨고 보니 알게 된 것, 즉 '깨닫다'(awake to; be aware of)는 뜻, '잠깨다'(wake up; awake), '느끼다'(feel)는 뜻으로 확대 사용되기도 하였다.

[속뜻훈음] ①깨달을 각, ②잠깰 각, ③느낄 각.

각서 覺書 | 깨달을 각, 글 서
[memorandum; memo]
❶[속뜻] 깨달은[覺] 내용을 적은 문서(文書). ❷[정치] 조약에 덧붙여 해석하거나 보충할 것을 정하고, 예외 조건을 붙이거나 자기 나라의 의견, 희망 따위를 진술하는 외교 문서. ¶각서를 쓰다 / 기유각서(己酉覺書).

각성 覺醒 | 잠깰 각, 술깰 성 [awake to; wake up]
❶[속뜻] 잠에서 깸[覺]과 술에서 깸[醒]. ❷깨어 정신을 차림. ❸깨달아 앎. ¶각성을 촉구하다.

각오 覺悟 | 잠깰 각, 깨달을 오
[awake; be determined]
❶[속뜻] 잠에서 깨어나[覺] 정신을 차려 할 일이 무엇인지 깨달음[悟]. ❷마음의 준비를 함. ¶첫날이라 그런지 각오가 대단하다.

• 역순어휘 ————————————— •

감:각 感覺 | 느낄 감, 깨달을 각 [sense; feeling]
❶속뜻 눈, 귀, 코, 혀, 살갗 등을 통하여 느껴[感] 앎[覺]. ¶감각 마비 / 감각이 예민하다. ❷사물에서 받는 인상이나 느낌. ¶그녀는 패션 감각이 뛰어나다. ⓑ느낌, 감촉(感觸), 감정(感情), 정서(情緖).

경:각 警覺 | 타이를 경, 깨달을 각 [warn; awaken; remonstrate]
정신을 바짝 차리도록 타이르고[警] 일깨워 줌[覺]. ¶그 조치가 공무원들에게는 큰 경각이 되었다.

미각 味覺 | 맛 미, 느낄 각 [sense of taste]
의학 무엇을 혀 따위로 맛보아[味] 일어나는 감각(感覺). 단맛, 짠맛, 쓴맛, 신맛 따위를 느낀다. ¶미각을 돋우는 음식. ⓑ미감(味感).

발각 發覺 | 드러낼 발, 깨달을 각 [detect]
❶속뜻 숨겼던 일이 드러나[發] 알게 됨[覺]. ❷감추었던 것이 드러나 모두 알게 됨. ¶범행이 형사에게 발각되었다.

선각 先覺 | 먼저 선, 깨달을 각 [see in advance; foresee]
❶속뜻 남보다 앞서서[先] 깨달음[覺]. ❷'선각자'(先覺者)의 준말. ⓑ후각(後覺).

시:각 視覺 | 볼 시, 깨달을 각 [sense of sight]
의학 무엇을 눈으로 보고[視] 일어나는 감각(感覺). ¶시각 장애인.

자각 自覺 | 스스로 자, 깨달을 각 [realize; awake]
❶속뜻 자기 상태 따위를 스스로[自] 깨달음[覺]. ❷스스로 느낌. ¶간암은 자각 증세가 없다 / 우선 자기 힘을 자각하는 것이 중요하다.

지각 知覺 | 알 지, 깨달을 각 [be aware of; perceive; sense]
❶속뜻 알게 되고[知] 깨닫게[覺] 됨. ❷감각 기관을 통하여 외부의 사물을 인식하는 작용. ¶공간 지각 능력 / 캄캄해서 방향을 지각할 수 없다. ❸사물의 이치를 분별하는 능력. ¶몇 년이 지나서야 지각이 들었다 / 일부 지각없는 사람들 때문에 피해를 본다.

착각 錯覺 | 어긋날 착, 깨달을 각 [be under an illusion; misunderstand; misjudge]
사물을 실제와 다르게[錯] 느낌[覺]. ¶그는 자기가 잘생겼다고 착각한다.

청각 聽覺 | 들을 청, 깨달을 각 [sense of hear]
의학 무엇을 귀로 들어[聽] 일어나는 감각(感覺). ¶지나친 소음은 청각에 피해를 줄 수 있다.

촉각 觸覺 | 닿을 촉, 깨달을 각 [sense of touch]
의학 무엇이 피부 등에 닿아서[觸] 일어나는 감각(感覺). 온도나 아픔 따위를 분간할 수 있다. ¶손끝의 촉각으로 점자를 읽다.

환:각 幻覺 | 홀릴 환, 느낄 각 [hallucination; hallucinatory image]
❶속뜻 도깨비에 홀린[幻] 것처럼 느낌[覺]. ❷심리 실제로는 자극이나 대상이 없는데도 그것이 실재(實在)하는 듯이 감각적으로 느끼거나 느꼈다고 생각하는 감각. ¶환각상태 / 환각증세.

후각 嗅覺 | 맡을 후, 깨달을 각 [sense of smell]
의학 냄새를 맡아[嗅] 일어나는 감각(感覺). 척추동물은 코, 곤충은 촉각에 있다. ¶개의 후각은 사람보다 훨씬 예민하다.

0950 [람]

覽

볼 람
部 見부 획 21획 中 览 [lǎn]

> 覽자는 '생각하며 자세히 살펴보다'(make observation)는 뜻을 나타내기 위하여 '볼 견'(見)과 '볼 감'(監)을 합쳐 놓은 것이다. 監(감)이 표음요소를 겸하는 것임은 濫(넘칠 람)과 藍(쪽 람)을 통하여 알 수 있다.

• 역순어휘

관람 觀覽 | 볼 관, 볼 람 [view; inspect]
연극, 영화, 운동 경기 따위를 구경함[觀=覽]. ¶미성년자 관람불가 / 야구 경기를 관람하다.

박람 博覽 | 넓을 박, 볼 람 [wide reading; extensive knowledge]
❶속뜻 여러 가지 책을 많이[博] 읽음[覽]. ❷여러 곳을 다니며 널리 많은 것을 봄.

열람 閱覽 | 훑어볼 열, 볼 람 [read]
책이나 문서 따위를 죽 훑어보거나[閱] 살펴봄[覽]. ¶그 책은 인터넷 열람이 가능하다.

유람 遊覽 | 떠돌 유, 볼 람 [go sightseeing]
구경거리를 찾아 떠돌며[遊] 경치 따위를 봄[覽]. ¶배낭을 메고 팔도를 유람하다.

일람 一覽 | 한 일, 볼 람 [peruse]
한[一] 번 봄[覽]. 또는 한 번 죽 훑어봄. ¶김 사장은 이달 지출 내역을 일람했다.

전:람 展覽 | 펼 전, 볼 람 [exhibit; show; display]
❶속뜻 펴서[展] 봄[覽]. ❷소개, 교육, 선전 따위를 목적으로 필요한 물품을 일정한 장소에 모아 진열하여 놓고 여러 사람에게 보임. ¶이 미술관에서는 국보급 고려청자를 전람한다.

0951 [상]

象

코끼리 상
[部] 豕부 [劃] 12획 [中] 象 [xiàng]

象자는 '코끼리'(an elephant)를 나타내기 위하여 코끼리 모습을 특징적으로 간단하게 그려 놓은 것이었다. 지금의 자형으로도 어렴풋이 짐작할 수 있다. 맨 첫 획이 코끼리의 기다란 '코'에 해당된다. 후에 '(본래) 모양'(original form), '본뜨다'(model on) 등으로 확대 사용됐다.

[속뜻훈음] ①코끼리 상, ②모양 상, ③본뜰 상.

상감 象嵌 | 모양 상, 새겨 넣을 감 [inlay; marquetry]
❶[속뜻] 모양[象]을 새겨 넣음[嵌]. ❷[수공] 금속, 도자기, 목재 등의 표면에 무늬 모양을 파고 그 속에 금, 은, 보석, 뼈, 자개 따위를 박거나 끼워 넣는 공예기법. 또는 그 기법으로 만든 작품. 상감청자와 나전칠기에서 크게 발달하였다.

상모 象毛 | 모양 상, 털 모
❶[속뜻] 털[毛] 모양[象]의 장식. ❷[민속] 벙거지의 꼭지에 참대와 구슬로 장식하고 그 끝에 털이나 긴 백지 오리를 붙인 것. ¶상모를 돌리며 꽹과리를 치다.

상아 象牙 | 코끼리 상, 어금니 아 [elephant tusk]
코끼리[象]의 어금니[牙]. 위턱에 나서 입 밖으로 뿔처럼 길게 뻗어 있다. 맑고 연한 노란색이며 단단해서 갈면 갈수록 윤이 난다. 악기, 도장 따위의 공예품을 만드는 데 쓴다.

상징 象徵 | 모양 상, 밝힐 징 [symbol]
추상적인 사물이나 개념을 구체적인 사물 모양[象]으로 밝혀[徵] 나타냄. 또는 그렇게 나타낸 표지(標識). ¶비둘기는 평화의 상징이다.

상형 象形 | 본뜰 상, 모양 형
❶[속뜻] 어떤 물건의 모양[形]을 본뜸[象]. ❷[언어] 한자 육서(六書)의 하나. 해당 낱말(형태소)이 가리키는 물체의 모양을 본떠서 글자를 만드는 방법이다. 해를 본떠서 '日' 자를 만드는 따위. 명사에 해당되는 것이 많다. ❸[언어] 상형 문자.

• 역순어휘

관상 觀象 | 볼 관, 모양 상 [observe the weather]
천문(天文)이나 기상(氣象)을 관측(觀測)하는 일. ¶관상을 위하여 누대를 세웠다.

기상 氣象 | 공기 기, 모양 상 [atmospheric phenomena; weather]
[천문] 바람, 구름, 비, 더위처럼 대기(大氣) 중에서 일어나는 현상(現象). [반] 날씨, 일기(日氣).

대:상 對象 | 대할 대, 모양 상 [subject; target]
❶[속뜻] 대면(對面)하고 있는 형상(形象). ❷행위의 상대(相對) 또는 목표가 되는 것. ¶먼저 연구 대상을 선정해야 한다. [비] 목표(目標).

심상 心象 | =心像, 마음 심, 모양 상 [mental image]
감각기관의 자극 없이 마음[心] 속에 떠오르는 모양[象]. ¶이 시는 시각적 심상이 매우 뛰어나다.

인상 印象 | 새길 인, 모양 상 [impression]
❶[속뜻] 마음에 깊이 새겨진[印] 모습[象]. ❷외래의 사물이 사람의 마음에 남긴 느낌. ¶서울에 대해 어떤 인상을 받으셨어요?

추상 抽象 | 뽑을 추, 모양 상 [abstract]
❶[속뜻] 외적 모양[象]을 뽑아낸[抽] 내적 속성이나 본질. ❷[심리] 여러 가지 사물이나 개념에서 공통되는 특성이나 속성 따위를 추출하여 파악하는 작용. [반] 구체(具體).
[하나 더!!] 抽象(추상)은 '외관에 집착하지 않다'는 뜻인 捨象(사:상)과 비슷한 점이 있다.

표상 表象 | 겉 표, 모양 상 [symbol; emblem]
대표(代表)로 삼을 만큼 상징(象徵)적인 것. ¶태극기는 우리 민족의 표상이다.

현:상 現象 | 나타날 현, 모양 상 [phenomenon]
❶[속뜻] 나타난[現] 모양[象]. ❷지각(知覺)할 수 있는 사물의 모양이나 상태. ¶적조 현상 / 기상 현상.

형상 形象 | 모양 형, 모양 상 [shape; figure]
사물의 생긴 모양[形=象]이나 상태. ¶인간의 형상을 한 괴물.

0952 [예]

豫

미리 예:
[部] 豕부 [劃] 16획 [中] 豫 [yù]

豫자의 부수는 얄궂게도 '돼지 시'(豕)이지만, '돼지'와는 아무런 상관이 없다. 원래는 '코끼리 상'(象)이 부수였는데, 214 부수 체계에서는 象이 豕에 귀속되어 그렇게 됐다. 이 글자의 본뜻은 '큰 코끼리'(a big elephant)라고 한다. 予(나 여)는 원래 표음요소였는데 음이 약간 달라졌다. 그리고 '미리'(beforehand)라는 시간부사를 위하여 새로이 글자를 만들어 낼 방법이 없었으므로 하는 수 없이 이것을 빌어 그 의미를 나타냈다. 본뜻으로 쓰이는 예는 거의 없다.

예:감 豫感 | 미리 예, 느낄 감

[feel a premonition]
어떤 일이 일어나기 전에 암시적으로 또는 본능적으로 미리[豫] 느낌[感]. ¶내 예감이 들어맞았다 / 그는 자신의 죽음을 예감했다.

예:견 豫見 | 미리 예, 볼 견 [foresee]
앞으로 일어날 일을 미리[豫] 짐작하여 봄[見]. ¶할머니의 예견은 적중했다 / 누구도 미래를 정확히 예견할 수는 없다.

예:고 豫告 | 미리 예, 알릴 고 [give notice]
미리[豫] 알림[告]. ¶사고는 항상 예고 없이 찾아온다 / 가격 인상을 예고하다.

예:기 豫期 | 미리 예, 기약할 기 [expect]
앞으로 닥쳐올 일에 대하여 미리[豫] 생각하여 기약함[期]. ¶그는 예기치 못한 질문을 했다.

예:매[1] 豫買 | 미리 예, 살 매 [buy in advance]
❶[속뜻]물건을 받기 전에 미리[豫] 값을 치르고 사[買]둠. ❷정해진 때가 되기 전에 미리 삼. ¶영화표를 예매하다.

예:매[2] 豫賣 | 미리 예, 팔 매 [sell in advance]
❶[속뜻]물건을 주기 전에 미리[豫] 값을 받고 팖[賣]. ❷정해진 때가 되기 전에 미리 팖. ¶예매를 받다 / 오늘부터 티켓 예매가 시작됐다.

예:방 豫防 | 미리 예, 막을 방 [prevent; stave]
질병이나 재해 따위가 일어나기 전에 미리[豫] 대처하여 막는[防] 일. ¶화재를 예방합시다 / 비타민 C는 감기 예방에 도움이 된다.

예:보 豫報 | 미리 예, 알릴 보 [forecast]
앞으로 일어날 일을 미리[豫] 알림[報]. 또는 그런 보도. ¶일기 예보 / 기상청은 내일 비가 내릴 것이라고 예보했다.

예:비 豫備 | 미리 예, 갖출 비 [prepare; reserve]
미리[豫] 마련하거나 갖추어 놓음[備]. 또는 미리 갖춘 준비. ¶예비 식량이 떨어졌다.

예:산 豫算 | 미리 예, 셀 산 [budget]
❶[속뜻]필요한 비용을 미리[豫] 헤아려 계산(計算)함. 또는 그 비용. ¶예산을 짜다. ❷[경제]국가나 단체에서 한 회계 연도의 수입과 지출을 미리 셈하여 정한 계획. ¶교육 예산. [반]결산(決算).

예:상 豫想 | 미리 예, 생각 상 [expect]
어떤 일을 직접 당하기 전에 미리[豫] 생각하여[想] 둠. 또는 그런 내용. ¶한국 팀은 예상 밖으로 큰 성과를 거두었다. [비]예측(豫測).

예:선 豫選 | 미리 예, 뽑을 선
[preliminary election]
본선에 나갈 선수나 팀을 미리[豫] 뽑음[選]. ¶2개 조가 예선을 통과했다. [반]결선(決選).

예:습 豫習 | 미리 예, 익힐 습
[prepare of one's lessons]
앞으로 배울 것을 미리[豫] 익힘[習]. ¶선생님은 예습과 복습의 중요성을 강조하셨다. [반]복습(復習).

예:심 豫審 | 미리 예, 살필 심
[preliminary examination]
본심사(本審查)에 앞서서 미리[豫] 하는 심사(審查). ¶논문 예심 / 그의 작품은 예심에서 좋은 성적을 거두었다. [반]본심(本審).

예:약 豫約 | 미리 예, 묶을 약 [reservation]
미리[豫] 약속(約束)함. 또는 미리 정한 약속. ¶예약을 취소하다 / 병원 진료를 예약하다.

예:언 豫言 | =預言, 미리 예, 말씀 언 [predict]
❶[속뜻]미리[豫] 하는 말[言]. ❷미래에 일어날 일을 미리 알아서 말하는 것. 또는 그런 말. ¶점쟁이의 예언이 빗나갔다.

예:정 豫定 | 미리 예, 정할 정
[be scheduled; be expected]
미리[豫] 정(定)하거나 예상함. ¶한 달 정도 머물 예정이다.

예:측 豫測 | 미리 예, 헤아릴 측
[predict; foresee]
미리[豫] 헤아려 짐작함[測]. ¶우리의 예측은 적중했다 / 두 팀은 승패를 예측할 수 없는 경기를 펼쳤다. [비]예상(豫想).

0953 [변]

辯 말씀 변:
[部] 辛부 [총] 21획 [中] 辩 [biàn]

辯자는 '말을 잘하다'(eloquent; fluent)는 뜻을 나타내기 위한 것이었으니 '말씀 언'(言)이 표의요소이다. 그 나머지가 표음요소임은 辨(분별할 변), 辮(땋을 변)도 마찬가지이다. 부수로 지정된 辛(매울 신)이 표의요소가 아닌 점이 예외적인 현상이다.

[속뜻훈음] 말 잘할 변.

변:론 辯論 | 말 잘할 변, 말할 론
[discuss; argue; debate]
❶[속뜻]변호(辯護)하는 말을 함[論]. ❷사리를 밝혀 옳고 그름을 따짐. ❸[법률]소송 당사자나 변호인이 법정에서 주장하거나 진술함. 또는 그런 진술. ¶피고를 위해 변론하다.

변:사 辯士 | 말 잘할 변, 선비 사 [speaker]

입담이 좋아서 말을 잘하는[辯] 사람[士].

변ː호 辯護 | 말 잘할 변, 돌볼 호
[defend; vindicate]
❶속뜻 그 사람에게 유리하도록 말을 잘하여[辯] 돌보아[護]줌. ❷법률 법정에서 변호인이 검사의 공격으로부터 피고인의 처지를 해명하고 옹호함. ¶사건을 변호하다.

• 역순어휘

궤ː변 詭辯 | 속일 궤, 말 잘할 변
[sophistry; sophism; quibble]
❶속뜻 속이는[詭] 말을 잘함[辯]. ❷겉으로는 그럴듯하지만 실제로는 이치에 맞지 않는 말. ¶궤변을 늘어놓다.

눌변 訥辯 | 말더듬을 눌, 말잘할 변
더듬거리는[訥] 말솜씨[辯]. ㊐눌언(訥言). ㊥달변(達辯).

달변 達辯 | 통달할 달, 말 잘할 변
[fluency; eloquence]
통달할[達] 정도로 말을 잘함[辯]. ¶그는 달변이지만 곧잘 실언을 한다. ㊐능변(能辯). ㊥눌변(訥辯).

답변 答辯 | 답할 답, 말 잘할 변 [answer; reply]
물음에 대하여 답(答)하여 말함[辯]. ¶증인은 검사의 질문에 답변하였다. ㊐대답(對答).

대ː변 代辯 | 대신할 대, 말 잘할 변
[represent; indicate]
❶속뜻 어떤 기관이나 개인을 대신(代身)하여 말함[辯]. ¶어머니를 위하여 딸이 대변했다 / 노동자의 권익을 대변하다. ❷사실이나 상황을 나타내다. ¶증시는 경제를 대변한다.

열변 熱辯 | 뜨거울 열, 말 잘할 변 [fiery speech]
열렬(熱烈)하게 사리를 밝혀 옳고 그름을 따지는 말[辯]. ¶그는 환경을 보호하자고 열변을 토했다.

웅변 雄辯 | 씩씩할 웅, 말 잘할 변
[eloquence; oratory; fluency]
청중을 감동시킬 수 있도록 조리 있고 씩씩하게[雄] 말을 잘함[辯]. ¶웅변대회.

쾌변 快辯 | 시원할 쾌, 말 잘할 변
[fluency of speech; eloquence]
거침없이 시원스럽게[快] 말을 잘함[辯]. 또는 그 말. ¶그의 쾌변을 듣고 모두 즐거워했다.

0954 [사]

辭

말씀 사
㊀辛부 ㊁19획 ㊥辞 [cí]

辭자의 오른쪽 부분은 원래, '주관하다' '처리하다'는 뜻인 司(맡을 사)로 쓰다가 후에 '辛'으로 바뀌었다. 辛은 죄인의 얼굴에 먹물을 넣는 墨刑(묵형)을 행할 때 쓰던 칼의 모습을 본뜬 것으로 '죄'를 의미한다. 왼쪽 부분의 것은 '죄를 다스리다'를 뜻하는 표의요소이다. 辭의 본뜻은 '잘잘못을 따지다'(discriminate between right and wrong)인데, 말이나 글로 하소연하는 경우가 많았는지 '말씀'(speech), '글'(writings)을 의미하기도 한다. '물러나다'(retire; resign; quit)는 뜻으로도 많이 쓰인다.
속뜻훈음 ①말씀 사, ②물러날 사.

사양 辭讓 | 물러날 사, 넘겨줄 양 [decline; refuse]
❶속뜻 제안이나 따위를 거절하거나[辭] 권리 따위를 남에게 넘겨줌[讓]. ❷겸손하여 받아들이지 아니하고 남에게 양보함. ¶사양하지 말고 많이 드세요.

사임 辭任 | 물러날 사, 맡길 임
[leave the service; resign]
맡아보던 일을[任] 그만두고 물러남[辭]. ¶회장직을 사임하다. ㊐사직(辭職).

사전 辭典 | 말씀 사, 책 전 [dictionary; lexicon]
어떤 범위 안에서 쓰이는 말[辭]을 모아서 일정한 순서로 배열하여 싣고, 그 각각의 독음, 의미, 어원, 용법 따위를 해설한 책[典]. ¶영어사전 / 국어사전을 편찬하다.

사직 辭職 | 물러날 사, 일 직
[leave office; resign from]
맡은 직무(職務)를 내놓고 물러남[辭]. ¶그는 신병을 이유로 사직했다 / 사직서(辭職書)를 제출하다.

사퇴 辭退 | 물러날 사, 물러갈 퇴
[refuse to accept]
어떤 일을 그만두고 물러감[辭=退]. ¶공직을 사퇴하다.

사표 辭表 | 물러날 사, 밝힐 표 [resign]
직책에서 물러나겠다[辭]는 뜻을 밝힘[表]. 또는 그런 글. ¶사표를 내다. ㊐사직서(辭職書).

• 역순어휘

답사 答辭 | 답할 답, 말씀 사 [give thanks]
회답(回答)하여 하는 말[辭]. ㊐답언(答言). ㊥송사(頌辭).

불사 不辭 | 아닐 불, 물러날 사 [fail to decline]
사양(辭讓)하지 아니함[不]. ¶전쟁 불사 / 경우에 따라서는 죽음도 불사할 것이다.

송ː사 送辭 | 보낼 송, 말씀 사 [farewell speech]
떠나는 사람을 이별하여 보내면서[送] 하는 인사말[辭]. ¶교장 선생님이 송사를 하셨다. ㊐송별사(送別辭). ㊥답사(答辭).

식사 式辭 | 의식 식, 말씀 사

[formal address in a ceremony]
식장(式場)에서 인사로 하는 말[辭]. 또는 인사로 하는 글.

언사 言辭 | 말씀 언, 말씀 사 [words; speech]
말[言=辭]. 말씨. ¶모욕적인 언사를 서슴지 않다.

찬:사 讚辭 | 기릴 찬, 말씀 사
[eulogy; words of praise]
칭찬하는[讚] 말[辭]. 또는 글. ¶멋진 공연에 아낌없는 찬사를 보내다.

축사 祝辭 | 빌 축, 말씀 사
[congratulatory address; greetings]
축하(祝賀)의 뜻으로 하는 말[辭]. ¶축사를 낭독하다.

치:사 致辭 | =致詞, 보낼 치, 말씀 사
[appreciate; express gratitude]
❶속뜻 행사에 앞서 특별히 한 말씀[辭]을 함[致]. ❷남을 칭찬하는 말을 함. 또는 그런 말. ¶입에 발린 치사를 하다.

0955 [증]

證 증거 증
部 言부 劃 19획 中 证 [zhèng]

證자는 '고발하다'(accuse)는 뜻을 나타내기 위한 것이었으니 '말씀 언'(言)이 표의요소이다. '오를 등'(登)이 표음요소임은 撜(건질 증)도 마찬가지이다. 고발할 때에는 증거가 필요했기에 '증거'(evidence), '증명하다'(prove)는 뜻으로도 확대 사용됐다.

속뜻 훈음 ①증거 증, ②증명할 증.

증거 證據 | 증명할 증, 근거할 거
[evidence; proof]
어떤 사실을 증명(證明)할 수 있는 근거(根據). ¶그가 돈을 훔쳤다는 증거는 없다.

증권 證券 | 증거 증, 문서 권 [stock; securities]
❶속뜻 증거(證據)가 되는 문서[券]. ❷경제 주식, 공채, 사채 등의 유가 증권. ¶증권에 투자하다.

증명 證明 | 증거 증, 밝을 명
[prove; identify; certificate]
증거(證據)를 찾아내어 밝힘[明]. 어떤 사실이나 결론이 참인지 아닌지를 밝히는 일. ¶증명 사진 / 무죄를 증명하다.

증빙 證憑 | 증거 증, 기댈 빙 [proof; witness]
증거(證據)로 삼음[憑]. ¶증빙 서류를 함께 제출하세요.

증서 證書 | 증명할 증, 글 서 [bond; certificate]
법률 어떤 사실을 증명(證明)하는 문서(文書). 증거가 되는 서류. ¶증서를 작성하면 계약이 완료됩니다.

증시 證市 | 증거 증, 저자 시 [stock market]
경제 증권(證券)을 사고파는 시장(市場). '증권시장'의 준말. ¶미국 증시가 강세로 돌아섰다.

증언 證言 | 증거 증, 말씀 언 [testify; attest]
법률 증인(證人)으로서 사실을 말함[言]. 또는 그런 말. ¶목격자의 증언을 듣다 / 범인은 붉은 셔츠를 입었다고 증언했다.

증인 證人 | 증거 증, 사람 인 [witness]
어떤 사실을 증명(證明)하는 사람[人]. ¶그는 이 사건의 산 증인이다. 비증거인(證據人).

증표 證票 | 증거 증, 쪽지 표 [token; memento]
증거(證據)로 주는 표(票). 증거가 될 만한 표. ¶돈을 받았다는 증표로 영수증을 주었다.

• 역순어휘

검:증 檢證 | 검사할 검, 증명할 증 [verify; inspect]
검사(檢査)하여 증명(證明)함. ¶가설을 검증하다.

고증 考證 | 생각할 고, 증명할 증
[study historical evidence]
옛 문헌이나 유물 등에 대하여 고찰(考察)하여 사실을 증명(證明)함. ¶역사학자들의 고증으로 궁궐을 복원했다.

논증 論證 | 논할 론, 증명할 증
[demonstrate; prove]
옳고 그름을 따져서[論] 증명(證明)함. 또는 그 근거나 이유. ¶주장을 논증하다 / 직접 논증. 비증명(證明).

물증 物證 | 만물 물, 증거 증 [real evidence]
법률 물건(物件)으로 뚜렷이 드러난 증거(證據). '물적 증거'(物的證據)의 준말. ¶뚜렷한 물증을 찾다.

보:증 保證 | 지킬 보, 증명할 증
[guarantee; vouch for]
어떤 사물이나 사람에 대하여 책임지고[保] 틀림이 없음을 증명(證明)함. ¶그 사람은 내가 보증한다 / 보증을 서다.

실증 實證 | 실제 실, 증명할 증
[prove; demonstrate]
실제(實際)로 증명(證明)함. 또는 그런 사실. ¶그는 한국의 50년대를 실증하는 학자이다.

심증 心證 | 마음 심, 증거 증 [strong belief]
❶속뜻 마음[心] 속에만 있는 증거[證]. ❷법률 재판의 기초인 사실 관계의 여부에 대한 법관의 주관적 의식 상태나 확신의 정도. ¶그가 범인이라는 심증만 있을 뿐 물증(物證)이 없다.

위증 僞證 | 거짓 위, 증명할 증

[perjure oneself; give false witness]
진실을 속이고 거짓[僞]으로 증명(證明)함. ¶법정에서 위증하면 법으로 처벌된다.

입증 立證 | 설 립, 증명할 증 [prove]
증거를 세워[立] 증명(證明)함. ¶입증의 의무는 경찰에게 있다 / 실험을 통해 김치의 항암 효과가 입증되었다.

확증 確證 | 굳을 확, 증거 증
[confirm; prove definitely]
확실(確實)한 증거(證據). 확실히 증명함. ¶그가 범인이라는 확증을 잡았다 / 그의 이론은 실험으로 확증되었다.

0956 [지]

誌

기록할 지
[部] 言부 [劃] 14획 [中] 志 [zhì]

誌자의 근원은 '志'와 '識'로 거슬러 올라간다. '기록하다'(record; write down)는 뜻을 원래는 志자로 나타내다가 후에 識(지)로 썼다. 그래도 문제가 많았기에 '말씀 언'(言)을 첨가한 '誌'가 만들어졌다.

지석 誌石 | 기록할 지, 돌 석 [memorial stone]
지문(誌文)을 적는 돌[石]. ¶지석에는 죽은 이의 사망 연월일이 적혀 있었다.

• 역순어휘

교:지 校誌 | 학교 교, 기록할 지 [school paper]
한 학교(學校)의 학생들이 편집·발행하는 잡지(雜誌).

일지 日誌 | 날 일, 기록할 지 [diary]
그날그날[日]의 직무를 기록함[誌]. 또는 그 책. ¶학급일지 / 일지를 작성하고 퇴근하다.

잡지 雜誌 | 섞일 잡, 기록할 지 [magazine]
❶[속뜻] 여러 가지 내용의 기록[誌]을 한데 섞어[雜] 모은 것. ❷각종 원고를 모아 정기적으로 간행되는 출판물. ¶과학 잡지.

0957 [찬]

讚

기릴 찬:
[部] 言부 [劃] 26획 [中] 赞 [zàn]

讚자는 '기리다'(admire; praise)는 뜻을 나타내기 위한 것이었으니 '말씀 언'(言)이 표의요소로 쓰였다. 贊(도울 찬)은 표음요소로 뜻과는 무관하다.

찬:미 讚美 | 기릴 찬, 아름다울 미
[praise; admire; adore]
아름다운[美] 것을 기림[讚]. ¶아름다운 자연을 찬미한 시(詩).

찬:사 讚辭 | 기릴 찬, 말씀 사
[eulogy; words of praise]
칭찬하는[讚] 말[辭]. 또는 글. ¶멋진 공연에 아낌없는 찬사를 보내다.

찬:송 讚頌 | 기릴 찬, 기릴 송 [praise; glorify]
공덕 따위를 기리고[讚] 칭송(稱頌)함. ¶부처님을 찬송하는 노래를 부르다.

찬:양 讚揚 | 기릴 찬, 오를 양 [praise; exalt]
훌륭함을 기리고[讚] 받들어 올림[揚]. ¶왕의 업적을 찬양하다.

찬:탄 讚歎 | 기릴 찬, 감탄할 탄 [admire; praise]
깊이 감동하여 찬양(讚揚)하고 감탄(感歎)함. ¶뛰어난 연기력에 찬탄을 보내다 / 그녀의 음식 솜씨에는 찬탄하지 않을 수 없다.

• 역순어휘

격찬 激讚 | 격할 격, 기릴 찬 [high praise; extol]
매우 격렬(激烈)하게 칭찬(稱讚)함. ¶그가 만든 제품은 격찬을 받았다. [비]극찬(極讚).

과:찬 過讚 | 지나칠 과, 기릴 찬 [overpraise]
정도에 지나치게[過] 칭찬함[讚]. ¶과찬의 말씀이십니다.

극찬 極讚 | 다할 극, 기릴 찬 [high praise]
지극(至極)히 칭찬(稱讚)함. 또는 그 칭찬. ¶그는 뛰어난 연주로 극찬을 받았다.

예찬 禮讚 | 예도 례, 기릴 찬 [admire; glorify]
아름다운 것에 경의를 표하고[禮] 찬양(讚揚)함. ¶자연을 예찬한 작품.

절찬 絶讚 | 뛰어날 절, 기릴 찬 [highest praise]
뛰어날[絶] 정도로 매우 칭찬(稱讚)함. 극히 칭찬함. ¶절찬을 받을 만하다.

칭찬 稱讚 | 일컬을 칭, 기릴 찬 [praise]
좋은 점이나 훌륭한 일을 일컬어[稱] 높이 평가하여 기림[讚]. 또는 그런 말. ¶청소를 잘 한다고 선생님께서 칭찬하셨다. [반]꾸중, 책망(責望), 질책(叱責).

0958 [토]

討

칠[伐] 토(:)
[部] 言부 [劃] 10획 [中] 讨 [tǎo]

討자는 잘못한 사람을 붙잡아[寸=又, '손'] 그 잘못된 점을 말[言]로 '따지다'(discriminate)는 뜻이다. 후에 '논의하다'(discuss), '치다'(criticize) 등으로 확대 사용됐다.
[속뜻 훈음] ①칠 토, ②따질 토.

토:론 討論 | 따질 토, 말할 론 [discuss; debate]
상대방 의견의 문제점을 따지며[討] 자기의 주장을 말함[論]. ¶사형제도 폐지에 대해 토론하다. [비]토의(討議).

토벌 討伐 | 칠 토, 칠 벌
[conquest; subjugate; suppress]
적을 쳐서[討=伐] 공격함. ¶대대적인 산적 토벌 작전에 나섰다.

토:의 討議 | 따질 토, 의논할 의
[discuss; debate]
어떤 문제에 대하여 검토(檢討)하고 의논(議論)함. ¶환경문제를 토의하다. [비]토론(討論).

• 역순어휘

검:토 檢討 | 검사할 검, 따질 토
[examine; discuss]
내용을 자세히 검사(檢査)하며 잘 따져 봄[討]. ¶제안서를 검토하다.

0959 [평]

評

평할 평:
[部] 言부 [획] 12획 [中] 评 [píng]

評자는 사실의 옳고 그름이나 사물의 우열 등에 대하여 말로 '평하다'(criticize; comment)는 뜻을 나타내기 위한 것이었으니 '말씀 언'(言)이 표의요소로 쓰였다. 平(평평할 평)은 표음요소이다. 평가는 평평, 즉 공평해야 하므로 平이 표의요소도 겸하는 셈이다.

평:가 評價 | 평할 평, 값 가 [appraise; value]
❶[속뜻] 물건의 가치(價値)를 평정(評定)함. ❷사람이나 사물의 가치를 판단함. ¶냉정한 평가를 내리다 / 자신의 잣대로 남을 평가하지 마라.

평:론 評論 | 평할 평, 말할 론
[criticize; review; comment]
비평(批評)하여 토론(討論)함. ¶영화를 평론하다.

평:점 評點 | 평할 평, 점 점
[grade; evaluation mark]
❶[속뜻] 학력(學力)을 평가(評價)하여 매기는 점수(點數). ¶나의 이번 학기 평점은 4.0이다. ❷물건의 가치를 평하여 매긴 점수. ¶그 영화는 평론가들로부터 낮은 평점을 받았다.

평:판 評判 | 평할 평, 판가름할 판
[fame; reputation; repute]
❶[속뜻] 비평(批評)하여 시비를 판정(判定)함. ❷세상 사람이 비평함. 또는 그 비평. ¶그는 효자라는 평판이 자자하다.

• 역순어휘

논평 論評 | 말할 론, 평할 평
[review; comment on]
어떤 사건이나 작품 등의 내용에 대하여 설명하면서[論] 비평(批評)함. ¶정부는 이 사건에 대해 공식적으로 논평했다. [비]평론(評論).

만:평 漫評 | 멋대로 만, 평할 평
[desultory criticism]
일정한 형식이나 체계 없이 멋대로[漫] 하는 비평(批評). ¶시사 만평.

비:평 批評 | 따질 비, 평할 평 [criticize; review]
❶[속뜻] 잘 따져[批] 보고 평(評)함. ❷사물의 좋고 나쁨, 옳고 그름 따위를 따져 평가함. ¶날카로운 비평 / 그는 그 영화가 지루하다고 비평했다.

정:평 定評 | 정할 정, 평할 평
[established reputation]
모든 사람이 다 같이 인정(認定)하는 평판(評判). ¶그는 화가로 이미 정평이 나 있다.

호:평 好評 | 좋을 호, 평할 평
[favorable comment]
좋게[好] 평가(評價)함. 좋은 평가. ¶그 영화는 관객들로부터 호평을 받았다. [반]악평(惡評), 혹평(酷評).

혹평 酷評 | 독할 혹, 평할 평 [criticize; severely]
혹독(酷毒)하게 평가(評價)함. 또는 그 비평. ¶그 소설은 혹평을 받고 있다. [비]악평(惡評). [반]호평(好評).

0960 [주]

酒

술 주(:)
[部] 酉부 [획] 10획 [中] 酒 [jiǔ]

酒자는 본래 '삼 수'(氵)변이 없는 '酉'(술독 모양을 본뜬 것)였다. 이 글자가 간지 명칭(닭띠에 해당)으로도 쓰이는 예가 많아지자, '술'(liquor; alcoholic drink; beer)의 뜻을 분명히 하기 위하여 '물 수'(水)가 덧붙여졌다. 酉를 속칭 '닭 유'라고 하는 것은 의미를 혼동하게 할 소지가 있으니 '술독 유' 또는 '술 유'로 고쳐 부르는 것이 좋을 것 같다.

주류 酒類 | 술 주, 무리 류
[alcoholic drinks; liquor]

술[酒]에 속하는 무리[類]. ¶청소년에게 주류를 판매하지 않습니다.

주막 酒幕 | 술 주, 막 막 [inn]
시골의 길목에서 술[酒]이나 밥 따위를 팔던 막사[幕] 같은 집.

주모 酒母 | 술 주, 어머니 모 [barmaid]
술집에서 술[酒]을 파는 여자[母]. (비)주부(酒婦).

주:정 酒酊 | 술 주, 술취할 정 [drunken frenzy]
술[酒]에 취함[酊]. 술에 취하여 하는 짓거리. ¶그는 가끔 술을 마시고 주정을 부리는 경향이 있다.

• 역순어휘

감주 甘酒 | 달 감, 술 주 [sweet rice drink]
❶속뜻 단[甘] 술[酒]. 맛이 좋은 술. ❷엿기름을 우린 물에 밥알을 넣어 식혜처럼 삭혀서 끓인 음식. (비)단술, 감례(甘醴), 식혜(食醯).

금:주 禁酒 | 금할 금, 술 주 [stop drinking]
❶속뜻 술[酒]을 못 마시게 함[禁]. ❷술을 끊음. ¶금주를 결심하다.

맥주 麥酒 | 보리 맥, 술 주 [beer]
엿기름을 짠 물에 보리[麥] 등과 섞어 발효시켜 만든 술[酒].

반주 飯酒 | 밥 반, 술 주 [liquor with one's food]
끼니 때 밥[飯]에 곁들여서 마시는 술[酒]. ¶아버지는 반주로 막걸리를 드신다.

소주 燒酒 | =燒酎, 불사를 소, 술 주 [distilled liquor]
곡류를 발효시켜 불살라[燒] 증류하여 만든 술[酒].

안주 按酒 | 누를 안, 술 주 [side dish taken with alcoholic drinks]
❶속뜻 술[酒]을 눌러[按] 주는 음식. ❷술 마실 때 속을 편안히 하기 위해 곁들여 먹는 음식. ¶안주 일체 / 안주를 시키다.

약주 藥酒 | 약 약, 술 주 [medicinal wine; strained rice wine]
❶속뜻 약(藥)으로 마시는 술[酒]. ❷'맑은 술'을 달리 이르는 말. ❸어른이 마시는 술. ¶아버지는 약주를 즐기신다.

양주 洋酒 | 서양 양, 술 주 [Western liquors; whisky and wine]
❶속뜻 서양(西洋)에서 들여온 술[酒]. ❷서양식 양조법으로 만든 술. 위스키, 브랜디, 진 따위를 이른다.

음:주 飮酒 | 마실 음, 술 주 [drinking]
술[酒]을 마심[飮]. ¶음주 운전.

청주 淸酒 | 맑을 청, 술 주 [clear; refined rice wine]
❶속뜻 맑은[淸] 술[酒]. ❷다 익은 탁주를 가라앉히고 위에서 떠낸 맑은 술.

탁주 濁酒 | 흐릴 탁, 술 주 [unrefined rice wine]
빛깔이 흐린[濁] 술[酒]. 맑은 술을 떠내지 아니하고 그대로 걸러짠 술로 빛깔이 흐리다. (비)막걸리.

0961 [우]

郵

우편 우
(部) 邑부 (劃) 11획 (中) 邮 [yóu]

郵자는 '역참'(a station; a post station), 즉 문서나 편지를 전달하는 인마(人馬)를 번갈아 내보내기 위하여 적당한 거리를 두고 설치한 집을 뜻한다. 대개 고을(邑=⻏·읍)의 모서리나 끝(垂·끝 수)에 역참이 있었음을 이 글자를 통해 알 수 있다. '우편'(mail; post), '우송하다'(send by mail) 또는 이와 의미상 연관이 있는 낱말의 한 구성요소로 많이 쓰인다.

속뜻훈음 ①우편 우, ②우송할 우.

우정 郵政 | 우편 우, 다스릴 정 [postal services]
우편(郵便)에 관한 행정(行政) 업무.

우체 郵遞 | 우송할 우, 전할 체 [post]
❶속뜻 편지나 소포 따위를 우송(郵送)하여 전해 줌[遞]. ❷정보통신부의 관할 아래 서신이나 기타 물품을 국내나 전 세계에 보내는 업무.

우편 郵便 | 우송할 우, 편할 편 [post]
❶속뜻 편지(便紙) 따위를 우송(郵送)함. ¶서류는 우편으로 보내겠습니다. ❷'우편물'(郵便物)의 준말.

우표 郵票 | 우편 우, 쪽지 표 [postage stamp]
우편 요금을 낸 표시로 우편물(郵便物)에 붙이는 증표(證票). ¶엄마는 우표를 수집하신다.

0962 [취]

趣

뜻 취:
(部) 走부 (劃) 15획 (中) 趣 [qù]

趣자는 '빨리 가다'(go fast)는 뜻을 나타내기 위하여 만들어진 것이다. '달릴 주'(走)가 표의요소로 쓰였고, 取(취할 취)는 표음요소이다. 후에 '목적지를 향하여 감'(go to one's destination) 또는 그러한 '뜻'(an intention)으로 확대 사용됐다. 그러한 모습이 멋있게 보였던지 '멋'(taste; elegance), '풍치'(grace) 등을 이르는 것으로도 쓰였다.

속뜻훈음 ①뜻 취, ②달릴 취, ③풍치 취.

취ː미 趣味 | 뜻 취, 맛 미 [interest; hobby]
❶속뜻 하고자 하는 뜻[趣]과 좋아하는 맛[味]. ❷좋아하여 재미로 즐겨하는 일. ¶독서에 취미를 붙이다. ❸직업이나 의무에 관계없이 자기 성질에 어울리거나 마음이 끌리고 재미가 있는 것. ¶할머니는 취미 삼아 난을 기르신다.

취ː지 趣旨 | 뜻 취, 맛 지
[meaning; object; purpose]
❶속뜻 깊은 뜻[趣]과 그윽한 맛[旨]. ❷이야기나 문장의 근본 뜻. ¶말씀하신 취지를 알겠습니다. ❸어떤 일의 근본 목적이나 의도. ¶본 게시판의 취지에 어긋나는 글은 삭제합니다.

취ː향 趣向 | 달릴 취, 향할 향 [taste; liking]
하고 싶은 마음이 쏠리는[趣] 방향(方向). ¶우리는 음악에 대한 취향이 비슷하다.

• 역순어휘

정취 情趣 | 마음 정, 풍취 취
[sentiment; mood; touch]
마음[情]을 불러일으키는 풍취(風趣). ¶봄의 정취가 한껏 무르익었다.

0963 [도]

逃

달아날 도
部 辶부 劃 10획 中 逃 [táo]

逃자는 '달아나다'(flee; run away)는 뜻을 나타내기 위한 것이었으니 '길갈 착'(辶=辵=彳+止='길'+'발자국'='길을 가다')이 표의요소로 쓰였다. 兆(조짐 조)가 표음요소임은 桃(복숭아나무 도)도 마찬가지이다.
속뜻훈음

도망 逃亡 | 달아날 도, 달아날 망
[escape; runaway]
살기 위하여 달아남[逃=亡]. ¶도망 중인 용의자를 검거했다 / 슬그머니 도망가다 / 간신히 도망치다. 비도주(逃走).

도주 逃走 | 달아날 도, 달릴 주 [escape; run away]
달아나[逃] 달림[走]. ¶범인들이 도주했다. 비도망(逃亡), 도피(逃避).

도피 逃避 | 달아날 도, 피할 피 [escape; flee]
❶속뜻 달아나[逃] 위험이나 어려움을 피(避)함. ¶테러범은 스위스로 도피했다. ❷적극적으로 나서지 않고 몸을 사려 빠져 나감. ¶현실을 도피하다. 비피신(避身), 도망(逃亡), 회피(回避).

0964 [영]

迎

맞을 영
部 辶부 劃 8획 中 迎 [yíng]

迎자는 '맞이하다'(meet; receive)는 뜻을 나타내기 위한 것이었으니, 집에 가만히 앉아 있지 않고 길에 나가다는 뜻인 '길갈 착'(辶)이 표의요소로 쓰였다. 卬(나 앙)이 표음요소임은 央(앙)과 英(영)의 관계와 같다.
속뜻훈음 **맞이할 영.**

영접 迎接 | 맞이할 영, 맞이할 접
[receive; greet]
손님을 맞아서[迎] 대접(待接)하는 일. ¶외국 귀빈을 영접하다.

• 역순어휘

환영 歡迎 | 기쁠 환, 맞이할 영 [welcome]
기쁘게[歡] 맞이함[迎]. ¶열렬한 환영 / 박수로 환영하다. 반환송(歡送).

0965 [우]

遇

만날 우ː
部 辶부 劃 13획 中 遇 [yù]

遇자는 길을 가다 우연히 '만나다'(come across; fall in with)는 뜻을 나타내기 위한 것이었으니 '길갈 착'(辶)이 표의요소로 쓰였다. 그 나머지가 표음요소임은 寓(머무를 우), 偶(짝 우)도 마찬가지이다.

• 역순어휘

경우 境遇 | 상태 경, 만날 우
[circumstance; situation]
❶속뜻 어떤 조건이나 상태[境]에 놓이게 됨[遇]. ❷놓여 있는 사정이나 형편. ¶만일의 경우를 대비하다.

대ː우 待遇 | 기다릴 대, 만날 우 [treat]
❶속뜻 기다려[待] 만남[遇]. ❷신분에 맞게 대접함. ¶국빈 대우를 하다. ❸직장 따위에서 받는 보수의 수준이나 직위. ¶그 회사는 대우가 좋다.

불우 不遇 | 아닐 불, 만날 우
[unfortunate]
❶속뜻 때를 만나지[遇] 못함[不]. ❷포부나 재능은 있어도 좋은 때를 만나지 못하여 불운함. ¶자신의 불우를 탄식하다. ❸살림이나 처지가 딱하고 어려움. ¶불우 노인 / 불우 이웃 돕기.

0966 [유]

遊

놀 유
㊥ 辶부 ㊥ 13획 ㊥ 游 [yóu]

遊자를 갑골문에서는 '어린이가 깃발을 들고 노는 모습'인 '斿'로 썼다. 아이들은 물놀이(氵=水)를 좋아한 때문인지 '游'로 바뀌었고, 놀이를 하자면 먼 길을 가야(辶=辵, '길을 가다') 했기 때문인지 '遊'로 바뀌었다. 요즘도 '놀다'(play; amuse)는 뜻으로 游와 遊가 통용되기도 한다. '떠돌다'(wander about)는 뜻으로도 쓰인다.

속뜻훈음 ①놀 유, ②떠돌 유.

유격 遊擊 | 떠돌 유, 공격할 격 [attack by a mobile unit]
❶속뜻 이리저리 떠돌다가[遊] 적을 불시에 공격함[擊]. ❷군사 그때그때 형편에 따라 적을 기습적으로 공격하는 일. ¶유격 훈련.

유람 遊覽 | 떠돌 유, 볼 람 [go sightseeing]
구경거리를 찾아 떠돌며[遊] 경치 따위를 봄[覽]. ¶배낭을 메고 팔도를 유람하다.

유목 遊牧 | 떠돌 유, 기를 목 [nomadize]
물과 풀밭을 찾아 주기적으로 옮겨 다니며[遊] 소나 양 등의 가축을 기름[牧]. 또는 그런 목축 형태. ¶요즘은 유목 생활을 하는 사람들이 거의 없다.

유세 遊說 | 떠돌 유, 달랠 세 [campaign; canvass]
각처로 돌아다니며[遊] 자기 의견을 주장하고 선전하여 사람들을 달램[說]. ¶그는 시장 상인들과 일일이 악수하며 유세하고 다녔다.

유흥 遊興 | 놀 유, 흥겨울 흥 [merry; pleasure]
흥겹게[興] 노는[遊] 일. ¶유흥업소 / 유흥비(遊興費)로 가산을 탕진하다.

유희 遊戲 | 놀 유, 놀이 희 [play]
놀이[戲]를 하며 즐겁게 놂[遊]. ㊥놀이.

• 역순어휘 •

야:유 野遊 | 들 야, 놀 유 [picnic; excursion]
들[野]판을 다니며 놂[遊].

쾌유 快遊 | 기쁠 쾌, 놀 유
유쾌(愉快)하게 놂[遊]. ¶그 때의 쾌유를 잊을 수 없다.

0967 [유]

遺

남길 유
㊥ 辶부 ㊥ 16획 ㊥ 遗 [yí, wèi]

遺자는 길을 가다[辶]가 귀(貴) 물건을 '잃어버리다'(lose; miss)가 본뜻이니, '길갈 착'(辶)과 '귀할 귀'(貴) 둘 다 표의요소로 쓰였다. 후에 '끼치다'(influence on), 버리다'(abandon; desert), '남기다'(leave behind) 등으로 확대 사용됐다.

속뜻훈음 ①남길 유, ②잃어버릴 유.

유감 遺憾 | 남길 유, 섭섭할 감 [regret; pity]
마음에 남는[遺] 섭섭함[憾]. ¶오실 수 없다니 유감입니다.

유골 遺骨 | 남길 유, 뼈 골 [ashes; remains; bones]
주검을 태우고 남은[遺] 뼈[骨]. 또는 무덤 속에서 나온 뼈. ¶그의 유골은 강에 뿌려졌다. ㊥유해(遺骸).

유물 遺物 | 남길 유, 만물 물 [relic; remains]
❶속뜻 옛날 사람들이 남긴[遺] 물건(物件). ¶석기시대의 유물. ❷죽은 사람이 남긴 물건. ¶할머니의 유물을 정리하다.

유산 遺産 | 남길 유, 재물 산 [inheritance; legacy]
❶속뜻 죽은 이가 남긴[遺] 재산(財産). ¶그는 딸들에게 많은 유산을 남겼다. ❷앞 시대의 사람들이 남겨 준 업적을 비유하여 이르는 말. ¶첨성대는 한국의 문화 유산이다.

유서 遺書 | 남길 유, 글 서 [note left behind by a dead person; testament]
죽을 때 남긴[遺] 글[書]. ¶그는 전 재산을 고아원에 기부하겠다는 유서를 남겼다.

유실 遺失 | 잃어버릴 유, 잃을 실 [lose]
가지고 있던 돈이나 물건 따위를 잃어버림[遺=失]. ¶외적의 침입으로 유실된 문화재가 많다.

유언 遺言 | 남길 유, 말씀 언 [will; testament; one's last words]
죽기 전에 가족이나 가까운 사람들에게 남긴[遺] 말[言].

유적 遺跡 | =遺蹟, 남길 유, 발자취 적 [remains; ruins]
옛날 사람들이 남긴[遺] 발자취[跡]. 건축물이나 싸움터 또는 역사적인 사건이 벌어졌던 곳이나 패총, 고분 따위를 이른다. ¶백제 유적을 발굴하다. ㊥사적(史跡).

유전 遺傳 | 남길 유, 전할 전 [inherit]
생물 후대에 영향을 남겨[遺] 전(傳)해 내려옴. ¶대머리는 유전된다.

유족 遺族 | 남길 유, 겨레 족 [bereaved family]
어떤 사람이 죽은 뒤에 남아[遺] 있는 가족(家族). ¶그는 유족에게 깊은 애도의 뜻을 표했다. ㊥유가족(遺家族).

유품 遺品 | 남길 유, 물건 품
[relics; article left by the deceased]
세상을 떠난 이가 남긴[遺] 생전에 쓰던 물품(物品). ¶이 목걸이는 어머니의 유품이다. (비)유물.

유해 遺骸 | 남길 유, 뼈 해 [ashes; bones]
주검을 태우고 남은[遺] 뼈[骸]. 또는 무덤 속에서 나온 뼈. ¶전사자의 유해를 국립묘지에 안치하다. (비)유골(遺骨).

0968 [적]

適

맞을 적
(部) 辶부 (劃) 15획 ㊥ 适 [shì]

適자는 '가다'(go)는 뜻을 위하여 고안된 것이니 '길갈 착'(辶)이 표의요소로 쓰였다. 그 나머지는 啇(뿐 시)가 잘못 변화된 것인데, 이 경우에는 표음요소로 쓰였음은 摘(딸 적), 敵(원수 적)도 마찬가지이다. 아무 곳이나 갈 것이 아니라 알맞은 곳을 골라 가야 했기 때문인지 '알맞다'(proper; adequate; appropriate)로 확대 사용됐다.

[속뜻훈음] 알맞을 적.

적기 適期 | 알맞을 적, 때 기
[proper time; season for]
알맞은[適] 시기(時期). ¶지금이 단풍을 구경하기에 적기이다.

적당 適當 | 알맞을 적, 마땅 당 [suitable; proper]
정도나 이치에 꼭 알맞고[適] 마땅하다[當]. ¶매일 적당한 운동은 건강에 좋다 / 간장을 적당히 넣어 간을 맞추다.

적법 適法 | 알맞을 적, 법 법 [legal; legitimate]
법규(法規)나 법률에 맞음[適]. ¶적법한 절차 / 그 행위는 적법하다. (반)불법(不法), 위법(違法).

적성 適性 | 알맞을 적, 성질 성 [aptitude; fitness]
어떤 일에 알맞은[適] 성질(性質)이나 적응 능력. ¶적성에 맞는 일을 찾다.

적시 適時 | 알맞을 적, 때 시 [timely]
적당(適當)한 시기(時期). 알맞은 때. ¶그는 적시에 나타나 나를 구해줬다.

적용 適用 | 알맞을 적, 쓸 용 [apply to]
알맞게[適] 응용(應用)함. 맞추어 씀. ¶이 법은 모든 국민에게 적용된다.

적응 適應 | 알맞을 적, 응할 응
[adapt; accommodate]
어떠한 상황이나 조건에 알맞게[適] 잘 어울림[應]. ¶시차 적응 / 그는 전학 간 학교에 잘 적응하고 있다.

적임 適任 | 알맞을 적, 맡길 임
[fitness to the post; suitability]
어떤 임무(任務)를 맡기에 알맞음[適]. ¶이 일에는 그가 적임이다.

적재 適材 | 알맞을 적, 재목 재
[man fit for the post]
알맞은[適] 재목(材木). 유능한 인재(人材).

적절 適切 | 알맞을 적, 꼭 절
[suitable; fit; appropriate]
꼭[切] 알맞다[適]. ¶적절한 대답 / 적절히 행동하다. (반)부적절하다.

적정 適正 | 알맞을 적, 바를 정 [proper; appropriate]
알맞고[適] 바른[正] 정도. ¶적정 온도 / 적정 수준 / 적정한 방법을 찾아 문제를 해결하자.

적합 適合 | 알맞을 적, 맞을 합
[suitable; fit; compatible]
꼭 알맞게[適] 잘 맞음[合]. 꼭 알맞음. ¶이곳은 벼농사를 짓기에 적합하다. (반)부적합(不適合).

• 역순어휘

부적 不適 | 아닐 부, 알맞을 적 [unsuitable; unfit]
알맞지[適] 아니함[不]. ¶그는 이 일을 하기에 부적하다.

최:적 最適 | 가장 최, 알맞을 적
[being the most suitable; fittest]
가장[最] 적당(適當)함. ¶최적의 조건을 갖추다.

쾌적 快適 | 시원할 쾌, 알맞을 적
[agreeable; comfortable]
기분이 상쾌(爽快)할 정도로 몸과 마음에 흡족하게 맞다[適]. ¶쾌적한 공기.

0969 [피]

避

피할 피:
(部) 辶부 (劃) 17획 ㊥ 避 [bì]

避자는 마주치지 않으려고 길을 돌아가다, 즉 '피하다'(avoid)는 뜻이니 '길갈 착'(辶)이 표의요소로 쓰였다. 辟(임금 벽)은 표음요소였다고 한다.

피:구 避球 | 피할 피, 공 구 [dodge ball]
[운동] 공[球]을 피하는[避] 놀이. 일정한 구역 안에서 두 편으로 갈라서 한 개의 공으로 상대편을 맞히는 공놀이.

피:난 避難 | 피할 피, 어려울 난
[take refuge; find shelter]

재난(災難)을 피(避)함. 재난을 피하여 있는 곳을 옮김. ¶피난 행렬 / 온 가족이 부산으로 피난했다.

피:뢰 避雷 | 피할 피, 벼락 뢰
낙뢰(落雷)를 피(避)함.

피:서 避暑 | 피할 피, 더울 서 [pass the summer]
시원한 곳으로 옮겨 더위[暑]를 피(避)함. ¶올 여름에는 산으로 피서를 갈 계획이다.

피:신 避身 | 피할 피, 몸 신 [escape]
몸[身]을 숨겨 피(避)함. ¶그는 전쟁이 터지자 가족들을 피신시켰다.

피:임 避妊 | 피할 피, 아이 밸 임 [prevent conception]
의학 인위적으로 임신(妊娠)을 피(避)함. ¶피임하는 약을 먹다.

• 역순어휘

기피 忌避 | 꺼릴 기, 피할 피 [avoid; evade; shirk]
❶속뜻 싫어하거나 꺼리어[忌] 피함[避]. ❷공공의 책임이나 의무를 거부하는 일. ¶병역을 기피하다. ⓑ위피(違避).

대:피 待避 | 기다릴 대, 피할 피 [shunt; take shelter]
위험이나 피해가 지나가기를 기다리며[待] 잠시 피(避)함. ¶공습 경보가 울리면 즉시 대피하십시오.

도피 逃避 | 달아날 도, 피할 피 [escape; flee]
❶속뜻 달아나[逃] 위험이나 어려움을 피(避)함. ¶테러범은 스위스로 도피했다. ❷적극적으로 나서지 않고 몸을 사려 빠져 나감. ¶현실을 도피하다. ⓑ피신(避身), 도망(逃亡), 회피(回避).

회피 回避 | 돌 회, 피할 피 [evade; avoid]
❶속뜻 이리저리 돌며[回] 피(避)함. ❷책임을 지지 않고 꾀만 부림. ¶면담회피 / 책임을 회피하다.

0970 [부]

負
질[荷] 부:
㊇ 貝부 ㉿ 9획 ㊥ 负 [fù]

負자는 '빚지다'(fall into debt; owe)는 뜻을 나타내기 위하여 만들어진 글자이니 '조개(돈) 패'(貝)와 '사람 인'(人), 두 가지 모두 표의요소로 쓰였다. 윗부분은 '人'자의 변형이다. '짊어지다'(shoulder), '승부에 지다'(be defeated), '책임을 지다'(shoulder the responsibility for)는 의미로도 확대 사용됐다.

부:담 負擔 | 질 부, 멜 담 [load; charge]
❶속뜻 등에 짊어지고[負] 어깨에 둘러멤[擔]. ❷어떠한 의무나 책임을 짐. ¶그녀의 도움으로 부담을 덜었다.

부:대 負袋 | 질 부, 자루 대 [burlap bag]
종이나 천, 가죽 따위로 무엇을 담아 짊어질[負] 수 있게 만든 자루[袋]. ¶소금 세 부대를 샀다. ⓑ포대(包袋).

부:상 負傷 | 질 부, 다칠 상 [injury; wound]
몸에 상처(傷處)를 입음[負]. ¶교통사고로 머리에 부상을 입었다. ⓑ상이(傷痍).

부:채 負債 | 질 부, 빚 채 [debt]
남에게 빚[債]을 짐[負]. 또는 그 빚. ¶부채를 지다 / 부채를 탕감해 주다.

• 역순어휘

승부 勝負 | 이길 승, 질 부 [victory or defeat; match]
이김[勝]과 짐[負]. ¶승부를 가리다.

자부 自負 | 스스로 자, 힘입을 부 [pride]
❶속뜻 스스로[自]의 재능, 능력에 힘입음[負]. ❷자기의 재능이나 능력 따위에 자신을 가지고 스스로 자랑으로 생각함. 또는 그런 마음.

포:부 抱負 | 안을 포, 질 부 [aspiration; ambition]
❶속뜻 품에 안거나[抱] 등에 짊어지고[負] 있음. ❷마음속에 품고 있는 생각이나 계획 또는 희망. ¶그는 큰 포부를 가지고 있다. ⓑ야망(野望).

0971 [자]

資
재물 자
㊇ 貝부 ㉿ 13획 ㊥ 资 [zī]

資자는 돈이나 '재물'(property)을 총칭하는 것이니 '조개(=돈) 패'(貝)가 표의요소로 쓰였다. 次(버금 차)가 표음요소임은 姿(맵시 자)도 마찬가지이다. 후에 '밑천'(capital; fund), '비용'(expenses), '바탕'(foundation; basis) 등으로 확대 사용됐다.

속뜻훈음 ①재물 자, ②밑천 자, ③바탕 자.

자격 資格 | 바탕 자, 품격 격 [qualification]
❶속뜻 필요한 자질(資質)과 품격(品格). ❷일정한 신분이나 지위에 필요한 조건. ¶응모 자격 / 그는 경기에 참가할 자격을 얻었다.

자금 資金 | 밑천 자, 돈 금 [capital]
사업 따위의 밑천[資]이 되는 돈[金]. ¶아버지는 사업 자금을 마련하기 위해 집을 팔았다.

자료 資料 | 밑천 자, 거리 료 [data]
무엇을 하기 위한 밑천[資]이나 바탕이 되는 재료(材

料). 특히 연구나 조사 등의 바탕이 되는 재료. ¶연구 자료 / 그녀는 소설을 쓰기 위해 자료를 수집하고 있다.

자본 資本 | 재물 자, 밑 본 [capital]
사업을 하는 데 밑바탕[本]이 되는 재물[資]. ¶자본이 부족하다.

자원 資源 | 재물 자, 근원 원 [resources]
❶[속뜻]재물[資]이 될 수 있는 근원[源]. ❷생활 및 생산에 이용될 수 있는 원료나 노동력을 통틀어 이르는 말. ¶물적 자원 / 인적 자원.

자재 資材 | 재물 자, 재료 재 [materials]
물자(物資)와 재료(材料)를 아울러 이르는 말. ¶건축 자재 / 우리 회사는 자재를 수입해 제품을 만든다.

자질 資質 | 밑천 자, 바탕 질
[nature; fiber; character]
❶[속뜻]밑천[資]과 본바탕[質]. ❷본래 타고난 성품이나 소질. ¶그는 자질이 침착하여 이 일을 하기 적합하다. ❸자격을 갖추는 데 필요한 소질. ¶의사의 자질을 갖추다.

• 역순어휘

노:자 路資 | 길 로, 재물 자 [traveling expenses]
먼 길[路]을 떠나 오가는 데 드는 비용[資]. ¶노자가 떨어지다. [비]여비(旅費), 거마비(車馬費).

농자 農資 | 농사 농, 재물 자
농사(農事)일에 드는 비용[資]. ¶농자 마련을 위해 대출을 받다 / 농자금 대출.

물자 物資 | 만물 물, 재물 자 [goods]
어떤 활동에 필요한 각종 물건(物件)이나 재물[資]. ¶물자가 풍부하다.

외:자 外資 | 밖 외, 재물 자 [foreign capital]
[경제]'외국자본'(外國資本)의 준말. ¶외자를 유치하여 산업을 발전시키다.

융자 融資 | 녹을 융, 재물 자 [loan; lend]
자금(資金)을 융통(融通)함. 또는 융통한 자금. ¶학자금 융자 / 나는 은행에서 주택자금을 융자받았다.

투자 投資 | 던질 투, 재물 자 [invest]
이익을 얻을 목적으로 사업 등에 자금(資金)을 댐[投]. ¶부동산에 투자하다 / 그는 아이들 교육에 돈을 많이 투자하고 있다.

0972 [적]

賊

도둑 적
[部]貝부 [획]13획 [中]贼 [zéi]

賊자는 표의요소인 '창 과'(戈)와 표음요소인 則(법칙 칙)이 합쳐진 것으로 풀이한 설이 있는데, 이보다는 창[戈]이나 칼[刀]같은 무기를 들고서 남의 돈[貝]을 훔치는 '도둑'(a thief)을 뜻하는 것으로 풀이하는 것이 낫겠다.

• 역순어휘

도적 盜賊 | 훔칠 도, 도둑 적 [thief; robber]
남의 물건 따위를 훔친[盜] 도둑[賊]. ¶산속에서 도적을 만났다. [비]도둑.

마:적 馬賊 | 말 마, 도둑 적 [mounted thieves]
말[馬]을 타고 떼를 지어 다니는 도둑[賊]. ¶마적에게 몽땅 털렸다.

산적 山賊 | 메 산, 도둑 적 [brigand]
산(山)속에 숨어 살면서 남의 재물을 빼앗는 도둑[賊]. ¶산적이 나그네를 덮쳤다.

역적 逆賊 | 거스를 역, 도둑 적
[rebellious subject; rebel]
임금에게 반역(叛逆)한 사람을 도둑[賊]에 비유하여 이르는 말. ¶정약용은 역적으로 몰려 귀양살이를 했다.

왜적 倭賊 | 일본 왜, 도둑 적 [Japanese invaders]
일본[倭]에서 온 도둑놈[賊]. ¶고려 말 남해안 일대에는 왜적들의 노략질이 끊이지 않았다.

해:적 海賊 | 바다 해, 도둑 적 [pirate]
❶[속뜻]바다[海]의 도둑[賊]. ❷배를 타고 다니면서 항해하는 배나 해안 지방을 습격하여 약탈하는 도둑. ¶이 지역은 해적들이 자주 출몰한다.

0973 [경]

鏡

거울 경:
[部]金부 [획]19획 [中]镜 [jìng]

鏡자는 '구리로 만든 거울'(a copper mirror)을 뜻하기 위한 것이었으니 '쇠 금'(金)이 표의요소로 쓰였다. 銅(구리 동)자가 만들어지기 이전에는 구리를 赤金(적금) 또는 吉金(길금)이라 했다. 竟(다할 경)은 표음요소이니 뜻과는 무관하다.

경:대 鏡臺 | 거울 경, 돈대 대 [mirror stand]
거울[鏡]을 달아 세운 화장대(化粧臺). ¶경대 앞에 앉아 치장하다.

경:통 鏡筒 | 거울 경, 대롱 통
현미경이나 망원경 따위에서 접안렌즈와 대물렌즈의 두 개의 거울[鏡]을 연결하는 통(筒).

• 역순어휘

명경 明鏡 | 밝을 명, 거울 경 [clear mirror]
밝게[明] 잘 보이는 거울[鏡]. [비]명감(明鑑).

수경 水鏡 | 물 수, 거울 경 [swimming goggles]
물[水] 속에서 보기 위해 쓰는 안경(眼鏡). ¶수영을 할 때에는 수경을 껴야 한다.

안:경 眼鏡 | 눈 안, 거울 경 [glasses]
시력이 나쁜 눈[眼]을 잘 보이도록 눈에 쓰는 거울[鏡]. ¶안경을 쓰다. [속담]제 눈에 안경이다.

0974 [광]

鑛

쇳돌 광:
[部] 金부 [劃] 23획 [中] 矿 [kuàng]

鑛자는 각종 쇠 물질을 함유하고 있는 돌, 즉 '광석'(an ore; a mineral)을 뜻하기 위하여 만든 글자이니 '쇠 금'(金)이 표의요소로 쓰였다. 廣(넓을 광)은 표음요소이니 뜻과는 무관하다.

광:구 鑛區 | 쇳돌 광, 나눌 구 [mining area; mine lot]
[법률]관청에서 어떤 광물(鑛物)의 채굴이나 시굴을 허가한 구역(區域).

광:물 鑛物 | 쇳돌 광, 만물 물 [mineral]
[광업]암석[鑛]이나 토양 중에 함유된 천연 무기물(無機物). ¶지하에는 많은 광물이 매장되어 있다.

광:부 鑛夫 | 쇳돌 광, 사나이 부 [miner; mine worker]
광물(鑛物)을 캐는 인부(人夫). ¶석탄 광부.

광:산 鑛山 | 쇳돌 광, 메 산 [mine field]
광물(鑛物)을 캐내는 산(山). ¶광산에서 석탄을 캐다.

광:석 鑛石 | 쇳돌 광, 돌 석 [ore; mineral]
[광업]경제적 가치가 있는 광물(鑛物)을 포함하고 있는 암석(巖石). 또는 그런 광물. ¶광석에서 금을 추출하다.

광:업 鑛業 | 쇳돌 광, 일 업 [mining industry]
광물(鑛物)의 채굴, 선광, 제련 따위와 관련된 산업(産業). ¶영월은 광업이 발달했다.

• 역순어휘

금광 金鑛 | 황금 금, 쇳돌 광 [gold mine]
금(金)이 들어 있는 광석(鑛石). 또는 그 광산.

원광 原鑛 | 본디 원, 쇳돌 광
[광업]제련하지 않은 원래(原來)의 광석(鑛石).

철광 鐵鑛 | 쇠 철, 쇳돌 광 [iron mine]
[광업] ❶'철광석'(鐵鑛石)의 준말. 쇠. ❷철광석이 나는 광산.

탄:광 炭鑛 | 숯 탄, 쇳돌 광 [colliery]
[광업]석탄(石炭)을 캐내는 광산(鑛山). ¶그녀의 남편은 탄광에서 일한다.

폐:광 廢鑛 | 그만둘 폐, 쇳돌 광 [abandon a mine]
광산에서 광물(鑛物)을 캐내는 일을 그만둠[廢]. 또는 그 광산. ¶금광이 폐광되자 많은 사람이 마을을 떠났다.

0975 [연]

鉛

납 연
[部] 金부 [劃] 13획 [中] 铅 [qiān, yán]

鉛자는 靑金(청금), 즉 '납'(lead)을 뜻하기 위한 것이었으니 '쇠 금'(金)이 표의요소로 쓰였다. 오른 쪽의 것이 표음요소임은 沿(따를 연)도 마찬가지이다.

연필 鉛筆 | 납 연, 붓 필 [pencil]
흑연(黑鉛)으로 심을 넣어 만든 필기(筆記) 도구. ¶연필로 써야 지우기가 쉽다.

• 역순어휘

아연 亞鉛 | 버금 아, 납 연 [zinc]
❶[속뜻]완전한 납에 버금가는[亞] 납[鉛]. ❷[화학]질(質)이 무르고 광택이 나는 푸른빛을 띤 은백색의 금속 원소 납 함량이 99.9%이다.

흑연 黑鉛 | 검을 흑, 납 연 [black lead; graphite]
❶[속뜻]검은[黑] 빛을 띤 납[鉛] 같은 화합물. ❷[광업]금속광택이 있고 검은빛이 나는 탄소 화합물. 연필심, 도가니, 전극, 감마제 따위로 쓰인다.

0976 [전]

錢

돈 전:
[部] 金부 [劃] 16획 [中] 钱 [qián]

錢자는 구리돈, 즉 '동전'(a copper coin)을 뜻하는 것이니 '쇠 금'(金)이 표의요소로 쓰였다. 戔(쌓일 전)은 표음요소일 따름이다. 후에 '돈'(money)을 뜻하는 것으로 확대 사용됐다.

• 역순어휘

금전 金錢 | 쇠 금, 돈 전 [money; cash]
❶[속뜻]쇠붙이[金]로 만든 돈[錢]. ❷돈. [비]금화(金貨), 화폐(貨幣).

동전 銅錢 | 구리 동, 돈 전 [copper coin]
구리[銅]와 주석의 합금으로 만든 돈[錢]. [비]동화(銅貨). [반]지폐(紙幣).

본전 本錢 | 뿌리 본, 돈 전
[principal sum; original cost]
❶[속뜻] 이자를 붙이지 아니한 본래(本來)의 돈[錢]. ¶이자는커녕 본전도 못 찾았다. ❷장사나 사업을 할 때 밑천으로 가지고 있던 돈. [비]원금(元金). [속담] 밑져야 본전이다.

엽전 葉錢 | 잎 엽, 돈 전 [brass coin]
❶[속뜻] 나뭇잎[葉] 같은 모양의 돈[錢]. ❷예전에 사용하던 놋쇠로 만든 돈. 둥글고 납작하며 가운데에 네모진 구멍이 있다. ¶엽전 한 냥.

0977 [종]

鐘 쇠북 종
[部] 金부 [劃] 20획 [中] 钟 [zhōng]

鐘자는 쇠로 만든 북, 즉 '쇠북'(=종, a bell)을 뜻하기 위한 것이었으니 '쇠 금'(金)이 표의요소로 쓰였다. '아이 동'(童)은 표음요소로 뜻과는 무관하다. 鍾자는 본래 놋쇠로 만든 '술그릇'(a wine vessel)을 뜻하는데, 우리나라에서는 鐘자를 대신하는 것으로도 많이 쓰인다. 즉, 鐘과 鍾은 통용자이다.

종각 鐘閣 | 쇠북 종, 집 각 [belfry; bell tower]
큰 종(鐘)을 달아 두기 위하여 지은 누각(樓閣).

종로 鐘路 | =鍾路, 쇠북 종, 길 로
[지리] 서울특별시 광화문 네거리에서 동대문에 이르는 큰 거리. 조선시대 사대문을 여닫는 것을 알리는 종루(鐘樓)가 있는 길[路]이라는 뜻으로 붙여진 이름이다.

종탑 鐘塔 | 쇠북 종, 탑 탑 [bell tower]
꼭대기에 종(鐘)을 매달아 치도록 만든 탑(塔). ¶성당 종탑에서 들려오는 은은한 종소리.

• 역순어휘

경:종 警鐘 | 타이를 경, 쇠북 종 [alarm bell]
❶[속뜻] 경계(警戒)의 뜻으로 치는 종(鐘). ❷'주의나 충고'를 비유하여 이르는 말. ¶그 사건은 우리 사회에 경종을 울렸다.

괘종 掛鐘 | 걸 괘, 쇠북 종 [wall clock]
종(鐘)이 달려 있는[掛] 시계.

동종 銅鐘 | 구리 동, 쇠북 종 [bronze bell]
구리[銅]로 만든 종(鐘). ¶동종 소리.

편종 編鐘 | 엮을 편, 쇠북 종[carillon]
[음악] 틀에 엮어놓은[編] 종(鐘). 또는 그러한 악기. 두 층에 각각 8개의 구리종을 매단 악기.

0978 [침]

針 바늘 침(:)
[部] 金부 [劃] 10획 [中] 针 [zhēn]

針자는 원래 鍼(침 침)자로 쓰다가 1,000년 전쯤에 속자인 '針'자가 만들어져 주인자리를 차지했다. 굳이 풀이하면 쇠(金)로 만든 '열 십'(十)자 모양의 '바늘'(a needle)을 가리킨다고 할 수 있겠다. 정설은 없다.

침봉 針峰 | =針峯, 바늘 침, 봉우리 봉 [frog]
바늘[針] 같은 굵은 침이 꽂힌 봉우리[峰] 모양의 꽃꽂이 도구.

침엽 針葉 | 바늘 침, 잎 엽 [needle leaf]
[식물] 바늘[針] 모양으로 가늘고 끝이 뾰족한 잎[葉].

• 역순어휘

검:침 檢針 | 검사할 검, 바늘 침
[check a meter]
전기 계량기 따위의 바늘[針]이 가리키는 눈금을 검사(檢査)함. ¶전기계량기를 검침하다.

독침 毒針 | 독할 독, 바늘 침 [poison stinger]
독(毒)을 묻힌 바늘 따위의 침(針). ¶벌은 독침이 있다.

방침 方針 | 모 방, 바늘 침
[one's course of action]
❶[속뜻] 방향(方向)을 가리키는 지남침(指南針). ❷'무슨 일을 처리해 나가는 계획과 방향'을 이르는 말. ¶회사의 방침.

분침 分針 | 나눌 분, 바늘 침 [minute hand]
시계의 분(分)을 가리키는 바늘[針].

시침 時針 | 때 시, 바늘 침
[hour hand of a timepiece]
시계에서 시(時)를 가리키는 짧은 바늘[針].

지침 指針 | 가리킬 지, 바늘 침
[compass needle; indicator]
❶[속뜻] 무엇을 가리키는[指] 바늘[針] 같은 것. 시계, 나침반, 계량기 등에 붙어 있는 바늘. ¶나침반의 지침이 북쪽을 가리키고 있다. ❷생활이나 행동 따위의 지도적 방법이나 방향을 지도하여 주는 준칙. ¶정부에서 지침이 내려왔다.

초침 秒針 | 초 초, 바늘 침 [second hand]
초(秒)를 가리키는 시계 바늘[針]. ¶초침이 가늘어서 거의 보이지 않는다.

0979 [폐]

閉

닫을 폐ː
部 門부 劃 11획 中 闭 [bì]

閉자는 문을 '닫다'(shut; close)는 뜻을 나타내기 위하여 '대문 문'(門)과 빗장 모양이 크게 변화된 '才'를 합쳐 놓은 것이다. 따라서 이 경우는 '才'를 '재주'와 연관시키면 안 된다.

폐ː막 閉幕 | 닫을 폐, 막 막
[close the curtain on; end; finish]
❶속뜻 연극을 다 끝내고 막(幕)을 내림[閉]. ¶연극이 끝나고 폐막된 무대를 바라보다. ❷어떤 행사가 끝남. ¶성황리에 축제를 폐막하다. 반 개막(開幕).

폐ː쇄 閉鎖 | 닫을 폐, 잠글 쇄 [close; shut; lock]
❶속뜻 문을 닫고[閉] 잠금[鎖]. ❷기관이나 시설을 없애거나 기능을 정지함. ¶이 공장은 불황으로 폐쇄됐다. 반 개방(開放).

폐ː장 閉場 | 닫을 폐, 마당 장 [close]
집회나 행사 따위의 회장(會場)을 닫음[閉]. ¶우리 해수욕장은 8월 말에 폐장한다. 반 개장(開場).

폐ː회 閉會 | 닫을 폐, 모일 회
[close a meeting; adjourn]
집회(集會) 또는 회의(會議)를 마치고 문을 닫음[閉]. ¶의장이 폐회를 선언하자 모두 박수를 쳤다. 반 개회(開會).

• 역순어휘

개폐 開閉 | 열 개, 닫을 폐 [open and shut]
열거나[開] 닫음[閉]. ¶자동개폐장치. 비 개합(開闔).

밀폐 密閉 | 빽빽할 밀, 닫을 폐 [shut tight(ly)]
빈틈없이[密] 꼭 막거나 닫음[閉]. 반 개봉(開封).

0980 [한]

閑

한가할 한
部 門부 劃 12획 中 闲 [xián]

閑자의 본래 뜻은 나뭇가지[木]로 문[門]을 둘러쳐 놓은 '마구간'(a pen)을 가리킨다. 그런데 이것이 閒(틈 한) 대신에 쓰이는 사례가 많다보니, '한가하다'(free; not busy), '틈'(spare time) 같은 뜻으로도 쓰이게 됐다.

속뜻훈음 ①한가할 한, ②틈 한.

한가 閑暇 | 틈 한, 겨를 가 [leisured]
❶속뜻 틈[閑]과 겨를[暇]. ❷바쁘지 않고 여유가 있다. ¶오늘은 하루 종일 한가하다 / 한가로운 저녁 시간.

한량 閑良 | 한가할 한, 어질 량 [prodigal]
❶속뜻 한가(閑暇)롭게 잘 지내는 양민(良民). ❷돈 잘 쓰고 잘 노는 사람. ¶그 친구는 놀기 좋아하는 한량이다.

한산 閑散 | =閒散, 한가할 한, 한가로울 산 [dull]
한가롭다[閑=散]. ¶한산한 거리. 반 복잡(複雜)하다, 번잡(煩雜)하다.

한적 閑寂 | =閒寂, 한가할 한, 고요할 적 [quiet]
한가(閑暇)하고 적막(寂寞)하다. ¶한적한 산골.

• 역순어휘

농한 農閑 | 농사 농, 한가할 한
농사(農事)일이 한가(閑暇)함. 반 농번(農繁).

등ː한 等閑 | =等閒, 같을 등, 한가할 한
[negligent; careless]
❶속뜻 한가한[閑] 것 같다[等]. ❷마음에 두지 않거나 소홀하다. 대수롭지 않게 여기다. ¶자녀 교육에 등한한 부모.

0981 [강]

降

내릴 강ː, 항복할 항
部 阜부 劃 9획
中 降 [jiàng, xiáng]

降자는 비탈을 '내려오다'(step down; descend)는 뜻을 나타내기 위하여 '산비탈 부'(阝)가 표의요소로 쓰였다. 오른 쪽의 것은 발가락이 밑으로 향하고 있는 두 개의 발자국[止]이 변화된 것이다. 참고로, 산비탈을 올라가는 것은 陟(오를 척)으로 나타냈다. 후에 '내리다'(bring down)로 확대 사용됐다. '항복하다'(surrender to)는 뜻으로도 쓰이는데, 이 경우에는 독음이 다름을 유의해야 한다.

속뜻훈음 ①내릴 강, ②항복할 항.

강ː설 降雪 | 내릴 강, 눈 설 [snowing; snowfall]
내린[降] 눈[雪].

강ː수 降水 | 내릴 강, 물 수
[rainfall; precipitation]
비, 눈, 우박 따위가 땅에 내린[降] 물[水]. ¶강수 예보.

강ː우 降雨 | 내릴 강, 비 우 [rainfall]
내린[降] 비[雨].

강ː하 降下 | 내릴 강, 아래 하 [fall; drop]
❶속뜻 위에서 아래[下]로 내림[降]. 높은 데서 낮은 데로 내려감. ¶기온이 크게 강하했다. ❷공중에서 아래로 뛰어내림. ¶낙하산 강하 훈련. ❸기온 따위가 내려감.

¶기온이 갑작스레 영하로 강하했다. [비]하강(下降).

항복 降伏 | =降服, 굴복할 항, 엎드릴 복
[surrender]
❶[속뜻]투항(投降)할 뜻으로 몸을 엎드림[伏]. ❷전쟁 등에서 자신이 진 것을 인정하고 상대방에게 굴복함. ¶왜군은 결국 이순신장군에게 항복했다.

• 역순어휘

승강¹ 昇降 | 오를 승, 내릴 강
[ascent and descent; tussle]
❶[속뜻]오르고[昇] 내림[降]. ❷승강이.

승강² 乘降 | 탈 승, 내릴 강
[ascend and descend]
기차나 버스 따위를 타고[乘] 내림[降].

침강 沈降 | 가라앉을 침, 내릴 강
[precipitate; sink]
❶[속뜻]가라앉아[沈] 밑으로 내려감[降]. ❷[지리]지각의 일부가 아래쪽으로 움직이거나 꺼짐.

하:강 下降 | 아래 하, 내릴 강
[descend; drop; fall]
높은 데서 낮은[下] 데로 내려옴[降]. ¶기온의 하강 / 비행기가 활주로를 향해 하강하고 있다. [반]상승(上昇).

투항 投降 | 보낼 투, 항복할 항 [surrender]
❶[속뜻]항복(降伏)할 의사를 보냄[投]. ❷적에게 항복함. ¶병사들은 무기를 내던지고 투항했다.

0982 [계]

階
섬돌 계
[部] 阜부 [劃] 12획 [中] 阶 [jiē]

階자는 비탈진 곳을 미끄러지지 않고 잘 내려올 수 있도록 설치한 층층대, 즉 '섬돌'(=층계, stairs; steps)을 뜻하기 위한 것이었으니 '산비탈 부'(阝)가 표의 요소로 쓰였다. 皆(다 개)는 표음요소인데 음이 약간 달라졌다.

계급 階級 | 섬돌 계, 등급 급 [class; rank]
❶[속뜻]지위나 관직 등의 품계(品階)나 등급(等級). ¶한 계급 승진하다. ❷신분이나 직업, 재산 등이 비슷한 사람들로 이루어지는 사회적 집단. 또는 그것을 기준으로 구분되는 계층. ¶계급 간의 갈등이 심하다. ❸'계급장'(階級章)의 준말.

계단 階段 | 섬돌 계, 층계 단 [staircase; stage]
❶[속뜻]오르내리기 편하도록 건물이나 비탈에[階] 만든 층계[段]. ¶계단을 내려가다. ❷일을 하는 데 밟아야 할 순서. [비]층계(層階), 단계(段階).

계명 階名 | 섬돌 계, 이름 명 [syllable names]
❶[속뜻]계급(階級)이나 품계(品階)의 이름[名]. ❷[음악]음계(音階)의 이름. ¶계명을 부르다. [비]계이름.

계제 階梯 | 섬돌 계, 사다리 제
[steps; stages; chance]
❶[속뜻]층계(層階)와 사닥다리[梯]. ❷일이 되어 가는 순서나 절차. ❸어떤 일을 할 수 있게 된 형편. ¶아직은 그럴 계제가 못된다. [비]단계(段階), 기회(機會).

계층 階層 | 섬돌 계, 층 층
[class; social stratum]
사회적 지위에 따른[階] 여러 층(層). ¶계층 간의 차이. [비]계급(階級).

• 역순어휘

단계 段階 | 층계 단, 섬돌 계 [stage; step; rank]
❶[속뜻]층계[段]에 놓은 섬돌[階]. ❷일을 해 나갈 때 밟아야 할 일정한 과정. ¶다음 단계는 무엇입니까?

음계 音階 | 소리 음, 섬돌 계 [musical scale]
[음악]음(音)이 높이에 따라 계단(階段)처럼 배열된 것.

층계 層階 | 다락 층, 섬돌 계 [stairs]
다락[層]을 오르내릴 수 있도록 만들어 놓은 섬돌[階]. ¶그는 층계에서 굴러 다리가 부러졌다. [비]계단(階段).

품:계 品階 | 품위 품, 섬돌 계
❶[속뜻]벼슬의 품위(品位)를 나눈 단계(段階). ❷[역사]여러 벼슬자리에 대하여 매기던 등급. 제일 높은 정일품에서 제일 낮은 종구품까지 18단계로 나누었다.

0983 [은]

隱
숨을 은
[部] 阜부 [劃] 17획 [中] 隐 [yǐn]

隱자는 '가리다'(screen), '숨기다'(hide; conceal)는 뜻인데, 언덕 부(阝=阜)가 표의요소로 쓰인 걸 보니 예전에는 산언덕의 혼자만 아는 곳에 숨겼나 보다. 왼쪽의 것이 표음요소임은 㒚(산 높을 은)도 마찬가지이다. '가엾다'(pitiful; pitiable)는 뜻으로도 쓰인다.

[속뜻훈음] ①숨길 은, ②가엾을 은.

은둔 隱遁 | 숨길 은, 달아날 둔
[retire from the world; seclude]
세상을 피하여[遁] 숨음[隱]. ¶은둔 생활.

은밀 隱密 | 숨길 은, 비밀 밀 [secret; covert]
숨어 있어서[隱] 겉에 드러나지 아니하다[密]. ¶그는 나에게 은밀히 말했다.

은신 隱身 | 숨길 은, 몸 신 [hide oneself; lie low]
몸[身]을 숨김[隱]. ¶조용해질 때까지 여기서 은신해 있어라.

은어 隱語 | 숨길 은, 말씀 어 [secret language]
특수한 집단이나 계층에서 남이 모르게[隱] 자기네끼리만 쓰는 말[語]. ¶'짭새'는 범죄자들이 '경찰'을 가리켜 사용하는 은어다.

은연 隱然 | 숨길 은, 그러할 연 [in secret]
숨겨져[隱] 있는 듯한 모양[然]. ¶은연중에 속마음을 드러내다.

은유 隱喩 | 숨길 은, 고할 유 [metaphor]
[문학] 사물을 직접 드러내지 않고 숨겨서[隱] 비유(比喩)하는 표현법. '내 마음은 호수요' 따위. ⓑ은유법(隱喩法).

은은 隱隱 | 숨길 은, 숨길 은 [dim; vague; faint]
소리가 멀리서 울려 아득하다[隱+隱]. ¶은은하게 들리는 종소리.

은퇴 隱退 | 숨길 은, 물러날 퇴
[retire from one's post]
❶[속뜻] 몸을 숨기거나[隱] 자리에서 물러남[退]. ❷사회 활동에서 물러나 한가히 지냄. ¶우리 아버지는 은퇴하셨습니다.

은폐 隱蔽 | 숨길 은, 덮을 폐 [conceal; hide]
숨기려고[隱] 덮음[蔽]. ¶그는 증거를 은폐하려다 경찰에 잡혔다.

• 역순어휘

측은 惻隱 | 슬퍼할 측, 가엾을 은 [be sympathetic]
형편이 딱함을 슬퍼하여[惻] 가엽게 여김[隱]. 불쌍히 여김. ¶사정을 들으니 측은한 마음이 든다 / 고아들을 측은히 여기다.

0984 [진]

陣

진칠 진
㊈ 阜부 ㊊ 10획 ㊥ 阵 [zhèn]

陣자는 수레[車]를 비탈진 곳[阝]으로 끌고 올라가 '진을 치다'(take up a position; encamp; pitch a camp)는 뜻이다. 비탈에 진을 치는 것은 적의 접근을 쉽게 파악할 수 있어 방어가 유리했기 때문이었다. '한바탕'(a scene; a round)을 뜻하는 것으로도 쓰인다.
[속뜻 훈음] ①진칠 진, ②한바탕 진.

진법 陣法 | 진칠 진, 법 법 [disposition of troops]
[군사] 진(陣)을 치는 방법(方法). ¶학익진(鶴翼陣)은 유명한 공격 진법이다.

진영 陣營 | 진칠 진, 집 영 [camp]
❶[군사] 군대가 진(陣)을 치고 집단으로 거주하는 집[營]. ¶전투에 앞서 적의 진영에 사절을 보냈다. ❷정치적·사회적·경제적으로 구분된 서로 대립되는 세력의 어느 한 쪽. ¶동서 대립 진영 / 민족주의 진영에 가담하다. ⓑ군영(軍營).

진지 陣地 | 진칠 진, 땅 지
[military camp; stronghold]
진(陣)을 치고 있는 곳[地]. 언제든지 적과 싸울 수 있도록 설비 또는 장비를 갖추고 부대를 배치하여 둔 곳. ¶적의 공격을 받고 진지에서 철수했다.

진통 陣痛 | 한바탕 진, 아플 통 [labor pains]
❶[속뜻] 한바탕[陣] 겪는 통증(痛症)이나 어려움. ¶오랜 진통 끝에 법률이 통과되었다. ❷[의학] 해산할 때, 짧은 간격을 두고 반복되는 복부의 통증. ¶임산부가 진통을 시작하자 즉시 병원으로 옮겼다.

• 역순어휘

적진 敵陣 | 원수 적, 진칠 진
[enemy's camp; enemy's position]
적(敵)의 진영(陣營). 적군(敵軍)의 진지(陣地). ¶적진을 향해, 돌격하라!

퇴:진 退陣 | 물러날 퇴, 진칠 진
[decamp; resign from; step down]
❶[속뜻] 군사의 진지(陣地)를 뒤로 물림[退]. ❷관여하던 직장이나 직무에서 물러남. ¶장관이 책임을 지고 퇴진할 것을 요구하다.

0985 [험]

險

험할 험:
㊈ 阜부 ㊊ 16획 ㊥ 险 [xiǎn]

險자는 '험하다'(dangerous; risky; hazardous)는 뜻을 나타내기 위하여 만들어진 것이다. '산비탈 부'(阝)가 표의요소로 채택된 것은 그곳에 각종 위험이 도사리고 있기 때문으로 짐작된다. 僉(다 첨)이 표음요소임은 驗(증험할 험)도 마찬가지이다.

험:난 險難 | 험할 험, 어려울 난
[rough and difficult]
위험(危險)하고 어렵다[難]. ¶험난한 길을 건너다.

험:담 險談 | 험할 험, 말씀 담 [slander]

❶[속뜻]험(險)한 말[談]. ❷남을 헐뜯어서 말함. 또는 그 말. ¶그는 늘 뒤에서 남의 험담을 하기 바쁘다.

험:상 險狀 | 험할 험, 형상 상
[grimness; sinisterness]
험악(險惡)한 모양[狀]. 또는 그 상태.

험:준 險峻 | 험할 험, 높을 준 [steep]
산세가 험(險)하고 높고[峻] 가파르다. ¶험준한 산길. [반]평탄(平坦)하다.

• 역순어휘

모:험 冒險 | 무릅쓸 모, 험할 험
[have an adventure]
위험(危險)을 무릅쓰고[冒] 어떠한 일을 함. 또는 그 일. ¶목숨을 걸고 모험을 하다.

보:험 保險 | 지킬 보, 험할 험 [insurance]
❶[속뜻]각종 위험(危險)으로 인한 손해를 지켜[保] 줌. ❷[경제]사고나 질병 따위로 생긴 손해를 보상하기 위해, 금융기관이나 회사와 개인 간에 맺는 계약이나 제도. ¶국민의료보험 / 보험에 들다.

위험 危險 | 두려울 위, 험할 험
[danger; peril; risk]
❶[속뜻]두려울[危] 정도로 험(險)함. ❷안전하지 못하거나 신체나 생명에 위해(危害)·손실이 생길 우려가 있는 것. 또는 그런 상태. ¶그는 위험을 무릅쓰고 나를 구했다. [반]안전(安全), 안녕(安寧).

탐험 探險 | 찾을 탐, 험할 험
[explore; make an exploration]
위험(危險)을 무릅쓰고 어떤 곳을 찾아가서[探] 살펴보고 조사함. ¶미지의 세계를 탐험하다.

0986 [정]

靜

고요할 정
[部] 靑부 [劃] 16획 [中] 静 [jìng]

靜자는 丹靑(단청)의 채색이 잘되었는지를 '살피다'(take a good look at; inspect)는 뜻을 위하여 고안된 것이니 '푸를 청'(靑)이 표의요소로 쓰였다. 爭(다툴 쟁)이 표음요소임은 淨(깨끗할 정), 竫(편안할 정)도 마찬가지이다. 본래의 의미로 쓰이는 예는 거의 없고 주로 '고요하다'(quiet; silent; calm), '깨끗하다'(clean) 같은 의미로 많이 쓰인다. 조용한 절간이나 깨끗한 사당이 연상된다.

정맥 靜脈 | 고요할 정, 맥 맥 [vein]
❶[속뜻]고요한[靜] 맥(脈). ❷[의학]정맥혈(靜脈血)을 심장으로 보내는 순환 계통의 하나. 피의 역류를 막는 역할을 하며 살갗 겉으로 퍼렇게 드러난다. [반]동맥(動脈).

정물 靜物 | 고요할 정, 만물 물 [stationary things]
정지하여[靜] 움직이지 아니하는 물건(物件).

정숙 靜肅 | 고요할 정, 엄숙할 숙
[still; silent; quiet]
아무 소리 없이[靜] 매우 조용하고 엄숙(嚴肅)함. ¶실내 정숙 / 정숙한 분위기에서 책을 읽었다.

정적 靜寂 | 고요할 정, 고요할 적
[stillness; quiet; silence]
고요하고[靜] 적막(寂寞)함. ¶개 짖는 소리가 정적을 깨뜨렸다.

• 역순어휘

냉:정 冷靜 | 찰 랭, 고요할 정 [calm; cool]
❶[속뜻]마음을 식히고[冷] 차분히[靜]하다. ❷감정에 따라 움직이지 않고 침착하다. ¶상황을 냉정하게 판단하다.

동:정 動靜 | 움직일 동, 고요할 정 [movements]
❶[속뜻]물질의 운동(運動)과 정지(靜止). ❷사람이 일상적으로 하는 일체의 행위. ❸일이나 현상이 벌어지고 있는 낌새. ¶적의 동정을 살피다.

안정 安靜 | 편안할 안, 고요할 정
[calm down; rest]
❶[속뜻]육체적 또는 정신적으로 편안(便安)하고 고요함[靜]. ¶마음의 안정을 되찾다. ❷병을 치료하기 위하여 몸과 마음을 편안하고 고요하게 하는 일. ¶일주일 정도는 안정을 취하셔야 합니다.

진:정 鎭靜 | 누를 진, 고요할 정
[calm down; relax]
❶[속뜻]누르거나[鎭] 가라앉혀 조용하게[靜] 함. ¶사태가 진정되지 못하다. ❷격앙된 감정이나 아픔 따위를 가라앉힘. ¶화가 나는 마음을 진정하려 애쓰다.

평정 平靜 | 화평할 평, 고요할 정
[calm; tranquil; peaceful]
평안(平安)하고 고요함[靜]. ¶마음의 평정을 유지하다.

0987 [리]

離

떠날 리:
[部] 隹부 [劃] 19획 [中] 离 [lí]

離자의 갑골문은 그물을 쳐서 새를 잡는 모습을 본뜬 것이었다. 지금의 자형에서는 그물 모양에서 유래된 离(리)가 표음요소로 발전됐다(참고, 璃·유리 리). '새를 잡다'(catch a bird)가 본뜻인데, 새의 입장에서는 그물이 쳐진 곳을 피해야 했으니 '벗어나다'(get out of),

'떠나다'(leave; depart) 등으로 확대 사용됐다. '떼놓다'(come out), '떨어지다'(separate)는 뜻으로도 쓰인다.
[속뜻 훈음] ①떠날 리, ②떼놓을 리, ③떨어질 리.

이:간 離間 | 떼놓을 리, 사이 간 [alienate; estrange]
둘 사이[間]를 헐뜯어 서로 멀어지게[離] 함. ¶누군가 나를 친구와 이간하려는 자가 있다.

이:농 離農 | 떠날 리, 농사 농 [give up farming]
[사회] 농사일을 그만두고 농촌(農村)을 떠남[離]. ¶갈수록 이농 현상이 두드러지고 있다. [반]귀농(歸農).

이:륙 離陸 | 떨어질 리, 뭍 륙 [take off]
비행기가 날기 위하여 땅[陸]과 떨어져[離] 하늘로 오름. ¶비행기는 활주로를 달려 순조롭게 이륙했다. [반]착륙(着陸).

이:별 離別 | 떨어질 리, 나눌 별 [part from]
서로 떨어져[離] 나누어짐[別]. ¶그는 어머니와 이별하고 기차에 올랐다. [비]작별(作別). [반]상봉(相逢).

이:산 離散 | 떨어질 리, 흩을 산 [be dispersed; be scattered]
떨어져[離] 흩어짐[散]. ¶전쟁으로 온 가족이 이산했다.

이:유 離乳 | 떼놓을 리, 젖 유 [wean]
젖[乳]을 뗌[離]. 밥을 먹이기 위하여 젖을 먹지 않게 함.

이:탈 離脫 | 떨어질 리, 벗을 탈 [leave; desert; break away]
떨어져[離] 나가거나 벗어남[脫]. ¶통화권 이탈 / 인공위성이 궤도를 이탈했다.

이:혼 離婚 | 떨어질 리, 혼인할 혼 [divorce]
[법률] 혼인(婚姻) 관계를 끊고 서로 떨어져[離] 삶. ¶이혼 가정 / 둘은 결혼 2년 만에 이혼했다. [반]결혼(結婚).

• 역순어휘

거:리 距離 | 떨어질 거, 떨어질 리 [distance; range]
❶[속뜻] 서로 떨어져[距=離] 있는 두 곳 사이의 길이. ❷[수학] 두 점을 잇는 직선의 길이. ¶집에서 학교까지 거리가 가깝다. ❸인간관계에서 친밀하지 못한 사이. ¶그와 거리를 두는 것이 좋겠다.

격리 隔離 | 사이 뜰 격, 떨어질 리 [isolate; segregate]
사이를 떼어[隔] 떨어뜨려[離] 놓음. ¶전염병 환자를 격리하여 치료하다.

난:리 亂離 | 어지러울 란, 떠날 리 [panic; fuss]
❶[속뜻] 난(亂)을 피하여 떠남[離]. ❷전쟁이나 재변(災變) 따위로 세상이 어지러워진 사태. 또는 그와 비슷하게 복잡하고 소란스러움. ¶난리가 나다 / 별것도 아닌 일로 난리다. [비]전란(戰亂).

분리 分離 | 나눌 분, 떨어질 리 [separate; divide]
따로 나뉘어[分] 떨어짐[離]. 또는 따로 떼어 냄. ¶음식물 쓰레기는 분리해서 버려야 한다.

0988 [잡]

雜

섞일 잡
[部] 隹부 [劃] 18획 [中] 杂 [zá]

雜자를 '卒+八+隹'의 구조로 보면 안 된다. '새 추'(隹)가 부수이지만 예외적으로 의미와는 무관하다. 원래는 '襍'으로 썼는데 균형미를 고려하여 배치가 달라졌다. '옷 의'(衣=衤)와 '모을 집'(集)이 합쳐진 것으로 짐작할 수 있듯이 '여러 빛깔의 천[衣]을 모아서[集] 짠 옷'이 본뜻이라고 한다. '(여러 가지가) 섞이다'(mixed), '어수선하다'(disordered; confused)는 뜻으로도 쓰인다.
[속뜻 훈음] ①섞일 잡, ②어수선할 잡.

잡곡 雜穀 | 섞일 잡, 곡식 곡 [miscellaneous cereals]
쌀 이외의 다른 곡식(穀食)을 섞은[雜] 것. 또는 그 곡식. ¶나는 잡곡을 넣어 지은 밥을 좋아한다.

잡귀 雜鬼 | 섞일 잡, 귀신 귀 [minor demons]
온갖 잡다(雜多)한 귀신(鬼神). ¶어머니는 팥죽을 대문 앞에 뿌려 잡귀를 쫓았다.

잡기 雜技 | 섞일 잡, 재주 기 [gambling]
❶[속뜻] 여러 가지 자질구레한[雜] 기예(技藝). ¶그는 잡기에 능한 편이다. ❷여러 가지 잡된 노름. ¶그는 잡기를 하다가 재산을 모두 잃었다.

잡념 雜念 | 섞일 잡, 생각 념 [distracting thoughts]
머릿속에 뒤엉켜 있는[雜] 여러 가지 생각[念]. ¶잡념이 떠올라서 공부를 할 수가 없다.

잡다 雜多 | 섞일 잡, 많을 다 [miscellaneous]
여러[多] 가지가 뒤섞여[雜] 너저분하다. ¶잡다한 생각 / 잡화점 선반에는 온갖 물건이 잡다하게 쌓여 있었다.

잡담 雜談 | 섞일 잡, 말씀 담 [chat]
이런저런 얘기를 섞어[雜] 쓸데없이 하는 말[談]. ¶아낙들이 우물가에서 잡담을 나누고 있다.

잡목 雜木 | 섞일 잡, 나무 목 [scrubs]
여러 종류가 뒤섞인[雜] 나무[木]. ¶그곳은 잡목이 무성하다.

잡비 雜費 | 섞일 잡, 쓸 비 [incidentals]
여러 가지 비용(費用)을 섞어 놓은[雜] 것. 또는 그 비용. ¶이번 달은 잡비가 꽤 많이 들었다.

잡색 雜色 | 섞일 잡, 빛 색 [various colors]
❶속뜻 여러 가지 빛이 뒤섞인[雜] 빛깔[色]. ❷뒤섞여 있는 온갖 것. ❸민속 풍물놀이와 민속놀이에서 정식 구성원이 아니지만 놀이의 흥을 돋우기 위하여 등장하는 사람.

잡식 雜食 | 섞일 잡, 먹을 식 [polyphagia]
❶속뜻 여러 가지 음식을 가리지 않고[雜] 마구 먹음[食]. ❷동물성 먹이나 식물성 먹이를 두루 먹음. ¶잡식 동물.

잡음 雜音 | 섞일 잡, 소리 음 [noise]
❶속뜻 여러 가지 뒤섞인[雜] 소리[音]. ¶라디오에서 잡음이 심하게 난다. ❷어떤 일에 대하여 비판하는 말이나 소문. ¶그는 지금까지 아무 잡음 없이 회사를 이끌어 왔다.

잡종 雜種 | 섞일 잡, 갈래 종 [hybrid]
❶속뜻 여러 가지가 섞인 잡다(雜多)한 종류(種類). ❷생물 품종이 다른 암수의 교배로 생긴 유전적으로 순수하지 못한 생물체. ¶이 개는 잡종이다. (반)순종(純種).

잡지 雜誌 | 섞일 잡, 기록할 지 [magazine]
❶속뜻 여러 가지 내용의 기록[誌]을 한데 섞어[雜] 모은 것. ❷각종 원고를 모아 정기적으로 간행되는 출판물. ¶과학 잡지.

잡채 雜菜 | 섞일 잡, 나물 채
나물[菜]이나 채 썬 고기 등을 볶아서 섞어[雜] 놓은 음식.

잡초 雜草 | 섞일 잡, 풀 초 [weeds]
여러 가지 쓸모없는 풀[草]이 뒤섞여[雜] 있음. 또는 그런 풀. ¶논에 잡초를 뽑다. (비)잡풀.

잡화 雜貨 | 섞일 잡, 재물 화
[miscellaneous goods]
잡다(雜多)한 상품[貨]. ¶잡화는 저쪽에서 팝니다.

• 역순어휘

번잡 煩雜 | 번거로울 번, 섞일 잡
[troublesome; complicated]
번거롭고[煩] 어수선하게 뒤섞임[雜]. ¶도심의 번잡을 피하여 외곽으로 나가다.

복잡 複雜 | 겹칠 복, 섞일 잡 [complex]
무엇이 겹치고[複] 뒤섞여[雜] 어수선하다. ¶교통이 복잡하다 / 머릿속이 복잡하다.

조잡 粗雜 | 거칠 조, 섞일 잡 [coarse; rough]
생각이나 일 따위가 거칠고[粗] 뒤섞이다[雜]. ¶조잡한 솜씨 / 장난감을 너무 조잡하게 만들었다.

착잡 錯雜 | 섞일 착, 어수선할 잡
[mixed; complicated; intricate]
여러 가지 생각이 뒤섞여[錯] 마음이 어수선함[雜]. ¶그의 편지를 보고 마음이 착잡했다.

추잡 醜雜 | 추할 추, 섞일 잡
[be filthy; dirty; disgusting]
말이나 행실 따위가 지저분하고[醜] 잡(雜)스럽다. ¶추잡한 농담.

혼:잡 混雜 | 섞을 혼, 어수선할 잡
[confused; crowded]
여럿이 한데 뒤섞여[混] 어수선함[雜]. ¶교통혼잡 / 혼잡을 빚다.

0989 [혁]

革

가죽 혁
(部) 革부 (劃) 9획 (中) 革 [gé]

革자는 '가죽'(leather)을 나타내기 위하여 짐승의 가죽을 벗겨서 말리는 모양을 본뜬 것이다. 맨 윗부분은 짐승의 머리이고 그 밑은 가죽을 벗겨 펼쳐 놓은 모습임을 지금의 자형으로도 어렴풋이 짐작할 수 있다. 후에 가죽을 벗겨 안과 밖을 뒤집는 것처럼 완전히 뒤 '바꾸다'(change; alter)는 뜻으로도 확대 사용됐다.

속뜻훈음 ①가죽 혁, ②바꿀 혁.

혁대 革帶 | 가죽 혁, 띠 대 [leather belt]
가죽[革]으로 만든 띠[帶]. ¶혁대를 졸라매다. (비)허리띠.

혁명 革命 | 바꿀 혁, 운명 명 [revolution]
❶속뜻 하늘이 내린 천명(天命)을 바꿈[革]. ❷헌법의 범위를 벗어나 국가 기초, 사회 제도, 경제 제도, 조직 따위를 근본적으로 고치는 일. ¶1789년 프랑스혁명이 일어났다. ❸이전의 관습이나 제도, 방식 따위를 단번에 깨뜨리고 질적으로 새로운 것을 급격하게 세우는 일. ¶유럽은 18세기부터 산업혁명이 일어났다.

혁신 革新 | 바꿀 혁, 새 신 [reform; renovate]
제도나 방법, 조직이나 풍습 따위를 뒤바꾸거나[革] 버리고 새롭게[新] 함. ¶컴퓨터 분야는 눈부신 기술 혁신을 이루었다. (반)보수(保守).

• 역순어휘

개:혁 改革 | 고칠 개, 바꿀 혁 [reform; innovate]
❶속뜻 다른 것으로 고치거나[改] 완전히 바꾸어버림[革]. ❷제도나 기구 따위를 완전히 새롭게 뜯어고침.

¶교육개혁 / 개혁적 관료 / 제도를 개혁하다. ㊥혁신(革新). ㊥보수(保守).

변:혁 變革 | 바뀔 변, 바꿀 혁
[revolutionize; reform]
❶ 속뜻 다른 것으로 바뀌거나[變] 바꿈[革]. ❷사회나 제도 등이 근본적으로 바뀜. 또는 바꿈. ¶사회제도를 변혁하다. ㊥개변(改變).

연:혁 沿革 | 따를 연, 바꿀 혁 [history]
❶ 속뜻 지난 것을 따른 것[沿]과 바꾼 것[革]. ❷변천하여 온 내력. ¶학교의 연혁.

0990 [송]

頌

기릴/칭송할 송:
㊀ 頁부 ㊁ 13획 ㊥ 颂 [sòng]

頌자의 본래 뜻은 '얼굴 모양'(a face shape)을 가리키는 것이었으니 '머리 혈'(頁)이 표의요소로 쓰였고 公(공변될 공)은 표음요소였다고 한다. 이 뜻으로 쓰이면 [용]으로 읽었다. 요즘은 그러한 뜻으로 쓰이는 예가 없다. '기리다'(praise; applaud)는 뜻으로 확대 사용되기도 하였는데 이 경우에는 [송:]으로 읽는다.

송:덕 頌德 | 기릴 송, 베풀 덕 [eulogy]
공덕(功德)을 기림[頌].

• 역순어휘

찬:송 讚頌 | 기릴 찬, 기릴 송 [praise; glorify]
공덕 따위를 기리고[讚] 칭송(稱頌)함. ¶부처님을 찬송하는 노래를 부르다.

칭송 稱頌 | 칭찬할 칭, 기릴 송
[praise; compliment]
공덕 따위를 칭찬(稱讚)하여 기림[頌]. ¶그는 보기 드문 효자로 칭송이 자자하다.

0991 [액]

額

이마 액
㊀ 頁부 ㊁ 18획 ㊥ 额 [é]

額자는 머리의 '이마'(the forehead)를 가리키기 위하여 '머리 혈'(頁)이 표의요소로 쓰였다. 客(손 객)은 표음요소이다. '액수'(amount; sum) 또는 이와 의미상 연관이 있는 낱말의 한 구성요소로도 많이 쓰인다.
속뜻 훈음 ①이마 액, ②액수 액.

액면 額面 | 이마 액, 낯 면
[face value; par value]
❶ 속뜻 이마[額]와 낯[面]. ❷ 경제 화폐나 유가증권 따위의 앞면.

액수 額數 | 이마 액, 셀 수
[amount (of money); sum]
❶ 속뜻 이마[額] 같은 곳에 적어 놓은 숫자[數]. ❷금액(金額)의 수. ¶적은 액수.

액자 額子 | 이마 액, 접미사 자 [(picture) frame]
❶ 속뜻 이마[額] 같이 잘 보이는 곳에 걸어 놓는 것[子]. ❷그림, 글씨, 사진 따위를 끼우는 틀. ¶거실 벽에 액자를 걸다.

• 역순어휘

거:액 巨額 | 클 거, 액수 액 [huge amount]
많은[巨] 액수(額數)의 돈. ¶할머니는 거액을 기부했다. ㊥소액(少額).

금액 金額 | 돈 금, 액수 액 [amount of money]
돈[金]의 액수(額數). ¶가격표에 적힌 금액을 확인하다. ㊥값, 가격(價格).

반:액 半額 | 반 반, 액수 액 [half (the) price]
정해진 것의 절반(折半)에 해당되는 금액[額]. ¶월급의 반액을 저축하다. ㊥반값, 반금, 반가(半價). ㊥전액(全額).

소:액 少額 | 적을 소, 액수 액 [small sum]
적은[小] 금액(金額). 적은 액수. ¶소액 투자 / 휴대전화로 소액 결제를 하다. ㊥거액(巨額).

잔액 殘額 | 남을 잔, 액수 액
[balance in an account]
쓰고 남은[殘] 금액(金額). ¶계좌의 잔액을 조회하다 / 이 상품권은 잔액을 환불받을 수 있다.

전액 全額 | 모두 전, 액수 액
[total amount; (sum) total]
전부(全部)에 해당되는 액수(額數). ¶전액을 현금으로 지불하다.

총:액 總額 | 모두 총, 액수 액
[total amount; sum total]
모두[總]를 합한 액수(額數). ¶지출 총액은 천만 원을 훨씬 넘는다.

0992 [현]

顯

나타날 현:
㊀ 頁부 ㊁ 23획 ㊥ 显 [xiǎn]

顯자는 '머리 혈'(頁)이 표의요소이고, 그 나머지는 표음요소라는 설(참고, 㬎 말 배대 끈 현)이 있고, '해 일'(日)·'실 사'(絲)·'머리 혈'(頁)이 조합된 것으로, 눈이 어두운 사람이 가는 실을 밝은 햇볕 아래 드러내 보는 모습이라는 설이 있다. 어쨌든 '나타나다'(appear; present), '드러내다'(bring to light; make public)는 뜻으로 쓰인다.

속뜻 훈음 ①나타날 현, ②드러낼 현.

현:저 顯著 | 나타날 현, 뚜렷할 저 [noticeable; conspicuous]
겉으로 드러날[顯] 정도로 뚜렷하다[著]. ¶현저한 차이 / 작년에 비해 지원자 수가 현저하게 줄어들었다.

현:충 顯忠 | 드러낼 현, 바칠 충 [give high praise to faithfulness]
나라를 위하여 몸을 바친[忠] 사람들의 큰 뜻을 드러내어[顯] 기림.

0993 [골]

骨

뼈 골
部 骨부 획 10획 中 骨 [gǔ, gū]

骨자의 月은 신체의 한 부위임을 말해 주는 표의요소인 肉(고기 육)의 변형이고, 그 나머지는 서로 연이어져 있는 뼈대 모양을 본뜬 歹(뼈대 알)의 원형이다. '뼈'(a bone)의 본뜻이 요즘도 그대로 쓰이고 있다.

골격 骨格 | 뼈 골, 격식 격 [frame; skeleton]
몸을 지탱하는 여러 가지 뼈[骨]의 조직이나 격식(格式). ¶골격이 좋다. 비뼈대, 골간(骨干).

골동 骨董 | 뼈 골, 견고할 동 [curio]
❶속뜻 뼈[骨]같이 견고한[董] 물건. ❷오래되었거나 희귀한 옛날의 기구나 예술품. 비고동(古董).

골반 骨盤 | 뼈 골, 쟁반 반 [pelvis]
의학 고등 척추동물의 허리부분을 이루는 깔때기 모양의 크고 납작한 쟁반[盤]같은 뼈[骨].

골수 骨髓 | 뼈 골, 골수 수 [bone marrow]
❶의학 뼈[骨]의 내강(內腔)에 차 있는 누른빛 또는 붉은빛의 연한 조직[髓]. ¶골수 이식. ❷마음속. ¶원한이 골수에 맺히다.

골자 骨子 | 뼈 골, 접미사 자
일정한 내용에서 가장 요긴한[骨] 부분[子]. 가장 중요한 곳. ¶논쟁의 골자를 추려내다. 비요점(要點), 핵심(核心).

골재 骨材 | 뼈 골, 재료 재 [aggregate]
건설 콘크리트를 만들 때 뼈[骨]같이 기본이 되는 모래나 자갈 따위의 재료(材料).

골절 骨折 | 뼈 골, 꺾을 절 [fracture]
의학 뼈[骨]가 부러짐[折]. ¶다리가 골절되다. 반접골(接骨).

골조 骨組 | 뼈 골, 짤 조 [frame]
건물에 있어서 뼈대[骨]에 해당되는 주요 구조의 짜임[組]. ¶건물의 골조가 완성되었다.

• 역순어휘

기골 氣骨 | 기운 기, 뼈 골 [body and spirit; mettle]
❶속뜻 기혈(氣血)과 뼈대[骨]. 기백과 골격. ❷건장하고 튼튼한 체격.

납골 納骨 | 바칠 납, 뼈 골 [laying (a person's) ashes to rest]
유골(遺骨)을 일정한 그릇에 담아[納] 모심.

노골 露骨 | 드러낼 로, 뼈 골 [nakedness; frankness]
❶속뜻 몸속에 있는 뼈[骨]까지 드러남[露]. ❷속에 담은 감정이나 욕망 따위를 숨김없이 드러냄. 비시부골로(尸腐骨露).

늑골 肋骨 | 갈비 륵, 뼈 골 [ribs]
의학 흉곽을 구성하는 갈비[肋] 뼈[骨]. 비갈비뼈.

백골 白骨 | 흰 백, 뼈 골 [white bone; skeleton]
죽은 사람의 살이 다 썩은 뒤에 남은 흰[白] 뼈[骨]. ¶스승님의 은혜는 백골이 되어서도 잊지 못한다.

약골 弱骨 | 약할 약, 뼈 골 [weak constitution; weakling]
약(弱)한 골격(骨格). 또는 그러한 사람. ¶그는 약골이다.

연:골 軟骨 | 연할 연, 뼈 골 [cartilage; gristle]
❶속뜻 굳기가 무른[軟] 뼈[骨]. 또는 그런 사람. ❷의학 뼈와 함께 몸을 지탱하는 무른 뼈. 탄력이 있으면서도 연하여 구부러지기 쉽다. ¶나이가 들면 연골이 닳아 관절염에 잘 걸린다.

유골 遺骨 | 남길 유, 뼈 골 [ashes; remains; bones]
주검을 태우고 남은[遺] 뼈[骨]. 또는 무덤 속에서 나온 뼈. ¶그의 유골은 강에 뿌려졌다. 비유해(遺骸).

접골 接骨 | 이을 접, 뼈 골 [set bone]
의학 어긋나거나 부러진 뼈[骨]를 이어[接] 맞춤. ¶접골 치료 / 지난번에 접골한 곳을 또 다쳤다.

진골 眞骨 | 참 진, 뼈 골
❶속뜻 진(眞)급의 골품(骨品). ❷역사 신라 시대 신분제인 골품제도의 둘째 등급. 부계와 모계 가운데 한쪽만 왕족이고 한쪽은 귀족일 때 성립한다. ¶태종 무열왕 이

후로는 진골 출신이 왕이 되었다.

피골 皮骨 | 겉 피, 뼈 골 [skin and bones]
몸 바깥의 겉[皮]과 몸 안의 뼈[骨]. ¶몹시 여위어 피골이 상접(相接)하다.

해골 骸骨 | 뼈 해, 뼈 골 [skeleton]
❶속뜻 몸을 이루고 있는 뼈[骸=骨]. ❷살이 썩고 남은 뼈. 또는 그 머리뼈.

0994 [투]

鬪

싸움 투
部 鬥부 劃 20획 中 斗 [dòu]

鬪자를 갑골문에서는 '鬥'로 썼다. 두 사람이 주먹싸움을 벌이고 있는 모습을 본뜬 것이다. '싸우다'(fight)는 뜻을 그렇게 나타낸 것이 자못 흥미롭다. 그로부터 약 2,000년 후 독음을 고려하여 표음요소(豆+寸)를 첨가한 것이 바로 鬪자다. 자형만 복잡하게 됐으니 일종의 改惡(개:악)인 셈이다.

속뜻 훈음 **싸울 투.**

투병 鬪病 | 싸울 투, 병 병 [fight against disease]
병을 고치려고 병(病)과 싸움[鬪]. ¶그는 오랜 투병 생활 끝에 숨을 거두었다.

투사 鬪士 | 싸울 투, 선비 사 [fighter; combatant]
❶속뜻 싸움터에 나가 싸우는[鬪] 사람[士]. ❷주의, 주장을 위해 투쟁하거나 활동하는 사람. ¶그는 민주화 운동의 투사였다.

투우 鬪牛 | 싸울 투, 소 우 [bullfight]
소[牛] 싸움[鬪]을 붙이는 경기. 또는 그 경기에 나오는 소. ¶스페인은 투우 시합으로 유명하다.

투쟁 鬪爭 | 싸울 투, 다툴 쟁 [fight; combat]
❶속뜻 몸으로 싸우거나[鬪] 말로 다툼[爭]. ❷사회 운동이나 노동 운동 등에서 목적을 이루기 위하여 다투는 일. ¶우리의 권리를 되찾기 위해 투쟁할 것이다.

투전 鬪牋 | 싸울 투, 종이 전
[gamble with cards]
두꺼운 종이[牋]로 만든 것으로 서로 겨루는[鬪] 노름. ¶투전 노름을 좋아하다가 가산을 탕진하였다.

투지 鬪志 | 싸울 투, 뜻 지 [fighting spirit]
싸우고자[鬪] 하는 굳센 뜻[志]이나 마음. ¶그들은 강한 투지를 지니고 있다.

• 역순어휘

건:투 健鬪 | 굳셀 건, 싸울 투 [good fight]
굳세게[健] 잘 싸움[鬪]. 씩씩하게 잘해 나감. ¶건투를 빈다.

격투¹ 激鬪 | 거셀 격, 싸울 투 [scuffle]
격렬(激烈)하게 싸움[鬪]. ¶적군과 격투를 벌이다.

격투² 格鬪 | 겨룰 격, 싸울 투
[fight hard; hand to hand fight]
몸으로 맞붙어 치고받으며[格] 싸움[鬪]. ¶경찰은 격투 끝에 도둑을 잡았다.

결투 決鬪 | 결정할 결, 싸울 투
[fight a duel; duel]
서로의 원한이나 갈등을 풀기 어려울 때, 미리 합의한 방법으로 승부[鬪]를 결판(決判)내는 일. ¶결투를 벌이다.

권:투 拳鬪 | 주먹 권, 싸울 투 [boxing]
운동 두 사람이 양손에 글러브를 끼고 주먹[拳]을 쥐고 상대편 허리 벨트 위의 상체를 쳐서 승부를 겨루는[鬪] 경기.

난:투 亂鬪 | 어지러울 란, 싸울 투
[confused fight]
양편이 서로 뒤섞여 어지럽게[亂] 싸움[鬪]. ¶난투가 벌어지다.

분:투 奮鬪 | 떨칠 분, 싸울 투 [struggle hard]
있는 힘을 다하여[奮] 싸우거나[鬪] 노력함. ¶분투 정신 / 성공하기 위하여 끝까지 분투하다.

사투 私鬪 | 사사로울 사, 싸울 투
[strive out of personal grudge]
사사로운[私] 이해관계나 감정 문제로 서로 싸움[鬪]. 또는 그런 싸움. ¶두 이웃 간의 사투가 비극적인 결과를 낳았다.

암:투 暗鬪 | 몰래 암, 싸울 투 [feud silently]
남 몰래[暗] 다툼[鬪]. ¶숨막히는 암투 / 두 정당은 격렬하게 암투하고 있다.

전:투 戰鬪 | 싸울 전, 싸울 투 [fight; battle]
두 편의 군대가 조직적으로 무장하여 싸움[戰=鬪]. ¶야간 전투 / 그들은 3개월 동안 전투를 벌였다. ㊥전쟁.

혈투 血鬪 | 피 혈, 싸울 투
[fight desperately]
❶속뜻 피[血]를 흘리며 싸움[鬪]. ❷죽음을 무릅쓰고 싸움. ¶월드컵에서 한국은 연장 혈투 끝에 독일에 승리했다. ㊥혈전(血戰).

화투 花鬪 | 꽃 화, 싸울 투
❶속뜻 꽃[花]이 그려진 딱지로 하는 놀음[鬪]. ❷운동 48장으로 된 놀이 딱지. 계절에 따른 솔, 매화, 벚꽃, 난초, 모란, 국화, 오동 따위 열두 가지 그림이 각각 네 장씩 모두 48장이며, 짓고땡·육백·고스톱 따위의 노는 방법이 있다. ¶할머니가 화투를 치신다.

0995 [경]

驚

놀랄 경
[部]馬부 [劃]23획 [中]惊 [jīng]

驚자는 '놀라다'(be surprised)는 뜻을 나타내기 위한 것인데, 왜 '말 마'(馬)가 표의요소로 쓰였는지 잘 이해되지 않을 것 같다. 말은 다른 동물에 비하여 잘 놀라는 특성이 있기 때문이라고 한다. 敬(공경할 경)은 표음요소이니 뜻과는 무관하다.

경기 驚氣 | 놀랄 경, 기운 기 [convulsion]
놀란[驚] 기색(氣色). ¶놀라서 경기를 일으키다.

경악 驚愕 | 놀랄 경, 놀랄 악 [be astonished]
깜짝 놀람[驚=愕]. ¶그 소식을 듣고 경악을 금치 못했다.

경이 驚異 | 놀랄 경, 다를 이 [wonder; miracle]
놀랍고[驚] 이상(異常)함. ¶자연의 경이 / 경이로운 사건.

경칩 驚蟄 | 놀랄 경, 숨을 칩
겨울잠을 자던[蟄] 벌레, 개구리 따위가 깨어 놀라[驚] 꿈틀거리기 시작한다는 절기(節氣). 양력 3월 5일 경이다.

경탄 驚歎 | 놀랄 경, 감탄할 탄 [admire; wonder]
몹시 놀라[驚] 감탄(感歎)함. ¶나는 자연의 아름다움에 경탄했다.

0996 [발]

髮

터럭 발
[部]髟부 [劃]15획 [中]发 [fà]

髮자는 髟(머리털 드리워질 표)가 표의요소이고, 犮(달릴 발)은 표음요소이다. '머리털'(a hair)이라는 본뜻이 변함없이 쓰이고 있다.
[속뜻훈음] 머리털 발.

• 역순어휘

가:발 假髮 | 거짓 가, 머리털 발 [false hair]
머리에 쓰는 가짜[假] 머리털[髮]. ¶할아버지는 가발을 쓰신다.

금발 金髮 | 황금 금, 머리털 발 [golden hair]
황금(黃金)빛 나는 머리털[髮]. ¶금발 머리 / 금발의 서양인.

단:발 斷髮 | 끊을 단, 머리털 발
[bobbed hair; bob]
머리털[髮]을 짧게 깎거나 자름[斷]. 또는 그 머리털. [반]장발(長髮).

두발 頭髮 | 머리 두, 머리털 발 [hair]
머리[頭]에 난 털[髮]. ¶두발 모양을 자유롭게 하다.

모발 毛髮 | 털 모, 머리털 발 [hair]
❶[속뜻]몸에 난 털[毛]과 머리에 난 털[髮]. ❷사람의 몸에 난 터럭을 통틀어 이르는 말.

백발 白髮 | 흰 백, 머리털 발 [gray hair]
하얗게[白] 센 머리털[髮]. ¶그는 어느새 백발의 노인이 되었다. [비]흰머리, 은발(銀髮).

삭발 削髮 | 깎을 삭, 머리털 발
[have one's hair cut]
머리털[髮]을 깎음[削]. 또는 그 머리. ¶삭발한 모습이 더 잘 어울린다.

산:발 散髮 | 흩을 산, 머리털 발
[make ones hair disheveled]
머리털[髮]를 풀어 헤침[散]. 또는 그 머리.

이:발 理髮 | 다듬을 리, 머리털 발
[haircut; barber]
머리털[髮]을 깎고 다듬음[理]. ¶그는 넉 달 동안 이발을 안 했다.

장발 長髮 | 길 장, 머리털 발 [long hair]
길이가 긴[長] 머리카락[髮]. ¶1970년대에는 남자들의 장발을 단속했다. [반]단발(短髮).

0997 [계]

鷄

닭 계
[部]鳥부 [劃]21획 [中]鸡 [jī]

鷄자의 본래 자형은 '닭'(a chicken; a cock)을 뜻하기 위하여, 입을 크게 벌리고 '꼬끼오'하며 우는 닭 모양을 실감나게 그린 것이었다. 대단한 솜씨였으나 쓰는 데 시간이 많이 걸리는 단점이 있었기 때문에 일반 새나 다름없이 간단하게 바꾸는 대신에 표음요소 [계]를 첨가하면 어떻겠느냐는 안이 받아들여져 오늘에 이른 것이 鷄이며, 雞라고 쓰기도 한다. 후에 왼쪽 부분에 첨가된 것이 표음요소임은 溪(시내 계), 谿(시내 계)를 보면 금방 알 수 있다.

계란 鷄卵 | 닭 계, 알 란 [egg]
닭[鷄]이 낳은 알[卵]. [비]달걀.

• 역순어휘

백계 白鷄 | 흰 백, 닭 계
털이 흰[白] 닭[鷄].

양ː계 養鷄 | 기를 양, 닭 계 [raise chickens]
닭[鷄]을 먹여 기름[養]. 또는 그 닭.

0998 [명]

鳴

울 명
㊂ 鳥부 ㊆ 14획 ㊥ 鸣 [míng]

鳴자는 '(새가) 울다'(sing; screech; 영어에서는 각 동물에 따라 모두 다르다)는 뜻을 나타내기 위하여 '새 조'(鳥)와 '입 구'(口)를 합쳐 놓은 것이다. 후에 모든 동물의 '울음소리'(a song)와 물체의 '울림'(a sound)을 뜻하는 것으로도 확대 사용됐다.

• 역순어휘

공ː명 共鳴 | 함께 공, 울 명
[echo; resound; sympathize]
❶속뜻 한 물체가 외부의 음파에 자극되어 함께[共] 울림[鳴]. ❷남의 사상이나 의견 따위에 동감(同感)함. ㊥ 공진(共振), 공감(共感).

비ː명 悲鳴 | 슬플 비, 울 명 [scream; shriek]
❶속뜻 슬픈[悲] 울음소리[鳴]. ❷몹시 놀라거나 괴롭고 다급할 때에 지르는 외마디 소리. ¶골목에서 비명이 들렸다.

자명 自鳴 | 스스로 자, 울 명
저절로[自] 소리가 남[鳴].

0999 [점]

點

점 점(ː)
㊂ 黑부 ㊆ 17획 ㊥ 点 [diǎn]

點자는 '작고 까만 점'(a small and black dot)을 나타내기 위하여 고안된 것이다. '검을 흑'(黑)이 표의요소로 쓰였고, 占(점칠 점)은 표음요소이다. 후에 '점찍다'(mark with a dot), '불을 켜다'(light a lamp) 등으로 확대 사용됐다.

속뜻 훈음 ①점 점, ②켤 점.

점검 點檢 | 점 점, 검사할 검 [check; inspect]
문제가 되는 점(點)이 있는지 검사(檢查)함. 또는 그런 검사. ¶정기적인 점검을 하다.

점선 點線 | 점 점, 줄 선
[dotted line; perforated line]
점(點)으로 이루어진 줄[線]. ¶점선으로 표시된 부분.

점수 點數 | 점 점, 셀 수 [marks; grade]
❶속뜻 점(點)의 수효(數爻). ❷성적을 나타내는 숫자. ¶민수는 수학 점수가 높다.

점ː심 點心 | 점 점, 마음 심 [lunch; luncheon]
❶속뜻 마음[心]에 점(點)을 찍음. ❷낮에 끼니로 먹는 음식. ¶점심시간 / 점심을 먹다.

점자 點字 | 점 점, 글자 자 [braille]
두꺼운 종이 위에 도드라진 점(點)들을 일정한 방식으로 짜 모아 만든 글자[字]. 시각장애인들이 손가락으로 더듬어 읽도록 만든 문자이다.

점호 點呼 | 점 점, 부를 호 [roll call; muster]
인원을 점검(點檢)하기 위하여 이름을 부름[呼]. ¶취침 점호.

점화 點火 | 켤 점, 불 화 [ignite; light; fire]
불[火]을 켬[點]. ¶올림픽 성화를 점화하다.

점획 點劃 | 점 점, 그을 획 [tittle]
글자를 이루는 점(點)과 획(劃).

• 역순어휘

감ː점 減點 | 덜 감, 점 점 [deduct points]
점수(點數)를 줄임[減]. 또는 그 점수. ¶맞춤법이 틀려 감점되었다. ㊚가산점(加算點).

강점 強點 | 강할 강, 점 점 [strong point; advantage]
남보다 우세하거나 강(強)한 점(點). ¶강점을 살리다. ㊥장점(長點). ㊚약점(弱點).

거ː점 據點 | 근거할 거, 점 점 [position]
활동의 근거(根據)가 되는 중요 지점(地點). ¶군사 거점을 공격하다. ㊥근거지(根據地), 본거지(本據地).

결점 缺點 | 모자랄 결, 점 점 [fault; defect]
잘못되거나 모자라는[缺] 점(點). ¶결점을 보완하다. ㊥단점(短點), 약점(弱點), 흠(欠). ㊚장점(長點).

관점 觀點 | 볼 관, 점 점 [point of view]
사물이나 현상을 관찰할 때에 그 사람이 보고[觀] 생각하는 태도나 방향[點]. ¶다른 관점에서 생각해보자. ㊥시각(視角).

기점 起點 | 일어날 기, 점 점
[starting point; railhead]
무엇이 시작되는[起] 지점(地點)이나 시점(時點). ¶이 노선의 기점은 청량리이다. ㊥출발점(出發點). ㊚종점(終點).

난점 難點 | 어려울 난, 점 점 [difficult point]
처리하거나 해결하기가 곤란(困難)한 점(點). ㊥난제(難題).

논점 論點 | 논할 론, 점 점 [point at issue]
논의(論議)의 요점(要點). 논의의 중심이 되는 문제. ¶논점을 벗어나다.

단:점 短點 | 짧을 단, 점 점 [fault; shortcoming]
짧아서[短] 모자라거나 흠이 되는 점(點). ¶그는 성격이 급한 게 단점이다. [비]결점(缺點). [반]장점(長點).

동점 同點 | 같을 동, 점 점 [same score]
❶[속뜻] 같은[同] 점수(點數). 또는 점수가 같음. ¶그 경기는 동점으로 끝났다. ❷같은 결론.

득점 得點 | 얻을 득, 점 점 [make a score]
시험이나 경기 따위에서 점수(點數)를 얻음[得]. 또는 그 점수. ¶그는 한 경기에서 30점을 득점했다. [반]실점(失點).

만점 滿點 | 찰 만, 점 점 [full marks; perfection]
❶[속뜻] 규정된 점수를 다 채운[滿] 점수(點數). ¶국어 시험에서 만점을 맞았다. ❷결점이나 부족한 데가 없이 아주 만족할 만한 정도. ¶서비스가 만점이다.

반:점[1] 半點 | 반 반, 점 점 [half point]
[언어] 문장 안에서 짧게[半] 쉴 때 사용하는 문장부호[點]. ','로 표기한다.

반점[2] 斑點 | 얼룩 반, 점 점 [spot; speck]
동식물 따위의 몸에 박혀 있는 얼룩얼룩[斑]한 점(點). ¶반점이 생긴 수박 잎 / 그의 이마에 반점이 생겼다.

배:점 配點 | 나눌 배, 점 점 [distribute of marks]
문제마다 점수(點數)를 나누어[配] 매김. ¶문제에 따라 배점이 다르다.

벌점 罰點 | 벌할 벌, 점 점 [demerit marks]
잘못에 대한 벌(罰)로 따지는 점수(點數). ¶그는 과속으로 벌점 30점을 받았다.

빙점 氷點 | 얼음 빙, 점 점 [freezing point]
[물리] 물이 얼기[氷] 시작하거나 얼음이 녹기 시작하는 온도[點]. 섭씨 0도씨. 어는점.

승점 勝點 | 이길 승, 점 점
[point; victory mark]
경기나 내기 따위에서 이겨서[勝] 얻은 점수(點數).

시점 時點 | 때 시, 점 점 [point of time]
시간(時間)의 흐름 위의 어떤 한 점(點). ¶적절한 시점에 다시 얘기하자.

실점 失點 | 잃을 실, 점 점 [lose a point]
경기 따위에서 점수(點數)를 잃음[失]. 또는 그 점수. ¶실점을 만회하여 경기에 이겼다. [반]득점(得點).

약점 弱點 | 약할 약, 점 점 [weak point]
모자라서[弱] 남에게 뒤떨어지거나 떳떳하지 못한 점(點). ¶남의 약점을 건드리지 마라. [비]결점(缺點), 단점(短點). [반]강점(強點), 장점(長點).

역점 力點 | 힘 력, 점 점
[emphasis; stress]
❶[속뜻] 지레의 힘[力]이 걸리는 점(點). ❷심혈을 기울이거나 쏟는 점. ¶역점 사업 / 학교는 학력 향상에 역점을 두었다.

영점 零點 | 영 령, 점 점 [zero]
얻은 점수(點數)가 없음[零]. ¶한 과목이라도 영점을 받으면 낙제한다.

오:점 汚點 | 더러울 오, 점 점 [stain]
❶[속뜻] 더러운[汚] 점(點). ❷명예롭지 못한 흠이나 결점. ¶6·25는 우리 역사에 동족상잔의 오점을 남겼다.

요점 要點 | 요할 요, 점 점 [main point]
가장 중요(重要)하고 중심이 되는 사실이나 관점(觀點). ¶요점을 정리하다. [비]골자(骨子), 요지(要旨), 중점(重點), 핵심(核心).

원점 原點 | 본디 원, 점 점 [starting point; origin]
❶[속뜻] 시작[原]이 되는 출발점(出發點). 또는 근본이 되는 본래의 점. ¶원점에서부터 다시 이야기해 보자. ❷[수학] 좌표를 정할 때에 기준이 되는 점. 수직선 위의 0에 대응하는 점이며 평면이나 공간에서 좌표축들의 교점이다.

융점 融點 | 녹을 융, 점 점
[melting point; fusing point]
[화학] 고체가 녹아서[融] 액체가 되기 시작하는 온도[點]. [비]녹는점.

이:점 利點 | 이로울 리, 점 점
[advantage; merit]
이(利)로운 점(點). ¶이 기계는 작동하기 편리하다는 이점이 있다.

장점 長點 | 길 장, 점 점
[strong point; advantage]
❶[속뜻] 상대적으로 긴[長] 점(點). ❷좋은 점. 나은 점. ¶원주의 장점은 솔직함이다. [반]결점(缺點), 단점(短點).

정점 頂點 | 꼭대기 정, 점 점 [top; summit]
❶[속뜻] 맨 꼭대기[頂]가 되는 곳[點]. ¶산꼭대기의 정점에 다다르다. ❷발전하는 것의 최고의 상태. ¶그 배우의 인기는 정점에 달했다. [비]절정(絶頂).

종점 終點 | 끝날 종, 점 점
[terminal station]
기차, 버스, 전차 따위를 운행하는 일정한 구간이 끝나는[終] 지점(地點). ¶종점이 가까워지자 승객들도 줄어들었다. [비]종착역(終着驛). [반]기점(起點).

중:점 重點 | 무거울 중, 점 점
[emphasis; priority]
가장 중요(重要)한 점(點). 중요하게 여겨야 할 점. ¶이 책은 학생들의 이해를 돕는 데 중점을 두었다.

지점 地點 | 땅 지, 점 점 [point; spot]

땅[地] 위의 일정한 점(點). ¶이곳은 사고가 많이 나는 지점이다.

채:점 採點 | 가려낼 채, 점 점 [grade; mark; score]
점수(點數)를 매겨 우열을 가려냄[採]. ¶답안지를 채점하다.

초점 焦點 | 태울 초, 점 점 [focus]
❶[속뜻] 광선을 모아 태우는[焦] 점(點). ❷사람들의 관심이나 시선이 집중되는 사물의 중심이나 문제점. ¶문제의 초점을 흐리다. ❸시선이 어떤 대상에 집중하는 것. ¶초점 없는 눈으로 바라보다. ❹[물리] 반사경이나 렌즈에 평행으로 들어와 반사·굴절한 광선이 모이는 점. 영어 'focus'의 어원은 '화로'(火爐)로, '연소점'(燃燒點)이 본뜻이다.

총:점 總點 | 모두 총, 점 점 [total of one's marks; total score]
전체[總]의 점수(點數). 득점의 총계. ¶다섯 과목의 시험 총점은 495점이다.

타:점 打點 | 칠 타, 점 점 [run batted in]
❶[속뜻] 붓이나 펜 따위로 점(點)을 찍음[打]. ❷[운동] 야구에서 타자가 안타 등으로 자기편에 득점하게 한 점수. ¶그 선수는 이번 시즌에서 110타점을 기록했다.

평:점 評點 | 평할 평, 점 점 [grade; evaluation mark]
❶[속뜻] 학력(學力)을 평가(評價)하여 매기는 점수(點數). ¶나의 이번 학기 평점은 4.0이다. ❷물건의 가치를 평하여 매긴 점수. ¶그 영화는 평론가들로부터 낮은 평점을 받았다.

허점 虛點 | 빌 허, 점 점 [loophole]
허술한[虛] 점(點). 허술한 구석. ¶상대 팀의 허점을 노리다.

흑점 黑點 | 검을 흑, 점 점 [black spot]
❶[속뜻] 검은[黑] 점(點). ❷[천문] 태양 표면에 보이는 검은 반점. '태양흑점'(太陽黑點)의 준말.

1000 [룡]

龍

용 룡
[部] 龍부 [劃] 16획 [中] 龙 [lóng]

龍자는 상상의 동물인 '용'(a dragon)을 나타내기 위하여 그 모양을 상상하여 그린 것이었다. 지금의 자형은 그 모습을 연상하기 힘들게 됐다.

용안 龍顔 | 용 룡, 얼굴 안 [royal countenance]
임금을 용(龍)에 비유하여 높이고, 그 얼굴[顔]을 이르는 말. [비]옥안(玉顔), 성안(聖顔).

용왕 龍王 | 용 룡, 임금 왕 [Dragon King]
[불교] 바다에 살며 비와 물을 맡고 불법을 수호하는 용(龍) 가운데의 임금[王].

• 역순어휘

공:룡 恐龍 | 두려울 공, 용 룡 [dinosaur]
❶[속뜻] 두렵게[恐] 보이는 용(龍). ❷[동물] 중생대의 쥐라기에서 백악기에 걸쳐 살았던 거대한 파충류의 화석동물을 통틀어 이름.

익룡 翼龍 | 날개 익, 용 룡 [pterosaur]
❶[속뜻] 날개[翼] 달린 용(龍). ❷[동물] 중생대에 살던 하늘을 나는 파충류. ¶프테라노돈은 백악기를 대표하는 익룡이다.

청룡 靑龍 | 푸를 청, 용 룡 [blue dragon]
푸른[靑] 빛을 띤 용(龍).

제2부

제2부 실 제 : 한자 및 한자어 지도

10장. 3급II 배정한자 500

[1001-1500]

1001 [구]

久

오랠 구ː

[部] 丿부 [劃] 3획 [中] 久 [jiǔ]

久자는 '뜸'(moxa cautery)을 뜻하기 위하여 뜸을 들일 때 쓰는 인두 모양의 도구를 본뜬 것이었다. 후에 이 글자가 '오래다'(long; for a long time)는 뜻을 나타내는 것으로 활용되는 예가 많아지자, 본래 의미는 '불 화'(火)를 첨가한 灸(뜸 구)자를 추가로 만들어 나타냈다.

• 역순어휘

내ː구 耐久 | 견딜 내, 오랠 구
[endurance; durability]
오래[久] 견딤[耐]. 오래 지속함. [비]내용(耐用).

영ː구 永久 | 길 영, 오랠 구 [eternal]
영원(永遠)히 오래[久] 지속됨. ¶영구 불변의 진리.

유구 悠久 | 아득할 유, 오랠 구
[eternal; perpetual]
아득하고[悠] 오래다[久]. ¶한민족은 유구한 역사를 지녔다.

이ː구 已久 | 이미 이, 오랠 구
이미[已] 오래됨[久].

장구 長久 | 길 장, 오랠 구 [be lasting]
매우 길고[長] 오래다[久]. ¶우리나라는 4천년의 장구한 역사가 있다.

지구 持久 | 잡을 지, 오랠 구
[sustain; endure; persist]
❶[속뜻] 오래도록[久] 잘 잡아[持] 둠. ❷오래도록 유지(維持)함.

항구 恒久 | 늘 항, 오랠 구 [permanent]
늘[恒] 변하지 않음[久]. [비]영구(永久).

허구 許久 | 매우 허, 오랠 구
[be a very long time]
날이나 세월 따위가 매우[許] 오래다[久]. ¶삼촌은 허구한 날 술만 마신다.

1002 [승]

乘

탈 승

[部] 丿부 [劃] 10획

[中]乘 [chéng, shèng]

乘자의 갑골문은 사람이 나무 위에 올라가 있는 모습을 본뜬 것이었다. 야수나 홍수를 피해 나무 위에 올라가 생활하던 원시 시대 巢居(소거) 문화의 한 단면이 엿보이는 글자이다. '(올라) 타다'(ride)가 본래 의미이다. '수레'(a wagon; a cart)를 뜻하기도 한다.

[속뜻훈음] ①탈 승, ②수레 승.

승강 乘降 | 탈 승, 내릴 강
[ascend and descend]
기차나 버스 따위를 타고[乘] 내림[降].

승객 乘客 | 탈 승, 손 객 [passenger]
차나 배, 비행기 따위에 탄[乘] 손님[客]. ¶도착이 지연되고 있사오니 승객 여러분은 잠시만 기다려 주십시오.

승마 乘馬 | 탈 승, 말 마 [ride a horse]
❶[속뜻] 말[馬]을 탐[乘]. ❷[운동] 사람이 말을 타고 여러 가지 동작을 함. 또는 그런 경기.

승선 乘船 | 탈 승, 배 선
[embark; board a ship]
배[船]를 탐[乘]. ¶승객 여러분은 10시까지 승선해 주십시오. [반]하선(下船).

승용 乘用 | 탈 승, 쓸 용 [use in riding]
사람이 타고[乘] 다니는 데 씀[用]. ¶사막에서는 낙타를 승용으로 쓴다.

승차 乘車 | 탈 승, 수레 차 [get on a car]
차(車)를 탐[乘]. ¶승차 거부 / 차례로 버스에 승차하다. [반]하차(下車).

승합 乘合 | 탈 승, 합할 합
[ride together; share a car]
자동차 따위에 여럿이 함께[合] 탐[乘]. [비]합승(合乘).

• 역순어휘

대ː승 大乘 | 큰 대, 수레 승
[Mahayana Sans.; Great Vehicle]
❶[속뜻] 깨달음의 세계인 피안으로 타고 가는 큰[大] 수레[乘]. ❷[불교] 이타주의(利他主義)에 의하여 널리 인간 전체의 구제를 주장하는 적극적인 불법. [반]소승(小乘).

동승 同乘 | 한가지 동, 탈 승 [ride together]
차, 배, 비행기 따위를 함께[同] 탐[乘]. ¶승용차 동승. [비]합승(合乘).

탑승 搭乘 | 탈 탑, 탈 승
[ride; get into; board]
항공기, 선박, 기차 따위에 올라탐[搭=乘]. ¶버스에 탑승하다.

합승 合乘 | 합할 합, 탈 승 [ride together]
여러 사람이 한데 모여[合] 탐[乘]. ¶합승을 해도 될까요?

1003 [지]

之 갈 지
部 丿부 劃 3획 中 之 [zhī]

之자는 발자국을 뜻하는 止(지)자의 변이형으로 '가다'(go)가 본래 의미이다. '그것'(that)을 가리키는 대명사적인 용법과 '~의'(of)같은 소유 관계를 나타내는 어조사로 많이 쓰였다. 이상의 용법은 모두 고대 문장, 즉 古文(고:문)에서 그렇게 쓰일 따름이다. 이것이 한 요소로 쓰인 단어가 전혀 없었던 것은 아니지만, 요즘도 널리 쓰이는 낱말은 없다. 다만, 낱말 성격과 고문 성격을 동시에 지니고 있는 '4자 성어'에서는 많이 등장되니, 잘 알아두어야 한다.

감:지덕지 感之德之 | 느낄 감, 어조사 지, 덕 덕, 어조사 지
❶속뜻 감사(感謝)하고 은덕(恩德)으로 여김. ❷분에 넘치는 듯싶어 매우 고맙게 여기는 모양. ¶뜻밖의 환대에 감지덕지하다.

거지-반 居之半 | 살 거, 어조사 지, 반 반
[almost; nearly]
절반(折半) 이상을 차지함[居]. ¶참석자는 거지반이 대학생이다. ㊣거반. ㊥거의.

고육지계 苦肉之計 | 괴로울 고, 고기 육, 어조사 지, 꾀할 계
❶속뜻 자신의 살[肉]을 도려내는 괴로움[苦]을 무릅쓰는 계책(計策). ❷자신의 희생까지 무릅씀. ¶고육지계까지도 동원하였다.

궁여지책 窮餘之策 | 궁할 궁, 남을 여, 어조사 지, 꾀 책
궁(窮)한 나머지[餘] 생각다 못하여 짜낸 계책(計策). ¶궁여지책으로 거짓말을 하다.

상궁지조 傷弓之鳥 | 상할 상, 활 궁, 어조사 지, 새 조
❶속뜻 한 번 화살[弓]에 맞아 다친[傷] 적이 있는 새[鳥]는 구부러진 나무만 보아도 놀람. ❷한 번 혼이 난 일로 늘 의심과 두려운 마음을 품는 것을 이르는 말. ¶상궁지조란 성어를 보면 '자라보고 놀란 가슴 솥뚜껑보고 놀란다'는 속담이 생각난다.

수어지교 水魚之交 | 물 수, 물고기 어, 어조사 지, 사귈 교
❶속뜻 물[水]과 물고기[魚]의 관계와 같은 사이[交]. ❷아주 친밀하여 떨어질 수 없는 사이. ❸임금과 신하 또는 부부같이 친밀한 사이를 비유하여 이르는 말. ¶수어지교라 할 수 있는 그들 사이가 부럽다.

애:지중지 愛之重之 | 사랑 애, 그것 지, 중할 중, 그것 지
[love and prize; prize highly]
어떤 것[之]을 매우 사랑하고[愛] 소중(所重)히 여기는 모양. ¶할머니는 손자를 애지중지 길렀다.

오합지졸 烏合之卒 | 까마귀 오, 합할 합, 어조사 지, 군사 졸
[disorderly crowd]
❶속뜻 까마귀[烏]가 모인[合] 것처럼 질서가 없는 병졸(兵卒). ❷임시로 모여들어서 규율이 없고 무질서한 병졸 또는 군중을 이르는 말. ¶적군은 수만 많았지 기율이 없는 오합지졸에 불과했다. ㊟오합지중(烏合之衆), 와합지졸(瓦合之卒).

요지부동 搖之不動 | 흔들릴 요, 어조사 지, 아닐 부, 움직일 동
흔들어도[搖] 움직이지[動] 아니함[不]. ¶그는 한번 마음을 먹으면 요지부동이다.

이목지신 移木之信 | 옮길 이, 나무 목, 어조사 지, 믿을 신
❶속뜻 나무[木]를 옮기는[移] 간단한 것으로 백성들을 믿게 함[信]. ❷남을 속이지 아니한 것을 밝힘. ❸약속을 실행하여 믿음을 얻음. ¶이목지신의 옛 이야기를 통하여 믿음을 얻는 일이 매우 소중함을 알 수 있다.

자격지심 自激之心 | 스스로 자, 분발할 격, 어조사 지, 마음 심
자기(自己)가 한 일에 대하여 미흡하게 여겨 스스로 분발하려는[激] 마음[心]. ¶그는 대학을 가지 않은 것에 대해 자격지심을 갖고 있다.

파죽지세 破竹之勢 | 쪼갤 파, 대나무 죽, 어조사 지, 기세 세
❶속뜻 대나무[竹]를 쪼개는[破] 것 같은 기세(氣勢). ❷'어떤 일이 거침없이 쭉 계속됨'을 비유하여 이르는 말. 맹렬한 기세. ¶파죽지세로 적군을 무찌르다.

호:연지기 浩然之氣 | 클 호, 그러할 연, 어조사 지, 기운 기
[vast flowing spirit; great morale]
❶속뜻 바르고 큰[浩] 그러한[然] 모양의 기운(氣運). ❷하늘과 땅 사이에 가득 찬 넓고 큰 원기. ❸거침없이 넓고 큰 기개. ¶호연지기를 기르다.

흥인지문 興仁之門 | 일어날 흥, 어질 인, 어조사 지, 문 문
❶속뜻 어진[仁] 마음이 생겨[興]나는 뜻을 담고 있는 성문(城門). ❷고적 '동대문'(東大門)의 본이름. 서울특별시 종로구 종로 6가에 있는 성문으로 보물 제1호이다. ㊟사대문(四大門).

1004 [건]

乾

하늘/마를 건
㊥乙부 ㊣11획 ㊥乾 [gān, qián]

乾자는 부수를 알기 어렵다. '새 을'(乙)이 부수다. 그러나 그것이 표의요소는 아니다. 즉 '새'와는 아무런 관계가 없다. 그 나머지는 표음요소였다고 한다. '위로 나오다'(go out)가 본뜻이다. 주역의 팔괘 명칭으로 쓰일 때에는 '하늘'(the heavens)을 상징하며 [건]으로 읽는다. '마르다'(dry)는 뜻으로도 쓰이며 이 경우는 [간]으로 읽어야 옳은데, [건]으로 읽는 것이 일반화됐다.

속뜻훈음 ①하늘 건, ②마를 건.

건괘 乾卦 | 하늘 건, 걸 괘 [symbol of the sky]
민속 하늘[乾]을 상징하는 팔괘(八卦)의 하나. ¶'☰'을 일러 건괘라고 한다.

건기 乾期 | 마를 건, 때 기 [dry season]
건조(乾燥)한 시기(時期). '건조기'(乾燥期)의 준말. ¶건기에는 동물들이 먹이를 찾으러 이동한다. ⓑ우기(雨期).

건달 乾達 | 하늘 건, 통달할 달 [penniless rake]
❶속뜻 산스크리트어 'gandharva'를 음역(音譯)한 '乾達婆'의 준말. ❷빈둥빈둥 놀거나 게으름을 부리는 사람. ¶백수 건달. ❸난봉을 부리고 돌아다니는 사람. ¶건달들의 행패가 심하다.

건배 乾杯 | 마를 건, 술잔 배 [toast; drink to]
술잔[杯]을 말리듯[乾] 잔에 있는 술을 몽땅 다 마심. ¶성공을 위해 건배하자.

건성 乾性 | 마를 건, 성질 성 [dryness]
건조(乾燥)한 성질(性質). 건조하기 쉬운 성질. ¶건성 피부. ⓑ습성(濕性).

건습 乾濕 | 마를 건, 젖을 습
[dryness and moisture]
마름[乾]과 젖음[濕]. 건조와 습기.

건어 乾魚 | 마를 건, 물고기 어 [dried fish]
말린[乾] 물고기[魚]. ¶읍내에 가서 건어를 사왔다.

건재 乾材 | 마를 건, 재료 재
[dried medicinal herbs]
한의 조제하지 않은 말린[乾] 상태의 약재(藥材). ¶작두로 건재를 썰다.

건조 乾燥 | 마를 건, 마를 조 [dry; arid]
❶속뜻 습기나 물기가 없는 마른[乾=燥] 상태. ¶이 식물은 건조한 곳에서도 잘 자란다. ❷분위기, 정신, 환경 등이 여유나 윤기가 없이 메마름. ¶글이 무미(無味)건조하다.

건초 乾草 | 마를 건, 풀 초 [hay; dried grass]
베어 말린[乾] 풀[草]. ¶말에게 건초를 먹이다. ⓑ말린풀, 마른풀. ⓑ생초(生草).

1005 [을]

乙

새 을
㊥乙부 ㊣1획 ㊥乙 [yǐ]

乙자의 자형 풀이는 여러 설이 있는데, 제비가 앉아 있는 모습을 본뜬 것으로 '제비'(a swallow)가 본래 의미였다는 설이 가장 그럴 듯하다. 이것이 十干(십간)의 두 번째 것으로 활용되는 예가 많다 보니 '둘째'(the second; number two)의 뜻으로도 쓰인다. 그러자 본뜻은 따로 鳦(제비 을)자를 만들어 나타냈다.

을미 乙未 | 천간 을, 양 미
민속 천간의 '乙'과 지지의 '未'가 만난 간지(干支). ¶을미년에 태어난 사람은 양띠이다.

을사 乙巳 | 천간 을, 뱀 사
민속 천간의 '乙'과 지지의 '巳'가 만난 간지(干支). ¶을사년에 태어난 사람은 뱀띠이다.

1006 [구]

丘

언덕 구
㊥一부 ㊣5획 ㊥丘 [qiū]

丘자의 갑골문은 山(뫼 산)과 비슷하지만 봉우리가 두 개 밖에 안 되는 것이 가장 큰 차이다. 쓰기 편함을 추구하다 보니 자형이 크게 변하여 그러한 모습을 추정하기가 힘들게 됐다. 흙으로만 이루어진 '작은 산'(small mountain)이 본래 의미인데, '언덕'(hill)의 뜻으로 많이 쓰인다.

구릉 丘陵 | 언덕 구, 큰 언덕 릉 [hill]
작은 언덕[丘]과 큰 언덕[陵].

• 역순어휘

사구 沙丘 | =砂丘, 모래 사, 언덕 구
[sand dune; down]
지리 모래[沙] 언덕[丘]. ¶그랜드캐니언은 사구가 굳어서 이루어진 계곡이다.

이구 泥丘 | 진흙 니, 언덕 구
지리 화산에서 내뿜어진 진흙[泥]이 분화구의 주위에 쌓여서 된 원뿔 모양의 언덕[丘].

청구 青丘 | =青邱, 푸를 청, 언덕 구

❶속뜻 푸른[靑] 언덕[丘]. ❷지난날, 중국에서 '우리나라'를 달리 이르던 말. 중국의 신화에 따르면, 오색 가운데 '청'(靑)은 동방을 상징하므로, 중국의 동쪽에 있는 우리나라를 일러 그렇게 지칭하였다고 한다.

1007 [병]

丙

남녘 병:
部 一부 劃 5획 中 丙 [bǐng]

丙자는 갑골문에도 등장할 만큼 나이를 많이 먹은 글자이다. 당시의 모습은 지금의 자형에서 '亠'를 뺀 나머지 모양과 비슷했는데, 이것이 무엇을 나타내는지에 대하여는 정설이 없다. 후에 이것이 十干(십간)의 세 번째 것으로 활용되는 예가 많다 보니 '세 번째'(the third; number three)의 뜻으로도 쓰인다(예, 丙科). '남녘 병'이란 훈도 전래되고 있는데, '남녘'은 10간 가운데 제3방위에 해당되기 때문에 붙여진 것이지만, 실제 그러한 뜻으로 쓰인 단어 용례는 없다.

속뜻훈음 천간 병.

병:인 丙寅 | 천간 병, 범 인
민속 천간의 '丙'과 지지의 '寅'이 만난 간지(干支). ¶병인년에 태어난 사람은 범띠이다.

병:자 丙子 | 천간 병, 쥐 자
민속 천간의 '丙'과 지지의 '子'가 만난 간지(干支). ¶병자년에 태어난 사람은 쥐띠이다.

1008 [장]

丈

어른 장:
部 一부 劃 3획 中 丈 [zhàng]

丈자는 본래 '열 십'(十)과 '손 우'(又)가 합쳐져 있는 모습이었는데, 支(지)자와 혼동하지 않도록 모양이 약간 달라졌다. '(자로) 재다'(measure)는 뜻을 나타내기 위하여 十자 모양의 자를 손에 들고 길이를 재는 모양을 본뜬 것이 바로 丈자다. 후에 '길이의 한 단위'로 확대 사용됐고, '성인 남자'(=어른, an adult man)를 뜻하는 것으로 차용되기도 했다.

장:모 丈母 | 어른 장, 어머니 모
[one's wife's mother]
장인(丈人)의 부인을 어머니[母]에 비유한 말. 반장인(丈人).

장:부 丈夫 | 어른 장, 사내 부 [full grown man]
어른[丈]이 된 씩씩한 사내[夫]. ¶네가 벌써 이렇게 늠름한 장부가 되었구나!

장:인 丈人 | 어른 장, 사람 인 [wife's father]
아내의 친정 어른[丈]이 되는 사람[人]. 아내의 아버지.

1009 [단]

丹

붉을 단
部 丶부 劃 4획 中 丹 [dān]

丹자는 붉은 색의 원료로 쓰이는 광석인 朱砂(주사)를 캐는 광산의 구조물 모양을 본뜬 것으로 '붉다'(red)가 본래 의미다. '(깊은) 속'(the heart; the core)이라는 뜻으로도 쓰였으며, 道家(도:가)에서는 주사로 長生不死(장생불사)의 약을 만들 수 있다고 생각하여 '영약'(a miraculous medicine)의 뜻으로도 쓰였다.

단장 丹粧 | 붉을 단, 화장할 장 [make up]
❶속뜻 곱게[丹] 화장(化粧)함. 머리나 옷차림 따위를 매만져서 맵시 있게 꾸밈. ❷손을 대어 산뜻하게 꾸밈. ¶곱게 단장하고 나서다. 비장식(裝飾).

단전 丹田 | 붉을 단, 밭 전
[hypogastric center]
❶속뜻 붉은[丹] 밭[田] 같은 곳. ❷배꼽 아래 한 치 다섯 푼(4.53cm) 되는 곳. 도가(道家)에서는 이곳을 힘의 원천이라고 여겼다. ¶단전에 힘을 주다.

단청 丹靑 | 붉을 단, 푸를 청
❶속뜻 붉은[丹] 색과 푸른[靑] 색. ❷궁궐, 사찰, 정자 등 옛날식 집의 벽, 기둥, 천장 따위에 여러 가지 빛깔로 그림이나 무늬를 그림. 또는 그 그림이나 무늬. ❸채색(彩色).

단풍 丹楓 | 붉을 단, 단풍나무 풍
[maple tree; red leaves]
❶속뜻 가을에 잎이 붉게[丹] 물든 나무[楓]. 또는 그 잎. ¶단풍이 들다. ❷식물 '단풍(丹楓)나무'의 준말. ¶설악산은 가을 단풍으로 유명하다. 비단풍나무, 단풍잎.

1010 [범]

凡

무릇 범(:)
部 几부 劃 3획 中 凡 [fán]

凡자에 대하여는 여러 설이 있는데, 쪽배에 달아 놓은 돛 모양을 본뜬 것으로 '돛'(a sail)이 본래 의미이다. 후에 이것이 '무릇'(generally), '평범한'(common; ordinary) 같은 의미로 활용되는 사례가 많아지자, 본뜻은 따로 帆(돛 범)을 만들어 나타냈다는 설이 가장 나은 듯하다.

범:례 凡例 | 모두 범, 본보기 례
[introductory remarks; explanatory notes]
미리 알아두어야 할 모든[凡] 사항을 본보기[例]로 적은 글. (비)일러두기.

범:상 凡常 | 무릇 범, 늘 상
[ordinary; common; normal]
무릇[凡] 늘[常] 있을 수 있음. 흔히 있을 수 있는 예사로움. ¶그는 범상한 인물이 아닌 것 같다.

• 역순어휘

비:범 非凡 | 아닐 비, 평범할 범 [extraordinary]
평범(平凡)하지 않음[非]. 특히 뛰어남. ¶그는 음악에 비범한 재능을 갖고 있다. (반)평범(平凡)하다.

평범 平凡 | 보통 평, 범상할 범
[common; ordinary]
보통[平]으로 범상함[凡]. ¶그는 반에서 그다지 눈에 잘 띄지 않는 평범한 학생일 뿐이다. (반)비범(非凡).

1011 [간]

刊
새길 간
(部) 刀부 (劃) 5획 (中) 刊 [kān]

아득한 옛날에는 책을 만들 때 나무토막을 깎아 다듬어 위에 글을 쓰고 줄로 엮었다. 刊자는 바로 그렇게 하기 위하여 칼로 나무를 '깎다'(shave)는 뜻을 나타내기 위하여 만든 것이었으니, '칼 도'(刀=刂)가 표의요소이고, '방패 간'(干)은 표음요소이다. 그래서 '책을 만들다'(publish)의 뜻으로 확대 사용되었다.
[속뜻훈음] 책 펴낼 간.

간행 刊行 | 책 펴낼 간, 행할 행 [publish; issue]
책을 찍어[刊] 발행함[行]. ¶3개월에 한 번씩 간행하는 출판물을 계간(季刊)이라고 한다. (비)발행(發行), 출판(出版), 발간(發刊), 출간(出刊).

• 역순어휘

발간 發刊 | 필 발, 책 펴낼 간 [publish]
책이나 신문 등을 발행(發行)하여 펴냄[刊]. ¶새로운 잡지를 발간하다.

석간 夕刊 | 저녁 석, 책 펴낼 간 [evening paper]
매일 저녁[夕]때에 발행되는[刊] 신문. '석간신문'(新聞)의 준말. ¶그 사건은 석간신문에 대서특필(大書特筆)됐다. (반)조간(朝刊).

신간 新刊 | 새 신, 책 펴낼 간
[publish a new book]
책을 새로[新] 간행(刊行)함. 또는 그 책. ¶신간 도서 목록 / 전문 의학서적을 신간하다.

월간 月刊 | 달 월, 책 펴낼 간
[monthly publication]
매월(每月) 발간(發刊)하는 일. 또는 그 간행물. ¶월간 잡지를 구독하다.

일간 日刊 | 날 일, 책 펴낼 간 [daily publication]
날[日]마다 박아서 펴냄[刊]. 또는 그 간행물.

조간 朝刊 | 아침 조, 책 펴낼 간 [morning edition]
매일 아침[朝] 발행되는[刊] 신문. '조간신문'(新聞)의 준말. ¶그는 매일 출근하는 동안 조간을 읽는다. (반)석간(夕刊).

주간 週刊 | 주일 주, 책 펴낼 간
[weekly publication]
한 주(週) 간격으로 간행(刊行)함. 또는 그런 간행물. ¶주간잡지.

창:간 創刊 | 처음 창, 책 펴낼 간
[publish the first edition]
정기 간행물 따위를 처음으로[創] 발간(發刊)함. 신문, 잡지 따위 정기 간행물의 첫 호를 간행함. ¶창간 10주년 / 주간지가 창간되다. (반)종간(終刊).

출간 出刊 | 날 출, 책 펴낼 간 [publish]
책을 펴내어[刊] 세상에 내어놓음[出]. ¶영어책 하나를 출간하기로 마음먹었다. (비)출판(出版).

폐:간 廢刊 | 그만둘 폐, 책 펴낼 간
[stop publishing; discontinue issuing]
신문, 잡지 따위의 정기 간행물 간행(刊行)을 그만둠[廢]. ¶일제 강점기에는 우리글 신문 대부분이 폐간됐다.

1012 [강]

剛
굳셀 강
(部) 刀부 (劃) 10획 (中) 刚 [gāng]

剛자는 본래 '그물 망'(网)과 '칼 도'(刀)가 합쳐진 것이었다. 그물을 싹둑 자를 수 있을 만큼 칼의 날이 '날카롭다'(sharp)가 본래 의미이다. 후에 网이 岡(산등성이 강)으로 바뀌어 표의요소가 표음요소로 둔갑하였고, 뜻도 '굳세다'(strong), '꼿꼿하다'(firm; willful) 등으로 확대 사용됐다.

강직 剛直 | 굳셀 강, 곧을 직
[be upright; incorruptible]
굳세고[剛] 올곧다[直]. ¶그는 어려서부터 강직했다. (반)교활(狡猾)하다.

금강 金剛 | 쇠 금, 굳셀 강 [diamond]
❶속뜻 '금강석'(金剛石)을 일상적으로 이르는 말. ❷'매우 단단하여 결코 부서지지 않는 것'을 비유하여 이르는 말.

1013 [검]

劍 칼 검:
부 刀부 획 15획 中 剑 [jiàn]

劍자는 무사나 병사들이 허리에 차는 긴 '칼'(a sword)을 나타내기 위하여 만든 것이었으니 '칼 도'(刀)가 표의요소로 쓰였다. 僉(다 첨)이 표음요소였음은 檢(봉함 검), 儉(검소할 검)도 마찬가지이다.

검:객 劍客 | 칼 검, 손 객
[(master) swordsman; fencer]
검술(劍術)에 능한 사람[客]. 비칼잡이.

검:도 劍道 | 칼 검, 방법 도
[swordsmanship]
순동 검술(劍術)을 잘하는 방법[道]. 비검술(劍術).

검:술 劍術 | 칼 검, 꾀 술
[art of fencing; swordsmanship]
칼[劍]을 쓰는 기술(技術). ¶그는 검술이 뛰어나다. 비검법(劍法).

• 역순어휘

단:검 短劍 | 짧을 단, 칼 검 [short sword]
길이가 짤막한[短] 칼[劍]. 비단도(短刀). 반장검(長劍).

장검 長劍 | 길 장, 칼 검 [sword]
예전에 허리에 차던 긴[長] 칼[劍]. ¶장군은 허리에 장검을 차고 있었다.

1014 [도]

刀 칼 도
부 刀부 획 2획 中 刀 [dāo]

刀자는 '칼'(a knife)을 뜻하기 위하여 식칼 모양을 본뜬 것이다. 칼의 각종 용도에 따른 의미를 나타내는 글자들의 표의요소로 널리 쓰였다. 오른쪽 편방으로 쓰일 때 모양이 '刂'로 바뀐 것은 쓰는 속도와 균형미를 고려한 것이다.

• 역순어휘

과:도 果刀 | 열매 과, 칼 도 [fruit knife]
과일[果]을 깎을 때 쓰는 작은 칼[刀]. ¶과도로 사과 껍질을 깎다.

단:도 短刀 | 짧을 단, 칼 도 [short sword]
길이가 짧은[短] 칼[刀].

면:도 面刀 | 낯 면, 칼 도 [shaving]
얼굴[面]의 잔털이나 수염을 깎는 칼[刀]. 또는 그런 일.

죽도 竹刀 | 대나무 죽, 칼 도
[bamboo sword]
❶속뜻 대나무[竹]로 만든 칼[刀]. ❷순동 검도에 쓰는 도구. 네 가닥으로 쪼갠 대나무를 묶어 칼 대신 쓴다.

쾌도 快刀 | 시원할 쾌, 칼 도 [sharp blade]
시원스럽게[快] 잘 드는 칼[刀].

1015 [삭]

削 깎을 삭
부 刀부 획 9획 中 削 [xiāo, xuē]

削자의 원래 발음은 [초]이고, '칼집'(a knife holder)을 뜻하기 위하여 만든 것이었기에 '칼 도'(刀)가 표의요소로 쓰였다. 肖(닮을 초)는 표음요소니 뜻과는 무관하다. 후에 이 글자가 다른 뜻과 다른 음으로 쓰이는 예가 많아지자 鞘(칼집 초)자를 따로 만들어 그 의미를 나타냈다. '깎다'(cut), '빼앗다'(deprive)는 뜻으로도 쓰이는데, 이 때에는 [삭]으로 읽는다. 앞의 용법으로 쓰이는 예는 없고, 뒤의 용법으로 많이 쓰인다.

삭감 削減 | 깎을 삭, 덜 감
[cut down; curtail; retrench]
깎아서[削] 줄임[減]. ¶임금을 삭감하다.

삭발 削髮 | 깎을 삭, 머리털 발
[have one's hair cut]
머리털[髮]을 깎음[削]. 또는 그 머리. ¶삭발한 모습이 더 잘 어울린다.

삭제 削除 | 깎을 삭, 덜 제
[eliminate; remove; cancel]
❶속뜻 깎아서[削] 없앰[除]. ❷지워 버림. ¶내용의 일부를 삭제하다. 반첨가(添加), 추가(追加).

• 역순어휘

첨삭 添削 | 더할 첨, 깎을 삭
[correct; edit]
시문이나 답안 따위를 첨가(添加)하거나 삭제(削除)함. ¶첨삭지도 / 편집부장이 원고의 내용을 첨삭했다.

1016 [쇄]

刷

인쇄할 쇄:
[部] 刀부 [劃] 8획 [中] 刷 [shuā, shuà]

刷자는 칼로 '깎다'(cut)는 뜻을 나타내기 위하여 만든 것이었으니 '칼 도'(刀)가 표의요소로 쓰였다. 왼쪽의 것은 표음요소라는 설이 있다. 후에 '박다'(=인쇄하다, print), '쓸어내다'(sweep off) 등으로 확대 사용됐다.

[속뜻훈음] ①박을 쇄, ②쓸어낼 쇄.

쇄:신 刷新 | 쓸어낼 쇄, 새 신 [reform; renovate]
묵은 것이나 폐단을 쓸어내어[刷] 새롭게[新] 함. ¶회사의 기강을 쇄신하다.

• 역순어휘

수쇄 手刷 | 손 수, 박을 쇄 [hand-printing]
[출판] 인쇄기를 손[手]으로 움직여 인쇄(印刷)함. 또는 그 인쇄물.

인쇄 印刷 | 찍을 인, 박을 쇄 [print]
글이나 그림 따위를 종이, 천 따위에 찍거나[印] 박아[刷] 냄. ¶그 책의 증보판은 이미 인쇄에 들어갔다.

축쇄 縮刷 | 줄일 축, 박을 쇄 [reduce-printing]
[출판] 글이나 그림 따위의 원형을 축소(縮小)하여 인쇄(印刷)하는 일. 책의 판형을 줄여서 박는 일.

1017 [자]

刺

찌를 자:/척
[部] 刀부 [劃] 8획 [中] 刺 [cì, cī]

刺자는 칼이나 가시 같은 뾰족한 물건으로 '찌르다'(prick; poke)는 뜻을 위하여 만든 글자였으니 '칼 도'(刀)와 朿(가시 자)라는 두 표의요소로 결합시켜 놓았다. 원래 발음은 [척]인데, 朿(자)를 표음요소로 여김으로써 [자:]로 읽게 됐다. 원래의 음보다 새로 생겨난 음으로 많이 쓰이고 있으니 주객이 뒤바뀐 셈이다.

자:객 刺客 | 찌를 자, 손 객 [assassin]
❶[속뜻] 사람을 칼로 찔러[刺] 죽이는 사람[客]. ❷몰래 암살하는 일을 전문으로 하는 사람. ¶자객이 정부 요인을 암살하였다.

자:극 刺戟 | 찌를 자, 찌를 극 [stimulate; irritate]
❶[속뜻] 일정한 현상이 나타나도록 찌름[刺=戟]. ❷외부에서 작용을 주어 감각이나 마음에 반응이 일어나게 함. 또는 그런 작용을 하는 사물. ¶그 책은 학생들의 호기심을 자극했다. [반]반응(反應).

자:수 刺繡 | 찌를 자, 수놓을 수 [embroider]
천에 바늘을 찔러[刺] 넣어 수(繡)를 놓음. 또는 그 수. ¶어머니는 치마에 자수를 놓았다. [준]수.

• 역순어휘

풍자 諷刺 | 빗댈 풍, 찌를 자 [satirize; lampoon]
❶[속뜻] 무엇에 빗대어[諷] 정곡을 찌름[刺]. ❷남의 결점을 다른 것에 빗대어 비웃으면서 폭로하고 공격함. ¶이 이야기는 상류 사회에 대한 풍자로 가득하다 / 양반을 풍자하고 조롱하는 탈춤.

1018 [할]

割

벨 할
[部] 刀부 [劃] 12획 [中] 割 [gē]

割자는 '(칼로 베어) 나누다'(divide)는 뜻은 나타내기 위하여 만든 것이었으니 '칼 도'(刀)가 표의요소로 발탁됐다. 음이 크게 달라졌으나 害(해)가 표음요소인 것은 轄(관할 할)자의 경우도 마찬가지이다. '쪼개다'(split; cleave)는 뜻으로도 쓰인다.

[속뜻훈음] ①나눌 할, ②쪼갤 할.

할당 割當 | 나눌 할, 맡을 당 [assign; allot]
몫을 나누어[割] 맡음[當]. ¶연설자들은 각각 15분을 할당받았다.

할부 割賦 | 나눌 할, 거둘 부 [pay in installments]
돈을 여러 번으로 나누어[割] 거두어[賦] 들임. ¶3개월 할부로 물건을 샀다.

할애 割愛 | 나눌 할, 아낄 애 [share willingly]
❶[속뜻] 아끼는[愛] 물건 따위를 나누어[割] 줌. ❷소중한 시간, 돈, 공간 따위를 아깝게 여기지 아니하고 선뜻 내어 줌. ¶시간을 할애하다.

할인 割引 | 나눌 할, 당길 인 [discount]
❶[속뜻] 나누어[割] 당겨[引] 뺌. ❷일정한 값에서 얼마를 뺌. ¶할인 가격 / 학생 할인 / 회원은 정가의 20%를 할인해 준다.

• 역순어휘

분할 分割 | 나눌 분, 쪼갤 할 [partition; divide]
나누거나[分] 쪼갬[割]. ¶토지 분할 / 등록금 분할 납부.

역할 役割 | 부릴 역, 나눌 할 [role; part; function]
❶[속뜻] 나누어[割] 맡은 일[役]. ❷제가 하여야 할 제 앞의 일. ¶자신의 역할에 충실하다.

1019 [획]

劃 그을 획
㊀ 刀부 ㊁ 14획 ㊥ 划 [huà, huá]

劃자는 칼끝으로 '긋다'(draw a line)는 뜻을 나타내기 위하여 만든 것이었으니 '칼 도'(刀)가 표의 요소로 쓰였다. 畫(그릴 화/획)는 표의와 표음을 겸하는 요소이다(참고, 嫿 정숙할 획, 繣 깨지는 소리 획). 후에 '쪼개다'(split), '분명하다'(clear) 등으로 확대 사용됐다.

속뜻 글속 훈음 ①그을 획, ②나눌 획.

획수 劃數 | 그을 획, 셀 수
[number of strokes (in a Chinese character)]
한자에 쓰인 획(劃)의 수(數). ¶획수를 알아야 옥편에서 한자를 찾을 수 있다.

획일 劃一 | 그을 획, 한 일
[consistent; uniform]
❶속뜻 '一'자를 긋듯[劃] 가지런하다. ❷모두 한결같다.

• 역순어휘

계:획 計劃 | 셀 계, 나눌 획 [plan; project]
❶속뜻 미리 잘 세어보고[計] 잘 나누어봄[劃]. ❷앞으로 할 일의 절차, 방법, 규모 따위를 미리 헤아려 작정함. ¶우주여행을 계획하다. ㊐기획(企劃), 심산(心算).

구획 區劃 | 나눌 구, 나눌 획 [divide; partition]
토지 따위를 구분(區分)하여 나눔[劃]. 또는 그런 구역. ¶도시를 세 부분으로 구획하여 개발하다.

기획 企劃 | 꾀할 기, 나눌 획 [make a plan]
일을 미리 잘 꾀하고[企] 잘 나누어[劃] 꾸밈. ¶전시회를 기획하다.

점획 點劃 | 점 점, 그을 획 [tittle]
글자를 이루는 점(點)과 획(劃).

1020 [역]

亦 또 역
㊀ 亠부 ㊁ 6획 ㊥ 亦 [yì]

亦자는 본래 '겨드랑이'(the armpit)를 뜻하기 위하여 서 있는 사람의 모습인 '大'(대)와 겨드랑이 부분을 가리키는 두 점으로 구성되었다. 후에 '또'(also)의 뜻으로 차용되는 예가 많아지자, 본뜻은 腋(겨드랑이 액)자를 추가로 만들어 나타냈다.

역시 亦是 | 또 역, 옳을 시 [too; also; after all]
❶속뜻 그것 또한[亦] 옳음[是]. ❷또한. ¶나 역시 그렇게 생각해. ❸아무리 생각해도. ¶이 일은 역시 네가 하는 것이 좋겠다. ❹생각했던 대로. ¶역시 네가 그랬구나.

1021 [정]

亭 정자 정
㊀ 亠부 ㊁ 9획 ㊥ 亭 [tíng]

亭자는 오다가다 들러 쉴 수 있도록 경치가 좋은 곳에 높다랗게 지어놓은 '정자'(an arbor; a bower)를 나타내기 위한 글자이다. '높을 고'(高)에서 口를 빼고 표음요소인 丁(못 정)을 집어넣은 것이다. '우뚝하다'(towering)는 뜻으로도 쓰인다.

정자 亭子 | 정자 정, 접미사 자
[bower; arbor; summerhouse]
경치가 좋은 곳에 놀거나 쉬기 위하여 지은 집[亭]. 벽이 없이 기둥과 지붕만 있다. ¶정자에 앉아서 쉬다.

정정 亭亭 | 정자 정, 정자 정 [hale and hearty]
❶속뜻 정자(亭子)처럼 우뚝하게 높이 솟다. ¶정정한 거목. ❷늙은 몸이 굳세고 건강하다. ¶할아버지는 칠십이 넘으셨는데 아직도 정정하시다 / 구십 노인이 정정히 앉아 계신다.

• 역순어휘

초정 草亭 | 풀 초, 정자 정
풀[草]이나 갈대 따위로 지붕을 얹은 정자(亭子). ¶초정에 홀로 앉아 책을 읽고 있다.

1022 [려]

勵 힘쓸 려:
㊀ 力부 ㊁ 17획 ㊥ 励 [lì]

勵자는 '힘쓰다'(strive; try hard)는 뜻을 나타내기 위하여 만든 것이니 '힘 력'(力)이 표의요소로 쓰였고, 厲(갈 려)는 표음요소이다. 후에 '권장하다'(encourage)는 뜻으로도 확대 사용됐다.

여:자 勵磁 | 힘쓸 려, 자석 자 [magnetization]
물리 자기장 안의 물체가 자기(磁氣)를 띠도록 됨[勵]. 또는 그 결과로 생긴 단위 부피 속의 자기 모멘트. ㊐자기화(磁氣化).

여:행 勵行 | 힘쓸 려, 행할 행
[make strenuous efforts; encourage]
❶속뜻 힘써[勵] 행(行)함. 역행(力行). ❷행하기를 장려함. ¶금주 여행.

• 역순어휘

격려 激勵 | 격할 격, 힘쓸 려 [encourage]
남의 용기나 의욕을 북돋워 격(激)하게 힘쓰도록[勵] 함. ¶선수를 격려하다. ㊥고무(鼓舞), 고취(鼓吹).

독려 督勵 | 살필 독, 힘쓸 려
[encourage; stimulate]
감독(監督)하며 격려(激勵)함. ¶학생들을 독려하다.

면:려 勉勵 | 힘쓸 면, 힘쓸 려
[be industrious; be diligent]
❶속뜻 남에게 힘쓰도록[勉] 격려(激勵)함. ❷스스로 힘써 함.

장:려 奬勵 | 부추길 장, 힘쓸 려
[encourage; promote; support]
권하고 부추기어[奬] 어떤 일에 힘쓰게[勵] 함. ¶독서 장려 / 저축을 장려하다. ㊥권장(勸奬).

1023 [관]

冠

갓 관
㊊ 冖 9획 ㊥ 冠 [guān, guàn]

冠자는 원래 머리에 쓰는 관 모양[冂 + 一]과 '사람 인'(亻), 그리고 손으로 쥐고 있는 모양[寸 = 又]으로 구성되었다. 즉, 손으로 모자를 집어 머리에 쓰고 있는 모습이다. '관을 쓰다'(put on a crown)가 본래 의미이고 '관'(a crown), '갓'(a kat; a Korean top hat), '(닭의) 볏'(a cockscomb), '어른'(an adult) 등으로 확대 사용됐다. 예전에는 어른이 돼야 관을 쓸 수 있었기 때문이다.

관모 冠帽 | 갓 관, 모자 모 [official hat]
예전에 벼슬아치들이 쓰던 갓[冠] 모양의 모자(帽子). ¶말총으로 만든 관모를 샀다.

관혼 冠婚 | 갓 관, 혼인할 혼
관례(冠禮)와 혼례(婚禮).

• 역순어휘

계:관 桂冠 | 계수나무 계, 갓 관 [laurel wreath]
계수나무[桂] 가지로 엮어 만든 관(冠). '월계관'(月桂冠)의 준말.

금관 金冠 | 황금 금, 갓 관 [gold crown]
황금(黃金)으로 만든 관(冠). ¶백제시대의 금관이 발굴됐다.

대:관 戴冠 | 쓸 대, 갓 관 [be crowned (king)]
제왕이 왕관(王冠)을 받아 씀[戴].

왕관 王冠 | 임금 왕, 갓 관 [crown]
임금[王]이나 경기의 일인자로 뽑힌 사람이 머리에 쓰는 관(冠). ¶그는 보석이 촘촘히 박혀 있는 왕관을 썼다 / 미스코리아는 왕관을 쓰고 천천히 걸었다.

의관 衣冠 | 옷 의, 갓 관 [gown and hat]
❶속뜻 남자의 웃옷[衣]과 갓[冠]. ❷남자가 정식으로 갖추어 입는 옷차림.

화관 花冠 | 꽃 화, 갓 관
[woman's ceremonial coronet]
꽃[花]으로 아름답게 장식한 관(冠). ¶화관을 쓴 공주님.

1024 [동]

凍

얼 동:
㊊ 冫부 ㊥ 10획 ㊥ 冻 [dòng]

凍자는 '(얼음이) 얼다'(freeze)는 뜻을 나타내기 위하여 만든 것이었으니, '얼음 빙'(冫)이 표의요소로 쓰였다. 東(동녘 동)은 표음요소이니 뜻과는 무관하다.

동:결 凍結 | 얼 동, 맺을 결 [freeze]
❶속뜻 추위나 냉각으로 얼어[凍] 붙음[結]. ¶동결 건조한 채소. ❷경제 자산이나 자금 따위의 사용이나 이동을 완전히 묶음. ¶금리를 동결하다.

동:상 凍傷 | 얼 동, 상할 상 [frostbite; chilblains]
의학 추위 때문에 살갗이 얼어서[凍] 조직이 상(傷)함. ¶동상에 걸리다.

동:태 凍太 | 얼 동, 클 태 [frozen pollack]
얼린[凍] 명태(明太). ¶동태로 끓인 국.

동:파 凍破 | 얼 동, 깨뜨릴 파
[be frozen to burst]
얼어서[凍] 터짐[破]. ¶추운 날씨에 수도관이 동파했다.

• 역순어휘

냉:동 冷凍 | 찰 랭, 얼 동 [freeze]
냉각(冷却)시켜서 얼림[凍]. ¶생선을 냉동시키다. ㊥해동(解凍).

해:동 解凍 | 풀 해, 얼 동 [thaw]
얼었던 것[凍]이 녹아서 풀림[解]. ¶고기를 전자레인지에 넣고 5분간 해동하세요.

1025 [량]

凉

서늘할 량
㊊ 冫부 ㊥ 10획
㊥ 凉 [liáng, liàng]

凉자의 본래 글자인 涼은 표의요소인 '물 수'(水)와 표음요소인 京(서울 경, 참고, 諒 믿을 량)으로 구성된 것으로 '묽은 술'(weak wine)이 본뜻이었는데, '서늘하다'(cool; chilly), '쓸쓸하다'(lonesome)는 뜻으로 확대 사용됐다. 후에 표의요소가 '얼음 빙'(冫)으로 바뀐 凉자를 만들었다. 속자인 이것이 의미관련성이 높고 획수도 적어 정자인 涼을 제치고 더 많이 쓰이게 됐다.

속뜻 훈음 ①서늘할 량, ②쓸쓸할 량.

• 역순어휘

납량 納凉 | 들일 납, 서늘할 량
[enjoy the cool air; cool oneself]
여름에 시원한[凉] 곳에 나가서 바람을 쐼[納]. ¶납량 특집 프로그램.

염량 炎凉 | 불꽃 염, 서늘할 량
[heat and cold; good sense; rise and fall]
❶ 속뜻 더위[炎]와 서늘함[凉]. ❷선악과 시비를 분별하는 슬기. ¶염량이 뛰어나다. ❸세력의 성함과 쇠함. ❹인정의 후함과 박함.

처량 凄凉 | 쓸쓸할 처, 쓸쓸할 량
[plaintive; miserable; wretched]
초라하고 쓸쓸하다[凄=凉]. ¶처량한 신세 / 귀뚜라미 우는 소리가 처량하게 들렸다.

청량 淸凉 | 맑을 청, 서늘할 량 [clear and cool]
맑고[淸] 서늘함[凉]. ¶청량한 가을 날씨.

1026 [비]

卑

낮을 비:
部 十부 劃 8획 中 卑 [bēi]

卑자는 큰 행사 때 손(又)에 갑옷 모양(甲)의 儀仗(의장)을 들고 있는 하급 관리를 본뜬 것이라 한다. 부수인 '열 십'(十)은 '오른손 우'(又)의 변이형이다. (신분 따위가) '낮다'(humble; mean)는 뜻으로 많이 쓰인다.

비:겁 卑怯 | 낮을 비, 겁낼 겁 [cowardly; craven]
❶ 속뜻 비열(卑劣)하고 겁(怯)이 많다. ❷정정당당(正正堂堂)하지 못하고 야비하다. ¶비겁한 행동. ⊕비열(卑劣)하다. ⊕용감(勇敢)하다.

비:굴 卑屈 | 낮을 비, 굽힐 굴 [mean; servile]
비겁(卑怯)하게 자신의 뜻을 굽힘[屈]. 용기가 없고 비겁함. ¶겸손이 지나치면 비굴이 된다 / 비굴한 행동.

비:근 卑近 | 낮을 비, 가까울 근 [common]
우리 주위에 흔하고[卑] 가깝다[近]. ¶비근한 예를 들어 보자.

비:속[1] 卑俗 | 낮을 비, 속될 속
[vulgar; coarse]
격이 낮고[卑] 속됨[俗]. 또는 그러한 풍속. ¶비속한 말.

비:속[2] 卑屬 | 낮을 비, 무리 속 [descendant]
법률 혈연관계에서 자기보다 낮은[卑] 항렬의 친속(親屬). ⊕존속(尊屬).

비:열 卑劣 | 낮을 비, 못할 렬 [mean; base]
성품이나 하는 짓이 저속하고[卑] 용렬(庸劣)함. ¶뒤에서 남을 욕하는 것은 비열한 행동이다.

비:천 卑賤 | 낮을 비, 천할 천 [lowly; humble]
신분이 낮고[卑] 천(賤)하다. ¶비천한 일을 하다. ⊕고귀(高貴)하다, 존귀(尊貴)하다.

• 역순어휘

야:비 野卑 | =野鄙, 거칠 야, 낮을 비
[vulgar; coarse]
성질이나 언행이 거칠고[野] 천하다[卑]. ¶야비한 수법으로 상대를 공격했다.

1027 [급]

及

미칠 급
部 又부 劃 4획 中 及 [jí]

及자는 '따라잡다'(overtake)는 뜻을 나타내기 위하여 앞에서 달아나는 사람[人]의 옷을 붙잡은 손[又]을 그린 것인데, 모양이 약간 달라졌다. 그러한 사실을 알고 보면 지금의 자형으로도 어렴풋이나마 짐작할 수 있다. 후에 '미치다'(reach; come up to), '이르다'(arrive; reach), '더불어'(together) 등의 뜻으로 확대 사용됐다.

속뜻 훈음 ①미칠 급, ②이를 급.

급제 及第 | 이를 급, 집 제
[success in an examination]
역사 옛날 과거시험에 합격하면 벼슬을 하게 되어 큰 집[第]에 들어가[及] 살 수 있게 되므로 '과거시험에 합격함'을 일러 '及第'라 했다는 설이 있다. ⊕낙제(落第).

• 역순어휘

보:급 普及 | 넓을 보, 미칠 급 [popularize]
많은 사람에게 골고루 널리[普] 미치게[及] 함. ¶선진 문물을 보급하다.

소급 遡及 | 거스를 소, 미칠 급
[go back to the past; retrace the past]
과거에까지 거슬러[遡] 올라가서 영향이나 효력을 미침[及]. ¶이 규칙은 5월로 소급하여 적용한다.

언급 言及 | 말씀 언, 미칠 급
[refer to; mention]
❶속뜻 말[言]이 어디에까지 미침[及]. ❷어떤 문제에 대하여 말함. ¶언급을 회피하다 / 그는 앞으로 어떻게 활동할지 언급했다.

파급 波及 | 물결 파, 미칠 급
[spread; extend; reach]
❶속뜻 물결[波]이 멀리까지 미침[及]. ❷어떤 일의 영향이나 여파가 차차 전하여 먼 데까지 미침. ¶그 영향이 전국적으로 파급되다.

1028 [아]

亞
버금 아(ː)
部 二부 劃 8획 中 亚 [yà]

亞자에 대하여는 여러 가지 설이 무성한데, 원래 모양이 성곽이나 왕궁의 모양과 관련이 있는 것 같으나 그것이 무엇을 의미하는지 확실하지 않다. 문장이나 낱말에서는 '버금'(second)을 뜻하며, '아시아'(Asia)를 이르는 것으로도 쓰인다.

아ː강 亞綱 | 버금 아, 대강 강 [subclass]
생물 생물 분류상의 한 단계로 강(綱)의 하위[亞] 단계. 곤충강을 무시(無翅) 아강과 유시(有翅) 아강으로 나누는 것 따위이다. 계(界) 〉 문(門) 〉 강(綱) 〉 목(目) 〉 과(科) 〉 속(屬) 〉 종(種)순이다.

아ː류 亞流 | 버금 아, 흐를 류
[follower; imitator]
❶속뜻 버금[亞] 가는 유파(流派). ❷둘째가는 사람이나 사물. ❸문학, 예술, 학문에서 독창성이 없이 모방하는 일이나 그렇게 한 것. 또는 그런 사람. ¶추사체의 아류 / 그는 피카소의 아류에 불과하다.

아연 亞鉛 | 버금 아, 납 연 [zinc]
❶속뜻 완전한 납에 버금가는[亞] 납[鉛]. ❷화학 질(質)이 무르고 광택이 나는 푸른빛을 띤 은백색의 금속 원소. 납 함량이 99.9%이다.

• 역순어휘

동아 東亞 | 동녘 동, 버금 아 [East Asia]
아시아[亞]의 동(東)쪽 지역. 동아세아(東亞細亞)의 준말.

1029 [정]

井
우물 정(ː)
部 二부 劃 4획 中 井 [jǐng]

井자는 우물 난간의 네 모서리를 나무로 걸쳐 쌓아 올린 모양을 그린 것으로 '우물'(a well)이 본뜻이다. 속칭 '퐁당 퐁'이라고 하는 '丼'(정)자는 井의 속자로, 약 천 년 전에 만들어진 것이니 유래가 참으로 오래됐다. 옛날에 사방 1리(里)의 땅을 9등분한 모습이 井자와 비슷하므로 그 토지를 일러 井田(정전)이라고 했다. 조어력이 그리 높지 않다.

정간 井間 | 우물 정, 사이 간
가로 세로의 평행선으로 이루어진 '井'자 모양의 칸[間].

정수 井水 | 우물 정, 물 수 [well water]
우물[井] 물[水].

• 역순어휘

금정 金井 | 쇠 금, 우물 정 [well]
❶속뜻 무덤을 만들 때에, 구덩이의 길이와 너비를 재기 위해 쓰는 '井'자 모양의 황금(黃金)빛 나무틀. ¶금정을 놓다. ❷뫼를 쓰기 위해 판 구덩이. ❸'우물'을 아름답게 이르는 말.

석정 石井 | 돌 석, 우물 정
[stone well]
벽을 돌[石]로 쌓아 올인 우물[井]. 비 돌우물.

시ː정 市井 | 시장 시, 우물 정
❶속뜻 시장[市]이 서는 우물터[井]. ❷인가가 모인 곳. 중국 상대(上代)에 우물이 있는 곳에 사람이 모여 살았다는 데에서 유래됨.

염정 鹽井 | 소금 염, 우물 정
❶속뜻 염분(鹽分)이 들어 있는 우물[井]. ❷소금을 얻기 위해 바닷물을 모아 두는 웅덩이.

온정 溫井 | 따뜻할 온, 우물 정
[hot spring; thermal spring]
❶속뜻 따뜻한[溫] 물이 솟아나는 우물[井]. ❷지리 온천(溫泉).

유정 油井 | 기름 유, 우물 정 [oil well]
천연 석유(石油)를 찾아 뽑아 올리기 위해 우물[井]처럼 깊이 판 구덩이.

천정 天井 | 하늘 천, 우물 정 [ceiling]
지붕의 안쪽, 즉 천장. 천장(天障)이 '井'같이 보이기 때문에 붙여진 이름이다.

폐ː정 廢井 | 버릴 폐, 우물 정
쓰지 않고 버려 둔[廢] 우물[井].

1030 [가]

佳 아름다울 가:
㊀ 人부 ㊁ 8획 ㊥ 佳 [jiā]

佳자는 '아름다운'(beautiful) 사람을 뜻하기 위하여 만든 것이었으니 '사람 인'(亻)이 표의요소로 쓰였고, 圭(홀 규)가 표음요소였음은 街(거리 가)도 마찬가지이다. '좋다'(good)는 뜻으로도 쓰인다.

속뜻훈음 좋을 가.

가:객 佳客 | 아름다울 가, 손 객
[welcome guest]
반가운[佳] 손님[客]. ¶아무리 귀한 가객이라도 사흘이면 싫어진다는 말이 옛날부터 전해 온다. ㊐가빈(佳賓), 진객(珍客).

가:경 佳景 | 아름다울 가, 경치 경
[beautiful spot]
아름다운[佳] 경치[景]. ¶그곳의 일출은 참으로 가경이다.

가구 佳句 | 아름다울 가, 글귀 구
[fine expression]
잘 지어진 아름다운[佳] 글귀[句].

가:국 佳局 | 아름다울 가, 형편 국
[fun conditions]
매우 흥미 있고 재미있는[佳] 국면(局面). ¶이야기가 점점 가국으로 접어든다.

가:기 佳期 | 아름다울 가, 때 기
[good season; marriageable age]
❶속뜻 좋은[佳] 시기(時期). ❷처음 사랑을 맺게 되는 시기. ㊐가절(佳節), 양신(良辰).

가:약 佳約 | 아름다울 가, 묶을 약
[date with one's lover; marriage vows]
❶속뜻 아름다운[佳] 약속(約束). ❷좋은 사람과 만날 언약. ❸부부가 되자는 약속. ¶백년 가약을 맺다. ㊐약혼(約婚), 정혼(定婚), 혼약(婚約).

가:인 佳人 | 아름다울 가, 사람 인
[beauty; beautiful woman]
❶속뜻 아름다운[佳] 사람[人]. ❷이성으로서 애정을 느끼게 하는 사람. ㊐미인(美人).

가:일 佳日 | =嘉日, 좋을 가, 날 일
[auspicious day; pleasant day]
❶속뜻 좋은[佳] 날[日]. ¶가일을 택하여 혼례를 치르다. ❷경사스러운 날. ¶오늘은 결혼식이 있는 가일이다. ㊐가신(嘉辰).

가:작 佳作 | 좋을 가, 지을 작
❶속뜻 아주 좋은[佳] 편에 속하는 작품(作品). ❷예술 작품 따위의 대회에서 당선 작품에 버금가는 작품. ¶가작에 당선되다.

가:절 佳節 | 좋을 가, 절기 절
[beautiful season; festive occasion]
❶속뜻 좋은[佳] 시절(時節). ¶춘삼월 가절이 돌아왔다. ❷좋은 명절. ¶단오 가절. ㊐가기(佳期), 가신(佳辰), 양신(良辰), 영절(令節).

가:희 佳姬 | 아름다울 가, 아가씨 희
[beautiful girl]
아름다운[佳] 아가씨[姬]. ¶가희가 나와 부채춤을 추었다. ㊐미희(美姬).

1031 [개]

介 낄 개:
㊀ 人부 ㊁ 4획 ㊥ 介 [jiè]

介자는 비늘 모양의 간단한 갑옷을 입고 있는 모양을 본뜬 것으로 '갑옷'(armor)이 본래 의미이다. 후에 '(사이에) 끼다'(participate)는 뜻도 따로 글자를 만들지 않고 이것으로 나타냈다.

개:의 介意 | 끼일 개, 뜻 의 [care; worry]
언짢은 일 따위를 마음에 두어[介] 생각함[意]. ¶조금도 개의치 않다. ㊐괘의(掛意).

개:입 介入 | 끼일 개, 들 입 [intervene]
어떤 일에 끼어[介] 들어가[入] 관계함. ¶기업 간 분쟁에 정부가 개입했다 / 개인적인 감정을 개입시키지 마시오. ㊐관여(關與), 간섭(干涉), 참견(參見).

• 역순어휘

매개 媒介 | 맺어줄 매, 끼일 개
[mediate; intermediate]
관계를 맺어주기[媒] 위하여 둘 사이에 끼어[介] 듦. 또는 그런 물체. ¶말라리아는 모기를 매개로 하여 전염된다.

소개 紹介 | 이을 소, 끼일 개
[introduce]
❶속뜻 중간에 끼여[介] 서로의 관계를 맺어 줌[紹]. ¶우리는 친구 소개로 만났다. ❷알려지지 않은 것을 알게 해 줌. ¶책의 줄거리를 간단히 소개해 주세요.

중:개 仲介 | 가운데 중, 끼일 개
[mediate]
제삼자의 처지로 둘 이상의 당사자 사이[仲]에 끼어[介] 어떤 일을 주선함. ¶결혼 중개 업체.

1032 [공]

供

이바지할 공:
㉮ 人부 ㉯8획 ㊥ 供 [gōng, gòng]

供자는 다른 사람에게 '주다'(=드리다, give; provide with)는 뜻을 나타내기 위하여 만든 것이었으니 '사람 인'(亻)이 표의요소로 쓰였다. 共(함께 공)은 표음요소이다. '이바지하다'(provide)는 뜻으로도 쓰인다.
속뜻훈음 ①이바지할 공, ②드릴 공.

공:급 供給 | 이바지할 공, 줄 급 [supply; provide]
❶속뜻 물품 따위를 제공(提供)하여 줌[給]. ❷경제 교환하거나 판매하기 위하여 시장에 재화나 용역을 제공하는 일. ¶이재민들에게 물을 공급하다. ㊥제공(提供), 조달(調達). ㊦수요(需要).

공:양 供養 | 드릴 공, 기를 양
[take care of; offer]
❶속뜻 양생(養生)에 필요한 음식을 드림[供]. 음식을 드림. ❷불교 부처에게 음식물을 바치는 일. ㊥봉양(奉養), 불공(佛供).

• 역순어휘

불공 佛供 | 부처 불, 이바지할 공
[Buddhist service]
불교 부처[佛] 앞에 공양(供養)하는 일.

제공 提供 | 들 제, 드릴 공 [offer; supply]
들어서[提] 갖다 드림[供]. ¶자료 제공 / 이곳은 아침 식사를 무료로 제공한다.

1033 [기]

企

꾀할 기
㉮ 人부 ㉯ 6획 ㊥ 企 [qǐ]

企자는 발[止] 뒤꿈치를 들고 쫑긋이 서 있는 사람[人]의 모습을 그린 것이다. '발돋움하다'(stand on tiptoe), '꾀하다'(plan)는 뜻으로 쓰인다. 止자는 원래 '발', '발자국'을 가리키는 것이었는데, 후에 '그치다'는 뜻으로 자주 쓰이게 되자 趾(지)자를 만들어 그 본뜻을 나타냈다.

기도 企圖 | 꾀할 기, 꾀할 도 [attempt; try]
일을 꾀하여[企] 도모(圖謀)함. ¶그들은 항공기 납치를 기도했다.

기업 企業 | 꾀할 기, 일 업 [enterprise; company]
❶속뜻 이익을 꾀하기[企] 위하여 일[業]을 함. ❷영리를 목적으로 운영하는 사업체.

기획 企劃 | 꾀할 기, 나눌 획 [make a plan]
일을 미리 잘 꾀하고[企] 잘 나누어[劃] 꾸밈. ¶전시회를 기획하다.

1034 [단]

但

다만 단:
㉮ 人 7획 ㊥ 但 [dàn]

但자는 본래 '윗도리를 벗다'(take off one's outerwear)는 뜻을 나타내기 위하여 만들어진 것이었다. '사람 인'(人)이 표의요소로 쓰였고, 旦(아침 단)은 표음요소이다. 후에 이것이 '다만'(but; however), '한갓'(only; merely) 등의 의미로 차용되는 예가 많아지자, 그 본래 의미는 따로 袒(윗통 벗을 단)자를 만들어 나타냈다.

단:서 但書 | 다만 단, 글 서
[proviso; provisory clause]
본문 다음에 덧붙여 본문의 내용에 대한 조건이나 예외 등을 밝혀 적은 글[書]. 대개 '단'(但) 또는 '다만'이라는 말을 먼저 씀. ¶조문에 단서를 붙였다.

단:지 但只 | 다만 단, 다만 지
[only; merely; simply]
다만(但=只). ¶단지 그 혼자만 있었다. ㊥다만, 오직.

• 역순어휘

비단 非但 | 아닐 비, 다만 단 [simply]
❶속뜻 단지[但] 그 무엇만은 아님[非]. ❷'아니다' 따위의 부정하는 말 앞에 쓰여 '다만'의 뜻을 나타냄. ¶비단 나만의 문제가 아니다. ㊥다만, 단지(但只), 오직.

1035 [도]

倒

넘어질 도:
㉮ 人부 ㉯ 10획 ㊥ 倒 [dǎo, dào]

倒자는 사람이 걸어가다 '넘어지다'(fall; collapse)는 뜻을 나타내기 위하여 만든 것이었으니 '사람 인'(亻)이 표의요소로 쓰였다. 到(이를 도)는 표음요소이니 뜻과는 무관하다. '거꾸로'(bottom up)의 뜻으로도 쓰인다.
속뜻훈음 ①넘어질 도, ②거꾸로 도.

도:괴 倒壞 | 넘어질 도, 무너질 괴
[collapse; be destroyed; fall (down)]
넘어지거나[倒] 무너짐[壞]. 또는 넘어뜨리거나 무너뜨

림. ¶왕권의 도괴.

도:산 倒產 | 거꾸로 도, 낳을 산 [become bankrupt]
❶ 의학 아이를 거꾸로[倒] 발부터 먼저 낳음[產]. ❷재산을 모두 잃고 무너짐. ¶경제 불황으로 기업들이 도산했다. ㊥파산(破產).

도:치 倒置 | 거꾸로 도, 둘 치 [reverse; invert]
❶ 속뜻 차례나 위치(位置)가 거꾸로[倒] 뒤바뀜. ❷ 언어 문장에서 어순이 뒤바뀌는 일.

• 역순어휘

압도 壓倒 | 누를 압, 넘어질 도 [overwhelm]
❶ 속뜻 눌러서[壓] 넘어뜨림[倒]. ❷보다 뛰어난 힘이나 재주로 남을 눌러 꼼짝 못하게 함. ¶그의 기세에 압도를 당하다 / 그는 뛰어난 연기로 관객을 압도했다.

졸도 卒倒 | 갑자기 졸, 넘어질 도 [swoon; faint]
갑자기[卒] 정신을 잃고 쓰러짐[倒]. 또는 그런 일. ¶그는 깜짝 놀라 졸도할 뻔 했다. ㊥기절(氣絶), 실신(失神).

타:도 打倒 | 칠 타, 넘어질 도 [overthrow; defeat]
❶ 속뜻 때려 쳐서[打] 넘어지게[倒] 함. ❷쳐서 부수어 버림. ¶독재 정권을 타도하다.

1036 [백]

伯
맏 백
㊀ 人부 ㊀ 7획 ㊥ 伯 [bó, bǎi]

伯자의 본래 글자인 白(#0032)은 '맏이'(the eldest)의 뜻을 나타내기 위하여 엄지손톱 모양을 본뜬 것이다. 후에 '하얗다'(white)는 뜻으로 차용되는 예가 잦아지자, 伯(맏 백)자를 추가로 만들어 본래 뜻을 나타냈다.

백모 伯母 | 맏 백, 어머니 모 [aunt]
큰[伯] 어머니[母]. 아버지의 형수. ㊥숙모(叔母).

백부 伯父 | 맏 백, 아버지 부 [uncle]
큰[伯] 아버지[父]. 아버지의 형. ㊥숙부(叔父).

백작 伯爵 | 맏 백, 벼슬 작 [count; earl]
오등작(五等爵) 중에 셋째인 백(伯)에 해당되는 작위(爵位). 또는 그 작위를 가진 사람.

• 역순어휘

화:백 畵伯 | 그림 화, 맏 백 [artist; (master) painter]
화가(畵家)를 높여[伯] 일컬음. ¶김 화백이 찾아 왔다.

1037 [부]

付
부칠 부:
㊀ 人부 ㊀ 5획 ㊥ 付 [fù]

付자는 '사람 인'(人)과 '마디 촌'(寸)이 조합된 것이다. '마디 촌'(寸)은 '손 우'(又)의 변이형이기에 '마디'보다 '손'과 관련된 의미로 쓰이는 예가 많다. 따라서 손[寸]에 쥐고 있는 물건을 남[人]에게 '주다'(deliver; give)가 付의 본래 의미다. 무형의 것으로 확대 적용되어 '청하다'(beg; request)는 뜻으로도 쓰인다.
속뜻 훈음 ①청할 부, ②줄 부.

부:탁 付託 | 청할 부, 맡길 탁[request; favor]
어떤 일을 청하여[付] 맡김[託]. ¶부탁을 들어주다.

• 역순어휘

결부 結付 | 맺을 결, 줄 부 [link; tie together]
서로 맺어[結] 줌[付]. 또는 서로 연관시킴. ¶이 문제를 나와 결부시키지 마라.

교부 交付 | =交附, 서로 교, 줄 부 [delivery; grant]
문서나 물건을 서로[交] 주고[付]받음. ¶원서는 17일까지 교부합니다.

납부 納付 | 바칠 납, 줄 부 [pay]
세금이나 공과금 따위를 관계기관에 바치거나[納] 건네 줌[付]. ¶가까운 은행에 납부하시오. ㊥납입(納入).

당부 當付 | 마땅 당, 청할 부 [ask to do; make a request]
마땅히[當] 어찌해야 한다고 단단히 청함[付]. ㊥부탁(付託). ¶아들에게 당부하였다.

도:부 到付 | 이를 도, 줄 부 [itinerant hawking; peddling]
❶ 속뜻 어느 곳에 가서[到] 줌[付]. ❷장사치가 물건을 가지고 이리저리 돌아다니며 팖. ¶도부를 치다.

분부 分付 | =吩咐, 나눌 분, 줄 부 [bid; give directions]
❶ 속뜻 여러 사람에게 나누어 시키거나 나누어[分] 줌[付]. ❷윗사람의 '당부'나 '명령'을 높여 이르는 말. ¶분부를 잘 받들겠습니다.

1038 [상]

像
모양 상
㊀ 人부 ㊀ 14획 ㊥ 像 [xiàng]

像자는 '사람 인'(人)과 '코끼리 상'(象) 모두 표의요소라는 설이 있다. 옛날 사람들은 코끼리 모양을 처음 보고 몹시 놀란 듯하다. '코끼리' 하면 '모양'이라는 단어를 연상할 만큼. 象은 표음요소를 겸하는 셈이다. '모양'(a figure; a form)이 본뜻인데, '닮다'(be alike; resemble)는 뜻으로도 쓰인다.

• 역순어휘

기상 氣像 | 기운 기, 모양 상 [spirit; temperament]
기개(氣槪)나 마음씨가 겉으로 드러난 모양[像]. ¶진취적인 기상. [비]기백(氣魄).

동상 銅像 | 구리 동, 모양 상 [bronze statue]
구리[銅]로 만든 사람이나 동물 모양[像]. 또는 그 기념물. ¶광장에 이순신 동상을 세웠다.

불상 佛像 | 부처 불, 모양 상 [image of Buddha]
[불교] 부처님[佛] 모양[像]을 표현한 조각이나 그림.

상:상 想像 | 생각 상, 모양 상 [imagine; picture]
실제로 보지 못한 것의 모양[像]을 생각해[想] 봄. 또는 그런 모양. ¶10년 후 그는 어떤 모습일지 상상이 안 된다.

석상 石像 | 돌 석, 모양 상 [stone statue]
돌[石]을 조각하여 만든 모양[像]. ¶사자석상 / 그는 석상처럼 꼼짝하지 않고 앉아 있었다.

수상 受像 | 받을 수, 모양 상 [receive the image]
[물리] 텔레비전이나 사진 전송 따위에서 사물의 영상(映像)을 신호로 받은[受] 후 재생하는 일.

심상 心象 | =心像, 마음 심, 모양 상 [mental image]
감각기관의 자극 없이 마음[心] 속에 떠오르는 모양[象]. ¶이 시는 시각적 심상이 매우 뛰어나다.

영상 映像 | 비칠 영, 모양 상 [image; reflection]
❶[물리] 빛의 굴절이나 반사에 의하여 물체의 모양[像]이 비침[映]. ¶거울에 비친 영상. ❷머릿속에서 그려지는 모습이나 광경. ❸영사막이나 브라운관, 모니터 따위에 비추어진 상. ¶TV의 브라운관은 전기 신호를 영상으로 바꾸는 역할을 한다.

우:상 偶像 | 허수아비 우, 모양 상 [idol]
❶[속뜻] 허수아비[偶]같은 모양[像]. ❷신처럼 숭배의 대상이 되는 물건이나 사람. ¶그는 어린이들의 우상이다.

좌:상 坐像 | 앉을 좌, 형상 상 [seated image; seated statue]
[미술] 앉은[坐] 모습[像]을 묘사한 그림이나 조소 작품. [참]입상(立像).

초상 肖像 | 닮을 초, 모양 상 [portrait; likeness]
❶[속뜻] 똑같이 닮은[肖] 모습이나 모양[像]. ❷사진, 그림 따위에 나타낸 사람의 얼굴이나 모습. ¶그 초상은 마치 살아 있는 것 같다.

허상 虛像 | 헛될 허, 모양 상 [virtual image]
❶[속뜻] 실제가 헛된[虛] 모양[像]. ❷실제 없는 것이 있는 것처럼 나타나 보이거나 실제와는 다른 것으로 드러나 보이는 모습. ¶그 일은 내가 마음속에서 만들어낸 허상일 뿐이다. [반]실상(實像).

현:상 現像 | 나타날 현, 모양 상 [develop]
❶[속뜻] 사진기 따위로 찍은 형상[像]을 나타나게 함[現]. 또는 그 형상. ❷[연영] 사진술에서 촬영한 필름이나 인화지 따위를 약품으로 처리하여 영상이 드러나게 하는 일. ¶사진 현상.

흉상 胸像 | 가슴 흉, 모양 상 [sculpture bust]
[미술] 인체의 머리에서 가슴[胸] 부분까지의 모양[像]. 주로 그러한 조각상이나 초상화를 말한다. ¶본관 안에 학교 설립자의 흉상이 있다.

1039 [상]

償 갚을 상
[部] 人부 [劃] 17획 [中] 偿 [cháng]

償 자는 원래 주인에게 '돌려주다'(return)는 뜻을 나타내기 위하여 만든 것이었으니 '사람 인'(亻)이 표의요소로 쓰였다. 賞(상줄 상)은 표음요소이니 뜻과는 무관하다. 후에 '갚다'(pay back; repay)는 뜻도 따로 글자를 만들지 않고 이것으로 나타냈다.

• 역순어휘

무상 無償 | 없을 무, 갚을 상 [gratis; free of charge]
❶[속뜻] 물건 값 따위를 갚지[償] 않아도[無] 됨. ❷값이나 삯을 받지 않음. ¶무상으로 수리하다. [반]유상(有償).

배상 賠償 | 물어줄 배, 갚을 상 [compensate]
[법률] 남에게 입힌 손해를 물어[賠] 갚아줌[償]. ¶피해자가 입은 손해를 배상하다. [비]보상(補償), 변상(辨償).

변:상 辨償 | 가릴 변, 갚을 상 [pay for; reimburse]
❶[속뜻] 책임 소재를 잘 가리어[辨] 보상해야 할 것은 보상(補償)해줌. ❷남에게 입힌 손해를 돈이나 물건 따위로 물어줌. ¶화병을 깼으니 변상하시오. [비]배상(賠償), 보상(補償).

보:상¹ 報償 | 갚을 보, 갚을 상 [recompense; remunerate]
❶[속뜻] 남에게 진 빚을 갚음[報=償]. ¶빌린 돈의 보상이

어렵게 됐다. ❷어떤 것에 대한 대가로 갚음. ¶노고에 대해 보상을 받다.

보:상² 補償 | 기울 보, 갚을 상
[indemnify; compensate]
남에게 끼친 손해를 금전으로 보충(補充)하여 갚음[償]. ¶피해 보상 / 보상을 청구하다. [비]배상(賠償).

1040 [승]

僧 중 승
[部] 人부 [劃] 14획 [中] 僧 [sēng]

僧자는 '스님'(a Buddhist priest)을 뜻하는 梵語(범:어) 'samgha'를 1음절로 簡稱(간:칭)하고 그 뜻을 나타내기 위하여 만든 것이었으니 '사람 인'(亻)이 표의요소로 쓰였다. 曾(증)은 표음요소였는데 음이 약간 달라졌다. '중'은 폄하하는 뜻이 있으므로 '스님 승'으로 고쳐 부르는 것이 낫겠다.

[속뜻훈음] 스님 승.

승려 僧侶 | 스님 승, 짝 려 [Buddhist monk]
[불교] 산스크리트어 'samgha'의 한자 음역어인 승가(僧伽)에서 파생된 말로 '불교의 출가 수행자'를 이른다. ¶그는 속세와의 인연을 끊고 승려가 됐다.

승무 僧舞 | 스님 승, 춤출 무
[Buddhist dance]
[예술] 승려(僧侶) 복장으로 추는 춤[舞]. 장삼(長衫)을 걸치고 고깔을 쓰고 두 개의 북채를 쥐고 장삼을 뿌려 가며 추는 춤.

승병 僧兵 | 스님 승, 군사 병 [monk soldier]
승려(僧侶)들로 조직된 군대[兵]. ¶서산대사는 승병들을 이끌고 왜적을 물리쳤다.

• 역순어휘

고승 高僧 | 높을 고, 스님 승 [high priest]
[불교] 학덕이 높은[高] 승려(僧侶). [비]성승(聖僧), 대덕(大德). [반]소승(小僧).

노:승 老僧 | 늙을 로, 스님 승
[old (Buddhist) priest]
늙은[老] 승려(僧侶).

명승 名僧 | 이름 명, 스님 승
[celebrated Buddhist monk]
학덕이 높아 이름난[名] 승려(僧侶).

여승 女僧 | 여자 녀, 스님 승 [Buddhist nun]
[불교] 성별이 여자(女子)인 승려(僧侶). [비]비구니. [반]비구.

1041 [시]

侍 모실 시:
[部] 人부 [劃] 8획 [中] 侍 [shì]

侍자의 본래 글자인 寺(#0562)는 '모시다'(wait upon)는 뜻을 나타내기 위하여 '발 지'(止) 밑에 '손 우'(又)를 합쳐 놓은 것이었다. 후에 '止 → 土' '又 → 寸'같은 변화를 거쳐 寺가 됐다. 後漢(후:한) 때 불교가 전래된 이후로 '절'(a Buddhist temple)을 뜻하는 것을 쓰이는 예가 많아져 본래의 뜻을 잊어버리는 경향이 있자, '사람 인'(亻)을 첨가한 '侍'자를 만들어 본뜻을 나타냈다.

시:녀 侍女 | 모실 시, 여자 녀 [waiting woman]
지위가 높은 사람을 모시던[侍] 여자(女子). ¶시녀가 시중을 들다.

시:종 侍從 | 모실 시, 따를 종 [chamberlain]
❶[속뜻] 모시고[侍] 따름[從]. ❷[역사] 임금을 모시던 벼슬아치.

• 역순어휘

내:시 內侍 | 안 내, 모실 시 [eunuch]
[역사] 궁궐 안[內]에서 임금의 시중을 들던[侍] 관리. [비]환관(宦官). [반]궁녀(宮女).

1042 [앙]

仰 우러를 앙:
[部] 人부, 총 [劃] 6획 [中] 仰 [yǎng]

仰의 본래 글자인 卬(앙)은 무릎을 꿇고 앉은 사람의 고개를 손으로 끌어 들게 하는 모습이다. '고개를 들다'(raise the head)가 본래 의미이나, 제1인칭 즉 '나'(I; my; me)로 차용되는 예가 많아지자 본래의 뜻을 위하여 거기에 '사람 인'(亻)을 추가하여 새로 만들어낸 것이 바로 仰이다. '우러러보다'(respect), '그리워하다'(long for) 등의 의미로도 쓰인다.

앙:각 仰角 | 우러를 앙, 뿔 각
[(angle of) elevation]
❶[속뜻] 우러러[仰] 올려본 각도(角度). ❷[수학] 고각(高角). ❸ [군사] 포구(砲口)가 위로 향하였을 때에 포신(砲身)과 수평면이 이루는 각.

앙:망 仰望 | 우러를 앙, 바랄 망
[look up to with hope]
❶[속뜻] 자기의 요구나 희망이 실현되기를 우러러[仰] 바

람[望]. 주로 편지 글에서 쓰임. ❷우러러 봄. [비]앙시(仰視).

• 역순어휘

부:앙 俯仰 | 구부릴 부, 우러를 앙 [look up and down]
아래를 굽어보고[俯] 위를 우러러봄[仰].

숭앙 崇仰 | 높을 숭, 우러를 앙 [worship]
높이어[崇] 우러러 봄[仰].

신:앙 信仰 | 믿을 신, 우러를 앙 [religious faith]
신이나 초자연적 절대자를 믿고[信] 우러러보며[仰] 따르는 마음. ¶신앙의 힘.

추앙 推仰 | 받들 추, 우러를 앙 [respect; revere; look up to]
높이 받들어[推] 우러러봄[仰]. ¶그는 가장 위대한 지도자로 추앙받는다.

흠앙 欽仰 | 공경할 흠, 우러를 앙 [adore; revere]
공경하여[欽] 우러러[仰] 사모함. ¶돌아가신지 10년이 넘었어도 그를 흠앙하는 마음은 변함이 없었다.

1043 [우]

偶

짝 우(:)
[部] 人부, 총 [劃] 11획 [中] 偶 [ǒu]

偶자는 '허수아비'(a scarecrow)를 뜻하기 위하여 만든 것이었으니 '사람 인'(亻)이 표의요소로 쓰였고, 禺(긴 꼬리 원숭이 우)는 표음요소이다. 후에 '짝'(a counterpart), '짝수'(an even number), '뜻밖에'(accidentally) 등으로 확대 사용됐다.

[속뜻훈음] ①짝 우, ②허수아비 우, ③뜻밖에 우.

우:발 偶發 | 뜻밖에 우, 일어날 발 [happen]
우연(偶然)히 일어남[發]. 또는 그런 일. ¶우발범죄.

우:상 偶像 | 허수아비 우, 모양 상 [idol]
❶[속뜻] 허수아비[偶]같은 모양[像]. ❷신처럼 숭배의 대상이 되는 물건이나 사람. ¶그는 어린이들의 우상이다.

우연 偶然 | 뜻밖에 우, 그러할 연 [accidental; casual]
아무런 인과 관계가 없이 뜻밖에[偶] 일어난 그러한[然] 일. ¶우연의 일치 / 그와 우연히 만나다. [비]뜻밖. [반]필연(必然).

• 역순어휘

배:우 配偶 | 짝 배, 짝 우 [spouse; mate]
부부가 될 짝[配=偶]. 또는 그런 남녀. [비]배필(配匹).

1044 [위]

僞

거짓 위
[部] 人부 [劃] 14획 [中] 伪 [wěi]

僞자는 남을 '속이다'(deceive; trick)는 뜻을 나타내기 위하여 만든 것이었으니 '사람 인'(亻)이 표의요소로 쓰였다. 爲(할 위)는 표음요소일 따름이다. 후에 '거짓'(a lie; a falsehood)의 뜻으로 확대 사용됐다.

위선 僞善 | 거짓 위, 착할 선 [be hypocrisy]
거짓[僞]으로 착한[善] 척 함. ¶나는 그의 위선을 더 이상 참을 수 없다. [반]위악(僞惡).

위장 僞裝 | 거짓 위, 꾸밀 장 [camouflage; disguise]
❶[속뜻] 거짓[僞]으로 꾸밈[裝]. ❷본래의 정체나 모습이 드러나지 않도록 거짓으로 꾸밈. 또는 그런 수단이나 방법. ¶위장결혼을 하다.

위조 僞造 | 거짓 위, 만들 조 [forge; fake; counterfeit]
진품과 똑같게 거짓으로[僞] 만드는[造] 일. ¶범인은 여권을 위조하여 해외로 도피했다.

위증 僞證 | 거짓 위, 증명할 증 [perjure oneself; give false witness]
진실을 속이고 거짓[僞]으로 증명(證明)함. ¶법정에서 위증하면 법으로 처벌된다.

• 역순어휘

진위 眞僞 | 참 진, 거짓 위 [genuineness or spuriousness]
참[眞]과 거짓[僞]. 또는 진짜와 가짜를 통틀어 이름. ¶보석의 진위를 밝히다.

허위 虛僞 | 헛될 허, 거짓 위 [falsehood]
❶[속뜻] 헛된[虛] 거짓[僞]. ❷진실이 아닌 것을 진실인 것처럼 꾸민 것. ¶허위 보도. [반]진실(眞實).

1045 [륜]

倫

인륜 륜
[部] 人부 [劃] 10획 [中] 伦 [lún]

倫자는 사람의 '무리'(a company)를 뜻하기 위하여 만든 것이었으니 '사람 인'(亻)이 표의요소로 쓰였고, 侖(둥글 륜)은 표음요소이다. 후에 사람의 무리가 되자면 지켜야 할 '도리'(duty)를 가리키는 것으로 확대 사용됐고 '차례'(order)를 뜻하기도 한다.

[속뜻훈음] ①인륜 륜, ②도리 륜.

윤리 倫理 | 인륜 륜, 이치 리
[moral principles; ethics]
인륜(人倫) 도덕의 원리(原理). ¶그것은 윤리에 어긋나는 일이다.

• 역순어휘

불륜 不倫 | 아닐 불, 인륜 륜 [immoral; illegal]
남녀 관계가 인륜(人倫)에 맞지 아니함[不]. ¶불륜은 행복으로 끝나지 않는다.

오:륜 五倫 | 다섯 오, 도리 륜
사람이 지켜야 할 다섯[五] 가지 도리[倫]. 부자유친(父子有親), 군신유의(君臣有義), 부부유별(夫婦有別), 장유유서(長幼有序), 붕우유신(朋友有信)을 이른다.

인륜 人倫 | 사람 인, 도리 륜 [morality]
사람[人]으로서 마땅히 지켜야 할 도리[倫]. ¶그는 인륜에 어긋나는 짓을 저질러 지탄을 받았다.

천륜 天倫 | 하늘 천, 도리 륜
[natural relationships of man]
하늘[天]이 맺어준 사람 사이에 지켜야 할 도리[倫]. 부자(父子)·형제 사이에 마땅히 지켜야 할 도리. ¶부모가 자식을 버리는 일은 천륜에 어긋난다.

패:륜 悖倫 | 어그러질 패, 인륜 륜 [immorality]
인륜(人倫)에 어긋나는[悖] 큰 잘못. ¶패륜 행위.

1046 [차]

借
빌/빌릴 차:
部 人부 劃 10획 ⊕ 借 [jiè]

借 자는 다른 사람에게 '빌리다'(borrow)는 뜻을 나타내기 위하여 만든 것이었으니 '사람 인'(亻)이 표의요소다. 음 차이가 크지만 昔(예 석)이 표음요소였음은 唶(탄식할 차)도 마찬가지이다.

차:관 借款 | 빌릴 차, 항목 관 [loan]
❶속뜻 빌린[借] 금액을 나타내는 항목[款]. ❷정부가 외국으로부터 자금을 빌려 옴. ¶차관협정 / 차관 도입 / 차관 상환.

차:용 借用 | 빌릴 차, 쓸 용 [borrow; loan]
돈이나 물건을 빌려서[借] 씀[用]. ¶차용증 / 그의 이론을 차용하다.

차:입 借入 | 빌릴 차, 들 입
[borrow; obtain a loan]
돈이나 물건을 빌려[借] 들임[入]. ¶국내 기업들의 해외 자본 차입이 늘었다. ⓑ대출(貸出).

• 역순어휘

가:차 假借 | 빌릴 가, 빌릴 차 [hire; rent]
❶속뜻 빌려[假] 쓰거나 빌려[借] 받음. ❷사정을 보아 줌. ¶재산을 탕진한 아들을 가차 없이 쫓아냈다. ❸언어 한자 육서(六書)의 하나. 음이 똑같은 다른 글자를 빌려서 뜻을 나타내는 방법. 원래 '태우다'의 뜻으로 만들어진 然(연)자를 가차하여 '그러하다'의 뜻을 나타낸 것을 말한다.

조차 租借 | 세낼 조, 빌 차 [lease]
❶속뜻 삯을 물기로 하고[租] 집이나 땅 따위를 빌림[借]. ❷법률 특별한 합의에 따라 한 나라가 다른 나라 영토의 일부를 빌려 일정한 기간 통치하는 일.

1047 [창]

倉
곳집 창(:)
部 人부 劃 10획 ⊕ 仓 [cāng]

倉 자는 곡물을 넣어놓는 '곳집'(a storehouse)을 뜻하기 위하여 만든 글자이다. 맨 위쪽은 창고의 지붕, 가운데는 출입문, 아래의 口는 습기를 방지하기 위한 창고 건물의 받침돌을 나타낸다. 후에 창고에 죄인을 가두는 예도 있었는지, '감옥'(a cell)을 뜻하는 것으로도 쓰였다.

속뜻훈음 ①곳집 창, ②감옥 창.

창고 倉庫 | 곳집 창, 곳집 고
[warehouse; storehouse]
물건을 간직하여 두는 곳집[倉=庫]. ¶창고에 곡식이 산더미처럼 쌓여 있다. ⓑ곳간.

• 역순어휘

곡창 穀倉 | 곡식 곡, 곳집 창
[granary; grain elevator]
❶속뜻 곡식(穀食)을 쌓아 두는 창고(倉庫). ❷곡식이 많이 나는 곳. ¶곡창 지대. ⓑ곡향(穀鄕).

영창 營倉 | 집 영, 창고 창 [guardhouse]
❶속뜻 군인들이 집단으로 거주하는 집[營] 안의 창고[倉]. ❷군사 병영에 설치한 감옥. ¶김 상병은 명령 불복종으로 닷새 동안 영창에 갔다 왔다.

의:창 義倉 | 옳을 의, 곳집 창
❶속뜻 의(義)로운 일에 쓸 물건을 보관하고 있는 창고(倉庫). ❷역사 고려 시대에 곡식을 저장하여 두었다가 흉년이나 비상 때에 가난한 백성들에게 대여하던 기관.

조창 漕倉 | 나를 조, 곳집 창
역사 고려·조선 시대에, 조세로 거둔 곡식을 배로 나르기[漕] 위해 강가나 바닷가에 지어 놓은 창고(倉庫).

1048 [채]

債

빚 채ː
部 人부 劃 13획 中 债 [zhài]

債자의 본래 글자는 責(책, #0391)자이다. '빚'(a debt; a loan)을 뜻하기 위하여 만든 責자가 다른 뜻으로 확대 사용되는 예가 많아지자, 빚은 다른 사람에게 진 것임을 더욱 확실하게 나타내기 위하여 표의요소로 '사람 인'(亻)을 추가시킨 것이 바로 '債'다. '사람 인'(亻)이 표의요소로 쓰인 것은 사람은 누구나 빚을 조심해야 한다는 뜻일 듯하다.

채ː권¹ 債券 | 빚 채, 문서 권
[loan bond; debenture]
경제 국가나 회사 등이 필요한 자금[債]을 빌리고자 할 때 발행하는 유가증권(證券). ¶다리를 짓기 위해 채권을 발행하다.

채ː권² 債權 | 빚 채, 권리 권
[credit; claim]
법률 빚[債]을 빌려 준 데 대한 권리(權利). 재산상의 급부를 요구할 수 있는 권리. 반채무(債務).

채ː무 債務 | 빚 채, 힘쓸 무
[debt; financial obligation; liabilities]
법률 남에게 진 빚[債]을 갚기 위하여 힘써야 할 의무(義務). 재산상의 처리에 관련하여 일정한 당사자의 요구에 응하여 급부를 해야 하는 의무. ¶천만 원의 채무가 있다. 반채권(債權).

• 역순어휘

국채 國債 | 나라 국, 빚 채
[national debt]
❶속뜻 나라[國]의 빚[債]. ❷경제 국가가 재정상의 필요에 따라 국가의 신용으로 설정하는 금전상의 채무. 또는 그것을 표시하는 채권. ¶국채를 상환하다.

부ː채 負債 | 질 부, 빚 채 [debt]
남에게 빚[債]을 짐[負]. 또는 그 빚. ¶부채를 지다 / 부채를 탕감해 주다.

사채 私債 | 사사로울 사, 빚 채
[personal loan]
개인[私]끼리 지는 빚[債]. ¶사채를 쓰다 / 사채에 시달리다.

외ː채 外債 | 밖 외, 빚 채
[foreign debt]
경제 외국(外國)에 진 빚[債]. '외국채'(外國債)의 준말.

1049 [촉]

促

재촉할 촉
部 人 9획 中 促 [cù]

促자는 표의요소인 '사람 인'(亻)과 표음요소인 足(발 족, 참고: 䟽 삼갈 촉)으로 구성된 글자이다. '재촉하다'(urge)가 본래 의미인데, '다가오다'(come near)는 뜻으로도 쓰인다.

속뜻풀음 ①재촉할 촉, ②다가올 촉.

촉구 促求 | 재촉할 촉, 구할 구
[stimulate; urge; call]
무엇을 하기를 재촉[促]하여 요구(要求)함. ¶신속한 결정을 촉구하다.

촉박 促迫 | 다가올 촉, 닥칠 박 [urgent; imminent]
어떤 기한이나 시간이 바짝 다가오거나[促] 닥침[迫]. ¶시간이 촉박하니 용건만 말하겠다.

촉진 促進 | 재촉할 촉, 나아갈 진
[promote; accelerate; expedite]
나아가도록[進] 재촉함[促]. ¶성장을 촉진하다.

• 역순어휘

독촉 督促 | 살필 독, 재촉할 촉 [press; demand]
일이나 행동을 잘 살펴보아[督] 재촉함[促]. ¶그렇게 독촉하지 마. 비재촉, 독책(督責).

1050 [최]

催

재촉할 최ː
部 人부 劃 13획 中 催 [cuī]

催자는 '죄다'(=재촉하다, strangle)는 뜻을 나타내기 위하여 만든 것이다. '사람 인'(亻)이 표의요소로 쓰였고, 崔(높을 최)는 표음요소이다. '(행사 따위를) 열다'(hold)는 뜻으로도 쓰인다.

속뜻풀음 ①재촉할 최, ②열 최.

최루 催淚 | 재촉할 최, 눈물 루 [causing tears]
❶속뜻 눈물[淚]을 재촉함[催]. ❷눈물을 흘리도록 자극함. ¶그 가루는 최루 효과가 약간 있다.

최면 催眠 | 재촉할 최, 잠 면
[hypnosis; induced sleep]
❶속뜻 잠[眠]을 재촉함[催]. ❷인위적으로 수면 상태에 빠지게 함. ¶그는 최면에 걸린 듯 꼼짝도 하지 않았다.

• 역순어휘

개최 開催 | 열 개, 열 최 [hold]
어떤 모임이나 행사 따위를 엶[開=催]. ¶호텔에서 모임을 개최했다.

주최 主催 | 주될 주, 열 최 [sponsor]
어떤 행사나 회합 따위의 개최(開催)를 주관(主管)함. ¶신문사 주최로 바자회가 열리다.

1051 [측]

側

곁 측
部 人부 획 11획 中 侧 [rén]

側자는 '옆 사람'(next person)을 뜻하기 위하여 만든 것이었으니 '사람 인'(亻)이 표의요소이다. 則(본받을 측)이 표음요소임은 惻(슬퍼할 측)도 마찬가지이다. 후에 '곁'(=옆, the side), '가까이'(near) 등으로 확대 사용됐다.

측근 側近 | 곁 측, 가까울 근 [nearby a person]
❶속뜻 곁[側]의 가까운[近] 곳. ¶대통령을 측근에서 모시다. ❷정치나 사업에서 높은 사람을 가까이에서 모시는 사람. ¶그는 사장의 핵심 측근이다.

측면 側面 | 곁 측, 낯 면 [side]
❶속뜻 옆[側]쪽 면(面). ¶측면 공격을 하다. ❷사물이나 현상의 한 부분. 또는 한쪽 면. ¶그 제도에 부정적인 측면만 있는 것은 아니다.

측백 側柏 | 곁 측, 잣나무 백 [Oriental arborvitae]
❶속뜻 길 옆[側]에 심어 놓은 잣나무[柏]같은 나무. ❷식물 측백나무과의 상록 침엽 교목. 높이는 25미터 정도이며, 잎은 작은 비늘 모양으로 밀집하여 있다.

• 역순어휘

북측 北側 | 북녘 북, 곁 측 [north side]
❶속뜻 북(北)쪽 측면(側面). ❷북한 측. ¶북측 대표단 / 북측 인사. 반남측(南側).

양:측 兩側 | 두 량, 곁 측
[both sides; two sides]
❶속뜻 양(兩)쪽의 측면(側面). ¶도로의 양측에는 플라타너스가 늘어서 있다. ❷두 편. ¶양측 대표 / 양측이 대립되다. 비양방(兩方), 양쪽.

우:측 右側 | 오른쪽 우, 곁 측 [right side]
오른[右] 쪽[側]. ¶우측 자리에 앉으세요. 반좌측(左側).

좌:측 左側 | 왼쪽 좌, 곁 측 [left side]
왼쪽[左] 곁[側]. 왼쪽. ¶곧장 가다가 좌측으로 도세요. 반우측(右側).

1052 [치]

値

값 치
部 人부 획 10획 中 值 [zhí]

値자는 원래 사람을 '만나다'(meet)는 뜻을 나타내기 위하여 만든 것이었으니 '사람 인'(亻)이 표의요소로 쓰였고, 直(곧을 직)이 표음요소였음은 置(둘 치)도 마찬가지이다. 본뜻으로 쓰이는 예는 극히 적고, 물건의 '값'(value)을 뜻하는 것으로 많이 쓰인다.

• 역순어휘

가치 價値 | 값 가, 값 치 [value; worth]
❶속뜻 값[價=値]. 쓸모. ❷경제 욕망을 충족시키는 재화의 중요 정도. ¶현금의 가치가 하락하다. 비값어치, 가격(價格).

극치 極値 | 끝 극, 값 치 [extreme value]
❶속뜻 최대[極] 값[値]. ❷수학 함수의 극댓값과 극솟값을 통틀어 이름. 비극값.

동치 同値 | 같을 동, 값 치 [equivalent]
❶속뜻 같은[同] 값[値]. 동가(同價). ❷수학 두 개의 방정식이 같은 근(根)을 가지는 일. ❸논리 두 개의 명제가 동일한 결과를 가져오는 일. 표현이 달라도 같은 결론을 갖는 것. '그가 정직하지 않은 것은 아니다'와 '그는 정직하다' 따위. 비등가(等價), 등치(等值).

수:치 數値 | 셀 수, 값 치 [numerical value]
계산하여[數] 얻은 값[値]. ¶제시된 수치는 표본 조사를 통해 산출한 것이다.

1053 [편]

偏

치우칠 편
部 人부 획 11획 中 偏 [piān]

偏자는 '치우치다'(unfair; biased)는 뜻을 나타내기 위하여 만든 것인데, '사람 인'(亻)이 표의요소로 쓰인 근거는 희박하다. 사람은 대개 어느 쪽으론가 치우치기 마련이지 완전히 공평무사한 사람은 드물기 때문일까. 扁(넓적할 편)이 표음요소인 글자로 編(엮을 편), 遍(두루 편), 騙(속일 편)등도 있다.

편견 偏見 | 치우칠 편, 볼 견 [biased view]
한쪽으로 치우친[偏] 견해(見解). ¶편견을 버려야 제대로 보인다.

편모 偏母 | 치우칠 편, 어머니 모
[one's widowed mother]

아버지가 죽고 혼자 있는[偏] 어머니[母]. ¶그는 편모슬하에서 자랐다.

편식 偏食 | 치우칠 편, 먹을 식
[eat only what one wants]
좋아하는 것만 골라 치우치게[偏] 먹음[食]. ¶음식을 편식하지 말아야 한다.

편애 偏愛 | 치우칠 편, 사랑 애
[love with partiality; be partial to]
어느 한쪽으로 치우치게[偏] 사랑함[愛]. ¶할아버지는 손녀에 대한 편애가 심했다.

편중 偏重 | 치우칠 편, 무거울 중
[give too much importance]
어느 한쪽으로 치우치게[偏] 소중(所重)히 함. ¶문화시설이 대도시에 편중된 것 같다.

편파 偏頗 | 치우칠 편, 기울 파 [one sided; unfair]
생각 따위가 한편으로 치우쳐[偏] 기울어짐[頗]. ¶편파 보도 / 심판의 편파 판정에 항의했다.

편협 偏狹 | 치우칠 편, 좁을 협
[narrow-minded; prejudiced]
생각이 한쪽으로 치우치고[偏] 마음이 좁음[狹]. ¶편협한 사고방식.

1054 [하]

何
어찌 하
部 人부 劃 7획 中 何 [hé]

何자의 갑골문은 '메다'(shoulder)는 뜻을 나타내기 위하여 어깨에 기다란 창을 메고 있는 사람의 모습을 그린 것이었다. 후에 篆書(전:서)에서 기다란 창이 '可'로 잘못 변하여 오늘에 이르고 있다. 그런데 이것이 '어찌'(why; how) '무엇'(what)을 이르는 것으로 차용되어 쓰이자, 본뜻은 荷(연 하, #1389)자가 분담하였다.

속뜻 훈음 ①어찌 하, ②무엇 하.

하등 何等 | 무엇 하, 같을 등
[(not) in the slightest degree; not any]
❶속뜻 무슨[何] 등급(等級). ❷아무. 아무런. 조금도 ¶그는 나와 하등의 관련도 없다.

하필 何必 | 어찌 하, 반드시 필
❶속뜻 어찌하여[何] 반드시[必]. ❷어째서 꼭. 다른 방도도 있는데 왜. 하고 많은 중에 어찌하여. ¶하필 소풍 가는 날 비가 올 게 뭐람!

• 역순어휘

기하 幾何 | 몇 기, 어찌 하 [geometry]
❶속뜻 몇[幾] 또는 어찌[何]. ❷'기하학'(幾何學)의 준말.

여하 如何 | 같을 여, 무엇 하 [how; what]
무엇[何] 같은[如]가. 어떠한가. ¶성공은 당신의 노력 여하에 달려 있습니다.

1055 [극]

克
이길 극
部 儿부 劃 7획 中 克 [kè]

克자의 여러 갑골문 자형 가운데 일부는 머리에는 투구를 쓰고 손에는 창을 들고 있는 무사의 모습이 여실히 그려져 있다. 승리를 거둔 무사의 모습으로 추정된다. 후에 그 자형이 간소화됨에 따라 원형과 거리가 멀어졌다. '이기다'(win; overcome)는 뜻을 그렇게 나타낸 것이 자못 흥미롭다. '능히'(capably)란 뜻으로도 쓰인다.

속뜻 훈음 ①이길 극, ②능히 극.

극기 克己 | 이길 극, 자기 기 [self restraint/control]
자기(自己)의 욕망이나 충동, 감정 따위를 의지로 눌러 이김[克]. ¶극기 훈련. ㊐자제(自制). ㊥이기(利己).

극명 克明 | 능히 극, 밝을 명 [make clear]
❶속뜻 능히[克] 할 수 있을 만큼 자세하고 분명(分明)함. ¶극명한 사실 / 극명한 대조를 보이다. ❷속속들이 똑똑히 밝힘. ¶교황은 세계평화의 대의를 극명했다.

극복 克服 | 이길 극, 따를 복 [conquer]
이기어[克] 따르도록[服]하다. ¶어려움을 극복하다.

1056 [조]

兆
억조 조
部 儿부 劃 6획 中 兆 [zhào]

兆자는 거북의 뼈에 불을 지져 갈라진 금 모양에서 유래된 글자이다. 그것을 보고 점을 쳤으니 '조짐'(=기미, signs; an omen)의 뜻을 나타낸 것은 당연한 일이다. 후에 億(억)의 만 곱절을 이르는 수(a billion)의 단위로도 차용됐다.

속뜻 훈음 ①조짐 조, ②기미 조.

조짐 兆朕 | 기미 조, 기미 짐 [symptoms; signs]
좋거나 나쁜 일이 생길 기미[兆=朕]가 보이는 현상. ¶곧 전쟁이 날 조짐이 보인다. ㊐낌새, 징조(徵兆).

• 역순어휘

길조 吉兆 | 길할 길, 조짐 조 [good omen]

좋은[吉] 일이 있을 조짐(兆朕). ¶설날에 눈이 오는 것을 길조로 여기다. ㊥흉조(凶兆).

징조 徵兆 | 조짐 징, 조짐 조 [sign; indication]
어떤 일이 생길 기미나 조짐[徵=兆]. ¶비가 올 것 같은 불길한 징조.

흉조 凶兆 | 흉할 흉, 조짐 조 [bad omen; sign of evil]
불길한[凶] 조짐(兆朕). ¶아침에 그릇을 깨뜨리면 흉조로 여긴다. ㊥길조(吉兆).

1057 [중]

仲

버금 중(:)
㊀ 人부 ㊀ 6획 ㊥ 仲 [zhòng]

仲자는 형제자매 가운데 '둘째'(=버금, the second; number two)를 뜻하기 위하여 만든 것이었으니 '사람 인'(亻)이 표의요소로 쓰였고, 中(가운데 중)은 표음과 표의를 겸하는 요소이다. 후에 '버금가다'(rank second to), '가운데'(the middle) 등으로 확대 사용됐다.
속뜻훈음 가운데 중.

중개 仲介 | 가운데 중, 끼일 개 [mediate]
제삼자의 처지로 둘 이상의 당사자 사이[仲]에 끼어[介] 어떤 일을 주선함. ¶결혼 중개 업체.

중매 仲媒 | =中媒, 가운데 중, 맺어줄 매 [arrange a match (with)]
남녀 사이의 가운데[仲]에서 혼인을 맺도록[媒] 함. 또는 그 일이나 사람. ¶중매가 들어오다 / 내가 작년에 그 부부를 중매했다.

중재 仲裁 | 가운데 중, 분별할 재 [arbitrate; mediate]
분쟁이나 싸움의 가운데[仲] 끼어 들어 제재(制裁)함. 서로 다투는 사이에 들어 화해시킴. ¶그의 중재로 문제는 해결됐다.

중추 仲秋 | 가운데 중, 가을 추 [eight lunar month]
❶속뜻 가을[秋]의 한 가운데[仲]. ❷음력 팔월을 달리 이르는 말.

1058 [면]

免

면할 면:
㊀ 儿부 ㊀ 7획 ㊥ 免 [miǎn]

免자는 원래 宀(면) 아래에 亻(사람 인)이 있는 형태였다. 머리에 쓴 '관'(a crown; a coronet)이 본뜻이었는데, 후에 '놓아주다'(release; set free), '면하다'(escape; avoid)는 뜻으로 쓰이는 예가 많아지자, 본뜻을 확실하게 나타나기 위하여 추가로 冕(면류관 면)자를 만들었다.

면:세 免稅 | 면할 면, 세금 세 [exempt from taxation]
법률 세금(稅金)을 면제(免除)함. ¶면세제품.

면:역 免疫 | 면할 면, 돌림병 역 [immunity (from a disease)]
❶속뜻 돌림병[疫]의 감염을 면(免)하게 됨. ❷의학 몸속에 들어온 균에 대항하는 항체를 생산하여 다음에는 그 병에 걸리지 않도록 하는 기능. ¶예방 주사를 맞으면 그 병에 면역이 된다. ❸반복되는 자극 따위에 무감각해지는 상태를 비유하여 이름. ¶그는 어머니의 꾸지람에 이미 면역이 됐다.

면:제 免除 | 면할 면, 덜 제 [exempt from]
책임이나 의무를 면(免)하거나 덜어줌[除]. ¶병역을 면제받다.

면:허 免許 | 면할 면, 들어줄 허 [license; permit]
❶속뜻 면제(免除)해 주는 일과 허가(許可)해 주는 일. ❷법률 일반에게는 허가되지 아니하는 특수한 행위를 특정한 사람에게만 허가하는 행정 처분. ¶총기 소지면허 / 수출 면허. ❸법률 특정한 일을 할 수 있는 공식적인 자격을 관청이 허가하는 일. ¶운전 면허.

• 역순어휘

감:면 減免 | 덜 감, 면할 면 [exempt; remit]
부담 따위를 감(減)해 주거나 면제(免除)해 줌. ¶흉년이 들어 세금을 감면했다.

모면 謀免 | 꾀할 모, 면할 면 [evade; shirk]
꾀를 쓰거나[謀] 운이 좋아 어려운 상황이나 죄 따위를 면(免)하게 됨. ¶큰 고비를 모면하다.

사:면 赦免 | 용서할 사, 면할 면 [remit a punishment; pardon]
법률 죄를 용서하여[赦] 형벌을 면제(免除)함. ¶광복절을 맞아 150명이 사면됐다.

파:면 罷免 | 그만둘 파, 면할 면 [dismiss; fire]
직책을 그만두게[罷] 하여 해직시킴[免]. 공무원의 신분을 박탈하는 일. ¶뇌물을 받은 감독관의 파면을 요구했다.

1059 [토]

兎

토끼 토
㊀ 儿부 ㊀ 부 ㊀ 7획 ㊥ 兔 [tù]

兎자의 갑골문은 '토끼'(rabbit)를 뜻하

기 위하여 긴 귀에 짧은 꼬리, 작고 짧은 몸통을 특징으로 하는 토끼 모양이 귀엽고 간결하게 그린 것이었다. 후에 쓰기 편함만을 추구하다 보니 지금과 같이 바뀌었다. 달 속에 토끼가 있다는 전설에서 유래하여 달(月)의 별칭으로도 쓰인다.

토사구팽 兎死狗烹 | 토끼 토, 죽을 사, 개 구, 삶을 팽
❶속뜻 토끼[兎]를 다 잡으면[死] 사냥개[狗]를 삶아[烹] 먹음. ❷필요할 때는 쓰고 필요 없을 때는 야박하게 버리는 경우를 비유하여 이름.

• 역순어휘

구토지설 龜兎之說 | 거북 구, 토끼 토, 어조사 지, 말씀 설
문학 거북이[龜]가 토끼[兎]를 꾀어 수궁으로 잡아왔으나 토끼는 다시 꾀를 내어 무사히 육지로 돌아온다는 이야기[說]. 판소리 「수궁가」(水宮歌)와 소설 「토끼전」의 근원설화이다.

옥토 玉兎 | 옥 옥, 토끼 토 [moon]
❶속뜻 옥(玉) 같은 토끼[兎]. ❷'달'을 달리 이르는 말. 그 속에 옥 같은 토끼가 있다고 여겨서 붙여진 이름이다.

은토 銀兎 | 은 은, 토끼 토
❶속뜻 은(銀)빛 토끼[兎]. ❷'하얀 토끼'를 아름답게 이르는 말. ❸달 속에 있다는 전설의 토끼. ❹'달'을 달리 이르는 말.

1060 [즉]

即

곧 즉
㊉ 卩부 ㊉ 부 ㊉ 9획 ㊥ 即 [jí]

即자의 갑골문은 소복하게 담긴 밥 그릇 앞에 앉은 사람[㔾 = 卩]의 모습이다. 이 경우의 白(백)과 匕(비)는 밥과 그릇이 잘못 변한 것이니 지금의 글자로 해석하면 안 된다. '(막 밥을) 먹으려 하다'(go to eat)가 본래 의미이고, '곧'(=당장, immediately), '나아가다'(approach) 등으로 확대 사용됐다.

속뜻 훈음 ①곧 즉, ②나아갈 즉.

즉각 即刻 | 곧 즉, 시각 각
[immediately; instantly; at once]
곧[即] 그 시각(時刻)에. ¶이 약은 즉각 효과가 나타난다.

즉사 即死 | 곧 즉, 죽을 사 [be killed instantly]
즉시(即時) 죽음[死]. ¶토끼가 총알을 맞고 즉사했다.

즉석 即席 | 곧 즉, 자리 석 [on the spot]
일이 진행되는 바로 그[即] 자리[席]. ¶즉석 복권 / 즉석에서 노래를 부르다.

즉시 即時 | 곧 즉, 때 시
[immediately; instantly; at once]
바로 그[即] 때[時]. 곧바로. ¶무슨 일이 생기면 즉시 의사를 부르세요.

즉위 即位 | 나아갈 즉, 자리 위 [come to throne]
임금의 자리[位]에 나아가[即] 오름. ¶선왕이 돌아가시고 세자가 즉위했다. ㊥등극(登極). ㊦퇴위(退位).

즉효 即效 | 곧 즉, 효과 효 [immediate effect]
즉시(即時) 나타나는 효과(效果). ¶감기에는 이 약이 즉효다.

즉흥 即興 | 곧 즉, 흥겨울 흥
[impromptu amusement]
즉석(即席)에서 일어나는 흥취(興趣). ¶즉흥으로 피아노를 연주하다.

• 역순어휘

진즉 趁即 | 쫓을 진, 곧 즉 [earlier]
그 때부터 미리, 시기를 맞추어[趁] 곧바로[即]. ¶진즉 병원에 갈 걸 그랬다. ㊥진작.

1061 [겸]

兼

겸할 겸
㊉ 八부 ㊉ 10획 ㊥ 兼 [jiān]

兼자는 '아우르다'(unite)는 뜻을 나타내기 위하여 두 개의 벼이삭을 한 손에 쥐고 있는 모습을 본뜬 것이다. 즉, 두 개의 '벼 화'(禾 + 禾)와 '손 우'(又)가 합쳐져 있는 모습이 쓰기 편하도록 변하였다. 후에 '겸하다'(combine), '차별 없이'(indiscriminately) 등으로 확대 사용됐다.

속뜻 훈음 ①겸할 겸, ②아우를 겸.

겸비 兼備 | 겸할 겸, 갖출 비 [have both]
두 가지 이상의 좋은 점을 겸(兼)하여 갖춤[備]. ¶문무(文武)를 겸비한 인재.

겸사 兼事 | 아우를 겸, 일 사 [serve both as]
한 가지 일을 하면서 동시에 다른 일도 아울러[兼] 함[事]. ¶그곳에 가는 길에 겸사로 심부름을 했다 / 볼일도 보고 너도 만나러 겸사겸사 왔다.

겸상 兼床 | 아우를 겸, 평상 상 [table for two]
둘 또는 그 이상의 사람이 아울러[兼] 함께 먹을 수 있도록 차린 밥상[床]. 또는 그렇게 차려 먹음. ¶그는

부인과 겸상을 차려 식사했다. [반]각상(各床), 독상(獨床).

겸용 兼用 | 아우를 겸, 쓸 용 [combined use]
하나로 두 가지 이상의 목적에 아울러[兼] 사용(使用)함. ¶침대 겸용 소파.

1062 [기]

其
그 기
[部] 八부 [劃] 8획 [中] 其 [qí, jī]

其자는 본래 곡식을 까부는 데 쓰는 농기구인 '키'(a winnow; a winnowing basket)를 뜻하기 위하여 그 모양을 그대로 그린 것이었다. 후에 '그것'(that)이라는 대명사(pronoun) 또는 추정이나 미래 어조를 나타내는 어조사(particle)로 차용되는 예가 많아지자, 본래 뜻은 箕(키 기)자를 따로 만들어 나타냈다. 그 농기구가 당시에는 죽제품이었나 보다. 고전 문장에서는 많이 쓰였지만, 조어력이 낮아서 한자어 용례는 매우 적은 편이다.

기실 其實 | 그 기, 실제 실 [in fact; really]
그[其] 실제(實際)는. 그 실상은. ¶기실 그도 나쁜 사람은 아니다.

기타 其他 | 그 기, 다를 타 [others]
그[其] 밖의 또 다른[他] 것. 그 밖. [비]여타(餘他).

• 역순어휘

각기 各其 | 각각 각, 그 기
[each (one); every one]
그[其] 각각(各各). 저마다. ¶각기 의견을 말하다. [비]각각(各各).

1063 [물]

勿
말[禁] 물
[部] 勹부 [劃] 4획 [中] 勿 [wù]

勿자는 갑골문에도 등장된다. 당시의 자형은 쟁기로 땅을 갈아엎는 모습이며, 쟁기 날에 붙은 흙의 '색'(color)을 뜻한다는 설이 있다. 지금은 그런 뜻으로 사용되는 예가 없고 '(하지) 말라'(don't), '없음'(have not) 등 부정(negation)이나 금지(prohibition)를 나타내는 것으로 많이 쓰인다.

[속뜻훈음] 없을 물.

물경 勿驚 | 말 물, 놀랄 경
[surprisingly (enough); it will surprise you]
❶[속뜻]놀라지[驚] 말라[勿]. ❷엄청난 것을 말할 때에 쓰는 말. ¶그는 하룻밤에 물경 수억 원이나 도박으로 날렸다.

물론 勿論 | 없을 물, 말할 론 [of course]
❶[속뜻]말할[論] 필요가 없음[勿]. ¶학식은 물론이고 경험도 풍부하다. ❷말할 것도 없이. ¶그는 영어는 물론 중국어도 할 줄 안다.

물망-초 勿忘草 | 말 물, 잊을 망, 풀 초
[forget me not]
❶[속뜻]나를 잊지[忘] 말라[勿]는 꽃말을 가진 풀[草]. ❷[식물]유럽 원산의 관상용 화초. 전체에 털이 많고 뿌리에서 잎이 모여 난다. 봄부터 여름에 걸쳐 흰색, 자주색, 남색의 꽃이 핀다.

• 역순어휘

사:물 四勿 | 넉 사, 말 물
공자가 제자에게 말한 네[四]가지 하지 말아야[勿] 할 것. 곧 예가 아니면 보지 말며, 듣지 말며, 말하지 말며, 움직이지 말라는 것을 이른다.

1064 [간]

幹
줄기 간
[部] 干부 [劃] 13획 [中] 干 [gàn]

幹자의 본래 글자는 담 곁에 세워진 나무 '기둥'(a pillar)을 뜻하는 榦(간)자였다. '나무 목'(木)이 표의요소이고, 그 나머지는 표음요소라고 한다. 후에 '줄기'(the trunk), '재능'(ability) 등으로 확대 사용됐고, 표의요소가 干(방패 간)으로 대체된 俗字(속자)가 더 많이 쓰인다. 幹은 두 개의 표음요소로만 구성된 매우 희한한 글자이다.

[속뜻훈음] ①줄기 간, ②재능 간.

간부 幹部 | 줄기 간, 거느릴 부 [leading member]
기관이나 조직체 따위에서 줄기[幹] 같은 중심이 되는 자리에서 책임을 맡거나 지도하는[部] 사람. ¶간부 회의 / 학급 간부를 뽑다.

간선 幹線 | 줄기 간, 줄 선 [main line]
도로, 철로 따위의 중심 줄기[幹]가 되는 선(線). ¶간선 도로. [비]본선(本線). [반]지선(支線).

• 역순어휘

기간 基幹 | 터 기, 줄기 간 [mainstay]
❶[속뜻]터[基]가 되고 중심[幹]이 되는 것. ¶조선은 유교이념을 기간으로 삼았다. ❷어떤 조직이나 체계를 이룬

것 가운데 중심이 되는 것.

재간 才幹 | 재주 재, 재능 간 [ability; talent]
재주[才]와 재능[幹]. 또는 그러한 능력. ¶재간이 뛰어나다 / 그 많은 일을 나 혼자 해낼 재간이 없다.

1065 [막]

幕

장막 막
部 巾부 劃 14획 中 幕 [mù]

幕자는 '휘장'(a tent; a curtain)을 뜻하기 위하여 만든 것이었으니 '수건 건'(巾)이 표의요소로 쓰였고 莫(없을 막)은 표음요소이다. 전시에는 장군이 막사에서 군사에 관한 일을 보았기에 때문에 '대장'(a head; a chief)과 관련된 의미로 쓰이기도 한다.

속뜻 훈음 ①막 막, ②휘장 막.

막간 幕間 | 막 막, 사이 간 [interval]
❶연영 연극에서 한 막(幕)이 끝나고 다음 막이 시작되기까지의 사이[間]. ❷어떤 일의 한 단락이 끝나고 다음 단락이 시작되기까지의 동안. ¶막간을 이용해 안내 말씀 드리겠습니다.

막료 幕僚 | 휘장 막, 벼슬아치 료
[staff officer; the staff]
❶속뜻 지휘부[幕]에 속한 관리[僚]. 중요한 계획의 입안이나 시행 따위의 일을 보좌하는 사람. ❷비장(裨將).

막부 幕府 | 휘장 막, 관청 부 [shogun]
역사 1192년에서 1868년까지 일본을 통치한 무인들의 정부(政府). 근위대장의 처소[幕]를 지칭하다가 이후 장군 자체를 지칭한데서 유래하였다.

막사 幕舍 | 막 막, 집 사
[barracks; camp]
❶속뜻 판자나 천막(天幕) 따위로 임시로 간단하게 지은 집[舍]. ¶피난민을 막사에 수용하다. ❷군사 군인들이 주둔할 수 있도록 만든 건물 또는 가건물. ¶사병 막사 / 야전군 지휘 막사.

• 역순어휘

개막 開幕 | 열 개, 막 막
[open; begin the performance]
❶속뜻 연극 따위를 시작할 때 막(幕)을 엶[開]. ❷회의나 행사 따위를 시작함. ¶영화제는 오후 8시에 개막한다. 반 폐막(閉幕).

내:막 內幕 | 안 내, 막 막 [inside facts]
❶속뜻 장막(帳幕)으로 둘러싸인 그 안[內] 쪽. ❷내부의 사정. 일의 속내. ¶사건의 내막이 궁금하다.

연막 煙幕 | 연기 연, 막 막 [smoke screen]
❶속뜻 연기(煙氣)로 막(幕)을 쳐서 감추거나 숨김. ❷군사 적의 관측이나 사격으로부터 아군의 군사 행동 따위를 감추기 위하여 약품을 써서 피워 놓는 짙은 연기. ¶연막전술 / 연막탄(煙幕彈). 관용 연막을 치다.

자막 字幕 | 글자 자, 막 막 [film title]
제목·배역·해설 등을 글자[字]로 나타낸 화면이나 막(幕). ¶외국 영화는 대사를 자막으로 처리한다.

장막 帳幕 | 휘장 장, 막 막 [curtain]
볕이나 비를 피할 수 있도록 둘러친 휘장(揮帳)이나 천막[幕]. ¶이 지역 유목민은 유르트라는 장막 같은 곳에서 산다.

주막 酒幕 | 술 주, 막 막 [inn]
시골의 길목에서 술[酒]이나 밥 따위를 팔던 막사[幕] 같은 집.

천막 天幕 | 하늘 천, 막 막 [tent]
하늘[天]을 가린 막(幕). 비바람 따위를 막는 장막. ¶천막을 치고 교실을 만들다.

폐:막 閉幕 | 닫을 폐, 막 막
[close the curtain on; end; finish]
❶속뜻 연극을 다 끝내고 막(幕)을 내림[閉]. ¶연극이 끝나고 폐막된 무대를 바라보다. ❷어떤 행사가 끝남. ¶성황리에 축제를 폐막하다. 반 개막(開幕).

1066 [수]

帥

장수 수
部 巾부 劃 9획 中 帅 [shuài]

帥자는 갑골문과 금문에 등장될 정도로 오랜 역사를 지녔다. 자형 풀이는 여러 설이 구구하지만 문헌에서 많이 쓰인 '장수'(a commander)란 뜻과 잘 연결이 되는 것이 없다. '거느리다'(command)는 뜻으로도 쓰이는데, 이 경우에는 [솔]로 읽으니 率(거느릴 솔)과 같은 셈이다.

• 역순어휘

원수 元帥 | 으뜸 원, 장수 수
❶속뜻 으뜸[元]이 되는 장수(將帥). 또는 그 명예 칭호. 대장(大將)의 위이다. ❷역사 고려 때 전시에 군을 통솔하던 장수. 또는 한 지방 군대를 통솔하던 주장(主將). ❸역사 대한 제국 때 원수부의 으뜸 벼슬. 비 오성장군(五星將軍).

장:수 將帥 | 장수 장, 장수 수 [general]
군사 군사를 지휘 통솔하는 장군[將=帥].

총:수 總帥 | 거느릴 총, 장수 수 [commander in chief; leader]
❶속뜻 전군을 거느리는[總] 장수[帥]. ❷'큰 조직이나 집단의 우두머리'를 이르는 말.

통:수 統帥 | 거느릴 통, 장수 수 [lead; take command]
큰 무리를 통솔(統率)하는 장수[帥]. 또는 그런 우두머리.

1067 [교]

巧 공교할 교
部 工부 劃 부 劃 5획 中 巧 [qiǎo]

巧자는 '솜씨'(skill)를 뜻하기 위하여 만든 것이었으니, '장인 공'(工)이 표의요소로 쓰였고 丂는 표음요소였다. 후에 '약삭빠르다'(shrewd; clever), '예쁘다'(sweet; cute) 등으로 확대 사용됐다.
속뜻훈음 ①솜씨 교, ②약을 교, ③예쁠 교.

교묘 巧妙 | 솜씨 교, 묘할 묘 [skillful; clever]
솜씨[巧]가 뛰어나고 묘하다[妙]. 매우 잘 되고 묘하다. ¶교묘히 속이다.

• 역순어휘

간교 奸巧 | 간사할 간, 약을 교 [be crafty; cunning]
간사(奸邪)하고 약삭빠름[巧]. ¶간교한 꾀에 그만 속고 말았다. 비간사(奸邪), 교활(狡猾).

공교 工巧 | 장인 공, 솜씨 교 [elaborate]
❶속뜻 장인[工]같이 빼어난 솜씨[巧]. ¶공교한 조각 작품. ❷우연하고 교묘함. ¶공교롭게도 나는 아버지와 생일이 같다.

기교 技巧 | 재주 기, 솜씨 교 [technique]
빼어난 기술(技術)이나 솜씨[巧].

정교 精巧 | 쓿을 정, 예쁠 교 [elaborate; exquisite]
쓿은 쌀[精] 같이 예쁨[巧]. 또는 그렇게 다듬음. ¶정교한 솜씨 / 무늬가 정교하다.

1068 [롱]

弄 희롱할 롱:
部 廾부 劃 7획 中 弄 [nòng, lòng]

弄자는 광산의 깊은 굴에서 玉(옥)을 캐어 두 손으로 받들고[廾·공] 희희낙락하는 모습에서 유래됐다. '(손에 가지고) 놀다'(play)가 본래 의미인데, '놀리다'(play a joke on)는 뜻으로도 많이 쓰인다.
속뜻훈음 ①놀릴 롱, ②놀 롱.

농:담 弄談 | 놀릴 롱, 말씀 담 [joke]
장난삼아 놀리는[弄] 말[談]. ¶실없이 농담을 주고받다. 비진담(眞談).

농:와 弄瓦 | 놀 롱, 실패 와 [give birth a daughter]
중국에서 딸을 낳으면 베를 잘 짜라는 뜻으로 장난감[弄] 실패[瓦]를 주었다는 데서 유래하여 '딸을 낳음'을 이른다. '농와지경'의 준말.

• 역순어휘

우롱 愚弄 | 어리석을 우, 놀릴 롱 [make a fun]
사람을 어리석게[愚] 보고 함부로 놀림[弄]. ¶모욕적인 우롱 / 더 이상 그를 우롱하지 마라.

재롱 才弄 | 재주 재, 놀 롱 [cute tricks]
재주[才]를 부리며 귀엽게 놂[弄]. ¶강아지가 재롱을 부린다.

조롱 嘲弄 | 비웃을 조, 놀릴 롱 [ridicule; laugh at]
비웃거나[嘲] 깔보면서 놀림[弄]. ¶조롱을 당하고도 꿋꿋이 이겨냈다.

희롱 戲弄 | 놀릴 희, 놀릴 롱 [ridicule; joke with]
말이나 행동으로 실없이 놀림[戲=弄]. ¶어린이를 희롱하면 안 된다.

1069 [폐]

弊 폐단/해질 폐:
部 廾부 劃 15획 中 弊 [bì]

弊자의 敝(폐)는 '해어진 옷'(tattered wear)을 뜻하는 것으로, 그 옷이 아까워 두 손으로 움켜지고(廾·받들 공) 있는 것이 바로 弊자다. 그러니 敝는 표의와 표음을 겸하는 요소이고, 廾(공)은 표의요소이다. '해져 떨어지다'(get tattered), '낡다'(worn-out), '나쁘다'(bad)을 뜻하는 것으로 쓰이며, 자기나 자기편을 낮추어 일컫는 겸손한 말로도 널리 쓰인다(참고, 弊社 폐사).
속뜻훈음 ①해질 폐, ②나쁠 폐, ③낡을 폐.

폐:단 弊端 | 해질 폐, 끝 단 [abuse; evil]
❶속뜻 옷 따위의 찢어지고 해진[弊] 끝[端] 부분. ❷좋지 못한 나쁜 점. ¶사교육의 폐단을 줄이다. 준폐.

폐:습 弊習 | 나쁠 폐, 버릇 습
[evil customs; bad habit]
나쁜[弊] 풍습이나 버릇[習]. ¶세금을 흥청망청 쓰는 폐습을 고치다.

폐:해 弊害 | 나쁠 폐, 해칠 해
[evil; abuse; vice]
좋지 않고 나쁜[弊] 점과 해(害)로운 점. ¶컴퓨터 게임 중독으로 인한 폐해. [비]폐(弊), 폐단(弊端).

• 역순어휘

피폐 疲弊 | 지칠 피, 낡을 폐 [exhaustion]
지치고[疲] 낡아짐[弊]. ¶계속된 전쟁으로 나라가 피폐해졌다.

민폐 民弊 | 백성 민, 나쁠 폐 [public harm]
민간(民間)에 끼치는 나쁨[弊]. ¶군대가 주둔하면서 민폐가 극심하다. [반]관폐(官弊).

병:폐 病弊 | 병 병, 나쁠 폐
[evil practice; vice]
병(病)과 폐단(弊端)을 아울러 이르는 말. ¶사회의 병폐를 없애다.

1070 [계]

啓

열 계:
[部] 口부 [劃] 11획 [中] 启 [qǐ]

啓자는 '열다'(open)는 뜻을 나타내기 위하여 외짝 문[戶·호]을 여는 손[又]을 그린 것이었다. 후에 又가 攵(=攴)으로 바뀌어 닫혔던 문을 쳐서 연다는 뜻이 강화됐다. 그리고 '입 구'(口)가 보태져 '아뢰다'(tell; inform), '일깨우다'(awaken; open a person's eyes)는 뜻으로도 쓰이는 것에 대한 표의요소 역할을 하게 됐다.

[속뜻훈음] **①열 계, ②일깨울 계.**

계:몽 啓蒙 | 일깨울 계, 어릴 몽 [enlighten]
❶[속뜻] 무식한 사람이나 어린아이[蒙]를 일깨워[啓] 줌. ❷인습에 젖거나 바른 지식을 가지지 못한 사람을 일깨워, 새롭고 바른 지식을 가지도록 함. ¶국민을 계몽하다 / 계몽문학. [비]계발(啓發).

계:발 啓發 | 일깨울 계, 밝힐 발 [enlighten]
❶[속뜻] 일깨워주고[啓] 밝혀줌[發]. ❷재능이나 사상 따위를 일깨워 줌. ¶창의력을 계발하다.

계:시 啓示 | 열 계, 보일 시 [reveal]
❶[속뜻] 열어[啓] 보여 줌[示]. ❷사람의 지혜로는 알 수 없는 진리를 신이 영감(靈感)으로 알려 줌. ¶신의 계시를 받다. [비]현시(現示).

1071 [곡]

哭

울 곡
[部] 口부 [劃] 10획 [中] 哭 [kū]

哭자의 '口+口'는 어린아이가 큰 소리로 우는 것을 뜻하는 喧(훤)의 본래 글자이다. 그 아래의 '개 견'(犬)은 獄(감옥 옥)의 생략형으로 표음요소 구실을 한다는 설이 있다. '개가 짖다'는 뜻이라는 속설도 큰 무리는 없겠으나 吠(짖을 폐)와의 차별성을 설명하기 힘들다. 개가 우는 것처럼 '입으로 크게 소리 내며 울다'(cry)가 본래 의미다. 참고로 소리를 내지 않고 눈물만 흘리며 우는 것은 泣(읍, weep, #1650)으로 나타냈다. 哭(곡)과 泣(읍)이 영어 cry와 weep의 차이와 꼭 같은 것이 자못 흥미롭다.

곡성 哭聲 | 울 곡, 소리 성
[sound of keening; a wail]
우는[哭] 소리[聲]. [비]곡소리.

곡읍 哭泣 | 울 곡, 울 읍 [cry sadly]
소리 내어 울[哭]과 흐느끼며 울[泣]. 몹시 슬피 울. ¶그녀는 삼년시묘를 하는 동안 하루같이 곡읍했다.

• 역순어휘

방:곡 放哭 | 놓을 방, 울 곡 [weep loudly]
목을 놓아[放] 울[哭].

통:곡 痛哭 | 아플 통, 울 곡
[wail; keen; mourn bitterly]
마음이 아파[痛] 슬피 울[哭]. ¶어머니의 시신을 붙들고 통곡하다.

1072 [당]

唐

당나라/당황할 당(:)
[部] 口부, 총 10획 [中] 唐 [táng]

唐자는 '큰 소리'(grand sound)를 뜻하기 위하여 '입 구'(口)와 '징 경'(庚) 두 표의요소를 합쳐 놓은 것이다. 중국의 나라 이름으로 쓰인 적이 있기에 '당나라 당'이라고도 하며, '중국'(China)을 가리키는 것으로도 많이 쓰인다. '허풍'(a tall talk)을 뜻하기도 하며, '황당하다'(absurd; preposterous) 또는 이와 의미상 연관이 있는 낱말의 한 구성 요소로도 쓰인다.

[속뜻훈음] **①당나라 당, ②허풍 당, ③황당할 당.**

당:돌 唐突 | 황당할 당, 부딪칠 돌
[plucky; forward]
❶[속뜻] 황당(荒唐)하고 저돌(猪突)적임. ❷부딪힘. ❸갑

자기. 느닷없이. [비]당차다, 야무지다.

당면 唐麵 | 당나라 당, 국수 면
[Chinese noodles]
❶[속뜻]당(唐)에서 들어온 국수[麵]. ❷녹말가루로 만든 마른 국수. 잡채를 만들 때 쓴다. [비]호면(胡麵).

당의 唐衣 | 당나라 당, 옷 의
❶[속뜻]중국 당(唐)나라 풍의 옷[衣]. ❷여자들이 저고리 위에 덧입는 한복의 하나.

당황 唐慌 | =唐惶, 황당할 당, 절박할 황
[be confused; be perplexed]
황당(荒唐)하여 어찌할 바를 모름[慌]. 놀라서 어리둥절해 함. ¶뜻밖의 질문에 선생님은 당황스러운 표정이었다. [비]당혹(當惑), 어리둥절하다.

• 역순어휘 ——— •

황당 荒唐 | 어이없을 황, 허풍 당
[absurd; wild; incoherent]
❶[속뜻]어이없는[荒] 허풍[唐]. ❷말이나 행동이 허황하고 터무니없다. ¶소문이 너무 황당하여 어이가 없다.

1073 [사]

司

맡을 사
[部] 口부 [劃] 부 [劃] 5획 [中] 司 [sī]

司자는 后(임금 후)자를 반대로 돌려놓은 것으로 '(신하가 임금을 위하여) 봉사하다'(attend)가 본뜻이고, '맡다'(be in charge), '관직'(an official post) 등을 뜻하는 것으로 확대 사용됐다.
[속뜻 훈음] **①맡을 사, ②벼슬 사, ③관리 사.**

사령 司令 | 맡을 사, 명령 령
[position of command]
[군사]최고 지휘관의 명령[令]에 관한 일을 맡음[司].

사법 司法 | 맡을 사, 법 법
[administration of justice]
❶[속뜻]법(法)에 관한 일을 맡아 처리함[司]. ❷[법률] 국가가 법률(法律)을 실제의 사실에 적용하는 행위.

사서 司書 | 맡을 사, 책 서 [librarian]
도서관에서 도서(圖書)의 정리·보존 및 열람을 맡아보는[司] 직위. ¶그는 시립도서관의 사서이다.

사제 司祭 | 맡을 사, 제사 제 [(Catholic) priest]
[가톨릭]❶의식과 전례[祭]를 맡은[司] 성직자. 주교 아래의 직위이다. ❷주교와 신부를 통틀어 이르는 말.

사회 司會 | 맡을 사, 모일 회
[preside at; chair a meeting]
회의(會議)나 예식 따위를 맡아[司] 진행함. ¶회의의 사회를 맡다.

• 역순어휘 ——— •

감사 監司 | 볼 감, 벼슬 사 [governor]
❶[속뜻]감시(監視)하는 직책을 맡은 벼슬[司]. ❷[역사] 관찰사(觀察使). [속담]평양감사도 저 싫으면 그만.

상:사 上司 | 위 상, 벼슬 사
[higher office; one's superior]
자기보다 벼슬이나 지위가 위[上]인 사람[司]. ¶직장 상사의 의견을 존중하다.

제:사 祭司 | 제사 제, 맡을 사 [priest; officiant]
제사(祭祀)를 주관하는[司] 사람.

1074 [상]

喪

잃을 상(:)
[部] 口부 [劃] 12획
[中] 丧 [sāng, sàng]

喪자가 갑골문에서는 뽕나무에 많은 오디가 달려 있는 모습이었다. 이것이 '죽다'(die)는 뜻으로 차용되는 데에는 문제가 있다고 생각하여 약 1000년 후인 篆書(전:서) 서체에서는 '죽을 망'(亡)과 '울 곡'(哭)이 합쳐진 것으로 바꾸어 의미 연관성을 크게 개선했다. 그런데 隸書(예:서) 서체에서 형체가 다시 바뀜으로써 엉망이 됐다. 후에 '잃다'(lose)는 뜻으로도 확대 사용됐다.
[속뜻 훈음] **죽을 상.**

상가 喪家 | 죽을 상, 집 가 [mourner's house]
초상(初喪)난 집[家]. ¶상가에 문상을 가다.

상복 喪服 | 죽을 상, 옷 복 [mourning clothes]
상중(喪中)에 있는 사람이 입는 예복(禮服).

상실 喪失 | 죽을 상, 잃을 실 [loss]
❶[속뜻]죽거나[喪] 잃어버림[失]. ❷어떤 것이 아주 없어지거나 사라짐. ¶기억 상실 / 의욕 상실.

상여 喪輿 | 죽을 상, 수레 여 [(funeral) bier]
사람의 시체를 실어서 묘지까지 나르는[喪] 수레[輿] 따위의 도구. ¶상여를 메고 가다.

상제 喪制 | 죽을 상, 정할 제 [mourning practice]
❶[속뜻]상례(喪禮)에 관한 제도(制度). ❷부모나 조부모가 세상을 떠나서 거상(居喪) 중에 있는 사람. ¶상제들이 통곡을 하였다.

상주 喪主 | 죽을 상, 주인 주 [chief mourner]
상제(喪制)에서 주(主)가 되는 사람. 대개 장자(長子)가 된다. [비]맏상제.

• 역순어휘

문:상 問喪 | 물을 문, 죽을 상
[call of condolence]
남의 죽음에 대하여 슬퍼하는 뜻을 드러내어 상주(喪主)를 위문(慰問)함. 또는 그 위문. [비]조상(弔喪), 조문(弔問).

초상 初喪 | 처음 초, 죽을 상
[(a period of) mourning]
❶[속뜻]처음[初] 치르는 상(喪). ❷사람이 죽은 뒤 장사 지내기까지의 일. ¶초상을 치르다. [관용]초상난 집 같다.

탈상 脫喪 | 벗을 탈, 죽을 상 [finish mourning]
상복(喪服)을 벗음[脫]. 상을 마침. ¶탈상을 하자면 아직 한참 남았습니다.

1075 [애]

哀 슬플 애
[部] 口부 [획] 9획 [中] 哀 [āi]

哀자는 '슬퍼하다'(grieve; feel sad)는 뜻인데, 왜 '입 구'(口)와 '옷 의'(衣)가 합쳐져 있을까? 남편을 잃은 아낙네가 옷(衣)고름을 입(口)에다 대고 大聲痛哭(대:성통:곡)을 하는 애절한 모습을 연상해 보면 그 까닭을 알 것만 같다.

애걸 哀乞 | 슬플 애, 빌 걸 [implore; beg for]
소원을 들어 달라고 애처롭게[哀] 빎[乞]. ¶나는 그에게 가지 말라고 애걸했다.

애도 哀悼 | 슬플 애, 슬퍼할 도
[mourn; grieve; regret]
사람의 죽음을 슬퍼함[哀=悼]. ¶애도의 뜻을 표하다 / 전 국민이 그의 죽음을 애도했다.

애련 哀憐 | 슬플 애, 가엾을 련
[pathetic; touching]
애처롭고[哀] 가엾게 여김[憐].

애석 哀惜 | 슬플 애, 애틋할 석 [grieve; lament]
슬프고[哀] 애틋함[惜]. 또는 안타까움. ¶애석한 마음 / 그가 떠나게 되어 정말 애석하다.

애원 哀願 | 슬플 애, 바랄 원 [entreat; beseech]
소원이나 요구 따위를 들어 달라고 슬피[哀] 사정하여 간절히 바람[願]. ¶마지막으로 하는 애원이다 / 나는 그녀에게 가지 말라고 애원했다.

애절 哀切 | =哀絶, 슬플 애, 끊을 절
[pitiful; sorrowful]
애처롭고 슬퍼[哀] 간장이 끊어질[切] 듯하다. ¶애절한 울음소리.

애통 哀痛 | 슬플 애, 아플 통 [grieve; lament]
슬퍼서[哀] 가슴이 아플[痛] 정도임. ¶유가족들은 애통에 빠졌다 / 아이가 실종되었다니 정말 애통한 일입니다.

애환 哀歡 | 슬플 애, 기쁠 환 [joys and sorrows]
슬픔[哀]과 기쁨[歡]을 아울러 이르는 말. ¶애환이 담긴 노래.

• 역순어휘

비:애 悲哀 | 슬플 비, 슬플 애 [sorrow; grief]
슬퍼하고[悲] 서러워함[哀]. 또는 그런 마음. ¶비애를 맛보다 / 비애에 잠기다.

1076 [리]

吏 벼슬아치/관리 리:
[部] 口부 [획] 6획 [中] 吏 [lì]

吏자의 갑골문은 '벼슬아치'(an official)를 뜻하기 위하여 손에 붓 같은 것을 잡고 있는 모습을 본뜬 것이다. 주로 하급 관리(아전)를 지칭하거나 부정적인 이미지로 많이 쓰인다.

이:두 吏讀 | 벼슬아치 리, 구절 두
❶[속뜻]관리(官吏)들이 사용하던 글[讀]. ❷[언어]한자의 음과 뜻을 빌려 한국어를 적던 표기법. ¶이 문헌은 이두로 표기되어 있다.

이:방 吏房 | 벼슬아치 리, 방 방
[역사]조선 시대, 육방(六房) 중 관리(官吏)들의 인사에 관한 일과 비서 일을 맡던 관직[房].

• 역순어휘

관리 官吏 | 벼슬 관, 벼슬아치 리
[government official]
관직(官職)에 있는 사람[吏]. ¶그 관리는 원님만 믿고 위세를 부렸다.

1077 [철]

哲 밝을 철
[部] 口부 [획] 부 [획] 10획 [中] 哲 [zhé]

哲자는 사리에 '밝다'(be familiar)는 뜻을 나타내기 위한 것이었는데 '입 구'(口)가 표의요소로 쓰인 까닭이 무얼까? 사리에 밝은 사람은 입을 함부로 놀리지 않았기 때문인가 보다. 折(꺾을 절)은 표음요소로 뜻과는 무관하다.

철리 哲理 | 밝을 철, 이치 리
[philosophical principles]
❶속뜻 밝은[哲] 이치(理致). ❷철학상의 이치나 원리.

철인 哲人 | 밝을 철, 사람 인 [philosopher]
사리에 밝고[哲] 인격이 뛰어난 사람[人]. ¶철인처럼 행세하다. 비철학자(哲學者).

철학 哲學 | 밝을 철, 배울 학
[philosophy; world view]
❶속뜻 인간과 삶의 원리와 본질 따위를 밝히는[哲] 학문(學問). ¶동양 철학을 공부하다. ❷투철한 인생관이나 가치관. ¶나에게는 나대로의 철학이 있다.

• 역순어휘

명철¹ 名哲 | 이름 명, 밝을 철
[famous philosopher]
뛰어나고 이름난[名] 철학가(哲學家).

명철² 明哲 | 밝을 명, 밝을 철 [sagacious; wise]
세태나 사리에 밝음[名=哲].

선철 先哲 | 먼저 선, 밝을 철
[ancient sage; wise man of the past]
선인(先人) 가운데 특출하게 현명하고 사리에 밝았던[哲] 사람. 옛 현인. 비선현(先賢), 전철(前哲).

현철 賢哲 | 어질 현, 밝을 철
[wise; sagacious; intelligent]
어질고[賢] 사리에 밝음[哲]. 또는 그 사람.

1078 [취]

吹 불 취:
部 口부 劃 7획 中 吹 [chuī]

吹자는 입을 크게 벌린 사람의 모습인 欠(흠)에 다시 입[口]을 강조한 것이니 입과 관련이 매우 높은 의미를 나타내기 위한 것이었음을 누구나 쉽게 짐작할 수 있다. 즉, '(입으로) 불다'(blow up; breathe out)는 뜻을 그렇게 나타낸 것이 자못 흥미롭다.

취:구 吹口 | 불 취, 구멍 구 [mouthpiece]
피리 따위에 입김을 불어 넣는[吹] 구멍[口]. ¶취구를 아랫입술에 붙이다.

취:주 吹奏 | 불 취, 연주할 주
[play (the flute); blow]
음악 관악기를 입으로 불어[吹]서 하는 연주(演奏). ¶트럼펫을 취주하다.

취:타 吹打 | 불 취, 칠 타
음악 군대에서 나발, 소라, 대각 등을 불고[吹] 북과 바라를 치던[打] 일.

• 역순어휘

고취 鼓吹 | 북 고, 불 취 [inspire with; stir up]
❶속뜻 북[鼓]을 치고 피리를 붊[吹]. ❷사상 따위를 열렬히 주장하여 널리 알림. ¶애국심을 고취하다. ❸용기를 북돋아 줌. ¶아이들은 선생님의 칭찬에 고취됐다.

1079 [토]

吐 토할 토(:)
部 口부 劃 6획 中 吐 [tǔ]

吐자는 입 밖으로 '토해내다'(vomit; bring up)는 뜻을 나타내기 위하여 만든 것이었으니 '입 구'(口)가 표의요소로 쓰였다. 土(흙 토)는 표음요소이니 뜻과는 무관하다. 후에 입 밖에 내다, 즉 '말하다'(state)는 뜻으로 확대 사용됐다.

속뜻 훈음 ①토할 토, ②말할 토.

토:기 吐氣 | 토할 토, 기운 기 [vomit]
위속에 든 것을 토(吐)할 것 같은 기운(氣運). 비구기(嘔氣).

토:로 吐露 | 토할 토, 드러낼 로
[speak out; express]
속마음을 토(吐)해 드러냄[露]. 비토정(吐情).

토:설 吐說 | 토할 토, 말씀 설
[tell the whole truth]
숨겼던 사실을 처음으로 털어놓고[吐] 말함[說]. 비설토(說吐).

• 역순어휘

감탄고토 甘呑苦吐 | 달 감, 삼킬 탄, 쓸 고, 토할 토
❶속뜻 달면[甘] 삼키고[呑] 쓰면[苦] 뱉음[吐]. ❷제 비위에 맞으면 좋아하고 틀리면 싫어함.

구토 嘔吐 | 토할 구, 토할 토 [vomit]
먹은 음식물을 토함[嘔=吐]. ¶식중독에 걸려 구토하다.

실토 實吐 | 실제 실, 말할 토
[confess; spit out the truth]
사실(事實)대로 내용을 모두 밝히어 말함[吐]. ¶결국 범인은 범행을 실토했다.

현:토 懸吐 | 매달 현, 토할 토
❶속뜻 한문에 토(吐)를 닮[懸]. ❷언어 한문을 읽을 때 그 뜻이나 독송(讀誦)을 위하여 각 구절 아래에 달아 쓰던 문법적 요소를 통틀어 이름. '隱'(은, 는), '伊'(이)

따위와 같이 한자를 쓰기도 하나, '亻'(伊의 한 부분), '厂'(厓의 한 부분) 따위와 같이 한자의 일부를 떼어 쓰기도 한다.

1080 [함]

含

머금을 함
[部] 口부 [劃] 7획 [中] 含 [hán]

含자는 입 속에 넣어 씹거나 삼키지 않은 채로 있다, 즉 '머금다'(keep something in one's mouth)를 뜻하기 위하여 만든 것이었으니 '입 구'(口)가 표의요소로 쓰였다. 今(이제 금)이 표음요소였음은 銜(재갈 함)과 金(금)의 관계와 같다. 후에 '넣다'(put in), '품다'(embrace; hug) 등으로 확대 사용됐다.

[속뜻훈음] ①머금을 함, ②넣을 함.

함량 含量 | 머금을 함, 분량 량 [content]
어떤 물질 속에 포함(包含)된 분량(分量). ¶수박은 수분 함량이 높다.

함유 含有 | 머금을 함, 있을 유 [contain]
어떤 물질이 어떤 성분을 포함(包含)하고 있음[有]. ¶철분 함유 / 포도의 함유 성분.

함축 含蓄 | 머금을 함, 쌓을 축 [imply; involve]
❶[속뜻] 속에 품고[含] 쌓아[蓄] 둠. ❷말이나 글이 많은 뜻을 담고 있음. ¶문장에 함축된 의미를 찾아보자.

• 역순어휘 •

포함 包含 | 쌀 포, 넣을 함
[include; contain; imply]
❶[속뜻] 싸서[包] 한 군데 넣음[含]. ❷어떤 사물이나 현상 가운데 함께 들어 있거나 함께 넣음. ¶조사 대상에 포함되다 / 이 사건은 나를 포함한 많은 사람에게 책임이 있다.

1081 [궁]

弓

활 궁
[部] 弓부 [劃] 3획 [中] 弓 [gōng]

弓자는 '활'(a bow)을 뜻하기 위하여 활 모양을 본뜬 것이었다. 弓자의 획수는 총 3획인데 4획으로 잘못 알기 쉽다. 획수를 눈여겨봐 두자. 'ㄱ'이 한 획이고 둘째 획은 '-', 그 나머지는 한 번에 쓰니 한 획에 해당된다.

궁도 弓道 | 활 궁, 방법 도 [archery]
❶[속뜻] 활[弓]을 쏘는 방법[道]을 익히는 일. ❷활 쏘는 데 지켜야 할 도리. ❸활을 쏘는 무술. ¶궁도 대회.

궁수 弓手 | 활 궁, 사람 수 [archer; bowman]
[역사] 활[弓] 쏘는 일을 맡아 하는 군사[手]. [비]사수(射手).

• 역순어휘 •

양궁 洋弓 | 서양 양, 활 궁
[Western-style archery]
[운동] 서양식(西洋式)으로 만든 활[弓]. 또는 그 활로 겨루는 경기. ¶그는 세계 최고의 양궁 선수이다.

1082 [이]

已

이미 이:
[部] 己부 [劃] 3획 [中] 已 [yǐ]

已자는 '그치다'(end; stop), '이미'(already) 등의 뜻으로 쓰이는데, 이 의미가 글자 모양과 어떤 관계가 있는지는 정설이 없다. 따라서 임의적인 부호나 마찬가지인 셈이다. '몸 기'(己)자와 혼동하기 쉽다. 세 번째 획이 둘 째 획 위로 약간 올라가는 것이 유일한 차이점임을 유의해야겠다.

이:구 已久 | 이미 이, 오랠 구
이미[已] 오래됨[久].

이:왕 已往 | 이미 이, 갈 왕 [already; now that]
❶[속뜻] 이미[已] 지나간[往] 때. ❷이미 정해진 사실로서 그렇게 된 바에. ¶이왕 갈 거면 빨리 서두르자. [비]이전(以前), 기왕(旣往).

• 역순어휘 •

부득이 不得已 | 아닐 부, 얻을 득, 버려둘 이
[against one's will]
버려둘[已] 수 없어[不得]. 하는 수 없이. 마지못하여. ¶개인 사정으로 부득이 회사를 그만두었다 / 부득이한 사정. [비]불가부득(不可不得).

1083 [고]

姑

시어미 고
[部] 女부 [劃] 8획 [中] 姑 [gū]

姑자는 남편의 어머니, 즉 '시어머니'(one's husband's mother)를 뜻하기 위하여 '여자 여'(女)를 표의요소로 채택했다. 古(옛 고)는 표음요소이다. '古'를 나이가 더 많음을 뜻한다고 보아 표의요소를 겸한다고 해석하기도 한다. 아버지의 자매, 즉 '고모'(one's father's sister) 또는 이와 의미상 연관이 있는 낱말의 한 구성 요소로도 쓰인다.

[속뜻훈음] ①시어머니 고, ②고모 고.

고모 姑母 | 고모 고, 어머니 모
[aunt; paternal aunt]
아버지의 누이[姑]로서 어머니[母] 같은 분. [반]이모(姨母).

고부 姑婦 | 시어머니 고, 며느리 부
시어머니[姑]와 며느리[婦]. [비]고식(姑息).

고종 姑從 | 고모 고, 사촌 종
고모(姑母)의 아들이나 딸[從]. [비]내종(內從).

1084 [랑]

娘

계집 낭
[部] 女부 [劃] 10획 [中] 娘 [niáng]

娘 자는 '소녀'(a young girl; a maiden)를 뜻하기 위하여 만든 것이었으니, '여자 여'(女)가 표의요소로 쓰였다. 良(좋을 량)은 뜻과는 무관한 표음요소임은 浪(물결 랑), 狼(이리 랑)도 마찬가지이다.

[속뜻훈음] 소녀 낭.

낭자 娘子 | 소녀 낭, 접미사 자 [maiden; virgin]
예전에 '처녀'[娘]를 높여 이르던 말. [비]처녀(處女), 규수(閨秀). [반]도령.

1085 [노]

奴

종 노
[部] 女부 [劃] 5획 [中] 奴 [nú]

奴자는 '여자 여'(女)와 '손으로 붙잡다'는 뜻이 담긴 又(우)가 합쳐진 것이다. 아득한 옛날 중국에서는 연약한 아녀자들을 납치하여 종으로 팔아먹는 폐습이 있었다고 한다. '종'(a slave; a servant)의 뜻을 그러한 풍습을 통하여 나타냈다.

노비 奴婢 | 종 노, 여자종 비
[male and female servants]
사내종[奴]과 여자종[婢]. ¶광종은 노비들을 해방시켰다 / 노비안검법(奴婢按檢法). [비]노예(奴隸).

노예 奴隸 | 종 노, 따를 례 [slave]
❶[속뜻] 남의 소유물이 되어 종[奴]으로 부림[隸]을 당하는 사람. ¶노예를 사고파는 시장. ❷인격의 존엄성마저 저버리면서까지 어떤 목적에 얽매인 사람. ¶재물의 노예가 되다. [비]노비(奴婢). [반]주인(主人).

• 역순어휘

관노 官奴 | 벼슬 관, 종 노
[man slave in government employ]
[역사] 봉건시대에, 관청(官廳)에 소속된 노비(奴婢). ¶원님은 관노를 풀어주었다. [반]사노(私奴).

1086 [망]

妄

망령될 망:
[部] 女부 [劃] 6획 [中] 妄 [wàng]

妄자는 '(여자가) 미친 듯이 날뛰다'(狂亂 frenzy; fury)는 뜻을 위하여 만든 글자이니, '여자 여'(女)가 표의요소로 쓰였다. 亡(망할 망)은 표음요소이다. '헛되다'(vain; untrue)는 뜻으로도 쓰이며, '망령되다'(be absurd; unreasonable) 또는 이와 의미상 연관이 있는 낱말의 한 구성 요소로도 쓰인다.

[속뜻훈음] ①망령될 망, ②헛될 망.

망:령 妄靈 | 헛될 망, 혼령 령 [dotage; senility]
늙거나 충격으로 정신[靈]이 흐려[妄] 이상한 상태. ¶늙어서 망령이 들면 어쩌나!

망:발 妄發 | 망령될 망, 쏠 발 [make reckless]
실수로 그릇된[妄] 말을 함부로 쏟아냄[發]. 또는 그 말이나 행동. ¶망발을 지껄이다. [비]망언(妄言), 망설(妄說).

망:상 妄想 | 헛될 망, 생각 상 [wild fancy]
있지도 않은 사실을 마치 사실인 양 믿는 허망(虛妄)한 생각[想]. ¶과대망상 / 그는 자신이 최고라는 망상에 빠져 있다. [비]망념(妄念).

망:언 妄言 | 헛될 망, 말씀 언 [absurd remark]
헛된[妄] 말[言]. [비]망발(妄發), 망설(妄說).

• 역순어휘

경망 輕妄 | 가벼울 경, 망령될 망
[rash; imprudent]
언행이 가볍고[輕] 망령됨[妄]. ¶경망한 행동을 삼가시오. [비]경박(輕薄), 경솔(輕率). [반]신중(愼重).

노:망 老妄 | 늙을 로, 망령될 망
[dotage; second childhood]
늙어서[老] 망령(妄靈)을 부림. 또는 그 망령. ¶노망을 떨다.

요망 妖妄 | 요사할 요, 망령될 망 [act frivolously]
❶[속뜻] 요사(妖邪)스럽고 망령(妄靈)됨. ❷언행이 방정

맞고 경솔함. ¶요망을 떨다.

허망 虛妄 | 빌 허, 헛될 망 [vain]

❶속뜻 실속 없고[虛] 헛됨[妄]. ❷거짓이 많아 미덥지 않음. ¶쓸데없이 허망한 소리를 하고 다니다. ❸어이없고 허무함. ¶한창 일할 나이에 허망하게 죽고 말았다.

1087 [매]

媒

중매 매
部 女부 劃 12획 中 媒 [méi]

媒자는 '(여자) 중매인'(a matchmaker)을 뜻하기 위하여 만든 것이었기에, '여자 여'(女)가 표의요소로 쓰였다. 某(아무 모)가 표음요소였음은 煤(그을음 매)도 마찬가지이다. '(관계를) 맺어주다'는 뜻으로도 많이 쓰인다.

속뜻훈음 맺어줄 매.

매개 媒介 | 맺어줄 매, 끼일 개
[mediate; intermediate]
관계를 맺어주기[媒] 위하여 둘 사이에 끼어[介] 듦. 또는 그런 물체. ¶말라리아는 모기를 매개로 하여 전염된다.

매체 媒體 | 맺어줄 매, 몸 체
[medium; vehicle]
❶속뜻 한쪽과 다른 쪽을 맺어주는[媒] 물체(物體). 또는 그런 수단. ¶광고 매체. ❷물리 물질과 물질 사이에서 매질(媒質)이 되는 물체. ¶공기는 소리를 전달하는 매체이다.

• 역순어휘

냉:매 冷媒 | 찰 랭, 맺어줄 매 [refrigerant]
물리 냉각(冷却)이 되도록 맺어주는[媒] 물체.

용매 溶媒 | 녹일 용, 맺어줄 매
[chemical solvent]
❶속뜻 녹여서[溶] 맺어줌[媒]. ❷화학 어떤 액체에 물질을 녹여서 용액을 만들 때 그 액체를 가리킴.

중매 仲媒 | =中媒, 가운데 중, 맺어줄 매
[arrange a match (with)]
남녀 사이의 가운데[仲]에서 혼인을 맺도록[媒] 함. 또는 그 일이나 사람. ¶중매가 들어오다 / 내가 작년에 그 부부를 중매했다.

촉매 觸媒 | 닿을 촉, 맺어줄 매 [catalyst]
❶속뜻 접촉(接觸)하여 변화하도록 맺어줌[媒]. ❷화학 자신은 결과적으로 아무런 반응이 일어나지 않으나 다른 물질의 반응을 촉진하거나 지연시키는 물질.

1088 [비]

妃

왕비 비
部 女부 劃 6획 中 妃 [fēi]

妃자의 최초 자형은 여자가 갓난아기를 품에 안고 있는 모습이었다. 후에 아기의 모습이 '몸 기'(己)로 변화됐다. 이 글자는 본래 '짝'(a companion), '아내'(a spouse)란 뜻이었는데, 운이 좋았던지 왕의 아내, 즉 '왕비'(a queen consort)만을 지칭하는 것으로 쓰이게 됐다.

비빈 妃嬪 | 왕비 비, 아내 빈
[queen and royal concubine]
역사 왕의 아내[妃]와 세자의 아내[嬪]를 아울러 이르는 말.

• 역순어휘

귀:비 貴妃 | 귀할 귀, 왕비 비
역사 ❶고려 시대에 비빈(妃嬪)을 높이어[貴] 내리던 정일품 내명부의 품계. ❷조선 초기에 후궁에게 내리던 가장 높은 지위. ❸중국 당나라 때 후궁에게 주던 칭호.

대:비 大妃 | 큰 대, 왕비 비 [Queen Mother]
❶속뜻 큰[大] 왕비(王妃). ❷선왕의 후비. ¶대비께서 나오신다.

왕비 王妃 | 임금 왕, 왕비 비 [queen]
임금[王]의 아내[妃]. 비왕후(王后).

폐:비 廢妃 | 버릴 폐, 왕비 비 [depose a queen]
자리에서 쫓겨난[廢] 왕비(王妃). 또는 왕비의 자리를 물러나게 함.

1089 [비]

婢

계집종 비(:)
部 女부 劃 11획 中 婢 [bì]

婢자는 낮은[卑] 신분의 여자[女], 즉 '여자 종'(a woman servant)을 뜻한다. 卑(낮을 비)는 표의와 표음을 겸하는 요소이다. 예전에는 여자가 자신을 스스로 낮추어 부를 때도 사용됐다.

속뜻훈음 여자종 비.

비복 婢僕 | 여자종 비, 종 복
[servants; domestics; menials]
계집종[婢]과 사내종[僕]을 아울러 이르는 말. ¶비복들이 다 모여들었다.

비:첩 婢妾 | 여자종 비, 첩 첩

[slave concubine]
여자 종[婢]으로서 첩(妾)이 된 사람. ¶그녀를 비첩으로 삼고 싶어 했다.

• 역순어휘

관비 官婢 | 벼슬 관, 여자종 비
봉건시대에, 관가(官家)에 속하여 있던 여자종[婢]. ¶그는 관비를 데리고 도망쳤다. [반]관노(官奴).

노비 奴婢 | 종 노, 여자종 비
[male and female servants]
사내종[奴]과 여자종[婢]. ¶광종은 노비들을 해방시켰다 / 노비안검법(奴婢按檢法). [비]노예(奴隷).

1090 [처]

妻 아내 처
[部] 女부 [劃] 8획 [中] 妻 [qī, qì]

妻자는 '아내'(a wife)의 뜻을 나타내기 위하여 다소곳이 앉은 여인[女]이 비녀[十]를 꽂으며 머리를 손[又]질하는 모습을 그린 것이다. 지금의 자형에서도 대충은 짐작할 수 있다. 비녀는 결혼을 상징한다.

처가 妻家 | 아내 처, 집 가 [one's wife's home]
아내[妻]의 집[家]. 아내의 친정. [비]처가집. [반]시가(媤家).

처남 妻男 | 아내 처, 사내 남
[one's wife's brother]
아내[妻]의 남자[男] 형제.

처자 妻子 | 아내 처, 아이 자
[one's wife and children]
아내[妻]와 자식(子息). ¶처자를 거느리고 멀리 떠나다.

처제 妻弟 | 아내 처, 아우 제
[one's wife's younger sister]
아내[妻]의 여동생[弟].

처형 妻兄 | 아내 처, 맏 형
[one's wife's elder sister]
아내[妻]의 언니[兄].

• 역순어휘

공:처 恐妻 | 두려울 공, 아내 처
[afraid of his wife]
❶[속뜻]아내[妻]를 두려워함[恐]. ❷남편을 눌러 쥐여 살게 하는 아내.

부처 夫妻 | 지아비 부, 아내 처
[husband and wife; Mr. and Mrs]
남편[夫]과 아내[妻]. ¶오늘 파티에 김 국장 부처가 모두 참석했다. [비]내외, 부부.

1091 [계]

契 맺을 계:
[部] 大부 [劃] 9획 [中] 契 [xiè]

契자는 어떤 큰[大] 약속이나 계약을 할 때 뾰족한 칼[刀] 끝으로 얇고 기다란 나무판에다 그 일에 관한 표시를 그어 놓은 것[丰]임을 나타낸 것이다. '새기다'(inscribe)가 본래 의미이고, '(글을) 쓰다'(write), '약속하다'(promise), '(관계나 계약을) 맺다'(contract) 등으로 확대 사용됐다. 당시 사람들이 기억 돕기 방법의 하나로 활용했던 이른바 書契(서계) 풍속이 반영된 글자이다.

계:기 契機 | 맺을 계, 실마리 기
[opportunity; chance]
어떤 결과를 맺게[契] 된 실마리[機]. ¶불의 발견은 인류 진화의 계기가 됐다. [비]원인(原因), 동기(動機).

계:약 契約 | 맺을 계, 묶을 약
[contract; promise]
❶[속뜻]약속(約束)을 맺음[契]. ❷관련되는 사람이나 조직체 사이에서 서로 지켜야 할 의무에 대하여 글이나 말로 정하여 둠. 또는 그런 약속. ¶계약을 체결하다. [비]약정(約定), 약속(約束).

• 역순어휘

묵계 默契 | 입 다물 묵, 맺을 계
[agree tacitly; make a tacit agreement]
말을 하지 않고도[默] 약속이나[契] 한 듯이 뜻이 맞음. 또는 그렇게 하여 이루어진 약속이나 계약(契約). 묵약(默約).

서계 書契 | 쓸 서, 맺을 계 [a document]
❶[속뜻]나무 따위에 새겨[契] 쓴[書] 글. ❷증거로 쓰이는 문서(文書). ❸[역사]조선 시대에 일본 정부와 주고받던 문서.

파:계 破契 | 깨뜨릴 파, 맺을 계 [violate the Buddhist commandments; apostatize]
계약(契約)을 깨뜨림[破]. [반]설계(設契).

1092 [분]

奔 달릴 분
[部] 大부 [劃] 8획 [中] 奔 [bēn, bèn]

奔자의 大는 두 발을 쭉쭉 뻗으며 달리

는 사람의 모습이며, 그 아래의 卉(풀 훼)는 세 개의 '발지'(止)가 잘못 변화된 것으로 너무 빨리 달려 다리가 여러 개로 착각할 정도임을 가리키는 것이다. '달리다'(run; rush; dash)는 뜻을 그렇게 나타낸 아이디어가 참으로 기발하고 재미있다.

분망 奔忙 | 달릴 분, 바쁠 망 [very busy; busily occupied]
바쁘게[忙] 돌아다님[奔]. 몹시 바쁨. ¶잔치 준비로 분망하다.

분방 奔放 | 달릴 분, 내칠 방 [free; unrestrained]
❶속뜻 달리는[奔] 대로 내버려 둠[放]. ❷체면이나 관습 같은 것에 얽매이지 아니하고 마음대로임. ¶동생은 분방한 성격을 지녔다.

분주 奔走 | 달릴 분, 달릴 주 [busy]
이리저리 뛰어다녀야[奔=走] 할 만큼 몹시 바쁨. ¶분주를 떨다 / 눈코 뜰 사이 없이 분주하다.

• 역순어휘

쾌분 快奔 | 빠를 쾌, 달릴 분
빨리[快] 달림[奔]. 빨리 달아남.

1093 [분]

奮 떨칠 분:
部 大부 劃 16획 中 奋 [fèn]

奮자는 원래 '옷 의'(衣), '새 추'(隹), '밭 전'(田) 등 세 가지 표의요소가 합쳐진 것이었다. 풀어보면, 새가 날개(옷)를 활짝 펴고 밭 위를 나는 모양을 통하여 '높이 날다'(fly high up in the air)는 뜻을 나타낸 것이다. 화창한 봄날에 들판을 나르는 새들이 연상된다. 후에 '衣'가 '大'로 바뀐 것은 일종의 간략화 현상이다. '일으키다'(raise), '떨치다'(become well known), '(마음이) 흔들리다'(disturbed; agitated; moved) 등으로 확대 사용됐다.
속뜻훈음 ①떨칠 분, ②흔들릴 분.

분:발 奮發 | 떨칠 분, 일으킬 발 [make an effort; endeavor]
마음과 힘을 떨쳐[奮] 일으킴[發]. ¶우리 팀은 끊임없는 분발로 우승을 차지했다 / 꿈을 이루기 위하여는 더욱 분발해야 한다. ⓗ발분(發奮).

분:연 奮然 | 떨칠 분, 그러할 연 [resolutely; vigorously; courageously]
크게 힘을 내는[奮] 그러한[然] 모양. ¶분연히 일어선 애국지사.

분:전 奮戰 | 떨칠 분, 싸울 전 [fight desperately]
힘을 다하여[奮] 싸움[戰]. 힘껏 싸움. ¶우리 선수들의 분전으로 경기는 승리로 끝났다.

분:투 奮鬪 | 떨칠 분, 싸울 투 [struggle hard]
있는 힘을 다하여[奮] 싸우거나[鬪] 노력함. ¶분투 정신 / 성공하기 위하여 끝까지 분투하다.

• 역순어휘

흥분 興奮 | 일어날 흥, 흔들릴 분 [be excited]
자극으로 인하여 감정이 일어나거나[興] 흔들림[奮]. ¶흥분을 가라앉히다 / 그 소식에 나는 몹시 흥분했다.

1094 [앙]

央 가운데 앙
部 大부 劃 5획 中 央 [yāng]

央자는 '冂'과 '大'로 나누어 볼 수 있다. 양쪽 끝에 물건을 매달아 놓은 긴 막대기의 한 가운데에 어깨를 걸치고 서 있는 사람[大]을 본뜬 것이다. 중국에서는 요즘도 그렇게 물건을 운반하는 짐꾼들을 가끔 볼 수 있다. 그 경우 어깨를 막대기의 한복판에 부착해야 한다. 그래서 '가운데'(the middle; the center)의 뜻을 그렇게 나타냈던 것이다.

중앙 中央 | 가운데 중, 가운데 앙 [center]
❶속뜻 사방의 한가운데[中=央]. ¶중앙 도서관 / 사무실 중앙에 탁자를 놓았다. ❷'수도'(首都)를 이르는 말. ¶감독관이 중앙에서 지방으로 파견됐다. ⓑ지방(地方).

진:앙 震央 | 지진 진, 가운데 앙
❶속뜻 지진(地震)의 한 가운데[央]. ❷지리 지진이 발생한 지하의 진원(震源) 바로 위에 해당하는 지표상의 지점. ⓗ진원지(震源地).

1095 [주]

奏 아뢸 주(:)
部 大부 劃 9획 中 奏 [zòu]

奏자의 원래 뜻은 '두 손으로 받들다'(hold up with two hands)는 것이다. 漢代(한:대)이후로 자형이 크게 변모되어 그 뜻을 자형으로 추적하기 힘들게 됐다. '(상소문 따위를 두 손을 받들고) 아뢰다'(tell a superior), '곡조'(a melody)를 뜻하기도 한다. '연주하다'(perform; play) 또는 이와 의미상 연관이 있는 낱말의 한 구성 요소로도 많이 쓰인다.

속뜻 훈음 ①아뢸 주, ②연주할 주, ③곡조 주.

주:법 奏法 | 연주할 주, 법 법 [execution; how to play]
음악 악기를 연주(演奏)하는 방법(方法). '연주법'(演奏法)의 준말. ¶기타의 주법을 연습하다.

주:효 奏效 | 아뢸 주, 효과 효 [effective]
❶**속뜻** 효력(效力)이 있음을 알려줌[奏]. ❷기대한 결과가 나타남. ¶새로운 전략이 주효하였다.

• 역순어휘

간:주 間奏 | 사이 간, 연주할 주 [interlude; intermezzo]
음악 극이나 악곡의 사이[間]에 하는 연주(演奏). ㊥전주(前奏), 후주(後奏).

독주 獨奏 | 홀로 독, 연주할 주 [play a solo]
음악 홀로[獨] 하는 연주(演奏). ¶피아노 독주. ㊥합주(合奏).

반:주 伴奏 | 짝 반, 연주할 주 [play accompaniment]
음악 짝[伴]을 맞추어 함께하는 연주(演奏). ¶피아노 반주에 맞추어 합창하다.

변:주 變奏 | 바뀔 변, 연주할 주 [play a variation]
음악 리듬이나 선율·화성 따위를 여러 가지로 바꾸어[變] 하는 연주(演奏). 또는 그 기법.

연:주 演奏 | 펼칠 연, 곡조 주 [play; perform]
어떤 곡조[奏]를 악기로 펼쳐[演] 보임. ¶바이올린 연주 / 그녀는 베토벤의 곡을 연주했다.

전주 前奏 | 앞 전, 연주할 주 [prelude; introduction]
음악 성악, 기악 독주, 오페라를 시작하기 전(前)에 하는 연주(演奏).

중:주 重奏 | 겹칠 중, 연주할 주 [duet]
음악 각 악기가 각각 다른 성부를 맡아 함께 겹쳐서[重] 연주(演奏)하는 합주의 한 형식. 또는 그 연주.

취:주 吹奏 | 불 취, 연주할 주 [play (the flute); blow]
음악 관악기를 입으로 불어[吹]서 하는 연주(演奏). ¶트럼펫을 취주하다.

합주 合奏 | 합할 합, 연주할 주 [concert]
음악 두 명 이상의 연주자가 힘을 합쳐[合] 함께 하는 연주(演奏). ¶기악 합주.

협주 協奏 | 도울 협, 연주할 주 [concert; ensemble]
음악 독주 악기의 연주를 돕기[協] 위하여 함께 하는 연주(演奏). ¶바이올린 협주.

1096 [탈]

奪

빼앗을 탈
(부) 大부 (획) 14획 (중) 夺 [duó]

奪자는 손[又→寸]에 잡고 있던 새[隹]를 '놓치다'(miss one's hold)는 뜻을 나타내기 위하여 만든 글자이다. 이 경우의 大는 놓친 새가 날아가는 모양이 잘못 변화된 것이다. 하기야 놓친 새가 더 커 보이는 법이니 그렇게 했을 수도 있겠다. '빼앗다'(usurp; deprive)는 뜻으로도 많이 쓰인다.

탈취 奪取 | 빼앗을 탈, 가질 취 [extort; seize]
남의 것을 억지로 빼앗아[奪] 가짐[取]. ¶군부대에서 총기 탈취 사건이 발생했다.

탈환 奪還 | 빼앗을 탈, 돌아올 환 [retake; recover]
빼앗겼던 것을 빼앗아[奪] 되찾음[還]. ¶그 팀은 4년 만에 우승컵을 탈환했다.

• 역순어휘

강:탈 強奪 | 억지 강, 빼앗을 탈 [seize; rob]
남의 것을 억지로[強] 빼앗음[奪]. ¶강도는 돈을 강탈했다. ㊐강취(強取).

박탈 剝奪 | 벗길 박, 빼앗을 탈 [deprivation]
지위나 자격 따위를 권력이나 힘으로 벗겨[剝] 빼앗음[奪]. ¶시민권을 박탈하다.

수탈 收奪 | 거둘 수, 빼앗을 탈 [plunder; exploit]
강제로 거두어[收] 들이거나 빼앗음[奪]. 강제로 빼앗음. ¶경제적 수탈 / 백성을 수탈하다 / 토지를 수탈당하다. ㊐착취(搾取).

약탈 掠奪 | 빼앗을 략, 빼앗을 탈 [plunder; loot; pillage]
폭력을 써서 남의 것을 빼앗음[掠=奪]. ¶테러범들은 지나는 마을마다 약탈을 일삼았다. ㊐수탈(收奪), 약취(掠取).

쟁탈 爭奪 | 다툴 쟁, 빼앗을 탈 [struggle for]
서로 다투어[爭] 빼앗음[奪]. 또는 그 다툼. ¶양측은 정권을 쟁탈하기 위해 공격했다.

찬:탈 簒奪 | 빼앗을 찬, 빼앗을 탈 [usurp; seize]
임금의 자리를 빼앗음[簒=奪]. ¶왕권을 찬탈하고자 반란을 일으키다.

침:탈 侵奪 | 쳐들어갈 침, 빼앗을 탈 [plunder; pillage; sack]
쳐들어가[侵] 물건을 빼앗음[奪]. ¶재산을 침탈하다.

1097 [과]

寡

적을 과:
[部] 宀부 [劃] 14획 [中] 寡 [guǎ]

寡자는 본래 '홀어미'(a widow)를 뜻하기 위하여 만든 것이었다. 초기 자형인 金文(금문)에서는 홀로된 여인이 집[宀]안에 머리[頁]를 세우고 우두커니 서 있는 모습이었다. 篆書(전서) 서체 때에 이르러 離別(이별)이나 死別(사:별) 등의 뜻을 보강하기 위하여 '나눌 분'(分)이 보태졌다. '적다'(lack; want)는 뜻도 이것으로 나타냈다.

과:덕 寡德 | 적을 과, 베풀 덕 [have little virtue]
공덕(功德)이 적음[寡]. ¶짐이 과덕하여 백성이 고통 받는 것 같소 / 이것은 과덕의 소치이다. [비]비덕(菲德), 박덕(薄德).

과:묵 寡默 | 적을 과, 입 다물 묵 [reserved]
말수가 적거나[寡] 입을 다물어[默] 말을 하지 아니함. 침착함. ¶그는 과묵한 편이다.

과:부 寡婦 | 적을 과, 여자 부 [widow]
남편이 죽어 혼자 사는[寡] 여자[婦]. [비]미망인(未亡人). [반]홀아비.

과:인 寡人 | 적을 과, 사람 인 [I]
❶[속뜻] 덕이 적은[寡] 사람[人]. ❷임금이 자신을 낮추어 이르던 말. ¶과인은 훌륭한 신하를 얻어 흡족하기 한량없소.

과:점 寡占 | 적을 과, 차지할 점 [oligopoly]
[경제] 어떤 상품 시장의 대부분을 소수[寡]의 기업이 차지하는[占] 일. ¶독점과 과점 행위를 엄격히 금지한다.

1098 [관]

寬

너그러울 관
[部] 宀부 [劃] 15획 [中] 宽 [kuān]

寬자는 '넓은 집'(a large house)을 뜻하기 위하여 만든 것이었으니 '집 면'(宀)이 표의요소로 쓰였다. 그 나머지는 표음요소였다고 하는데, 낱글자로 쓰이는 예가 적어 제 구실을 못한다. 후에 '넓다'(wide; broad; large), '너그럽다'(tolerant), '느슨하다'(loose; slack; lax) 등으로 확대 사용됐다.

관대 寬大 | 너그러울 관, 큰 대 [generous]
마음이 너그럽고[寬] 도량이 크다[大]. ¶그는 아이들에게 관대하다.

관용 寬容 | 너그러울 관, 담을 용 [toleration; tolerance]
남의 잘못을 너그럽게[寬] 받아들이거나[容] 용서함. 또는 그런 용서. ¶관용을 베풀다. [비]관면(寬免).

1099 [심]

審

살필 심(:)
[部] 宀부 [劃] 15획 [中] 审 [shěn]

審자는 집[宀]과 밭[田]을 두루 잘 '살피다'(inspect)는 뜻이다. 釆(분별할 변)은 辨(분별할 변)의 본래 글자이니 '살피다'는 뜻과 무관하지 않다. 그렇다면 세 개의 표의요소로 구성된 글자로 볼 수 있다.

심문 審問 | 살필 심, 물을 문 [interrogate; question]
자세히 따져서[審] 물음[問]. ¶심문을 받다.

심사 審査 | 살필 심, 살필 사 [judge; examine]
자세히 살피고[審] 조사(調査)하여 가려내거나 정함. ¶최종 심사 / 논문을 심사하다.

심의 審議 | 살필 심, 따질 의 [discuss; consider]
안건 등을 상세히 살펴[審] 그 가부를 논의(論議)함. ¶그 노래는 심의에 걸렸다 / 새해 예산을 심의하다.

심:판 審判 | 살필 심, 판가름할 판 [judge]
❶[속뜻] 문제가 되는 안건을 심의(審議)하여 판결(判決)을 내리는 일. ¶법의 심판을 받다 / 공정하게 심판하다. ❷[운동] 운동 경기에서 규칙의 적부 여부나 승부를 판정함. 또는 그런 일이나 사람. ¶축구 심판.

• 역순어휘

미:심 未審 | 아닐 미, 살필 심 [be doubtful]
❶[속뜻] 자세히 알지[審] 못함[未]. ❷일이 확실하지 않아 마음을 놓을 수 없음. [비]불심(不審).

불심 不審 | 아닐 불, 살필 심 [unfamiliarity; strangeness]
자세히 알지[審] 못하거나[不] 의심스러움.

예:심 豫審 | 미리 예, 살필 심 [preliminary examination]
본심사(本審査)에 앞서서 미리[豫] 하는 심사(審査). ¶논문 예심 / 그의 작품은 예심에서 좋은 성적을 거두었다. [반]본심(本審).

주심 主審 | 주될 주, 살필 심 [chief judge]
❶[속뜻] 주(主)된 심사원(審査員). ❷[운동] 여러 명의 심판 가운데 주장이 되어 경기를 진행시키고 심판하는 사람. ¶주심의 판정을 따르기로 하다.

1100 [연]

宴 잔치 연:
部 宀부 획 10획 中 宴 [yàn]

宴자를, 표의요소인 宀과 표음요소인 晏(늦을 안)의 생략형이 조합된 것으로 보는 설이 있으나 설득력이 약하다. '집 면'(宀), '날 일'(日), '여자 여'(女)의 조합을 통하여 '잔치'(a feast)란 뜻을 나타냈다는 설이 나은 것 같다. 당시 사람들은 그 세 가지 표의요소(집·시간·여자)가 잔치의 3대 요소로 생각한 것 같다.

연:회 宴會 | 잔치 연, 모일 회 [banquet]
잔치[宴]에 여러 사람이 모임[會]. 또는 여러 사람이 모인 잔치. ¶신년 연회를 열다.

• 역순어휘

수연 壽宴 | =壽筵, 목숨 수, 잔치 연 [birthday feast for an old man]
장수(長壽)를 축하하는 잔치[宴]. 흔히 환갑잔치를 이른다.

하:연 賀宴 | 축하할 하, 잔치 연 [banquet in celebration; festivities]
축하(祝賀)하는 뜻을 나타내기 위하여 베푸는 잔치[宴]. ⓑ하연(賀筵).

향:연 饗宴 | 잔치할 향, 잔치 연 [feast]
융숭하게 대접하는[饗] 잔치[宴]. ¶향연을 베풀다.

1101 [녕]

寧 편안 녕
部 宀부 획 14획 中 宁 [níng, nìng]

寧자는 집[宀]에 큰 그릇[皿·명]을 장만하고 나니 마음[心]이 '편안하다'(comfortable)는 뜻이다. 예전에는 '寍'(녕)으로 썼다. 丁(명 > 정)은 표음요소라는 설이 있고, '丂'의 변형으로 표의요소라는 설이 있는데 무슨 뜻이었는지는 확실하지 않다.

속뜻 훈음 **편안할 녕.**

• 역순어휘

안녕 安寧 | 편안할 안, 편안할 녕 [peace; hello]
❶ 속뜻 편안(便安)하고 강녕(康寧)함. 아무 탈 없이 편안함. ¶부모님은 모두 안녕하십니까? / 안녕히 주무셨어요? ❷만나거나 헤어질 때 건네는 반말의 인사. ¶안녕, 또 보자.

정녕 丁寧 | 장정 정, 편안할 녕 [without fail; by all means; certainly]
❶ 속뜻 태도 따위가 장정[丁]처럼 편안함[寧]. ❷조금도 틀림없이 꼭. 또는 더 이를 데 없이 정말로. ¶정녕 꿈은 아니겠지요? / 정녕 가시겠다면 고이 보내 드리리다.

1102 [우]

宇 집 우:
部 宀부 획 6획 中 宇 [yǔ]

宇자의 본래 뜻은 집의 '처마'(the eaves)를 가리키는 것이었으니 '집 면'(宀)이 표의요소로 쓰였다. 于(어조사 우)는 표음요소로 뜻과는 무관하다. '집'(a house)을 가리키는 것으로도 많이 쓰인다.

우:주 宇宙 | 집 우, 집 주 [universe]
❶ 속뜻 무한히 큰 집[宇=宙]. ❷무한한 시간과 만물을 포함하고 있는 끝없는 공간의 총체. ¶우주 만물 / 로켓이 우주로 발사됐다.

• 역순어휘

기우 氣宇 | 기운 기, 도량 우 [large-mindedness; magnanimity]
기개(氣槪)와 도량[宇]을 아울러 이르는 말. ¶그는 의지가 굳세고 기우가 활달하다. ⓑ기량(氣量).

미우 眉宇 | 눈썹 미, 처마 우 [brow(s)]
눈썹[眉]이 있는 이마[宇]. 눈썹 근처. ¶수심이 미우를 스친다.

천우 天宇 | 하늘 천, 하늘 우
❶ 속뜻 하늘[天=宇]. ❷천하(天下). ❸천자(天子)가 있는 도읍.

1103 [적]

寂 고요할 적
部 宀부 획 11획 中 寂 [jì]

寂자는 집이 '고요하다'(silent; quiet)는 뜻을 나타내기 위하여 만든 것이었으니 '집 면'(宀)이 표의요소로 쓰였고, 叔(아재비 숙)은 표음요소였는데 음이 약간 달라졌다.

적막 寂寞 | 고요할 적, 쓸쓸할 막 [silent; quiet]
고요하고[寂] 쓸쓸함[寞]. ¶아이의 비명 소리가 적막을 깼다 / 그는 적막한 산길을 걸었다.

적적 寂寂 | 고요할 적, 고요할 적

[lonely; lonesome]
쓸쓸하고 고요하다[寂+寂]. ¶아이들이 없으니 집 안이 무척 적적하다.

• 역순어휘

울적 鬱寂 | 답답할 울, 고요할 적
[depressed; gloomy]
마음이 답답하고[鬱] 쓸쓸하다[寂]. ¶마음이 몹시 울적하다.

입적 入寂 | 들 입, 고요할 적 [enter Nirvana]
불교 적멸(寂滅)에 듦[入]. 수도승의 죽음을 이르는 말. ¶스님은 주무시다가 조용히 입적하셨다.

정적 靜寂 | 고요할 정, 고요할 적
[stillness; quiet; silence]
고요하고[靜] 적막(寂寞)함. ¶개 짖는 소리가 정적을 깨뜨렸다.

한적 閑寂 | =閒寂, 한가할 한, 고요할 적 [quiet]
한가(閑暇)하고 적막(寂寞)하다. ¶한적한 산골.

1104 [주]

宙
집 주:
部 宀부 劃 8획 中 宙 [zhòu]

宙자의 본래 뜻은 집의 '마룻대와 들보'(a girder; a crossbeam)를 지칭하는 것이었으니 '집 면'(宀)이 표의요소로 쓰였고, 由(말미암을 유)가 표음요소임은 紬(명주 주)도 마찬가지이다. 후에 '집'(a house), '하늘'(the sky; the air)을 지칭하는 것으로 확대 사용됐다. 조어력이 약하여 한자어 용례가 매우 적다.

• 역순어휘

우:주 宇宙 | 집 우, 집 주 [universe]
❶속뜻 무한히 큰 집[宇=宙]. ❷무한한 시간과 만물을 포함하고 있는 끝없는 공간의 총체. ¶우주 만물 / 로켓이 우주로 발사됐다.

1105 [수]

壽
목숨 수
部 士부 劃 14획 中 寿 [shòu]

壽자의 부수로 지정된 '士'(선비 사)는 '늙을 노'(老)자의 생략형이 잘못 변화된 것이기에 뜻이 '선비'와는 전혀 무관하다. 그 나머지는 표음요소라고 하는데, 낱글자로 쓰이지도 않을 뿐 아니라 그것을 표음요소로 취한 다른 예가 없어 고증하기 힘들다. '목숨'(life; a person's life span)을 뜻하는 것으로 애용된다.

수명 壽命 | 목숨 수, 목숨 명
[length of one's days]
❶속뜻 생물이 목숨[壽=命]을 유지하고 있는 기간. 살아 있는 기간. ¶인간의 평균 수명이 길어지고 있다. ❷사물 따위가 사용에 견디는 기간. ¶자동차의 수명이 다 된 것 같다.

수연 壽宴 | =壽筵, 목숨 수, 잔치 연
[birthday feast for an old man]
장수(長壽)를 축하하는 잔치[宴]. 흔히 환갑잔치를 이른다.

수의 壽衣 | 목숨 수, 옷 의
[garment for the dead; shroud]
목숨[壽]이 다하여 죽은 이에게 입히는 옷[衣]. ¶장의사(葬儀社)는 시신을 씻기고 수의를 입혔다.

• 역순어휘

만:수 萬壽 | 일만 만, 목숨 수
[long life; longevity]
오래도록[萬] 삶[壽]. ¶만수를 누리다.

미수 米壽 | 쌀 미, 목숨 수 [88 years of age]
'米'자를 풀면 '八十八'이 되는 데에서 '여든여덟 살[壽]'을 달리 이르는 말.

장수 長壽 | 길 장, 목숨 수 [long life]
긴[長] 목숨[壽]. 오래 삶. ¶장수 마을 / 이 마을 사람들은 대체로 장수한다. 반 요절(夭折).

1106 [임]

壬
북방 임:
部 士부 劃 4획 中 壬 [rén]

壬자의 갑골문은 베틀의 '북'(a spindle; a shuttle) 모양을 본뜬 것이었는데, 十干(십간)의 아홉 번째의 것으로 차용되고, 그것이 '북방'(the north)을 가리키는 용법으로 쓰이자 '북방 임'이라는 훈이 생겨나게 됐다.
속뜻 훈음 ①북방 임, ②천간 임.

임:오 壬午 | 천간 임, 말 오
민속 천간의 '壬'과 지지의 '午'가 만난 간지(干支). ¶임오년 생은 말띠다.

임:진 壬辰 | 천간 임, 용 진
민속 천간의 '壬'과 지지의 '辰'이 만난 간지(干支). ¶임진년생은 용띠다.

1107 [봉]

峯

봉우리 봉
部 山부 劃 10획 中 峰 [fēng]

峯자는 '산봉우리'(the mountain top; a peak)를 뜻하기 위하여 만든 것이니 '뫼 산'(山)이 표의요소로 쓰였고, 夆(끌 봉)은 표음요소이다. 좌우 구조의 峰으로 쓰기도 한다.

봉두 峯頭 | 봉우리 봉, 머리 두 [peak; top; summit]
산봉우리[峯]의 맨 꼭대기[頭]. ¶가장 높은 봉두에 올랐다.

• 역순어휘

고봉 高峯 | 높을 고, 봉우리 봉
[high mountain peak]
높은[高] 산봉우리[峯]. ¶히말라야 산맥의 고봉을 오르다.

산봉 山峯 | 뫼 산, 봉우리 봉 [mountaintop; peak]
산(山)의 봉우리[峯].

설봉 雪峯 | 눈 설, 봉우리 봉
[snow covered peaks]
눈[雪]이 덮인 산봉우리[峯].

주봉 主峯 | 주인 주, 봉우리 봉 [highest peak]
한 산맥 가운데 가장[主] 높은 봉우리[峯]. 비최고봉(最高峰).

준:봉 峻峯 | 높을 준, 봉우리 봉
[steep peak; lofty mountain]
높고[峻] 험한 산봉우리[峯].

중봉 中峯 | 가운데 중, 봉우리 봉
❶속뜻가운데[中] 봉우리[峯]. ❷봉우리의 중턱.

침봉 針峰 | =針峯, 바늘 침, 봉우리 봉 [frog]
바늘[針] 같은 굵은 침이 꽂힌 봉우리[峰] 모양의 꽃꽂이 도구.

화봉 花峯 | 꽃 화, 봉우리 봉 [(flower) bud]
식물 망울[峯]만 맺히고 아직 피지 아니한 꽃[花]. 비꽃봉오리.

1108 [안]

岸

언덕 안:
部 山부 劃 8획 中 岸 [àn]

岸자는 두 개의 표의요소에 하나의 표음요소로 구성된 좀 특이한 예이다. 山(뫼 산)과 厂(언덕 엄/한)이 표의요소이고 干(방패 간)이 표음요소임은 犴(들개 안)도 마찬가지이다. '흙 토'(土)라는 표의요소를 하나 더 보탠 垾(언덕 안)으로 쓰기도 했다. '언덕'(a hill), '낭떠러지'(a cliff)같은 의미를 그렇게 나타낸 것은 누구나 쉽게 이해할 수 있다.

• 역순어휘

연안 沿岸 | 따를 연, 언덕 안 [coast; shore]
❶속뜻강이나 호수, 바다의 언덕[岸]을 따라[沿] 있는 땅. ❷육지와 면한 바다·강·호수 따위의 물가. ¶돌고래는 태평양 연안에 서식한다.

피:안 彼岸 | 저 피, 언덕 안
[nirvana; state of enlightenment]
❶속뜻저[彼]쪽 언덕[岸]. ❷불교 사바세계 저쪽에 있는 깨달음의 세계. ❸불교 이승의 번뇌를 해탈하여 열반의 세계에 이름. 또는 그런 경지. ❹철학 현실적으로 존재하지 아니하는 관념적으로 생각해낸 현실 밖의 세계.

해:안 海岸 | 바다 해, 언덕 안 [coast]
바닷가[海]의 언덕[岸]. 바다의 기슭. ¶해안을 따라 산책하다.

1109 [암]

巖

바위 암
部 山부 劃 23획 中 岩 [yán]

巖자는 산에 쌓여 있는 '바위'(a rock; a crag)를 뜻하기 위하여 만든 것이었으니 '뫼 산'(山)이 표의요소로 쓰였고, 嚴(엄할 엄)이 표음요소였음은 壧(굴 암), 礹(돌산 암)도 마찬가지이다. 획수가 많아 번거롭고 표음요소 구실도 약간은 문제가 있는 일찍이 획수가 많은 巖자를 대신하는 '岩', '嵒', '嵓' 같은 俗字(속자)를 만들어 냈다. 岩은 획수도 적고 의미 연관성도 높아서 가장 큰 인기를 얻었다. 嵒은 낱글자로 쓰이지 않지만, 癌(암 암)자의 한 요소로 명맥을 유지하고 있다.

암반 巖盤 | 바위 암, 소반 반 [bedrock; rock bed]
다른 바위[巖] 속으로 돌입한 소반[盤]처럼 넓은 바위. ¶암반을 뚫고 지하수를 퍼 올렸다.

암벽 巖壁 | 바위 암, 담 벽 [rock wall; rock face]
깎아지른 듯 높이 솟은 벽(壁) 모양의 바위[巖]. ¶그는 암벽 등반을 하다 추락하는 바람에 허리를 크게 다쳤다.

암석 巖石 | 바위 암, 돌 석 [rock]
❶속뜻바위[巖]나 돌[石]. ❷지리 지각을 구성하고 있는 단단한 물질. 화성암, 퇴적암, 변성암으로 크게 나뉜다. ¶그 산은 암석으로 뒤덮여 있다.

• 역순어휘

규암 硅巖 | 규소 규, 바위 암 [quartzite]
❶속뜻 규소(硅素) 성분의 바위[巖]. ❷지리 주로 석영의 입자만으로 된 매우 단단한 입상(粒狀) 암석.

기암 奇巖 | 기이할 기, 바위 암
[strangely shaped rock]
기이(奇異)하게 생긴 바위[巖].

사암 沙巖 | =砂巖, 모래 사, 바위 암 [sandstone]
지리 모래[沙]가 물속에 가라앉아 굳어서 된 바위[巖].

역암 礫巖 | 조약돌 력, 바위 암 [conglomerate]
❶속뜻 조약돌[礫]같이 작은 암석(巖石). ❷지리 퇴적암의 하나. 크기가 2mm 이상인 자갈 사이에 모래나 진흙 따위가 채워져 굳은 것으로, 자갈이 전체의 30% 이상을 차지한다.

용암 鎔巖 | 녹일 용, 바위 암 [lava]
❶속뜻 녹은[鎔] 바위[巖]. ❷지리 화산의 분화구에서 분출된 마그마. 또는 그것이 냉각·응고된 암석. ¶화산에서 화산재와 용암이 분출되고 있다.

이암 泥巖 | =泥巖, 진흙 니, 바위 암 [mudstone]
지리 미세한 진흙[泥]이 쌓여서 딱딱하게 굳어 이루어진 암석(巖石).

층암 層巖 | 층 층, 바위 암
층(層)을 이룬 바위[巖].

1110 [령]

嶺

고개 령
部 山부 劃 17획 中 岭 [lǐng]

嶺자는 '산 길'(a mountain path)을 뜻하기 위하여 만든 것이었으니 '뫼 산'(山)이 표의요소로 쓰였고, 領(옷깃 령)은 표음요소이다. 후에 '고개'(=재, a ridge), '산봉우리'(a peak) 등으로 확대 사용됐다.

영동 嶺東 | 고개 령, 동녘 동
지리 강원도에서 대관령(大關嶺) 동(東)쪽에 있는 지역을 이르는 말. 비관동(關東).

영남 嶺南 | 고개 령, 남녘 남
❶속뜻 조령(鳥嶺)의 남(南)쪽 지역. ❷경상남북도를 이르는 말. 삼남(三南)의 하나. 비교남(嶠南).

• 역순어휘

준:령 峻嶺 | 높을 준, 고개 령
[steep mountain pass]
높고[峻] 험한 고개[嶺]. ¶소백산 준령을 타고 넘다.

해:령 海嶺 | 바다 해, 고개 령
[ridge; oceanic rise]
지리 4,000~6,000미터 깊이의 바다[海] 밑에 산맥[嶺] 모양으로 솟은 지형. 비해저산맥(海底山脈).

1111 [영]

影

그림자 영:
部 彡부 劃 15획 中 影 [yǐng]

影자는 햇볕[景·경]에 비치어[彡] 나타난 '그림자'(a shadow)를 뜻한다. '빛'(light), '모습'(a figure) 등을 뜻하기도 한다.
속뜻훈음 ①그림자 영, ②모습 영.

영:정 影幀 | 모습 영, 그림족자 정
[scroll of portrait]
사람의 모습[影]을 그린 족자[幀]. ¶이순신 장군의 영정.

영:향 影響 | 그림자 영, 울림 향 [influence]
❶속뜻 물체의 그림자[影]나 소리의 울림[響]. ❷어떤 사물의 효과나 작용이 다른 것에 미치는 일. ¶환경은 사람의 성격에 영향을 준다.

• 역순어휘

무영 無影 | 없을 무, 그림자 영
그림자가[影] 없음[無].

음영 陰影 | 응달 음, 그림자 영 [shadow; shade]
사람이나 물체가 빛을 가리어 반대쪽에 나타나는 그늘[陰]이나 그림자[影]. ¶그림에 음영을 넣어 윤곽을 나타내다.

촬영 撮影 | 찍을 촬, 모습 영
[photograph; shoot a film]
사람이나 사물의 모습[影]을 찍음[撮]. ¶영화 촬영 / 기념사진을 촬영하다.

1112 [채]

彩

채색 채:
部 彡부 劃 11획 中 彩 [cǎi]

彩자는 '빛깔'(a color)을 뜻하기 위하여 만든 것이었으니, 빛 무늬 또는 터럭 무늬를 가리키는 彡(삼)이 표의요소로 쓰였고, 采(캘 채)는 표음요소이다.
속뜻훈음 빛깔 채.

채:도 彩度 | 빛깔 채, 정도 도

[chroma; saturation]
미술 빛깔[彩]이 선명한 정도(程度). 빛깔의 세 가지 속성 중 하나이다.

채:색 彩色 | 빛깔 채, 빛 색
[color; paint in colors; decorate]
❶속뜻 여러 가지 빛깔[彩]의 색칠[色]. ❷그림이나 장식에 색을 칠함. ¶독특한 채색 기법 / 빨간 페인트로 담장을 채색하다.

• 역순어휘

광채 光彩 | 빛 광, 빛깔 채 [luminous body]
❶속뜻 찬란하게 빛[光]나는 빛깔[彩]. ❷정기 있는 밝은 빛. ¶광채가 나다.

다채 多彩 | 많을 다, 빛깔 채
[colorful; multicolored]
❶속뜻 다양(多樣)한 빛깔[彩]. ❷여러 색채가 어울려 호화로움. ¶옷감이 다채롭다 / 다채로운 축하 행사.

담:채 淡彩 | 맑을 담, 빛깔 채 [thin coloring]
❶속뜻 맑고[淡] 엷은 빛깔[彩]. ❷미술 물감을 엷게 써서 그린 그림. '담채화'(淡彩畵)의 준말.

색채 色彩 | 빛 색, 빛깔 채 [color; tint]
❶속뜻 여러 빛깔[色=彩]. ¶이 그림은 색채가 조화를 이루고 있다. ❷말, 글 따위의 표현에 나타나는 일정한 경향이나 성질. ¶불교적인 색채 / 보수적 색채. ⓑ빛깔.

이:채 異彩 | 다를 이, 빛깔 채 [brilliance]
❶속뜻 다른[異] 빛깔[彩]. ❷남달리 뛰어남. ¶그는 현대의 화가 중 이채를 띠고 있는 인물이다 / 이채로운 작품 / 덕수궁의 건축양식은 매우 이채롭다.

1113 [몽]

夢

꿈 몽
㊙ 夕부 ⓗ 14획 ⓒ 梦 [mèng]

夢자의 갑골문은 침대에 누워 잠을 자다 악몽을 꾸어 깜짝 놀라서 눈을 부릅뜨고 머리털이 비쭉 솟은 사람의 모습을 그린 것이었다. 지금의 자형은 후에 침대 모양이 '冖'으로 바뀌고 밤을 뜻하기 위해 '저녁 석'(夕)이 들어갔고 나머지는 부릅뜬 눈[目→罒]과 비쭉 솟은 머리털 모양[丱·쌍상투 관 →艹]이다. 어쨌거나 '꿈'(a dream)을 그렇게 나타낸 것이 참 재미있다. 부수를 '풀 초'(艹)로 잘못 알기 쉽다. '저녁 석'(夕)이 부수이자 표의요소임을 꼭 알아두자.

몽:정 夢精 | 꿈 몽, 정액 정 [wet dream]
꿈[夢]속에서 실제로 정액(精液)을 내쏘는 일. ⓑ몽설(夢泄).

• 역순어휘

길몽 吉夢 | 길할 길, 꿈 몽 [lucky dream]
좋은 징조[吉]의 꿈[夢]. ¶길몽을 꾸다. ⓑ악몽(惡夢).

악몽 惡夢 | 나쁠 악, 꿈 몽 [nightmare]
나쁜[惡] 꿈[夢]. 불길하고 무서운 꿈. ¶악몽을 꾸다. ⓑ길몽(吉夢).

쾌몽 快夢 | 기쁠 쾌, 꿈 몽
기분이 상쾌(爽快)한 꿈[夢]. ¶쾌몽 때문인지 기분이 상쾌하다.

태몽 胎夢 | 아이 밸 태, 꿈 몽
[dream that one is going to get pregnant]
아기를 밸[胎] 징조로 꾸는 꿈[夢]. ¶어머니가 태몽을 꾸셨다고 한다.

해:몽 解夢 | 풀 해, 꿈 몽 [interpret of dreams]
꿈[夢]의 내용을 풀어서[解] 길흉(吉凶)을 판단함. ¶어젯밤에 꾼 꿈 해몽 좀 해 주세요.

흉몽 凶夢 | 흉할 흉, 꿈 몽
[bad dream; dream of ill omen]
불길한[凶] 꿈[夢]. 꿈자리가 사나운 꿈. ⓑ길몽(吉夢).

1114 [상]

尚

오히려 상(:)
㊙ 小부 ⓗ 8획 ⓒ 尚 [shàng]

尚자는 '적을 소'(小)가 부수이지만 표의요소는 아니다. '더하다'(increase; gain)가 본뜻인데 '나눌 팔'(八)이 표의요소로 쓰였다. 기쁨은 나눌수록 커지는 것을 생각해 보면 그 까닭을 알 것 같다. 向(향할 향)이 표음요소임은 惝(생각할 상)과 徜(노닐 상)도 마찬가지이다. 후에 '높이다'(ennoble), '받들다'(respect; honor)로 확대 사용됐다.

속뜻 글순 ①받들 상, ②높일 상.

상궁 尚宮 | 받들 상, 집 궁 [court lady]
❶속뜻 왕실[宮] 사람들을 받들어[尚] 모시는 일을 하던 여자 벼슬. ❷역사 조선 시대에, 내명부의 하나인 여관(女官)의 정오품 벼슬.

• 역순어휘

가상 嘉尚 | 아름다울 가, 높일 상
[deserve admiration]
착하고 귀여워[嘉] 높이[尚] 칭찬할 만하다. ¶어린 나이에 그 뜻이 참으로 가상하구나!

고상 高尙 | 높을 고, 받들 상 [be noble]
인품이나 학문 따위가 높아[高] 숭상(崇尙)할 만함. ¶그는 고상한 취미를 가지고 있다. [반]저속(低俗)하다.

숭상 崇尙 | 높을 숭, 받들 상
[respect; revere]
높게[崇] 떠받들다[尙]. ¶예부터 우리 민족은 예의(禮義)를 숭상해 왔다.

1115 [리]

履

밟을 리ː
[部] 尸부 [劃] 15획 [中] 履 [lǚ]

履자는 앉아 있는 사람[尸·시]이 길[彳·척]을 떠나려고(夂·쇠) 발에 배 모양의 신발[舟→人+日]을 신고 있는 모습이 바뀐 것이다. '신발'(footwear; shoes)이 본뜻인데, '밟다'(step on)는 뜻으로도 많이 쓰인다.

이ː력 履歷 | 밟을 리, 지낼 력
[one's career; one's personal history]
❶[속뜻] 밟아[履] 지나온[歷] 길 따위. ❷지금까지 겪어 온 내력. 주로 학력과 경력을 말한다. ¶그는 이력이 화려하다.

이ː수 履修 | 밟을 리, 닦을 수
[complete; finish; go through]
소정의 과정을 밟아[履] 학문을 닦음[修]. ¶석사 과정을 이수하다.

이ː행 履行 | 밟을 리, 갈 행 [fulfill]
❶[속뜻] 실제로 밟아[履] 감[行]. ❷실제로 실천함. 말과 같이 실제로 행동함. ¶계약한 대로 이행해 주세요. [반]불이행(不履行).

• 역순어휘

천ː리 踐履 | 실천할 천, 밟을 리
몸소 실천(實踐)하여 겪음[履].

1116 [미]

尾

꼬리 미(ː)
[部] 尸부 [劃] 7획 [中] 尾 [wěi, yǐ]

尾자는 '꼬리'(a tail)를 뜻하기 위하여 엉덩이 부분[尸·시]의 털[毛]로 나타낸 것이다. 두 표의요소를 힌트로 활용한 것이 참으로 흥미롭다. 후에 '뒤'(after; behind; back), '끝'(the end)을 가리키는 것으로 확대 사용됐다.

미행 尾行 | 꼬리 미, 갈 행 [follow; shadow]
❶[속뜻] 남의 뒤[尾]를 몰래 따라감[行]. ❷다른 사람의 행동을 감시하거나 증거를 잡기 위하여 그 사람 몰래 뒤를 밟음. ¶경찰이 범인을 미행하다.

• 역순어휘

교미 交尾 | 꼴 교, 꼬리 미 [copulate]
❶[속뜻] 꼬리[尾]를 서로 꼼[交]. ❷[동물] 동물의 암컷과 수컷이 성적(性的)인 관계를 맺는 일. [비]짝짓기.

대ː미 大尾 | 큰 대, 꼬리 미 [finale]
❶[속뜻] 큰[大] 꼬리[尾]. ❷행사 따위의 맨 마지막 부분. ¶마술공연은 파티의 대미를 장식했다. [비]대단원(大團圓).

1117 [척]

尺

자 척
[部] 尸부 [劃] 4획 [中] 尺 [chǐ, chě]

尺자의 尸(주검 시)는 무릎을 90°로 구부리고 팔을 수평으로 들고 서 있는 자세를 본뜬 것이고, 나머지 한 획은 다리의 장딴지 부분을 가리키는 부호이다. 발바닥에서 장딴지까지의 거리(一尺 = 十寸, 대략 30cm)를 뜻하기 위하여 만든 글자이다. 그 아이디어가 참으로 기발하다. '자'(a ruler), '길이'(length)를 뜻하는 것으로 쓰인다.

척도 尺度 | 자 척, 정도 도
[scale; measure; standard]
❶[속뜻] 자[尺]로 잰 길이의 정도(程度). ❷무엇을 평가하거나 판단할 때의 기준. ¶인간은 만물의 척도 / 돈은 행복의 척도가 될 수 없다.

• 역순어휘

삼척 三尺 | 석 삼, 자 척
석[三] 자[尺].

월척 越尺 | 넘을 월, 자 척 [big fish]
낚시에서 낚은 물고기가 한 자[尺]가 넘음[越]. 또는 그 물고기. 주로 붕어를 가리킨다. ¶삼촌은 세 시간 만에 월척을 낚았다.

지척 咫尺 | 길이 지, 자 척
[very short distance]
❶[속뜻] 길이가 8치[咫]나 1자[尺] 밖에 안 되는 짧은 거리. ❷아주 가까운 거리. ¶지척을 분간할 수 없다 / 마음이 지척이면 천리도 지척이요, 마음이 천리면 지척도 천리다.

축척 縮尺 | 줄일 축, 자 척 [reduced scale]
지도 따위를 실제보다 축소하여 그릴 때 축소(縮小)한 비례의 척도(尺度). ¶이 지도의 축척은 5만분의 1이다.

1118 [랑]

廊 사랑채/행랑 랑
部 广부 劃 13획 中 廊 [láng]

廊자는 원래 본채[中堂] 양쪽 옆의 '담'(a wall; a fence)을 뜻하기 위하여 만든 것이었으니 '집 엄'(广)이 표의요소로 쓰였다. 郞(사나이 랑)은 표음요소로 뜻과는 무관하다. 후에 '곁채'(an annex), '복도'(a passage; a corridor) 등으로 확대 사용됐다.

속뜻훈음 **곁채 랑.**

• 역순어휘

사랑 舍廊 | 집 사, 곁채 랑 [detached living room]
❶속뜻 집[舍]의 곁채[廊]. ❷바깥주인이 거처하며 손님을 대접하는 곳.

행랑 行廊 | 다닐 행, 곁채 랑 [servants's quarters]
❶속뜻 지나다니는[行] 복도 옆에 있는 곁채[廊]. ❷예전에, 대문 안에 쭉 벌여 지어 주로 하인이 거처하던 방.

화:랑 畫廊 | 그림 화, 곁채 랑 [picture gallery]
그림[畫] 등의 미술품을 진열하여 전람하도록 만든 방[廊]. ¶장 화백은 한국 화랑에서 개인전을 연다.

1119 [폐]

廢 폐할/버릴 폐:
部 广부 劃 15획 中 废 [fèi]

廢자는 본래 한 쪽 모퉁이가 무너져서 '사람이 살지 않고 내버려 둔 집'(a deserted house)를 뜻하기 위하여 만든 것이다. '집 엄'(广)과 '떠날 발'(發) 두 표의요소를 힌트로 삼으면 '살던 사람들이 다 떠나고[發] 비어 있는 집[广]'을 누구나 쉽게 연상할 것이다. '버리다'(dump), '그만두다'(discontinue) 등으로도 쓰인다.

속뜻훈음 **①버릴 폐, ②그만둘 폐.**

폐:가 廢家 | 버릴 폐, 집 가
[ruined house; deserted house]
버려두어[廢] 낡아 빠진 집[家]. ¶그 집은 사람이 살지 않아 폐가나 다름없다.

폐:간 廢刊 | 그만둘 폐, 책 펴낼 간
[stop publishing; discontinue issuing]
신문, 잡지 따위의 정기 간행물 간행(刊行)을 그만둠[廢]. ¶일제 강점기에는 우리글 신문 대부분이 폐간됐다.

폐:갱 廢坑 | 버릴 폐, 구덩이 갱
[abandon a mine]
광산 따위의 갱(坑)을 더 이상 파지 않고 버려 둠[廢].

폐:광 廢鑛 | 그만둘 폐, 쇳돌 광
[abandon a mine]
광산에서 광물(鑛物)을 캐내는 일을 그만둠[廢]. 또는 그 광산. ¶금광이 폐광되자 많은 사람이 마을을 떠났다.

폐:교 廢校 | 그만둘 폐, 학교 교 [close a school]
학교(學校)의 운영을 그만두어[廢] 문을 닫음. 또는 그렇게 된 학교. ¶학생 수가 줄어들자 이 초등학교는 폐교됐다. 반 개교(開校).

폐:기 廢棄 | 그만둘 폐, 버릴 기
[disuse; abolish; abandon]
그만두거나[廢] 내다 버림[棄]. ¶많은 제도가 폐기되었다 / 그들은 유통기한이 지난 식품을 모두 폐기 처분했다.

폐:물 廢物 | 버릴 폐, 만물 물
[useless thing; waste material]
못쓰게 되어 버린[廢] 물건(物件). ¶폐물이 된 자전거.

폐:비 廢妃 | 버릴 폐, 왕비 비 [depose a queen]
자리에서 쫓겨난[廢] 왕비(王妃). 또는 왕비의 자리를 물러나게 함.

폐:수 廢水 | 버릴 폐, 물 수 [waste water]
사용하고 내버린[廢] 물[水]. ¶강물이 공장 폐수로 인해 심하게 오염됐다.

폐:업 廢業 | 그만둘 폐, 일 업
[quit one's business; shut down]
영업(營業)이나 사업을 그만둠[廢]. ¶자금이 부족해 회사를 폐업하다. 반 개업(開業).

폐:인 廢人 | 버릴 폐, 사람 인
[disabled person; crippled person]
❶속뜻 쓸모없이 된[廢] 사람[人]. ❷병이나 못된 버릇 따위로 몸을 망친 사람. ¶그는 술과 도박에 빠져 폐인이 됐다.

폐:정 廢井 | 버릴 폐, 우물 정
쓰지 않고 버려 둔[廢] 우물[井].

폐:지¹ 廢止 | 그만둘 폐, 멈출 지
[abolish; discontinue]
실시하던 일이나 제도 따위를 그만두거나[廢] 멈춤[止]. ¶노예제도를 폐지하였다.

폐:지² 廢紙 | 버릴 폐, 종이 지
[wastepaper; scrap of paper]

쓰지 않고 버린[廢] 종이[紙]. ¶폐지를 재활용하다.

폐ː차 廢車 | 버릴 폐, 수레 차
[scrap a car; take a car out of service]
❶속뜻 낡아서 버린[廢] 차(車). ❷차량 등록이 취소된 차. ¶이 차는 너무 낡아서 폐차해야겠다.

폐ː품 廢品 | 버릴 폐, 물건 품
[junk; waste; useless things]
쓸 수 없어 내다 버린[廢] 물품(物品). ¶폐품을 주워다 팔다.

폐ː허 廢墟 | 버릴 폐, 옛터 허 [ruins; remains]
못쓰게 되어 버린[廢] 터[墟]. ¶태풍으로 도시가 폐허로 변했다.

• 역순어휘

노ː폐 老廢 | 늙을 로, 그만둘 폐 [superannuated]
오래되거나 낡아서[老] 쓰지 않음[廢].

철폐 撤廢 | 거둘 철, 그만둘 폐 [abolish; remove]
거두어들이거나[撤] 그만둠[廢]. ¶야간 통행금지를 철폐하다.

퇴폐 頹廢 | 무너질 퇴, 버릴 폐 [decay; decline]
❶속뜻 무너트리거나[頹] 내다 버려야[廢]할 것. ❷도덕이나 풍속, 문화 따위가 어지러워짐. ¶퇴폐적 향락 문화. ㊥건전(健全).

황폐 荒廢 | 거칠 황, 그만둘 폐
[waste; ruin; devastate]
❶속뜻 땅 따위가 거칠어져[荒] 못쓰게 됨[廢]. ❷집, 토지, 삼림 따위가 거칠고 못 쓰게 됨. ¶농촌의 황폐가 극심한 지경에 이르다.

1120 [유]

幼

어릴 유
㊂ 幺부 ㊀ 5획 ㊥ 幼 [yòu]

幼자의 갑골문은 幺(작을 요)와 力(힘 력)이 합쳐진 것으로 '작다'(small)가 본래 의미이다. 후에 '어리다'(young), '어린이'(children) 등으로 확대 사용됐다.

유년 幼年 | 어릴 유, 나이 년 [infancy; childhood]
어린[幼] 나이[年]. 또는 그런 사람. ¶내가 유년 시절에 멱을 감았던 곳.

유아 幼兒 | 어릴 유, 아이 아 [infant; little child]
어린[幼] 아이[兒]. ¶유아 교육.

유약 幼弱 | 어릴 유, 약할 약 [young and fragile]
어리고[幼] 여리다[弱]. ¶유약한 태도.

유충 幼蟲 | 어릴 유, 벌레 충 [larva]
동물 어린[幼] 새끼벌레[蟲]. ¶매미의 유충. ㊥성충(成蟲).

유치 幼稚 | 어릴 유, 어릴 치
[childish; infantile; puerile]
생각이나 하는 짓이 어림[幼=稚]. ¶유치한 생각.

• 역순어휘

장ː유 長幼 | 어른 장, 어릴 유 [old and young]
어른[長]과 어린이[幼]. ¶장유에 따라 다르게 대우하였다.

1121 [유]

幽

그윽할 유
㊂ 幺부 ㊀ 9획 ㊥ 幽 [yōu]

幽자는 등불이 '희미하다'(vague; dim)는 뜻을 나타내기 위하여 심지에 불이 붙어 있는 모양을 본뜬 것이다. 이 글자의 山은 '불 화'(火)가 잘못 변한 것이다. 후에 '어둡다'(dark; gloomy), '검다'(black), '그윽하다'(quiet; still), '조용하다'(calm; tranquil) 등으로 확대 사용됐다.

유객 幽客 | 그윽할 유, 손님 객
[anchoret; hermit]
세상일을 피하여 한가히[幽] 사는 사람[客].

유곡 幽谷 | 그윽할 유, 골짜기 곡 [deep valley]
그윽하고 깊은[幽] 산골[谷]. ¶심산유곡(深山幽谷). ㊥궁곡(窮谷).

유령 幽靈 | 그윽할 유, 신령 령
[spirit of the dead; ghost]
❶속뜻 그윽한[幽] 곳에 나타나는 혼령(魂靈). ❷죽은 사람의 혼령. ¶이 동네에는 유령이 나온다는 소문이 있다.

유명 幽明 | 어두울 유, 밝을 명 [darkness and light; the other world and this world]
❶속뜻 어둠[幽]과 밝음[明]. ❷저승과 이승. ¶유명을 달리하다.

유문 幽門 | 가둘 유, 문 문 [pylorus]
의학 위와 십이지장의 경계 부분. 괄약근이 있어 늘 문(門)이 닫혀[幽] 있다가 때때로 열려 음식물을 창자로 보낸다. ㊟분문(噴門).

유아 幽雅 | 그윽할 유, 고울 아
품위 따위가 그윽하고[幽] 우아(優雅)함.

유유 幽幽 | 그윽할 유, 그윽할 유

❶속뜻 깊고 그윽함[幽+幽]. ❷어둡고 조용함.

유택 幽宅 | 그윽할 유, 집 택

❶속뜻 그윽한[幽] 곳에 있는 집[宅]. ❷'무덤'을 달리 이르는 말.

유혼 幽魂 | 귀신 유, 넋 혼

귀신[幽]의 혼(魂). 죽은 사람의 혼을 일컬음.

1122 [정]

廷 조정 정

部 廴부 劃 7획 中 廷 [tíng]

廷자의 금문 자형은 뜰에 있는 계단 앞에 서있는 사람의 모습을 본뜬 것으로 '뜰'(=정원, a garden)이 본뜻이다. 후에 '관청'(government office)을 가리키는 것으로 확대 사용되는 예가 많아지자, 본뜻은 庭(뜰 정)자를 따로 만들어 나타냈다. '법정'(law court) 또는 이와 의미상 연관이 있는 낱말의 한 구성 요소로도 쓰인다.

속뜻훈음 ①관청 정, ②법정 정.

• 역순어휘

개정 開廷 | 열 개, 법정 정 [open a court]

법률 법정(法廷)을 열어[開] 재판을 시작함. ¶개정 시간이 다 됐다. 반 폐정(閉廷).

법정 法廷 | =法庭, 법 법, 관청 정 [law court]

법률 법관(法官)이 재판을 행하는 관청[廷]. ¶법정에서 진술하다. 비 재판정(裁判廷).

조정 朝廷 | 조회 조, 관청 정 [Imperial Court]

❶속뜻 임금을 조회(朝會)하는 관청[廷]. ❷임금이 나라의 정치를 신하들과 의논하거나 집행하는 곳. ¶조정의 신하들은 수도를 어디로 옮길 지 의논했다.

휴정 休廷 | 쉴 휴, 법정 정

[court does not sit]

법률 법정(法廷)에서 재판 도중에 쉬는[休] 일. ¶휴정을 선언하다 / 10분간 휴정하겠습니다. 반 개정(開廷).

1123 [맹]

孟 맏 맹(:)

部 子부 劃 8획 中 孟 [mèng]

孟자는 형제자매 가운데 '맏이'(the eldest; a firstborn)를 뜻하기 위하여 만든 것이니 '아이 자'(子)가 표의요소로 쓰였고, 皿(그릇 명)은 표음요소였다고 한다. '매우'(very)의 뜻으로도 쓰인다.

속뜻훈음 ①맏이 맹, ②매우 맹

맹:동 孟冬 | 맏 맹, 겨울 동

[early winter; October of the lunar calendar]

❶속뜻 초[孟] 겨울[冬]. 이른 겨울. ❷음력 10월을 달리 이르는 말. 참 맹춘(孟春), 맹하(孟夏), 맹추(孟秋).

맹:랑 孟浪 | 매우 맹, 함부로 랑 [false]

❶속뜻 매우[孟] 함부로[浪] 함. ❷만만히 볼 수 없을 만큼 똘똘하고 깜찍하다. ¶그 꼬마는 아이답지 않게 정말 당차고 맹랑하다 / 맹랑한 질문을 하다.

맹:월 孟月 | 맏 맹, 달 월

각 계절이 시작되는 음력 첫[孟] 달[月]. 음력 정월, 사월, 칠월, 시월을 이름. 비 맹삭(孟朔).

맹:추 孟秋 | 맏 맹, 가을 추

[early fall; July of the lunar calendar]

❶속뜻 초[孟] 가을[秋]. 이른 가을. ❷음력 7월을 달리 이르는 말. 참 맹춘(孟春), 맹하(孟夏), 맹동(孟冬).

맹:춘 孟春 | 맏 맹, 봄 춘

[early spring; January of the lunar calendar]

❶속뜻 초[孟] 봄[春]. 이른 봄. ❷음력 정월을 달리 이르는 말. 참 맹하(孟夏), 맹추(孟秋), 맹동(孟冬).

맹:하 孟夏 | 맏 맹, 여름 하

[early summer; April of the lunar calendar]

❶속뜻 초[孟] 여름[夏]. 이른 여름. ❷음력 4월을 달리 이르는 말. 참 맹춘(孟春), 맹추(孟秋), 맹동(孟冬).

• 역순어휘

공:-맹 孔孟 | 공자 공, 맹자 맹

공자(孔子)와 맹자(孟子).

사:맹 四孟 | 넉 사, 맏 맹

사(四)계절의 각 첫[孟] 달인 음력의 정월, 사월, 칠월, 시월을 통틀어 이르는 말. 맹춘(孟春), 맹하(孟夏), 맹추(孟秋), 맹동(孟冬)을 이른다.

1124 [경]

徑 지름길/길 경

部 彳부 劃 10획 中 径 [jìng]

徑자는 수레가 다닐 수 없는 '좁고 작은 길'(a path; a lane)을 뜻하기 위하여 만든 것이었으니, '길 척'(彳)이 표의요소로 쓰였다. 巠(지하수 경)은 표음요소이니 뜻과는 무관하다. 후에 '지름길'(a shortcut; a shorter way), '곧다'(straight) 등으로 확대 사용됐다.

• 역순어휘

구:경 口徑 | 입 구, 지름길 경 [caliber; gauge]

❶속뜻 원통 모양으로 된 물건의 아가리[口]의 지름[徑]. ❷렌즈나 거울 따위의 유효 지름. ¶망원경의 구경.

반:경 半徑 | 반 반, 지름길 경 [radius; field]
❶수학 반(半) 지름[徑]. 원이나 구의 중심에서 그 원둘레 또는 구면상의 한점에 이르는 선분의 길이. ❷행동이 미치는 범위.

직경 直徑 | 곧을 직, 지름길 경 [diameter]
❶속뜻 원의 중간을 곧바로[直] 가로지르는[徑] 선. ❷수학 원이나 구 따위에서 중심을 지나는 직선으로 그 둘레 위의 두 점을 이은 선분. ¶직경 5cn의 원을 그리세요. ⓑ지름.

첩경 捷徑 | 빠를 첩, 지름길 경
[shortcut; nearer way; royal road]
❶속뜻 빠른[捷] 지름길[徑]. ¶성공에 이르는 첩경. ❷어떤 일을 함에 있어서 흔히 그렇게 되기가 쉬움을 이르는 말. ¶말을 그렇게 하면 욕먹기가 첩경이다. ⓑ우로(迂路).

1125 [미]

微
작을 미
部 彳부 劃 13획 ⊕ 微 [wēi]

微자는 원래 '길거리 척'(彳)이 없이 쓰이다가 후에 첨가됐다. 오른쪽의 것이 표음요소라는 설은 㣲(이슬비 미)를 증거로 삼을 수 있다. '몰래 행하다'(do secretly)가 본뜻이다. '몰래'(secretly), '작다'(small; little; tiny) 등으로도 쓰인다.

미동 微動 | 작을 미, 움직일 동
[slight movement]
아주 조금[微] 움직임[動]. ¶미동도 없다.

미량 微量 | 작을 미, 분량 량
[very small amount]
아주 적은[微] 분량(分量). ⓑ다량(多量).

미묘 微妙 | 작을 미, 묘할 묘 [delicate; subtle]
❶속뜻 섬세하고[微] 묘(妙)하다. ❷섬세하고 야릇하여 무엇이라고 딱 잘라 말할 수 없다. ¶이러지도 저러지도 못하는 미묘한 상황.

미물 微物 | 작을 미, 만물 물
[creature of no account]
❶속뜻 작고 보잘것없는[微] 물건(物件). ❷벌레 따위의 작은 동물. ¶아무리 하찮은 미물이라도 함부로 죽여서는 안 된다.

미미 微微 | 작을 미, 작을 미 [slight; insignificant]
보잘것없이 매우 작다[微+微]. ¶그저 미미한 차이이다.

미세 微細 | 작을 미, 가늘 세 [minute; details]
작고[微] 가늘음[細]. 아주 작음. ¶미세한 분말.

미소 微笑 | 작을 미, 웃을 소 [smile]
작게[微] 웃음[笑]. 소리를 내지 않고 빙긋이 웃는 웃음.

미약 微弱 | 작을 미, 약할 약 [feeble; weak]
미미(微微)하고 약(弱)하다. 보잘 것 없다. ¶네 시작은 미약하였으나 네 나중은 심히 창대하리라.

미열 微熱 | 작을 미, 더울 열 [slight fever]
건강한 몸의 체온보다 조금[微] 높은[熱] 체온. ⓑ고열(高熱).

미진 微震 | 작을 미, 떨 진 [faint earth tremor]
지리 조금[微] 떨릴 정도의 약한 지진(地震). ⓑ강진(強震).

미천 微賤 | 작을 미, 천할 천 [lowly; humble]
신분이나 사회적 지위가 보잘것없고[微] 천(賤)하다. ¶미천한 몸.

미풍 微風 | 작을 미, 바람 풍
[breeze; gentle wind]
솔솔 부는 약한[微] 바람[風]. ¶나뭇잎들이 미풍에 흔들렸다. ⓑ강풍(強風).

• 역순어휘

기미 幾微 | =機微, 낌새 기, 작을 미
[smack; shade]
❶속뜻 낌새[幾]가 희미(稀微)하게 보임. ❷어떤 일을 알아차릴 수 있는 눈치. 또는 일이 되어 가는 분위기. ¶경제가 좋아질 기미가 보이다.

희미 稀微 | 드물 희, 작을 미 [dim; faint]
❶속뜻 드물고[稀] 작다[微]. ❷분명하지 못하고 어렴풋하다. ¶희미한 불빛 / 희미한 목소리.

1126 [서]

徐
천천할 서(:)
部 彳부 劃 10획 ⊕ 徐 [xú]

徐자는 '천천히'(slowly)의 뜻을 나타내기 위하여 만든 것이었으니 '길 척'(彳)이 표의요소로 발탁됐다. 余(나 여)가 표음요소임은 敍(차례 서)도 마찬가지이다. 후에 '느리다'(slow; tardy)는 뜻도 따로 글자를 만들지 않고 이것으로 나타냈다.

속뜻 훈음 느릴 서.

서:행 徐行 | 느릴 서, 갈 행 [go slow; crawl]
자동차나 기차 따위가 천천히 느리게[徐] 감[行]. ¶학교 앞에서는 서행하십시오.

1127 [어]

御

거느릴 어:
部 彳부 劃 11획 中 御 [yù]

御자는 길에서 마차를 '몰다'(drive)는 뜻을 위하여 만든 글자이다. 길을 의미하는 彳(척)과 말고삐를 잡고 있는 것에서 유래된 卸(사), 둘다 표의요소이다. 후에 '다스리다'(govern; manage), '부리다'(operate), '임금'(an emperor) 등으로 확대 사용되자, 본뜻은 馭(말 부릴 어)를 따로 만들어 나타냈다.

속뜻훈음 ①임금 어, ②다스릴 어.

어:명 御命 | 임금 어, 명할 명 [Royal command]
임금[御]의 명령(命令)을 이르던 말. ¶어명을 따르다.

어:사 御賜 | 임금 어, 줄 사
임금[御]이 신하에게 돈이나 물건을 내리는[賜] 일을 이르던 말. ¶현종은 강감찬에게 비단 100필을 어사했다.

어:의 御醫 | 임금 어, 치료할 의 [royal physician]
역사 궁궐 내에서, 임금[御]이나 왕족의 병을 치료하던 의원(醫員). ¶노국공주의 처소에 어의가 들어갔다. 비 태의(太醫).

어:전 御前 | 임금 어, 앞 전 [Royal presence]
임금[御]의 앞[前]. ¶어전을 물러 나오다 / 어전에 나가 임금께 절을 올리다.

• 역순어휘

붕어 崩御 | 무너질 붕, 임금 어
[(the king) demise; die; pass away]
임금[御]의 죽음을 산이 무너짐[崩]에 비유한 말.

제:어 制御 | 누를 제, 다스릴 어 [control]
❶속뜻 억눌러서[制] 마음대로 다스림[御]. ❷감정, 충동, 생각 따위를 막거나 누름. ¶감정을 제어하기가 어렵다. ❸기계나 설비 또는 화학 반응 따위가 목적에 알맞은 작용을 하도록 조절함. ¶제어 장치.

1128 [역]

役

부릴 역
部 彳부 劃 7획 中 役 [yì]

役자는 본래 '사람 인'(亻)과 '창 수'(殳)가 합쳐진 것이었다. 즉 무기를 들고 강제로 동원된 일꾼을 부리는 모습이다(전서 서체에서 亻(인)이 彳(척)으로 잘못 변화됐음). 백성들을 동원하여 강제로 일을 시키던 당시의 부역(compulsory labor)제도가 반영된 글자이다. '부리다'(employ)는 뜻으로도 쓰인다.

역군 役軍 | 부릴 역, 군사 군
[laborer; able worker]
❶속뜻 부림[役]을 받는 사람[軍]. ❷일정한 부문에서 중요한 역할을 하는 일꾼. ¶사회의 역군으로 자라다.

역할 役割 | 부릴 역, 나눌 할 [role; part; function]
❶속뜻 나누어[割] 맡은 일[役]. ❷제가 하여야 할 제 앞의 일. ¶자신의 역할에 충실하다.

• 역순어휘

고역 苦役 | 쓸 고, 부릴 역 [labor; toil]
쓴[苦] 맛이 감돌도록 몹시 힘들게 부림[役]. 고된 일. ¶매일 약 먹는 것은 정말 고역이다.

단역 端役 | 끝 단, 부릴 역 [minor part; extra]
연영 영화나 연극의 배역 중에서 중요하지 않고 간단한 말단(末端) 배역(配役). 또는 그러한 역을 맡은 배우. ¶단역 배우 생활을 10년이나 했다. 반 주역(主役).

대:역 代役 | 바꿀 대, 부릴 역
[important duty; heavy role]
❶속뜻 역할(役割)을 바꿈[代]. ❷연영 연극·영화 따위에서 어떤 배우의 배역을 대신하여 일부 연기를 다른 사람이 하는 일. 또는 그런 사람. ¶비록 작은 대역이었지만 열심히 연기했다.

배:역 配役 | 나눌 배, 부릴 역 [cast (of a play)]
연영 영화나 연극 따위에서 배우들에게 어떤 역(役)을 나누어[配] 맡김. 또는 맡긴 그 역. ¶신데렐라 배역을 정하다.

병역 兵役 | 군사 병, 부릴 역 [military service]
법률 국민의 의무로써 일정한 기간 군대[兵]에 복무[役]하는 일. ¶병역미필 / 허리를 다쳐 병역 의무에서 면제되다.

복역 服役 | 따를 복, 부릴 역
[public service; penal servitude]
❶속뜻 공역(公役), 병역(兵役) 따위에 따름[服]. ❷징역을 삶. ¶그는 15년 형을 선고받고 복역 중에 탈옥했다.

부:역 賦役 | 거둘 부, 부릴 역
[compulsory service]
나라가 백성들에게 세금을 거두거나[賦] 일을 부림[役]. 또는 그런 일. ¶부역에 나가다.

아역 兒役 | 아이 아, 부릴 역 [child actor]
연극이나 영화에서 어린이[兒]가 맡은 역(役). 또는 그 역을 맡은 배우. ¶아역 배우.

악역 惡役 | 악할 악, 부릴 역 [villain's character]
놀이, 연극, 영화 따위에서 악인(惡人)으로 연기하는 배역(配役). ¶그는 매번 악역을 맡는다.

주역 主役 | 주될 주, 부릴 역 [leading part]

❶속뜻 연극이나 영화 따위의 주(主)된 역할(役割). 또는 그러한 사람. ¶그 여배우는 이번 영화에서 주역을 따냈다. ❷어떤 분야에서 중요한 일을 하는 사람. ¶그가 우리 팀 우승의 주역이다. ㊥단역(端役).

중:역 重役 | 무거울 중, 부릴 역
[director; executive]
❶속뜻 책임이 무거운[重] 역할(役割). ❷은행이나 회사 따위에서 중요한 소임을 맡은 임원. ¶그는 이제 회사의 중역이 됐다.

징역 懲役 | 혼낼 징, 부릴 역 [penal servitude]
법률 죄인을 교도소에 가두고 징계(懲戒)의 수단으로 노역(勞役)을 시키는 형벌. ¶징역을 살면서 죄를 뉘우치다.

하역 荷役 | 짐 하, 부릴 역 [load and unload]
배의 짐[荷]을 싣고 부리는[役] 일. ¶하역한 물품의 수량을 확인하다.

현:역 現役 | 지금 현, 부릴 역
[active service; service on full pay]
❶군사 부대에 편입되어 실지의 현장(現場) 군무에 종사하는 병역(兵役). 또는 그 군인. ¶현역 군인. ❷실지로 어떤 직위에 있거나 직무를 수행하고 있는 일. 또는 그 사람. ¶현역에서 물러나다. ㊥예비역(豫備役).

1129 [정]

征
칠 정
部 彳부 劃 8획 ⊕ 征 [zhēng]

征의 본래 글자는 '正'(#0085)이다. 正자는 '치다'(to attack)가 본뜻인데 '바르다'는 뜻으로 확대 사용되는 예가 많아지자, 그 본뜻을 보강하기 위하여 '길 척'(彳)을 추가한 것이 '征'자다. 이웃 나라를 정복하기 위하여 먼 길을 가는 일이 많았기 때문에 그것이 추가되었나 보다.

정벌 征伐 | 칠 정, 칠 벌 [conquer; subjugate]
무력을 써서 적이나 죄 있는 무리를 치는[征=伐] 일. ¶이종무는 대마도 정벌에 나섰다.

정복 征服 | 칠 정, 따를 복 [conquer; subjugate]
❶속뜻 남의 나라나 이민족 따위를 쳐서[征] 따르게[服] 시킴. ¶11세기 노르만족은 영국을 정복했다. ❷다루기 어렵거나 힘든 대상 따위를 뜻대로 다룰 수 있게 됨. ¶영어 정복 / 에베레스트를 정복하다.

• 역순어휘

원:정 遠征 | 멀 원, 칠 정 [invade; visit]
❶속뜻 먼 곳[遠]으로 싸우러[征] 나감. ¶십자군 원정. ❷먼 곳으로 운동 경기 따위를 하러 감. ¶원정 경기.

출정 出征 | 날 출, 칠 정
[go (off) to war; go into battle]
❶속뜻 정벌(征伐)에 나섬[出]. ❷군에 입대하여 싸움터에 나감. ¶그 장수는 10만 명의 군사를 거느리고 출정했다.

1130 [징]

徵
부를 징
部 彳부 劃 15획
⊕ 徵 [zhēng, zhǐ]

徵자는 길을 가며 앞서 가는 사람 등을 '부르다'(call up)는 뜻을 나타내기 위하여 만든 것이었으니 '길 척'(彳)이 표의요소로 쓰였다. 나머지가 표음요소임은 澂(맑을 징)도 마찬가지이다. 후에 '거두다'(gather), '조짐'(an omen) 등으로 확대 사용됐다.

속뜻 훈음 ①부를 징, ②거둘 징, ③조짐 징, ④밝힐 징.

징발 徵發 | 거둘 징, 드러낼 발
[commandeer; levy]
❶속뜻 남의 물품을 거두어[徵] 들이고자 강제적으로 들추어냄[發]. ❷국가에서 특별한 일에 필요한 사람이나 물자를 강제로 모으거나 거둠. ¶전쟁이 나자 공장들이 징발되어 무기를 만들었다.

징병 徵兵 | 부를 징, 군사 병 [conscript; enlist]
❶속뜻 군사[兵]를 불러[徵] 모음. ❷법률 국가가 법령으로 병역 의무자를 강제적으로 징집하여 일정 기간 병역에 복무시키는 일. ¶징병에 응하다.

징수 徵收 | 거둘 징, 거둘 수
[charge; assess; impose on]
❶속뜻 나라, 공공 단체, 지주 등이 돈·곡식·물품 따위를 거둠[徵=收]. ❷법률 행정기관이 법에 따라서 조세, 수수료, 벌금 따위를 국민으로부터 거두어들이는 일. ¶세금은 공정하게 징수해야 한다.

징용 徵用 | 부를 징, 쓸 용 [draft; impress]
법률 나라에서 불러[徵] 등용(登用)함. 사변 또는 이에 준하는 비상사태에 국가의 권력으로 국민을 강제적으로 일정한 업무에 종사시키는 일. ¶일제의 징용 / 전쟁에 백성들을 강제로 징용했다.

징조 徵兆 | 조짐 징, 조짐 조 [sign; indication]
어떤 일이 생길 기미나 조짐[徵=兆]. ¶비가 올 것 같은 불길한 징조.

징집 徵集 | 거둘 징, 모을 집

[conscript; enlist; recruit]
❶속뜻 물건을 거두어[徵] 모음[集]. ❷병역 의무자를 현역에 복무할 의무를 부과하여 불러 모음. ¶옆집 아들도 군대에 징집됐다.

징표 徵表 | 밝힐 징, 겉 표 [sign; mark]
❶속뜻 사물의 특성을 겉[表]으로 드러내어 밝혀주는[徵] 것. ❷일정한 사물이 공통으로 가지는 필연적인 성질로 하나의 사물을 다른 사물로부터 구별하는 표가 되는 것.

징후 徵候 | 조짐 징, 조짐 후
[symptom; sign; omen]
어떤 일이 일어날 조짐[徵=候]. ¶병이 날 징후가 보인다.

• 역순어휘

상징 象徵 | 모양 상, 밝힐 징 [symbol]
추상적인 사물이나 개념을 구체적인 사물 모양[象]으로 밝혀[徵] 나타냄. 또는 그렇게 나타낸 표지(標識). ¶비둘기는 평화의 상징이다.

성:징 性徵 | 성별 성, 밝힐 징 [sex character]
생물 성별(性別)에 따라 신체상에 나타나는 성적(性的)인 특징(特徵). 남녀, 암수 따위. ¶2차 성징.

특징 特徵 | 특별할 특, 부를 징 [special feature]
❶역사 임금이 신하에게 벼슬을 내리려고 특별(特別)히 부름[徵]. ❷특별히 나타나는 점. ¶검은 눈과 머리카락은 한국인의 유전적 특징이다. ㊐특색(特色), 특성(特性).

1131 [철]

徹 통할 철
㊀ 彳부 ㊁ 15획 ㊥ 彻 [chè]

徹자의 원래 글자는 '솥 격'(鬲)과 '손 우'(又)가 합쳐진 것으로 음식을 다 먹은 뒤에 상을 '치우다'(clear)가 본래 의미였다고 한다. 후에 모양이 크게 달라져서 길 따위가 '통하다'(lead to)는 뜻으로 확대 사용됐다. 이 의미에서 보자면 '길 척'(彳)이 표의요소이고 나머지가 표음요소임은 澈(물 맑을 철)도 마찬가지이다. '치우다'는 뜻은 撤(#1883)로 나타내기도 한다.
속뜻훈음 ①통할 철, ②뚫을 철.

철야 徹夜 | 뚫을 철, 밤 야
[stay up all night; keep vigil]
자지 않고 밤[夜]을 새움[徹]. ¶철야 협상 / 이틀 밤을 철야하고 나니 눈이 저절로 감긴다.

철저 徹底 | 뚫을 철, 밑 저
[thorough; exhaustive; radical]
속속들이 꿰뚫어[徹] 밑바닥[底]까지 빈틈이 없음. 또는 그런 태도. ¶철저히 단속하다 / 맡은 일에 철저하다.

• 역순어휘

관:철 貫徹 | 꿸 관, 통할 철
[see through; penetrate into]
어려움을 꿰뚫고[貫] 나아가[徹] 끝내 목적을 이룸. ¶끝까지 목적을 관철하다.

냉:철 冷徹 | 찰 랭, 통할 철
[cool-headed; realistic]
냉정(冷靜)하고 철저(徹底)함. ¶문제를 냉철하게 분석하다.

투철 透徹 | 뚫을 투, 뚫을 철 [penetrating; lucid]
속까지 꿰뚫을[透] 정도로 아주 철저(徹底)함. ¶이 일을 하기 위하여는 투철한 사명감이 필요하다.

1132 [피]

彼 저 피:
㊀ 彳부 ㊁ 8획 ㊥ 彼 [bǐ]

彼자는 '저것'(that)이라는 대명사적 용법으로 쓰인 것인데, 원래 皮(가죽 피)자를 빌어 그러한 의미를 나타내다가, 후에 '길 척'(彳)을 덧붙였다. 하필이면 彳을 덧붙였는지에 대하여는 정설이 없다. 길[彳] 건너 '저쪽'을 연상하면 될 것도 같다.

피:아 彼我 | 저 피, 나 아
[he and I; friend or foe]
저[彼]와 나[我]. 저편과 이편.

피:안 彼岸 | 저 피, 언덕 안
[nirvana; state of enlightenment]
❶속뜻 저[彼]쪽 언덕[岸]. ❷불교 사바세계 저쪽에 있는 깨달음의 세계. ❸불교 이승의 번뇌를 해탈하여 열반의 세계에 이름. 또는 그런 경지. ❹철학 현실적으로 존재하지 아니하는 관념적으로 생각해낸 현실 밖의 세계.

피:차 彼此 | 저 피, 이 차 [each other]
❶속뜻 이것[此]과 저것[彼]. ❷이쪽과 저쪽의 양쪽. ¶힘들기는 피차 미찬가지이다.

• 역순어휘

지피지기 知彼知己 | 알 지, 저 피, 알 지, 자기 기
❶속뜻 상대[彼]를 알고[知] 나[己]를 앎[知]. 『손자

모공편』(孫子·謀攻篇)에서 유래된 말이다. ❷적군과 아군의 속사정을 잘 아는 것. 그것이 전쟁에서 이기는 비결임을 뜻하는 말이다. ¶지피지기면 백전불태(百戰不殆)이다.

차일-피일 此日彼日 | 이 차, 날 일, 저 피, 날 일 [delay day by day]
❶[속뜻] 이[此] 날[日], 저[彼] 날[日]. ❷'약속이나 기한 따위를 미적미적 미루는 태도'를 비유하여 이르는 말. [비]차월피월(此月彼月).

1133 [순]

巡

돌[廻]/순행할 순
[部] 巛부 [劃] 7획 [中] 巡 [xún]

巡자는 오며가며 '살피다'(inspect)는 뜻을 나타내기 위하여 만든 것이었으니 '길갈 착'(辶=辵)이 표의요소로 쓰였다. 巛(천)은 川(내 천)의 본래 글자인데, 이 경우에는 川이 표음요소로 쓰였음은 馴(길들 순)의 경우와 같은 이치다. 후에 여러 곳을 '들르다'(drop in; drop), '방문하다'(go to see) 등으로 확대 사용됐다. 참고로 중국의 자전에서는 辶이 부수로 지정되어 있는데, 우리나라의 자전에서는 부수가 巛로 지정되어 있는 것도 있다.
[속뜻 훈음] 돌 순.

순경 巡警 | 돌 순, 지킬 경 [policeman; patrolman]
❶[속뜻] 여러 곳을 돌아다니며[巡] 지켜줌[警]. ❷[법률] 경장의 아래로 가장 낮은 계급의 경찰공무원. ¶도둑은 순경을 보자 도망갔다.

순례 巡禮 | 돌 순, 예도 례 [make a pilgrimage]
[종교] 여러 성지나 영지 등을 차례로 돌아다니며[巡] 참배함[禮]. ¶예루살렘 성지를 순례하다.

순방 巡訪 | 돌 순, 찾을 방 [visit one after another]
나라나 도시 따위를 돌아가며[巡] 방문(訪問)함. ¶대통령은 유럽 5개국을 순방하고 오늘 귀국했다.

순사 巡査 | 돌 순, 살필 사 [policeman; patrolman]
❶[속뜻] 각지를 돌며[巡] 조사(調査)함. ❷[역사] 일제시대 경찰관의 가장 낮은 계급.

순시 巡視 | 돌 순, 볼 시 [make a tour of inspection]
돌아다니며[巡] 살펴봄[視]. 또는 그러한 사람. ¶교장 선생님이 교실을 순시하고 계신다.

순찰 巡察 | 돌 순, 살필 찰 [patrol]
순회(巡廻)하며 살핌[察]. ¶경비원이 아파트를 순찰하고 있다.

순회 巡廻 | 돌 순, 돌 회 [go round; patrol]
여러 곳을 차례로 돌아다님[巡=廻]. ¶전국을 순회하며 강연을 하다.

1134 [봉]

封

봉할 봉
[部] 寸부 [劃] 9획 [中] 封 [fēng]

封자는 땅의 '경계'(a border)를 나타내기 위하여 만든 것이다. 원래 나무[木]를 손[又]으로 집어서 땅[土]에 심어 경계선으로 삼는 것을 나타낸 것이었는데, 土와 木이 圭(규)로, 又가 寸(촌)으로 각각 잘못 변화됐다. 후에 '(제후에게 땅을 나누어주다'(invest a person with a fief), '봉하다'(seal up) 등으로 확대 사용됐다.

봉건 封建 | 봉할 봉, 세울 건 [feudal]
❶[역사] 천자가 나라의 토지를 나누어 주고 제후를 봉(封)하여 나라를 세우게[建] 하는 일. ❷세력이 있는 사람이 중앙정부의 통제에서 벗어나 토지와 백성을 사유하는 일. ¶봉건사회 / 봉건제도.

봉분 封墳 | 봉할 봉, 무덤 분 [(grave) mound]
흙을 둥글게 쌓아[封] 무덤[墳]을 만듦. 또는 그 흙더미. ¶봉분에 난 잡초를 뽑았다. [비]성분(成墳).

봉서 封書 | 봉할 봉, 글 서 [sealed letter]
❶[속뜻] 겉봉을 봉(封)한 편지글[書]. ❷[역사] 임금이 종친이나 근신(近臣)에게 사적으로 내리던 서신.

봉선 封禪 | 북돋울 봉, 제사지낼 선
[역사] 중국에서 천자(天子)가 흙으로 단(壇)을 만들어[封] 하늘과 산천에 제사 지내던[禪] 일.

봉쇄 封鎖 | 봉할 봉, 잠글 쇄 [block up; blockade]
봉(封)하여 굳게 잠금[鎖]. ¶출입구 봉쇄 / 경찰은 모든 도로를 봉쇄했다.

봉지 封紙 | 봉할 봉, 종이 지 [paper bag]
입구를 여밀[封] 수 있도록 종이[紙]나 비닐 따위로 만든 주머니. ¶쓰레기 봉지 / 봉지를 뜯다 / 봉지에 담다.

봉투 封套 | 봉할 봉, 덮개 투 [envelope]
❶[속뜻] 덮개[套]를 봉(封)함. ❷편지나 서류 따위를 넣을 수 있도록 만든 것. ¶편지 봉투 / 봉투를 뜯다. [비]서통(書筒).

봉혈 封穴 | 북돋울 봉, 구멍 혈
불룩하게 쌓인[封] 개미집의 구멍[穴].

• 역순어휘

개봉 開封 | 열 개, 봉할 봉 [open a seal]
❶속뜻 봉(封)한 것을 떼어 엶[開]. ¶편지를 개봉했다. ❷새로 만들거나 새로 수입한 영화를 처음으로 상영함. ¶영화는 어제 개봉했다. ⓑ폐쇄(閉鎖), 밀폐(密閉).

완봉 完封 | 완전할 완, 봉할 봉 [shut out]
❶속뜻 완전(完全)히 막거나 봉(封)함. ❷운동 야구에서 투수가 상대 팀에게 득점을 허용하지 아니하면서 완투하는 일.

태봉 泰封 | 클 태, 봉할 봉
❶속뜻 하늘이 내려준 큰[泰] 봉지(封地). ❷역사 901년에 궁예가 송악에 도읍하여 세운 나라. 건국 당시 국호를 후고구려라 하였다가 905년 도읍을 철원으로 옮기면서 국호를 태봉으로 고쳤다.

1135 [괴]

壞

무너질 괴:
部 土부 劃 19획 中 坏 [huài]

壞자는 흙더미가 '무너지다'(collapse; fall down)는 뜻을 나타내기 위하여 만든 것이었으니, '흙 토'(土)가 표의요소로 쓰였다. 그 나머지가 표음요소임은 瓌(구슬 이름 괴)의 경우도 마찬가지이다. 후에 '무너뜨리다'(break down; destroy), '허물어지다'(crumble) 등으로 확대 사용됐다.

괴:멸 壞滅 | 무너질 괴, 없어질 멸
[destroy; demolish; ruin]
조직이나 체계 따위가 모조리 파괴(破壞)되어 멸망(滅亡)함. ¶그들은 회사 돈으로 도박을 벌여 괴멸하고 말았다 / 적군을 급습해 괴멸시켰다.

괴:사 壞死 | 무너질 괴, 죽을 사
[necrosis; death of a portion of the body]
❶속뜻 무너져[壞] 죽음[死]. ❷의학 생체 내의 조직이나 세포가 부분적으로 죽는 일. ¶췌장에 괴사가 일어났다.

• 역순어휘

도:괴 倒壞 | 넘어질 도, 무너질 괴
[collapse; be destroyed; fall (down)]
넘어지거나[倒] 무너짐[壞]. 또는 넘어뜨리거나 무너뜨림. ¶왕권의 도괴.

붕괴 崩壞 | 무너질 붕, 무너질 괴
[collapse; fall down]
허물어져 무너짐[崩=壞]. ¶붕괴 위험.

파:괴 破壞 | 깨뜨릴 파, 무너질 괴
[destroy; ruin; demolish]
부수어[破] 무너뜨림[壞]. ¶환경 파괴 / 지진은 순식간에 도시를 파괴했다. ⓑ건설(建設).

1136 [묵]

墨

먹 묵
部 土부 劃 15획 中 墨 [mò]

墨자는 붓글씨를 쓸 때 사용하는 검은 '먹'(Chinese ink; an ink stick)을 뜻하기 위하여 만든 것이다. '흙 토'(土)와 '검을 흑'(黑) 모두가 표의요소로 쓰였다. 먹의 원료가 흙과 어떤 연관성이 있기 때문일 것이다. 黑이 표음요소도 겸하는 것임은 嘿(고요할 묵)자를 통하여 짐작할 수 있다. 먹을 갈아 붓으로 써놓은 글, 즉 '필적'(handwriting; one's hand)을 가리키기도 하는데, 墨迹(묵적)의 墨이 그것이다.

묵객 墨客 | 먹 묵, 손 객 [calligrapher; painter]
먹[墨]을 갈아 글씨를 쓰거나 그림을 그리기를 좋아하는 사람[客].

묵수 墨守 | 먹 묵, 지킬 수 [adhere to; keep to]
제 의견이나 생각, 또는 옛날 습관 따위를 굳게 지킴. 춘추시대 송나라의 묵자(墨子)가 성을 잘 지켜[守] 초나라의 공격을 아홉 번이나 물리쳤다는 데서 유래한다. 고수(固守).

묵화 墨畵 | 먹 묵, 그림 화[black-and-white painting; painting in Chinese ink]
먹[墨]으로 그린 그림[畵].

• 역순어휘

백묵 白墨 | 흰 백, 먹 묵 [piece of chalk]
흰[白] 먹[墨]처럼 생긴 필기구로 칠판에 글을 쓰면 흰색 가루가 부서져 글이 써짐. ⓑ분필(粉筆).

수묵 水墨 | 물 수, 먹 묵 [India ink]
물[水]을 탄 먹물[墨]. 색이 엷게 표현된다.

한:묵 翰墨 | 붓 한, 먹 묵 [pen and ink; writing]
❶속뜻 붓[翰]과 먹[墨]. ❷'글을 쓰는 일'을 이르는 말.

1137 [배]

培

북돋울 배:
部 土부 劃 11획 中 培 [péi]

培자는 초목의 뿌리를 흙으로 싸서 가꾸다, 즉 '북돋우다'(raise; invigorate)는 뜻을 나타내기 위하여 만든 것이었으니 '흙 토'(土)가 표의요소로 쓰였다. 그 나머지가 표음요소임은 賠(물어줄 배), 陪(쌓아올릴 배) 등도 마찬가지이다. 후에 '가꾸다'(cultivate), '양성하다'(train; educate) 등으로 확대 사용됐다.

배:양 培養 | 북돋울 배, 기를 양
[culture; cultivate]
❶[식물] 식물이나 동물의 일부를 가꾸어[培] 기름[養]. ¶세균을 배양하다 / 인공 배양. ❷사람이나 힘을 길러 냄. ¶국력을 배양하다.

배:지 培地 | 북돋울 배, 땅 지 [medium]
[생물] 미생물을 기르는[培] 데 기본[地]이 되는 영양소가 들어 있는 액체. [비]배양기(培養基).

배:토 培土 | 북돋울 배, 흙 토 [invigorate; cheer]
농작물의 포기 밑을 흙[土]으로 두둑하게 북돋아줌[培].

• 역순어휘 •

재:배 栽培 | 심을 재, 북돋울 배
[grow; raise; cultivate]
식물을 심어서[栽] 가꿈[培]. ¶할머니는 뒤뜰에 토마토를 재배한다.

1138 [수]

垂
드리울 수
[部] 土부 [劃] 8획 [中] 垂 [chuí]

垂자는 본래 '변두리 지역'(the outskirts; a suburb)을 뜻하기 위하여 만든 것이었으니 '흙 토'(土)가 표의요소로 쓰였다. 土를 뺀 나머지 부분은 표음요소로 쓰인 것인데 한 군데 합쳐져 제 구실을 못하게 됐다. 뿐만 아니라 '흙 토'(土)가 부수라는 사실도 알기 힘들다. 이 기회에 잘 알아두자. 후에 본래 뜻은 陲(부근 수)자를 따로 만들어 나타냈고, 이것은 '축 늘어지다'(hang down), '드리우다'(dangle; droop)는 뜻으로 차용되어 쓰였다.

수선 垂線 | 드리울 수, 줄 선
[perpendicular line]
[수학] 한 직선 또는 평면과 직각을 이루며 만난[垂] 직선(直線). [비]수직선.

수양 垂楊 | 드리울 수, 버들 양 [weeping willow]
❶[속뜻] 가지를 밑으로 축 늘어뜨리며[垂] 자라는 버드나무[楊]. ❷[식물] 수양버들.

수직 垂直 | 드리울 수, 곧을 직
[perpendicularity; verticality]
❶[속뜻] 똑바로[直] 내려온[垂] 모양. ¶헬리콥터가 수직으로 상승했다. ❷[수학] 선과 선, 선과 면, 면과 면이 서로 만나 직각을 이룬 상태. ¶장대를 수직으로 세우다.

• 역순어휘 •

현:수 懸垂 | 매달 현, 드리울 수 [hanging]
매달아[懸] 아래로 곧게 드리워짐[垂].

1139 [새]

塞
막힐 색 / 변방 새
[部] 土부 [劃] 13획
[中] 塞 [sāi, sài, sè]

塞자의 부수를 宀(집 면)으로 잘못 알기 쉽다. 土(흙 토)가 부수이자 표의요소이고, 그 나머지가 표음요소임은 賽(굿할 새)를 통하여 짐작할 수 있다. '막히다'(be blocked; be barred)는 뜻으로 쓰이면 [색], '변방'(the borderland)을 가리키면 [새]라고 각각 달리 읽는다.
[속뜻 훈음] ①막힐 색, ②변방 새.

• 역순어휘 •

궁색 窮塞 | 궁할 궁, 막힐 색
[poverty; distress]
❶[속뜻] 생활이 곤궁(困窮)하고 앞길이 막힘[塞]. ¶살림이 궁색하다. ❷말의 이유나 근거 따위가 부족하다. ¶궁색한 변명.

어:색 語塞 | 말씀 어, 막힐 색 [feel awkward]
❶[속뜻] 말[語]이 막히다[塞]. ❷말이 궁하여 답변할 말이 없다. ¶어색한 변명. ❸서먹서먹하고 쑥스럽다. ¶어색한 웃음.

옹:색 壅塞 | 막힐 옹, 막힐 색
[be hard up; be cramped]
❶[속뜻] 막혀서[壅=塞] 통하지 않음. ❷생활에 필요한 것이 없거나 모자라서 딱함. ¶옹색한 살림. ❸매우 비좁음. ¶방이 옹색하다.

질색 窒塞 | 막힐 질, 막힐 색 [shock; hate]
❶[속뜻] 몹시 놀라거나 싫어서 기(氣)가 막힘[窒=塞]. ❷몹시 싫어하거나 꺼림. ¶병원이라면 딱 질색이다.

요새 要塞 | 요할 요, 변방 새 [fortress]
❶[속뜻] 군사적으로 중요(重要)한 변방[塞]. ❷[군사] 중요(重要)한 곳에 구축하여 놓은 견고한 성채나 방어시설(防禦施設).

1140 [양]

壤 흙덩이 양:
部 土부 劃 20획 中 壤 [rǎng]

壤자의 원래 뜻은 '비옥한 땅'(rich soil)을 가리키는 것이었으니 '흙 토'(土)가 표의요소로 발탁됐다. 襄(도울 양)은 표음요소로 의미와는 무관하다. 후에 일반적인 의미의 '흙덩이'(earth; soil) 또는 '땅'(land)으로 확대 사용됐다.

• 역순어휘

격양 擊壤 | 칠 격, 땅 양 [hit the land/soil]
❶속뜻 땅[壤]을 침[擊]. ❷보습으로 논밭을 갈아 뒤집음. ❸음악 흙으로 만든 악기. 또는 그런 악기를 치는 일.

천양 天壤 | 하늘 천, 땅 양 [heaven and earth]
하늘[天]과 땅[壤]. 비천지(天地).

토양 土壤 | 흙덩이 토, 흙 양 [soil]
❶속뜻 흙[土]과 흙덩이[壤]. ❷식물에 영양을 공급하여 자라게 할 수 있는 흙. ¶이 지역은 토양이 기름져서 농사가 잘 된다.

1141 [좌]

坐 앉을 좌:
部 土부 劃 7획 中 坐 [zuò]

坐자는 '앉다'(take a seat)는 뜻을 나타내기 위하여 한 자리[土]에 두 사람[人+人]이 서로 마주보고 앉아 있는 모습을 본뜬 것이다.

좌:골 坐骨 | 앉을 좌, 뼈 골
[hipbone; the ischium]
의학 골반을 이루는 좌우의 한 쌍의 뼈. 앉았을[坐] 때 몸의 중축을 이루는 부분을 이루는 뼈[骨].

좌:상 坐像 | 앉을 좌, 형상 상
[seated image; seated statue]
미술 앉은[坐] 모습[像]을 묘사한 그림이나 조소 작품. 참입상(立像).

좌:선 坐禪 | 앉을 좌, 선위할 선
[sit in meditation]
불교 고요히 앉아서[坐] 참선(參禪)함. 선종에서 중요시하는 수행법. 비안선(安禪), 연좌(宴坐). 참선.

좌:시 坐視 | 앉을 좌, 볼 시
[look idly; remain a mere spectator]
가만히 앉아서[坐] 보기[視]만 함. ¶그들을 좌시하지 않을 것이다.

좌:약 坐藥 | 앉을 좌, 약 약 [suppository]
의학 앉은[坐] 자세로 요도, 항문, 질(膣) 따위를 통하여 몸 안에 넣는 약(藥). 비주입제(注入劑).

좌:욕 坐浴 | 앉을 좌, 목욕할 욕 [sitz bath]
앉아서[坐] 배꼽 아래만 물에 담가 목욕(沐浴)하는 일.

좌:창 坐唱 | 앉을 좌, 부를 창
음악 앉아서[坐] 노래함[唱]. 앉은소리.

좌:초 坐礁 | 걸릴 좌, 암초 초
[run aground; strand; strike a rock]
❶속뜻 배가 암초(暗礁)에 걸림[坐]. ❷어려운 처지에 빠짐. 주저앉음.

좌:판 坐板 | 앉을 좌, 널빤지 판 [display stand]
땅에 깔아 놓고 앉는[坐] 널빤지[板].

• 역순어휘

단좌 團坐 | 모일 단, 앉을 좌 [sit in a circle]
여러 사람이 한자리에 둥글게 모여[團] 앉음[坐]. ¶유생들이 단좌하여 시국(時局)을 성토했다.

연좌 連坐 | 이을 련, 앉을 좌
[sit down in a row]
여러 사람이 자리에 줄지어[連] 앉음[坐]. ¶연좌 농성.

정:좌¹ 正坐 | 바를 정, 앉을 좌
[sit quietly; sit in meditation]
몸가짐을 바르게[正] 하고 앉음[坐].

정좌² 靜坐 | 고요할 정, 앉을 좌
[sit quietly; sit in meditation]
몸을 바르게 하고 마음을 고요하게 하여[靜] 앉음[坐].

평좌 平坐 | 보통 평, 앉을 좌 [sit comfortably]
격식을 차리지 않고 평소(平素)처럼 편하게 앉음[坐].

1142 [집]

執 잡을 집
部 土부 劃 11획 中 执 [zhí]

執자는 죄인을 '붙잡다'(arrest)는 뜻을 나타내기 위하여 죄인을 잡아 손에 수갑을 채운 모습을 본뜬 것이었다. 수갑 모양이 幸(행)으로, 수갑을 차고 꿇어앉아있는 모습이 丸(환)으로 각각 잘못 변화됐다. '(꼭) 잡다'(catch)는 뜻으로도 쓰인다.

집강 執綱 | 잡을 집, 벼리 강
역사 ❶면, 리의 중요[綱] 사무를 집행(執行)하던 사람. ❷동학(東學)의 교직(教職)인 육임(六任) 가운데 네 번째 직위.

집권 執權 | 잡을 집, 권세 권
[grasp political power]
권세(權勢)나 정권(政權)을 잡음[執]. ¶이번 선거로 야당이 집권하게 됐다.

집념 執念 | 잡을 집, 생각 념
[concentrate one's mind]
❶속뜻 마음속에 꼭 잡고[執] 있는 생각[念]. ¶그는 성공에 대한 집념이 강하다. ❷한 가지 일에만 달라붙어 정신을 쏟음. ¶학문에 집념하다.

집무 執務 | 잡을 집, 일 무
[conduct one's official duties]
사무(事務)를 집행(執行)함. ¶집무를 보느라 바쁘다.

집사 執事 | 잡을 집, 일 사
[steward; butler; deacon(ess)]
❶속뜻 주인 가까이 있으면서 그 집의 일[事]을 맡아 보는[執] 사람. ¶집사가 손님을 거실로 안내했다. ❷기독교 교회의 각 기관 일을 맡아 봉사하는 교회 직분의 하나. 또는 그 직분을 맡은 사람. ¶김 집사님이 기도하시겠습니다.

집요 執拗 | 잡을 집, 우길 요
[persistent; obstinate; stubborn]
❶속뜻 고집(固執)스럽게 우기다[拗]. ❷몹시 고집스럽고 끈질기다. ¶그는 마음먹은 것은 반드시 해내는 집요한 사람이다 / 집요하게 돈을 재촉하다.

집착 執着 | 잡을 집, 붙을 착
[be attached to; be fond of]
어떤 것에 늘 마음이 쏠려 잡고[執] 매달림[着]. ¶승부에 너무 집착하지 마라.

집필 執筆 | 잡을 집, 붓 필 [write]
❶속뜻 붓[筆]을 잡음[執]. ❷직접 글을 씀. ¶요리책 한 권을 집필하다.

집행 執行 | 잡을 집, 행할 행
[execute; perform; hold]
❶속뜻 일을 잡아[執] 행(行)함. ❷실제로 시행함. ¶각종 사업을 집행하다 / 사형을 집행하다.

• 역순어휘

고집 固執 | 굳을 고, 잡을 집 [insist; persist]
자신의 생각이나 의견만을 굳게[固] 잡고[執] 굽히지 아니함 . 또는 그러한 성질. ¶그는 따라가겠다고 고집을 부렸다. (비)억지, 아집(我執).

아ː집 我執 | 나 아, 잡을 집 [egotism]
자기[我] 중심의 좁은 생각에 집착(執着)하여 다른 사람의 의견이나 입장을 고려하지 아니하고 자기만을 내세우는 것. ¶아집에 빠지면 남을 생각하지 못한다.

1143 [탑]

塔

탑 탑
(部) 土부 (획) 13획 (中) 塔 [tǎ, dā]

塔자는 불교의 전래이후 '탑'(a tower; a pagoda)을 뜻하기 위하여 만든 것이었으니 '흙 토'(土)가 표의요소로 쓰였다. 오른쪽의 것이 표음요소임은 搭(탈 탑)도 마찬가지이다. '墖'(탑)이라고도 쓴다.

탑신 塔身 | 탑 탑, 몸 신 [spire]
탑(塔) 가운데 몸[身]에 해당되는 부분. ¶이 탑은 탑신이 참 아름답다.

• 역순어휘

목탑 木塔 | 나무 목, 탑 탑
나무[木]로 만든 탑(塔). ¶황룡사 9층 목탑 / 목탑은 돌로 쌓는 석탑보다 쉽게 세울 수 있다.

석탑 石塔 | 돌 석, 탑 탑 [stone pagoda]
돌[石]로 쌓은 탑(塔). ¶월정사 9층 석탑. (비)돌탑.

종탑 鐘塔 | 쇠북 종, 탑 탑 [bell tower]
꼭대기에 종(鐘)을 매달아 치도록 만든 탑(塔). ¶성당 종탑에서 들려오는 은은한 종소리.

첨탑 尖塔 | 뾰족할 첨, 탑 탑 [steeple; spire]
지붕 꼭대기가 뾰족한[尖] 탑(塔). 또는 그런 탑이 있는 높은 건물. ¶교회 첨탑 위의 흰 십자가.

1144 [광]

狂

미칠 광
(部) 犬부 (획) 7획 (中) 狂 [kuáng]

狂자는 '미친 개'(a mad dog)를 뜻하기 위하여 만든 것이었으니 '개 견'(犬)이 표의요소로 쓰였다. 표음요소는 본래 止와 土가 합쳐진 글자(음은 [광]으로 추정됨)였는데, 후에 王으로 잘못 변화됐다. 그래도 그것을 표음요소로 볼 수 있는 것은 匡(바룰 광), 抂(어지러운 모양 광)을 통하여 알 수 있다. 후에 '미치다'(mad; insane; crazy)는 뜻으로 확대 사용됐다.

광기 狂氣 | 미칠 광, 기운 기
[madness; craziness]
❶속뜻 미친[狂] 듯한 기미(氣味). ❷미친 듯이 날뛰는 기질을 속되게 이르는 말. ¶눈에 광기가 서려 있다.

광란 狂亂 | 미칠 광, 어지러울 란
[go mad; become frantic]
미친[狂] 듯이 어지럽게[亂] 날뜀. ¶광란 같은 축제가

벌어졌다.

광신 狂信 | 미칠 광, 믿을 신 [religious fanaticism]
신앙이나 사상 따위에 대하여 이성을 잃고 미친[狂] 듯이 믿음[信]. ¶종교를 광신하다.

광인 狂人 | 미칠 광, 사람 인 [madman]
미친[狂] 사람[人]. ¶고흐는 천재 아니면 광인일 것이다.

• 역순어휘

발광 發狂 | 일어날 발, 미칠 광 [madness]
❶속뜻 병으로 미친[狂] 증세가 일어남[發]. ❷미친 듯이 날뜀. ¶그건 춤이 아니라 발광이다.

열광 熱狂 | 더울 열, 미칠 광 [go wild; be enthusiastic]
너무 기쁘거나 흥분하여[熱] 미친[狂] 듯이 날뜀. 또는 그런 상태. ¶십대 청소년들을 열광의 도가니로 몰아넣었다 / 청중들은 그의 연설에 열광했다.

1145 [맹]

猛

사나울 맹:
部 犬부 劃 11획 中 猛 [měng]

猛자는 '사나운 개'(fierce dog)를 뜻하기 위하여 만든 것이었으니 '개 견'(犬)이 표의요소로 쓰였음은 너무나 지당한 이치다. 孟(맏 맹)은 표음요소이니 뜻과는 무관하다. 후에 '사납다'(fierce)는 뜻으로 확대 사용됐다.

맹:견 猛犬 | 사나울 맹, 개 견 [fierce dog]
매우 사나운[猛] 개[犬]. ¶맹견이 있으니 주의하십시오.

맹:금 猛禽 | 사나울 맹, 날짐승 금 [bird of prey; predatory bird]
동물 성질이 사나운[猛] 날짐승[禽]. ¶매는 맹금류에 속한다.

맹:렬 猛烈 | 사나울 맹, 세찰 렬 [violent]
기세가 몹시 사납고[猛] 세차다[烈]. ¶맹렬한 공격.

맹:수 猛獸 | 사나울 맹, 짐승 수 [fierce animal; wild beast]
사나운[猛] 짐승[獸]. ¶맹수 사냥을 하다.

맹:위 猛威 | 사나울 맹, 위엄 위 [fierceness; ferocity; fury]
사납고[猛] 위엄(威嚴)있는 기세(氣勢). ¶한파가 맹위를 떨치다.

맹:호 猛虎 | 사나울 맹, 호랑이 호 [fierce tiger]
사나운[猛] 호랑이[虎]. ¶맹호가 마을에 나타났다.

• 역순어휘

용:맹 勇猛 | 날쌜 용, 사나울 맹 [intrepidity]
용감(勇敢)하고 사나움[猛]. ¶용맹을 떨치다 / 용맹스러운 병사.

1146 [수]

獸

짐승 수
部 犬부 劃 19획 中 兽 [shòu]

獸자는 원래 커다란 포크 모양의 무기나 수렵 도구를 뜻하는 單(단)과 개 견(犬)이 합쳐진 것이었다. 들짐승을 '사냥하다'(hunt)가 본래 의미였다. '입 구'(口)가 추가로 들어간 것은 고함을 지르며 짐승을 때려잡기 위해 쫓아가는 사냥꾼을 상징하는 것이다. 후에 본뜻은 狩(사냥 수)가 대신하고, 이것은 오로지 '짐승'(a beast; an animal)을 뜻하는 것으로만 쓰이게 됐다.

수의 獸醫 | 짐승 수, 치료할 의 [veterinarian; vet]
짐승[獸], 특히 가축의 질병을 치료하는 의사(醫師). '수의사'의 준말. ¶수의학을 전공하였다.

• 역순어휘

금수 禽獸 | 날짐승 금, 짐승 수 [birds and beasts]
날아다니는 날짐승[禽]과 기어다니는 길짐승[獸]. ¶금수만도 못한 사람이라고!

맹:수 猛獸 | 사나울 맹, 짐승 수 [fierce animal; wild beast]
사나운[猛] 짐승[獸]. ¶맹수 사냥을 하다.

백수 百獸 | 여러 백, 짐승 수 [all kinds of animals]
온갖[百] 짐승[獸]. ¶백수의 왕 사자.

야:수 野獸 | 들 야, 짐승 수 [wild beast; wild animal]
사람에게 길이 들지 않은 야생(野生)의 사나운 짐승[獸]. ¶미녀와 야수.

1147 [옥]

獄

옥[囚舍] 옥
部 犬부 劃 14획 中 狱 [yù]

獄자는 '소송하다'(bring an action)는 뜻을 나타내기 위하여 두 마리의 개(犬+犬)가 서로 으르렁

거리는[言·언] 모습을 힌트로 제시해 놓은 것이다. '가두다'(shut in; coop up), '감옥'(a prison; a jail) 등으로도 쓰인다.

속뜻 훈음 ①감옥 옥, ②가둘 옥.

옥고 獄苦 | 감옥 옥, 괴로울 고 [hard prison life]
감옥(監獄)에서 하는 고생(苦生). ¶그는 옥고를 치르느라 많이 여위었다.

옥사[1] 獄死 | 감옥 옥, 죽을 사 [death in prison]
감옥살이를 하다가 감옥(監獄)에서 죽음[死].

옥사[2] 獄舍 | 감옥 옥, 집 사 [jail]
감옥(監獄)으로 쓰이는 집[舍].

옥중 獄中 | 감옥 옥, 가운데 중 [inside of a jail]
감옥(監獄)의 안[中]. ¶투옥된 지 3년이 지나자 옥중 생활에 익숙해졌다. ⓑ옥리(獄裏).

• 역순어휘

감옥 監獄 | 볼 감, 가둘 옥 [prison; jail]
죄인을 감시(監視)하기 위하여 가둠[獄]. 또는 그런 곳. ¶경찰은 범인을 감옥에 가두었다. ⓑ감방(監房), 형무소(刑務所), 교도소(矯導所).

연:옥 煉獄 | 불릴 련, 감옥 옥 [purgatory]
가톨릭 죽은 사람의 영혼이 천국에 들어가기 전에 남은 죄를 씻기 위해 불로 달구는[煉] 지옥(地獄).

지옥 地獄 | 땅 지, 감옥 옥 [hell; inferno]
❶속뜻 땅[地] 속에 있는 감옥(監獄). ❷기독교 큰 죄를 지은 사람의 혼이 신의 구원을 받지 못하고 악마와 함께 영원히 벌을 받는다는 곳. ¶그렇게 못된 짓을 많이 했으니 지옥에 갈 것이다. ❸'못 견딜 만큼 괴롭고 참담한 형편이나 환경'을 비유하여 이르는 말. ¶입시 지옥 / 거기서 일한 순간부터 지옥이었다. ⓟ천국(天國), 천당(天堂).

출옥 出獄 | 날 출, 감옥 옥 [get released from prison]
형기가 끝나거나 무죄가 되어 감옥(監獄)을 나옴[出]. ¶출옥한 뒤 그는 사업을 시작했다. ⓑ출소(出所).

탈옥 脫獄 | 벗을 탈, 감옥 옥 [break prison]
죄수가 감옥(監獄)을 빠져 나와[脫] 도망함. ¶죄수 두 명이 탈옥을 시도하다 붙잡혔다.

투옥 投獄 | 던질 투, 감옥 옥 [cast into prison; put in jail]
감옥(監獄)에 던져[投] 넣음. 감옥에 가둠. ¶그 남자는 절도죄로 투옥됐다. ⓑ하옥(下獄).

1148 [유]

猶

오히려 유
部 犬부 畫 12획 中 犹 [yóu]

猶자는 원숭이(a monkey)의 일종을 나타내기 위하여 만든 글자이다. 개와 비슷한 점이 있기 때문인지 '개 견'(犬)이 표의요소로 쓰였다. 酋(두목 추)가 표음요소였음은 猷(꾀할 유), 楢(졸참나무 유)도 마찬가지이다. 후에 '오히려'(rather; all the more), '망설이다'(hesitate) 등의 뜻으로 차용됐다. 한문 문장에는 많이 쓰이지만, 조어력이 약하여 한자어 용례는 거의 없다.

1149 [헌]

獻

드릴 헌:
部 犬부 畫 20획 中 献 [xiàn]

獻자는 본래 '솥 격'(鬲)과 '개 견'(犬)이 합쳐져 있었던 것이다. 당시 종묘에서 큰제사를 지낼 때 살찐 개를 삶아 탕을 끓여 제사상에 바쳤다고 한다. 그러한 풍습을 통하여 '바치다'(offer a sacrifice), '드리다'(dedicate)는 뜻을 나타낸 것이 바로 獻자다. 후에 첨가된 虍(호)는 그 솥의 겉면에 새겨진 호랑이 머리 모양의 무늬를 가리키는 것이라고 한다.

헌:금 獻金 | 바칠 헌, 돈 금 [donate]
돈[金]을 바침[獻]. 또는 그 돈. ¶헌금을 내다.

헌:납 獻納 | 바칠 헌, 바칠 납 [contribute]
금품을 바침[獻=納]. ¶찬조금을 헌납하다.

헌:신 獻身 | 바칠 헌, 몸 신 [sacrifice oneself]
❶속뜻 몸[身]을 바침[獻]. ❷어떤 일이나 남을 위하여 자기 이해관계를 돌보지 아니하고 힘씀. ¶그녀는 평생을 가족에게 헌신했다.

헌:정 獻呈 | 바칠 헌, 드릴 정 [dedicate]
❶속뜻 바치고[獻] 드림[呈]. ❷물품을 바침.

헌:혈 獻血 | 바칠 헌, 피 혈 [donate blood]
수혈하는 데 쓰도록 자기 피[血]를 바침[獻]. ¶헌혈 캠페인 / 그는 정기적으로 헌혈을 한다.

• 역순어휘

공:헌 貢獻 | 바칠 공, 바칠 헌 [contribute to]
❶역사 예전에 공물(貢物)을 나라에 바치던[獻] 일. ❷크게 이바지함. ¶아인슈타인은 과학의 발전에 크게 공헌했다. ⓑ기여(寄與).

문헌 文獻 | 글월 문, 바칠 헌 [(documentary) records; documents]

❶속뜻 글[文]을 바침[獻]. ❷옛날의 제도나 문물을 아는 데 증거가 되는 자료나 기록. ¶여러 문헌을 조사하다.

1150 [획]

獲 얻을 획
部 犬부 劃 17획 中 获 [huò]

獲자는 본래 '새 추'(隹)와 '손 우'(又)가 합쳐진 형태였다. 후에 隹위에 벼슬 달린 새를 가리키는 '艹'가 덧붙여졌고, 다시 '사냥'의 의미를 더욱 분명하게 하기 위하여 '개 견'(犬=犭)이 첨가됐다. 따라서 '(사냥이나 전쟁을 통하여) 얻다'(catch)가 본래 의미였는데, 일반적 의미의 '얻다'(gain; acquire; obtain), '잡다'(take; catch; grasp) 등으로 확대 사용됐다.

속뜻 훈음 ①얻을 획, ②잡을 획.

획득 獲得 | 잡을 획, 얻을 득 [get; acquire]
잡아[獲] 얻음[得]. 손에 넣음. ¶금메달 획득.

• 역순어휘

남:획 濫獲 | 함부로 람, 잡을 획
[overfish; overhunt]
짐승이나 물고기 따위를 함부로[濫] 마구 잡음[獲]. ¶보호어류를 남획하다.

어획 漁獲 | 고기 잡을 어, 얻을 획 [catch a fish]
물고기를 잡아[漁] 거두어 올림[獲]. 또는 그 수산물. ¶어획으로 생계를 유지하다.

포:획 捕獲 | 사로잡을 포, 얻을 획
[capture; seize; catch]
❶속뜻 사로잡아[捕] 획득(獲得)함. ❷짐승이나 물고기를 잡음. ❸법률 국제법상 전시에, 적의 선박이나 범법한 중립국의 선박을 수색하고 나포하는 일.

1151 [아]

我 나 아:
部 戈부 劃 7획 中 我 [wǒ]

我자는 창의 일종으로 날 부위가 톱날 모양을 하고 있는 것을 본뜬 것으로 '무기'(a weapon)가 본뜻이다. 후에 제1인칭, 즉 '나'(I; my; me)를 가리키는 것으로 차용되어 쓰이게 됐다.

아:군 我軍 | 나 아, 군사 군 [our army]
우리[我] 편 군대(軍隊). ¶아군은 적군에 점령되었던 섬을 탈환했다. 반적군(敵軍).

아:집 我執 | 나 아, 잡을 집 [egotism]
자기[我] 중심의 좁은 생각에 집착(執着)하여 다른 사람의 의견이나 입장을 고려하지 아니하고 자기만을 내세우는 것. ¶아집에 빠지면 남을 생각하지 못한다.

• 역순어휘

자아 自我 | 스스로 자, 나 아 [ego]
나[我] 자신(自身). 자기 자신. ¶그녀는 자아 발견을 위한 여행을 떠났다. 반타아(他我).

피:아 彼我 | 저 피, 나 아
[he and I; friend or foe]
저[彼]와 나[我]. 저편과 이편.

1152 [척]

戚 친척 척
部 戈부 劃 11획 中 戚 [qī]

戚자의 본래 글자는 戊(무, #1601)이다. 이것의 본뜻은 '도끼'(an ax)였는데, 10개 天干(천간) 가운데 다섯 번째 것으로 쓰이는 예가 많아지자, 본뜻을 확실하게 나타내기 위하여 추가로 만들어낸 것이 바로 戚자이다. 후에 '겨레'(a relative)를 뜻하는 것으로 차용되어 쓰이게 됐다.

속뜻 훈음 겨레 척.

• 역순어휘

외:척 外戚 | 밖 외, 겨레 척
[relatives on the mother's side]
외가(外家) 쪽의 친척(親戚). ¶흥선대원군은 외척이 세도를 부리지 못하도록 하였다.

인척 姻戚 | 혼인 인, 겨레 척
[relative by marriage]
혈연관계가 없으나 혼인(婚姻)으로 맺어진 친척(親戚). ¶나와 그녀는 인척 관계다.

친척 親戚 | 친할 친, 겨레 척 [relative]
❶속뜻 친족(親族)과 외척(外戚). ❷혈통이 아버지와 어머니와 배우자에 가까운 사람. ¶그는 내 먼 친척이다.

1153 [희]

戲 놀이 희
部 戈부 劃 17획 中 戏 [xì, hū]

戲자는 '놀이'(amusement)를 뜻하기 위하여 무사가 창[戈]을 들고 높은 곳[豆]에 앉아 있는 호랑이[虎]를 놀리는 모습을 힌트로 제시하고 있다. 스페인의 鬪牛(투우)보다 더 위험천만한 당시의 鬪虎(투호) 경기가 연상된다. 후에 䖒(그릇 희)는 표음요소로 발전됐고, '(재미있게) 놀다'(play) '놀리다'(make fun of; chaff) 등으로 확대 사용됐다. 속자인 戱도 가끔 쓰인다.

[속뜻훈음] ①놀이 희, ②놀릴 희.

희곡 戲曲 | 놀이 희, 노래 곡 [drama]
❶[속뜻] 놀이[戲]와 노래[曲]. ❷[문학] 등장인물들의 행동이나 대화를 기본 수단으로 하여 표현하는 예술 작품. ¶셰익스피어는 희곡을 집필하며 생을 보냈다.

희롱 戲弄 | 놀릴 희, 놀릴 롱
[ridicule; joke with]
말이나 행동으로 실없이 놀림[戲=弄]. ¶어린이를 희롱하면 안 된다.

• 역순어휘

유희 遊戲 | 놀 유, 놀이 희 [play]
놀이[戲]를 하며 즐겁게 놂[遊]. [비]놀이.

1154 [사]

斜
비낄 사
[部] 斗부 [劃] 11획 [中] 斜 [xié]

斜자는 말로 곡식을 '푸다'(ladle; dip up)는 뜻을 나타내기 위하여 만든 것이었으니 '말 두'(斗)가 표의요소로 쓰였다. 余(나 여)는 표음요소라고 한다(참고, 佘 산 이름 사). 비스듬하게 '비끼다'(be bent)는 뜻으로도 많이 쓰인다.

사선 斜線 | 비낄 사, 줄 선
[diagonal line]
❶[속뜻] 비스듬하게[斜] 그은 줄[線]. ❷[수학] 하나의 직선이나 평면에 수직이 아닌 선. [비]빗금.

사시 斜視 | 비낄 사, 볼 시 [squint]
❶[속뜻] 옆으로 비스듬히[斜] 곁눈질로 봄[視]. ❷[의학] 양쪽 눈의 방향이 달라서 무엇을 바라볼 때 양쪽 눈의 시선이 평행하게 되지 않는 상태. [비]사팔뜨기.

• 역순어휘

경사 傾斜 | 기울 경, 비낄 사
[slant; slope]
❶[속뜻] 기울어지고[傾] 비스듬한[斜] 정도나 상태. ❷지층면과 수평면이 어떤 각도를 이룸. 또는 그 각도. ¶바닥이 약간 경사가 졌다. [비]기울기.

1155 [가]

架
시렁 가
[部] 木부 [劃] 9획 [中] 架 [jià]

架자는 나무로 만든 '시렁'(a shelf; a ledge; a rack)을 뜻하기 위하여 만든 것이었기에 '나무 목'(木)이 표의요소로 쓰였다. 加(더할 가)는 표음요소이다. '건너지르다'(put a bar across), '엮다'(plait; weave) 등으로 쓰인다.

[속뜻훈음] ①시렁 가, ②건너지를 가.

가설 架設 | 건너지를 가, 세울 설
[construct temporarily]
공중에 건너질러[架] 설치(設置)함. ¶골목에 전깃줄을 가설했다.

• 역순어휘

고가 高架 | 높을 고, 건너지를 가
[elevated; overhead]
땅 위에 높다랗게[高] 건너지름[架].

서가 書架 | 책 서, 시렁 가 [bookshelf]
문서나 책[書] 따위를 얹어 두거나 꽂아 두도록 만든 선반[架]. ¶서가에 책이 많다. [비]서각(書閣).

1156 [개]

概
대개 개:
[部] 木부 [劃] 15획 [中] 概 [gài]

概자는 '나무 목'(木)이 표의요소이고, 旣(이미 기)가 표음요소임은 慨(분개할 개), 漑(물댈 개)도 마찬가지이다. 원래 槩자로 쓰다가 약 2,000년 전쯤에 지금의 구조로 바뀌었다. 흡되 위에 수북한 곡식을 밀어 낼 때 쓰는 '평미레'(a strickle; a striker)가 본뜻이다. 그것으로 밀어내지 않고 대강대강 가늠하던 예도 많았던지 '대강'(an outline; the substance), '대개'(generally) 등으로도 쓰인다. '절개'(integrity; honor), '기개'(spirit; backbone) 또는 이와 연관이 있는 낱말의 한 구성 요소로 쓰인다.

[속뜻훈음] ①대강 개, ②절개 개, ③기개 개.

개:관 概觀 | 대강 개, 볼 관 [survey]
❶[속뜻] 대강[概] 살펴봄[觀]. ¶이 책은 먼저 한국사를 개관했다. ❷그림에서 색채, 윤곽, 명암, 구도 등의 대체적인 모양. [비]개괄(槪括).

개:념 概念 | 대강 개, 생각 념

[general idea; conception]
❶속뜻 대강[概]의 생각[念]. 또는 대강의 내용. ❷철학 여러 관념 속에서 공통적 요소를 뽑아 종합하여 얻은 하나의 보편적인 관념.

개:요 概要 | 대강 개, 요할 요
[outline; summary]
대강[概]의 요점(要點). 또는 대강의 줄거리. ¶사건의 개요. ㊥줄거리, 개략(概略), 요약(要約). ㊥전문(全文).

• 역순어휘

기개 氣概 | 기운 기, 절개 개 [spirit; backbone]
❶속뜻 기운(氣運)과 절개(節概). ❷어떤 어려움에도 굽히지 않는 강한 의지. 또는 그러한 기상. ¶그는 세계무대에서 한국인의 기개를 떨쳤다. ㊥기상(氣象).

대:개 大概 | 큰 대, 대강 개
[outline; generally]
❶속뜻 대체(大體)의 줄거리[概]. ❷그저 웬만한 정도로. 대체로. ¶씨앗은 대개 이른 봄에 뿌린다. ㊥대략(大略), 대부분(大部分).

절개 節概 | 지조 절, 기개 개 [integrity; honor]
❶속뜻 굳은 지조[節]와 꿋꿋한 기개(氣概). ❷신념을 굳게 지킴. ¶절개가 굳은 사람.

1157 [계]

桂
계수나무 계:
部 木부 劃 10획 中 桂 [guì]

桂자는 '계수나무'(a cinnamon tree)를 뜻하기 위하여 만든 것이었기에 '나무 목'(木)이 표의요소로 쓰였다. 圭(홀 규)가 표음요소였음은 筀(굵은 대나무 계), 鮭(금규 계)도 마찬가지이다.

계:관 桂冠 | 계수나무 계, 갓 관 [laurel wreath]
계수나무[桂] 가지로 엮어 만든 관(冠). '월계관'(月桂冠)의 준말.

계:림 桂林 | 계수나무 계, 수풀 림
❶속뜻 계수나무[桂]로 이루어진 숲[林]. ❷아름다운 숲. ❸'문인들의 사회'를 비유하여 이르는 말.

계:추 桂秋 | 계수나무 계, 가을 추
[August of the lunar year]
음력 8월을 달리 이르는 말. 계수나무[桂]의 꽃이 가을[秋]에 핀다는 데서 유래.

계:피 桂皮 | 계수나무 계, 껍질 피 [cinnamon]
계수나무[桂]의 껍질[皮]. 한약재로 쓴다.

1158 [계]

械
기계 계
部 木부 劃 11획 中 械 [xiè]

械자는 차꼬·수갑·칼 따위의 나무로 만든 '형틀'(an implement of punishment)을 뜻하기 위하여 '나무 목'(木)과 '벌줄 계'(戒), 두 표의요소를 힌트로 제시한 것이다. 戒는 창[戈]을 두 손으로 받쳐 들고[廾·공] 있는 모습이니, 표의요소와 표음요소를 겸하는 셈이다. 후에 '병기'(arms), '기구'(machinery)의 뜻으로 확대 사용됐다.
속뜻훈음 ①형틀 계, ②기구 계.

• 역순어휘

기계¹ 器械 | 그릇 기, 기구 계 [machine; gin]
그릇[器]이나 연장, 기구[械] 따위를 통틀어 이르는 말. 구조가 간단하며 제조나 생산을 목적으로 하지 아니하고 사용하는 도구를 이른다. ¶의료 기계 / 실험용 기계.

기계² 機械 | 베틀 기, 형틀 계 [machine; gin]
❶속뜻 베틀[機]과 형틀[械]. ❷동력으로 움직여서 일정한 일을 하게 만든 장치.

1159 [도]

桃
복숭아 도
部 木부 劃 10획 中 桃 [táo]

桃자는 '복숭아나무'(a peach tree)를 뜻하기 위하여 만든 것이었기에 '나무 목'(木)이 표의요소로 쓰였다. 兆(조짐 조)가 표음요소였음은 逃(달아날 도), 跳(뛸 도)도 마찬가지이다.

도리 桃李 | 복숭아 도, 자두 리
❶속뜻 복숭아[桃]와 자두[李]. 또는 그 꽃. ❷'남이 천거한 어진 사람'이나 '남의 훌륭한 제자'를 비유하여 이르는 말.

도원 桃源 | 복숭아 도, 근원 원
[another world; different world]
❶속뜻 복숭아나무[桃]가 많이 심어져 있는 들판[源]. ❷신선이 살았다던 이 세상과는 다른 별천지.

• 역순어휘

천도 天桃 | 하늘 천, 복숭아 도
천상(天上)에 있다고 하는 복숭아[桃].

편도 扁桃 | 넓적할 편, 복숭아 도 [almond]
❶속뜻 납작한[扁] 복숭아[桃] 모양의 과일. ❷의학 사람

의 입속 양쪽 구석에 퍼져 있는 림프 소절의 집합체.

황도 黃桃 | 누를 황, 복숭아 도 [yellow peach]
[식물] 속살이 노란[黃] 복숭아[桃]. ¶할머니는 황도를 좋아하신다.

1160 [란]

欄

난간 란
[部] 木부 [劃] 21획 [中] 栏 [lán]

欄자는 나무로 만든 '난간'(a parapet)을 뜻하는 것이었으니 '나무 목'(木)이 표의요소로 쓰였다. 闌(가로막을 란)은 표음과 표의를 겸하는 요소이다. 후에 '난'(a column), '칸'(a blank)을 뜻하는 것으로 확대 사용됐다.

[속뜻 훈음] ①난간 란. ②칸 란.

난간 欄干 | 칸 란, 막을 간 [railing; balustrade]
[건설] 계단, 다리 따위의 가장자리를 칸막이[欄]로 막음[干]. 또는 그 구조물. ¶난간에 기대면 위험하다.

난외 欄外 | 난간 란, 밖 외
[margin; marginal column]
신문이나 잡지, 책 따위에서 본문 가장자리[欄]를 둘러싼 줄의 바깥쪽[外]. ¶난외에 주석을 달아 놓았다.

• 역순어휘

공란 空欄 | 빌 공, 칸 란 [blank]
지면의 빈[空] 칸[欄]. ¶맞는 답을 공란에 적어 넣으시오.

본란 本欄 | 밑 본, 칸 란 [this column]
잡지 따위에서 중심[本]이 되는 칸[欄].

1161 [량]

梁

들보/돌다리 량
[部] 木부 [劃] 11획 [中] 梁 [liáng]

梁자는 도랑이나 하천의 '나무다리'(a wooden bridge)를 뜻하기 위하여 '나무 목'(木)과 '물 수'(水)를 표의요소로 채택하였다. 그 나머지는 표음요소라는데, 독립적으로 쓰이지 아니하니 제 구실을 못하는 셈이다. 후에 나무로 만든 '들보'(a cross beam; a girder)도 이것으로 나타냈다. '들보'를 뜻하기 위하여 樑(들보 량)을 따로 만들기도 했다. 요즘도 둘이 통용된다.

양상-군자 梁上君子 | 들보 량, 위 상, 임금 군, 접미사 자 [thief; robber]
❶[속뜻] 들보[梁] 위[上]에 있는 군자(君子). ❷'도둑'을 완곡하게 이르는 말.

• 역순어휘

교량 橋梁 | 다리 교, 들보 량 [bridge]
❶[속뜻] 다리[橋]의 들보[梁]. ❷강을 건널 수 있게 만든 다리. ¶교량을 놓다.

도량 跳梁 | 뛸 도, 들보 량
[acted violently; do rudely]
❶[속뜻] 들보[梁] 위까지도 마구 뛰어 다님[跳]. ❷거리낌 없이 함부로 날뛰어 다님. ¶도적 떼의 도량이 날로 심해지고 있다.

주량 柱梁 | 기둥 주, 들보 량
[pillar (of the state)]
❶[속뜻] 기둥[柱]과 대들보[梁]. ❷'한 집안이나 나라의 중요한 인재'를 비유하여 이르는 말.

1162 [루]

樓

다락 루
[部] 木부 [劃] 15획 [中] 楼 [lóu]

樓자는 나무로 2층 이상의 높이로 지은 '다락집'(a many-storied building; a tower)을 뜻하는 것이었으니 '나무 목'(木)이 표의요소로 쓰였다. 婁(별 이름 루)는 표음요소이다. 慶會樓(경회루), 廣寒樓(광한루), 矗石樓(촉석루)와 같은 고유명사는 물론 摩天樓(마천루), 蜃氣樓(신기루)와 같은 보통명사의 예도 있다.

누각 樓閣 | 다락 루, 집 각
[many-storied building]
다락[樓] 같이 높게 지은 집[閣].

• 역순어휘

고루 高樓 | 높을 고, 다락 루 [lofty building]
높이[高] 지은 누각(樓閣). ¶고루에 올라 창해를 바라보았다. [비]숭루(崇樓), 위루(危樓), 준루(峻樓).

기:루 妓樓 | 기생 기, 다락 루
창기(娼妓)를 두고 영업하는 집[樓]. ¶그는 허구한 날 기루에서 술타령을 했다.

등루 登樓 | 오를 등, 다락 루
[going up a tower]
❶[속뜻] 누각(樓閣)에 오름[登]. ❷기생집에 놀러 감.

망:루 望樓 | 바랄 망, 다락 루
[watchtower; observation tower]
외부의 침입이나 적진을 살펴보기(望) 위해 세운 높은

다락집[樓]. 관각(觀閣).

성루 城樓 | 성 성, 다락 루 [castle turret]

성곽(城郭)의 곳곳에 세워 망을 보는 다락집[樓]. 성각(城閣).

옥루 玉樓 | 옥 옥, 다락 루

❶속뜻 옥(玉)으로 장식한 화려한 누각(樓閣). ❷문인(文人)이나 묵객(墨客)이 죽은 뒤에 간다는 천상의 누각. ㊥백옥루(白玉樓).

종루 鐘樓 | 종 종, 다락 루

[bell tower; belfry]

❶속뜻 종(鐘)을 달아 두는 누각(樓閣). ❷역사 조선 시대에, 한성부의 중심이 되는 곳에 종을 달아 둔 누각. ㊥조종당(釣鐘堂), 종당(鐘堂).

홍루 紅樓 | 붉을 홍, 다락 루

❶속뜻 붉은[紅] 칠을 한 높은 누각(樓閣). 부유한 집의 여자가 거처하는 방. ❷지난날 기생집을 달리 이르던 말. ㊥녹창(綠窓).

1163 [매]

梅

매화 매

部 木부 劃 11획 中 梅 [méi]

梅자는 '매화나무'(an apricot tree)를 뜻하기 위하여 만든 것이었으니 '나무 목'(木)이 표의요소로 쓰였다. 每(매양 매)는 표음요소일 따름이다. 본래 某(모, #1609)로 쓰다가 楳(매)/槑(매)를 거쳐 梅로 낙착됐다.

속뜻훈음 **매화나무 매.**

매독 梅毒 | 매화나무 매, 독할 독 [syphilis]

의학 매화(梅花)꽃 모양의 나선균 감염으로 일어나는 만성 독성(毒性) 성병(性病). ㊥창병(瘡病).

매실 梅實 | 매화나무 매, 열매 실 [apricot]

매화(梅花)나무의 열매[實].

매우 梅雨 | 매화나무 매, 비 우

[the long spell of rain in early summer]

❶속뜻 매실(梅實)이 농익을 무렵에 오는 비[雨]. ❷6월 중순께부터 7월 초순께까지 오는 장마.

매화 梅花 | 매화나무 매, 꽃 화

[Japanese apricot tree]

매화나무[梅]의 꽃[花]. 또는 매화나무.

• 역순어휘

춘매 春梅 | 봄 춘, 매화나무 매

봄[春]에 꽃이 피는 매화나무[梅].

1164 [삼]

森

수풀 삼

部 木부 劃 12획 中 森 [sēn]

森자는 '나무가 빽빽하다'(a forest as thick as fur)는 뜻을 나타내기 위하여 '나무 목'(木)을 세 개나 겹쳐 놓은 것이다. 중국에서 '3'은 '많다'는 뜻을 지닌다. '수풀'(a wood; a forest)의 뜻으로도 쓰인다.

속뜻훈음 **①빽빽할 삼, ②수풀 삼.**

삼라 森羅 | 수풀 삼, 늘어설 라

숲[森]처럼 빽빽하게 늘어서[羅] 있음.

삼림 森林 | 빽빽할 삼, 수풀 림 [forest]

나무가 빽빽한[森] 숲[林]. 나무가 많이 우거진 곳 ¶삼림을 보호하자.

삼엄 森嚴 | 빽빽할 삼, 엄할 엄 [solemn; grave]

분위기 따위가 매우[森] 엄숙(嚴肅)하다. ¶경비가 삼엄하다 / 삼엄한 표정.

1165 [상]

桑

뽕나무 상

部 木부 劃 10획 中 桑 [sāng]

桑자는 '뽕나무'(a mulberry tree)를 뜻하기 위하여 만든 것이었기에 '나무 목'(木)이 표의요소로 쓰였다. 상단에 있는 세 개의 又는 무성한 뽕잎을 상징하는 것일 따름이다.

상과 桑果 | 뽕나무 상, 과일 과 [sorosis]

❶속뜻 뽕나무[桑]의 열매[果]. ❷식물 복화과의 하나. 짧은 꽃대에 많은 꽃이 한 덩어리로 엉기어 피며 열매가 다닥다닥 붙어 한 덩어리로 여는 과실. 파인애플도 이에 속한다.

상전 桑田 | 뽕나무 상, 밭 전

[mulberry field]

뽕나무[桑] 밭[田].

• 역순어휘

잠상 蠶桑 | 누에 잠, 뽕나무 상

누에[蠶]와 뽕[桑].

창상 滄桑 | 큰바다 창, 뽕나무 상

[convulsions of nature]

❶속뜻 큰 바다[滄]가 변하여 뽕[桑]밭이 됨. ❷'덧없는 세상의 변천'을 이르는 말. '창해상전'(滄海桑田)의 준말.

1166 [지]

枝

가지 지
㊂ 木부 ㊀ 8획 ㊥ 枝 [zhī, qí]

枝자의 본래 글자는 支(지, #0631)이다. 支는 손에 대나무 가지를 들고 있는 모습으로 '가지'(a branch)의 뜻을 나타냈는데 후에 다른 뜻으로 쓰이는 예가 많아지자, 본뜻인 '(나무) 가지'를 더욱 분명하게 나타내기 위하여 '나무 목'(木)을 추가한 것이 바로 枝자다.

지경 枝莖 | 가지 지, 줄기 경 [branches and stalks]
식물의 가지[枝]와 줄기[莖].

• 역순어휘

금지-옥엽 金枝玉葉 | 황금 금, 가지 지, 옥 옥, 잎 엽 [person of royal birth]
❶속뜻 금(金)으로 된 가지[枝]와 옥(玉)으로 된 잎[葉]. ❷'임금의 가족'을 높여 이르는 말. ❸'귀한 자손'을 이르는 말. ¶그는 금지옥엽으로 귀하게 자랐다.

수지 樹枝 | 나무 수, 가지 지 [branches of a tree]
나무[樹]의 가지[枝].

엽지 葉枝 | 잎 엽, 가지 지
잎[葉]과 가지[枝]를 아울러 이르는 말.

절지 折枝 | 꺾을 절, 가지 지
❶속뜻 나뭇가지[枝]를 꺾음[折]. 또는 그 나뭇가지. ❷미술 꽃가지나 나뭇가지만 그리고 뿌리는 그리지 아니하는 화법.

접지 接枝 | 접붙일 접, 가지 지 [graft]
식물 접(接)을 붙일 때 바탕이 되는 나무에 나뭇가지[枝]를 꽂음. 또는 그런 방법.

1167 [염]

染

물들 염:
㊂ 木부 ㊀ 9획 ㊥ 染 [rǎn]

染자는 나무(木)에서 채취한 물감용 수액(水→氵)에 옷감을 여러 차례(九) 담가 물들이는 것이라는 풀이가 일반적인 학설이다. '물들이다'(dye)가 본뜻이다. '물들다'(be dyed; take color), '더러워지다'(become dirty) 등으로도 쓰인다.

속뜻훈음 **물들일 염**

염:료 染料 | 물들일 염, 거리 료 [dyes]
옷감 따위에 빛깔을 들이는[染] 데 필요한 거리[料]나 물질. ¶천연 염료.

염:병 染病 | 물들일 염, 병 병 [typhoid fever]
❶속뜻 '전염병'(傳染病)의 준말. ❷의학 '장티푸스'를 속되게 이르는 말. ¶염병에 걸리다.

염:색 染色 | 물들일 염, 빛 색 [dye]
염료를 사용하여 실이나 천 따위에 빛깔[色]을 물들임[染]. 또는 그런 일. ¶염색 공장 / 머리카락을 노란색으로 염색하다.

• 역순어휘

감:염 感染 | 느낄 감, 물들일 염 [get influenced]
❶의학 병원체가 몸에 옮아[感] 물듦[染]. ❷남의 나쁜 버릇이나 다른 풍습 따위가 옮아서 그대로 따라하게 됨. ¶바이러스에 감염됐다. ㊐영향(影響), 전염(傳染).

오:염 汚染 | 더러울 오, 물들일 염 [contaminate; pollute]
물·공기·흙 따위가 더럽게[汚] 물듦[染]. ¶이 지역은 지하수 오염이 심각한 상태이다 / 자동차 배기가스는 공기를 오염시킨다.

전염 傳染 | 전할 전, 물들일 염 [be contagious; be infectious]
❶속뜻 버릇이나 태도, 풍속 따위가 옮아[傳] 물듦[染]. ❷병이 남에게 옮음. ¶전염 예방 / 감기는 전염된다.

1168 [유]

柔

부드러울 유
㊂ 木부 ㊀ 9획 ㊥ 柔 [róu]

柔자는 재질이 부드러워 굽힐 수 있는 '나무'(trees)를 뜻하기 위하여 만든 것이었으니 '나무 목'(木)이 표의요소로 쓰였다. 矛(창 모)는 표음요소라는 설이 있는데 음 차이가 매우 크고, 다른 글자의 예가 없어 신빙성이 낮다. 그렇다고 표의요소로 볼 근거도 없다. 후에 '부드럽다'(soft; mild; tender), '약하다'(weak; frail) 등으로 확대 사용됐다.

속뜻훈음 **①부드러울 유, ②복종할 유.**

유도 柔道 | 부드러울 유, 방법 도 [judo]
운동 두 사람이 맨손으로 서로 맞잡고 상대의 힘을 이용하여 넘어뜨리거나 조르거나 눌러 승부를 겨루는 운동. 일본 옛 무술인 '유술'(柔術)을 도(道)로 승화시킨 말이다.

유순 柔順 | 부드러울 유, 순할 순 [submissive; obedient]
성질이 부드럽고[柔] 온순(溫順)하다. ¶그녀는 말투가 매우 유순하다.

유연 柔軟 | 부드러울 유, 연할 연
[flexible; pliable; pliant]
부드럽고[柔] 연하다[軟]. ¶민주는 몸이 유연하다.

• 역순어휘

우유 優柔 | 넉넉할 우, 부드러울 유
❶속뜻 마음이 넉넉하고[優] 부드러움[柔]. ❷끊고 맺는 데가 없다.

회유 懷柔 | 품을 회, 부드러울 유
[appease; pacificate]
❶속뜻 상대방을 마음으로 품어 주어[懷] 태도 따위가 부드러워지도록[柔]함. ❷달래어 말을 잘 듣도록 함. ¶그들은 우리를 회유하려고 갖은 술책을 다 썼다.

1169 [률]

栗

밤 률
部 木부 劃 10획 中 栗 [lì]

栗자는 '밤나무'(a chestnut tree)를 뜻하기 위하여 만든 것이었으니, '나무 목'(木)이 표의요소로 쓰였다. 위의 西는 나무에 밤이 달려 있는 모습이 변한 것이다. 원래는 많다는 의미에서 세 개의 밤 모양이 그려져 있었는데 쓰기의 경제성을 고려하여 하나로 줄였다.

율목 栗木 | 밤 률, 나무 목 [chestnut tree]
밤[栗]이 열리는 나무[木].

율원 栗園 | 밤 률, 동산 원
[hill of chestnut tree]
밤나무[栗]가 많은 동산[園].

• 역순어휘

감률 甘栗 | 달 감, 밤 률
[sweet chestnut; grilled chestnut]
❶속뜻 단맛[甘]이 나는 밤[栗]. ❷가열한 모래 속에서 익힌 군밤. ¶아버지가 감률을 만들어 주셨다.

1170 [재]

栽

심을 재:
部 木부, 총 10획 中 栽 [zāi]

栽자는 '나무를 심다'(plant trees)는 뜻을 나타내기 위하여 만든 것이었으니 '나무 목'(木)이 표의요소로 쓰였다. 그 나머지가 표음요소임은 裁(마를 재), 哉(어조사 재)도 마찬가지이다.

재:배 栽培 | 심을 재, 북돋울 배
[grow; raise; cultivate]
식물을 심어서[栽] 가꿈[培]. ¶할머니는 뒤뜰에 토마토를 재배한다.

재:식 栽植 | 심을 재, 심을 식 [plant; set]
농작물이나 나무를 심음[栽=植]. ¶재식 사업.

• 역순어휘

분재 盆栽 | 화분 분, 심을 재 [plant in a pot]
화분(花盆)에 심어서[栽] 가꿈. ¶할아버지의 취미는 분재 가꾸기다.

1171 [주]

柱

기둥 주
部 木부 劃 9획 中 柱 [zhù]

柱자는 나무 '기둥'(a pillar)을 뜻하기 위하여 만든 것이었으니 '나무 목'(木)이 표의요소로 쓰였다. 主(주인 주)는 표음요소일 따름이다.

• 역순어휘

사:주 四柱 | 넉 사, 기둥 주
[fate; destiny; fortune]
❶속뜻 네[四] 개의 기둥[柱]. ❷민속 사람이 태어난 연월일시의 네 간지(干支). 또는 이에 근거하여 사람의 길흉화복을 알아보는 점. ¶사주를 보다 / 사주가 좋다.

석주 石柱 | 돌 석, 기둥 주 [stone pillar]
돌[石]로 만든 기둥[柱]. 비돌기둥.

지주 支柱 | 버틸 지, 기둥 주
[pillar; support]
❶속뜻 어떠한 물건이 쓰러지지 아니하도록 버티는[支] 기둥[柱]. ¶지진에 지주가 흔들거리기 시작했다. ❷'정신적·사상적으로 의지할 수 있는 근거나 힘'을 비유하여 이르는 말. ¶아저씨는 제 정신적 지주이십니다.

1172 [주]

株

그루 주
部 木부 劃 10획 中 株 [zhū]

株자는 나무의 '그루터기'(a stump; a stock)를 나타내기 위해 만든 글자이다. '나무 목'(木)이 표의요소로 쓰였고, 朱(붉을 주)는 표음요소이니 뜻과는 무관하다. '주식'(stocks; shares) 또는 이와 연관이 있는 낱말의 한 구성 요소로도 쓰인다.

속뜻훈음 ①그루터기 주, ②주식 주.

주가 株價 | 주식 주, 값 가 [stock price]
경제 주식(株式)이나 주권(株券)의 가격(價格). '주식가격'(株式價格)의 준말. ¶오늘 아침 주가가 크게 올랐다.

주식 株式 | 주식 주, 법 식 [stocks]
경제 회사의 자본을 구성하는 단위. '株'는 미국식 용어 'stocks'를 직역(直譯)한 것이며, 그것으로 자본을 모으는 방식(方式)이라는 뜻으로 '주식'이라는 용어가 만들어진 것으로 추정된다. ¶주식으로 돈을 벌었다.

주주 株主 | 주식 주, 주인 주 [stockholder]
경제 주식(株式)을 가지고 있는 사람[主]. ¶주주총회.

• 역순어휘

수주 守株 | 지킬 수, 그루터기 주
❶속뜻 나뭇등걸에 걸려 죽은 토끼를 보고 나무 그루터기[株]를 지키고[守] 앉아 다시 토끼가 걸리기를 기다림. ❷수주대토(守株待兔)의 준말.'달리 변통할 줄은 모르고 어리석게 한 가지만을 내내 고집함'을 비유하여 이르는 말.

지주 持株 | 가질 지, 주식 주 [stock holdings]
❶속뜻 어떤 회사의 주식(株式)을 가지고[持] 있음. ❷경제 소유하고 있는 주식.

1173 [풍]

楓
단풍 풍
部 木부 劃 13획 中 枫 [fēng]

楓자는 '단풍나무'(a maple)를 뜻하기 위하여 만든 것이었으니 '나무 목'(木)이 표의요소로 쓰였다. 風(바람 풍)은 표음요소이니 뜻과는 무관하다.

• 역순어휘

단풍 丹楓 | 붉을 단, 단풍나무 풍 [maple tree; red leaves]
❶속뜻 가을에 잎이 붉게[丹] 물든 나무[楓]. 또는 그 잎. ¶단풍이 들다. ❷식물 '단풍(丹楓)나무'의 준말. ¶설악산은 가을 단풍으로 유명하다. 비단풍나무, 단풍잎.

상풍 霜楓 | 서리 상, 단풍나무 풍 [withered maple]
❶속뜻 서리[霜] 맞은 단풍(丹楓)잎. ❷시든 단풍.

1174 [횡]

橫
가로 횡
部 木부 劃 16획
中 横 [héng, hèng]

橫자는 대문짝에 가로로 질러놓은 '빗장'(a bolt; a bar)이 본뜻이다. 黃(누를 황)이 표음요소임은 鐄(종 횡)도 마찬가지이다. 후에 '가로'(width), '멋대로'(selfishly; willfully)로 확대 사용됐고, '뜻밖에'(unexpectedly)의 뜻으로도 차용되어 쓰인다.

속뜻훈음 ①가로 횡, ②멋대로 횡, ③뜻밖에 횡.

횡단 橫斷 | 가로 횡, 끊을 단 [cross; cut across]
❶속뜻 가로[橫]로 끊음[斷]. ❷어디를 건너서 가는 것. 건너지르는 것. ¶국토 횡단 / 무단으로 도로를 횡단하다. 반종단(縱斷).

횡령 橫領 | 멋대로 횡, 차지할 령 [usurp; seize upon]
공금이나 남의 재물을 멋대로[橫] 불법으로 차지하여[領] 가짐. ¶공금 횡령 / 그는 횡령 혐의로 구속됐다.

횡재 橫財 | 뜻밖에 횡, 재물 재 [unexpected fortune; windfall]
뜻밖[橫]에 얻은 재물(財物). ¶심마니는 산삼을 발견하는 횡재를 만났다 / 오늘은 횡재한 날이다.

횡포 橫暴 | 멋대로 횡, 사나울 포 [violent; oppressive]
제멋대로 전횡(專橫)하며 사납게[暴] 굶. ¶횡포를 부리다.

• 역순어휘

종횡 縱橫 | 세로 종, 가로 횡 [length and breadth]
❶속뜻 세로[縱]와 가로[橫]. ¶종횡이 일정하게 교차하도록 만들어라. ❷거침없이 마구 오거나 이리저리 다님. ¶전장을 종횡하며 용맹하게 싸우다.

1175 [선]

旋
돌[廻] 선
部 方부 劃 11획
中 旋 [xuán, xuàn]

旋자가 갑골문에서는 펄럭이는 깃발을 들고 빙빙 도는 모습을 본뜬 것이었다. 疋(발 소)는 止(발자국 지)에서 변모된 것이고 나머지는 깃발 모습이 변화된 것이다. '돌다'(revolve; rotate)가 본뜻이고, '돌아오다'(return)는 뜻으로도 쓰인다.

선율 旋律 | 돌 선, 음률 률 [melody]
음악 높낮이와 리듬을 지니고 흐르는[旋] 가락[律]. ¶감미로운 피아노 선율이 흐른다. ㊐가락.

선풍 旋風 | 돌 선, 바람 풍 [whirlwind; cyclone]
❶속뜻 나선(螺旋) 모양으로 부는 돌개바람[風]. ❷'돌발적으로 발생하여 사회에 큰 영향을 끼칠 만한 사건이나 그로 말미암아 일어난 어지러운 상태'를 비유하여 이르는 말. ㊐회오리바람.

선회 旋回 | 돌 선, 돌 회
[circle round; turn round]
❶속뜻 원을 그리며 빙빙 돎[旋=回]. ❷항공 항공기가 곡선을 그리듯 진로를 바꿈. ¶비행기가 김포공항의 상공을 선회했다.

• 역순어휘

개:선 凱旋 | 즐길 개, 돌 선 [return in triumph]
승리의 기쁨[凱]을 안고 돌아[旋] 옴. ¶개선 장군(將軍).

나선 螺旋 | 소라 라, 돌 선
소라[螺] 껍데기처럼 빙빙 소용돌이치는[旋] 것.

알선 斡旋 | 관리할 알, 돌 선
[intercede; recommend]
남의 일이 잘 되도록 관리하여[斡] 이리저리[旋] 힘을 쓰는 일. ¶나는 친구의 알선으로 일자리를 찾았다 / 삼촌이 직장을 알선해 주었다.

주선 周旋 | 두루 주, 돌 선
[arrange; organize; set up]
일이 잘 되도록 여러모로 두루[周] 돌보며[旋] 힘씀. ¶그의 주선으로 일자리를 얻었다.

1176 [구]

拘 잡을 구
部 手부 劃 8획 中 拘 [jū]

拘자는 손으로 '잡아끌다'(pull; draw)는 뜻을 나타내기 위하여 만든 것이었으니 '손 수'(手)가 표의요소로 쓰였다. 句(글귀 구)는 표음요소이니 뜻과는 무관하다(참고, 駒 망아지 구, 鉤 갈고랑이 구). '잡다'(seize; catch), '거리끼다'(be obstructive) 등으로도 쓰인다.
속뜻훈음 ①잡을 구, ②거리낄 구.

구금 拘禁 | 잡을 구, 금할 금 [detain; confine]
법률 피고인 또는 피의자를 구치소나 교도소 따위에 가두어[拘] 신체의 자유를 금(禁)하는 것. ¶경찰서에 구금되다. ㊐구류(拘留).

구류 拘留 | 잡을 구, 머무를 류
[detain; hold into custody]
❶속뜻 붙잡아[拘] 일정한 곳에 머무르게[留] 함. ❷법률 죄인을 1일 이상 30일 미만 동안 교도소나 경찰서 유치장에 가두어 자유를 속박하는 일. 또는 그런 형벌. ㊐구금(拘禁), 유치(留置).

구속 拘束 | 잡을 구, 묶을 속 [bind; restrict]
❶속뜻 붙잡아[拘] 묶어둠[束]. ❷법률 법원이나 판사가 피의자나 피고인을 강제로 일정한 장소에 잡아 가두는 일. ㊐억류(抑留), 구금(拘禁). ㊞석방(釋放).

구애 拘礙 | 잡을 구, 거리낄 애 [hitch; trouble]
붙잡혀[拘] 얽매이거나 거리낌[礙]. ¶비용에 구애받다.

구치 拘置 | 잡을 구, 둘 치 [detain; confine]
법률 피의자나 범죄자 따위를 잡아서[拘] 일정한 곳에 가둠[置].

• 역순어휘

불구 不拘 | 아닐 불, 잡을 구
[disregard; be not deterred]
구애(拘礙)받지 아니하다[不]. ¶그는 비가 오는데도 불구하고 산에 올랐다.

1177 [권]

拳 주먹 권:
部 手부 劃 10획 中 拳 [quán]

拳자는 '주먹'(fist)을 뜻하기 위하여 '손 수'(手)가 표의요소로 발탁됐다. 그 윗부분이 표음요소임은 卷(쇠뇌 권)과 券(책 권)의 경우와 마찬가지이다.

권:총 拳銃 | 주먹 권, 총 총 [pistol; gun]
한 손[拳]으로 다룰 수 있는 짧고 작은 총(銃). ㊞장총(長銃).

권:투 拳鬪 | 주먹 권, 싸울 투 [boxing]
운동 두 사람이 양손에 글러브를 끼고 주먹[拳]을 쥐고 상대편 허리 벨트 위의 상체를 쳐서 승부를 겨루는[鬪] 경기.

• 역순어휘

태권 跆拳 | 밟을 태, 주먹 권
❶속뜻 발로 밟고[跆] 주먹[拳]을 날림. ❷운동 무기 없이 찌르기, 차기, 차기 등의 공격과 방어를 하는 우리나라 고유 무술.

1178 [발]

拔

뽑을 발
[部] 手부 [劃] 8획 [中] 拔 [bá]

拔자는 손으로 '뽑아내다'(pull out)는 뜻을 나타내기 위하여 만든 것이었으니 '손 수'(手)가 표의 요소로 쓰였다. 犮(달릴 발)은 표음요소이니 뜻과는 무관하다. 후에 '빼다'(extract), '빼어나다'(be excellent) 등으로 확대 사용됐다.

[속뜻훈음] ①뺄 발, ②뽑을 발, ③빼어날 발.

발탁 拔擢 | 뺄 발, 뽑을 탁 [select]
❶[속뜻] 빼내거나[拔] 뽑아[擢] 씀. ❷많은 사람 가운데서 특별한 사람을 뽑아 씀. [비]탁발(擢拔).

발초 拔抄 | 뺄 발, 베낄 초
[quote (from); make extracts]
글 따위에서 필요한 대목을 가려 뽑아서[拔] 베낌[抄]. 또는 그런 내용.

• 역순어휘

기발 奇拔 | 기이할 기, 빼어날 발
[novel; clever; smart]
유달리[奇] 재치 있고 빼어나다[拔]. ¶생각이 기발하다.

선:발 選拔 | 가릴 선, 뽑을 발 [select; pick out]
많은 가운데서 가려[選] 뽑음[拔]. ¶미스코리아 선발 대회.

해:발 海拔 | 바다 해, 뽑을 발 [above the sea]
해면(海面)으로부터 뽑아[拔] 낸 듯이 위로 솟은 육지나 산의 높이. ¶그 산은 해발 2,000미터이다.

1179 [배]

排

밀칠 배
[部] 手부 [劃] 11획 [中] 排 [pái, pǎi]

排자는 손을 '밀치다'(push; thrust)는 뜻을 나타내기 위하여 만든 것이었으니 '손 수'(手)가 표의 요소로 쓰였다. 非(아닐 비)가 표음요소임은 輩(무리 배), 徘(노닐 배)도 마찬가지이다. 후에 '물리치다'(exclude) 등으로 확대 사용됐다.

배격 排擊 | 밀칠 배, 부딪칠 격
[reject; denounce]
어떤 사상, 의견, 물건 따위를 밀치고[排] 공격(攻擊)함. ¶군국주의를 배격하다.

배구 排球 | 밀칠 배, 공 구 [volleyball]
❶[속뜻] 네트 위로 공[球]을 밀쳐[排] 넘기는 운동 경기. ❷[운동] 직사각형으로 된 코트의 중앙에 네트를 두고 두 팀으로 나누어 공을 땅에 떨어뜨리지 아니하고 손으로 공을 패스하여 세 번 안에 상대편 코트로 넘겨 보내는 운동 경기.

배기 排氣 | 밀칠 배, 기운 기 [exhaust]
안에 든 공기(空氣)를 밖으로 뽑아[排] 냄. ¶건물에 배기 설비를 갖추다.

배란 排卵 | 밀칠 배, 알 란 [ovulate]
[의학] 성숙기에 이른 포유류 암컷의 난소에서 성숙한 난자(卵子)가 배출(排出)되는 일. ¶생리 예정일로부터 14일 전후로 배란된다.

배설 排泄 | 밀칠 배, 샐 설 [excrete; eliminate]
❶[속뜻] 안에서 밖으로 밀어[排] 새나가게[泄] 함. ❷[생물] 생물체가 몸 안에 생긴 노폐물을 몸 밖으로 내보내는 일. ¶땀을 통해 노폐물을 배설하다. [비]배출(排出).

배수 排水 | 밀칠 배, 물 수 [drainage]
불필요한 물[水]을 다른 곳으로 흘려버림[排]. ¶이 논은 배수가 잘 된다.

배열 排列 | 밀칠 배, 벌일 렬 [arrange; sequence]
일정한 차례나 간격으로 밀어[排] 늘어놓거나 벌여[列] 놓음. ¶진열대에 상품을 배열하다.

배자 排字 | 밀칠 배, 글자 자
글씨를 쓰거나 인쇄할 판을 짤 때 글자[字]를 알맞게 벌여 놓음[排]. ¶배자 간격을 알맞게 조정하였다.

배제 排除 | 밀칠 배, 덜 제 [exclude; eliminate]
장애가 되는 것을 한곳에서 밀어내[排] 없앰[除]. ¶그러한 가능성을 완전히 배제할 수는 없다.

배척 排斥 | 밀칠 배, 물리칠 척
[exclude; ostracize]
밀쳐[排]내거나 물리침[斥]. ¶새로운 사상을 배척하다. [반]포용(包容).

배출 排出 | 밀칠 배, 날 출
[discharge; transpire]
불필요한 물질을 밀어서[排] 밖으로 내보냄[出]. ¶이산화탄소를 배출하다.

배타 排他 | 밀칠 배, 다를 타
[exclusive; cliquish]
타인(他人)을 배척(排斥)함. ¶배타주의.

배포 排布 | =排鋪, 밀칠 배, 펼 포
[arrangement; scale of thinking]
❶[속뜻] 밀치거나[排] 펼쳐[布] 놓음. 배치함. ❷머리를 써서 일을 조리 있게 계획함. 또는 그런 속마음. ¶배포가 두둑하다 / 배포가 남다르다.

1180 [부]

扶

도울 부
部 手부 획 7획 中 扶 [fú]

扶자는 원래 夫(지아비 부)와 又(손 우)가 합쳐진 것으로, 비틀거리는 사람을 손으로 껴안고 있는 모습을 나타낸 것이다. 후에 又가 手(→扌)로 바뀌었다. 夫는 표음요소도 겸하는 一石二鳥(일석이조)의 효과가 있는 셈이다. '부축하다'(support by the armpits)가 본래 의미이다, '돕다'(help)는 뜻으로도 쓰인다.

부양 扶養 | 도울 부, 기를 양
[support; maintenance]
생활 능력이 없는 사람을 도와[扶] 살게[養] 함. ¶부양 자녀.

부조 扶助 | 도울 부, 도울 조
[contribute; help]
❶속뜻 잔칫집이나 상가(喪家) 따위에 돈이나 물건을 보내 도와줌[扶=助]. 또는 그 돈이나 물건. ¶친구 결혼식에 부조를 했다. ❷남을 거들어서 도와주는 일. ¶상호 부조

• 역순어휘 •

상부 相扶 | 서로 상, 도울 부
[mutual help; interdependence]
서로[相] 도움[扶].

1181 [불]

拂

떨칠 불
部 手부 획 8획 中 拂 [fú]

拂자는 손으로 '털어 내다'(shake off; dust off)는 뜻을 나타내기 위하여 만든 것이었으니 '손 수'(手)가 표의요소로 쓰였다. 弗(아닐 불)은 표음요소이니 뜻과는 무관하다. '지불'(payment) 또는 이와 의미상 연관이 있는 낱말의 한 구성 요소로 쓰인다.
속뜻훈음 ①털어낼 불, ②지불 불.

불식 拂拭 | 털어낼 불, 닦을 식
[wipe out; sweep off]
❶속뜻 털어내고[拂] 닦아내어[拭] 말끔하게 함. ❷의심이나 부조리한 점 따위를 말끔히 없앰. ¶오해에 대한 불식 / 의혹을 불식하다.

• 역순어휘 •

가:불 假拂 | 임시 가, 지불 불
[receive in advance]
❶속뜻 임시로[假] 지불(支拂)함. ❷기일 전에 미리 받은 돈이나 월급. ¶월급에서 30만 원을 가불했다.

선불 先拂 | 먼저 선, 지불 불
[pay in advance; prepay]
먼저[先] 돈을 지불(支拂)함. ¶수강료를 선불했다. 비 선급(先給). 반 후불(後拂).

지불 支拂 | 가를 지, 털어낼 불 [pay]
❶속뜻 갈라서[支] 털어냄[拂]. ❷돈을 주어 값을 치름. ¶임금 지불 / 상점에서 물건 값을 지불하고 나왔다.

환불 還拂 | 돌아올 환, 지불 불 [refund]
요금 따위를 되돌려[還] 지불[拂]함. ¶요금 환불 / 물건 값 환불 / 세금 환불.

후:불 後拂 | 뒤 후, 지불 불 [pay later]
값을 나중[後]에 지불(支拂)함. ¶나머지 금액은 공사가 완료되면 후불하기로 했다. 반 선불(先拂).

1182 [습]

拾

주울 습 / 열 십
部 手부 획 9획 中 拾 [shí, shè]

拾자는 손으로 땅에 떨어진 물건을 '줍다'(pick up)는 뜻을 나타내기 위하여 만든 것이었으니 '손 수'(手)가 표의요소로 쓰였다. 合(합할 합)은 표음요소였는데 음이 다소 달라졌다. '十'(십)의 갖은자로 쓰일 때에는 [십]으로 읽는다.

습득 拾得 | 주울 습, 얻을 득 [pick up]
남이 잃어버린 물건을 주워서[拾] 얻음[得]. 반 분실(紛失).

습유 拾遺 | 주울 습, 남길 유
[add a supplement]
❶속뜻 남이 잃어버린[遺] 물건을 주워서[拾] 간직함. ❷빠진 글을 뒤에 깁고 더함. ❸역사 고려 때, 중서문하성(中書門下省)의 종6품 벼슬. ❹역사 조선 초, 문하부(門下府)의 정6품 벼슬.

• 역순어휘 •

수습 收拾 | 거둘 수, 주울 습
[collect; handle]
❶속뜻 흩어진 것을 거두고[收] 주워 담음[拾]. ¶사고 현장에서 희생자들의 시신을 수습했다. ❷어수선한 사태나 마음을 가라앉히어 바로잡음. ¶민심을 수습하다 / 혼란이 원만히 수습됐다.

1183 [양]

揚 날릴 양
[部] 手부 [劃] 12획 [中] 扬 [yáng]

揚자는 '(솟아)오르다'(rise; tower; soar)는 뜻을 나타내기 위하여 해가 솟아오르는 昜(暘 해돋이 양의 本字)과 '손 수'(手), 두 표의요소를 힌트로 제시해 놓은 것이다. 手자가 들어간 것은 손으로 '들어 올리다'(raise; lift up)는 뜻도 겸하기 때문이다. 昜(양)은 표음요소도 겸한다. '드러나다'(become known)는 뜻으로도 쓰인다.

[속뜻훈음] 오를 양.

양수 揚水 | 오를 양, 물 수 [pump up water]
물[水]을 위로 퍼 올림[揚]. 또는 그 물.

• 역순어휘

게:양 揭揚 | 내걸 게, 오를 양 [hoist; raise]
국기 따위를 높이 내걸어[揭] 올림[揚]. ¶집집마다 국기를 게양하다.

고양 高揚 | 높을 고, 오를 양 [uplift]
높이[高] 올림[揚]. 정신이나 기분 따위를 드높임. ¶애국심을 고양하다.

선양 宣揚 | 알릴 선, 오를 양
[raise; increase; heighten]
여러 사람에게 널리 알려[宣] 명성을 드높임[揚]. ¶국위를 선양하고 돌아왔다.

억양 抑揚 | 누를 억, 오를 양 [intonate; accent]
❶[속뜻] 내려갔다[抑] 올라감[揚]. ❷[언어] 내려가고 올라가는 상대적인 음(音)의 높이. 또는 그런 변화.

인양 引揚 | 끌 인, 오를 양 [pull up; refloat]
끌어서[引] 들어 올림[揚]. ¶사고가 난 선박을 인양했다 / 인양선(引揚船).

찬:양 讚揚 | 기릴 찬, 오를 양
[praise; exalt; glorify]
훌륭함을 기리고[讚] 받들어 올림[揚]. ¶왕의 업적을 찬양하다.

1184 [억]

抑 누를 억
[部] 手부 [劃] 7획 [中] 抑 [yì]

抑자를 처음에는, 꿇어앉은 사람의 머리를 잡고 누르던 모습을 본뜬 印(앙)으로 쓰다가 후에 '손 수'(手＝扌)를 보탰다. '누르다'(suppress; put down)는 본뜻이 그대로 많이 쓰인다.

억류 抑留 | 누를 억, 머무를 류 [detain; intern]
가지 못하게 억눌러[抑] 머무르게[留] 함. ¶억류상태에 있다.

억압 抑壓 | 누를 억, 누를 압 [suppress; oppress]
자기 뜻대로 행동하지 못하도록 억누름[抑=壓]. ¶자유를 억압하다.

억양 抑揚 | 누를 억, 오를 양 [intonate; accent]
❶[속뜻] 내려갔다[抑] 올라감[揚]. ❷[언어] 내려가고 올라가는 상대적인 음(音)의 높이. 또는 그런 변화.

억울 抑鬱 | 누를 억, 답답할 울 [feel pent up]
❶[속뜻] 억제(抑制)를 받아 답답함[鬱]. ❷공평하지 못한 일을 당하여 원통(冤痛)하고 가슴이 답답함. ¶잘못도 없이 선생님에게 꾸중을 듣고 너무 억울하여 펑펑 울었다.

억제 抑制 | 누를 억, 누를 제 [control; restrain]
못하게 누름[抑=制]. 제지함. ¶불필요한 지출을 억제하다 / 감정을 억제하다.

1185 [장]

掌 손바닥 장:
[部] 手부 [劃] 12획 [中] 掌 [zhǎng]

掌자는 '손바닥'(the palm)을 나타내기 위하여 만든 것이었으니 '손 수'(手)가 표의요소로 쓰였다. 尙(오히려 상)이 표음요소임은 鞝(부채 장)도 마찬가지이다.

장:갑 掌匣 | 손바닥 장, 상자 갑 [gloves]
손을 보호하거나 추위를 막기 위하여 천이나 실 또는 가죽 따위로 만들어 손[掌]에 끼는 갑(匣) 같은 물건. ¶장갑을 끼다.

장:악 掌握 | 손바닥 장, 쥘 악 [hold]
❶[속뜻] 손바닥[掌]에 쥠[握]. ❷판세나 권력 따위를 휘어잡음. ¶수양대군이 모든 권력을 장악하자 단종은 왕위를 내주었다.

• 역순어휘

관장 管掌 | 관리 관, 손바닥 장 [take charge of]
손바닥[掌]으로 쥔 듯이 맡아 관리(管理)함. ¶그는 업무를 관장하느라 바쁘다. [비]관할(管轄).

박장 拍掌 | 칠 박, 손바닥 장 [clap hands]
손바닥[掌]을 침[拍].

합장 合掌 | 합할 합, 손바닥 장

[join one's hands in prayer]
❶속뜻 두 손바닥[掌]을 마주 합(合)침. ❷불교 부처에게 절할 때 공경하는 마음으로 두 손바닥을 합침.

1186 [저]

抵

막을[抗] 저:
部 手부 劃 8획 中 抵 [dǐ]

抵자는 '손 수'(手=扌)가 표의요소이다. 氐(근본 저)는 표음요소이니 의미와는 무관하다. '(손으로) 밀어젖히다'(resist; offer resistance)가 본뜻인데, '막다'(obstruct; stop), '맞서다'(oppose; stand up to) 등으로도 쓰인다.

속뜻훈음 ①맞설 저, ②막을 저.

저:당 抵當 | 맞설 저, 맡을 당 [security; collateral]
❶속뜻 서로 맞서서[抵] 겨루거나 맡음[當]. ❷법률 채무의 담보로 삼음.

저:촉 抵觸 | 막을 저, 떠받을 촉 [conflict]
❶속뜻 서로 밀면서 막고[抵] 떠받음[觸]. 서로 모순됨. ❷법률이나 규칙에 위배되거나 거슬림. ¶법에 저촉되는 일.

저:항 抵抗 | 맞설 저, 막을 항 [resist]
어떤 힘, 권위 따위에 맞서서[抵] 버티어 막음[抗]. ¶공기의 저항을 최소화하다 / 그들은 적에게 완강히 저항했다. ⓑ항거(抗拒).

• 역순어휘

대:저 大抵 | 큰 대, 맞설 저 [generally speaking; in general]
대체(大體)로 보아서[抵]. 무릇.

1187 [적]

摘

딸[手收] 적
部 手부 劃 14획 中 摘 [zhāi]

摘자는 손으로 '따다'(pick)는 뜻을 나타내기 위하여 만든 것이었으니 '손 수'(手)가 표의요소로 쓰였다. 啇(밑둥 적)은 표음요소이니 뜻과는 무관하다. 후에 '들추어내다'(dig up) 등으로 확대 사용됐다.

적발 摘發 | 딸 적, 드러낼 발 [expose; uncover]
숨겨진 물건을 들추어[摘] 드러냄[發]. ¶그 학생은 시험 시간에 커닝을 하다가 적발됐다.

적요 摘要 | 딸 적, 요할 요 [summarize; outline]
중요(重要)한 부분을 뽑아내어[摘] 적는 일. 또는 그렇게 적어 놓은 것.

• 역순어휘

지적 指摘 | 가리킬 지, 딸 적 [point out; indicate]
❶속뜻 어떤 사물을 가리켜[指] 꼭 집어냄[摘]. ¶내가 지적한 학생은 일어나서 책을 읽어라. ❷허물 따위를 들추어 가려냄. ¶그 문제에 대한 몇 가지 지적이 나오고 있다 / 선생님은 내 글에 창의성이 없다고 지적하셨다.

1188 [전]

殿

전각 전:
部 殳부 劃 13획 中 殿 [diàn]

殿자는 진압하여 '안정시키다'(stabilize)는 뜻을 나타내기 위하여 만든 것이었으니, 손에 창 같은 무기를 들고 있는 모습인 殳(창 수)가 표의요소로 쓰였다. 후에 진압시킨 영토에 세운 커다란 '대궐'(the royal palace)을 지칭하는 것으로 확대 사용됐다.

속뜻훈음 대궐 전.

전:당 殿堂 | 대궐 전, 집 당 [palace; sanctuary]
❶속뜻 대궐[殿] 같이 웅장하고 화려한 집[堂]. ❷'학문, 예술, 과학, 기술, 교육 따위의 분야에서 가장 권위 있는 연구기관'을 비유하여 이르는 말. ¶과학 기술의 전당.

전:하 殿下 | 대궐 전, 아래 하 [Your Royal Highness]
❶속뜻 대궐[殿] 아래[下]. ❷역사 왕이나 왕비 또는 왕족을 높여 부르는 말. ¶상왕 전하.

• 역순어휘

궁전 宮殿 | 궁궐 궁, 대궐 전 [palace]
궁궐(宮闕)의 대전(大殿).

대:전 大殿 | 큰 대, 대궐 전 [royal palace]
임금이 사는 제일 큰[大] 대궐[殿].

성:전 聖殿 | 거룩할 성, 대궐 전 [sacred hall]
❶속뜻 신성(神聖)한 전당(殿堂). ❷가톨릭 가톨릭의 성당. ❸기독교 개신교의 예배당.

신전 神殿 | 귀신 신, 대궐 전 [shrine]
신령(神靈)을 모신 전각(殿閣). ¶파르테논 신전은 아테네 여신을 모신 곳이다.

중전 中殿 | 가운데 중, 대궐 전 [Queen]
❶속뜻 중궁(中宮=왕비)이 거처하는 대궐[殿]. ❷왕후를 높여 이르는 말.

판전 版殿 | 널빤지 판, 대궐 전
불교 불경을 새긴 판(版)을 쌓아 두는 대궐[殿]같이 큰 집.

1189 [진]

振

떨칠 진：
部 手부 劃 10획 中 振 [zhèn]

振자는 물에 빠진 사람을 손으로 잡아 올려 '구해주다'(rescue)는 뜻을 나타내기 위하여 만든 것이었으니 '손 수'(手)가 표의요소로 쓰였다. 辰(지지 진/신)은 표음요소로 뜻과는 무관하다. 후에 '떨리다'(move), '떨치다'(resound; be widely felt) 등으로 확대 사용됐다.
속뜻훈음 ①떨릴 진, ②떨칠 진.

진:동 振動 | 떨릴 진, 움직일 동
[vibrate; stink of]
❶속뜻 떨리거나[振] 움직임[動]. ¶시계추가 천천히 진동한다. ❷냄새 따위가 아주 심하게 나는 상태. ¶고약한 냄새가 진동을 한다.

진:자 振子 | 떨릴 진, 접미사 자
[pendulum]
물리 줄 끝에 추를 매달아 좌우로 왔다갔다 흔들리게[振] 만든 물체[子]. ¶진자는 흔들리면서 초를 나타낸다.

진:폭 振幅 | 떨릴 진, 너비 폭
[amplitude of a swing]
❶속뜻 떨리는[振] 정도의 너비[幅]. ❷물리 진동(振動)하고 있는 물체가 정지 또는 평형 위치에서 최대 변위까지 이동하는 거리. 진동하는 폭의 절반이다. ¶탐지기의 진폭이 크게 동요하고 있다.

진:흥 振興 | 떨칠 진, 일어날 흥
[develop; advance; promote]
떨치고[振] 일어남[興]. 또는 그렇게 되게 함. ¶과학 연구가 진흥하다.

• 역순어휘

부진 不振 | 아닐 부, 떨칠 진
[dull; depressed]
세력이나 성적 또는 활동 따위를 떨치지[振] 못함[不]. ¶나는 국어 성적이 부진하다 / 성적 부진아(不振兒).

삼진 三振 | 석 삼, 떨칠 진
[strikeout; three strikes]
운동 야구의 타자가 스트라이크[振]를 세[三] 번 당하여 아웃되는 일.

1190 [척]

拓

넓힐 척, 박을 탁
部 手부 劃 8획 中 拓 [tuò, tà]

拓자는 손으로 '꺾다'(break off)는 뜻을 나타내기 위하여 만든 것이었으니 '손 수'(手)가 표의요소로 쓰였다. 石(돌 석)이 표음요소인데 음이 다소 다른 것은 옛날 방언에 기인된 것이다. 후에 '줍다'(pick up), '넓히다'(extend) 등으로 확대 사용됐다. '뜨다'(imitate; copy)는 뜻을 나타내기도 하는데 이 경우에는 [탁]으로 읽는다. 拓本(탁본)이 그렇다.
속뜻훈음 ①넓힐 척, ②뜰 탁.

척식 拓植 | =拓殖, 넓힐 척, 심을 식
[open up undeveloped land; colonize; settle]
땅을 개척(開拓)하여 사람을 이주시켜[植] 살게 함. 개척과 식민.

척지 拓地 | 넓힐 척, 땅 지 [barren soil]
❶속뜻 땅[地]을 개척(開拓)함. 개척한 땅. ❷땅의 경계를 넓힘. 비척토(拓土).

탁본 拓本 | 뜰 탁, 밑 본 [make a rubbing]
비석, 기와, 기물 따위에 새겨진 글씨[本]나 무늬를 종이에 대고 박아 떠냄[拓]. 비탑본(榻本).

• 역순어휘

간척 干拓 | 막을 간, 넓힐 척 [reclaim by drainage]
바다나 호수의 일부를 둑으로 막고[干], 그 안의 물을 빼내어 육지로 만들어 땅을 넓히는[拓] 일. ¶해안을 간척하다.

개척 開拓 | 열 개, 넓힐 척 [cultivate; open up]
❶속뜻 거친 땅을 일구어[開] 경작지를 넓힘[拓]. ❷아무도 손대지 않은 새로운 분야를 열어 그 부문의 길을 닦음. ¶새로운 시장을 개척하다. ❸어려움을 이기고 나아갈 길을 헤쳐 엶. ¶자신의 삶을 개척하다. 비개간(開墾).

어탁 魚拓 | 물고기 어, 뜰 탁
물고기[魚]의 탁본(拓本)을 뜸. 또는 그 탁본.

1191 [포]

捕

잡을 포：
部 手부 劃 10획 中 捕 [bǔ, bù]

捕자는 손으로 '잡다'(catch; get)는 뜻

을 위하여, '손 수'(手=扌)가 표의요소로 발탁됐다. 甫(클 보)가 표음요소임은 浦(물가 포)도 마찬가지이다.
속뜻 훈음 ①잡을 포, ②사로잡을 포.

포:도 捕盜 | 잡을 포, 도둑 도
도둑[盜]을 잡음[捕]. ¶포도대장이 출동하였다.

포:로 捕虜 | 잡을 포, 오랑캐 로 [prisone]
❶속뜻 사로잡힌[捕] 오랑캐[虜]. ❷전투에서 사로잡힌 적군. ¶그들은 모두 포로로 잡혀갔다.

포:수 捕手 | 잡을 포, 사람 수 [catcher]
운동 본루를 지키며 투수가 던지는 공을 받는[捕] 선수(選手). ¶포수가 공을 놓쳤다. ⊕투수(投手).

포:승 捕繩 | 잡을 포, 줄 승
[rope (for tying up criminals)]
죄인을 잡아[捕] 묶는 노끈[繩]. ¶포승으로 묶어서 끌고 갔다.

포:졸 捕卒 | 잡을 포, 군사 졸
[raiding constable; policeman]
도둑을 잡는[捕] 일을 하는 군사[卒]. 조선 시대, 포도청(捕盜廳)에 속해 있었다. ¶방망이를 손에 쥔 포졸이 뛰어왔다. ⊕포도군사(捕盜軍士).

포:착 捕捉 | 잡을 포, 잡을 착
[catch; capture; apprehend]
❶속뜻 꽉 붙잡음[捕=捉]. ¶무장공비가 국군에게 포착됐다. ❷일의 요점이나 요령을 깨침. ¶문제의 본질을 포착하다.

포:획 捕獲 | 사로잡을 포, 얻을 획
[capture; seize; catch]
❶속뜻 사로잡아[捕] 획득(獲得)함. ❷짐승이나 물고기를 잡음. ❸법률 국제법상 전시에, 적의 선박이나 범법한 중립국의 선박을 수색하고 나포하는 일.

• 역순어휘

생포 生捕 | 살 생, 잡을 포 [catch alive; capture]
산채로[生] 잡음[捕]. ¶적을 생포하다. ⊕생획(生獲).

체포 逮捕 | 뒤따를 체, 잡을 포 [arrest; apprehend]
❶속뜻 죄인을 뒤따라가[逮] 사로잡음[捕]. ❷법률 죄인이나 죄를 저지른 의심이 있는 사람을 붙잡는 것. ¶그는 현장에서 체포됐다.

1192 [환]

換

바꿀 환:
部 手부 劃 12획 中 换 [huàn]

換자는 각자 손에 들고 있는 물건을 맞바꾸다, 즉 '물물교환하다'(barter)는 뜻이니 '손 수'(手=扌)가 부수이자 표의요소로 쓰였고, 奐(빛날 환)은 표음요소이다. 후에 '바꾸다'(exchange)는 일반적인 뜻으로 확대 사용됐다.

환:기 換氣 | 바꿀 환, 기운 기
[ventilate; change air]
탁한 공기(空氣)를 빼고 새 공기로 바꿈[換]. ¶창문을 열고 환기를 하자.

환:산 換算 | 바꿀 환, 셀 산 [convert; change]
단위를 바꾸어[換] 계산(計算)함. ¶숙박비를 달러로 환산하면 500달러이다.

환:율 換率 | 바꿀 환, 비율 률
[(foreign) exchange rate]
경제 자기 나라 돈과 다른 나라 돈을 교환(交換)하는 비율(比率). ¶오늘 환율이 크게 올랐다.

환:장 換腸 | 바꿀 환, 창자 장
[go crazy; lose one's mind]
❶속뜻 마음의 속내[心腸]가 확 바뀜[換]. '환심장(換心腸)'의 준말. ❷마음이 비정상적인 상태로 크게 달라짐. ¶그 사건 때문에 환장할 지경이다.

환:절 換節 | 바꿀 환, 철 절 [climatic change]
계절이 바뀌는[換] 절기(節氣).

환:풍 換風 | 바꿀 환, 바람 풍 [ventilation]
바람[風]으로 공기를 바꿈[換]. ¶환풍을 시키려고 창문을 열었다.

• 역순어휘

교환 交換 | 서로 교, 바꿀 환
[exchange; interchange]
물건 따위를 서로[交] 주고받아 바꿈[換]. ¶정보를 교환하다.

변:환 變換 | 바뀔 변, 바꿀 환 [change; convert]
어떤 사물이 전혀 다른 사물로 바뀌거나[變] 바꿈[換]. ¶빛을 전기로 변환하다.

외:환 外換 | 밖 외, 바꿀 환
[foreign exchange]
경제 외국(外國)과의 거래를 결제할 때 쓰는 환(換)어음. 발행지와 지급지가 서로 다른 나라일 때 쓴다. '외국환(外國換) 어음'의 준말. ¶외환위기.

전:환 轉換 | 옮길 전, 바꿀 환 [convert; switch]
❶속뜻 다른 방향이나 상태로 옮기거나[轉] 바꿈[換]. ❷심리 마음속의 감정적 갈등이 신체적 운동 기능이나 감각 기능의 증상으로 나타나는 것. ¶기분 전환을 위해 공원에서 자전거를 탔다.

1193 [계]

溪 시내 계
部 水부 劃 13획 中 溪 [xī]

溪자는 '시내(물)'(a creek; a stream)를 뜻하는 것이었으니 '물 수'(水)가 표의요소로 쓰였다. 그 나머지가 표음요소임은 鷄(닭 계)도 마찬가지이다.

계간 溪澗 | 시내 계, 산골물 간 [water of gorge]
산골짜기[澗]에 흐르는 시냇물[溪]. ¶계류를 따라 올라가면 큰 폭포가 나온다. 비계류(溪流).

계곡 溪谷 | 시내 계, 골짜기 곡 [valley]
시냇물[溪]이 흐르는 골짜기[谷]. ¶계곡에서 여름 휴가를 보냈다.

계류 溪流 | =谿流, 시내 계, 흐를 류 [water of a brook]
산골짜기에 시냇물[溪]이 흘러내림[流]. 또는 그런 물. ¶계류를 따라 올라가면 큰 폭포가 나온다. 비계간(溪澗), 계수(溪水).

계천 溪川 | 시내 계, 내 천 [stream; brook]
산골짜기[溪]에 흐르는 내[川]. ¶장마로 계천마다 누런 물이 흘렀다.

• 역순어휘

벽계 碧溪 | 푸를 벽, 시내 계 [water in a blue stream]
'벽계수'(碧溪水)의 준말.

식계 蝕溪 | 갉아먹을 식, 시내 계 [undermining torrent]
❶속뜻 시내[溪]의 가장자리를 깎음[蝕]. ❷보통 때는 물이 없다가 큰비만 오면 사납게 물이 흐르는 기울기가 몹시 급한 계곡의 물길.

청계 清溪 | 맑을 청, 시내 계 [clear stream]
맑은[清] 시내[溪]. 비청간(清澗).

1194 [니]

泥 진흙 니
部 水부 劃 8획 中 泥 [ní, nì]

泥자는 본래 중국 감숙성에 있는 어떤 '강'(a river)을 이름 짓기 위한 것이었으니 '물 수'(水)가 표의요소로 쓰였다. 尼(중 니)는 표음요소이니 뜻과는 무관하다. 후에 물기가 많은 땅, 즉 '진흙'(mud; clay)을 가리키는 것으로 차용되어 쓰이게 됐다.

이구 泥丘 | 진흙 니, 언덕 구
지리 화산에서 내뿜어진 진흙[泥]이 분화구의 주위에 쌓여서 된 원뿔 모양의 언덕[丘].

이금 泥金 | 진흙 니, 쇠 금
금(金)가루를 아교[泥]에 갠 것.

이류 泥流 | 진흙 니, 흐를 류
지리 화산의 폭발이나 산사태 따위로 말미암아 산꼭대기나 산허리에서 흘러내리는 진흙[泥]의 흐름[流].

이수 泥水 | 진흙 니, 물 수 [muddy water]
진흙[泥]이 섞여 흐린 물[水]. 흙탕물.

이암 泥巖 | =泥巖, 진흙 니, 바위 암 [mudstone]
지리 미세한 진흙[泥]이 쌓여서 딱딱하게 굳어 이루어진 암석(巖石).

이취 泥醉 | 진창 니, 취할 취 [drunk]
술이 곤드레만드레[泥] 취(醉)함. ¶이취로 건강을 해치다.

이토 泥土 | 진창 니, 흙 토 [mud; mire; clay]
질척질척한[泥] 흙[土]. 진흙.

• 역순어휘

녹니 綠泥 | 초록빛 록, 진흙 니 [green mud]
❶속뜻 깊은 바다 밑에 있는 짙은 녹색(綠色)을 띤 진흙[泥]. ❷광업 녹니석.

부:니 腐泥 | 썩을 부, 진흙 니
지리 바다나 호수 밑바닥에 쌓인 유기물이 썩어서[腐] 변한 검은 진흙[泥].

사니 沙泥 | 모래 사, 진흙 니 [quicksand]
모래[沙]가 섞인 진흙[泥].

운니 雲泥 | 구름 운, 진흙 니
❶속뜻 구름[雲]과 진흙[泥]. ❷차이가 매우 심함을 이르는 말.

은니 銀泥 | 은 은, 진흙 니
은(銀)가루를 아교에 개어 만든 진흙[泥]같이 질척한 물질. 글씨를 쓰거나 그림을 그리는 데 쓰인다.

1195 [담]

淡 맑을 담(:)
部 水부 劃 11획 中 淡 [dàn]

淡자는 물이 너무 많아 맛이 '싱겁다'(flat; insipid; watery)는 뜻을 나타내기 위하여 만든 것이었으니 '물 수'(水)가 표의요소로 쓰였다. 炎(불탈 염)이 표음요소임은 痰(가래 담), 錟(창 담)도 마찬가지이다. 후에 '맑다'(clean; limpid), '엷다'(light; pale) 등으로 확대 사용됐다.

담:담 淡淡 | 맑을 담, 맑을 담 [clear; unconcerned]
❶[속뜻] 빛깔이 엷고 맑음[淡+淡]. ¶담담한 달빛 아래 거닐다. ❷마음이 편안하고 차분한. ¶심경이 담담하다. ❸음식이 느끼하지 않다. ¶나물 맛이 담담하다. ❹말없이 잠자코 있다. ¶그저 담담하게 앉아만 있다.

담:백 淡白 | 맑을 담, 흰 백 [light; plain]
진하지 않고[淡] 산뜻함[白]. ¶음식이 매우 담백하다. [비]담박(淡泊)하다, 산뜻하다. [반]텁텁하다.

담:색 淡色 | 맑을 담, 빛 색 [light color]
엷은[淡] 빛깔[色]. [반]농색(濃色).

담:수 淡水 | 맑을 담, 물 수 [fresh water]
강이나 호수 따위와 같이 염분이 없는[淡] 물[水]. [반]함수(鹹水).

담:채 淡彩 | 맑을 담, 빛깔 채 [thin coloring]
❶[속뜻] 맑고[淡] 엷은 빛깔[彩]. ❷[미술] 물감을 엷게 써서 그린 그림. '담채화'(淡彩畵)의 준말.

• 역순어휘

냉:담 冷淡 | 찰 랭, 맑을 담 [cold hearted; indifferent]
마음이 차갑고[冷] 담담(淡淡)함. 무슨 일에도 쌀쌀맞고 무관심함. ¶냉담한 태도. [비]냉정(冷情).

농담 濃淡 | 짙을 농, 맑을 담 [light and shade]
빛깔이나 맛 따위의 짙고[濃] 맑은[淡] 정도.

아:담 雅淡 | 고울 아, 맑을 담 [be neat]
우아(優雅)하고 담박(淡泊)하다. ¶아담한 소녀 / 아담하게 꾸민 방.

1196 [도]

渡

건널 도
[部] 水부 [劃] 12획 [中] 渡 [dù]

渡자는 물을 '건너다'(cross over)는 뜻을 나타내기 위하여 만든 것이었으니 '물 수'(水)가 표의요소로 쓰였다. 度(법도 도)는 표음요소이니 뜻과는 무관하다. 후에 '건네다'(hand over; deliver)는 뜻도 따로 글자를 만들지 않고 이것으로 나타냈다.

[속뜻 훈음] ①**건널 도**, ②**건넬 도**.

도강 渡江 | 건널 도, 강 강 [cross a river]
강(江)을 건넘[渡].

도래 渡來 | 건널 도, 올 래 [come across the sea]
❶[속뜻] 물을 건너[渡] 옴[來]. ❷외부에서 전해져 들어옴.

도미 渡美 | 건널 도, 미국 미 [go to America]
미국(美國)으로 건너[渡] 감. ¶도미 유학생.

• 역순어휘

과:도 過渡 | 지날 과, 건널 도 [transition period]
다른 것으로 옮아가거나[過] 바뀌어 가는[渡] 도중.

부도 不渡 | 아닐 부, 건널 도 [failure to honor; nonpayment]
❶[속뜻] 재정상의 위기 따위를 건너지[渡] 못함[不]. ❷[경제] 어음이나 수표를 가진 사람이 기한이 되어도 어음이나 수표에 적힌 돈을 지불 받지 못하는 일. ¶그 회사는 부도 직전까지 갔다.

양:도 讓渡 | 넘겨줄 양, 건넬 도 [transfer; hand over]
남에게 넘겨[讓] 건네[渡]줌. 또는 그런 일. ¶이 회원권은 타인에게 양도할 수 있습니다.

언도 言渡 | 말씀 언, 건넬 도 [sentence]
❶[속뜻] 말[言]을 건넴[渡]. ❷[법률] 재판장이 판결을 알림. 지금은 '선고'(宣告)라고 한다. ¶7년의 실형을 언도 받았다.

인도 引渡 | 끌 인, 건넬 도 [transfer; extradite]
물건이나 권리 따위를 남에게 넘겨[引] 건넴[渡]. ¶현장 인도 / 범인을 경찰에 인도하다. [반]인수(引受).

1197 [랑]

浪

물결 랑:
[部] 水부 [劃] 10획 [中] 浪 [làng]

浪자는 원래 '물결'(a wave)을 뜻하기 위하여 만든 것이었으니, '물 수'(氵=水)가 부수이자 표의 요소로 쓰였고, '좋을 량(良)이 표음요소임은 郎(사나이 랑), 朗(밝을 랑)도 마찬가지이다. 후에 '물결에 일렁이다'(sway; waver), '함부로'(thoughtlessly) 등으로 확대 사용됐다.

[속뜻 훈음] ①**물결 랑**, ②**함부로 랑**.

낭:만 浪漫 | 물결 랑, 흩어질 만 [romantic]
❶[속뜻] 'romantic'의 한자 음역어 '浪漫蒂克'의 준말. ❷매우 정서적이며 이상적으로 사물을 파악하는 심리 상태나 그러한 분위기. ¶낭만을 즐기다 / 낭만적인 밤.

낭:비 浪費 | 함부로 랑, 쓸 비 [waste; squander]
함부로[浪] 씀[費]. ¶시간을 낭비하다. [반]절약(節約).

• 역순어휘

맹:랑 孟浪 | 매우 맹, 함부로 랑 [false]

❶속뜻 매우[孟] 함부로[浪] 함. ❷만만히 볼 수 없을 만큼 똘똘하고 깜찍하다. ¶그 꼬마는 아이답지 않게 정말 당차고 맹랑하다 / 맹랑한 질문을 하다.

방:랑 放浪 | 놓을 방, 물결 랑 [wander around]
❶속뜻 추방(追放)되어 이곳저곳을 물결[浪]처럼 떠돌아다님. ❷정한 곳 없이 이리저리 떠돌아다님. ¶김삿갓은 방랑시인으로 유명하다.

부랑 浮浪 | 뜰 부, 물결 랑 [wander]
일정한 거처나 직업이 없이 물결[浪]처럼 이리저리 떠돌아다님[浮]. ¶그는 10년 간 부랑 생활을 했다 / 전쟁으로 부랑하는 사람들이 늘어났다.

유랑 流浪 | 흐를 류, 물결 랑 [wander]
흐르는[流] 물결[浪]처럼 정처 없이 떠돌아다님. ¶유랑 극단 / 그는 전국을 유랑하였다. (반)정착(定着).

풍랑 風浪 | 바람 풍, 물결 랑
[wind and waves; heavy seas]
❶속뜻 바람[風]과 물결[浪]. ❷지리 해상에서 바람이 강하게 불어 일어나는 물결. ¶배가 풍랑에 휩쓸렸다.

창랑 滄浪 | 큰바다 창, 물결 랑
[sea waves; billows]
큰 바다[滄]의 푸른 물결[浪]. (비)창파(滄波).

1198 [루]

漏

샐 루:
(부) 水부 (획) 14획 (中) 漏 [lòu]

漏자는 물이 '새다'(leak out; run out)는 뜻을 나타내기 위하여 만든 것이었으니 '물 수'(水)가 표의요소로 쓰였다. 오른편의 것이 표음요소임은 屚(부스럼 루)도 마찬가지이다.

누:락 漏落 | 샐 루, 떨어질 락 [omit; leave out]
새거나[漏] 떨어짐[落]. 빠짐. (비)궐루(闕漏).

누:설 漏泄 | 샐 루, 샐 설 [leak; reveal]
❶속뜻 기체나 액체 따위가 밖으로 새어[漏=泄] 나감. ❷비밀이 새어 나감. ¶군사기밀을 누설하다.

누:수 漏水 | 샐 루, 물 수 [leak]
새어[漏] 나오는 물[水]. 물이 샘. ¶수도관이 누수하다.

누:전 漏電 | 샐 루, 번개 전
[leakage of electricity; electric leak]
전기 전류(電流)가 전선 밖으로 새어[漏] 나가는 일. ¶누전으로 불이 나다.

누:출 漏出 | 샐 루, 날 출 [leak; escape]
❶속뜻 기체나 액체 따위가 새어[漏] 나옴[出]. ¶가스 누출. ❷비밀이나 정보가 밖으로 새어나감. ¶개인 정보를 누출하다. (비)누설(漏泄).

• 역순어휘 •

옥루 玉漏 | 구슬 옥, 샐 루
옥(玉)으로 만든 물시계. 물이 새어[漏] 떨어지는 힘으로 기륜이 회전되면서 12개의 인형이 북·종·징 등을 쳐서 시간을 알려준다. ¶장영실은 자격루(自擊漏)와 옥루를 만들었다.

파:루 罷漏 | 그만둘 파, 샐 루
❶속뜻 도성의 문 닫는 것을 그만두어[罷] 사람을 드나들게[漏] 함. ❷역사 조선 시대, 서울에서 통행금지를 해제하기 위하여 종각의 종을 서른 세 번 치던 일.

1199 [막]

漠

넓을 막
(부) 水부 (획) 14획 (中) 漠 [mò]

漠자는 물이 없어 생긴 '모래벌판'(=사막, a desert)을 나타내기 위하여 만든 것이었으니 '물 수'(水)가 표의요소로 쓰였다. 莫(없을 막)은 표음과 표의를 겸하는 요소이다. 사막은 매우 넓은 땅이니 '넓다'(spacious; roomy), '아득하다'(far-off; distant) 등으로 확대 사용됐다.
속뜻훈음 ①사막 막, ②아득할 막.

막막 漠漠 | 아득할 막, 아득할 막
[vast; boundless]
끝이 보이지 않을 정도로 멀고 아득함[漠+漠]. ¶막막한 바다 / 막막한 벌판.

막연 漠然 | =邈然, 아득할 막, 그러할 연
[vague; obscure]
❶속뜻 잘 보이지 않을 정도로 아득한[漠] 모양[然]. ❷갈피를 잡을 수 없게 아득하다. ¶먹고 살 길이 막연하다. ❸똑똑하지 못하고 어렴풋함. ¶막연한 대답 / 막연히 기다리다.

• 역순어휘 •

광:막 廣漠 | 넓을 광, 아득할 막 [vast; wide]
넓은[廣] 사막처럼 아득하다[漠]. ¶광막한 초원.

망막 茫漠 | 아득할 망, 사막 막 [vast; vague]
아득한[茫] 사막[漠] 처럼 끝이 보이지 않다. ¶망막한 평원 / 앞날이 망막하다.

사막 沙漠 | =砂漠, 모래 사, 아득할 막 [desert]
❶속뜻 온통 모래[沙]로 아득하게[漠] 뒤덮인 땅. ❷지리 강우량이 적고 식물이 거의 자라지 않으며 자갈과

모래로 뒤덮인 매우 넓은 불모의 땅. ¶사막은 밤에 기온이 급격히 떨어진다.

삭막 索漠 | 쓸쓸할 삭, 사막 막 [dim; dreary]
쓸쓸한[索然] 사막[漠]처럼 외롭고 고요한. ¶삭막한 겨울 들판.

1200 [멸]

滅
멸할/꺼질 멸
部 水부 劃 13획 中 灭 [miè]

滅자는 물이 '다하다'(be exhausted; run out)는 뜻을 나타내기 위하여 만든 것이었으니 '물 수'(水)가 표의요소로 쓰였다. 오른쪽의 것이 표음요소임은 搣(비빌 멸)도 마찬가지이다. 후에 '없어지다'(disappear; vanish), '없애다'(ruin; destroy; exterminate) 등으로 확대 사용됐다.

속뜻훈음 ①없앨 멸, ②없어질 멸.

멸균 滅菌 | 없앨 멸, 세균 균
[sterilize; pasteurize]
세균(細菌)을 죽여 없앰[滅]. 비살균(殺菌).

멸망 滅亡 | 없앨 멸, 망할 망 [fall; collapse]
망(亡)하여 없어짐[滅]. ¶파괴된 환경은 인류를 멸망시킬 것이다.

멸종 滅種 | 없앨 멸, 씨 종 [exterminate a stock]
씨[種]까지 없앰[滅]. 또는 씨까지 없어짐. ¶반달곰은 멸종 위기에 처해 있다.

• 역순어휘

괴:멸 壞滅 | 무너질 괴, 없어질 멸
[destroy; demolish; ruin]
조직이나 체계 따위가 모조리 파괴(破壞)되어 멸망(滅亡)함. ¶그들은 회사 돈으로 도박을 벌여 괴멸하고 말았다 / 적군을 급습해 괴멸시켰다.

박멸 撲滅 | 칠 박, 없앨 멸 [extermination]
박살(撲殺)내서 없애버림[滅]. ¶기생충 박멸 / 해충을 박멸하다.

불멸 不滅 | 아닐 불, 없앨 멸 [do not die]
영원히 없어지지[滅] 않음[不]. ¶불멸의 업적을 남기다.

섬멸 殲滅 | 죽일 섬, 없앨 멸
[annihilate; destroy totally]
남김없이 다 죽여[殲] 없앰[滅]. ¶적군을 섬멸하다.

소멸 消滅 | 사라질 소, 없앨 멸
[become extinct; disappear]
사라져[消] 없어짐[滅]. ¶우주는 생성과 소멸을 반복한다. 반생성(生成).

자멸 自滅 | 스스로 자, 없어질 멸
[destroy oneself; ruin oneself]
❶속뜻 스스로[自] 멸망(滅亡)함. ❷자기 행동이 원인이 되어 자기가 멸망함. ¶자멸을 초래하다.

전멸 全滅 | 모두 전, 없어질 멸
[be annihilated; be exterminated]
모조리[全] 죽거나 망하거나 하여 없어짐[滅]. ¶적군은 완전히 전멸되고 말았다

파:멸 破滅 | 깨뜨릴 파, 없어질 멸
[be ruined; be wrecked]
완전히 깨어져[破] 없어짐[滅]. ¶지나친 욕심이 그의 파멸을 가져왔다 / 인류는 전쟁 때문에 파멸할 것이다.

환:멸 幻滅 | 헛보일 환, 없어질 멸
[disillusion; disenchantment]
❶속뜻 헛보이다[幻]가 곧 사라짐[滅]. ❷꿈이나 기대나 환상이 깨어짐. 또는 그때 느끼는 괴롭고도 속절없는 마음. ¶정치에 환멸을 느끼는 사람들이 많다.

1201 [몰]

沒
빠질 몰
部 水부 劃 7획 中 没 [méi, mò]

沒자는 '(물에) 빠지다'(be drowned)는 뜻을 나타내기 위하여 물[水]이 빙빙 도는 한 가운데[回]에 빠진 사람이 살려 달라고 손[又]을 내민 모습을 그린 것이었다. 참으로 실감나는 묘사가 아닐 수 없다. 후에 回가 네 번째와 다섯 번째의 획 모양으로 잘못 변하여 그러한 모습을 유추하기 힘들게 됐다. '가라앉다'(sink), '없어지다'(be exhausted) 등으로 확대 사용됐다.

속뜻훈음 ①빠질 몰, ②없어질 몰.

몰두 沒頭 | 빠질 몰, 머리 두 [absorption]
머리[頭] 속의 생각이 어떤 한 가지 일에만 빠지게[沒] 함. ¶일에만 몰두하다. 비열중(熱中), 집중(集中).

몰락 沒落 | 빠질 몰, 떨어질 락 [fall; collapse]
❶속뜻 물속으로 가라앉거나[沒] 바닥으로 떨어짐[落]. ❷잘 되던 것이 보잘것없이 됨. ¶그 집안은 몰락했다. ❸멸망하여 없어짐. ¶로마제국의 몰락. 반번영(繁榮), 번창(繁昌), 번성(繁盛).

몰살 沒殺 | 빠질 몰, 죽일 살
[massacre; annihilate]
❶속뜻 물에 빠트려[沒] 죽임[殺]. ❷모조리 죽임. ¶강감찬 장군이 적을 몰살시켰다. 비몰사(沒死), 전멸(全

滅).

몰수 沒收 | 없어질 몰, 거둘 수 [confiscate]
남은 재산이 하나도 없도록[沒] 모두 거두어[收] 들임. ¶법원은 그의 재산을 몰수했다.

몰입 沒入 | 빠질 몰, 들 입 [be absorbed in]
❶[속뜻]어떤 일에 빠져[沒] 들어감[入]. ¶일에 몰입하다. ❷[역사]죄인의 재산이나 가족을 몰수(沒收)하여 관가로 들여오던 일. [비]몰두(沒頭).

• 역순어휘

골몰 汨沒 | 빠질 골, 빠질 몰 [be immersed in]
오로지 한 가지 생각에만 빠짐[汨=沒]. ¶자신의 이익에만 골몰하다.

매몰 埋沒 | 묻을 매, 빠질 몰 [bury]
땅속에 묻거나[埋] 물속에 빠짐[沒]. ¶그는 눈 속에 매몰됐다. [반]발굴(發掘).

수몰 水沒 | 물 수, 빠질 몰
[be flooded; go under water]
물[水]에 빠져[沒] 잠김. ¶댐의 건설로 이 지역은 곧 수몰된다.

일몰 日沒 | 해 일, 빠질 몰 [sunset]
지평선이나 수평선 아래로 해[日]가 빠짐[沒]. ¶우리는 일몰을 보러 서해에 갔다. [비]일입(日入). [반]일출(日出).

출몰 出沒 | 날 출, 빠질 몰
[make frequent appearances; come and go]
무엇이 나타났다[出] 사라졌다[沒] 함. ¶이 산에는 호랑이가 출몰한다.

침몰 沈沒 | 가라앉을 침, 빠질 몰 [sink]
물에 가라앉거나[沈] 빠짐[沒]. ¶유조선이 침몰하여 바다가 기름으로 오염됐다.

함:몰 陷沒 | 떨어질 함, 빠질 몰 [cave in]
❶[속뜻]땅 아래로 떨어지거나[陷] 물에 빠짐[沒]. ❷움푹 파이거나 쏙 들어감. ¶탯줄을 자르고 함몰된 자리를 배꼽이라 부른다.

1202 [부]

浮

뜰 부
[部] 水부, 총 10획 [中] 浮 [fú]

浮자는 물위에 '뜨다'(float)는 뜻을 나타내기 위하여 만든 것이었으니, '물 수'(水)가 표의요소로 쓰였다. 孚(미쁠 부)는 표음요소니 뜻과는 무관하다.

부각 浮刻 | 뜰 부, 새길 각 [relief]
❶[미술]조각에서 평평한 면에 글자나 그림 따위를 도드라지게[浮] 새기는[刻] 일. ¶종에 관음보살을 부각하였다. ❷어떤 사물을 특징지어 두드러지게 함. ¶글의 배경은 주제를 더욱 부각했다. ❸주목받는 사람, 사물, 문제 따위로 나타나게 되다. ¶환경오염 문제가 또다시 부각되고 있다.

부기 浮氣 | 뜰 부, 기운 기 [swelling (of the skin)]
[한의]아파서 몸이 부은[浮] 기색(氣色). ¶얼굴에 아직 부기가 있다.

부동 浮動 | 뜰 부, 움직일 동 [float]
❶[속뜻]물이나 공기 중에 떠서[浮] 움직임[動]. 떠다님. ❷고정되어 있지 않고 움직임. ¶부동 인구.

부랑 浮浪 | 뜰 부, 물결 랑 [wander]
일정한 거처나 직업이 없이 물결[浪]처럼 이리저리 떠돌아다님[浮]. ¶그는 10년 간 부랑 생활을 했다 / 전쟁으로 부랑하는 사람들이 늘어났다.

부력 浮力 | 뜰 부, 힘 력
[buoyancy; lifting power]
[물리]유체(流體) 속에 있는 물체를 떠오르게[浮] 하는 힘[力]. ¶아르키메데스는 부력의 원리를 발견했다.

부상 浮上 | 뜰 부, 위 상 [rise to the surface]
❶[속뜻]물 위[上]로 떠[浮]오름. ¶고래는 숨을 쉬기 위해 해면으로 부상한다. ❷어떤 현상이 관심의 대상이 되거나 어떤 사람이 훨씬 좋은 위치로 올라섬. ¶그녀의 소설이 베스트셀러로 부상하였다.

부조 浮彫 | 뜰 부, 새길 조 [(carved) relief]
[미술]모양을 도드라지게[浮] 새김[彫]. 또는 그러한 조각. [비]돋을새김.

부판 浮板 | 뜰 부, 널빤지 판
[운동]헤엄칠 때 몸이 잘 뜨게 하는[浮] 널판[板]. ¶부판을 잡고 헤엄을 쳤다.

부표 浮漂 | 뜰 부, 떠다닐 표 [float; drift]
물에 떠서[浮] 떠돌아다님[漂]. ¶부표식물.

1203 [사]

沙

모래 사
[部] 水부 [劃] 7획 [中] 沙 [shā, shà]

沙자는 갑골문에도 등장되니 약 3,400년의 역사를 지닌다. 하천에 물(水=氵)이 적어(少)지면 보이는 것이 '모래'(sand)였기에 '沙'로 썼는데, 작아도 돌은 돌이니 '물 수'(水) 대신에 '돌 석'(石)을 넣자는 주장이 약 1,500년 전 누군가에 의해 제안되어 '砂'자로 쓰기도 한다.

사공 沙工 | =砂工, 모래 사, 장인 공
[boatman; waterman]

❶속뜻 모래밭[沙]에서 일하는 장인[工]. ❷노를 저어 배를 부리는 사람. '뱃사공'의 준말. 속담 사공이 많으면 배가 산으로 간다.

사과 沙果 | =砂果, 모래 사, 열매 과 [apple]
❶속뜻 모래[沙]밭에서 잘 자라는 과실(果實). ❷사과(沙果) 나무의 열매.

사구 沙丘 | =砂丘, 모래 사, 언덕 구 [sand dune; down]
지리 모래[沙] 언덕[丘]. ¶그랜드캐니언은 사구가 굳어서 이루어진 계곡이다.

사금 沙金 | =砂金, 모래 사, 쇠 금 [alluvial gold]
광업 강바닥이나 해안의 모래[沙]에 섞여 있는 금(金). ¶사금을 채취하다.

사기 沙器 | =砂器, 모래 사, 그릇 기 [porcelain; china (ware)]
모래[沙] 같은 백토로 구워 만든 그릇[器]. ¶사기에 요리를 담았다.

사니 沙泥 | 모래 사, 진흙 니 [quicksand]
모래[沙]가 섞인 진흙[泥].

사막 沙漠 | =砂漠, 모래 사, 아득할 막 [desert]
❶속뜻 온통 모래[沙]로 아득하게[漠] 뒤덮인 땅. ❷지리 강우량이 적고 식물이 거의 자라지 않으며 자갈과 모래로 뒤덮인 매우 넓은 불모의 땅. ¶사막은 밤에 기온이 급격히 떨어진다.

사발 沙鉢 | 모래 사, 밥그릇 발 [porcelain bowl]
사기(沙器)로 만든 밥그릇이나 국그릇[鉢]. ¶사발에 넘치도록 물을 따랐다.

사암 沙巖 | =砂巖, 모래 사, 바위 암 [sandstone]
지리 모래[沙]가 물속에 가라앉아 굳어서 된 바위[巖].

사주 沙洲 | 모래 사, 섬 주 [sandbar; sandbank]
❶속뜻 모래[沙] 섬[洲]. ❷지리 바닷가에 생기는 모래톱. 파도나 조류의 작용으로 강이나 해안의 수면 위에 모래 등이 쌓여 둑 모양을 이룬다.

사탕 沙糖 | =砂糖, 본음 [사당] 모래 사, 엿 당 [candy]
모래[沙] 크기의 설탕이나 엿[糖] 따위를 끓여서 만든 과자의 일종.

사포 沙布 | =砂布, 모래 사, 베 포 [sandpaper; emery paper]
유리가루 따위의 보드라운 모래[沙]를 발라 붙인 베[布]나 종이. 쇠붙이의 녹을 닦거나 물체의 거죽을 반들반들하게 문지르는 데에 쓴다. ¶자른 부분을 사포나 줄로 문질러 매끄럽게 다듬는다.

• 역순어휘

백사 白沙 | =白砂, 흰 백, 모래 사 [white sand]
흰[白] 모래[沙].

토사 土沙 | =土砂, 흙 토, 모래 사 [earth and sand]
흙[土]과 모래[沙]. ¶강둑에 토사가 쌓이다.

황사 黃沙 | =黃砂, 누를 황, 모래 사 [yellow sand]
❶속뜻 누런[黃] 모래[沙]. ❷지리 중국 북부나 몽고 지방의 황토가 바람에 날려 온 하늘에 누렇게 끼는 현상. ¶봄이 되면 어김없이 황사가 찾아온다.

1204 [숙]

淑

맑을 숙
部 水부 劃 11획 中 淑 [shū]

淑자는 물이 '맑다'(clear)는 뜻을 나타내기 위하여 만든 것이었으니 '물 수'(水)가 표의요소로 쓰였다. 叔(아재비 숙)은 표음요소이니 뜻과는 무관하다. '(마음이) 맑다'(pure), '착하다'(honest) 등으로 확대 사용됐다.

숙녀 淑女 | 맑을 숙, 여자 녀 [lady]
❶속뜻 교양과 품격을 갖춘 정숙(貞淑)한 여자(女子). ¶신사 숙녀 여러분. ❷성년이 된 여자를 아름답게 이르는 말. ¶서희가 이젠 숙녀가 됐다. 반신사(紳士).

• 역순어휘

사숙 私淑 | 사사로울 사, 사모할 숙 [emulate as a model; pattern after]
사적(私的)으로 사모하며[淑] 스승으로 삼아 본받음.

정숙 貞淑 | 곧을 정, 맑을 숙 [chaste; virtuous]
여자로서 행실이 곧고[貞] 마음씨가 맑음[淑]. ¶정숙한 아내.

현숙 賢淑 | 어질 현, 맑을 숙 [wise and virtuous; ladylike]
여자의 마음이나 몸가짐이 어질고[賢] 정숙(貞淑)함.

1205 [습]

濕

젖을 습
部 水부 劃 부 劃 17획 中 湿 [shī]

濕자는 원래 중국 산동성에 있는 강을 이름 짓기 위한 것이었으니 '물 수'(水)가 표의요소로 쓰였다. 오른쪽의 것이 표음요소임은 隰(진펄 습)도 마찬가지이다. 후에 '축축하다'(moist; humid), '젖다'(wet)는 뜻을 지닌 溼(습)자를 대신하는 예가 많아지자 결국 그 뜻의 주인 자리를 차지했다.

속뜻 훈음 ①젖을 습, ②축축할 습.

습구 濕球 | 젖을 습, 공 구 [wet bulb]
물리 젖은[濕] 헝겊으로 동그란[球] 수은 단지 부분을 싸 놓은 온도계. 또는 그 단지 부분.

습기 濕氣 | 축축할 습, 기운 기
[moisture; humidity]
축축한[濕] 기운(氣運). ¶장마철에는 방에 습기가 찬다.

습도 濕度 | 축축할 습, 정도 도 [humidity]
❶속뜻 공기 따위가 축축한[濕] 정도(程度). ❷물리 공기 중에 습기가 포함되어 있는 정도를 나타내는 양.

습지 濕地 | 축축할 습, 땅 지 [swampy land]
습기(濕氣)가 많은 땅[地]. ¶그 습지대는 많은 야생동물의 서식지다.

습진 濕疹 | 축축할 습, 홍역 진 [eczema]
의학 피부 겉면에 축축한[濕] 발진(發疹)이 생기는 병.

• 역순어휘 •

건습 乾濕 | 마를 건, 젖을 습
[dryness and moisture]
마름[乾]과 젖음[濕]. 건조와 습기.

1206 [연]

沿

물 따라갈/따를 연(ː)
部 水부 劃 8획 中 沿 [yán]

沿자는 물길을 '따라 내려가다'(go down)는 뜻을 나타내기 위하여 만든 것이었으니 '물 수'(水)가 표의요소로 쓰였다. 오른쪽의 것이 표음요소였음은 鉛(납 연)도 마찬가지이다. 후에 '따르다'(follow), '좇다'(go after), '잇닿다'(adjoin; be adjacent to) 등으로 확대 사용됐다.

연변 沿邊 | 따를 연, 가 변 [area along a river]
국경, 강, 철도, 도로 따위를 따라[沿] 있는 언저리 일대[邊]. ¶도로 연변에 가로수가 늘어서 있다.

연안 沿岸 | 따를 연, 언덕 안 [coast; shore]
❶속뜻 강이나 호수, 바다의 언덕[岸]을 따라[沿] 있는 땅. ❷육지와 면한 바다·강·호수 따위의 물가. ¶돌고래는 태평양 연안에 서식한다.

연해 沿海 | 따를 연, 바다 해
[sea along the coast]
바다[海]를 따라[沿] 있는 곳. 육지(陸地)에 가까이 있는 바다. 즉 대륙붕을 덮고 있는 바다를 이른다. ¶포항 연해에서는 고등어가 많이 잡힌다.

연ː혁 沿革 | 따를 연, 바꿀 혁 [history]
❶속뜻 지난 것을 따른 것[沿]과 바꾼 것[革]. ❷변천하여 온 내력. ¶학교의 연혁.

1207 [윤]

潤

불을 윤ː
部 水부 劃 15획 中 润 [rùn]

潤자는 물에 '젖다'(get wet; wet)는 뜻을 나타내기 위하여 만든 것이었으니 '물 수'(水)가 표의요소로 쓰였다. 閏(윤달 윤)은 표음요소일 따름이다. 후에 '적시다'(moisten), '반들거리다'(lustrous) 등으로 확대 사용됐다.

속뜻 훈음 ①젖을 윤, ②반들거릴 윤.

윤ː기 潤氣 | 반들거릴 윤, 기운 기 [luster; gloss]
반들거리는[潤] 기운(氣運). 반들반들함. ¶그녀의 검은 머리카락은 윤기가 난다. 준윤(潤). 비광(光), 광택(光澤).

윤ː택 潤澤 | 젖을 윤, 윤날 택 [rich; wealthy]
❶속뜻 물기 따위에 젖어[潤] 번지르르하게 윤이 남[澤]. ❷살림살이가 넉넉함. ¶그는 윤택한 가정에서 태어났다.

윤ː활 潤滑 | 반들거릴 윤, 미끄러울 활
[lubricative; smooth]
반들거리고[潤] 미끄러움[滑]. ¶윤활 장치 / 모든 작업 과정이 윤활하게 돌아가고 있다.

• 역순어휘 •

이ː윤 利潤 | 날카로울 리, 반들거릴 윤
[profit; returns]
❶속뜻 날카로움[利]과 반들반들함[潤]. ❷장사하여 남은 돈. ¶장사로 큰 이윤을 남기다. 비이익(利益).

1208 [음]

淫

음란할 음
部 水부 劃 11획 中 淫 [yín]

淫자는 본래 '물들다'(dye; be dyed)는 뜻을 나타내기 위하여 만든 것이었으니 '물 수'(水)가 표의요소로 쓰였다. 오른쪽의 것이 표음요소임은 婬(음탕할 음)도 마찬가지이다. 후에 '지나치다'(exceed), '넘치다'(overflow; brim over) 등으로 확대 사용됐다. '음란하다'(be lewd; lascivious) 또는 이와 의미상 연관이 있는 낱말의 한 구성요소로도 쓰인다.
[속뜻훈음] ①음란할 음, ②지나칠 음.

음란 淫亂 | 지나칠 음, 어지러울 란 [lewd; lascivious]
❶[속뜻] 지나치게[淫] 문란(紊亂)함. ❷음탕하고 난잡함. ¶음란 사이트 / 음란한 행위.

음탕 淫蕩 | 음란할 음, 방자할 탕 [debauched; dissipated]
음란(淫亂)하고 방탕(放蕩)함. ¶음탕한 말 / 음탕한 생각.

• 역순어휘

간:음 姦淫 | 간통할 간, 음란할 음 [commit adultery (with)]
부부가 아닌 남녀가 음란(淫亂)한 성 관계를 맺음[姦].

매:음 賣淫 | 팔 매, 음란할 음 [practice prostitution; prostitute oneself]
여자가 돈을 받고 몸을 팔아[賣] 음란한[淫] 짓을 하는 것. [비]매춘(賣春).

1209 [잠]

潛 잠길 잠
[部] 水부 [획] 15획 [中] 潜 [qián]

潛자는 물에 '잠기다'(soak)는 뜻을 나타내기 위하여 만든 것이었으니 '물 수'(水)가 표의요소로 쓰였다. 오른쪽의 것이 표음요소임은 簪(비녀 잠), 蠶(누에 잠)도 마찬가지이다. 후에 '가라앉다'(sink), '숨다'(hide), '몰래'(secretly) 등으로 확대 사용됐다.
[속뜻훈음] ①잠길 잠, ②숨길 잠.

잠복 潛伏 | 잠길 잠, 엎드릴 복 [stake out]
❶[속뜻] 물속에 잠겨 있거나[潛] 땅바닥에 엎드려 있음[伏]. ❷겉으로 드러나지 아니함. ¶그는 잠복해 있다가 범인을 잡았다. ❸[의학] 병에 감염되어 있으면서도 증상이 겉으로 드러나지 않음. ¶이 병은 잠복 기간이 2주 정도이다.

잠수 潛水 | 잠길 잠, 물 수 [dive; go under water]
물[水]속으로 잠김[潛]. ¶해녀는 잠수하여 전복을 따왔다.

잠입 潛入 | 잠길 잠, 들 입 [smuggle oneself into]
❶[속뜻] 물속에 잠기어[潛] 들어감[入]. ❷몰래 숨어 들어감. ¶간첩의 잠입을 철저히 막아야 한다.

잠잠 潛潛 | 잠길 잠, 잠길 잠 [be quiet]
❶[속뜻] 고요히 잠기다[潛+潛]. ❷아무 소리도 없이 조용하다. ¶비바람이 그치자 파도가 잠잠해졌다. ❸말이 없이 가만히 있다. ¶한동안 잠잠하더니.

잠재 潛在 | 잠길 잠, 있을 재 [lie dormant; latent]
속에 잠기어[潛] 있음[在]. 겉에 드러나지 않고 숨어 있음. ¶잠재 능력 / 한국은 성장할 수 있는 힘이 잠재되어 있다.

잠적 潛跡 | =潛迹, 숨길 잠, 발자취 적 [disappear; vanish]
발길[跡]을 아주 숨김[潛]. ¶사건 이후 그녀가 잠적했다.

1210 [점]

漸 점점 점:
[部] 水부 [획] 14획 [中] 渐 [jiàn, jiān]

漸자는 '물들다'(be infected)는 뜻을 나타내기 위한 글자였으니, '물 수'(水)가 표의요소로 쓰였다. 斬(벨 참)이 표음요소였음은 暫(잠시 잠)도 마찬가지이다. 후에 '자라다'(grow), '점점'(gradually), '차츰'(one by one) 등으로 확대 사용됐다.
[속뜻훈음] ①점점 점, ②차츰 점.

점:등 漸騰 | 점점 점, 오를 등 [rise gradually]
시세가 점점[漸] 오름[騰].

점:오 漸悟 | 점점 점, 깨달을 오
점점[漸] 깊이 깨달음[悟].

점:점 漸漸 | 차츰 점, 차츰 점 [by degrees; little by little]
차츰[漸] 차츰[[漸] 변함. ¶날씨가 점점 더워지고 있다. [비]점차(漸次), 차츰.

점:진 漸進 | 점점 점, 나아갈 진 [progress gradually]
❶[속뜻] 점차(漸次) 앞으로 나아감[進]. ❷점점 발전함.

점:차 漸次 | 점점 점, 차례 차 [gradually; by degrees]
점점[漸] 차례(次例)대로. ¶현지는 점차 공부에 흥미를 느꼈다. [비]점점(漸漸), 차츰.

1211 [정]

淨 깨끗할 정
[部] 水부 [획] 11획 [中] 净 [jìng]

淨자는 물이 '깨끗하다'(clear)는 뜻을 적기 위한 것이었으니 '물 수'(水)가 표의요소로 쓰였다. 爭

(다툴 쟁)이 표음요소였음은 靜(고요할 정)도 마찬가지이다. '말끔하다'(clean; tidy; neat)는 뜻으로도 쓰인다.
속뜻훈음 ①깨끗할 정, ②말끔할 정.

정결 淨潔 | 말끔할 정, 깨끗할 결 [clean and neat; undefiled]
매우 말끔하고[淨] 깨끗함[潔]. ¶정결한 마음 / 그의 방은 늘 정결하다.

정수 淨水 | 깨끗할 정, 물 수 [clean water]
물[水]을 깨끗하고[淨] 맑게 함. 또는 그 물. ¶이 물은 정수한 것이다 / 정수를 마시다.

정혜 淨慧 | 깨끗할 정, 슬기로울 혜
불교 마음을 한곳에 머물게 하는 '정'(淨)과 현상과 본체를 관조하는 '혜'(慧)를 아울러 이르는 말.

정화 淨化 | 깨끗할 정, 될 화 [purify]
불순하거나 더러운 것을 깨끗하게[淨] 함[化]. ¶수질 정화 / 이 식물은 공기를 정화하는데 도움을 준다.

• 역순어휘

부정 不淨 | 아닐 부, 깨끗할 정 [unclean; dirty]
❶속뜻 깨끗하지[淨] 못함[不]. 더러움. ❷사람이 죽는 따위의 불길한 일. ¶부정한 아내.

청정 淸淨 | 맑을 청, 깨끗할 정 [pure; clean]
맑고[淸] 깨끗함[淨]. 깨끗하여 속됨이 없음. ¶청정 에너지 / 시냇물이 청정하다.

1212 [주]

洲 물가 주
部 水부 劃 9획 中 洲 [zhōu]

洲자의 본래 글자인 州(#0340)는 큰 하천[川] 한 가운데 생겨난 '삼각주'(a delta)를 뜻하기 위하여 그 모양을 본뜬 것이다. 후에 '고을'(a county), '마을'(a village; a hamlet)을 뜻하는 것으로 확대 사용되는 예가 잦아지자, 본래 의미는 '물 수'(水)를 덧붙인 洲(모래섬 주)자를 만들어 나타냈다. '대륙'(a continent)을 뜻하는 것으로도 쓰인다.
속뜻훈음 ①섬 주, ②대륙 주.

주서 洲嶼 | 섬 주, 섬 서 [delta]
지리 강어귀에 흙과 모래가 쌓여 삼각주처럼 된 섬[洲=嶼]. 비주도(洲島).

• 역순어휘

미주 美洲 | 미국 미, 대륙 주 [Americas]
미국(美國)이 있는 대륙[洲]. ¶이 제품은 미주 지역으로 수출된다.

사주 沙洲 | 모래 사, 섬 주 [sandbar; sandbank]
❶속뜻 모래[沙] 섬[洲]. ❷지리 바닷가에 생기는 모래톱. 파도나 조류의 작용으로 강이나 해안의 수면 위에 모래 등이 쌓여 둑 모양을 이룬다.

호주 濠洲 | 해자 호, 대륙 주 [Australia]
지리 오스트레일리아(Australia). 음의 일부를 옮긴 것[濠]에 섬을 뜻하는 주(洲)가 덧붙여졌다.

1213 [지]

池 못 지
部 水부 劃 6획 中 池 [chí]

池자는 물이 많이 고인 '못'(a pond)을 뜻하기 위하여 만든 것이었으니 '물 수'(水)가 표의요소로 쓰였다. 也(어조사 야)가 표음요소임은 地(땅 지)도 마찬가지이다.

지당 池塘 | 못 지, 못 당
넓고 깊게 팬 땅에 늘 괴어 있는 물[池=塘].

지반 池畔 | 못 지, 두둑 반 [pondside]
연못[池]의 가장자리 두둑[畔]. 지변(池邊).

• 역순어휘

묵지 墨池 | 먹 묵, 못 지
벼루의 앞쪽에 오목하게 패여 먹을 갈기 위해 물을 붓거나 간 먹[墨]물이 고이는 곳[池].

소지 沼池 | 늪 소, 못 지 [swamp; marsh]
늪[沼]과 못[池]. 소택(沼澤).

연:지¹ 硯池 | 벼루 연, 못 지
벼루[硯]의 앞쪽에 못[池]처럼 오목하게 파인 곳. 먹을 갈기 위해 물을 붓거나 간 먹물이 고이는 곳이다.

연지² 蓮池 | 연꽃 련, 못 지 [pond]
❶속뜻 연(蓮)꽃을 심은 못[池]. ¶꽤 넓은 두 개의 연지가 있다. 비연못.

전:지 電池 | 전기 전, 못 지 [electric cell; battery]
전기 화학반응, 방사선, 온도 차, 빛 따위로 전극 사이에 전기(電氣) 에너지를 저장하는 못[池] 같은 장치. ¶리튬 전지 / 전지가 다 닳아서 충전해야겠다.

함지 咸池 | 다 함, 못 지 [large pond]
❶속뜻 다[咸] 빠질 만큼 큰 못[池]. ❷해가 진다고 하는 서쪽의 큰 못. ❸민속 하늘에 있다는 신 또는 하늘의 신령. ❹음악 중국 요임금 때에 연주되던 음악의 이름.

1214 [천]

淺 얕을 천:
㊀ 水부 ㊁ 11획 ㊥浅 [qiǎn, jiān]

淺자는 물이 '얕다'(shallow)는 뜻을 나타내기 위하여 만든 것이었으니 '물 수'(水)가 표의요소로 쓰였다. 戔(쌓일 전)이 표음요소였음은 賤(천할 천), 踐(밟을 천)도 마찬가지이다. 후에 소견, 지식, 학문 등이 깊지 않다는 뜻으로 확대 사용됐다. 주로 자신의 경우를 낮추어 말할 때 쓴다. 남에 대하여 쓰면 욕이 될 수 있으니 조심해야 한다.

천:견 淺見 | 얕을 천, 볼 견 [superficial idea; shallow view; my humble opinion]
❶속뜻 얕게[淺] 봄[見]. 얕은 견문(見聞). ❷천박한 소견. ❸'자기의 소견'을 겸손하게 이르는 말. ㊐천문(淺聞), 단견(短見).

천:근 淺近 | 얕을 천, 가까울 근 [shallow; superficial; short-sighted]
지식이나 생각이 깊지 않고[近] 얕음[淺].

천:단 淺短 | 얕을 천, 짧을 단 [shallow]
생각이나 지식이 얕고[淺] 짧음[短].

천:문 淺聞 | 얕을 천, 견문 문 [superficial idea; shallow view]
얕은[淺] 견문(見聞). 천견(淺見).

천:박 淺薄 | 얕을 천, 엷을 박 [shallow; superficial]
지식이나 생각 따위가 얕고[淺] 엷음[薄]. ¶생각이 천박하여 돈 많은 것만 자랑으로 여기다.

천:식 淺識 | 얕을 천, 알 식 [superficial knowledge]
얕은[淺] 지식(知識)이나 견식(見識).

천:작 淺酌 | 얕을 천, 따를 작
❶속뜻 술잔에 술을 얕게[淺] 따름[酌]. ❷조용히 가볍게 술을 마심.

천:학 淺學 | 얕을 천, 배울 학 [shallow knowledge]
얕은[淺] 학식(學識). 학식이 부족함. ㊐박학(薄學). ㊟박학(博學).

천:해 淺海 | 얕을 천, 바다 해 [shallow sea]
얕은[淺] 바다[海]. ㊟심해(深海).

천:협 淺狹 | 얕을 천, 좁을 협 [shallow and narrow; narrow-minded]
❶속뜻 얕고[淺] 좁음[狹]. ❷도량이 작고 옹졸함.

• 역순어휘

심:천 深淺 | 깊을 심, 얕을 천 [deep and shallow]
깊음[深]과 얕음[淺].

연천 年淺 | 나이 년, 얕을 천 [short in years]
❶속뜻 나이[年]가 아직 적음[淺]. ❷시작한 지 몇 해가 아니 됨.

일천 日淺 | 날 일, 얕을 천 [short]
날짜[日]가 많지 않음[淺]. 시작한 지 얼마 되지 않음.

1215 [체]

滯 막힐 체
㊀ 水부 ㊁ 14획 ㊥ 滞 [zhì]

滯자는 물이 흐르지 못하고 '막히다'(be closed; get blocked)는 뜻을 나타내기 위하여 만든 것이었으니 '물 수'(水)가 표의요소로 쓰였다. 帶(띠 대)가 표음요소로 쓰인 것이었음은 殢(나른할 체), 嵽(높을 체)도 마찬가지이다.

체류 滯留 | 막힐 체, 머무를 류 [stay; sojourn]
❶속뜻 길이 막히어[滯] 그곳에 머물러[留] 있음. ❷어떤 곳에 머물러 있음. ¶이모는 외국에 체류 중이다.

체증 滯症 | 막힐 체, 증세 증 [indigestion; dyspepsia; congestion]
한의 먹은 음식물이 막혀[滯] 소화가 잘 안 되는 증세(症勢). ¶소화제를 먹으니 체증이 내려간다 / 명절이라 교통체증이 심하다.

• 역순어휘

연체 延滯 | 끌 연, 막힐 체 [be in arrears; be overdue]
❶속뜻 기한을 끌어[延] 의무 이행을 지체(遲滯)함. ❷법률 기한 안에 이행해야 할 채무나 납세 따위를 지체하는 일. ¶연체요금 / 그는 집세를 연체했다.

정체 停滯 | 멈출 정, 막힐 체 [stagnate; delay]
앞으로 나아가지 못하고 멈추거나[停] 막혀 있음[滯]. ¶교통 정체.

지체 遲滯 | 늦을 지, 막힐 체 [delay]
늦어지거나[遲] 막힘[滯]. ¶더 이상 시간을 지체할 수 없다.

침체 沈滯 | 잠길 침, 막힐 체 [be depressed; become stagnant]
❶속뜻 물에 잠기어[沈] 길이 막힘[滯]. ❷앞으로 나아가지 못하고 제자리에 머무름. ¶경기가 침체 상태에 있다 / 분위기가 침체되다.

1216 [칠]

漆

옻 칠

㊀ 水부 ㊁ 14획 ㊥ 漆 [qī]

漆자는 본래 '옻나무'(a lacquer tree)를 뜻하기 위한 것으로 桼(칠)이라 썼다. 이것은 나무에서 진이 흘러나오는 모습을 본뜬 것이다. 후에 나무에서 흘러나오는 진물, 즉 '옻'(lacquer)을 더욱 분명하게 나타내기 위하여 '물 수'(水)를 첨가한 것이 바로 '漆'자다. '칠하다'(paint)는 뜻으로도 많이 쓰인다.

속뜻훈음 ①옻 칠, ②칠할 칠.

칠기 漆器 | 옻 칠, 그릇 기 [lacquered ware]
옻칠(漆)을 한 그릇[器]. ¶칠기는 동양 특유의 공예품이다 / 나전칠기.

칠판 漆板 | 옻 칠, 널빤지 판 [blackboard]
❶속뜻 검은 옻칠(漆)을 한 널빤지[板]. ❷검정이나 초록색 따위의 칠을 하여 그 위에 분필로 글씨를 쓰거나 그림을 그리게 만든 널조각. ¶눈이 나빠 칠판 글씨가 보이지 않는다.

칠흑 漆黑 | 옻 칠, 검을 흑
[jet black; pitch darkness]
옻칠(漆)처럼 검고[黑] 캄캄함. ¶칠흑 같은 밤거리.

• 역순어휘

색칠 色漆 | 빛 색, 칠할 칠 [color; paint]
빛깔[色]이 나게 칠(漆)을 함. 또는 그 칠. ¶방문을 노랗게 색칠하다. ㊐도색(塗色).

1217 [침]

浸

잠길 침:

㊀ 水부 ㊁ 10획 ㊥ 浸 [jìn]

浸자는 물에 '잠기다'(soak in)는 뜻을 나타내기 위하여 만든 것이었으니 '물 수'(水)가 표의요소로 쓰였다. 오른쪽의 것이 표음요소로 쓰인 것임은 侵(침노할 침), 埐(지명 침)도 마찬가지이다. 후에 '스며들다'(sink into; penetrate), '젖다'(get wet; wet) 등으로 확대 사용됐다.

속뜻훈음 ①스며들 침, ②잠길 침.

침:수 浸水 | 잠길 침, 물 수
[be flooded; be waterlogged]
물[水]에 젖거나 잠김[浸]. ¶강물이 넘쳐 마을이 침수됐다.

침:식 浸蝕 | 스며들 침, 좀먹을 식 [erode (away)]
❶속뜻 물이 스며들고[浸] 좀 먹음[蝕]. ❷지리 지표가 비, 하천, 빙하, 바람 따위의 자연현상에 의하여 깎이는 일. ¶파도에 침식되어 절벽이 형성됐다.

침:투 浸透 | 스며들 침, 비칠 투
[pass through; infiltrate]
❶속뜻 속까지 스며들거나[浸] 속까지 환히 비침[透]. ❷어떤 현상이나 사상 따위가 속속들이 스며들거나 깊이 들어감. ¶빗물이 침투하다 / 공산주의 사상이 침투했다.

1218 [침]

沈

잠길 침, 성 심:

㊀ 水부 ㊁ 7획 ㊥ 沈 [shěn, shén]

沈자의 갑골문은 물에 '가라앉다'(sink)는 뜻을 나타내기 위하여 큰 강물에 빠져 넘어진 소가 허우적거리는 모습을 본뜬 것이다. 황소를 황하에 던져 제사를 지낸 옛 풍습을 나타낸 것이라는 설도 있다. 오른쪽의 것이 바로 그러한 소의 모습이 잘못 변화된 것이다. 지금의 자형에서는 표음요소를 겸하는 것은 枕(베개 침), 忱(정성 침)을 통하여 알 수 있다. 후에 마음을 '가라앉히다'(let sink), '잠기다'(soak) 등으로 확대 사용됐다. 사람의 성씨로 쓰일 때에는 [심:]으로 읽는다.

속뜻훈음 ①가라앉을 침, ②막힐 침, ③침울할 침, ④잠길 침.

침강 沈降 | 가라앉을 침, 내릴 강
[precipitate; sink]
❶속뜻 가라앉아[沈] 밑으로 내려감[降]. ❷지리 지각의 일부가 아래쪽으로 움직이거나 꺼짐.

침닉 沈溺 | 가라앉을 침, 빠질 닉 [be addicted to]
❶속뜻 물에 가라앉거나[沈] 빠짐[溺]. ❷술이나 노름, 여자 따위에 빠짐. ㊂침몰(沈沒).

침몰 沈沒 | 가라앉을 침, 빠질 몰 [sink]
물에 가라앉거나[沈] 빠짐[沒]. ¶유조선이 침몰하여 바다가 기름으로 오염됐다.

침묵 沈默 | 가라앉을 침, 입다물 묵
[hold one's tongue; be silent]
흥분 따위를 가라앉히고[沈] 입을 다물고[默] 있음. ¶그들 사이에 어색한 침묵이 흘렀다 / 그녀는 잠시 동안 침묵했다.

침울 沈鬱 | 가라앉을 침, 답답할 울 [melancholy]
기분이 가라앉고[沈] 마음이 답답하다[鬱]. ¶침울한 표정을 보면 누구나 침울해진다. ㊙명랑(明朗)하다.

침전 沈澱 | 가라앉을 침, 앙금 전

[precipitate; be deposited]
❶속뜻 무엇이 가라앉아[沈] 생긴 앙금[澱]. ¶무거운 알갱이는 더 빨리 침전한다. ❷화학 화학반응으로 말미암아 용액 안에 생긴 불용성의 물질.

침착 沈着 | 가라앉을 침, 붙을 착 [be calm]
❶속뜻 가라앉아[沈] 들러붙음[着]. ❷행동이 들뜨지 않고 찬찬함. ¶소방대원들이 사람들에게 침착해 줄 것을 당부했다.

침체 沈滯 | 잠길 침, 막힐 체
[be depressed; become stagnant]
❶속뜻 물에 잠기어[沈] 길이 막힘[滯]. ❷앞으로 나아가지 못하고 제자리에 머무름. ¶경기가 침체 상태에 있다 / 분위기가 침체되다.

침침 沈沈 | 잠길 침, 잠길 침 [gloomy; dim]
❶속뜻 물에 잠긴[沈+沈] 것 같이 어두컴컴함. ¶방 안이 어두워 침침하다. ❷눈이 어두워 물건이 똑똑히 보이지 아니하고 흐릿하다. ¶나이가 들면 눈이 침침해진다.

침통 沈痛 | 잠길 침, 아플 통 [sad; grave]
근심이나 슬픔에 잠겨[沈] 마음이 몹시 아픔[痛]. ¶그는 장례식에서 침통한 표정을 하고 있었다.

• 역순어휘

음침 陰沈 | 응달 음, 잠길 침
[gloomy; dismal]
❶속뜻 응달[陰]이 지거나 물에 잠긴[沈] 것 같이 어둡고 쌀쌀하다. ¶음침한 날씨. ❷성질이 명랑하지 못하다. ¶표정이 음침하다.

1219 [탕]

湯 끓을 탕:
部 水부 획 12획
中 汤 [tāng, shāng]

湯자는 '물이 끓다'(boil; seethe; grow hot)는 뜻을 나타내기 위하여 만든 것이었으니 '물 수'(水)가 표의요소로 쓰였다. 昜(볕 양)이 표음요소로 쓰였음은 蕩(음탕할 탕), 碭(무늬 있는 돌 탕)도 마찬가지이다. 후에 '끓인 물'(boiled water)이나 '국'(soup; broth), '욕탕'(a bathhouse; a public bath)을 뜻하는 것으로 확대 사용됐다.
속뜻 훈음 ①끓을 탕, ②욕탕 탕.

탕:약 湯藥 | 끓을 탕, 약 약
[an infusion; herb tea]
한의 끓이고 달여서[湯] 만든 한약(漢藥). ¶탕약 한 첩을 달이다. 비 탕제(湯劑).

• 역순어휘

남탕 男湯 | 사내 남, 욕탕 탕
[men's bathroom (of a public bath)]
남자(男子)들이 목욕하는 탕(湯). 반 여탕(女湯).

냉:탕 冷湯 | 찰 랭, 욕탕 탕 [cold bath]
차가운[冷] 물을 채운 목욕탕(沐浴湯). 반 온탕(溫湯).

온탕 溫湯 | 따뜻할 온, 욕탕 탕 [hot bath]
따뜻한[溫] 물을 채운 목욕탕(沐浴湯). 반 냉탕(冷湯).

욕탕 浴湯 | 목욕할 욕, 끓을 탕 [bathhouse]
목욕(沐浴)할 수 있도록 끓인[湯] 물. '목욕탕'의 준말. ¶욕탕에 텀벙 들어가다.

중:탕 重湯 | 거듭 중, 끓을 탕
[warm up in a double boiler]
❶속뜻 거듭[重]하여 끓임[湯]. ❷끓는 물속에 음식 담은 그릇을 넣어 익히거나 데움. ¶한약을 중탕해서 마시다.

1220 [태]

泰 클 태
部 水부 획 10획 中 泰 [tài]

泰자는 원래 '미끄러지다'(slide; glide)는 뜻을 나타내기 위하여, 물[水]에 미끄러진 사람[大]을 두 손[又+又→廾]으로 잡고 있는 모습을 그린 것이다. 지금은 본뜻으로 쓰이지 않고, '크다'(great; grand), '대단히'(greatly; exceedingly), '뽐내다'(be haughty), '침착하다'(calm) 등으로 차용되어 쓰인다.
속뜻 훈음 ①클 태, ②침착할 태.

태봉 泰封 | 클 태, 봉할 봉
❶속뜻 하늘이 내려준 큰[泰] 봉지(封地). ❷역사 901년에 궁예가 송악에 도읍하여 세운 나라. 건국 당시 국호를 후고구려라 하였다가 905년 도읍을 철원으로 옮기면서 국호를 태봉으로 고쳤다.

태산 泰山 | 클 태, 메 산
[high mountain]
❶속뜻 크고[泰] 높은 산(山). ❷'크고 많음'을 비유하여 이르는 말. ¶할 일이 태산인데 잠만 자고 있느냐. ❸'정도가 점점 더 심해지는 것'을 비유하여 이르는 말. ¶갈수록 태산.

태연 泰然 | 침착할 태, 그러할 연 [cool]
❶속뜻 침착한[泰] 모양[然]. ❷태도나 기색이 아무렇지 않고 예사로움. ¶그는 애써 태연한 척했다.

1221 [택]

澤

못 택
[部] 水부 [劃] 16획 [中] 泽 [zé]

澤자는 물이 고여 있는 '못'(a pond; a pool)을 뜻하기 위하여 만들어진 것이었으니, '물 수'(水⇒氵)가 표의요소로 쓰였다. 그 나머지가 표음요소임은 擇(가릴 택)도 마찬가지이다. 연못물의 표면처럼 반짝반짝 '윤이 나다'(be glossy, be bright), '은덕'(a benefit)이라는 뜻을 나타내는 것으로도 쓰인다.

[속뜻훈음] ①윤날 택, ②은덕 택.

• 역순어휘

광택 光澤 | 빛 광, 윤날 택 [glaze; shine]
빛[光]의 반사로 반짝반짝 윤이 남[澤]. 또는 그 빛. ¶천으로 문질러 광택을 내다. [비]윤기.

덕택 德澤 | 베풀 덕, 은덕 택
[indebtedness; favor]
❶[속뜻]은덕[澤]을 베풂[德]. ❷남에게 끼친 혜택. ¶어머니가 도와주신 덕택으로 성공했다. [비]덕분(德分).

윤:택 潤澤 | 젖을 윤, 윤날 택 [rich; wealthy]
❶[속뜻]물기 따위에 젖어[潤] 번지르르하게 윤이남[澤]. ❷살림살이가 넉넉함. ¶그는 윤택한 가정에서 태어났다.

혜:택 惠澤 | 은혜 혜, 은덕 택 [favor; benefit]
❶[속뜻]고마운[惠] 은덕[澤]. ❷은혜(恩惠)와 덕택(德澤). ¶복지 혜택.

1222 [포]

浦

개[水邊] 포
[部] 水부 [劃] 10획 [中] 浦 [pǔ]

浦자는 강의 '개'(the tidal reaches of a river; an estuary)를 뜻하기 위한 것이었으니 '물 수'(水)가 표의요소로 쓰였다. 甫(클 보)가 표음요소였음은 捕(사로잡을 포), 脯(말린 고기 포)도 마찬가지이다. '개펄'(a tidal flat)을 뜻하기도 한다. 이것이 지명으로 쓰인 곳은 모두 예전에 나루터로 활용됐던 곳이다.

포구 浦口 | 개 포, 어귀 구
[inlet; port; boat landing]
배가 드나드는 개[浦]의 어귀[口]. ¶포구에는 어선들이 정박해 있다.

포촌 浦村 | 개 포, 마을 촌 [seaside village]
갯가[浦]에 있는 마을[村].

포항 浦港 | 개 포, 항구 항 [harbor and port]
포구(浦口)와 항구(港口).

1223 [한]

汗

땀 한:
[部] 水부 [劃] 6획 [中] 汗 [hán, hàn]

汗자는 '땀'(sweat; perspiration)을 나타내기 위하여 만든 것이다. '물 수'(水)가 표의요소로 쓰인 것은 땀도 물은 물이라고 여긴 때문일 것이다. 干(방패 간)이 표음요소로 쓰인 것임은 扞(막을 한), 豻(들개 한)도 마찬가지이다.

한:선 汗腺 | 땀 한, 샘 선 [sweat gland]
[의학]땀[汗]을 만들어 몸 밖으로 내보내는 외분비선[腺]. 땀샘.

한:증 汗蒸 | 땀 한, 더울 증
[take a sweating bath]
덥게[蒸] 하여 땀[汗]을 냄. 또는 그러한 치료법.

• 역순어휘

고한 苦汗 | 힘들 고, 땀 한
힘들게[苦] 일하며 흘린 땀[汗].

냉:한 冷汗 | 찰 랭, 땀 한 [cold sweat]
❶[속뜻]식은[冷] 땀[汗]. ❷몸이 쇠약하여 덥지 아니하여도 병적으로 나는 땀.

발한 發汗 | 생길 발, 땀 한 [perspire; sweat]
땀[汗]이 생기게 함[發]. 땀을 냄.

열한 熱汗 | 더울 열, 땀 한
❶[속뜻]더운[熱] 땀[汗]. ❷심한 노동이나 격렬한 운동 따위로 흘리는 땀.

취:한 取汗 | 가질 취, 땀 한 [perspire; sweat]
[한의]병을 다스리기 위하여 땀[汗]을 내는[取] 일. [비]발한(發汗).

허한 虛汗 | 빌 허, 땀 한 [cold sweat]
[한의]원기가 부실하여[虛] 흘리는 땀[汗].

혈한 血汗 | 피 혈, 땀 한
[blood sweat; blood and sweat]
피[血]와 땀[汗].

1224 [호]

浩

넓을 호:
[部] 水부 [劃] 10획 [中] 浩 [hào]

浩자는 강물이 넓고 세찬 모양을 뜻하기

위하여 만든 것이었으니 '물 수'(水)가 표의요소로 쓰였다. 告(알릴 고)가 표음요소였음은 晧(밝을 호)도 마찬가지이다. 후에 '넓다'(broad), '광대하다'(vast; boundless), '넉넉하다'(rich; wealthy) 등으로 확대 사용됐다. 모양이 비슷한 活(살 활)과 혼동하기 쉽다.

호:기 浩氣 | 클 호, 기운 기
[vast spirit; great spirit; great morale]
❶속뜻 거침없이 넓고 큰[浩] 기개(氣槪). ❷하늘과 땅 사이에 가득 찬 넓고 큰 원기. ⊕호연지기(浩然之氣).

호:연지기 浩然之氣 | 클 호, 그러할 연, 어조사 지, 기운 기 [vast flowing spirit; great morale]
❶속뜻 바르고 큰[浩] 그러한[然] 모양의 기운(氣運). ❷하늘과 땅 사이에 가득 찬 넓고 큰 원기. ❸거침없이 넓고 큰 기개. ¶호연지기를 기르다.

호:탕 浩蕩 | 클 호, 넓고 클 탕
[vast; boundless; endless; immense]
물이 넓어서[浩=蕩] 끝이 없음. '호호탕탕'(浩浩蕩蕩)의 준말.

호:한 浩瀚 | 넓을 호, 넓을 한
호수 따위의 물이 한없이 넓은[浩=瀚] 모양. ¶호한한 호수를 바라보다.

호:호 浩浩 | 넓을 호, 넓을 호
❶속뜻 넓고[浩] 넓음[浩]. 큰 모양. ❷물이 가득하게 흐르는 모양.

1225 [홍]

洪

넓을 홍
部 水부 劃 9획 中 洪 [hóng]

洪자는 큰 물, 즉 '홍수'(a flood; an inundation)를 뜻하기 위하여 만든 것이었으니 '물 수'(水)가 표의요소로 쓰였다. 共(함께 공)이 표음요소였음은 烘(횃불 홍)도 마찬가지이다. 후에 일반적 의미의 '크다'(immense)는 뜻으로 확대 사용됐다.

속뜻훈음 **클 홍.**

홍릉 洪陵 | 클 홍, 무덤 릉
❶속뜻 큰[洪] 무덤[陵]. ❷고적 경기도 남양주시 금곡동에 있는 조선 고종과 왕비인 명성황후가 합장되어 있는 무덤.

홍수 洪水 | 클 홍, 물 수
[flood; inundation]
❶속뜻 큰[洪] 물[水]. ❷비가 많이 내려 강과 시내의 물이 크게 불어나 넘치는 것. ¶마을의 집들이 홍수로 물에 잠겼다.

1226 [간]

懇

간절할 간:
部 心부 劃 17획 中 恳 [kěn]

懇자는 '정성'(sincerity)을 뜻하기 위하여 만든 것이었으니 '마음 심'(心)이 표의요소로 쓰였다. 그 윗부분이 표음요소임은 墾(개간할 간)도 마찬가지이다. 후에 '성의'(good faith), '간절히'(sincerely) 등으로 확대 사용됐다.

속뜻훈음 **정성 간.**

간:곡 懇曲 | 정성 간, 굽을 곡
[be cordial; earnest]
정성스럽고[懇] 곡진하다[曲]. 매우 정성스럽다. ¶간곡한 부탁을 거절할 수 없었다.

간:담 懇談 | 정성 간, 이야기 담
[familiar talk]
정성스럽게[懇] 주고받는 이야기[談].

간:절 懇切 | 정성 간, 절실할 절
[be eager; sincere]
정성스럽고[懇] 절실(切實)하다. ¶간절한 눈빛.

간:청 懇請 | 정성 간, 부탁할 청 [entreat]
간곡(懇曲)히 부탁함[請]. 또는 그러한 청원. ¶임금은 아이의 간청을 들어주었다. ⊕청탁(請託), 부탁(付託).

1227 [공]

恭

공손할 공
部 心부 劃 10획 中 恭 [gōng]

恭자는 '공손하다'(polite)는 뜻을 나타내기 위하여 만든 것인데, '마음 심'(心)이 표의요소로 쓰인 것은 태도나 동작도 중요하지만 마음이 가장 근본이라고 여겼기 때문인 것 같다. '心'자의 모양이 약간 달리 쓰인 점에 유의하자. 共(함께 공)은 표음요소이니 뜻과는 무관하다.

공경 恭敬 | 공손할 공, 존경할 경
[respect; revere; venerate]
공손(恭遜)한 마음가짐으로 남을 존경(尊敬)함. ⊕구박(驅迫).

공손 恭遜 | 공손할 공, 겸손할 손
[polite; civil; courteous]
예의 바르고[恭] 겸손(謙遜)하다. ¶공손한 태도. ⊕겸손(謙遜)하다. ⊕오만(傲慢)하다.

1228 [공]

恐

두려울 공ː
㊇ 心부 ㊂ 10획 ㊥ 恐 [kǒng]

恐자는 '두려워하다'(fear)는 뜻을 나타내기 위한 것인데 '마음 심'(心)이 표의요소로 쓰인 것은 두려울 때에는 누구나 마음이 떨리기 때문이었나 보다. 그 나머지가 표음요소임은 鞏(묶을 공)도 마찬가지이다. 예전에는 표음요소가 '工'으로만 이루어진 古文(고ː문)도 있었다.

공ː갈 恐喝 | 두려울 공, 꾸짖을 갈
[threat; menace; blackmail]
❶속뜻 두려움[恐]을 느끼도록 겁을 주고 꾸짖음[喝]. ❷'거짓말'을 속되게 이르는 말. ¶공갈로 돈을 갈취하다. ㊐협박(脅迫), 위협(威脅).

공ː룡 恐龍 | 두려울 공, 용 룡
[dinosaur]
❶속뜻 두렵게[恐] 보이는 용(龍). ❷동물 중생대의 쥐라기에서 백악기에 걸쳐 살았던 거대한 파충류의 화석동물을 통틀어 이름.

공ː처 恐妻 | 두려울 공, 아내 처
[afraid of his wife]
❶속뜻 아내[妻]를 두려워함[恐]. ❷남편을 눌러 쥐여 살게 하는 아내.

공ː포 恐怖 | 두려울 공, 두려워할 포
[fear; terror]
무서워[恐] 두려워함[怖]. ¶죽음의 공포 / 공포에 떨다.

공ː황 恐慌 | 두려울 공, 절박할 황
[panic; scare; consternation]
❶속뜻 상황이 두렵고[恐] 절박함[慌]. ¶공황 장애 / 테러가 일어나자 시민들은 공황 상태에 빠졌다. ❷경제 생산과 공급의 과잉과 부족으로 인해 경제가 혼란되는 현상. '경제공황'(經濟恐慌)의 준말.

• 역순어휘

가ː공 可恐 | 가히 가, 두려울 공
[fearful; fearsome]
두렵게[恐] 느껴질 만하다[可]. ¶가공할 사건이 일어났다.

황공 惶恐 | 두려워할 황, 두려울 공
[grateful; awesome]
위엄에 눌려 몹시 두려움[惶=恐]. ¶전하, 아뢰옵기 황공하오나 소신을 고향으로 돌아가게 해주십시오. ㊐황송(惶悚)하다.

1229 [관]

慣

익숙할 관
㊇ 心부 ㊂ 14획 ㊥ 惯 [guàn]

慣자는 마음 씀씀이의 '버릇'(habit)을 뜻하기 위하여 만든 것이었으니, '마음 심'(心)이 표의요소로 쓰였다. 貫(꿸 관)은 표음요소이니 뜻과는 무관하다.
속뜻훈음 버릇 관.

관례 慣例 | 버릇 관, 본보기 례
[precedent; convention]
이전부터 지켜 내려와 관습(慣習)이 되어 버린 사례(事例). ¶악수는 오른손으로 하는 것이 관례다.

관성 慣性 | 버릇 관, 성질 성 [inertia]
❶속뜻 버릇[慣]이 된 행동이나 성질(性質). ❷물리 물체가 밖의 힘을 받지 않는 한 정지 또는 등속도 운동의 상태를 지속하려는 성질. ¶관성의 법칙. ㊐타성(惰性).

관습 慣習 | 버릇 관, 버릇 습 [custom]
어떤 사회에서 오랫동안 지켜 내려와[慣] 그 사회구성원들이 널리 인정하는 질서나 풍습(風習). ¶오랜 관습을 깨다. ㊐관례(慣例), 관행(慣行).

관용 慣用 | 버릇 관, 쓸 용 [common use]
습관적(習慣的)으로 늘 씀[用]. 또는 그렇게 쓰는 것. ¶관용적인 표현.

관행 慣行 | 버릇 관, 행할 행 [habitual practice]
오랜 관례(慣例)에 따라서 함[行]. ¶관행에 따르다.

• 역순어휘

습관 習慣 | 버릇 습, 버릇 관 [habit; custom]
어떤 행위를 오랫동안 되풀이하는 과정에서 저절로 익혀진[習] 버릇[慣]이나 행동방식. ¶나는 아침마다 운동하는 습관을 붙였다.

1230 [괴]

怪

괴이할 괴(ː)
㊇ 心부 ㊂ 8획 ㊥ 怪 [guài]

怪자는 '이상하다'(strange)는 뜻을 나타내기 위한 것이었는데, 왜 '마음 심'(心=忄)을 표의요소로 발탁하였을까? '이상하다'는 판단은 마음먹기에 따라, 즉 주관에 따라 다르기 때문인가 보다. 오른편의 것은 표음요소이다.
속뜻훈음 이상할 괴.

괴ː동 怪童 | 이상할 괴, 아이 동 [wonder child]

괴상(怪狀)한 재주를 가진 아이[童]. ¶그 마을에 괴동이 태어났다고 야단이었다.

괴:물 怪物 | 이상할 괴, 만물 물 [monster]
❶속뜻 괴상(怪狀)하게 생긴 물체(物體). ¶영화에 나온 괴물은 정말 실감났다. ❷'괴상한 사람'을 비유하여 이르는 말. ¶100미터를 8초에 뛰다니, 그는 정말 괴물이다. (비)괴짜.

괴:변 怪變 | 이상할 괴, 바뀔 변
[strange accident]
괴상(怪狀)한 변고(變故)나 재난. ¶괴변이 일어나다.

괴상 怪常 | 이상할 괴, 보통 상 [strange; queer]
보통[常]과 달리 괴이(怪異)하고 이상함. ¶괴상한 물건. (비)기괴(奇怪), 기이(奇異).

괴:성 怪聲 | 이상할 괴, 소리 성
[horrible shriek; eerie shriek]
괴상(怪狀)한 소리[聲]. ¶괴성을 지르다.

괴이 怪異 | 이상할 괴, 다를 이
[strange; mysterious]
❶속뜻 괴상(怪狀)하고 이상(異狀)함. ❷이상야릇하다. ¶괴이한 소리가 들리다.

괴:질 怪疾 | 이상할 괴, 병 질
[disease of unknown cause; cholera]
❶속뜻 원인을 알 수 없는 이상한[怪] 질병(疾病). ❷'콜레라'를 속되게 이르는 말.

괴:한 怪漢 | 이상할 괴, 사나이 한
[suspicious fellow]
거동이나 차림새가 수상한[怪] 사내[漢]. ¶괴한의 습격을 받다.

• 역순어휘

기괴 奇怪 | 기이할 기, 이상할 괴
[strange; outlandish]
기이하고[奇] 이상한[怪]. ¶기괴한 사건이 일어났다.

요괴 妖怪 | 요사할 요, 이상할 괴 [ghost]
❶속뜻 요사(妖邪)스럽고 괴이(怪異)함. ❷요사스러운 귀신.

해괴 駭怪 | 놀랄 해, 이상할 괴 [strange]
놀랄[駭] 만큼 이상한[怪]. ¶해괴한 일이 벌어지다. (비)괴상하다.

1231 [모]

慕

그릴 모:
部 心부 劃 15획 中 慕 [mù]

慕자는 마음속으로 깊이 '그리워하다'(long for)는 뜻을 나타내기 위하여 만든 것이었으니 '마음 심'(心)이 표의요소로 쓰였다. 균형적인 미감을 위하여 '心'자의 모양이 약간 달리 되어 있다. 莫(없을 막/저물 모)는 표음요소로 쓰였다.

속뜻훈음 **그리워할 모.**

• 역순어휘

사모 思慕 | 생각 사, 그리워할 모
[long for; admire]
❶속뜻 애틋하게 생각하며[思] 그리워함[慕]. ¶사모의 마음 / 나는 그를 애타게 사모한다. ❷우러러 받들며 진정한 마음으로 따름. ¶스승을 사모하다.

추모 追慕 | 쫓을 추, 그리워할 모
[cherish the memory of a deceased person]
죽은 이를 추억(追憶)하며 그리워함[慕]. 죽은 이를 사모함. ¶우리는 희생자들을 추모하기 위해 묵념을 했다. (비)추도(追悼).

훼:모 毁慕 | 헐 훼, 그리워할 모
[long for parents]
몸이 헐도록[毁] 죽은 어버이를 간곡하게 사모(思慕)함.

흠모 欽慕 | 공경할 흠, 그리워할 모
[admire; adore]
기쁜 마음으로 공경하며[欽] 사모(思慕)함. ¶흠모의 눈길 / 흠모의 대상.

1232 [서]

恕

용서할 서:
部 心부 劃 10획 中 恕 [shù]

恕자를 '女+口+心'의 구조로 보면 안 된다. '如+心'으로 보아야 옳다. '같을 여' + '마음 심'이니 '(남과 더불어) 마음을 같이 하다', 즉 '어질다'(kindhearted)가 본뜻이다. '어질다'는 것은 '자기의 마음으로 미루어 남을 헤아리는 것'(推己及人·추기급인)으로 보면 의미가 더욱 분명해질 것이다. '동정하다'(sympathize with)는 뜻으로도 쓰이며, '용서하다'(forgive; pardon; excuse) 또는 이와 의미상 연관이 있는 낱말의 한 구성요소로 많이 쓰인다. 용서한다는 것은 마음[心]을 같이 한다[如]는 것임을 이 글자를 통하여 분명히 알 수 있다. 한자 공부가 인성 교육에도 도움이 되는 것을 증명할 수 있는 좋은 예이다.

속뜻훈음 **①동정할 서, ②용서할 서.**

• 역순어휘

용서 容恕 | 담을 용, 동정할 서 [forgive; pardon]
❶속뜻 동정심[恕]을 마음에 담음[容]. ❷꾸짖거나 벌하지 아니하고 덮어 줌. ¶용서를 빌다.

충서 忠恕 | 충성 충, 용서할 서
충성(忠誠)과 용서(容恕). 충직하며 동정심이 많음.

1233 [석]

惜

아낄 석
部 心부 劃 11획 中 惜 [xī]

惜자는 '(마음이) 아프다'(regrettable)는 뜻을 위하여 만든 것이었으니 '마음 심'(心)이 표의요소로 쓰였다. 昔(저녁 석)은 표음요소이니 뜻과는 무관하다. 후에 '아끼다'(care for; take care of), '애틋해하다'(worried) 등으로 확대 사용됐다.

속뜻 훈음 ①아낄 석, ②애틋할 석.

석별 惜別 | 애틋할 석, 나눌 별 [part with regrets]
헤어지는[別] 것을 섭섭하고 애틋하게[惜] 여김. ¶석별의 눈물을 흘리다.

석패 惜敗 | 아낄 석, 질 패
[lose by a narrow margin]
경기나 경쟁에서 약간의 점수 차이로 아깝게[惜] 짐[敗].

• 역순어휘

매:석 賣惜 | 팔 매, 아낄 석
[be unwilling to sell; hold back]
값이 오르거나 양이 부족할 것을 예상하여 상품의 판매[賣]를 꺼리는[惜] 것. ㊥석매(惜賣).

애석 哀惜 | 슬플 애, 애틋할 석 [grieve; lament]
슬프고[哀] 애틋함[惜]. 또는 안타까움. ¶애석한 마음 / 그가 떠나게 되어 정말 애석하다.

1234 [수]

愁

근심 수
部 心부 劃 13획 中 愁 [chóu]

愁자는 마음으로 깊이 '걱정하다'(worry)는 뜻을 나타내기 위하여 만든 것이었으니 '마음 심'(心)이 표의요소로 쓰였다. 秋(가을 추)는 표음요소였으니 뜻과는 무관한데, 가을에는 누구나 걱정이 많아지기 때문이라고 상상하는 설도 있다. '시름'(anxiety; grief)을 뜻하기도 한다.

속뜻 훈음 ①시름 수, ②걱정할 수.

수심 愁心 | 시름 수, 마음 심 [anxiety; melancholy]
시름하는[愁] 마음[心]. ¶수심에 가득 찬 얼굴.

• 역순어휘

우수 憂愁 | 근심할 우, 걱정할 수 [melancholy]
근심하고[憂] 걱정함[愁]. 또는 그런 시름. ¶우수에 잠기다 / 얼굴에 우수가 서리다.

향수 鄕愁 | 시골 향, 시름 수 [nostalgia]
고향(故鄕)을 그리워하는 마음이나 시름[愁]. ¶어린 시절에 대한 향수에 젖다.

1235 [신]

愼

삼갈 신:
部 心부 劃 13획 中 慎 [shèn]

愼자는 '삼가다'(be cautious)는 뜻을 나타내기 위하여 만든 글자인데, '마음 심'(心)이 표의요소로 쓰인 까닭은 어떤 것을 삼갈 때는 마음먹기가 중요하다고 여겼기 때문이리라. 眞(참 진)이 표음요소였는데 음이 약간 달라졌다.

신:구 愼口 | 삼갈 신, 입 구 [speak deliberately]
입[口] 놀림을 삼감[愼]. 말을 신중히 함.

신:종 愼終 | 진실로 신, 마칠 종
❶속뜻 죽음[終]을 신중(愼重)하게 함. ❷사람이 죽음에 있어 온갖 정성을 다하여 상례를 모시고 그 슬픔을 다함.

신:중 愼重 | 삼갈 신, 무거울 중
[cautious; discreet]
행동을 삼가고[愼], 입을 무겁게[重] 닫고 조심스러워함. ¶신중을 기하다 / 그는 모든 일에 신중하다 / 신중히 생각하다.

• 역순어휘

근:신 謹愼 | 삼갈 근, 삼갈 신
[prudent; disciplinary confinement]
❶속뜻 말을 삼가하고[謹] 행동을 신중(愼重)히 함. ❷벌로 일정 기간 동안 출근이나 등교, 집무 따위의 활동을 하지 아니하고 말이나 행동을 삼감. ¶1개월 동안 근신하라는 징계를 받았다.

1236 [억]

憶

생각할 억
部 心부 劃 16획 中 忆 [yì]

憶자는 '생각하다'(recollect)는 뜻을 나

타내기 위하여 만든 것이었으니 '마음 심'(心)이 표의요소로 쓰였다. 생각과 마음은 불가분의 관계이니 표의요소로 心을 채택한 것은 탁월한 선택인 것 같다. 意(뜻 의)가 표음요소이었음은 億(억 억), 臆(가슴 억)도 마찬가지이다.

• 역순어휘

기억 記憶 | 기록할 기, 생각할 억 [remember]
지난 일을 적어두어[記] 잊지 않고 생각해냄[憶]. ¶내 기억이 틀림없다. [반]망각(忘却).

추억 追憶 | 쫓을 추, 생각할 억
[recollect; go over in one's mind]
지나간 일을 뒤쫓아[追] 돌이켜 생각함[憶]. ¶어린 시절을 추억하다.

1237 [련]

戀 그리워할/그릴 련:
[部] 心부 [劃] 23획 [中] 恋 [liàn, lián]

戀자는 마음속으로 깊이 '그리워하다'(be homesick for; miss; love)는 뜻을 나타내기 위하여 만든 것이었으니 '마음 심'(心)이 표의요소로 쓰였다. 그 나머지가 표음요소임은 攣(걸릴 련), 孌(아름다울 련)도 마찬가지이다. 주로 남녀 간의 연정이나 그리움을 뜻하는 것으로 많이 쓰인다.

[속뜻훈음] 그리워할 련.

연:애 戀愛 | 그리워할 련, 사랑 애 [love; amour]
❶[속뜻]그리워하며[戀] 사랑함[愛]. ❷남녀가 서로 애틋하게 그리워함. ¶연애 편지 / 부모님은 연애한 지 6년 만에 결혼했다.

연:연 戀戀 | 그리워할 련, 그리워할 련
[be ardently attached; be fond]
❶[속뜻]애타게 그리워하다[戀+戀]. ❷미련이 남아서 잊지 못하다. ¶더 이상 과거에 연연하지 마세요.

연:인 戀人 | 그리워할 련, 사람 인 [lover; love]
❶[속뜻]그리워하는[戀] 사람[人]. ❷이성으로서 그리며 사랑하는 사람. ¶그와 나는 연인 사이다. [비]애인(愛人).

1238 [열]

悅 기쁠 열
[部] 心부 [劃] 10획 [中] 悦 [yuè]

悅자의 본래 글자는 兌(빛날 태, #2301)이다. '기뻐하다'(be glad)는 뜻을 나타내기 위하여 입[口] 가에 주름일 설 정도로[八] 웃음을 지으며 서 있는 사람[儿=亻] 모습을 그려 놓은 것이었다. 그 뜻을 한 때는 說(말씀 설, 기쁠 열)자로 쓰기도 했다. '말씀 언'(言)이라는 표의요소가 문제가 있다고 여겼던지 '마음 심'(忄)으로 바꿈에 따라 탄생된 것이 바로 '悅'이다.

열구 悅口 | 기쁠 열, 입 구
❶[속뜻]입[口]을 즐겁게[悅] 함. ❷음식이 입에 맞음.

열락 悅樂 | 기쁠 열, 즐길 락 [delight; rejoice]
❶[속뜻]기뻐하고[悅] 즐거워함[樂]. ¶모든 열락과 행복을 한없이 누렸다. ❷[불교]유한한 욕구를 넘어서서 얻는 큰 기쁨.

• 역순어휘

만:열 滿悅 | 찰 만, 기쁠 열
[be overjoyed; be transported with joy]
만족(滿足)하여 기뻐함[悅]. 또는 그런 기쁨. ¶식후에 느끼는 생리적 만열.

법열 法悅 | 불법 법, 기쁠 열
[religious ecstasy; rapture]
❶[불교]불법(佛法)을 듣고 진리를 깨달아 마음에서 일어나는 기쁨[悅]. ❷깊은 이치를 깨달았을 때의 사무치는 기쁨.

선열 禪悅 | 참선 선, 기쁠 열
[불교]선정(禪定)에 들어섰을 때 느끼는 기쁨[悅].

희열 喜悅 | 기쁠 희, 기쁠 열
[joy; gladness; delight]
기쁨[喜=悅]. 즐거움. ¶희열의 소리를 질렀다. [반]분노(憤怒).

1239 [오]

悟 깨달을 오:
[部] 心부 [劃] 10획 [中] 悟 [wù]

悟자는 마음으로 깊이 '깨닫다'(awake to)를 뜻하기 위하여 만든 것이었으니 '마음 심'(心)이 표의요소로 쓰였다. 吾(나 오)는 표음요소이니 뜻과는 무관하다.

오:도 悟道 | 깨달을 오, 도리 도
[apprehension of the truth]
[불교]❶불도의 진리[道]를 깨달음[悟]. 또는 그런 일. 각도(覺道). ❷번뇌에서 벗어나 부처의 세계에 들어갈 수 있는 길.

오:성 悟性 | 깨달을 오, 성질 성
❶[속뜻]깨달음[悟]의 본성(本性). ❷지성이나 사고의 능

력. ❸철학 감성 및 이성과 구별되는 지력(知力). 특히 칸트 철학에서는 대상을 구성하는 개념 작용의 능력을 말한다.

• 역순어휘 •

각오 覺悟 | 잠깰 각, 깨달을 오
[awake; be determined]
❶속뜻 잠에서 깨어나[覺] 정신을 차려 할 일이 무엇인지 깨달음[悟]. ❷마음의 준비를 함. ¶첫날이라 그런지 각오가 대단하다.

대:오 大悟 | 큰 대, 깨달을 오
[attain spiritual awakening; find one's philosophy of life]
번뇌를 벗고 진리를 크게[大] 깨달음[悟].

돈:오 頓悟 | 갑자기 돈, 깨달을 오
[be suddenly enlightened]
❶속뜻 갑자기[頓] 깨달음[悟]. ❷불교 바로 깨달음에 이를 수 있다는 것이 돈오이며, 이에 반해 단계를 거칠 필요성을 설하는 것이 점오(漸悟)이다. ⑭돈각(頓覺).

점:오 漸悟 | 점점 점, 깨달을 오
점점[漸] 깊이 깨달음[悟].

회:오 悔悟 | 뉘우칠 회, 깨달을 오
[repent; be penitent; feel remorse]
잘못을 뉘우치고[悔] 깨달음[悟]. ¶회오의 눈물을 흘리다.

1240 [욕]

慾 욕심 욕
部 心부 획 15획 中 慾 [yù]

慾자는 무엇을 하고 싶어 하는 마음, 즉 '욕심'(desire)을 뜻하기 위하여 만든 글자이니 '마음 심'(心)이 표의요소로 쓰였고, 欲(하고자 할 욕)은 의미와 표음요소를 겸하는 셈이다. '谷+欠+心'의 병렬 구조로 보면 안 된다. 굳이 수학적으로 보자면 '(谷+欠)+心'이라고 할 수 있다.

욕망 慾望 | 욕심 욕, 바랄 망 [desire]
욕심(慾心)이 채워지기를 바람[望]. 또는 그런 마음. ¶욕망에 사로잡히다.

• 역순어휘 •

과:욕 過慾 | 지나칠 과, 욕심 욕 [avarice; greed]
지나친[過] 욕심(慾心). 또는 욕심이 지나침. ¶과욕을 부리다.

금:욕 禁慾 | 금할 금, 욕심 욕
[asceticism; abstinence]
성적(性的) 욕구(慾求)나 욕망을 억제함[禁]. ¶수도사는 금욕 생활을 한다.

물욕 物慾 | 만물 물, 욕심 욕
[worldly desires; love of gain]
물질(物質)에 대한 욕심(慾心). ¶물욕에 사로잡히다.

사욕 私慾 | 사사로울 사, 욕심 욕 [selfish desire]
사사로운[私] 자기의 이익만을 생각하는 욕심(慾心). ¶그는 사욕을 채우려다 구속됐다.

성:욕 性慾 | 성별 성, 욕심 욕
[sexual desire; lust]
성행위(性行爲)를 바라는 욕망(慾望).

식욕 食慾 | =食欲, 먹을 식, 욕심 욕 [appetite]
음식을 먹고[食] 싶어 하는 욕구(慾求). ¶며칠 잠을 못 잤더니 식욕이 없다. ⑭밥맛.

야:욕 野慾 | 거칠 야, 욕심 욕
[ambition; evil design]
❶속뜻 야비(野卑)한 욕망(慾望). ❷자기 잇속만 채우려는 속된 욕심(慾心). ¶일본은 대륙 침략의 야욕을 품고 한국을 침략했다.

의:욕 意慾 | 뜻 의, 욕심 욕 [volition; will; desire]
무엇을 하고자 하는 적극적인 마음[意]이나 욕망(慾望). ¶그도 처음에는 의욕이 넘쳤지만 지금은 마지못해 하고 있다.

탐욕 貪慾 | 탐낼 탐, 욕심 욕 [greed]
지나치게 갖고자 탐(貪)내는 욕심(慾心). ¶탐욕에 눈이 멀다.

허욕 虛慾 | 헛될 허, 욕심 욕 [vain ambitions]
헛된[虛] 욕심(慾心). ¶허욕으로 패가(敗家)를 자초하다.

1241 [우]

愚 어리석을 우
部 心부 획 13획 中 愚 [yú]

愚자는 '어리석다'(foolish; stupid)는 뜻을 나타내기 위하여 만든 것인데, '마음 심'(心)이 표의요소로 쓰인 까닭은 뭘까? 어리석은 사람은 마음 씀씀이도 남다른 데가 있기 때문은 아닐지. 禺(긴 꼬리 원숭이 우)는 표음요소이니 뜻과는 무관하다.

우둔 愚鈍 | 어리석을 우, 무딜 둔 [stupid]
어리석고[愚] 둔(鈍)함. ¶그녀는 정말 우둔하다. ⑭총명(聰明)하다, 똑똑하다.

우롱 愚弄 | 어리석을 우, 놀릴 롱 [make a fun]
사람을 어리석게[愚] 보고 함부로 놀림[弄]. ¶모욕적인 우롱 / 더 이상 그를 우롱하지 마라.

우매 愚昧 | 어리석을 우, 어두울 매
[be stupid and ignorant]
어리석고[愚] 사리에 어두움[昧]. ¶한 사람의 우매로 많은 사람이 고통을 겪었다 / 우매한 행동.

우문 愚問 | 어리석을 우, 물을 문
[stupid question]
어리석은[愚] 질문(質問).

우악 愚惡 | 어리석을 우, 악할 악 [be ferocious]
어리석고[愚] 포악(暴惡)하다. ¶그는 생김새가 우악하다 / 그는 우악스럽게 나의 팔을 잡아당겼다.

우열 愚劣 | 어리석을 우, 못할 렬
[stupid; silly; foolish]
어리석고[愚] 못나다[劣]. ¶우열한 품성 / 워낙 재질(才質)이 우열하여 이런 큰일은 제게 벅찬 것 같습니다.

우직 愚直 | 어리석을 우, 곧을 직
[simple and honest]
어리석을[愚] 정도로 올곧다[直]. 고지식하다. ¶우직한 사람.

1242 [우]

憂

근심 우
部 心부 획 15획 中 忧 [yōu]

憂자는 '근심하다'(fear; worry)는 뜻을 나타내기 위하여 근심거리로 골머리를 앓고 있는 사람의 모습을 특징적으로 묘사한 것이다. 커다란 머리[頁·혈], 심장 부위[心] 즉 가슴을 감싼 손[冖·멱], 안절부절 이리저리 왔다 갔다 하는 발걸음[夊·쇠]이라는 특징이 담겨 있다. 네 개의 힌트가 주어져 있는 셈이다. 한자에 숨겨져 있는 힌트를 찾아내다 보면 한자 공부가 재미있게 느껴진다.

속뜻 훈음 **근심할 우.**

우려 憂慮 | 근심할 우, 걱정할 려 [worry]
근심하거나[憂] 걱정함[慮]. ¶우려를 낳다 / 홍수로 산사태가 우려된다.

우수 憂愁 | 근심할 우, 걱정할 수 [melancholy]
근심하고[憂] 걱정함[愁]. 또는 그런 시름. ¶우수에 잠기다 / 얼굴에 우수가 서리다.

우울 憂鬱 | 근심할 우, 답답할 울 [blue; gloomy]
근심스러워[憂] 하거나 답답해[鬱] 함. 활기가 없음. ¶그는 매우 우울해 보였다.

우환 憂患 | 근심할 우, 근심 환 [worry]
❶속뜻 집안에 병자가 있거나 사고가 생겨 겪는 근심[憂=患]. ¶집안에 우환이 끊이질 않는다. ❷쓸데없는 근심이나 걱정. ¶식자우환(識字憂患).

• 역순어휘

기우 杞憂 | 나라 기, 근심할 우
[baseless anxiety; imaginary fears]
❶속뜻 중국 기(杞)나라에 살던 사람의 근심[憂]. 하늘이 무너지고 땅이 꺼지면 어쩌나 쓸데없이 근심하다가 큰 병이 들었다고 한다. ❷앞일에 대해 쓸데없이 지나치게 근심함. 또는 그런 근심.

내:우 內憂 | 안 내, 근심할 우 [internal trouble]
나라 안이나 조직 내부(內部)의 걱정스러운[憂] 사태. ¶나라가 내우로 혼란스럽다.

1243 [유]

悠

멀 유
部 心부 획 11획 中 悠 [yōu]

悠자는 본래 마음 속 깊이 자리한 '걱정거리'(anxiety)를 나타내기 위하여 만든 것이었기에 '마음 심'(心)이 표의요소로 쓰였고, 攸(바 유)는 표음요소이다. 사람은 누구나 크든 작든 걱정거리가 하루도 빠질 날이 없기 때문인지 '아득하다'(long ago; remote), '멀다'(remote) 등으로 확대 사용됐다.

속뜻 훈음 **①멀 유, ②아득할 유.**

유구 悠久 | 아득할 유, 오랠 구
[eternal; perpetual]
아득하고[悠] 오래다[久]. ¶한민족은 유구한 역사를 지녔다.

유원 悠遠 | 멀 유, 멀 원 [remote; far-off]
아득히 멂[悠=遠].

유유 悠悠 | 멀 유, 멀 유 [remote; leisurely]
❶속뜻 아득히 멀다[悠+悠]. ❷태연하고 느긋하다. 한가롭다. ¶강물이 유유하게 흐른다 / 유유히 거리를 걷다.

1244 [인]

忍

참을 인
部 心부 획 7획 中 忍 [rěn]

忍자는 어떤 마음을 꾹 삼키다, 즉 '참다'(endure)는 본을 나타내기 위하여 만든 것이니 '마음 심'(心)이 표의요소로 쓰였고, 刃(칼날 인)자는 표음요소이다. '모질다'(merciless), '차마 못하다'(cannot bear to) 등으로도 쓰인다.

속뜻훈음 ①참을 인, ②모질 인.

인고 忍苦 | 참을 인, 괴로울 고 [endurance]
괴로움[苦]을 참음[忍]. ¶어머니는 인고의 세월을 눈물로 살았다.

인내 忍耐 | 참을 인, 견딜 내 [endure; stand]
괴로움이나 노여움 따위를 참고[忍] 견딤[耐]. ¶그 일을 하는 데는 많은 인내가 필요하다.

• 역순어휘

잔인 殘忍 | 해칠 잔, 모질 인 [be cruel]
해치고[殘] 모질게 함[忍]. 인정이 없고 모짊. ¶잔인한 말 / 적군은 아녀자를 잔인하게 살해했다.

1245 [자]

慈

사랑 자
㊀ 心부 ㊁ 13획 ㊥ 慈 [cí]

慈는 '사랑하다'(give one's heart to)가 본뜻이다. 玆(자)는 표음요소이고, 心(심)이 표의요소이다. 마음이 없는 말만의 사랑이란 속임수에 불과함을 이 글자의 표의요소가 잘 보여주고 있다.

속뜻훈음 **사랑할 자.**

자비 慈悲 | 사랑할 자, 슬플 비 [mercy]
❶속뜻 고통 받는 이를 사랑하고[慈] 같이 슬퍼함[悲]. 또는 그런 마음. ¶자비를 베풀다. ❷불교 부처가 중생을 불쌍히 여겨 고통을 덜어 주고 안락하게 해 주려는 마음. '자비심'(慈悲心)의 준말. 하나 더!! '무자비'의 반대말인 慈悲는 불교 용어지만, 오늘날 종교적 색채가 없을 만큼 우리에게 매우 친숙한 말이 됐다. 모든 사람들과 더불어 즐거움을 같이 하는 것은 '慈'이고, 슬픔이나 고통을 함께 하는 것은 '悲'라고 한다.

자선 慈善 | 사랑할 자, 착할 선 [give to charity]
불행한 처지에 있는 사람을 사랑하여[慈] 돕는 착한[善] 일. 특히, 가난한 사람들을 물질적으로 돕는 일을 이른다. ¶자선 모금 운동.

자애 慈愛 | 사랑할 자, 아낄 애 [affection]
❶속뜻 사랑하고[慈] 아낌[愛]. 또는 그런 마음. ❷아랫사람에 대한 깊은 사랑. ¶부모의 자애 / 자애로운 미소.

• 역순어휘

인자 仁慈 | 어질 인, 사랑할 자 [be benevolent]
마음이 어질고[仁] 남을 사랑함[慈]. ¶할머니는 늘 인자한 미소로 나를 반겨주셨다.

1246 [증]

憎

미울 증
㊀ 心부 ㊁ 15획 ㊥ 憎 [zēng]

憎자는 마음으로 깊이 '미워하다'(hate)는 뜻이니 '마음 심'(心)이 표의요소임을 금방 알 수 있다. 曾(일찍 증)은 독음이 똑같으니 표음요소로 쓰인 것을 누구나 쉽게 알 수 있다.

속뜻훈음 **미워할 증.**

증오 憎惡 | 미워할 증, 미워할 오 [hate]
몹시 미워함[憎=惡]. ¶전쟁을 증오하지 않을 사람이 있을까. ㊥애정(愛情).

• 역순어휘

가:증 可憎 | 가히 가, 미워할 증
[hateful; wretched]
가히[可] 미워할[憎] 만큼 얄밉다. ¶범인은 가증스러운 얼굴로 웃고 있었다.

애:증 愛憎 | 사랑 애, 미워할 증 [love and hatred]
사랑[愛]과 미움[憎]을 아울러 이르는 말.

1247 [치]

恥

부끄러울 치
㊀ 心부 ㊁ 10획 ㊥ 耻 [chǐ]

恥자는 '귀 이'(耳)와 '마음 심'(心)이 조합된 것으로 '욕먹다'(be abused)가 본뜻이다. 욕을 먹으면 마음(心)이 쓰라리고 귀(耳)까지 발갛게 달아오르기 때문인가 보다. 그것은 매우 부끄러운 일이므로 '부끄럽다'(dishonorable)는 뜻도 이것으로 나타냈다.

치부 恥部 | 부끄러울 치, 나눌 부
[disgrace; one's weak; genitals]
❶속뜻 남에게 알리고 싶지 않은 부끄러운[恥] 부분(部分). ¶회사의 치부를 낱낱이 밝히다. ❷남녀의 외부 생식기. ¶수건으로 치부를 가렸다. ㊥음부(陰部).

치사 恥事 | 부끄러울 치, 일 사 [shameful; mean]
❶속뜻 남 보기 부끄러운[恥] 일[事]. ❷행동이나 말 따위가 째째하고 남부끄럽다. ¶노인들을 속이다니 참으로 치사하다.

치욕 恥辱 | 부끄러울 치, 욕될 욕
[dishonor; disgrace]

부끄럽고[恥] 욕됨[辱]. ¶치욕을 참기 어려웠다 / 치욕스러운 패배.

• 역순어휘 •

수치 羞恥 | 드릴 수, 부끄러울 치 [shame; disgrace]
❶[속뜻] 부끄러움[恥]을 줌[羞]. ❷부끄러움. ¶수치를 느끼다 / 수치를 당하다.

염치 廉恥 | 청렴할 렴, 부끄러울 치 [sense of honor]
❶[속뜻] 청렴하고[廉] 부끄러워[恥]할 줄 앎. ❷예의와 부끄러움을 아는 마음. ¶그것은 예의와 염치에 어긋나는 짓이다.

1248 [항]

恒 항상 항
[部] 心부 [劃] 9획 [中] 恒 [héng]

恒자는 '변함이 없다'(remain unchanged)는 뜻을 나타내기 위하여 만든 것인데 '마음 심'(心)이 표의요소로 쓰인 것은 누구나 마음에 변함이 없어야 사람 구실을 할 수 있다는 뜻을 담고 있는 것 같다. 오른쪽의 것이 표음요소임은 姮(항아 항)도 마찬가지이다. '늘'(forever), '언제나'(always), '영구히'(permanently) 등으로 확대 사용됐다.
[속뜻훈음] 늘 항.

항구 恒久 | 늘 항, 오랠 구 [permanent]
늘[恒] 변하지 않음[久]. [비]영구(永久).

항상 恒常 | 늘 항, 늘 상 [constantly]
늘[恒=常]. ¶나는 항상 네 편이야. [비]언제나. [반]가끔.

항성 恒星 | 늘 항, 별 성 [permanent star]
❶[속뜻] 항상(恒常) 그 자리에 있는 별[星]. ❷[천문] 천구 위에서 서로의 상대 위치를 바꾸지 아니하고 별자리를 구성하는 별. 북극성, 북두칠성, 삼태성, 견우성, 직녀성 따위. [반]행성(行星).

1249 [현]

懸 달[繫] 현:
[部] 心부 [劃] 20획 [中] 悬 [xuán]

懸자는 본래 '매달다'(hang up)는 뜻인 繫(계)의 속자로 오랫동안 통용되다 보니 '매달 현'이라는 훈을 갖게 됐다. '마음 심'(心)이 왜 표의요소로 쓰였는지는 분명하지 않다. 이렇듯 속자로 쓰인 한자들은 구조가 불분명한 경우가 자주 보인다. 후에 '걸다'(hook), '남다'(remain) 등으로도 쓰였다.
[속뜻훈음] 매달 현.

현:격 懸隔 | 매달 현, 사이 뜰 격 [widely different; far apart]
❶[속뜻] 매달린[懸] 것 끼리 사이가 매우 큼[隔]. ❷사이가 많이 벌어져 있거나 차이가 매우 심함. ¶현격한 의견 차이.

현:상 懸賞 | 매달 현, 상줄 상 [prize contest]
어떤 목적으로 조건을 붙여 상금(賞金)이나 상품을 내거는 일[懸]. ¶현상 공모 / 현상 수배.

현:수 懸垂 | 매달 현, 드리울 수 [hanging]
매달아[懸] 아래로 곧게 드리워짐[垂].

현:토 懸吐 | 매달 현, 토할 토
❶[속뜻] 한문에 토(吐)를 닮[懸]. ❷[언어] 한문을 읽을 때 그 뜻이나 독송(讀誦)을 위하여 각 구절 아래에 달아 쓰던 문법적 요소를 통틀어 이름. '隱'(은, 는), '伊'(이) 따위와 같이 한자를 쓰기도 하나, 'イ'(伊의 한 부분), '厂'(厓의 한 부분) 따위와 같이 한자의 일부를 떼어 쓰기도 한다.

현:판 懸板 | 매달 현, 널빤지 판 [hanging board]
글씨나 그림을 새기거나 써서 높은 곳에 매다[懸]는 널조각[板]. ¶남대문 현판에 '숭례문'(崇禮門)이라고 쓰여 있다.

1250 [혜]

慧 슬기로울 혜:
[部] 心부, 총 15획 [中] 慧 [huì]

慧자는 '슬기롭다'(intelligent)는 뜻을 나타내기 위한 것인데 '마음 심'(心)이 표의요소로 채택된 것을 보니, 마음 씀씀이와 슬기가 불가분의 관계임을 알 수 있겠다. 彗(빗자루 혜)는 표음요소이니 뜻과는 무관하다.

혜:근 慧根 | 지혜 혜, 근본 근
[불교] ❶오근(五根)의 하나. 도(道)를 낳는 바탕[根]이 되는 지혜(智慧). ❷진리를 깨닫게 하는 지혜의 힘.

혜:력 慧力 | 지혜 혜, 힘 력
❶[속뜻] 지혜(智慧)의 힘[力]. ❷[불교] 오력(五力)의 하나. 선정(禪定)으로 사리를 헤아리는 지혜를 닦아 사제의 이치를 깨닫게 되는 일을 이른다.

혜:명 慧命 | 지혜 혜, 목숨 명
[불교] ❶지혜(智慧)를 생명(生命)에 비유한 말. ❷법신은 지혜가 수명이어서 지혜의 명이 다하면 법신의 몸을 잃

음을 이르는 말. ❸불법의 명맥이라는 뜻으로 비구(比丘)를 이르는 말.

혜 : 안 慧眼 | 슬기로울 혜, 눈 안 [(keen) insight]
❶속뜻 사물을 꿰뚫어 보는 슬기로운[慧] 눈[眼]. ❷불교 오안(五眼)의 하나. 우주의 진리를 밝게 보는 눈. 모든 현상에 대한 집착을 버리고, 차별의 현상계를 보지 않는 지혜이다.

• 역순어휘

지혜 智慧 | 슬기로울 지, 총명할 혜 [wisdom]
슬기롭고[智] 총명함[慧]. 사물의 이치를 빨리 깨닫고 사물을 정확하게 처리하는 능력. ¶조상들의 지혜가 담긴 문화 / 문제를 지혜롭게 해결하다. ㊐슬기.

총혜 聰慧 | 총명할 총, 슬기로울 혜
[bright; clever; sagacious]
총명(聰明)하고 지혜(智慧)로움.

정혜 淨慧 | 깨끗할 정, 슬기로울 혜
불교 마음을 한곳에 머물게 하는 '정'(淨)과 현상과 본체를 관조하는 '혜'(慧)를 아울러 이르는 말.

1251 [혹]

惑

미혹할 혹
㊀ 心부 ㊁ 12획 ㊥ 惑 [huò]

惑자는 마음이 '홀리다'(get tempted)는 뜻을 나타내기 위하여 만든 것이었으니 '마음 심'(心)이 표의요소로 쓰였다. 或(혹시 혹)은 표음요소이니 뜻과는 무관하다. '꼬이다'(get cranky)는 뜻으로도 쓰인다.
속뜻훈음 ①**홀릴 혹**, ②**꼬일 혹**.

• 역순어휘

곤 : 혹 困惑 | 괴로울 곤, 홀릴 혹
곤란(困難)한 일에 홀리어[惑] 어찌할 바를 모름. ¶곤혹스러운 질문을 받다.

당혹 當惑 | 당할 당, 홀릴 혹
[be perplexed; be embarrassed]
갑자기 일을 당(當)하여 어찌할 바를 모르고 쩔쩔맴[惑]. ¶그의 태도에 당혹했다 / 당혹감을 감추지 못했다. ㊐당황(唐慌).

매혹 魅惑 | 홀릴 매, 꼬일 혹 [fascinate; charm]
사람의 마음을 홀리고[魅] 꼬임[惑]. ¶그녀의 미소에 매혹을 느끼다 / 아름다운 풍경에 매혹되다. ㊐현혹(眩惑), 미혹(迷惑).

불혹 不惑 | 아닐 불, 홀릴 혹 [age of forty]
❶속뜻 무엇에 마음이 홀리지[惑] 아니함[不]. ❷마흔 살을 달리 이르는 말. 『논어·위정편』(爲政篇)에서 공자가 마흔 살부터 세상일에 미혹되지 않았다고 한 데서 나온 말이다.

유혹 誘惑 | 꾈 유, 홀릴 혹
[tempt; lure; entice; seduce]
❶속뜻 꼬이어[誘] 정신을 흐리게[惑] 함. ❷남을 호리어 나쁜 길로 유도함. ¶유혹에 빠지다 / 거리의 군것질거리들이 아이들을 유혹했다.

의혹 疑惑 | 의심할 의, 홀릴 혹 [suspicion; doubt]
의심(疑心)으로 정신이 홀려[惑] 더욱 수상히 여김. 또는 그런 마음. ¶그는 여전히 의혹에 찬 눈으로 나를 바라보았다.

현 : 혹 眩惑 | 어두울 현, 홀릴 혹
[dazzle; bewilder; blind]
❶속뜻 사리에 어두워[眩] 정신이 홀림[惑]. ❷무엇에 홀리어 정신을 못 차림. ¶돈에 현혹되지 마라.

1252 [홀]

忽

갑자기 홀
㊀ 心부 ㊁ 8획 ㊥ 忽 [hū]

忽자는 '마음에 두지 않다'(careless)는 뜻을 나타내기 위하여 '마음 심'(心)과 '아니할 물'(勿)을 합쳐 놓은 것이다. 勿이 표음요소를 겸하는 것은 笏(피리 홀)을 통하여 알 수 있다. '갑자기'(suddenly), '허술하다'(lax; careless) 등으로도 쓰인다.
속뜻훈음 ①**갑자기 홀**, ②**허술할 홀**.

홀시 忽視 | 허술할 홀, 볼 시
[neglect; slight; disregard]
❶속뜻 허술하게[忽] 봄[視]. ❷눈여겨보지 않고 건성으로 보아 넘김. ❸깔봄.

홀연 忽然 | 갑자기 홀, 그러할 연 [suddenly]
갑자기[忽] 그러함[然]. 뜻밖에. ¶안개 속에서 홀연 사람의 모습이 나타났다 / 홀연히 사라지다.

• 역순어휘

소홀 疏忽 | 드물 소, 허술할 홀
[negligent; remiss]
드문드문[疏] 빈틈이 많고 허술함[忽]. ¶범인이 감시가 소홀한 틈을 타 달아났다 / 건강 관리를 소홀히 해서는 안 된다.

표홀 飄忽 | 빠를 표, 갑자기 홀 [swift]
홀연(忽然)히 나타났다 사라지는 모양이 매우 빠름[飄].

1253 [회]

悔 뉘우칠 회 :
㊊ 心부 ㊋ 10획 ㊥ 悔 [huǐ]

悔자는 '(진심으로) 뉘우치다'(regret)는 뜻을 위해 만든 것이니 '마음 심'(忄=心)이 표의요소로 쓰였다. 이상하게도 每(매양 매)가 표음요소임은 晦(그믐 회), 誨(가르칠 회)도 마찬가지이다. 아마도 글자가 만들어질 당시에는 음이 같거나 매우 흡사하였기 때문에 그렇게 하였을 것이다.

회:개 悔改 | 뉘우칠 회, 고칠 개
[repent; penitent]
이전의 잘못을 뉘우치고[悔] 고침[改]. ¶회개의 눈물을 흘리다. ㊥참회(懺悔).

회:오 悔悟 | 뉘우칠 회, 깨달을 오
[repent; be penitent; feel remorse]
잘못을 뉘우치고[悔] 깨달음[悟]. ¶회오의 눈물을 흘리다.

• 역순어휘

참회 慙悔 | 부끄러울 참, 뉘우칠 회
[repent; penitent]
부끄럽게[慙] 여겨 뉘우침[悔]. ¶참회하여 죄를 용서받다.

참회 懺悔 | 뉘우칠 참, 뉘우칠 회
[confess; penitent]
자기의 잘못을 뉘우침[懺=悔]. ¶그동안의 잘못을 참회하며 눈물을 흘리다. ㊥회개(悔改).

후:회 後悔 | 뒤 후, 뉘우칠 회 [regret]
어떤 일이 벌어진 뒤[後]에야 잘못을 뉘우침[悔]. ¶최선을 다하면 후회가 없다 / 이제 와서 후회해도 소용이 없다.

1254 [회]

懷 품을 회
㊊ 心부 ㊋ 19획 ㊥ 怀 [huái]

懷자는 본래 褱로 썼다. 이것은 옷[衣]의 가운데 가슴 부분에 매달린 것[氺]을 눈[目]으로 내려다보는 모습이다. 후에 '(가슴, 즉 마음에) 품다'(embrace)는 뜻을 더욱 명확하게 하기 위하여 '마음 심'(心)이 또 하나의 표의요소로 추가됐다. '생각하다'(recollect), '배다'(become pregnant) 등으로 확대 사용됐다.

회유 懷柔 | 품을 회, 부드러울 유
[appease; pacificate]
❶속뜻 상대방을 마음으로 품어 주어[懷] 태도 따위가 부드러워지도록[柔]함. ❷달래어 말을 잘 듣도록 함. ¶그들은 우리를 회유하려고 갖은 술책을 다 썼다.

회의 懷疑 | 품을 회, 의심할 의
[be skeptical about; doubt]
의심(疑心)을 품음[懷]. 또는 그 의심. ¶삶에 회의를 느끼다 / 그들은 신의 존재에 대하여 회의하기 시작했다.

회중 懷中 | 품을 회, 가운데 중 [bosom]
가슴 속[中]에 품음[懷]. ¶회중시계(時計).

• 역순어휘

감:회 感懷 | 느낄 감, 품을 회
[deep emotion; impressions]
느낌[感]을 마음에 품음[懷]. ¶10년 만에 돌아와 보니 감회가 새롭다. ㊥느낌, 생각, 감정(感情), 감상(感想), 회포(懷抱), 심회(心懷), 소회(所懷).

창:회 暢懷 | 펼칠 창, 품을 회
[unbosom oneself to a person]
가슴속에 품고[懷] 있던 것을 시원하게 펼쳐[暢] 놓음. 맺혔던 가슴속을 헤쳐서 시원하게 회포를 풀어놓음.

1255 [아]

牙 어금니 아
㊊ 牙부 ㊋ 4획 ㊥ 牙 [yá]

牙자는 '어금니'(a molar tooth; a grinder)를 뜻하기 위하여 위와 아래의 두 어금니가 맞물려 있는 모양을 본뜬 것이다. 참고로 '앞니'는 齒(치, #0750)자로 나타냈다.

아성 牙城 | 어금니 아, 성곽 성 [inner citadel]
❶속뜻 어금니[牙]처럼 가장 안쪽에 있는 성(城). ❷우두머리 장수가 거처하던 성. ¶적군의 아성을 공격하다. ❸아주 중요한 근거지를 비유하여 이르는 말. ¶한 순간의 실수로 수십 년 쌓아 온 그의 아성이 무너졌다.

아쟁 牙箏 | 어금니 아, 쟁 쟁
❶속뜻 어금니[牙] 모양의 장식이 달린 현악기[箏]. ❷음악 7현으로 된 우리나라 현악기의 하나. 활로 줄을 문질러 연주한다. ¶아쟁으로 '아리랑'을 연주한다.

• 역순어휘

상아 象牙 | 코끼리 상, 어금니 아 [elephant tusk]
코끼리[象]의 어금니[牙]. 턱에 나서 입 밖으로 뻗처럼 길게 뻗어 있다. 맑고 연한 노란색이며 단단해서 갈면 갈수록 윤이 난다. 악기, 도장 따위의 공예품을 만드는 데 쓴다.

치아 齒牙 | 이 치, 어금니 아 [teeth]
❶[속뜻] 앞니[齒]와 어금니[牙]. ❷사람의 이를 점잖게 이르는 말. ¶치아를 잘 닦아야 한다.

1256 [수]

殊

다를 수
[部] 歹부 [劃] 10획 [中] 殊 [shū]

殊자는 '(목을 베어) 죽이다'(cut the head off)는 뜻을 위하여 만든 것이었으니 '뼈 알'(歹)이 표의요소로 쓰였고, 朱(붉을 주)가 표음요소였음은 洙(강 이름 수), 琇(옥돌 수)도 마찬가지이다. 후에 '다르다'(unlike), '뛰어나다'(surpass), '특별히'(especially) 등으로 차용되어 쓰이게 됐다.
[속뜻훈음] ①다를 수, ②뛰어날 수.

수상 殊常 | 다를 수, 보통 상
[suspicious; doubtful]
언행이나 차림새 따위가 보통[常] 사람과는 다른[殊]. 이상한. ¶수상한 사람.

수월 殊越 | 다를 수, 넘을 월 [excellent]
남달리[殊] 월등(越等)함. 특별히 빼어남. ¶영재들의 수월한 재능 / 수월성 교육.

수훈 殊勳 | 뛰어날 수, 공 훈
[meritorious deed(s)]
뛰어난[殊] 공훈(功勳). ¶수훈을 세우다.

• 역순어휘

특수 特殊 | 유다를 특, 다를 수 [special; specific]
다른 것과 비교하여 유달리[特] 다른[殊] 것. ¶이쪽의 특수한 사정을 이해해 주십시오. [비]특이(特異). [반]일반(一般), 보통(普通).

1257 [태]

殆

거의 태
[部] 歹부 [劃] 9획 [中] 殆 [dài]

殆자는 '다급하다'(extremely urgent)는 뜻을 나타내기 위하여 만든 것인데 歹(부서진 뼈 알)이 표의요소로 쓰인 것은, 자칫하면 뼈가 부서질 수도 있으니 조심하라는 뜻이 아닐지. 台(별 태)는 표음요소이니 뜻과는 무관하다. '거의'(almost; nearly)라는 부사적 의미로 쓰이기도 한다.
[속뜻훈음] ①다급할 태, ②거의 태.

태무 殆無 | 거의 태, 없을 무
[very scarce; virtually nonexistent]
거의[殆] 없음[無].

태반 殆半 | 거의 태, 반 반 [nearly half]
절반(折半)에 가까움[殆]. 거의 절반. ¶무더운 날씨로 음식이 태반이나 상했다.

• 역순어휘

위태 危殆 | 두려울 위, 다급할 태
[dangerous; perilous; risky]
❶[속뜻] 두렵고[危] 다급함[殆]. ❷안심할 수 없을 정도로 다급하다. ¶생명이 위태하다 / 목숨이 위태롭다 / 위태위태한 줄타기 묘기.

1258 [증]

曾

일찍 증
[部] 曰부 [劃] 12획
[中] 曾 [zēng, cēng]

曾자에 대하여는 여러 설이 있는데, 甑(시루 증)의 본래 글자로 음식물을 찔 때 쓰는 둥근 오지그릇, 즉 '시루'(a rice steamer)가 본래 의미라는 설이 가장 설득력이 있다. 위의 두 점(줄)은 모락모락 피어나는 김을, 가운데 부분은 시루의 뚜껑을, 아래 부분은 시루의 몸통이나 부엌의 아궁이 모양이 각각 잘못 변한 것이다. 후에 이것이 '일찍이'(early), '거듭'(again) 등으로 차용되는 예가 많아지자, 본래 뜻을 분명하게 나타내려고 따로 만든 것이 바로 甑(시루 증)자다.
[속뜻훈음] ①거듭 증, ②일찍 증.

증손 曾孫 | 거듭 증, 손자 손 [great-grandchild]
❶[속뜻] 대가 거듭된[曾] 손자(孫子). ❷손자의 아들. '증손자'의 준말.

증조 曾祖 | 거듭 증, 할아버지 조
[great grandfather]
❶[속뜻] 대가 거듭된[曾] 할아버지[祖]. ❷조부(祖父)의 아버지. '증조부'의 준말.

• 역순어휘

미:증유 未曾有 | 아닐 미, 일찍 증, 있을 유
[unheard-of; unexampled]
아직까지[曾] 있어[有] 본 적이 없음[未]. [비]광고(曠

古), 전대미문(前代未聞).

1259 [단]

旦

아침 단

[部] 日부 [劃] 5획 [中] 旦 [gàn]

旦자는 지평선이나 수면[一] 위로 해[日]가 솟아오르는 모습으로 '이른 아침'(early in the morning)이라는 뜻을 나타낸 것이다.

• 역순어휘

세:단 歲旦 | 해 세, 아침 단
[morning of New Year's Day]
새로운 해[歲]의 정월 초하루 아침[旦]. 원단(元旦).

원단 元旦 | 으뜸 원, 아침 단
[the first day of a year]
❶[속뜻] 으뜸[元]이 되는 아침[旦]. ❷설날 아침. [비]사시(四時), 삼시(三始), 세단(歲旦), 원신(元辰), 원조(元朝), 정단(正旦), 정조(正朝).

일단 一旦 | 한 일, 아침 단 [first; in advance]
❶[속뜻] 하루[一] 아침[旦]. ❷우선 먼저. ¶일단 밥부터 먹고 하자. ❸우선 잠깐. ¶건널목에서는 일단 정지하시오.

1260 [만]

晩

늦을 만:

[部] 日부 [劃] 11획 [中] 晚 [wǎn]

晩자는 해가 '저물다'(sink; set)는 뜻을 나타내기 위하여 만든 글자이다. '해 일'(日)이 표의요소이고, 免(면할 면)은 표음요소이다. 해가 지고 난 '저녁'(evening) 또는 '늦다'(late; tardy) 등을 뜻하기도 한다.

[속뜻 훈음] ①늦을 만, ②저녁 만.

만:찬 晩餐 | 저녁 만, 밥 찬 [dinner]
저녁[晩] 식사[餐]. 특별히 잘 차려 낸 저녁 식사. ¶성대한 만찬을 베풀다. [비]석찬(夕餐). [반]조찬(朝餐).

만:추 晩秋 | 늦을 만, 가을 추 [late autumn]
❶[속뜻] 늦은[晩] 가을[秋]. ❷늦가을 무렵. [비]늦가을, 계추(季秋).

• 역순어휘

조:만 早晩 | 이를 조, 늦을 만
이름[早]과 늦음[晩]을 아울러 이르는 말.

1261 [순]

旬

열흘 순

[部] 日부 [劃] 6획 [中] 旬 [xún]

旬자는 갑골문에도 많이 쓰였는데, 그 당시에는 '날 일'(日)이 없는 형태였다. 그 자형에 대하여는 여러 설이 있지만 모두 신빙성이 낮다. 어쨌든 그때부터 '열흘'(ten days), '열 번째'(the tenth) 같은 뜻으로 쓰이는 것만큼은 확실하다.

• 역순어휘

상:순 上旬 | 위 상, 열흘 순 [first ten days]
상, 중, 하로 삼등분한 것 가운데 첫[上] 열흘[旬]. 초하루에서 열흘 사이의 기간. [비]초순(初旬). [반]중순(中旬), 하순(下旬).

육순 六旬 | 여섯 륙, 열흘 순 [sexagenarianism]
❶[속뜻] 육(六)십 날[旬]. ❷예순 살. ¶오늘은 큰아버지가 육순이 되시는 날이다.

중순 中旬 | 가운데 중, 열흘 순
[middle ten days of a month]
한 달의 중간(中間)인 11일부터 20일까지의 열흘[旬] 동안. ¶7월 중순에 여행을 갈 예정이다.

초순 初旬 | 처음 초, 열흘 순
[first ten days of a month]
한 달의 첫[初] 번째 열흘[旬] 동안. [비]상순(上旬).

칠순 七旬 | 일곱 칠, 열번 순 [seventy years]
❶[속뜻] 열[旬]의 일곱[七] 곱절. ❷일흔 살. ¶이번 토요일에 할머니 칠순 잔치를 한다.

팔순 八旬 | 여덟 팔, 열흘 순
[eighty years; four score years]
❶[속뜻] 여덟[八] 번 거듭된 열[旬], 즉 팔십. ❷여든 살. ¶팔순이 넘은 할머니.

하:순 下旬 | 아래 하, 열흘 순
[last 10 days of a month]
한 달 중 뒤[下]쪽의 열흘[旬]. 스무하룻날부터 그믐날까지의 열흘을 이른다.

1262 [승]

昇

오를 승

[部] 日부 [劃] 8획 [中] 升 [shēng]

昇자는 '해가 떠오르다'(sunrise)는 뜻을

나타내기 위하여 만든 것이었으니 '해 일'(日)이 표의요소로 쓰였다. 升(되 승)은 표음요소이니 뜻과는 무관하다. 후에 '올라가다'(ascend), '오르다'(rise) 등으로 확대 사용됐다.

승강 昇降 | 오를 승, 내릴 강
[ascent and descent; tussle]
❶속뜻 오르고[昇] 내림[降]. ❷승강이.

승격 昇格 | 오를 승, 지위 격 [raise in status]
지위[格]나 등급 따위가 오름[昇]. 또는 지위나 등급 따위를 올림. ¶그는 이번에 과장으로 승격됐다.

승진 昇進 | =陞進, 오를 승, 나아갈 진
[be promoted to; rise to]
직위가 올라[昇] 진급(進級)함. ¶아버지는 부장으로 승진하셨다.

승천 昇天 | =陞天, 오를 승, 하늘 천
[ascend to heaven]
❶속뜻 하늘[天]에 오름[昇]. ¶용이 여의주를 물고 승천했다. ❷가톨릭 '죽음'을 이르는 말.

승하 昇遐 | 오를 승, 멀 하 [death of a king]
❶속뜻 먼[遐] 길에 오름[昇]. ❷임금이나 존귀한 사람이 세상을 떠남을 높여 이르던 말. ¶임금의 승하를 애도하다.

승화 昇華 | 오를 승, 꽃 화 [sublimate]
❶속뜻 더 높이 오르거나[昇] 더 아름다운 꽃[華]을 피우는 일. ❷어떤 일이나 현상이 더 높고 더 좋은 상태로 발전함. ¶그는 실연의 아픔을 아름다운 음악으로 승화시켰다. ❸물리 고체에 열을 가하면 액체가 되는 일이 없이 곧바로 기체로 변하는 현상.

• 역순어휘

상:승 上昇 | 위 상, 오를 승 [rise; ascend]
낮은 데에서 위로[上] 올라감[昇]. ¶기온 상승 / 물가 상승. ⓑ하강(下降).

1263 [력]

曆

책력 력
部 日부 劃 16획 中 历 [lì]

曆자는 해의 변동을 정하는 법, 즉 '책력'(an almanac; a book calendar)을 뜻하기 위하여 만든 것이었으니 '날 일'(日)이 표의요소로 쓰였고, 厤(다스릴 력)이 표음요소임은 歷(지낼 력)도 마찬가지이다.

• 역순어휘

서력 西曆 | 서녘 서, 책력 력 [Anno Domini]
그리스도가 탄생한 해를 기원원년(紀元元年)으로 하는, 서양(西洋)의 책력(冊曆).

양력 陽曆 | 볕 양, 책력 력 [solar calendar]
❶속뜻 태양(太陽)을 기준으로 정한 책력[曆]. ❷천문 지구가 태양의 둘레를 한 바퀴 도는 데 걸리는 시간을 1년으로 정한 역법. '태양력'(太陽曆)의 준말. ¶아버지 생신은 양력으로 3월 21일이다. ⓑ음력(陰曆).

음력 陰曆 | 응달 음, 책력 력
[lunar calendar]
천문 해를 양(陽)으로, 달을 음(陰)으로 보았을 때, 달 모양의 변화를 기초로 하여 만든 책력(冊曆). ¶그의 음력 생일은 3월 21일이다. ⓑ양력(陽曆).

1264 [잠]

暫

잠깐 잠(:)
部 日부 劃 15획 中 暂 [zàn]

暫자는 짧은 시간, 즉 '잠깐'(a moment)이라는 뜻을 적기 위한 것이었으니, 시간을 의미하는 '날 일'(日)이 표의요소로 쓰였고 斬(벨 참)은 표음요소였다.

잠별 暫別 | 잠깐 잠, 나눌 별
[short time separation]
잠깐[暫] 동안의 이별(離別). 또는 잠깐 동안 이별함.

잠:시 暫時 | 잠깐 잠, 때 시 [moment]
잠깐[暫] 동안[時]. ¶잠시 후에 다시 오겠다. ⓑ잠깐.

잠정 暫定 | 잠깐 잠, 정할 정 [tentative]
잠깐[暫] 임시로 정(定)함. ¶잠정 합의 / 잠정 예산.

1265 [창]

昌

창성할 창(:)
部 日부 劃 8획 中 昌 [chāng]

昌자는 '해 일'(日)과 '말할 왈'(曰)이 조합된 글자이다. '(아름다운) 말'(speech)이나 '햇빛'(sunshine)이 본래 의미였다. 후에 햇빛처럼 쫙 퍼지다, 즉 '창성하다'(prosper)는 뜻으로 확대 사용됐다.

창성 昌盛 | 창성할 창, 성할 성
[prosper; thrive; flourish]
일이나 세력 따위가 번성하여[昌=盛] 잘 되어감.

창운 昌運 | 창성할 창, 운수 운
앞날이 탁 트인[昌] 좋은 운수[運].

• 역순어휘

번창 繁昌 | 많을 번, 창성할 창
[prosperous; flourishing]
한창 잘 되어 많이[繁] 창성(昌盛)함. ¶사업이 번창하시길 빕니다. ㊐번성(繁盛).

성:창 盛昌 | 성할 성, 창성할 창
[excellent; prosperous]
왕성(旺盛)함과 창성(昌盛)함.

융창 隆昌 | 클 륭, 창성할 창
[rise; flourish; thrive]
기세가 높고[隆] 기운차게[昌] 발전함. ㊐융성(隆盛).

1266 [차]

此
이 차
㊎ 止부 ㊋ 6획 ㊥ 此 [cǐ]

此자가 갑골문이나 금문 같은 초기 자형에서는 발자국을 뜻하는 止(지)와 사람이 서 있는 모습인 亻(인)으로 조합되어 있었다. 자신의 발자국을 가리키는 즉, 가장 가까운 곳을 가리키는 대명사 '이것'(this), '이곳'(this place; here) 등의 뜻으로 쓰인다.

차일-피일 此日彼日 | 이 차, 날 일, 저 피, 날 일 [delay day by day]
❶속뜻 이[此] 날[日], 저[彼] 날[日]. ❷'약속이나 기한 따위를 미적미적 미루는 태도'를 비유하여 이르는 말. ㊐차월피월(此月彼月).

차후 此後 | 이 차, 뒤 후
[after this; from now on; in the future]
이[此] 뒤[後]. 이다음. ¶차후에는 이런 일이 없도록 해라.

• 역순어휘

여차 如此 | 같을 여, 이 차
[be like this; be in this manner]
이와[此] 같음[如]. ¶여차한 이유로.

피:차 彼此 | 저 피, 이 차 [each other]
❶속뜻 이것[此]과 저것[彼]. ❷이쪽과 저쪽의 양쪽. ¶힘들기는 피차 마찬가지이다.

1267 [판]

版
판목 판
㊎ 片부 ㊋ 8획 ㊥ 版 [bǎn]

版자는 '널빤지'(a board)를 뜻하기 위하여 만든 것이었으니 '(나무)조각 편'(片)이 표의요소로 쓰였다. 反(되돌릴 반)이 표음요소임은 阪(비탈 판), 販(팔 판)도 마찬가지이다. 후에 '책'(books)과 관련하여 쓰이는 용례가 많아지자, '널빤지'를 위하여 板(판)자를 따로 만들어냈다. 요즘도 그 둘을 통용한다.

속뜻훈음 ①널빤지 판, ②책 판.

판대 版臺 | 널빤지 판, 돈대 대 [board]
출판 인쇄할 때에 목판(木版)을 올려놓는[臺] 나무쪽. ㊐목대(木臺).

판도 版圖 | 널빤지 판, 그림 도
[territory; dominion]
한 나라의 영토를 널빤지[版]에 그린 그림[圖]에 비유한 말. ¶광개토대왕은 우리나라의 판도를 크게 넓혔다.

판전 版殿 | 널빤지 판, 대궐 전
불교 불경을 새긴 판(版)을 쌓아 두는 대궐[殿]같이 큰 집.

판화 版畫 | 널빤지 판, 그림 화 [engraving; print]
널빤지[版]에 새긴 그림[畫]. ¶미술관에서 판화를 전시하고 있다.

• 역순어휘

동판 銅版 | 구리 동, 널빤지 판 [copper plate]
구리[銅]로 만든 판(版).

목판 木版 | 나무 목, 널빤지 판
[wood (printing) block]
출판 나무[木]에 글이나 그림을 새긴 인쇄용의 널빤지[版].

석판 石版 | 돌 석, 널빤지 판 [lithography]
출판 인쇄나 판화에 쓰는 돌[石]로 만든 원판(原版).

신판 新版 | 새 신, 널빤지 판 [new edition]
기존의 책의 내용이나 체재를 새롭게[新] 하여 출판(出版)한 책. ¶내일부터 신판을 발매합니다.

장판 壯版 | 장할 장, 널빤지 판
[floor covered with laminated paper]
기름 먹여 두꺼워 장하게[壯] 보이는 널판[版] 형태의 종이. 또는 이것을 바른 방바닥. '장판지'(壯版紙)의 준말. ¶거실에 장판을 새로 깔다.

절판 絶版 | 끊을 절, 널빤지 판
[going out of print]
❶속뜻 책의 출판(出版)을 그만 둠[絶]. ❷출판했던 책을 계속 간행할 수 없게 됨.

조판 組版 | 짤 조, 널빤지 판 [set up type]
❶속뜻 판(版)을 짜 맞춤[組]. ❷출판 원고에 따라서 골라 뽑은 활자를 원고의 지시대로 순서, 행수, 자간, 행간, 위치 따위를 맞추어 짬. 또는 그런 일. ¶팔만대장경을

조판하다.

초판 初版 | 처음 초, 책 판 [first edition]
❶속뜻 처음[初] 출간한 책[版]. ❷출판 어떤 서적의 간본 중에 최초로 발행한 판. ¶초판은 일주일도 못 되어 매진됐다.

출판 出版 | 날 출, 책 판 [publish; issue; print]
저작물을 책[版]으로 꾸며 세상에 내놓음[出]. ¶그녀의 소설은 다음 달에 출판된다. ㊐간행(刊行), 출간(出刊).

1268 [편]

片

조각 편(:)
㊀片부 ㊁4획 ㊥片 [piàn, piān]

片자는 木(나무 목)자의 篆書(전:서) 자형을 반으로 쪼갠 것의 오른쪽 모양으로 '조각'(a piece)의 뜻을 나타냈다. 후에 '한쪽'(one side), '작다'(small) 등으로 확대 사용됐다.

속뜻훈음 ①조각 편, ②한쪽 편.

편도 片道 | 한쪽 편, 길 도 [one way]
오고 가는 길 가운데 어느 한쪽[片] 길[道]. ¶편도 요금은 3천 원입니다.

• 역순어휘

일편 一片 | 한 일, 조각 편 [piece; bit; fragment]
❶속뜻 한[一] 조각[片]. ❷매우 작거나 적은 것.

파:편 破片 | 깨뜨릴 파, 조각 편 [broken piece; fragment]
깨진[破] 조각[片]. ¶유리 파편이 발바닥에 박혔다.

1269 [로]

爐

화로 로
㊀火부 ㊁20획 ㊥炉 [lú]

爐자는 불을 담는 '화로'(a fire pot)를 뜻하기 위하여 만든 것이었으니 '불 화'(火)가 표의요소로 쓰였다. 盧(그릇 로)는 표음과 표의를 겸하는 요소이다.

• 역순어휘

난:로 暖爐 | =煖爐, 따뜻할 난, 화로 로 [stove; heater]
방안을 따뜻하게[暖] 해주는 화로(火爐) 따위의 기구. ¶난로에 손을 데다.

풍로 風爐 | 바람 풍, 화로 로
바람[風]이 통하도록 아래에 구멍을 낸 작은 화로(火爐)의 한 가지. ¶풍로에 불을 붙이려고 부채질을 하다.

향로 香爐 | 향기 향, 화로 로 [incense burner]
향(香)을 피우는 자그마한 화로(火爐). ¶향로에 향을 피우다.

화:로 火爐 | 불 화, 화로 로 [(charcoal) brazier; fire pot]
숯불[火]을 담아 놓는 그릇[爐]. ¶화로에 둘러앉아 불을 쪼이다.

1270 [소]

燒

사를 소
㊀火부 ㊁16획 ㊥烧 [shāo]

燒자는 '불사르다'(burn; fire)는 뜻을 나타내기 위하여 만든 것이었으니 '불 화'(火)가 표의요소로 쓰였다. 堯(요임금 요)가 표음요소로 쓰인 것이라고 한다.

속뜻훈음 불사를 소.

소각 燒却 | 불사를 소, 물리칠 각 [incinerate]
불살라[燒] 태워 버림[却]. ¶쓰레기를 소각하다.

소주 燒酒 | =燒酎, 불사를 소, 술 주 [distilled liquor]
곡류를 발효시켜 불살라[燒] 증류하여 만든 술[酒].

• 역순어휘

연소 燃燒 | 태울 연, 불사를 소 [burn]
❶속뜻 불에 태우거나[燃] 불을 사름[燒]. ❷화학 주로 물질이 산소와 화합할 때 다량의 열을 내는 동시에 빛을 발하는 현상. ¶완전 연소 / 이 물질은 연소될 때 유독가스를 배출한다.

1271 [숙]

熟

익을 숙
㊀火부 ㊁15획 ㊥熟 [shú, shóu]

熟자의 본래 글자는 孰(숙, #1588)이다. 孰자는 본래 제사 음식을 익혀서 두 손을 바쳐 들고[丮(잡을 극)→丸(알 환)] 사당[享]에 올리는 모습이다. 후에 '누구'(who)를 뜻하는 것으로 차용되어 쓰이는 예가 많아지자, 음식물을 '익히다'(boil)는 본래 뜻을 더욱 명확하게 나타내려고 '불 화'(火)를 첨가하여 따로 만들어 낸 것이 熟자이다. 후에 곡식이 '익다'(ripen), '무르익다'(mellow) 등으로 확대 사용됐다.

숙고 熟考 | 익을 숙, 생각할 고 [think over; mull over]
곰곰이[熟] 생각함[考]. ¶결정하기 전에 숙고하십시오.

숙달 熟達 | 익을 숙, 통달할 달 [proficiency; mastery]
무엇에 익숙하고[熟] 통달(通達)함. ¶숙달된 솜씨. [반] 미숙(未熟).

숙련 熟鍊 | =熟練, 익을 숙, 익힐 련 [be skilled]
❶[속뜻] 익숙하도록[熟] 익힘[鍊]. ❷어떤 일에 통달하여 잘 알고 다룸. ¶그는 매우 숙련된 목수다.

숙성 熟成 | 익을 숙, 이룰 성 [ripen; mature; age]
❶[속뜻] 충분히 익어서[熟] 이루어짐[成]. 충분히 익은 상태가 됨. ❷발효 따위를 충분히 시켜서 만드는 일. ¶포도주를 숙성시키다.

• 역순어휘

노:숙 老熟 | 늙을 로, 익을 숙 [experienced; expert]
오랫동안[老] 경험을 쌓아 아주 숙련(熟鍊)되어 있다. ¶노숙한 기술자.

능숙 能熟 | 능할 능, 익을 숙 [skilled]
기술이 있어 일을 잘하고[能] 그 일에 익숙[熟]하다. ¶능숙한 솜씨로 기저귀를 갈았다 / 젓가락을 능숙하게 사용하다.

미:숙 未熟 | 아닐 미, 익을 숙 [unripe; inexperienced]
❶[속뜻] 음식이나 과실 따위가 아직 익지[熟] 않음[未]. ❷일에 익숙하지 아니하여 서투름. ¶운전미숙 / 나는 아직 일에 미숙하다.

반:숙 半熟 | 반 반, 익을 숙 [half-cooked]
반(半) 쯤만 익힘[熟]. 또는 그렇게 익은 것. ¶계란을 반숙하다.

성숙 成熟 | 이룰 성, 익을 숙 [ripen; attain full growth]
❶[속뜻] 곡식이나 과일 등이 다 커서[成] 무르익음[熟]. ¶따뜻한 기후로 과일의 성숙이 빨라졌다 / 성숙한 감. ❷몸이나 마음이 완전히 자람. ¶정신의 성숙 / 그녀는 나이에 비해 성숙해 보인다.

완숙 完熟 | 완전할 완, 익을 숙 [grow fully]
❶[속뜻] 열매 따위가 완전(完全)히 무르익음[熟]. ❷음식 따위를 완전히 삶음. ¶달걀을 완숙으로 삶아서 찬물에 담가 두었다. ❸재주나 기술 따위가 아주 능숙함. ¶그의 소리는 완숙의 경지에 이르렀다.

원숙 圓熟 | 둥글 원, 익을 숙 [mature; mellow]
❶[속뜻] 둥글게[圓] 모든 부분까지 다 익음[熟]. ❷나무랄 데 없이 익숙하다. 아주 숙달하다. ¶구조 요원은 원숙한 손길로 물에 빠진 아이를 구했다. ❸인격이나 지식, 기예 따위가 깊은 경지에 이름. ¶원숙한 연기 / 나이를 먹으면 인격이 원숙해진다.

조:숙 早熟 | 이를 조, 익을 숙 [mature early; grow early]
❶[속뜻] 식물의 열매가 일찍[早] 익음[熟]. ❷나이에 비하여 정신적·신체적 발달이 빠름. ¶요즘 아이들은 나이에 비해 조숙하다.

친숙 親熟 | 친할 친, 익을 숙 [be familiar]
친밀(親密)하고 익숙하여[熟] 허물이 없음. ¶그와 매우 친숙한 사이가 됐다.

1272 [연]

燕
제비 연(:)
[部] 火부 [劃] 16획 [中] 燕 [yàn, yān]

燕자의 원형은 '제비'(a swallow)를 뜻하기 위하여 한 마리의 제비가 두 날개를 펼치고 하늘로 날아오르는 모습을 본뜬 것이었다. 세월이 흘러 모양이 여러 차례 바뀌다 보니 영 딴판이 됐다. 宴(잔치 연)과 음이 같아 그 글자의 뜻을 대신하는 일이 많아 '잔치'(a feast; a party)의 뜻으로도 쓰이게 됐다. 혼동을 피하기 위하여 醼(잔치 연)자가 만들어졌으나 획수가 많아서 큰 인기를 얻지 못했다.

연:맥 燕麥 | 제비 연, 보리 맥 [oats]
❶[속뜻] 제비[燕] 꼬리 모양의 보리[麥]. ❷[식물] 귀리. 높이는 60~90cm이며 잎은 가늘고 길다. 열매는 식용하거나 가축의 먹이로 쓴다.

연:작 燕雀 | 제비 연, 참새 작 [small bird; small-minded person]
❶[속뜻] 제비[燕]와 참새[雀]를 아울러 이름. ❷도량이 좁은 사람을 비유하여 이름.

연:행 燕行 | 제비 연, 갈 행
[역사] 사신이 중국의 연경(燕京)에 가던[行] 일. 또는 그 일행. '연경'은 현재의 북경(北京)이다.

• 역순어휘

해:연 海燕 | 바다 해, 제비 연 [kind of sea urchin]
❶[속뜻] 바다[海]에 사는 제비[燕]. ❷[동물] 왜형류(歪形類)의 동물. 몸은 지름 11cm 정도의 둥그스름하고 긴 오각형으로 입이 오목하다.

1273 [염]

炎

불꽃 염
㊂ 火부 ㊅ 8획 ㊥ 炎 [yán]

炎자는 '불꽃'(a flame; a blaze)을 나타내기 위하여 활활 타오르는 불꽃 모양을 그린 것이다. 두 개의 '불 화'(火)가 특히 상하로 조합되어 있음은 불꽃이 맹렬함을 나타내려는 의도였을 것이다. '염증'(inflammation) 또는 이와 의미상 연관이 있는 낱말의 한 구성 요소로도 쓰인다.

속뜻훈음 ①불꽃 염, ②염증 염.

염량 炎涼 | 불꽃 염, 서늘할 량
[heat and cold; good sense; rise and fall]
❶속뜻 더위[炎]와 서늘함[凉]. ❷선악과 시비를 분별하는 슬기. ¶염량이 뛰어나다. ❸세력의 성함과 쇠함. ❹인정의 후함과 박함.

염증 炎症 | 불꽃 염, 증상 증 [inflammation]
❶속뜻 불꽃[炎]같이 빨갛게 붓고 열이 나는 증상(症狀). ❷의학 생체 조직이 손상을 입었을 때에 체내에서 일어나는 방어적 반응. ¶상처에 염증이 생겼다.

• 역순어휘

간:염 肝炎 | 간 간, 염증 염
[inflammation of the liver; hepatitis]
의학 간(肝)에 생기는 염증(炎症)을 통틀어 이르는 말.

뇌염 腦炎 | 골 뇌, 염증 염 [brain inflammation]
의학 뇌(腦)에 염증(炎症)을 일으키는 전염병. ¶뇌염 예방 주사를 맞다.

비:염 鼻炎 | 코 비, 염증 염 [nasal catarrh]
의학 코[鼻]의 점막에 생기는 염증(炎症).

위염 胃炎 | 밥통 위, 염증 염 [gastritis]
의학 위(胃) 점막에 생기는 염증(炎症).

장:염 腸炎 | 창자 장, 염증 염
[enteritis; intestinal catarrh]
의학 창자[腸]에 생기는 염증(炎症). ¶보리수는 장염에 좋다.

폐:렴 肺炎 | 본음 [폐염], 허파 폐, 염증 염
[pneumonia]
의학 폐[肺]에 생기는 염증(炎症). 오한, 고열, 기침, 호흡 곤란 따위의 증상을 보인다.

폭염 暴炎 | 사나울 폭, 불꽃 염
[scorching heat; heat wave]
사나운[暴] 불꽃[炎]처럼 뜨거운 무더위. ¶폭염으로 농작물이 시들어가고 있다. ㊥폭서(暴暑).

1274 [오]

烏

까마귀 오
㊂ 火부 ㊅ 10획 ㊥ 乌 [wū, wù]

烏자는 '까마귀'(a crow)를 나타내기 위하여 鳥(새 조)에서 눈을 가리키는 점(丶)을 뺀 것이다. 까마귀는 온 몸이 새까맣기 때문에 까만 눈동자가 구분이 잘 안 되는 점에 착안하여 그렇게 한 것이다. 참으로 기발한 아이디어가 아닐 수 없다. 아래 네 점은 鳥자 경우와 마찬가지로 발가락을 가리킨다.

속뜻훈음 ①까마귀 오, ②검을 오, ③어찌 오.

오구 烏口 | 까마귀 오, 입 구 [drawing pen]
제도할 때에 쓰는 기구의 하나. 두 갈래로 된 쇠붙이로, 끝을 까마귀[烏] 부리[口] 모양으로 만들어 먹물이나 물감을 찍어 줄을 긋는 데에 쓴다.

오동 烏銅 | 검을 오, 구리 동
검붉은[烏] 빛이 나는 구리[銅]. ¶오동 숟가락.

오로 烏鷺 | 까마귀 오, 백로 로
❶속뜻 까마귀[烏]와 백로(白鷺)를 아울러 이름. ❷흑과 백을 비유하여 이름. ❸운동 두 사람이 검은 돌과 흰 돌을 나누어 가지고 바둑판 위에 번갈아 하나씩 두어 가며 승부를 겨루는 놀이. 바둑.

오목 烏木 | 검은 오, 나무 목
식물 흑단 나무[木] 줄기 중심부의 검은[烏] 부분. 빛깔은 순흑색 또는 담흑색으로 몹시 단단하며 젓가락, 담배 설대, 문갑 따위를 만드는 데 쓴다. ¶오목으로 만든 문갑.

오유 烏有 | 어찌 오, 있을 유
[vanishing away]
❶속뜻 어찌[烏] 있겠느냐[有]. ❷있던 사물이 없게 되는 것을 이르는 말.

오작 烏鵲 | 까마귀 오, 까치 작
[crow and magpie]
까마귀[烏]와 까치[鵲]를 아울러 이르는 말. ¶오작교(烏鵲橋).

오죽 烏竹 | 검을 오, 대 죽
❶속뜻 겉이 검은[烏] 대나무[竹]. ❷식물 볏과의 여러해살이 목본 식물. 대의 일종으로, 높이는 2~20미터 지름은 5~8cm이다.

• 역순어휘

금오 金烏 | 황금 금, 까마귀 오 [the sun]
❶속뜻 금(金)빛이 나는 까마귀[烏]. ❷'해'를 달리 이르는 말. 태양 속에 세 개의 발을 가진 까마귀가 있다는 전설에서 유래.

1275 [조]

照 비칠 조:
㊕ 火부 ㊐ 13획 ㊥ 照 [zhào]

照자는 해[日]나 불[火]같이 '밝다'(bright)가 본래 의미이다. '불 화'(火)와 '해 일'(日)이 모두 표의요소인데 부수는 火로 지정됐다. 召(부를 소)가 표음요소임은 詔(고할 조)도 마찬가지이다. 火(불 화)와 昭(밝을 소)의 조합으로 볼 수도 있다. 후에 '비치다'(shine), '비추다'(illuminate), '빛'(light) 등으로 확대 사용됐다.

속뜻 훈음 ①비칠 조, ②빛 조.

조:도 照度 | 비칠 조, 정도 도
[intensity of illumination]
❶속뜻 밝게 비치는[照] 정도(程度). ❷물리 단위 면적이 단위 시간에 받는 빛의 양. '조명도'(照明度)의 준말. ¶조도를 높이다.

조:명 照明 | 비칠 조, 밝을 명
[light up; illuminate]
❶속뜻 빛을 비추어[照] 밝게[明] 함. ¶교실의 조명이 불충분해 공부하기에 좋지 않다. ❷연영 무대 효과나 촬영 효과를 높이기 위해 광선을 사용하여 비침. 또는 그 광선. ¶화려한 조명 아래서 춤을 추는 가수들.

조:준 照準 | 비칠 조, 고를 준 [aim]
❶속뜻 목표물을 찾기 위하여 골고루[準] 비추어[照] 봄. ❷탄환 따위를 목표물에 비추어 겨냥함. ¶대포는 성벽을 조준했다.

조:회 照會 | 비칠 조, 모일 회 [check; inquire]
❶속뜻 확인을 위하여 대조(對照)해 보거나 만나 봄[會]. ❷어떤 사람이나 사실에 대하여 상세히 알아보는 일. ¶조회 결과, 그 차는 도난 차량으로 밝혀졌다.

• 역순어휘

낙조 落照 | 떨어질 락, 빛 조 [sunset]
저녁에 떨어지듯[落] 지는 햇빛[照]. ㊊석양(夕陽).

대:조 對照 | 대할 대, 비칠 조
[contrast; compare]
❶속뜻 둘 이상의 대상을 맞대어[對] 견주어 봄[照]. ❷서로 반대되거나 상대적으로 대비됨. 또는 그러한 대비. ¶대조해보니 차이점이 크게 드러난다. ㊊비교(比交), 대비(對比).

일조 日照 | 해 일, 비칠 조 [sunshine]
해[日]가 비침[照]. ¶일조권(日照權) / 일조 시간은 울진과 대관령 지역이 가장 길다.

참조 參照 | 헤아릴 참, 비칠 조
[refer to; compare with]
참고(參考)로 대조(對照)하여 봄. ¶자세한 설명은 해설집을 참조하세요.

탐조 探照 | 찾을 탐, 비칠 조
[throw a searchlight]
무엇을 더듬어 찾기[探] 위하여 광선을 멀리 비춤[照].

1276 [욕]

欲 하고자할 욕
㊕ 欠부 ㊐ 11획 ㊥ 欲 [yù]

欲자는 무엇을 '하고자함'(a desire)을 뜻하기 위한 것인데, '하품 흠'(欠)이 표의요소로 쓰인 까닭은 뭘까? 무엇을 하려는 마음이 생길 때에는 하품을 할 때처럼 입이 크게 벌어지기 때문이라는 설이 있다. 谷(골 곡)이 표음요소였음은 浴(목욕할 욕), 峪(골 욕)도 마찬가지이다. 후에 '마음 심'(心)을 덧붙여 '무엇을 바라는 마음'이라는 뜻을 더욱 분명하게 한 慾(#1240)자가 만들어졌다. 요즘도 그 둘을 통용한다.

욕구 欲求 | 하고자할 욕, 구할 구 [desire]
무슨 일을 하고자[欲] 하거나 무엇을 얻고자[求] 함. 또는 그런 마음. ¶생리적 욕구.

욕념 欲念 | =慾念, 하고자할 욕, 생각 념
[desire; want; appetite]
분수에 넘치게 무엇을 탐내거나 누리고자 하는[欲] 마음이나 생각[念]. ¶욕념에 사로잡히다. ㊊욕심(慾心).

욕심 欲心 | =慾心 하고자할 욕, 마음 심 [greed]
무엇을 하고자 하는[欲] 마음[心]. ¶지나친 욕심은 버려라. ㊊욕망(慾望).

욕정 欲情 | 하고자할 욕, 마음 정
[desire; (sexual) lust]
❶속뜻 무언가를 하고자 하는[欲] 마음[情]. ❷한순간의 충동으로 일어나는 욕심. ❸이성에 대한 육체적 욕망. ¶욕정이 일다.

1277 [심]

甚 심할 심:
㊕ 甘부 ㊐ 9획 ㊥ 甚 [shèn]

甚자는 '달 감'(甘)과 '짝 필'(匹), 두 표의요소가 조합된 것이다. '단짝'(an intimate counterpart)이 본래 의미인데, 후에 단짝을 만나 매우 '안락하다'(easy; happy)로 확대 사용됐고, '몹시'(extremely), '심하다'(extreme)는 뜻으로도 쓰인다.

• 역순어휘

격심 激甚 | 거셀 격, 심할 심 [extreme]
거셀[激] 정도로 매우 심함[甚]. ¶격심한 피해를 보다.

극심 極甚 | =劇甚, 다할 극, 심할 심
[extreme; terrible]
지극(至極)히 심(甚)하다. ¶피해가 극심했다. ㊐지독(至毒)하다.

막심 莫甚 | 없을 막, 심할 심
[be immense; extreme]
더 이상 이를 수 없을[莫] 정도로 심(甚)함. ¶후회가 막심하다.

1278 [역]

疫
전염병 역
㊂ 疒부 ㊊ 9획 ㊥ 疫 [yì]

疫자는 유행성 급성 전염병의 통칭, 즉 '돌림병'(an infectious disease)을 뜻하기 위하여 만든 것이었으니, '병들어 누울 역'(疒)이 표의요소로 쓰였다. 이 경우의 殳(창 수)는 役(부릴 역)을 줄여 쓴 것으로 표음요소 역할을 한다는 설이 있다.
속뜻 훈음 **돌림병 역.**

역병 疫病 | 돌림병 역, 병 병 [epidemic; plague]
집단적인 돌림병[疫]이 되는 악성 병증(病症). ¶마을에 역병이 돌아 아이들이 많이 죽었다.

• 역순어휘

검:역 檢疫 | 검사할 검, 돌림병 역
[quarantine; inspect]
돌림병[疫]의 유무를 검사(檢査)하고 소독하는 일. ¶수입 농산물을 검역하다.

면:역 免疫 | 면할 면, 돌림병 역
[immunity (from a disease)]
❶속뜻 돌림병[疫]의 감염을 면(免)하게 됨. ❷의학 몸속에 들어온 균에 대항하는 항체를 생산하여 다음에는 그 병에 걸리지 않도록 하는 기능. ¶예방 주사를 맞으면 그 병에 면역이 된다. ❸반복되는 자극 따위에 무감각해지는 상태를 비유하여 이름. ¶그는 어머니의 꾸지람에 이미 면역이 됐다.

방역 防疫 | 막을 방, 돌림병 역
[prevention of epidemics]
돌림병[疫]의 발생, 침입, 전염 따위를 막음[防]. 또는 그것을 위해 마련하는 조처.

홍역 紅疫 | 붉을 홍, 돌림병 역
[measles; rubeola]
의학 얼굴과 몸에 좁쌀 같은 발진이 돋아 온몸이 붉어지는[紅] 돌림병[疫]. 관용 홍역을 치르다.

1279 [증]

症
증세 증
㊂ 疒부 ㊊ 10획
㊥ 症 [zhèng, zhēng]

症자의 표의요소인 疒(앓을 녁)은 환자가 침대 위에 누워 있는 모습을 본뜬 것이다. 이것이 표의요소로 쓰인 글자들은 모두 '병'과 관련이 있다. '증세'(=증상, symptoms)라는 뜻으로는 본래 證(증거 증)자로 쓰다가 症자를 따로 만들어 적기 시작한 것은 약 1,000전의 일이다. 이 글자의 正(바를 정)은 표음요소인 데, 음이 약간 달라졌다.
속뜻 훈음 ①증세 증, ②증상 증.

증상 症狀 | 증세 증, 형상 상 [symptoms]
병을 앓을 때의 증세(症勢)나 상태(狀態). ¶다음과 같은 증상이 보이면 감기를 의심해야 한다. ㊐증세(症勢).

증세 症勢 | 증상 증, 형세 세 [symptoms]
병이나 상처 때문에 나타나는 여러 가지 증상(症狀)이나 형세(形勢). ¶증세가 조금 호전됐다. ㊐증상(症狀).

증후 症候 | 증세 증, 조짐 후 [symptoms; sign]
병으로 앓는 여러 가지 증세(症勢)와 조짐[候]. ¶간에서 이상 증후를 발견했다.

• 역순어휘

갈증 渴症 | 목마를 갈, 증세 증 [thirst]
목이 마른[渴] 증세(症勢). ¶갈증이 나다. ㊐조갈(燥渴).

염증[1] 炎症 | 불꽃 염, 증상 증 [inflammation]
❶속뜻 불꽃[炎]같이 빨갛게 붓고 열이 나는 증상(症狀). ❷의학 생체 조직이 손상을 입었을 때에 체내에서 일어나는 방어적 반응. ¶상처에 염증이 생겼다.

염:증[2] 厭症 | 싫어할 염, 증세 증 [repugnance]
싫어하는[厭] 정도가 병[症]에 가까울 정도로 심함. 싫증. ¶그녀는 베를 짜는 일에 염증이 났다.

중:증 重症 | 무거울 중, 증세 증
[severe case; serious illness]
몹시 위중(危重)한 병의 증세(症勢). ¶중증 장애인 / 병이 워낙 중증이라 치료가 거의 불가능하다.

체증 滯症 | 막힐 체, 증세 증
[indigestion; dyspepsia; congestion]

한의 먹은 음식물이 막혀[滯] 소화가 잘 안 되는 증세(症勢). ¶소화제를 먹으니 체증이 내려간다 / 명절이라 교통 체증이 심하다.

통:증 痛症 | 아플 통, 증세 증 [pain; ache]
아픔[痛]을 느끼는 증세(症勢). ¶오른쪽 무릎에 심한 통증을 느끼다.

1280 [질]

疾
병 질
部 疒부 劃 10획 中 疾 [jí]

疾자가 갑골문에서는 '성인 대'(大)와 '화살 시'(矢)로 구성되어 있다. 화살을 맞아 찔린 사람의 모습을 통하여 '상처를 입다'(be wounded)는 뜻을 나타냈다. 후에 사람을 가리키는 大가 疒(앓을 녁)으로 대체됐고, 의미도 '고통'(pain), '병'(sickness), '나쁜 버릇'(a bad habit) 등으로 크게 확대 됐다. '빠르다'(quick)는 뜻으로도 쓰이게 된 것은 그 화살과 관련이 있는 듯하다.

속뜻 훈음 **①병 질, ②빠를 질, ③미워할 질.**

질병 疾病 | 병 질, 병 병 [disease]
몸의 온갖 병[疾=病]. ¶질병에 시달리다. ㊀질환(疾患).

질시 疾視 | 미워할 질, 볼 시
[look on with dislike; regard with jealousy]
밉게[疾] 봄[視]. ¶질시의 눈으로 바라보다.

질주 疾走 | 빠를 질, 달릴 주 [run fast]
빨리[疾] 달림[走]. ¶도로를 질주하는 수많은 차들.

질풍 疾風 | 빠를 질, 바람 풍 [fresh breeze]
❶속뜻 몹시 빠르고[疾] 거세게 부는 바람[風]. ¶질풍처럼 밀어닥치는 적군들. ❷지리 흔들바람. ㊀진풍(震風).

질환 疾患 | 병 질, 근심 환 [disease]
몸의 병[疾]과 마음의 근심[患]. ¶호흡기 질환. ㊀질병(疾病).

• 역순어휘

간:질 癎疾 | 지랄 간, 병 질 [epilepsy]
의학 의식 장애로 발작하여 지랄[癎]을 하는 병[疾]. ㊀간질병.

고질 痼疾 | 고질 고, 병 질 [inveterate disease]
❶속뜻 오래되어 고치기 어려운[痼] 병[疾]. ¶그는 고질로 결국 병원에 입원했다. ❷오래되어 바로잡기 어려운 나쁜 버릇. ¶고질이 된 도벽. ㊀숙병(宿病).

괴:질 怪疾 | 이상할 괴, 병 질
[disease of unknown cause; cholera]
❶속뜻 원인을 알 수 없는 이상한[怪] 질병(疾病). ❷'콜레라'를 속되게 이르는 말.

이:질 痢疾 | 설사 리, 병 질 [dysentery]
의학 설사[痢]를 자주 하는 질병(疾病). 똥이 자주 마렵고, 똥에 피와 고름이 섞여 나온다. ¶손을 자주 씻지 않으면 이질에 걸리기 쉽다.

치질 痔疾 | 치질 치, 병 질 [hemorrhoids]
의학 항문이나 항문 주위 조직에 생기는[痔] 병[疾].

학질 瘧疾 | 학질 학, 병 질 [malaria]
의학 말라리아 원충을 가진 학질모기[瘧]에게 물려서 감염되는 전염병[疾]. 갑자기 고열이 나며 설사와 구토·발작을 일으키고 비장이 부으면서 빈혈 증상을 보인다.

1281 [맹]

盟
맹세 맹
部 皿부 劃 13획 中 盟 [méng]

盟자는 원래 그릇에 피를 담아 놓은 모습이었다. 옛날에는 서로 동맹을 맺거나 굳게 약속할 때 피를 나누어 마시는 풍속이 있었다. '굳게 다짐하다'(=맹세하다, swear)는 뜻을 그러한 풍속을 통하여 나타냈다. 후에 피를 상징하는 요소가 빠지고, 음을 나타내기 위하여 明을 덧붙였다. 明(밝을 명)이 표음요소임은 萌(싹 맹)도 마찬가지이다.

속뜻 훈음 **맹세할 맹.**

• 역순어휘

가맹 加盟 | 더할 가, 맹세할 맹 [join]
연맹(聯盟)에 가입(加入)함. ¶유엔 가맹 국가.

동맹 同盟 | 한가지 동, 맹세할 맹
[ally with; league with]
서로의 이익이나 목적을 위하여 하나로[同] 행동하기로 맹세[盟誓]하여 맺는 약속이나 조직체. ¶동맹을 맺다. ㊀연맹(聯盟).

연맹 聯盟 | 잇달 련, 맹세할 맹 [league; union]
❶속뜻 서로 연합하기로[聯] 맹세함[盟]. ❷공동의 목적을 가진 단체나 국가가 서로 돕고 행동을 함께 할 것을 약속함. 또는 그런 조직체. ¶축구연맹.

1282 [반]

盤
소반 반
部 皿부 劃 15획 中 盘 [pán]

盤자의 갑골문은 그릇에 담긴 음식을 숟

기락으로 떠서 입에다 넣는 모습을 그린 것이었다. 金文(금문) 자형에서 유래된 盤은 그릇의 일종인 '대야'(a washbowl)를 뜻하기 위하여 '그릇 명'(皿)이 표의요소로 쓰였고, 般(나를 반)은 표음요소로 변했다. 후에 '소반'(a small table), '쟁반'(a tray), '돌다'(rotate; spin) 등으로 확대 사용됐다. 槃(쟁반 반)으로 쓰기도 했지만, 盤에 의하여 밀려났다.

속뜻훈음 ①소반 반, ②쟁반 반.

반석 盤石 | =磐石, 소반 반, 돌 석 [huge rock]
❶속뜻 넓고 편편한 소반[盤]같은 바위[石]. ❷'아주 믿음직스럽고 든든함'을 비유하여 이르는 말. (비)너럭바위.

• 역순어휘 •

건ː반 鍵盤 | 열쇠 건, 소반 반 [keyboard]
피아노 따위의 앞부분에 건(鍵)을 늘어놓은 소반[盤]같은 면. (비)키보드(key board).

골반 骨盤 | 뼈 골, 쟁반 반 [pelvis]
의학 고등 척추동물의 허리부분을 이루는 깔때기 모양의 크고 납작한 쟁반[盤]같은 뼈[骨].

기반 基盤 | 터 기, 소반 반 [base; basis]
기초(基礎)가 되는 지반(地盤). 기본이 되는 자리.

소ː반 小盤 | 작을 소, 쟁반 반
[small dining table]
음식을 놓고 앉아서 먹는 짧은 발이 달린 작은[小] 쟁반[盤]같은 상.

수반 水盤 | 물 수, 소반 반 [flower tray]
물[水]을 담을 수 있는 바닥이 편평한 소반[盤] 같은 그릇. 사기나 쇠붙이로 만들며 주로 꽃을 꽂거나 괴석(怪石) 따위를 넣어 둔다.

식반 食盤 | 밥 식, 소반 반 [small dining table]
음식(飮食)을 차려 놓는 소반[盤]이나 상. ¶고등어자반을 구워 식반에 올리다.

암반 巖盤 | 바위 암, 소반 반 [bedrock; rock bed]
다른 바위[巖] 속으로 돌입한 소반[盤]처럼 넓은 바위. ¶암반을 뚫고 지하수를 퍼 올렸다.

원반 圓盤 | 둥글 원, 소반 반 [disk; discus]
❶속뜻 둥근[圓] 소반[盤] 같은 판. ❷원반던지기에 쓰이는 운동 기구. 나무 바탕에 쇠붙이로 심과 테두리를 씌우고 둥글넓적하게 만든 판이다.

은반 銀盤 | 은 은, 쟁반 반
[silver plate; skating rink]
❶속뜻 은(銀)으로 만든 쟁반(錚盤). ❷맑고 깨끗한 얼음판을 아름답게 이르는 말. ¶그녀는 은반 위의 요정으로 불린다.

음반 音盤 | 소리 음, 소반 반
[phonograph record; disk]
소리[音]를 기록한 동그란 소반[盤] 같은 판. (비)판(板), 디스크(disk), 레코드(record).

쟁반 錚盤 | 징 쟁, 소반 반
[shallow round plate; tray]
징[錚]같이 얇고 소반[盤] 같이 바닥이 넓적한 그릇. ¶쟁반에 과일을 담다 / 쟁반같이 둥근 달.

중반 中盤 | 가운데 중, 쟁반 반 [middle phase]
❶속뜻 가운데[中]에 있는 쟁반[盤]. ❷어떤 사물의 진행이 중간쯤 되는 단계. ¶50대 중반의 나이 / 경기가 중반으로 접어들다.

지반 地盤 | 땅 지, 쟁반 반 [base]
❶속뜻 땅[地]이 쟁반[盤]같이 편평한 바닥. ❷땅의 굳은 표면. ¶홍수 때문에 이곳의 지반이 내려앉았다. ❸구조물 따위를 설치하는 데 기초가 되는 땅.

초반 初盤 | 처음 초, 쟁반 반 [opening part]
❶속뜻 첫[初]번째 쟁반[盤]. ❷어떤 일이나 일정한 기간의 처음 단계. ¶10대 초반 / 경기 초반에는 상대팀이 이기고 있었다.

1283 [맹]

盲

소경/눈 멀 맹
部 目부 劃 8획 中 盲 [máng]

盲자는 '눈이 멀다'(become blind)는 뜻을 나타내기 위하여 '망할 망'(亡)과 '눈 목'(目)을 합쳐 놓은 것이다. 亡(망)이 표음요소를 겸하는 것임은 氓(백성 맹)을 통하여 알 수 있다. 후에 '장님'(a blind person), '못 알아 보다'(beyond recognition)는 뜻으로 확대 사용됐다.

속뜻훈음 눈멀 맹.

맹목 盲目 | 눈멀 맹, 눈 목 [blindness]
❶속뜻 앞을 볼 수 없는, 먼[盲] 눈[目]. ❷사리 분별에 어두움. 또는 그런 안목.

맹신 盲信 | 눈멀 맹, 믿을 신 [trust blindly]
❶속뜻 눈이 멀어[盲] 남의 말만 듣고 그대로 믿음[信]. ❷옳고 그름을 가리지 않고 무턱대고 믿음. ¶종교를 맹신해서는 안 된다.

맹아 盲啞 | 눈멀 맹, 벙어리 아 [blind and dumb]
눈먼[盲] 장님과 귀먹은 벙어리[啞]. ¶헬렌 켈러는 맹아였다.

맹인 盲人 | 눈멀 맹, 사람 인 [blind]
눈이 먼[盲] 사람[人]. ¶맹인을 위한 점자책을 만들다.

[비]봉사, 소경, 장님, 맹자(盲者).

맹장 盲腸 | 눈멀 맹, 창자 장 [cecum; blind gut]
❶[속뜻]통하는 데가 없이 끝이 막혀 있는[盲] 창자[腸]. ❷[의학]척추동물의 작은창자에서 큰창자로 넘어가는 부분에 있는 주머니 모양의 부분.

맹종 盲從 | 눈멀 맹, 따를 종 [follow blindly]
❶[속뜻]눈이 멀어[盲] 남의 말을 그대로 따름[從]. ❷옳고 그름을 가리지 아니하고 남이 시키는 대로 무턱대고 따름. ¶그는 부모님의 말에 무조건 맹종한다.

• 역순어휘

문맹 文盲 | 글월 문, 눈멀 맹 [illiterate]
글[文]을 알아보지 못함[盲]. 또는 그런 사람. ¶문맹을 퇴치하다 / 이 나라는 문맹률이 높다.

색맹 色盲 | 빛 색, 눈멀 맹 [color blindness]
[의학]빛깔[色]을 가려내지 못함[盲]. 또는 그러한 증상이 있는 사람. ¶색맹은 운전을 하기 어렵다.

1284 [면]

眠

잘 면
[部] 目부 [획] 10획 [中] 眠 [mián]

眠자는 눈을 감고 '잠자다'(sleep; go to bed)는 뜻을 나타내기 위하여 만든 것이었으니 '눈 목'(目)이 표의요소로 쓰였다. 民(백성 민)은 표음요소였는데, 음이 약간 달라졌다. 명사 '잠'(sleep; slumber)을 뜻하기도 한다.

[속뜻훈음] ①잠잘 면, ②잠 면.

• 역순어휘

동:면 冬眠 | 겨울 동, 잠잘 면 [winter sleep]
❶[동물]동물이 겨울[冬] 동안 활동을 멈추고 잠자는[眠] 상태에 있는 현상. ¶곰은 동면을 한다. ❷'어떤 활동이 일시적으로 휴지 상태에 이름'을 비유하여 이르는 말. ¶1년의 동면을 끝내고 남북 협상이 재개됐다. [비]겨울잠. [반]하면(夏眠).

불면 不眠 | 아닐 불, 잠잘 면 [loss of sleep]
잠을 자지[眠] 않음[不]. 또는 잠을 자지 못함. ¶불면 때문에 눈이 충혈되다.

수면 睡眠 | 잘 수, 잠 면 [sleep; slumber]
잠[眠]을 잠[睡]. 또는 잠. ¶충분한 수면을 취하다.

최면 催眠 | 재촉할 최, 잠 면
[hypnosis; induced sleep]
❶[속뜻]잠[眠]을 재촉함[催]. ❷인위적으로 수면 상태에 빠지게 함. ¶그는 최면에 걸린 듯 꼼짝도 하지 않았다.

쾌면 快眠 | 기쁠 쾌, 잠잘 면 [have a good sleep]
기쁘고[快] 가뿐하게 잘 잠[眠]. ¶쾌면은 건강에 좋다.

1285 [목]

睦

화목할 목
[部] 目부 [획] 13획 [中] 睦 [mù]

睦자는 '화목하다'(harmonious)는 뜻을 나타내기 위한 것이었는데, 왜 '눈 목'(目)이 표의요소로 쓰였을까? 눈이 잘 맞는 것이 화목의 기본으로 여겼기 때문은 아닐지. 하기야 서로 눈이 맞은 사람끼리 不睦(불목)하는 경우는 없다. 坴(언덕 륙)이 표음요소였다고 한다. 당시에는 음이 같거나 비슷하였나 보다.

[속뜻훈음] ①화목할 목, ②친할 목.

• 역순어휘

돈목 敦睦 | 도타울 돈, 화목할 목
[cordial; affable; be on good terms]
❶[속뜻]정이 두텁고[敦] 화목(和睦)함. ¶그는 우애 돈목은 물론이거니와 친구와 이웃에게까지도 친절하였다. ❷돈친(敦親).

불목 不睦 | 아닐 불, 화목할 목
[hostility; antagonism]
집안이나 형제끼리 서로 화목(和睦)하지 않음[不]. 사이가 좋지 아니함.

친목 親睦 | 친할 친, 화목할 목 [friendship]
서로 친(親)하여 화목(和睦)함. ¶회원들이 친목을 다졌다.

화목 和睦 | 어울릴 화, 친할 목
[peaceful; harmonious]
서로 잘 어울리고[和] 친하게[睦] 지냄. ¶무엇보다 가족의 화목이 제일이다.

1286 [순]

瞬

눈 깜짝일 순
[部] 目부 [획] 17획 [中] 瞬 [shùn]

瞬자는 '눈을 깜짝하다'(blink one's eyes)는 뜻을 나타내기 위하여 만든 것이었으니 '눈 목'(目)이 표의요소로 쓰였다. 舜(순임금 순)은 표음요소이니 뜻과는 무관하다.

순간 瞬間 | 눈 깜짝일 순, 사이 간

[moment; second]
❶속뜻 눈을 깜짝할[瞬] 사이[間]. 잠깐 동안. ¶마지막 순간. ❷어떤 일이 일어난 바로 그때. ¶문으로 걸음을 옮기는 순간 전화벨이 울렸다. (비)찰나(刹那).

순식 瞬息 | 눈 깜작할 순, 숨쉴 식 [brief instant]
❶속뜻 눈 깜빡하거나[瞬] 숨을 한 번 쉴[息] 정도의 시간. ❷매우 짧은 시간. '순식간'(瞬息間)의 준말.

• 역순어휘

일순 一瞬 | 한 일, 눈 깜짝일 순 [moment]
❶속뜻 한[一] 번 눈 깜짝할[瞬] 정도의 짧은 시간. ❷'일순간'(一瞬間)의 준말. ¶장내는 일순 조용해졌다. (비)삽시(霎時).

1287 [황]

皇

임금 황
(部) 白부 (劃) 9획 (中) 皇 [huáng]

皇자의 '白'은 표의요소도 아니고 표음요소도 아니다. 王(왕)의 머리에 쓰고 있는 면류관 모습이 변한 것이라는 설이 가장 그럴 듯하다. '임금'(a monarch)이 본래 의미인데, '크다'(great)는 뜻으로도 쓰인다.
속뜻훈음 ①임금 황, ②클 황.

황실 皇室 | 임금 황, 집 실 [Imperial Household]
황제(皇帝)의 집안[室].

황제 皇帝 | 임금 황, 임금 제 [emperor]
❶역사 삼황(三皇)과 오제(五帝)의 준말. ❷왕이나 제후를 거느리고 나라를 통치하는 임금을 왕이나 제후와 구별하여 이르는 말.

황후 皇后 | 임금 황, 왕비 후 [empress; queen]
황제(皇帝)의 아내[后].

• 역순어휘

교:황 教皇 | 종교 교, 임금 황 [Pope]
가톨릭 가톨릭교회(教會)의 우두머리[皇]인 로마 대주교.

장황 張皇 | 벌릴 장, 클 황
[lengthy; tedious]
지나치게 벌이고[張] 커져서[皇] 번거롭다. ¶설명이 장황하여 이해할 수 없다.

천황 天皇 | 하늘 천, 임금 황
[Lord of Heaven; Emperor of Japan]
❶속뜻 하늘[天]이 점지한 황제(皇帝). ❷일본에서 자기네 '임금'을 일컫는 말. (비)옥황상제(玉皇上帝).

1288 [경]

硬

굳을 경
(部) 石부 (劃) 12획 (中) 硬 [yìng]

硬자는 돌처럼 '단단하다'(hard; solid; firm; strong)는 뜻을 나타내기 위하여 만든 것이었으니 '돌 석'(石)이 표의요소로 쓰였다. 更(고칠 경)은 음을 표시하는 표음요소일 따름이다.
속뜻훈음 단단할 경.

경도 硬度 | 단단할 경, 정도 도 [hardness]
❶속뜻 굳고 단단한[硬] 정도(程度). ❷물리 엑스선의 종류에 따라 물체에 투과하는 정도. (비)굳기.

경음 硬音 | 단단할 경, 소리 음
[strong sound; fortis]
❶속뜻 딱딱한[硬] 느낌의 소리[音]. ❷언어 후두 근육을 긴장하거나 성문(聲門)을 폐쇄했다가 내는 소리. ㄲ, ㄸ, ㅃ, ㅆ, ㅉ 따위. (비)된소리.

경직 硬直 | 단단할 경, 곧을 직 [stiffen]
❶속뜻 단단하고[硬] 곧음[直]. ❷생각이나 태도 등이 매우 딱딱함. ¶경직된 분위기. (비)강직(強直). (반)유연(柔軟).

경화 硬化 | 단단할 경, 될 화 [harden]
단단하게[硬] 됨[化]. ¶근육이 경화됐다. (반)연화(軟化).

• 역순어휘

강경 強硬 | =強勁, 강할 강, 단단할 경
[firm; tough]
❶속뜻 마음가짐이나 태도가 강(強)하고 단단함[硬]. ❷강하게 버티어 굽히지 아니함. ¶회담에서 정부는 강경한 태도로 일관했다. (반)유화(宥和), 온건(穩健).

1289 [마]

磨

갈 마
(部) 石부 (劃) 16획 (中) 磨 [mó, mò]

磨자는 돌연장(石器)을 '갈다'(sharpen; grind)는 뜻을 나타내기 위하여 만든 것이었으니 '돌 석'(石)이 표의요소로 쓰였다. 麻(삼 마)는 표음요소이다(참고 魔, 마귀 마). 후에 '닳다'(wear out; be worn out)는 뜻도 따로 글자를 만들지 않고 이것으로 나타냈다.

마모 磨耗 | 갈 마, 줄 모 [wear; be worn away]
마찰 부분이 닳아서[磨] 작아지거나 없어짐[耗]. ¶타이어가 마모됐다.

마애 磨崖 | 갈 마, 벼랑 애
암벽 벼랑[崖]을 갈아[磨] 글자나 그림, 불상 따위를 새김.

마제 磨製 | 갈 마, 만들 제 [polished]
돌 따위를 갈아서[磨] 연장이나 기구를 만드는[製] 일. 또는 그렇게 만든 것.

• 역순어휘

연:마 鍊磨 | =練磨, 硏磨, 불릴 련, 갈 마 [train]
❶[속뜻] 쇠를 불리어[鍊] 갈아[磨] 반질반질하게 함. ❷학문이나 기술 따위를 힘써 배우고 닦음. ¶기술 연마 / 그는 정신을 연마하기 위해 몇 년간 산에서 지냈다.

탁마 琢磨 | 다듬을 탁, 갈 마
[polish a gem; cultivate]
❶[속뜻] 옥석(玉石)을 쪼아 다듬고[琢] 갊[磨]. ❷학문이나 덕행을 갈고 닦음. [비]마탁(磨琢).

1290 [벽]

碧
푸를 벽
[部] 石부 [劃] 14획 [中] 碧 [bì]

碧자는 '구슬 옥'(玉), '돌 석'(石), '흰 백'(白) 모두가 표의요소로 쓰였는데, 부수는 石으로 지정됐다. 白(흰 백)은 표음요소를 겸한다는 설도 있다. 청백(靑白)색의 옥(玉) 돌[石]을 가리키기 위한 글자인데, '푸르다'(blue)는 뜻으로도 쓰인다.

벽계 碧溪 | 푸를 벽, 시내 계
[water in a blue stream]
'벽계수'(碧溪水)의 준말.

벽공 碧空 | 푸를 벽, 빌 공 [azure sky]
푸른[碧] 하늘[空]. [비]벽천(碧天).

벽담 碧潭 | 푸를 벽, 못 담 [blue pond]
푸른빛[碧]이 감도는 깊은 못[潭].

벽로 碧鷺 | 푸를 벽, 해오라기 로
푸른[碧] 빛이 감도는 해오라기[鷺].

벽산 碧山 | 푸를 벽, 뫼 산 [blue mountains]
푸른[碧] 산(山). 청산(靑山).

벽수 碧水 | 푸를 벽, 물 수
매우 맑고 깊어 푸른빛[碧]이 도는 물[水]. 녹수(綠水).

벽안 碧眼 | 푸를 벽, 눈 안 [blue eyes]
❶[속뜻] 푸른[碧] 눈동자[眼]. ❷서양 사람. ¶벽안의 선교사. [비]녹안(綠眼).

벽옥 碧玉 | 푸를 벽, 구슬 옥
[jasper; green jade]
❶[속뜻] 푸른빛[碧]이 나는 고운 옥(玉). ❷[광업] 석영(石英)의 변종. 불순물이 많아 불투명하다. 빛은 녹색, 홍색 등으로 도장 재료나 가락지 같은 장식에 쓰인다.

벽해 碧海 | 푸를 벽, 바다 해 [azure ocean]
짙푸른[碧] 바다[海].

• 역순어휘

촌:벽 寸碧 | 마디 촌, 푸를 벽
❶[속뜻] 한 조각[寸]의 푸른빛[碧]. ❷구름 사이로 보이는 푸른 하늘.

1291 [초]

礎
주춧돌 초
[部] 石부 [劃] 18획 [中] 础 [chǔ]

礎자는 기둥의 받침돌, 즉 '주춧돌'(a foundation stone)을 뜻하기 위하여 만든 것이었으니 '돌 석'(石)이 표의요소로 쓰였다. 楚(모형 초)는 표음요소이니 뜻과는 무관하다. 후에 '근본'(the foundation)을 뜻하는 것으로 확대 사용됐다.

초단 礎段 | 주춧돌 초, 층계 단 [foundation]
❶[속뜻] 주춧돌[礎] 역할을 하는 층이나 계단(階段). ❷[건설] 건조물의 무게를 지반이 골고루 받게 하기 위해 벽이나 기둥 따위의 아래쪽을 특별히 넓게 한 부분.

초석 礎石 | 주춧돌 초, 돌 석
[cornerstone; foundation; basis]
❶[건설] 기둥 밑에 기초로 받쳐 놓은[礎] 돌[石]. ¶빌딩의 초석은 육중한 건물을 떠받들고 있다. ❷'사물의 기초'를 비유하여 이르는 말. ¶미래의 발전을 위한 초석을 놓다. [비]주춧돌, 기초(基礎), 기반(基盤).

• 역순어휘

국초 國礎 | 나라 국, 주춧돌 초
[foundation of a nation]
나라[國]의 기초(基礎). ¶국초를 닦다. [비]국기(國基).

기초 基礎 | 터 기, 주춧돌 초 [basis; base]
❶[속뜻] 기둥의 밑[基]을 받치는 주춧돌[礎]같은 토대. 또는 그 역할을 하는 것. ¶기초를 다지다 / 역사적 사실에 기초하다. ❷건물, 다리 따위와 같은 구조물의 무게를 받치기 위하여 만든 밑받침.

정:초 定礎 | 정할 정, 주춧돌 초
[cornerstone; quoin]
주춧돌[礎]을 정(定)하여 놓음. 또는 그 돌. [비]머릿돌.

1292 [기]

祈

빌 기

部 示부 劃 9획 中 祈 [qí]

祈자는 원래 다른 모습이었는데, 지금과 같이 '示+斤' 꼴로 된 것은 秦漢(진한)시기이다. '示'는 神主(신주)를 본뜬 것으로, 이것이 표의요소로 쓰인 글자들은 모두 '제사'와 관련이 있으니, 앞으로는 '보일 시' 대신에 '제사 시'라고 하는 것이 낫겠다. 斤(도끼 근)이 표음요소임은 沂(물이름 기)도 마찬가지이다. '(복을) 빌다'(pray)가 본뜻인데, 후에 일반적 의미의 '빌다'(beg)로 확대 사용됐다.

기도 祈禱 | 빌 기, 빌 도 [prayer]
절대적 존재에게 바라는 것을 빎[祈=禱]. 또는 그런 의식. ¶비를 내려달라고 신에게 기도하다.

기우 祈雨 | 빌 기, 비 우 [prayer for rain]
가뭄 때에 비[雨]가 오기를 빎[祈].

기원 祈願 | 빌 기, 원할 원 [pray; supplicate]
소원(所願)이 이루어지기를 빎[祈]. ¶행복을 기원합니다.

1293 [록]

祿

녹 록

部 示부 劃 13획 中 禄 [lù]

祿자는 조상신에 대한 제사를 통하여 받을 수 있는 '복'(good fortune; blessing)을 뜻을 나타내기 위한 것이었기에 '제사 시'(示)가 표의요소로 쓰였다. 彔(나무 깎을 록)은 표음요소일 따름이다. 후에 옛날 관리들이 황실로부터 받는 '봉급'(=녹봉, salary; pay)을 뜻하는 것으로 확대 사용됐다.

속뜻 훈음 ①복 록, ②녹봉 록.

녹봉 祿俸 | 복 록, 녹 봉 [stipend]
역사 벼슬아치에게 일 년 단위로 나누어 주던 금품[祿=俸]. ⓑ녹질(祿秩), 녹료(祿料), 녹조(祿租), 봉질(俸秩), 식록(食祿), 질록(秩祿).

녹읍 祿邑 | 녹봉 록, 고을 읍
역사 신라에서 고려 초기까지 벼슬아치에게 직무의 대가[祿]로 일정 지역[邑]의 수조권(收租權)을 주던 일. ¶신문왕은 녹읍을 폐지했다.

• 역순어휘

관:록 貫祿 | 꿸 관, 녹봉 록 [dignity; presence]
❶속뜻 예전에 녹봉(祿俸)으로 받은 동전을 꿰어[貫] 놓음. 또는 그 금액이나 경력. ❷어떤 일을 오랫동안 하여 쌓은 경력이나 권위. ¶관록을 자랑하다.

복록 復祿 | 돌아올 복, 복 록
원래의 봉록(俸祿)을 다시[復] 받게 되는 일.

봉:록 俸祿 | 녹 봉, 녹 록
역사 나라에서 벼슬아치들에게 주던 곡식(穀食), 돈 따위[俸=祿]를 일컫는 말. ⓑ녹봉(祿俸).

작록 爵祿 | 벼슬 작, 녹봉 록
[stipend; official salary]
관작(官爵)과 봉록(俸祿). 지위와 봉급.

천록 天祿 | 하늘 천, 복 록
하늘[天]이 주는 복록(福祿).

후:록 厚祿 | 두터울 후, 녹봉 록
[generous stipend; liberal salary]
많고 두터운[厚] 녹봉(祿俸). ⓑ박록(薄祿).

1294 [사]

祀

제사 사

部 示부 劃 8획 中 祀 [sì]

祀자는 본래 '제사지내다'(perform an ancestral sacrifice)는 뜻을 나타내기 위하여 제단[示] 앞에 꿇어앉은 사람의 모습을 본뜬 것이었다. 후에 그 사람의 모습이 巳(사)로 잘못 변하였지만 표음요소 구실을 하게 됐으니 완전히 잘못된 것만은 아닌 셈이다. '제사'(a memorial service)

• 역순어휘

고:사 告祀 | 알릴 고, 제사 사
민속 액운은 없어지고 행운이 오도록 집안에서 섬기는 신에게 음식을 차려 놓고 그런 뜻을 알려[告] 비는 제사(祭祀). ¶산신령에게 고사를 드리다.

제:사 祭祀 | 제사 제, 제사 사
[religious service; sacrificial rites]
신령이나 죽은 사람의 넋에게 정성을 다하여 제물(祭物)을 바쳐 추모하고 복을 비는 의식[祀]. ¶제사를 지내다.
속담 남의 제사에 감 놓아라 배 놓아라 한다.

1295 [선]

禪

선 선

部 示부 劃 17획

中 禅 [chán, shàn]

禪자는 하늘에 대한 '제사'(祭天, sacrificial rites for

the heavens)를 뜻하기 위하여 만든 것이었으니 '제사 시'(示)가 표의요소로 쓰였다. 單(홑 단)이 표음요소로 쓰인 것임은 蟬(매미 선), 嬋(고울 선)의 경우도 마찬가지이다. 불교가 전래하여 범어 'dhyāna'를 '禪那'로 음역한 것으로부터 유래하여 '좌선'이나 '참선'같은 불교 용어로 애용됐다.

[속뜻훈음] ①참선 선, ②좌선 선.

선가 禪家 | 참선 선, 집 가
[Zen sect; Zen temple; Zen priest]
[불교] ❶참선(參禪)을 통해 불도를 터득하려는 불교의 한 종파[家]. 달마대사가 중국에 전하였다. ❷선종의 사원(寺院). ❸선종의 중. [비]선종(禪宗), 선객(禪客).

선교 禪教 | 참선 선, 가르칠 교
[Zen sect and Doctrinism of Buddhism]
[불교] ❶선종(禪宗)과 교종(敎宗). ❷선학(禪學)과 교법(教法).

선문 禪門 | 참선 선, 문 문 [Zen Buddhism]
[불교] ❶참선(參禪)을 통해 불도를 터득하려는 불교의 한 종파[門]. ❷불문(佛門)에 들어간 남자. [비]선종(禪宗).

선사 禪寺 | 참선 선, 절 사
[temple of the Zen sect]
[불교] 선종(禪宗)의 절[寺]. 선원(禪院). 선찰(禪刹).

선승 禪僧 | 참선 선, 승려 승 [Zen priest]
[불교] ❶참선(參禪)하고 있는 승려[僧]. ❷선종의 승려.

선양 禪讓 | 물려줄 선, 사양할 양
[abdicate; vacate the throne]
임금이 자리를 물려주어[禪] 양위(讓位)함. 선위(禪位).

선종 禪宗 | 참선 선, 종파 종
[Zen sect of Buddhism; Zen Buddhism]
[불교] 좌선(坐禪)을 통해 불도를 터득하려는 불교의 한 종파(宗派). 6세기 초에 달마대사가 중국에 전하였다. 선가(禪家). 선도(禪道). 선문(禪門). [준]선. [반]교종(敎宗).

• 역순어휘

봉선 封禪 | 북돋울 봉, 제사지낼 선
[역사] 중국에서 천자(天子)가 흙으로 단(壇)을 만들어[封] 하늘과 산천에 제사 지내던[禪] 일.

수선 受禪 | 받을 수, 선위할 선
[succeed to the throne]
물려준[禪] 임금의 자리를 받음[受].

입선 入禪 | 들 입, 참선 선
[불교] ❶좌선을 하거나 불경을 읽으러 선원(禪院)에 들어가는[入] 일. ❷선정(禪定)에 들어가는 일.

좌:선 坐禪 | 앉을 좌, 선위할 선
[sit in meditation]
[불교] 고요히 앉아서[坐] 참선(參禪)함. 선종에서 중요시하는 수행법. [비]안선(安禪), 연좌(宴坐). [참][선].

참선 參禪 | 참여할 참, 좌선 선
[meditation in Zen Buddhism]
[불교] 좌선(坐禪)에 참여(參與)함. 좌선하여 불도를 닦는 일.

1296 [화]

禍

재앙 화:
[部] 示부 [劃] 14획 [中] 祸 [huò]

禍자의 示는 본래 없었다가 후에 첨가된 것이다. 즉 소의 어깨뼈에 점을 쳐서 나타난 卜兆(복조) 모양을 통하여 '재화'(a disaster)의 뜻을 나타낸 것이다. 후에 示를 첨가시켜 뜻을 더욱 분명히 했다. 옛날 사람들은 제사를 정성껏 지내지 않으면 재화를 당하게 된다고 생각했다.

[속뜻훈음] 재화 화.

화:근 禍根 | 재화 화, 뿌리 근
[root of evil; the source(s) of trouble]
재화(災禍)의 근원(根源). ¶화근을 없애다.

화:심 禍心 | 재화 화, 마음 심 [evil intention]
❶[속뜻] 남에게 재난[禍]을 끼치려는 마음[心]. ¶일본이 화심을 품고 있다. ❷재앙의 근원.

• 역순어휘

병화 兵禍 | 군사 병, 재화 화 [disaster of war]
전쟁[兵]으로 말미암아 입는 재화(災禍). [비]전화(戰禍).

사:화 士禍 | 선비 사, 재화 화
[massacre of scholars]
[역사] 조선 시대, 선비[士]들이 정치적 반대파에게 몰려 참혹한 화(禍)를 입던 일. 4대 사화는 무오사화(戊午士禍), 갑자사화(甲子士禍), 기묘사화(己卯士禍), 을사사화(乙巳士禍)를 이른다.

설화 舌禍 | 혀 설, 재화 화
[trouble brought on by a slip of the tongue]
❶[속뜻] 혀[舌]로 인한 재화(災禍). ❷말 따위가 법에 저촉되거나 사람들의 비난을 받음으로써 입게 되는 화. ❸남의 험담이나 중상(中傷) 따위로 입게 되는 불행한 일.

앙화 殃禍 | 재앙 앙, 재화 화

[disaster; woe; misfortune]
❶속뜻 재앙(災殃)이나 화근(禍根). ¶앙화가 미치다 / 앙화를 받다. ❷지은 죄의 앙갚음으로 받는 재앙. ¶그는 그동안 지은 죄에 대해 앙화를 받았다.

1297 [금]

琴

거문고 금
部 玉부 劃 12획 中 琴 [qín]

琴자를 '거문고(a Korean zither) 금'이라 풀이하는 것은 순수 우리 식이다. 고구려 때 왕산악이 중국의 七弦琴(칠현금)을 개량하여 만든 것이 거문고이다. 원래는 그 악기에 줄이 매어져 있는 모양을 본뜬 것이나 모양이 크게 변하였고, 표음요소가 첨가됐다. 윗부분은 '쌍옥 각'(玨)이므로 구슬 옥(玉)부수에서 찾아야 하며, 今(금)은 표음요소이다.

금실 琴瑟 | 본음 [금슬], 거문고 금, 비파 슬
[conjugal harmony]
❶속뜻 거문고[琴]와 비파[瑟]를 아울러 이르는 말. ❷'부부간의 사랑'을 비유적으로 이르는 말. ¶그 부부는 금실이 좋다.

• 역순어휘

심금 心琴 | 마음 심, 거문고 금
[deepest emotions]
❶속뜻 마음[心] 속에 있는 거문고[琴]. ❷'감동하여 마음이 울림'을 비유하여 이르는 말. ¶독자의 심금을 울렸다. 하나 더!! 心襟(심금)은 '속마음'을 말한다. 心襟을 털어놓을 때 心琴이 잘 울리지 않을까. 세상살이 아무리 각박해도 心琴만은 잃지 말자. 그것이 자주 울리는 만큼 많은 행복을 누린다.

양금 洋琴 | 서양 양, 거문고 금 [dulcimer]
음악 서양(西洋)에서 만들어진 거문고[琴]같은 현악기. 채로 줄을 쳐서 소리를 낸다.

풍금 風琴 | 바람 풍, 거문고 금 [organ]
음악 페달을 밟아서 바람[風]을 넣어 소리를 내는 건반 악기[琴]. ¶아이들은 선생님의 풍금 소리에 맞춰 노래를 불렀다.

해금 奚琴 | 어찌 해, 거문고 금
[Korean fiddle]
❶속뜻 당나라 때 해족(奚族)이 사용한 거문고[琴] 비슷한 현악기. ❷음악 민속 악기의 한 가지. 둥근 나무통에 긴 나무를 박고 두 가닥의 명주실을 매어 활로 비벼서 켬.

1298 [와]

瓦

기와 와
部 瓦부 劃 5획 中 瓦 [wǎ, wà]

瓦자는 '기와'(a roof tile)를 뜻하기 위하여 두 장의 기와가 맞물려 있는 모양을 본뜬 것이었다. 획수가 총 5획임을 알기 어려우니 확인해 두자. 기와 같이 진흙을 구워 만든 질그릇(土器)를 통칭하기도 한다.

와열 瓦裂 | 본음 [와렬], 기와 와, 찢어질 렬
[split; be split]
❶속뜻 기와[瓦]같이 잘 부서짐[裂]. ❷산산이 쪼개짐을 비유하여 이르는 말.

와전 瓦全 | 기와 와, 온전할 전
[an unhonorable life]
❶속뜻 하찮은 기와[瓦]로 온전하게[全]하게 남아 있음. ❷별 볼일 없이 목숨만 이어 감. ¶와전을 부끄러이 여기다. 참 옥쇄(玉碎).

와해 瓦解 | 기와 와, 풀 해 [collapse]
❶속뜻 기와[瓦]를 만들 때 원통의 틀이 두 개로 분해(分解)됨. ❷조직이 갈라져 흩어짐. ¶전통적인 가족 형태가 급속도로 와해되고 있다.

• 역순어휘

개:와 蓋瓦 | 덮을 개, 기와 와 [roof with tiles]
기와[瓦]로 지붕을 임[蓋]. ¶장마가 오기 전에 개와해 두어야겠다. 참 개초(蓋草).

농:와 弄瓦 | 놀 롱, 실패 와
[give birth a daughter]
중국에서 딸을 낳으면 베를 잘 짜라는 뜻으로 장난감[弄] 실패[瓦]를 주었다는 데서 유래하여 '딸을 낳음'을 이른다. '농와지경'의 준말.

청와 靑瓦 | 푸를 청, 기와 와 [blue tile]
푸른[靑] 빛깔의 매우 단단한 기와[瓦].

1299 [금]

禽

새 금
部 内부 劃 13획 中 禽 [qín]

禽자의 갑골문은 나는 새를 잡는 데 사용한 도구로, 요즘의 잠자리채 비슷한 모양의 것을 본뜬 것이다. '(새를) 사로잡다'(capture)가 본래 의미인데, 날아다니는 '날짐승'(winged animals)을 총칭하는 것으로 확대 사용됐다. 나중에 첨가된 内(유)는 짐승의 발자국을 뜻하는 표의요소이다. '날짐승'을 뜻하는 것으로 많이 쓰이자, 본뜻

은 따로 擒(사로잡을 금)자를 만들어 나타냈다.
속뜻 훈음 **날짐승 금**.

금수 禽獸 | 날짐승 금, 짐승 수 [birds and beasts]
날아다니는 날짐승[禽]과 기어다니는 길짐승[獸]. ¶금수만도 못한 사람이라고!

• 역순어휘

가금 家禽 | 집 가, 날짐승 금
[domestic fowls; poultry]
집[家]에서 기르는 날짐승[禽]. 알이나 고기를 식용하기 위해 기르며, 닭, 오리 따위가 있다. ¶산에서 내려온 멧돼지는 가금을 모조리 잡아먹었다.

맹:금 猛禽 | 사나울 맹, 날짐승 금
[bird of prey; predatory bird]
동물 성질이 사나운[猛] 날짐승[禽]. ¶매는 맹금류에 속한다.

명금 鳴禽 | 울 명, 날짐승 금
[singing bird; songster]
❶속뜻 고운 소리로 우는[鳴] 새[禽]. ❷동물 명금류(鳴禽類)의 준말.

야:금¹ 夜禽 | 밤 야, 날짐승 금
[night bird; nocturnal bird]
부엉이, 올빼미 따위와 같이 낮에는 숨어 자고 밤[夜]에 활동하며 먹이를 찾는 새[禽].

야:금² 野禽 | 들 야, 날짐승 금 [wild bird]
들[野]에 자생하는 날짐승[禽]. 들새. (참) 가금(家禽).

주:금 走禽 | 달릴 주, 날짐승 금
동물 타조, 에뮤(emu) 따위와 같이 날지 않고 달리기[走]만 하는 날짐승[禽].

1300 [기]

畿

경기(京畿) 기
(部) 田부 (劃) 15획 (中) 畿 [jī]

畿자는 王都(왕도) 근처에 있는 천자 직할의 '땅'(land)을 이르기 위한 것이었으니 '밭 전'(田)이 표의요소로 쓰였다. 표음요소는 幾(기미 기)인데, 편의상 '人'이 생략됐다. 문자학에서는 이러한 표음요소를 생성(省聲)이라 한다.

기내 畿內 | 경기 기, 안 내
❶속뜻 나라의 수도에서 가까운 행정구역[畿]의 안[內]. ❷조선 시대, 경기도 일대를 이름. ¶기백(畿伯)으로서 기내를 다스렸다.

기호 畿湖 | 경기 기, 호수 호
'경기도'(京畿道)와 '충청도'[湖]를 아울러 이름. ¶기호 지역의 인사들을 등용하다.

• 역순어휘

경기 京畿 | 서울 경, 경기 기
❶속뜻 서울[京]을 중심으로 500리 이내의 땅[畿]. ❷우리나라 중서부에 있는 도. '경기도'(京畿道)의 준말. (비) 기내(畿內).

근:기 近畿 | 가까울 근, 경기 기
[metropolitan area]
서울에서 가까운[近] 지방[畿]. ¶근기에서 온 손님. (비) 기근(畿近).

1301 [축]

畜

짐승 축
(部) 田부 (劃) 10획 (中) 畜 [chù, xù]

畜자의 원형은 짐승의 밥통을 잘라내어 그 입구 부분에 실로 매어 놓은 모양이었다. 옛날에는 그것을 자루 같은 용도로 활용하였다고 한다. 즉 거기에다 물이나 밥 등을 담아 놓았기 때문에 '모아두다'(accumulate; store up; stockpile)는 뜻을 그 모양으로 나타냈다. 후에 '짐승'(a beast; a brute; an animal), '(짐승을) 기르다'(raise livestock)는 뜻으로도 쓰이는 예가 많아지자, 본래의 의미는 蓄(축, #0689)자로 나타냈으나 둘이 통용되기도 한다.
속뜻 훈음 **①가축 축, ②기를 축.**

축사 畜舍 | 가축 축, 집 사 [cattle shed; pigsty]
가축(家畜)을 기르는 건물[舍]. ¶형은 축사를 지어 소를 키웠다.

축산 畜産 | 가축 축, 낳을 산
[stock farming; animal husbandry]
가축(家畜)을 길러서 인간 생활에 유용한 물질을 생산(生産)하고 이용하는 농업의 한 부문. ¶축산 농가.

• 역순어휘

가축 家畜 | 집 가, 기를 축 [domestic animal]
집[家]에서 기르는[畜] 짐승. ¶전염병으로 가축이 집단 폐사했다. (비) 집짐승. (반) 들짐승.

목축 牧畜 | 칠 목, 기를 축
[raise cattle; engage in stock farming]
소·말·양 따위를 방목(放牧)하여 기르는[畜] 일. (비) 목양(牧養).

1302 [필]

畢

마칠 필
[部] 田부 [劃] 11획 [中] 毕 [bì]

畢자는 '그물'(a net)을 나타내기 위하여 새 또는 토끼를 사냥할 때 쓰는 긴 자루가 달린 작은 그물 모양을 본뜬 것이다. 나중에 田(= 畋, 사냥할 전)이 첨가하여 '사냥'의 뜻을 분명히 나타냈다. '그물질하다'(set a net), '마치다'(finish) 등으로도 쓰인다.

필경 畢竟 | 마칠 필, 마침내 경 [after all]
❶[속뜻] 일을 끝내거나[畢] 또는 마침내[竟]. ❷마침내. 결국에는. ¶필경 그는 오지 않을 것이다.

필납 畢納 | 마칠 필, 바칠 납 [duty paid]
납세(納稅)나 납품(納品) 따위를 끝냄[畢].

필생 畢生 | 마칠 필, 살 생 [coexistence with life]
❶[속뜻] 삶[生]을 마침[畢]. ❷생명의 마지막까지 다함. ¶이것은 그의 필생의 걸작이다.

• 역순어휘

미:필 未畢 | 아닐 미, 마칠 필
[have not finished]
아직 마치지[畢] 못함[未]. [비]미료(未了).

1303 [소]

疏

소통할 소
[部] 疋부 [劃] 11획 [中] 疏 [shū]

疏자는 흥미로운 배경을 지니고 있는 글자이다. '트이다'(get cleared; be open)는 뜻을 나타내기 위하여, 자궁의 문이 트이자 뱃속에 있던 아기가 머리를 내밀어 바깥세상으로 나오는 모습에서 착안하여 특징적으로 묘사한 것이다. 疋(발 소)는 足(발 족)의 변형으로 태아의 발을 가리키고, 오른쪽 부분은 거꾸로 된 태아(子)와 양수가 흐르는 모습이 합쳐진 것이다. '트이다'는 뜻을 그렇게 나타내고자 한 의도가 자못 흥미롭다. 속자인 '疎'의 束(묶을 속)은 표음요소 역할을 하지만 '疎'를 [속]으로 잘못 읽지 않도록 주의해야겠다. 후에 '멀어지다'(become estranged), '멀리하다'(keep at a distance)는 뜻도 따로 글자를 만들지 않고 편의상 이것으로 나타냈다.
[속뜻훈음] **①트일 소, ②멀어질 소, ③드물 소.**

소외 疏外 | 멀어질 소, 밖 외 [estrange; alienate]
❶[속뜻] 사이가 점점 멀어지고[疏] 밖[外]으로 따돌림. ❷따돌려 멀리함. ¶반 친구들에게 소외당하다 / 소외된 이웃.

소탈 疏脫 | 트일 소, 벗을 탈 [informal]
❶[속뜻] 예절이나 형식에 얽매이지 않고[疏] 그 굴레에서 벗어나다[脫]. ❷수수하고 털털하다. ¶그는 성격이 소탈하여 친구들이 좋아한다.

소통 疏通 | 트일 소, 통할 통
[flow smoothly; communication]
❶[속뜻] 막혔던 것이 트여[疏] 잘 통(通)함. ¶차량 소통이 원활하다. ❷의견이나 의사가 상대편에게 잘 통함. ¶의사소통이 잘 이루어지다.

소홀 疏忽 | 드물 소, 허술할 홀
[negligent; remiss]
드문드문[疏] 빈틈이 많고 허술함[忽]. ¶범인이 감시가 소홀한 틈을 타 달아났다 / 건강 관리를 소홀히 해서는 안 된다.

• 역순어휘

상:소 上疏 | 위 상, 트일 소
[present a memorial to the King]
임금에게 글을 올려[上] 의견을 소통(疏通)하던 일. 또는 그 글. 주로 간관(諫官)이나 삼관(三館)의 관원이 임금에게 정사(政事)를 간하기 위하여 올렸다.

생소 生疏 | 날 생, 드물 소
[unfamiliar; unpracticed]
❶[속뜻] 얼굴 따위가 낯설고[生] 관계 따위가 드문드문함[疏]. ❷친숙하지 못하고 낯설다. ¶생소한 일이라 실수를 많이 했다.

1304 [피]

皮

가죽 피
[部] 皮부 [劃] 5획 [中] 皮 [pí]

皮자는 짐승을 죽여 나무에 매달아 놓고 손[又·우]에 칼을 들고 가죽을 벗기는 모양이 변화된 것이다. '(털 짐승의) 껍질을 벗기다'(skin; rind)가 본래 의미인데 '(털) 가죽'(fur), '껍질'(a shell; skin), '겉'(surface) 등으로 확대 사용됐다.
[속뜻훈음] **①가죽 피, ②껍질 피, ③겉 피.**

피골 皮骨 | 겉 피, 뼈 골 [skin and bones]
몸 바깥의 겉[皮]과 몸 안의 뼈[骨]. ¶몹시 여위어 피골이 상접(相接)하다.

피부 皮膚 | 겉 피, 살갗 부 [skin]
❶[속뜻] 겉[皮]면의 살갗[膚]. ❷[동물] 척추동물의 몸의 겉을 싸고 있는 조직. ¶아기는 피부가 부드럽다. [비]살갗.

피하 皮下 | 가죽 피, 아래 하 [beneath the skin]
의학 피부(皮膚)의 아래[下] 부분. ¶피하에 지방이 고였다.

• 역순어휘

계:피 桂皮 | 계수나무 계, 껍질 피 [cinnamon]
계수나무[桂]의 껍질[皮]. 한약재로 쓴다.

모피 毛皮 | 털 모, 가죽 피 [fur]
털[毛]이 그대로 붙어 있는 짐승의 가죽[皮]. ¶모피로 만든 외투.

설피 雪皮 | 눈 설, 겉 피 [snowshoe]
눈[雪]에 빠지지 않도록 신바닥 겉[皮] 부분에 대는 넓적한 덧신. ¶설피 한 켤레.

탈피 脫皮 | 벗을 탈, 껍질 피
[molt; shed the skin; do away with]
❶속뜻 껍질[皮]을 벗음[脫]. ❷동물 파충류, 곤충류 따위가 자라면서 허물이나 껍질을 벗음. ¶뱀은 봄에 탈피를 한다. ❸일정한 상태나 처지에서 완전히 벗어남. ¶그는 따분한 일상에서 탈피하기 위하여 재미있는 일을 계획했다.

표피 表皮 | 겉 표, 껍질 피 [scarfskin; outer skin]
동식물의 겉[表] 껍질[皮]. ¶표피에 상처가 나다.

1305 [률]

率

비율 률 / 거느릴 솔
部 玄부 劃 11획 中 率 [lǜ, shuài]

率자의 부수가 玄(검을 현)으로 지정되어 있지만 의미와는 상관이 없다. 갑골문에 등장되는 본래 자형은 날짐승을 잡을 때 쓰려고 실로 짜 만든 그물 모양을 본뜬 것으로 '(실) 그물'(a net)이 본뜻이다. 후에 본뜻보다는 '거느리다'(lead), '소탈하다'(informal; free and easy), '거칠다'(rough; harsh) 등으로 차용되어 쓰이는 예가 많았다(음은 [솔]). '비율'(rate; proportion), '값'(value)의 의미로도 쓰이는데 이 때에는 [률]이라 읽는다.

속뜻 훈음 **①비율 률, ②값 률, ③거느릴 솔, ④소탈할 솔, ⑤거칠 솔.**

솔선 率先 | 거느릴 솔, 먼저 선
[take up the running]
❶속뜻 남보다 먼저[先] 나서서 다른 사람들을 거느림[率]. ❷앞장서서 모범을 보임. ¶그녀는 솔선하여 봉사활동에 참여했다.

솔직 率直 | 소탈할 솔, 곧을 직 [honest; frank]
거짓이나 숨김이 없이 소탈하고[率] 올곧음[直]. ¶나는 너의 솔직한 생각을 듣고 싶다. 비 꾸밈없다.

• 역순어휘

경솔 輕率 | 가벼울 경, 거칠 솔
[frivolity; flippancy]
언행이 가볍고[輕] 거칢[率]. ¶경솔하게 행동하다. 비 경망(輕妄), 경박(輕薄). 반 신중(愼重).

인솔 引率 | 끌 인, 거느릴 솔 [guide]
손아랫사람이나 무리를 끌어[引] 통솔(統率)함. ¶선생님의 인솔 아래 학생들은 공연을 관람했다.

진솔 眞率 | 참 진, 소탈할 솔
[honest; sincere]
진실(眞實)하고 소탈하다[率]. ¶자신의 꿈을 진솔하게 이야기하다.

통:솔 統率 | 거느릴 통, 거느릴 솔
[command; lead; direct]
어떤 조직체를 온통 몰아서 거느림[統=率]. ¶그 장군은 부하들을 잘 통솔한다. 비 지휘(指揮).

배:율 倍率 | 곱 배, 비율 률 [magnification]
실제 도형이나 그림의 크기를 곱[倍]으로 축소 또는 확대한 비율(比率). ¶배율이 높은 망원경.

비:율 比率 | 견줄 비, 값 률
[ratio; percentage]
어떤 수나 양을 다른 수나 양에 비교(比較)한 값[率]. ¶3대 2의 비율 / 구성비율.

이:율 利率 | 이로울 리, 비율 률
[rate of interest]
경제 원금에 대한 이자(利子)의 비율(比率). 기간에 따라 연리(年利)·월리(月利)·일변(日邊) 따위로 나뉜다. ¶저축 이율이 낮다.

타:율 打率 | 칠 타, 비율 률
[batting average]
운동 야구에서 공을 쳐서[打] 성공적으로 출루한 비율(比率). ¶그의 현재 타율은 3할 5푼 8리다.

효:율 效率 | 효과 효, 비율 률 [utility factor]
❶속뜻 애쓴 노력의 결과로 나타나는 효력(效力)의 정도나 비율(比率). ¶학습 효율을 높이다. ❷물리 기계가 한 일의 양과 소요된 에너지와의 비율. ¶연료 효율 / 에너지 효율.

환:율 換率 | 바꿀 환, 비율 률
[(foreign) exchange rate]
경제 자기 나라 돈과 다른 나라 돈의 교환(交換) 비율(比率). ¶오늘 환율이 크게 올랐다.

1306 [현]

玄

검을 현
[部] 玄부 [劃] 5획 [中] 玄 [xuán]

玄자의 자형 풀이는 명쾌한 학설이 없다. 획수가 적을수록 수수께끼 같은 자형이 많다. 어쨌든 '검다'(dark), '오묘하다'(profound; deep) 등으로 쓰이는 것만은 사실이다.

[속뜻 훈음] ①검을 현, ②오묘할 현.

현관 玄關 | 오묘할 현, 빗장 관 [(front) door; porch]
❶[불교]깊고 오묘한[玄] 이치로 들어가는 관문(關門). 入道法門(입도법문). ❷건물의 출입구에 나있는 문간. ¶민서는 친구를 맞이하러 현관으로 나갔다.

현무 玄武 | 검을 현, 굳셀 무 [dark and strong]
❶[속뜻]빛깔은 검고[玄] 굳센[武] 성질을 가진 동물. ❷[민속]사신(四神)의 하나. 북쪽 방위의 수(水) 기운을 맡은 태음신(太陰神)을 상징한 짐승. 거북과 뱀이 뭉친 형상이다.

현미 玄米 | 검을 현, 쌀 미 [uncleaned rice]
❶[속뜻]정미에 비하여 검은[玄] 빛이 감도는 쌀[米]. ❷왕겨만 벗기고 쓿지 않은 쌀. ¶현미로 지은 밥은 고혈압에 좋다. [반]백미(白米).

1307 [주]

珠

구슬 주
[部] 玉부 [劃] 10획 [中] 珠 [zhū]

珠자는 '진주'(a pearl)를 나타내기 위하여 만든 글자이다. '구슬 옥'(玉)이 표의요소로 쓰였고, 朱(붉을 주)는 표음요소이다. 玉이 왼쪽 부수로 쓰일 때 점을 찍지 않는 것은, '임금 왕'(王)이 부수로 쓰이지 않아 혼동할 여지가 없기 때문이다. '구슬'(a bead; a gem), '보석'(a jewel) 등으로도 쓰인다.

주산 珠算 | 구슬 주, 셀 산 [abacus calculation]
구슬[珠] 모양의 알을 이용하여 셈하는[算] 기구. ¶그는 주산을 잘 해서 계산을 빨리 한다.

주옥 珠玉 | 구슬 주, 구슬 옥 [gem; jewel]
❶[속뜻]구슬[珠]과 옥(玉)을 통틀어 이르는 말. ❷'여럿 가운데 가장 아름답고, 값지며 귀한 것'을 비유하는 말. ¶그는 200여 편의 주옥같은 시를 썼다.

주판 珠板 | =籌板, 구슬 주, 널빤지 판 [abacus]
구슬[珠] 모양의 알이 달려 있는 판(板). 셈을 할 때 사용하는 기구이다. ¶주판을 퉁기며 장부 정리를 하다.

• 역순어휘

묵주 默珠 | 입 다물 묵, 구슬 주 [rosary]
❶[속뜻]묵언(默言)기도 때 쓰는 구슬[珠]. ❷[가톨릭]염주처럼 줄에 꿴 구슬을 이름. '묵주 기도'를 할 적에 그 차례를 세는 데 쓰인다.

염:주 念珠 | 생각 념, 구슬 주 [Buddhist rosary]
[불교]염불(念佛)할 때 쓰는 줄에 꿴 구슬[珠]. ¶염주를 돌리다.

진주 眞珠 | 참 진, 구슬 주 [pearl]
❶[속뜻]진짜[眞] 구슬[珠]. ❷연체동물 부족류 조개의 체내에 생긴 탄산칼슘이 주성분인 구슬 모양의 광택이 나는 이상 분비물. 우아하고 아름다운 빛깔의 광택이 나서 장신구로 쓴다. ¶진주 목걸이가 피부색과 잘 어울린다.

1308 [돌]

突

갑자기 돌
[部] 穴부 [劃] 9획 [中] 突 [tū]

突자는 '(갑자기) 튀어나오다'(jump out)는 뜻을 나타내기 위하여 '구멍 혈'(穴)과 '개 견'(犬) 두 표의요소를 힌트로 삼아 모아 놓은 것이다. 구멍 속에 있던 개가 갑자기 달려 나오는 것을 누구나 쉽게 연상할 수 있으니 기막히게 좋은 발상이다. 후에 '갑자기'(suddenly), '부딪히다'(be run against)는 뜻으로 확대 사용됐다.

[속뜻 훈음] ①갑자기 돌, ②부딪힐 돌.

돌격 突擊 | 갑자기 돌, 칠 격 [rush at; dash at]
❶[속뜻]갑자기[突] 냅다 침[擊]. ¶그는 느닷없이 나에게 돌격했다. ❷[군사]공격 전투의 마지막 단계에 적진으로 돌진하여 공격함. 또는 그런 일. ¶돌격 앞으로! [비]습격(襲擊), 돌진(突進).

돌기 突起 | 갑자기 돌, 일어날 기 [project; protrude]
❶[속뜻]어떤 일이 갑자기[突] 일어남[起]. ❷뾰족하게 내밀거나 도드라짐. 또는 그런 부분. ¶해삼은 겉에 많은 돌기가 있다.

돌발 突發 | 갑자기 돌, 나타날 발 [burst out; occur suddenly]
뜻밖의 일이 갑자기[突] 생겨남[發]. ¶돌발사고 / 돌발 상황. [비]우발(偶發).

돌변 突變 | 갑자기 돌, 바뀔 변

[change suddenly]
뜻밖에 갑자기[突] 달라짐[變]. 또는 그런 변화. ¶돌변에 대비하다 / 태도가 돌변하다.

돌연 突然 | 갑자기 돌, 그러할 연 [suddenly]
갑작스러운[突] 모양[然]. 갑자기 일어난. ¶돌연 그만두다 / 돌연한 죽음. [비]별안간, 갑자기.

돌입 突入 | 갑자기 돌, 들 입 [rush into]
세찬 기세로 갑자기[突] 뛰어듦[入]. ¶파업에 돌입하다.

돌진 突進 | 갑자기 돌, 나아갈 진
[rush; make a dash]
세찬 기세로 거침없이[突] 곧장 나아감[進]. [비]돌입(突入), 돌격(突擊).

돌출 突出 | 갑자기 돌, 날 출
[project; jut out]
❶[속뜻]예기치 못하게 갑자기[突] 쑥 나오거나[出] 불거짐. ¶돌출 행동 / 돌출된 발언. ❷바깥쪽으로 쑥 내밀거나 불거져 있음. ¶광대뼈의 돌출 / 돌출된 바위.

돌파 突破 | 부딪칠 돌, 깨뜨릴 파
[break through]
❶[속뜻]부딪쳐서[突] 깨뜨려[破] 뚫고 나아감. ¶범인은 경찰 저지선을 돌파하고 도망쳤다. ❷일정한 기준이나 기록 따위를 지나서 넘어섬. ¶세계 인구가 65억을 돌파했다. ❸장애나 어려움 따위를 이겨냄. ¶난관을 돌파하다.

돌풍 突風 | 갑자기 돌, 바람 풍
[gust of wind]
❶[속뜻]갑자기[突] 세게 부는 바람[風]. ¶돌풍이 일다 / 돌풍이 불다. ❷갑작스럽게 큰 영향을 끼치는 현상을 이르는 말. ¶돌풍을 일으키다. [비]급풍(急風).

• 역순어휘

격돌 激突 | 거셀 격, 부딪힐 돌 [crash; clash]
격렬(激烈)하게 부딪침[突]. ¶두 팀은 결승에서 격돌하게 됐다.

당:돌 唐突 | 황당할 당, 부딪칠 돌
[plucky; forward]
❶[속뜻]황당(荒唐)하고 저돌(猪突)적임. ❷부딪힘. ❸갑자기. 느닷없이. [비]당차다, 야무지다.

충돌 衝突 | 부딪칠 충, 부딪칠 돌
[clash with; conflict with]
❶[속뜻]서로 맞부딪침[衝=突]. ¶열차 충돌 사고 / 화물차가 버스와 충돌하였다. ❷의견이나 이해관계의 대립으로 서로 맞서서 싸움. ¶거리에서 경찰과 시민의 충돌이 있었다.

1309 [혈]

穴

굴 혈
[部] 穴부 [劃] 5획 [中] 穴 [xué]

穴자는 원시시대 반지하의 움집모양을 본뜬 것으로 土室(토실)의 '움집'(a dugout)이 본뜻이며, 출입구가 구멍 같았기에 '구멍'(a hole)을 뜻하는 것으로 확대 사용됐다.
[속뜻훈음] 구멍 혈.

혈거 穴居 | 구멍 혈, 살 거 [live in a cave]
구멍[穴] 같은 동굴 속에서 삶[居]. [비]혈처(穴處).

• 역순어휘

경혈 經穴 | 지날 경, 구멍 혈
[spots on the body suitable for acupuncture]
[한의]한방의 경락(經絡)에 있는 구멍[穴]. ¶침으로 경혈(經穴)에 자극을 주었다. [비]공혈(孔穴), 기혈(氣穴).

동혈 同穴 | 같을 동, 구멍 혈
[buried in the same grave]
❶[속뜻]같은[同] 구멍[穴]. 또는 같은 구멍이. ❷부부가 죽어 한 무덤에 묻힘. 또는 같은 무덤. [비]해로동혈(偕老同穴).

묘:혈 墓穴 | 무덤 묘, 구멍 혈 [grave]
시체가 놓이는 무덤[墓]의 구멍이[穴] 부분을 이르는 말.

봉혈 封穴 | 북돋울 봉, 구멍 혈
불룩하게 쌓인[封] 개미집의 구멍[穴].

사:혈 四穴 | 넉 사, 구멍 혈
❶[속뜻]네[四] 개의 구멍[穴]. ❷[음악]앞면에 구멍 셋, 뒷면에 구멍 하나가 뚫린 퉁소.

음혈 音穴 | 소리 음, 구멍 혈
[음악]피리 같은 악기의 몸통에 소리[音]가 나오도록 뚫어 놓은 구멍[穴].

통혈 通穴 | 통할 통, 구멍 혈 [open ventilation]
❶[속뜻]공기가 통하도록 구멍[穴]을 뚫음[通]. 또는 그 구멍. ❷[광업]갱도와 갱도가 서로 통하도록 구멍을 뚫음. 또는 뚫은 그 구멍.

1310 [고]

稿

원고/볏짚 고
[部] 禾부 [劃] 15획 [中] 稿 [gǎo]

稿자는 벼의 낟알을 떨어낸 줄기, 즉 '볏짚'(rice straw)을 뜻하기 위하여 만든 것이었으니 '벼 화'

(禾)가 표의요소로 쓰였다. 高(높을 고)는 표음요소이니 뜻과는 무관하다. 후에 '원고'(a manuscript), '초안'(a draft; notes)을 뜻하는 것으로 확대 사용됐다.

[속뜻풀음] **①원고 고, ②초안 고.**

• 역순어휘

기고 寄稿 | 부칠 기, 원고 고 [contribute articles]
원고(原稿)를 써서 보냄[寄]. ¶환경에 대한 글을 기고하다. (비)투고(投稿).

원고 原稿 | 본디 원, 초안 고
[draft; manuscript; article]
❶[속뜻] 맨 처음에[原] 쓴 초안[稿]. ❷인쇄하거나 발표하기 위하여 쓴 글이나 그림 따위. ¶교내 웅변대회 원고를 쓰다.

초고 草稿 | 거칠 초, 원고 고
[rough copy; notes; manuscript]
아직 다듬지 않은 거친[草] 상태의 원고(原稿). ¶금요일까지 초고를 편집해야 한다.

투고 投稿 | 보낼 투, 원고 고
[contribute to; write for]
신문이나 잡지에 원고(原稿)를 보냄[投]. ¶학교 신문에 소설을 투고하다.

1311 [조]

租

조세 조
(部) 禾부 (劃) 10획 (中) 租 [zū]

租자는 토지 사용료에 해당되는 '세금'(=구실, a tax)을 나타내기 위하여 만든 것인데 '벼 화'(禾)가 표의요소로 쓰인 것은 무슨 까닭일까? 아마도 그 당시에는 세금을 벼나 쌀로 냈기 때문이었을 것이다. 且(또 차)가 표음요소로 쓰인 것은 阻(험할 조), 組(끈 조)도 마찬가지이다. 후에 '빌리다'(lend; loan), '세 들다'(lease; hire) 등으로 확대 사용됐다.

[속뜻풀음] **①구실 조. ②조세 조. ③세낼 조.**

조계 租界 | 세낼 조, 지경 계
[concession; settlement]
❶[속뜻] 조차(租借)한 지역의 경계(境界). ❷[역사] 19세기 후반 영국, 미국, 일본 등 8개국이 중국을 침략하는 근거지로 삼았던 개항 도시의 외국인 거주지.

조공 租貢 | 조세 조, 바칠 공
[taxes; taxation]
조세(租稅) 따위를 바침[貢]. 또는 그 조세.

조세 租稅 | 구실 조, 세금 세
[taxes; taxation]
[법률] 세금으로 거두어들이는 돈[稅=租]. ¶정부는 농민들의 조세부담을 덜어 주기로 했다. (준)세. (비)세금(稅金).

조차 租借 | 세낼 조, 빌 차 [lease]
❶[속뜻] 삯을 물기로 하고[租] 집이나 땅 따위를 빌림[借]. ❷[법률] 특별한 합의에 따라 한 나라가 다른 나라 영토의 일부를 빌려 일정한 기간 통치하는 일.

• 역순어휘

도조 賭租 | 걸 도, 조세 조 [sharecrop]
남의 논밭을 빌린 대가[賭]로 해마다 세금[租] 격으로 내는 벼.

지조 地租 | 땅 지, 조세 조 [land tax]
[법률] 토지(土地) 수익에 대하여 매기는 조세(租稅).

1312 [질]

秩

차례 질
(部) 禾부 (劃) 10획 (中) 秩 [zhì]

秩자는 벼 따위의 곡식을 '쌓아두다'(pile up; heap up)는 뜻을 나타내기 위하여 만든 것이었으니 '벼 화'(禾)가 표의요소로 쓰였다. 失(잃을 실)이 표음요소였음은 帙(책갑 질), 迭(갈마들 질)도 마찬가지이다. 옛날에는 관리의 급여를 쌀로 주었기 때문인지 '급여'(pay; a salary)의 뜻으로도 쓰였으며, 그것을 줄 때에는 일정한 차례나 절차에 따라 주었기 때문에 '차례'(order)의 뜻도 이것으로 나타냈다. 그리고 '10년'을 일러 秩이라고도 하였다.

[속뜻풀음] **①차례 질, ②열 살 질.**

질서 秩序 | 차례 질, 차례 서 [order]
사물의 순서나 차례[秩=序]. ¶여럿이 사는 사회에서는 질서를 지켜야 한다. (반)무질서(無秩序).

• 역순어휘

구질 九秩 | 아홉 구, 열 살 질
[ninety years of age]
열 살[秩]을 아홉[九]번 거듭한 나이. 아흔 살. 90세.

상:질 上秩 | 위 상, 차례 질 [highest quality]
상등(上等)의 차례[秩]에 속하는 품질. 상등 품질의 물건. 상길.

하:질 下秩 | 아래 하, 차례 질
여럿 중에서 차례[秩]가 가장 아래[下]임. 또는 그것. (반)상질(上秩).

1313 [치]

稚 어릴 치
[部] 禾부 [劃] 부 [劃] 13획 [中] 稚 [zhì]

稚자는 '어린 벼'(a green rice)를 뜻하기 위하여 만든 것이었으니 '벼 화'(禾)가 표의요소로 쓰였다. 원래는 穉(치)자로 썼는데 표음요소를 획수가 적은 것으로 대체한 稚로 바뀌었다. 일반적 의미의 '어리다'(childish; infantile; green)는 뜻으로 확대 사용됐다.

치기 稚氣 | 어릴 치, 기운 기 [immature]
유치(幼稚)하고 철없는 감정이나 기분(氣分).

치어 稚魚 | 어릴 치, 물고기 어 [young of fishes]
알에서 깬 지 얼마 안 되는 어린[稚] 물고기[魚]. [참] 성어(成魚).

치졸 稚拙 | 어릴 치, 옹졸할 졸 [crude]
어린[稚] 아이처럼 생각이 좁음[拙]. ¶치졸한 방법으로 이겨봤자 헛일이다.

• 역순어휘

유치 幼稚 | 어릴 유, 어릴 치
[childish; infantile; puerile]
생각이나 하는 짓이 어림[幼=稚]. ¶유치한 생각.

1314 [희]

稀 드물 희
[部] 禾부 [劃] 12획 [中] 稀 [xī]

稀자는 벼의 싹이 '드문드문하다'(sporadical)는 뜻을 나타내기 위하여 만든 것이었으니 '벼 화'(禾)가 표의요소로 쓰였다. '성기다'(sparse)는 뜻인 希(희, #0531)는 표음과 표의를 겸하는 요소이다. 후에 '드물다'(rare), '묽다'(watery; washy)는 뜻으로 확대 사용됐다.

[속뜻훈음] ①드물 희, ②묽을 희.

희귀 稀貴 | 드물 희, 귀할 귀 [rare]
드물어서[稀] 매우 진귀(珍貴)하다. ¶희귀한 보물.

희미 稀微 | 드물 희, 작을 미 [dim; faint]
❶[속뜻] 드물고[稀] 작다[微]. ❷분명하지 못하고 어렴풋하다. ¶희미한 불빛 / 희미한 목소리.

희박 稀薄 | 묽을 희, 엷을 박 [thin; sparse]
❶[속뜻] 묽고[稀] 엷다[薄]. ❷일의 희망이나 가망이 적다. ¶성공할 가능성이 희박하다. ❸농도나 밀도가 엷거나 얇다. ¶희박한 인구 밀도.

희석 稀釋 | 묽을 희, 풀 석
[dilute; water down]
[화학] 원액에 물 따위를 풀어[釋] 묽게[稀] 하는 일. ¶용액의 희석 / 술을 물에 희석하다.

희한 稀罕 | 드물 희, 드물 한
[rare; curious]
매우 드물다[稀=罕]. ¶처음 본 희한한 물건.

• 역순어휘

고:희 古稀 | 옛 고, 드물 희
[seventy years of age]
❶[속뜻] 옛[古]부터 보기 드문[稀] 나이. ❷'일흔 살'의 나이를 이르는 말. 두보의 시 '곡강'(曲江)에 나오는 '人生七十古來稀'에서 유래.

1315 [경]

耕 밭갈[犁田] 경
[部] 耒부 [劃] 10획 [中] 耕 [gēng]

耕자는 쟁기로 '밭을 갈다'(plow a field)는 뜻을 나타내기 위하여 만든 것이었으니 '쟁기 뢰'(耒)가 표의요소로 쓰였다. 井(우물 정)은 음의 유사성이 조금 있으니 표음요소로 보기도 하고, 고대 井田制(정전제)와 연관시켜 표의요소로 보기도 한다. 후에 '농사짓다'(follow the plow; farm), '일하다'(work; labor)는 뜻으로 확대 사용됐다.

경운 耕耘 | 밭갈 경, 김맬 운 [farm]
[농업] 논밭을 갈고[耕] 김을 맴[耘].

경작 耕作 | 밭갈 경, 지을 작
[cultivate; farm; till]
논밭을 갈아[耕] 농사를 지음[作]. ¶유기농법으로 벼를 경작하다. [비] 농경(農耕).

경지 耕地 | 밭갈 경, 땅 지
[cultivated land]
경작(耕作)하는 토지(土地). '경작지'(耕作地)의 준말.

• 역순어휘

농경 農耕 | 농사 농, 밭갈 경
[agriculture; farming]
논밭을 갈아[耕] 농사(農事)를 지음. ¶철제 농기구의 사용으로 농경이 발달했다.

휴경 休耕 | 쉴 휴, 밭갈 경
[keep a land idle]
농사짓던 땅을 갈지[耕] 않고 얼마 동안 묵힘[休].

1316 [서]

署

마을[官廳] 서:
部 罒부 劃 14획 中 署 [shǔ]

署자를 '네(四) 놈(者)'이라 오인하면 어쩐담? 이것은 '단위'(a unit)를 뜻하는 '그물 망'(罒=网)이 표의요소로 쓰였고, 者(사람 자)가 표음요소임은 暑(더울 서)도 마찬가지이다. 관청의 조직 단위인 '부서'(post)가 본래 의미인데, '관청'(a government office), '(이름을) 쓰다'(sign one's name; sign) 등으로도 쓰인다.

속뜻훈음 **①관청 서, ②쓸 서.**

서:명 署名 | 쓸 서, 이름 명 [sign; autograph]
문서에 자기 이름[名]을 씀[署]. 또는 그 이름. ¶이곳에 서명해 주십시오.

서:장 署長 | 관청 서, 어른 장 [head]
경찰서, 세무서, 소방서 따위 '서'(署)자가 붙은 기관의 최고 직위[長]에 있는 사람. ¶서장이 직접 나와 사건을 설명하였다.

• 역순어휘

본서 本署 | 뿌리 본, 관청 서
[chief station; principal office]
지서, 분서, 파출소에 상대하여 주가 되는 본부(本部) 관서(官署)를 이르는 말.

부서 部署 | 나눌 부, 관청 서
[one's post; one's place of duty]
기관, 기업, 조직 따위에서 일이나 사업의 체계에 따라 나뉘어[部] 있는 사무의 각 부문[署]. ¶다른 부서로 옮기다.

지서 支署 | 가를 지, 관청 서
[branch office; substation]
본서에서 갈라져[支] 나와 그 지역의 업무를 맡아보는 관청[署]. ¶지서에 불려가 조사를 받았다.

1317 [당]

糖

엿 당, 사탕 탕
部 米부 劃 16획 中 糖 [táng]

糖자는 쌀 따위로 만든 '엿'(wheat gluten)을 뜻하기 위하여 만든 것이었으니 '쌀 미'(米)가 표의요소로 쓰였고, 唐(당나라 당)은 표음요소이니 뜻과는 무관하다. 원래는 [당]으로 읽는데 '사탕'(a candy)을 가리킬 때에는 [탕]으로 읽기도 한다.

속뜻훈음 **①엿 당. ②사탕 당/탕.**

당뇨 糖尿 | 엿 당, 오줌 뇨 [glycosuria]
의학 포도당(葡萄糖)이 많이 섞여 나오는 병적인 오줌[尿].

당도 糖度 | 엿 당, 정도 도 [sugar content]
❶속뜻 엿[糖]같이 단맛이 나는 정도(程度). ❷음식물에 들어 있는 단맛의 탄수화물 양을 그 음식물에 대하여 백분율로 나타낸 것. ¶그 과일은 당도가 높다.

당류 糖類 | 엿 당, 무리 류 [sugars]
화학 액체에 녹으며 엿[糖] 같이 단맛이 있는 탄수화물 종류(種類). 과당, 포도당 따위.

당분 糖分 | 엿 당, 나눌 분 [sugar content]
엿[糖] 같은 단맛의 성분(性分).

당질 糖質 | 엿 당, 바탕 질 [saccharinity]
❶속뜻 당분(糖分)이 들어 있는 물질(物質). ❷화학 탄수화물과 그 유도 물질을 통틀어 이르는 말.

• 역순어휘

제:당 製糖 | 만들 제, 엿 당
[sugar manufacture; sugar refining]
당분(糖分)의 함유량이 많은 식물의 즙으로 설탕을 만듦[製]. ¶제당 공장.

사탕 沙糖 | =砂糖, 본음 [사당] 모래 사, 엿 당
[candy]
모래[沙] 크기의 설탕이나 엿[糖] 따위를 끓여서 만든 과자의 일종.
설탕을 끓여서 여러 가지 모양으로 만든 과자.

설탕 雪糖 | 본음 [설당] 눈 설, 사탕 당/탕 [sugar]
❶속뜻 눈[雪]같이 하얀 사탕(沙糖). ❷맛이 달고 물에 잘 녹는 결정체. ¶커피에 설탕을 넣다.

1318 [장]

粧

단장할 장
部 米부 劃 12획 中 妆 [zhuāng]

粧자의 근원은 갑골문에도 출현하는 妝(꾸밀 장)으로 거슬러 올라간다. '침대 장'(爿)과 '여자 녀'(女)를 합친 것이니 누구나 쉽게 풀이할 수 있다. 다음 단계는 '옷 의'(衣)가 표의요소로 쓰인 裝자(#0937)로 '단장하다'는 뜻을 나타낸다. 그 후 특히 '얼굴 치장'(makeup)을 뜻하기 위하여 粧자를 추가로 만들었다. '쌀 미'(米)가 표의요소로 쓰였고, 庄(농막 장)은 표음요소이다. 粉(가루 분/단장할 분 #0917)자를 통하여도 알 수 있듯이 쌀가루가 분의 원조였나 보다. 후에 '단장하다'(decorate; ornament)는 의미로 확대 사용됐으나, 裝은 옷이나 건물

따위의 治裝(치장)을, 粧은 얼굴 단장, 즉 化粧(화장, makeup)을 가리키는 차이가 있다.

속뜻훈음 ①단장할 장, ②화장할 장.

• 역순어휘

단장 丹粧 | 붉을 단, 화장할 장 [make up]
❶속뜻 곱게[丹] 화장(化粧)함. 머리나 옷차림 따위를 매만져서 맵시 있게 꾸밈. ❷손을 대어 산뜻하게 꾸밈. ¶곱게 단장하고 나서다. ㊥장식(裝飾).

미:장 美粧 | 아름다울 미, 단장할 장
[cosmetology; beauty culture]
머리나 얼굴을 아름답게[美] 다듬는[粧] 일. ㊥미용(美容).

신장 新粧 | 새 신, 단장할 장
[give a new look to; furnish up]
새로[新] 단장함[粧]. 또는 그 단장. ¶신장개업.

치장 治粧 | 다스릴 치, 단장할 장 [decorate]
잘 매만지고[治] 곱게 꾸밈[粧]. ¶값비싼 보석으로 몸을 치장하다.

화장 化粧 | 될 화, 단장할 장 [makeup; toilet]
❶속뜻 예쁘게 되도록[化] 곱게 단장(丹粧)함. ❷화장품을 바르거나 문질러 얼굴을 곱게 꾸밈. ¶그녀는 옅게 화장을 했다.

1319 [강]

綱

벼리 강
부 糸부 획 14획 中 纲 [gāng]

綱자는 그물의 위쪽 코를 꿴 굵은 줄, 즉 '벼리'(the border ropes of a fishing net)를 뜻하기 위하여 만든 것이었으니 '실 사'(糸)가 표의요소로 쓰였다. 岡(산등성이 강)은 표음요소로 뜻과는 무관하다. 후에 사물을 총괄하여 규제할 수 있는 '규율'(regulations; rules), '잡아 묶다'(bind; tie up), '다스리다'(govern; administer)를 뜻하는 것으로 확대 사용됐고, '줄거리'(an outline; a summary)을 뜻하기도 한다.

속뜻훈음 ①벼리 강, 줄거리 강.

강령 綱領 | 벼리 강, 요점 령 [general principles]
❶속뜻 벼리[綱] 같이 매우 중요한 요점[領]. ❷정당·단체 등에서 그 기본 목표·정책·운동 규범 등을 정한 것. ¶행동 강령 / 정치적 강령을 따르다. ㊥목적(目的), 목표(目標), 방침(方針).

• 역순어휘

기강 紀綱 | 벼리 기, 벼리 강
[fundamental principles]
❶속뜻 그물코를 꿴 벼리[紀=綱]. ❷으뜸이 되는 중요한 규율과 질서. ¶사회 기강을 바로잡다.

대:강 大綱 | 큰 대, 줄거리 강
[outline; in general]
❶속뜻 큰[大] 줄거리[綱]. '대강령'(大綱領)의 준말. ¶대강을 파악하다. ❷일의 중요한 부분만 간단하게. ¶그 일은 대강 끝났다. ㊥대충, 대략(大略), 대개(大槪). ㊥일일이.

삼강 三綱 | 석 삼, 벼리 강
유교 도덕의 기본이 되는 세[三] 가지 기본 강령(綱領). 곧 임금과 신하(君臣), 아버지와 자식(父子), 남편과 아내(夫婦) 사이에 지켜야 할 떳떳한 도리를 이른다.

아:강 亞綱 | 버금 아, 대강 강 [subclass]
생물 생물 분류상의 한 단계로 강(綱)의 하위[亞] 단계. 곤충강을 무시(無翅) 아강과 유시(有翅) 아강으로 나누는 것 따위이다. 계(界) 〉 문(門) 〉 강(綱) 〉 목(目) 〉 과(科) 〉 속(屬) 〉 종(種)순이다.

집강 執綱 | 잡을 집, 벼리 강
역사 ❶면, 리의 중요[綱] 사무를 집행(執行)하던 사람. ❷동학(東學)의 교직(教職)인 육임(六任) 가운데 네 번째 직위.

1320 [긴]

緊

긴할 긴
부 糸부 획 14획 中 紧 [jǐn]

緊자는 실을 팽팽하게 당겨 단단히 '졸라 매다'(fasten tightly)는 뜻을 나타내기 위하여 만든 것이었으니 '실 사'(糸)가 표의요소로 쓰였다. 위쪽이 표음요소이었음은 鼓(개사철쑥 긴)도 마찬가지이다. 후에 '긴급하다'(urgent), '긴요하다'(important; vital), '팽팽하다'(tight) 등으로 확대 사용됐다.

속뜻훈음 ①팽팽할 긴, ②긴요할 긴, ③긴급할 긴.

긴급 緊急 | 긴요할 긴, 급할 급
[urgency; emergency]
❶속뜻 긴요(緊要)하고 급(急)함. ¶긴급히 대처하다. ❷현악기의 줄이 팽팽함.

긴밀 緊密 | 팽팽할 긴, 빽빽할 밀 [close; intimate]
❶속뜻 팽팽하고[緊] 빽빽하다[密]. ❷관계가 서로 밀접하다. ¶긴밀한 협력.

긴박 緊迫 | 긴요할 긴, 닥칠 박
[tense; acute; imminent]

매우 긴요(緊要)하고 절박(切迫)함. ¶긴박한 상태를 완화하다. [비]급박(急迫).

긴요 緊要 | 긴급할 긴, 구할 요 [vital; important]
❶[속뜻] 긴급(緊急)하게 구하다[要]. ❷매우 중요하다. ¶긴요한 문제.

긴장 緊張 | 팽팽할 긴, 당길 장
[nervous; tense up]
❶[속뜻] 팽팽하게[緊] 당김[張]. ❷마음을 조이고 정신을 바짝 차림. ❸정세나 분위기가 평온하지 않은 상태. ¶시험을 앞두고 긴장하다. [반]이완(弛緩).

긴축 緊縮 | 팽팽할 긴, 줄일 축 [reduce; retrench]
❶[속뜻] 팽팽하게[緊] 조이거나 줄임[縮]. ❷재정의 기초를 다지기 위하여 지출을 줄임. ¶긴축정책 / 재정을 긴축하다.

• 역순어휘

요긴 要緊 | 요할 요, 긴급할 긴
[be essentially important]
❶[속뜻] 중요(重要)하고도 긴급함[緊]. ❷중요하여 꼭 필요로 함. ¶요긴한 물건. [비]긴요(緊要)하다.

1321 [락]

絡 이을/얽을 락
[部] 糸부 [劃] 12획 [中] 络 [luò, lào]

絡자는 실을 뽑을 수 있는 원료인 '솜'(cotton)을 뜻하기 위하여 만든 것이었으니 '실 사'(糸)가 표의요소로 쓰였다. 各(각각 각)이 표음요소였음은 洛(강 이름 락), 珞(구슬 목걸이 락)도 마찬가지이다. 후에 '잇다'(connect; link), '묶다'(bind) 등으로 확대 사용됐다.
[속뜻훈음] ①이을 락, ②묶을 락.

• 역순어휘

농락 籠絡 | 대그릇 롱, 묶을 락
[cajole; toy with]
❶[속뜻] 대그릇[籠]에 묶어[絡] 넣음. ❷남을 교묘한 꾀로 휘잡아서 제 마음대로 놀리거나 이용함. ¶농락에 놀아나다 / 농락을 부리다. [비]희롱(戲弄).

맥락 脈絡 | 맥 맥, 이을 락
[veins; line of connection; context]
❶[속뜻] 혈맥(血脈) 같이 이어져[絡] 있음. ❷사물의 줄기가 서로 얽혀 있는 것. ¶그 사건들은 같은 맥락에서 이해할 수 있다. [준]맥.

연락 連絡 | 이을 련, 이을 락 [connect; contact]
❶[속뜻] 여러 사람을 이어줌[連=絡]. ❷어떤 사실을 상대편에게 알림. ¶마침내 그와 연락이 닿았다.

1322 [루]

累 여러/자주 루:
[部] 糸부 [劃] 11획
[中] 累 [lèi, léi, lěi]

累자는 어떤 물건[田]을 포개 놓고 새끼줄이나 실[糸] 따위로 묶어 놓은 것과 관련이 있을 것 같다. 그래서인지 '포개다'(heap up), '여러 번'(several times), '엮이다'(be involved in) 등의 뜻으로 쓰였다.
[속뜻훈음] ①여러 루, ②포갤 루, ③엮일 루.

누:적 累積 | 포갤 루, 쌓을 적
[accumulate; cumulate]
포개져[累] 쌓임[積]. ¶피로가 누적되다. [비]축적(蓄積).

누:진 累進 | 여러 루, 나아갈 진
[successive promotion]
등급, 가격 따위가 올라가는 비율이 여러[累]번 거듭 올라감[進].

• 역순어휘

계:루 繫累 | =係累, 맬 계, 묶을 루
[involve; implicate]
❶[속뜻] 다른 일이나 사물에 얽매여[繫] 묶임[累]. ¶정치에 계루되다. ❷다른 일이나 사물에 얽매어 당하는 괴로움. ❸식구. ¶원래 그는 독신으로 있었던 터라 찾아가야 할 가족이나 돌볼 계루도 없었다.

연루 連累 | 이을 련, 엮일 루
[be involved in]
❶[속뜻] 이어져[連] 한데 엮임[累]. ❷남이 일으킨 사건이나 행위에 걸려들어 죄를 덮어쓰거나 피해를 보게 됨. ¶그는 뇌물사건에 연루됐다.

1323 [면]

綿 솜 면
[部] 糸부 [劃] 14획 [中] 绵 [mián]

綿자를 원래는 緜자로 쓰다가, '실 사'(糸)와 '비단 백'(帛)이 합쳐진 것으로 바뀌었다. 실이나 무명의 원료인 '햇솜'(new cotton)이 본래 의미이고, '이어지다'(be linked together), '빈틈없다'(close; compact)는 뜻으로도 확대 사용됐다.

속뜻 훈음 ①솜 면, ②이어질 면.

면면 綿綿 | 이어질 면, 이어질 면 [continuous]
끊임없이 이어지다[綿+綿]. ¶면면하게 이어져 내려온 전통 / 면면히 이어져 오는 풍속.

면밀 綿密 | 이어질 면, 촘촘할 밀
[detailed; thorough]
❶속뜻 촘촘하게[密] 이어짐[綿]. ❷자세하고 빈틈이 없다. ¶면밀한 계획. ㊟빈틈없다. ㉤엉성하다.

면직 綿織 | 솜 면, 짤 직
[cotton fabrics]
수공 면(綿)으로 짠[織] 것. '면직물'(綿織物)의 준말.

면화 綿花 | 솜 면, 꽃 화 [cotton]
식물 솜[綿]을 채취하는 목화(木花).

• 역순어휘

석면 石綿 | 돌 석, 솜 면 [asbestos]
❶속뜻 돌[石]에서 채취한 솜[綿] 같은 물질. ❷광업 광물(鑛物)의 하나로 사문석(蛇紋石)이나 각섬석(角閃石) 등이 분해되어 섬유질로 변한 것.

1324 [문]

紋

무늬 문
㊀ 糸부 ㊁ 10획 ㊥ 纹 [wén, wèn]

'무늬'(pattern)는 원래 文(#0125)자로 나타냈다. 후에 이 글자가 '글월'(sentence)을 뜻하는 것으로 많이 쓰이자 '무늬'는 '실 사'(糸)를 덧붙인 紋자를 만들어 나타냈다. '실 사'(糸)는 표의요소이다. 文(글월 문)은 표음요소인데 표의 기능도 겸한다.

• 역순어휘

지문 指紋 | 손가락 지, 무늬 문 [fingerprint]
손가락[指] 끝마디의 안쪽 무늬[紋]. 또는 그것이 어떤 물건에 남긴 흔적. ¶지문을 남기지 않도록 장갑을 끼다.

파문 波紋 | 물결 파, 무늬 문
[wave pattern; ripple; sensation]
❶속뜻 물결[波] 모양의 무늬[紋]. ❷수면에 이는 물결. ¶연못에 돌을 던지자 파문이 일었다. ❸어떤 일이 다른 데에 미치는 영향. ¶큰 파문을 몰고 오다 / 파문이 확산되다.

화문 花紋 | 꽃 화, 무늬 문
[flower pattern]
꽃[花] 모양의 무늬[紋].

1325 [번]

繁

번성할 번
㊀ 糸부 ㊁ 17획 ㊥ 繁 [fán, pó]

繁자는 본래 每(매)와 糸(사) 두 표의요소가 합쳐 놓은 것이었다. 여자의 댕기 머리에 잡다한 장식을 매달아 놓은 것으로 '잡다하다'(sundry; miscellaneous; various)는 뜻을 나타냈다. 후에 나온 속자인 繁이 정자인 본래의 글자를 물리치고 주인 자리를 차지하였다. '많다'(many; numerous), '번성하다'(flourish), '번거롭다'(complicate) 등으로도 쓰인다.

속뜻 훈음 ①번성할 번, ②많을 번.

번성 繁盛 | =蕃盛, 많을 번, 담을 성
[prosper; flourish]
❶속뜻 많이[繁] 담겨 있음[盛]. ❷한창 성하게 일어나 퍼짐. ¶자손의 번성 / 사업이 번성하다.

번식 繁殖 | =蕃殖, 많을 번, 불릴 식
[breed; propagate]
❶속뜻 많이[繁] 불어남[殖]. 널리 퍼짐. ¶세균이 번식하다. ❷동물 동물이 새끼를 침.

번영 繁榮 | 번성할 번, 영화 영 [prosper]
일이 번성(繁盛)하고 영화(榮華)롭게 됨. ¶국가의 번영.

번창 繁昌 | 많을 번, 창성할 창
[prosperous; flourishing]
한창 잘 되어 많이[繁] 창성(昌盛)함. ¶사업이 번창하시길 빕니다. ㊟번성(繁盛).

번화 繁華 | 번성할 번, 빛날 화 [flourishing]
번성(繁盛)하고 화려(華麗)하다. ¶번화한 거리.

• 역순어휘

농번 農繁 | 농사 농, 많을 번
농사(農事)일이 많아짐[繁]. ㉤농한(農閑).

빈번 頻繁 | 자주 빈, 많을 번 [frequency]
매우 잦고[頻] 많아짐[繁]. ¶이 지역은 교통사고가 빈번하게 일어나고 있다 / 해마다 이맘때면 산불이 빈번히 발생한다. ㊟잦다.

1326 [분]

紛

어지러울 분
㊀ 糸부 ㊁ 10획 ㊥ 纷 [mì, sī]

紛자는 '(실이) 헝클어지다'(tangle)는 뜻을 나타내기 위하여 만든 글자이다. '실 사'(糸)가 표의요소이고 分(나눌 분)은 표음요소로 뜻과는 무관하다. 후에

'뒤엉키다'(get entangled), '어수선하다'(disordered), '어지럽다'(dizzy) 등으로도 확대 사용됐다.

속뜻 훈음 ①어지러울 분, ②어수선할 분.

분규 紛糾 | 어지러울 분, 얽힐 규 [complication; trouble]
이해나 주장이 어지럽게[紛] 뒤얽힘[糾]. 또는 이로 인한 시끄러움. ¶분규 해결 / 분규가 발생하다.

분란 紛亂 | 어수선할 분, 어지러울 란 [be in confusion]
어수선하고[紛] 떠들썩함[亂]. ¶의견 차이로 반에 분란이 생겼다.

분분 紛紛 | 어지러울 분, 어지러울 분 [confused; complicated]
❶속뜻 이리저리 뒤섞이어 어지러움[紛+紛]. ❷의견이 각각이어서 갈피를 잡을 수 없다. ¶의견이 분분하다.

분실 紛失 | 어수선할 분, 잃을 실 [lose; miss]
어수선하여[紛] 자기도 모르는 사이에 잃어버림[失]. ¶분실한 물건을 보관하다. ⓑ습득(拾得).

분쟁 紛爭 | 어지러울 분, 다툴 쟁 [have trouble; have a dispute]
어지럽게[紛] 얽힌 문제로 서로 다툼[爭]. 또는 그런 일. ¶어업분쟁 / 영유권 분쟁.

• 역순어휘

내:분 內紛 | 안 내, 어지러워질 분 [internal trouble]
내부(內部)에서 일어난 분쟁(紛爭). ¶내분이 끊이지 않다.

1327 [색]

索

찾을 색, 노(새끼줄) 삭
부 糸부 획 10획 中 索 [suǒ]

索자는 '새끼줄'(a straw rope)을 뜻하기 위하여 두 손으로 노끈이나 새끼 따위를 꼬는 모양을 그린 것이었는데 후에 자형이 많이 달라졌다. 예전에는 굵은 것을 索이라 하고, 가는 것을 繩(승)이라 하여 구분했다. 후에 '꼬다'(twist), '(헤어져) 쓸쓸하다'(desolate)는 뜻으로 확대 사용됐다. '찾다'(hunt up)는 뜻으로도 쓰이는데, 이 경우에는 [색]이라 읽는다.

속뜻 훈음 ①쓸쓸할 삭, ②찾을 색.

삭막 索漠 | 쓸쓸할 삭, 사막 막 [dim; dreary]
쓸쓸한[索然] 사막[漠]처럼 외롭고 고요한. ¶삭막한 겨울 들판.

색인 索引 | 찾을 색, 끌 인 [index]
❶속뜻 어떤 것을 뒤져 찾아내거나[索] 필요한 정보를 이끌어냄[引]. ❷책 속의 내용 중에서 중요한 단어나 항목, 인명 따위를 쉽게 찾아볼 수 있도록 일정한 순서에 따라 별도로 배열하여 놓은 목록. ⓗ찾아보기.

색출 索出 | 찾을 색, 날 출 [search out]
샅샅이 뒤져서 찾아[索] 냄[出]. ¶범인을 색출하다.

• 역순어휘

검:색 檢索 | 검사할 검, 찾을 색 [reference]
❶속뜻 증거 따위를 검사(檢査)하여 찾아봄[索]. ¶검색을 당하다. ❷목적에 따라 필요한 자료들을 찾아내는 일. ¶인터넷으로 신문 기사를 검색하다.

모색 摸索 | 더듬을 모, 찾을 색 [grope]
더듬어[摸] 찾음[索]. 일이나 사건 따위를 해결할 수 있는 방법이나 실마리를 더듬어 찾음. ¶해결책을 모색하다.

사색 思索 | 생각 사, 찾을 색 [speculate (on); think deeply]
생각하여[思] 파고들어 찾아봄[索]. ¶사색에 잠기다.

수색 搜索 | 찾을 수, 찾을 색 [search for; make a search for]
❶속뜻 구석구석 뒤지어 찾음[搜=索]. ❷법률 증거로 삼을 만한 물건이나 체포할 사람을 찾기 위해 집이나 물건 따위를 조사하는 일. ¶수색 영장 / 경찰은 실종자 수색 작업에 나섰다.

탐색 探索 | 살필 탐, 찾을 색 [search]
드러나지 않은 사물이나 현상 따위를 살펴[探] 찾아냄[索]. ¶경찰은 범인을 탐색 중이다.

1328 [서]

緒

실마리 서:
부 糸부 획 15획 中 绪 [xù]

緖자는 헝클어진 실의 첫머리, 즉 '실마리'(a clue; a key)를 뜻하기 위하여 만든 것이었으니 '실 사'(糸)가 표의요소로 쓰였다. 者(사람 자)가 표음요소임은 署(관청 서), 暑(더울 서)도 마찬가지다. '첫머리'(the start; the opening)란 뜻으로도 쓰인다.

• 역순어휘

단서 端緖 | 끝 단, 실마리 서

[beginning; clue; key]
❶속뜻 끄트머리[端]나 실마리[緖]. ❷어떤 문제를 해결하는 실마리. ¶그녀는 문제 해결의 단서를 찾아냈다. (비) 단초(端初).

두서 頭緖 | 머리 두, 실마리 서
[clue; the first step]
❶속뜻 일의 첫머리[頭]나 실마리[緖]. ❷일의 차례나 순서. ¶두서없이 말을 늘어놓다.

정서 情緖 | 마음 정, 실마리 서 [emotion; feeling]
❶속뜻 여러 가지 마음[情]이나 감정의 실마리[緖]. ❷감정을 불러일으키는 기분이나 분위기. ¶이 음악은 정서 안정에 도움이 된다.

1329 [완]

緩

느릴 완:
(部) 糸부 (劃) 15획 (中) 缓 [huǎn]

緩자는 줄이 '느슨하다'(loose; slack; lax; relaxed)는 뜻을 나타내기 위하여 만든 것이었으니 '실 사'(糸)가 표의요소로 쓰였다. 爰(이에 원)은 표음요소일 따름이다. 후에 '긴장이 풀어지다'(relax; slacken), '느리다'(slow; tardy) 등으로 확대 사용됐다.

완:만 緩慢 | 느릴 완, 게으를 만
[be slow; be easy]
❶속뜻 느리고[緩] 게으름[慢]. ❷행동이 느릿느릿하다. ¶완만한 동작. ❸경사가 급하지 않다. ¶완만한 언덕길. (반) 빠르다, 신속(迅速)하다.

완:충 緩衝 | 느릴 완, 부딪칠 충 [buff]
충격(衝擊)을 누그러지게[緩] 함. ¶에어백은 자동차와 운전자 사이에서 완충 역할을 한다.

완:행 緩行 | 느릴 완, 갈 행 [go slowly]
❶속뜻 느리게[緩] 감[行]. ❷완행열차. ¶간이역에는 완행만 선다.

완:화 緩和 | 느릴 완, 따스할 화
[relax; ease (off)]
느슨하고[緩] 온화(穩和)하게 함. ¶그 학교는 입학 조건을 대폭 완화했다 / 이 약은 통증을 완화시켜 준다.

• 역순어휘

이완 弛緩 | 늦출 이, 느릴 완 [slackness]
❶속뜻 주의나 긴장 따위가 풀리어[弛] 느슨해짐[緩]. ❷근육이나 신경 따위가 느슨해짐. ¶근육의 수축과 이완 / 온찜질은 뭉친 근육을 이완시키는 데 도움이 된다. (반) 긴장(緊張).

1330 [유]

維

벼리 유
(部) 糸부 (劃) 14획 (中) 维 [wéi]

維자는 '(굵은) 밧줄'(a rope)뜻하기 위하여 만든 것이었으니 '실 사'(糸)가 표의요소로 쓰였다. 隹(새 추)가 표음요소였음은 惟(생각할 유)도 마찬가지이다. '매다'(tie up)는 의미로 확대 사용되기도 하였다. 惟(#1666)와 통용되어 '오직'(only; merely)의 뜻으로도 쓰인다.

속뜻훈음 ①오직 유, ②맬 유, ③밧줄 유.

유신 維新 | 오직 유, 새 신 [renovate]
❶속뜻 오로지[維] 새롭게[新] 함. ❷낡은 제도나 체제를 아주 새롭게 고침. ¶메이지 유신.

유지 維持 | 맬 유, 지킬 지 [keep; maintain]
❶속뜻 단단히 잡아매어[維] 잘 지킴[持]. ❷어떤 상태나 상황을 그대로 보존하거나 변함없이 계속하여 지탱함. ¶경찰은 사회 질서 유지를 목적으로 활동한다 / 그녀는 몸매를 유지하기 위하여 매일 운동한다.

• 역순어휘

섬유 纖維 | 가늘 섬, 밧줄 유 [fiber; textiles]
생물 가는[纖] 밧줄[維]이나 실모양의 물질. 동식물의 세포나 원형질(原形質)이 분화하여 실 모양이 된 것. ¶목화로 천연 섬유를 만들다.

1331 [자]

紫

자줏빛 자:
(部) 糸부 (劃) 11획 (中) 紫 [zǐ]

紫자는 실이나 비단의 '자줏빛 색깔'(purple color)을 뜻하기 위하여 만든 것이었으니 '실 사'(糸)가 표의요소로 쓰였다. 此(이 차)가 표음요소임은 雌(암컷 자)도 마찬가지이다.

자:단 紫檀 | 자주빛 자, 박달나무 단
[purple birch]
❶속뜻 자줏빛[紫] 껍질을 가진 박달나무[檀]. ❷식물 콩과의 상록 활엽 교목. 높이 10m 가량으로 몸체는 붉은빛을 띠고 아름다워 건축, 가구 따위의 재료로 쓰인다.

자:등 紫藤 | 자줏빛 자, 등나무 등
[a claret wistaria]
식물 자줏빛[紫] 꽃이 피는 등(藤)나무.

자:색 紫色 | 자줏빛 자, 빛 색 [purple]

자주(紫朱) 빛[色]. ¶아이리스는 봄에 흰색, 자색의 꽃을 피운다.

자:주 紫朱 | 자줏빛 자, 붉을 주 [purple]
짙은 남빛[紫]을 띤 붉은[朱] 색. 또는 그런 물감.

• 역순어휘

천자만홍 千紫萬紅 | 일천 천, 자줏빛 자, 일만 만, 붉을 홍
❶속뜻 천(千) 가지 자줏빛[紫]과 만(萬) 가지 붉은빛[紅]. ❷'여러 가지 빛깔의 꽃이 만발함'을 이르는 말. ㊥만자천홍(萬紫千紅).

1332 [종]

縱

세로 종
部 糸부 劃 17획 中 纵 [zòng]

縱자는 팽팽하던 줄이 '느슨해지다'(loose; lax)는 뜻을 나타내기 위하여 만든 것이었으니 '실 사'(糸)가 표의요소로 쓰였다. 從(좇을 종)을 표음요소이다. 후에 '놓아주다'(free; set free), '제멋대로 굴다'(dissolute; loose)로 확대 사용됐고, 橫(횡)의 상대적 개념인 '세로'(lengthways; vertical)의 뜻으로도 쓰인다.
속뜻 훈음 ①세로 종, ②놓아줄 종.

종단 縱斷 | 세로 종, 끊을 단
[cut from north to south]
❶속뜻 세로[縱]로 끊거나[斷], 길이로 자름. ¶그 산맥이 한국을 종단하고 있다. ❷남북의 방향으로 건너가거나 건너옴. ¶국토 종단계획. ㊥횡단(橫斷).

종대 縱隊 | 세로 종, 무리 대 [column of troops]
세로[縱]로 줄을 지어 나란히 선 대형(隊形). ¶3열 종대로 돌격하다. ㊥횡대(橫隊).

종횡 縱橫 | 세로 종, 가로 횡 [length and breadth]
❶속뜻 세로[縱]와 가로[橫]. ¶종횡이 일정하게 교차하도록 만들어라. ❷거침없이 마구 오거나 이리저리 다님. ¶전장을 종횡하며 용맹하게 싸우다.

• 역순어휘

방:종 放縱 | 내칠 방, 놓아줄 종 [be dissolute]
❶속뜻 내치는[放] 대로 놓아줌[縱]. ❷아무 거리낌이 없이 함부로 행동함. ¶책임 없는 자유는 방종에 불과하다.

조종 操縱 | 잡을 조, 놓아줄 종
[manipulate; control; operate]
❶속뜻 자기 마음대로 잡았다[操] 놓았다[縱] 함. ¶나는 누구의 조종을 받는 꼭두각시가 아니다. ❷비행기나 선박, 자동차 따위의 기계를 다룸. ¶그는 경비행기를 조종할 수 있다.

1333 [편]

編

엮을 편
部 糸부 劃 15획 中 编 [biān]

編자는 종이가 나오기 전에 글을 써놓은 竹簡(죽간)이나 木簡(목간)을 엮을 때 쓰는 '실'(a string; a cord)을 뜻하기 위하여 만든 것이었으니 '실 사'(糸)가 표의요소로 쓰였다. 扁(넓적할 편)은 죽간을 넓게 엮어 놓은 모양을 나타낸 것이니 표음과 표의 기능을 겸한다. 후에 '엮다'(compile; edit), 엮어 놓은 '책'(a book; a volume) 등으로 확대 사용됐다. 辮(땋을 변) 대신에 쓰이던 관례가 일반화되어 '(머리 따위를) 땋다'(braid one's hair)는 뜻으로도 쓰인다. 이 경우에는 [변]으로 읽는다.

편경 編磬 | 엮을 편, 경쇠 경
음악 틀에 엮어놓은[編] 경쇠[磬]. 또는 그러한 악기. 두 층에 각각 여덟 개씩의 경쇠가 매달려 있다.

편곡 編曲 | 엮을 편, 노래 곡 [arrange]
❶속뜻 노래[曲]를 새로이 엮음[編]. ❷음악 어떤 악곡을 다른 악기로, 또는 달리 연주할 수 있도록 써 고침. ¶이 바이올린 곡은 피아노로도 편곡되어 있다.

편대 編隊 | 엮을 편, 무리 대 [formation]
군사 ❶대열(隊列)을 갖춤[編]. ❷비행기 따위가 대형(隊形)을 갖추는 일. 또는 그 대형. ¶편대를 지어 비행하다.

편성 編成 | 엮을 편, 이룰 성
[organize; form; compose]
흩어져 있는 것을 엮어[編] 하나로 만듦[成]. ¶학급 편성 / 텔레비전 프로그램을 편성하다.

편입 編入 | 엮을 편, 들 입 [transfer; be assigned]
❶속뜻 새로 엮어[編] 들어감[入]. ❷다니던 학교를 그만두고 다른 학교에 들어가는 것. ¶그는 약학대학에 편입했다. ❸이미 짜인 조직이나 단체에 끼어들어 가는 것. ¶예비군에 편입되다.

편종 編鐘 | 엮을 편, 쇠북 종[carillon]
음악 틀에 엮어놓은[編] 종(鐘). 또는 그러한 악기. 두 층에 각각 8개의 구리종을 매단 악기.

편집 編輯 | 엮을 편, 모을 집 [edit; compile]
❶속뜻 모은[輯] 것을 엮음[編]. ❷책이나 신문, 영화 필름이나 녹음테이프 따위를 일정한 방법으로 모아 정리함. ¶짜임새 있는 편집 / 그녀가 맡은 일은 교내 신문을

편집하는 것이었다.

편찬 編纂 | 엮을 편, 모을 찬 [edit; compile]
여러 자료를 엮어[編] 모아서[纂] 책으로 만듦. ¶사전을 편찬하다.

• 역순어휘

개:편 改編 | 고칠 개, 엮을 편 [reorganize; revise]
❶속뜻 책 따위를 다시 고쳐[改] 엮어서[編] 냄. ❷인적(人的) 기구나 조직 따위를 고치어 다시 짬. ¶인사(人事)개편 / 조직을 개편하다.

속편 續編 | 이을 속, 엮을 편 [sequel; second volume]
책이나 영화 등에서 본편에 이어[續] 엮은[編] 것. ¶속편은 전편보다 내용이 풍부하다.

1334 [림]

臨

임할 림
部 臣부 획 17획 中 临 [lín]

臨자는 눈[目→臣]을 크게 뜨고 몸을 굽히어 여러 물건[品]을 살펴보는 사람[人]의 모습이 변화한 것이다. '(아래를) 살펴보다'(look at)가 본뜻인데, '오다'(come)의 올림말 격인 '임하다'(deign to pay a visit)로도 쓰인다. 즉 '臨'은 '來'(올 래)자의 올림말에 해당되는 셈이다.

임기 臨機 | 임할 림, 기회 기
어떤 기회(機會)나 고비에 이름[臨].

임박 臨迫 | 임할 림, 닥칠 박 [draw near]
어떤 때가 가까이 닥쳐[臨=迫] 옴. ¶시험이 임박했다.

임시 臨時 | 임할 림, 때 시 [being temporary]
❶속뜻 일정한 때[時]에 다다름[臨]. 또는 그 때. ❷필요에 따른 일시적인 때. ¶임시열차 / 임시 휴교. 반상시(常時), 정기(定期).

• 역순어휘

재:림 再臨 | 다시 재, 임할 림 [come again]
❶속뜻 다시[再] 옴[臨]. ❷기독교 부활하여 승천한 예수가, 최후의 심판 때 이 세상에 다시 온다는 일.

1335 [복]

覆

덮을 부
部 襾부 획 18획 中 覆 [fù]

覆자는 '덮다'(cover ; overspread)는 뜻을 나타내기 위하여 만든 것이었으니 '덮을 아'(襾)가 표의요소로 쓰였다. 復(부/복)는 표음요소로 쓰였다. '뒤집히다'(upset; change; reverse), '엎어지다'(fall down)는 뜻으로도 쓰인다. '덮다', '덮개'를 뜻할 때에는 [부]로 읽는 것이 원칙인데, [복]으로 읽기도 한다(예, 覆蓋/복개, 覆面/복면).

속뜻풀음 ①뒤집힐 복, ②덮을 복(부).

복개 覆蓋 | 덮을 복, 덮을 개 [cover; cap]
❶속뜻 뚜껑을 덮음[覆=蓋]. 덮개. ❷건설 하천에 덮개 구조물을 씌워 겉으로 보이지 않도록 함. 또는 그 덮개 구조물. ¶하천을 복개하다.

복면 覆面 | 덮을 복, 낯 면 [wear a mask]
❶속뜻 얼굴[面]을 덮어[覆] 가림. ❷얼굴을 알아보지 못하도록 헝겊 따위로 가림. 또는 그 때 쓰는 보자기 같은 물건. ¶강도는 복면을 하고 침입했다.

• 역순어휘

개:복 蓋覆 | 덮을 개, 덮을 복 [keep the cover]
덮개[蓋] 따위로 덮어 씌움[覆]. ¶개복되었던 하천을 복구하였다.

번복 翻覆 | 뒤집을 번, 뒤집힐 복 [change; turn; reverse]
❶속뜻 뒤집고[翻] 또 뒤집힘[覆]. 뒤집음. ❷이리저리 뒤쳐 고침. ¶판정을 번복하다.

전:복 顚覆 | 넘어질 전, 뒤집힐 복 [turn over; overturn]
넘어져[顚] 뒤집힘[覆]. ¶자동차 전복 사고 / 폭풍에 배가 전복되어 가라앉았다.

피:복 被覆 | 덮을 피, 뒤집힐 복 [cover; coat]
거죽을 덮어[覆] 씌움[被]. 또는 덮어 싼 물건. ¶전선의 고무 피복이 벗겨졌다.

1336 [우]

羽

깃 우:
部 羽부 획 6획 中 羽 [yǔ]

羽자는 새 날개 털, 즉 '깃'(a feather)을 뜻하기 위하여 양쪽 날개 털 모양을 그림 형식으로 나타낸 것이다.

우:단 羽緞 | 털 우, 비단 단 [velvet]
거죽에 고운 털[羽]이 돋게 짠 비단(緋緞). 비로드. 벨벳. ¶검정 우단 외투에 자줏빛 목도리를 걸치고 있다.

우:모 羽毛 | 깃 우, 털 모

새의 깃[羽]과 짐승의 털[毛].

우:의 羽衣 | 깃 우, 옷 의

선녀나 신선이 입는다는 새의 깃[羽]으로 만든 옷[衣]. ¶우의를 걸친 신선.

우:익 羽翼 | 날개 우, 날개 익

❶속뜻 새의 날개[羽=翼]. ❷보좌하는 일. 또는 그 일을 하는 사람. ❸식물 식물에 있는 기관의 좌우에 날개 모양으로 달린 부속물을 통틀어 이름.

우:화 羽化 | 깃 우, 될 화

❶속뜻 날개[羽]가 생겨남[化]. ❷사람의 등에 날개가 돋아 하늘로 올라가 신선이 됨. 우화등선(羽化登仙).

1337 [익]

翼

날개 익

部 羽부 劃 17획 中 翼 [yì]

翼자는 '날개'(a wing)를 뜻하기 위하여 만든 것이었으니 '깃 우'(羽)가 표의요소로 쓰였다. 異(다를 이)는 표음요소였음은 翼(사람 이름 익)도 마찬가지이다. '돕다'(help; aid; assist)는 뜻으로도 쓰인다.

익룡 翼龍 | 날개 익, 용 룡 [pterosaur]

❶속뜻 날개[翼] 달린 용(龍). ❷동물 중생대에 살던 하늘을 나는 파충류. ¶프테라노돈은 백악기를 대표하는 익룡이다.

• 역순어휘

붕익 鵬翼 | 붕새 붕, 날개 익 [big undertaking]

❶속뜻 붕새[鵬]의 날개[翼]. ❷'앞으로 계획하고 있는 큰 사업'을 비유하여 이름. ❸비행기를 비유하여 이르는 말.

우:익 羽翼 | 날개 우, 날개 익 [aide]

❶속뜻 새의 날개[羽=翼]. ❷보좌하는 일. 또는 그 일을 하는 사람. ❸식물 식물에 있는 기관의 좌우에 날개 모양으로 달린 부속물을 통틀어 이름.

일익 一翼 | 한 일, 날개 익 [part]

❶속뜻 한[一] 쪽 날개[翼]. ❷전체의 한 부분이나 역할을 이르는 말. ¶인터넷은 정보화시대의 일익을 담당한다.

좌:익 左翼 | 왼 좌, 날개 익 [left wing; leftist; left-winger]

❶속뜻 왼쪽[左] 날개[翼]. ❷군사 '좌익군'(左翼軍)의 준말. ❸정치 사회주의나 공산주의의 과격한 혁신 사상 또는 그러한 사상에 물들어 있는 사람. ❹운동 야구에서 외야(外野)의 왼쪽. 레프트 필드. 반 우익(右翼).

1338 [각]

脚

다리 각

部 肉부 劃 11획 中 脚 [jiǎo, jué]

脚자는 '다리'(a leg)를 뜻하기 위하여 만든 것이었으니 '고기 육'(月=肉)이 표의요소로 쓰였고, '물리칠 각'(却)은 표음요소이다.

속뜻 훈음 ①다리 각, ②발자취 각.

각광 脚光 | 다리 각, 빛 광 [footlight]

❶속뜻 무대의 앞면 아래쪽 다리[脚] 부분에서 배우를 비추는 빛[光]. 영어 'foot light'를 풀이해 만든 한자어이다. ❷사회적 관심이나 인기. ¶친환경 제품이 각광을 받다. 비 주목(注目), 주시(注視).

각기 脚氣 | 다리 각, 기운 기 [beriberi]

의학 다리[脚]가 붓고 마비되고 기운(氣運)이 없어 제대로 걷지 못하는 증세. 비 각질(脚疾).

각본 脚本 | 다리 각, 책 본 [play script; scenario]

❶속뜻 배우들이 무대에서 연습할 때 다리[脚] 밑에 두고 보는 책[本]. ❷연영 영화나 연극 등의 대사, 동작, 무대 장치 등에 대하여 자세히 적은 글. ¶연극 각본을 쓰다. 비 극본(劇本), 대본(臺本).

각색 脚色 | 발자취 각, 빛 색 [dramatize; adapt]

❶속뜻 어떤 사람의 과거 발자취[脚]와 본색(本色). ❷역사 중국에서 벼슬을 처음 받을 때, 과거에 무슨 일을 해왔는지 그 발자취를 적어 내던 이력서. ❸소설 따위의 문학 작품을 희곡이나 시나리오로 고쳐 쓰는 일. ¶원작자가 직접 각색을 맡았다. 비 각본화(脚本化), 극화(劇化).

• 역순어휘

교각 橋脚 | 다리 교, 다리 각 [(bridge) pier; bent]

건설 다리[橋]를 받치는 기둥[脚].

1339 [간]

肝

간 간:

部 肉부 劃 7획 中 肝 [gān]

肝자는 '간(the liver)'을 나타내기 위하여 만든 것이니 '고기 육'(月=肉)이 표의요소로 쓰였고, '방패 간'(干)은 표음요소이다. '마음'(mind; spirit; soul)을 상징적으로 나타내기도 한다.

간:담 肝膽 | 간 간, 쓸개 담 [one's innermost heart]

❶속뜻 간(肝)과 쓸개[膽]. ¶간담이 떨어질 뻔 했다. ❷속마음. ¶간담을 비추다.

간:암 肝癌 | 간 간, 암 암 [liver cancer]
의학 간장(肝臟)에 생기는 암(癌).

간:염 肝炎 | 간 간, 염증 염
[inflammation of the liver; hepatitis]
의학 간(肝)에 생기는 염증(炎症)을 통틀어 이르는 말.

간:장 肝腸 | 간 간, 창자 장
[liver and bowels; heart]
❶속뜻 간(肝)과 창자[腸]. ❷속. 애. 마음. ¶어찌나 걱정했는지 간장이 다 녹았다.

1340 [뇌]

腦

골/뇌수 뇌
部 肉부 획 13획 中 脑 [nǎo]

腦자는 신체에서 가장 중요한 부위인 '(머리의) 골'(a head; brains)을 나타내기 위한 것이었으니 '고기 육'(肉)이란 표의요소다. 오른쪽의 것도 표의요소인데, 머리털 모양이 잘못 변화된 것[巛]에 머리의 정수리를 가리키는 囟(신)이 조합된 것이다.

속뜻 훈음 골 뇌.

뇌리 腦裏 | 골 뇌, 속 리 [one's memory]
❶속뜻 골[腦]이 있는 머리의 속[裏]. ❷머릿속. ¶뇌리에 떠오르다.

뇌사 腦死 | 골 뇌, 죽을 사
[brain death; cerebral death]
의학 뇌(腦)의 기능이 완전히 멈추어져[死] 본디 상태로 되돌아가지 않는 상태. ¶교통사고로 뇌사 상태에 빠지다.

뇌염 腦炎 | 골 뇌, 염증 염 [brain inflammation]
의학 뇌(腦)에 염증(炎症)을 일으키는 전염병. ¶뇌염 예방 주사를 맞다.

• 역순어휘

대:뇌 大腦 | 큰 대, 골 뇌 [cerebrum]
의학 척추동물 뇌(腦)의 대부분(大部分)을 차지하여 좌우 한 쌍을 이룬 기관. 정신 작용, 지각, 운동, 기억력 등을 맡은 중추가 분포한다. 반 소뇌(小腦).

두뇌 頭腦 | 머리 두, 골 뇌 [brains; head]
❶의학 머리[頭] 속의 골[腦]. ❷사물을 판단하는 슬기. ¶그는 두뇌 회전이 빠르다. ❸'지식수준이 높은 사람'을 비유하여 이르는 말. ¶그는 한국 최고의 두뇌이다.

세:뇌 洗腦 | 씻을 세, 골 뇌
[brainwash; indoctrinate]
머릿속의 골[腦]에 들어있던 생각이나 사상 따위를 깨끗이 씻어내고[洗] 새로운 것을 주입시킴. ¶세뇌교육 / 광고는 불필요한 물건까지 사도록 사람들을 세뇌한다.

수뇌 首腦 | 머리 수, 골 뇌 [head; leader]
어떤 조직이나 집단 등에서 가장 으뜸[首]의 자리에 있는 인물을 신체에서 가장 중요한 뇌(腦)에 비유하여 이르는 말. ¶수뇌 회담을 갖다.

1341 [복]

腹

배 복
部 肉부 획 13획 中 腹 [fù]

腹자가 '배'(the belly; the abdomen)를 나타내기 위하여 만든 글자이니 '고기 육'(月⇒肉)이 표의요소로 쓰였다. 오른쪽의 것이 표음요소 임은 複(겹옷 복), 復(돌아올 복)의 경우도 마찬가지이다.

복근 腹筋 | 배 복, 힘줄 근 [abdominal muscles]
의학 배[腹]에 붙어 있는 근육(筋肉). ¶복근 운동.

복부 腹部 | 배 복, 나눌 부 [abdomen; belly]
의학 배[腹] 부분(部分). ¶그는 복부비만이다.

복통 腹痛 | 배 복, 아플 통 [stomachache]
복부(腹部)에 일어나는 통증(痛症). ¶갑자기 복통을 일으키다.

• 역순어휘

공복 空腹 | 빌 공, 배 복
[hunger; empty stomach]
아무것도 먹지 않아 비어[空] 있는 배[腹]. 빈 속. ¶이 약은 공복에 먹어야 한다.

심복 心腹 | 마음 심, 배 복 [one's confidant]
❶속뜻 심장[心]과 배[腹]. ❷마음 놓고 믿을 수 있는 부하. '심복지인'(心腹之人)의 준말. ¶그는 20년 동안 사장의 심복 노릇을 했다.

1342 [부]

腐

썩을 부:
部 肉부 획 14획 中 腐 [fǔ]

腐자는 '썩다'(decay; corrupt)는 뜻을 나타내기 위하여 만든 것이니, '고기 육'(肉)이 표의요소로 쓰였다. 府(곳집 부)는 표음요소이니 뜻과는 무관하다.

부:식 腐蝕 | 썩을 부, 좀먹을 식 [corrode; rot]
❶속뜻 썩어서[腐] 좀먹음[蝕]. 또는 그런 모양의 것. ❷

화학 금속이 외부의 화학 작용에 의하여 금속이 아닌 상태로 소모되어 가는 일. 또는 그런 현상. ¶그 기계는 오래되어서 부식된 곳이 많다.

부:니 腐泥 | 썩을 부, 진흙 니
지리 바다나 호수 밑바닥에 쌓인 유기물이 썩어서[腐] 변한 검은 진흙[泥].

부:식 腐植 | 썩을 부, 심을 식 [humus]
❶농업 흙 속에서 식물(植物)이 썩으면서[腐] 여러 가지 분해 단계에 있는 유기물의 혼합물을 만드는 일. ❷화학 흙 속에서 식물이 썩으면서 만드는 유기물의 혼합물.

부:패 腐敗 | 썩을 부, 무너질 패
[rot; decompose; decay]
❶속뜻 썩어[腐] 문드러짐[敗]. ❷정치, 사상, 의식 따위가 타락함. ¶부패한 정치가. ❸화학 미생물이 작용하여 질소를 품고 있는 단백질이나 지방 따위의 유기물이 분해되는 과정. 또는 그런 현상. 독특한 냄새가 나거나 유독성 물질이 발생한다. ¶여름철에는 음식물이 부패하기 쉽다.

• 역순어휘

두부 豆腐 | 콩 두, 썩을 부 [soybean curd]
❶속뜻 콩[豆]을 썩혀[腐] 만든 것. ❷콩으로 만든 식품의 하나. 물에 불린 콩을 갈아서 짜낸 콩물을 끓인 다음 간수를 넣어 엉기게 하여 만든다. ⓑ두포(豆泡).

방부 防腐 | 막을 방, 썩을 부
[preserve from decay]
썩는[腐] 것을 막음[防]. 건조, 냉장, 밀폐, 소금 절임, 훈제, 가열 따위의 방법이 있다.

유부 油腐 | 기름 유, 썩을 부 [fried bean curd]
두부(豆腐)를 얇게 썰어 기름[油]에 튀긴 음식. ¶유부 초밥.

진부 陳腐 | 묵을 진, 썩을 부
[stale; old-fashioned]
❶속뜻 오래 묵었거나[陳] 썩은[腐] 것. ❷사상, 표현, 생각 따위가 낡아서 새롭지 못하다. ¶진부한 표현은 쓰지 않는 것이 좋다.

1343 [비]

肥 살찔 비:
㉻ 肉부 ㉬ 8획 ㊥ 肥 [féi]

肥자는 '살찌다'(fatten)는 뜻을 나타내기 위하여 만든 것이니 '고기 육'(肉)이 표의요소로 쓰였고, 巴(땅 이름 파)는 㔾(=卩, 병부 절)이 잘못 변화된 것이다. 㔾(절)은 '조절하다'는 뜻이다. '기름지다'(greasy; fat), '거름'(fertilizer) 등으로도 쓰인다.

속뜻훈음 ①살찔 비, ②기름질 비, ③거름 비.

비:대 肥大 | 살찔 비, 큰 대 [fat; obese]
살이 쪄서[肥] 몸집이 크고[大] 뚱뚱함. ¶몸집이 비대하다.

비:료 肥料 | 살찔 비, 거리 료 [manure]
농업 농작물을 살찌게[肥]하는 데 필요한 거리[料]. 식물의 생장을 촉진하는 재료(材料)가 되는 물질. ⓑ거름.

비:만 肥滿 | 살찔 비, 넉넉할 만
[corpulence; fatness]
살이 쪄서[肥] 몸이 뚱뚱함[滿]. ¶과식으로 비만해지다 / 비만 예방.

비:옥 肥沃 | 기름질 비, 기름질 옥 [fertile]
땅이 걸고 기름짐[肥=沃]. ¶비옥한 토양.

• 역순어휘

퇴비 堆肥 | 쌓일 퇴, 거름 비
[compost; barnyard manure]
농업 짚, 풀 따위를 쌓아 놓고[堆] 썩혀서 만든 거름[肥]. ¶음식 찌꺼기를 퇴비로 만들어 쓰면 쓰레기를 줄일 수 있다. ⓑ거름, 두엄.

1344 [위]

胃 밥통 위
㉻ 肉부 ㉬ 9획 ㊥ 胃 [wèi]

胃자는 소화기관의 하나인 '밥통'(the stomach)을 뜻하기 위하여 만든 것이니 인체를 가리키는 '고기 육'(肉)이 표의요소로 쓰였다. 또 하나의 표의요소인 '田'은 원래 밥통을 본뜬 '⊠' 모양이었는데, 쓰기의 경제성을 추구하다 보니 '田'으로 간략하게 바뀌었기 때문에 '밭'하고는 아무런 상관이 없다.

위암 胃癌 | 밥통 위, 암 암
[gastric cancer; cancer of the stomach]
의학 위(胃)에 발생하는 암(癌). ¶한국인은 위암 발병률이 가장 높다.

위액 胃液 | 밥통 위, 진 액 [gastric juices]
의학 위(胃)샘에서 분비되는 소화액(消化液).

위염 胃炎 | 밥통 위, 염증 염 [gastritis]
의학 위(胃) 점막에 생기는 염증(炎症).

위장 胃臟 | 밥통 위, 내장 장 [stomach]
❶속뜻 음식물을 담아[胃] 소화시키는 내장(內臟) 기관. ❷의학 내장의 식도와 소장 사이에 있는 주머니 모양의

소화기관. 위액을 분비하여 섭취한 음식물을 소화시킨다.

• 역순어휘

비:위 脾胃 | 지라 비, 밥통 위
[spleen and the stomach; taste; temper]
❶속뜻 지라[脾]와 위(胃). ❷음식 맛이나 어떤 사물에 대하여 좋고 언짢음을 느끼는 기분. ¶형은 비위가 좋아 고약한 냄새가 나는 음식도 잘 먹는다. ❸아니꼽거나 언짢은 일을 잘 견디어 내는 힘. ¶비위가 상하다 / 그렇게 놀림을 당하고도 비위 좋게 앉아 있다니.

1345 [장]

臟 오장 장
部肉부 劃22획 中脏 [zàng, zāng]

臟자는 '고기 육'(肉)이 표의요소이고, 藏(감출 장)은 표음요소인데 묘하게도 의미와 전혀 무관하지는 않다. 인체 내부에 감추어져 있는 '內臟'(내:장, viscera)이 본래 의미다. 내장은 五臟(오:장), 즉 간장(肝臟)·염통[心臟]·지라[脾臟]·허파[肺臟]·콩팥[腎臟]을 말한다.
속뜻훈음 ①오장 장, ②내장 장.

장기 臟器 | 내장 장, 그릇 기 [internal organs]
의학 내장(內臟)의 여러 기관(器官). ¶장기 기증 / 장기 이식.

• 역순어휘

내:장 內臟 | 안 내, 오장 장 [internal organs]
의학 동물의 몸 속[內]에 있는 장기(臟器). 위(胃), 장(腸), 간(肝) 따위. ¶그는 오랫동안 병을 앓아 내장이 성한 데가 없었다.

비:장 脾臟 | 지라 비, 오장 장 [spleen]
의학 오장(五臟)의 하나인 지라[脾].

신:장 腎臟 | 콩팥 신, 오장 장 [kidney]
의학 척추동물의 비뇨기와 관련된 콩팥[腎] 모양의 내장(內臟). ¶신장 이식 / 고혈압으로 신장이 나빠졌다.

심장 心臟 | 마음 심, 내장 장 [heart]
❶속뜻 인체에서 가장 중심(中心)이 되는 내장(內臟). ❷주기적인 수축에 의하여 혈액을 몸 전체로 보내는 순환 계통의 중심적인 근육 기관. ¶아기의 심장 소리가 들린다. ❸사물의 중심부를 비유하여 이르는 말. ❹'마음'을 비유하여 이르는 말.

오:장 五臟 | 다섯 오, 내장 장 [five viscera]
한의 간장, 심장, 비장, 폐장, 신장의 다섯[五] 가지 내장(內臟)을 통틀어 이르는 말.

위장 胃臟 | 밥통 위, 내장 장 [stomach]
❶속뜻 음식물을 담아[胃] 소화시키는 내장(內臟) 기관. ❷의학 내장의 식도와 소장 사이에 있는 주머니 모양의 소화기관. 위액을 분비하여 섭취한 음식물을 소화시킨다.

췌:장 膵臟 | 췌장 췌, 내장 장 [pancreas]
의학 위(胃) 뒤쪽에 있는 가늘고 긴 삼각주 모양[膵]의 내장(內臟). 탄수화물, 단백질, 지방 따위를 소화시키는 효소를 만들어 낸다.

1346 [초]

肖 닮을/같을 초
部肉부 劃7획
中肖 [xiào, xiāo]

肖자는 골격이나 살찐 상태 등 용모가 '닮다'(resemble)는 뜻을 나타내기 위하여 만든 것이었으니 '고기 육'(肉)이 표의요소로 쓰였고, 小(작을 소)가 표음요소임은 炒(볶을 초)와 少(적을 소)의 관계와 같다. 후에 '그리다'(draw) '본뜨다'(model on) 등으로 확대 사용됐다.
하나 더!! 不肖(불초)는 어버이에 대하여 자신을 낮추어 일컫는 말이다. '부모를 닮지 못한 미련한 자식'이 속뜻인데 '부모님의 덕망이나 대업을 이을 만한 재질이 없는 사람' 또는 '못나고 어리석은 사람'이라고 자신을 겸손하게 표현할 때 쓰는 고품격 어휘다.
속뜻훈음 닮을 초.

초상 肖像 | 닮을 초, 모양 상 [portrait; likeness]
❶속뜻 똑같이 닮은[肖] 모습이나 모양[像]. ❷사진, 그림 따위에 나타낸 사람의 얼굴이나 모습. ¶그 초상은 마치 살아 있는 것 같다.

• 역순어휘

불초 不肖 | 아닐 불, 닮을 초
[unworthy of one's father]
❶속뜻 아비를 닮지[肖] 못함[不]. ❷아버지만한 능력이 없고 어리석음. 또는 그런 사람. ❸불효한 자식. 어버이에 대한 자식의 겸칭(謙稱).

1347 [폐]

肺 허파 폐:
部肉부 劃8획 中肺 [fèi]

肺자는 '허파'(the lungs)를 뜻하기 위하여 만든 것이었으니 '고기 육'(肉)이 표의요소로 쓰였다.

市(슬갑 불)은 표음요소인데 음이 다소 달라졌다. 市(저자 시)와 혼동하지 말아야한다. 총 획수가 8획인데 9획으로 잘못 알기 쉽다.

폐:렴 肺炎 | 본음 [폐염], 허파 폐, 염증 염 [pneumonia]
[의학] 폐[肺]에 생기는 염증(炎症). 오한, 고열, 기침, 호흡 곤란 따위의 증상을 보인다.

폐:병 肺病 | 허파 폐, 병 병 [lung trouble; lung disease]
❶[속뜻] 폐(肺)에 생긴 병(病). ❷[의학] 폐(肺)에 결핵균(結核菌)이 침입하여 생기는 만성 전염병. ¶그는 폐병으로 몸져누워 있다. [비]폐결핵(肺結核).

폐:암 肺癌 | 허파 폐, 암 암 [lung cancer]
[의학] 폐(肺)에 생기는 암(癌). ¶흡연자는 폐암에 걸릴 확률이 높다.

1348 [협]

脅 위협할 협
[部] 肉 10획 [中] 胁 [xié]

脅자는 '고기 육'(肉)이 표의요소이고, 劦(힘 합할 협)은 표음요소이다. 脇으로 쓰기도 하는데, '옆구리'(the side; the flank)가 본뜻이다. 협박을 할 때에는 옆구리를 쿡쿡 찌르는 경우가 많았는지 '으르다'(threaten; menace)는 의미로 확대됐다. '으르다'는 뜻으로 보면 劦(힘 합할 협)이 표음과 표의 두 기능을 겸하는 셈이다. '협박'(a threat) 또는 이와 의미상 연관이 있는 낱말의 한 구성 요소로도 쓰인다.

[속뜻 훈음] **①협박할 협, ②으를 협.**

협박 脅迫 | 으를 협, 다그칠 박 [threaten; menace]
❶[속뜻] 으르고[脅] 다그침[迫]. ❷어떤 일을 강제로 시키기 위하여 을러서 괴롭게 굶. ¶협박전화.

협약 脅約 | 협박할 협, 묶을 약 [agree; convention]
협박(脅迫)으로 이루어진 약속(約束)이나 조약(條約). ¶강제로 맺은 협약이니 지킬 필요가 없다.

• 역순어휘

위협 威脅 | 위력 위, 협박할 협 [menace; intimidate]
위력(威力)으로 협박(脅迫)하는 것. ¶생명의 위협을 받다.

1349 [호]

胡 되[狄] 호
[部] 肉부 [劃] 9획 [中] 胡 [hú]

胡자는 축 늘어진 짐승의 턱밑 '살'(flesh)을 뜻하기 위하여 만든 것이었으니 '고기 육'(肉)이 표의요소로 쓰였다. 古(옛 고)가 표음요소였음은 岵(산 호)도 마찬가지이다. 고대 중국의 북쪽과 서쪽에 살던 미개한 종족(소수민족) 또는 그 지역을 일러 '胡'라고 통칭하였다. 그래서 '오랑캐'(a barbarian; a savage; a foreigner)의 뜻도 갖게 됐다. '호두'를 뜻하는 胡桃(호도)나, '후추'를 뜻하는 胡椒(호초)처럼 농작물 명칭에 이 글자가 쓰인 것은 원산지가 그 지역이었기 때문이다.

[속뜻 훈음] **오랑캐 호.**

호란 胡亂 | 오랑캐 호, 어지러울 란 [Manchu war]
❶[속뜻] 오랑캐[胡]가 일으킨 난리(亂離). ❷[역사] '병자호란'(丙子胡亂)의 준말.

호로 胡虜 | 오랑캐 호, 포로 로 [stranger; alien]
❶[속뜻] 오랑캐[胡] 포로(捕虜). ❷중국 북방의 이민족 흉노를 달리 이르던 말. ❸외국인을 얕잡아 이름.

호맥 胡麥 | 오랑캐 호, 보리 맥 [rye]
❶[속뜻] 오랑캐[胡] 땅 출산의 보리[麥]. ❷[식물] 볏과의 한해살이풀 또는 두해살이풀. 높이는 1~2미터이며, 잎은 밀보다 작고 짙은 녹색을 띤다. 5~6월에 원기둥 모양의 꽃이삭이 달리고 열매는 영과(穎果)로 7월에 녹색을 띤 갈색으로 익는다. 호밀.

호산 胡蒜 | 오랑캐 호, 마늘 산 [garlic]
❶[속뜻] 오랑캐[胡] 땅에서 나는 마늘[蒜]. ❷[식물] 마늘. 백합과의 여러해살이풀. 높이는 60~100cm이고 속이 빈 원주형이며, 잎은 가늘고 길다.

호적 胡笛 | 오랑캐 호, 피리 적
❶[속뜻] 오랑캐[胡] 땅에서 유래된 피리[笛]. ❷[음악] 나팔 모양으로 된 우리나라 고유의 관악기. 태평소.

호초 胡椒 | 오랑캐 호, 산초나무 초 [black pepper]
❶[속뜻] 오랑캐[胡] 땅에 자라는 산초나무[椒]. ❷후추나무의 열매. 음식의 양념이나 구토·곽란 따위에 약으로 쓴다. 후추. ❸[한의] 후추의 껍질을 한방에서 이르는 말.

호풍 胡風 | 오랑캐 호, 풍속 풍 [Manchurian customs; north wind]
❶[속뜻] 오랑캐[胡]의 풍속(風俗). ❷북쪽의 오랑캐 땅에서 불어오는 바람이라는 뜻으로, 몹시 차게 부는 북풍을 이르는 말. ¶눈은 펄펄 날리고 호풍은 싸늘했다.

• 역순어휘

오:호 五胡 | 다섯 오, 오랑캐 호
역사 중국의 동한에서 남북조 시대에 이르기까지 서북방에서 중국 본토에 이주한 다섯[五] 소수 민족[胡]. 흉노(匈奴), 갈(羯), 선비(鮮卑), 저(氐), 강(羌)을 이른다.

1350 [흉]

胸

가슴 흉
部 肉부 획 10획 中 胸 [xiōng]

胸자의 본래 글자는 匈(#2349)이다. 이것은 '가슴'(the breast; the chest)을 뜻하기 위하여 만든 것으로 勹(쌀 포)가 표의요소로 쓰였다. 가슴으로 무엇을 감싸는 예가 많았기 때문인 듯. 凶(흉할 흉)은 표음요소이니 뜻과는 무관하다. 후에 '오랑캐'를 지칭하는 것으로 많이 쓰이자 본래 뜻을 확실하게 나타내기 위하여 '육달 월'(肉→月)을 덧붙인 것이 바로 '胸'자다. 마음이 가슴속에 있다고 여겼기 때문인지 '마음'(mind; spirit; soul)을 나타내기도 하였다. '속마음'을 뜻하는 胸襟(흉금)이나 '마음 속'을 뜻하는 胸中(흉중)이 그렇다.

속뜻 훈음 ①가슴 흉, ②마음 흉.

흉간 胸間 | 가슴 흉, 사이 간
[one's breast; one's chest]
가슴[胸]의 사이[間].

흉강 胸腔 | 가슴 흉, 빈 속 강 [thoracic cavity]
의학 심장, 폐 따위가 들어 있는 가슴[胸] 안쪽의 빈 부분[腔].

흉격 胸膈 | 가슴 흉, 횡격막 격 [lower chest]
❶의학 가슴[胸]과 배의 사이[膈]. ❷가슴 속. ¶그녀는 흉격이 막히는 듯이 말끝을 이루지 못한다.

흉골 胸骨 | 가슴 흉, 뼈 골
[sternum; breastbone]
의학 가슴[胸] 한복판에 세로로 있는 뼈[骨]. 좌우의 늑골과 연결되어 흉부의 앞 벽을 이룬다.

흉곽 胸廓 | 가슴 흉, 둘레 곽 [thorax; chest]
❶속뜻 가슴[胸] 부분의 둘레[廓]. ❷의학 등뼈, 갈비뼈, 가슴뼈와 가로막으로 이루어지는 원통모양의 가슴 부분.

흉금 胸襟 | 가슴 흉, 깃 금 [heart; bosom]
❶속뜻 앞가슴[胸]의 옷깃[襟]. ❷가슴속에 품은 생각.

흉막 胸膜 | 가슴 흉, 꺼풀 막 [pleura]
❶속뜻 가슴[胸]을 덮는 막(膜). ❷의학 흉곽의 안쪽과 허파의 표면 및 횡격막의 윗면을 덮고 있는 얇은 막. 늑막(肋膜).

흉배 胸背 | 가슴 흉, 등 배
[breast and back; embroidered patches on the breast and on the back of official uniforms]
❶속뜻 가슴[胸]과 등[背]. ❷가슴의 뒷부분. ❸역사 관복의 가슴과 등에 붙이던 수놓은 헝겊 조각.

흉복 胸腹 | 가슴 흉, 배 복
[chest and the abdomen]
가슴[胸]과 배[腹].

흉부 胸部 | 가슴 흉, 나눌 부
[chest; breast; thorax]
가슴[胸] 부분(部分).

흉상 胸像 | 가슴 흉, 모양 상 [sculpture bust]
미술 인체의 머리에서 가슴[胸] 부분까지의 모양[像]. 주로 그러한 조각상이나 초상화를 말한다. ¶본관 안에 학교 설립자의 흉상이 있다.

흉위 胸圍 | 가슴 흉, 둘레 위
[circumference of the chest]
가슴[胸]의 가장 굵은 부분의 길이를 잰 둘레[圍]. 가슴 둘레.

흉중 胸中 | 가슴 흉, 가운데 중 [heart; bosom]
❶속뜻 가슴[胸] 속[中]. ❷마음에 두고 있는 생각. 흉곡(胸曲).

• 역순어휘

심흉 心胸 | 마음 심, 가슴 흉 [mind; heart]
마음[心]과 가슴[胸]속. 가슴에 깊이 간직한 것.

전흉 前胸 | 앞 전, 가슴 흉 [prothorax]
동물 주로 곤충의 앞[前]쪽 가슴[胸].

1351 [렬]

裂

찢어질 렬
部 衣부 획 12획 中 裂 [liè, liě]

裂자는 옷이 '찢어지다'(be torn; rip; tear)는 뜻을 나타내기 위하여 만든 것이었으니 '옷 의'(衣)가 표의요소로 쓰였다. 列(줄 렬)은 표음요소이다. 후에 '갈라지다'(split; cleave; crack) 등으로 확대 사용됐다.

열곡 裂谷 | 찢어질 렬, 골짜기 곡 [rift valley]
지리 ❶해양 지각이 형성될 때 양쪽으로 지각이 갈라져서[裂] 생성된 골짜기[谷]. ❷육지에서 관찰되는 두 개의 평행한 단층애로 둘러싸인 좁고 긴 골짜기.

• 역순어휘

결렬 決裂 | 터질 결, 찢어질 렬 [break down]

❶[속뜻] 제방이 터지고[決] 이불이 찢어짐[裂]. ❷교섭이 나 회의 따위에서 의견이 합쳐지지 않아 각각 갈라서게 됨. ¶회담이 결렬됐다.

균열 龜裂 | 갈라질 균, 찢어질 렬 [crack; failure]
❶[속뜻] 거북의 등에 있는 무늬처럼 갈라지고[龜] 찢어짐[裂]. ¶벽에 균열이 생기다. ❷친하게 지내는 사이에 틈이 남. ¶둘 사이에 균열이 생겼다. [비]균탁(龜坼), 분열(分裂).

분열 分裂 | 나눌 분, 찢어질 렬
[be disrupted; be split]
❶[속뜻] 하나가 여럿으로 나누어지거나[分] 찢어짐[裂]. ¶정치적 분열. ❷[생물] 생물의 세포나 핵이 갈라져서 증식되는 일. ¶세포 분열.

와열 瓦裂 | 본음 [와렬], 기와 와, 찢어질 렬 [split; be split]
❶[속뜻] 기와[瓦]같이 잘 부서짐[裂]. ❷산산이 쪼개짐을 비유하여 이르는 말.

파:열 破裂 | 깨뜨릴 파, 찢어질 렬
[explode; burst]
깨어지고[破] 찢어짐[裂]. 쪼개짐. ¶보일러 파열로 사람이 다쳤다.

1352 [보]

補

기울 보:
[部] 衣부 [劃] 12획 [中] 补 [bǔ]

補자는 '(떨어진 옷을) 깁다'(patch)는 뜻을 나타내기 위하여 만든 것이었으니 옷 의(衣=衤)가 표의요소로 쓰였다. 甫(클 보)는 표음요소로 뜻과는 무관하다. '돕다'(aid; assist), '채우다'(fill up) 등으로도 쓰인다.
[속뜻 훈음] ①기울 보, ②도울 보, ③채울 보.

보:강 補強 | 기울 보, 강할 강
[strengthen; reinforce]
모자라는 곳이나 약한 부분을 보태고[補] 채워서 강(強)하게 함. ¶체력을 보강하다.

보:급 補給 | 기울 보, 줄 급 [supply; replenish]
물자 등을 계속 보태어[補] 줌[給]. ¶식량 보급 / 물자를 보급하다.

보:상 補償 | 기울 보, 갚을 상
[indemnify; compensate]
남에게 끼친 손해를 금전으로 보충(補充)하여 갚음[償]. ¶피해 보상 / 보상을 청구하다. [비]배상(賠償).

보:색 補色 | 도울 보, 빛 색
[complementary color]
❶[속뜻] 서로 도움[補]이 되는 색(色). ❷[미술] 섞었을 때 무채색이 되는 두 색. 또는 그 두 색의 관계를 이르는 말. 빨강과 청록의 관계 따위.

보:수 補修 | 기울 보, 닦을 수 [mend; repair]
상하거나 부서진 부분을 기우고[補] 수리(修理)함. ¶도로를 보수하다.

보:습 補習 | 기울 보, 익힐 습
[supplement (education)]
[교육] 부족한 공부를 보충(補充)하여 학습(學習)함. ¶겨울 방학에 수학을 보습할 예정이다.

보:신 補身 | 기울 보, 몸 신 [preserve oneself]
보약이나 영양 식품을 먹어서 몸[身]의 원기를 보충(補充)함. ¶꿀은 몸을 보신하는 데 좋다.

보:약 補藥 | 도울 보, 약 약 [restorative]
몸의 기력을 돕는[補] 약(藥). ¶밥이 보약이다. [비]보강제(補強劑).

보:완 補完 | 기울 보, 완전할 완
[complement; supplement]
모자라는 것을 보태서[補] 완전(完全)하게 함. ¶이 문제점을 보완해야 한다.

보:조 補助 | 기울 보, 도울 조 [help; assist; aid]
보태어[補] 도움[助]. ¶학비를 보조하다.

보:좌 補佐 | =輔佐, 도울 보, 도울 좌
[assist; aid; help; support]
상관을 도와[補=佐] 일을 처리함. ¶대통령을 보좌하다. [비]보필(輔弼), 익보(翼輔).

보:충 補充 | 기울 보, 채울 충
[supplement; replenish]
부족한 것을 보태어[補] 채움[充]. ¶영양을 보충하다. [비]충보(充補).

• 역순어휘

후보 候補 | 기다릴 후, 채울 보 [candidacy]
❶[속뜻] 빈자리 따위에 채워지기를[補] 기다리는[候] 사람. ❷선거에서 선출되기를 바라며 스스로 나선 사람. ¶대통령 후보 / 학생회장 후보. ❸시상식·운동 경기 따위에서 어떤 지위에 오를 자격이나 가능성이 있음. ¶우승 후보. ❹정원이 미달일 때 그 자리를 채울 자격을 가진 처지. 또는 그러한 사람. ¶후보 선수.

1353 [상]

裳

치마 상
[部] 衣부 [劃] 14획
[中] 裳 [cháng, shang]

裳자는 주인이 常(#0529)이었다. 이것은 '치마'(a skirt)가 본뜻이었는데, '늘'(always)을 뜻하는 부사로 쓰이는 예가 많아지자, '수건 건'(巾)을 '옷 의'(衣)로 바꾼 裳자를 만들어 '치마'란 뜻을 나타냈다. 裳이 원래는 常의 속자였는데, 독립 분가하여 주인으로 격상하였다. 이 경우 尙(오히려 상)은 표음요소로 뜻과는 무관하다.

• 역순어휘

의상 衣裳 | 옷 의, 치마 상 [clothes; dress]
❶[속뜻] 윗옷[衣]과 치마[裳]. ❷겉에 입는 옷. ¶한복은 우리 민족의 전통 의상이다.

청상 青裳 | 푸를 청, 치마 상
[singing and dancing girl]
❶[속뜻] 푸른[青] 치마[裳]. ❷푸른 치마를 입은 여자. 특히 기생을 비유하여 이르는 말.

홍상 紅裳 | 붉을 홍, 치마 상 [crimson skirt]
❶[속뜻] 붉은[紅] 치마[裳]. 다홍치마. ❷[역사] 옛날 조복(朝服)의 아래 옷. 붉은 바탕에 검은 선을 둘렀다.

1354 [쇠]

衰

쇠할 쇠
[部] 衣부 [劃] 10획
㊥ 衰 [shuāi, cuī]

衰자는 풀로 엮어 만든 비옷, 즉 '도롱이'(a straw raincoat)를 나타내기 위하여 만든 것이었으니 옷 의(衣=衤)가 표의요소로 쓰였다. 가운데 부분은 그것의 너털너털한 모양이 잘못 변화된 것이다. 후에 기운이 없어지다, 즉 '쇠하다'(become weak; lose vigor)는 뜻으로 쓰이는 예가 많아지자, 본래 뜻은 蓑(도롱이 사)자를 만들어 나타냈다.

쇠약 衰弱 | 쇠할 쇠, 약할 약 [weak]
몸이 쇠퇴(衰退)하여 약(弱)함. ¶신경 쇠약 / 노인들은 나이가 들면서 기력이 쇠약해진다.

쇠퇴 衰退 | =衰頹, 쇠할 쇠, 물러날 퇴
[decline; decay]
기세나 쇠(衰)하여 무너짐[退]. ¶국력의 쇠퇴 / 나이가 들면 기억력이 점점 쇠퇴한다. [반]왕성(旺盛), 흥성(興盛), 번창(繁昌), 번성(繁盛).

• 역순어휘

노:쇠 老衰 | 늙을 로, 쇠할 쇠
[infirmity of old age; senility]
늙어서[老] 몸과 마음이 쇠약(衰弱)함. ¶나이가 들면 노쇠해진다. [비]쇠로(衰老).

1355 [습]

襲

엄습할 습
[部] 衣부 [劃] 22획 ㊥ 袭 [xí]

襲자는 죽은 사람에게 입히는 '수의'(a shroud; graveclothes)를 뜻하기 위하여 만든 글자이니 옷 의(衣=衤)가 표의요소이다. 龍(용 룡)은 그 두 개를 겹쳐 쓴 글자(음은 [습]으로 추정됨)의 생략형으로 표음요소 기능을 위한 것이었다고 한다. '물려받다'(inherit), '갑자기'(suddenly) 등으로 확대 사용됐다. '습격하다'(attack) 또는 이와 의미상 연관이 있는 낱말의 한 구성 요소로도 쓰인다.

[속뜻훈음] ①습격할 습, ②갑자기 습, ③물려받을 습.

습격 襲擊 | 갑자기 습, 부딪칠 격 [attack; raid]
갑자기[襲] 들이쳐 공격(攻擊)함. ¶적의 습격을 받다. [비]급습(急襲), 엄습(掩襲), 기습(奇襲).

• 역순어휘

공습 空襲 | 하늘 공, 습격할 습 [air raid]
[군사] 비행기로 공중(空中)에서 습격(襲擊)하는 일. ¶공습훈련.

급습 急襲 | 급할 급, 습격할 습
[make surprise attack; raid]
상대편의 방심을 틈타서 급히[急] 습격(襲擊)함.

기습 奇襲 | 갑자기 기, 습격할 습
[raid; surprise attack]
몰래 움직여 갑자기[奇] 습격(襲擊)함. ¶기습을 당하다. [비]급습(急襲).

답습 踏襲 | 밟을 답, 물려받을 습 [follow; imitate]
❶[속뜻] 앞선 사람이 밟은[踏] 방식을 그대로 물려받음[襲]. ❷예부터 해 오던 방식이나 수법을 좇아 그대로 행함. ¶옛 작품을 답습하는 풍조가 만연하다. [비]모방(模倣), 인습(因襲). [반]창조(創造).

세:습 世襲 | 대 세, 물려받을 습 [descent]
신분, 직위, 업무, 재산 따위를 대[世]를 이어 물려받음[襲]. 또는 그런 일 ¶권력 세습 / 부의 세습.

엄:습 掩襲 | 가릴 엄, 습격할 습
[make a surprise attack]
❶[속뜻] 뜻하지 아니하는 사이에 몰래[掩] 습격(襲擊)함. ¶새벽에 모두 잠든 틈을 타 적이 엄습했다. ❷감정, 생각, 감각 따위가 갑작스럽게 들이닥치거나 덮침. ¶해가 지자

추위가 엄습해왔다.

역습 逆襲 | 거스를 역, 습격할 습 [counterattack]
수비하던 쪽에서 거꾸로[逆] 공격을 감행함[襲]. ¶적에게 역습을 당했다.

1356 [유]

裕

넉넉할 유(:)
(部) 衣부 (劃) 12획 (中) 裕 [yù]

裕자는 옷[衣⇒衤]이 산골짜기[谷·곡]만큼 '크고 넉넉함'(enough; sufficient)을 뜻하기 위하여 만든 글자이다. 谷이 표음요소라는 설이 있는데 음 차이가 너무 크고 다른 글자의 예가 없어 받아들이기 어렵다. 이 글자만 보면 어렸을 때의 생각, 즉 '새 옷 = 큰 옷'이라는 공식이 떠오른다. 후에 '너그럽다'(generous)는 뜻도 이것으로 나타냈다.

유복 裕福 | 넉넉할 유, 복 복 [rich; affluent]
살림이 넉넉하고[裕] 복(福)이 많다. ¶유복한 가정에서 태어나다. (비)넉넉하다, 부유(富裕)하다.

• 역순어휘

부:유 富裕 | 넉넉할 부, 넉넉할 유 [wealthy; rich]
재물이 많아 생활이 넉넉하다[富=裕]. ¶그는 부유한 사람과 결혼을 했다. (반)곤궁(困窮)하다.

여유 餘裕 | 남을 여, 넉넉할 유
[composure; space]
❶속뜻 물질·공간·시간이 남고[餘]넉넉함[裕]. ¶시간의 여유가 없다. ❷느긋하고 차분하게 생각하거나 행동하는 마음의 상태. 또는 대범하고 너그럽게 일을 처리하는 마음의 상태. ¶여유 있는 태도.

1357 [리]

裏

속 리:
(部) 衣부 (劃) 13획 (中) 里 [lǐ]

裏자는 '속 옷'(underwear)을 뜻하기 위하여 만든 글자이니 옷 의(衣=衤)가 표의요소로 쓰였다. 里(마을 리)는 표음요소로 뜻과는 무관하다. 후에 '내부'(the inside)를 가리키는 것으로 확대 사용됐다. 좌우 구조의 裡자로도 쓴다.

이:면 裏面 | 속 리, 낯 면 [back; other side]
물체의 안쪽[裏]에 있는 면(面). ¶공사 중이니 이면 도로로 우회(迂回)하십시오 / 한국의 경제성장 이면에는 사회적 불평등이 있다. (반)표면(表面).

• 역순어휘

뇌리 腦裏 | 골 뇌, 속 리 [one's memory]
❶속뜻 골[腦]이 있는 머리의 속[裏]. ❷머릿속. ¶뇌리에 떠오르다.

표리 表裏 | 겉 표, 속 리 [inside and outside]
❶속뜻 겉[表]과 속[裏]. 안과 밖. ¶표리가 일치하지 않다. ❷역사 임금이 신하에게 내리거나 신하가 임금에게 바치던 옷의 겉감과 안감.

1358 [재]

裁

옷 마를 재
(部) 衣부 (劃) 12획 (中) 裁 [cái]

裁자는 옷 의(衣)가 표의요소로 쓰였다. 그 나머지는 표음요소임을 이해하기 어려우나, 載(실을 재)와 栽(심을 재)의 예를 보면 쉽게 알 수 있다. '(옷을) 마르다'(cut out)가 본뜻이고, '분별하다'(consider), '처리하다'(handle)는 뜻으로도 쓰인다.

속뜻훈음 **①마를 재, ②분별할 재, ③처리할 재.**

재단 裁斷 | 마를 재, 끊을 단 [judge; cut out]
❶속뜻 옷을 만들기 위하여 옷감을 마르거나[裁] 끊음[斷]. ¶재단 가위. ❷옳고 그름을 분별하여 판단함. ¶근거도 없이 다른 사람을 재단하지 마라. (비)마름질.

재량 裁量 | 분별할 재, 헤아릴 량 [discrete; judge]
스스로 분별하고[裁] 헤아려[量] 처리함. ¶자유 재량 / 이번 일은 자네가 재량하여 완수하게.

재봉 裁縫 | 마를 재, 꿰맬 봉
[sew; do needlework]
옷감을 말라서[裁] 바느질함[縫]. 또는 그 일. ¶어머니는 재봉을 잘하신다.

재판 裁判 | 분별할 재, 판가름할 판
[administer justice; judge]
❶속뜻 옳고 그름을 분별하여[裁] 판단(判斷)함. ❷법률 구체적인 소송 사건을 해결하기 위하여 법원 또는 법관이 공권적 판단을 내리는 일. ¶형사재판 / 그 사건은 재판 중이다.

• 역순어휘

결재 決裁 | 결정할 결, 처리할 재 [approve; sign]
❶속뜻 결정(決定)하거나 처리함[裁]. ❷상관이 부하가 제출한 안건을 검토하여 허가하거나 승인함. ¶결재 서류에 사인을 하다. (비)재결(裁決), 재가(裁可).

독재 獨裁 | 홀로 독, 처리할 재
[have under one's despotic rule]
❶속뜻 독단(獨斷)적으로 처리함[裁]. ¶독재 정권을 타도하다. ❷정치 민주적인 절차를 부정하고 통치자의 독단으로 행하는 정치. '독재정치'(獨裁政治)의 준말. ¶독재 군주국. ⊕민주(民主).

양재 洋裁 | 서양 양, 마를 재 [dressmaking]
양복(洋服)을 마름질하는[裁] 일. ¶양재 기술.

제:재 制裁 | 마름질할 제, 마를 재
[sanctions; punish; restrict]
❶속뜻 옷감을 마름질[制]하거나 마름[裁]. ❷법률 법이나 규정을 어겼을 때 국가가 처벌이나 금지 따위를 행함. 또는 그런 일. ¶무력 시위를 벌이면 법적 제재를 받는다. ❸일정한 규칙이나 관습의 위반에 대하여 제한(制限)하거나 금지함. ¶핵무기를 개발하는 나라에 경제적인 제재를 가할 것이다.

중재 仲裁 | 가운데 중, 분별할 재
[arbitrate; mediate]
분쟁이나 싸움의 가운데[仲] 끼어들어 제재(制裁)함. 서로 다투는 사이에 들어 화해시킴. ¶그의 중재로 문제는 해결됐다.

총:재 總裁 | 묶을 총, 처리할 재 [president]
사무를 총괄(總括)하여 처리함[裁]. 또는 그런 직위의 사람. ¶은행 총재.

1359 [피]

被

입을 피:
部 衣부 획 10획 中 被 [bèi]

被자는 잠을 잘 때 덮는 옷, 즉 '이불'(bedclothes)을 나타내기 위하여 만든 글자이니 '옷 의'(衣=衤)가 표의요소로 쓰였다. '가죽 피'(皮)는 표음요소인데, 의미와 전혀 무관하지 않은 것 같다. 아득한 옛날에는 털가죽으로 만든 이불이 많았을 테니 말이다. 후에 '당하다'(be afflicted with), '덮다'(cover; cap)로 확대 사용됐다.

속뜻훈음 **①당할 피, ②덮을 피.**

피:고 被告 | 당할 피, 알릴 고
[defendant; accused]
❶속뜻 고발(告發)을 당함[被]. ❷법률 민사 소송에서, 소송을 당한 쪽의 당사자. ¶피고는 무죄의 몸이 되어 법정을 나갔다. ⊕원고(原告).

피:랍 被拉 | 당할 피, 끌어갈 랍 [be kidnapped]
납치(拉致)를 당함[被].

피:복[1] 被服 | 덮을 피, 옷 복 [clothes]
❶속뜻 덮어서[被] 입는 옷[服] ❷옷. ¶피복에 묻은 얼룩을 제거하다. ⊞의복(衣服).

피:복[2] 被覆 | 덮을 피, 뒤집힐 복 [cover; coat]
거죽을 덮어[覆] 씌움[被]. 또는 덮어 싼 물건. ¶전선의 고무 피복이 벗겨졌다.

피:살 被殺 | 당할 피, 죽일 살 [be killed]
살해(殺害)를 당함[被]. ¶어젯밤 한 여성이 피살된 채 발견됐다.

피:선 被選 | 당할 피, 뽑을 선 [elected]
선거(選擧)에서 뽑힘[被]. ¶의장으로 피선되다.

피:의 被疑 | 당할 피, 의심할 의
의심(疑心)이나 혐의(嫌疑)를 받는[被] 일. ¶피의 사실을 인정하지 않다.

피:해 被害 | 당할 피, 해칠 해 [damage]
신체, 재물, 정신상의 손해(損害)를 당함[被]. 또는 그 손해. ¶인명 피해를 보다 / 나는 너에게 어떤 피해도 준 적이 없다. ⊕가해(加害).

1360 [반]

般

가지/일반 반
部 舟부 획 10획 中 般 [bān]

般자는 배에 실어 '옮기다'(carry)는 뜻을 나타내기 위하여 조그마한 쪽배 모양을 본뜬 '배 주'(舟)가 표의요소로 쓰였다. 이 경우의 殳(창 수)는 손에 노를 들고 있는 모양에서 변한 것으로 볼 수 있으니, 이것도 표의요소로 쓰인 것이다. 후에 '모두'(all)의 뜻으로도 많이 쓰이자, 본뜻은 따로 搬(반, #1879)자를 만들어 나타냈다. '일반'(the whole; general) 또는 의미상 이와 연관이 있는 낱말의 한 구성요소로도 쓰인다.

속뜻훈음 **①일반 반, ②모두 반.**

• 역순어휘 •

만:반 萬般 | 일만 만, 모두 반
[all kinds; every sort]
❶속뜻 일만[一萬] 가지 모두[般]. ❷모든 것. ¶만반의 준비를 하다. ⊞제반(諸般).

일반 一般 | 한 일, 모두 반 [general]
❶속뜻 어떤 공통되는 한[一] 요소가 전반(全般)에 두루 미치고 있는 일. ¶일반 상식 / 일반 이론. ❷특별하지 아니하고 평범한 수준. ¶일반 가정 / 일반 국민. ⊞보통(普通). ⊕특수(特殊).

전반 全般 | 모두 전, 일반 반 [whole]

❶[속뜻] 전체(全體)에 공통되는 일반적(一般的)인 것. ❷어떤 일이나 부문에 대하여 그것에 관계되는 전체. 또는 통틀어서 모두. ¶나는 중국 역사 전반에 관심이 있다. [비]부분(部分), 일부(一部).

제반 諸般 | 모두 제, 모두 반 [all sorts]
어떤 것과 관련된 모든[諸] 전반(全般)의 것. 모든 것. ¶제반 상황을 보고하겠습니다.

1361 [내]

耐

견딜 내:
[部] 而부 [획] 9획 [中] 耐 [nài]

耐자는 '턱수염 이'(而)와 '터럭 삼'(彡)이 합쳐진 耏(구레나룻 깎을 내)자의 속자 였다가 독립한 글자이다. 구레나룻을 자르는 가벼운 형벌을 가리켜 '耏'(내)라 했고, 그것쯤은 견딜 만 했는지 '견디다'(endure), '참다'(tolerate)는 뜻으로 확대 사용됐다. 후에 耏는 본래 의미로만 쓰이고, 耐는 '견디다'는 뜻을 나타내는 것으로 분리 독립했다.

내:구 耐久 | 견딜 내, 오랠 구
[endurance; durability]
오래[久] 견딤[耐]. 오래 지속함. [비]내용(耐用).

내:성 耐性 | 견딜 내, 성질 성 [tolerance]
❶[속뜻] 견딜[耐] 수 있는 성질(性質). ❷약물을 반복해서 복용할 때 약효가 저하하는 현상. ¶두통약은 내성이 있다.

내:열 耐熱 | 견딜 내, 더울 열 [heat resisting]
[공업] 높은 열(熱)에도 잘 견딤[耐]. ¶내열 장치를 해놓다.

• 역순어휘

인내 忍耐 | 참을 인, 견딜 내 [endure; stand]
괴로움이나 노여움 따위를 참고[忍] 견딤[耐]. ¶그 일을 하는 데는 많은 인내가 필요하다.

1362 [련]

聯

연이을 련
[部] 耳부 [획] 17획 [中] 联 [lián]

聯자는 '귀 이'(耳)와 '실 사'(絲)가 합쳐진 것으로 '잇달다'(join; put together)는 뜻을 나타낸 것이다. 모양이 약간 변모됐기는 했지만 絲가 표의요소인 것은 쉽게 알 수 있지만, '귀 이'(耳)가 왜 표의요소로 쓰였는지는 분명하지 않다. 구구한 설들이 있으나 일일이 소개할 수 없어 생략한다.

[속뜻 훈음] 잇달 련.

연관 聯關 | 잇달 련, 관계할 관 [connect; relate]
사물이나 현상이 이어진[聯] 관계(關係)를 맺는 일. ¶나는 이 일과 아무런 연관이 없다. [비]관련(關聯), 관계(關係).

연대 聯隊 | 잇달 련, 무리 대 [regiment]
❶[속뜻] 연합(聯合) 부대(部隊). ❷[군사] 군대 편성 단위의 하나. 사단 또는 여단의 아래, 대대의 위이다.

연립 聯立 | 잇달 련, 설 립
[ally oneself; coalesce]
둘 이상의 것이 이어[聯] 성립(成立)함. ¶연립정권.

연맹 聯盟 | 잇달 련, 맹세할 맹 [league; union]
❶[속뜻] 서로 연합하기로[聯] 맹세함[盟]. ❷공동의 목적을 가진 단체나 국가가 서로 돕고 행동을 함께 할 것을 약속함. 또는 그런 조직체. ¶축구연맹.

연방 聯邦 | 잇달 련, 나라 방
[confederation; federation]
❶[속뜻] 연합(聯合)하여 이루어진 나라[邦]. ❷[정치] 여러 나라가 공통의 정치 이념으로 연합하여 구성된 국가. 미국, 독일, 스위스 등이 여기에 속한다.

연상 聯想 | 잇달 련, 생각 상
[be reminiscent of; remind]
❶[속뜻] 관련(關聯)지어 생각함[想]. ❷[심리] 하나의 관념이 다른 관념을 불러일으키는 현상. '기차'하면 '여행'을 떠올리는 따위의 현상. ¶'겨울'하면 무엇이 연상되세요?

연합 聯合 | 잇달 련, 합할 합 [unite; combine]
❶[속뜻] 잇달아[聯] 합침[合]. ❷두 가지 이상의 사물이 서로 합동하여 하나의 조직체를 만듦. 또는 그렇게 만든 조직체. ¶백제는 신라와 연합하여 고구려에 대항했다.

• 역순어휘

관련 關聯 | 관계할 관, 잇달 련
[be connected with; be related to]
어떤 사물과 다른 사물이 서로 관계(關係)되어 잇달려[聯] 있음. 서로 어떠한 관계가 있음. ¶흡연은 폐암과 밀접한 관련이 있다. [비]연관(聯關).

1363 [부]

符

부호 부(:)
[部] 竹부 [획] 11획 [中] 符 [fú]

符자는 옛날에 대나무 쪽으로 만든 '부신'(evidence)을 뜻하기 위하여 만든 글자이니, '대 죽'(竹)이 표의요소로 쓰였다. 付(줄 부)는 표음요소로 뜻과는 무관하다. '맞다'(coincide) 는 뜻으로도 쓰인다.

[속뜻훈음] ①부신 부, ②맞을 부.

부:적 符籍 | 부신 부, 문서 적 [amulet; talisman]
[민속] 잡귀를 쫓고 재앙을 물리치는 부신(符信)으로 쓰이던 쪽지나 문서[籍].

부:합 符合 | 맞을 부, 맞을 합
[agreement; correspondence]
서로 조금도 틀림이 없이 꼭 들어맞거나[符] 합치(合致)됨. ¶너의 의견이 나의 의견과 부합한다.

부:호 符號 | 맞을 부, 표지 호 [mark; sign]
일정한 뜻을 나타내는 데 알맞은[符] 표시[號]. ¶부호를 넣다 / 부호를 쓰다.

1364 [부]

簿 문서 부(:)
[部] 竹부 [劃] 19획 [中] 簿 [bù]

簿자는 종이가 널리 보급되기 이전인 아득한 옛날에 대나무 쪽으로 만든 '장부'(a ledger)를 뜻하기 위하여 만든 것이었으니 '대 죽'(竹)이 표의요소로 쓰였다. 溥(넓을 부)는 표음요소일 따름이다. '문서'(a document)를 뜻하기도 한다.

[속뜻훈음] ①장부 부, ②문서 부.

부:기 簿記 | 장부 부, 기록할 기 [bookkeeping]
[경제] 재산(財産)의 출납(出納), 변동(變動)의 기입을 똑똑히 하여 장부(帳簿)에 기록(記錄)함.

• 역순어휘

명부 名簿 | 이름 명, 장부 부
[list; roll; register]
관계자의 이름[名]이나 주소, 직업 따위를 적어 놓은 장부(帳簿). [비]명적(名籍).

장부 帳簿 | 휘장 장, 문서 부 [book]
금품의 수입과 지출을 기록하는 휘장[帳]같은 문서[簿]나 책. ¶장부를 정리하다 / 나는 지출한 돈을 장부에 기재하였다.

치:부 置簿 | 둘 치, 장부 부
[enter in an account book; keep in mind]
❶[속뜻] 물품의 출납 따위를 장부[簿]같은 데 적어 두다[置]. ¶오늘 받은 돈을 치부하다. ❷마음속에 잊지 않고 새겨 두거나 그렇다고 여김. ¶그 정보는 근거 없는 소문으로 치부됐다.

1365 [적]

笛 피리 적
[部] 竹부 [劃] 11획 [中] 笛 [dí]

笛자는 대나무로 만든 '피리'(a flute; a fife)를 뜻하기 위하여 만든 것이었으니 '대 죽'(竹)이 표의요소로 쓰였다. 음 차이가 매우 크지만 由(말미암을 유)가 표음요소였음은 迪(나아갈 적)도 마찬가지이다.

• 역순어휘

경:적 警笛 | 타이를 경, 피리 적
[alarm whistle; horn]
위험을 알리거나 경계(警戒)를 위하여 울리는 피리[笛]소리 같은 고동. 또는 그 소리. ¶자동차 경적. [비]호각(號角), 사이렌(siren).

고적 鼓笛 | 북 고, 피리 적 [drum and pipe]
북[鼓]과 피리[笛]. ¶고적 소리 / 고적을 울리다.

기적 汽笛 | 수증기 기, 피리 적 [whistle; siren]
기차나 배 따위에서 증기[汽]를 내뿜는 힘으로 경적(警笛) 소리를 내는 장치. 또는 그 소리. ¶열차가 기적을 울리며 달린다. [비]고동.

무:적 霧笛 | 안개 무, 피리 적
[fog siren; foghorn]
안개[霧]가 끼었을 때에 신호의 일종으로 등대나 배에서 울리는 고동[笛]. ¶등대 쪽에서 무적 소리가 연거푸 길게 들려왔다.

호적 胡笛 | 오랑캐 호, 피리 적
❶[속뜻] 오랑캐[胡] 땅에서 유래된 피리[笛]. ❷[음악] 나팔 모양으로 된 우리나라 고유의 관악기. [비]태평소.

1366 [책]

策 꾀 책
[部] 竹부 [劃] 12획 [中] 策 [cè]

策자는 본래 대나무로 만든 '(말) 채찍'(a whip; a rod)을 뜻하기 위하여 만든 것이었으니 '대 죽'(竹)이 표의요소로 쓰였다. 후에 '계략'(a stratagem), '꾀'(a trick; a ruse), '지팡이'(stick) 등을 뜻하는 것으로 확대 사용됐다.

[속뜻훈음] ①꾀 책, ②지팡이 책.

책략 策略 | 꾀 책, 꾀할 략 [trick; stratagem]
❶[속뜻] 계책(計策)과 모략(謀略). 꾀. ❷어떤 일을 꾸미고 이루어 나가는 교묘한 방법. ¶돈을 벌기 위한 책략.

• 역순어휘

계:책 計策 | 꾀 계, 꾀 책 [scheme; artifice]
계교(計巧)와 방책(方策). ¶교묘한 계책을 쓰다. [비]계략(計略).

국책 國策 | 나라 국, 꾀 책 [national policy]
나라[國]의 정책(政策)이나 시책. ¶국책을 수립하다.

대:책 對策 | 대할 대, 꾀 책
[consider a counterplan]
어떤 일에 대응(對應)하는 방책(方策). ¶노령화 사회에 대책을 강구하다. [비]대비책(對備策).

묘:책 妙策 | 묘할 묘, 꾀 책 [excellent plan]
매우 절묘(絶妙)한 꾀[策]. ¶묘책을 생각해 내다. [비]묘계(妙計), 묘산(妙算), 묘안(妙案).

방책 方策 | 방법 방, 꾀 책 [plan; scheme]
방법(方法)과 계책(計策). ¶범죄 방지를 위한 방책을 세우다.

산:책 散策 | 한가로울 산, 지팡이 책 [take a walk]
❶[속뜻]한가로이[散] 지팡이[策]를 짚고 거닒음. ❷휴식을 취하거나 건강을 위하여 천천히 걷는 일. ¶할머니는 공원으로 산책을 나가셨다. [비]산보(散步).

상:책 上策 | 위 상, 꾀 책
[best plan; best policy]
가장 좋은[上] 대책(對策)이나 방법. ¶이럴 때는 도망치는 것이 상책이다. [반]하책(下策).

술책 術策 | 꾀 술, 꾀 책 [artifice; trick]
남을 속이기 위한 꾀[術]나 계책(計策). ¶술책을 부리다. [비]술수(術數).

시:책 施策 | 베풀 시, 꾀 책 [enforce a policy]
국가나 행정기관 등에서 어떤 계획[策]을 실시(實施)함. 또는 그 계획. ¶정부 시책을 홍보하다.

실책 失策 | 그르칠 실, 꾀 책 [mistake]
잘못된[失] 계책(計策)이나 잘못된 처리. ¶실책을 저지르다. [비]실수(失手), 잘못.

정책 政策 | 정치 정, 꾀 책 [policy]
정치적(政治的) 목적을 실현하기 위한 책략(策略). ¶교육정책 / 정책을 수립하다.

1367 [대]

臺

대 대
[部]至부 [劃]14획 [中]台 [tái, tāi]

臺자는 용마루에 장식물이 있는 고층건물을 본뜬 것이 변형된 것이니, 지금의 土, 口, 冖, 至는 표의요소나 표음요소가 아고 그저 부호에 불과하게 됐다. 널리 알려진 훈음인 '돈대 대'의 돈대(墩臺)는 '덕땅', 즉 '둘레의 지형보다 높으면서 평평한 땅'(high ground)을 가리키는 말이다.

[속뜻훈음] ①돈대 대, ②무대 대.

대본 臺本 | 무대 대, 책 본 [script; scenario]
❶[속뜻]배우가 연극을 연습할 때 무대[臺]에서 보는 책[本]. ❷[문학]연극의 상연이나 영화 제작 등에 기본이 되는 각본(脚本). ¶소설을 바탕으로 대본을 썼다. [비]각본(脚本).

대사 臺詞 | 무대 대, 말씀 사 [speech; words]
배우가 무대(舞臺) 위에서 하는 말[詞]. 대화(對話)·독백(獨白)·방백(傍白) 따위. ¶대사를 다 못 외웠으니 큰일이다.

대수 臺數 | 돈대 대, 셀 수
대(臺)를 단위로 헤아리는 물건의 수(數). ¶택시 대수가 크게 늘었다.

대장 臺帳 | 돈대 대, 장부 장 [ledger; register]
❶[속뜻]근거나 밑받침[臺]이 되도록 어떤 사항을 기록한 장부(帳簿). ¶토지대장. ❷상업상의 모든 계산을 기록한 원부(原簿). ¶출납대장.

• 역순어휘

경:대 鏡臺 | 거울 경, 돈대 대 [mirror stand]
거울[鏡]을 달아 세운 화장대(化粧臺). ¶경대 앞에 앉아 치장하다.

고대 高臺 | 높을 고, 돈대 대
❶[속뜻]높이[高] 쌓아 올린 터[臺]. ❷높이 쌓은 대(臺).

등대 燈臺 | 등불 등, 돈대 대
[lighthouse; beacon]
섬이나 바닷가에 세운 등불[燈]을 밝히는 탑[臺] 모양의 시설. 밤에 다니는 배에 목표, 뱃길, 위험한 곳 따위를 알려 주려고 불을 켜 비춘다. ¶등대의 불빛 덕분에 항로를 찾았다.

목대 木臺 | 나무 목, 돈대 대 [board]
[출판]인쇄할 때에 목판을 올려놓는[臺] 나무[木]쪽. [비]판대(版臺).

무:대 舞臺 | 춤출 무, 돈대 대 [stage]
❶[속뜻]연극이나 무용[舞], 음악 따위를 공연하기 위하여 특별히 좀 높게 마련한 자리[臺]. ¶배우가 무대에 오르다. ❷재능이나 역량 따위를 시험해 보거나 발휘할 수 있는 활동 분야. ¶세계를 무대로 활동하다.

산대 山臺 | 메 산, 무대 대
❶[속뜻]길가나 빈 터에 산(山)같이 높이 쌓은 임시 무대(舞臺). ❷[민속]산대극(山臺劇).

축대 築臺 | 쌓을 축, 돈대 대
[terrace; elevation; embankment]
높이 쌓아[築] 올린 대(臺). ¶축대가 무너져 아래에 있는 집들을 덮쳤다.

침:대 寢臺 | 잠잘 침, 돈대 대 [bed]
사람이 누워 잘[寢] 수 있도록 편평하게 만든 대(臺). 서양식의 침상. ¶침대에서 벌떡 일어나다.

토대 土臺 | 흙 토, 돈대 대
[foundation; groundwork]
❶[속뜻] 흙[土]으로 쌓아 올린 높은 대(臺). ❷[건설] 건축물의 윗부분을 떠받치기 위해 밑바닥에 대는 나무. ¶그 빌딩은 견고한 토대 위에 지어졌다. ❸사업의 밑천. ¶경제 발전의 토대가 되다.

판대 版臺 | 널빤지 판, 돈대 대 [board]
[출판] 인쇄할 때에 목판(木版)을 올려놓는[臺] 나무쪽. (비)목대(木臺).

포대 砲臺 | 대포 포, 돈대 대 [battery; casemate]
[군사] 포(砲)를 설치하여 쏠 수 있도록 견고하게 만든 시설물[臺].

1368 [개]

蓋
덮을 개:
(部) 艸부 (畫) 14획 (中) 盖 [gài, gě]

蓋자의 ++(艸·초)는 지붕의 이엉을 엮을 때 주로 쓴 풀, 즉 '띠'를 가리키며, 그릇 뚜껑을 덮어놓은 모양인 盍(덮을 합)을 조합한 글자이다. 지붕이나 그릇의 뚜껑을 '덮다'(cover)는 뜻을 그렇게 나타낸 것이 매우 흥미롭다. 후에 '덮개'(a cover; a lid), '대개'(mainly; nearly) 등으로 확대 사용됐다.

개:복 蓋覆 | 덮을 개, 덮을 복 [keep the cover]
덮개[蓋] 따위로 덮어 씌움[覆]. ¶개복되었던 하천을 복구하였다.

개:석 蓋石 | 덮을 개, 돌 석
[고적] 무덤의 구덩이를 덮는[蓋], 판으로 된 돌[石]. ¶개석 암각화 / 그는 개석을 따고 능을 도굴하였다. (비)뚜껑돌.

개:세 蓋世 | 덮을 개, 세상 세
[surpass all; stand unchallenged]
온 세상[世]을 뒤덮을[蓋] 만큼 기개(氣槪)나 기력(氣力)이 왕성함. ¶개세의 영웅.

개:연 蓋然 | 대개 개, 그러할 연
[probability; likelihood]
확실하지는 않으나 대개(大蓋) 그러할[然] 것 같음을 이르는 말. (참)필연(必然).

개:와 蓋瓦 | 덮을 개, 기와 와 [roof with tiles]
기와[瓦]로 지붕을 임[蓋]. ¶장마가 오기 전에 개와해 두어야겠다. (참)개초(蓋草).

• 역순어휘

두개 頭蓋 | 머리 두, 덮을 개 [cranium; brainpan]
[의학] 척추동물의 두뇌(頭腦)를 덮고[蓋] 있는 달걀 모양의 골격.

무개 無蓋 | 없을 무, 덮을 개
[without a lid; uncovered; open]
지붕이나 뚜껑[蓋]이 없음[無]. ¶무개 차량. (반)유개(有蓋).

복개 覆蓋 | 덮을 복, 덮을 개 [cover; cap]
❶[속뜻] 뚜껑을 덮음[覆=蓋]. 덮개. ❷[건설] 하천에 덮개 구조물을 씌워 겉으로 보이지 않도록 함. 또는 그 덮개 구조물. ¶하천을 복개하다.

1369 [국]

菊
국화 국
(部) 艸부 (畫) 12획 (中) 菊 [jú]

菊자는 '국화'(a chrysanthemum)를 뜻하기 위하여 만든 것이다. 국화도 풀의 일종이니 '풀 초'(艸)가 표의요소로 쓰였다. 匊(움켜 뜰 국)은 표음요소이니 뜻과는 무관하다.

국판 菊版 | 국화 국, 널 판 [medium octavo]
❶[속뜻] 국화(菊花) 모양의 널빤지[版]. ❷[출판] 가로 148mm, 세로 210mm 크기의 인쇄물의 규격. 일본에서 유래된 인쇄 판형이다.

국화 菊花 | 국화 국, 꽃 화
[chrysanthemum (flower); mum]
[식물] 국화과[菊]의 여러해살이풀. 또는 그 꽃[花].

• 역순어휘

산국 山菊 | 메 산, 국화 국
[wild chrysanthemum]
[식물] 주로 산(山)에서 자라는 국화(菊花). 가을에 피는 노란 꽃은 약용 또는 식용하고 어린 싹은 식용한다. '산국화'의 준말.

수국 水菊 | 물 수, 국화 국 [hydrangea]
❶[속뜻] 물[水]에서 피는 국화(菊花). ❷[식물] 가을에 연한 자줏빛과 연분홍의 꽃을 피우는 관목. 관상용 식물로 타원형의 잎은 두껍고 광택이 난다. (비)자양화(紫陽花).

1370 [균]

菌

버섯 균

㊀ 艸부 ㊀ 12획 ㊥ 菌 [jùn, jūn]

菌자는 '버섯'(a mushroom; a toadstool)을 뜻하기 위하여 만든 것인데 '풀 초'(艸)가 표의요소로 쓰였다. 당시 사람들은 버섯을 풀의 일종으로 보았나 보다. 囷(곳집 균)은 표음요소이니 뜻과는 무관하다. 후에 단세포 미생물, 즉 '세균'(bacteria)을 뜻하는 것으로 확대 사용됐다.

속뜻 훈음 ①버섯 균, ②세균 균.

균사 菌絲 | 버섯 균, 실 사 [spawn; hypha]
식물 버섯[菌]의 몸을 이루고 있는 가는 실[絲]오라기 모양의 구조체. ㊞곰팡이실.

• 역순어휘

멸균 滅菌 | 없앨 멸, 세균 균
[sterilize; pasteurize]
세균(細菌)을 죽여 없앰[滅]. ㊞살균(殺菌).

병:균 病菌 | 병 병, 세균 균 [virus]
의학 병(病)을 일으키는 세균(細菌). ¶병균에 감염되다. '병원균'(病原菌)의 준말.

보:균 保菌 | 지킬 보, 세균 균
[carry germs; be infected]
병균(病菌)을 몸에 지니고[保] 있음.

살균 殺菌 | 죽일 살, 세균 균
[sterilize; pasteurize]
약품이나 열 따위로 세균(細菌)을 죽임[殺]. ¶살균우유 / 칫솔을 살균하다. ㊞멸균(滅菌).

세:균 細菌 | 작을 세, 버섯 균 [bacterium; germ]
생물 눈으로 볼 수 없을 만큼 매우 작은[細] 버섯[菌]같은 단세포 생물을 두루 이르는 말. ¶세균에 감염되다. ㊟균. ㊞박테리아.

1371 [란]

蘭

난초 란

㊀ 艸부 ㊀ 21획 ㊥ 兰 [lán]

蘭자는 풀의 일종인 '난초'(an orchid)를 뜻하기 위하여 만든 것이니 '풀 초'(艸)가 표의요소로 쓰였다. 闌(가로막을 란)은 표음요소일 따름이다.

난초 蘭草 | 난초 란, 풀 초 [orchid; orchis]
❶식물 난초과(蘭草科)의 다년초(多年草)를 통틀어 이름. 대체로 꽃이 아름답고 향기가 좋다. ❷화투짝의 한 가지. 난초를 그린 5월을 상징하는 딱지. ㊟난.

• 역순어휘

양란 洋蘭 | 서양 양, 난초 란 [cattleya]
식물 원산지가 서양(西洋)인 난(蘭). ¶양란은 꽃이 잘 핀다.

춘란 春蘭 | 봄 춘, 난초 란
식물 봄[春]에 꽃이 피는 난초(蘭草). 잎이 가늘고 길며, 봄에 푸른 빛깔을 띤 흰 꽃이 핀다.

풍란 風蘭 | 바람 풍, 난초 란 [wind orchid]
❶미술 바람[風]에 흩날리는 난초(蘭草). 또는 그것을 그린 그림. ❷식물 난초과의 상록 다년초. 잎은 넓은 선형이며 뿌리에서 두 줄로 난다.

1372 [다]

茶

차 다/차

㊀ 艸부 ㊀ 10획 ㊥ 茶 [chá]

茶자는 '차(나무)'(a tea plant)를 뜻하기 위하여 '풀 초'(艸), '사람 인'(人), '나무 목'(木) 세 표의요소를 힌트삼아 합쳐 놓은 것이다. 사람들이 그 나무의 잎을 말렸다가 다려 먹기를 좋아하기 때문에 人자를 포함시켰나 보다. [다]와 [차] 두 가지 음이 있다. 단음절 어휘일 때에는 [차]로만 쓰인다. 예, '차를 마시다'(○), '다를 마시다'(×).

속뜻 훈음 ①차 다, ②차 차.

다과 茶菓 | 차 다, 과자 과 [tea and cookies]
'차'[茶]와 '과자'(菓子). ¶다과를 내오다.

다도 茶道 | 차 다, 방법 도 [tea ceremony]
차[茶]를 손님에게 대접하거나 마실 때의 방법[道] 및 예의범절. ¶학생들은 다도에 맞춰 차를 마셨다.

다반 茶飯 | 차 다, 밥 반 [common]
❶속뜻 항상 먹는 차[茶]와 밥[飯]. ❷'늘 있어 이상할 것이 없는 예사로운 일'을 비유하여 이르는 말. '항다반'(恒茶飯)의 준말.

다방 茶房 | 차 다, 방 방
[tea house; coffee shop]
차[茶] 종류를 조리하여 팔거나 청량 음료 및 우유 따위 음료수를 파는 영업소[房]. ㊞찻집.

다식 茶食 | 차 다, 밥 식
[kind of pattern-pressed candy]
우리나라 고유 과자의 하나. 삼국시대에, 찻잎[茶] 가루에 찻물을 부어 뭉쳐 만든 떡 따위의 먹거리[食]에서

유래.

차례 茶禮 | 차 차, 예도 례
[ancestor-memorial services]
❶속뜻 차(茶)를 올리는 예(禮). ❷음력 매달 초하루날 또는 보름, 명절, 조상 생신날 등에 간단히 지내는 제사. ¶설날 아침에 차례를 지내다.

찻잔 茶盞 | 본음 [차잔], 차 차, 잔 잔 [teacup]
차(茶)를 따라 마시는 잔(盞). ¶부인은 찻잔의 밑을 손으로 받쳐 들고 조금씩 마셨다.

• 역순어휘

녹차 綠茶 | 초록빛 록, 차 차 [green tea]
초록빛[綠]이 그대로 나도록 말린 부드러운 찻잎[茶]. 또는 그것을 끓인 차.

엽차 葉茶 | 잎 엽, 차 차 [coarse green tea]
❶속뜻 잎[葉]을 따서 만든 차(茶). 또는 그것을 달이거나 우려낸 물. ❷차나무의 어린 잎으로 만든 찻감. 또는 그것을 달이거나 우려낸 물.

홍차 紅茶 | 붉을 홍, 차 차 [black tea]
차나무의 순을 발효시켜서 만들어 달인 붉은[紅] 물의 차(茶).

1373 [련]

蓮

연꽃 련
部 艸부 劃 15획 中 莲 [lián]

蓮자는 '연꽃의 열매'(연밥, a lotus pip)를 나타내기 위하여 만든 글자이다. '풀 초'(艸)가 표의요소로 쓰였고, 連(잇닿을 련)은 표음요소이다. 후에 '연꽃'(a lotus flower)을 이르는 것으로도 확대 사용됐다. 佛教(불교)를 蓮教(연교)라고도 하고, 번뇌의 굴레를 벗어난 아주 깨끗한 세상(淨土·정토)을 蓮邦(연방)이라고도 하듯이, 佛家(불가)에서는 '蓮'자를 매우 즐겨 쓴다.

연근 蓮根 | 연꽃 련, 뿌리 근 [lotus root]
식물 연꽃[蓮]의 뿌리[根]. 구멍이 많고, 주성분은 녹말이며, 저냐·죽·정과(正果) 따위를 만드는 데 쓴다. 얕은 연못이나 깊은 논에서 재배한다.

연지 蓮池 | 연꽃 련, 못 지 [pond]
❶속뜻 연(蓮)꽃을 심은 못[池]. ¶꽤 넓은 두 개의 연지가 있다. 비연못.

연화 蓮花 | 연꽃 련, 꽃 화 [lotus flower]
❶속뜻 연(蓮) 꽃[花]. ❷식물 수련과의 여러해살이 수초. 연못이나 논밭에서 자라며 뿌리줄기가 굵고, 잎은 뿌리줄기에서 나와 잎자루 끝에 달리고, 약용한다. 하나 더!! 蓮花는 '연꽃'이다. '지극히 안락하고 깨끗한 땅'을 이르는 極樂淨土(극락정토)를 蓮花國(연화국)이라고도 한다.

• 역순어휘

목련 木蓮 | 나무 목, 연꽃 련 [magnolia]
식물 봄에 잎보다 먼저 흰빛 또는 자줏빛 꽃이 피는 나무. 또는 그 꽃. '나무[木]에서 피는 연꽃[蓮]'이라는 뜻에서 붙여진 이름이다.

수련 睡蓮 | 오므라들 수, 연꽃 련 [lotus]
❶속뜻 오므라드는[睡] 모양을 하는 소담스런 연꽃[蓮]. ❷식물 연못이나 늪에 떠서 살며, 잎은 말굽 모양이며, 가을에 하얀 꽃이 피는 풀.

한:련 旱蓮 | 가물 한, 연꽃 련
[kind of small-leafed lotus; tropaeolum]
❶속뜻 가뭄[旱]에도 피는 연꽃[蓮]. ❷식물 한련과의 관상용 화초. 잎은 자루가 길고 둥근 방패 모양으로, 6월경에 노랑이나 빨강 꽃이 핀다.

1374 [막]

莫

없을 막
部 艸부 劃 11획 中 莫 [mò]

莫자는 평원의 풀밭에 해가 지는 모습을 본뜬 것이었다. 즉 '해 일'(日)과 '잡풀 우거질 망'(茻)을 힌트로 삼아 '해가 저물다'(sunset)는 뜻을 나타낸 것은 중국 중원의 지역적 특색, 즉 끝없이 펼쳐진 지평선과 연관이 깊다. 후에 이것이 '(이것보다 더 ~한 것이) 없다'는 부정사로 차용되는 예가 잦아지자, 본뜻은 '해 일'(日)을 다시 더 추가한 暮(저물 모, #1680)자를 따로 만들어 나타냈다.

막강 莫強 | 없을 막, 강할 강 [be mighty]
더할 수 없이[莫] 강(強)함. ¶막강의 군사 / 막강한 경쟁 상대.

막대 莫大 | 없을 막, 큰 대 [huge; enormous]
더할 수 없이[莫] 크다[大]. ¶막대한 손해를 입다 / 막대한 재산.

막론 莫論 | 없을 막, 말할 론
[be a matter of course; be needless to say]
❶속뜻 말할[論]할 것조차 없음[莫]. ❷이것저것 따지고 가려 말하지 아니하다. ¶오늘은 누구를 막론하고 먼저 갈 수 없다.

막심 莫甚 | 없을 막, 심할 심
[be immense; extreme]
더 이상 이를 수 없을[莫] 정도로 심(甚)함. ¶후회가

막심하다.

막중 莫重 | 없을 막, 무거울 중
[grave; very important]
임무 따위가 더할 수 없이[莫] 무겁다[重]. ¶막중한 임무를 짊어지다.

1375 [몽]

蒙
어두울 몽
[部] 艸부 [劃] 14획
[中] 蒙 [méng, mēng]

蒙자는 한약재로 쓰는 식물의 일종인 '소나무겨우살이'를 뜻하기 위하여 만든 것이었으니 '풀 초'(艸)가 표의요소로 쓰였고, 冡(덮어쓸 몽)은 표음요소이다. 후에 '(은혜 따위를) 입다'(share in the benefit), '어둡다'(be ignorant of), '어리다'(childish; infantile) 등의 뜻을 나타내는 것으로 차용됐다.
[속뜻훈음] ①어릴 몽, ②어두울 몽.

• 역순어휘

격몽 擊蒙 | 칠 격, 어두울 몽
[understand; realize]
어리석고 사리에 어두운[蒙] 어린이들을 일깨움[擊].

계:몽 啓蒙 | 일깨울 계, 어릴 몽 [enlighten]
❶[속뜻]무식한 사람이나 어린아이[蒙]를 일깨워[啓] 줌. ❷인습에 젖거나 바른 지식을 가지지 못한 사람을 일깨워, 새롭고 바른 지식을 가지도록 함. ¶국민을 계몽하다 / 계몽문학. [비]계발(啓發).

동몽 童蒙 | 아이 동, 어릴 몽 [child]
아직 장가를 들지 않은 어린[蒙] 아이[童].

훈:몽 訓蒙 | 가르칠 훈, 어릴 몽
[instruct the children]
어린[蒙] 아이에게 글을 가르침[訓].

1376 [무]

茂
우거질 무:
[部] 艸부 [劃] 9획 [中] 茂 [mào]

茂자는 풀이나 나무가 '우거지다'(grow rank)는 뜻을 나타내기 위하여 만든 것이었으니 '풀 초'(艸)가 표의요소로 쓰였다. 戊(도끼 무)는 표음요소이니 뜻과는 무관하다. 조어력이 약하여 한자어 용례가 많지 않다.

무:성 茂盛 | 우거질 무, 가득할 성 [thick]
초목 따위가 우거져[茂] 가득함[盛]. ¶풀이 무성하다.

1377 [박]

薄
엷을 박
[部] 艸부 [劃] 17획
[中] 薄 [báo, bó, bò]

薄자는 풀이 자라기 어려울 정도로 땅이 '메마르다'(dry; arid; meager)는 뜻을 나타내기 위하여 만든 것이니 '풀 초'(艸)가 표의요소로 쓰였고 溥(넓을 부)가 표음요소인데 음이 약간 달라졌다. 메마르다는 것과 의미상 유사성에 기인하여 '엷다'(thin)는 뜻으로도 확대 사용됐다.

박대 薄待 | 엷을 박, 대접할 대 [treat coldly]
아무렇게나 성의 없이[薄] 대접(待接)함. ¶박대를 받다 / 병든 어머니를 박대하다. [비]푸대접, 냉대(冷待). [반]후대(厚待).

박봉 薄俸 | 엷을 박, 봉급 봉 [small salary]
많지 않은[薄] 봉급(俸給). ¶박봉을 쪼개 저금을 하다.

박색 薄色 | 엷을 박, 빛 색 [ugly look]
주로 아주 못생긴[薄] 여자의 얼굴[色]. 또는 그러한 여자. ¶얼굴은 박색이지만 마음은 곱다.

박약 薄弱 | 엷을 박, 약할 약 [fainthearted]
의지나 체력 따위가 굳세지 못하고[薄] 여림[弱]. ¶의지가 박약하다.

박하 薄荷 | 엷을 박, 연꽃 하 [peppermint]
❶[속뜻] 엷은[薄] 연꽃[荷] 향기가 나는 풀. ❷[식물] 좋은 향기가 나는 풀. 습지에 나며, 향료·음료·약재로 쓴다.

• 역순어휘

각박 刻薄 | 새길 각, 엷을 박 [severe; harsh]
❶[속뜻]마음에 새김[刻]이 매우 엷음[薄]. ❷인정이 없고 야박하다. ¶인심이 각박해지다. [비]매정하다.

경박 輕薄 | 가벼울 경, 엷을 박 [frivolity]
말과 행실이 가볍고[輕] 신중하지 못함[薄]. ¶경박한 언행. [비]경솔(輕率), 경망(輕妄). [반]신중(愼重).

야:박 野薄 | 거칠 야, 엷을 박 [unfeeling; stingy]
거칠고[野] 정이 엷다[薄]. 인정이 없다. ¶인심이 야박하다.

육박 肉薄 | 고기 육, 엷을 박
[close in upon; be close at hand]
몸[肉] 가까이 바싹[薄] 다가붙음. ¶적들과 육박전(肉薄戰)을 벌였다 / 5만 명에 육박하는 관중이 경기장에 모였다.

척박 瘠薄 | 메마를 척, 엷을 박

[barren; sterile; poor]
땅이 메마르고[瘠] 기름지지 못하다[薄]. ¶척박한 환경을 일구다.

천:박 淺薄 | 얕을 천, 엷을 박
[shallow; superficial]
지식이나 생각 따위가 얕고[淺] 엷음[薄]. ¶생각이 천박하여 돈 많은 것만 자랑으로 여기다.

희박 稀薄 | 묽을 희, 엷을 박 [thin; sparse]
❶속뜻 묽고[稀] 엷다[薄]. ❷일의 희망이나 가망이 적다. ¶성공할 가능성이 희박하다. ❸농도나 밀도가 엷거나 얇다. ¶희박한 인구 밀도.

1378 [방]

芳 꽃다울 방
部 艸부 (획) 8획 (中) 芳 [fāng]

芳자는 풀의 '향기'(fragrance)를 뜻하기 위하여 만든 것이니 '풀 초'(艸)가 표의요소로 쓰였다. 方(모 방)은 표음요소이니 뜻과는 무관하다. 후에 '(향기를) 발산하다'(give out; emit; radiate), '꽃답다'(flowery; pretty as a flower) 등으로 확대 사용됐다.

방년 芳年 | 꽃다울 방, 해 년
[blooming age; sweet age]
여자의 스무 살 안팎의 꽃다운[芳] 나이[年]. (비)방령(芳齡).

방렬 芳烈 | 꽃다울 방, 세찰 렬
[noble; brave; heroic]
❶속뜻 향기[芳]가 몹시 짙음[烈]. ❷의기가 씩씩함. (비)의열(義烈).

방령 芳齡 | 꽃다울 방, 나이 령
[blooming age; sweet age]
꽃다운[芳] 나이[齡]. (비)방년(芳年).

방명 芳名 | 꽃다울 방, 이름 명
[(your, his) esteemed name]
❶속뜻 꽃다운[芳] 이름[名]. ❷'남의 이름'을 높여 부르는 말. ¶여기에 방명을 적어 주십시오.

방서 芳書 | 향기 방, 글 서 [your esteemed letter]
❶속뜻 향기로운[芳]의 편지글[書]. ❷'남의 편지'를 높여 이르는 말. (비)방한(芳翰).

방순 芳醇 | 향기 방, 진한 술 순
향기롭고[芳] 맛이 좋은 술[醇].

방심 芳心 | 꽃다울 방, 마음 심 [goodwill; favor]
❶속뜻 아름다운[芳] 마음[心]. ❷남의 친절한 마음. (비)방정(芳情), 방지(芳志).

방용 芳容 | 꽃다울 방, 얼굴 용
❶속뜻 꽃다운[芳] 얼굴[容]. ❷'남의 용모'를 높여 이르는 말.

방자 芳姿 | 꽃다울 방, 맵시 자 [beautiful figure]
젊은 여인의 꽃처럼 아름다운[芳] 자태(姿態).

방정 芳情 | 꽃다울 방, 뜻 정 [cast of mind]
❶속뜻 아름다운[芳] 뜻[情]. ❷'남의 마음씨'를 높여 이르는 말. (비)방심(芳心).

방춘 芳春 | 꽃다울 방, 봄 춘 [sweet seventeen]
❶속뜻 꽃[芳]이 한창인 봄[春]. ❷꽃다운 나이. (비)방기(芳紀).

방향 芳香 | 꽃다울 방, 향기 향
[scent; fragrance; perfume]
좋은[芳] 향기[香]. (비)가방(佳芳).

방훈 芳薰 | 향기 방, 향풀 훈 [sweet smell]
향기로운[芳] 냄새[薰].

• 역순어휘

유방 遺芳 | 남길 유, 명성 방
[autographs of a departed person]
❶속뜻 후세에 빛나는 명성[芳]을 남김[遺]. 또는 그 명예. ❷유묵(遺墨). (비)유방(流芳).

1379 [소]

蘇 되살아날 소
部 艸부 (획) 20획 (中) 苏 [sū]

蘇자는 꿀풀과에 속하는 일년생 식물인 '차조기'(a beefsteak plant)를 뜻하기 위하여 만든 것이었으니 '풀 초'(艸)가 표의요소로 쓰였다. 穌(긁어모을 소)는 표음요소이니 뜻과는 무관하다. 그 풀은 죽었다가도 잘 되살아났기 때문인지 '되살아나다'(revive; resuscitate)는 뜻을 위하여 따로 글자를 만들지 않고 이것으로 나타냈다.

소생 蘇生 | =甦生, 되살아날 소, 살 생
[revive; resuscitate]
되살아나서[蘇] 살아감[生]. ¶봄은 만물이 소생하는 계절이다. (비)부생(復生), 회생(回生).

소철 蘇鐵 | 되살아날 소, 쇠 철
[cycad; sago palm]
식물 줄기는 굵고 원기둥 모양이며, 잎이 붙어 있던 자국이 비늘모양으로 남는다. 잎은 뾰족하다. 철분(鐵分)이 많이 섞인 토질을 좋아하며, 죽다가도 잘 되살아난다[蘇]고 해서 붙여진 이름이라는 설이 있다.

1380 [아]

芽

싹 아
[部] 艸부 [劃] 8획 [中] 芽 [yá]

芽자는 초목의 '싹'(a sprout) 을 뜻하기 위하여 만든 것이니 '풀 초'(艸)가 표의요소로 쓰였다. 牙(어금니 아)는 표음요소이니 뜻과는 아무런 상관이 없다.

맥아 麥芽 | 보리 맥, 싹 아 [malt]
보리[麥]에 싹[芽]을 틔워 말린 것. 엿기름.

맹아 萌芽 | 싹 맹, 싹 아 [sprout; germination]
❶[속뜻] 식물의 새로 튼 싹[萌=芽]. ❷'새로운 일의 시초 또는 그러한 조짐'을 비유하여 이르는 말.

• 역순어휘

발아 發芽 | 필 발, 싹 아 [germinate; sprout]
[식물] 풀이나 나무에서 싹[芽]이 피어[發] 돋아남. ¶발아가 늦어지다 / 텃밭에 뿌린 씨앗들이 발아하기 시작했다.

배아 胚芽 | 아이 밸 배, 싹 아 [gemmule; embryo]
[식물] 식물의 씨[胚] 속에 있는 발생 초기의 어린 식물[芽]. 떡잎·씨눈줄기·어린눈·어린뿌리의 네 가지로 구성되어 있다.

태아 胎芽 | 아이 밸 태, 싹 아 [propagule; bulbil]
❶[식물] 태(胎)에서 자란 싹[芽]. 양분을 저장했다가 저절로 떨어져 나가 하나의 개체가 되는 싹. ❷[동물] 척추동물의 임신 후 2개월까지의 수정란.

1381 [약]

若

같을 약, 반야 야
[部] 艸부 [劃] 9획 [中] 若 [ruò, rě]

若자는 본래 '순하다'(gentle; mild)는 뜻을 나타내기 위하여, 무릎을 꿇고 앉은 여인이 두 손으로 머리 결을 순하게 다듬는 모습을 본뜬 것이었다. 후에 '같다'(same), '만일'(if) 등으로 차용되어 쓰이게 됐다. 불교와 관련된 의미로 쓰일 때에는 음을 [야]로 읽음에 유의해야 한다(예, 般若/반야).

[속뜻훈음] ①같을 약, ②반야 야.

약간 若干 | 같을 약, 얼마 간 [some; somewhat]
❶[속뜻] 만약(萬若) 얼마[干]. ❷얼마 안 되게. 또는 얼마쯤. ¶고개를 약간 수그리다. [비]다소(多少), 조금.

• 역순어휘

만:약 萬若 | 일만 만, 같을 약
[if; in case of]
만일(萬一) 그와 같다면[若]. ¶만약의 경우 / 만약을 생각하다. [비]만일.

자약 自若 | 본연 자, 같을 약
[self-possessed; composed; calm]
❶[속뜻] 본연[自]과 같음[若]. ❷큰일을 당하고도 아무렇지도 않은 듯 침착함. ¶태연자약(泰然自若).

반야 般若 | 돌 반, 반야 야 [prajna]
[불교] 산스크리트어 'Prajna'의 한자 음역어. 모든 사물의 본질을 이해하고 불법(佛法)의 참다운 이치를 깨닫는 지혜.

1382 [장]

莊

씩씩할 장
[部] 艸부 [劃] 11획 [中] 庄 [zhuāng]

莊자는 풀이 '무성하다'(thick; dense)는 뜻을 나타내기 위하여 만든 글자이다. '풀 초'(艸)가 표의요소이고, 壯(씩씩할 장)은 표음요소이다. '꾸미다'(decorate; make up), '별장'(a cottage) 등을 뜻하기도 한다.

[속뜻훈음] ①별장 장, ②꾸밀 장.

장엄 莊嚴 | 꾸밀 장, 엄할 엄
[majestic; solemn]
❶[속뜻] 꾸밈[莊] 따위에 위엄(威嚴)이 있음. ❷웅장하며 위엄 있고 엄숙함. ¶장엄한 음악 / 피렌체 성당은 규모가 웅대하고 장엄하다.

장중 莊重 | 꾸밀 장, 무거울 중
[solemn; grave]
❶[속뜻] 꾸밈[莊] 따위가 무겁게[重] 보임. ❷장엄하고 무겁게 느껴진다. ¶장중한 분위기 / 경기장에서 애국가가 장중하게 울려 퍼졌다.

• 역순어휘

별장 別莊 | 다를 별, 꾸밀 장
[(resort) villa; country house]
경치 좋은 곳에 따로[別] 꾸며놓고[莊] 때때로 묵는 집. ¶높은 절벽 위에 별장을 지어 놓았다.

산장 山莊 | 메 산, 별장 장
[mountain villa]
산(山)에 있는 별장(別莊). ¶산장에서 하룻밤을 묵었다. [비]산방(山房).

1383 [장]

葬

장사 지낼 장:
[部] 艸부 [劃] 13획 [中] 葬 [zàng]

葬자는 '장사지내다'(hold a funeral)는 뜻을 나타내기 위하여 '잡풀 우거질 망'(茻·망)과 '죽을 사'(死, #0261), 두 표의요소를 힌트로 제시해 놓은 것이다. 풀이 우거진 야산에 무덤을 만들어 죽은 사람이 시체를 묻어 장례를 치르며 통곡을 하는 모습이 연상된다.

장:례 葬禮 | 장사 지낼 장, 예도 례 [hold a funeral]
장사(葬事)를 지내는 예절(禮節). ¶장례 절차가 간소해지고 있다 / 군인의 시신을 찾아 장례했다. [비]장의(葬儀).

장:사 葬事 | 장사 지낼 장, 일 사 [funeral]
죽은 사람을 땅에 묻거나 화장하는[葬] 일[事]. ¶장사를 치르다 / 장사를 지내다.

장:송 葬送 | 장사 지낼 장, 보낼 송 [escort a funeral; attend a funeral]
시신을 장지(葬地)로 보냄[送]. ¶장송하러 나온 사람들이 줄을 지어 묘역으로 들어섰다.

장:의 葬儀 | 장사 지낼 장, 의식 의 [funeral]
장사(葬事)를 지내는 의식(儀式). ¶어머니는 장의를 치르는 내내 눈물을 흘렸다. [비]장례(葬禮), 장사(葬事).

• 역순어휘

국장 國葬 | 나라 국, 장사 지낼 장 [national funeral]
나라[國]에 큰 공이 있는 사람이 죽었을 때 국비로 장례(葬禮)를 치르는 일. 또는 그 장례.

매장 埋葬 | 묻을 매, 장사 지낼 장 [bury]
❶[속뜻] 시체나 유골을 땅에 묻어[埋] 장사지냄[葬]. ¶시신을 매장하다. ❷못된 짓을 한 사람을 집단에 들어오지 못하도록 따돌림.

수장 水葬 | 물 수, 장사 지낼 장 [bury at sea]
시체를 물[水] 속에 넣어 장사(葬事)함. ¶인도에서는 일반적으로 수장을 한다.

이장 移葬 | 옮길 이, 장사 지낼 장
무덤을 옮겨[移] 새로 장사지냄[葬]. ¶할아버지의 묘를 이장하다. [비]개장(改葬).

화:장 火葬 | 불 화, 장사 지낼 장 [cremation]
시체를 불[火]에 살라 장사(葬事)하는 일. ¶그는 자신이 죽으면 화장해달라고 말했다.

1384 [장]

藏

감출 장(:)
[部] 艸부 [劃] 18획
[中] 藏 [cáng, zàng]

藏자는 '감추다'(hide; veil)는 뜻을 나타내기 위한 것이었는데 '풀 초'(艸)가 표의요소로 쓰인 것을 보니 당시에는 풀이 우거진 곳에다 몰래 감추는 일이 많았나 보다. 臧(착할 장)은 표음요소이다. 후에 '거두다'(gather), '간직하다'(keep; store) 등으로 확대 사용됐다.

장서 藏書 | 감출 장, 책 서 [collection of books]
책[書]을 간직하여[藏] 둠. 또는 그 책. ¶이 도서관은 2백만 권의 장서를 보유하고 있다.

• 역순어휘

내:장 內藏 | 안 내, 감출 장 [have built in]
안[內]에 가지고[藏] 있음. ¶자동 제어장치가 내장되어 있다.

냉:장 冷藏 | 찰 랭, 감출 장 [refrigerate]
차게[冷] 하기 위하여 저온에서 저장(貯藏)하는 일. [반]온장(溫藏).

매장 埋藏 | 묻을 매, 감출 장 [bury in the ground]
❶[속뜻] 묻어서[埋] 감춤[藏]. ❷광물이나 인재 따위가 속에 묻혀 감춰져 있음. ¶풍부한 광물이 매장되어 있다.

비:장 祕藏 | 숨길 비, 감출 장 [store in secrecy]
숨겨서[祕] 소중히 간직함[藏]. ¶비장의 솜씨를 발휘하다.

소:장 所藏 | 것 소, 감출 장 [own; possess]
소유(所有)하여 잘 간직함[藏]. ¶그 그림은 박물관에 소장되어 있다.

염장 鹽藏 | 소금 염, 감출 장 [preserve with salt]
소금[鹽]에 절여 저장(貯藏)함. ¶염장을 하면 오래 두고 먹을 수 있다.

저:장 貯藏 | 쌓을 저, 감출 장 [store; lay in]
물건 따위를 쌓아서[貯] 잘 간직함[藏]. ¶냉동 저장 / 생선을 소금에 절여 저장하다.

1385 [저]

著

나타날 저:
[部] 艸부 [劃] 13획
[中] 著 [zhù, zhuó]

著자를 만들어 나타내려고 했던 본래 의미가 구체적으로 무엇인지는 정설이 없다. '풀 초'(艸)가 표의요소로 쓰인 것으로 보아 풀과 관련이 있을 것이라 짐작할 따름이다. 者(자)가 표음요소임은 猪(돼지 저), 箸(젓가락 저)도 마찬가지이다. '나타내다'(express), '뚜렷하다'(clear; distinct), '드러나다'(become known), '(글을) 짓다'(write; compose) 등으로 확대 사용됐다. 그리고 '(옷을) 입다'(wear), '(신을) 신다'(put on), '붙이다'(stick), '다다르다'(arrive)는 뜻으로도 쓰였는데, 이 경우는 [착]으로 읽는데, 혼동을 피하기 위하여 '着'(#0363)자를 만들어 이러한 뜻을 나타냈다.

속뜻훈음 ①지을 저, ②드러날 저, ③뚜렷할 저.

저:명 著名 | 드러날 저, 이름 명
[eminent; prominent; distinguished]
세상에 이름[名]을 드러냄[著]. 이름이 널리 알려짐. ¶저명 학자 / 이번 학회에는 저명한 작가들이 많이 참석했다.

저:서 著書 | 지을 저, 책 서
[book; one's writings; production]
책[書]을 지음[著]. 또는 지은 책. ¶그는 교육에 관한 많은 저서를 남겼다.

저:술 著述 | 지을 저, 지을 술 [write]
책을 씀[著=述]. 또는 그 책. ¶역사에 관한 저술.

저:자 著者 | 지을 저, 사람 자 [writer; author]
글 따위를 지은[著] 사람[者]. ⓑ작자(作者), 지은이.

저:작 著作 | 지을 저, 지을 작 [write a book]
책을 지어냄[著=作]. ¶저작 활동 / 그는 고대 문물에 대한 책을 저작했다.

• 역순어휘

현:저 顯著 | 나타날 현, 뚜렷할 저
[noticeable; conspicuous]
겉으로 드러날[顯] 정도로 뚜렷하다[著]. ¶현저한 차이 / 작년에 비해 지원자 수가 현저하게 줄어들었다.

1386 [증]

蒸

찔 증
㊀ 艸부 ㊀ 14획 ㊥ 蒸 [zhēng]

蒸자는 원래 껍질을 벗겨낸 '삼 줄기'(a hemp stalk)를 뜻하기 위하여 만든 것이었으니 '풀 초'(艸)가 표의요소로 쓰였다. 삼을 쪄서 껍질을 벗겨냈기 때문인지 '찌다'(steam)는 뜻도 따로 글자를 만들지 않고 이것으로 나타냈다. 烝(김 오를 증)이 원래는 뜻과 관련 없는 표음요소였는데, '찌다'는 뜻으로 보자면 표음과 표의 기능을 겸하는 요소가 됐다.

속뜻훈음 ①찔 증, ②더울 증.

증기 蒸氣 | 찔 증, 기운 기 [steam; vapor]
물리 액체나 고체가 증발(蒸發) 또는 승화하여 생긴 기체(氣體). '수증기'(水蒸氣)의 준말. ¶물이 끓자 주전자에서 증기가 뿜어져 나온다.

증류 蒸溜 | 찔 증, 물방울 류 [distill]
화학 액체를 가열하여 생긴 증기(蒸氣)로 식혀서 다시 액체로 만드는[溜] 일. ¶바닷물을 증류하여 민물로 만들다.

증발 蒸發 | 찔 증, 일어날 발
[evaporate; disappear into thin air]
❶물리 액체에 열을 가해 증기(蒸氣)가 일어남[發]. 또는 그러한 현상. ¶바닥의 물은 햇빛에 금방 증발했다. ❷'사람이나 물건이 갑자기 사라져 행방불명이 됨'을 속되게 이름. ¶그 사건이 일어나자 사나이는 증발해버렸다.

• 역순어휘

한:증 汗蒸 | 땀 한, 더울 증
[take a sweating bath]
덥게[蒸] 하여 땀[汗]을 냄. 또는 그러한 치료법.

1387 [창]

蒼

푸를 창
㊀ 艸부 ㊀ 14획 ㊥ 苍 [cāng]

蒼자는 풀 빛, 즉 '짙은 푸른 색'(dark blue)을 뜻하기 위하여 만든 것이었으니 '풀 초'(艸)가 표의요소로 쓰였다. 倉(곳집 창)은 표음요소이니 뜻과는 무관하다.

창백 蒼白 | 푸를 창, 흰 백 [pale; deathly white]
얼굴에 푸른[蒼] 빛이 돌며 핏기가 없이 희다[白]. 해쓱하다. ¶며칠 잠을 못 자더니 안색이 창백해졌다.

창창 蒼蒼 | 푸를 창, 푸를 창
[deep blue; remote]
❶속뜻 초목이 무성하거나 하늘·바다·호수 따위가 푸르다[蒼+蒼]. ¶가을 하늘이 창창하다. ❷앞길이 멀고멀어서 아득하다. ¶앞길이 창창한 청년.

• 역순어휘

울창 鬱蒼 | 우거질 울, 푸를 창
[luxuriant; thick; dense]
나무가 빽빽하게 우거지고[鬱] 푸르다[蒼]. ¶노르웨이는 숲이 울창하다.

1388 [채]

菜 나물 채ː
[部] 艸부 [劃] 12획 [中] 菜 [cài]

菜자는 먹을 수 있는 풀, 즉 '나물'(vegetables)을 뜻하기 위하여 만든 것이었으니 '풀 초'(艸)가 표의요소로 쓰였다. 采(캘 채)는 표음과 표의 기능을 겸하는 셈이다.

채ː소 菜蔬 | 나물 채, 나물 소 [vegetables; greens]
밭에 가꾸어 식용하는 각종 푸성귀나 나물[菜=蔬]. ¶밭에는 푸른 채소가 돋아난다. [비]야채(野菜), 푸성귀.

채ː마 菜麻 | 나물 채, 삼 마 [garden vegetables]
❶[속뜻] 나물[菜]과 삼[麻]. ❷먹을거리나 입을 거리로 심어서 가꾸는 식물. ¶봄 채마 / 채마 재배 / 채마를 가꾸다. ❸채마밭. ¶채마를 부치다.

• 역순어휘

냉ː채 冷菜 | 찰 랭, 나물 채
익히지 않고 차게[冷] 조리하여 먹는 나물[菜].

산채 山菜 | 메 산, 나물 채 [wild edible greens; edible mountain herbs]
산(山)에서 나는 나물[菜]. ¶산채 비빔밥. [비]산나물.

야ː채 野菜 | 들 야, 나물 채 [vegetables]
❶[속뜻] 들[野]에서 자라나는 나물[菜]. ❷'채소'(菜蔬)의 일본어식 표현. [비]채소(菜蔬).

유채 油菜 | 기름 유, 나물 채 [rape]
❶[속뜻] 기름[油]을 짤 수 있는 나물[菜]. ❷[식물] 십자화과의 두해살이풀. 높이는 1미터 정도이며 4월에 노란 꽃이 피고 잎과 줄기는 먹고 종자로는 기름을 짠다.

잡채 雜菜 | 섞일 잡, 나물 채
나물[菜]이나 채 썬 고기 등을 볶아서 섞어[雜] 놓은 음식.

화채 花菜 | 꽃 화, 나물 채
꿀이나 설탕을 탄 물에 꽃[花]잎이나 나물[菜] 따위를 뜯어 넣고 잣을 띄운 음료. ¶수박으로 화채를 만들어 먹다.

1389 [하]

荷 멜 하(ː)
[部] 艸부 [劃] 11획 [中] 荷 [hé, hè]

荷자는 연꽃과에 속하는 다년생 水草(수초)인 '연'(a lotus)을 뜻하기 위하여 만든 것이었으니 '풀 초'(艸)가 표의요소로 쓰였다. 何(어찌 하)는 표음요소이다. 何(#1054)자의 의미를 대신하여 쓰이다 보니 '(어깨에) 메다'(shoulder), '짐'(baggage) 같은 의미도 갖게 됐다.

[속뜻훈음] ①연꽃 하, ②짐 하.

하역 荷役 | 짐 하, 부릴 역 [load and unload]
배의 짐[荷]을 싣고 부리는[役] 일. ¶하역한 물품의 수량을 확인하다.

• 역순어휘

박하 薄荷 | 엷을 박, 연꽃 하 [peppermint]
❶[속뜻] 엷은[薄] 연꽃[荷] 향기가 나는 풀. ❷[식물] 좋은 향기가 나는 풀. 습지에 나며, 향료·음료·약재로 쓴다.

입하 入荷 | 들 입, 짐 하 [arrive of goods]
화물[荷]이 들어옴[入]. ¶신제품 입하. [반]출하(出荷).

출하 出荷 | 날 출, 짐 하 [send out goods]
❶[속뜻] 짐[荷]을 실어 냄[出]. ❷생산품을 시장으로 실어 냄. ¶채소를 도매시장에 출하하다. [반]입하(入荷).

1390 [황]

荒 거칠 황
[部] 艸부 [劃] 10획 [中] 荒 [huāng]

荒자는 '(풀을 베지 않은) 거친 땅'(wild land)을 뜻하기 위하여 만든 글자이다. '풀 초'(艸)가 표의요소이고, 巟(망할 황)은 표음요소이다. 후에 '거칠다'(rough; wild), '어이없다'(absurd; ridiculous) 등도 이것으로 나타냈다.

[속뜻훈음] ①거칠 황, ②어이없을 황.

황당 荒唐 | 어이없을 황, 허풍 당 [absurd; wild; incoherent]
❶[속뜻] 어이없는[荒] 허풍[唐]. ❷말이나 행동이 허황하고 터무니없다. ¶소문이 너무 황당하여 어이가 없다.

황무 荒蕪 | 거칠 황, 거칠 무 [wild; barren]
잡초로 뒤덮여 매우 거칠다[荒=蕪]. ¶황무한 땅.

황야 荒野 | 거칠 황, 들 야 [wilderness; the wilds]
풀이 멋대로 자란 거친[荒] 들판[野]. ¶광활한 황야.

황폐 荒廢 | 거칠 황, 그만둘 폐 [waste; ruin; devastate]
❶[속뜻] 땅 따위가 거칠어져[荒] 못쓰게 됨[廢]. ❷집, 토지, 삼림 따위가 거칠고 못 쓰게 됨. ¶농촌의 황폐가 극심한 지경에 이르다.

• 역순어휘

구:황 救荒 | 도울 구, 거칠 황 [famine relief]
황폐(荒廢)한 빈민들을 도와줌[救]. ¶구황식품.

허황 虛荒 | 헛될 허, 어이없을 황 [absurd]
❶속뜻 헛되거나[虛] 어이없음[荒]. ❷거짓되고 근거가 없다. ¶허황한 일 / 허황된 꿈.

1391 [사]

蛇

긴뱀 사
部 虫부 劃 11획 中 蛇 [shé, yí]

蛇자의 본래 글자는 它(뱀 사)이다. 이것은 '뱀'(a snake)을 나타내기 위하여 뱀 모양을 본뜬 것이었는데, 자형이 변하여 뱀을 뜻하는 것임을 알기 힘들게 되자 표의요소로 '벌레 충'(虫)을 첨가하여 '뱀'의 뜻을 보강하였다. 它(뱀 사/다를 타)는 표의와 표음 두 기능을 겸한다.

속뜻 훈음 **뱀 사.**

사족 蛇足 | 뱀 사, 발 족 [superfluity]
❶속뜻 뱀[蛇]의 발[足]. 실제로는 없다. ❷쓸데없는 군일을 하다가 도리어 실패(失敗)함을 이르는 말. '화사첨족'(畵蛇添足)의 준말. ¶사족을 달다.

• 역순어휘

독사 毒蛇 | 독할 독, 뱀 사
[poisonous snake]
독(毒)을 내뿜는 뱀[蛇]. 이빨에 독액을 뿜는 구멍이 있다. ¶독사에게 물리다.

장사 長蛇 | 길 장, 뱀 사 [long snake]
❶속뜻 크고 긴[長] 뱀[蛇]. ❷열차나 긴 행렬을 비유하여 이르는 말.

1392 [충]

衝

찌를 충
部 行부 劃 15획
中 冲 [chōng, chòng]

衝자는 본래 '큰 길'(a main street)을 나타내기 위하여 만든 글자이니, '네거리'를 뜻하는 行(행)이 표의요소로 쓰였다. 重(무거울 중)이 표음요소임은 揰(밀어칠 충)도 마찬가지이다. 본래 의미보다는 '맞부딪치다'(clash), '찌르다'(thrust)는 뜻으로 많이 쓰인다.

속뜻 훈음 **①부딪칠 충, ②찌를 충.**

충격 衝擊 | 부딪칠 충, 칠 격 [shock]
❶속뜻 물체에 부딪치거나[衝] 쳐서[擊] 급격히 가하여 지는 힘. ¶폭발의 충격으로 집이 흔들렸다. ❷심한 마음의 동요. 심한 자극. ¶그의 죽음은 우리 모두에게 큰 충격을 주었다.

충돌 衝突 | 부딪칠 충, 부딪칠 돌
[clash with; conflict with]
❶속뜻 서로 맞부딪침[衝=突]. ¶열차 충돌 사고 / 화물차가 버스와 충돌하였다. ❷의견이나 이해관계의 대립으로 서로 맞서서 싸움. ¶거리에서 경찰과 시민의 충돌이 있었다.

충동 衝動 | 찌를 충, 움직일 동
[urge; instigate; incite]
❶속뜻 마음을 들쑤셔서[衝] 움직이게[動] 함. ❷순간적으로 어떤 행동을 하고 싶은 욕구를 느끼게 하는 마음속의 자극. ¶수영장을 보니 뛰어들고 싶은 충동이 든다. ❸어떤 일을 하도록 남을 부추기거나 심하게 마음을 흔들어 놓음. ¶그의 충동으로 나는 내키지 않는 일을 억지로 하고 말았다 / 물건을 사라며 사람들을 충동하다.

충천 衝天 | 찌를 충, 하늘 천
[soar high up to the sky]
❶속뜻 높이 솟아 하늘[天]을 찌름[衝]. ¶불길이 나고 연기가 충천했다. ❷기세 따위가 북받쳐 오름. ¶사기가 충천하다.

• 역순어휘

완:충 緩衝 | 느릴 완, 부딪칠 충 [buff]
충격(衝擊)을 누그러지게[緩] 함. ¶에어백은 자동차와 운전자 사이에서 완충 역할을 한다.

1393 [형]

衡

저울대 형
部 行부 劃 16획 中 衡 [héng]

衡자의 行(갈 행)은 표음요소이고(참고 珩 노리개 형), 가운데 부분은 '뿔 각'(角)과 '어른 대'(大)가 합쳐진 것, 즉 뿔에 반힌 모습이 약간 달라진 것이다. 이 글자는 '뿔 나무'(horn protector), 즉 소의 두 뿔에 가로 매어서 떠받지 못하도록 하는 나무가 본뜻인데, 후에 '저울대'(a balance), '평정'(平正)(suppression; repression) 등으로 확대 사용됐다.

형평 衡平 | 저울대 형, 평평할 평
[balance; equilibrium]
❶속뜻 저울대[衡]같이 평평(平平)함. ❷균형이 맞음. 또는 그런 일. ¶형평에 어긋나다.

• 역순어휘

균형 均衡 | 고를 균, 저울대 형
[balance; equilibrium]
균등(均等)하고 평형(平衡)을 이룸. 어느 한쪽으로 기울거나 치우치지 아니하고 고름. ¶균형 있는 발전 / 입법부와 행정부가 균형을 유지하다. ⓑ불균형(不均衡).

평형 平衡 | 평평할 평, 저울대 형
[be balanced; be in equilibrium]
❶속뜻 수평(水平)을 이루고 있는 저울대[衡]. 또는 저울대가 수평을 이루고 있음. ¶양팔 저울이 평형이 되었는지 확인해라. ❷사물이 한쪽으로 기울지 않고 안정됨. ¶생산과 소비의 평형이 깨졌다 / 그는 마음의 평형을 잃고 흥분했다. ⓑ수평(水平), 균형(均衡).

1394 [호]

虎

범 호(:)
部 虍부 畫 8획 中 虎 [hǔ]

虎자는 '호랑이'(a tiger)를 뜻하기 위하여 호랑이 모양을 그려 놓은 것이었는데, 쓰기 편리함을 추구하다 보니 모양이 크게 달라졌다. 이 글자의 儿은 뒷발과 꼬리 모양이 변화한 것이다.

속뜻 술술 풀음 **호랑이 호.**

호:랑 虎狼 | 호랑이 호, 이리 랑
[tiger and wolf]
❶속뜻 호랑이[虎]와 이리[狼]. ❷'욕심 많고 잔인한 사람'을 비유하여 이르는 말.

호:시 虎視 | 호랑이 호, 볼 시
[watch vigilantly for]
❶속뜻 호랑이[虎]처럼 날카로운 눈으로 노려봄[視]. ❷'기회를 노림'을 비유하여 이르는 말.

• 역순어휘

맹:호 猛虎 | 사나울 맹, 호랑이 호 [fierce tiger]
사나운[猛] 호랑이[虎]. ¶맹호가 마을에 나타났다.

백호 白虎 | 흰 백, 호랑이 호 [white tiger]
❶속뜻 털 색깔이 흰[白] 호랑이[虎]. ❷민속 사신(四神)의 하나. 서쪽 방위를 지키는 신령을 상징하는 짐승인데 범으로 형상화했다. ❸민속 중심이 되는 산에서 오른쪽으로 갈려나간 산줄기.

비호 飛虎 | 날 비, 호랑이 호 [agile tiger]
나는[飛] 듯이 빠르게 달리는 호랑이[虎]. ¶질주하는 비호의 눈은 사냥감에 고정되어 있다.

1395 [촉]

觸

닿을 촉
部 角부 畫 20획 中 触 [chù]

觸자는 뿔로 '떠받다'(butt; horn)는 뜻을 나타내기 위하여 만든 것이었으니 '뿔 각'(角)이 표의요소로 쓰였다. 蜀(나라 이름 촉)은 표음요소이니 뜻과는 무관하다. 후에 '닿다'(touch), '범하다'(commit) 등으로 확대 사용됐다.

속뜻 술술 풀음 **①닿을 촉, ②떠받을 촉.**

촉각¹ 觸角 | 닿을 촉, 뿔 각 [feeler; antenna]
동물 감촉(感觸) 기능을 가진 맡은 뿔[角] 모양의 기관. 절지동물의 머리에 있는 감각 기관으로, 후각, 촉각 따위를 맡는다.

촉각² 觸覺 | 닿을 촉, 깨달을 각 [sense of touch]
의학 무엇이 피부 등에 닿아서[觸] 일어나는 감각(感覺). 온도나 아픔 따위를 분간할 수 있다. ¶손끝의 촉각으로 점자를 읽다.

촉감 觸感 | 닿을 촉, 느낄 감 [touch; feel]
무엇에 닿는[觸] 느낌[感]. ¶이불의 촉감이 부드럽다. ⓑ감촉(感觸).

촉매 觸媒 | 닿을 촉, 맺어줄 매 [catalyst]
❶속뜻 접촉(接觸)하여 변화하도록 맺어줌[媒]. ❷화학 자신은 결과적으로 아무런 반응이 일어나지 않으나 다른 물질의 반응을 촉진하거나 지연시키는 물질.

촉수 觸手 | 닿을 촉, 손 수 [feeler; tentacle]
❶속뜻 사물에 손[手]을 댐[觸]. ¶촉수 엄금. ❷동물 히드라 등 무척추동물의 몸 앞부분이나 입 주위에 있는 돌기 모양의 기관. 촉각, 미각 따위의 감각 기관으로 포식 기능을 가진 것도 있다. ¶해파리가 촉수를 움직이다.

• 역순어휘

감:촉 感觸 | 느낄 감, 닿을 촉 [touch]
어떤 자극이 피부에 닿아[觸] 일어나는 느낌[感]. ¶감촉이 부드럽다 / 곤충은 더듬이로 적의 움직임을 감촉한다. ⓑ감응(感應), 촉감(觸感).

저:촉 抵觸 | 막을 저, 떠받을 촉 [conflict]
❶속뜻 서로 밀면서 막고[抵] 떠받음[觸]. 서로 모순됨. ❷법률이나 규칙에 위배되거나 거슬림. ¶법에 저촉되는 일.

접촉 接觸 | 맞이할 접, 닿을 촉
[contact; touch]
❶속뜻 맞이하여[接] 서로 닿음[觸]. ¶신체접촉. ❷가까이 대하고 사귐. ¶그녀와의 접촉을 되도록 피하고 싶다.

1396 [교]

較

비교할/견줄 교
㊀ 車부 ㊁ 13획 ㊥ 较 [jiào]

較자는 본래 수레의 '차체'(a car body)를 뜻하기 위하여 만든 것이었으니 '수레 거'(車)가 표의요소로 쓰였다. 交(사귈 교)는 표음요소이니 뜻과는 무관하다. 후에 본래 의미보다는 '견주다'(compare)뜻으로 차용되어 쓰이는 사례가 많았다.

속뜻훈음 견줄 교.

• 역순어휘

계:교 計較 | 헤아릴 계, 견줄 교 [compare]
비교하고 헤아려[計] 견주어[較] 봄. ¶여러 방안을 계교해 본 뒤 결정해도 늦지 않다. ㊐교계(較計).

비:교 比較 | 견줄 비, 견줄 교 [compare]
둘 이상의 사물을 서로 대비(對比)하여 견주어[較] 봄. ¶이쪽이 비교도 안 될 만큼 좋다.

1397 [배]

輩

무리 배:
㊀ 車부 ㊁ 15획 ㊥ 辈 [bèi]

輩자는 원래 100대의 '수레'(a wagon; a cart)를 나타내기 위하여 만든 것이었으니 '수레 거'(車)가 표의요소로 쓰였다. 非(아닐 비)가 표음요소였음은 排(밀칠 배), 徘(노닐 배)도 마찬가지이다. 후에 '무리'(a crowd; a gang), '또래'(contemporary)를 뜻하는 것으로 확대 사용됐다.

배:출 輩出 | 무리 배, 날 출
[come forward in succession]
인재들[輩]을 양성하여 사회에 내보냄[出]. ¶훌륭한 기술자 배출이 우리 학교의 목표이다.

• 역순어휘

선배 先輩 | 먼저 선, 무리 배 [senior]
❶속뜻 학문, 덕행, 경험, 나이 따위가 자기보다 앞서고[先] 높은 사람[輩]. ❷학교나 직장을 먼저 거친 사람. ¶타지에서 고향 선배를 만나니 정말 반가웠다. ㊞후배(後輩).

연배 年輩 | 나이 년, 무리 배
[similar age(s); contemporary]
나이[年]가 비슷한 또래의 사람들[輩]. ¶우리는 연배가 비슷하여 쉽게 친해졌다.

후:배 後輩 | 뒤 후, 무리 배
[one's junior; younger men]
❶속뜻 뒤[後] 세대의 사람들[輩]. ❷같은 학교나 직장 등에 나중에 들어온 사람. ¶그는 나의 중학교 후배이다. ㊞선배(先輩).

1398 [수]

輸

보낼 수
㊀ 車부 ㊁ 16획 ㊥ 输 [shū]

輸자는 수레로 '(짐을) 나르다'(carry)가 본뜻이니, '수레 거'(車)가 표의요소로 쓰였고, 俞(그러할 유)가 표음요소였음은 腧(경혈 이름 수)도 마찬가지이다. 후에 '건네주다'(deliver), '전달하다'(convey)는 뜻으로 확대 사용됐다.

속뜻훈음 나를 수.

수송 輸送 | 나를 수, 보낼 송
[transport; carry]
차, 선박, 비행기 따위로 짐이나 사람을 날라[輸] 보냄[送]. ¶물건이 수송 중에 파손됐다. ㊐운송(運送).

수입 輸入 | 나를 수, 들 입 [import]
외국에서 물품이나 사상, 문화를 날라[輸] 들임[入]. ¶불교의 수입 / 농산물을 수입하다. ㊞수출(輸出).

수출 輸出 | 나를 수, 날 출 [export]
❶속뜻 실어서[輸] 내보냄[出]. ❷국내의 상품이나 기술 따위를 외국으로 팔아 내보냄. ¶휴대전화 수출이 크게 늘었다 / 이 기업은 자동차를 수출하고 있다. ㊞수입(輸入).

수혈 輸血 | 나를 수, 피 혈
[give a blood transfusion; transfuse]
의학 피가 모자란 환자의 혈관에 건강한 사람의 피[血]를 넣음[輸]. ¶나는 수혈을 받아 살아났다.

• 역순어휘

공수 空輸 | 하늘 공, 나를 수 [air transport]
교통 '항공수송'(航空輸送)의 준말. ¶공수부대.

밀수 密輸 | 몰래 밀, 나를 수 [smuggle in]
법을 어기고 몰래[密] 하는 수출(輸出)이나 수입(輸入). ¶총기를 밀수하다. ㊐밀무역(密貿易).

운:수 運輸 | 옮길 운, 나를 수
[transport; carry]
여객이나 화물 따위를 옮기거나[運] 나르는[輸] 일. ¶철도 운수.

1399 [연]

軟

연할 연：

部 車부 劃 11획 中 软 [ruǎn]

軟자는 원래 '輭'(부드러울 연)자의 속자였다. 표음요소인 '耎'(가냘플 연)이 '欠'(하품 흠)으로 대체되었으나, '하품'의 뜻과는 아무런 상관이 없다. '(수레가 부드럽게 잘) 구르다'(roll; go)가 본뜻이었으니 '수레 거'(車)가 표의요소로 쓰였다. 후에 '부드럽다'(soft), '연하다'(tender) 등으로 확대 사용됐다.

속뜻훈음 연할 연.

연 : 고 軟膏 | 연할 연, 고약 고 [ointment; salve]
❶속뜻 무른[軟] 고약(膏藥). ❷의학 의약품에 바셀린 등의 약품을 넣어 무르게 만든 외용약(外用藥). 부드러워 피부에 바르기 쉽다. ¶상처에 연고를 바르다.

연 : 골 軟骨 | 연할 연, 뼈 골 [cartilage; gristle]
❶속뜻 굳기가 무른[軟] 뼈[骨]. 또는 그런 사람. ❷의학 뼈와 함께 몸을 지탱하는 무른 뼈. 탄력이 있으면서도 연하여 구부러지기 쉽다. ¶나이가 들면 연골이 닳아 관절염에 잘 걸린다.

연 : 두 軟豆 | 연할 연, 콩 두 [yellowish green]
❶속뜻 부드러운[軟] 콩[豆]. ❷노랑과 녹색의 중간색. ⓑ연둣빛, 연두색(軟豆色).

연 : 시 軟柹 | 연할 연, 감 시 [soft persimmon]
물렁하게[軟] 잘 익은 감[柹]. ¶할머니께서는 연시를 좋아하신다.

연 : 약 軟弱 | 연할 연, 약할 약 [tender; mild]
무르고[軟] 약(弱)하다. ¶연약한 여자의 마음 / 아기의 피부는 연약하다.

• 역순어휘

유연 柔軟 | 부드러울 유, 연할 연
[flexible; pliable; pliant]
부드럽고[柔] 연하다[軟]. ¶민주는 몸이 유연하다.

1400 [재]

載

실을 재：

部 車부 劃 13획 中 载 [zài, zǎi]

載자는 '(수레에) 싣다'(load)는 뜻을 나타내기 위하여 만든 것이었으니 '수레 거'(車)가 표의요소로 쓰였다. 그 나머지가 표음요소임은 裁(마를 재), 栽(심을 재)도 마찬가지이다. 후에 장부 따위에 기록하여 '올리다' (put on record)는 뜻도 따로 글자를 만들지 않고 이것으로 나타냈다.

• 역순어휘

게 : 재 揭載 | 내걸 게, 실을 재 [publish; insert]
그림을 내걸거나[揭] 글을 실음[載]. ¶신문에 광고를 게재하다. ⓑ등재(登載).

기재 記載 | 기록할 기, 실을 재 [record]
글로 기록(記錄)하여 문서, 신문 따위에 실음[載]. ¶신청서에 이름을 기재하다. ⓑ기입(記入).

연재 連載 | 이을 련, 실을 재 [publish serially]
신문이나 잡지 따위에 긴 글이나 만화 따위를 여러 차례로 나누어서 계속하여[連] 싣는 일[載]. ¶연재 만화 / 그녀는 신문에 소설을 연재하고 있다.

적재 積載 | 쌓을 적, 실을 재 [carry; load]
차나 선박 따위에 짐을 쌓아[積] 실음[載]. ¶이 트럭은 3톤까지 적재할 수 있다.

탑재 搭載 | 실을 탑, 실을 재
[load; embark; entrain]
배나 항공기 따위에 물건을 실음[搭=載]. ¶화물을 탑재한 트럭.

1401 [곡]

谷

골 곡

部 谷부 劃 7획 中 谷 [gǔ, yù]

谷자는 '(산) 골짜기'(a valley)를 뜻하기 위하여 산등성이를 네 줄의 빗금으로 나타낸 다음 골짜기의 입구를 가리키는 표의요소 '口'(입 구)를 첨가한 것이다.

속뜻훈음 골짜기 곡.

• 역순어휘

계곡 溪谷 | 시내 계, 골짜기 곡 [valley]
시냇물[溪]이 흐르는 골짜기[谷]. ¶계곡에서 여름 휴가를 보냈다.

열곡 裂谷 | 찢어질 렬, 골짜기 곡 [rift valley]
지리 ❶해양 지각이 형성될 때 양쪽으로 지각이 갈라져서[裂] 생성된 골짜기[谷]. ❷육지에서 관찰되는 두 개의 평행한 단층애로 둘러싸인 좁고 긴 골짜기.

유곡 幽谷 | 그윽할 유, 골짜기 곡 [deep valley]
그윽하고 깊은[幽] 산골[谷]. ¶심산유곡(深山幽谷). ⓑ궁곡(窮谷).

협곡 峽谷 | 골짜기 협, 골짜기 곡 [gorge; ravine]
좁고 험한 골짜기[峽=谷].

1402 [석]

釋

풀 석
部 采부 劃 20획 中 释 [shì]

釋자는 분별하여 '풀다'(solve; unbind; dissolve)는 뜻을 나타내기 위하여 만든 것이었으니 '분별할 변'(采)이 표의요소로 쓰였다. 采은 짐승의 발자국 모양을 본뜬 것이다. 옛날에는 발자국 모양을 보고 어떤 짐승인가를 분별할 수 있어야 사냥을 잘 할 수 있었다. 睪(엿볼 역)이 표음요소였음은 檡(개암 석)도 마찬가지이다.

석가 釋迦 | 풀 석, 부처이름 가 [Buddha]
불교 ❶산스크리트어 'Sakya'의 한자 음역어(音譯語). 아리아족 크샤트리아, 곧 왕족에 딸린 민족의 하나. ❷'석가모니'의 준말.

석방 釋放 | 풀 석, 놓을 방 [set free; release]
❶속뜻 잡혀 있는 사람을 용서하여 풀어[釋] 놓음[放]. ❷법률 법에 의하여 구금을 해제함. ¶우리는 인질들의 석방을 위해 그들과 협상했다.

석연 釋然 | 풀 석, 그러할 연
[be satisfied; be relieved from doubt]
미심쩍거나 꺼림칙한 일들이 완전히 풀려[釋] 마음이 개운한 그런[然] 상태이다. ¶그의 말을 믿지만 아직도 석연하지 않은 부분이 있다.

• 역순어휘

보:석 保釋 | 지킬 보, 풀 석 [bail; bailment]
❶속뜻 보증(保證)을 받고 풀어줌[釋]. ❷법률 일정한 보증금의 납부를 조건으로 구속의 집행을 정지하고 구금을 해제하여 구속된 피고인을 석방하는 제도. ¶그는 보석으로 풀려났다.

해:석 解釋 | 풀 해, 풀 석 [interpret]
❶속뜻 이해(理解)하기 쉽도록 풀어냄[釋]. ❷문장이나 사물 따위로 표현된 내용을 이해하고 설명함. 또는 그 내용. ¶이 영어 문장을 해석해 주세요.

희석 稀釋 | 묽을 희, 풀 석 [dilute; water down]
화학 원액에 물 따위를 풀어[釋] 묽게[稀] 하는 일. ¶용액의 희석 / 술을 물에 희석하다.

1403 [호]

豪

호걸 호
部 豕부 劃 14획 中 豪 [háo]

豪자는 돼지와 비슷한 '호저'라는 짐승을 나타내기 위하여 만든 것이었으니, '돼지 시'(豕)가 표의요소로 쓰였다. 윗부분은 高(높을 고)의 생략형으로 표음요소이라는 설이 있다. 후에 '호걸'(a hero), '호쾌하다'(heroic; dynamic) 또는 이와 의미상 연관이 있는 낱말의 한 구성요소로 많이 쓰인다.

속뜻풀음 ①호걸 호, ②호쾌할 호.

호걸 豪傑 | 호쾌할 호, 뛰어날 걸
[hero; outstanding man]
성격이 호쾌(豪快)하고 외모가 뛰어난 사람[傑]. ¶그는 천하의 호걸이다.

호기 豪氣 | 호걸 호, 기운 기 [heroism; bravery]
❶속뜻 호방(豪放)한 기운(氣運). 씩씩한 기상. ¶그는 호기가 넘치는 목소리로 대답했다. ❷괜히 우쭐대는 태도. ¶호기를 부리다.

호사 豪奢 | 호걸 호, 사치할 사 [roll in luxury]
매우 호화(豪華)롭고 사치(奢侈)스럽게 지냄. 또는 그런 상태. ¶호사를 누리며 살다 / 호사스러운 생활.

호언 豪言 | 호걸 호, 말할 언 [assure; guarantee]
의기양양하여 호걸[豪]스럽게 말함[言]. 또는 그런 말. ¶그는 자기 팀이 우승할 것이라고 호언했다.

호우 豪雨 | 호쾌할 호, 비 우
[heavy rain(fall); down-pour]
호쾌하고[豪] 세차게 퍼붓는 비[雨]. ¶집중 호우로 하천이 범람하였다.

호족 豪族 | 호걸 호, 무리 족 [powerful family]
어떤 지방에서 재산이 많고 세력이 큰 호걸[豪]의 일족(一族). ¶신라 말부터 호족 세력이 등장했다.

호탕 豪宕 | 호걸 호, 대범할 탕
[vigorous and valiant]
호걸[豪]스럽고 대범하다[宕]. ¶호탕한 웃음 / 호탕한 성격.

호화 豪華 | 호걸 호, 빛날 화
[splendor; gorgeousness]
호걸[豪]스럽고 화려(華麗)함. ¶호화저택.

• 역순어휘

강호 強豪 | 굳셀 강, 호걸 호 [veteran]
실력이나 힘이 센[強] 호걸(豪傑) 같은 사람. 또는 그러함. ¶축구의 강호 영국.

문호 文豪 | 글월 문, 호걸 호 [great writer]
문학(文學)에 크게 뛰어난 호걸[豪]. 또는 그런 사람. ¶톨스토이는 러시아의 문호이다. 비 문웅(文雄).

부:호 富豪 | 넉넉할 부, 호걸 호 [millionaire]
재산이 많고[富] 세력이 있는 호걸(豪傑). 큰 부자. 비 부자.

1404 [욕]

辱

욕될 욕

[部] 辰부 [劃] 10획 [中] 辱 [rǔ]

辱자는 본래 '김매다'(remove weeds)는 뜻을 나타내기 위하여 만든 글자이다. '대합 진'(辰)과 '잡을 촌'(寸) 두 표의요소가 힌트로 제시되어 있다. 철기 문화가 보편화되기 이전에 호미 대용으로 대합[辰] 껍데기를 손에 들고[寸] 김을 매던 당시의 농경법에 착안해낸 것이다. 후에 '수고하다'(work hard), '욕되다'(be a disgrace) 등의 뜻으로 확대 사용됐다.

욕설 辱說 | 욕될 욕, 말씀 설 [insulting language]
남의 인격을 무시하는 모욕(侮辱)적인 말[說]. 또는 남을 저주하는 말. ¶욕설을 늘어놓다. [준]욕. [비]욕언(辱言).

• 역순어휘

곤:욕 困辱 | 괴로울 곤, 욕될 욕
[bitter insult; contempt]
괴롭고[困] 심한 모욕(侮辱). 또는 참기 힘든 일. ¶곤욕을 치르다 / 곤욕을 겪다.

굴욕 屈辱 | 굽힐 굴, 욕될 욕
[humiliation; disgrace]
남에게 굴복(屈服)되어 업신여김을 받음[辱]. [비]모욕(侮辱).

모:욕 侮辱 | 업신여길 모, 욕될 욕 [insult]
업신여기고[侮] 욕(辱)함. ¶모욕을 당하다. [비]멸시(蔑視), 모멸(侮蔑).

설욕 雪辱 | 씻을 설, 욕될 욕
[wipe out one's shame]
욕(辱)됨을 씻어내어[雪] 명예를 회복함. ¶지난번의 패배를 설욕하였다.

치욕 恥辱 | 부끄러울 치, 욕될 욕
[dishonor; disgrace]
부끄럽고[恥] 욕됨[辱]. ¶치욕을 참기 어려웠다 / 치욕스러운 패배.

1405 [진]

辰

때 신, 별 진

[部] 辰부 [劃] 7획 [中] 辰 [chén]

辰자는 '대합조개'(a clam)를 뜻하기 위하여 그 모양을 본뜬 것이다. 후에 '때'(time) '날'(a day)같은 뜻으로 차용되는 예가 많아지자, 본래 의미는 蜃(대합조개 신)자를 만들어 나타냈다. 辰이 '다섯째 地支(지지)'로도 쓰이는데(용띠에 해당됨), 이 경우에는 [진]으로 읽는다.

[속뜻훈음] ①날 신, ②간지 진, ③용 진.

• 역순어휘

생신 生辰 | 날 생, 날 신 [birthday]
태어난[生] 날[辰]. 손윗사람의 생일(生日)을 높여 이르는 말이다. ¶오늘은 할아버지 생신이다.

탄:신 誕辰 | 태어날 탄, 날 신 [royal birthday]
임금이나 성인이 태어난[誕] 날[辰]. ¶세종대왕 탄신을 기념하는 행사가 열렸다. [비]탄생일(誕生日).

무:진 戊辰 | 천간 무, 용 진
[the 5th year of the sexagenary cycle]
[민속] 천간의 '戊'와 지지의 '辰'이 만난 간지(干支). ¶무진년생은 용띠다.

일진 日辰 | 날 일, 간지 진 [day's luck]
❶[속뜻] 그날[日]의 간지[辰]. ¶오늘의 일진을 보니 경신일(庚申日)이다. ❷그날의 운세. ¶일진이 좋다 / 일진이 사납다.

임:진 壬辰 | 천간 임, 용 진
[민속] 천간의 '壬'과 지지의 '辰'이 만난 간지(干支). ¶임진년생은 용띠다.

1406 [겸]

謙

겸손할 겸

[部] 言부 [劃] 17획 [中] 谦 [qiān]

謙자는 말을 할 때 '(남을) 올리다'(respect)는 뜻을 나타내기 위하여 만든 글자이니 '말씀 언'(言)이 표의요소로 쓰였고, 兼(겸할 겸)은 표음요소이다. '겸손하다'(humble; modest) 또는 이와 의미상 연관이 있는 낱말의 한 구성 요소로도 애용된다.

[속뜻훈음] ①겸손할 겸, ②남 올릴 겸.

겸손 謙遜 | 남올릴 겸, 몸낮출 손
[modest; diffident]
남은 올리고[謙] 자기는 낮춤[遜]. 또는 그런 태도나 마음가짐. ¶겸손한 태도 / 겸손하게 대답하다. [비]겸양(謙讓), 겸허(謙虛). [반]교만(驕慢), 거만(倨慢), 오만(傲慢). [하나 더!!] 謙遜(겸손)이라는 두 한자를 잘 살펴보면 낮춤 말씨와 올림 말씨를 적절하게 잘 쓰는 것과 나설 때와 안 나설 때를 잘 가리는 것이 중요함을 여실히 알 수 있다. 참고, 두 글자의 표의요소 : '말씀 언'(言)과

'길 갈 착'(辶=辵).

겸양 謙讓 | 겸손할 겸, 사양할 양
[modest; humble]
겸손(謙遜)하게 사양(辭讓)함. ¶그는 겸양한 태도로 말했다. (비)겸손(謙遜). (반)교만(驕慢), 거만(倨慢), 오만(傲慢).

겸허 謙虛 | 겸손할 겸, 빌 허
[humble; be modest]
❶[속뜻]겸손(謙遜)하게 마음을 비움[虛]. ❷아는 체하거나 잘난 체하지 않음. ¶겸허하게 남의 말에 귀를 기울이다.

1407 [결]

訣

이별할 결
(部) 言－총11획 (中) 诀 [jué]

訣자는 말로 '이별을 알리다'(tell farewell)는 뜻을 나타내기 위하여 만든 글자이니, '말씀 언'(言)이 표의요소로 쓰였다. 나머지는 决(터질 결)의 생략형으로 표음요소에 해당된다는 설이 있다. 좋은 '방법'(method)을 뜻하기도 한다.
[속뜻 훈음] **①이별할 결, ②방법 결.**

결별 訣別 | 이별할 결, 나눌 별
[separate; break up]
❶[속뜻]기약 없는[訣] 이별(離別). ❷관계나 교제를 영원히 끊음. ¶그는 친구와 결별했다. (비)작별(作別).

• 역순어휘

구:결 口訣 | 입 구, 방법 결
❶[속뜻]한문을 입[口]으로 읽을 때 뜻을 알기 쉽도록 토를 다는 방법[訣]. ❷[언어]한문을 읽을 때 문법적 의미를 알기 쉽도록 다는 토. '隱(은, 는)', '伊(이)' '亻(伊, 이)', '厂(厓, 애)' 따위. (비)현토(懸吐)

비:결 祕訣 | 숨길 비, 방법 결 [secret; key (to)]
무슨 일을 하는 데 있어 남이 알지 못하는[祕] 가장 효과적인 방법[訣]. ¶장수(長壽)의 비결이 뭡니까? (비)비법(祕法), 노하우(know-how).

영:결 永訣 | 길 영, 이별할 결
죽은 사람과 영원(永遠)히 결별(訣別)함. 영원히 떠나보냄.

요결 要訣 | 중요할 요, 비결 결
[secret; vital point]
❶[속뜻]가장 중요(重要)한 방법[訣]. ❷긴요한 뜻. (비)비결(祕訣).

1408 [과]

誇

자랑할 과:
(部) 言부 (획) 13획 (中) 夸 [kuā]

誇자는 원래 '夸'로 썼는데, 후에 '말씀 언'(言)이 덧붙여진 것은 그 뜻을 더욱 분명하게 하기 위한 것이다. 夸자는 크게[大] 부풀리어 말하다[亏], 즉 '자랑하다'(be proud), '분수에 넘치다'(above one's means)는 뜻이다(참고, 亏=于 우, '하다' '행하다').

과:대 誇大 | 자랑할 과, 큰 대 [exaggerate]
작은 것을 큰[大] 것처럼 과장(誇張)함. ¶과대광고

과:시 誇示 | 자랑할 과, 보일 시
[display; show off]
❶[속뜻]자랑하여[誇] 보임[示]. ❷실제보다 과장하여 보임. ¶권력을 과시하다.

과:장 誇張 | 자랑할 과, 벌릴 장
[exaggerate; magnify]
사실보다 부풀려[張] 떠벌림[誇]. ¶그는 과장이 심하다. (비)과대(誇大).

1409 [낙]

諾

허락할 낙
(部) 言부 (획) 16획 (中) 诺 [nuò]

諾자는 '예'하고 말로 '대답하다'(answer)는 뜻을 나타내기 위하여 만든 것이었으니 '말씀 언'(言)이 표의요소로 쓰였다. 若(같을 약)이 표음요소였음은 掿(잡을 낙)도 마찬가지이다. '허락하다'(accept), '승낙하다'(consent) 또는 이와 의미상 연관이 있는 낱말의 한 구성 요소로도 쓰인다. 본음은 [낙]이나, [락]으로 읽기도 한다(예, 受諾/수락, 許諾/허락).
[속뜻 훈음] **①허락할 낙, ②승낙할 낙.**

• 역순어휘

승낙 承諾 | 받들 승, 허락할 낙 [consent; assent]
청하는 바를 받아들여[承] 허락(許諾)함. ¶그는 결국 딸의 결혼을 승낙했다. (비)허락(許諾).

수락 受諾 | 본음 [수낙], 받을 수, 승낙할 낙
[accept; agree]
요구를 받아들여[受] 승낙(承諾)함. ¶그는 고개를 끄덕이며 수락했다.

응:낙 應諾 | 응할 응, 승낙할 낙
[agree (to); respond (to)]

부탁의 말에 응(應)하여 승낙(承諾)함. ¶나는 형의 제안에 응낙했다.

쾌락 快諾 | 본음 [쾌낙], 시원할 쾌, 승낙할 낙 [accept readily]
시원스럽게[快] 단번에 승낙(承諾)함. ¶담임선생님이 우리의 제안을 쾌락해 주셨다.

허락 許諾 | 본음 [허낙], 들어줄 허, 승낙할 낙 [agree]
청하는 바를 들어주어[許] 승낙(承諾)함. ¶부모님께 결혼 허락을 받다. [비]승낙(承諾), 허가(許可). [반]불허(不許).

1410 [모]

謀

꾀 모
[部] 言부 [劃] 16획 [中] 谋 [móu]

謀자는 서로 말을 주고받으며 '상의하다'(confer with)는 뜻을 나타내기 위하여 만든 글자이니 '말씀 언'(言)이 표의요소로 쓰였다. 某(아무 모)는 표음요소로 뜻과는 무관하다. 후에 '꾀하다'(plan; devise), '꾀'(a trick; a ruse) 등을 뜻하는 것으로 확대 사용됐다.
[속뜻훈음] 꾀할 모.

모략 謀略 | 꾀할 모, 꾀할 략 [stratagem; trick]
남을 해치려고 꾸미는[謀] 계략(計略). ¶모략을 꾸미다 / 동료를 모략하다.

모면 謀免 | 꾀할 모, 면할 면 [evade; shirk]
꾀를 쓰거나[謀] 운이 좋아 어려운 상황이나 죄 따위를 면(免)하게 됨. ¶큰 고비를 모면하다.

모반 謀叛 | =謀反, 꾀할 모, 배반할 반 [revolt; rebel]
❶[속뜻] 배반(背叛)을 꾀함[謀]. ❷국가나 군주의 전복을 꾀함. ¶모반에 가담하다 / 모반을 일으키다.

모의 謀議 | 꾀할 모, 의논할 의 [plot]
어떤 일을 꾸미고[謀] 의논(議論)함. ¶대통령 암살을 모의하다.

모함 謀陷 | 꾀할 모, 빠질 함 [entrap]
꾀를 써서[謀] 남을 어려운 처지에 빠뜨림[陷]. ¶이순신 장군은 모함을 받아 유배를 당했다.

• 역순어휘

권모 權謀 | 저울질할 권, 꾀할 모 [trick; intrigue]
때와 형편에 따라 이리저리 저울질하여[權] 꾀를 부림[謀].

도모 圖謀 | 꾀할 도, 꾀할 모 [plan; design]
어떤 일을 이루기 위하여 대책과 방법을 세움[圖=謀]. ¶친목을 도모하다.

무모 無謀 | 없을 무, 꾀할 모 [rash; reckless]
❶[속뜻] 깊이 생각하여 잘 꾀하지[謀] 아니함[無]. ❷생각이 깊지 못함. ¶무모한 계획.

역모 逆謀 | 거스를 역, 꾀할 모 [conspire to rise in revolt]
반역(反逆)을 꾀함[謀]. 또는 그런 일. ¶참모들은 모여서 역모를 꾸몄다.

음모 陰謀 | 응달 음, 꾀할 모 [plot; conspiracy]
잘 안 보이는 응달[陰]에서 남몰래 좋지 못한 일을 꾸밈[謀]. 또는 그 꾸민 일. ¶그들의 음모가 백일하에 드러났다.

주모 主謀 | 주될 주, 꾀할 모 [lead a conspiracy; stir up]
모략이나 음모 따위를 주도(主導)하여 꾸밈[謀]. ¶몰래 반란을 주모하다.

참모 參謀 | 참여할 참, 꾀할 모 [staff officer; adviser]
❶[속뜻] 참여(參與)하여 모의(謀議)함. ¶선거 참모. ❷[군사] 군대에서 각급 고급 지휘관의 지휘권 행사를 보좌하기 위하여 특별히 임명되거나 파견된 장교, 인사, 정보, 작전, 군수 참모 따위.

1411 [보]

譜

족보 보:
[部] 言부 [劃] 19획 [中] 谱 [pǔ]

譜자는 원래 말을 '적어놓다'(note down; record)는 뜻을 위하여 만든 글자이니 '말씀 언'(言)이 표의요소로 쓰였다. 普(널리 보)는 표음요소이니 뜻과는 무관하다.
[속뜻훈음] 적어놓을 보.

• 역순어휘

계:보 系譜 | 이어 맬 계, 적어놓을 보 [pedigree; genealogy]
❶[속뜻] 조상 때부터 이어온[系] 혈통이나 집안의 역사를 적어 놓음[譜]. ❷사람의 혈연관계나 학문, 사상 등의 계통 또는 순서의 내용을 나타낸 기록. ¶전통문학의 계보를 잇다. [비]가계(家系).

악보 樂譜 | 음악 악, 적어놓을 보 [music]
[음악] 음악(音樂)의 곡조를 일정한 기호를 써서 적어놓은 것[譜].

연보 年譜 | 해 년, 적어놓을 보 [chronological personal history]
한 사람이 해[年]마다 한 일을 간략하게 적어놓은[譜] 기록. 흔히 개인의 연대기를 이른다. ¶책에는 저자의 연보가 실려 있다.

족보 族譜 | 겨레 족, 적어놓을 보 [genealogy]
한 가문[族]의 계통과 혈통 관계를 적어놓은[譜] 책. ¶족보에 이름을 올리다.

1412 [사]

詞 말/글 사
㊌ 言부 ㊀ 12획 ㊥ 词 [cí]

詞자는 '말'(speech)을 뜻하기 위하여 만든 것이었으니, '말씀 언'(言)이 표의요소로 쓰였다. 司(맡을 사)는 표음요소로 뜻과는 무관하다. 후에 '글'(writings), '낱말'(a word) 등으로 확대 사용됐다.
속뜻훈음 **말씀 사.**

• 역순어휘 •

가사 歌詞 | 노래 가, 말씀 사 [words of a song; lyrics]
노래[歌]로 부르기 위해 지은 글[詞]. ¶곡에 가사를 붙이다.

대사 臺詞 | 무대 대, 말씀 사 [speech; words]
배우가 무대(舞臺) 위에서 하는 말[詞]. 대화(對話)·독백(獨白)·방백(傍白) 따위. ¶대사를 다 못 외웠으니 큰일이다.

동:사 動詞 | 움직일 동, 말씀 사 [verb]
언어 문장의 주체가 되는 사람이나 사물의 움직임[動]을 나타내는 말[詞]. ¶'빨리 달리다'의 '달리다'는 동사다.

명사 名詞 | 이름 명, 말씀 사 [noun]
언어 사물의 이름[名]을 나타내는 말[詞]. 대명사, 수사와 함께 문장에서 체언(體言)의 구실을 한다. ¶'나무가 푸르다'의 '나무'는 명사이다. ㊞이름씨.

부:사 副詞 | 도울 부, 말씀 사 [adverb]
언어 동사 또는 형용사를 돕는[副] 역할을 하는 말[詞]. ¶'매우 빠르다'의 '매우'는 부사다.

수:사 數詞 | 셀 수, 말씀 사 [numeral]
언어 사물의 수량이나 순서를 세어[數] 나타내는 품사(品詞). 양수사(量數詞)와 서수사(序數詞)가 있다.

작사 作詞 | 지을 작, 말씀 사 [write lyrics]
가사(歌詞)를 지음[作]. ¶이 노래는 그가 작사·작곡했다.

조:사 助詞 | 도울 조, 말씀 사 [postposition]
언어 명사를 돕는[助] 역할을 하는 말[詞]. ¶'밥을 먹다'의 '을'은 조사이다.

치:사 致辭 | =致詞, 보낼 치, 말씀 사 [appreciate; express gratitude]
❶속뜻 행사에 앞서 특별히 한 말씀[辭]을 함[致]. ❷남을 칭찬하는 말을 함. 또는 그런 말. ¶입에 발린 치사를 하다.

1413 [상]

詳 자세할 상
㊌ 言부 ㊀ 13획 ㊥ 详 [xiáng]

詳자는 말이 '자세하다'(detailed)는 뜻을 나타내기 위하여 만든 것이었으니 '말씀 언'(言)이 표의요소로 쓰였다. 羊(양 양)은 표음요소였음은 祥(상서로울 상), 庠(학교 상)도 마찬가지이다.

상세 詳細 | 자세할 상, 가늘 세 [minute; detailed]
자세하고[詳] 세밀(細密)하다. ¶상세한 설명. ㊞자세(仔細)하다, 치밀(緻密)하다. ㊙간단(簡單)하다.

• 역순어휘 •

미:상 未詳 | 아닐 미, 자세할 상 [being unknown]
자세하지[詳] 않음[未]. 알려지지 않음. ¶작자 미상의 작품.

소상 昭詳 | 밝을 소, 자세할 상 [detailed]
밝고[昭] 자세[詳]하다. ¶소상한 내용 / 전후 사정에 대해 소상히 알고 있다.

자상 仔詳 | 자세할 자, 자세할 상 [be kind]
성질이 찬찬하고 꼼꼼하다[仔=詳]. ¶아버지는 매우 자상하시다.

1414 [소]

訴 호소할 소
㊌ 言부 ㊀ 12획 ㊥ 诉 [sù]

訴자는 말로 '하소연하다'(appeal)는 뜻을 나타내기 위하여 만든 것이었으니 '말씀 언'(言)이 표의요소로 쓰였다. 표음요소가 원래는 朔(삭)이었음은 遡(거슬러 올라갈 소)의 경우와 마찬가지였는데, 후에 斥(물리칠 척)으로 대체하였다. 억울함을 물리쳐 달라는 뜻에서 그랬다면 표의요소 기능을 보강하기 위한 의도이다.
속뜻훈음 **하소연할 소.**

소송 訴訟 | 하소연할 소, 송사할 송 [lawsuit; suit]
법률 법원에 송사(訟事)를 청구하는[訴] 일. 또는 그 절차. ¶소송을 제기하다.

• 역순어휘

고:소 告訴 | 알릴 고, 하소연할 소 [accuse; complaint]
❶속뜻 알려서[告] 하소연함[訴]. ❷법률 범죄의 피해자나 그 법정 대리인이 수사기관에 범죄 사실을 신고하여 수사 및 범인의 소추를 요구함. ¶명예훼손으로 고소하다 / 고소를 취하하다. ㊐고발(告發).

공소 公訴 | 관공서 공, 하소연할 소 [arraign; prosecute]
법률 검사[公]가 형사사건에 관하여 법원에 재판을 청구하는[訴] 일. ¶공소를 제기하다.

기소 起訴 | 일어날 기, 하소연할 소 [prosecute; indict]
❶속뜻 소송(訴訟)을 일으킴[起]. ❷법률 형사사건에서 검사가 법원에 공소를 제기함. ¶그는 살인죄로 기소됐다.

상:소 上訴 | 위 상, 하소연할 소 [appeal; recourse]
❶속뜻 위[上]에 하소연함[訴]. ❷법률 하급 법원의 판결에 따르지 않고 상급 법원에 재심을 요구하는 일.

제소 提訴 | 들 제, 하소연할 소 [bring a lawsuit against]
법률 소송(訴訟)을 제기(提起)함. 또는 그런 일. ¶그는 계약 위반으로 제소됐다.

패:소 敗訴 | 패할 패, 하소연할 소 [lose a suit]
법률 소송(訴訟)에 짐[敗]. ¶판사는 원고 패소 판결을 내렸다. ㊥승소(勝訴).

항:소 抗訴 | 버틸 항, 하소연할 소 [appeal]
❶속뜻 계속 버티며[抗] 상소(上訴)함. ❷법률 재판에서 하급 법원의 판결에 따르지 않고 상급 법원에 다시 하는 고소. ¶항소를 기각하다.

호소 呼訴 | 부를 호, 하소연할 소 [complain of; appeal to]
억울하거나 원통한 사정을 남을 불러[呼] 하소연함[訴]. ¶아무도 그의 호소에 귀를 기울이지 않았다.

1415 [송]

訟

송사할 송:
㊀ 言부 ㊁ 11획 ㊥ 讼 [sòng]

訟자는 '말다툼'(a dispute; a quarrel; a wrangle)이라는 뜻을 나타내기 위하여 만든 것이었으니 '말씀 언'(言)이 표의요소로 쓰였다. 公(공변될 공)이 표음요소로 쓰인 것임은 松(소나무 송), 送(보낼 송), 頌(기릴 송)도 마찬가지이다. 후에 '고소하다'(accuse; bring a charge), '송사를 벌이다'(file a bill; bring a suit)등으로 확대 사용됐다.

속뜻훈음 ①송사할 송, ②고소할 송.

송:사 訟事 | 고소할 송, 일 사 [go to law]
법원에 고소하여[訟] 소송(訴訟)을 벌이는 일[事].

• 역순어휘

소송 訴訟 | 하소연할 소, 송사할 송 [lawsuit; suit]
법률 법원에 송사(訟事)를 청구하는[訴] 일. 또는 그 절차. ¶소송을 제기하다.

쟁송 爭訟 | 다툴 쟁, 송사할 송
송사(訟事)로 서로 다툼[爭]. 쟁소(爭訴).

청송 聽訟 | 들을 청, 송사할 송
재판을 하기 위해 송사(訟事)를 들음[聽].

1416 [양]

讓

사양할 양:
㊀ 言부 ㊁ 24획 ㊥ 让 [ràng]

讓자는 원래 말로 '꾸짖다'(scold)는 뜻을 나타내기 위하여 만든 것이었으니 '말씀 언'(言)이 표의요소로 쓰였다. 襄(도울 양)은 표음요소일 따름이다. 후에 '사양하다'(decline), '넘겨주다'(hand over), '겸손하다'(modest) 등으로 확대 사용됐다.

속뜻훈음 ①사양할 양, ②넘겨줄 양.

양:도 讓渡 | 넘겨줄 양, 건넬 도 [transfer; hand over]
남에게 넘겨[讓] 건네[渡]줌. 또는 그런 일. ¶이 회원권은 타인에게 양도할 수 있습니다.

양:보 讓步 | 사양할 양, 걸음 보 [yield; concess]
❶속뜻 앞서 걸어[步]가기를 사양(辭讓)함. ❷길이나 자리, 물건 따위를 사양하여 남에게 미루어 줌. ¶자리를 양보하다. ❸자기 주장을 굽혀 남의 의견을 좇음. ¶그들은 서로 한 치도 양보하지 않았다.

• 역순어휘

겸양 謙讓 | 겸손할 겸, 사양할 양 [modest; humble]
겸손(謙遜)하게 사양(辭讓)함. ¶그는 겸양한 태도로 말했다. ㊐겸손(謙遜). ㊥교만(驕慢), 거만(倨慢), 오만(傲慢).

분양 分讓 | 나눌 분, 넘겨줄 양 [sell in lots]

많은 것이나 큰 덩이를 갈라서[分] 여럿에게 넘겨줌[讓]. ¶그 아파트는 지금 분양 중이다.

사양 辭讓 | 물러날 사, 넘겨줄 양 [decline; refuse]
❶속뜻 제안이나 따위를 거절하거나[辭] 권리 따위를 남에게 넘겨줌[讓]. ❷겸손하여 받아들이지 아니하고 남에게 양보함. ¶사양하지 말고 많이 드세요.

선양 禪讓 | 물려줄 선, 사양할 양 [abdicate; vacate the throne]
임금이 자리를 물려주어[禪] 양위(讓位)함. 선위(禪位).

이양 移讓 | 옮길 이, 사양할 양 [transfer; hand over]
권리 따위를 남에게 넘겨[移]주어 양보(讓步)함. ¶민정 이양(民政移讓) / 미얀마에서는 평화롭게 정권이 이양됐다.

1417 [역]

譯

번역할 역
(部) 言부 (劃) 20획 (中) 译 [yì]

譯자는 '다른 말로 옮기다'(translate)는 뜻을 나타내기 위하여 만든 것이었으니 '말씀 언'(言)이 표의요소로 쓰였다. 睪(엿볼 역)은 표음요소로 뜻과는 무관하다. '풀이하다'(interpret)는 뜻으로도 쓰인다.
속뜻훈음 **①옮길 역, ②풀이할 역.**

• 역순어휘

내:역 內譯 | 안 내, 풀이할 역 [breakdown; items; details]
❶속뜻 내용(內容)을 자세히 풀이함[譯]. ❷물품이나 금액 따위의 자세한 내용이나 명세.
또는 그런 명세. ¶공사비 내역 / 물품 내역.

번역 翻譯 | 옮길 번, 옮길 역 [translate]
어떤 언어로 된 글의 내용을 다른 나라말로 옮김[翻=譯].

통역 通譯 | 통할 통, 옮길 역 [interpret]
뜻이 통(通)하도록 알아듣는 말로 옮김[譯]. 또는 그런 사람. ¶통역을 좀 해 주세요. / 통역을 불러 왔다.

1418 [예]

譽

기릴/명예 예:
(部) 言부 (劃) 21획 (中) 誉 [yù]

譽자는 '좋은 평판'(honor; glory)의 말을 뜻하기 위하여 만든 것이었으니 '말씀 언'(言)이 표의요소로 쓰였다. 與(줄 여)는 표음요소였다고 한다. 후에 '기리다'(applaud), '칭송하다'(praise) 등으로 확대 사용됐다.
속뜻훈음 **기릴 예.**

• 역순어휘

명예 名譽 | 이름 명, 기릴 예 [honor; glory]
❶속뜻 세상 사람들이 훌륭하다고 인정하여 이름[名]을 기림[譽]. 또는 그런 품위. ¶명예롭게 죽다. ❷사람 또는 단체의 사회적인 평가나 가치. (반)불명예(不明譽).

영예 榮譽 | 꽃필 영, 기릴 예 [honor]
꽃을 피우는[榮] 것 같은 훌륭한 업적으로 남들의 칭송이나 기림[譽]을 받음. 또는 그러한 영광. ¶우승의 영예를 안다 / 영예로운 자리. (비)영광(榮光).

훼:예 毁譽 | 헐 훼, 기릴 예 [censure or praise; criticize]
험담으로 훼방(毁謗)함과 칭찬하여 기림[譽].

1419 [위]

謂

이를 위
(部) 言부 (劃) 16획 (中) 谓 [wèi]

謂자는 말로 '평론하다'(review; comment)는 뜻을 나타내기 위하여 만든 것이었으니 '말씀 언'(言)이 표의요소로 쓰였다. 胃(밥통 위)는 표음요소이니 뜻과는 무관하다. 후에 '이르다'(tell), '설명하다'(explain) 등으로 확대 사용됐다.

• 역순어휘

가:위 可謂 | 가히 가, 이를 위 [literally; truly; so to speak]
❶속뜻 가히[可] 이르자면[謂]. ❷과연. 참. ¶한라산의 설경은 가위 일품이다.

소:위 所謂 | 바 소, 이를 위 [what is called]
이른[謂]바[所]. ¶그녀는 소위 귀부인이다.

1420 [유]

誘

꾈 유
(部) 言부 (劃) 14획 (中) 诱 [yòu]

誘자는 '말을 빼어나게 잘 하다'(have a fluent tongue)는 뜻을 나타내기 위하여 '말씀 언'(言)과 '빼어날 수'(秀) 두 표의요소가 힌트로 제시되어 있다. 후에

'이끌다'(lead), '꾀다'(decoy; lure)는 뜻으로 확대 사용됐다. 달콤하고 교묘한 말로 남을 꾀는 術計(술계)인 巧言計(교언계)로 유혹하는 일이 옛날에도 많았나 보다.

유괴 誘拐 | 꾈 유, 속일 괴 [abduct; kidnap]
사람을 속여[拐] 꾀어내는[誘] 일. ¶범인은 사탕을 주며 아이를 유괴했다.

유도 誘導 | 꾈 유, 이끌 도 [induce; lead]
사람이나 물건을 어떤 장소나 상태로 꾀어[誘] 이끄는[導] 일. ¶유도 분만(分娩) / 유도 신문(訊問) / 교통경찰이 과속 차량을 갓길로 유도했다.

유발 誘發 | 꾈 유, 나타날 발 [induce]
❶속뜻 꾀어[誘] 나타나게[發] 함. ❷어떤 일이 원인이 되어 다른 일을 일어나게 하는 것. ¶탄 음식은 암을 유발한다.

유인 誘引 | 꾈 유, 끌 인 [tempt; allure]
남을 꾀어[誘] 끌어들임[引]. ¶아귀는 머리위에 달린 가시로 물고기를 유인해 잡아먹는다.

유치 誘致 | 꾈 유, 이를 치 [attract; invite]
설비 등을 갖추어 두고 권하여[誘] 이르게[致] 함. 오게 함. ¶올림픽 유치 / 정부는 관광객을 유치하기 위해 많은 활동을 한다.

유혹 誘惑 | 꾈 유, 홀릴 혹
[tempt; lure; entice; seduce]
❶속뜻 꾀어[誘] 정신을 흐리게[惑] 함. ❷남을 호리어 나쁜 길로 유도함. ¶유혹에 빠지다 / 거리의 군것질거리들이 아이들을 유혹했다.

• 역순어휘

권:유 勸誘 | 권할 권, 꾈 유
[advise; suggest]
어떤 일 따위를 하도록 권(勸)하고 유도(誘導)함. ¶가입을 권유하다. ㊞권고(勸告), 권장(勸奬).

1421 [제]

諸
모두 제
㊀ 言부 ㊁ 16획 ㊥ 诸 [zhū]

諸자는 표의요소인 '말씀 언'(言)과 표음요소인 者(놈 자)로 구성된 것이다. 이것이 어떤 낱말의 첫 음절에 쓰일 경우 대부분 '모든'(all), '여러'(several)같은 의미를 지닌다.

제군 諸君 | 모두 제, 군자 군 [you; Gentlemen!]
❶속뜻 모든[諸] 군자(君子). ❷통솔자나 지도자가 여러 명의 아랫사람을 높여 이르는 말.

제도 諸島 | 모두 제, 섬 도
[(a group of) islands; archipelago]
모든[諸] 섬[島]. 또는 여러 섬. ¶하와이 제도

제반 諸般 | 모두 제, 모두 반 [all sorts]
어떤 것과 관련된 모든[諸] 전반(全般)의 것. 모든 것. ¶제반 상황을 보고하겠습니다.

제후 諸侯 | 모두 제, 제후 후 [feudal princes]
❶속뜻 모든[諸] 후작(侯爵). ❷역사 봉건 시대에 일정한 영토를 가지고 그 영내의 백성을 지배하는 권력을 가지던 사람. ¶제후들은 황제에게 조공을 바쳤다.

1422 [취]

醉
취할 취:
㊀ 酉부 ㊁ 15획 ㊥ 醉 [zuì]

醉자는 본래 '죽다'(die)는 뜻을 나타내기 위하여 만든 글자인데, '술독 유'(酉)와 '죽을 졸'(卒), 두 표의요소가 힌트로 제시되어 있는 것을 보면, 너무 취하면 죽을[卒] 수도 있음을 경고하는 것 같다. 후에 '(술에) 취하다'(get intoxicated)는 뜻으로도 확대 사용됐다.

취:옹 醉翁 | 취할 취, 늙은이 옹
[exalted old man]
술에 취한[醉] 노인[翁].

취:중 醉中 | 취할 취, 가운데 중 [in drink]
술에 취(醉)해 있는 가운데[中]. ¶그는 취중에도 똑바로 걸으려고 애썼다.

• 역순어휘

도취 陶醉 | 기뻐할 도, 취할 취 [intoxicate]
❶속뜻 기쁜[陶] 마음에 흠뻑 취함[醉]. ❷어떠한 것에 마음이 쏠려 취하다시피 됨. ¶자아 도취 / 아름다운 경치에 도취되다.

마취 痲醉 | 저릴 마, 취할 취 [anesthetize]
❶속뜻 몸이 저리는[痲] 것과 술에 취(醉)하는 것. ❷수술 등을 할 때 약물 따위를 이용하여 생물체의 감각을 일시적으로 마비시키는 일. ¶마취에서 깨어났다.

심취 心醉 | 마음 심, 취할 취
[be fascinated]
❶속뜻 마음[心]이 마치 술에 취(醉)한 것 같음. ❷어떤 일에 깊이 빠져 마음을 빼앗김. ¶불교 사상에 심취하다.

이취 泥醉 | 진창 니, 취할 취 [drunk]
술이 곤드레만드레[泥] 취(醉)함. ¶이취로 건강을 해치다.

1423 [랑]

郞

사내 랑
[部] 邑부 [劃] 10획
[中] 郎 [láng, làng]

郞자는 본래 춘추시대 魯(노)나라의 어떤 지역 명칭을 위하여 만든 것이라고 한다. '고을 읍'(邑)이 표의요소이고, 良(좋을 량)은 표음요소다. 후에 '벼슬 이름'(an official post), '사내'(man), '남편'(a husband) 등을 일컫는 말로 차용되어 쓰였다.

[속뜻훈음] ①사나이 랑, ②남편 랑.

낭군 郞君 | 남편 랑, 임금 군 [(my) dear husband]
젊은 아내가 남편[郞]을 임금[君]에 빗대어 정답게 일컫던 말. [비]남편(男便).

• 역순어휘

신랑 新郞 | 새 신, 사나이 랑 [bridegroom]
갓[新] 결혼하였거나 결혼할 남자[郞]. [반]신부(新婦).

화랑 花郞 | 꽃 화, 사나이 랑
❶[속뜻] 꽃[花]처럼 아름다운 사나이[郞]. ❷[역사] 신라 때의, 청소년 수양 단체. 문벌과 학식이 있고 외모가 단정한 사람으로 조직, 심신의 단련과 사회의 선도를 이념으로 하였다.

1424 [사]

邪

간사할 사
[部] 邑부 [劃] 7획 [中] 邪 [xié, yé]

邪자는 본래 '낭야'(琅邪)라는 지역을 이름 짓기 위하여 만든 것이었으니 '고을 읍'(邑)이 표의요소로 쓰였고, 牙(어금니 아)는 표음요소였다(음은 [야], 후에 琊자를 따로 만들어 그 지역 명칭을 나타냈음). '간사하다'(wicked; vicious), '그르다'(wrong; blamable)는 뜻으로도 쓰이는데 이 경우에는 [사]로 읽는다.

[속뜻훈음] ①간사할 사, ②그를 사.

사견 邪見 | 간사할 사, 볼 견
[heretical views; wrong idea]
❶[속뜻] 요사(妖邪)스런 생각이나 바르지 못한 의견(意見). ❷[불교] 인과(因果)의 도리를 무시하는 그릇된 견해. [참]칠견(七見).

사교 邪敎 | 간사할 사, 종교 교
[heresy; paganism]
그릇된 교리로 사회에 해를 끼치는 요사(妖邪)한 종교(宗敎).

사술 邪術 | 간사할 사, 꾀 술
[witchcraft; black arts]
바르지 못한 수단을 잘 둘러대는 요사(妖邪)스러운 술법(術法). ¶사술을 부리다.

사악 邪惡 | 간사할 사, 악할 악 [wicked; vicious]
마음이 간사(奸邪)하고 악(惡)함. ¶사악이 드러나다 / 사악한 마음. [비]간사(奸邪).

사풍 邪風 | 그를 사, 풍속 풍
[rashness; hastiness]
❶[속뜻] 못되고 그릇된[邪] 풍습(風習). ❷경솔하여 점잖지 못한 태도.

• 역순어휘

간사 奸邪 | 간교할 간, 그를 사 [wicked]
성질이 간교(奸巧)하고 행실이 그르다[邪]. ¶간사한 사람은 크게 성공하기 어렵다.

요사 妖邪 | 요망할 요, 간사할 사
[wickedness; craftiness]
요망(妖妄)하고 간사(奸邪)함. ¶요사를 떨다.

주사 酒邪 | 술 주, 그를 사 [bad drinking habit]
술[酒]에 취하여서 하는 바르지 못한[邪] 버릇.

척사 斥邪 | 물리칠 척, 그를 사
[expel wickedness]
❶[속뜻] 바르지 못한[邪] 것은 물리침[斥]. ❷사교(邪敎)를 물리침. ¶위정척사(衛正斥邪).

1425 [거]

距

상거(相距)할 거:
[部] 足부 [劃] 12획 [中] 距 [jù]

距자는 원래 새나 닭의 발꿈치 뒤에 돋아난 '며느리발톱'(a spur; a cock spur)을 가리키기 위하여 만든 것이었으니 '발 족'(足)이 표의요소로 쓰였고, 巨(클 거)는 표음요소이다. 공간적으로 '떨어지다'(be a long way off)는 뜻으로 쓰이기도 한다.

[속뜻훈음] 떨어질 거.

거:금 距今 | 떨어질 거, 이제 금
[ago; back from today]
지금(只今)으로부터 거슬러 올라가서[距]. ¶거금 반만년 전에 우리나라가 생겨났다.

거:리 距離 | 떨어질 거, 떨어질 리
[distance; range]
❶[속뜻] 서로 떨어져[距=離] 있는 두 곳 사이의 길이.

❷수학 두 점을 잇는 직선의 길이. ¶집에서 학교까지 거리가 가깝다. ❸인간관계에서 친밀하지 못한 사이. ¶그와 거리를 두는 것이 좋겠다.

• 역순어휘

상거 相距 | 서로 상, 떨어질 거 [be away from; be apart from]
서로[相] 떨어진 거리(距離). 서로 거리가 떨어져 있음.

축거 軸距 | 굴대 축, 떨어질 거 [wheelbase]
자동차의 앞 차축(車軸)과 뒤 차축 사이의 거리(距離).

1426 [답]

踏

밟을 답
㊗ 足부 ㉱ 15획 ㊥ 踏 [tà, tā]

踏자는 발로 땅을 '디디다'(step on)는 뜻을 위하여 만든 글자이기에 '발 족'(足)이 표의요소로 쓰였다. 沓(유창할 답)은 표음요소로 뜻과는 무관하다. 후에 '밟다'(step on; tread on), '걷다'(walk; go on foot) 등으로 확대 사용됐다.

답사 踏査 | 밟을 답, 살필 사 [explore; survey]
실지로 현장에 가서[踏] 보고 조사(調査)함. ¶소풍갈 장소를 답사하다.

답습 踏襲 | 밟을 답, 물려받을 습 [follow; imitate]
❶속뜻 앞선 사람이 밟은[踏] 방식을 그대로 물려받음[襲]. ❷예부터 해 오던 방식이나 수법을 좇아 그대로 행함. ¶옛 작품을 답습하는 풍조가 만연하다. ⓑ모방(模倣), 인습(因襲). ⓑ창조(創造).

• 역순어휘

천:답 踐踏 | 밟을 천, 밟을 답 [step on; trample]
발로 밟음[踐=踏].

1427 [적]

跡

발자취 적
㊗ 足부 ㉱ 13획 ㊥ 迹 [jì]

跡자는 '발자취'(a trace)를 뜻하기 위하여 만든 것이었으니 '발 족'(足)이 표의요소로 쓰였다. 亦(또 역)이 표음요소였음은 迹(자취 적)도 마찬가지이다. 迹(자취 적)은 이것의 본래 글자였고, 蹟과 跡은 속자였다.

• 역순어휘

고:적 古跡 | =古蹟, 옛 고, 발자취 적 [historic spot]
❶속뜻 옛날[古] 사람들의 발자취[跡]. ❷옛적 건물이나 시설물 따위가 남아 있음. 또는 그런 유물이나 유적(遺跡). ¶이 절은 고려 시대의 고적이다. ⓑ사적(史跡).

궤:적 軌跡 | 바퀴자국 궤, 발자취 적 [trace of wheels; deeds of one's predecessors]
❶속뜻 수레가 지나가 바퀴자국[軌]이 남은 흔적(痕跡). ❷물체가 움직이면서 남긴 흔적. ¶항공기의 비행 궤적. ❸어떠한 일을 이루어 온 과정이나 흔적. ¶근대 문학의 궤적을 남긴 작품. ❹수학 어떤 일정한 성질을 가진 점들의 집합으로 이루어진 도형. 자취.

기적 奇跡 | =奇迹, 기이할 기, 발자취 적 [miracle]
상식으로는 생각할 수 없는 기이(奇異)한 일이나 업적[跡]. ¶한강의 기적. ⓑ이적(異跡).

사:적 史跡 | 역사 사, 발자취 적 [historic site]
역사적(歷史的)으로 중요한 사건이나 시설의 자취[跡]. ¶우리는 공주로 사적 답사를 다녀왔다.

유적 遺跡 | =遺蹟, 남길 유, 발자취 적 [remains; ruins]
옛날 사람들이 남긴[遺] 발자취[跡]. 건축물이나 싸움터 또는 역사적인 사건이 벌어졌던 곳이나 패총, 고분 따위를 이른다. ¶백제 유적을 발굴하다. ⓑ사적(史跡).

인적 人跡 | =人迹, 사람 인, 발자취 적 [human traces]
사람[人]이 다닌 발자취[跡]. 사람의 왕래. ¶한참을 가니 인적이 드문 한적한 길이 나타났다.

잠적 潛跡 | =潛迹, 숨길 잠, 발자취 적 [disappear; vanish]
발길[跡]을 아주 숨김[潛]. ¶사건 이후 그녀가 잠적했다.

전:적 戰跡 | 싸울 전, 발자취 적 [old battlefield; trace of battle]
전쟁(戰爭)의 자취[跡].

종적 蹤跡 | =蹤迹, 자취 종, 발자취 적 [one's traces]
없어지거나 떠난 뒤에 남는 자취[蹤=跡]. ¶아침이 되자 그는 종적도 없이 사라졌다.

추적 追跡 | 쫓을 추, 발자취 적 [pursue; chase after; track down]
도망하는 자의 발자취[跡]를 따라 뒤를 쫓음[追]. ¶위치를 추적하다.

행적 行跡 | = 行蹟 / 行績, 다닐 행, 발자취 적 [achievement]
❶속뜻 다닌[行] 발자취[跡]. 발길. ¶행적을 감추다 /

행적이 묘연하다. ❷평생 동안 한 일이나 업적. ¶그는 음악계에 커다란 행적을 남겼다.

흔적 痕跡 | =痕迹, 흉터 흔, 발자취 적
[traces; marks]
❶속뜻 몸에 남은 흉터[行]와 길에 남은 발자취[跡]. ❷어떤 현상이나 실체가 없어졌거나 지나간 뒤에 남은 자국이나 자취. ¶도둑이 담을 넘어 들어온 흔적이 있다.

1428 [적]

蹟

자취 적
部 足부 劃 18획 中 迹 [jī]

蹟자는 '발자국'(a footprint)을 뜻하기 위하여 만든 迹(적)의 속자였다. '발 족'(足)이 표의요소로 힌트 구실을 한다. 責(꾸짖을 책)이 표음요소임은 績(실 낳을 적)과 같다. '자취'(a trace; a track)를 뜻하는 것으로 애용된다.

• 역순어휘

열적 烈蹟 | 굳셀 렬, 자취 적
❶속뜻 열사(烈士)의 행적(行蹟). ❷뚜렷하게 빛나는 일의 자취.

이:적 異蹟 | 다를 이, 자취 적
[miracle; wonder; mystery]
❶속뜻 이상(異常)한 행적(行蹟). ❷신의 힘으로 이루어지는 불가사의한 일.

진적 眞蹟 | 참 진, 자취 적
[real traces; one's own handwriting]
❶속뜻 실제의 진짜[眞] 유적(遺蹟). ❷손수 쓴 글씨. 친필(親筆).

1429 [천]

踐

밟을 천:
部 足부 劃 15획 中 践 [jiàn]

踐자는 발로 '밟다'(step on)는 뜻을 나타내기 위하여 만든 것이었으니 '발 족'(足)이 표의요소로 쓰였다. 戔(쌓일 전)이 표음요소였음은 賤(천할 천), 淺(얕을 천)도 마찬가지이다. 후에 '이행하다'(fulfill; carry out; perform)는 뜻도 따로 글자를 만들지 않고 이것으로 나타냈다.

속뜻풀음 **실천할 천.**

천:답 踐踏 | 밟을 천, 밟을 답 [step on; trample]
발로 밟음[踐=踏].

천:리 踐履 | 실천할 천, 밟을 리
몸소 실천(實踐)하여 겪음[履].

천:약 踐約 | 실천할 천, 약속할 약
[keep promise; fulfill a promise]
약속(約束)을 지켜 실천(實踐)함.

천:언 踐言 | 실천할 천, 말씀 언
말한[言] 대로 실천(實踐)함.

천:행 踐行 | 실천할 천, 행할 행 [fulfill; practice]
실천(實踐)하여 행(行)함.

• 역순어휘

실천 實踐 | 실제 실, 밟을 천 [practice]
❶속뜻 실제(實際) 두 발로 밟아[踐]봄. ❷계획, 생각 따위를 실제로 행함. ¶계획을 세웠으면 즉시 실천에 옮겨라. 비실행(實行). 반이론(理論).

1430 [월]

越

넘을 월
部 走부 劃 12획 中 越 [yuè]

越자는 '넘다'(go over)는 뜻을 나타내기 위하여 만든 글자이니 '달릴 주'(走)가 표의요소로 쓰였다. 戉(도끼 월)은 표음요소이니 뜻과는 무관하다. '뛰어나다'(surpass; excel)는 뜻으로도 쓰인다.

속뜻풀음 **①넘을 월, ②뛰어날 월.**

월남 越南 | 넘을 월, 남녘 남
[come south over the border]
❶속뜻 남(南)쪽으로 넘어감[越]. ❷삼팔선 또는 휴전선 이남으로 넘어오는 것. ¶할머니는 6·25전쟁 때 월남했다. ❸지리 '베트남'(Vietnam)의 한자 음역어. 반월북(越北).

월동 越冬 | 넘을 월, 겨울 동 [pass the winter]
겨울[冬]을 넘기는[越] 것. 겨우살이. ¶월동 준비 / 뱀은 겨울잠을 자면서 월동한다. 비겨울나기.

월등 越等 | 뛰어날 월, 무리 등
[vastly different; singular]
같은 등급(等級)보다 중 훨씬 뛰어나다[越]. ¶그는 수학 성적이 월등하다.

월반 越班 | 넘을 월, 나눌 반 [skip a grade]
교육 성적이 뛰어나 상급반(上級班)으로 건너뛰어[越] 진급함. ¶그는 3학년에서 5학년으로 월반했다.

월북 越北 | 넘을 월, 북녘 북
[crossing over the border into North Korea]

❶[속뜻] 북(北)쪽으로 넘어감[越]. ❷삼팔선 또는 휴전선 이북으로 넘어가는 것. ¶월북 작가. [반]월남(越南).

월척 越尺 | 넘을 월, 자 척 [big fish]
낚시에서 낚은 물고기가 한 자[尺]가 넘음[越]. 또는 그 물고기. 주로 붕어를 가리킨다. ¶삼촌은 세 시간 만에 월척을 낚았다.

• 역순어휘

수월 殊越 | 다를 수, 넘을 월 [excellent]
남달리[殊] 월등(越等)함. 특별히 빼어남. ¶영재들의 수월한 재능 / 수월성 교육.

우월 優越 | 뛰어날 우, 넘을 월 [superior; better than]
뛰어나게[優] 월등(越等)함. ¶경제적 우월 / 현지는 공부 좀 잘한다고 자신이 나보다 우월하다고 생각한다.

초월 超越 | 뛰어넘을 초, 넘을 월 [transcend; excel; surpass]
어떤 한계나 표준을 뛰어넘음[超=越]. ¶상상을 초월하다.

추월 追越 | 따를 추, 넘을 월 [pass; overtake]
뒤따라[追] 가다가 앞질러 넘어섬[越]. ¶터널 안에서는 추월이 금지되어 있다 .

탁월 卓越 | 뛰어날 탁, 뛰어날 월 [excellent]
매우 뛰어나다[卓=越]. ¶이 약은 기침에 탁월한 효능이 있다.

1431 [초]

超 뛰어넘을 초
[部] 走부 [劃] 12획 [中] 超 [chāo]

超자는 '뛰어넘다'(jump over)는 뜻을 나타내기 위하여 만든 것이었으니 '달릴 주'(走)가 표의요소로 쓰였고, 召(부를 소)가 표음요소임은 貂(담비 초)도 마찬가지이다.

초과 超過 | 뛰어넘을 초, 지날 과 [excess]
일정한 수나 한도를 넘어[超] 지나감[過]. ¶정원 초과 / 제한시간을 초과하다. [반]미달(未達), 미만(未滿).

초월 超越 | 뛰어넘을 초, 넘을 월 [transcend; excel; surpass]
어떤 한계나 표준을 뛰어넘음[超=越]. ¶상상을 초월하다.

초인 超人 | 뛰어넘을 초, 사람 인 [superman]
보통 사람을 뛰어넘는[超] 능력이 있는 사람[人]. ¶내가 초인도 아니고 어떻게 그 일을 다 하겠니?

1432 [도]

途 길[行中] 도:
[部] 辶부 [劃] 11획 [中] 途 [tú]

途자는 '길'(a road; a way)을 뜻하기 위하여 만든 것이었으니 '길갈 착'(辶)이 표의요소로 쓰였다. 余(나 여)가 표음요소임은 嵞(산 이름 도), 涂(토할 도)도 마찬가지이다.

도:중 途中 | 길 도, 가운데 중 [on the way]
❶[속뜻] 길[途]을 오가는 중간(中間). ¶집에 오는 도중에 그를 만났다. ❷일이 계속되고 있는 과정이나 일의 중간. ¶통화하는 도중에 전화가 끊어졌다. [비]노중(路中), 동안.

• 역순어휘

별도 別途 | 다를 별, 길 도 [another way]
❶[속뜻] 다른[別] 길[途]이나 방법. ❷원래의 것에 덧붙여서 추가한 것. ¶주민들은 별도의 사용료 없이 수영장을 이용할 수 있다.

용:도 用途 | 쓸 용, 길 도 [useage]
쓰이는[用] 길[途]. 또는 쓰이는 곳. ¶용도 변경. [비]쓰임새.

중도 中途 | 가운데 중, 길 도 [in the middle; halfway]
❶[속뜻] 가운데[中] 길[途]. ❷오가는 길의 중간. ¶차가 중도에서 고장이 났다. ❸일이 되어 가는 동안. 하던 일의 중간. ¶형주는 가정 형편이 어려워 학업을 중도에 포기했다.

1433 [박]

迫 핍박할 박
[部] 辶 9획 [中] 迫 [pò, pǎi]

迫자는 길이 '가깝다'(near; nearby)는 뜻을 나타내기 위하여 만든 글자이니 '길갈 착'(辶=辵)이 표의요소로 쓰였다. 白(흰 백)이 표음요소임은 舶(큰 배 박), 拍(칠 박)도 마찬가지이다. 후에 '(가까이) 닥치다'(draw near; impend)로 확대됐고, 다시 '다그치다'(be tight; get stringent)는 의미로도 쓰였다.
[속뜻훈음] ①닥칠 박, ②다그칠 박.

박격 迫擊 | 닥칠 박, 칠 격 [close attack]
적에게 바싹 다가가서[迫] 침[擊].

박두 迫頭 | 닥칠 박, 머리 두 [draw near]

❶ 속뜻 머리[頭] 가까이 다가옴[迫]. ❷기일이나 시간이 매우 가까이 닥쳐옴. ¶개봉 박두. (비)당두(當頭).

박력 迫力 | 닥칠 박, 힘 력 [force; power]
행동에서 느껴지는 강하게 밀고 나가는[迫] 힘[力]. ¶그의 연설은 박력이 있었다.

박진 迫眞 | 닥칠 박, 참 진
[truthfulness to life; verisimilitude]
표현 따위가 사실[眞]처럼 다가옴[迫]. 현실의 모습과 똑같다고 느낌.

박해 迫害 | 다그칠 박, 해칠 해
[oppress; persecute]
❶ 속뜻 다그쳐[迫] 해(害)를 입힘. ❷못살게 굴어 해롭게 함. ¶천주교 신도를 박해하다.

• 역순어휘

강:박 強迫 | 억지 강, 다그칠 박
[compel; coerce]
억지로[強] 다그침[迫]. 억지로 따르게 함. (비)강압(強壓), 억압(抑壓).

구박 驅迫 | 몰 구, 다그칠 박 [treat badly; abuse]
몰아붙이고[驅] 다그침[迫]. 못 견디게 괴롭힘. ¶며느리를 구박하다. (비)타박(打撲), 학대(虐待). (반)공경(恭敬).

급박 急迫 | 급할 급, 닥칠 박
[urgent; imminent]
사태가 급(急)히 닥쳐[迫] 여유가 없음. ¶그는 급박한 사정이 생겨 참석하지 못했다. (비)긴박(緊迫).

긴박 緊迫 | 긴요할 긴, 닥칠 박
[tense; acute; imminent]
매우 긴요(緊要)하고 절박(切迫)함. ¶긴박한 상태를 완화하다. (비)급박(急迫).

압박 壓迫 | 누를 압, 다그칠 박 [pressure; press]
❶ 속뜻 힘을 못 쓰게 누르거나[壓] 다그침[迫]. ¶군사적 압박을 가하다. ❷강한 힘으로 내리 누름. ¶상처 부위를 압박하면 출혈을 막을 수 있다.

임박 臨迫 | 임할 림, 닥칠 박 [draw near]
어떤 때가 가까이 닥쳐[臨=迫] 옴. ¶시험이 임박했다.

절박 切迫 | 몹시 절, 닥칠 박
[imminent; urgent]
기한 따위가 몹시[切] 가까이 닥쳐[迫] 시간적 여유가 없다. ¶사태가 절박하다.

촉박 促迫 | 다가올 촉, 닥칠 박
[urgent; imminent]
어떤 기한이나 시간이 바짝 다가오거나[促] 닥침[迫]. ¶시간이 촉박하니 용건만 말하겠다.

핍박 逼迫 | 닥칠 핍, 닥칠 박
[persecute; get stringent]
❶ 속뜻 가까이 닥침[逼=迫]. ❷바싹 죄어서 괴롭게 함. ¶평생 핍박을 당하며 살다.

협박 脅迫 | 으를 협, 다그칠 박
[threaten; menace]
❶ 속뜻 으르고[脅] 다그침[迫]. ❷어떤 일을 강제로 시키기 위하여 을러서 괴롭게 굶. ¶협박전화.

1434 [봉]

逢 만날 봉
(部) 辶부 (劃) 11획 (中) 逢 [féng]

逢자는 길을 가다가 우연히 '만나다'(see; meet with)는 뜻을 나타내기 위하여 만든 글자이니 '길갈 착'(辶)이 표의요소로 쓰였다. 夆(끌 봉)은 표음요소로 뜻과는 무관하다.

봉변 逢變 | 만날 봉, 바뀔 변
[misfortune; insult]
뜻밖의 변고(變故)나 망신스러운 일을 만남[逢]. 또는 그러한 일. ¶싸움을 말리다가 되레 봉변을 당했다.

봉착 逢着 | 만날 봉, 붙을 착
[encounter; meet; be faced]
만나[逢] 맞닥뜨림[着]. 부닥침. 당면함.

• 역순어휘

상봉 相逢 | 서로 상, 만날 봉
[meet each other; reunite]
서로[相] 만남[逢]. ¶이산가족이 드디어 상봉했다.

1435 [술]

述 펼 술
(部) 辶부 (劃) 9획 (中) 述 [shù]

述자는 길을 '따르다'(follow; go after)는 뜻을 나타내기 위하여 만든 것이니 '길갈 착'(辶)이 표의요소로 쓰였다. 朮(차조 출)이 표음요소였음은 術(꾀 술), 鉥(돗바늘 술)도 마찬가지이다. 후에 '(따라) 말하다'(say; speak), '짓다'(write; compose)는 뜻으로 확대 사용됐다.
속뜻훈음 ①지을 술, ②말할 술.

술어 述語 | 지을 술, 말씀 어 [predicate]
언어 주어의 동작이나 상태를 서술(敍述)하는 말[語]. (반)주어(主語).

• 역순어휘

구:술 口述 | 입 구, 지을 술
[state orally; dictate]
입[口]으로 진술(陳述)함. ¶할머니의 구술을 받아 적었다.

논술 論述 | 논할 론, 지을 술
[state; discuss]
의견이나 주장을 논(論)하는 글을 지음[述]. 또는 그 글. ¶이 문제에 대하여 논술하시오.

서:술 敍述 | 차례 서, 지을 술 [describe; depict]
어떤 사실을 차례[敍] 대로 말하거나 적음[述]. ¶기행문은 여행하면서 보고 듣고 느낀 것을 서술한 글이다.

저:술 著述 | 지을 저, 지을 술 [write]
책을 씀[著=述]. 또는 그 책. ¶역사에 관한 저술.

진:술 陳述 | 아뢸 진, 말할 술 [state; explain]
자세히 아뢰거나[陳] 말함[述]. 또는 그런 이야기. ¶진술을 받다 / 그 사람은 사건에 대해 거짓으로 진술했다.

1436 [일]

逸

편안할 일
[部] 辶부 [劃] 12획 [中] 逸 [yì]

逸자는 '길을 잃다'(lose one's way)는 뜻을 나타내기 위하여 만든 글자인데, '길갈 착'(辶)과 '토끼 토'(兎) 두 표의요소가 힌트로 제시되어 있다. 토끼는 도망을 가다 길을 잃는 경우가 많았기 때문인가 보다. 후에 '없어지다'(disappear), '숨다'(hide), '(숨어서) 한가히 지내다'(live calmly) 등으로 확대 사용됐다.

[속뜻 훈음] **①달아날 일, ②숨을 일, ③한가할 일.**

일탈 逸脫 | 달아날 일, 벗을 탈 [deviate]
어떤 사상이나 조직, 규범 등에서 빗나가[逸] 벗어남[脫]. 빠져 나감. ¶일상으로부터의 일탈 / 구태의연한 방식에서 일탈해 새로운 제도를 만들었다.

일화 逸話 | 숨을 일, 이야기 화 [episode]
세상에 널리 알려지지 아니한 숨은[逸] 이야기[話]. ¶그는 여행 중에 겪었던 재미있는 일화를 들려주었다. ㊐에피소드(episode).

• 역순어휘

안일 安逸 | 편안할 안, 한가할 일 [be idle]
❶[속뜻] 편안(便安)하고 한가로이[逸] 지냄. ❷편안하게만 지내려는 마음이나 태도. ¶무사 안일주의 / 안일한 생활에 빠지다.

1437 [천]

遷

옮길 천:
[部] 辶부 [劃] 16획 [中] 迁 [qiān]

遷자는 본래 오르막 길 따위를 '오르다'(go up; climb)는 뜻을 나타내기 위하여 만든 것이었으니 '길갈 착'(辶)이 표의요소로 쓰였다. 그 나머지가 표음요소임을 증명할 근거로는 음이 비슷한 僊(춤출 선) 밖에 없다. '바뀌다'(change; undergo changes), '옮기다'(move ; transfer)는 뜻으로도 쓰인다.

[속뜻 훈음] **①바뀔 천, ②옮길 천.**

천:도 遷都 | 옮길 천, 도읍 도 [transfer the capital]
도읍(都邑)을 옮김[遷]. ¶신돈은 평양으로 천도할 것을 주장했다.

천:이 遷移 | 옮길 천, 옮길 이
[ecological succession]
❶[속뜻] 옮김[遷=移]. ❷[생물] 생물의 한 떼가 시간의 경과에 따라 변천해 가는 현상. ❸[물리] 양자 역학에서 어떤 계(系)가 정상 상태에서 다른 정상 상태로 어떤 확률을 가지고 옮기는 일.

천:장 遷葬 | 옮길 천, 장사 지낼 장 [move a grave]
무덤을 다른 곳으로 옮겨[遷] 장사함[葬]. ㊐천묘(遷墓).

• 역순어휘

변:천 變遷 | 바뀔 변, 바뀔 천
[changes; ups and downs]
세월이 흐르는 동안에 바뀜[變=遷]. ¶대외 관계는 시대에 따라 변천한다. ㊐변이(變移).

좌:천 左遷 | 왼 좌, 옮길 천
[be relegated; be demoted; be shunted off]
❶[속뜻] 오른쪽을 높이고 왼쪽을 낮게 보던 풍습에서 유래하여 왼쪽[左]의 직책으로 옮기는[遷] 것을 이름. ❷낮은 관직이나 지위로 떨어지거나 지방의 관직으로 전근됨을 비유하는 말.

파천 播遷 | 달아날 파, 옮길 천
[flee from the royal palace]
[역사] 임금이 난을 피해 달아나[播] 자리를 옮김[遷].

1438 [추]

追

쫓을/따를 추
[部] 辶부 [劃] 10획 [中] 追 [zhuī]

追자는 '쫓다'(expel; pursue; run

after)를 뜻하기 위하여 만든 것이었으니 '길갈 착'(辶=辵)이 표의요소로 쓰였다. 그 나머지도 표의요소로 偵察(정찰)에 유리한 산언덕(阜)에 주둔한 군대 또는 그 지역을 이른다. '따르다'(go in pursuit; chase; pursue)는 뜻으로도 쓰인다.

속뜻훈음 ①쫓을 추, ②따를 추.

추가 追加 | 따를 추, 더할 가 [add; supplement]
뒤따라[追] 더함[加]. ¶추가 비용을 부담하다 / 고기 2인분을 추가하다.

추격 追擊 | 쫓을 추, 칠 격 [pursue; chase]
도망하는 적을 뒤쫓아[追] 공격(攻擊)함. ¶경찰은 범인을 추격하여 검거했다.

추구 追求 | 따를 추, 구할 구 [pursue; seek]
끝까지 따라가[追] 구(求)함. ¶인간은 행복을 추구하는 존재이다.

추궁 追窮 | 쫓을 추, 다할 궁
[press; question thoroughly]
❶속뜻 끝[窮]까지 쫓음[追]. ❷잘못이나 책임 따위를 캐어 물음. ¶추궁을 당하자 나는 말문이 막혔다 / 책임을 추궁하다.

추도 追悼 | 쫓을 추, 슬퍼할 도 [mourn for]
죽은 이를 추억(追憶)하며 슬퍼함[悼]. ¶전쟁 희생자들을 추도하다. ⊕추모(追慕).

추모 追慕 | 쫓을 추, 그리워할 모
[cherish the memory of a deceased person]
죽은 이를 추억(追憶)하며 그리워함[慕]. 죽은 이를 사모함. ¶우리는 희생자들을 추모하기 위해 묵념을 했다. ⊕추도(追悼).

추방 追放 | 쫓을 추, 놓을 방
[expel; banish; deport]
❶속뜻 쫓아[追] 내놓음[放]. ❷해롭다고 생각하여 무엇을 없애거나 쫓아내는 것. ¶그는 다른 나라로 추방됐다.

추신 追伸 | =追申, 따를 추, 늘일 신 [postscript]
뒤에 추가(追加)하거나 늘임[伸]. 주로 편지글에서 사연을 다 쓰고 덧붙이는 글의 머리에 쓰는 말. ¶안부를 전해 달라는 추신을 덧붙이다.

추억 追憶 | 쫓을 추, 생각할 억
[recollect; go over in one's mind]
지나간 일을 뒤쫓아[追] 돌이켜 생각함[憶]. ¶어린 시절을 추억하다.

추월 追越 | 따를 추, 넘을 월 [pass; overtake]
뒤따라[追] 가다가 앞질러 넘어섬[越]. ¶터널 안에서는 추월이 금지되어 있다 .

추적 追跡 | 쫓을 추, 발자취 적
[pursue; chase after; track down]
도망하는 자의 발자취[跡]를 따라 뒤를 쫓음[追]. ¶위치를 추적하다.

추종 追從 | 따를 추, 좇을 종 [follow; imitate]
❶속뜻 남의 뒤를 따라[追] 좇음[從]. ¶타의 추종을 불허하다. ❷남에게 빌붙어 따름. ¶연예인을 무조건 추종하는 것은 옳지 않다.

추축 追逐 | 쫓을 추, 쫓을 축 [compete; follow]
❶속뜻 적군을 쫓아냄[追]과 짐승을 쫓아냄[逐]. ❷서로 경쟁함. ❸남의 뒤를 좇아 따름. ⊕각축(角逐), 추수(追隨).

1439 [투]

透
사무칠 투
㊇ 辶부 ㊕ 11획 ㊥ 透 [tòu]

透자는 길을 가며 '뛰다'(run; rush; dash)는 뜻을 나타내기 위하여 만든 것이었으니 '길갈 착'(辶)이 표의요소로 쓰였다. 秀(빼어날 수)는 표음요소인데 후에 음이 달라졌다. 후에 '뚫다'(penetrate; run through), '(환히) 비치다'(show through; be transparent) 등으로 확대 사용됐다.

속뜻훈음 ①비칠 투, ②뚫을 투.

투각 透刻 | 뚫을 투, 새길 각 [bratticing]
❶속뜻 구멍을 내어서 통하도록 뚫거나[透] 새김[刻]. ❷미술 조각에서 묘사할 대상의 윤곽만을 남겨 놓고 나머지 부분은 파서 구멍이 나도록 하거나 윤곽만을 파서 구멍이 나도록 만듦. 또는 그런 기법.

투명 透明 | 비칠 투, 밝을 명 [transparent; clear]
속까지 밝고[明] 환하게 비침[透]. ¶투명 테이프 / 거래를 투명하게 하다. ⊕불투명(不透明).

투시 透視 | 뚫을 투, 볼 시 [see through]
막힌 물체를 환히 꿰뚫어[透] 봄[視]. 또는 대상의 의미까지 봄. ¶엑스선을 이용하여 물체를 투시하다.

투철 透徹 | 뚫을 투, 뚫을 철 [penetrating; lucid]
속까지 꿰뚫을[透] 정도로 아주 철저(徹底)함. ¶이 일을 하기 위하여는 투철한 사명감이 필요하다.

• 역순어휘

침:투 浸透 | 스며들 침, 비칠 투
[pass through; infiltrate]
❶속뜻 속까지 스며들거나[浸] 속까지 환히 비침[透]. ❷어떤 현상이나 사상 따위가 속속들이 스며들거나 깊이 들어감. ¶빗물이 침투하다. / 공산주의 사상이 침투했다.

1440 [환]

還

돌아올 환(ː)

部 辶부 畫 17획 中 还 [hái, huán]

還자는 길을 '돌아오다'(return; come back)는 뜻을 위하여 만든 글자이니 '길갈 착'(辶)이 표의요소로 쓰였다. 그 나머지가 표음요소임은 繯(얽은 비단 환)도 마찬가지이다. 후에 '돌려주다'(return; give back), '갚다'(pay back; repay) 등으로 확대 사용됐다.

환ː갑 還甲 | 돌아올 환, 천간 갑
[one's 60 th birthday (anniversary)]
❶속뜻 갑자(甲子)가 다시 돌아옴[還]. ❷61세를 이르는 말. ¶환갑 잔치 / 일요일은 우리 할머니의 환갑이다. (비)화갑(華甲), 회갑(回甲).

환도 還都 | 돌아올 환, 도읍 도
[return to the capital]
정부가 다시 수도(首都)로 돌아옴[還]. ¶고려 원종은 몽골과 강화를 맺고 개경으로 환도했다.

환불 還拂 | 돌아올 환, 지불 불 [refund]
요금 따위를 되돌려[還] 지불[拂]함. ¶요금 환불 / 물건 값 환불 / 세금 환불.

환생 還生 | 돌아올 환, 날 생
[be born again; revive]
죽음에서 돌아와[還] 다시 살아남[生]. 다시 태어남. ¶그의 모습은 마치 죽은 남편이 환생한 것 같았다.

환원 還元 | 돌아올 환, 으뜸 원
[restore; return]
본디[元] 상태로 되돌아감[還]. 또는 그렇게 되게 함. ¶물을 전기분해하면 수소와 산소로 환원된다.

• 역순어휘

귀ː환 歸還 | 돌아갈 귀, 돌아올 환
[return (home)]
본래 있던 곳으로 돌아가거나[歸] 돌아옴[還].

반ː환 返還 | 돌아올 반, 돌아올 환 [return]
되돌아오거나[返] 되돌려 줌[還]. ¶입장료를 반환해 주다.

송ː환 送還 | 보낼 송, 돌아올 환
[send back; repatriate]
돌려[還] 보냄[送]. ¶탈북자를 강제로 송환하다.

탈환 奪還 | 빼앗을 탈, 돌아올 환
[retake; recover]
빼앗겼던 것을 빼앗아[奪] 되찾음[還]. ¶그 팀은 4년 만에 우승컵을 탈환했다.

1441 [모]

貌

모양 모

部 豸부 畫 14획 中 貌 [mào]

貌자는 본래 皃(모)로 썼다. 이것은 서있는 사람[儿]의 얼굴을 나타낸 것으로 '얼굴 모양'(a face; one's looks)이 본래 의미이다. 白은 얼굴 모양이 잘못 변한 것이니 '흰'의 의미와는 무관하다. 후에 왜 豸(벌레 치)가 덧붙여졌는지는 정설이 없다. '모양'(shape), '외관'(appearance)을 가리키는 것으로 확대 사용됐다.

• 역순어휘

면ː모 面貌 | 낯 면, 모양 모 [looks; appearance]
❶속뜻 얼굴[面] 모양[貌]. ¶수려한 면모. ❷상태나 됨됨이. ¶새로운 면모를 갖추다. (비)면목(面目).

미ː모 美貌 | 아름다울 미, 모양 모
[good looks; pretty features]
아름다운[美] 얼굴 모양[貌]. ¶눈부신 미모에 사로잡히다.

변ː모 變貌 | 바뀔 변, 모양 모
[undergo a complete change]
모양[貌]이 바뀜[變]. 또는 그 모습. ¶시골 마을이 중소 도시로 변모했다. (비)변용(變容).

외ː모 外貌 | 밖 외, 모양 모 [appearance]
겉[外]으로 드러나 보이는 모양[貌]. ¶외모가 번듯한 기와집들 / 사람을 외모로 판단해서는 안 된다. (비)겉모습.

용모 容貌 | 얼굴 용, 모양 모 [features]
사람의 얼굴[容] 모양[貌]. ¶용모가 단정하다.

전모 全貌 | 모두 전, 모양 모 [whole aspect]
전체(全體) 모습[貌]. 또는 전체 내용. ¶사건의 전모를 밝히다.

1442 [공]

貢

바칠 공ː

部 貝부 畫 10획 中 贡 [gòng]

貢자는 돈이나 귀한 물품을 천자에게 '바치다'(offer)는 뜻을 나타내기 위하여 만든 것이니 '조개=돈 패'(貝)가 표의요소로 쓰였다. 工(장인 공)은 표음요소이니 뜻과는 무관하다.

공ː단 貢緞 | 바칠 공, 비단 단
[woven silk without patterns; satin]

❶속뜻 조공(朝貢)으로 바치던 비단[緞]. ❷두껍고, 무늬는 없지만 윤기가 도는 비단. ¶붉은색 공단으로 만든 한복.

공:물 貢物 | 바칠 공, 만물 물 [tribute]
역사 나라에 세금으로 바치던[貢] 지방의 특산물(特産物). ⓑ폐공(幣貢), 조공(租貢).

공:헌 貢獻 | 바칠 공, 바칠 헌 [contribute to]
❶역사 예전에 공물(貢物)을 나라에 바치던[獻] 일. ❷크게 이바지함. ¶아인슈타인은 과학의 발전에 크게 공헌했다. ⓑ기여(寄與).

• 역순어휘 •

조공¹ 租貢 | 조세 조, 바칠 공 [taxes; taxation]
조세(租稅) 따위를 바침[貢]. 또는 그 조세.

조공² 朝貢 | 조정 조, 바칠 공 [tribute]
역사 다른 나라 조정(朝廷)에 물품을 바침[貢]. ¶조선은 중국에 사신을 보내 조공을 바쳤다.

1443 [대]

貸

빌릴/뀔 대:
部 貝부 劃 12획 中 贷 [dài]

貸자는 본래 돈 따위를 공짜로 주다, 즉 '베풀다'(give money in charity; bestow)는 뜻을 나타내기 위하여 만든 것이었으니 '조개=돈 패'(貝)가 표의요소로 쓰였다. 후에 '빌려주다'(rent; lend; loan)는 뜻으로 확대 사용됐다. 갈수록 인심이 흉흉해진 탓일까.

속뜻훈음 **빌릴 대.**

대:여 貸與 | 빌릴 대, 줄 여 [lend; loan]
빌려[貸] 주거나 꾸어 줌[與]. ⓑ대급(貸給), 임대(賃貸). ⓑ차용(借用).

대:절 貸切 | 빌릴 대, 끊을 절
[reserve; book; engage]
계약에 의해 일정 기간 그 사람에게만 빌려[貸] 주어 다른 사람의 사용을 금하는[切] 일. ⓑ전세(專貰).

대:출 貸出 | 빌릴 대, 날 출 [lend out]
돈이나 물건 따위를 빚으로 꾸어 주거나 빌려[貸] 줌[出]. ¶도서관에서 책을 대출해준다.

• 역순어휘 •

임:대 賃貸 | 품삯 임, 빌릴 대 [lease]
❶속뜻 삯[賃]이나 돈을 받고 빌려줌[貸]. ❷돈을 받고 자기 물건을 남에게 빌려 줌. ¶임대 아파트 / 제주도를 여행하기 위해 차를 임대했다. ⓑ임차(賃借).

1444 [관]

貫

꿸 관(:)
部 貝부 劃 11획 中 贯 [guàn]

貫자는 화폐수단으로 활용할 조개를 실로 '꿰다'(put through)는 뜻을 나타내기 위하여 만든 것이니 '조개 패'(貝)가 표의요소로 쓰였다. *毌*(꿰뚫을 관)은 표음과 표의를 겸하는 요소이다. 그렇게 꿴 '돈 꾸러미'(a string of coins)를 뜻하기도 하며, '달성하다'(attain; accomplish)는 뜻으로도 확대 사용됐다.

관:록 貫祿 | 꿸 관, 녹봉 록 [dignity; presence]
❶속뜻 예전에 녹봉(祿俸)으로 받은 동전을 꿰어[貫] 놓음. 또는 그 금액이나 경력. ❷어떤 일을 오랫동안 하여 쌓은 경력이나 권위. ¶관록을 자랑하다.

관:철 貫徹 | 꿸 관, 통할 철
[see through; penetrate into]
어려움을 꿰뚫고[貫] 나아가[徹] 끝내 목적을 이룸. ¶끝까지 목적을 관철하다.

관:통 貫通 | 꿸 관, 통할 통 [penetrate; pierce]
❶속뜻 꿰뚫어서[貫] 통(通)하게 함. ¶탄알이 가슴을 관통하다. ❷처음부터 끝까지 일관함.

• 역순어휘 •

본관 本貫 | 뿌리 본, 꿸 관
[one's ancestral home]
❶속뜻 본래(本來)의 관향(貫鄕). ❷시조(始祖)가 난 곳. ¶나는 본관이 밀양이다. ⓒ본.

일관 一貫 | 한 일, 꿸 관
[run through; be consistent]
❶속뜻 하나[一]로 꿰맴[貫]. ❷하나의 방법이나 태도로써 처음부터 끝까지 똑같이 함. ¶그는 언제나 무뚝뚝한 태도로 일관했다.

1445 [뢰]

賴

의뢰할 뢰
部 貝부 劃 16획 中 赖 [lài]

賴자의 부수가 '조개 패'(貝)임을 알기 힘드니, 이 기회에 잘 외워 두자. 이 글자는 돈으로 쓸 조개[貝]를 칼[刀]로 잘 다듬어 다발[束·속]로 엮어 안전한 곳에 두거나 믿을 만한 사람에게 '맡기다'(entrust)는 뜻이다. 후에 '부탁하다'(beg; request), '믿다'(trust)는 뜻도 이것으로 나타냈다.

속뜻훈음 **맡길 뢰.**

• 역순어휘

무뢰 無賴 | 없을 무, 맡길 뢰 [ruffian; rowdy]
❶속뜻 일을 맡길[賴]만한 사람이 못됨[無]. ❷예의와 염치를 모르며 함부로 행동하는 사람. ¶저런 무뢰를 보았나.

신:뢰 信賴 | 믿을 신, 맡길 뢰 [trust]
어떤 일 따위를 믿고[信] 맡김[賴]. ¶신뢰를 얻다 / 그는 신뢰할 수 있는 사람이다.

의뢰 依賴 | 의지할 의, 맡길 뢰
[depend on; request]
❶속뜻 의지(依支)하여 맡김[賴]. ❷남에게 부탁함. ¶그는 경찰에 수사를 의뢰했다.

1446 [무]

貿 무역할 무:
部 貝부 劃 12획 中 贸 [mào]

貿자는 돈과 물건을 '바꾸다'(change)는 뜻을 나타내기 위하여 만든 것이었으니 '조개=돈 패'(貝)가 표의요소로 채택됐다. 卯(넷째 지지 묘)는 표음요소였다고 한다. 후에 '장사하다'(transact; sell) 등으로 확대 사용됐다.

속뜻 훈음 **바꿀 무.**

무:역 貿易 | 바꿀 무, 바꿀 역
[trade; export and import business]
❶경제 상품을 팔고 사며 서로 바꾸는[貿=易] 상행위. ❷외국 상인과 물품을 수출입하는 상행위. 비 교역(交易), 통상(通商).

1447 [부]

賦 부세 부:
部 貝부 劃 15획 中 赋 [fù]

賦자는 세금 등을 '거두다'(impose; charge)는 뜻을 나타내기 위하여 만든 것이었으니 '조개=돈 패'(貝)가 표의요소로 쓰였다. 武(굳셀 무)는 표음요소로 쓰인 것이라고 한다. '(물려) 주다'(endow with; bless with)는 뜻으로도 쓰인다.

속뜻 훈음 **①거둘 부, ②줄 부.**

부:과 賦課 | 거둘 부, 매길 과 [levy]
세금 따위를 거두거나[賦] 매김[課]. 또는 그런 일. ¶재산세 부과 / 벌금을 부과하다.

부:역 賦役 | 거둘 부, 부릴 역
[compulsory service]
나라가 백성들에게 세금을 거두거나[賦] 일을 부림[役]. 또는 그런 일. ¶부역에 나가다.

• 역순어휘

월부 月賦 | 달 월, 거둘 부
[monthly payments]
물건 값 등을 매달[月] 일정하게 나누어 거두어들임[賦]. ¶월부로 컴퓨터를 사다.

천부 天賦 | 하늘 천, 줄 부
[natural gift; native ability]
❶속뜻 하늘[天]이 줌[賦]. ❷선천적으로 타고남. ¶천부의 재능을 가졌다.

할부 割賦 | 나눌 할, 거둘 부
[pay in installments]
돈을 여러 번으로 나누어[割] 거두어[賦] 들임. ¶3개월 할부로 물건을 샀다.

1448 [임]

賃 품삯 임:
部 貝부 劃 13획 中 赁 [lìn]

賃자는 돈을 주고 사람을 '고용하다'(employ; hire)는 뜻을 나타내기 위하여 만든 것이었으니 '조개=돈 패'(貝)가 표의요소로 쓰였다. 任(맡길 임)이 표음요소임은 妊(임신할 임)과 荏(들깨 임)의 경우도 마찬가지이다. 후에 '품삯'(wages; pay)을 나타내는 것으로 확대 사용됐다.

임:금 賃金 | 품삯 임, 돈 금 [pay]
일을 한 품삯[賃]으로 받는 돈[金]. ¶임금을 올려 달라고 애원하다. 비 노임(勞賃), 삯.

임:대 賃貸 | 품삯 임, 빌릴 대 [lease]
❶속뜻 삯[賃]이나 돈을 받고 빌려줌[貸]. ❷돈을 받고 자기 물건을 남에게 빌려 줌. ¶임대 아파트 / 제주도를 여행하기 위해 차를 임대했다. 반 임차(賃借).

• 역순어휘

노임 勞賃 | 일할 로, 품삯 임 [pay; wages]
힘들게 일을 한[勞] 대가로 받는 품삯[賃]. 비 임금(賃金).

운:임 運賃 | 옮길 운, 품삯 임 [fare]
여객이나 화물을 운반(運搬)한 대가로 받는 삯[賃]. ¶모든 운임은 저희가 부담하겠습니다.

1449 [정]

貞

곧을 정

[部] 貝부 [畫] 9획 [中] 贞 [zhēn]

> 貞자의 본래 뜻은 '점쳐 묻다'(ask fortune)였다. '점 복'(卜)이 표의요소로 쓰인 것은 누구나 쉽게 이해할 수 있을 텐데, '조개=돈 패'(貝)는 왜 표의요소로 쓰였을까? 그것은 점을 쳐준 값으로 점술가에게 주는 돈, 즉 卜債(복채)와 관련이 있다는 설이 유력하다. 후에 '(마음이) 곧다'(upright; righteous), '(몸가짐이) 깔끔하다'(cleanly; tidy; neat) 등으로 차용되어 쓰인다.

정숙 貞淑 | 곧을 정, 맑을 숙 [chaste; virtuous]
여자로서 행실이 곧고[貞] 마음씨가 맑음[淑]. ¶정숙한 아내.

정절 貞節 | 곧을 정, 지조 절 [faithfulness; fidelity]
여자의 곧은[貞] 지조[節]. ¶정절을 지키다. [비]정조(貞操).

정조 貞操 | 곧을 정, 잡을 조 [chastity; virtue]
❶[속뜻]곧은[貞] 지조(志操). ¶정조를 지키다. ❷이성 관계에서 순결을 지키는 일. ¶정조를 중히 여기다. [비]정절(貞節).

1450 [찬]

贊

도울 찬:

[部] 貝부 [畫] 19획 [中] 赞 [zàn]

> 贊자는 '돕다'(help; aid)는 뜻을 나타내기 위하여 만든 것이었으니 '조개=돈 패'(貝)가 표의요소로 쓰였다. 先자를 두 개 겹쳐 쓴 것도 지금은 잘 쓰지 않는 글자이지만, '드리다'는 뜻의 표의요소이다. 즉, 돈을 드려서 돕는다는 뜻이니 참으로 좋은 발상이 아닐 수 없다.

찬:동 贊同 | 도울 찬, 한가지 동
[approve; support; endorse]
❶[속뜻]어떤 일을 도와서[贊] 함께[同] 함. ❷뜻을 같이 함. ¶그들도 우리의 제안에 찬동했다. [비]동의(同意), 찬성(贊成).

찬:반 贊反 | 도울 찬, 반대할 반
[for and against; ayes or noes]
찬성(贊成)과 반대(反對). ¶투표를 통해 찬반을 묻다.

찬:성 贊成 | 도울 찬, 이룰 성
[support; agree; approve of]
❶[속뜻]어떤 일을 도와주어[贊] 이루게[成] 함. ❷다른 사람의 의견이나 제안 등을 인정하여 동의함. ¶나는 네 생각에 찬성이다. [비]동의(同意), 찬동(贊同). [반]반대(反對).

• 역순어휘

협찬 協贊 | 합칠 협, 도울 찬 [support; cooperate]
힘을 합쳐[協] 서로 도움[贊]. 어떤 일 따위에 재정적으로 도움을 줌. ¶의상 협찬을 받다.

1451 [천]

賤

천할 천:

[部] 貝부 [畫] 15획 [中] 贱 [jiàn]

> 賤자는 '천하다'(humble)는 뜻을 나타내기 위하여 만든 것인데 '조개=돈 패'(貝)가 표의요소로 쓰인 것을 보면, 돈이 너무 없으면 업신여김을 당하기 쉽기 때문인 듯하다. 戔(쌓일 전)이 표음요소인 것은 踐(밟을 천), 淺(얕을 천)의 경우를 통하여 알 수 있다.

천:대 賤待 | 천할 천, 대접할 대 [treat with contempt]
천(賤)하게 대접(待接)함. ¶도둑놈의 아들이라고 천대를 받다.

천:민 賤民 | 천할 천, 백성 민
[person of low birth]
신분이 천(賤)한 백성[民]. ¶그는 천민이었지만 재능이 뛰어나 높은 벼슬에 올랐다.

천:시 賤視 | 천할 천, 볼 시 [despise; scorn]
천(賤)하게 봄[視]. ¶예전에는 상인을 천시했다. [비]천대(賤待).

천:인 賤人 | 천할 천, 사람 인
[person of low origin; lowly man]
❶[속뜻]천(賤)한 사람[人]. ❷봉건사회에서 천한 일이 생업이었던 사람. 백정, 노비 따위.

• 역순어휘

귀:천 貴賤 | 귀할 귀, 천할 천
[high and the low; noble and the base]
신분이 귀(貴)하거나 천(賤)한 일. 또는 신분이 높은 사람과 낮은 사람. ¶직업에는 귀천이 없다.

미천 微賤 | 작을 미, 천할 천 [lowly; humble]
신분이나 사회적 지위가 보잘것없고[微] 천(賤)하다. ¶미천한 몸.

비:천 卑賤 | 낮을 비, 천할 천 [lowly; humble]
신분이 낮고[卑] 천(賤)하다. ¶비천한 일을 하다. [반]고귀(高貴)하다, 존귀(尊貴)하다.

빈천 貧賤 | 가난할 빈, 천할 천 [poor and lowly]
가난하고[貧] 천(賤)함. ¶빈천한 집안에서 태어나다. ⓑ 부귀(富貴).

지천 至賤 | 지극할 지, 천할 천 [abundance]
❶속뜻 지극(至極)히 천(賤)함. 매우 천함. ❷매우 흔함. ¶가을이면 코스모스가 지천으로 피어난다.

1452 [하]

賀
하례할 하:
㊇ 貝부 ㊀ 12획 ㊥ 贺 [hè]

賀자는 본래 '기쁨을 함께 하다'(congratulate)는 뜻을 나타내기 위하여 '돈'을 뜻하는 貝(패)와 '더하다'는 뜻의 加(가)가 표의요소, 즉 힌트로 제시되어 있다. 하례를 할 때에는 간단한 예물이나 돈[貝]을 주는[加] 것이 중요함을 이로써 알만 하다. 加(가)는 표음요소란 설도 있는데, 음의 유사성이 있기는 하지만 다른 글자의 예가 없다. '축하하다'(congratulate), '하례하다'(celebrate) 또는 이와 의미상 연관이 있는 낱말의 한 구성요소로도 쓰인다.

속뜻훈음 ①하례할 하, ②축하할 하.

하:객 賀客 | 축하할 하, 손 객 [congratulator]
축하(祝賀)하기 위해 온 손님[客]. ¶결혼식장은 하객들로 넘쳐났다.

하:연 賀宴 | 축하할 하, 잔치 연
[banquet in celebration; festivities]
축하(祝賀)하는 뜻을 나타내기 위하여 베푸는 잔치[宴]. ⓑ하연(賀筵).

• 역순어휘

근:하 謹賀 | 삼갈 근, 축하할 하
[congratulate cordially]
삼가[謹] 축하(祝賀)함.

연하 年賀 | 해 년, 축하할 하
[New Year's greetings]
새해[年]를 맞이하게 된 것을 축하(祝賀)함.

축하 祝賀 | 빌 축, 하례할 하
[celebrate; congratulate]
❶속뜻 복을 빌어주는[祝] 하례(賀禮). ❷남의 기쁜 일에 대하여 더 큰 기쁨이 있기를 빌어주는 뜻으로 하는 인사. ¶졸업을 진심으로 축하합니다.

치:하 致賀 | 보낼 치, 축하할 하 [congratulate]
❶속뜻 축하(祝賀)하는 뜻을 보냄[致]. ❷남이 한 일에 대하여 고마움이나 칭찬의 뜻을 표하는 말. ¶사장은 사원들의 노고를 치하했다.

1453 [감]

鑑
거울 감
㊇ 金부 ㊀ 22획 ㊥ 鉴 [jiàn]

鑑자는 본래 청동기로 만든 큰 '동이'(a jar)를 뜻하기 위하여 만든 글자이니 '쇠 금'(金)이 표의요소로 쓰였다. 監(볼 감, #0638)은 원래 표음요소이다. 후에 '거울'(a mirror), '거울삼다'(follow the example of), '보다'(look in)는 뜻으로 확대 사용됐다. 이러한 뜻으로 보자면 표의요소도 겸하게 됐다.

속뜻훈음 ①거울 감, ②볼 감.

감상 鑑賞 | 볼 감, 즐길 상 [appreciate]
예술 작품을 보고[鑑] 즐김[賞]. ¶미술 작품을 감상하다.

감식 鑑識 | 볼 감, 알 식 [judge]
감정(鑑定)하여 식별(識別)함. ¶지문 감식 / 미술품을 감식하다.

감정 鑑定 | 볼 감, 정할 정 [judge; appraise]
진짜와 가짜 따위를 살펴보면서[鑑] 판정(判定)함. ¶그림을 감정했다. ⓑ감식(鑑識), 감별(鑑別), 판별(判別), 식별(識別).

• 역순어휘

귀감 龜鑑 | 거북 귀, 거울 감
[paragon; pattern; model]
❶속뜻 점치는 데 쓰이는 거북[龜]과 얼굴을 비춰보는 데 쓰이는 거울[鑑]. ❷본보기가 될 만한 언행이나 거울삼아 본받을 만한 모범(模範). ¶귀감으로 삼다.

도감 圖鑑 | 그림 도, 볼 감 [illustrated book]
실물 대신 그림[圖]이나 사진을 모아 알아보기[鑑] 쉽게 한 책. ⓑ도보(圖譜).

연감 年鑑 | 해 년, 볼 감 [yearbook; almanac]
한 해[年] 동안 일어난 일 따위를 알아보기[鑑] 쉽도록 엮은 책. ¶출판 연감 / 통계 연감.

1454 [강]

鋼
강철 강
㊇ 金부 ㊀ 16획
㊥ 钢 [gāng, gàng]

鋼자는 굳고 질기게 만든 쇠, 즉 '강철'(steel)을 뜻하기 위하여 만든 것이었으니 '쇠 금'(金)이 표의요소로 쓰였다. 岡

(산등성이 강)은 綱(벼리 강)의 경우와 마찬가지로 표음요소로 쓰였다.

강철 鋼鐵 | 강철 강, 쇠 철 [steel]
❶속뜻 굳고 질기게[鋼] 만든 쇠[鐵]. ❷공업 탄소의 함유량이 0.035~1.7%인 철. ❸아주 단단하고 굳센 것을 비유하여 이르는 말. ¶그 사람은 강철이다. ⑪연철(軟鐵).

강판 鋼板 | 강철 강, 널빤지 판 [steel sheet]
강철(鋼鐵)로 만든 널빤지[板]. ¶배의 갑판에 강판을 깔다. '강철판'의 준말.

• 역순어휘

제:강 製鋼 | 만들 제, 강철 강 [make steel]
강철(鋼鐵)을 만듦[製]. 또는 그 강철. ¶제강산업 / 이 곳에서 제강한 재료는 외국으로 수출한다.

철강 鐵鋼 | 쇠 철, 강철 강 [iron and steel]
공업 주철(鑄鐵)과 강철(鋼鐵)을 아울러 이르는 말.

1455 [금]

錦

비단 금:
部 金부 劃 16획 中 锦 [jǐn]

錦자는 형형색색의 무늬를 넣어 짠 '비단'(silk fabrics)을 뜻하기 위하여 만든 것이었으니 '비단 백'(帛)이 표의요소이고, 金(쇠 금)은 표음요소이다. 표의요소와 표음요소로 구성된 이른바 形聲(형성) 문자는 표의요소를 부수로 지정되는 것이 일반적인 관례인데, 이 글자는 예외적으로 표음요소가 부수로 지정됐다. 214개 부수 체계에서 帛이 부수 목록에 없기 때문에 부득이 그렇게 하였던 것으로 추정된다.

금:수 錦繡 | 비단 금, 수놓을 수
[embroidered brocade]
비단[錦]에 수놓은[繡] 것. 수놓은 비단. ¶금수 같은 우리 강산.

금:의 錦衣 | 비단 금, 옷 의
[clothes of silk brocade]
비단[錦] 옷[衣]. ¶금의를 입고 고향에 나타났다.

1456 [명]

銘

새길 명
部 金부 劃 14획 中 铭 [míng]

銘자는 청동 기물에 글을 '새기다'(inscribe)는 뜻을 나타내기 위하여 만든 것이었으니 '쇠 금'(金)이 표의요소로 쓰였다. 名(이름 명)은 표음요소이니 뜻과는 무관하다.

명심 銘心 | 새길 명, 마음 심
[inscribe in one's memory]
❶속뜻 마음[心]에 새기어[銘] 둠. ❷꼭꼭 기억함. ¶그 일을 항상 명심해야 한다. ⑪명간(銘肝), 명기(銘記), 명념(銘念).

• 역순어휘

감:명 感銘 | 느낄 감, 새길 명 [impress]
깊이 느끼어[感] 마음에 새겨[銘] 둠. ¶이순신 장군의 전기를 감명 깊게 읽었다. ⑪감격(感激), 감동(感動).

1457 [련]

鍊

쇠불릴/단련할 련:
部 金부 劃 17획 中 练 [liàn]

鍊자는 '(쇠를) 불리다'(temper; harden)는 뜻을 나타내기 위하여 만든 것이었으니 '쇠 금'(金)이 표의요소로 쓰였다. 음 차이가 크지만 柬(가릴 간)이 표음요소였음은 練(익힐 련), 煉(불릴 련)도 마찬가지이다. 후에 '익히다'(practice; train), '연마하다'(drill)는 뜻으로 확대 사용됐다.

속뜻 훈음 ①불릴 련, ②익힐 련.

연:단 鍊鍛 | 불릴 련, 쇠 두드릴 단
[practice; exercise]
❶속뜻 쇠붙이를 불에 불린[鍊] 다음 두드려[鍛] 단단하게 함. ❷몸을 운동을 하거나 힘을 길러서 튼튼한 상태로 만드는 것. ❸마음이나 정신을 강한 의지를 갖도록 수련(修練)하는 것. ⑪단련(鍛鍊).

• 역순어휘

교:련 教鍊 | 가르칠 교, 익힐 련 [train; drill]
❶속뜻 가르쳐[教] 익힘[鍊]. ❷군인이나 학생에게 가르치는 군사 훈련.

노:련 老鍊 | 늙을 로, 익힐 련
[experienced; skilled]
오래도록[老] 능란하게 익히다[鍊]. ¶그는 노련하게 환자를 치료했다. ⑫미숙(未熟).

단련 鍛鍊 | 쇠 두드릴 단, 불릴 련 [temper; train]
❶속뜻 쇠붙이를 두드리고[鍊] 불에 달구고[鍛]를 반복

하여 단단하게 함. ❷시련이나 수련 따위를 통해서 몸과 마음을 굳세게 닦음. ¶신체를 단련하다. ❸배운 것을 익숙하게 익힘. ¶새로 배운 동작을 단련하다. ❹귀찮거나 괴로운 일로 시달림. ¶역경에 단련되다. ㊥수련(修練/修鍊), 연마(鍊磨).

대:련 對鍊 | 대할 대, 익힐 련
[spar; emulate; rival]
운동 태권도나 유도 따위에서 두 사람이 상대(相對)하여 기술을 익힘[鍊]. ㊥겨루기.

세:련 洗練 | =洗鍊, 씻을 세, 익힐 련
[refined; sophisticated; polished]
❶속뜻 깨끗이 씻어[洗] 말끔하고 열심히 익혀[練] 능숙함. ❷서투르거나 어색한 데가 없이 능숙하고 미끈하게 갈고 닦음. ❸모습 따위가 말쑥하고 품위가 있다. ¶세련된 옷차림.

수련 修鍊 | 닦을 수, 익힐 련 [train; practice]
정신이나 학문, 기술 따위를 닦고[修] 익히다[鍊]. ¶심신을 수련하다.

숙련 熟鍊 | =熟練, 익을 숙, 익힐 련 [be skilled]
❶속뜻 익숙하도록[熟] 익힘[鍊]. ❷어떤 일에 통달하여 잘 알고 다룸. ¶그는 매우 숙련된 목수다.

시:련 試鍊 | 시험할 시, 불릴 련
[try; make a trial]
의지나 참을성을 시험(試驗)하거나 단련(鍛鍊)시키는 것. ¶시련을 극복하다.

제:련 製鍊 | 만들 제, 쇠 불릴 련
[refine metals; smelt copper]
공업 광석을 용광로에 넣어 녹이고 불려서[鍊] 금속을 만듦[製]. ¶제련 기술 / 우리나라는 삼국시대부터 철을 제련해 왔다.

조련 調練 | =調鍊, 길들일 조, 익힐 련 [train]
❶속뜻 길들이기[調] 위하여 훈련(訓練)시킴. ❷훈련을 거듭하여 쌓음. ¶농장에서 야생마를 조련하다.

훈:련 訓練 | =訓鍊, 가르칠 훈, 익힐 련
[train; drill; practice]
무예나 기술 등을 가르치고[訓] 익힘[練]. ¶사격 훈련 / 선수들이 열심히 훈련하고 있다.

1458 [쇄]

鎖

쇠사슬 쇄:
㊀ 金부 ㊀ 부 ㊀ 18획 ㊥ 锁 [suǒ]

鎖자는 쇠로 만든 '자물쇠'(a lock)를 나타내기 위하여 만든 것이었으니 '쇠 금'(金)이 표의요소로 쓰였다. 그 나머지가 표음요소로 쓰인 것은 嗩(호적 쇄), 瑣(자질구레할 쇄)도 마찬가지이다. 후에 '잠그다'(lock), '쇠사슬'(an iron chain) 등으로 확대 사용됐다.

속뜻훈음 ①잠글 쇄, ②쇠사슬 쇄.

쇄:국 鎖國 | 잠글 쇄, 나라 국
[close a country]
❶속뜻 나라[國] 문을 잠금[鎖]. ❷외국과의 교통이나 무역을 막음. ㊥개국(開國).

• 역순어휘

봉쇄 封鎖 | 봉할 봉, 잠글 쇄
[block up; blockade]
봉(封)하여 굳게 잠금[鎖]. ¶출입구 봉쇄 / 경찰은 모든 도로를 봉쇄했다.

연쇄 連鎖 | 이을 련, 쇠사슬 쇄
[chain; links; series]
❶속뜻 한 줄로 연결(連結)된 쇠사슬[鎖]. ❷사물이나 현상이 사슬처럼 서로 이어져 통일체를 이룸. ¶연쇄 반응을 일으키다.

족쇄 足鎖 | 발 족, 쇠사슬 쇄 [fetters]
❶역사 죄인의 발[足]목에 채우던 쇠사슬[鎖]. ¶여러 죄인이 족쇄에 묶여 있다. ❷자유를 구속하는 대상을 비유적으로 이르는 말. ¶족쇄를 채우다.

폐:쇄 閉鎖 | 닫을 폐, 잠글 쇄
[close; shut; lock]
❶속뜻 문을 닫고[閉] 잠금[鎖]. ❷기관이나 시설을 없애거나 기능을 정지함. ¶이 공장은 불황으로 폐쇄됐다. ㊥개방(開放).

1459 [주]

鑄

쇠불릴 주:
㊀ 金부 ㊀ 22획 ㊥ 铸 [zhù]

鑄자는 쇠를 녹여 거푸집에 넣어 鐵器(철기)를 '불리다'(cast; mold)는 뜻을 위하여 만든 것이다. 갑골문에서는 쇠를 녹인 물을 두 손으로 들어 거푸집에 넣는 모양을 그린 것이었다. 쓰기가 불편하였던지 금문이나 전서 서체 때에 이르러서는 '쇠 금'(金)이란 표의요소에다 표음요소를 덧붙인 형성 문자로 탈바꿈하였다. 壽(목숨 수)가 표음요소임은 疇(밭두둑 주)도 마찬가지이다.

주:물 鑄物 | 쇠 불릴 주, 만들 물 [casting]
공업 쇳물을 일정한 틀 속에 부어 굳혀 만든[鑄] 물건(物件).

주:조 鑄造 | 쇠 불릴 주, 만들 조 [cast]

쇳물을 거푸집에 부어[鑄] 필요한 물건을 만듦[造]. ¶기념 주화를 주조하다.

주:화 鑄貨 | 쇠 불릴 주, 돈 화 [coin]
쇠붙이를 녹여 만든[鑄] 화폐(貨幣). 또는 그러한 일. ¶주화를 발행하다.

1460 [진]

鎭

진압할 진:
[部] 金부 [劃] 18획 [中] 镇 [zhèn]

鎭자는 쇠 따위의 무거운 물건을 위에 놓아 '누르다'(press down; weigh on)는 뜻을 나타내기 위하여 만든 것이었으니 '쇠 금'(金)이 표의요소로 쓰였다. 眞(참 진)은 표음요소이니 뜻과는 무관하다.

진:압 鎭壓 | 누를 진, 누를 압
[repress; put down]
진정(鎭靜)시키기 위하여 강압적인 힘으로 억누름[壓]. ¶폭동이 진압되지 못하고 있다 / 소방관들은 화재를 진압했다.

진:정 鎭靜 | 누를 진, 고요할 정
[calm down; relax]
❶[속뜻] 누르거나[鎭] 가라앉혀 조용하게[靜] 함. ¶사태가 진정되지 못하다. ❷격앙된 감정이나 아픔 따위를 가라앉힘. ¶화가 나는 마음을 진정하려 애쓰다.

진:통 鎭痛 | 누를 진, 아플 통
[relieve the pain]
[의학] 아픔[痛]을 눌러[鎭] 멎게 함. ¶이 약은 진통 효과가 뛰어나다.

진:혼 鎭魂 | 누를 진, 넋 혼
[repose of souls]
죽은 사람의 넋[魂]을 달래고 진정(鎭靜)시켜 고이 잠들게 함.

진:화 鎭火 | 누를 진, 불 화 [extinguish a fire]
불길[火]을 진압(鎭壓)함. 화재를 끔. ¶비가 와서 불이 금방 진화됐다.

• 역순어휘

서진 書鎭 | 글 서, 누를 진 [paperweight]
책장이나 종이[書]가 바람에 날리지 않도록 누르는[鎭] 물건. [비]문진(文鎭).

육진 六鎭 | 여섯 륙, 누를 진
[역사] 조선 세종 때 함경북도 경원·경흥·부령·온성·종성·회령 등 여섯[六] 곳에, 적군의 침입을 억누르기[鎭] 위하여 설치한 요새지.

1461 [착]

錯

어긋날 착
[部] 金 16획 [中] 错 [cuò]

錯자는 본래 쇠를 '도금하다'(gild; coat with gold)는 뜻을 나타내기 위하여 만든 것이었으니 '쇠 금'(金)이 표의요소로 쓰였다. 후에 그 일과 관련이 깊은 '섞다'(mix; compound), '어긋나다'(be contrary to), '틀리다'(go wrong) 등의 의미로 확대 사용됐다.

[속뜻 훈음] **①어긋날 착, ②섞일 착.**

착각 錯覺 | 어긋날 착, 깨달을 각
[be under an illusion; misunderstand]
사물을 실제와 다르게[錯] 느낌[覺]. ¶그는 자기가 잘 생겼다고 착각한다.

착오 錯誤 | 어긋날 착, 그르칠 오
[mistake; err; slip]
착각(錯覺)을 하여 잘못 그르침[誤]. 또는 그런 잘못. ¶착오를 겪다보면 성공하게 된다 / 착오로 거스름돈을 덜 받았다.

착잡 錯雜 | 섞일 착, 어수선할 잡
[mixed; complicated; intricate]
여러 가지 생각이 뒤섞여[錯] 마음이 어수선함[雜]. ¶그의 편지를 보고 마음이 착잡했다.

1462 [각]

閣

집 각
[部] 門부 [劃] 14획 [中] 阁 [gé, gǎo]

閣자는 커다란 '대궐'(the royal palace)을 나타내기 위하여 만든 것이니, '대문 문'(門)이 표의요소로 쓰였고, 各(각각 각)은 표음요소이니 의미와는 무관하다. '집'(a house), '관청'(a government office)을 이르는 것으로도 쓰인다.

[속뜻 훈음] **①집 각, ②관청 각, ③대궐 각.**

각료 閣僚 | 관청 각, 벼슬아치 료
[the Cabinet minister]
[정치] 내각[閣]을 구성하는 각 장관[僚]. ¶의원내각제에서 각료는 국회의원을 겸할 수 있다. [비]각원(閣員).

각하 閣下 | 대궐 각, 아래 하
[Your Excellency]
❶[속뜻] 대궐[閣] 아래[下]. ❷특정한 고급 관료에 대한 경칭. ¶대통령 각하 / 의장 각하. [비]전하(殿下), 성하(聖下).

• 역순어휘

개:각 改閣 | 고칠 개, 관청 각
[reshuffle the cabinet]
내각(內閣)을 개편(改編)함. ¶개각으로 분위기가 뒤숭숭하다.

내:각 內閣 | 안 내, 관청 각 [cabinet; Ministry]
❶속뜻 행정부 안[內]의 각료(閣僚). ❷정치 국가의 행정권을 담당하는 최고 합의기관.

누각 樓閣 | 다락 루, 집 각
[many-storied building]
다락[樓] 같이 높게 지은 집[閣].

비각 碑閣 | 돌기둥 비, 집 각 [tablet house]
비(碑)를 세우고 그 위를 덮어 지은 집[閣]. ¶예전에는 그곳에 꽤 큰 비각이 있었다.

종각 鐘閣 | 쇠북 종, 집 각 [belfry; bell tower]
큰 종(鐘)을 달아 두기 위하여 지은 누각(樓閣).

1463 [격]

隔
사이 뜰 격
部 阜부 畫 13획 中 隔 [gé]

隔자는 본래 길이 언덕으로 '막히다'(be blocked; be barred)는 뜻을 나타내기 위하여 만든 것이었으니 '언덕 부'(阜)가 표의요소로 쓰였다. 鬲(솥 력)이 표음요소였음은 膈(흉격 격), 滆(호수 이름 격)도 마찬가지이다. 후에 '사이 뜨다'(have an interval), '칸막이'(a partition; a division) 등으로 확대 사용됐다.

격리 隔離 | 사이 뜰 격, 떨어질 리
[isolate; segregate]
사이를 떼어[隔] 떨어뜨려[離] 놓음. ¶전염병 환자를 격리하여 치료하다.

격차 隔差 | 사이 뜰 격, 다를 차
[difference; differential]
❶속뜻 서로 사이가 뜨거나[隔] 다름[差]. ❷품질, 수량 따위가 서로 다른 정도. ¶빈부 격차가 줄었다.

• 역순어휘

간격 間隔 | 사이 간, 사이 뜰 격 [space]
❶속뜻 공간적으로 사이[間]가 벌어짐[隔]. ¶앞 차와의 간격을 유지하세요. ❷시간적으로 벌어진 사이. ¶버스는 20분 간격으로 온다. ❸사람들의 관계가 벌어진 정도. ¶한동안 연락을 안 했더니 친구와 간격이 느껴진다.

원:격 遠隔 | 멀 원, 사이 뜰 격 [be far apart]
공간적으로 멀리[遠] 떨어짐[隔]. ¶이 비행기는 원격으로 조종할 수 있다.

현:격 懸隔 | 매달 현, 사이 뜰 격
[widely different; far apart]
❶속뜻 매달린[懸] 것끼리 사이가 매우 큼[隔]. ❷사이가 많이 벌어져 있거나 차이가 매우 심함. ¶현격한 의견 차이.

1464 [릉]

陵
언덕 릉
部 阜부 畫 11획 中 陵 [líng]

陵자는 큰 '언덕'(a hill)을 뜻하기 위하여 만든 것이었으니 '언덕 부'(阝=阜)가 표의요소로 쓰였다. 언덕을 오르는 사람의 모습을 본뜬 夌(언덕 릉)은 표음과 표의를 겸하는 요소이다. 왕실의 큰 '무덤'(a grave; a tomb)을 뜻하는 것으로도 쓰인다.

속뜻 훈음 ①언덕 릉, ②무덤 릉.

• 역순어휘

구릉 丘陵 | 언덕 구, 언덕 릉 [hill]
작은 언덕[丘]과 큰 언덕[陵].

왕릉 王陵 | 임금 왕, 무덤 릉 [royal tomb]
임금[王]의 무덤[陵]. ¶천마총은 신라 지증왕의 왕릉으로 알려져 있다.

홍릉 洪陵 | 클 홍, 무덤 릉
❶속뜻 큰[洪] 무덤[陵]. ❷고적 경기도 남양주시 금곡동에 있는 조선 고종과 왕비인 명성황후가 합장되어 있는 무덤.

1465 [도]

陶
질그릇 도
部 阜부 畫 11획 中 陶 [táo, yáo]

陶자는 본래 匋(도)로 썼다. 이것은 缶(장군 부)가 표의요소이고, 勹(쌀 포)는 표음요소였다고 한다. '장군'은 액체를 담는 것으로 진흙을 구어 만든 질그릇의 일종이다. 옹기 가마는 대개 비탈진 곳에 설치하기 때문에 '언덕 부'(阜=阝)를 덧붙여 '질그릇'(clay ware)이란 본뜻을 더욱 보강했다. '기뻐하다'(be glad)는 뜻으로도 쓰인다.

속뜻 훈음 ①질그릇 도, ②기뻐할 도.

도공 陶工 | 질그릇 도, 장인 공 [ceramist; potter]

옹기[陶] 만드는 일을 하는 사람[工]. (비)옹기장이, 도예가(陶藝家).

도기 陶器 | 질그릇 도, 그릇 기 [pottery]
진흙을 원료로 빚어서[陶] 비교적 낮은 온도로 구운 그릇[器]. (비)오지그릇.

도야 陶冶 | 질그릇 도, 불릴 야 [cultivate; train]
❶[속뜻] 도기(陶器)를 만드는 일과 쇠를 불리어[冶] 주조하는 일. ❷'훌륭한 사람이 되도록 몸과 마음을 닦아 기름'을 비유하여 이르는 말. ¶인격을 도야하다. (비)수양(修養), 수련(修鍊).

도예 陶藝 | 질그릇 도, 재주 예 [ceramic art]
[속공] 도자기(陶瓷器)를 만들어내는 공예(工藝). 또는 그 기술. ¶현대 도예 작품 / 그는 세계적인 도예가이다.

도자 陶瓷 | =陶磁, 질그릇 도, 사기그릇 자
질그릇[陶器]과 사기그릇[瓷器]. ¶한국의 섬세한 도자 기술은 세계 최고이다.

도취 陶醉 | 기뻐할 도, 취할 취 [intoxicate]
❶[속뜻] 기쁜[陶] 마음에 흠뻑 취함[醉]. ❷어떠한 것에 마음이 쏠려 취하다시피 됨. ¶자아 도취 / 아름다운 경치에 도취되다.

1466 [부]

附

붙을 부:
(部) 阜부 (劃) 8획 (中) 附 [fù]

附자는 언덕 부(阝=阜)가 표의요소이고, 付(부)는 표음요소이다. '나지막한 흙산'(a earthy mountain)이 본뜻인데, '붙다'(stick to; adhere to)는 뜻으로도 쓰인다.

부:가 附加 | 붙을 부, 더할 가 [add]
이미 있는 것에 붙여[附] 더함[加]. 덧붙임. ¶부가 서비스

부:근 附近 | 붙을 부, 가까울 근
[neighborhood; nearby]
붙어[附] 있어 가까움[近]. ¶친구와 학교 부근에 있는 공원에서 만났다. (비)근처(近處).

부:도 附圖 | 붙을 부, 그림 도 [attached map]
책에 딸려 붙어[附] 있는 그림이나 지도(地圖) 따위. ¶지리부도 / 역사 부도

부:록 附錄 | 붙을 부, 기록할 록
[appendix; supplement]
❶[속뜻] 본문 끝에 덧붙이는[附] 기록(記錄). ❷신문, 잡지 따위의 본지에 덧붙인 지면이나 따로 내는 책자. ¶이 책을 사면 부록으로 가계부를 준다.

부:설 附設 | 붙을 부, 세울 설 [attach]
부속(附屬)시켜 설치(設置)함. ¶사범대학 부설 초등학교

부:속 附屬 | 붙을 부, 엮을 속
[belong to; be attached to]
❶[속뜻] 주된 것에 붙여[附] 엮어 놓음[屬]. ¶부속 건물. ❷'부속품'(附屬品)의 준말.

부:여 附與 | 붙을 부, 줄 여 [bestow; allow]
사물이나 일에 가치·의의 따위를 붙여[附] 줌[與]. ¶특권 부여 / 임무를 부여하다.

부:착 附着 | =付着, 붙을 부, 붙을 착
[adhere; attach]
들러붙어서[附=着] 떨어지지 아니함. 또는 그렇게 붙이거나 닮. ¶사진부착 / 벽에 포스터를 부착하다.

• 역순어휘 ——————— •

기부 寄附 | 부칠 기, 붙을 부
[donate to; contribute to]
돈 따위를 대가없이 보내주거나[寄] 덧붙여[附] 내놓음. ¶적십자에 돈을 기부하다. (비)기증(寄贈), 기탁(寄託).

아부 阿附 | 언덕 아, 붙을 부 [flatter]
❶[속뜻] 언덕[阿]에 바짝 달라붙음[附]. ❷남의 비위를 맞추어 알랑거림. ¶그는 아부 근성이 있다. (비)아첨(阿諂).

첨부 添附 | 더할 첨, 붙을 부 [attach; append]
주로 문서나 안건 따위에 더하거나[添] 덧붙임[附]. ¶첨부된 문서를 참조하다.

1467 [수]

隨

따를 수
(部) 阜부 (劃) 16획 (中) 随 [suí]

隨자는 구조를 잘 파악해야 한다. 길을 '따라가다'(go along with; accompany)는 뜻을 나타내기 위하여 만든 것이었으니 '길갈 착'(辶)이 표의요소로 쓰였고, 隋(수나라 수)는 표음요소이다. 표음요소의 일부가 부수로 지정된 매우 특이한 예이다.

수반 隨伴 | 따를 수, 짝 반
[accompany; go with]
❶[속뜻] 어떤 것에 뒤따르거나[隨] 짝[伴]이 됨. ❷어떤 일과 더불어 생김. ¶자유에는 반드시 책임이 수반된다.

수시 隨時 | 따를 수, 때 시 [anytime]
❶[속뜻] 때[時]에 따라서[隨]. 때때로. ❷그때그때. ¶수

시 모집.

수필 隨筆 | 따를 수, 붓 필 [essay]

❶속뜻 붓[筆]이 가는 대로 따라[隨] 씀. ❷문학 일정한 형식이 없이 체험이나 감상, 의견 따위를 생각나는 대로 자유롭게 적은 글.

수행 隨行 | 따를 수, 갈 행 [accompany; follow]

높은 지위에 있는 사람을 따라[隨] 감[行]. ¶비서는 늘 회장님을 수행하였다.

1468 [아]

阿

언덕 아

㊞ 阜부 ㊞ 8획 ㊥ 阿 [ā, a, ē]

阿자는 원래 가파른 '언덕'(a hill; a hillock)을 뜻하기 위하여 만든 것이었으니 '언덕 부'(阝)가 표의요소로 쓰였다. 可(옳을 가)가 표음요소였음은 婀(여자 아), 锕(작은 도끼 아)도 마찬가지이다.

아교 阿膠 | 언덕 아, 갖풀 교 [glue (made from oxhide)]

당나귀 가죽을 진하게 고아서 굳힌 끈끈한 것[膠]. 주로 풀로 쓰는데 지혈제나 그림을 그리는 재료로도 사용한다. 중국 산동 지방의 '아'(阿)씨 성(姓)을 가진 아가씨가 유행병을 치료하기 위하여 만든 것으로, 병이 나은 사람들이 그녀에 대한 고마움을 마음속에 새기고자 '아교'(阿膠)라 이름지었다는 설이 있다.

아부 阿附 | 언덕 아, 붙을 부 [flatter]

❶속뜻 언덕[阿]에 바짝 달라붙음[附]. ❷남의 비위를 맞추어 알랑거림. ¶그는 아부 근성이 있다. ㊥아첨(阿諂).

아첨 阿諂 | 언덕 아, 알랑거릴 첨 [flatter]

언덕[阿]에 기대듯이 남에게 기대어 비위를 맞추고 알랑거림[諂]. ¶남에게 하면 아첨이고 자기에게 하면 충성이라 하는 경향이 있다. ㊥아부(阿附).

1469 [륭]

隆

높을 륭

㊞ 阜부 ㊞ 12획

㊥ 隆 [lóng, lōng]

隆자는 '언덕 부'(阝)가 부수로 지정되어 있지만 표의요소는 아니다. 생김새가 '풍만하고 크다'(prosperous and great)는 뜻을 나타내기 위하여 만든 것이었으니 '날 생'(生)이 표의요소로 쓰였고, 降(항복할 항/내릴 강)은 표음요소였다고 한다. 후에 '높다'(high), '두텁다'(warm; cordial) 등으로 확대 사용됐다.

융기 隆起 | 높을 륭, 일어날 기 [be uplifted]

❶속뜻 어느 한 부분이 높이[隆] 솟아오름[起]. ❷지리 땅이 해면에 대하여 높아짐. 또는 그러한 자연현상. ㊥침강(沈降).

융성 隆盛 | 높을 륭, 가득할 성 [prosperity]

매우 높고[隆] 크게 번성(繁盛)함. ¶국가의 융성.

융숭 隆崇 | 높을 륭, 높을 숭 [hospitable]

대접, 대우 따위의 수준이 매우 높음[隆=崇]. 또는 극진하게 대하다. ¶나는 융숭한 대접을 받았다. ㊥정성(精誠)스럽다, 정중(鄭重)하다.

융창 隆昌 | 클 륭, 창성할 창 [rise; flourish; thrive]

기세가 높고[隆] 기운차게[昌] 발전함. ㊥융성(隆盛).

1470 [진]

陳

베풀 진:, 묵을 진

㊞ 阜부 ㊞ 11획 ㊥ 陈 [chén]

陳자는 완구(宛丘)라는 '언덕'을 나타내기 위하여 만든 글자로, 표의요소인 '언덕 부'(阝)와 '나무 목'(木) 그리고 표음요소인 申(납 신)으로 구성된 형성문자라는 설이 있다. 후에 木과 申이 東(동녘 동)으로 변화된 까닭 등, 많은 의문점이 있다. 억지로 풀이하는 것보다 그냥 놔두는 것이 낫겠다. 확실한 것은 '늘어놓다'(display), '아뢰다'(inform), '묵다'(become old) 등으로 쓰인다는 사실이다.

속뜻 훈음 ①늘어놓을 진, ②묵을 진, ③아뢸 진.

진부 陳腐 | 묵을 진, 썩을 부 [stale; old-fashioned]

❶속뜻 오래 묵었거나[陳] 썩은[腐] 것. ❷사상, 표현, 생각 따위가 낡아서 새롭지 못하다. ¶진부한 표현은 쓰지 않는 것이 좋다.

진:술 陳述 | 아뢸 진, 말할 술 [state; explain]

자세히 아뢰거나[陳] 말함[述]. 또는 그런 이야기. ¶진술을 받다 / 그 사람은 사건에 대해 거짓으로 진술했다.

진:열 陳列 | 늘어놓을 진, 벌일 렬 [display; exhibit; put on show]

물건을 죽 늘어놓거나[陳] 벌여 놓음[列]. ¶점원은 수많은 상품을 진열하느라 바빴다.

진:정 陳情 | 아뢸 진, 실상 정

[make a representation]
사정(事情)을 간곡히 아룀[陳]. ¶죄 없는 사람들을 풀어줄 것을 진정하다.

• 역순어휘

신진 新陳 | 새 신, 묵을 진 [new and old]
새[新] 것과 묵은[陳] 것. ¶신진 대사(代謝).

1471 [함]

陷 빠질 함:
㊕ 阜부 ㊔ 11획 ㊥ 陷 [xiàn]

陷자는 구렁텅이에 '빠지다'(fall into)는 뜻을 나타내기 위하여 언덕[阝]에 파 놓은 함정[臼·구]에 빠진 사람[人]의 광경을 묘사해 놓은 것이다. 세 표의요소가 힌트 구실을 잘 하고 있다. 오른쪽 편의 것이 표음요소를 겸하는 것은 谄(흙탕 함), 錎(쇠사슬 함)을 통하여 알 수 있다.

함:락 陷落 | 빠질 함, 떨어질 락 [surrender]
❶속뜻 빠져[陷] 바닥으로 떨어짐[落]. ❷성(城) 따위를 빼앗김. ¶적에게 수도가 함락됐다.

함:몰 陷沒 | 떨어질 함, 빠질 몰 [cave in]
❶속뜻 땅 아래로 떨어지거나[陷] 물에 빠짐[沒]. ❷움푹 파이거나 쏙 들어감. ¶탯줄을 자르고 함몰된 자리를 배꼽이라 부른다.

함:정 陷穽 | 빠질 함, 허방다리 정 [trap]
❶속뜻 짐승이 빠지도록[陷] 파 놓은 구덩이[穽]. ¶함정을 파 놓다. ❷벗어날 수 없는 곤경이나 계략. ¶함정에 빠지다 / 함정이 있는 문제.

• 역순어휘

결함 缺陷 | 모자랄 결, 빠질 함 [defect; fault]
일정한 수에 모자라거나[缺] 빠짐[陷]. ¶결함 제품 / 결함을 드러내다. ㊐결점(缺點).

모함 謀陷 | 꾀할 모, 빠질 함 [entrap]
꾀를 써서[謀] 남을 어려운 처지에 빠뜨림[陷]. ¶이순신 장군은 모함을 받아 유배를 당했다.

1472 [로]

露 이슬 로(:)
㊕ 雨부 ㊔ 21획 ㊥ 露 [lù, lòu]

露자는 '이슬'(dew)을 나타내기 위하여 만든 것이다. 이슬을 '비'의 일종이라 여겼기 때문에 '비 우'(雨)가 표의요소로 쓰였다. 路(길 로)는 표음요소이니 뜻과는 무관하다. 비나 이슬을 맞으면 몸매가 다 드러나기 때문인지 '드러내다'(expose; bare)는 뜻도 이 글자로 나타냈다.

속뜻훈음 ①이슬 로, ②드러낼 로.

노골 露骨 | 드러낼 로, 뼈 골
[nakedness; frankness]
❶속뜻 몸속에 있는 뼈[骨]까지 드러남[露]. ❷속에 담은 감정이나 욕망 따위를 숨김없이 드러냄. ㊐시부골로(尸腐骨露).

노숙 露宿 | 이슬 로, 잠잘 숙
[sleeping outdoors]
❶속뜻 이슬[露]이 내리는 밖에서 잠을 잠[宿]. ❷집이 없어 밖에서 잠. ¶일자리를 잃고 노숙하는 사람이 많다.

노:적 露積 | 드러낼 로, 쌓을 적 [stacked grain]
창고가 없어 밖에 드러내어[露] 쌓아[積] 둠. ¶물건을 길가에 노적해 두면 위험하다. ㊐야적(野積).

노점 露店 | 드러낼 로, 가게 점
[street stall; roadside stand]
집이 없어 밖에 드러내어[露] 벌여 놓고 물건을 파는 가게[店]. '노천상점'(露天商店)의 준말. ㊐난전(亂廛).

노천 露天 | 드러낼 로, 하늘 천 [open air]
지붕이 없어 하늘[天]이 드러난[露] 곳. ¶노천극장 / 노천 카페. ㊥실내(室內).

노출 露出 | 드러낼 로, 날 출 [exposure]
❶속뜻 속을 드러내거나[露] 나옴[出]. ¶속살이 노출되다. ❷연영 사진을 찍을 때 셔터를 열어 필름에 빛을 비춤. ¶밝은 곳에서 사진을 찍을 때는 노출을 줄여야 한다. ㊐노광(露光).

• 역순어휘

백로 白露 | 흰 백, 이슬 로
❶속뜻 하얀[白] 이슬[露]. ❷이슬이 내리며 가을을 알린다는 절기로 처서와 추분 사이인 9월 8일 경에 있는 24절기의 하나.

탄:로 綻露 | 터질 탄, 드러낼 로
[revealed; become known]
비밀 따위가 터져[綻] 드러남[露]. ¶그의 부정행위가 탄로났다.

토:로 吐露 | 토할 토, 드러낼 로
[speak out; express]
속마음을 토(吐)해 드러냄[露]. ㊐토정(吐情).

폭로 暴露 | 갑자기 폭, 드러낼 로

[disclose; reveal; expose]
❶속뜻 갑자기[暴] 남들에게 드러냄[露]. ❷알려지지 않았거나 감춰져 있던 사실을 드러냄. ¶그녀는 증거를 들이대며 거짓을 폭로했다.

피로 披露 | 열 피, 드러낼 로
❶속뜻 닫힌 문 따위를 열어[披] 널리 드러내[露] 보임. ❷일반에게 널리 알림.

1473 [뢰]

雷 우레 뢰
部 雨부 획 13획 中 雷 [léi]

雷자는 주로 큰 비가 올 때 번개를 동반한 '천둥'(thunder)을 뜻하기 위하여 만든 것이었으니 '비 우'(雨)가 표의요소로 쓰였다. 田은 번개 불이 번쩍 하는 모양을 그린 것이 잘못 변화된 것이다. 후에 그 소리와 함께 떨어지는 '벼락'(a thunderbolt)도 따로 글자를 만들지 않고 이것으로 나타냈다.
속뜻 굳은 훈음 ①천둥 뢰, ②벼락 뢰.

뇌관 雷管 | 천둥 뢰, 대롱 관
[percussion cap; detonator]
포탄이나 탄환 따위의 화약을 점화(點火)하는 데[雷] 쓰는 금속으로 만든 대롱[管]. ¶뇌관이 터지다.

뇌성 雷聲 | 천둥 뢰, 소리 성 [peal of thunder]
천둥[雷] 소리[聲]. ¶먼 데서 뇌성이 들린다. 비 우레소리. 관용 뇌성에 벽력(霹靂).

• 역순어휘

기뢰 機雷 | 틀 기, 천둥 뢰 [underwater mine]
군사 적의 함선을 파괴하기 위하여 물속이나 물 위에 설치한 기계(機械)폭탄[雷].

지뢰 地雷 | 땅 지, 천둥 뢰 [land mine]
❶속뜻 땅[地] 속에서 천둥[雷]같이 큰 소리를 내며 터짐. ❷군사 땅에 묻어 사람이나 전차 등이 밟거나 그 위를 지나면 터지도록 장치한 폭약. ¶이곳의 야생동물들은 지뢰를 밟고 숨지기도 한다.

피:뢰 避雷 | 피할 피, 벼락 뢰
낙뢰(落雷)를 피(避)함.

1474 [상]

霜 서리 상
部 雨부 획 17획 中 霜 [shuāng]

霜자는 '서리'(frost)를 뜻하기 위하여 만든 글자인데, '비 우'(雨)가 표의요소로 쓰인 것은 당시 사람들은 서리를 비의 변형으로 본 모양이다. 相(서로 상)은 뜻과는 무관한 표음요소이다.

상월 霜月 | 서리 상, 달 월 [eleventh month of the lunar calendar; the month of frost]
❶속뜻 서리[霜]와 달[月]을 아울러 이르는 말. ❷서리가 내리는 밤의 차가워 보이는 달. ❸음력 11월을 달리 이르는 말. 참 동짓달.

상해 霜害 | 서리 상, 해칠 해 [frost damage]
서리[霜]로 인한 피해(被害). ¶밭작물이 상재를 입었다. 비 상재(霜災).

• 역순어휘

비:상 砒霜 | 비상 비, 서리 상 [arsenic poison]
약학 비석(砒石)을 태워 승화(昇華)시켜서 만든 서리[霜] 같은 결정체의 독약.

풍상 風霜 | 바람 풍, 서리 상
[wind and frost; hardships]
❶속뜻 바람[風]과 서리[霜]. ¶비석은 오랜 풍상으로 훼손됐다. ❷'세상의 모진 고난이나 고통'을 비유하여 이르는 말. ¶온갖 풍상을 겪다.

1475 [수]

需 쓰일/쓸 수
部 雨부 획 14획 中 需 [xū]

需자는 본래 '기다리다'(wait)는 뜻을 나타내기 위하여 만든 글자이다. 비[雨]를 줄줄 맞고 서 있는 사람[大]이 비가 멎기만을 기다리고 있는 모습을 그린 것이었는데, 예서(隸書) 서체에서 大(대)가 而(이)로 잘못 변화됐다. 후에 '쓰이다'(be utilized)는 뜻으로 확대 사용됐다.
속뜻 굳은 훈음 쓰일 수.

수요 需要 | 쓰일 수, 구할 요 [demand; requisite]
❶속뜻 생활에 쓰이거나[需] 필요(必要)로 하는 것. ❷경제 재화나 용역을 일정한 가격을 주고 사려고 하는 욕구. ¶수요가 증가하다. 반 공급(供給).

• 역순어휘

군수 軍需 | 군사 군, 쓰일 수
[military demands]
군사(軍事)적인 일에 쓰이는[需] 것. ¶군수 물자를 조달하다.

제ː수 祭需 | 제사 제, 쓰일 수
[expenses of the service]
제사(祭祀)에 쓰이는[需] 여러 가지 물품. ¶제수를 장만하다.

혼수 婚需 | 혼인할 혼, 쓰일 수
[articles essential to a marriage]
혼사(婚事)에 쓰이는[需] 여러 가지 물품. ¶혼수를 장만하다.

1476 [령]

靈
신령 령
[部] 雨부 [劃] 24획 [中] 灵 [líng]

靈자는 '비 우'(雨)가 부수이지만, 표의 요소는 아니다. 즉 '비'와는 아무런 상관이 없다. 巫(무당 무)가 표의요소이고, 霝(비올 령)은 표음요소이다. 원래 玉(옥)으로 쓰다가 후에 巫로 대체됐다. '(옥으로 신을) 섬기다'(be devoted)가 본뜻이다. '신령'(the gods), '혼령'(the spirit) 또는 이와 의미상 연관이 있는 낱말의 한 구성 요소로도 많이 쓰인다.
[속뜻 훈음] ①신령 령, ②혼령 령.

영구 靈柩 | 혼령 령, 널 구 [coffin; hearse]
❶[속뜻] 혼령(魂靈)이 담겨 있는 널[柩]. ❷시신을 담은 관.

영악 靈惡 | 신령 령, 악할 악 [be smart]
❶[속뜻] 신령(神靈)스럽고 악(惡)한 점이 있음. ❷이해(利害)에 밝고 약다. ¶요즘 아이들은 영악하다.

영장 靈長 | 신령 령, 어른 장 [lord of all creature]
❶[속뜻] 신령(神靈)같은 힘을 가진 우두머리[長]. ❷모든 만물 중에서 가장 뛰어난 존재인 '사람'을 이르는 말. ¶사람은 만물의 영장이다.

영적 靈的 | 신령 령, 것 적 [spiritual]
신령(神靈)같은 점이 있는 것[的]. ¶나는 영적 존재를 믿는다.

영지 靈芝 | 신령 령, 버섯 지
[Ganoderma lucidum]
❶[속뜻] 신령(神靈)스러운 버섯[芝]. ❷[식물] 삿갓은 심장이며, 전체가 단단하고 적갈색이 도는 버섯. 불로초과에 속하는 영약으로 알려져 말려서 약용한다.

영험 靈驗 | 신령 령, 효과 험
[wonderfully efficacious]
기원하는 대로 되는 신령(神靈)스러운 효과[驗]. ¶비는 대로 뜻이 다 이루어지는 영험이 신통한 바위.

영혼 靈魂 | 혼령 령, 넋 혼 [soul]
❶[속뜻] 죽은 사람의 넋[靈=魂]. ❷육체에 깃들어 마음의 작용을 맡고 생명을 부여한다고 여겨지는 비물질적 실체. ¶나는 영혼 불멸을 믿는다.

• 역순어휘 •

망ː령 妄靈 | 헛될 망, 혼령 령
[dotage; senility]
늙거나 충격으로 정신[靈]이 흐려[妄] 이상한 상태. ¶늙어서 망령이 들면 어쩌나!

성ː령 聖靈 | 성스러울 성, 신령 령 [Holy Spirit]
❶[속뜻] 성(聖)스러운 신령(神靈). ❷[기독교] 성삼위 중의 하나인 하나님의 영을 이르는 말. ¶성령의 힘을 받았다.

신령 神靈 | 귀신 신, 혼령 령 [divine spirit]
[민속] 풍습(風習)으로 섬기는 모든 신(神)이나 혼령(魂靈).

유령 幽靈 | 그윽할 유, 혼령 령
[spirit of the dead; ghost]
그윽한[幽] 곳에 나타나는 혼령(魂靈). 죽은 사람의 혼령. ¶이 동네에는 유령이 나온다는 소문이 있다.

혼령 魂靈 | 넋 혼, 신령 령
[spirit (of the dead)]
죽은 사람의 넋[魂]이나 신령(神靈). [비] 영혼(靈魂).

1477 [진]

震
우레 진ː
[部] 雨부 [劃] 15획 [中] 震 [zhèn]

震자는 비가 오면서 '벼락 치다'(lightning strikes)는 뜻을 나타내기 위하여 만든 것이었으니 비 우(雨)가 표의요소로 쓰였고, 辰(별 이름 진)은 표음요소로 쓰였다. 벼락이 칠 때면 산천초목이 흔들리기 때문인지 '떨다'(tremble; shake), '흔들리다'(shake; quake)는 뜻으로 확대 사용 됐다.
[속뜻 훈음] ①벼락 진, ②떨 진.

진ː노 震怒 | 벼락 진, 성낼 노
[be enraged; be fill with wrath]
존엄한 존재가 벼락[震]같이 크게 성냄[怒]. ¶신의 진노를 부르다 / 할아버지가 몹시 진노하셨다.

진ː도 震度 | 떨 진, 정도 도
[seismic intensity]
❶[속뜻] 떨리는[震] 정도(程度). ❷[지리] 어떤 지역에서 나타나는 지진의 진동 크기나 피해 정도. ¶진도 7.5의 강력한 지진이 있었다.

진ː동 震動 | 떨 진, 움직일 동 [shock; quake]

❶[속뜻]떨리어[震] 움직임[動]. ❷물체가 몹시 울리어 흔들림. ¶집이 심하게 진동하였다.

진:앙 震央 | 지진 진, 가운데 앙
❶[속뜻]지진(地震)의 한 가운데[央]. ❷[지리]지진이 발생한 지하의 진원(震源) 바로 위에 해당하는 지표상의 지점. [비]진원지(震源地).

진:원 震源 | 떨 진, 근원 원
[earthquake center]
[지리]지진(地震) 발생의 근원(根源)이 되는 지점. 지각 내부의 지진 발생점이나 지진의 원인인 암석 파괴가 시작된 곳을 말한다.

• 역순어휘

강진 強震 | 강할 강, 떨 진
[violent earthquake]
❶[속뜻]강(強)한 지진(地震). ❷[지리]진도(震度) 계급 5의 지진. 벽이 갈라지고 비석 등이 넘어지며 돌담이 무너질 정도의 지진. ¶세계 각국에서 강진이 발생했다. [반]약진(弱震), 미진(微震).

미진 微震 | 작을 미, 떨 진
[faint earth tremor]
[지리]조금[微] 떨릴 정도의 약한 지진(地震). [반]강진(強震).

여진 餘震 | 남을 여, 떨 진
[after-shock; after tremor]
❶[속뜻]큰 지진 뒤에 일어나는 남은[餘] 지진(地震). ❷[지리]큰 지진이 일어난 다음에 얼마 동안 잇따라 일어나는 작은 지진. ¶여진은 20분 동안 계속됐다.

지진 地震 | 땅 지, 떨 진 [earthquake]
[지리]땅[地]의 떨림[震]. 오랫동안 누적된 변형 에너지가 갑자기 방출되면서 일어난다. ¶지진이 나면 건물 밖으로 즉시 대피하세요.

1478 [쌍]

雙

두/쌍 쌍
[部] 隹부 [획] 18획 [中] 双 [shuāng]

雙자는 '두 마리의 새'(two birds)를 나타내기 위하여 한 손[又]에 두 마리의 새[隹]를 잡고 있는 모습을 본뜬 것이다. 후에 '쌍'(a pair; a couple), '둘(two at a time; by twos) 등으로 확대 사용됐다.

[속뜻 훈음] 둘 쌍.

쌍방 雙方 | 둘 쌍, 모 방 [both sides]
둘로 나뉜 것의 두[雙] 쪽[方]. 이쪽과 저쪽. 또는 이편과 저편을 아울러 이르는 말. ¶쌍방을 모두 만족시킬 수는 없다. [비]양방(兩方).

쌍벽 雙璧 | 둘 쌍, 둥근 옥 벽
[two greatest masters]
❶[속뜻]두[雙] 개의 구슬[璧]. ❷여럿 가운데 특별히 뛰어난 우열을 가리기 어려운 둘을 비유하여 이르는 말. ¶김홍도와 신윤복은 조선 후기 화단에 쌍벽을 이루는 화가이다.

쌍생 雙生 | 둘 쌍, 날 생 [grow in pairs]
동시에 두[雙] 아이가 태어남[生]. 또는 두 아이를 낳음.

쌍수 雙手 | 둘 쌍, 손 수 [both hands]
오른쪽과 왼쪽의 두[雙] 손[手]. ¶쌍수를 들어 환영하다.

쌍쌍 雙雙 | 둘 쌍, 쌍 쌍
둘[雙+雙]씩 짝을 지은 것. ¶쌍쌍으로 어울려 다니다.

1479 [아]

雅

맑을 아(:)
[部] 隹부 [획] 12획 [中] 雅 [yǎ, yā]

雅자는 원래 '까마귀'(a crow)의 일종을 뜻하는 글자였으니, '새 추'(隹)가 표의요소로 쓰였고, 牙(어금니 아)는 표음요소이다. 그런데 이것이 '곱다'(elegant), '너그럽다'(generous)는 뜻으로 차용되어 쓰이는 예가 많아지자, 본뜻은 鴉(까마귀 아)자를 만들어 나타냈다.

[속뜻 훈음] ①고울 아, ②너그러울 아.

아:담 雅淡 | 고울 아, 맑을 담 [be neat]
우아(優雅)하고 담박(淡泊)하다. ¶아담한 소녀 / 아담하게 꾸민 방.

아:량 雅量 | 너그러울 아, 헤아릴 량 [tolerance]
너그럽고[雅] 속이 깊은 도량(度量)이나 마음씨. ¶가난한 사람에게 아량을 베풀다 / 아량이 없다. [비]도량(度量).

아:악 雅樂 | 고울 아, 음악 악
[classical court music]
❶[속뜻]우아(優雅)한 음악(音樂). ❷[음악]우리나라에서 의식 따위에 정식으로 쓰던 음악. 고려 예종 때 중국 송나라에서 들여온 것을 조선 세종이 박연에게 명하여 새로 완성시켰다.

• 역순어휘

단아 端雅 | 바를 단, 고울 아 [graceful; elegant]
자세가 바르고[端] 모습이 곱다[雅]. ¶단아한 모습.

우아 優雅 | 넉넉할 우, 고울 아 [be elegant]

품위 있게 넉넉하고[優] 곱다[雅]. 부드럽고 곱다. ¶우아한 자태 / 그녀는 우아하게 춤을 추었다.

유아 幽雅 | 그윽할 유, 고울 아
품위 따위가 그윽하고[幽] 우아(優雅)함.

청아 淸雅 | 맑을 청, 고울 아
[elegant; graceful; ringing]
속된 티가 없이 맑고[淸] 곱다[雅]. ¶방울 소리가 청아하다.

1480 [관]

館
집 관
㊀ 食부 ㊁ 17획 ㊥ 馆 [guǎn]

館자는 표의요소인 식(食)과 표음요소인 관(官)으로 구성된 형성문자이다. 표의요소인 食(밥 식)을 통하여 짐작할 수 있듯이 '(손님 접대를 위한) 집'(guest house)이 본뜻이고, 관서 이름(弘文館·홍문관)이나 학교 이름(成均館·성균관), 문물을 보관 진열하는 공공장소(博物館·박물관)로도 쓰였다.

• 역순어휘

개관 開館 | 열 개, 집 관 [open]
'관'(館)자가 붙는 기관이나 시설을 신설하여 그 업무를 시작함[開]. ¶도서관은 9시에 개관한다. ㊥폐관(閉館), 휴관(休館).

별관 別館 | 다를 별, 집 관 [extension; outhouse]
본관 외에 따로[別] 지은 건물[館]. ¶호텔 별관. ㊥본관(本館).

본관 本館 | 뿌리 본, 집 관 [main building]
별관(別館)이나 분관(分館)에 대하여 중심[本]이 되는 건물[館]. ¶호텔의 본관은 저 건물입니다. ㊥별관(別館).

여관 旅館 | 나그네 려, 집 관 [hotel]
❶속뜻 나그네[旅]가 묵는 집[館]. ❷일정한 돈을 받고 손님을 묵게 하는 집. ¶마지막 배를 놓치는 바람에 여관에서 묵었다.

회:관 會館 | 모일 회, 집 관 [hall; assembly hall]
모일[會] 수 있도록 마련된 건물[館]. ¶마을회관.

1481 [반]

飯
밥 반
㊀ 食부 ㊁ 13획 ㊥ 饭 [fàn]

飯자는 '밥'(boiled rice)을 뜻하기 위하여 만든 글자이니, '먹을 식'(食)이 표의요소로 쓰였다. 反(되돌릴 반)은 표음요소이니 뜻과는 아무런 상관이 없다.

반주 飯酒 | 밥 반, 술 주
[liquor with one's food]
끼니 때 밥[飯]에 곁들여서 마시는 술[酒]. ¶아버지는 반주로 막걸리를 드신다.

반찬 飯饌 | 밥 반, 반찬 찬
[dishes to go with the rice]
❶속뜻 밥[飯]과 반찬[饌]. ❷밥에 곁들여 먹는 음식. ¶반찬거리를 사다. ㊟찬. ㊥부식(副食).

• 역순어휘

다반 茶飯 | 차 다, 밥 반 [common]
❶속뜻 항상 먹는 차[茶]와 밥[飯]. ❷'늘 있어 이상할 것이 없는 예사로운 일'을 비유하여 이르는 말. '항다반'(恒茶飯)의 준말.

백반 白飯 | 흰 백, 밥 반
[cooked rice]
❶속뜻 흰[白] 쌀로 지은 밥[飯]. ❷흰밥에 국과 반찬을 곁들여 파는 한 상의 음식. ¶불고기 백반.

조반 朝飯 | 아침 조, 밥 반 [breakfast]
아침[朝]에 먹는 밥[飯]. ¶나는 늦게까지 자느라 조반을 잘 안 먹는 편이다.

1482 [식]

飾
꾸밀 식
㊀ 食부 ㊁ 14획 ㊥ 饰 [shì]

飾자는 표음요소인 食(밥 식)이 부수로 지정되어 있는 예외적인 글자이다. '수건 건'(巾)과 '사람 인'(人)이 표의요소로 '털어 내다'(shake off; dust off)가 본뜻인데, 후에 '깨끗이 씻다'(wash clean), '꾸미다'(ornament; decorate) 등으로 확대 사용됐다.

• 역순어휘

가:식 假飾 | 거짓 가, 꾸밀 식 [hypocrisy]
❶속뜻 거짓으로[假] 꾸밈[飾]. ¶가식적인 미소를 짓다. ❷임시로 장식해 놓음. ㊥꾸밈.

복식 服飾 | 옷 복, 꾸밀 식
[dress and its ornaments]
❶속뜻 옷[服]의 꾸밈새[飾]. ❷옷과 장신구를 아울러 이르는 말. ¶중세시대 복식은 매우 간소하다.

장식 裝飾 | 꾸밀 장, 꾸밀 식 [decorate]

겉모양을 아름답게 꾸밈[裝=飾]. 또는 그 꾸밈새나 장식물. ¶실내 장식 / 아이들과 크리스마스트리를 장식했다.

허식 虛飾 | 빌 허, 꾸밀 식 [display]
실속이 없이[虛] 겉만 꾸밈[飾]. 겉치레. ¶일체의 허식을 없애자.

1483 [운]

韻

운 운:
部 音부 劃 19획 中 韵 [yùn]

韻자는 '서로 잘 어울리는 소리'(a chord; an accord)를 뜻하기 위하여 만든 것이었으니 '소리 음'(音)이 표의요소로 쓰였다. 員(수효 원)이 표음요소였음은 隕(떨어질 운), 殞(죽을 운)도 마찬가지이다. 후에 '울림'(a sound), '그윽하다'(profound) 등으로 확대 사용됐다.

속뜻훈음 ①운 운, ②그윽할 운.

운:문 韻文 | 운 운, 글월 문 [poem]
문학 일정한 운(韻)을 사용한 시문(詩文). 반산문(散文).

운:율 韻律 | 운 운, 가락 률 [rhythm]
문학 시(詩) 따위에서 운(韻)을 이용해 만든 리듬[律]. 음의 강약, 장단, 고저 또는 동음(同音)이나 유음(類音)을 반복하는 방법을 쓴다. ¶운율에 맞추어 시를 낭송하다.

운:치 韻致 | 그윽할 운, 풍치 치 [elegance]
그윽한[韻] 풍치(風致). 고상하고 우아함. ¶정원을 운치 있게 꾸미다 / 가을의 고궁은 운치가 있다. 비풍치(風致).

• 역순어휘

여운 餘韻 | 남을 여, 그윽할 운 [aftertaste; aftereffect]
아직 가시지 않고 남아 있는[餘] 그윽함[韻]. ¶영화의 여운이 마음속에 남았다.

1484 [향]

響

울릴 향:
部 音부 劃 22획 中 响 [xiǎng]

響자는 소리가 '울리다'(sound)는 뜻을 나타내기 위하여 만든 것이었으니 '소리 음'(音)이 표의요소로 쓰였다. 鄕(시골 향)은 표음요소니 뜻과는 무관하다. 후에 그 울림의 '여파'(an aftereffect)를 뜻하는 것으로 확대 사용됐다.

• 역순어휘

교향 交響 | 서로 교, 울림 향 [symphony]
서로[交] 어우러져 울림[響].

영:향 影響 | 그림자 영, 울림 향 [influence]
❶속뜻 물체의 그림자[影]나 소리의 울림[響]. ❷어떤 사물의 효과나 작용이 다른 것에 미치는 일. ¶환경은 사람의 성격에 영향을 준다.

음향 音響 | 소리 음, 울릴 향 [sound; noise]
소리[音]의 울림[響]. ¶음향 효과 / 이 영화관은 최고의 음향 시설을 갖추고 있다.

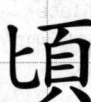

1485 [경]

頃

이랑/잠깐 경
部 頁부 劃 11획 中 顷 [qǐng]

頃자는 본래 머리가 비스듬하게 '기울어지다'(slant; inclined)는 뜻을 나타내기 위하여 만든 것이었으니 '머리 혈'(頁)이 표의요소로 쓰였다. 匕(비)는 거꾸러진 사람의 모양을 본뜬 것이니 이것도 표의요소로 쓰였다. 후에 '잠깐'(a little while; a moment) 등으로 차용되어 쓰이는 예가 많아지자, 본래 뜻은 傾(기울 경)자를 만들어 나타냈다. '넓다'(broad; wide)는 뜻으로도 쓰인다.

속뜻훈음 ①잠깐 경, ②넓을 경.

경각 頃刻 | 잠깐 경, 시각 각 [moment; an instant]
아주 짧은[頃] 시간[刻]. 또는 눈 깜빡할 사이. ¶경각도 지체할 수 없다. 비순식간(瞬息間), 삽시간(霎時間).

• 역순어휘

만:경 萬頃 | 일만 만, 넓을 경 [vast]
지면이나 수면 따위가 한없이[萬] 넓음[頃].

식경 食頃 | 먹을 식, 잠깐 경 [for the period of having a single meal; for a while]
한 끼의 밥[食]을 먹을 만한 짧은[頃] 시간.

1486 [안]

顏

낯 안(:)
部 頁부 劃 18획 中 颜 [yán]

顏자는 양쪽 눈썹 사이, 즉 '인당'(印堂,

between eyebrows)을 뜻하기 위하여 '머리 혈'(頁)이 표의요소로 쓰였다. 彦(선비 언)이 표음요소였음은 偐(위조할 안), 楌(나무 이름 안)도 마찬가지이다. 후에 '얼굴'(=낯, a face)을 뜻하는 것으로 확대 사용됐다.

[속뜻훈음] 얼굴 안.

안면 顔面 | 얼굴 안, 낯 면
[face; acquaintance]
❶[속뜻] 얼굴[顔=面]. ¶그는 안면에 부상을 입었다. ❷서로 얼굴을 알 만한 친분. ¶나는 그와 안면이 있다.

안색 顔色 | 얼굴 안, 빛 색
[color of the face; expression]
얼굴[顔]에 나타나는 빛깔[色]이나 표정. ¶안색이 창백하다 / 나는 그 말을 듣고 그의 안색을 살폈다.

• 역순어휘

동:안 童顔 | 아이 동, 얼굴 안 [baby face]
❶[속뜻] 어린이[童]의 얼굴[顔]. ❷나이가 들었는데도 어린아이 같은 얼굴.

무안 無顔 | 없을 무, 얼굴 안
[shame; disgrace]
부끄러워서 볼 낯[顔]이 없음[無]. ¶무안을 주다 / 나는 무안하여 얼굴이 빨개졌다. [비]무색(無色).

용안 龍顔 | 용 룡, 얼굴 안
[royal countenance]
임금을 용(龍)에 비유하여 높이고, 그 얼굴[顔]을 이르는 말. [비]옥안(玉顔), 성안(聖顔).

파:안 破顔 | 깨뜨릴 파, 얼굴 안
[break into a smile]
얼굴[顔]이 일그러질[破] 정도. ¶파안대소(破顔大笑).

1487 [정]

頂

정수리 정
[部] 頁부 [劃] 11획 [中] 顶 [dǐng]

頂자는 '(머리) 정수리'(the crown of the head)를 뜻하기 위하여 만든 것이었으니 '머리 혈'(頁)이 표의요소로 쓰였다. 丁(장정 정)은 표음요소이니 뜻과는 무관하다. 가장 높은 곳, 즉 '꼭대기'(the top; the summit; the apex; the crown)를 이르는 것으로 더 많이 쓰인다.

[속뜻훈음] 꼭대기 정.

정상 頂上 | 꼭대기 정, 위 상 [top; summit; peak]
❶[속뜻] 산 따위 맨 꼭대기[頂]의 위[上]. ¶지리산 정상에 오르다. ❷그 이상 더 없는 최고의 상태. ¶인기 정상의 배우. ❸한 나라의 최고 수뇌. ¶정상회담.

정점 頂點 | 꼭대기 정, 점 점 [top; summit]
❶[속뜻] 맨 꼭대기[頂]가 되는 곳[點]. ¶산꼭대기의 정점에 다다르다. ❷발전하는 것의 최고의 상태. ¶그 배우의 인기는 정점에 달했다. [비]절정(絶頂).

• 역순어휘

등정 登頂 | 오를 등, 꼭대기 정
[reach the top of a mountain]
산 따위의 꼭대기[頂]에 오름[登]. ¶장애우들이 히말라야 등정에 나섰다.

절정 絶頂 | 뛰어날 절, 꼭대기 정 [the top; peak]
❶[속뜻] 뛰어나게[絶] 높은 꼭대기[頂]. ❷사물의 진행이나 상태 따위가 최고에 이른 때. ¶인기 절정의 가수. [비]정상(頂上).

1488 [항]

項

항목 항:
[部] 頁부 [劃] 12획 [中] 项 [xiàng]

項자는 본래 머리의 아래쪽, 즉 '목'(a neck)을 뜻하기 위하여 만든 것이었으니 '머리 혈'(頁)이 표의요소로 쓰였다. 工(장인 공)이 표음요소였음은 肛(항문 항), 缸(항아리 항)도 마찬가지이다.

[속뜻훈음] 목 항.

항:목 項目 | 목 항, 눈 목 [item]
❶[속뜻] 사람의 목[項]과 눈[目]. ❷법률 규정 따위의 조항(條項)과 조목(條目). ¶이 법안은 8개의 항목으로 이루어져 있다.

• 역순어휘

관:항 款項 | 항목 관, 목 항 [an item; a point]
❶[속뜻] 조항[款]이나 항목(項目). ❷예산서나 결산서 따위의 내용 구분 단위인 '관'(款)과 '항'(項)을 아울러 이르는 말.

내:항 內項 | 안 내, 목 항 [internal terms]
[수학] 비례식의 안[內]쪽에 있는 두 항(項). a:b=c:d에서 b와 c를 이른다. [반]외항(外項).

문:항 問項 | 물을 문, 목 항 [item]
문제(問題)의 항목(項目). ¶바로 그 문항을 풀지 못했다.

사:항 事項 | 일 사, 목 항 [matter; item; facts]

일[事]의 조항(條項). ¶주의 사항을 전달하다.

외:항 外項 | 밖 외, 목 항 [outer term]
수학 비례식의 바깥쪽[外]에 있는 두 항(項). a:b=c:d에서 a와 d 따위. 반 내항(內項).

전항 前項 | 앞 전, 목 항 [preceding clause]
❶ 속뜻 앞[前]에 적혀 있는 사항(事項). ❷ 수학 둘 이상의 항 가운데에서 앞의 항. ¶전항과 후항에 3을 곱한다. 반 후항(後項).

조항 條項 | 조목 조, 목 항 [article]
법률이나 규정 따위의 조목(條目)이나 항목(項目). ¶낱낱의 조항을 잘 읽어보다. 비 조목(條目).

후:항 後項 | 뒤 후, 목 항 [succeeding clause]
❶ 속뜻 뒤[後]에 적힌 조항(條項). ❷ 수학 두 개 이상의 항 가운데 뒤에 있는 항. 또는 두 개 이상의 식이나 수열을 이루는 여러 수 가운데 다른 수에 비하여 뒤에 있는 수. 반 전항(前項).

1489 [귀]

鬼

귀신 귀:
部 鬼부 劃 10획 中 鬼 [guǐ]

鬼자의 갑골문은 '귀신'(a ghost)을 나타내기 위하여, 얼굴에 큰 가면을 쓰고 있는 사람의 모습을 본뜬 것이었다. 그로부터 약 1000년 후인 篆書(전:서) 서체에서는 '몰래 해치다'는 뜻이 담긴 '厶'(사私의 원형)가 덧붙여졌다.

귀:물 鬼物 | 귀신 귀, 만물 물
귀신(鬼神)같이 괴상한 물건(物件).

귀:신 鬼神 | 귀신 귀, 귀신 신 [ghost]
❶ 속뜻 인신(人神)인 '鬼'와 천신(天神)인 '神'을 아울러 이르는 말. ❷사람에게 화(禍)와 복(福)을 내려 준다는 신령(神靈). ❸어떤 일에 남보다 뛰어난 재주가 있는 사람을 비유하여 이르는 말. ¶귀신같은 솜씨. 속담 말 안 하면 귀신도 모른다.

귀:재 鬼才 | 귀신 귀, 재주 재 [(singular) genius]
❶ 속뜻 귀신(鬼神) 같은 재주[才]. ❷세상에서 보기 드물게 뛰어난 재능. 또는 그런 재능을 가진 사람. ¶그는 변장술의 귀재이다.

• 역순어휘

마귀 魔鬼 | 마귀 마, 귀신 귀
[evil spirit; devil; demon]
요사스럽고 못된 귀신[魔=鬼]. 비 악마(惡魔).

잡귀 雜鬼 | 섞일 잡, 귀신 귀 [minor demons]
온갖 잡다(雜多)한 귀신(鬼神). ¶어머니는 팥죽을 대문 앞에 뿌려 잡귀를 쫓았다.

1490 [혼]

魂

넋 혼
部 鬼부 劃 14획 中 魂 [hún]

魂자의 유래는 이렇다. 옛날 사람들은 陽氣(양기)가 사람의 몸 안에 있으면 살고, 몸 밖으로 떠나면 죽는다고 여겼다. 그 '양기'(virility; vitality; vigor)를 뜻하기 위하여 만든 글자가 魂자다. '귀신 귀'(鬼)가 표의요소이고, 云(이를 운)은 표음요소인데 음이 약간 달라졌다. 후에 사람의 '정신'(mind), '넋'(soul), '마음'(spirit) 등으로 확대 사용됐다.

혼령 魂靈 | 넋 혼, 신령 령 [spirit (of the dead)]
죽은 사람의 넋[魂]이나 신령(神靈). 비 영혼(靈魂).

혼백 魂魄 | 넋 혼, 넋 백 [soul; spirit]
사람의 몸에 있으면서 몸을 거느리고 정신을 다스리는 비물질적인 넋(魂=魄). ¶구천을 떠도는 혼백 / 혼백을 불러내다 / 혼백을 위로하다.

• 역순어휘

망혼 亡魂 | 죽을 망, 넋 혼
[the spirit of the dead; ghost]
죽은[亡] 사람의 넋[魂]. 비 유령.

영혼 靈魂 | 혼령 령, 넋 혼 [soul]
❶ 속뜻 죽은 사람의 넋[靈=魂]. ❷육체에 깃들어 마음의 작용을 맡고 생명을 부여한다고 여겨지는 비물질적 실체. ¶나는 영혼 불멸을 믿는다.

유혼 幽魂 | 귀신 유, 넋 혼
귀신[幽]의 혼(魂). 죽은 사람의 혼을 일컬음.

진:혼 鎭魂 | 누를 진, 넋 혼 [repose of souls]
죽은 사람의 넋[魂]을 달래고 진정(鎭靜)시켜 고이 잠들게 함.

투혼 鬪魂 | 싸울 투, 넋 혼
[fighting spirit; fight]
끝까지 투쟁(鬪爭)하려는 기백[魂].

1491 [기]

騎

말 탈 기
部 馬부 劃 18획 中 骑 [qí]

騎자는 '말을 타다'(ride a horse)는 뜻을 나타내기 위하여 만든 것이었으니 '말 마'(馬)가 표의요소로 쓰였다. 奇(기이할 기)는 표음요소이니 뜻과는 무관하다.

기마 騎馬 | 말 탈 기, 말 마 [ride horse]
말[馬]을 탐[騎]. ¶기마자세.

기병 騎兵 | 말 탈 기, 군사 병
[cavalry soldier; horseman]
[군사] 말을 타고[騎] 싸우는 군사[兵].

기사 騎士 | 말 탈 기, 병사 사
[rider; knight]
말을 탄[騎] 병사(兵士). [비]기병(騎兵).

기수 騎手 | 말 탈 기, 사람 수
[rider; horseman]
경마 따위에서 말을 타는[騎] 사람[手].

1492 [역]

驛

역 역
[部] 馬부 [劃] 23획 [中] 驿 [yì]

驛자는 옛날 공문서를 전달하거나 관리들이 출장 갈 때 驛站(역참)에 배치하여 이용하던 '말'(a horse)을 뜻하기 위하여 만든 것이었으니 '말 마'(馬)가 표의요소로 쓰였고, 睪(엿볼 역)은 표음요소이니 뜻과는 무관하다. 요즈음은 '(열차) 정거장'(a station)을 뜻하는 것으로 많이 쓰인다.

[속뜻훈음] **정거장 역.**

역로 驛路 | 정거장 역, 길 로 [post road]
예전에 역마(驛馬)를 바꿔 타는 정거장[驛]과 통하는 길[路]. ¶역로가 어딘지를 물어보았다.

역장 驛長 | 정거장 역, 어른 장 [station agent]
철도 정거장[驛]의 책임자[長].

역전 驛前 | 정거장 역, 앞 전 [station front]
정거장[驛] 앞[前]. ¶역전에는 택시들이 줄서서 손님을 기다리고 있었다.

1493 [봉]

鳳

봉새 봉:
[部] 鳥부 [劃] 14획 [中] 凤 [fèng]

鳳자는 성인이 세상에 나오면 나타난다고 하는 상상 속의 새, 즉 '봉황새'(a Chinese phoenix)를 나타내기 위하여 만든 것이었다. 갑골문에서는 그 새 모습이 멋지게 그려져 있었으며 표음요소인 凡(무릇 범)이 덧붙여 있었다. 후에 멋진 그 모습이 鳥로 통일되고 전통대로 음을 나타내기 위하여 凡이 첨가된 것이 오늘날의 鳳자다. 수학적으로 나타내자면 凡+鳥=鳳 이다.

[속뜻훈음] **봉황새 봉.**

봉:모 鳳毛 | 봉황새 봉, 털 모
❶[속뜻] 봉황(鳳凰)의 깃털[毛]. ❷'진귀하고 희소한 물건'을 이르는 말. ❸자식의 재주가 아버지나 할아버지에 뒤지지 아니함을 이르는 말. ❹뛰어난 풍채 또는 글재주를 칭찬하여 이르는 말. ❺남의 자식을 높여 이르는 말.

봉:접 鳳蝶 | 봉황새 봉, 나비 접
[swallow tail]
❶[속뜻] 봉황(鳳凰)처럼 큰 나비[蝶]. ❷[동물] 호랑나비과의 곤충. 날개를 폈을 때 크기는 8~12cm이며, 누런 녹색 또는 어두운 갈색이고 검은 띠와 얼룩얼룩한 점이 있으며 뒷날개에는 가는 돌기가 있다. [비]호랑나비.

봉:추 鳳雛 | 봉황새 봉, 병아리 추
❶[속뜻] 봉황(鳳凰)의 병아리[雛]. ❷'지략이 뛰어난 젊은이'를 비유하여 이르는 말. ❸'아직 세상에 드러나지 아니한 영웅'을 비유하여 이르는 말.

봉:황 鳳凰 | 봉황새 봉, 봉황새 황
[Chinese phoenix]
예부터 동양의 전설에 전해지는 상서로움을 상징하는 상상의 새. 수컷은 '봉'(鳳), 암컷은 '황'(凰)이다. ¶왕비의 옷에 봉황을 수놓았다.

1494 [학]

鶴

학 학
[部] 鳥부 [劃] 21획
[中] 鹤 [hè, háo, mò]

鶴자는 새의 일종인 '두루미'(=학, a crane)를 뜻하기 위하여 만든 것이었으니 '새 조'(鳥)가 표의요소로 쓰였고, 隺(뜻 고상할 각, 오를 흑, 새 높이 날 확)은 표음과 표의를 겸하는 요소이다.

[속뜻훈음] **두루미 학.**

학망 鶴望 | 학 학, 바라볼 망
[wish; desire eagerly]
❶[속뜻] 학(鶴)처럼 목을 빼고 바라봄[望]. ❷어떠한 것을 간절히 바람.

학무 鶴舞 | 학 학, 춤출 무
❶[속뜻] 학(鶴)처럼 추는 춤[舞]. ❷[예술] 조선 시대, 궁중의 정재(呈才) 때나 구나의 뒤에 향악에 맞추어 추던 궁중 무용. 주악과 더불어 여기(女妓)가 창사(唱詞)하면 청학(靑鶴)과 백학(白鶴)의 탈을 쓴 무동(舞童)이

지당판 앞에 뛰어나와 북향하고 동서로 나뉘어 춤을 춘다.

학선 鶴扇 | 두루미 학, 부채 선
손잡이가 날개를 편 학(鶴)의 모양으로 생긴 부채[扇]. ¶손에 학선을 들고 춤을 추었다.

학슬 鶴膝 | 학 학, 무릎 슬
❶속뜻 학(鶴)의 무릎[膝]. ❷음악 거문고의 줄과 부들이 접하는 곳에 학 다리 모양으로 꾸민 부분. ❸한의 무릎이 붓고 아프며 다리 살이 여위어 마치 학의 다리처럼 된 병. ❹문학 한시를 지을 때, 칠언에서는 다섯째 글자, 오언에서는 셋째 글자에 측성을 쓰는 평측법.

• 역순어휘

청학 青鶴 | 푸를 청, 두루미 학 [blue crane]
푸른[青]색의 학(鶴). ¶청학은 전설상의 새이다.

1495 [염]

鹽 소금 염
㊎ 鹵부 ㊕ 24획 ㊥ 盐 (yán)

鹽자는 '소금'(salt)을 뜻하기 위하여 만든 것이었으니 '소금밭 로'(鹵)가 표의요소로 쓰였다. 監(볼 감)은 표음요소라는 설이 있는데 음 차이가 크서 설득력이 낮다. 소금 제조 과정을 살펴본다는 뜻의 표의요소로 보는 것이 나을 듯하다. 천연 소금은 소금 밭 모양을 본뜬 '鹵'(로)라 하였고, 사람이 제조한 것은 鹽(염)이라 했다. 속자인 塩이 획수가 적어 애용되기도 한다.

염기 鹽基 | 소금 염, 터 기 [chemical base]
화학 산과 반응하여 염(鹽)을 만드는 기본(基本) 물질. 물에 녹으면 히드록시 이온을 낸다. 암모니아수, 잿물 따위. ¶나트륨은 염소와 반응하여 소금을 만든다. ㊥산(酸).

염류 鹽類 | 소금 염, 무리 류 [salts]
염분(鹽分)이 들어 있는 여러 가지 물질의 종류(種類).

염분 鹽分 | 소금 염, 나눌 분 [salt]
바닷물 따위에 함유되어 있는 소금[鹽] 성분(成分). ¶염분을 적게 섭취하세요.

염산 鹽酸 | 소금 염, 신맛 산
[hydrochloric acid]
화학 염화(鹽化) 수소로 만든 강한 산성(酸性) 물질. 순수한 것은 무색으로 물감, 간장, 합성수지, 조미료, 약품 따위를 만드는 데 쓴다.

염장 鹽藏 | 소금 염, 감출 장 [preserve with salt]
소금[鹽]에 절여 저장(貯藏)함. ¶염장을 하면 오래 두고 먹을 수 있다.

염정 鹽井 | 소금 염, 우물 정
❶속뜻 염분(鹽分)이 들어 있는 우물[井]. ❷소금을 얻기 위해 바닷물을 모아 두는 웅덩이.

염전 鹽田 | 소금 염, 밭 전 [salt field]
소금[鹽]을 만들기 위하여 바닷물을 끌어들여 논[水田]처럼 만든 곳. 바닷물을 여기에 모아서 막아 놓고 햇볕에 증발시켜서 소금을 얻는다. ¶신안에는 염전이 많다.

• 역순어휘

제:염 製鹽 | 만들 제, 소금 염
[salt manufacture]
소금[鹽]을 만듦[製].

죽염 竹鹽 | 대나무 죽, 소금 염
약학 대나무[竹] 통 속에 천일염(天日鹽)을 다져 넣고 황토로 봉한 후, 높은 열에 아홉 번 거듭 구워 내어 얻은 가루.

1496 [마]

麻 삼 마(:)
㊎ 麻부 ㊕ 11획 ㊥ 麻 (má, mā)

麻자는 껍질을 벗겨 베를 짜는 데 활용한 '삼'(a hemp)을 뜻하기 위하여 만든 것이었다. 가공을 위하여 껍질을 벗긴 두 그루의 삼나무를 집[广·엄]에 들여다 놓은 모습이 변한 것이 '麻'다. 따라서 그 안에 있는 것을 수풀 림(林)으로 혼동하면 안 된다.

마대 麻袋 | 삼 마, 자루 대
[burlap bag; gunny]
굵고 거친 삼[麻]실로 짠 커다란 자루[袋]. ¶쌀을 마대에 담다.

마의 麻衣 | 삼 마, 옷 의 [hemp clothes]
삼베[麻]로 지은 옷[衣].

마:작 麻雀 | 삼 마, 참새 작 [mah-jong]
중국의 실내 오락. 네 사람의 경기자가 글씨나 숫자가 새겨진 136개의 패를 가지고 짝을 맞추며 진행한다. 패를 뒤섞을 때의 소리가 마치 대나무 숲에서 참새[麻雀]들이 떼지어 재잘거리는 소리를 닮았다는 데서 이름이 유래.

마직 麻織 | 삼 마, 짤 직 [hemp cloth]
마(麻)로 만든 직물(織物).

마포 麻布 | 삼 마, 베 포
[hemp; hemp cloth]
삼[麻]과 베[布]. ㊥삼베.

• 역순어휘

난:마 亂麻 | 어지러울 란, 삼 마
[chaos; archy; imbroglio]
❶속뜻 어지럽게[亂] 뒤얽힌 삼[麻]실의 가닥. ❷어지럽게 얽혀 정돈되지 않은 사물이나 상태를 비유하여 이르는 말. ¶정국이 난마처럼 얽혀졌다.

대:마 大麻 | 큰 대, 삼 마 [hemp]
식물 뽕나무과에 속하는 긴[大] 섬유[麻]가 채취되는 식물을 통틀어 이르는 말. ㊐삼.

면:마 面麻 | 낯 면, 삼 마 [variolous face]
얼굴[面]에 있는 마마[麻]자국.

지마 芝麻 | 지초 지, 삼 마
❶속뜻 지초[芝]와 삼[麻]. ❷참깨, 들깨, 검은깨를 통틀어 이르는 말. ㊐호마(胡麻).

채:마 菜麻 | 나물 채, 삼 마
[garden vegetables]
❶속뜻 나물[菜]과 삼[麻]. ❷먹을거리나 입을 거리로 심어서 가꾸는 식물. ¶봄 채마 / 채마 재배 / 채마를 가꾸다. ❸채마밭. ¶채마를 부치다.

1497 [맥]

麥

보리 맥
㊀ 麥부 ㊁ 11획 ㊥ 麦 [mài]

麥자의 탄생 배경은 좀 복잡하다. '보리'(barley)를 원래 '來'(래, #0108)자로 나타냈다. 이 글자는 벼[禾·화]와는 달리, 익어도 머리를 숙이지 않고 꼿꼿이 선 이삭, 잎사귀는 아래로 숙여지는 특징이 잘 묘사한 것이었다. 후에 '오다'는 뜻으로 차용되는 예가 많아지자, '보리'를 더욱 확실하게 나타내기 위하여 보리의 또 하나의 특징인 긴 뿌리(때로는 1 丈에 이름)를 가리키는 止(발 지)를 첨가한 것(후에 止가 夕으로 잘못 변하였음)이 바로 麥자다.

맥아 麥芽 | 보리 맥, 싹 아 [malt]
보리[麥]에 싹[芽]을 틔워 말린 것. ㊐엿기름.

맥주 麥酒 | 보리 맥, 술 주 [beer]
엿기름을 짠 물에 보리[麥] 등과 섞어 발효시켜 만든 술[酒].

• 역순어휘

나:맥 裸麥 | 벌거벗을 라, 보리 맥 [rye]
❶속뜻 껍질이 잘 벗어지는[裸] 보리[麥]. ❷식물 보리의 한 품종. 씨알이 성숙하여도 작은 껍질과 큰 껍질이 잘 벗어지는 특성이 있다. ㊐쌀보리.

소:맥 小麥 | 작을 소, 보리 맥
[wheat; corn]
❶속뜻 작은[小] 보리[麥]라는 뜻에서 '밀'을 일컫는 말. ❷식물 간장, 된장, 빵, 과자 따위의 원료로 쓰는 벼와 비슷한 곡물. 또는 그 농작물.

숙맥 菽麥 | 콩 숙, 보리 맥
❶속뜻 콩[菽]과 보리[麥]. ❷바보 같이 콩과 보리도 가릴 줄 모른다는 '숙맥불변'(菽麥不辨)의 준말. ¶그는 세상 물정을 모르는 숙맥이다. ㊐바보.

연:맥 燕麥 | 제비 연, 보리 맥 [oats]
❶속뜻 제비[燕] 꼬리 모양의 보리[麥]. ❷식물 귀리. 높이는 60~90cm이며 잎은 가늘고 길다. 열매는 식용하거나 가축의 먹이로 쓴다.

호맥 胡麥 | 오랑캐 호, 보리 맥 [rye]
❶속뜻 오랑캐[胡] 땅 출산의 보리[麥]. ❷식물 볏과의 한해살이풀 또는 두해살이풀. 높이는 1~2미터이며, 잎은 밀보다 작고 짙은 녹색을 띤다. 5~6월에 원기둥 모양의 꽃이삭이 달리고 열매는 영과(穎果)로 7월에 녹색을 띤 갈색으로 익는다. 호밀.

1498 [묵]

默

잠잠할 묵
㊀ 黑부 ㊁ 16획 ㊥ 默 [mò]

默자는 개가 짖지 않고 사람을 졸졸 '따라가다'(follow)가 본뜻이었으니, '개 견'(犬)이 표의요소로 쓰였다. 黑(검을 흑)이 표음요소임은 墨(먹 묵), 嘿(고요할 묵)도 마찬가지이다. 후에 사람의 경우로 확대 적용되어 '입 다물다'(shut one's mouth), '잠잠하다'(silent)는 뜻을 나타냈다.

속뜻 훈음 **①잠잠할 묵, ②입 다물 묵.**

묵계 默契 | 입 다물 묵, 맺을 계
[agree tacitly; make a tacit agreement]
말을 하지 않고도[默] 약속이나[契] 한 듯이 뜻이 맞음. 또는 그렇게 하여 이루어진 약속이나 계약(契約). 묵약(默約).

묵과 默過 | 입 다물 묵, 지나칠 과
[overlook; pass over]
입 다물고[默] 말없이 지나침[過]. ¶그의 잘못을 묵과하다.

묵념 默念 | 잠잠할 묵, 생각 념
[silent prayer]
❶속뜻 잠잠하게[默] 생각[念]에 잠김. ❷마음속으로 빎. ¶호국 영령들을 위해 묵념을 올리다.

묵묵 默默 | 잠잠할 묵, 잠잠할 묵
[silent; mute]
아무 말 없이 매우 잠잠하다[默+默]. ¶어려운 상황을 묵묵하게 이겨내다 / 아무 불평 없이 묵묵히 일을 하다.

묵비 默祕 | 입 다물 묵, 숨길 비 [silence]
입을 다물어[默] 말하지 않고 숨김[祕].

묵살 默殺 | 입 다물 묵, 죽일 살
[ignore; take no notice]
❶속뜻 말하지 않고[默] 묻어 둠[殺]. ❷의견이나 제안 따위를 듣고도 못 들은 척함. ¶제안을 묵살하다.

묵상 默想 | 입 다물 묵, 생각 상
[meditate (on); contemplate]
입을 다물고[默] 조용히 생각함[想]. ¶묵상에 잠기다.

묵인 默認 | 입 다물 묵, 허락할 인
[permit tacitly; tolerate]
입을 다물고[默] 암암리에 슬며시 허락함[認]. ¶상급자의 묵인이 없었다면 불가능했다 / 시험 부정행위를 묵인할 수 없다.

묵주 默珠 | 입 다물 묵, 구슬 주 [rosary]
❶속뜻 묵언(默言)기도 때 쓰는 구슬[珠]. ❷가톨릭 염주처럼 줄에 꿴 구슬을 이름. '묵주 기도'를 할 적에 그 차례를 세는 데 쓰인다.

• 역순어휘

과:묵 寡默 | 적을 과, 입 다물 묵 [reserved]
말수가 적거나[寡] 입을 다물어[默] 말을 하지 아니함. 침착함. ¶그는 과묵한 편이다.

침묵 沈默 | 가라앉을 침, 입다물 묵
[hold one's tongue; be silent]
흥분 따위를 가라앉히고[沈] 입을 다물고[默] 있음. ¶그들 사이에 어색한 침묵이 흘렀다 / 그녀는 잠시 동안 침묵했다.

1499 [고]

鼓

북 고
部 鼓부 劃 13획 中 鼓 [gǔ]

鼓자의 支(지)는 攴(칠 복)의 변형으로 손에 북채를 들고 있는 모습이고, 왼편은 북 모양을 본뜬 것이었다. '북을 치다'(beat a drum)가 본뜻인데 '북'(a drum)을 뜻하는 것으로도 많이 쓰인다.

고동 鼓動 | 북 고, 움직일 동
[beat; palpitate]
❶속뜻 북[鼓]소리같이 울리거나 뜀[動]. ❷혈액 순환에 따라 심장이 뛰는 일. ¶심장 고동 소리. ⊕고무(鼓舞).

고막 鼓膜 | 북 고, 꺼풀 막 [tympanum]
의학 귓구멍 안쪽에 있는 북[鼓] 모양의 둥글고 얇은 꺼풀[膜]. 공기의 진동에 따라 이 막이 울려 소리를 듣게 한다. ¶폭탄 소리에 고막이 터지다.

고수 鼓手 | 북 고, 사람 수 [drummer]
음악 북[鼓]을 치는 사람[手].

고자 鼓子 | 북 고, 아들 자
[eunuch; impotent man]
❶속뜻 북[鼓]같이 속이 빈 남자(男子). ❷생식기의 기능이 완전하지 못한 남자. ⊕고녀(鼓女).

고적 鼓笛 | 북 고, 피리 적
[drum and pipe]
북[鼓]과 피리[笛]. ¶고적 소리 / 고적을 울리다.

고취 鼓吹 | 북 고, 불 취
[inspire with; stir up]
❶속뜻 북[鼓]을 치고 피리를 붊[吹]. ❷사상 따위를 열렬히 주장하여 널리 알림. ¶애국심을 고취하다. ❸용기를 북돋아 줌. ¶아이들은 선생님의 칭찬에 고취됐다.

• 역순어휘

법고 法鼓 | 법 법, 북 고
불교 불법(佛法)을 설하기 전에 치는 북[鼓].

소:고 小鼓 | 작을 소, 북 고
[small hand drum; tabor]
음악 ❶작은[小] 북[鼓]. ❷농악에 쓰는 작은 북.

1500 [제]

齊

가지런할 제
部 齊부 劃 14획
中 齐 [qí, jì, zhāi]

齊자는 '가지런하다'(even; equal)는 뜻을 나타내기 위하여 벼나 보리의 이삭이 평평하고 가지런하게 자란 모양을 본뜬 것이었다. 지금의 자형에서는 그러한 모습을 연상하기 힘들 정도로 많이 바뀌었다. 후에 '같게 하다'(make same), '동등하다'(equal), '다스리다'(rule) 등으로 확대 사용됐다.

제가 齊家 | 가지런할 제, 집 가
[govern a family; manage a household]
집안[家]을 잘 다스려 바로잡음[齊]. ¶제가를 잘 해야 성공을 할 수 있다.

제창 齊唱 | 가지런할 제, 부를 창
[sing in unison]

❶속뜻 여러 사람이 다같이[齊] 노래 부름[唱]. ❷음악 같은 가락을 두 사람 이상이 동시에 노래함. ¶애국가를 제창하다.

• 역순어휘

균제 均齊 | 고를 균, 가지런할 제 [symmetrical; balanced]
고르고[均] 가지런함[齊]. ¶체격의 균제와 살결의 고움. ⑪균등(均等), 균일(均一).

일제 一齊 | 한 일, 가지런할 제 [altogether]
❶속뜻 여럿이 한꺼번에[一] 가지런하게[齊] 함. ❷한꺼번에. 동시에. ¶일제고사 / 일제히 단속하다.

제2부

제2부 실 제 : 한자 및 한자어 지도

11장. 3급 배정한자 317

[1501-1817]

1501 [여]

予

나 여
㊀ 亅부 ㊁ 4획 ㊥予 [yú, yǔ]

予자는 서로 물건을 주는 모습을 뜬 것이라는데, 최초 자형인 篆書(전:서) 서체에서도 얼른 알아보기 힘드니 추상적인 부호나 진배없다. '주다'(give)가 본래 의미이다. 일찍이 제1인칭인 '나'(I; my; me)를 가리키는 것으로 차용되는 예가 많아지자 '주다'는 뜻은 與(여)로 나타냈다. 고전 한문에서는 단음절 어휘로 많이 쓰였으나, 조어력이 약하여 한자어에서는 거의 쓰이지 않는다.

[속뜻훈음] 줄 여.

1502 [료]

了

마칠 료:
㊀ 亅부 ㊁ 2획
㊥ 了 [liǎo, le, liào]

了자는 子(아이 자)에서 양손에 해당되는 '一'이 없는 꼴이다. 길을 가다 다리가 '꼬이다'(be twisted)가 본래 뜻이라는 설이 있지만 자형으로 보면 신빙성이 낮다. '깨닫다'(realize), '똑똑하다'(clever), '마치다'(finish) 등으로도 쓰인다.

• 역순어휘

만료 滿了 | 찰 만, 마칠 료
[expire; come to an end]
정해진 기간이 차서[滿] 일이 끝남[了]. ¶임기가 만료되다.

수료 修了 | 닦을 수, 마칠 료 [complete; finish]
일정한 학업이나 과정을 다 공부하여[修] 마침[了]. ¶석사 과정을 수료하다.

완료 完了 | 완전할 완, 마칠 료
[complete; finish]
완전(完全)히 끝마침[了]. ¶준비 완료 ㊥종료(終了).

종료 終了 | 끝날 종, 마칠 료 [close; conclude]
어떤 행동이나 일 따위를 끝내어[終] 마침[了]. ¶오 분 뒤에 경기가 종료된다. ㊤개시(開始).

1503 [내]

乃

이에 내:
㊀ 丿부 ㊁ 2획 ㊥ 乃 [nǎi]

乃자는 갑골문에 등장할 정도로 역사가 오래 됐다. 기운이 굽이치는 모양을 그린 것이라는 설이 있으나 의미와 연관되지 않는 등 많은 문제점이 있다. 확실한 것은 '이에'(whereupon; on this), '이리하여'(thus) 등의 의미로 차용되어 쓰인다는 것뿐이다.

내:지 乃至 | 이에 내, 이를 지
[from … to …; or]
❶[속뜻] 이에[乃] 얼마에 이름[至]. ❷수량을 나타내는 말 사이에서 '얼마에서 얼마까지'의 정도를 말한다. ¶열 명 내지 스무 명 정도가 올 것 같다. ❸사물의 이름 사이에서 '또는', '혹은'의 뜻을 나타냄. ¶미국 내지는 캐나다로 갈 계획이다.

• 역순어휘

인내천 人乃天 | 사람 인, 곧 내, 하늘 천
❶[속뜻] 사람[人]이 곧[乃] 하늘[天]임. ❷[종교] 사람마다 한울님을 모시고 있으므로 사람을 하늘과 같이 여겨야 한다는 천도교(天道教)의 근본 교의.

종내 終乃 | 마칠 종, 이에 내
[at last; finally]
마침[終]내(乃). 끝내. ¶그는 병상에 눕더니 종내 일어나지 못했다.

1504 [호]

乎

어조사 호
㊀ 丿부 ㊁ 5획 ㊥ 乎 [hū]

乎자의 자형 풀이는 여러 설이 있지만 믿을 만한 것이 적으니 그냥 외워 둘 수밖에 별 도리가 없다. 고대 한문 문장에서 疑問(의문)이나 反問(반:문) 따위의 어조를 나타내는 어조사(particle)로 많이 쓰였으며, 낱말의 한 구성요소로 쓰이지는 않았다. 따라서 고문을 해석하기 위해서는 반드시 알아두어야 할 글자이다. 그러나 조어력이 약하여 한자어 용례가 매우 적다.

• 역순어휘

단:호 斷乎 | 끊을 단, 어조사 호
[firm; determined]
결심한 것을 처리함에 과단성(果斷性)이 있음[乎]. ¶전에 없이 단호한 태도를 보였다.

확호 確乎 | 굳을 확, 어조사 호
[(be) firm; determined]
아주 든든하고 굳세다[確]. ¶확호한 결의.

1505 [걸]

乞

빌 걸

部 乙부 畫 3획 中 乞 [qǐ]

乞자의 자형 풀이는 정설이 없다. 억측을 부리는 것보다는 차라리 의문에 부쳐 두고 '빌다'(pray; wish; beg)는 뜻으로 쓰인다는 사실만 꼭 기억해 두자.

걸신 乞神 | 빌 걸, 귀신 신 [hungry demon]

❶속뜻 빌어먹는[乞] 귀신(鬼神). ❷염치없이 지나치게 탐하는 마음을 비유하여 이르는 말. ¶걸신이 들린 것처럼 음식을 먹어치웠다.

걸인 乞人 | 빌 걸, 사람 인 [beggar; mendicant]

빌어[乞] 먹는 사람[人]. ¶걸인에게 빵을 주다. 비거지.

• 역순어휘

구걸 求乞 | 구할 구, 빌 걸 [beg]

거저 달라고[求] 빎[乞]. ¶구걸하여 목숨을 이었다. 비동냥.

애걸 哀乞 | 슬플 애, 빌 걸 [implore; beg for]

소원을 들어 달라고 애처롭게[哀] 빎[乞]. ¶나는 그에게 가지 말라고 애걸했다.

1506 [야]

也

이끼/어조사 야:

部 乙부 畫 3획 中 也 [yě]

也자의 자형 풀이는 여러 설들이 많은데, 女陰(여음)을 본뜬 것이라는 설과 주전자 모양을 본뜬 것으로 匜(주전자 이)의 本字(본자)라는 설이 대표적이다. 후자가 더 신빙성이 있는 것 같다. 어쨌든 고대 한문의 문장 끝에 쓰여서 斷定(단:정)이나 肯定(긍:정) 어조를 나타내는 어조사(particle)로 많이 쓰였지만, 조어력이 약하여 어떤 낱말의 구성요소로 쓰인 예는 거의 없다.

1507 [차]

且

또 차:

部 一부 畫 5획 中 且 [qiě, jū]

且자는 '조상'(ancestry)을 뜻하기 위하여 조상의 位牌(위패) 모양을 본뜬 것이다. 男根(남근) 모양을 본뜬 것으로 보아 원시시대의 남근숭배(phallus worship; phallicism) 사상과 결부시키는 설도 있으나 언어학적 관점에서 보면 설득력이 약하다. 어쨌거나, 후에 이 글자가 '또'(also; and), '잠깐'(a moment)의 의미로 차용되어 쓰이는 예가 많아지자, 본뜻은 '제사 시'(示)를 덧붙인 祖(조, #0137)자를 만들어 나타냈다.

속뜻훈음 ①또 차, ②잠깐 차.

차:치 且置 | 잠깐 차, 둘 치

[let alone; put aside]

잠시[且] 내버려 둠[置]. ¶그 문제는 차치하고 이것에 대해 의논해 봅시다.

• 역순어휘

구:차 苟且 | 진실로 구, 또 차 [poor; indigent]

❶속뜻 실로[苟] 말이나 행동이 떳떳하고 또[且] 버젓하지 못함. ¶구차한 변명. ❷살림이 매우 가난함.

황:차 況且 | 하물며 황, 또 차 [much more]

하물며[況] 또[且]. 하물며. ¶친구인 나도 슬픈데, 황차 자식을 잃은 부모의 마음은 오죽하겠는가?

1508 [축]

丑

소 축

部 一부 畫 4획 中 丑 [chǒu]

丑자의 갑골문은 손가락과 손톱 모양을 본뜬 것으로 '손톱'(a fingernail; a nail)이 본뜻이다. 당시부터 12 地支(지지)의 둘째 것으로 차용되는 예가 많아지자, 본뜻은 모양을 약간 달리한 爪(손톱 조)로 나타냈다. 12지에서는 '소'(cattle)를 상징하므로 '소 축'이라는 자훈이 생겨났다.

• 역순어휘

계:축 癸丑 | 천간 계, 소 축

민속 천간 '癸'와 지지의 '丑'이 만난 간지(干支). ¶계축년생은 소띠이다.

을축 乙丑 | 천간 을, 소 축

민속 천간의 '乙'과 지지의 '丑'이 만난 간지(干支). ¶을축년생은 소띠이다.

1509 [환]

丸

둥글 환

部 丶부 畫 3획 中 丸 [wán]

丸자의 부수는 '심지 주'(丶)다. 참고로 '(등불의) 심지'를 뜻하는 글자는 丶(주) → 主(주) → 炷(주) 같은 세 단계로 달라졌다. 丸은 丶(주)와 九(구)로 이루어졌지만 의미가 '심지' '아홉'과는 무관하다. 원래는 仄

(기울 측)자를 반대로 돌려썼다. 둥근 것은 잘 기울어지기 때문에 그렇게 했다는 설이 있다. '작은 공'(a small ball) 모양을 가리키는 것이므로 '총알'(a ball; a bullet), '알약'(a pill; a tablet)을 지칭하는 것으로도 자주 쓰인다.

[속뜻훈음] **알 환.**

• 역순어휘

고환 睾丸 | 불알 고, 알 환 [testicles]
불알[睾=丸]. ¶고환이 퉁퉁 부었다.

탄:환 彈丸 | 탄알 탄, 알 환 [bullet]
[군사] 총포에 재어서 쏘면 폭발하여 그 힘으로 탄알[彈]이 튀어나가게 된 둥그런 쇳덩이[丸]. ¶탄환이 그의 심장을 뚫고 나갔다. ㉥총알, 탄알.

포환 砲丸 | 대포 포, 알 환 [cannonball; shot]
❶[속뜻] 대포(大砲)의 탄알[丸]. ¶화약과 포환. ❷[운동] 포환던지기에 쓰이는 쇠로 만든 공. ¶운동장에서 선수가 포환을 던졌다.

1510 [해]

亥

돼지 해
(部) 亠부 (劃) 6획 (中) 亥 [hài]

亥자의 갑골문은 풀뿌리 모양을 본뜬 것으로 '풀뿌리'(the root of grass)가 본래 의미이다. 12地支(지지)의 마지막 것으로 차용되어 쓰이는 예가 많아져 본래의 뜻은 따로 荄(풀뿌리 해)자를 만들어 나타냈다. '돼지 해'라는 훈은 12번째 지지가 띠로는 '돼지'(a pig)에 해당되기 때문에 부른 속칭에 불과하다. 즉 '돼지'라는 뜻으로 쓰인 한자어 예는 없다.

• 역순어휘

계:해 癸亥 | 천간 계, 돼지 해
[민속] 천간의 '癸'와 지지의 '亥'가 만난 간지(干支). ¶계해년생은 돼지띠이다.

신해 辛亥 | 천간 신, 돼지 해
[민속] 천간의 '辛'과 지지의 '亥'가 만난 간지(干支). ¶신해년생은 돼지띠이다.

1511 [향]

享

누릴 향:
(部) 亠부 (劃) 8획 (中) 享 [xiǎng]

享자는 '드리다'(offer)는 뜻을 나타내기 위하여 제사를 드리는 사당 같은 건축물의 모양을 본뜬 것이다. 이 경우의 '子'는 건축물의 하단 모양이 잘못 변화된 것이므로 '아이'나 '아들'이란 의미와 결부시키면 안 된다. 후에 '제사 드리다'(perform an ancestral sacrifice), '잔치하다'(give a feast), '누리다'(enjoy) 등으로 확대 사용됐다.

향:년 享年 | 누릴 향, 해 년 [one's age at death]
한평생 살아서 누린[享] 나이[年]. 죽은 사람의 나이를 이를 때만 쓴다. ¶그는 향년 60세로 돌아가셨다.

향:락 享樂 | 누릴 향, 즐길 락 [enjoy]
즐거움[樂]을 누림[享]. 쾌락을 누림. ¶향락 생활 / 향락에 빠지다.

향:유 享有 | 누릴 향, 있을 유 [enjoy]
누려서[享] 가짐[有]. ¶물질적 향유 / 만인이 자유와 풍요를 향유하는 사회.

1512 [형]

亨

형통할 형
(部) 亠부 (劃) 7획 (中) 亨 [hēng]

亨자의 자형 풀이는 정설이 없다. 잔체가 하나의 추상적인 부호나 마찬가지다. 일이 잘 '풀리다'(work out), '평탄하다'(smooth) 등의 뜻으로 쓰인다. 조어력이 매우 약하다.

[속뜻훈음] **풀릴 형.**

형통 亨通 | 풀릴 형, 통할 통
[go well; prove successful]
일이 뜻대로 잘 풀리고[亨] 막혔던 것이 통[通]함. ¶만사가 형통하다.

1513 [모]

募

모을/뽑을 모
(部) 力부 (劃) 13획 (中) 募 [mù]

募자는 '널리 구하다'는 뜻을 위하여 고안된 글자다. 그렇게 하자면 힘이 들었던지 '힘 력'(力)이 표의요소로 쓰였다. 莫(없을 막)이 표음요소임은 模(법 모), 慕(그리워할 모)도 마찬가지다. 후에 '모으다'(invite; collect), '뽑다'(enroll)는 뜻도 이것으로 나타냈다.

[속뜻훈음] **①뽑을 모, ②모을 모.**

모금 募金 | 모을 모, 돈 금 [raise; collect]
특별한 목적을 위하여 돈[金]을 모음[募]. ¶불우 이웃을 돕기 위해 모금하다.

모집 募集 | 뽑을 모, 모을 집 [recruit; enroll]
조건에 맞는 사람이나 뽑거나[募] 모음[集]. ¶직원을 모집하다.

• 역순어휘

공모 公募 | 드러낼 공, 뽑을 모
[invite public participation]
일반에게 드러내어[公] 널리 모집(募集)함. ¶새 이름을 공모하다.

응:모 應募 | 응할 응, 뽑을 모
[apply for; subscribe to]
모집(募集)에 응(應)함. ¶응모 자격 / 각종 경연대회에 응모하다.

1514 [렬]

劣

못할 렬
部 力부 劃 6획 中 劣 [liè]

劣자는 힘이 '약하다'(clumsy; weak)는 뜻을 나타내기 위하여 '적을 소'(少)와 '힘 력'(力)을 합쳐 놓은 것이다. 생각이 참으로 기발하다. 후에 '못하다'(worse than; below), '못나다'(silly) 등으로 확대 사용됐다.

속뜻훈음 ①못할 렬, ②약할 렬.

열등 劣等 | 못할 렬, 무리 등 [inferior]
보통의 수준이나 등급(等級)보다 낮음[劣]. 또는 그런 등급. ¶이 옷은 품질이 열등하다. 반우등(優等).

열세 劣勢 | 약할 렬, 힘 세 [inferior in strength]
상대편보다 약함[劣] 힘[勢]. 또는 약한 세력. ¶한국은 국력의 열세를 극복하고 드디어 선진국의 대열에 들어섰다. 반우세(優勢).

열악 劣惡 | 못할 렬, 나쁠 악 [be poor]
품질이나 능력 따위가 몹시 떨어지고[劣] 나쁘다[惡]. ¶그는 열악한 환경에서도 세계 최고의 스키선수가 되었다.

• 역순어휘

비:열 卑劣 | 낮을 비, 못할 렬 [mean; base]
성품이나 하는 짓이 저속하고[卑] 용렬(庸劣)함. ¶뒤에서 남을 욕하는 것은 비열한 행동이다.

우열¹ 愚劣 | 어리석을 우, 못할 렬
[stupid; silly; foolish]
어리석고[愚] 못나다[劣]. ¶우열한 품성 / 워낙 재질(才質)이 우열하여 이런 큰일은 제게 벅찬 것 같습니다.

우열² 優劣 | 넉넉할 우, 못할 렬
[superiority and inferiority]
❶속뜻 넉넉함[優]과 그렇지 못함[劣]. ❷우수함과 열등함. ¶실력의 우열을 가리다.

졸렬 拙劣 | 졸할 졸, 못할 렬 [be awkward]
❶속뜻 보잘것없고[拙] 잘하지 못하다[劣]. ❷옹졸하고 서투르다. ¶그건 너무 졸렬한 짓이다.

1515 [명]

冥

어두울 명
部 冖부 劃 10획 中 冥 [míng]

冥자의 갑골문은 두 손[又 + 又]으로 모체의 자궁[冖]을 벌려 태아[日]를 끄집어내는 모습을 그린 것이다. '분만하다'(be delivered of)가 본래 의미다. 지금의 '冖' '日' '六'은 모두 자형이 잘못 변화된 것이니, 그것에서 의미를 찾으려면 잘못된 해석을 낳게 된다. 그 당시에는 어두운 방에서 아이를 낳았다고 한다. 후에 '어둡다'(dark; gloomy), '저승'(the next world) 등으로 확대 사용되는 예가 많아지자, 본래의 뜻은 娩(해산할 만)자로 나타냈다.

속뜻훈음 ①어두울 명, ②저승 명.

명도 冥途 | 저승 명, 길 도
[Hades; the nether world]
❶속뜻 저승[冥]으로 가는 길[途]. ❷불교 사람이 죽은 뒤에 간다는 영혼의 세계.

명복 冥福 | 저승 명, 복 복 [heavenly bliss]
죽은 뒤 저승[冥]에서 받는 복(福). ¶고인의 명복을 빕니다.

• 역순어휘

회:명 晦冥 | 그믐 회, 어두울 명 [(be) dark]
❶속뜻 그믐날[晦]의 어두움[冥]. ❷어두컴컴함.

1516 [복]

卜

점 복
部 卜부 劃 2획 中 卜 [bǔ, bo]

卜자는 거북이의 빼에 불을 지져 균열이 생긴 모양을 본뜬 것이다. 최초 자형인 갑골문의 형태가 거의 변화되지 않고 원형이 고스란히 보존된 몇 안 되는 글자다. '점치다'(divine) 또는 '점'(divination)의 뜻을 그 모양으로 나타낸 것은 지극히 당연한 일이었다.

속뜻훈음 ①점 복, ②점칠 복.

복일 卜日 | 점칠 복, 날 일 [prognosticate]
점을 쳐서[卜] 좋은 날[日]을 가림. 그 날의 길흉을 점침.

복점 卜占 | 점칠 복, 점 점
[fortunetelling]
점(占)을 쳐서[卜] 길흉을 미리 가리는 일. 점복(占卜).

복채 卜債 | 점 복, 빚 채 [fortune-teller's fee]
점[卜]을 쳐 준 값으로 점쟁이에게 주는 돈[債]. ¶복채를 내다.

• 역순어휘

점복 占卜 | 점칠 점, 점 복 [divination]
❶속뜻 미래를 예측하는 일[占]과 길흉을 알아보는 일[卜]. ❷점치는 일.

1517 [모]

冒

무릅쓸 모(:)
部 冂부 劃 9획 中 冒 [mào, mò]

눈의 위쪽 머리에 쓰는 '쓰개'(a headgear; a headdress)를 나타내려고 冃(쓰개 모)와 目(눈 목)을 합쳐 놓았다. '시기하다'(be jealous of), '무릅쓰다'(risk; brave) 등으로도 쓰인다.

속뜻훈음 ①무릅쓸 모, ②시기할 모.

모:독 冒瀆 | 시기할 모, 더러워질 독
[insult; blaspheme]
남을 시기하고[冒] 더럽힘[瀆]. ¶모독 행위 / 인격을 모독하는 말은 하면 안 된다. 비모욕(侮辱).

모:우 冒雨 | 무릅쓸 모, 비 우
[be exposed to rain]
비[雨]를 무릅씀[冒].

모:험 冒險 | 무릅쓸 모, 험할 험
[have an adventure]
위험(危險)을 무릅쓰고[冒] 어떠한 일을 함. 또는 그 일. ¶목숨을 걸고 모험을 하다.

1518 [응]

凝

엉길 응:
部 冫부 劃 16획 中 凝 [níng]

凝자는 얼음이 '얼다'(freeze)는 뜻을 나타내기 위하여 만든 것이다. 본래 '물 수'(水) 옆에 '얼음 빙'(冫)을 덧붙여 놓은 형태였다. 冰(얼음 빙, 氷의 本字 #0445)과 혼동을 피하기 위하여 만든 것으로 보이는 속자가 바로 凝 또는 凝이다. 이것들에 쓰인 疑(의심할 의)는 표음요소로 보기에도 문제가 있고 그렇다고 표의요소로 볼 수도 없어 애매하다. 후에 '엉기다'(congeal), '덩어리지다'(lump; form a mass) 등으로 확대 사용됐다.

응:고 凝固 | 엉길 응, 굳을 고
[solid; congeal]
❶속뜻 엉기어[凝] 굳어짐[固]. ❷액체나 기체가 고체로 변하는 현상. ¶응고상태 / 피가 응고되기 전에 이 약을 주사해야 한다. 반융해(融解).

응:시 凝視 | 엉길 응, 볼 시 [stare at; gaze at]
눈길을 한곳으로 모아[凝] 가만히 바라봄[視]. ¶그는 한참 동안 먼 산을 응시했다. 비주시(注視).

응:집 凝集 | 엉길 응, 모일 집
[cohere; condense]
한군데에 엉겨서[凝] 뭉침[集]. ¶두 물질은 뜨거운 상태에서 응집하여 에너지를 낸다.

1519 [궐]

厥

그[其] 궐
部 厂부 劃 12획 中 厥 [jué]

厥자가 한문 문장에서는 '그 기'(其)와 통용되므로 쓰이는 빈도가 높았다. 그러나 다른 글자와 더불어 낱말을 구성하는 예는 극히 적고, 그러한 낱말이 요즘도 그대로 쓰이고 있는 예는 전혀 없다고 해도 지나친 말이 아니다. 따라서 자형을 굳이 풀이할 필요가 없을 것 같다.

1520 [액]

厄

액 액
部 厂부 劃 4획 中 厄 [è]

厄자의 厂(한)은 '벼랑'이나 '언덕'(a hill)을 뜻하는 것이고, 㔾(절)은 무릎을 꿇고 앉은 사람의 모습을 그린 것이다. 수재나 화재 같은 재앙을 당하여 집을 잃은 사람이 언덕 아래로 피신하여 기진맥진 앉아 있는 모습을 통하여 '재앙'(a calamity), '(운수가) 사납다'(unfortunate)는 의미를 나타낸 것으로 풀이할 수 있다. 조어력이 매우 낮아 한자어 용례가 매우 제한적이다.

속뜻훈음 재앙 액.

액운 厄運 | 재앙 액, 운수 운
[hapless fate; misfortune]

재앙[厄]을 당할 운수(運數). ¶액운을 쫓기 위해 굿을 했다.

액화 厄禍 | 재앙 액, 재화 화
[calamity; disaster; misfortune]
사나운 운수[厄]로 입는 재화(災禍). ¶액화를 면하다 / 액화를 입다.

• 역순어휘

대:액 大厄 | 큰 대, 재앙 액 [great misfortune]
크게[大] 사나운 운수나 재액(災厄). ¶대액이 닥치다 / 대액을 당하다.

수액 水厄 | 물 수, 재앙 액
[flood disaster; deluge]
가뭄, 홍수 등 물[水]로 말미암아 입는 재액(災厄).

횡액 橫厄 | 뜻밖에 횡, 재앙 액
[unexpected bad luck]
뜻밖에[橫] 닥쳐오는 재액(災厄). '횡래지액'(橫來之厄)의 준말.

1521 [반]

叛

배반할 반:
[部] 又부 [劃] 9획 [中] 叛 [pàn]

叛자는 원래 같은 편이었다가 따로 떨어져나간 '반쪽'(half)이란 뜻을 나타내기 위하여 만든 것이었으니 '반쪽 반'(半)이 표의요소로 쓰였고, 反(되돌릴 반)은 표음요소이다. 후에 '(믿음을) 저버리다'(rise in revolt; rebel)는 뜻으로 확대 사용됐다. 부수가 又(우)임을 알기 어렵다.

[속뜻 풀이] ①배반할 반, ②되돌릴 반.

반:군 叛軍 | 배반할 반, 군사 군 [rebel troops]
반란(叛亂)을 일으킨 군대(軍隊). '반란군'(叛亂軍)의 준말.

반:란 叛亂 | =反亂, 배반할 반, 어지러울 란
[revolt]
정부나 지배자에게 반항하여[叛] 정국이나 나라를 어지럽게[亂] 하는 것. ㉥역란(逆亂).

반:역 叛逆 | =反逆, 배반할 반, 거스를 역
[rise in revolt; rebel (against)]
배반(背叛)하여 돌아섬[逆]. ¶그는 민족을 반역하고 적에게 동조했다.

• 역순어휘

모반 謀叛 | =謀反, 꾀할 모, 배반할 반
[revolt; rebel]
❶[속뜻]배반(背叛)을 꾀함[謀]. ❷국가나 군주의 전복을 꾀함. ¶모반에 가담하다 / 모반을 일으키다.

배:반 背反 | =背叛, 등질 배, 되돌릴 반 [betray]
신의를 저버리고 등지고[背] 돌아섬[反]. ¶약속을 배반하다. ㉥배신(背信).

1522 [우]

又

또 우:
[部] 又부 [劃] 2획 [中] 又 [yòu]

又자는 원래 '(오른) 손'(hand)을 뜻하는 것이었는데 '또'(also; and)라는 의미로 차용되어 쓰이는 예가 많아지자 그 본래 의미는 右자(#0066)를 만들어 나타냈다. '又'가 어떤 글자의 표의요소로 쓰인 경우는 한결같이 손으로 하는 행위나 동작과 관련된 뜻을 지니지 '또'의 뜻과는 아무런 상관이 없다. 따라서 이것의 부수 명칭을 속칭 '또 우'라고 하는데 앞으로는 '손 우' 또는 '오른손 우'라고 해야 한자의 뜻을 더욱 분명하게 파악할 수 있다. 又가 다른 글자와 더불어 한 낱말을 이루는 예는 극히 적다. 又驚又喜(우경우희-'놀라기도 하고 또 기뻐하기도 함')처럼, 성어에서는 又가 간혹 쓰이고 있으나, 상용 한자어 용례는 거의 없다. 즉 조어력은 매우 낮다.

1523 [우]

于

어조사 우
[部] 二부 [劃] 3획 [中] 于 [yú]

于자는 갑골문에 등장할 정도로 역사가 오래됐지만 자형이 무슨 뜻을 나타내는지는 정설이 없다. 그 때부터 '~로' '~에' 같은 의미의 전치사로 쓰였다. 다른 글자와 더불어 낱말을 구성하는 조어력이 매우 낮다.

우금 于今 | 어조사 우, 이제 금 [until now]
지금(只今)에 이르기까지[于]. 지금까지. ¶고향을 떠난 지 우금 20년이 되었다.

우선 于先 | 어조사 우, 먼저 선 [first of all]
어떤 일에[于] 먼저[先]. ¶우선 밥부터 먹고 생각해 보자.

1524 [운]

云

이를 운
[部] 二부 [劃] 4획 [中] 云 [yún]

云자는 원래 하늘에 구름이 매달려 있는

모양을 본뜬 것으로 '구름'(the clouds)이 본래 의미였는데, 후에 '말하다'(=이르다, say; tell)는 뜻으로 차용되어 쓰이는 예가 많아지자, 본래 의미를 위하여 추가로 雲(구름 운, #0395)자를 만들어냈다. 참고로 현대 중국어에서는 이것이 '말하다'는 뜻으로 쓰이지 않기 때문에 혼동될 가능성이 없어 雲의 약자[簡化字]로 복귀됐다.

운운 云云 | 이를 운, 이를 운
[say such and such]
이러쿵저러쿵하면서 말함[云+云].

1525 [호]

互

서로 호:
[部] 二부 [劃] 4획 [中] 互 [hù]

互자는 본래 푸줏간에서 고기 덩어리를 걸어 둘 때 쓰는 '시렁'(a shelf; a ledge)이나 '고리'(a link; a loop)를 뜻하기 위하여 그 모양을 본뜬 것이었다. 후에 '(서로) 어긋 매기다'(intersect), '서로'(mutually) 같은 뜻으로 확대 사용됐다.

호:각 互角 | 서로 호, 뿔 각
[equality; evenness; good match]
서로 우열을 가릴 수 없을 정도로 역량이 비슷한 것. 쇠뿔[角]의 양쪽이 서로[互] 길이나 크기가 같다는 데에서 유래. ¶씨름판에서 보여 준 두 장사의 기량은 호각이었다.

호:생 互生 | 어긋맞을 호, 날 생
[growing in alternation]
[식물] 식물의 잎이나 눈 따위가 줄기나 가지의 각 마디에 하나씩 어긋맞게[互] 남[生].

호:용 互用 | 서로 호, 쓸 용 [circulate]
서로[互] 넘나들며 씀[用]. 이쪽저쪽을 교대로 씀.

호:혜 互惠 | 서로 호, 은혜 혜
[reciprocity; mutual benefits]
서로[互] 특별한 혜택(惠澤)을 주고받는 일.

• 역순어휘

교호 交互 | 서로 교, 서로 호
[alternate with; reciprocal]
❶[속뜻] 서로[交=互] 번갈아 함. ❷서로 어긋나게 맞춤.

상호 相互 | 서로 상, 서로 호
[reciprocity; mutuality]
서로[相] 함께[互]. 상대가 되는 이쪽과 저쪽 모두. ¶상호 관심사.

1526 [구]

俱

함께 구
[部] 人부 [劃] 10획 [中] 俱 [jù, jū]

俱자는 다른 사람과 '함께'(together)라는 뜻을 위해 만든 것이었으니 '사람 인'(亻)이 표의요소로 쓰였고, 具(갖출 구)는 표음요소이다. 본래는 표음요소인 具의 뜻인 '갖추다'(have; possess)를 나타내기도 한다.
[속뜻훈음] ①함께 구, ②갖출 구.

구재 俱在 | 함께 구, 있을 재 [coexist; live together]
함께[俱] 있음[在]. ¶이곳은 전통과 현대가 구재한 도시이다. [비]공존(共存).

구전 俱全 | 갖출 구, 모두 전 [be endowed with]
필요한 모든[全] 것을 다 갖추다[俱]. ¶복(福)·녹(祿)·수(壽)를 구전하였다.

구존 俱存 | 함께 구, 있을 존
[have one's parents alive]
부모가 모두 함께[俱] 살아 계심[存]. ¶부모님은 다 구존하신가? [비]구경(具慶). [반]구몰(俱歿/俱沒).

1527 [근]

僅

겨우 근:
[部] 人부 [劃] 13획 [中] 仅 [jǐn, jìn]

僅자는 본래 사람의 '재능'(talent; ability)을 나타내기 위하여 만든 것이었으니 '사람 인'(亻)이 표의요소로 쓰였다. 堇(진흙 근)은 표음요소이니 뜻과는 무관하다. 재능이 출중한 사람도 있지만, 겨우 쓸 만한 정도도 많았던지 '겨우'(only), '거의'(nearly), '적다'(few; little)는 뜻으로도 사용됐다.
[속뜻훈음] 겨우 근.

근:근 僅僅 | 겨우 근, 겨우 근 [narrowly; barely]
겨우[僅+僅]. ¶얼마 안 되는 돈으로 근근이 살아가다. [비]가까스로

근:소 僅少 | 겨우 근, 적을 소 [little; few]
얼마 되지 않을 만큼 아주[僅] 적다[少]. ¶근소한 차로 졌다.

1528 [료]

僚

동료 료
[部] 人부 [劃] 14획 [中] 僚 [liáo]

僚자가 본래는 '예쁜 사람'(pretty

person)을 뜻하기 위한 것이었기에 '사람 인'(亻)이 표의요소로 쓰였다. 그 나머지가 표음요소임은 遼(멀 료), 療(병 고칠 료)도 마찬가지다. 같은 관청[宀]에서 일하는 사람, 즉 '동료 벼슬아치'를 뜻하는 寮(벼슬아치 료)자를 대신하는 예가 잦다 보니, '동료'(a colleague; a fellow worker), '벼슬아치'(an official) 같은 뜻을 갖게 됐다.

속뜻훈음 ①동료 료, ②벼슬아치 료.

• 역순어휘

각료 閣僚 | 관청 각, 벼슬아치 료
[the Cabinet minister]
정치 내각[閣]을 구성하는 각 장관[僚]. ¶의원내각제에서 각료는 국회의원을 겸할 수 있다. ⓗ각원(閣員).

관료 官僚 | 벼슬 관, 벼슬아치 료
[government official; bureaucrat]
❶속뜻 같은 관직(官職)에 있는 벼슬아치[僚]. ❷정부의 관리. 특히 정치적인 영향력을 지닌 고급 관리. ⓗ관리(官吏), 관원(官員).

동료 同僚 | 같을 동, 벼슬아치 료
[colleague; associate]
❶속뜻 같은[同] 일을 하고 있는 벼슬아치[僚]. ❷같은 직장이나 같은 부문에서 함께 일하는 사람. ¶회사 동료 / 동료 의식을 발휘하다.

막료 幕僚 | 휘장 막, 벼슬아치 료
[staff officer; the staff]
❶속뜻 지휘부[幕]에 속한 관리[僚]. 중요한 계획의 입안이나 시행 따위의 일을 보좌하는 사람. ❷비장(裨將).

1529 [모]

侮

업신여길 모:
部 人부 획 9획 ⊕ 侮 [wǔ]

侮자는 다른 사람에게 준 '(마음의) 상처'(a wounded heart)를 뜻하기 위하여 만든 것이었으니 '사람 인'(人, '남')이 표의요소로 쓰였고, 每(매양 매)는 표음요소였는데 음이 약간 달라졌다. 후에 '업신여기다'(despise; slight; make light of), '깔보다'(make light of)로 확대 사용됐다.

속뜻훈음 ①업신여길 모, ②깔볼 모.

모:멸 侮蔑 | 깔볼 모, 업신여길 멸
[despise; scorn]
깔보고[侮] 업신여김[蔑]. 모욕(侮辱)하고 멸시(蔑視)함. ¶모멸에 찬 눈초리로 바라보다 / 그를 거지라고 모멸하다.

모:욕 侮辱 | 업신여길 모, 욕될 욕 [insult]
업신여기고[侮] 욕(辱)함. ¶모욕을 당하다. ⓗ멸시(蔑視), 모멸(侮蔑).

• 역순어휘

수모 受侮 | 받을 수, 업신여길 모
[suffer insult; be humiliated]
업신여김[侮]을 받음[受]. 모욕을 당함. ¶갖은 수모를 당하다.

1530 [반]

伴

짝 반:
部 人부 획 7획 ⊕ 伴 [bàn]

伴자는 늘 함께 하는 사람, 즉 '짝'(a counterpart)을 가리키기 위한 것이었으니 '사람 인'(亻)이 표의요소로 쓰였다. 半(반 반)은 畔(두둑 반), 泮(학교 반)의 경우와 같이 표음요소일 따름이다. 후에 '모시다'(be in attendance on; serve)는 뜻으로 확대 사용됐다.

속뜻훈음 ①짝 반, ②따를 반.

반:려 伴侶 | 짝 반, 짝 려
[companion; partner]
생각이나 행동을 함께 하는 짝[伴=侶]. 짝이 되는 동무.

반:주 伴奏 | 짝 반, 연주할 주
[play accompaniment]
음악 짝[伴]을 맞추어 함께하는 연주(演奏). ¶피아노 반주에 맞추어 합창하다.

• 역순어휘

동반 同伴 | 같을 동, 짝 반 [company]
❶속뜻 함께[同] 짝[伴]을 이룸. ❷함께 살아감. ¶이번 여행은 부부 동반으로 간다.

수반 隨伴 | 따를 수, 짝 반
[accompany; go with]
❶속뜻 어떤 것에 뒤따르거나[隨] 짝[伴]이 됨. ❷어떤 일과 더불어 생김. ¶자유에는 반드시 책임이 수반된다.

1531 [방]

倣

본뜰 방:
部 人부 획 10획 ⊕ 仿 [fǎng]

倣자는 다른 사람을 따라 '배우다'는 뜻을 나타내기 위하여 만든 것이었으니 '사람 인'(亻)이 표의요소로 쓰였고, 放(놓을 방)은 표음요소이다. 본뜻보다 '본뜨다'(imitate)는 뜻으로 많이 쓰인다.

방:각 倣刻 | 본뜰 방, 새길 각 [carve by imitating]
본새를 본떠서[倣] 새김[刻].

• 역순어휘 •

모방 模倣 | 본보기 모, 본뜰 방 [imitate; copy]
어떤 것을 본보기[模] 삼아 본뜸[倣]. 흉내냄. ¶아이들은 모방을 통해 배운다. ㊥모습(模襲), 모본(模本). ㊥창조(創造).

1532 [방]

傍
곁 방
㊀ 人부 ㊁ 12획
㊥ 傍 [bàng, bāng]

傍자는 다른 사람과 '가까이하다'(associate with)는 뜻을 위한 것이었으니 '사람 인'(亻)이 표의요소로 쓰였다. 旁(두루 방, 곁 방)이 원래 표음요소인데, 傍이 '곁'(a side)이란 뜻으로 쓰이기도 하다 보니 표의요소를 겸하게 됐다.

방관 傍觀 | 곁 방, 볼 관 [look on]
그 일에 상관하지 않고 곁[傍]에서 보기[觀]만 함. ¶문제를 더 이상 방관할 수 없다. ㊥방참(傍參).

방백 傍白 | 곁 방, 말할 백
[stage aside]
❶속뜻 바로 옆에서[傍] 하는 듯한 말[白]. ❷문학 연극에서 연기자가 청중에게는 들리나 무대 위의 상대편에게는 들리지 않는 것으로 약속하고 하는 대사.

방심 傍心 | 곁 방, 가운데 심 [excenter]
수학 방접원(傍接圓)의 중심(中心). 삼각형에서 한 변과 다른 두 변의 연장선에 접하는 원의 중심.

방점 傍點 | 곁 방, 점 점 [side dot]
❶속뜻 보는 사람의 주의를 끌기 위해 글자의 곁[傍] 이나 위에 찍는 점(點). ❷언어 15세기 국어 표기에서 음절의 성조를 나타내기 위해 글자의 왼쪽에 찍던 점.

방증 傍證 | 곁 방, 증거 증
[circumstantial evidence]
직접적인 증거가 되지는 않지만 주변[傍]의 상황 등을 통하여 간접적으로 증명이 되는 증거(證據). ¶방증 자료.

방청 傍聽 | 곁 방, 들을 청 [hear; attend]
직접적인 관계가 없는 사람이 회의나 토론, 공판 따위를 곁[傍]에서 들음[聽]. ¶재판을 방청하다.

1533 [사]

似
닮을 사:
㊀ 人부 ㊁ 7획 ㊥ 似 [sì]

似자는 다른 사람과 '닮다'(be alike; resemble)는 뜻을 위하여 만든 것이었으니 '사람 인'(亻)이 표의요소로 쓰였다. 음 차이가 크지만 以(써 이)가 표음요소임은 姒(동서 사)도 마찬가지다. 후에 '비슷하다'(similar)는 뜻으로 확대 사용됐다.

• 역순어휘 •

근:사 近似 | 가까울 근, 닮을 사 [fine; nice]
❶속뜻 가깝거나[近] 닮다[似]. ❷썩 그럴듯하다. 꽤 좋다. ¶참 근사한 생각이구나!

유:사 類似 | 비슷할 류, 닮을 사
[similar; alike]
❶속뜻 비슷하거나[類] 닮음[似]. ❷서로 비슷함. ¶유사 단체 / 그의 생각은 내 생각과 굉장히 유사하다.

흡사 恰似 | 꼭 흡, 닮을 사
[alike; closely resemble]
거의 꼭[恰] 닮음[似]. 또는 비슷한 모양. ¶그림 속의 고양이는 흡사 살아 있는 것 같다 / 두 자매는 생김새가 매우 흡사하다.

1534 [신]

伸
펼 신
㊀ 人부 ㊁ 7획 ㊥ 伸 [shēn]

伸자는 다른 사람들이 볼 수 있도록 넓게 '펴다'(unfold)는 뜻을 위한 것이었으니 '사람 인'(亻)이 표의요소로 쓰였고, 申(납 신)은 표음요소일 따름이다. 후에 '(길게) 늘이다'(extend; expand)는 뜻도 이것으로 나타냈다.

속뜻 훈음 ①펼 신, ②늘일 신.

신장 伸張 | 펼 신, 벌릴 장
[extend; expand; elongate]
무엇을 펴서[伸] 넓히거나 벌림[張]. ¶학력 신장 / 한국의 국력은 크게 신장되었다.

신축 伸縮 | 늘일 신, 줄일 축
[expand and contract]
늘거나[伸] 줄어듦[縮]. 늘이고 줄임. ¶고무는 신축하는 성질이 있다 / 지렁이는 신축 동작으로 몸을 움직인다.

• 역순어휘 •

추신 追伸 | =追申, 따를 추, 늘일 신 [postscript]
뒤에 추가(追加)하거나 늘임[伸]. 주로 편지글에서 사연을 다 쓰고 덧붙이는 글의 머리에 쓰는 말. ¶안부를 전해 달라는 추신을 덧붙이다.

1535 [여]

余 나 여
㊀ 人부 ㊁ 7획 ㊥ 余 [yú]

余자의 갑골문은 지붕을 받치는 들보와 기둥 모양을 본뜬 것으로 舍(집 사)와 같은 뜻이었다. 일찍이 제1인칭 '나'(I; myself)를 일컫는 것으로 활용됐다(고대 문장에서 많이 쓰임). 음력 '4월'(April)을 일컫는 것으로도 쓰인다(余月/여월). 한문에서는 단음절 어휘로 많이 쓰이지만, 조어력이 매우 약하여 단어 용례가 거의 없다.

1536 [오]

傲 거만할 오:
㊀ 人부 ㊁ 13획 ㊥ 傲 [ào]

傲자는 出(출)과 放(방)으로 구성되었던 '敖'에 그 뿌리를 두고 있다. '敖'는 본래 '방랑하다'(wander)는 뜻이었는데, '업신여기다'(despise; slight), '오만하다'(arrogant; haughty)는 뜻으로도 쓰이게 되자, 그 뜻을 분명하게 하기 위하여 '사람 인'(亻) 또는 '마음 심'(忄)이 첨가됐다. '傲'를 '慠'로 쓰기도 한다.
속뜻훈음 ①오만할 오, ②업신여길 오.

오:기 傲氣 | 오만할 오, 기운 기
[unyielding spirit]
❶속뜻 잘난 체하며 오만(傲慢)한 기세(氣勢). ❷능력은 부족하면서도 남에게 지기 싫어하는 마음. ¶오기를 부려 봐야 너만 손해다.

오:만 傲慢 | 업신여길 오, 건방질 만
[arrogant; haughty]
❶속뜻 남을 업신여기고[傲] 거만(倨慢)함. ❷건방지고 거만함. 또는 그 태도나 행동. ¶오만방자한 인간 같으니 / 그는 오만한 말투로 말했다. ㊐교만(驕慢), 거만(倨慢). ㊥겸손(謙遜).

오:상-고절 傲霜孤節 | 오만할 오, 서리 상, 외로울 고, 절개 절 [chrysanthemum]
❶속뜻 서릿발[霜]이 심한 속에서도 굴하지 아니하고[傲] 외로이[孤] 절개(節槪)를 지키는 꽃. ❷'국화'(菊花)를 달리 이르는 말.

오:연 傲然 | 오만할 오, 그러할 연
[arrogant; show the attitude of haughtiness]
태도가 오만(傲慢)하거나 그렇게[然] 보일 정도로 담담한. ¶겸손한 줄로만 알았던 그녀의 오연한 태도에 놀라지 않을 수 없었다.

1537 [좌]

佐 도울 좌:
㊀ 人부 ㊁ 7획 ㊥ 佐 [zuǒ]

佐자는 다른 사람을 '돕다'(help; assist; aid)는 뜻을 위한 것이었으니 '사람 인'(亻)이 표의 요소로 쓰였고, 左(왼 좌)는 표음요소이니 뜻과는 무관하다.

• 역순어휘

보:좌 補佐 | =輔佐, 도울 보, 도울 좌
[assist; aid; help; support]
상관을 도와[補=佐] 일을 처리함. ¶대통령을 보좌하다. ㊐보필(輔弼), 익보(翼輔).

상:좌 上佐 | 위 상, 도울 좌
[monk who is first in line to succeed his master]
❶속뜻 스승의 대를 이을[佐] 여러 중 가운데 가장 높은[上] 사람. ❷불교 속인(俗人)으로서 절에 들어가 불도를 닦는 사람. ㊐상족(上足), 행자(行者).

1538 [준]

俊 준걸 준:
㊀ 人부 ㊁ 9획 ㊥ 俊 [jùn]

俊자는 '뛰어난 사람'(a excellent person)을 뜻하기 위한 것이었으니 '사람 인'(亻)이 표의 요소로 쓰였다. 오른쪽의 것이 표음요소임은 竣(마칠 준), 浚(깊을 준)도 마찬가지다. 후에 일반적인 의미의 '뛰어나다'(excellent)는 뜻으로 확대 사용됐다.
속뜻훈음 뛰어날 준.

준:걸 俊傑 | 뛰어날 준, 뛰어날 걸
[great man; hero]
재주와 슬기가 뛰어난[俊=傑] 사람. ㊐준사(俊士), 준예(俊乂).

준:수 俊秀 | 뛰어날 준, 빼어날 수
[be superior and refined]
슬기가 뛰어나고[俊] 풍채가 빼어나다[秀]. ¶그 젊은이는 용모가 준수하다.

• 역순어휘

영준 英俊 | 뛰어날 영, 뛰어날 준
영민(英敏)하고 준수(俊秀)함. 또는 그런 사람. [비]준영(俊英).

1539 [후]

侯

제후 후
[部] 人부 [劃] 9획 [中] 侯 [hóu, hòu]

侯자는 원래 '사람 인'(亻)이 없는 형태의 것이었다. 그것은 활을 쏘아 맞추는 '과녁'(a mark; a target)을 뜻하는 것이다. 옛날에는 활을 잘 쏘는 사람에게 작위를 부여하는 일이 있었다. 그래서 '제후'(feudal lords)라는 뜻을 이것으로 나타내자 표의요소인 '사람 인'(亻)을 추가시킨 것이 바로 侯자다. 한 획이 더 많지만 자형이 너무나 비슷한 候(물을 후, #0776)와 혼동하기 쉬우니 조심해야 한다.

후작 侯爵 | 제후 후, 품위 작 [marquis; maquess]
공(公)·후(侯)·백(伯)·자(子)·남(男)의 오등작(五等爵)중 둘째 작위(爵位). ¶퀸즈베리 후작.

• 역순어휘

제후 諸侯 | 모두 제, 제후 후 [feudal princes]
❶[속뜻] 모든[諸] 후작(侯爵). ❷[역사] 봉건 시대에 일정한 영토를 가지고 그 영내의 백성을 지배하는 권력을 가진 사람. ¶제후들은 황제에게 조공을 바쳤다.

1540 [각]

却

물리칠 각
[部] 卩부 [劃] 7획 [中] 却 [què]

却자는 卻자의 속자였다. 획수가 적어 쓰기가 쉬웠기 때문에 주인 자리를 차지하게 됐다. 卻은 '절제하다'(be moderate)는 뜻을 나타내기 위하여 무릎을 꿇고 앉은 사람의 모습을 그린 卩(=㔾·절)이 표의요소로 쓰였고, 谷(골 곡)은 표음요소였다고 한다. 후에 '물러나다'(retreat; recede), '물리치다'(refuse; reject), '돌리다'(change; convert) 등으로 확대 사용됐다.
[속뜻 훈음] **①물리칠 각, ②물러날 각.**

각설 却說 | 물리칠 각, 말씀 설
[change the subject in narration]
말[說]을 다른 데로 돌리거나 물리침[却]. 말을 끊음. ¶각설하고, 네 속마음을 말해!

• 역순어휘

기각 棄却 | 버릴 기, 물리칠 각 [reject; turn down]
❶[속뜻] 내다 버리거나[棄] 물리침[却]. ❷[법률] 소송을 수리한 법원이 소송이 이유가 없거나 적법하지 않다고 판단하여 무효를 선고하는 일. ¶그 안건은 기각되었다. [비]각하(却下).

냉:각 冷却 | 찰 랭, 물리칠 각
[cool; refrigerate]
차게 하여[冷] 따뜻한 기운을 물리침[却]. 차게 함. ¶물을 냉각시키다.

망각 忘却 | 잊을 망, 물리칠 각
[forget; consign to oblivion]
잊어[忘] 버림[却]. ¶인간은 망각의 동물이다 / 학생의 본분을 망각하다. [비]망실(忘失), 망치(忘置).

매:각 賣却 | 팔 매, 물리칠 각 [sell; dispose]
팔아[賣] 버림[却]. [비]매도(賣渡). [반]매입(買入).

소각 燒却 | 불사를 소, 물리칠 각 [incinerate]
불살라[燒] 태워 버림[却]. ¶쓰레기를 소각하다.

퇴:각 退却 | 물러날 퇴, 물리칠 각
[retreat; fall back]
물러나게[退]하거나 물리침[却]. ¶적이 퇴각하다.

1541 [경]

卿

벼슬 경
[部] 卩부 [劃] 12획 [中] 卿 [qīng]

卿자는 두 귀족이 밥상을 가운데 두고 무릎을 꿇고 마주 앉아 식사를 하는 모습을 그린 것이었다. 고대 고급 관리에 대한 '경칭'(a term of respect)이 본래 의미이고, '고급 관리'(a dignitary; a high office), '벼슬'(official rank)을 뜻하기도 한다.

공경 公卿 | 벼슬 공, 벼슬 경 [high office]
삼공(三公)과 구경(九卿)을 아울러 이르던 말. [비]고관대작(高官大爵).

1542 [묘]

卯

토끼 묘:
[部] 卩부 [劃] 5획 [中] 卯 [mǎo]

卯자의 초기 자형에 대한 여러 설이 있지만 취할 것이 없다. 일찍이 12地支 가운데 네 번째의 것으로 쓰였고, 띠로는 토끼(a rabbit)에 해당되므로 속칭 '토끼 묘'라는 훈이 생겨났다.

• 역순어휘

기묘 己卯 | 천간 기, 토끼 묘
민속 천간의 '己'와 지지의 '卯'가 만난 간지(干支).

신묘 辛卯 | 천간 신, 토끼 묘
민속 천간의 '辛'과 지지의 '卯'가 만난 간지(干支).

을묘 乙卯 | 천간 을, 토끼 묘
민속 천간의 '乙'과 지지의 '卯'가 만난 간지(干支).

정묘 丁卯 | 천간 정, 토끼 묘
민속 천간의 '丁'과 지지의 '卯'가 만난 간지(干支).

1543 [혜]

兮

어조사 혜
部 八부 劃 4획 中 兮 [xī]

兮자의 자형 풀이에 대하여는 정설이 없고, 애써 풀이해봤자 소용이 없다. 고정된 의미로 쓰이는 예가 없고 어조사로만 쓰인다. 그것도 고대 시가에서만 많이 쓰였을 뿐이다. 조어력이 낮아서 한자어 용례가 없다.

1544 [필]

匹

짝 필
部 匸부 劃 4획 中 匹 [pǐ]

匹자는 옷감을 여러 겹으로 겹쳐 놓은 모양을 본뜬 것인데, 일찍이 옷감 길이 단위를 나타내는 것으로 쓰였다. 후에 옷감뿐만 아니라 말 같은 가축을 세는 양사로 쓰이기도 했다. 아울러 '짝'(a counterpart), '하나'(one) 같은 의미로 확대 사용되기도 했다.

속뜻훈음 **①짝 필, ②마리 필, ③하나 필.**

필마 匹馬 | 마리 필, 말 마
[single horse]
한 필(匹)의 말[馬].

필부[1] 匹夫 | 하나 필, 사내 부
[individual man; common man]
❶속뜻 한[匹] 사람의 남자[夫]. ❷대수롭지 않은 그저 평범한 남자.

필부[2] 匹婦 | 하나 필, 여자 부
[individual woman; common woman]
❶속뜻 한[匹] 사람의 여자[婦]. ❷대수롭지 않은 그저 평범한 여자.

필적 匹敵 | 짝 필, 겨룰 적
[equal; rival; stand comparison with]
상대[匹]의 재주나 힘 따위가 엇비슷하여 서로 견줄[敵] 만함. 필대(匹對).

• 역순어휘

마:필 馬匹 | 말 마, 마리 필 [horses]
❶속뜻 말[馬] 몇 마리[匹]. ¶그 집은 마필깨나 있다고 잰다. ❷말. ¶마부는 마필을 잘 다루어야 한다.

배:필 配匹 | 짝 배, 짝 필 [spouse; mate]
부부로서의 짝[配=匹]. ¶배필을 만나다. ㊥배우(配偶).

1545 [폐]

幣

화폐 폐:
部 巾부 劃 15획 中 币 [bì]

幣자는 '비단'(silk fabrics)을 뜻하기 위한 것이었으니 '옷감 건'(巾)이 표의요소로 쓰였고, 敝(해질 폐)는 표음요소이니 뜻과는 무관하다. 옛날에는 귀한 손님에게 비단을 예물로 주는 예가 많아 '예물'(a gift; a present)의 뜻으로도 쓰인다. 천을 화폐 수단으로 삼았으므로 '돈'(=화폐, money)을 뜻하기도 한다.

속뜻훈음 **①화폐 폐, ②예물 폐.**

폐:백 幣帛 | 예물 폐, 비단 백
❶속뜻 예물[幣]로 보낸 비단[帛]. ❷신부가 처음으로 시부모를 뵐 때 올리는 대추나 포 따위. ¶시부모님께 폐백을 드리다.

• 역순어휘

조:폐 造幣 | 만들 조, 화폐 폐 [mint]
화폐(貨幣)를 만듦[造]. ¶조폐공사.

지폐 紙幣 | 종이 지, 화폐 폐 [bill; paper money]
종이[紙]에 인쇄를 하여 만든 화폐(貨幣). ¶천 원짜리 지폐를 오백 원짜리 두 개로 바꾸다.

화:폐 貨幣 | 재물 화, 예물 폐 [money; currency]
❶속뜻 재물[貨]과 예물[幣]. ❷경제 상품 교환의 매개물, 지불의 수단, 가치 척도 등으로 쓰이는 돈. 금화, 은화, 은행권 따위가 있다. ¶화폐 수집 / 화폐를 발행하다. ㊥돈.

1546 [폭]

幅

폭 폭
部 巾부 劃 12획 中 幅 [fú]

幅자는 옷감의 넓이, 즉 '너비'(width; breadth)을 뜻하기 위한 것이었으니 '옷감 건'(巾)이 표의요소로 쓰였고, 오른쪽의 것이 표음요소임은 輻(바퀴살 통 폭)도 마찬가지다.

속뜻훈음 **너비 폭.**

• 역순어휘 •

기폭 旗幅 | 깃발 기, 너비 폭
❶[속뜻] 깃발[旗]의 너비[幅]. ❷깃발. ¶기폭이 휘날리다.

대:폭 大幅 | 큰 대, 너비 폭 [full width; greatly]
❶[속뜻] 넓은[大] 너비[幅]. 큰 정도. ❷매우 많이. ¶가뭄으로 올해 곡물 가격이 대폭 상승했다. [반]소폭(小幅).

보:폭 步幅 | 걸음 보, 너비 폭 [step; pace]
걸음[步]의 너비[幅]. ¶그는 보폭이 크다.

전폭 全幅 | 모두 전, 너비 폭
[full width; whole piece]
❶[속뜻] 모든[全] 너비[幅]. ❷일정한 범위 전체. ¶전폭 지원하다.

증폭 增幅 | 더할 증, 너비 폭 [amplify]
❶[속뜻] 너비[幅]를 늘림[增]. ❷[물리] 빛이나 음향·전기 신호 따위의 진폭(震幅)을 늘림. ¶확성기를 대면 목소리가 증폭된다. ❸생각이나 일의 범위가 아주 넓어져서 커지는 것. ¶그의 말은 거짓으로 드러나 의혹이 증폭되고 있다.

진:폭 振幅 | 떨릴 진, 너비 폭
[amplitude of a swing]
❶[속뜻] 떨리는[振] 정도의 너비[幅]. ❷[물리] 진동(振動)하고 있는 물체가 정지 또는 평형 위치에서 최대 변위까지 이동하는 거리. 진동하는 폭의 절반이다. ¶탐지기의 진폭이 크게 동요하고 있다.

화:폭 畵幅 | 그림 화, 너비 폭 [picture; drawing]
그림을 그리는[畵] 천이나 종이의 폭(幅). ¶겨울 풍경을 화폭에 담다.

1547 [규]

叫

부르짖을 규
[部] 口부 [劃] 5획 [中] 叫 [jiào]

叫자는 입을 크게 벌려 '고함을 지르다'(shout; cry loudly)는 뜻을 나타내기 위하여 만든 것이었으니 '입 구'(口)가 표의요소로 쓰였다. 오른쪽 것이 표음요소임은 糾(꼴 규), 虯(규룡 규)도 마찬가지다. 후에 '부르짖다'(shout; exclaim), '울다'(cry) 등으로 확대 사용됐다.

규환 叫喚 | 부르짖을 규, 부를 환
[cry; shout; shriek]
괴로워 큰 소리로 부르짖어[叫] 부름[喚]. ¶규환지옥 / 아비규환(阿鼻叫喚). [비]규호(叫號).

• 역순어휘 •

절규 絶叫 | 끊을 절, 부르짖을 규
[cry out; scream]
숨이 끊어지도록[絶] 부르짖음[叫]. ¶부상자들은 도와달라고 절규했다.

1548 [상]

嘗

맛볼 상
[部] 口부 [劃] 14획 [中] 尝 [cháng]

嘗자는 음식을 '맛보다'(taste)는 뜻을 위한 것이었으니 '맛있을 지'(旨)가 표의요소로 쓰였다. 尙(오히려 상)은 표음요소이니 뜻과는 무관하다. 표음요소의 일부인 '口'가 부수로 지정되어 있는 매우 특이한 예이다. 조어력이 매우 낮아 한자어 용례가 거의 없다.

와:신-상담 臥薪嘗膽 | 누울 와, 섶나무 신, 맛볼 상, 쓸개 담
❶[속뜻] 거북한 섶[薪]에 몸을 눕히고[臥] 쓸개[膽]를 맛봄[嘗]. ❷원수를 갚거나 마음먹은 일을 이루기 위해 온갖 어려움과 괴로움을 참고 견딤을 비유하여 이름. 『사기 · 월세가』(史記·越世家)와 『십팔사략』 등에 나오며 중국 춘추시대 오나라의 왕 부차(夫差)가 아버지의 원수를 갚기 위해 장작더미 위에서 잠을 자며 월나라의 왕 구천(句踐)에게 복수할 것을 맹세했고 그에게 패배한 월나라의 왕 구천이 쓸개를 핥으면서 복수를 다짐했다는 고사에서 유래됐다.

1549 [소]

召

부를 소
[部] 口부 [劃] 5획 [中] 召 [zhào, shào]

召자는 입으로 '부르다'(call)는 뜻을 위한 것이니 '입 구'(口)가 표의요소로 쓰였다. 刀(칼 도)가 표음요소였다고 한다.

소명 召命 | 부를 소, 명할 명
[royal summons; calling]
❶[속뜻] 임금이 신하를 부르는[召] 명령(命令). ❷[기독교] 수도자, 사제(司祭) 따위의 특수한 신분으로 신에 봉사하도록 하는 신의 부름을 이르는 말.

소집 召集 | 부를 소, 모을 집 [call; summon]
단체나 조직체의 구성원을 불러[召] 모음[集]. ¶비상회의를 소집하다. [반]해산(解散).

소환 召喚 | 부를 소, 부를 환 [summons; citation]
[법률] 법원이 피고인, 증인 등에 대하여 어디로 오라고

부르는[召=喚] 명령.

1550 [오]

吾

나 오

[部] 口부 [劃] 7획 [中] 吾 [wú]

吾자는 제1인칭 '나'(I; myself)를 뜻하기 위한 것인데, '입 구'(口)를 왜 표의요소로 발탁하였는지에 대하여는 정설이 없다. 五(다섯 오)는 표음요소이니 뜻과는 무관하다.

오등 吾等 | 나 오, 무리 등 [we]
나[吾]와 같은 무리[等]. 말하는 이가 자기와 듣는 이, 또는 자기와 듣는 이를 포함한 여러 사람을 가리키는 1인칭 대명사. '우리'를 문어적으로 이르는 말. [비]아등(我等), 아배(我輩), 여등(余等), 여배(余輩), 오배(吾輩), 오인(吾人).

오형 吾兄 | 나 오, 맏 형 [my good friend]
❶[속뜻]나[吾]의 형(兄) 같은 친구. ❷정다운 벗 사이의 편지에서 상대를 이르는 말.

1551 [오]

嗚

슬플 오

[部] 口부 [劃] 13획 [中] 呜 [wū]

嗚자는 입으로 내는 '한숨소리'(sigh sound)를 뜻하기 위한 것이었으니 '입 구'(口)가 표의요소로 쓰였다. 烏(까마귀 오)는 표음요소이니 뜻과는 무관하다. 한숨은 주로 슬플 때 짓기 때문인지 '슬프다'(sorrowful; mournful)는 뜻으로도 쓰이게 됐다.
[속뜻훈음] ①슬플 오, ②한숨소리 오.

오열 嗚咽 | 슬플 오, 목멜 열
[sob; wail; weep aloud]
슬피[嗚] 흐느껴 울어 목이 멤[咽]. ¶모두 오열을 금치 못하였다. [비]오읍(嗚泣).

오호 嗚呼 | 한숨소리 오, 부를 호 [Alas]
슬플 때나 한숨지을[嗚] 때 내는 소리[呼].

1552 [유]

唯

오직 유

[部] 口부 [劃] 11획 [中] 唯 [wéi]

唯자는 본래 '예'(yes)하고 대답하는 소리를 뜻하기 위한 것이었으니 '입 구'(口)가 표의요소로 쓰였다. 隹(새 추)가 표음요소임은 維(바 유), 惟(생각할 유)도 마찬가지다. '오직'(only)을 뜻하는 것으로도 쓰인다.

유물 唯物 | 오직 유, 만물 물
[materialism]
[철학]오직[唯] 물질적(物質的)인 것만 실재(實在)한다고 생각하는 입장. [참]유심(唯心).

유심 唯心 | 오직 유, 마음 심
❶[속뜻]오직[唯] 정신[心]만이 존재한다고 생각하는 일. ❷[불교]일체의 제법(諸法)은 그것을 인식하는 마음의 나타남이며 존재의 본체는 오직 마음뿐이라는 말.

유일 唯一 | 오직 유, 한 일
[single; unique; solitary; sole]
오직[唯] 하나[一] 밖에 없음. ¶언니가 유일한 나의 혈육이다.

1553 [음]

吟

읊을 음

[部] 口부 [劃] 7획 [中] 吟 [yín]

吟자는 입으로 소리 내어 '끙끙거리다'(groan; moan)는 뜻을 나타내기 위하여 만든 것이었으니 '입 구'(口)가 표의요소로 쓰였다. 今(이제 금)이 표음요소였는데 후에 음이 약간 달라졌다. 후에 소리 내어 '읊다'(recite)는 뜻도 이것으로 나타냈다.

음객 吟客 | 읊을 음, 손 객
[a poet; a poetess]
❶[속뜻]시를 읊는[吟] 사람[客]. ❷'시인'을 달리 이르는 말. ¶음객으로 한 평생을 보냈다.

음미 吟味 | 읊을 음, 맛 미
[appreciate; examine closely]
❶[속뜻]시가를 읊조리며[吟] 그 깊은 뜻을 맛봄[味]. ❷사물의 내용이나 속뜻을 깊이 새기어 맛봄. ¶녹차의 향기와 맛을 음미하다.

• 역순어휘

신음 呻吟 | 끙끙거릴 신, 읊을 음
[groan; moan]
끙끙거리며[呻] 앓음[吟]. 또는 그러한 소리. ¶신음 소리 / 고통에 신음하는 사람들을 구할 것이다.

침음 沈吟 | 잠길 침, 읊을 음
[malice; malevolence]
❶[속뜻]근심이나 슬픔에 잠겨[沈] 신음(呻吟)함. ❷속으로 깊이 생각함.

1554 [재]

哉

어조사 재
[部] 口부 [劃] 9획 [中] 哉 [zāi]

哉자는 '입 구'(口)가 표의요소로 쓰였고, 그 나머지가 표음요소임은 載(실을 재), 栽(마를 재)도 마찬가지다. 감탄 따위의 어조를 나타내는 어조사로 쓰이기 때문에 한문 문장에서는 많이 쓰였지만, 낱말을 구성하는 조어력은 매우 약하여 한자어 용례가 거의 없다.

• 역순어휘

쾌재 快哉 | 기쁠 쾌, 어조사 재 [yells of delight]
❶[속뜻] 기쁘[快]도다[哉]! ❷일 따위가 마음먹은 대로 잘 되어 만족스럽게 여김. 또는 그럴 때 나는 소리. ¶승진할 것이라는 소식을 듣고 쾌재를 불렀다.

1555 [지]

只

다만 지
[部] 口부 [劃] 5획 [中] 只 [zhǐ, zhī]

只자는 말할 때 기운이 입[口]에서 아래로 떨어지는 것을 나타내는 부호라고 하는데, 이러한 자형 풀이는 몰라도 아무 상관이 없다. 의미 관련성이 매우 낮기 때문이다. 중요한 것은 '다만'(merely; only)이라는 부사로 쓰인다는 사실이다. 조어력이 매우 낮다.

지금 只今 | 다만 지, 이제 금 [now; present time]
❶[속뜻] 단지[只] 바로 이 시간[今]. ¶예나 지금이나 달라진 것이 없다. ❷말하고 있는 바로 이때. ¶지금부터 한 시간만 공부하자. [비]현재(現在).

• 역순어휘

단:지 但只 | 다만 단, 다만 지 [only; merely]
다만(但=只). ¶단지 그 혼자만 있었다. [비]다만, 오직.

1556 [함]

咸

다 함
[部] 口부 [劃] 9획 [中] 咸 [xián]

咸자는 갑골문에 등장할 정도이니 줄잡아도 3400년 이상의 오랜 역사를 갖고 있다. 사람을 상징하는 '입 구'(口)와 손잡이가 긴 도끼를 가리키는 戌(술)이 합쳐진 것으로 (반란군이나 적군을) '모조리 다 죽이다'(kill all)가 본래 의미이다. 후에는 '모조리'(entirely), '모두'(all) 등으로 확대 사용됐다.

[속뜻훈음] 모두 함.

함고 咸告 | 모두 함, 아뢸 고 [tell; inform; report]
모두[咸] 다 알림[告]. 일러바침.

함지 咸池 | 다 함, 못 지 [large pond]
❶[속뜻] 다[咸] 빠질 만큼 큰 못[池]. ❷해가 진다고 하는 서쪽의 큰 못. ❸[민속] 하늘에 있다는 신 또는 하늘의 신령. ❹[음악] 중국 요임금 때에 연주되던 음악의 이름.

1557 [수]

囚

가둘 수
[部] 口부 [劃] 5획 [中] 囚 [qiú]

囚자는 '가두다'(confine; pen)라는 뜻을 나타내기 위하여 죄를 지은 사람[人]이 담장[口] 안에 갇힌 모습을 본뜬 것이다. 후에 '죄인'(a criminal), '포로'(a prisoner of war) 등으로 확대 사용됐다.

수의 囚衣 | 가둘 수, 옷 의 [prison uniform]
죄수(罪囚)가 입는 옷[衣]. ¶그는 푸른 수의를 입고 참회하며 지내고 있다.

수인 囚人 | 가둘 수, 사람 인 [prisoner]
옥에 갇힌[囚] 사람[人]. [비]죄수(罪囚).

• 역순어휘

재:수 在囚 | 있을 재, 가둘 수 [be in prison]
교도소 안에 갇혀[囚] 있음[在].

죄:수 罪囚 | 죄 죄, 가둘 수 [prisoner]
죄(罪)를 저지르고 옥에 갇힌[囚] 사람. ¶죄수들은 수갑을 차고 있었다. [비]수인(囚人).

1558 [조]

弔

조상할 조:
[部] 弓부 [劃] 4획 [中] 吊 [diào]

弔자의 갑골문 자형은 오늬 줄에 매어 쏘는 화살, 즉 주살과 그 긴 줄을 몸에 둘둘 감고 있는 사람의 모습을 본뜬 것인데, 그것이 당시 언어의 어떤 낱말을 나타내기 위한 것인지에 대하여는 명확한 설이 없다. 죽은 사람의 영혼을 '조상하다'(condole), '위문하다'(make a call of condolence), '불쌍히 여기다'(feel pity for) 등의 뜻으로 쓰인다. 吊는 속자인데, 균형미가 있기 때문에 많이 쓰인다.

[속뜻훈음] ①조상할 조, ②위문할 조.

조:기 弔旗 | 조상할 조, 깃발 기 [mourning flag]
조의(弔意)를 표하기 위해 다는 깃발[旗]. ¶현충일에는 조기를 게양한다.

조:문 弔問 | 조상할 조, 물을 문 [condolence call]
조상(弔喪)하여 상주를 위문(慰問)함. 또는 그 위문. ¶친구들은 아버님을 조문했다. ㈥문상(問喪), 조상(弔喪).

조:의 弔意 | 조상할 조, 뜻 의 [condolence; mourning]
남의 죽음을 슬퍼하는[弔] 뜻[意]. ¶삼가 조의를 표합니다.

조:화 弔花 | 조상할 조, 꽃 화 [funeral flowers]
조의(弔意)를 표하는 데 쓰는 꽃[花]. ¶장례식장에 가서 조화를 바치고 절을 올렸다.

• 역순어휘

경:조 慶弔 | 기쁠 경, 조상할 조 [occasion for celebration or sorrow]
경축(慶祝)할 일과 조문(弔問)할 일.

근:조 謹弔 | 삼갈 근, 조상할 조 [offer one's condolence]
삼가[謹] 조상(弔喪)함.

1559 [홍]

弘

클 홍
㊌ 弓부 ㊀ 5획 ㊥ 弘 [hóng]

弘자는 '활 궁'(弓)이 표의요소로 쓰였다. '厶'(사)가 최초의 갑골문에서는 활줄이 단단히 매어 있는 부분을 가리키는 부호인 ' / '에 불과했는데, 특별한 이유 없이 그 모양이 '厶'로 변화됐다. '활 소리'(a bow sound)가 본래 의미이다. '크다'(loud), '널리'(far and wide) 등의 뜻으로도 쓰인다. 활 소리가 커야 화살이 멀리 날아가는 이치에서 그렇게 했나보다.
속뜻훈음 ①클 홍, ②넓을 홍.

홍경 弘經 | 넓을 홍, 책 경
불교 불경(佛經)을 널리[弘] 퍼뜨림. ¶홍경대사.

홍보 弘報 | 넓을 홍, 알릴 보 [publicize; promote]
일반에 널리[弘] 알림[報]. 또는 그 보도나 소식. ¶홍보 포스터 / 경제정상회의를 홍보하다.

홍의 弘毅 | 넓을 홍, 굳셀 의
뜻이 넓고[弘] 굳셈[毅].

홍익 弘益 | 클 홍, 더할 익 [public advantage]
❶속뜻 크게[弘] 이롭게[益]함. ❷널리 이롭게 함. ¶홍익인간의 이념을 오늘에 되살리다.

1560 [사]

巳

뱀 사
㊌ 巳부 ㊀ 3획 ㊥ 巳 [sì]

巳자의 원형은 뱃속의 태아 모양을 본뜬 것으로 子와 비슷한 형태의 것이었다. 그러나 이것이 '태아'(an embryo; a fetus; an unborn child)를 뜻하는 것으로 쓰인 적은 없고, 12 地支(지지)의 여섯째 것으로 활용되는 예가 많았다. 띠로는 '뱀'(a snake)에 해당되기 때문에 '뱀 사'라 부르게 됐다.

• 역순어휘

기사 己巳 | 천간 기, 뱀 사
민속 천간의 '己'와 지지의 '巳'가 만난 간지(干支).

을사 乙巳 | 천간 을, 뱀 사
민속 천간의 '乙'과 지지의 '巳'가 만난 간지(干支). ¶을사년에 태어난 사람은 뱀띠이다.

1561 [항]

巷

거리 항:
㊌ 己부 ㊀ 9획
㊥ 巷 [xiàng, hàng]

巷자는 중국 한나라(기원전 206 ~ 기원후 220) 이후에 만들어진 것이다. 그 이후의 것은 대개 한자의 자형과 의미가 잘 연결이 안 되는 문제점이 많은데, 이것도 예외는 아니다. 따라서 자형 풀이는 소용이 없겠다. 원래 좁고 꼬불꼬불한 '골목'(a bystreet)을 가리키는 것이었다(참고로, 넓고 곧은 '거리'는 街로 나타냈음). 후에 일반적인 의미의 '거리'(a street; a road)를 뜻하는 것으로 확대 사용됐다.
속뜻훈음 ①거리 항, ②골목 항.

항:간 巷間 | 거리 항, 사이 간 [town; private]
❶속뜻 골목[巷] 사이[間]. ❷일반 민중들 사이. '여항간'(閭巷間)의 준말.

항:담 巷談 | 거리 항, 말씀 담 [town talk; talk of the town]
❶속뜻 거리[巷]에 떠도는 말[談]. ❷여러 사람의 입에서 입으로 옮겨지는 말. ㈥항설(巷說).

항:설 巷說 | 거리 항, 말씀 설 [gossip in the streets; town talk]

거리[巷]에서 뭇사람 사이에 떠도는 말[說]. 항담(巷談).

• 역순어휘

누:항 陋巷 | 좁을 루, 거리 항
[wretched quarters; slums]
❶[속뜻] 좁고[陋] 지저분하며 더러운 거리[巷]. ❷'자기가 사는 거리나 동네'를 겸손하게 이르는 말.

여항 閭巷 | 마을 려, 골목 항
[residential district]
❶[속뜻] 마을[閭]의 골목[巷]. ❷백성의 살림집이 많이 모여 있는 곳. [비]여염(閭閻).

1562 [간]

姦

간음할 간
[部] 女부 [劃] 9획 [中] 奸 [jiān]

姦자는 본래 '음탕하다'(dissipated; licentious)는 뜻이었다. '여자 여'(女)가 셋이나 쓰인 것은 한 남자가 한꺼번에 여러 여자와 정을 통한다는 뜻이라 한다. '간사하다'(sly; cunning; crafty), '간통하다'(commit adultery) 또는 이와 의미상 연관이 있는 낱말의 한 구성 요소로도 쓰인다. 奸(간)자와 통용되며, 획수가 적어 姦보다는 奸을 선호하는 경향이 있다.

간계 奸計 | 간사할 간, 꾀 계 [trick]
간사(奸邪)한 꾀[計]. ¶간계에 넘어가다 / 간계를 부리다.

간교 奸巧 | 간사할 간, 약을 교
[be crafty; cunning]
간사(奸邪)하고 약삭빠름[巧]. ¶간교한 꾀에 그만 속고 말았다. [비]간사(奸邪), 교활(狡猾).

간웅 奸雄 | 간사할 간, 뛰어날 웅
[villainous hero; great villain]
간사(奸邪)한 영웅(英雄). 간사한 남자. ¶난세의 간웅.

간신 奸臣 | =姦臣, 간사할 간, 신하 신
[villainous retainer]
간사(奸邪)한 신하(臣下). 간사한 사람. ¶간신들의 모함을 받아 유배되었다. [반]충신(忠臣).

간사 奸邪 | 간교할 간, 그를 사 [wicked]
성질이 간교(奸巧)하고 행실이 그르다[邪]. ¶간사한 사람은 크게 성공하기 어렵다.

간악 奸惡 | 간사할 간, 악할 악 [wicked]
간사(奸邪)하고 악독(惡毒)함. ¶간악한 무리들을 소탕하다. [비]사악(邪惡). [반]선량(善良).

1563 [오]

娛

즐길 오:
[部] 女부 [劃] 10획 [中] 娱 [yú]

娛자는 여자와 더불어 '즐기다'(enjoy)는 뜻을 나타내기 위하여 만든 것이었으니 '여자 여'(女)가 표의요소로 쓰였다. 吳(나라 오)는 표음요소이니 뜻과는 무관하다.

오:락 娛樂 | 즐길 오, 즐길 락 [recreation]
쉬는 시간에 여러 가지 방법으로 기분을 즐겁게[娛=樂] 하는 일. ¶오락 시간 / 이 호텔에는 오락 시설이 있다.

1564 [인]

姻

혼인 인
[部] 女부 [劃] 9획 [中] 姻 [yīn]

姻자는 딸[女]이 인연[因]을 맺어 가는 곳, 즉 '사위의 집'(壻家·서가, a son-in-law's home)이 본뜻인데, '시집가다'(marry)로 확대 사용됐다. 같은 뜻으로 '婣'(인)자도 있다. 획수가 많고 쓰기 어려워 애용되지 않는다.

[속뜻 훈음] ①**혼인 인**, ②**시집갈 인**.

인척 姻戚 | 혼인 인, 겨레 척
[relative by marriage]
혈연관계가 없으나 혼인(婚姻)으로 맺어진 친척(親戚). ¶나와 그녀는 인척 관계다.

• 역순어휘

혼인 婚姻 | 결혼할 혼, 시집갈 인 [marry]
❶[속뜻] 결혼(結婚)하여 시집감[姻]. ❷남자와 여자가 부부가 되는 일. ¶혼인 신고 [비]결혼(結婚).

1565 [질]

姪

조카 질
[部] 女부 [劃] 9획 [中] 侄 [zhí]

姪자 본래 '형의 딸'(a brother's daughter)을 지칭하기 위한 것이었으니 '여자 여'(女)가 표의요소로 쓰였다. 至(이를 지)가 표음요소임은 桎(차꼬 질), 蛭(거머리 질)도 마찬가지다. 후에 형제자매의 아들과 딸을 통칭한 '조카'(a nephew; niece)를 이르는 것으로 확대 사용됐다.

질녀 姪女 | 조카 질, 여자 녀 [niece]
조카[姪]인 여자(女子). 형제자매의 딸.

질부 姪婦 | 조카 질, 며느리 부 [wife of a nephew]
조카[姪] 며느리[婦].

• 역순어휘

생질 甥姪 | 생질 생, 조카 질
[sister's son; nephew]
조카[甥=姪]. 누이의 아들.

숙질 叔姪 | 아저씨 숙, 조카 질
[uncle and his nephew]
아저씨[叔]와 조카[姪].

1566 [첩]

妾

첩 첩
部 女부 劃 8획 中 妾 [qiè]

妾자의 최초 자형, 즉 갑골문은 辛(신)과 女(여)가 합쳐진 것이었다. 辛은 형벌에 쓰는 둥근 칼을 가리킨다. 형벌에 처하거나 대신 노예로 삼을 여자를 가리킨다. 즉, '여자 종'이 본뜻이었는데, 그들 가운데 일부를 소첩으로 삼는 예가 많았기 때문이지 '첩'(a mistress; a concubine)을 뜻하는 것으로 확대 사용됐다.

첩실 妾室 | 첩 첩, 집 실 [concubine]
❶속뜻 첩(妾)의 방[室]. ❷첩을 점잖게 이르는 말. ❸여자가 윗사람에게 '자기 방'을 이르던 말.

첩자 妾子 | 첩 첩, 자식 자 [child of a concubine]
첩(妾)의 자식(子息). ㊥서자(庶子).

첩출 妾出 | 첩 첩, 날 출 [child of a concubine]
첩(妾)이 낳은[出] 아이. ㊥서출(庶出).

• 역순어휘

비:첩 婢妾 | 여자종 비, 첩 첩 [slave concubine]
여자 종[婢]으로서 첩(妾)이 된 사람. ¶그녀를 비첩으로 삼고 싶어 했다.

신첩 臣妾 | 신하 신, 첩 첩
[vassal and concubine; I]
❶속뜻 신하(臣下)와 첩(妾). ❷여자가 임금을 상대하여 자기를 낮추어 이르던 일인칭 대명사. ¶후비를 간택하시기를 신첩은 주야로 축수하옵니다. ❸신하가 임금에 대하여 자기를 낮추어 부르는 말. ¶신첩은 지금 나이가 72세입니다. ㊥소신(小臣).

애:첩 愛妾 | 사랑 애, 첩 첩
[(favorite) concubine; mistress]
사랑하는[愛] 첩(妾). ¶애첩을 거느리다 / 애첩을 두다.

처첩 妻妾 | 아내 처, 첩 첩 [wife and concubine]
아내[妻]와 첩[妾]. ㊥적첩(嫡妾).

1567 [타]

妥

온당할 타:
部 女부 劃 7획 中 妥 [tuǒ]

妥자의 갑골문은 손을 뜻하는 又(우)와 꿇어앉은 여인의 모습인 女(여)가 합쳐진 것이다. 포로로 잡혀온 여자를 손으로 눌러 꿇어앉히는 것으로 '어루만져 위로하다'(comfort)는 본래 의미를 나타냈다. 후에 '무사하다'(without accident), '온당하다'(proper; modest; just) 등으로 확대 사용됐다.

타:결 妥結 | 온당할 타, 맺을 결
[reach an agreement; come to terms]
온당하게[妥] 매듭지음[結]. 잘 끝냄. ¶마침내 협상이 타결되었다.

타:당 妥當 | 온당할 타, 마땅 당 [reasonable]
이치에 온당하게[妥] 들어맞다[當]. ¶그 주장은 이 상황에서는 타당하지 않다.

타:협 妥協 | 온당할 타, 합칠 협 [compromise]
❶속뜻 두 편이 온당하게[妥] 협의(協議)함. ❷어떤 일을 서로 양보하여 협의함. ¶적당한 선에서 타협하세요.

1568 [혐]

嫌

싫어할 혐
部 女부 劃 13획 中 嫌 [xián]

嫌자는 여자를 '원망하다'(bear a grudge against)는 뜻을 나타내기 위하여 만든 것이었으니 '여자 여'(女)가 표의요소로 쓰였고, 兼(겸할 겸)은 표음요소이다. 후에 여자와 상관없이 일반적 의미의 '의심하다'(doubt), '싫어하다'(hate) 등으로 확대 사용됐다.
속뜻 훈음 ①싫어할 혐, ②의심할 혐.

혐오 嫌惡 | 싫어할 혐, 미워할 오
[dislike; hate]
싫어하고[嫌] 미워함[惡]. ¶혐오식품 / 나는 돈만 밝히는 그를 혐오한다.

혐의 嫌疑 | 의심할 혐, 의심할 의
[suspicion; charge]
범죄를 저질렀으리라는 의심[嫌=疑]. ¶그는 절도 혐의로 체포되었다.

• 역순어휘

무혐 無嫌 | 없을 무, 의심할 혐
[unsuspectedness]
혐의(嫌疑)가 없음[無]. '무혐의'의 준말.

원:혐 怨嫌 | 원망할 원, 싫어할 혐
[hate; detest]
못마땅하게 여겨 원망(怨望)하고 싫어함[嫌]. ¶그의 원혐을 사다.

1569 [내]

奈
어찌 내
[部] 大부 [劃] 8획 [中] 奈 [nài]

奈자의 본래 의미가 무엇인가에 대하여는 아무런 설이 없다. 그래서 자형을 풀이할 수도 없다. 오로지 '어찌'(why; how)라는 뜻으로 쓰인다는 사실만 확실할 따름이다. 다른 글자와 더불어 낱말을 구성하는 조어력이 매우 낮다.

1570 [이]

夷
오랑캐 이
[部] 大부 [劃] 6획 [中] 夷 [yí]

夷자는 중국의 동부 지역에 거주하였던 옛날 소수 민족(오랑캐)을 통칭하기 위한 것이었다. 서있는 사람을 본뜬 大(대)와 弓으로 이루어져 있다. 이 경우의 弓은 '활'이 아니라 몸을 꽁꽁 묶어 놓은 밧줄을 가리킨다고 한다. 이 같은 설은 초기 자형을 통하여 확인할 수 있다.

이적 夷狄 | 오랑캐 이, 오랑캐 적
동쪽 오랑캐[夷]와 북쪽 오랑캐[狄]를 아울러 이르는 말.

• 역순어휘

동이 東夷 | 동녘 동, 오랑캐 이
❶[속뜻] 동(東)쪽의 오랑캐[夷]. ❷중국 사람이 그들의 동쪽에 사는 한국·일본·만주 등의 민족을 낮잡아 이르던 말. [반]서융(西戎).

양이 洋夷 | 서양 양, 오랑캐 이
[Western barbarians]
❶[속뜻] 서양(西洋) 오랑캐[夷]. ❷'서양사람'을 낮잡아 이르는 말.

화이 華夷 | 중국 화, 오랑캐 이
중국[華]민족과 그 주변의 소수민족[夷].

1571 [해]

奚
어찌 해
[部] 大부 [劃] 10획 [中] 奚 [xī]

奚자의 '大'는 서 있는 사람을, '幺'는 머리를 밧줄로 묶은 모양을, '爫'는 그 밧줄을 잡은 손[又→爫]을 나타내는 것이다. 종합하면 종의 머리를 밧줄로 묶어 잡아끌고 있는 모습이다. '종'(a slave; a servant)이 본래 의미인데, '어찌'(why; how)라는 뜻으로도 활용됐다. 조어력이 매우 낮아 한자어 용례가 거의 없다.

해금 奚琴 | 어찌 해, 거문고 금 [Korean fiddle]
❶[속뜻] 당나라 때 해족(奚族)이 사용한 거문고[琴] 비슷한 현악기. ❷[음악] 민속 악기의 한 가지. 둥근 나무통에 긴 나무를 박고 두 가닥의 명주실을 매어 활로 비벼서 켬.

1572 [의]

宜
마땅 의
[部] 宀부 [劃] 8획 [中] 宜 [yí]

宜자의 갑골문은 고기 덩어리를 도마 위에 올려놓은 모습이다. '도마'(a cutting board)가 본래 의미이다. '옳다'(right), '마땅하다'(proper), '좋다'(profitable) 등으로 활용되는 예가 많아지자, 그 본뜻은 俎(도마 조)를 만들어 나타냈다.

의당 宜當 | 마땅 의, 마땅 당
[as a matter of course; necessarily]
마땅히[宜] 응당(應當) 그래야 함. ¶빌린 돈은 의당 갚아야 한다 / 친구의 의리를 지키는 것은 의당한 일이다. [비]당연(當然)히, 마땅히, 으레.

• 역순어휘

시의 時宜 | 때 시, 마땅 의
[circumstances; the occasion]
시기(時期)에 알맞음[宜].

적의 適宜 | 알맞을 적, 마땅 의
[right; proper]
무엇을 하기에 알맞고[適] 마땅함[宜]. ¶적의 조치하다 / 인삼 재배에 적의한 땅.

편의 便宜 | 편할 편, 마땅 의
[convenience; facilities]
형편이나 조건 따위가 편하고[便] 좋음[宜]. ¶나는 손님들의 편의를 최대한 봐 주었다.

1573 [인]

寅

범[虎]/동방 인

部 宀부 劃 11획 中 寅 [yín]

寅자의 갑골문은 두 손[又 + 又]으로 화살[矢]을 받들고 있는 모습이다. 어떤 낱말을 적기 위한 것인지에 대하여는 정설이 없다. 그 당시부터 12 地支(지지) 중에서 '세 번째'의 것으로 쓰였고, 띠로는 '범'(a tiger)에 해당되는 것이기에 '범 인'이라 불리게 됐다.

• 역순어휘

갑인 甲寅 | 천간 갑, 범 인
민속 천간의 '甲'과 지지의 '寅'이 만난 간지(干支). ¶갑인년생은 범띠이다.

경인 庚寅 | 천간 경, 범 인
민속 천간의 '庚'과 지지의 '寅'이 만난 간지(干支). ¶경인년생은 범띠다.

병:인 丙寅 | 천간 병, 범 인
민속 천간의 '丙'과 지지의 '寅'이 만난 간지(干支). ¶병인년에 태어난 사람은 범띠이다.

1574 [재]

宰

재상 재ː

部 宀부 劃 10획 中 宰 [zǎi]

宰자는 관청의 집을 가리키는 '宀'(면)과 형벌에 사용하는 칼을 뜻하는 辛(신), 이상 두 표의요소의 결합이다. 관청에서 형벌을 담당하던 '벼슬아치'(a public servant)가 본래 의미인데, '맡다'(undertake; be in charge of)는 뜻으로도 쓰인다. '재상'(the prime minister) 또는 이와 의미상 연관이 있는 낱말의 한 구성요소로도 쓰인다.

속뜻 훈음 ①맡을 재, ②재상 재.

재:상 宰相 | 맡을 재, 도울 상 [prime minister]
❶속뜻 임금이 시킨 일을 맡아[宰] 돕는[相] 신하. ❷역사 임금을 보필하며 모든 관원을 지휘·감독하는 자리에 있는 이품(二品) 이상의 벼슬을 통틀어 이르던 말. ¶조부는 재상을 역임하셨다.

재:신 宰臣 | 재상 재, 신하 신
❶속뜻 재상(宰相)의 위치에 있는 신하(臣下). ❷역사 정삼품 당상관 이상의 벼슬. 또는 그 벼슬에 있던 사람. ❸역사 고려시대, 중서문하성의 시중 이하 종이품 이상의 벼슬. ❹역사 임금을 돕고 모든 관원을 지휘하고 감독하는 일을 맡아보던 이품 이상의 벼슬.

• 역순어휘

주재 主宰 | 주될 주, 맡을 재 [chair; supervise]
어떤 일을 중심이 되어[主] 맡아함[宰]. 또는 그 사람. ¶대통령 주재로 긴급회의가 열렸다.

1575 [둔]

屯

진칠 둔

部 屮부 劃 4획 中 屯 [tún, zhūn]

屯자는 초목의 씨앗이 땅속에서 어렵게 싹을 터서 땅 밖으로 나오는 모습을 본뜬 것으로 '어렵다'(hard)는 뜻을 나타낸 것이었다. 이 경우에는 음을 [준]으로 읽는다. 후에 군대가 '진치다'(encamp; pitch a camp)는 뜻이고 음은 [둔]인 낱말도 편의상 이 글자로 대신했다. 그래서 '진칠 둔'이란 훈이 생겨나게 되었던 것이다.

둔영 屯營 | 진칠 둔, 진영 영
[be quartered; be stationed; be cantoned]
군사가 주둔(駐屯)하고 있는 군영(軍營). ¶둔영을 철수하지 않기로 하였다.

둔전 屯田 | 진칠 둔, 밭 전 [farm cultivated by stationary troops; a garrison farm]
역사 ❶변경이나 군사 요지에 주둔(駐屯)한 군대의 군량을 마련하기 위해 설치한 토지[田]. ❷각 궁궐과 관아에 속한 토지.

• 역순어휘

주:둔 駐屯 | 머무를 주, 진칠 둔 [be stationed]
군사 군대가 어떤 곳에 진을 치고[屯] 머무름[駐]. ¶미군은 한국전쟁 이후로 한국에 주둔하고 있다.

1576 [붕]

崩

무너질 붕

部 山부 劃 11획 中 崩 [bēng]

崩자는 산이 '무너지다'(crumble; collapse)는 뜻을 나타내기 위하여 만든 것이었으니 '뫼 산'(山)이 표의요소로 쓰였다. 朋(벗 붕)은 표음요소이니 뜻과는 무관하다. 후에 천자의 죽음을 산이 무너지는 것에 비유하였기에 '죽다'(die)는 뜻으로도 쓰이게 됐다.

붕괴 崩壞 | 무너질 붕, 무너질 괴
[collapse; fall down]

허물어져 무너짐[崩=壞]. ¶붕괴 위험.

붕락 崩落 | 무너질 붕, 떨어질 락
[collapse; break down; crumble]
❶속뜻 무너져서[崩] 떨어짐[落]. ❷물건 값이 갑자기 많이 떨어짐. ¶시세붕락 / 주식시장의 붕락.

붕어 崩御 | 무너질 붕, 임금 어
[(the king) demise; die; pass away]
임금[御]의 죽음을 산이 무너짐[崩]에 비유한 말.

• 역순어휘

토붕 土崩 | 흙 토, 무너질 붕
❶속뜻 땅[土]이 붕괴(崩壞)됨. ❷어떤 조직이나 모임이 점점 무너짐.

1577 [악]

岳

큰산 악
(部) 山부 (劃) 8획 (中) 岳 [yuè]

岳자는 '큰산'(a grand mountain)을 뜻하기 위하여 산(山)위에 '언덕 구'(丘)가 덧붙여 놓은 것으로 嶽(큰 산 악)의 古文(고:문)이다.

악모 岳母 | 큰산 악, 어미 모
[one's mother-in-law]
❶속뜻 큰 산[岳] 같은 어머니[母]. ❷'아내의 어머니'를 이르는 말. ㊐장모(丈母).

악부 岳父 | 큰산 악, 아비 부
[one's father-in-law]
❶속뜻 큰 산[岳] 같은 아버지[父]. ❷'아내의 아버지'를 이르는 말. ㊐장인(丈人).

• 역순어휘

산악 山岳 | 메 산, 큰산 악 [mountains]
육지 가운데 다른 곳보다 두드러지게 솟아 있는 높고 험한 부분[山=岳]. ¶우리나라 국토의 대부분은 산악 지대다.

1578 [첨]

尖

뾰족할 첨
(部) 小부 (劃) 6획 (中) 尖 [jiān]

尖자는 약 1,500 살 정도 밖에 되지 않으니 비교적 젊은(?) 축에 속하는 글자다. '뾰족하다'(sharp; peaked)는 뜻을 나타내기 위하여 '작을 소'(小)와 '큰 대'(大)가 상하 구조로 놓여있다.

첨단 尖端 | 뾰족할 첨, 끝 단
[point; tip; spearhead]
❶속뜻 물건의 뾰족한[尖] 끝[端]. ❷시대의 흐름·유행 따위의 맨 앞장. ¶첨단 기술을 도입하다.

첨봉 尖峰 | 뾰족할 첨, 봉우리 봉 [aiguille]
뾰족한[尖] 산봉우리[峰].

첨예 尖銳 | 뾰족할 첨, 날카로울 예 [sharp; acute]
❶속뜻 끝이 뾰족하고[尖] 서슬이 날카로움[銳]. ❷상황이나 사태 따위가 날카롭다. ¶의견이 첨예하게 대립하다.

첨탑 尖塔 | 뾰족할 첨, 탑 탑 [steeple; spire]
지붕 꼭대기가 뾰족한[尖] 탑(塔). 또는 그런 탑이 있는 높은 건물. ¶교회 첨탑 위의 흰 십자가.

1579 [루]

屢

여러 루:
(部) 尸부 (劃) 14획 (中) 屡 [lǚ]

屢자는 '앉을 시'(尸)가 표의요소로 쓰였고, 婁(별 이름 루)는 표음요소이다. 본뜻에 대하여는 정설이 없다. '자주'(often; many times; frequently), '여러'(several; many) 등을 뜻하는 것으로 쓰인다.

누:차 屢次 | 여러 루, 차례 차
[many times; repeatedly]
여러[屢] 차례(次例). ¶누차 당부하다.

1580 [병]

屛

병풍 병
(部) 尸부 (劃) 11획 (中) 屏 [píng]

屛자는 '가리다'(screen; shield), '울'(a fence) 같은 뜻을 나타내기 위한 것이었는데, 尸(주검 시)가 왜 표의요소로 쓰였는지는 확실하지 않지만, 시체를 병풍으로 가려놓는 것에서 유래됐을 수도 있겠다. 幷(어우를 병)은 표음요소이니 뜻과는 무관하다.

병풍 屛風 | 병풍 병, 바람 풍 [folding screen]
주로 집안에서 장식을 겸하여 무엇을 가리거나 바람[風]을 막기[屛] 위하여 둘러치는 물건. ¶병풍을 두르다.

1581 [경]

庚

별[星] 경
(部) 广부 (劃) 8획 (中) 庚 [gēng]

庚자의 갑골문은 징이나 방울이 달린 작

은 북 같은 악기 모양을 본뜬 것이었는데, 실제로 그러한 악기를 지칭하는 것으로 쓰인 예는 없다. 일찍이 열 가지 天干(천간) 가운데 일곱 번째의 것으로 쓰였고, '나이'(age; years)를 뜻하는 것으로도 쓰였다.

속뜻훈음 **①천간 경, ②나이 경.**

경인 庚寅 | 천간 경, 범 인

민속 천간의 '庚'과 지지의 '寅'이 만난 간지(干支). ¶경인년생은 범띠다.

경자 庚子 | 천간 경, 쥐 자

민속 천간의 '庚'과 지지의 '子'가 만난 간지(干支). ¶경자년생은 쥐띠다.

• 역순어휘

동경 同庚 | 같을 동, 나이 경 [the same age]

같은[同] 나이[庚]. ⓑ동갑(同甲).

1582 [묘]

廟

사당 묘:

㊕ 广부 ㊋ 15획 ㊥ 庙 [miào]

廟자는 조상의 신주를 모셔 놓은 집, 즉 '사당'(an ancestral shrine)을 뜻하기 위한 것이었으니 '집 엄'(广)이 표의요소로 쓰였다. 朝(아침 조)가 표음요소라는 설이 있지만, 음 차이가 커서 설득력이 낮다.

묘:당 廟堂 | 사당 묘, 집 당

[the Court; the Cabinet; the Ministry]

❶ 속뜻 종묘(宗廟)와 명당(明堂)을 아울러 이르는 말. ❷ 역사 '의정부'(議政府)를 달리 이르던 말.

• 역순어휘

가묘 家廟 | 집 가, 사당 묘

[family shrine]

한 집안[家]의 사당[廟]. ¶그는 매일 아침 의관을 갖추고 가묘 앞에 절을 했다.

문묘 文廟 | 글월 문, 사당 묘

[Confucian shrine]

고적 문인(文人)의 대표적인 인물인 공자를 모신 사당[廟]. 중국 산동성(山東省) 곡부(曲阜)에 있는 것이 유명하다.

종묘 宗廟 | 사당 종, 사당 묘

[Royal Ancestral Shrine]

역사 조선 시대에, 역대 임금과 왕비의 위패를 모시던 왕실의 사당[宗=廟]. ⓑ궁묘(宮廟), 대묘(大廟).

1583 [서]

庶

여러 서:

㊕ 广부 ㊋ 11획 ㊥ 庶 [shù]

庶자는 솥 종류의 그릇이 발명되기 이전, 음식물 가공법과 관련이 있는 글자다. 음식물을 '익히다'(boil; simmer)는 뜻을 나타내기 위하여 집[广]안에서 돌[石→廿]을 불[火]에 달구는 모습을 본뜬 것이라 한다. 야외에 놀러 가서 고기를 돌 위에 올려놓고 버너 불로 가열하는 것이 연상된다. 후에 본래 의미보다는 '여러'(several), '많은'(many), '첩(mistress) 등으로 활용됐다.

속뜻훈음 **①여러 서, ②첩 서.**

서:무 庶務 | 여러 서, 일 무 [general affairs]

일반적이고 잡다한 여러[庶] 사무(事務). 또는 그런 일을 맡아 하는 사람.

서:민 庶民 | 여러 서, 백성 민 [common people]

❶ 속뜻 여러[庶] 일반 국민(國民). ❷귀족이나 상류층이 아닌 보통 사람. ¶서민들의 생활이 점점 어려워지고 있다.

서:자 庶子 | 첩 서, 아이 자 [illegitimate child]

첩[庶]에게서 태어난 아이[子]. ¶홍길동은 서자로 태어났다. ⓑ별자(別子). ⓟ적자(嫡子).

1584 [렴]

廉

청렴할 렴

㊕ 广부 ㊋ 13획 ㊥ 廉 [lián]

廉자는 '집 엄'(广)이 부수이자 표의요소로 쓰였고, 兼(겸할 겸)이 표음요소임은 簾(발 렴)도 마찬가지다. '(집이) 좁다'가 본뜻인데, 뜻이 곧고 청렴하면 좁은 집에서 살게 마련이기 때문인지 '청렴하다'(honest; upright; clean handed), '값싸다'(cheap; low priced; inexpensive), '살피다'(spy on; search), '검소하다'(simple; plain) 등으로 확대 사용됐다.

속뜻훈음 **①청렴할 렴, ②값쌀 렴, ③살필 렴, ④검소할 렴.**

염가 廉價 | 값쌀 렴, 값 가 [low price]

매우 싼[廉] 값[價]. ¶오늘만 특별히 염가에 판매합니다. ⓑ저가(低價). ⓟ고가(高價).

염치 廉恥 | 청렴할 렴, 부끄러울 치

[sense of honor]

❶ 속뜻 청렴하고[廉] 부끄러워[恥]할 줄 앎. ❷예의와 부끄러움을 아는 마음. ¶그것은 예의와 염치에 어긋나는

짓이다.

염탐 廉探 | 살필 렴, 찾을 탐 [spy]
몰래 남의 사정을 살피고[廉] 조사함[探]. ¶적의 동태를 염탐하다.

• 역순어휘

저:렴 低廉 | 낮을 저, 값쌀 렴
[cheap; low in price]
값이 낮고[低] 싸다[廉]. ¶이 가게는 다른 곳보다 저렴하다. ⓗ싸다.

청렴 淸廉 | 맑을 청, 검소할 렴
[upright; cleanhanded]
마음이 맑아[淸] 검소함[廉]. ¶청렴하고 겸손한 대감.

1585 [용]

庸

떳떳할 용
部 广부 劃 11획 中 庸 [yōng]

庸자는 사람을 '쓰다'(employ; hire)는 뜻을 위하여 만든 것이니 '쓸 용'(用)이 표의요소로 쓰였다. 庚(경)도 '일을 바꾸다'(更事)는 뜻으로 쓰인 표의요소라고 한다. 庚과 用을 합쳐 쓰다 보니 편의상 庚의 마지막 획이 생략됐다. '집 엄'(广)이 부수로 지정되어 있지만 뜻과는 무관하다. 후에 '어리석다'(foolish; stupid), '보통이다'(ordinary) 등으로 확대 사용됐다. 그 본래의 뜻은 傭(품팔 용, #1833)자를 만들어 더욱 분명하게 나타냈다.
속뜻훈음 **보통 용.**

• 역순어휘

중용 中庸 | 가운데 중, 보통 용 [moderation]
❶속뜻 중간(中間) 또는 보통[庸] 정도. ❷어느 쪽으로 치우침이 없고 알맞음. ¶그는 언제나 중용을 지킨다.

1586 [우]

尤

더욱 우
部 尢부 劃 4획 中 尤 [yóu]

尤자의 갑골문은 손가락[又]에 삐친 획[丿]이 하나 첨가되어 있는 형태였다. 손가락질하다, 즉 '나무라다'(scold; blame)가 본래 뜻이고 '허물'(a fault; an error; a mistake), '더욱'(more) 등으로 확대 사용됐다. 한문에서 단음절 어휘로는 많이 쓰였으나, 조어력이 약하여 한자어 용례를 거의 없다.

우심 尤甚 | 더욱 우, 심할 심
[excessive; severe]
더욱[尤] 심(甚)하다. ¶석 달 동안의 가뭄 끝에 찾아든 한파 때문에 주민들의 생활고는 우심하였다.

1587 [기]

幾

몇 기
部 幺부 劃 12획 中 几 [jǐ, jī]

幾자는 機(기, #0837)의 본래 글자였다. 베틀에 앉아 베를 짜는 사람의 모습으로 '베틀'(a hemp-cloth loom)이 본뜻이었는데, 후에 이것이 '기미'(signs), '몇'(=얼마, what number) 등의 의미로 차용되는 예가 잦아지자, 본뜻을 위하여 따로 機자를 만들었다.
속뜻훈음 **①몇 기, ②낌새 기. ③거의 기.**

기망 幾望 | 거의 기, 보름날 망
[the fourteenth night of a lunar month]
❶속뜻 보름날[望]이 거의[幾] 다 되어 감. ❷음력 열나흗날 밤, 또는 그날 밤의 달.

기십 幾十 | 몇 기, 열 십
[several tens; scores; dozens]
몇[幾] 십(十). ¶기십 만원 / 기십 배.

기미 幾微 | =機微, 낌새 기, 작을 미
[smack; shade]
❶속뜻 낌새[幾]가 희미(稀微)하게 보임. ❷어떤 일을 알아차릴 수 있는 눈치. 또는 일이 되어 가는 분위기. ¶경제가 좋아질 기미가 보이다.

기하 幾何 | 몇 기, 어찌 하
[how many; how; geometry]
❶속뜻 몇[幾] 또는 어찌[何]. ❷'기하학'(幾何學)의 준말.

1588 [숙]

孰

누구 숙
部 子부 劃 11획 中 孰 [shú]

孰자는 본래 제사 음식을 익혀서 두 손을 바쳐 들고[丮(잡을 극)→丸(알 환)] 사당[享]에 올리는 모습이었다. 후에 '누구'(who)를 뜻하는 것으로 차용되어 쓰이는 예가 많아지자 본래 뜻은 따로 熟(익을 숙, #1271)자를 만들어 나타냈다. 孰은 다른 글자와 더불어 쓰여 낱말을 구성하는 조어력이 매우 낮은 글자이니 한자어 용례를 찾아보기 어렵다.

1589 [순]

循

돌 순

部 彳부 劃 12획 中 循 [xún]

循자는 '길을 따라가다'(follow a path)는 뜻을 나타내기 위하여 만든 것이었으니 '길 척'(彳)이 표의요소로 쓰였다. 盾(방패 순)은 표음요소이니 뜻과는 무관하다. 후에 '좇다'(follow), '돌아다니다'(make a round) 등으로 확대 사용됐다.

속뜻훈음 **돌아다닐 순.**

순환 循環 | 돌아다닐 순, 고리 환 [rotate; cycle]
❶속뜻 고리[環]같이 둥글게 돌아다님[循]. ❷돌아서 다시 먼저의 자리로 돌아옴. 또는 그것을 되풀이함. ¶순환 버스 / 계절은 순환한다.

1590 [심]

尋

찾을 심

部 寸부 劃 12획 中 寻 [xún]

尋자의 갑골문은 두 팔을 벌려 자리의 길이를 재는 모습을 본뜬 것이었다. 두 팔, 즉 두 개의 又(우)가 '크'와 '寸'으로 잘못 바뀌었고, 자리 모양이 '工'과 '口'로 잘못 변화됐다. 자리의 길이를 '재다'(measure)가 본래 의미인데, 자리의 길이 약 '8 척(尺)'을 가리키기도 하며, '묻다'(ask), '찾다'(search), '보통'(ordinary), '평소'(usually) 등으로 확대 사용됐다.

심상 尋常 | 찾을 심, 보통 상 [ordinary; common]
❶속뜻 보통[常] 찾아[尋] 볼 수 있는 정도. ❷대수롭지 않고 예사롭다. ¶심상치 않은 일이 벌어졌다.

1591 [곤]

坤

땅 곤

部 土부 劃 8획 中 坤 [kūn]

坤자는 八卦(팔괘) 가운데 '땅'(land)을 상징하는 것이었기에 '흙 토'(土)가 표의요소로 쓰였다. 申은 神(귀신 신, 정신 신)의 본래 글자로 '정신'이나 '혼'을 가리키는 표의요소이다. 속칭 '따 곤'이라는 훈은 '땅 곤'이라고 해야 할 것을 동음(/ㅇ/과 /ㄱ/의 설근음성)의 회피라는 발음의 편의에 따라 생겨난 것이다. 의미를 파악하는 데에는 걸림돌이 되는 단점이 있으므로 원래의 것을 쓰는 것이 낫겠다. 易學(역학)적으로 '여자'를 상징하는 예도 있다.

곤괘 坤卦 | 땅 곤, 걸 괘 [symbol of the land]
민속 땅[坤]을 상징하는 팔괘(八卦)의 하나. ¶'☷'을 일러 곤괘라고 한다.

곤명 坤命 | 땅 곤, 목숨 명
❶속뜻 땅[坤]이 준 목숨[命]. ❷민속 '여자가 태어난 해'를 이르는 말. ❸불교 축원문에서 '여자'를 이르는 말. 반 건명(乾命).

곤위 坤位 | 땅 곤, 자리 위
여자[坤]의 신주나 무덤[位]. 반 건위(乾位).

• 역순어휘

건곤 乾坤 | 하늘 건, 땅 곤
❶속뜻 하늘[乾]과 땅[坤]. ¶적군의 말굽 소리가 건곤을 뒤흔들었다. ❷하늘과 땅을 상징하는 '건'(乾)과 '곤'(坤) 두 괘의 이름. ❸남성과 여성. 천지(天地). 비 음양(陰陽).

1592 [괴]

塊

흙덩이 괴

部 土부 劃 13획 中 块 [kuài]

塊자는 '흙덩이'(a lump of earth; a clod of earth)를 뜻하기 위한 것이었기에 '흙 토'(土)가 표의요소로 쓰였다. 鬼(귀신 귀)가 표음요소임은 槐(홰나무 괴), 愧(부끄러워 할 괴)도 마찬가지다. 壞(무너질 괴, #1135)와 혼동하기 쉽다. 후에 일반적인 의미의 '덩어리'(a lump; a mass)를 뜻하는 것으로 확대 사용됐다. 조어력이 매우 낮아 한자어 용례가 극히 적다.

속뜻훈음 **덩어리 괴.**

괴금 塊金 | 덩어리 괴, 쇠 금 [nugget of gold]
광업 흙이나 돌 속에서 천연으로 나는 덩어리[塊] 형태의 금(金). ¶괴금이 산출되었다.

• 역순어휘

금괴 金塊 | 황금 금, 덩어리 괴 [nugget of gold]
덩어리[塊]로 뭉쳐놓은 금(金). ¶집에 두었던 금괴를 도난당했다. 비 금덩어리.

산괴 山塊 | 메 산, 덩어리 괴
[mountain mass]
지리 산줄기에서 따로 떨어져 있는 산(山)의 덩어리[塊].

지괴 地塊 | 땅 지, 덩어리 괴
[block; landmass]
❶속뜻 땅[地] 덩어리[塊]. 흙덩어리. ❷지리 지각(地殼) 가운데, 주위가 단층(斷層)을 이루고 있는 지역.

1593 [도]

塗

칠할 도

部 土부 劃 13획 中 涂 [tú]

塗자는 본래 '진흙'(mud; mire; dirt)을 뜻하기 위한 것이었으니 '흙 토'(土)가 표의요소로 쓰였다. 涂(도랑 도)는 표음요소이다. 진흙으로 칠을 하는 예가 많았던지 '칠하다'(paint)는 뜻으로 확대 사용됐다.

속뜻훈음 ①칠할 도, ②진흙 도.

도료 塗料 | 칠할 도, 거리 료 [paint; varnish]
물건의 겉에 칠하여[塗] 그것을 썩지 않게 하거나 외관상 아름답게 하는 재료(材料). 바니시, 페인트, 옻칠 따위.

도배 塗褙 | 칠할 도, 속적삼 배 [paper]
종이로 벽이나 반자, 장지 따위[褙]를 바르는[塗] 일. ¶도배를 새로 하다.

도탄 塗炭 | 진흙 도, 숯 탄
[dire distress; great misery]
❶속뜻 진흙탕[塗]에 빠지고 숯불[炭]에 탐. ❷'몹시 곤궁하여 고통스러운 지경'을 비유하여 이르는 말. ¶도탄에 빠지다.

• 역순어휘

호도 糊塗 | 풀 호, 칠할 도
[varnish; temporize; shuffle]
❶속뜻 풀[糊]을 바름[塗]. ❷사실대로 말하지 않고 버무리거나 흐지부지 덮어 버림. ¶진실을 호도하다.

1594 [매]

埋

묻을 매

部 土부 劃 10획 中 埋 [mái, mán]

埋자는 땅 속에 '묻다'(bury in; inter; inhume)는 뜻을 나타내기 위한 것이었기에 '흙 토'(土)가 표의요소로 쓰였다. 里(마을 리)는 표음요소로 보기에도 문제가 있고(매≠리), 그렇다고 표의요소로 보기에도 문제가 다소 있다. '묻다'와 '마을'의 의미상 연관성이 그다지 밀접하지 않기 때문이다.

매립 埋立 | 묻을 매, 설 립 [fill up; reclaim]
우묵한 땅을 메워[埋] 올림[立]. ¶바다를 매립해 농지를 만들다. 비매축(埋築).

매몰 埋沒 | 묻을 매, 빠질 몰 [bury]
땅속에 묻거나[埋] 물속에 빠짐[沒]. ¶그는 눈 속에 매몰되었다. 반발굴(發掘).

매복 埋伏 | 묻을 매, 숨길 복 [ambush; lie in]
❶속뜻 으슥한 곳에 몸을 묻어[埋] 숨어 있음[伏]. ❷적군을 기습하기 위하여 적당한 곳에 숨어서 기다리는 일. ¶많은 병사가 적에게 매복공격을 당했다.

매장¹ 埋葬 | 묻을 매, 장사 지낼 장 [bury]
❶속뜻 시체나 유골을 땅에 묻어[埋] 장사지냄[葬]. ¶시신을 매장하다. ❷못된 짓을 한 사람을 집단에 들어오지 못하도록 따돌림.

매장² 埋藏 | 묻을 매, 감출 장
[bury in the ground]
❶속뜻 묻어서[埋] 감춤[藏]. ❷광물이나 인재 따위가 속에 묻혀 감춰져 있음. ¶풍부한 광물이 매장되어 있다.

• 역순어휘

생매 生埋 | 날 생, 묻을 매 [bury alive]
목숨이 붙어 있는 생물을 산[生] 채로 땅속에 묻음[埋]. '생매장'(生埋葬)의 준말.

1595 [분]

墳

무덤 분

部 土부 劃 15획 中 坟 [fén]

墳자는 흙으로 덮어서 쌓은 '무덤'(a grave; a tomb)을 뜻하는 것이었기에 '흙 토'(土)가 표의요소로 쓰였다. 賁(클 분)이 표음요소임은 憤(성낼 분)도 마찬가지다. 墓(무덤 묘)는 무덤의 땅 전체를 말하며(墓域), 墳은 동그랗고 볼록하게 쌓은 것(封墳)을 일컫는다.

분묘 墳墓 | 무덤 분, 무덤 묘 [grave; tomb]
무덤[墳=墓].

• 역순어휘

고:분 古墳 | 옛 고, 무덤 분 [old tomb]
옛[古] 무덤[墳]. ¶백제시대 고분을 발굴하다.

봉분 封墳 | 봉할 봉, 무덤 분 [(grave) mound]
흙을 둥글게 쌓아[封] 무덤[墳]을 만듦. 또는 그 흙더미. ¶봉분에 난 잡초를 뽑았다. 비성분(成墳).

1596 [장]

墻

담 장

部 土부 劃 16획 中 墙 [qiáng]

墻자는 본래 牆(담 장)으로 썼다. 嗇(색)은 벼를 수확하여 들에 쌓아둔 모습으로 '쌓다'는 뜻으로 쓰인 표의요소이고, 爿(나무 조각 장)은 표음요소이다. 후에 흙으로 쌓은 '담'(a wall; a fence)이란 뜻을 더욱 분명하게 나타내기 위하여 '흙 토'(土)라는 표의요소를 넣고 爿을 빼어버린 것이 바로 墻자다. 조어력이 낮아 한자어 용례가 적다.

• 역순어휘

판장 板墻 | 널빤지 판, 담 장 [board fence]
널빤지[板]로 세운 담[墻].

1597 [제]

堤
둑 제
部 土부 畫 12획 中 堤 [dī]

堤자는 하천의 양쪽에 범람을 막기 위하여 흙으로 쌓아 올린 '둑'(a bank; an embankment)을 뜻하기 위한 것이었기에 '흙 토'(土)가 표의요소로 쓰였다. 언덕처럼 높이 쌓은 것이라 해서 隄(둑 제)로 쓰기도 했다. 是(옳을 시)가 표음요소임은 提(끌 제)도 마찬가지다.

제방 堤防 | 둑 제, 둑 방 [bank; embankment]
물이 넘쳐 들어오지 못하도록 물가에 쌓은 둑[堤=防]. ¶제방을 쌓다.

• 역순어휘

언:제 堰堤 | 방죽 언, 둑 제
[a bank; an embankment; a dike]
❶ 속뜻 둑[堰=堤]. ❷ 건설 물을 가두어 두기 위해 하천(河川)이나 골짜기 따위에 쌓은 둑. 비 제언(堤堰).

축제 築堤 | 쌓을 축, 둑 제
[build an embankment]
둑[堤]을 쌓음[築].

파:제 破堤 | 깨뜨릴 파, 둑 제
[bank; an embankment; a dike]
제방(堤防)을 깨뜨림[破]. 홍수 따위로 제방이 무너짐.

1598 [타]

墮
떨어질 타:
部 土부 畫 15획 中 堕 [duò, huī]

墮자는 땅바닥에 '떨어지다'(fall; drop; get a fall; come down)는 뜻을 나타내기 위한 것이었기에 '흙 토'(土)가 표의요소로 쓰였다. 隋(수/타)가 표음요소임은 橢(길 둥글 타)도 마찬가지다. 조어력이 매우 낮다.

타:락 墮落 | 떨어질 타, 떨어질 락
[go wrong; corrupted]
❶ 속뜻 구렁텅이 따위에 떨어짐[墮=落]. ❷ 올바른 길에서 벗어나 잘못된 길로 빠지는 일. ¶그는 못된 친구들과 어울리더니 완전히 타락해 버렸다.

1599 [구]

狗
개 구
部 犬부 畫 8획 中 狗 [gǒu]

狗자는 '강아지'(=개, a puppy; a pup; a whelp)를 뜻하기 위한 것이었으니 '개 견'(犬)이 표의요소로 쓰였다. 句(글귀 구)는 표음요소로 뜻과는 무관하다. 작은 개, 즉 강아지는 狗라고 했고, 다 큰 개는 犬이라 했다는 설, 狗는 아득한 옛날에 다른 민족의 언어에서 차용된 것이라는 설이 있다.

• 역순어휘

주:구 走狗 | 달릴 주, 개 구
[puppet; hound; hunting dog]
❶ 속뜻 사냥꾼 앞에서 달리는[走] 개[狗]. ❷ '남의 앞잡이 노릇을 하는 사람'을 비유하여 이르는 말. ¶침략자의 주구. ❸ 사냥감을 물어오는 일을 시키는 개. 비 응견(鷹犬).

해:구 海狗 | 바다 해, 개 구
[seal; sea bear; sea cat]
❶ 속뜻 바다[海]에 사는 개[狗]. ❷ 동물 물갯과의 바다짐승. 몸의 길이는 수컷은 2미터, 암컷은 1미터 정도이며, 새끼 때는 검고 자라면 등은 회색을 띤 흑색이며 배는 붉은 갈색을 이룬다.

황구 黃狗 | 누를 황, 개 구 [yellow dog]
털빛이 누런[黃] 개[狗].

1600 [렵]

獵
사냥 렵
部 犬부 畫 18획 中 猎 [liè]

獵자는 개를 데리고 가서 '사냥하다'(hunt; have a hunt; shoot)는 뜻을 나타내기 위하여 만든 것이었으니 '개 견'(犬)이 표의요소로 쓰였고, 巤(목 갈길 렵)은 표음요소이다. 후에 '쫓아다니다'(pursue; chase; run after) 등으로 확대 사용됐다.

속뜻 훈음 ①사냥 렵, ②쫓아다닐 렵.

• 역순어휘 •

밀렵 密獵 | 몰래 밀, 사냥 렵 [poach]
허가를 받지 않고 몰래[密] 사냥함[獵]. 또는 그런 사냥. ¶야생 여우를 밀렵하다.

섭렵 涉獵 | 건널 섭, 쫓아다닐 렵 [read extensively]
❶속뜻 물을 건너[涉] 이곳저곳 쫓아다님[獵]. ❷책을 이것저것 널리 읽음. ¶문헌을 널리 섭렵하다. 비박섭(博涉).

수렵 狩獵 | 사냥 수, 사냥 렵 [hunting; shooting]
사냥[狩=獵]. ¶원주민들은 수렵과 채집 생활을 한다.

천렵 川獵 | 내 천, 사냥 렵 [fish in a river]
놀이로 냇물[川]에서 고기를 잡는[獵] 일.

1601 [무]

戊

천간 무:
部 戈부 劃 5획 ⊕ 戊 [wù]

戊자의 본래 뜻은 창과 비슷한 모양의 '도끼'(an axe)를 가리키는 것이었다. 본래 의도와는 달리, 10개 天干(천간) 가운데 다섯째 것으로 활용됐다. 그러자 그 본뜻은 위하여 추가로 만들어낸 것이 戚(도끼 척, #1152)자다. 地支(지지)와 더불어 60 干支(간지)로 활용되는 경우 말고 일반 어휘를 형성하는 예는 거의 없다.

무:오 戊午 | 천간 무, 말 오
[the 55th year of the sexagenary cycle]
민속 천간의 '戊'와 지지의 '午'가 만난 간지(干支). ¶무오년생은 말띠다.

무:진 戊辰 | 천간 무, 용 진
[the 5th year of the sexagenary cycle]
민속 천간의 '戊'와 지지의 '辰'이 만난 간지(干支). ¶무진년생은 용띠다.

1602 [술]

戌

개 술
部 戈부 劃 6획 ⊕ 戌 [xū, qu]

戌자는 본래 '도끼'(a hatchet)의 일종을 뜻하기 위한 것이었는데, 12地支(지지) 가운데 11번째의 것으로 차용됐다. 속칭 '개 술'이라는 훈은 그것을 띠로 꼽았을 때 '개 띠'에 해당되기 때문이다. 자형이 비슷하여 혼동하기 쉬운 두 개의 글자가 있으니 戉(도끼 월)과 戍(지킬 수)가 그것이다. 조어력이 매우 낮아 한자어 용례가 거의 없다.

술년 戌年 | 개 술, 해 년 [Year of the Dog]
민속 지지(地支)가 술(戌)로 된 해[年]. 개 해.

1603 [근]

斤

무게(단위)/날[刃] 근
部 斤부 劃 4획 ⊕ 斤 [jīn]

斤자는 나무를 찍을 때 쓰는 '도끼'(an axe)를 뜻하기 위하여 한 자루의 도끼 모양을 본뜬 것임을 지금의 자형에서도 짐작해 볼 수 있다. 무게 단위의 '근'(a kun = 0.6kg), '무게'(weight)를 뜻하기도 한다.
속뜻훈음 ①근 근, ②무게 근.

근량 斤量 | 무게 근, 분량 량 [weight]
저울로 단[量] 무게[斤]. ¶쌀의 근량이 많이 나간다.

근수 斤數 | 무게 근, 셀 수 [weight]
저울에 단 무게[斤]의 수(數). ¶근수를 달다 / 근수를 재다.

• 역순어휘 •

만:근 萬斤 | 일만 만, 무게 근 [great weight]
아주 무거운[萬] 무게[斤]. ¶머리가 만근같이 무겁다.

천근 千斤 | 일천 천, 근 근 [very heavy]
❶속뜻 한 근(斤)의 천(千) 배. ❷아주 무거움.

해:근 解斤 | 풀 해, 근 근
❶속뜻 근(斤)으로 풂[解]. ❷물건을 근으로 달아서 팖.

1604 [사]

斯

이 사
部 斤부 劃 12획 ⊕ 斯 [sī]

斯자의 본래 뜻은 도끼로 나무를 '찍다'(chop with an axe)는 것이었으니 '도끼 근'(斤)이 표의요소로 쓰였다. 其(그 기)는 표음요소였다는 설이 있는데 설득력이 약한 편이다. 후에 사물을 가리키는 대명사, 즉 '이것'(this), '그것'(that)이란 뜻으로 차용됐다. 이러한 뜻에서는 '그 기'(其)가 의미와 연관된다고 볼 수도 있겠다.

사계 斯界 | 이 사, 지경 계
[this field; specific field]
지금 말하고 있는 이[斯] 방면의 사회[界]. 이 분야.

사도 斯道 | 이 사, 도리 도
[this subject; Confucian morality; this line]

❶속뜻 이[斯] 도리(道理). 또는 그 도리. ❷유가(儒家)에서 유학의 도리를 이르는 말. ❸어떤 전문적인 방면의 도(道)나 기예(技藝). ¶사도의 대가.

사문 斯文 | 이 사, 글월 문
[Confucian ideas; Confucian]
❶속뜻 유교, 유학이라는 이[斯] 문화(文化). ❷유교문화 또는 유교사상. ❸유학자를 높여 이르는 말.

• 역순어휘

여사 如斯 | 같을 여, 이 사 [be like this]
이[斯]와 같다[如]. 이렇다. ¶타인의 어떠한 종교나 여사한 신앙에 대하여 비방하지 말라.

1605 [척]

斥
물리칠 척
部 斤부 劃 5획 中 斥 [chì]

斥자는 도끼를 뜻하는 斤(근)과 그것의 손잡이 부분을 가리키는 점(丶)으로 구성된 것이다. 도끼의 자루를 잡고 '휘두르다'(swing)가 본뜻인데, '내치다'(reject), '내몰다'(repel), '물리치다'(repel; expel), '손가락질하다'(point to) 등으로 확대 사용됐다.

척사 斥邪 | 물리칠 척, 그를 사 [expel wickedness]
❶속뜻 바르지 못한[邪] 것은 물리침[斥]. ❷사교(邪教)를 물리침. ¶위정척사(衛正斥邪).

척화 斥和 | 물리칠 척, 어울릴 화 [reject peace]
서로 잘 지내자[和]는 제의를 물리침[斥].

• 역순어휘

배척 排斥 | 밀칠 배, 물리칠 척 [exclude; ostracize]
밀쳐[排]내거나 물리침[斥]. ¶새로운 사상을 배척하다. 반 포용(包容).

1606 [호]

毫
터럭 호
部 毛부 劃 11획 中 毫 [háo]

毫자는 짐승의 가는 터럭, 즉 '잔털'(=터럭, fine hairs; down)을 뜻하기 위한 것이었으니 '털 모'(毛)가 표의요소로 쓰였다. 그 나머지가 高(높을 고)의 생략형으로 표음요소 구실을 하는 것임은 豪(호걸 호, #1403)의 경우도 마찬가지다. 후에 털로 만든 '붓'(a writing brush)이란 뜻으로도 쓰였다. 분량의 단위로 1/10 釐(리)를 가리키기도 하기에 '조금'(a little)의 뜻으로도 쓰인다.

• 역순어휘

추호 秋毫 | 가을 추, 터럭 호 [bit; hair]
❶속뜻 가을철[秋]에 새로 돋아난 작고 가는 터럭[毫]. ❷'조금', '매우 적음'을 뜻함. ¶내 말에는 추호도 거짓이 없다.

1607 [고]

枯
마를 고
部 木부 劃 9획 中 枯 [kū]

枯자는 나뭇잎이 '마르다'(wither)는 뜻하기 위한 것이었기에 '나무 목'(木)이 표의요소로 쓰였다. 古(옛 고)는 표음요소로 뜻과는 무관하다.

고갈 枯渴 | 마를 고, 목마를 갈
[be dried up; be exhausted]
❶속뜻 목마를[渴] 정도로 물기가 없음[枯]. ❷물자나 자금이 달림. ¶자원을 고갈시키다. ❸인정이나 정서 따위가 없어짐. 메마름. ¶상상력이 고갈되다. 반 해갈(解渴).

1608 [기]

棄
버릴 기
部 木부 劃 12획 中 弃 [qì]

棄자는 갓난애를 삼태기에 담아 두 손으로 바쳐 들고 내다버리는 모습을 그린 것이다. '𠫓'은 '子'자가 거꾸로 된 모양이니 대충은 짐작할 수 있다. 옛날에는, 원치 않는 아기를 낳으면 내다버리기 일쑤였다고 한다. 그래서 '버리다'(abandon; desert; forsake; give up)는 뜻을 그렇게 나타냈다. 그렇게 숲 속에 버려진 갓난아이가 호랑이의 젖을 먹고 자라나 楚(초) 나라의 국무총리가 된 사람도 있었다는 문헌 기록도 있다.

기각 棄却 | 버릴 기, 물리칠 각 [reject; turn down]
❶속뜻 내다 버리거나[棄] 물리침[却]. ❷법률 소송을 수리한 법원이 소송이 이유가 없거나 적법하지 않다고 판단하여 무효를 선고하는 일. ¶그 안건은 기각되었다. 비 각하(却下).

기권 棄權 | 버릴 기, 권리 권 [renounce; give up]
부여받은 권리(權利)를 스스로 포기(抛棄)하고 행사하지 아니함. ¶그는 이번 경기에 기권했다.

• 역순어휘

폐:기 廢棄 | 그만둘 폐, 버릴 기 [disuse; abolish; abandon]
그만두거나[廢] 내다 버림[棄]. ¶많은 제도가 폐기되었다 / 그들은 유통기한이 지난 식품을 모두 폐기 처분했다.

포:기 抛棄 | 던질 포, 버릴 기 [give up; abandon]
하던 일을 중도에 내던지거나[抛] 내버려둠[棄]. ¶나는 이 문제를 포기할 수 없다.

1609 [모]

某 아무 모:
㊊ 木부 ㊋ 9획 ㊥ 某 [mǒu]

某자는 본래 '매화나무'(a plum tree)를 뜻하기 위한 것이었으니 '나무 목'(木)이 표의요소로 쓰였다. 甘(달 감)은 매실의 쓴맛을 가리키는 표의요소였다. 그 맛을 달게 여긴 사람도 있었나 보다. 후에 '아무'(somebody; someone)를 뜻하고 [모]로 읽는 예가 많아지자 木을 하나 더 붙여 그 본래 뜻을 나타낸 것이 楳(매화나무 매)자이다. 표음요소를 겸하는 某[모]가 문제가 있다고 여겨서 표음요소를 개량한 것이 바로 梅(매화나무 매, #1163)자다.

모:교 某校 | 아무 모, 학교 교 [certain school]
불확실하거나 밝히기 어려운 어떤[某] 학교[校]. 아무 학교.

모:모 某某 | 아무 모, 아무 모 [some persons]
아무[某] 아무[某]. 누구누구.

모:시 某時 | 아무 모, 때 시 [certain time]
아무[某] 때[時]. 또는 아무 시간.

모:종 某種 | 아무 모, 종류 종 [some kind]
불확실하거나 밝히기 어려운 어떤[某] 종류[種].

모:처 某處 | 아무 모, 살 처 [somewhere; certain place]
불확실하거나 밝히기 어려운 어떤[某] 곳[處]. ㊐모소(某所).

1610 [배]

杯 잔 배
㊊ 木부 ㊋ 8획 ㊥ 杯 [bēi]

杯자는 나무로 만든 '술잔'(a woonden cup)을 뜻하기 위한 것이었기에 '나무 목'(木)이 표의요소로 쓰였다. 不(아닐 불)이 표음요소임은 坏(언덕 배), 伓(산 이름 배)도 마찬가지다. 후에 금속이나 도자기로 만들기도 했기에 표의요소를 바꾼 盃(배)로 쓰기도 했다.
속뜻 훈음 ①잔 배, ②술잔 배.

• 역순어휘

건배 乾杯 | 마를 건, 술잔 배 [toast; drink to]
술잔[杯]을 말리듯[乾] 잔에 있는 술을 몽땅 다 마심. ¶성공을 위해 건배하자.

고배 苦杯 | 쓸 고, 잔 배 [bitter cup; defeat]
❶속뜻 쓴[苦] 맛의 음료나 술이 든 잔[杯]. ❷'쓰라린 경험'을 비유하여 이르는 말. ¶인생의 고배를 마시다.

축배 祝杯 | 빌 축, 잔 배 [toast; drink in celebration]
축하(祝賀)의 술을 마시는 술잔[杯]. ¶신랑, 신부를 위해 축배를 들자.

1611 [석]

析 쪼갤 석
㊊ 木부, 총 8획 ㊥ 析 [xī]

析자는 나무[木]를 도끼[斤]로 '쪼개다'(split)는 뜻이다. 두 표의요소 중에서 木이 부수로 지정된 것은 좌우 구조의 경우 대개는 왼쪽 것을 부수로 지정하는 관례에 따른 것이다. 후에 '가르다'(divide)로 확대 사용됐다.

석출 析出 | 가를 석, 드러낼 출 [educe; extract]
❶속뜻 분석(分析)하여 드러냄[出]. ❷화학 화합물을 분석하여 어떤 물질을 분리해 내는 일.

• 역순어휘

분석 分析 | 나눌 분, 쪼갤 석 [analyze; assay]
복합된 사물을 그 요소나 성질에 따라서 나누고[分] 쪼개는[析] 일. ¶자료 분석 / 실패의 원인을 분석하다.

1612 [양]

楊 버들 양
㊊ 木부 ㊋ 13획 ㊥ 杨 [yáng]

楊자는 '버드나무'(a willow)를 뜻하기 위한 것이었기에 '나무 목'(木)이 표의요소로 쓰였다. 昜(볕 양)은 표음요소이니 뜻과는 무관하다.

• 역순어휘

녹양 綠楊 | 초록빛 록, 버들 양
[green-leaved willow]
푸르게[綠] 우거진 버들[楊]. ¶녹양이 너울너울 춤춘다.

수양 垂楊 | 드리울 수, 버들 양 [weeping willow]
❶속뜻 가지를 밑으로 축 늘어뜨리며[垂] 자라는 버드나무[楊]. ❷식물 수양버들.

1613 [리]

梨

배 리
部 木부 획 부 획 11획 中 梨 [lí]

梨자는 '배나무'(a pear tree)를 뜻하기 위한 것이었기에 '나무 목'(木)이 표의요소로 쓰였다. 利(날카로울 리)는 표음요소이니 뜻과는 무관하다.
속뜻훈음 **배나무 리.**

• 역순어휘

산리 山梨 | 뫼 산, 배나무 리 [wild pear]
❶속뜻 산(山)돌배나무[梨]. ❷식물 돌배나무.

청리 靑梨 | 푸를 청, 배나무 리
식물 빛이 푸르고[靑] 물기가 많은 배[梨].

1614 [침]

枕

베개 침:
部 木부 획 부 획 8획 中 枕 [zhěn]

枕자는 나무토막으로 만든 '베개'(a pillow)를 뜻하기 위한 것이었기에 '나무 목'(木)이 표의요소로 쓰였다. 冘(머뭇거릴 유)가 표음요소임은 沈(가라앉을 침), 忱(정성 침)도 마찬가지다.

침:목 枕木 | 베개 침, 나무 목 [sleeper; block]
❶속뜻 물건 밑을 베개[枕]처럼 괴는 나무토막[木]. ❷건설 선로 밑에 까는 목재.

• 역순어휘

금침 衾枕 | 이불 금, 베개 침
[bed clothes and a pillow; bedding]
이부자리[衾]와 베개[枕]를 아울러 이르는 말. ¶금침 한 벌.

기침 起枕 | 일어날 기, 베개 침 [get up]
윗사람이 잠자리[枕]에서 일어남[起]. ¶할아버지가 기침하셨는지 보고 오너라. 비 기상(起床).

목침 木枕 | 나무 목, 베개 침 [wooden pillow]
나무[木] 토막으로 만든 베개[枕]. ¶목침을 베고 자다.

퇴:침 退枕 | 물러날 퇴, 베개 침 [wooden pillow]
빼다[退] 넣었다 할 수 있는 서랍이 있는 나무 베개[枕]. ¶퇴침을 베다 / 퇴침 속에 돈을 감추어 놓았다.

1615 [기]

旣

이미 기
部 无부 획 11획 中 既 [jì]

旣자의 皀는 밥을 담는 그릇 모양이 변화된 것이고, 그 오른쪽의 것은 머리를 밥상 반대쪽으로 돌린 채 앉아 있는 사람의 모습이 변화된 것이다. 이미 배불리 먹었으므로 더 이상 먹고 싶지 않아서 자리를 떠나려고 함을 나타낸 것이다. 밥을 '다 먹다'(eat up; eat out)가 본래 의미이다. '다 마치다'(finish), '다 없어지다'(disappear), '이미'(already) 등으로도 쓰인다.

기성 旣成 | 이미 기, 이룰 성
[be already established]
어떤 사물이나 상황이 이미[旣] 만들어져[成] 있음. ¶기성 제품.

기약 旣約 | 이미 기, 묶을 약
❶속뜻 이미[旣] 다 묶어놓음[約]. ❷수학 이미 다 된 약분. 더 이상 약분이 안 됨.

기왕 旣往 | 이미 기, 갈 왕 [past; bygones]
❶속뜻 이미[旣] 지나간[往]. 과거. ❷이미. 벌써. ¶기왕 늦었으니 자고 가자. 비 이왕(以往), 이전(以前).

기정 旣定 | 이미 기, 정할 정 [established; fixed]
이미[旣] 정(定)해져 있음. 반 미정(未定).

기존 旣存 | 이미 기, 있을 존 [exist; establish]
이미[旣] 존재(存在)함. ¶『속뜻사전』은 기존의 사전보다 훨씬 유익하다.

기혼 旣婚 | 이미 기, 혼인할 혼 [married]
이미[旣] 결혼(結婚)함. 반 미혼(未婚).

• 역순어휘

개기 皆旣 | 모두 개, 이미 기 [total eclipse]
모두[皆] 이미[旣] 그러함.

1616 [어]

於

어조사 어, 탄식할 오
部 方부 획 8획 中 於 [yú, wū, yū]

於자는 본래 '까마귀 오'(烏)의 古字(고

:자)였다. 그리고 감탄사로도 활용됐다. 이 두 경우에는 음을 [오]로 읽는다. 후에 장소를 나타내는 전치사, 즉 '~에서'라는 뜻의 于(우)를 대신하여 쓰이는 예가 많았다. 이 경우에는 [어]로 읽는다. 조어력은 매우 약하여 한자어 용례가 거의 없다.

• 역순어휘

어언 於焉 | 어조사 어, 어찌 언
[without one's knowledge; so soon]
여기[焉]에[於]. 어느덧. 어느새. ¶학교를 졸업한 지도 어언 십 년이 지났다.

1617 [돈]

敦
도타울 돈
㊣ 攴부 ㊊ 12획 ㊥ 敦 [dūn, duì]

敦자는 본래 '성내다'(get angry)는 뜻이었으니 손에 몽둥이를 들고 있는 모습인 '칠 복'(攴=攵)이 표의요소로 쓰였다. 왼쪽의 것이 표음요소임은 惇(성할 돈)도 마찬가지다. 원래 의미와는 크게 다른 '도탑다'(friendly; amicable)는 뜻을 나타내는 것으로도 쓰인다.

돈독 敦篤 | 도타울 돈, 도타울 독
[sincere; friendly]
인정이 두텁다[敦=篤]. ¶형제간의 우애가 돈독하다.

돈목 敦睦 | 도타울 돈, 화목할 목
[cordial; affable; be on good terms]
❶속뜻 정이 두텁고[敦] 화목(和睦)함. ¶그는 우애 돈목은 물론이거니와 친구와 이웃에게까지도 친절하였다. ❷ 돈친(敦親).

돈후 敦厚 | 도타울 돈, 두터울 후
[kind; warmhearted; humane]
마음이 도탑고[敦] 정이 두터움[厚]. 돈독함.

1618 [민]

敏
민첩할 민
㊣ 攴부 ㊊ 11획 ㊥ 敏 [mǐn]

敏자의 갑골문은 한 여자가 머리로 손을 올려 비녀를 꽂으며 손질하는 모양이다. 그 머리 모양이 每로, 손에 비녀를 들고 꽂고 있는 모양이 攴(攵)으로 각각 달라졌다. 그 손길이 재빨랐기 때문인지, '재빠르다'(quick; rapid; fast)는 뜻도 이것으로 나타냈다.
속뜻훈음 재빠를 민.

민감 敏感 | 재빠를 민, 느낄 감 [sensitive]
감각(感覺)이 예민(銳敏)하다. ¶그는 더위에 민감하다.

민첩 敏捷 | 재빠를 민, 빠를 첩
[quick; prompt]
재빠르고[敏] 날래다[捷]. ¶민첩한 행동.

• 역순어휘

과:민 過敏 | 지나칠 과, 재빠를 민
[nervous; oversensitive]
지나치게[過] 예민(銳敏)함. ¶과민반응 / 그녀는 꽃가루에 과민하다.

기민 機敏 | 때 기, 재빠를 민 [agile; nimble]
동작 따위가 때[機]에 맞게 재빠름[敏]. ¶기민한 동작. ㊇민첩(敏捷).

영민 英敏 | 뛰어날 영, 재빠를 민 [intelligent]
영특(英特)하고 민첩(敏捷)하다. ¶그의 아들은 영민하기로 동네에 소문이 자자하다.

예:민 銳敏 | 날카로울 예, 재빠를 민
[be sensitive]
자극에 대한 반응이 날카롭고[銳] 빠르다[敏]. ¶사막여우는 청각이 예민하다.

1619 [서]

敍
펼 서:
㊣ 攴부 ㊊ 11획 ㊥ 敘 [xù]

敍자의 余(나 여)가 표음요소임은 徐(천천할 서)도 마찬가지다. 표의요소인 攴(복)은 신하들이 손에 왕의 신표를 받아 들고 차례대로 서 있는 것이다. '차례'(order)가 본래 의미였고, 후에 차례대로 '말하다'(state), '(글로) 쓰다'(write) 등으로 확대 사용됐다. 叙는 俗字(속자)다.
속뜻훈음 ①차례 서, ②쓸 서.

서:사 敍事 | 쓸 서, 일 사 [narrate; describe]
사실(事實)이나 사건(事件)이 발생한 차례대로 서술함[敍].

서:술 敍述 | 차례 서, 지을 술 [describe; depict]
어떤 사실을 차례[敍] 대로 말하거나 적음[述]. ¶기행문은 여행하면서 보고 듣고 느낀 것을 서술한 글이다.

• 역순어휘

자서 自敍 | 스스로 자, 쓸 서
[write one's own story]
자기에 관한 일을 자기(自己)가 서술(敍述)함.

1620 [훼]

毁

헐 훼:

[部] 殳부 [劃] 13획 [中] 毁 [huǐ]

毁자는 '빻다'(pound up; grind down)는 뜻을 나타내기 위한 것으로 추정된다. 땅바닥[土] 위에 세워 놓은 절구[臼], 그리고 손에 공이를 들고 있는 모습이 변화된 殳(창 수)가 합쳐져 있다. 후에 '헐다'(worn out), '무너뜨리다'(demolish; pull down) 등으로 확대 사용됐다.

훼:모 毁慕 | 헐 훼, 그리워할 모
[long for parents]
몸이 헐도록[毁] 죽은 어버이를 간곡하게 사모(思慕)함.

훼:방 毁謗 | 헐 훼, 헐뜯을 방
[calumniate; interfere with]
❶[속뜻] 남을 헐어서[毁] 비방(誹謗)함. ❷남의 일을 방해함. ¶훼방을 놓다 / 누군가 그를 훼방한 게 틀림없다.

훼:손 毁損 | 헐 훼, 상할 손
[defamation (of character); damage]
❶[속뜻] 비방하는 험담을 하거나[毁] 체면이나 명예를 손상(損傷)함. ¶명예훼손 / 이번 사건으로 회사 이미지가 크게 훼손되었다. ❷헐거나 깨뜨려 못쓰게 함. ¶문화재 훼손 / 산림이 심하게 훼손되다.

훼:언 毁言 | 헐 훼, 말씀 언
[slander; libel; calumniate]
남을 헐어서[毁] 비방하는 말[言].

훼:예 毁譽 | 헐 훼, 기릴 예
[censure or praise; criticize]
험담으로 훼방(毁謗)함과 칭찬하여 기림[譽].

1621 [괘]

掛

걸[懸] 괘

[部] 手부 [劃] 11획 [中] 挂 [guà]

掛자는 손으로 들어서 높은 곳에 '걸다'(hang up)는 뜻을 나타내기 위하여 만든 것이었으니 '손 수'(手)가 표의요소로 쓰였다. 卦(점괘 괘)는 표음요소이니 뜻과는 무관하다. 본래 표음요소가 圭(홀 규)인 挂로 쓰다가 掛로 고쳐졌다.

괘념 掛念 | 걸 괘, 생각 념
[mind; care; be concerned]
마음에 두고[掛] 걱정하거나 생각함[念]. ¶너무 괘념하지 마세요.

괘도 掛圖 | 걸 괘, 그림 도
[wall map; hanging scroll]
벽에 걸어 놓고[掛] 보는 학습용 그림[圖]이나 지도. [비]걸그림.

괘종 掛鐘 | 걸 괘, 쇠북 종 [wall clock]
종(鐘)이 달려 있는[掛] 시계.

1622 [도]

挑

돋울 도

[部] 手부 [劃] 9획 [中] 挑 [tiāo, tiǎo]

挑자는 손으로 등잔 심지 따위를 잡고서 '돋우다'(turn up the wick)는 뜻을 나타내기 위하여 만든 것이었으니 '손 수'(手)가 표의요소로 쓰였다. 兆(조짐 조)가 표음요소임은 桃(복숭아나무 도), 逃(달아날 도)도 마찬가지다. 후에 '화나게 하다'(offend; make angry), '싸움을 걸다'(seek a quarrel) 등으로 확대 사용됐다.

도발 挑發 | 돋울 도, 나타날 발 [provoke; arouse]
감정 따위를 돋워[挑] 일이 생겨나게[發] 함. ¶전쟁을 도발하다.

도전 挑戰 | 돋울 도, 싸울 전 [challenge]
❶[속뜻] 감정 따위를 돋워[挑] 싸움[戰]을 걺. ¶도전에 응하다 / 챔피언에게 도전하다. ❷'어려운 사업이나 기록 경신 따위에 맞섬'을 비유하여 이르는 말. ¶정상 도전 / 세계 기록에 도전하다. [비]도발(挑發). [반]응전(應戰).

1623 [사]

捨

버릴 사:

[部] 手부 [劃] 11획 [中] 舍 [shě, shè]

捨자는 손에 들고 있는 것을 '놓다'(put down)는 뜻이니 '손 수'(手)가 표의요소로 쓰였고, 舍(집 사)는 표음요소이다. 후에 '버리다'(abandon), '베풀다'(bestow; grant)는 뜻으로 확대 사용되었다.

사:석 捨石 | 버릴 사, 돌 석
[운동] 바둑에서, 작전상 버릴[捨] 셈 치고 놓는 돌[石].

사:신 捨身 | 버릴 사, 몸 신 [offer one's life]
❶[속뜻] 몸[身]을 버림[捨]. ❷[불교] 불사(佛事) 또는 불도의 수행을 위해 자기의 몸과 목숨을 버림. ¶사신 공양을 드리다.

• 역순어휘 •

희사 喜捨 | 기쁠 희, 버릴 사 [donate; contribute]

기쁜[喜] 마음으로 자신의 재물을 내놓음[捨]. ¶한 독지가가 고아원에 큰돈을 희사하였다.

1624 [섭]

攝

다스릴/잡을 섭
㊀ 手부 ㊁ 21획 ㊥ 摄 [shè]

攝자는 손으로 '잡아당기다'(draw; drag)는 뜻을 나타내기 위하여 만든 것이었으니 '손 수'(手)가 표의요소로 쓰였다. 聶(소곤거릴 섭)은 표음요소이니 뜻과는 무관하다. 후에 '잡다'(seize), '맡다'(be in charge of) 등으로 확대 사용됐다.

[속뜻훈음] **①잡을 섭, ②당길 섭, ③도울 섭.**

섭리 攝理 | 잡을 섭, 다스릴 리 [providence]
❶[속뜻] 아프거나 병에 걸린 몸을 잘 다잡아[攝] 조리(調理)함. ❷자연계를 지배하고 있는 원리와 법칙. ¶신의 섭리에 맡기다.

섭씨 攝氏 | 당길 섭, 성씨 씨 [Centigrade; Cent.]
[물리] 섭씨온도계의 준말. 1742년 섭씨온도계를 만든 스웨덴의 천문학자 '셀시우스'(Celsius, A)를 '섭이사'(攝爾思)로 음역하고, 줄여서 '섭씨'(攝氏)라고 한 데에서 유래되었다. ¶물은 섭씨 100도에서 끓는다. ㊥화씨(華氏).

섭정 攝政 | 도울 섭, 다스릴 정 [rule as regent]
임금이 직접 통치할 수 없을 때 임금을 도와[攝] 대신하여 나라를 다스리는[政] 것. 또는 그 사람. ¶고종을 대신하여 흥선대원군이 섭정하였다.

섭취 攝取 | 당길 섭, 가질 취 [intake]
양분을 빨아들여[攝] 취(取)함. ¶음식을 골고루 섭취하다.

1625 [수]

搜

찾을 수
㊀ 手부 ㊁ 13획 ㊥ 搜 [sōu]

搜자는 손으로 더듬어 '찾다'(hunt up)는 뜻을 나타내기 위하여 만든 것이었으니 '손 수'(手)가 표의요소로 쓰였다. 叟(늙은이 수)는 표음요소이니 뜻과는 무관하다.

수사 搜査 | 찾을 수, 살필 사
[search for; investigate a case]
❶[속뜻] 찾아서[搜] 조사(調査)함. ❷[법률] 국가기관에서 범인을 찾기 위해 조사하는 일. ¶경찰은 살인 사건을 수사하고 있다.

수색 搜索 | 찾을 수, 찾을 색
[search for; make a search for]
❶[속뜻] 구석구석 뒤지어 찾음[搜=索]. ❷[법률] 증거로 삼을 만한 물건이나 체포할 사람을 찾기 위해 집이나 물건 따위를 조사하는 일. ¶수색 영장 / 경찰은 실종자 수색 작업에 나섰다.

1626 [압]

押

누를 압
㊀ 手부 ㊁ 8획 ㊥ 押 [yà]

押자는 손으로 도장 따위를 '찍다'(stamp; seal; impress)는 뜻을 나타내기 위하여 만든 것이었으니 '손 수'(手)가 표의요소로 쓰였다. 甲(갑옷 갑)이 표음요소로 쓰인 것이었음은 鴨(오리 압), 狎(익숙할 압)도 마찬가지다. 후에 '누르다'(press down), '붙잡다'(arrest) 등으로 확대 사용됐다.

[속뜻훈음] **①누를 압, ②붙잡을 압.**

압송 押送 | 붙잡을 압, 보낼 송
[escort; send in custody]
[법률] 피고인 또는 죄인을 붙잡아[押] 어느 한 곳에서 다른 곳으로 보내는[送] 일. ¶범인을 서울로 압송했다.

압수 押收 | 누를 압, 거둘 수
[impound; confiscate; seize]
❶[속뜻] 강제로 눌러[押] 빼앗음[收]. ¶감독관이 시험자의 휴대전화를 압수했다. ❷[법률] 법원이나 수사 기관 등이 증거물이나 몰수할 물건 등을 강제로 확보함. 또는 그 행위. ¶압수 수색.

압정 押釘 | 누를 압, 못 정 [push pin]
대가리가 크고 촉이 짧아서 손가락으로 눌러[押] 박는 쇠못[釘].

1627 [략]

掠

노략질할 략
㊀ 手부 ㊁ 11획 ㊥ 掠 [lüè, lüě]

掠자는 손으로 남의 것을 '빼앗다'(rob)는 뜻을 나타내기 위하여 만든 것이었으니 '손 수'(手)가 표의요소로 쓰였다. 음 차이가 크지만 京(서울 경)이 표음요소임은 剠(략)을 통하여 알 수 있다.

[속뜻훈음] **빼앗을 략.**

약탈 掠奪 | 빼앗을 략, 빼앗을 탈

[plunder; loot; pillage]
폭력을 써서 남의 것을 빼앗음[掠=奪]. ¶테러범들은 지나는 마을마다 약탈을 일삼았다. [비]수탈(收奪), 약취(掠取).

• 역순어휘

노략 擄掠 | 사로잡을 로, 빼앗을 략
[plunder; loot; pillage]
사람을 사로잡고[擄] 재물을 빼앗음[掠]. ¶바이킹은 노략을 일삼던 무리이다. [비]약탈(掠奪).

1628 [옹]

擁
낄 옹:
[部] 手부 [劃] 16획
[中] 拥 [yōng, wěng]

擁자는 팔로 '껴안다'(embrace)는 뜻을 나타내기 위하여 만든 것이었으니 '손 수'(手)가 표의요소로 쓰였다. 雍(누그러질 옹)은 표음요소이다. 서로 껴안으면 얼겼던 마음이 누그러지고 기뻐진다는 뜻으로 보아 표의요소를 겸한다는 설도 있다.
[속뜻훈음] 껴안을 옹.

옹:립 擁立 | 껴안을 옹, 설 립 [enthrone]
임금으로 모시어[擁] 세움[立]. ¶어린 세자를 새 왕으로 옹립하다.

옹:호 擁護 | 껴안을 옹, 돌볼 호
[support; back up]
❶[속뜻]껴안아서[擁] 잘 돌봄[護]. ❷두둔하고 편들어 지키는 것. ¶정치체제를 옹호하기 위해 화폐제도를 개혁했다 / 자유를 옹호하다.

• 역순어휘

포:옹 抱擁 | 품을 포, 껴안을 옹
[embrace; hug]
가슴에 품거나[抱] 껴안음[擁]. ¶그들은 서로의 몸을 팔로 감싸며 포옹했다.

1629 [요]

搖
흔들 요
[部] 手부 [劃] 13획 [中] 摇 [yáo]

搖자는 손으로 '흔들다'(wave; shake)는 뜻을 나타내기 위하여 만든 것이었으니 '손 수'(手)가 표의요소로 쓰였다. 오른쪽의 것이 표음요소임은 遙(멀 요), 謠(노래 요)도 마찬가지다.

요동 搖動 | 흔들 요, 움직일 동 [shake]
흔들리거나 흔들어[搖] 움직임[動]. ¶배는 파도 때문에 요동을 쳤다.

요란 擾亂 | =搖亂, 흔들 요, 어지러울 란
[be noisy]
❶[속뜻]정신이 흔들리거나[擾] 어지러움[亂]. ¶요란한 옷. ❷시끄럽고 떠들썩함. ¶박수 소리가 요란하다 / 코 고는 소리가 요란스럽다.

요람 搖籃 | 흔들 요, 바구니 람 [cradle]
젖먹이를 태우고 흔들어[搖] 놀게 하거나 잠재우는 바구니[籃]. ¶요람 속의 아기.

• 역순어휘

동:요 動搖 | 움직일 동, 흔들 요 [tremble; unrest]
❶[속뜻]흔들어[搖] 움직임[動]. ❷생각이나 의지가 확고하지 못하고 흔들림. ¶부모님의 사고 소식에 그녀는 동요했다. ❸어떤 체제나 상황 따위가 혼란스럽고 술렁임. ¶민심이 동요하다.

1630 [졸]

拙
졸할 졸
[部] 手부 [劃] 8획 [中] 拙 [zhuō]

拙자는 '(솜씨가) 서투르다'(unskillful; unskilled)는 뜻을 나타내기 위하여 만든 것이었으니 '손 수'(手)가 표의요소로 쓰였다. 出(나갈 출)이 표음요소임은 炪(불빛 졸)도 마찬가지다. 자신의 것을 낮추어 말하는 謙稱(겸칭)으로 많이 쓰인다.
[속뜻훈음] ①졸할 졸, ②서툴 졸.

졸렬 拙劣 | 졸할 졸, 못할 렬 [be awkward]
❶[속뜻]보잘것없고[拙] 잘하지 못하다[劣]. ❷옹졸하고 서투르다. ¶그건 너무 졸렬한 짓이다.

• 역순어휘

옹:졸 壅拙 | 막힐 옹, 서툴 졸
[be narrow minded]
성격이 꽉 막혀[壅] 너그럽지 못하고, 소견이 좁아 행동이 서투르다[拙]. ¶옹졸한 사람 / 그는 생각이 옹졸하다. [반]너그럽다.

치졸 稚拙 | 어릴 치, 옹졸할 졸 [crude]
어린[稚] 아이처럼 생각이 좁음[拙]. ¶치졸한 방법으로 이겨봤자 헛일이다.

1631 [착]

捉

잡을 착

㊙ 手부 ㊄ 10획 ㊥ 捉 [zhuō]

捉자는 손바닥으로 꽉 '잡다'(grasp; grip)는 뜻을 나타내기 위하여 만든 것이었으니 '손 수'(手)가 표의요소로 쓰였다. 足(발 족)이 표음요소임은 齪(악착할 착)도 마찬가지다.

• 역순어휘

포:착 捕捉 | 잡을 포, 잡을 착

[catch; capture; apprehend]

❶속뜻 꼭 붙잡음[捕=捉]. ¶무장공비가 국군에게 포착되었다. ❷일의 요점이나 요령을 깨침. ¶문제의 본질을 포착하다.

1632 [초]

抄

뽑을 초

㊙ 手부 ㊄ 7획 ㊥ 抄 [chāo]

抄자는 원래 鈔(노략질할 초)의 異體字(이체자)였다가 독립했다. 인쇄술이 발달되기 이전에 책을 손으로 중요한 것을 '베껴 쓰다'(copy; make a copy of; transcribe)는 뜻으로 쓰였으니 '손 수'(手)가 표의요소로 참으로 안성맞춤이었다. 少(적을 소)가 표음요소임은 秒(초 초), 炒(볶을 초)도 마찬가지다. 후에 '간추리다'(sum up; summarize; digest), '거르다'(filter) 등으로 확대 사용됐다.

속뜻 훈음 ①베낄 초, ②뽑을 초.

초략 抄略 | 뽑을 초, 생략할 략

[condense; sum up]

❶속뜻 여럿 중에 뽑고[抄] 생략(省略)함. ❷글의 내용을 간추리고 생략함. ㊂발췌(拔萃).

초록 抄錄 | 뽑을 초, 기록할 록 [abstract]

필요한 대목만을 뽑아[抄] 기록(記錄)함. ㊊초기(抄記).

초본 抄本 | 뽑을 초, 책 본 [abstract; extract]

원본에서 일부 내용만을 뽑아서[抄] 베낀 문서[本]. ¶호적초본(戶籍抄本).

• 역순어휘

등초 謄抄 | =謄草, 베낄 등, 베낄 초

[transcribe; mimeograph]

원본에서 베껴(謄=抄) 옮김. ㊊등기(謄記).

발초 拔抄 | 뺄 발, 베낄 초

[quote (from); make extracts]

글 따위에서 필요한 대목을 가려 뽑아서[拔] 베낌[抄]. 또는 그런 내용.

별초 別抄 | 다를 별, 뽑을 초

역사 고려시대, 정규 군대 이외에 특별(特別)히 군사를 뽑아[抄] 조직한 군대. 명종 4년(1174)에 설치한 야별초가 그 시초이며, 뒤에 삼별초로 발전했다.

1633 [추]

抽

뽑을 추

㊙ 手부 ㊄ 8획 ㊥ 抽 [chōu]

抽자는 '(손으로) 끌어당기다'(pull nearer; drag in)는 뜻을 나타내기 위하여 만든 것이었으니, '손 수'(手⇒扌)가 표의요소로 쓰였고, 由(말미암을 유)가 표음요소임은 駎(달릴 추)도 마찬가지다. 후에 '뽑다'(pull), '거두어들이다'(harvest; crop) 등도 이것으로 나타냈다.

추상 抽象 | 뽑을 추, 모양 상 [abstract]

❶속뜻 외적 모양[象]을 뽑아낸[抽] 내적 속성이나 본질. ❷심리 여러 가지 사물이나 개념에서 공통되는 특성이나 속성 따위를 추출하여 파악하는 작용. ㊙구체(具體). 하나 더!! 抽象(추상)은 '외관에 집착하지 않다'는 뜻인 捨象(사:상)과 비슷한 점이 있다.

추첨 抽籤 | 뽑을 추, 제비 첨

[draw lots; hold a lottery]

제비[籤]를 뽑음[抽]. ¶복권 추첨 / 당첨자를 추첨하다.

추출 抽出 | 뽑을 추, 날 출

[abstract; extract; press out]

화학 용매를 써서 고체나 액체로부터 어떤 물질을 뽑아[抽] 냄[出]. ¶콩에서 추출한 단백질 성분.

1634 [탁]

托

맡길 탁

㊙ 手부 ㊄ 6획 ㊥ 托 [tuō]

托자는 손으로 '밀다'(push; thrust)는 뜻을 나타내기 위하여 만든 것이었으니 '손 수'(手)가 표의요소로 쓰였고, 乇(부탁할 탁)은 표음요소였다. 원래 拓(밀칠 탁)의 이체자였다가 독립하였다. 후에 표음요소의 뜻인 '맡기다'(entrust), '부탁하다'(beg; request)는 뜻으로도 쓰였고(託 #1976), '쟁반'(a tray; a server)을 이르기도

했다.
[속뜻훈음] ①맡길 탁, ②받칠 탁.

탁반 托盤 | 받칠 탁, 받침 반
[saucer for a wine cup]
술잔을 받치는[托] 데 쓰는 받침[盤]. [비]잔대(盞臺).

탁발 托鉢 | 맡길 탁, 바리때 발
[go about asking for alms]
❶[속뜻]밥그릇에 해당하는 바리때[鉢]를 남에게 맡기어[托] 걸식함. ❷[불교]승려들이 경문을 외면서 걸식으로 의식(衣食)을 해결하는 방법.

• 역순어휘

엽탁 葉托 | 잎 엽, 받칠 탁 [a calyx]
❶[속뜻]잎[葉]의 받침[托] 부분. ❷[식물]잎자루 밑에 붙은 한 쌍의 작은 잎. 눈이나 잎이 어릴 때 이를 보호하는 구실을 한다.

화탁 花托 | 꽃 화, 받칠 탁 [receptacle]
[식물]꽃[花]을 받치고[托] 있는 부분. [비]꽃받침.

1635 [파]

播
뿌릴 파(ː)
[部] 手부 [畫] 15획 [中] 播 [bō]

播자는 손으로 씨를 '뿌리다'(spread seed; sow seed)는 뜻을 나타내기 위하여 만든 것이었으니 '손 수'(手)가 표의요소로 쓰였다. 番(갈마들 번)이 표음요소임은 嶓(산 이름 파), 譒(펼 파)도 마찬가지다. 후에 '퍼뜨리다'(spread; diffuse; propagate; popularize)는 뜻도 따로 글자를 만들지 않고 이것으로 나타냈다.

파종 播種 | 뿌릴 파, 씨 종 [sow; seed]
논밭에 곡식의 씨앗[種]을 뿌림[播]. ¶보리는 가을에 파종한다.

파천 播遷 | 달아날 파, 옮길 천
[flee from the royal palace]
[역사]임금이 난을 피해 달아나[播] 자리를 옮김[遷]. [비]파월(播越).

• 역순어휘

전파 傳播 | 전할 전, 뿌릴 파 [spread; propagate]
전(傳)하여 널리 퍼뜨림[播]. ¶백제는 불교를 일본에 전파했다.

직파 直播 | 곧을 직, 뿌릴 파 [plan directly]
[농업]모를 못자리에서 기른 뒤 논밭으로 옮겨 심지 않고 씨를 직접(直接) 논밭에 뿌리는[播] 일.

1636 [파]

把
잡을 파(ː)
[部] 手부 [畫] 7획 [中] 把 [bǎ, bà]

把자는 손으로 꽉 '움켜쥐다'(grasp)는 뜻이니 '손 수'(手→扌)가 표의요소로 쓰였고, 巴(땅 이름 파)는 표음요소이다. 후에 '잡다'(hold)는 뜻으로도 확대 사용됐다.

파수 把守 | 잡을 파, 지킬 수 [watch; guard]
❶[속뜻]손에 무기를 쥐고[把] 성 따위를 지킴[守]. ❷경계하여 지킴. 또는 그러는 사람. ¶파수를 서다.

파악 把握 | 잡을 파, 쥘 악
[grasp; understand; comprehend]
❶[속뜻]손에 꽉 잡아[把] 쥠[握]. ❷어떤 일을 잘 이해하여 확실하게 앎. ¶그는 눈치가 없어서 분위기 파악을 못한다.

파장 把掌 | 잡을 파, 손바닥 장
❶[속뜻]손바닥[掌]을 잡음[把]. ❷[역사]조선 시대에, 납세자와 납세액을 양안에서 뽑아 다른 장부에 적던 일.

파지 把持 | 잡을 파, 가질 지 [grip; clench; clasp]
❶[속뜻]꽉 잡아[把] 움켜쥐고[持] 있음. 쥐고 있음. ❷[심리]경험에서 얻은 정보를 유지하고 있는 작용.

1637 [포]

抱
안을 포ː
[部] 手부 [畫] 8획 [中] 抱 [bào]

抱자는 '(손으로) 안다'(embrace)는 뜻을 나타내기 위하여 만든 것이었으니 '손 수'(手)가 표의요소로 쓰였다. 包(감쌀 포)는 표음과 표의를 겸하는 요소이다. 후에 마음속 등에 '품다'(bear)는 뜻으로도 확대 사용됐다.
[속뜻훈음] ①안을 포, ②품을 포.

포ː부 抱負 | 안을 포, 질 부
[aspiration; ambition]
❶[속뜻]품에 안거나[抱] 등에 짊어지고[負] 있음. ❷마음속에 품고 있는 생각이나 계획 또는 희망. ¶그는 큰 포부를 가지고 있다. [비]야망(野望).

포ː옹 抱擁 | 품을 포, 껴안을 옹 [embrace; hug]
가슴에 품거나[抱] 껴안음[擁]. ¶그들은 서로의 몸을 팔로 감싸며 포옹했다.

포:한 抱恨 | 품을 포, 원한 한
[harbor enmity toward]
원한(怨恨)을 품음[抱]. ¶그에게 그런 포한이 있었는지 그 아내도 몰랐다.

1638 [확]

擴

넓힐 확
㊛ 手부 ㊗ 18획 ㊥ 扩 [kuò]

擴자는 손으로 잡아끌어 '넓히다'(widen; broaden; extend)는 뜻을 나타내기 위하여 만든 것이었으니 '손 수'(手)가 표의요소로 쓰였다. 廣(넓을 광)은 표음요소인데 표의요소를 겸하니 一石二鳥(일석이조)의 효과를 지니는 셈이다.

확대 擴大 | 넓힐 확, 큰 대 [extend; increase]
늘여서[擴] 크게[大] 함. ¶확대 복사 / 사진을 확대하다. ㊐확장(擴張). ㊥축소(縮小).

확산 擴散 | 넓힐 확, 흩을 산 [spread; disseminate]
흩어져[散] 널리 퍼짐[擴]. ¶전염병이 전국으로 확산되었다.

확장 擴張 | 넓힐 확, 벌림 장 [extend; expand]
❶ 속뜻 넓게[擴] 벌림[張]. ❷범위나 세력 따위를 넓힘. ¶도로 확장 공사. ㊐확대(擴大). ㊥축소(縮小).

확충 擴充 | 넓힐 확, 채울 충 [expand; amplify]
겉을 넓히거나[擴] 속을 채우다[充]. ¶시설을 확충하다.

1639 [휴]

携

이끌 휴
㊛ 手부 ㊗ 13획 ㊥ 携 [xié]

携자는 본래 攜로 썼다. 손으로 '들다'(put up; hold up)는 뜻을 나타내기 위하여 만든 것이었으니 '손 수'(手)가 표의요소로 쓰였다. 巂(제비 휴, 총 18획)는 표음요소인데 획수가 많아 간단하게 줄였다고 한다. 후에 '이끌다'(command), '지니다'(take with)등으로 확대 사용됐다.

속뜻 훈음 ①들 휴, ②이끌 휴.

휴거 携擧 | 이끌 휴, 들 거
기독교 예수가 세상을 심판하기 위하여 재림할 때 구원받는 사람을 끌어[携] 공중으로 들어[擧] 올리는 것.

휴대 携帶 | 들 휴, 지닐 대
[carry (along with one)]
어떤 물건을 손에 들거나[携] 몸에 지님[帶]. ¶휴대전화 / 이 제품은 휴대하기 간편하다.

• 역순어휘

제휴 提携 | 들 제, 이끌 휴
[cooperate; tie up with]
행동을 함께 하기 위하여 서로 붙들어[提] 이끎[携]. ¶기술 제휴 / 외국 회사와 제휴하여 상품을 판매하다.

필휴 必携 | 반드시 필, 들 휴
[indispensableness]
꼭[必] 지녀야[携] 함. 반드시 지녀야 하는 것.

1640 [갈]

渴

목마를 갈
㊛ 水부 ㊗ 12획 ㊥ 渴 [kě]

渴자는 물이 '마르다'(dry up; get dry)는 뜻을 나타내기 위하여 만든 것이었으니 '물 수'(水)가 표의요소로 쓰였다. 曷(어찌 갈)은 표음요소이니 뜻과는 무관하다. 후에 '목마르다'(feel thirsty; have a dry throat)는 뜻도 따로 글자를 만들지 않고 편의상 이것으로 나타냈다.

갈구 渴求 | 목마를 갈, 구할 구 [desire eagerly]
갈망(渴望)하여 애타게 구(求)함.

갈망 渴望 | 목마를 갈, 바랄 망 [desire eagerly]
목말라[渴] 물을 찾듯이 간절히 바람[望]. ¶남북 통일을 갈망하다. ㊐열망(熱望).

갈증 渴症 | 목마를 갈, 증세 증 [thirst]
목이 마른[渴] 증세(症勢). ¶갈증이 나다. ㊐조갈(燥渴).

• 역순어휘

고갈 枯渴 | 마를 고, 목마를 갈
[be dried up; be exhausted]
❶ 속뜻 목마를[渴] 정도로 물기가 없음[枯]. ❷물자나 자금이 달림. ¶자원을 고갈시키다. ❸인정이나 정서 따위가 없어짐. 메마름. ¶상상력이 고갈되다. ㊥해갈(解渴).

1641 [람]

濫

넘칠 람:
㊛ 水부 ㊗ 17획 ㊥ 滥 [làn]

濫자는 강물이 '넘치다'(overflow;

brim over)는 뜻을 나타내기 위하여 만든 것이었으니 '물 수'(水)가 표의요소로 쓰였다. 監(볼 감)이 표음요소임은 藍(쪽 람), 籃(바구니 람)도 마찬가지다. '퍼지다'(spread; be diffused)는 뜻으로도 쓰인다.

속뜻훈음 ①넘칠 람, ②퍼질 람, ③함부로 람.

남:발 濫發 | 함부로 람, 쏠 발 [overissue]
❶속뜻 화폐나 증명서 따위를 함부로[濫] 발행(發行)함. ❷어떤 말이나 행동을 함부로 함. ¶지키지도 못할 약속을 남발하다.

남:용 濫用 | 함부로 람, 쓸 용 [abuse]
함부로[濫] 씀[用]. 마구 씀. ¶약물을 남용하다. ⓑ절용(節用).

남:획 濫獲 | 함부로 람, 잡을 획 [overfish; overhunt]
짐승이나 물고기 따위를 함부로[濫] 마구 잡음[獲]. ¶보호어류를 남획하다.

• 역순어휘

범:람 氾濫 | =汎濫, 넘칠 범, 퍼질 람 [flood; overflow]
❶속뜻 강물이 넘쳐[氾] 널리 퍼짐[濫]. ¶강이 범람하여 마을이 물에 잠겼다. ❷바람직하지 못한 것들이 많이 나돎. ¶무분별한 정보의 범람.

외:람 猥濫 | 함부로 외, 넘칠 람 [be presumptuous]
말이나 행동을 함부로[猥]하여 분수에 넘침[濫]. ¶외람되게 한 말씀 드립니다.

1642 [루]

淚 눈물 루:
部 水부 劃 11획 中 泪 [lèi]

淚자는 '눈물'(tears)을 뜻을 나타내기 위하여 만든 것이었으니 '물 수'(水)가 표의요소로 쓰였다. 하기야 눈물도 물은 물이니 그럴 듯하다. 戾(어그러질 려)는 표음요소였을 것으로 추정된다.

• 역순어휘

낙루 落淚 | 떨어질 락, 눈물 루 [dropping of tears]
눈물[淚]을 흘림[落]. 또는 그 눈물. ¶어머니는 낙루하면서 아들에게 편지를 썼다. ⓗ타루(墮淚).

촉루 燭淚 | 촛불 촉, 눈물 루 [candle drippings]
❶속뜻 초[燭]의 눈물[淚]. ❷'촛농'을 이르는 말.

최루 催淚 | 재촉할 최, 눈물 루 [causing tears]
❶속뜻 눈물[淚]을 재촉함[催]. ❷눈물을 흘리도록 자극함. ¶그 가루는 최루 효과가 약간 있다.

1643 [만]

漫 흩어질 만:
部 水부 劃 14획 中 漫 [màn]

漫자는 물이 '질펀하다'(watery)는 뜻을 나타내기 위하여 만들어진 것이니, '물 수'(水)가 표의요소로 쓰였다. 曼(끌 만)은 표음요소이니 뜻과는 무관하다. '흩어지다'(scatter), '멋대로'(as one pleases; arbitrarily) 등으로도 쓰인다.

속뜻훈음 ①흩어질 만, ②멋대로 만.

만:담 漫談 | 멋대로 만, 이야기 담 [comic chat]
재미있고 익살스럽게 멋대로[漫] 세상과 인정을 풍자하는 이야기[談].

만:평 漫評 | 멋대로 만, 평할 평 [desultory criticism]
일정한 형식이나 체계 없이 멋대로[漫] 하는 비평(批評). ¶시사 만평.

만:화 漫畫 | 멋대로 만, 그림 화 [cartoon]
일정한 형식 없이 사물의 특징만을 살려 멋대로[漫] 그린 그림[畫]. ⓗ만필화(漫筆畫). 하나 더!! 漫畫(만:화)는 漫筆畫(만필화)라고도 하는데, '멋대로 그린 그림'이라는 뜻인 독일어 Karikatur(카리카투어)를 일본사람들이 한자로 옮긴 것이라 한다.

• 역순어휘

낭:만 浪漫 | 물결 랑, 흩어질 만 [romantic]
❶속뜻 'romantic'의 한자 음역어 '浪漫蒂克'의 준말. ❷매우 정서적이며 이상적으로 사물을 파악하는 심리 상태나 그러한 분위기. ¶낭만을 즐기다 / 낭만적인 밤.

산:만 散漫 | 흩을 산, 멋대로 만 [loose; discursive]
정신이 어수선하게 흐트러지고[散] 멋대로[漫] 함. ¶내 동생은 주의가 산만하다.

1644 [박]

泊 머무를/배댈 박
部 水부 劃 8획 中 泊 [bó]

泊자는 물가에 '배를 대다'(stay at anchor)는 뜻을 나타내기 위하여 만든 것이었으니 '물 수'

(水)가 표의요소로 쓰였다. 白(흰 백)이 표음요소임은 廹(닥칠 박), 拍(칠 박)도 마찬가지다. 후에 '머무르다'(stay at; put up at)는 뜻으로도 확대 사용됐다.

속뜻훈음 ①머무를 박, ②묵을 박.

• 역순어휘

민박 民泊 | 백성 민, 머무를 박 [lodge at a house]
민가(民家)에 숙박(宿泊)함. ¶바닷가 근처에서 민박을 하다.

숙박 宿泊 | 잠잘 숙, 머무를 박 [lodge; stay]
남의 집 등에서 잠자고[宿] 머무름[泊]. ¶그는 친구 집에서 숙박했다.

외:박 外泊 | 밖 외, 묵을 박 [sleep out]
집이나 일정한 숙소에서 자지 아니하고 밖[外]에 나가서 잠[泊]. ¶그는 며칠 동안 부모님께 말씀드리지 않고 외박했다.

일박 一泊 | 한 일, 묵을 박 [stay overnight]
하루[一] 밤을 묵음[泊]. ¶일박 이일 / 우리는 목포에서 일박하고 제주로 떠났다.

정박 碇泊 | 닻 정, 머무를 박 [anchor; berth]
배가 닻[碇]을 내리고 머무름[泊]. ¶항구에는 배가 정박 중이다 / 배가 부두에 정박하고 있다.

1645 [섭]

涉

건널 섭
㊊ 水부 ㊐ 10획 ㊥ 涉 [shè]

涉자는 물[水]을 맨발로 걸어서[步] '건너다'(cross over)의 뜻이다. 갑골문에는 강물을 가리키는 水가 가운데 있고 그 양쪽 편에 발자국을 가리키는 止(지)가 각각 하나씩 있는 것이 참으로 실감나게 그려져 있다. 물, 즉 강은 예나 지금이나 영역의 경계를 나타내는 것으로 쓰이는 예가 많다. 그래서 물을 건넌다는 것은 남의 영역에 '관계하다'(relate to; concern)는 것을 의미하며, 실제로 이 글자가 그러한 뜻으로도 쓰였다.

속뜻훈음 ①건널 섭, ②관계할 섭.

섭렵 涉獵 | 건널 섭, 쫓아다닐 렵 [read extensively]
❶속뜻 물을 건너[涉] 이곳저곳 쫓아다님[獵]. ❷책을 이것저것 널리 읽음. ¶문헌을 널리 섭렵하다. ㊗박섭(博涉).

섭외 涉外 | 건널 섭, 밖 외 [liaison; arrangements]
외부(外部)와 연락이나 교섭(交涉)을 하는 일. ¶섭외와 홍보 업무를 맡다.

• 역순어휘

간섭 干涉 | 막을 간, 관여할 섭 [interfere]
❶속뜻 남의 일을 가로 막고[干] 참견하거나 관여함[涉]. ¶남의 일에 간섭하다. ❷물리 두 개 이상의 파(波)가 한 점에서 서로 만날 때 합쳐진 파의 진폭이 변하는 현상. ㊗참견(參見), 개입(介入), 관여(關與). ㊙방관(傍觀), 방임(放任).

교섭 交涉 | 서로 교, 관여할 섭 [negotiate; bargain]
어떤 일을 이루기 위하여 서로[交] 관여하여[涉] 의논함. ¶근무 조건을 놓고 교섭하다. ㊗타협(妥協), 협의(協議).

1646 [애]

涯

물가 애
㊊ 水부 ㊐ 11획 ㊥ 涯 [yá]

涯자는 강의 '물가'(the waterside)를 뜻하기 위한 것이었으니 '물 수'(水)가 표의요소로 쓰였다. 厓(언덕 애)는 표의와 표음을 겸하는 요소이니 一石二鳥(일석이조)의 효과를 지닌다. 물가는 대개 벼랑이나 언덕으로 이루어져 있으니, 표의요소로도 결함이 없고 음도 동일하니 안성맞춤이다. 후에 '끝'(the tip)을 이르는 것으로 확대 사용됐다.

속뜻훈음 ①물가 애, ②끝 애.

애안 涯岸 | 물가 애, 언덕 안 [riverside; shore]
바다, 강, 못 따위의 물가[涯]의 두둑[岸].

• 역순어휘

생애 生涯 | 살 생, 끝 애 [life; lifetime]
삶[生]이 끝날[涯] 때까지의 기간. 살아있는 한평생의 기간. ¶그를 만난 것은 내 생애 최고의 행운이다. ㊗일생(一生), 평생(平生).

수애 水涯 | 물 수, 물가 애 [waterside]
강이나 호수 따위의 물[水]의 가장자리[涯].

1647 [여]

汝

너 여:
㊊ 水부 ㊐ 6획 ㊥ 汝 [rǔ]

汝자는 중국 하남성에 있는 어떤 '강'(a river)을 이름 하기 위한 것이었으니 '물 수'(水)가 표의요소로 쓰였다. 女(여자 여)는 표음요소일 따름이다. 중국 고문에서는 제2인칭 '너'(you)를 지칭하는 것으로 많이 쓰였다. 그러나 조어력이 매우 낮아서 한자어 용례는 거의 없다.

여:등 汝等 | 너 여, 가지런할 등 [you(r)]
❶속뜻 너희[汝] 들[等]. ❷'너희'를 문어적으로 이르는 말.

1648 [영]

泳
헤엄칠 영:
部 水부 劃 8획 中 泳 [yǒng]

泳자는 본래 永(영, #0255)으로 썼다. 永은 본래 '헤엄치다'(swim; have a swim)는 뜻을 나타내기 위하여 물[水]에서 헤엄을 치고 있는 사람[亻]의 모습을 본뜬 것이었는데, 다른 뜻으로 쓰이는 예가 많아지자 그 본래 의미를 더욱 확실하게 나타내기 위하여 표의요소로 '물 수'(水)를 다시 덧붙인 것이 바로 '泳'이다.

• 역순어휘

수영 水泳 | 물 수, 헤엄칠 영 [swim]
운동 스포츠나 놀이로 물[水] 속을 헤엄치는 일[泳]. 비 헤엄.

접영 蝶泳 | 나비 접, 헤엄칠 영 [butterfly stroke]
운동 두 손을 동시에 앞으로 뻗쳐 나비[蝶]처럼 물을 아래로 끌어내리고 양다리를 모아 상하로 움직이며 발등으로 물을 치면서 나아가는 수영(水泳).

평영 平泳 | 평평할 평, 헤엄칠 영 [breaststroke]
운동 엎드린 자세로 두 팔을 수평(水平)으로 원을 그리듯이 움직이고, 다리는 개구리처럼 오므렸다 폈다 하며 치는 헤엄[泳]. ¶나는 평영을 가장 잘 한다.

배:영 背泳 | 등 배, 헤엄칠 영 [backstroke]
운동 등[背]을 대고 눕듯이 하여 치는 헤엄[泳].

1649 [오]

汚
더러울 오:
部 水부 劃 6획 中 污 [wū]

汚자는 흐르지 않고 '고여 있는 물'(not flowing water)을 뜻하기 위한 것이었으니 '물 수'(水)가 표의요소로 쓰였다. 오른쪽의 것은 于(어조사 우)의 本字(본자)인 亏의 변형으로 표음요소 역할을 하는 것임은 圬(흙손 오), 扝(끌어당길 오)의 경우도 마찬가지다. 흐르지 않고 고여 있는 물은 대개 썩어서 더럽게 마련이었기에 '더럽다'(polluted; tainted)는 뜻도 이것으로 나타낸 것은 참으로 지당한 것이었다.

오:명 汚名 | 더러울 오, 이름 명 [dishonor]
더러워진[汚] 이름[名]이나 영예(榮譽). ¶그는 배신자라는 오명을 쓰게 되었다.

오:물 汚物 | 더러울 오, 만물 물 [garbage]
지저분하고 더러운[汚] 물건(物件). 쓰레기나 배설물 따위. ¶오물 처리 시설 / 오물을 함부로 버리지 마시오.

오:염 汚染 | 더러울 오, 물들일 염 [contaminate; pollute]
물·공기·흙 따위가 더럽게[汚] 물듦[染]. ¶이 지역은 지하수 오염이 심각한 상태이다 / 자동차 배기가스는 공기를 오염시킨다.

오:점 汚點 | 더러울 오, 점 점 [stain]
❶속뜻 더러운[汚] 점(點). ❷명예롭지 못한 흠이나 결점. ¶6·25는 우리 역사에 동족상잔의 오점을 남겼다.

1650 [읍]

泣
울 읍
部 水부 劃 8획 中 泣 [qì]

泣자는 소리는 내지 않고 '눈물을 흘리며 울다'(weep)는 뜻을 나타내기 위하여 만든 것이었으니 '물 수'(水)가 표의요소로 쓰였다. 立(설 립)은 표음요소였다고 하는데, 후에 음이 달라졌다. 참고로 '크게 소리 내며 울다'(cry)는 뜻은 '哭'자로 나타냈으니, 泣과 哭(곡, #1071)의 차이가 자형에 참으로 잘 반영되어 있다.

읍소 泣訴 | 울 읍, 하소연할 소 [appeal to]
어려운 사정을 울며[泣] 간절히 하소연함[訴].

읍청 泣請 | 울 읍, 청할 청 [sincerely beg]
울면서[泣] 간절히 청(請)함.

• 역순어휘

감:읍 感泣 | 느낄 감, 울 읍 [be moved to tears]
감격(感激)하거나 크게 감동(感動)하여 욺[泣]. ¶그녀의 진심에 모두들 감읍했다. 비 읍감(泣感). 감체(感涕).

곡읍 哭泣 | 울 곡, 울 읍 [cry sadly]
소리 내어 욺[哭]과 흐느끼며 욺[泣]. 몹시 슬피 욺. ¶그녀는 삼년시묘를 하는 동안 하루같이 곡읍했다.

1651 [적]

滴

물방울 적

㊙ 水부 ㊞ 14획 ㊥ 滴 [dī]

滴자는 '물방울'(a drop of water; a waterdrop)을 뜻하기 위한 것이었으니 '물 수'(水)가 표의요소로 쓰였다. 啇(뿌 시)의 변형인 오른편의 것이 표음요소로 쓰인 것은 適(갈 적), 摘(딸 적)도 마찬가지다.

적정 滴定 | 물방울 적, 정할 정 [(intravenous) drip]
화학 물방울을 떨어뜨려[滴] 정량(定量) 분석을 하는데 사용되는 중요한 조작의 한 가지. ⓑ점적(點滴).

• 역순어휘

연:적 硯滴 | 벼루 연, 물방울 적 [water dropper for preparing ink]
벼루[硯] 물[滴]을 담는 그릇.

1652 [첨]

添

더할 첨

㊙ 水부 ㊞ 11획 ㊥ 添 [tiān]

添자는 물을 '더하다'(increase; grow)는 뜻을 나타내기 위하여 만든 것이었으니 '물 수'(水)가 표의요소로 쓰였다. 忝(더럽힐 첨)은 표음요소로 뜻과는 무관하다.

첨가 添加 | 더할 첨, 더할 가 [add]
이미 있는 데에 덧붙이거나[添] 보탬[加]. ¶방부제를 첨가하지 않은 제품. ⓟ삭제(削除).

첨부 添附 | 더할 첨, 붙을 부 [attach; append]
주로 문서나 안건 따위에 더하거나[添] 덧붙임[附]. ¶첨부된 문서를 참조하다.

첨삭 添削 | 더할 첨, 깎을 삭 [correct; edit]
시문이나 답안 따위를 첨가(添加)하거나 삭제(削除)함. ¶첨삭지도 / 편집부장이 원고의 내용을 첨삭했다.

1653 [탁]

濁

흐릴 탁

㊙ 水부 ㊞ 16획 ㊥ 浊 [zhuó]

濁자는 물이 '흐리다'(muddy; turbid)는 뜻을 나타내기 위하여 만든 것이었으니 '물 수'(水)가 표의요소로 쓰였다. 蜀(나라 이름 촉)이 표음요소로 쓰인 것은 斀(형벌 탁), 鐲(징 탁)도 마찬가지다. 물이 '맑음'(clear; clean)을 뜻하는 清(청)의 반대 개념으로 쓰인다.

탁주 濁酒 | 흐릴 탁, 술 주 [unrefined rice wine]
빛깔이 흐린[濁] 술[酒]. 맑은 술을 떠내지 아니하고 그대로 걸러짠 술로 빛깔이 흐리다. 막걸리.

• 역순어휘

둔:탁 鈍濁 | 무딜 둔, 흐릴 탁 [dull; blunt]
❶ 속뜻 소리가 굵고[鈍] 거친[濁]것. ❷성질이 굼뜨고 흐리멍텅함.

오:탁 五濁 | 다섯 오, 흐릴 탁 [five low minds]
불교 세상의 다섯[五] 가지 더러움[濁]. 명탁(命濁), 중생탁(衆生濁), 번뇌탁(煩惱濁), 견탁(見濁), 겁탁(劫濁)을 이른다.

청탁 清濁 | 맑을 청, 흐릴 탁 [purity and impurity; clear and raw rice wine]
❶ 속뜻 맑음[清]과 흐림[濁]. ❷ 언어 '청음'과 '탁음'을 아울러 이르는 말. ❸'청주'와 '탁주'를 아울러 이르는 말.

혼:탁 混濁 | 섞을 혼, 흐릴 탁 [muddy; turbid]
❶ 속뜻 불순한 것들이 섞여[混] 흐림[濁]. ¶강물의 혼탁을 막다 / 매연으로 공기가 혼탁해졌다. ❷정치나 사회현상 따위가 어지럽고 흐림. ¶혼탁 선거 / 혼탁한 사회.

1654 [탁]

濯

씻을 탁

㊙ 水부 ㊞ 17획 ㊥ 濯 [zhuó]

濯자는 물로 '씻다'(wash; cleanse)는 뜻을 나타내기 위하여 만든 것이었으니 '물 수'(水)가 표의요소로 쓰였다. 翟(꿩 적)이 표음요소로 쓰인 것은 擢(뽑을 탁), 蠗(작은 조개 탁)도 마찬가지다.

속뜻 훈음 씻을 탁.

• 역순어휘

세:탁 洗濯 | 씻을 세, 씻을 탁 [wash; launder]
옷이나 직물을 빨음[洗=濯]. ¶이 옷은 세탁해도 줄어들지 않습니다.

1655 [표]

漂

떠다닐 표

㊙ 水부 ㊞ 14획

㊥ 漂 [piāo, piǎo]

漂자는 물위에 '떠다니다'(drift about; be adrift)는 뜻을 나타내기 위하여 만든 것이었으니 '물 수'(水)가 표의요소로 쓰였다. 票(불똥 튈 표)는 표음요소로 뜻과는 무관하다. '빨래하다'(wash)는 뜻으로도 쓰인다.

속뜻 훈음 ①떠다닐 표, ②빨래할 표.

표류 漂流 | 떠다닐 표, 흐를 류 [drift; wander]
물에 떠서[漂] 흘러감[流]. ¶바다에서 배가 일주일째 표류했다.

표백 漂白 | 빨래할 표, 흰 백 [bleach]
❶속뜻 하얗게[白] 되도록 빨래함[漂]. ❷종이나 피륙 따위를 바래거나 화학 약품으로 탈색하여 희게 함. ¶옷감을 표백하다.

표석 漂石 | 떠다닐 표, 돌 석 [erratic block]
❶광업 땅 위로 드러나 있다가 풍화작용으로 떨어져 나가 빙하에 의하여 하류까지 떠다녀[漂] 운반된 광석(鑛石) 조각. ❷지리 빙하의 작용으로 운반되었다가 빙하가 녹은 뒤에 그대로 남게 된 바윗돌.

• 역순어휘

부표 浮漂 | 뜰 부, 떠다닐 표 [float; drift]
물에 떠서[浮] 떠돌아다님[漂]. ¶부표식물.

1656 [개]

慨

슬퍼할 개:
部 心부 劃 14획 中 慨 [kǎi]

慨자는 마음먹기와 상관이 깊은 '슬퍼하다'(regret)는 뜻을 나타내기 위하여 만든 것이었으니 '마음 심'(心)이 표의요소로 쓰였다. 旣(이미 기)가 표음요소임은 槪(평미레 개), 漑(물댈 개)도 마찬가지다. 慨는 특히 힘센 壯士(장:사)가 뜻을 얻지 못하여 슬퍼하는 것을 이른다는 설이 있다.

개:탄 慨歎 | =慨嘆, 슬퍼할 개, 한숨지을 탄 [deplore; regret]
분하거나 슬퍼하여[慨] 한숨지음[歎]. ¶개탄의 소리 / 정치권의 부패를 개탄하다.

• 역순어휘

감:개 感慨 | 느낄 감, 슬퍼할 개 [be deeply moved]
❶속뜻 깊이 느끼어[感] 슬퍼함[慨]. ❷마음속 깊이 사무치는 느낌. ¶무사히 돌아와 감개가 무량하였다.

분:개 憤慨 | 분할 분, 슬퍼할 개 [indignant; be enraged]
몹시 분(憤)하여 슬퍼함[慨]. 또는 분하게 여김. ¶너무나 분개한 나머지 고함을 질렀다.

1657 [괴]

愧

부끄러울 괴:
部 心부 劃 13획 中 愧 [kuì]

愧자는 마음으로 '부끄러워하다'(feel ashamed; feel shame)는 뜻이다. 원래 媿(괴)자로 쓰다가 '여자 여'(女)가 '마음 심'(忄)으로 바뀌어졌다. 여자만 부끄러움이 있는 것은 아니니 잘 고쳐진 셈이다. 鬼(귀신 귀)가 표음요소임은 魁(수령 괴)도 마찬가지다.

• 역순어휘

면:괴 面愧 | 낯 면, 부끄러울 괴 [shamefaced; ashamed; abashed]
남의 얼굴[面]을 마주치기 부끄러움[愧]. 비송구(悚懼).

자괴 自愧 | 스스로 자, 부끄러울 괴 [be ashamed]
스스로[自] 부끄럽게[愧] 생각함.

참괴 慙愧 | 부끄러울 참, 부끄러울 괴 [feel shame; be ashamed]
부끄러워함[慙=愧]. 부끄럽게 여김.

1658 [구]

懼

두려워할 구
部 心부 劃 21획 中 惧 [jù]

懼자는 마음을 떨며 '두려워하다'(fear; be afraid of; dread)는 뜻을 나타내기 위하여 만든 것이었으니 '마음 심'(心)이 표의요소로 쓰였다. 瞿(볼 구)는 표음요소이니 뜻과는 무관하다.

• 역순어휘

삼구 三懼 | 석 삼, 두려워할 구
임금이 조심해야[懼] 할 세[三] 가지 일. 곧 아랫사람의 말을 참고하지 않는 일, 연로(年老)하여 교만해지는 일, 듣기만 하고 행하지는 않는 일을 이른다.

송:구 悚懼 | 두려워할 송, 두려워할 구 [be much obliged to; be sorry regret]
미안하고 두렵다[悚=懼]. ¶송구한 마음 / 과분하게 칭찬하니 송구스럽습니다.

의구 疑懼 | 의심할 의, 두려워할 구
[doubt; suspect]
의심(疑心)하고 두려워함[懼]. ¶의구를 품다.

1659 [기]

忌

꺼릴 기
(部) 心부 (劃) 7획 (中) 忌 [jì]

忌자는 '(마음 속 깊이) 미워하다'(hate; detest)는 뜻이었으니 '마음 심'(心)이 표의요소이고, 己(자기 기)는 표음요소이다. '꺼리다'(avoid; dislike), '미워하다'(hate) 등으로 확대 사용됐다.
속뜻훈음 **①꺼릴 기, ②미워할 기.**

기일 忌日 | 꺼릴 기, 날 일
[anniversary of (a person's) death]
❶속뜻 꺼려야[忌] 할 일이 많은 날[日]. ❷해마다 돌아오는 제삿날.

기탄 忌憚 | 꺼릴 기, 꺼릴 탄 [scruple; reserve]
꺼림[忌=憚]. 어려워함. ¶기탄없이 의견을 말하다.

기피 忌避 | 꺼릴 기, 피할 피 [avoid; evade; shirk]
❶속뜻 싫어하거나 꺼리어[忌] 피함[避]. ❷공공의 책임이나 의무를 거부하는 일. ¶병역을 기피하다. (비)위피(違避).

• 역순어휘 ―――――――――――――――――――― •

금:기 禁忌 | 금할 금, 꺼릴 기 [taboo]
❶속뜻 신앙이나 관습 등으로 금(禁)하거나 꺼림[忌]. ❷어떤 약이나 치료법이 좋지 않은 것으로 여겨 쓰지 않는 일.

시기 猜忌 | 샘할 시, 미워할 기
[be jealous of; be envious of; envy]
시샘하여[猜] 미워함[忌]. ¶사람들은 그의 성공을 시기했다. (비)샘, 질투.

투기 妒忌 | 시기할 투, 미워할 기 [envy; jealous]
시기하고[妒] 미워함[忌]. 또는 강샘을 함. ¶투기를 부리다.

1660 [뇌]

惱

번뇌할 뇌
(部) 心부 (劃) 12획 (中) 恼 [nǎo]

惱자는 1,000살 정도 밖에 안 된 것이니 비교적 젊은 글자다. '마음 심'(忄=心)은 표의요소인데, 오른쪽 것은 표음요소라는 설(碯·마노 뇌), 災(재앙 재)의 변형이라는 설, 머리에 털이 난 모양이라는 설 등이 있다. '괴롭다'(painful; strenuous)는 뜻으로 많이 쓰인다.
속뜻훈음 **괴로울 뇌.**

뇌쇄 惱殺 | 괴로울 뇌, 빠를 쇄
[captivate; fascinate; enchant]
❶속뜻 괴로움[惱]이 빠르게 심해짐[殺]. ❷애가 타도록 몹시 괴로워함. 또는 그렇게 괴롭힘. 특히 여자의 아름다움이 남자를 매혹시켜 애가 타게 함을 이른다. ¶사람을 뇌쇄시킬 듯한 매력.

• 역순어휘 ―――――――――――――――――――― •

고뇌 苦惱 | 쓸 고, 괴로울 뇌 [suffer]
쓰라림[苦]과 괴로움[惱]. 괴로운 번뇌. ¶고뇌에 찬 얼굴을 하다. (비)고민(苦悶).

번뇌 煩惱 | 답답할 번, 괴로울 뇌
[troubles; anxiety; pains]
가슴이 답답함[煩]과 마음이 괴로움[惱]. ¶번뇌와 망상을 버려야 마음이 맑아진다.

오:뇌 懊惱 | 한할 오, 괴로워할 뇌
[be agonized; be in agony]
뉘우쳐 한탄하고[懊] 번뇌(煩惱)함. ¶견디기 어려운 오뇌 속으로만 빠져 들어갔다.

1661 [만]

慢

거만할 만
(部) 心부 (劃) 14획 (中) 慢 [màn]

慢자는 '게으르다'(lazy; idle; indolent)가 본뜻이다. 게으른 것이 원초적으로 마음에서 비롯되므로 '마음 심'(忄)이 표의요소로 쓰였고, 曼(끌 만)은 표음요소이다. 후에 '건방지다'(impudent; cheeky)는 뜻으로도 확대 사용됐다.
속뜻훈음 **①게으를 만, ②느릴 만, ③건방질 만.**

만성 慢性 | 느릴 만, 성질 성 [chronic]
병 따위가 느리게[慢] 악화되는 성질(性質). (반)급성(急性). ¶만성위염으로 시달리다.

• 역순어휘 ―――――――――――――――――――― •

거:만 倨慢 | 뽐낼 거, 건방질 만 [proud]
잘난 체 뽐내며[倨] 건방지게[慢] 굴다. ¶거만한 태도. (비)교만(驕慢), 오만(傲慢). (반)겸손(謙遜).

교만 驕慢 | 버릇없을 교, 건방질 만
[haughty; arrogant]

버릇없고[驕] 건방짐[慢]. ¶그는 교만해서 사과를 하지 않았다. ㊇오만(傲慢), 방자(放恣). ㊉겸손(謙遜).

오:만 傲慢 | 업신여길 오, 건방질 만 [arrogant; haughty]
❶속뜻 남을 업신여기고[傲] 거만(倨慢)함. ❷건방지고 거만함. 또는 그 태도나 행동. ¶오만방자한 인간 같으니 / 그는 오만한 말투로 말했다. ㊇교만(驕慢), 거만(倨慢). ㊉겸손(謙遜).

완:만 緩慢 | 느릴 완, 게으를 만 [be slow; be easy]
❶속뜻 느리고[緩] 게으름[慢]. ❷행동이 느릿느릿하다. ¶완만한 동작. ❸경사가 급하지 않다. ¶완만한 언덕길. ㊉빠르다, 신속(迅速)하다.

자만 自慢 | 스스로 자, 건방질 만 [self conceit]
스스로[自] 건방지게[慢] 행동함. ¶상대 팀이 아무리 약해도 자만은 금물이다. ㊉겸손(謙遜).

태만 怠慢 | 게으를 태, 게으를 만 [negligent]
맡은 바 일 따위를 게을리 하다[怠=慢]. ¶수업에 태만하다 / 직무를 태만히 하다. ㊉근면(勤勉), 성실(誠實).

1662 [망]

忙
바쁠 망
㊀心부 ㊁6획 ㊥忙 [máng]

忙자는 '정신없이 바쁘다'는 우리말과 일맥상통한 점이 있다. '마음 심'(心⇒忄)과 '없을 망'(亡)이 합쳐진 것으로 '바쁘다'(busy)는 뜻을 나타냈으니 말이다. '亡'은 표음요소도 겸하니 一石二鳥(일석이조)인 셈이다. '마음 심'(心)과 '없을 망'(亡)이 상하로 조합되면 '잊을 망'(忘)자가 된다. 동일 표의요소들이 어떤 구조로 조합되느냐에 따라 뜻이 달라지는 매우 흥미로운 예다. 참고로 '충성할 충'(忠)과 '근심할 충'(忡)도 이에 속한다.

망월 忙月 | 바쁠 망, 달 월 [busy month]
농사일로 바쁜[忙] 달[月]. ¶망월이라 시간을 내기가 어렵다.

망중 忙中 | 바쁠 망, 가운데 중 [busy schedule]
바쁜[忙] 가운데[中]. ¶망중에 찾아 주셨군요.

• 역순어휘

다망 多忙 | 많을 다, 바쁠 망 [be busy]
일이 매우 많고[多] 바쁨[忙]. ¶다망한데도 참석해주셔서 감사합니다.

분망 奔忙 | 달릴 분, 바쁠 망 [very busy; busily occupied]
바쁘게[忙] 돌아다님[奔]. 몹시 바쁨. ¶잔치 준비로 분망하다.

총망 悤忙 | 바쁠 총, 바쁠 망 [very busy; hurried; rushed]
매우 바쁨[悤=忙]. ¶총망중에 찾아와 주셔서 감사합니다.

황망 慌忙 | 다급할 황, 바쁠 망 [hurried; flurried]
다급하고[慌] 바쁨[忙]. 몹시 바쁨. ¶황망히 어디론가 사라졌다.

1663 [망]

忘
잊을 망
㊀心부 ㊁7획 ㊥忘 [wàng]

忘자는 마음[心]에 남아 있지 아니함[亡], 즉 '잊다'(forget)는 뜻을 나타내기 위하여 만든 것이었으니 '마음 심'(心)이 표의요소로 쓰였다. 亡(없을 망)은 표음과 표의를 겸하는 요소이다.

망각 忘却 | 잊을 망, 물리칠 각 [forget; consign to oblivion]
잊어[忘] 버림[却]. ¶인간은 망각의 동물이다 / 학생의 본분을 망각하다. ㊇망실(忘失), 망치(忘置).

망년 忘年 | 잊을 망, 나이 년 [indifference to age]
❶속뜻 나이[年]를 잊음[忘]. ❷그해의 온갖 괴로운 일을 잊음. ¶망년의 모임을 갖다.

• 역순어휘

건:망 健忘 | 튼튼할 건, 잊을 망 [oblivion]
❶속뜻 몸은 튼튼한데[健] 정신이 허약하여 잘 잊어버림[忘]. ❷의학 건망증(健忘症).

1664 [민]

憫
민망할 민
㊀心부 ㊁15획 ㊥悯 [mǐn]

憫자는 마음으로 '걱정하다'(feel anxiety; be anxious)는 뜻을 나타내기 위하여 만든 것이었으니 '마음 심'(心)이 표의요소로 쓰였다. 閔(위문할 민)은 표음요소인데, 의미와 전혀 무관하지는 않다. 후에 '불쌍하다'(sad; feel awkward)는 뜻으로 확대 사용됐다.

속뜻훈음 **불쌍할 민.**

민망 憫惘 | 불쌍할 민, 멍할 망 [embarrassed]
❶속뜻 불쌍하여[憫] 정신이 멍해지다[惘]. ❷답답하고 딱하여 안타깝다. ¶보기에 민망하다 / 너무 민망하여

할 말을 잊었다. [비]민연(憫然).

민휼 憫恤 | 불쌍할 민, 구휼할 휼
[help the needy]
불쌍히[憫] 여겨 도와[恤]줌.

• 역순어휘

연민 憐憫 | =憐愍, 가엾을 련, 불쌍할 민
[pity; sympathize (with)]
가엾고[憐] 불쌍하게[憫] 여김. 또는 그런 마음. ¶그에게 연민을 느끼다.

1665 [련]

憐
불쌍히 여길 련
[部] 心부 [劃] 15획 [中] 怜 [lián]

憐자는 '가엾게 여기다'(take pity on)는 뜻을 나타내기 위하여 만든 것이었으니 '마음 심'(心)이 표의요소로 쓰였다. 오른편의 것이 표음요소임은 膦(힘없을 련)도 마찬가지다. '가엾다'(pitiful; pitiable)는 뜻으로도 쓰인다.

[속뜻훈음] 가엾을 련.

연민 憐憫 | =憐愍, 가엾을 련, 불쌍할 민
[pity; sympathize (with)]
가엾고[憐] 불쌍하게[憫] 여김. 또는 그런 마음. ¶그에게 연민을 느끼다.

• 역순어휘

가:련 可憐 | 가히 가, 가엾을 련
[poor; pitiful]
가(可)히 가엽게[憐] 여길 만하다. ¶늙고 병든 가련한 노인. [비]딱하다, 가엾다, 불쌍하다.

애련 哀憐 | 슬플 애, 가엾을 련
[pathetic; touching]
애처롭고[哀] 가엾게 여김[憐].

1666 [유]

惟
생각할 유
[部] 心부 [劃] 11획 [中] 惟 [wéi]

惟자는 '생각하다'(think)는 뜻을 나타내기 위하여 '마음 심'(心)을 표의요소로 채택한 것은, 너무나 지당한 일이 아닐까. 마음에 없는 생각은 있을 수 없으니 말이다. 隹(새 추)가 표음요소임은 唯(오직 유), 維(바 유)도 마찬가지다. '오직'(simply; only)의 뜻으로도 쓰인다.

[속뜻훈음] ①오직 유, ②생각할 유.

유독 惟獨 | 오직 유, 홀로 독
[only; singly; uniquely]
❶[속뜻] 오직[惟] 홀로[獨]. ❷유달리 두드러짐. ¶많은 사람 가운데 유독 그녀가 눈에 띄었다.

• 역순어휘

사유 思惟 | 생각 사, 생각할 유
[think about; consider]
❶[속뜻] 생각하고[思] 꾀함[惟]. 두루 생각함. ❷[철학] 개념, 구성, 판단, 추리 따위를 행하는 인간의 이성 작용.

1667 [유]

愈
나을 유
[部] 心부 [劃] 13획 [中] 愈 [yù]

愈·癒(유)·瘉(유), 이 세 글자는 모두 '병이 낫다'(get well; recover from one's illness)는 의미로 쓰인다. 원래 瘉자로 썼는데, 후에 愈 또는 癒로도 썼다.

[속뜻훈음] 나을 유.

유착 癒着 | 병 나을 유, 붙을 착
[adhere; have a cozy relationship]
❶[속뜻] 병이 나아[癒] 살이 붙음[着]. ❷[의학] 서로 떨어져 있어야 할 피부나 막 등이 염증으로 말미암아 들러붙는 일. ❸어떠한 관계 또는 사물이 아주 밀접하게 결합되는 일. ¶정경 유착.

• 역순어휘

치유 治癒 | 다스릴 치, 병 나을 유
[cure; heal; recover]
치료(治療)하여 병이 나음[癒]. ¶상처는 점차 치유되었다.

쾌유 快癒 | 빠를 쾌, 병 나을 유
[recover completely]
병이 빨리[快] 다 나음[癒]. ¶선생님의 쾌유를 빌었다. [비]쾌차(快差).

1668 [자]

恣
마음대로/방자할 자(:)
[部] 心부 [劃] 10획 [中] 恣 [zì]

恣자는 '마음대로 하다'(impudent; willful)는 뜻을 나타내기 위하여 만든 것이었으니 '마음 심'(心)이 표의요소로 채택한 것은 참으로 합당한 것이었다. 次(버금 차)가 표음요소임은 資(재물 자), 姿(맵시 자)도 마찬가지다.

자의 恣意 | 마음대로 자, 뜻 의 [as one pleases]
제멋대로[恣] 하는 생각[意]. 자기 마음대로

• 역순어휘

방:자 放恣 | 내칠 방, 마음대로 자
[impudent; uppish]
❶속뜻 내치는[放] 대로 마음대로[恣] 함. ❷꺼리거나 삼가는 태도가 없이 건방지다. ¶방자한 행동 / 방자하게 굴다.

1669 [징]

懲
징계할 징
部 心부 劃 19획 中 惩 [chéng]

懲자는 '혼내다'(scold; blame)는 뜻을 나타내기 위한 것인데, '마음 심'(心)이 표의요소로 쓰인 것은 마음을 달리 먹도록 하기 위함이었을 것이다. 徵(부를 징)은 표음요소이다.
속뜻풀음 혼낼 징.

징계 懲戒 | 혼낼 징, 경계할 계
[punish; reprimand]
❶속뜻 허물이나 잘못을 뉘우치도록 혼내어[懲] 경계(警戒)함. ❷부정이나 부당한 행위에 대하여 제재를 가함. ¶반칙을 한 선수는 징계를 받는다.

징벌 懲罰 | 혼낼 징, 벌할 벌 [punish]
❶속뜻 혼내는[懲] 뜻으로 벌(罰)을 줌. ❷옳지 아니한 일을 하거나 죄를 지은 데 대하여 벌을 줌. 또는 그 벌. ¶악한 자를 징벌하다.

징역 懲役 | 혼낼 징, 부릴 역
[penal servitude]
법률 죄인을 교도소에 가두고 징계(懲戒)의 수단으로 노역(勞役)을 시키는 형벌. ¶징역을 살면서 죄를 뉘우치다.

• 역순어휘

응:징 膺懲 | 가슴 응, 혼낼 징
[punish]
❶속뜻 마음[膺] 깊이 뉘우치도록 혼냄[懲]. ❷잘못을 깨우쳐 뉘우치도록 징계(懲戒)함. ¶동학군은 탐관오리를 응징했다.

1670 [참]

慘
참혹할 참
部 心부 劃 14획 中 惨 [cǎn]

慘자는 마음에 느끼기에 '끔찍하다'(horrible; cruel)는 뜻을 나타내기 위하여 만든 것이었으니 '마음 심'(心)이 표의요소로 쓰였다. 參(간여할 참)은 표음요소이니 뜻과는 무관하다. '참혹하다'(brutal; inhuman) 또는 이와 의미상 연관이 있는 낱말의 한 구성요소로도 쓰인다.
속뜻풀음 ①끔찍할 참, ②참혹할 참.

참극 慘劇 | 끔찍할 참, 연극 극
[tragedy; tragic event]
❶속뜻 끔찍하고[慘] 극적(劇的)인 사건. ❷참혹한 일이나 사건을 연극에 비유하여 이르는 말. ¶많은 사람이 죽거나 다치는 참극이 일어났다.

참담 慘憺 | 끔찍할 참, 비참할 담
[terrible; horrible]
❶속뜻 끔찍하고[慘] 비참함[憺]. ¶그들의 삶은 몹시 참담했다. ❷몹시 슬프고 괴로움. ¶참담한 실패.

참변 慘變 | 참혹할 참, 바뀔 변
[disastrous accident; tragic incident]
참혹(慘酷)한 변고(變故). ¶전쟁이라는 참변을 당하였다.

참사 慘事 | 참혹할 참, 일 사
[disaster; tragedy; terrible accident]
참혹(慘酷)한 사건(事件). ¶한 순간의 부주의로 참사가 일어날 수 있다.

참상 慘狀 | 참혹할 참, 형상 상
[horrible scene; sad situation]
참혹(慘酷)한 모양이나 상태(狀態). ¶태풍이 지나간 뒤의 참상은 눈 뜨고 볼 수 없었다.

참패 慘敗 | 참혹할 참, 패할 패
[be crushed; be completely defeated]
참혹(慘酷)하게 패(敗)함. ¶대군을 이끌고 왔으나 참패를 당하고 돌아갔다. 비 대패(大敗). 반 쾌승(快勝).

참혹 慘酷 | 끔찍할 참, 독할 혹
[cruel; miserable; pitiable]
끔찍하고[慘] 독하다[酷]. ¶그 영화는 너무 참혹한 장면이 많다.

• 역순어휘

무참 無慘 | 없을 무, 참혹할 참 [cruel; miserable]
더없이[無] 참혹(慘酷)하다. ¶무참한 죽음.

비:참 悲慘 | 슬플 비, 참혹할 참
[miserable; wretched]
매우 슬프고[悲] 참혹(慘酷)함. ¶비참한 생활.

처참 悽慘 | 슬퍼할 처, 참혹할 참
[horrible; appalling; gruesome]
매우 슬프고[悽] 참혹(慘酷)하다. ¶사고가 난 처참한 광경.

1671 [참]

慙

부끄러울 참
(部) 心부 (劃) 15획 (中) 惭 [cǎn]

慙자는 마음으로 '부끄러워하다'(be ashamed)는 뜻을 나타내기 위하여 만든 것이었으니 '마음 심'(心)이 표의요소로 쓰였고, 斬(벨 참)은 표음요소이니 뜻과는 무관하다. 상하가 아니라 좌우 구조인 慚으로 쓰기도 한다.

참괴 慙愧 | 부끄러울 참, 부끄러울 괴
[feel shame; be ashamed]
부끄러워함[慙=愧]. 부끄럽게 여김.

참사 慙死 | 부끄러울 참, 죽을 사 [die of shame]
부끄러워[慙] 죽을[死] 지경에 이름. ¶너무 부끄러워 참사할 정도였다.

참회 慙悔 | 부끄러울 참, 뉘우칠 회
[repent; penitent]
부끄럽게[慙] 여겨 뉘우침[悔]. ¶참회하여 죄를 용서 받다.

• 역순어휘

무참 無慙 | 없을 무, 부끄러울 참
[shameful supremely]
더없이[無] 부끄러움[慙]. 무자비하다. ¶보기에도 무참할 정도였다.

1672 [태]

怠

게으를 태
(部) 心부 (劃) 9획 (中) 怠 [dài]

怠자는 '게으르다'(lazy; idle)는 뜻을 나타내기 위한 것인데, 왜 '마음 심'(心)이 표의요소로 쓰였을까? 게으름을 피우는 행동이 마음먹기에 달렸다고 생각한 듯하다. 台(별 태)는 표음요소이니 뜻과는 무관하다.

태만 怠慢 | 게으를 태, 게으를 만 [negligent]
맡은 바 일 따위를 게을리 하다[怠=慢]. ¶수업에 태만하다 / 직무를 태만히 하다. (반)근면(勤勉), 성실(誠實).

• 역순어휘

과:태 過怠 | 지나칠 과, 게으를 태
[neglectful of]
지나치게[過] 게으름[怠]. (비)태만(怠慢).

권:태 倦怠 | 게으를 권, 게으를 태
[fatigue; languor]
어떤 일이나 상태에 시들해져서 생기는 게으름[倦]이나 싫증[怠].

나:태 懶怠 | 게으를 라, 게으를 태 [lazy; sloth]
행동, 성격 따위가 느리고 게으름[懶=怠]. ¶나태한 행동. (반)근면(勤勉).

1673 [순]

殉

따라죽을 순
(部) 歹부 (劃) 10획 (中) 殉 [xùn]

殉자는 '따라 죽다'(die with)는 뜻을 나타내기 위하여 만든 것이었으니, 죽은 사람의 뼈를 가리키는 歹(알)이 표의요소로 쓰였다. 旬(열흘 순)은 표음요소이니 뜻과는 무관하다. 후에 '목숨 바치다'(sacrifice)는 뜻으로 확대 사용됐다.

속뜻훈음 **목숨 바칠 순.**

순교 殉教 | 목숨 바칠 순, 종교 교
[martyrize oneself]
종교 자기가 믿는 종교(宗教)를 위하여 목숨을 바침[殉]. ¶그는 외국에서 선교 활동을 하다 순교했다.

순국 殉國 | 목숨 바칠 순, 나라 국
[die for one's country]
나라[國]를 위하여 목숨을 바침[殉]. ¶우리 할아버지는 항일운동을 하다가 순국하셨다.

1674 [앙]

殃

재앙 앙
(部) 歹부 (劃) 9획 (中) 殃 [yāng]

殃자는 '재앙'(a calamity)을 뜻하기 위하여, 죽은 사람의 뼈를 가리키는 歹(알)이 표의요소로 쓰였다. 央(가운데 앙)은 표음요소이니 뜻과는 무관하다.

앙화 殃禍 | 재앙 앙, 재화 화
[disaster; woe; misfortune]

❶[속뜻] 재앙(災殃)이나 화근(禍根). ¶앙화가 미치다 / 앙화를 받다. ❷지은 죄의 앙갚음으로 받는 재앙. ¶그는 그동안 지은 죄에 대해 앙화를 받았다.

• 역순어휘

재앙 災殃 | 재앙 재, 재앙 앙
[calamity; woes]
천재지변(天災地變) 따위로 말미암은 불행한 변고[災=殃]. ¶재앙을 피하다 / 입은 재앙의 근원이다. [비]재난(災難).

1675 [견]

牽

이끌/끌 견
[部] 牛부 [劃] 11획 [中] 牵 [qiān]

牽자는 '끌다'(pull; draw; haul)는 뜻을 소의 고삐를 잡아끄는 모습을 통하여 비유적으로 나타낸 것이다.

견우 牽牛 | 끌 견, 소 우
❶[문학] 견우직녀(牽牛織女) 설화에 나오는 소[牛]를 치는[牽] 남자 주인공. ❷[식물] 나팔꽃. ❸[천문] 견우성(牽牛星).

견인 牽引 | 끌 견, 당길 인 [pull; haul]
끌어[牽] 당김[引]. ¶주차위반 차량을 견인하다.

견제 牽制 | 끌 견, 누를 제 [keep in check]
❶[속뜻] 아군에게 유리한 곳으로 적을 끌어들여[牽] 억누름[制]. ❷일정한 작용을 가함으로써 상대편이 지나치게 세력을 펴거나 자유롭게 행동하지 못하게 억누름. ¶투수가 주자를 견제하다.

1676 [왈]

曰

가로 왈
[部] 曰부 [劃] 4획 [中] 曰 [yuē]

曰자는 '말하다'(say)는 뜻을 나타내기 위하여 '입 구'(口)에다, 소리가 나옴을 상징하는 부호 '一'을 더한 것이었다. 고전 문장에서 단일 낱말로 쓰였을 뿐, 다른 글자와 더불어 낱말을 형성하는 예는 극히 적다. 속칭 '가로 왈'의 '가로'는 '말하되' 또는 '말하기를'이란 뜻인 '가로되'의 줄인 말이다. 알기 쉽도록 '말할 왈'로 바꾸는 것이 낫겠다.

[속뜻 훈음] **말할 왈.**

• 역순어휘

혹왈 或曰 | 혹 혹, 말할 왈
[some say; others say; it is said]
어떤[或] 사람이 말하기를[曰]. 혹은 ~이라고도 한다. ¶구두쇠를 혹왈 사일록이라고도 한다.

1677 [체]

替

바꿀 체
[部] 曰부 [劃] 12획 [中] 替 [tì]

替자에 대하여는 여러 설이 있다. 두 병사[夫+夫]가 앞뒤로 서서 교대하자고 말하는[曰] 것을 통하여 '교대하다'(take turns)는 뜻을 나타냈다고 보는 설이 그럴 듯하다. '바꾸다'(alternate)는 뜻으로도 쓰인다.

• 역순어휘

교체 交替 | 서로 교, 바꿀 체
[shift; change]
서로[交] 바꿈[替]. 교대로 바꿈. ¶선수 교체. [비]교환(交換).

대:체 代替 | 바꿀 대, 바꿀 체
[substitute; replace with; change]
다른 것으로 바꿈(代=替). [비]대신(代身), 대치(代置).

이체 移替 | 옮길 이, 바꿀 체 [transfer]
서로 옮기어[移] 바꿈[替]. ¶이체 수수료 / 계좌로 돈을 이체하다.

1678 [붕]

朋

벗 붕
[部] 月부 [劃] 8획 [中] 朋 [péng]

朋자의 갑골문이나 金文(금문)은 화폐수단의 일종으로 사용된 조개 열 개를 두 줄로 엮어 놓은 모습을 본뜬 것으로, '돈 뭉치'가 본래 의미였는데, '무리'(a company; a party)나 '벗'(a friend; a mate)같은 뜻으로 활용됐다. 그 후 화폐수단의 변천으로 말미암아 본래의 뜻으로 쓰이는 예가 없어졌다. 조어력이 낮아서 한자어 용례가 매우 적다.

붕당 朋黨 | 벗 붕, 무리 당
[clique; faction; coterie]
[역사] 뜻이 같은 사람[朋]끼리 모인 단체[黨]. ¶붕당정치.

붕우 朋友 | 벗 붕, 벗 우 [friend]
벗[朋=友]. 친구.

1679 [삭]

朔

초하루 삭
部 月부 劃 10획 中 朔 [shuò]

朔자는 달 모양에 근거한 음력 '초하루'(the first day of a lunar month)를 뜻하기 위하여 만든 것이니 '달 월'(月)이 표의요소로 쓰였다. 왼쪽의 것은 표음요소라고 한다. 후에 '북녘'(the north)을 가리키는 것으로도 차용되었다.

속뜻 훈음 ①초하루 삭, ②북녘 삭.

삭풍 朔風 | 북녘 삭, 바람 풍 [north wind]
겨울철에 북쪽[朔]에서 불어오는 찬바람[風]. ¶장군은 한겨울 삭풍을 맞으며 성곽을 지키고 있다. 비북풍(北風).

• 역순어휘

만삭 滿朔 | 찰 만, 초하루 삭
[completion of time for childbirth]
아이를 낳을 시기[朔]가 참[滿]. 비산(産)달, 만월(滿月).

팔삭 八朔 | 여덟 팔, 초하루 삭 [eight months]
❶속뜻 음력 팔월[八] 초하루[朔]. 농가에서 이날 처음으로 햇곡식을 벤다. ¶팔삭에 벤 햅쌀을 차례 상에 올리다. ❷여덟 달. ¶팔삭둥이의 아기를 낳았다.

1680 [모]

暮

저물 모:
部 日부 劃 15획 中 暮 [mù]

暮의 본래 글자는 '莫'(막, #1374)이다. '莫'는 茻(잡풀 우거질 망) 가운데 '해 일'(日)이 있는 것으로 망망한 초원에 해가 지는 모습을 본뜬 것으로, '해가 저물다'(get dark)가 본래 의미이다. 그런데 이것이 부정사로 쓰이는 예가 많아지자 본뜻을 위하여 그 밑에다 '日'을 다시 더 보탠 '暮'자를 만들어냈다.

모:색 暮色 | 저물 모, 빛 색 [evening twilight]
날이 저물어가는[暮] 어스레한 빛[色].

모:연 暮煙 | 저물 모, 연기 연 [evening smoke]
저녁[暮] 무렵에 피어오르는 연기(煙氣).

• 역순어휘

세:모 歲暮 | 해 세, 저물 모 [close of the year]
한 해[歲]가 저물[暮] 무렵. 비세밑.

조모 朝暮 | 아침 조, 저물 모
[morning and evening]
아침[朝]과 저녁[暮]. 비조석(朝夕).

1681 [서]

暑

더울 서:
部 日부 劃 13획 中 暑 [shǔ]

暑자는 햇볕이 '뜨겁다'(hot; heated; burning)는 뜻을 나나내기 위한 것이었으니 '해 일'(日)이 표의요소로 쓰였다. 者(것 자)가 표음요소로 쓰인 것은 署(관청 서), 薯(참마 서)도 마찬가지다. 후에 '덥다'(hot; warm), '더위'(heat; hot weather) 등으로 확대 사용됐다.

• 역순어휘

대:서 大暑 | 큰 대, 더울 서
몹시 심한[大] 더위[署]. 이십사절기의 하나로 소서(小暑)와 입추(立秋) 사이 양력 7월 23일 경에 든다.

피:서 避暑 | 피할 피, 더울 서 [pass the summer]
시원한 곳으로 옮겨 더위[暑]를 피(避)함. ¶올 여름에는 산으로 피서를 갈 계획이다.

1682 [석]

昔

예 석
部 日부 劃 8획 中 昔 [xī]

昔자의 상단은 큰 홍수, 즉 수재를 의미하는 巛(=水災)가 잘못 변화된 것이고 日은 '옛날 옛적'을 의미한다고 한다. 그 수재는 B.C.2300년 요임금 시대에 있은 대홍수를 일컫는다고 보는 설이 지배적이다. 이 글자는 황하의 治水(치수)로 유명한 禹 임금 이후에 만들어진 것이니, '옛날 옛적의 수재'라는 전설을 통하여 '옛날'(=옛, old days; ancient times)이라는 뜻을 나타낸 것이 자못 재미있다.

석년 昔年 | 옛 석, 해 년 [ancient times; last year]
❶속뜻 지난[昔] 해[年]. ❷여러 해 전. ¶석년에는 잘 살았다.

석인 昔人 | 옛 석, 사람 인 [ancients; men of old]
옛[昔] 사람[人]. 비고인(古人).

• 역순어휘

금석 今昔 | 이제 금, 옛 석 [past and present]
지금[今]과 옛적[昔]을 아울러 이르는 말. ¶금석을 막론하고 돈 이야기는 참으로 하기 어려운 것이다.

1683 [소]

昭

밝을 소

部 日부 劃 9획 中 昭 [zhāo]

昭자는 햇빛이 '밝게 빛나다'(shine; be bright)는 뜻을 나타내기 위하여 만든 것이니 '해 일'(日)이 표의요소로 쓰였다. 召(부를 소)는 표음요소이니 뜻과는 무관하다. 후에 '밝다'(light; bright), '밝히다'(make clear; clear up) 등으로 확대 사용됐다.

소상 昭詳 | 밝을 소, 자세할 상 [detailed]
밝고[昭] 자세[詳]하다. ¶소상한 내용 / 전후 사정에 대해 소상히 알고 있다.

소의-문 昭義門 | 밝을 소, 옳을 의, 문 문
❶속뜻 의(義)를 밝히는[昭] 문(門). ❷서울의 덕수궁 뒤쪽에 있던 '서소문(西小門)'의 본디 이름.

1684 [신]

晨

새벽 신

部 日부 劃 11획 中 晨 [chén]

晨자는 해가 뜰 무렵, 즉 '새벽'(daybreak; dawn)을 뜻하기 위한 것이었으니 '해 일'(日)이 표의요소로 쓰였다. 辰(날 신)은 표음요소이다.

신명 晨明 | 새벽 신, 밝을 명 [around dawn]
새벽[晨]이 밝아[明] 옴. 밝아지는 새벽녘.

신성 晨星 | 새벽 신, 별 성 [morning star]
새벽[晨] 별[星]. 비샛별.

신성 晨省 | 새벽 신, 살필 성 [morning respects]
이른 아침[晨] 부모의 침소에 가서 밤사이의 안부를 살핌[省].

• 역순어휘

청신 淸晨 | 맑을 청, 새벽 신 [daybreak]
대기가 맑은[淸] 새벽[晨].

1685 [창]

暢

화창할 창:

部 日부 劃 14획 中 畅 [chàng]

暢자는 날씨나 마음이 '화창하다'(balmy; bright; glorious)는 뜻을 나타내기 위하여 만들어진 것이니 昜(햇볕 양)이 표의요소이다. 申(신) '귀신 신'(神)의 본래 글자이니 '마음'을 가리키는 표의요소로 볼 수 있다. '펼치다'(spread; unfold)는 뜻으로 많이 쓰인다.

속뜻훈음 **펼칠 창.**

창:달 暢達 | 펼칠 창, 이를 달
[develop; make progress; advance]
❶속뜻 거침없이 기세를 펴서[暢] 어떤 일을 달성(達成)함. ❷막힘이 없이 통하거나 숙달함. 비통달(通達).

창:회 暢懷 | 펼칠 창, 품을 회
[unbosom oneself to a person]
가슴속에 품고[懷] 있던 것을 시원하게 펼쳐[暢] 놓음. 맺혔던 가슴속을 헤쳐서 시원하게 회포를 풀어놓음.

• 역순어휘

방창 方暢 | 바야흐로 방, 펼 창
[all things grow luxuriantly]
바야흐로[方] 화창(和暢)함.

유창 流暢 | 흐를 류, 펼칠 창
[fluent; smooth; facile]
글을 읽거나 하는 말이 물 흐르듯[流] 순탄하게 잘 펼쳐진다[暢]. ¶그는 스페인어를 유창하게 구사한다. 비거침없다, 막힘없다.

화창 和暢 | 따스할 화, 펼칠 창 [balmy; bright]
따스하여[和] 꽃잎이 활짝 펼쳐질[暢] 정도로 날씨가 맑고 좋다. ¶화창한 오후 / 화창한 날씨.

1686 [청]

晴

갤 청

部 日부 劃 12획 中 晴 [qíng]

晴자는 구름에 가렸던 해가 나타나다, 즉 '개다'(clear up)는 뜻을 나타내기 위하여 만든 것이었으니 '해 일'(日)이 표의요소로 쓰였다. 靑(푸를 청)은 표음요소이나 푸른 하늘을 연상하게 하는 표의요소를 겸하는 셈이다.

청천 晴天 | 갤 청, 하늘 천
[unclouded sky; fine weather]
❶속뜻 맑게 갠[晴] 하늘[天]. ❷맑은 날씨. 비청공(晴空). 참담천(曇天).

• 역순어휘

음청 陰晴 | 흐릴 음, 갤 청 [bad or fine weather]
날씨가 흐린[陰] 날과 갠[晴] 날. 또는 흐림과 갬. ¶날씨의 음청을 알기 힘들다.

쾌청 快晴 | 시원할 쾌, 갤 청 [fair and clear]
구름 한 점 없이 상쾌(爽快)하도록 날씨가 맑게 개다[晴]. ¶쾌청한 날에는 여기서 산이 보인다.

1687 [한]

旱

가물 한:
[部] 日부 [劃] 7획 [中] 旱 [hàn]

旱자는 만날 햇빛만 쨍쨍하고 비가 오지 않아 '가물다'(be droughty)라는 뜻을 나타내기 위하여 만든 것이었으니 '해 일'(日)이 표의요소로 쓰였다. 干(방패 간)이 표음요소임은 汗(땀 한)도 마찬가지다.

한:련 旱蓮 | 가물 한, 연꽃 련
[kind of small-leafed lotus; tropaeolum]
❶[속뜻] 가뭄[旱]에도 피는 연꽃[蓮]. ❷[식물] 한련과의 관상용 화초. 잎은 자루가 길고 둥근 방패 모양으로, 6월경에 노랑이나 빨강 꽃이 핀다.

한:해 旱害 | 가물 한, 해칠 해 [drought disaster]
가뭄[旱]으로 인한 재해(災害). ¶한해를 입어 벼농사를 망쳤다.

• 역순어휘

대:한 大旱 | 큰 대, 가물 한 [severe drought]
크게[大] 일어난 가뭄[旱].

1688 [혼]

昏

어두울 혼
[部] 日부 [劃] 8획 [中] 昏 [hūn]

昏자는 '해가 진 때'(dusk; evening twilight)를 가리키기 위한 것이었으니 '해 일'(日)이 표의요소로 쓰였다. 氏(씨)는 氐(저)로 쓰기도 하며 '아래'를 뜻하니, 즉 해가 지평선 아래로 진다는 뜻을 가리키는 표의요소로 보는 설이 지배적이다. 후에 '어둡다'(dark; gloomy)는 뜻으로 확대 사용됐다.

혼미 昏迷 | 어두울 혼, 헤맬 미
[stupefied; confused]
❶[속뜻] 어두워[昏] 길을 잃고 헤맴[迷]. ❷정신이 흐리어 갈피를 못 잡음. ¶혼미 상태 / 정신이 혼미하다.

혼수 昏睡 | 어두울 혼, 잠잘 수
[loss of consciousness]
❶[속뜻] 어두워[昏] 정신없이 잠든[睡] 상태. ❷[의학] 의식을 잃고 인사불성이 됨. ¶혼수상태에 빠지다.

• 역순어휘

몽:혼 朦昏 | 흐릴 몽, 어두울 혼 [anesthesia]
❶[속뜻] 달빛 따위가 흐리거나[朦] 어두움[昏]. ❷독물이나 약물에 의하여 감각을 잃고 자극에 반응할 수 없게 됨. [비]마취(痲醉). ¶몽혼주사를 맞다.

황혼 黃昏 | 누를 황, 어두울 혼 [dusk; twilight]
하늘이 누렇고[黃] 어둑어둑한[昏] 해질 무렵. ¶황혼 무렵에 산책을 나가다.

1689 [효]

曉

새벽 효:
[部] 日부 [劃] 16획 [中] 晓 [xiǎo]

曉자는 날이 '환해지다'(dawn; day break)는 뜻을 나타내기 위하여 만든 것이었으니 '날 일'(日)이 표의요소로 쓰였다. 堯(요임금 요)가 표음요소임은 驍(날랠 효)도 마찬가지다. 후에 '깨닫다'(realize; perceive), '새벽'(daybreak; dawn) 등으로 확대 사용됐다.

[속뜻훈음] ①새벽 효, ②깨달을 효.

효:계 曉鷄 | 새벽 효, 닭 계
[cock proclaiming the dawn]
새벽[曉]을 알리는 닭[鷄]. ¶효계의 울음소리를 듣고 일어났다.

효:성 曉星 | 새벽 효, 별 성 [morning star]
새벽[曉] 하늘의 별[星]. ¶효성을 바라보며 열심히 달렸다.

효:시 曉示 | 깨달을 효, 보일 시 [instruct]
깨닫도록[曉] 훈시(訓示)함. ¶그의 효시를 듣고 크게 뉘우쳤다.

효:종 曉鐘 | 새벽 효, 종 종
새벽[曉]에 치는 종(鐘). ¶효종이 세 번 울렸다.

• 역순어휘

조:효 早曉 | 이를 조, 새벽 효 [early dawn]
이른[早] 새벽[曉]. ¶내일 조효에 출발합시다.

지효 知曉 | 알 지, 깨달을 효 [perception]
알아서[知] 깨달음[曉]. 또는 환히 앎.

1690 [작]

爵

벼슬 작
[部] 爪부 [劃] 17획 [中] 爵 [jué]

爵자는 술 따위를 따르기 편하게 참새 부

리 모양의 주둥이가 달려 있고, 데우기 편하도록 발이 달린 '술잔'을 뜻하기 위하여 그 모양을 본뜬 것이었다. 후에 신분의 계급, 즉 '벼슬'(official rank)을 뜻하는 것으로 차용됐다. 그리고 참새 모양 비슷하여 '참새 작'(雀)자와 통용되고 '참새'(birds)와 참새 모양의 '술잔'(a wine cup; a liquor glass)을 뜻하기도 한다.

속뜻 훈음 ①벼슬 작, ②술잔 작.

작록 爵祿 | 벼슬 작, 녹봉 록
[stipend; official salary]
관작(官爵)과 봉록(俸祿). 지위와 봉급.

작위 爵位 | 벼슬 작, 자리 위 [title of nobility]
❶속뜻 벼슬[爵]과 지위(地位)를 통틀어 이르는 말. ❷작(爵)의 계급.

• 역순어휘

남작 男爵 | 사내 남, 벼슬 작 [baron]
공(公)·후(侯)·백(伯)·자(子)·남(男)의 오등작(五等爵)중 다섯째 작위(爵位).

백작 伯爵 | 맏 백, 벼슬 작 [count; earl]
오등작(五等爵) 중에 셋째인 백(伯)에 해당되는 작위(爵位). 또는 그 작위를 가진 사람.

봉작 封爵 | 봉할 봉, 벼슬 작
[invest with the titles of nobility]
❶속뜻 제후로 봉(封)하고 관작(官爵)을 줌. ❷역사 의빈(儀賓), 내명부, 외명부 따위를 봉하던 일. ¶왕자나 옹주를 생산하면 봉작을 받았다.

성:작 聖爵 | 거룩할 성, 술잔 작 [chalice]
가톨릭 축성(祝聖)한 포도주를 담는 잔[爵].

헌:작 獻爵 | 바칠 헌, 술잔 작
[offer a cup of drink]
제사 때, 술잔[爵]을 올림[獻]. ㊥진작(進爵).

1691 [번]

煩 번거로울 번
部 火부 劃 13획 中 烦 [fán]

煩자는 '열에 받쳐 머리가 아프다'(熱頭痛, have a headache)는 뜻을 나타내기 위하여 '불 화'(火)와 '머리 혈'(頁), 두 표의요소를 결합한 것이다. '답답하다'(feel heavy), '번거롭다'(troublesome; onerous) 등의 의미로도 쓰인다.

속뜻 훈음 ①번거로울 번, ②괴로울 번.

번뇌 煩惱 | 답답할 번, 괴로울 뇌
[troubles; anxiety; pains]
가슴이 답답함[煩]과 마음이 괴로움[惱]. ¶번뇌와 망상을 버려야 마음이 맑아진다.

번민 煩悶 | 답답할 번, 고민할 민
[suffer; be tormented]
답답하고[煩] 고민스럽다[悶]. 또는 그 정도로 괴로움. ¶그는 죄의식으로 번민했다.

번잡 煩雜 | 번거로울 번, 섞일 잡
[troublesome; complicated]
번거롭고[煩] 어수선하게 뒤섞임[雜]. ¶도심의 번잡을 피하여 외곽으로 나가다.

1692 [언]

焉 어찌 언
部 火부 劃 11획 中 焉 [yān]

焉자는 '언새'(焉鳥)라는 새 이름을 적기 위하여 그 모양을 본뜬 것이었다. '어찌'(why; how)라는 의문 어조사나 '이에'(hereupon; on this)라는 부사적 용법으로도 쓰인다. 문장에는 많이 쓰이지만 낱말을 구성하는 능력, 즉 조어력은 매우 낮아 한자어 용례가 거의 없다.

속뜻 훈음 이에 언.

• 역순어휘

어언 於焉 | 어조사 어, 이에 언
[without one's knowledge; so soon]
여기[焉]에[於]. 어느덧. 어느새. ¶학교를 졸업한 지도 어언 십 년이 지났다.

1693 [조]

燥 마를 조
部 火부 劃 17획 中 燥 [zào]

燥자는 불을 지펴 열을 가하여 물기를 '말리다'(dry up; make dry)는 뜻을 나타내기 위하여 만든 것이었으니 '불 화'(火)가 표의요소로 쓰였다. 喿(울 소)가 표음요소로 쓰인 것임은 操(잡을 조), 躁(성급할 조)도 마찬가지다. 후에 '마르다'(dry; get dry)로 확대 사용됐다.

• 역순어휘

건조 乾燥 | 마를 건, 마를 조 [dry; arid]
❶속뜻 습기나 물기가 없는 마른[乾=燥] 상태. ¶이 식물은 건조한 곳에서도 잘 자란다. ❷분위기, 정신, 환경 등

이 여유나 윤기가 없이 메마름. ¶글이 무미(無味)건조하다.

초조 焦燥 | 태울 초, 마를 조 [impatient; anxious]
애를 태우고[焦] 마음을 졸임[燥]. ¶자기 순서를 초조하게 기다리다.

1694 [촉]

燭

촛불 촉
㊀ 火부 ㊀ 17획 ㊥ 烛 [zhú]

燭자는 '촛불'(candlelight)을 뜻하기 위한 것이었으니 '불 화'(火)가 표의요소로 쓰였다. 蜀(나라 이름 촉)은 표음요소이니 뜻과는 무관하다. '비추다'(flash on; light)는 뜻으로도 쓰인다.

속뜻훈음 ①촛불 촉, ②비출 촉.

촉광 燭光 | 촛불 촉, 빛 광
[luminous intensity; candela]
❶속뜻 촛불[燭]의 빛[光]. ❷물리 빛의 세기를 나타내는 단위.

촉대 燭臺 | 촛불 촉, 돈대 대 [candlestick]
촛불[燭]을 꽂아두는 대(臺).

촉루 燭淚 | 촛불 촉, 눈물 루 [candle drippings]
❶속뜻 초[燭]의 눈물[淚]. ❷'촛농'을 이르는 말.

• 역순어휘

통:촉 洞燭 | 꿰뚫을 통, 비출 촉
[see; realize; understand]
❶속뜻 깊은 곳까지 꿰뚫어[洞] 비춤[燭]. ❷윗사람이 아랫사람의 사정이나 형편 따위를 깊이 헤아려 살핌. ¶통촉하여 주시기 바랍니다.

화촉 華燭 | 빛날 화, 촛불 촉
[colored candle; wedding ceremony]
❶속뜻 화려(華麗)하게 켜놓은 촛불[燭]. ❷혼례 의식 때 촛불을 밝히므로 '혼례'를 달리 이름. ❸그림을 그리는 데 쓰이는 밀초.

1695 [기]

欺

속일 기
㊀ 欠부 ㊀ 12획 ㊥ 欺 [qī]

欺자는 '속이다'(deceive; trick)는 뜻을 나타내기 위한 것인데, '하품 흠'(欠)이 표의요소로 쓰였고, 其(그 기)는 표음요소이다. '欠'은 사람(人)이 입을 크게 벌리고 있는 모양이 변한 것으로, 입을 크게 벌리는 동작과 관련이 있는 뜻을 지님은 歌(노래 가)와 歎(읊을 탄)자를 보면 알 수 있다.

기만 欺瞞 | 속일 기, 속일 만 [deceive; impose]
거짓으로 남의 눈을 속임[欺=瞞]. ¶자신을 기만하다.

기망 欺罔 | 속일 기, 속일 망
[deceive; commit fraud]
거짓말 따위로 남을 속임[欺=罔]. ¶그는 부모님을 기망했다. ㊐기만(欺瞞).

• 역순어휘

무:기 誣欺 | 꾸밀 무, 속일 기
[trick; deceive; cheat]
거짓으로 꾸며[誣] 속임[欺].

사기 詐欺 | 속일 사, 속일 기 [fraud; fraudulence]
❶속뜻 못된 목적으로 남을 속임[詐=欺]. ❷남을 속여 착오에 빠지도록 하는 범죄 행위. ¶그녀는 사기를 당해 집을 잃었다.

1696 [절]

竊

훔칠 절
㊀ 穴부 ㊀ 22획 ㊥ 窃 [qiè]

竊자는 '훔치다'(steal; pilfer; filch)는 뜻을 나타내기 위하여 만들어진 것이다. 도둑이 쌀(米)을 훔쳐서 개구멍(穴)을 통하여 나오는 모습이고, 卨(설)은 표음요소로 쓰인 것이라고 한다. 卨자가 탱크 모양을 닮았다고 '탱크 탱'이라하는 우스개가 있다.

절도 竊盜 | 훔칠 절, 훔칠 도
[theft; pilferage; larceny]
남의 재물을 몰래 훔침[竊=盜]. ¶차량절도사건이 해마다 늘어나고 있다. ㊐도둑질.

• 역순어휘

표절 剽竊 | 도둑질할 표, 훔칠 절 [pirate; plagiarize]
❶속뜻 도둑질하여[剽] 훔침[竊]. ❷시나 글, 노래 따위를 지을 때에 남의 작품의 일부를 몰래 따다 씀. ¶외국 노래의 가사를 표절하다.

1697 [경]

竟

마침내 경:
㊀ 立부 ㊀ 11획 ㊥ 竟 [jìng]

竟자의 갑골문은 '소리 음'(音) 또는 '말

씀 언'(言)이 '사람 인'(亻)과 결합된 형태를 취하고 있었다. 서서 입으로 퉁소 같은 관악기를 불고 있는 모습으로 추정된다. 그래서인지 연주 등을 '끝내다'(complete), '끝내'(in the end; finally; after all), 마침내'(at last) 등의 뜻으로 쓰인다.

• 역순어휘

필경 畢竟 | 마칠 필, 마침내 경
[after all; at last]
❶속뜻 일을 끝내거나[畢] 또는 마침내[竟]. ❷마침내. 결국에는. ¶필경 그는 오지 않을 것이다.

1698 [병]

竝

나란히 병:
部 立부 劃 10획 中 并 [bìng]

竝자는 '나란히 하다'(stand shoulder to shoulder)는 뜻을 나타내기 위하여 두 사람이 나란히 서 있는 모습을 본뜬 것이다. 두 개의 '설 립'(立)이 병립되어 있는 竝은 그러한 뜻을 쉽게 알 수 있지만, 줄여 쓴 형체인 '並'은 그러한 뜻을 유추하기 힘들다. 幷(어우를 병, 함께 할 병)은 별개의 글자이니 혼동하지 말아야겠다.

병:렬 竝列 | 나란히 병, 벌일 렬
[arrange in a row]
❶속뜻 여럿이 나란히[竝] 벌여[列] 섬. 여럿을 나란히 벌려 세움. ❷전기 두 개 이상의 도선이나 전지 따위를 같은 극끼리 연결하는 일. ¶전기회로에 병렬로 접속하다. 반 직렬(直列).

병:설 竝設 | =倂設, 나란히 병, 세울 설
[establishment as an annex]
같은 곳에 둘 이상의 것을 함께 나란히[竝] 설치(設置)함. ¶대한초등학교 병설 유치원.

• 역순어휘

병:창 竝唱 | 나란히 병, 부를 창
[sing together]
❶속뜻 두 사람이 소리를 맞추어 나란히[竝] 함께 노래함[唱]. ❷음악 가야금 따위를 연주하면서 노래하는 일. ¶그는 가야금 병창을 특히 좋아한다.

병:행 竝行 | 나란히 병, 갈 행
[go side by side]
❶속뜻 함께 나란히[竝] 감[行]. ❷둘 이상의 일을 아울러서 한꺼번에 함. ¶일과 공부를 병행하다.

1699 [미]

眉

눈썹 미
部 目부 劃 9획 中 眉 [méi]

眉자는 눈[目] 두덩 위에 난 털, 즉 '눈썹'(an eyebrow) 모양을 그린 것이다. 미녀는 눈썹과 눈이 예뻐야 됐나 보다. 그래서 眉目如畫(미목여화)나 眉目秀麗(미목수려)같은 성어가 미녀를 형용하는 말로 많이 쓰인다. 눈썹과 눈을 움직여 의사를 전하는, 즉 '눈짓하여 알리다'는 뜻인 眉目傳情(미목전정)이란 성어도 있다.

미간 眉間 | 눈썹 미, 사이 간
[middle of the forehead]
두 눈썹[眉]의 사이[間]. '양미간'(兩眉間)의 준말. ¶미간을 찡그리다.

미우 眉宇 | 눈썹 미, 처마 우 [brow(s)]
눈썹[眉]이 있는 이마[宇]. 눈썹 근처. ¶수심이 미우를 스친다.

• 역순어휘

백미 白眉 | 흰 백, 눈썹 미 [finest example of]
❶속뜻 흰[白] 눈썹[眉]. ❷옛날 중국의 마씨(馬氏)집 다섯 형제가 모두 재주가 뛰어났으나 그중에서도 흰 눈썹이 있는 마량(馬良)이 가장 뛰어났다는 이야기에서 비롯된 말로 '여럿 중에서 가장 뛰어난 사람이나 물건'을 비유함. ¶'춘향전'은 한국 고전문학의 백미다.

양:미 兩眉 | 두 량, 눈썹 미 [eyebrow]
좌우로 나 있는 두[兩] 눈썹[眉].

1700 [수]

睡

졸음 수
部 目부 劃 13획 中 睡 [shuì]

睡자는 앉아서 자다, 즉 '졸다'(doze; nap in one's seat)는 뜻을 나타내기 위한 것이다. 그 뜻을 어떻게 나타낼까 무척 고민했을 것이다. 졸고 있는 사람은 정신을 바짝 차리고 있는 사람에 비하여 눈과 숙인 고개가 가장 특징적인 점에 착안하여 '눈 목'(目)과 '숙일 수'(垂)를 합쳐 놓았다. 아이디어가 참으로 기발하다. 垂(수)는 표음요소도 겸할 수 있으니 錦上添花(금상첨화)인 셈이다. '졸음'(sleepiness), '오므라들다'(contract; close)는 뜻으로도 쓰인다.

속뜻 훈음 ①잠잘 수, ②오므라들 수.

수련 睡蓮 | 오므라들 수, 연꽃 련 [lotus]

❶속뜻 오므라드는[睡] 모양을 하는 소담스런 연꽃[蓮]. ❷식물 연못이나 늪에 떠서 살며, 잎은 말굽 모양이며, 가을에 하얀 꽃이 피는 풀.

수면 睡眠 | 잘 수, 잠 면 [sleep; slumber]
잠[眠]을 잠[睡]. 또는 잠. ¶충분한 수면을 취하다.

• 역순어휘

혼수 昏睡 | 어두울 혼, 잠잘 수
[loss of consciousness]
❶속뜻 어두워[昏] 정신없이 잠든[睡] 상태. ❷의학 의식을 잃고 인사불성이 됨. ¶혼수상태에 빠지다.

1701 [계]

癸

북방/천간 계:
部 癶부 劃 9획 中 癸 [guǐ]

癸자의 자형 풀이에 대하여는 명확한 설이 없다. 10개 天干(천간) 가운데 마지막의 것으로 쓰이므로, 철로는 '겨울', 방위로는 '북방', 오행으로는 '물'에 배당됐다. 한의학에서는 여자의 '월경'(menstruation; the monthlies)을 가리키기도 하는데 이 경우는 [규]로 읽어야 하나 편의상 [계]로 읽기도 한다.

속뜻훈음 **천간 계.**

계:미 癸未 | 천간 계, 양 미
민속 천간의 '癸'와 지지의 '未'가 난 간지(干支). ¶계미년생은 양띠다.

계:유 癸酉 | 천간 계, 닭 유
민속 천간의 '癸'와 지지의 '酉'가 만난 간지(干支). ¶계유년생은 닭띠다.

1702 [개]

皆

다[總] 개
部 白부 劃 9획 中 皆 [jiē]

皆자의 원형은 '사람 인'(亻) 둘과 하나의 '입 구'(口)로 구성된 것이었는데, 각각 比(견줄 비)와 白(흰 백)으로 잘못 변했다. 두 사람 모두 같은 말을 한다고 풀이될 수 있으므로 '모두'(all)의 뜻으로 쓰이는 것을 쉽게 이해할 수 있다. 白(흰 백)이 '말하다'는 뜻으로도 쓰임은, 담벼락 등에서 자주 볼 수 있는 "개 조심 - 주인 白"을 보면 쉽게 알 수 있다.

속뜻훈음 **모두 개.**

개근 皆勤 | 모두 개, 부지런할 근
[attend regularly]
하루도 빠짐없이 모두[皆] 출석하거나 출근(出勤)함. ¶나는 3년 동안 개근했다.

개기 皆旣 | 모두 개, 이미 기 [total eclipse]
모두[皆] 이미[旣] 그러함.

개병 皆兵 | 다 개, 군사 병
[universal conscription]
❶속뜻 모두[皆]가 병사(兵士)가 됨. ¶당시의 군역은 양인 개병과 농병 일치가 원칙이었다. ❷법률 국민 모두가 병역의 의무를 가지는 것. ⓑ국민개병(國民皆兵). ⓑ모병(募兵).

• 역순어휘

거:개 擧皆 | 모두 거, 다 개 [mostly; mainly]
거의 모두[擧=皆]. 대부분. ¶거개의 경우 / 그의 말은 거개가 허풍이다.

1703 [교]

矯

바로잡을 교:
部 矢부 劃 17획 中 矫 [jiǎo, jiáo]

矯자는 옛날에 굽은 화살을 바르게 펴지도록 끼워 놓는 틀을 지칭하는 것이었으니, '화살 시'(矢)가 표의요소로 쓰였다. 喬(높을 교)는 표음요소이니 뜻과는 무관하다. 후에 '바로잡다'(straighten; make straight), '속이다'(deceive) 등으로 확대 사용됐다.

교:도 矯導 | 바로잡을 교, 이끌 도
[reform; correct]
❶속뜻 바로잡아[矯] 이끌어 줌[導]. ❷법률 교정직 9급 공무원의 직급.

교:정 矯正 | 바로잡을 교, 바를 정
[correct; reform]
❶속뜻 틀어지거나 삐뚤어진 것을 바르게[正] 바로잡음[矯]. ¶치아 교정 / 척추 교정. ❷법률 교도소나 소년원 따위에서 재소자의 잘못된 품성이나 행동을 바로잡음. ¶교정시설에서 보호를 받다.

1704 [상]

祥

상서 상
部 示부 劃 11획 中 祥 [xiáng]

祥자는 상중에 맞이하는 '제사'(sacrificial rites)를 뜻하기 위한 것이었으니 '제사 시'(示)가 표의요소로 쓰였다. 羊(양 양)이 표음요소임은 詳

(자세할 상), 翔(빙빙 돌아 날 상), 庠(학교 상)도 마찬가지다. 후에 '복'(blessing), '조짐'(an omen) 등으로 확대 사용됐다.

속뜻훈음 **상서로울 상.**

상서 祥瑞 | 상서로울 상, 상서 서
[lucky omen; happy augury]
복되고[祥] 길한[瑞] 일. ¶상서로운 조짐. ㊥경서(慶瑞), 길상(吉祥), 길조(吉兆).

• 역순어휘

발상 發祥 | 나타날 발, 상서로울 상
[origin; beginning]
❶속뜻 상서로운 일[祥]이나 행복의 조짐이 나타남[發]. ❷어떤 일이 처음으로 나타남.

불상 不祥 | 아닐 불, 상서로울 상
[ill-omened; ominous]
상서(祥瑞)롭지 못하다[不].

1705 [시]

矢 화살 시:
㊞ 矢부 ㊞ 5획 ⊕ 矢 [shǐ]

矢자는 '화살'(an arrow)을 뜻하기 위하여 화살 모양을 본뜬 것이다. 예전에는 나무로 만든 화살을 矢라 했고, 대나무로 만든 것은 箭(화살 전)이라 각각 달리 불렀다. 후에 굽은 화살을 펴다, 즉 '바르게 하다'(make straight) 또는 '맹세하다'(swear)는 뜻으로도 확대 사용됐다.

속뜻훈음 **①화살 시, ②맹세할 시.**

시:언 矢言 | 맹세할 시, 말씀 언 [oath; pledge]
맹세하는[矢] 말[言]. ¶그는 친구와 다짐한 시언을 저버렸다.

• 역순어휘

궁시 弓矢 | 활 궁, 화살 시 [bow and arrow]
활[弓]과 화살[矢]을 아울러 이르는 말. ¶궁시를 뽑아 들었다.

호시 弧矢 | 활 호, 화살 시
나무로 만든 활[弧]과 화살[矢].

효시 嚆矢 | 울릴 효, 화살 시 [beginning; the first]
❶속뜻 소리를 내며 우는[嚆] 화살[矢]. ❷개전(開戰)의 신호로 우는 화살을 먼저 쏘았다하여 사물이 비롯된 '맨 처음'을 비유하여 이르는 말. ¶『홍길동전』은 국문소설의 효시이다.

1706 [의]

矣 어조사 의
㊞ 矢부 ㊞ 7획 ⊕ 矣 [yǐ]

矣자는 고전 문장에서 애용되는 '어조사'(particle) 가운데 하나다. 다른 글자와 더불어 낱말을 구성하는 조어력은 전무하므로 한자 어휘 학습을 위해서는 몰라도 괜찮다. 자형 풀이에 대하여 정설이 없다. 그것을 알기 위하여 노력할 필요도 없다. 구체적인 의미로는 쓰이지 않기 때문이다.

1707 [답]

畓 논 답
㊞ 田부 ㊞ 9획 ⊕ 畓 [dá]

畓자는 우리나라 삼국시대 때 '논'(a rice field)을 나타내기 위하여 만들어진 한자인데(《三國遺事》卷二, 〈駕洛國記〉에 최초로 등장됨), 참으로 기막히게 잘 만들었다. '물 수'(水) 아래 '밭 전'(田)이 있으므로 '논'을 지칭하는 것임을 누구나 쉽게 알 수 있으니 말이다. 중국에서는 '논'을 水田(shuǐtián)이라고 한다. 이렇듯 '메이드 인 코리아' 한자를 일러 國字(국자)라고 하는데, 蔘(인삼 삼), 乭(이름 돌), 巹(땅 이름 엇) 등이 그러한 예이다.

답농 畓農 | 논 답, 농사 농
[rice farming; cultivation of a paddy field]
논[畓]에 짓는 농사(農事).

답토 畓土 | 논 답, 흙 토 [paddy field; rice paddy]
논[畓]으로 쓰이는 토지(土地). ¶답토 세 마지기.

• 역순어휘

건답 乾畓 | 마를 건, 논 답
[rice field that dries easily]
조금만 가물어도 물이 잘 마르는[乾] 논[畓]. ¶올해에는 비가 많이 와서 건답이 수답보다 농사가 잘되었다. ㊥강답. ㊥수답(水畓).

옥답 沃畓 | 기름질 옥, 논 답 [fertile paddyfields]
기름진[沃] 논[畓]. ¶황무지를 옥답으로 개간했다. ㊣□박답(薄畓).

전답 田畓 | 밭 전, 논 답
[dry fields and paddy fields]
밭[田]과 논[畓]. ㊥논밭.

1708 [외]

畏

두려워할 외ː
(部) 田부 (劃) 9획 (中) 畏 [wèi]

畏자의 갑골문은 머리에 무서운 가면을 쓴 귀신이 손에 무기를 쥐고 있는 모습이다. 누구나 그 모양만 보아도 무서워 덜덜 떨게 함으로써 '두려워하다'(fear; be afraid of)는 뜻을 나타낸 것이 매우 흥미롭다.

외ː우 畏友 | 두려워할 외, 벗 우 [a tried friend]
❶속뜻 경외(敬畏)하는 벗[友]. ❷아끼고 존경하는 벗. ¶그는 나의 외우로 반평생을 함께 하였다.

• 역순어휘

가ː외 可畏 | 가히 가, 두려워할 외
가히[可] 두려워할[畏] 만함. ¶후생(後生)은 가외라더니, 과연 그렇구나.

경ː외 敬畏 | 공경할 경, 두려워할 외 [awe; dread]
공경(恭敬)하고 두려워함[畏]. (비)외경(畏敬).

무외 無畏 | 없을 무, 두려워할 외 [no fear]
❶속뜻 두려움[畏]이 없음[無]. ❷불교 부처나 보살이 대중에게 설법할 때 태연하여 두려움이 없음.

삼외 三畏 | 석 삼, 두려워할 외
군자가 두려워하고[畏] 조심해야 할 세[三] 가지, 곧 천명(天命)과 대인(大人)의 말 그리고 성인(聖人)의 말.

1709 [자]

玆

이 자
(部) 玄부 (劃) 10획 (中) 玆 [zī, cí]

玆자는 초목이 무성한 모양을 본뜬 것이라는 설이 있다. 실제로 그러한 뜻으로 쓰인 예가 없을 뿐만 아니라 낱말의 구성요소로 쓰이는 예가 극히 적기에 더 자세하게 파고 들 필요가 없다. 고전 문장에서는 '이'(this) 또는 '이에'(hereupon)라는 의미로 쓰인다.

1710 [도]

稻

벼 도
(部) 禾부 (劃) 15획 (中) 稻 [dào]

稻자의 갑골문은 쌀[米]을 절구[臼]에 넣는 모양의 것이다. 후에 '벼'(rice)라는 뜻을 더욱 분명하게 나타내기 위하여 '벼 화'(禾)가 첨가됐고, 舀(퍼낼 요)가 표음요소 구실을 겸하는 것은 滔(물 넘칠 도), 蹈(밟을 도)를 통하여 알 수 있다.

도미 稻米 | 벼 도, 쌀 미 [unglutinous rice]
보리쌀이 아니라 벼[稻]의 쌀[米]. (비)입쌀.

도작 稻作 | 벼 도, 지을 작 [rice farming/culture]
농업 벼[稻]를 심고 가꾸어 거두는[作] 일.

• 역순어휘

수도 水稻 | 물 수, 벼 도 [waterfield rice plant]
수답(水畓)에 심는 벼[稻].

조ː도 早稻 | 이를 조, 벼 도
[early-ripening rice plant]
일반 품종보다 일찍[早] 여무는 벼[稻]. (비)올벼.

1711 [초]

秒

분초 초
(部) 禾부 (劃) 9획 (中) 秒 [miǎo]

秒자는 본래 벼나 보리 따위의 '까끄라기'(beard)를 뜻하기 위하여 만든 것이었으니 '벼 화'(禾)가 표의요소로 쓰였다. 少(적을 소)가 표음요소임은 妙(묘할 묘), 玅(땅 이름 묘)도 마찬가지다. 후에 사물이 '극히 작음'(minute; microscopic)을 이르는 것으로 확대됐다. 이상의 뜻으로 쓰일 때에는 음이 [묘]임에 유의해야 한다. 후에 시간의 단위인 '초'(a second)를 나타내는 것으로 쓰이게 되면서 부터 [초]로 읽게 되었다.

초속 秒速 | 초 초, 빠를 속 [velocity per second]
1초(秒) 동안에 나아가는 속도(速度). ¶초속 20미터의 태풍.

초침 秒針 | 초 초, 바늘 침 [second hand]
초(秒)를 가리키는 시계 바늘[針]. ¶초침이 가늘어서 거의 보이지 않는다.

• 역순어휘

분초 分秒 | 나눌 분, 초 초
[minute and second; instant]
❶속뜻 분(分)과 초(秒). ❷아주 짧은 시간. ¶소방관들이 분초를 다투어 달려 왔다.

1712 [화]

禾

벼 화
(部) 禾부 (劃) 5획 (中) 禾 [hé]

禾자는 '벼'(a rice plant)를 뜻하기 위

하여 한 포기의 익은 벼가 고개를 숙이고 있는 모양을 본뜬 것이다. '곡식'(cereals; grain)의 총칭으로도 쓰인다.

화곡 禾穀 | 벼 화, 곡식 곡 [cereal crops]
[식물]벼[禾]에 딸린 곡식(穀食)을 통틀어 이르는 말.

화서 禾黍 | 벼 화, 기장 서 [rice and millet]
벼[禾]와 기장[黍].

1713 [확]

穫

거둘 확
[部] 禾부 [劃] 19획 [中] 获 [huò]

穫자는 익은 벼 따위의 곡식을 '거두다'(harvest)는 뜻을 나타내기 위하여 '벼 화'(禾)가 표의요소로 쓰였다. 오른쪽의 것이 표음요소임은 檴(피나무 확), 矱(더울 확)도 마찬가지다.

• 역순어휘

수확 收穫 | 거둘 수, 거둘 확 [harvest]
❶[속뜻]농작물을 거두어들임[收=穫]. ¶벼를 수확하다 / 가을은 수확의 계절이다. ❷어떤 일에서 얻은 좋은 성과. ¶그를 만난 것이 이번 여행에서 얻은 가장 큰 수확이다.

1714 [망]

罔

없을 망
[部] 网부 [劃] 8획 [中] 罔 [wǎng]

罔자는 물고기나 새를 잡을 쓰는 '그물'(a net)을 뜻하기 위한 것으로 본래는 그 모양을 본뜬 网으로 썼다. 이것이 표의요소로 쓰일 때에는 '罕'(罕 그물 한), '罒'(罩 보쌈 조) 그리고 罔의 경우와 같은 세 가지 형태가 있다. 그렇게 바뀐 것은 글자의 구조와 배치를 고려한 것이지 뜻과는 무관하다. 후에 罔자가 표음요소인 亡(망할 망, 없을 망)의 뜻을 대신하다 보니 罔자에 '없을 망'이라는 훈을 달게 됐다. 罔(산등성이 강)과 혼동하기 쉬우니 눈 여겨 봐 두자. 후에 본뜻을 더욱 명확하게 하기 위하여 網(그물 망, #1931)을 추가로 만들어냈다.

망극 罔極 | 없을 망, 끝 극 [immeasurable]
끝[極]이 없음[罔]. 주로 임금이나 어버이의 은혜가 매우 큼을 나타낼 때 쓴다. ¶성은(聖恩)이 망극하옵니다.

망측 罔測 | 없을 망, 헤아릴 측 [inordinate]
❶[속뜻]헤아릴[測] 수 없다[罔]. ❷상식에서 벗어나거나 어이가 없어서 차마 보기가 어렵다. ¶여자에게 그런 망측한 소리를 하다니!

• 역순어휘

기망 欺罔 | 속일 기, 속일 망
[deceive; commit fraud]
거짓말 따위로 남을 속임[欺=罔]. ¶그는 부모님을 기망했다. [비]기만(欺瞞).

1715 [파]

罷

마칠 파:
[部] 网부 [劃] 15획 [中] 罢 [bà]

罷자는 무슨 일을 '그만두다'(stop; cease; discontinue; cut off)는 뜻을 나타내기 위하여 만든 것이다. 그 뜻을 어떤 모양으로 나타낼까 온갖 궁리를 다 했으나 뾰족한 방안이 없었을 것이다. 그러던 중 한 사람이, 힘이 센 곰을 그물로 잡으려다가 몇 번이고 실패하여 단념했던 일을 상기하면서 '그물 망'(网→罒)과 '곰 능'(能 #0377)을 합쳐 놓자고 생각한 것 같다. 그러한 생각이 반영된 罷는 그물로 곰을 잡는 일을 '그만두다'가 본뜻인 것 같다. 후에 '놓아주다'(let loose; let go; release), '물러가다'(retreat; recede), '마치다'(end) 등으로 확대 사용됐을 것으로 추정된다.

[속뜻 훈음] ①마칠 파, ②그만둘 파.

파:루 罷漏 | 그만둘 파, 샐 루
❶[속뜻]도성의 문 닫는 것을 그만두어[罷] 사람을 드나들게[漏] 함. ❷[역사]조선 시대, 서울에서 통행금지를 해제하기 위하여 종각의 종을 서른 세 번 치던 일.

파:면 罷免 | 그만둘 파, 면할 면 [dismiss; fire]
직책을 그만두게[罷] 하여 해직시킴[免]. 공무원의 신분을 박탈하는 일. ¶뇌물을 받은 감독관의 파면을 요구했다.

파:업 罷業 | 그만둘 파, 일 업
[give up one's business; strike]
❶[속뜻]하던 일[業]을 그만둠[罷]. ❷[사회]노동 조건의 유지 및 개선을 위하여 노동자들이 집단적으로 작업을 중지하는 일. ¶근로자들은 열악한 근무 환경에 항의하는 파업을 벌였다.

파:장 罷場 | 마칠 파, 마당 장
[close of a marketplace]
장(場)을 마침[罷]. 섰던 장이 끝남. ¶파장 무렵이 되자 장터가 한산해졌다.

파:직 罷職 | 그만둘 파, 일자리 직

[fore; dismiss from office]
관직(官職)을 그만두게 함[罷]. 물러남. ¶탐관오리를 파직하다.

1716 [속]

粟

조 속
(部) 米부 (劃) 12획 (中) 粟 [sù]

粟자의 상단(西가 아님)은 곡식의 '낟알'을 가리키고(참고, 栗 밤나무 률 #1169), 米는 '쌀' 또는 '곡식'을 통칭하는 것이다. 粟의 본래 의미에 대하여는 여러 설이 있으나, 실제로 쓰인 의미가 중요하니 더 이상의 언급은 생략한다. 문헌에서는 '곡식'(grain)의 통칭, '조'(foxtail millet), '벼'(껍질을 벗기지 아니한 것), '좁쌀'(hulled millet)같은 의미로 쓰였다. 자형이 비슷한 栗과 혼동하기 쉬우니 잘 봐 두자.

속립 粟粒 | 조 속, 알 립 [millet seed]
❶ 속뜻 조[粟]의 낟알[粒]. ❷아주 자잘한 물건.

• 역순어휘

서:속 黍粟 | 기장 서, 조 속 [millet]
기장[黍]과 조[粟]를 아울러 이르는 말. ¶서속, 메밀 등 잡곡을 심었다.

한속 寒粟 | 찰 한, 조 속
[cold millet ; goose pimples]
❶ 속뜻 차가운[寒] 좁쌀[粟]. ❷좁쌀처럼 돋는 소름.

1717 [견]

絹

비단 견
(部) 糸부 (劃) 13획 (中) 绢 [juàn]

絹자는 명주실로 짠 '비단'(silk)을 뜻하기 위한 것이었으니 '실 사'(糸)가 표의요소로 쓰였다. 鵑(두견이 견), 狷(성급할 견)의 경우와 마찬가지로 肙(장구벌레 연)이 표음요소로 쓰였다. '명주'(silk thread)를 뜻하기도 한다.

속뜻 훈음 ①비단 견, ②명주 견.

견사 絹絲 | 명주 견, 실 사
[raw silk thread]
비단을 짜는 명주[絹] 실[絲]. ¶견사로 자수를 놓다.

견직 絹織 | 명주 견, 짤 직 [silken]
명주실[絹]로 짬[織]. ¶진주는 견직 공업이 발달했다.

• 역순어휘

생견 生絹 | 날 생, 명주 견 [raw silk]
삶지 아니한 생사(生絲)로 바탕을 조금 거칠게 짠 비단[絹].

인견 人絹 | 사람 인, 비단 견 [man-made silk]
수공 사람[人]이 만든 명주실로 짠 비단[絹]. '인조견'의 준말.

1718 [계]

繫

맬 계:
(部) 糸부 (劃) 19획 (中) 系 [xì, jì]

繫자의 모체는 系자다. 系(계, #0919)는 '매달다'(hang up)는 뜻을 나타내기 위하여 실을 엮어 매달아 놓은 모습을 본뜬 것이다. 후에 '줄'(a string)등 다른 뜻으로 확대 사용되는 예가 많아지자, 본래 의미를 위하여 추가로 만든 것이 繫(맬 계)다. 毄(부딪칠 격)이 표음요소임은 繫(두레박 계)도 마찬가지다. '매다'(tie up; fasten), '노끈'(a string; a cord) 등으로 확대 사용됐다.

계:루 繫累 | =係累, 맬 계, 묶을 루
[involve; implicate]
❶ 속뜻 다른 일이나 사물에 얽매여[繫] 묶임[累]. ¶정치에 계루되다. ❷다른 일이나 사물에 얽매어 당하는 괴로움. ❸식구. ¶원래 그는 독신으로 있었던 터라 찾아가야 할 가족이나 돌볼 계루도 없었다.

계:류 繫留 | 맬 계, 머무를 류 [moor; lie]
❶ 속뜻 붙잡아 매어[繫] 놓음[留]. ❷어떤 사건이 해결되지 않고 걸려 있음.

• 역순어휘

연:계 連繫 | 이을 련, 맬 계 [connection; contact]
❶ 속뜻 이어서[連] 매는 일[繫]. ❷관련하여 관계를 맺는 것. 또는 그러한 관계. ❸남의 죄에 관련되어 옥에 갇히는 것.

1719 [위]

緯

씨 위
(部) 糸부 (劃) 15획 (中) 纬 [wěi]

緯자는 베나 돗자리를 짤 때 가로로 놓는 실, 즉 '씨실'(the woof; the weft)를 뜻하기 위한 것이었으니 '실 사'(糸)가 표의요소로 쓰였다. 韋(다룸가죽 위)는 표음요소이니 뜻과는 무관하다. 후에 '횡선'(a horizontal line; a cross line), '동서'(east and west), '좌우'(right and left), '과정'(process; a course)을 비유하는 것으로 확대 사용됐다.
[속뜻 훈음] ①씨실 위, ②가로 위.

위도 緯度 | 씨실 위, 정도 도 [latitude]
❶[속뜻] 씨실[緯] 같이 가로로 표시한 도수(度數). ❷[지리] 지구 위의 위치를 적도와 평행하게 가로로 표시한 것. ¶서울의 위도는 북위 37도이다. [반]경도(經度).

위선 緯線 | 씨실 위, 줄 선 [parallel; latitude line]
❶[속뜻] 베틀의 씨실[緯]과 같은 가로 방향의 선(線). ❷[지리] 적도에 평행하게 지구의 표면을 남북으로 자른 가상의 선. 곧 위도(緯度)를 나타낸 선. [반]경선(經線).

• 역순어휘

경위 經緯 | 날실 경, 씨실 위
[warp and woof; details; longitude and latitude]
❶[속뜻] 직물(織物)의 날실[經]과 씨실[緯]. ❷일이 진행되어 온 과정. ¶사건의 경위를 밝히다. ❸[지리] 경도(經度)와 위도(緯度).

남위 南緯 | 남녘 남, 가로 위 [south latitude]
[지리] 적도(赤道) 이남(以南)의 위도(緯度). 적도가 0도이고 남극이 90도이다. ¶아르헨티나는 남위 22도와 55도 사이에 위치해 있다. [반]북위(北緯).

북위 北緯 | 북녘 북, 가로 위 [north latitude]
[지리] 적도 이북(以北)의 위도(緯度). ¶휴전선은 북위 38도를 기준으로 설정되었다. [반]남위(南緯).

1720 [규]

糾
얽힐 규
[部] 糸부 [劃] 8획 [中] 纠 [jiū]

糾자는 세 겹으로 꼰 '줄'(a string; a rope)을 뜻하기 위하여 만든 것이었으니 '실 사'(糸)가 표의요소로 쓰였다. 그 나머지가 표음요소임은 叫(부르짖을 규)도 마찬가지다. 후에 '꼬다'(twist; twine; make a rope), '얽히다'(get intertwined; intertwine), '따지다'(distinguish; inquire into) 등으로 확대 사용됐다.
[속뜻 훈음] ①얽힐 규, ②따질 규.

규명 糾明 | 따질 규, 밝을 명 [investigate]
어떤 사실을 자세히 따져서[糾] 바로 밝힘[明]. ¶사건의 진상을 규명하다.

규탄 糾彈 | 따질 규, 퉁길 탄 [censure; condemn]
❶[속뜻] 잘못을 따지어[糾] 탄핵[彈劾]함. ❷잘못을 공식적으로 엄하게 따지고 나무람. ¶적국의 만행(蠻行)을 규탄하는 모임이 열렸다.

• 역순어휘

분규 紛糾 | 어지러울 분, 얽힐 규
[complication; trouble]
이해나 주장이 어지럽게[紛] 뒤얽힘[糾]. 또는 이로 인한 시끄러움. ¶분규 해결 / 분규가 발생하다.

1721 [현]

絃
줄 현
[部] 糸부 [劃] 11획 [中] 弦 [xián]

絃자는 현악기의 '줄'(a string)을 뜻하기 위하여 '실 사'(糸)를 표의요소로 채택했다. 玄(검을 현)은 표음요소이므로 뜻과는 무관하다.

현악 絃樂 | 줄 현, 음악 악 [string music]
[음악] 바이올린 같이 줄[絃]을 통하여 소리를 내는 악기(樂器). ¶현악 합주.

• 역순어휘

관현 管絃 | 대롱 관, 줄 현
[wind and stringed instruments]
[음악] 대롱[管]이 달린 관악기와 줄[絃]로 엮은 현악기.

단:현 斷絃 | 끊을 단, 줄 현 [death of one's wife]
❶[속뜻] 현악기의 줄[絃]이 끊어짐[斷]. ❷'배우자의 죽음'을 비유하여 이르는 말. ¶단현의 슬픔이 얼마나 크십니까? [반]속현(續絃).

속현 續絃 | 이을 속, 줄 현
[marry again; take another woman to wife]
❶[속뜻] 끊어진 금슬(琴瑟)의 줄[絃]을 다시 이음[續]. ❷'아내를 여읜 뒤 다시 새 아내를 맞는 일'을 비유하여 이르는 말. [반]단현(斷絃).

절현 絶絃 | 끊을 절, 줄 현 [separation by death]
❶[속뜻] 거문고 줄[絃]을 끊음[絶]. 중국 춘추 시대 거문고의 명수인 백아는 친구 종자기가 죽자 자기의 거문고 소리를 이해하는 사람을 잃었다고 슬퍼한 나머지 현을 끊고 다시는 거문고를 타지 않았다는 고사에서 유래. ❷진정으로 자기를 알아주는 사람과 사별함.

1722 [현]

縣
고을 현:
[部] 糸부 [劃] 16획 [中] 县 [xiàn]

縣자는 무시무시한 광경에서 유래된 글자다. 왼편의 것은 首(머리 수)를 거꾸로 한 것이고, 系(계)

는 줄로 매달아 놓은 것이다. 여러 사람들을 겁주기 위하여 죄인의 목을 베어 높은 곳에 매달아 놓는 梟首(효수)라는 무시무시한 처형 방법에서 取義(취:의)했다. '매달다'는 뜻을 그렇게 나타낸 것이 참으로 으스스할 따름이다. 후에 이 글자가 행정 단위로 활용되어 '고을'(a district; a county)을 뜻하는 것으로 많이 쓰이자, 본래의 뜻은 繫(계 #1718) 또는 懸(현 #1249)으로 나타냈다.

현:감 縣監 | 고을 현, 볼 감
❶속뜻 고을[縣]의 감찰(監察). ❷역사 고려와 조선 시대, 작은 현(縣)의 우두머리.

현:령 縣令 | 고을 현, 우두머리 령
❶속뜻 고을[縣]의 우두머리[令]. ❷역사 큰 현의 원. 종오품 외직(外職) 문관이었다.

1723 [와]

臥 누울 와:
部 臣부 획 8획 中 卧 [wò]

臥자는 '쉬다'(rest; take a rest)는 뜻을 나타내기 위하여 눈[目]을 지그시 감고 휴식을 취하고 있는 사람[人]을 그린 것이다. 눈을 보면 일을 하고 있는지 쉬고 있는지를 금방 알 수 있기 때문에 '눈 목'(目)이 표의요소로 쓰였다. 초기 자형에서 目과 臣(신하 신)이 너무나 비슷하였기에 후기 자형에서는 서로 뒤바뀐 예가 많다. 후에 '자리에 눕다'(lay oneself on the bed), '잠자다'(sleep; fall asleep)의 뜻으로도 확대 사용됐다.

와:룡 臥龍 | 누울 와, 용 룡 [sleeping dragon]
❶속뜻 누워 있는[臥] 용(龍). ❷앞으로 큰일을 할 초야(草野)에 묻혀 있는 큰 인물을 비유하여 이르는 말.

와:병 臥病 | 누울 와, 병 병 [lie sick in bed]
병(病)으로 자리에 누움[臥]. 또는 병을 앓고 있음. ¶와병으로 문밖출입을 못하다.

• 역순어휘

병:와 病臥 | 병 병, 누울 와 [sick in bed]
병(病)으로 자리에 누움[臥]. ¶병와 중에 있는 어머니를 돌보다.

1724 [옹]

翁 늙은이 옹
部 羽부 획 10획 中 翁 [wēng]

翁자의 본래 뜻은 새의 '목털'(neck feather)을 뜻하는 것이었기에 '깃털 우'(羽)가 표의요소로 쓰였다. 公(공변될 공)이 표음요소임은 瓮(옹기 옹)도 마찬가지다. '늙은이'(an aged person), '노인'에 대한 존칭(a title of honor), '시아버지'(one's husband's father) 등으로 차용되어 쓰였다.

속뜻 훈음 ①늙은이 옹, ②시아버지 옹.

옹고 翁姑 | 시아버지 옹, 시어머니 고
[parents-in-law]
시아버지[翁]와 시어머니[姑]를 아울러 이르는 말.

옹구 翁嫗 | 늙은이 옹, 할미 구
[old man and woman; senior citizens]
늙은 남자[翁]와 늙은 여자[嫗]를 아울러 이르는 말.

옹주 翁主 | 늙은이 옹, 주인 주
[a royal harem' daughter]
❶속뜻 나이든[翁] 공주(公主). ❷역사 고려 시대, 내명부나 외명부에 내리던 봉작. 충선왕 때 궁주(宮主)를 고친 것이다. ❸역사 조선 시대, 임금의 후궁이 난 딸을 이르던 말. ❹역사 조선 중기 이전에 세자빈이 아닌 임금의 며느리를 이르던 말.

• 역순어휘

노옹 老翁 | 늙을 로, 늙은이 옹 [old man]
나이가 많은[老] 남자 늙은이[翁]. 나이가 많은 남자. ¶노옹이 바둑을 두고 계신다.

존옹 尊翁 | 높을 존, 늙은이 옹 [old man]
남자 노인[翁]을 높여[尊] 이르는 말. ⑭노공(老公), 존로(尊老).

취:옹 醉翁 | 취할 취, 늙은이 옹
[exalted old man]
술에 취한[醉] 노인[翁].

1725 [견]

肩 어깨 견
部 肉부 획 8획 中 肩 [jiān]

肩자는 '어깨'(the shoulder)를 뜻하기 위한 것이었으니 '고기 육'(肉)이 표의요소로 쓰였다. 그리고 이 글자의 戶(호)는 본래 어깨 모양을 본뜬 것이 잘못 변화된 것이지만, 어깨 모양과 전혀 동떨어진 것은 아니다.

견갑 肩胛 | 어깨 견, 어깨 갑 [shoulder]
의미 어깨[肩=胛]. ¶견갑에 통증이 심하다.

견장 肩章 | 어깨 견, 글 장
[epaulet; shoulder strap]

제복의 어깨[肩]에 붙여 관직의 종류나 계급 따위를 나타내는 표장(標章). ¶겉옷에 견장을 달다.

• 역순어휘

노:견 路肩 | 길 로, 어깨 견 [road's shoulder]
도로(道路)의 양쪽 어깨[肩]에 해당하는 부분의 길. ¶양측 노견에 보도를 설치했다. ⓑ갓길.

비:견 比肩 | 견줄 비, 어깨 견
[rank with; be comparable with]
❶속뜻 어깨[肩]를 나란히 견줌[比]. ❷'낫고 못함이 없이 서로 비슷함'을 비유하여 이르는 말.

1726 [긍]

肯 즐길 긍:
㊇ 肉부 ㊊ 8획 ㊥ 肯 [kěn]

肯자는 원래 '뼈에 붙은 살'(骨間肉)을 지칭하기 위한 것이었으니 '고기 육'(肉)이 표의요소로 쓰였다. 止는 뼈를 나타낸 것이 잘못 변화된 것이다. 후에 '기꺼이 하다'(be willing to), '즐기다'(take pleasure in) 등으로 차용됐다.

속뜻 교술 훈음 ①즐길 긍, ②기꺼이 긍.

긍:정 肯定 | 기꺼이 긍, 정할 정
[affirm; acknowledge]
어떤 사실이나 생각 따위를 기꺼이[肯] 인정(認定)함. ¶그는 내 말에 긍정했다. ⓑ부정(否定).

긍:지 肯志 | 기꺼이 긍, 뜻 지 [approval]
기꺼이[肯] 인정(認定)하는 뜻[志]. 찬성하는 뜻. ¶의장은 그의 말에 긍지를 보냈다. ⓑ찬의(贊意).

• 역순어휘

수긍 首肯 | 머리 수, 즐길 긍 [assent; consent]
❶속뜻 머리[首]를 끄덕이며 즐김[肯]. ❷남의 주장이나 언행이 옳다고 인정함. ¶그의 설명을 들으니 수긍이 갔다.

1727 [순]

脣 입술 순
㊇ 肉부 ㊊ 11획 ㊥ 唇 [chún]

脣자는 신체의 일부인 '입술'(a lip)을 뜻하기 위하여 고안한 것이니 '고기 육'(肉⇒月)이 표의요소로 쓰였다. 辰(지지 진, 날 신)은 표음요소로 쓰인 것이라고 한다. 唇(놀랄 진)은 별개의 다른 글자인데, 획수가 적고 '입 구'(口)와 '입술'이라는 의미상 연관성이 높기 때문에 脣자 대신 쓰이는 예가 옛날부터 많았다.

순음 脣音 | 입술 순, 소리 음 [labial sound]
두 입술[脣] 사이에서 나는 자음(子音). ¶한국어의 /ㅂ/,/ㅍ/,/ㅁ/은 순음이다.

• 역순어휘

구:순 口脣 | 입 구, 입술 순 [mouth and lips]
입[口]과 입술[脣]. ¶구순 부분에 상처를 입었다.

음순 陰脣 | 응달 음, 입술 순 [the vulva's lips]
여성의 외음부[陰]에서 마치 입술[脣]처럼 요도와 질을 좌우로 싸고 있는 주름.

초순 焦脣 | 그을릴 초, 입술 순 [worry; fuss]
❶속뜻 입술[脣]이 타는[焦] 듯함. ❷'몹시 애태움'을 비유하여 이르는 말.

1728 [요]

腰 허리 요
㊇ 肉부 ㊊ 13획 ㊥ 腰 [yāo]

腰자는 본래 要(요)로 썼다. 要(#0376)는 서 있는 여자[女]의 허리춤에 '두 손이 얹어 있는 것'이 변화된 것(襾·덮을 아)으로, '허리'(the waist)가 본뜻이다. 후에 '중요하다'(essential; principal; cardinal), '요구하다'(require) 등으로 확대 사용되는 예가 많아지자 본래의 의미를 더욱 확실하게 나타내기 위하여 신체의 일부임을 가리키는 표의요소 '고기 육'(肉)을 추가한 것이 바로 腰자다.

요절 腰折 | =腰絶, 허리 요, 꺾을 절
[laugh away something]
너무 우스워 허리[腰]가 꺾일[折] 듯함. ¶이야기가 너무 우스워 요절할 지경이었다.

요통 腰痛 | 허리 요, 아플 통 [backache]
의학 허리[腰]가 아픈[痛] 증상. 척추 질환, 외상, 임신, 부인과 질환, 신경·근육 질환 따위가 원인이다.

• 역순어휘

봉요 蜂腰 | 벌 봉, 허리 요
❶속뜻 벌[蜂]의 허리[腰]처럼 가늘고 잘록하게 생긴 허리. ❷문학 한시(漢詩)에서 평성과 측성을 배치하는 방법. 칠언에서는 바깥짝의 다섯째 자가, 오언에서는 셋째 자가 평성이 된다.

절요 折腰 | 꺾을 절, 허리 요 [be obsequious to]
❶속뜻 허리[腰]를 꺾음[折]. ❷절개를 굽히고 남에게

굽실거림을 이르는 말.

1729 [빙]

聘 부를 빙
㉿ 耳부 ⓗ 13획 ⓒ 聘 [pìn]

聘자를 만들어 본래 나타내려 한 뜻은 '찾아가 보다'(call on; pay a visit)는 것이다. 그렇다면 '귀 이'(耳)가 왜 표의요소로 쓰였을까? 방문객은 상대방의 말이나 사정을 귀 기울여 잘 듣는 것이 중요하다고 여겼기 때문일 것이다. 오른쪽의 것이 표음요소임은 騁(달릴 빙), 娉(장가들 빙)도 마찬가지다. '약혼'(an engagement; a betrothal)을 뜻하는 것으로 쓰였다. 약혼 후에 幣帛(폐:백) 예물을 가지고 예를 갖추어 신부를 불러 맞이한 풍습에서 유래되어 '(예를 갖추어) 부르다'(send for)는 뜻도 이것으로 나타냈다. 娉자와 통용되어 '장가들다'(take a wife)는 뜻으로도 쓰인다.

빙례 聘禮 | 장가들 빙, 예도 례
[wedding ceremony; nuptials]
❶속뜻 장가드는[聘] 예절(禮節). 혼례(婚禮). ❷물건을 선사하는 예의.

빙장 聘丈 | 장가들 빙, 어른 장
[wife's father; one's father-in-law]
장가들어서[聘] 새로 모시게 된 어른[丈]. '장인'(丈人)의 높임말. ¶빙장 어른은 안녕하신가?

• 역순어휘

용빙 傭聘 | 품팔이 용, 부를 빙 [employ]
사람을 쓰려고[傭] 부름[聘].

초빙 招聘 | 부를 초, 부를 빙
[invite; engage; employ]
예를 갖추어 부름[招=聘]. ¶전문가를 초빙하여 의견을 듣다. ⓑ초청(招請).

1730 [야]

耶 어조사 야(:)
㉿ 耳부 ⓗ 9획 ⓒ 耶 [yé, yē]

耶자의 자형 풀이에 대하여는 정설이 없고 뜻과 연결이 되지 않으니 부호나 마찬가지인 셈이다. 고전 문장에서 주로 어조사로 쓰였다. 굳이 우리말로 하자면 '그런가!?'에 해당되는 셈이다. 근대 이후에는 '예수'(Jesus)의 [예]를 음역하는 데 활용됐다. 문장에서 어조사(a particle)로만 많이 쓰이기 때문에 조어력이 매우 약하여 한자어 용례가 거의 없다.

야:소 耶蘇 | 어조사 야, 차조기 소 [Jesus]
기독교 '예수'의 음역 한자어. ¶그 때는 야소교를 믿는 사람들이 매우 적었다.

1731 [이]

而 말 이을 이
㉿ 而부 ⓗ 6획 ⓒ 而 [ér]

而자는 본래 턱 아래에 난 '수염'(a beard)을 뜻하기 위하여 수염 모양을 본뜬 것이다(참고, 耐 견딜 내 #1361, 須 모름지기 수 #1810). 이 사실을 알고 다시 보면 수염 같아 보일 것이다. 그런데 고전 문장에서는 접속사(a conjunction)로 쓰이는 예가 많다보니 '말 이을 이'라는 훈을 달게 됐다. 말(글)이 끊이지 않고 계속 이어진다는 '접속'의 뜻이다. 그러나 조어력이 매우 약하여 한자어 용례는 극히 적다.

이립 而立 | 말 이을 이, 설 립 [the age of seventy]
❶속뜻 서른 살이 되어서[而] 자립(自立)함. ❷서른 살(30세)을 달리 이르는 말. 공자가 서른 살에 자립했다고 한 데서 유래한다.

1732 [총]

聰 귀밝을 총
㉿ 耳부 ⓗ 17획 ⓒ 聪 [cōng]

聰자는 '귀가 밝다'(be quick-eared)는 뜻을 나타내기 위한 것이었느니 '귀 이'(耳)가 표의요소로 쓰였다. 總(거느릴 총), 摠(모두 총)의 경우와 마찬가지로 悤(바쁠 총)은 표음요소일 따름이다.

속뜻 훈음 ①총명할 총, ②밝을 총.

총기 聰氣 | 총명할 총, 기운 기
[brightness; intelligence; sagacity]
총명(聰明)한 기질(氣質). ¶이 아이는 총기가 있어서 한 번 들으면 곧잘 외운다.

총명 聰明 | 밝을 총, 밝을 명 [bright; intelligent]
❶속뜻 귀가 밝고[聰] 눈이 밝음[明]. ❷썩 영리하고 재주가 있음. ¶아이가 하나를 가르쳐 주면 열을 알 만큼 총명하다.

총혜 聰慧 | 총명할 총, 슬기로울 혜
[bright; clever; sagacious]
총명(聰明)하고 지혜(智慧)로움.

1733 [취]

臭

냄새 취:

[部] 自부 [劃] 10획 [中] 臭 [chòu, xìu]

臭자를 만든 약 3,400년 전 사람들의 대화를 재구성해 보자. "'냄새'란 말을 어떻게 나타내지?" "일정한 형태가 없으니 그림으로 나타낼 수도 없잖아!" "미치겠는데..." "아! 이렇게 하면 어떨까?" "어떻게!" "냄새 맡는 데는 개 코가 최고잖아!" "맞아! 개의 코를 그리자!..." 개[犬]의 코[自]로 '냄새'(smell)의 뜻을 나타낸 것이 참으로 기막힌 발상이 아니고 무엇이랴!(自는 본래 '코'를 뜻하기 위하여 그 모양을 본뜬 것임, #0090).

취:석 臭石 | 냄새 취, 돌 석 [stinkstone]
[광업] 망치 따위로 때리면 석유 냄새[臭]가 나는 석회암(石灰岩).

• 역순어휘

구:취 口臭 | 입 구, 냄새 취
[bad breath; halitosis]
입[口]에서 나는 좋지 아니한 냄새[臭].

악취 惡臭 | 나쁠 악, 냄새 취 [bad smell]
나쁜[惡] 냄새[臭]. ¶화장실에서 악취가 난다. [반] 향기(香氣).

유취 乳臭 | 젖 유, 냄새 취
젖[乳]에서 나는 냄새[臭]. ¶구상유취(口尙乳臭).

체취 體臭 | 몸 체, 냄새 취 [body oder]
❶ [속뜻] 몸[體]에서 나는 냄새[臭]. ¶방에서 그녀의 체취가 풍긴다. ❷어떤 개인이나 집단이 풍기는 독특한 느낌. ¶이 고장에 오면 선조들의 체취가 느껴진다.

탈취 脫臭 | 벗을 탈, 냄새 취 [deodorize]
어떤 물질 속에 들어 있는 냄새[臭]를 제거함[脫]. ¶탈취 효과가 강하다.

1734 [주]

舟

배 주

[部] 舟부 [劃] 6획 [中] 舟 [zhōu]

舟자는 작은 '쪽배'(a boat)를 뜻하기 위하여 그 모양을 본뜬 것이다. 배와 관련된 글자들의 표의요소로 많이 활용됐다.

주교 舟橋 | 배 주, 다리 교
[pontoon bridge; floating bridge]
작은 배[舟]를 한 줄로 여러 척 띄워 놓아 만든 다리[橋].

주운 舟運 | 배 주, 옮길 운
[transportation by water]
배[舟]로 화물 따위를 나르는[運] 일.

• 역순어휘

고주 孤舟 | 외로울 고, 배 주 [solitary boat]
외로이[孤] 떠 있는 배[舟]. ¶망망대해의 고주 같은 신세.

방주 方舟 | 모 방, 배 주 [ark]
상자 같은 네모[方] 모양의 배[舟]. ¶노아의 방주(Noah's ark).

편주 扁舟 | =片舟, 납작할 편, 배 주 [small boat]
몸통이 얇고 낮은[扁] 배[舟]. 작은 배.

1735 [독]

篤

도타울 독

[部] 竹부 [劃] 16획 [中] 笃 [dǔ]

篤자의 본래 뜻은 '(말이 넘어졌다 일어나) 천천히 걷다'(walk slowly)는 것이기에 '말 마'(馬)가 표의요소로 쓰였고, 竹(대 죽)은 표음요소라는 설이 있다. 그렇다면 표음요소가 부수로 지정된 매우 특이한 예인 셈이다. 후에 '도탑다'(friendly; amicable), '열성스럽다'(overflow with enthusiasm), '심하다'(extreme; excessive) 등으로 확대 사용됐다. 절뚝거리는 말을 걱정하는 주인의 마음에 근거한 것인가 보다.

[속뜻 훈음] ①도타울 독, ②심할 독.

독실 篤實 | 도타울 독, 참될 실
[sincere; earnest]
믿음이 두텁고[篤] 성실(誠實)하다. ¶그는 독실한 신자이다.

독지 篤志 | 도타울 독, 마음 지 [benevolence]
도탑고[篤] 친절한 마음[志]. ¶그는 독지사업에 온 재산을 쏟아 부었다.

• 역순어휘

돈독 敦篤 | 도타울 돈, 도타울 독
[sincere; friendly]
인정이 두텁다[敦=篤]. ¶형제간의 우애가 돈독하다.

위독 危篤 | 위태할 위, 심할 독
[be critically ill; be in a critical condition]
생명이 위태(危殆)롭고 병세가 매우 심하다[篤]. ¶그의 어머니는 위독하시다.

1736 [구]

苟

진실로/구차할 구 :
㊗ 艸부 ㊐ 9획 ㊥ 苟 [gǒu]

苟자는 원래 어떤 '풀'(grass)을 이름 짓기 위한 것이었느니 '풀 초'(艸)가 표의요소로 쓰였다. 鉤(갈고랑이 구), 枸(호깨나무 구)의 경우와 마찬가지로 句(글귀 구)는 표음요소일 따름이다. '진실로'(truly; really)란 뜻으로도 쓰이는데, 조어력이 약하여 한자어 용례가 매우 적다.

구 : 차 苟且 | 진실로 구, 또 차 [poor; indigent]
❶속뜻 실로[苟] 말이나 행동이 떳떳하고 또[且] 버젓하지 못함. ¶구차한 변명. ❷살림이 매우 가난함.

1737 [망]

茫

아득할 망
㊗ 艸부 ㊐ 10획 ㊥ 茫 [máng]

茫자의 자형 풀이와 본래 의미에 대하여는 정설이 없다. '아득하다'(far; faraway; far-off; distant)는 뜻으로 보면 끝없이 넓게 펼쳐진 초원[艸→++]이나 수면[水→氵]이 연상된다. 亡(망할 망)은 표음요소인 셈이다.

망막 茫漠 | 아득할 망, 사막 막 [vast; vague]
아득한[茫] 사막[漠] 처럼 끝이 보이지 않다. ¶망막한 평원 / 앞날이 망막하다.

망망 茫茫 | 아득할 망, 아득할 망 [vast]
❶속뜻 너무 넓고 멀어 아득하다[茫+茫]. ❷흐릿하다. 막연하다.

망연 茫然 | 아득할 망, 그러할 연 [vast; vacant]
❶속뜻 매우 아득한[茫] 모양[然]. ¶망연하게 펼쳐진 바다. ❷충격으로 어이가 없어서 멍하다. ¶그 광경을 보고 어찌할 바를 몰라 망연하다.

1738 [묘]

苗

모 묘 :
㊗ 艸부 ㊐ 9획 ㊥ 苗 [miáo]

苗자는 옮겨심기 위하여 밭에 심어 놓은 어린 식물, 즉 '모종'(a seedling)을 뜻하기 위한 것이었으니, '풀 초'(艸)와 '밭 전'(田) 둘 모두 표의요소이다. 풀이나 나무가 '어리다'(young; nursery)는 뜻으로도 쓰인다.
속뜻 훈음 ①모종 묘, ②어릴 묘.

묘 : 목 苗木 | 어릴 묘, 나무 목
[seedling; young plant]
옮겨심기 위해 가꾼 어린[苗] 나무[木]. ¶묘목을 이식하다.

묘 : 상 苗床 | 모종 묘, 평상 상
[seedbed; nursery]
농업 꽃이나 나무, 채소 따위의 모종[苗]을 키우는 평상[床] 모양의 자리. 모판.

묘 : 판 苗板 | 모종 묘, 널빤지 판 [rice seedbed]
모종[苗]을 심어놓은 널빤지[板]. ㊐못자리.

• 역순어휘

육묘 育苗 | 기를 육, 모종 묘 [plant a seedling]
묘목(苗木)이나 모를 기름[育].

종묘 種苗 | 심을 종, 모종 묘 [plant a seedling]
식물의 씨나 싹[苗]을 심어서[種] 가꿈. 또는 그런 모종이나 묘목.

1739 [소]

蔬

나물 소
㊗ 艸부 ㊐ 15획 ㊥ 蔬 [shū]

蔬자는 먹을 수 있는 풀, 즉 '나물'(greens; green stuff; vegetables) 을 뜻하기 위한 것이었으니 '풀 초'(艸)가 표의요소로 쓰였다. 疏(트일 소)는 표음요소이니 뜻과는 무관하다.

• 역순어휘

채 : 소 菜蔬 | 나물 채, 나물 소
[vegetables; greens]
밭에 가꾸어 식용하는 각종 푸성귀나 나물[菜=蔬]. ¶밭에는 푸른 채소가 돋아난다. ㊐야채(野菜), 푸성귀.

1740 [천]

薦

천거할 천 :
㊗ 艸부 ㊐ 17획 ㊥ 荐 [jiàn]

薦자는 짐승[廌, 해태 치/외뿔양 치]에게 먹일 풀[艸], 즉 '꼴'(fodder; forage; feed)이 본래 의미이다. 후에 '뽑다'(select; choose; pick out), '인재를 소개하다'(=천거하다. recommend)는 뜻도 이것으로 나타냈다. 해태는 옳고 그름을 판단할 줄 안다는 전설적인 동물이다. 인재가 되자면 是非曲直(시비곡직)에 대한 판단력이 중요함을 말해 주는 대목이기도 하다.

속뜻 훈음 ①올릴 천, ②천거할 천.

천:거 薦擧 | 올릴 천, 들 거
[recommend; say a good word for]
인재를 들추어내[擧] 어떤 자리에 쓰도록 추천(推薦)함. ¶그는 여러 번 천거되었으나 벼슬길에 나가지 않았다.

천:신 薦新 | 올릴 천, 새 신 [offer the first harvest of the season to the gods]
❶속뜻 새[新] 것을 드림[薦]. ❷그 해에 새로 난 과일이나 농산물을 신에게 먼저 올리는 일. ❸민속 봄과 가을에 신을 위하는 굿.

• 역순어휘

공천 公薦 | 공정할 공, 천거할 천
[nominate publicly]
❶속뜻 공정(公正)하게 추천(推薦)함. ¶그는 공천을 통한 관리 채용을 주장했다. ❷여러 사람의 합의에 따라서 천거함. ❸정치 정당에서 공식적으로 후보자를 내세움. ¶당에서 그를 공천했다.

낙천 落薦 | 떨어질 락, 천거할 천
[fail in application]
추천(推薦)이나 천거(薦擧)에서 빠짐[落]. ¶회장 후보에서 낙천되었다. 참 공천(公薦).

자천 自薦 | 스스로 자, 천거할 천
[recommend oneself]
자기(自己)가 자신을 추천(推薦)함. 참 타천(他薦).

추천 推薦 | 밀 추, 천거할 천
[recommend; say a good word (for)]
알맞은 사람이나 물건을 책임지고 밀어[推] 천거(薦擧)함. ¶저는 이 제품을 추천합니다.

1741 [폐]

蔽 덮을 폐:
部 艸부 劃 16획 中 蔽 [bì]

蔽자는 본래 작은 '잡초'(a weed)를 뜻하기 위한 것이었으니 '풀 초'(艸)가 표의요소로 쓰였다. 敝(해질 폐)는 표음요소일 따름이다. 잡초로 뒤덮여 있는 곳이 많고, 그러한 곳에 무엇을 숨기던 일이 많았는지 '덮다'(overspread), '숨기다'(hide), '가리다'(conceal; cover up) 등으로 확대 사용됐다.

폐:일-언 蔽一言 | 덮을 폐, 한 일, 말씀 언
[express in a single word]
이러니저러니 할 것 없이 한[一] 마디로 휩싸[蔽]하는 말[言]. 일언이폐지(一言以蔽之). ¶폐일언하고 당장 시작합시다.

• 역순어휘

엄:폐 掩蔽 | 가릴 엄, 덮을 폐
[cover up; conceal]
❶속뜻 가리어[掩] 덮음[蔽]. ❷천문 천체의 빛이 행성이나 위성과 같은 다른 천체에 의하여 가려지는 일 또는 그런 현상. 일식은 달에 의하여 태양이 가려지는 것이고 월식은 지구가 태양의 반대쪽 그림자 속에 들어가 달이 가려지는 것이다.

은폐 隱蔽 | 숨길 은, 덮을 폐
[conceal; hide]
숨기려고[隱] 덮음[蔽]. ¶그는 증거를 은폐하려다 경찰에 잡혔다.

차:폐 遮蔽 | 가릴 차, 덮을 폐
[cover; shield; defilade]
❶군사 적의 관측이나 사격의 목표가 되지 않게 막아[遮] 덮음[蔽]. ❷물리 일정한 공간을 전기나 자기로부터 보호하기 위하여 차단함.

1742 [밀]

蜜 꿀 밀
部 虫부 劃 14획 中 蜜 [mì]

蜜자는 벌레의 일종인 벌이 만든 '꿀'(honey)을 뜻하기 위한 것이었으니 '벌레 충'(虫)이 표의요소로 쓰였다. 상단의 宓(밀)이 표음요소임은 密(빽빽할 밀)자도 마찬가지다. 부수를 '집 면'(宀)으로 혼동하기 쉬우니 조심해야 한다.

밀감 蜜柑 | 꿀 밀, 감자나무 감 [mandarin orange]
❶속뜻 꿀[蜜]처럼 단 귤나무[柑]의 열매. ❷식물 귤나무의 열매.

밀랍 蜜蠟 | 꿀 밀, 밀 랍 [beeswax]
벌집에서 채취한[蜜] 동물성 고체 기름[蠟].

밀월 蜜月 | 꿀 밀, 달 월 [honeymoon period]
❶속뜻 영문 'honey[蜜] moon[月]'의 한자 의역어. 결혼 초의 즐겁고 달콤한 동안. ❷'밀월여행'(蜜月旅行)의 준말.

• 역순어휘

봉밀 蜂蜜 | 벌 봉, 꿀 밀 [honey]
꿀벌[蜂]이 꽃에서 빨아들여 벌집에 모아두는 꿀[蜜]. 비 벌꿀.

1743 [봉]

蜂

벌 봉
[部] 虫부 [劃] 13획 [中] 蜂 [fēng]

蜂자는 옛날 사람들이 벌레의 일종으로 본 '벌'(a bee)을 뜻하기 위한 것이었으니 '벌레 충'(虫)이 표의요소로 쓰였다. 峰(봉우리 봉), 捧(받들 봉), 逢(만날 봉)자와 마찬가지로 夆(끌 봉)은 표음요소로 쓰인 것이다.

봉기 蜂起 | 벌 봉, 일어날 기
[rise in revolt; rise against]
벌[蜂]떼처럼 많은 사람이 한꺼번에 들고 일어남[起]. ¶농민들이 봉기했다.

봉밀 蜂蜜 | 벌 봉, 꿀 밀 [honey]
꿀벌[蜂]이 꽃에서 빨아들여 벌집에 모아두는 꿀[蜜]. [비]벌꿀.

• 역순어휘

분봉 分蜂 | 나눌 분, 벌 봉
[hive off; split the hive]
벌통 속에 있는 꿀벌[蜂] 일부를 다른 통으로 갈라냄[分].

양:봉 養蜂 | 기를 양, 벌 봉 [keep a bees]
꿀을 얻기 위하여 벌[蜂]을 기름[養]. 또는 그러한 벌. ¶지리산 중턱에는 양봉하는 곳이 많다 / 양봉농가.

1744 [접]

蝶

나비 접
[部] 虫부 [劃] 15획 [中] 蝶 [dié]

蝶자는 '나비'(a butterfly)를 뜻하기 위한 것인데, '벌레 충'(虫)이 표의요소로 쓰인 것을 보니 당시 사람들은 나비를 벌레의 일종으로 여겼나보다. 오른쪽의 것이 표음요소임은 艓(배 이름 접), 褋(홑옷 접)도 마찬가지다.

접영 蝶泳 | 나비 접, 헤엄칠 영
[butterfly stroke]
[운동] 두 손을 동시에 앞으로 뻗쳐 나비[蝶]처럼 물을 아래로 끌어내리고 양다리를 모아 상하로 움직이며 발등으로 물을 치면서 나아가는 수영(水泳).

• 역순어휘

봉:접 鳳蝶 | 봉새 봉, 나비 접 [swallow tail]
❶[속뜻] 봉황(鳳凰)처럼 큰 나비[蝶]. ❷[동물] 호랑나비과의 곤충. 날개를 폈을 때 크기는 8~12cm이며, 누런 녹색 또는 어두운 갈색이고 검은 띠와 얼룩얼룩한 점이 있으며 뒷날개에는 가는 돌기가 있다. [비]호랑나비.

호접 蝴蝶 | 나비 호, 나비 접 [butterfly]
[동물] 나비[蝴=蝶]. 나비목의 곤충 가운데 낮에 활동하는 무리를 통틀어 이르는 말.

1745 [형]

螢

반딧불 형
[部] 虫부 [劃] 16획 [中] 萤 [yíng]

螢자는 '개똥벌레'(a firefly; a lightning bug)를 뜻하기 위한 것이었으니 '벌레 충'(虫)이 표의요소로 쓰였다. 그 나머지는 표의와 표음을 겸하는 요소이다(참고, 熒 실개천 형, 熒 등불 형). 그 벌레에서 반짝이는 불, 즉 '반딧불이'(the glimmer of a firefly)를 가리키기도 한다.

형광 螢光 | 반딧불 형, 빛 광 [fluorescence]
❶[속뜻] 반딧불이[螢]의 불빛[光]. 반딧불. ❷[물리] 어떤 물질이 빛이나 방사선 따위를 받았을 때 그 빛과는 다른 고유의 빛을 내는 현상. ¶형광 조명.

형석 螢石 | 반딧불 형, 돌 석 [fluorspar]
❶[속뜻] 형광(螢光)을 발하는 돌[石]. ❷[광업] 불화(佛化) 칼슘으로 이루어진 광물. 유리 광택이 나는 약한 결정으로, 가열하면 형광을 발한다.

형설 螢雪 | 반딧불 형, 눈 설 [diligent study]
❶[속뜻] 반딧불이[螢]와 눈[雪]의 빛. ❷차윤(車胤)과 손강(孫康)의 고사에서 유래되어, '어려운 여건에서도 꾸준히 학문을 닦는 것'을 이르는 말. '형설지공'(螢雪之功)의 준말.

1746 [궤]

軌

바퀴자국 궤:
[部] 車부 [劃] 9획 [中] 轨 [guǐ]

軌자는 수레의 '바퀴자국'(a wheel track)을 뜻하기 위하여 만든 것이었으니 '수레 거'(車)가 표의요소로 쓰였다. 九(아홉 구)가 표음요소로 쓰인 것임은 氿(샘 궤), 杦(나무 이름 궤/구)도 마찬가지다.

궤:도 軌道 | 바퀴자국 궤, 길 도
[track; railroad; orbit]
❶[속뜻] 수레가 지나간 바큇자국[軌]이 난 길[道]. ❷[교통] 기차 등이 다니도록 깔아놓은 철길. ¶기차가 궤도를

이탈했다. ❸사물이 움직이도록 정해진 길. ¶인공위성이 무시히 궤도에 진입했다. [비]차도(車道), 선로(線路), 경로(經路).

궤:적 軌跡 | 바퀴자국 궤, 발자취 적
[trace of wheels; deeds of one's predecessors]
❶[속뜻]수레가 지나가 바퀴자국[軌]이 남은 흔적(痕跡). ❷물체가 움직이면서 남긴 흔적. ¶항공기의 비행 궤적. ❸어떠한 일을 이루어 온 과정이나 흔적. ¶근대 문학의 궤적을 남긴 작품. ❹[수학]어떤 일정한 성질을 가진 점들의 집합으로 이루어진 도형. 자취.

• 역순어휘

협궤 狹軌 | 좁을 협, 길 궤 [narrow gauge]
❶[속뜻]좁은[狹] 궤도(軌道). ❷[건설]철도 레일 사이의 너비가 표준인 1.435m보다 좁은 철도의 선로. [반]광궤(廣軌).

1747 [여]

輿

수레 여:
[部] 車부 [劃] 17획 [中] 舆 [yú]

輿자는 '수레 거'(車)와 '마주 들 여'(舁)가 합쳐진 것으로 '수레의 차체'(a car body)가 본뜻이다. 여러 하인이 들거나 끌었기 때문에 '하인'(a servant), '여러 사람'(many men) 등으로 확대 사용됐다. 舁(여)는 표음과 표의를 겸하는 요소이다. '많다'(many; numerous)는 뜻으로도 쓰인다.
[속뜻훈음] ①많을 여, ②수레 여.

여:론 輿論 | 많을 여, 말할 론
[public opinion; prevailing view]
많은[輿] 사람의 공통된 의견[論]. ¶여론을 반영하다.

여:망 輿望 | 많을 여, 바랄 망
[expectation; confidence]
많은[輿] 사람들의 기대나 희망(希望).

• 역순어휘

상여 喪輿 | 죽을 상, 수레 여
[(funeral) bier]
사람의 시체를 실어서 묘지까지 나르는[喪] 수레[輿] 따위의 도구. ¶상여를 메고 가다.

채:여 彩輿 | 빛깔 채, 수레 여
[역사]여러 빛깔[彩]의 꽃무늬가 그려져 있고 채가 달려 앞뒤로 메게 되어있는 수레[輿]. 왕실에 의식이 있을 때, 귀중품을 실어 옮기는 데 쓰던 교자 모양의 기구이다.

1748 [헌]

軒

집 헌
[部] 車부 [劃] 10획 [中] 轩 [xuān]

軒자는 본래, 옛날 고급관리가 타던 '수레'(a cart; a carriage)를 뜻하기 위한 것이었으니 '수레 거'(車)가 표의요소로 쓰였다. 干(방패 간)은 표음요소라는 설이 있는데, 음 차이가 크다. 후에 '집'(a house; a dwelling), '처마'(the eaves) 등을 가리키는 것으로 확대 사용됐다.

헌등 軒燈 | 추녀 헌, 등불 등
처마[軒]에 다는 등(燈).

• 역순어휘

동헌 東軒 | 동녘 동, 집 헌
❶[속뜻]여러 채의 관사(官舍) 가운데 동(東)쪽에 있는 집[軒]. ❷[역사]지방 관아에서 고을 원님이나 수령(守令)들이 공사(公事)를 처리하던 중심 건물.

1749 [휘]

輝

빛날 휘
[部] 車부 [劃] 15획 [中] 辉 [huī]

輝자는 부수가 '수레 거'(車)이지만 의미와는 아무런 상관이 없고, 본래 煇(빛날 휘)의 이체자였다. 光(빛 광)이 214 개 부수 체계에는 들어 있지 않기 때문에 하는 수 없이 부수를 車로 지정했을 따름이다. 軍(군사 군)이 표음요소임은 揮(휘두를 휘), 楎(옷걸이 휘), 禈(제사 휘)의 경우와 마찬가지다. '빛나다'(shine), '빛'(light) 등의 뜻으로도 쓰인다.

휘도 輝度 | 빛날 휘, 정도 도 [brightness]
❶[물리]광원(光源)의 단위 면적당 밝기[輝]의 정도(程度). ❷텔레비전 따위에서 브라운관상(像)의 광점(光點)의 밝기.

휘석 輝石 | 빛날 휘, 돌 석 [pyroxene]
❶[속뜻]유난히 빛나는[輝] 돌[石]. ❷[광업]철, 마그네슘, 칼슘 따위로 이루어진 규산염 광물. 사방 정계 또는 단사 정계에 속하며 검은색, 검은 녹색, 검은 갈색을 띠고 유리 광택이 있다. 조암광물의 하나로 화성암 속에서 난다.

• 역순어휘

광휘 光輝 | 빛 광, 빛날 휘
[brilliance; splendor; shine]

❶[속뜻] 빛[光]이 환하고 아름답게 빛남[輝]. 또는 그 빛. ❷눈부시게 훌륭함을 비유하여 이르는 말. ¶칠백년의 광휘한 역사를 자랑하다. [비]광화(光華).

1750 [기]

豈

어찌 기
[部] 豆부 [劃] 10획 [中] 岂 [qǐ, kǎi]

豈자는 높다란 단[豆·두] 위에 올라 승리의 깃발을 날리는 모습이 잘못 변화된 것이다. 본래는 이기고 돌아온 장군과 병사를 위한 음악, 즉 '개가'(a triumphal song)를 뜻하기 위한 것이었고, '즐겁다'(delightful)는 뜻으로 확대 사용됐다. 이 경우는 음이 [개]였다. 고전 문장에서 '어찌'(why; how)라는 부사적 용법으로 활용되는(이 경우는 음이 [기]임) 예가 잦아지자, 본뜻을 위하여 추가로 凱(개가 개)자를 만들었다. 한문에서는 많이 쓰였으나, 조어력이 매우 약하여 한자어 용례는 거의 없다.

1751 [돈]

豚

돼지 돈
[部] 豕부 [劃] 11획 [中] 豚 [tún]

豚자는 '작은 돼지'(a small pig)를 뜻하기 위한 것이었으니 '돼지 시'(豕)가 표의요소로 쓰였다. 月(월)은 '고기 육'(肉)의 변형이다. 부수를 月로 오인하지 않도록 주의하자. 후에 '돼지'(a pig)를 통칭하는 것으로 확대 사용됐다.

돈견 豚犬 | 돼지 돈, 개 견 [pig and dog]
❶[속뜻] 돼지[豚]와 개[犬]를 아울러 이르는 말. ❷자기 집 자식들을 남에게 겸손하게 이르는 말. 가아(家兒). ¶저의 돈견들을 잘 보살펴 주어서 대단히 감사합니다.

• 역순어휘

양:돈 養豚 | 기를 양, 돼지 돈 [raise hogs]
돼지[豚]를 먹여 기름[養]. 또는 그 돼지. ¶전염병이 확산되어 양돈업계가 큰 타격을 입었다.

1752 [변]

辨

분별할 변:
[部] 辛부 [劃] 16획 [中] 辨 [biàn]

辨자는 칼로 '나누다'(divide; part; sever; split)는 뜻을 위하여 만든 것이었으니 '칼 도'(刀→刂)가 표의요소다. 辛을 두 개 겹쳐 쓴 것이 표음요소임은 辯(말잘할 변)도 마찬가지다. 후에 '가리다'(distinguish; discriminate) 는 뜻으로도 확대 사용됐다.

[속뜻훈음] 가릴 변.

변:명 辨明 | 가릴 변, 밝을 명
[explain oneself; make an excuse]
❶[속뜻] 옳고 그름을 가리어[辨] 사리를 밝힘[明]. ¶변명의 상소를 하다. ❷자신의 잘못이나 실수에 대하여 구실을 대며 그 까닭을 말함. ¶변명을 늘어놓다.

변:별 辨別 | 가릴 변, 나눌 별 [distinguish]
사물의 옳고 그름이나 좋고 나쁨을 가려[辨] 나눔[別]. ¶진위를 변별하다. [비]분별(分別), 식별(識別).

변:상 辨償 | 가릴 변, 갚을 상
[pay for; reimburse]
❶[속뜻] 책임 소재를 잘 가리어[辨] 보상해야 할 것은 보상(補償)해줌. ❷남에게 입힌 손해를 돈이나 물건 따위로 물어줌. ¶화병을 깼으니 변상하시오. [비]배상(賠償), 보상(補償).

1753 [신]

辛

매울 신
[部] 辛부 [劃] 7획 [中] 辛 [xīn]

辛자는 옛날에 죄인의 얼굴을 찢고 먹물을 넣는 형벌[墨刑·묵형], 또는 코를 베는 형벌[劓刑·의형]을 가할 때 쓰는 작고 뾰족한 '칼'(a knife; a dagger)을 뜻하기 위하여 그 모양을 본뜬 것이었다. 쓰기 편함을 추구하다 보니 지금의 모습으로 바뀌었다. 이것이 표의요소로 쓰인 글자들은 모두 '죄'나 '형벌'과 관련이 깊다(참고, 辜 죄 고, 辟 죄 다스릴 벽). 후에 '맵다'(hot; pungent; sharp), '매운 맛'(a sharp taste; heat), '고통'(pain) 등의 뜻으로 확대 사용됐다.

[속뜻훈음] ①매울 신, ②천간 신.

신랄 辛辣 | 매울 신, 매울 랄 [be severe]
❶[속뜻] 맛이 몹시 쓰고 맵다[辛=辣]. ❷어떤 일의 분석이나 지적이 매우 모질고 날카롭다. ¶신랄한 비평.

신미 辛未 | 천간 신, 양 미
[민속] 천간의 '辛'과 지지의 '未'가 만난 간지(干支). ¶신미년생은 양띠다.

신유 辛酉 | 천간 신, 닭 유
[민속] 천간의 '辛'과 지지의 '酉'가 만난 간지(干支). ¶신유년생은 닭띠다.

• 역순어휘

간신 艱辛 | 어려울 간, 매울 신 [barely; hardly]
일하기가 어렵고[艱] 고생스럽다[辛]. ¶간신히 시험을 통과했다.

1754 [근]

謹 삼갈 근:
部 言부 畫 18획 中 谨 [jǐn]

謹자는 말을 '삼가다'(abstain from; be cautious)는 뜻을 위하여 만들어진 것이었으니 '말씀 언'(言)이 표의요소로 쓰였다. 堇(노란 진흙 근)은 표음요소이니 뜻과는 무관하다.

근:신 謹愼 | 삼갈 근, 삼갈 신
[prudent; disciplinary confinement]
❶속뜻 말을 삼가하고[謹] 행동을 신중(愼重)히 함. ❷벌로 일정 기간 동안 출근이나 등교, 집무 따위의 활동을 하지 아니하고 말이나 행동을 삼감. ¶1개월 동안 근신하라는 징계를 받았다.

근:엄 謹嚴 | 삼갈 근, 엄할 엄
[dignified and serious; sober]
매우 점잖고[謹] 엄(嚴)하다. ¶근엄하게 꾸짖다.

근:조 謹弔 | 삼갈 근, 조상할 조
[offer one's condolence]
삼가[謹] 조상(弔喪)함.

근:하 謹賀 | 삼갈 근, 축하할 하
[congratulate cordially]
삼가[謹] 축하(祝賀)함.

1755 [사]

詐 속일 사
部 言부 畫 12획 中 诈 [zhà]

詐자는 '속이다'(deceive; cheat)는 뜻이니 '말씀 언'(言)이 표의요소로 쓰였고, 乍(잠깐 사)는 표음요소일 따름이다. "'잠시'만 정신을 차리지 않아도 사기를 당하기 십상이니 표의요소입니다"라고 풀이할 수도 있겠지만, 그렇다면 砟(비석 돌 사)자는 어떻게 해석할 것인가! 한자 풀이에도 사기(?)가 있을 수 있으니 주의해야한다.

사기 詐欺 | 속일 사, 속일 기 [fraud; fraudulence]
❶속뜻 못된 목적으로 남을 속임[詐=欺]. ❷남을 속여 착오에 빠지도록 하는 범죄 행위. ¶그녀는 사기를 당해 집을 잃었다.

사취 詐取 | 속일 사, 가질 취
[obtain by fraud; swindle from]
남의 것을 거짓으로 속여서[詐] 빼앗음[取].

• 역순어휘

간사 奸詐 | 간교할 간, 속일 사 [cunning; sly]
❶속뜻 간교(奸巧)하여 남을 잘 속임[詐]. ❷거짓으로 남의 비위를 맞추거나 아양을 떠는 태도가 있음.

변:사 變詐 | 변할 변, 속일 사 [eat one's words]
❶속뜻 이리저리 변덕(變德)을 부려 속임[詐]. ❷변덕스럽게 이랬다저랬다 함. ¶변사를 부리다. ❸병세가 갑자기 달라짐.

1756 [서]

誓 맹세할 서:
部 言부 畫 14획 中 誓 [shì]

誓자는 말로 '다짐하다'(=맹세하다, assure; pledge)는 뜻을 위하여 만든 것이었으니 '말씀 언'(言)이 표의요소로 쓰였다. 析(가를 석)이 표음요소임은 逝(갈 서)도 마찬가지다.

서:약 誓約 | 맹세할 서, 묶을 약
[swear; vow make an oath]
맹세[誓]하고 약속(約束)함. ¶혼인 서약.

서:언 誓言 | 맹세할 서, 말씀 언 [oath]
맹세[誓] 하는 말[言]. 서사(誓詞).

서:원 誓願 | 맹세할 서, 원할 원 [vow; swear]
❶속뜻 자기가 하고자 하는 일을 맹세하고[誓] 그것이 이루어지기를 기원(祈願)함. 또는 그 기원. ❷불교 부처나 보살이 중생을 제도하려는 소원이 이루어지도록 기원하는 일.

• 역순어휘

선서 宣誓 | 알릴 선, 맹세할 서
[swear; take an oath]
여러 사람 앞에서 공개적으로 알려[宣] 맹세하는[誓] 일. ¶올림픽 선서.

1757 [송]

誦 욀 송:
部 言부 畫 14획 中 诵 [sòng]

誦자는 '소리 내어 읽다'(recite; give a recitation)는 뜻을 나타내기 위하여 만들어진 것이었으니 '말씀 언'(言)이 표의요소로 쓰였다. 甬(길 용)이 표음요소였다고 한다. 후에 '외다'(memorize), '읊다'(recite) 등으로 확대 사용됐다. 글을 외울 때는 소리 내어 읽는 것이 가장 좋은 비결임을 이로써 분명히 알 수 있겠다.

송:경 誦經 | 욀 송, 경전 경 [recite a sutra]
❶속뜻 점치는 소경이 경문(經文)을 욈[誦]. ❷불교 불경을 욈.

• 역순어휘

낭:송 朗誦 | 밝을 랑, 욀 송 [recite]
또랑또랑하게[朗] 소리내어 외움[誦]. ¶시를 낭송하다 / 낭송회. ⊞낭독(朗讀), 독송(讀誦).

독송 讀誦 | 읽을 독, 욀 송
[read aloud; recite; intone]
소리 내어 읽거나[讀] 외움[誦].

암:송 暗誦 | 어두울 암, 욀 송
[recite; repeat from memory]
글을 보지 아니하고[暗] 입으로 욈[誦]. ¶암송시험 / 동시(童詩)를 암송하다.

애:송 愛誦 | 즐길 애, 욀 송 [love to recite]
시가(詩歌)나 문장 따위를 즐겨[愛] 욈[誦].

1758 [수]

誰

누구 수
部 言부 畫 15획 中 谁 [shéi, shuí]

誰자는 일상 입말에 많이 쓰이는 의문 대명사 '누구'(who)의 뜻을 위하여 만들어진 것이었으니 '말씀 언'(言)이 표의요소이다. 隹(새 추)가 표음요소로 쓰인 것임은 雖(비록 수), 售(팔 수)도 마찬가지다. 고전 문장에서 단음절 어휘로 많이 쓰이기는 하지만 다른 글자와 더불어 낱말을 구성하는 조어력은 매우 약하다.

수하 誰何 | 누구 수, 어찌 하 [anyone; who; what]
❶속뜻 누구[誰]와 어찌[何]. ❷누구. ¶수하를 막론하고 이곳에 들어올 수 없다. ❸군사 상대편의 정체를 식별하기 어려울 때 경계하는 자세로 상대편의 정체나 아군끼리 약속한 암호를 확인함. 또는 그런 일.

1759 [알]

謁

뵐 알
部 言부 畫 16획 中 谒 [yè]

謁자는 말로 '아뢰다'(tell; report)는 뜻을 나타내기 위하여 만들어진 것이었으니 '말씀 언'(言)이 표의요소로 쓰였다. 曷(어찌 갈)이 표음요소임은 堨(보알), 遏(막을 알)도 마찬가지다. 후에 '뵙다'(see; meet; be presented to)는 뜻도 따로 글자를 만들지 않고 이것으로 나타냈다.

속뜻훈음 ①뵐 알, ②아뢸 알.

알성 謁聖 | 뵐 알, 성스러울 성
[visiting a place of worship]
역사 임금이 성균관 문묘에 배향된 공자[聖]의 신위에 참배하던 일[謁].

• 역순어휘

면:알 面謁 | 낯 면, 아뢸 알
[have an audience with]
존경하는 사람을 찾아가 얼굴[面]을 뵘[謁]. ⊞배알(拜謁).

배:알 拜謁 | 절 배, 아뢸 알
[have an audience with]
지위가 높거나 존경하는 사람을 찾아가 절하고[拜] 아뢺[謁]. ⊞면알(面謁).

진:알 進謁 | 나아갈 진, 뵐 알
[have an audience of; present oneself]
높은 사람에게 나아가[進] 뵘[謁]. ⊞진배(進拜).

청알 請謁 | 청할 청, 뵐 알 [hope to see]
만나 뵙기를[謁]를 청(請)함. 알현하기를 청함.

1760 [량]

諒

살필/믿을 량
部 言부 畫 15획
中 谅 [liàng, liáng]

諒자는 상대방의 말이나 사정을 '믿어주다'(give credit to; be sure of)는 뜻을 위하여 만들어진 것이었으니 '말씀 언'(言)이 표의요소로 쓰였다. 京(서울 경)이 표음요소임은 涼(서늘할 량), 悢(슬플 량)도 마찬가지다. 후에 '살펴 알아주다'(comprehend; consent to)는 뜻으로 확대 사용됐다.

양해 諒解 | 살필 량, 풀 해 [excuse; understand]
남의 사정을 잘 살피어[諒] 너그러이 이해(理解)해 줌. ¶손님에게 양해를 구하다 / 양해해 주시기 바랍니다.

• 역순어휘

해:량 海諒 | 바다 해, 살필 량
바다[海]와 같이 넓은 마음으로 양해(諒解)함. 주로 편

지 따위에서 상대방에게 용서를 구할 때 쓴다. ¶선생님의 넓은 해량을 바랍니다.

혜:량 惠諒 | 은혜 혜, 살필 량
은혜(恩惠)롭게 잘 살펴줌[諒]. 주로 편지글에 많이 쓰인다. ¶선생님의 혜량에 감사드립니다 / 귀하의 혜량을 빕니다.

1761 [영]

詠 읊을 영:
部 言부 劃 12획 中 咏 [yǒng]

詠자는 시가, 시조 따위를 소리 내어 '읊다'(chant)는 뜻을 위하여 만들어진 것이었으니 '말씀 언'(言)이 표의요소로 쓰였다. 永(길 영)은 표음요소인데, '길게 읊조리다'(chant long)는 뜻으로 풀이하면 의미를 겸한다고 볼 수도 있다. 일찍이 '咏'으로 쓰기도 했는데, 획수가 적어 편리함에도 큰 호응을 얻지 못하여 안타깝다.

영:가 詠歌 | 읊을 영, 노래 가 [reciting]
❶속뜻 시가(詩歌)를 읊음[詠]. ❷음악 서양식 곡조로 지은 노래. ❸음악 국악에서 종교적인 노래의 하나. '음·아·어·이·우'의 오음을 처음에는 길게, 나중에는 빠르게 가락을 붙여 반복하여 부르는 것으로, 조선 후기부터 불리기 시작했다.

영:물 詠物 | 읊을 영, 만물 물 [recite]
❶속뜻 만물(萬物)을 시로 읊음[詠]. ❷새, 꽃, 달, 나무 따위를 제재로 하여 시를 짓는 일. 또는 그 시.

영:탄 詠歎 | =詠嘆, 읊을 영, 탄식할 탄
[recite; exclaim; admire]
❶속뜻 읊으며[詠] 탄식(歎息)함. ❷목소리를 길게 뽑아 깊은 정회(情懷)를 읊음. ❸감탄(感歎).

• 역순어휘

존영 尊詠 | 높을 존, 읊을 영 [your noble portrait]
남이 지은 시와 노래[詠]를 높여[尊] 이르는 말.

즉영 即詠 | 곧 즉, 읊을 영 [reciting at once]
시를 그 자리에서 바로[即] 읊거나[詠] 지음. ¶옛 선비들은 자연에 살면서 즉영을 즐겼다.

1762 [정]

訂 바로잡을 정
部 言부 劃 9획 中 订 [dìng]

訂자는 '말씀 언'(言)이 표의요소이고, 丁(정)은 표음요소이다. '의논하다'(consult with)가 본뜻인데, '바로 잡다'(correct; reform)는 뜻으로도 쓰인다.

정정¹ 訂正 | 바로잡을 정, 바를 정
[correct; rectify]
글자나 글 따위의 잘못을 바로잡아[訂] 바르게[正] 고침. ¶정정 기사 / 문제가 있는 곳을 정정한 후에 원고를 다시 제출했다.

정정² 訂定 | 바로잡을 정, 정할 정
[correct; revise]
잘잘못을 바로잡아[訂] 다시 정(定)함. ¶요금 체계를 정정하여 다시 발표했다.

• 역순어휘

개:정 改訂 | 고칠 개, 바로잡을 정 [revise]
잘못된 내용을 고치고[改] 부족한 부분을 바로잡아[訂] 채움. ¶그 책은 지금 개정 중이다.

경정 更訂 | 고칠 경, 바로잡을 정
[proofread; rewrite]
책의 내용 따위를 고쳐[更] 바로 잡음[訂]. ¶내용을 경정하고 제목도 바꾸어 다시 출판되자 큰 호응을 얻었다.

수정 修訂 | 고칠 수, 바로잡을 정 [correct]
책의 글자나 내용 등을 고쳐[修] 바로잡음[訂]. ¶초고 수정.

1763 [탄]

誕 낳을/거짓 탄:
部 言부 劃 14획 中 诞 [dàn]

誕자의 본래 뜻은 '큰소리치다'(talk big; brag)는 뜻을 나타내기 위하여 만든 것이었으니 '말씀 언'(言)이 표의요소로 쓰였다. 延(끌 연)은 표음요소였다는데, 음이 크게 달라졌다. 후에 '거짓말하다'(lie; tell a lie), '속이다'(deceive; cheat) 등으로 확대 사용됐다. 거짓말일수록, 그리고 남을 속이는 말일수록 대개 목청을 돋우는 예가 많아 그런 것 같다. '태어나다'(bear; give birth to)는 뜻으로도 사용되었는데, 漢代(한:대) 이후의 일이다.
속뜻 훈음 태어날 탄.

탄:생 誕生 | 태어날 탄, 날 생
[born; come into the world]
❶속뜻 귀한 사람이 태어남[誕=生]. ¶국민들은 왕자의 탄생을 기뻐했다. ❷'어떤 기관이나 조직, 제도 따위가 새로 생겨남'을 비유하여 이르는 말. ¶민주주의가 탄생하다 / 록 음악은 1950년대에 탄생했다.

탄:신 誕辰 | 태어날 탄, 날 신 [royal birthday]
임금이나 성인이 태어난[誕] 날[辰]. ¶세종대왕 탄신을 기념하는 행사가 열렸다. [비]탄생일(誕生日).

탄:일 誕日 | 태어날 탄, 날 일 [birthday]
태어난[誕] 날[日]. '생일'을 높여 이르는 말. 탄생일. ¶내일이 왕의 탄일이다.

• 역순어휘

성:탄 聖誕 | 거룩할 성, 태어날 탄 [sacred birth; Christmas Day]
❶[속뜻] 거룩한[聖] 분의 탄생(誕生). 또는 임금의 탄생. ❷[기독교] '성탄절'(聖誕節)의 준말.

1764 [해]

該

갖출[備]/마땅[當] 해
[部] 言부 [劃] 13획 [中] 该 [gāi]

該자는 말이 '맞다'(coincide with; correspond with)는 뜻을 위하여 만들어진 것이었으니 '말씀 언'(言)이 표의요소로 쓰였다. 亥(돼지 해)는 표음요소이니 뜻과는 무관하다. 후에 특정의 '그것'(that) 등을 뜻하는 것으로 확대 사용됐다.
[속뜻훈음] **①맞을 해, ②그 해.**

해당 該當 | 그 해, 당할 당 [applicable to]
바로 그것에[該] 관계됨[當]. 관계되는 그것. ¶해당 조건 / 해당 분야.

해박 該博 | 맞을 해, 넓을 박 [profound]
❶[속뜻] 하는 말이 다 맞고[該] 앎이 넓음[博]. ❷배움이 넓고 아는 것이 많음. ¶해박한 지식 / 상식이 해박한 사람.

• 역순어휘

당해 當該 | 당할 당, 그 해
[proper; concerned; competent]
일부 명사 앞에서 '바로 그[當] 사물에 해당(該當)하는' 의 뜻을 나타냄. ¶이 법률은 당해 년도 12월부터 시행된다.

1765 [유]

酉

닭 유
[部] 酉부 [劃] 7획 [中] 酉 [yǒu]

酉자는 '술'(liquor; alcoholic drink; beer)을 뜻하기 위하여 술독 모양을 본뜬 것이었다. 후에 이것이 12 地支(지지) 가운데 10번째의 것으로 쓰이는 예가 많아지자 그 본래의 뜻을 분명하게 나타내기 위하여 추가로 만든 것이 바로 酒(술 주, #0960)자다. 10번째 地支가 띠로는 '닭'(a chicken)에 해당되기 때문에 '닭 유'라는 훈이 생겨났다. 하지만 이것이 표의요소로 쓰인 글자들은 모두 '술'과 관련이 있지 '닭'과는 아무런 상관이 없다. 따라서 부수의 명칭으로는 '술 유' 또는 '술병 유'로 바꾸어 부르는 것이 낫겠다.

• 역순어휘

계:유 癸酉 | 천간 계, 닭 유
[민속] 천간의 '癸'와 지지의 '酉'가 만난 간지(干支). 육십갑자의 열째.

신유 辛酉 | 천간 신, 닭 유
[민속] 천간의 '辛'과 지지의 '酉'가 만난 간지(干支). ¶신유년생은 닭띠다.

정유 丁酉 | 천간 정, 닭 유
[민속] 천간의 '丁'과 지지의 '酉'가 만난 간지(干支). ¶정유년생은 닭띠다.

1766 [작]

酌

술 부을 작
[部] 酉부 [劃] 10획 [中] 酌 [zhuó]

酌자는 술을 '따르다'(pour; fill)는 뜻을 나타내기 위하여 '술독 유'(酉)와, 술 따위를 뜰 때 쓰는 국자, 즉 '구기 작'(勺)을 합쳐 놓은 것이다. 勺은 표음요소도 겸할 수 있으니 一擧兩得(일거양득)의 효과가 있은 셈이다. 술을 따라 줄 때에는 상대방의 주량을 잘 참작해야 했기 때문인지 '헤아리다'(consider; guess; count)는 뜻으로도 확대 사용됐다.
[속뜻훈음] **술따를 작.**

• 역순어휘

수작 酬酌 | 잔돌릴 수, 술따를 작
[exchanging wine cups]
❶[속뜻] 술잔을 돌리며[酬] 술을 따름[酌]. ❷말을 서로 주고받음. 또는 주고받는 그 말. ¶수작을 걸다. ❸엉큼한 속셈이나 속보이는 일. ¶수작을 꾸미다.

짐작 斟酌 | 술따를 짐, 술따를 작
[guess; assume]
❶[속뜻] 술잔에 적당하게 잘 따름[斟=酌]. ❷사정이나 형편 따위를 어림잡아 잘 헤아림. ¶그들은 이미 떠났을

것이라고 짐작된다.

참작 參酌 | 헤아릴 참, 술따를 작
[allow for; refer to]
❶속뜻 어떤 일을 잘 헤아려[參] 짐작(斟酌)함. ❷이리저리 비교해 알맞게 헤아림. ¶나이가 어리다는 점을 참작하다.

천:작 淺酌 | 얕을 천, 따를 작
❶속뜻 술잔에 술을 얕게[淺] 따름[酌]. ❷조용히 가볍게 술을 마심.

1767 [추]

醜

추할 추
部 酉부 획 17획 中 丑 [chǒu]

醜자는 '술병 유'(酉)와 '귀신 귀'(鬼)가 합쳐진 것이다. 귀신같은 몰골, 거기에다 곤드레만드레한 모양이 얼마나 볼썽사나웠을까. '볼썽사납다'(be unseemly), '추하다'(=더럽다, indecent; obscene)는 뜻을 그렇게 나타낸 아이디어가 참으로 기발하다.

추녀 醜女 | 추할 추, 여자 녀 [ugly woman]
추하게[醜] 못생긴 여자(女子). 반미녀(美女).

추악 醜惡 | 추할 추, 나쁠 악
[be ugly; disgusting; horrible]
마음씨나 용모, 행실 따위가 추(醜)하고 나쁨[惡]. ¶추악한 범죄를 저지르다.

추잡 醜雜 | 추할 추, 섞일 잡
[be filthy; dirty; disgusting]
말이나 행실 따위가 지저분하고[醜] 잡(雜)스럽다. ¶추잡한 농담.

추태 醜態 | 추할 추, 모양 태 [shameful conduct]
추한[醜] 행동이나 모양[態]. ¶술에 취하여 추태를 부리다.

• 역순어휘

누:추 陋醜 | 좁을 루, 추할 추 [filthy; dirty]
좁고[陋] 지저분하다[醜]. 주로 '자기가 사는 집'을 형용할 때 쓰인다. ¶누추하지만 들어오세요.

1768 [곽]

郭

둘레/외성 곽
部 邑부 획 11획 中 郭 [guō]

郭자의 享은 원래 성곽의 모습을 본뜬 것이었는데 약 2000년 전에 '누릴 향'(享)과 같은 모양으로 잘못 바뀐 것이니 '누리다'는 뜻과는 아무런 상관이 없다. 이것에다 '고을 읍'(邑⇒阝)이 합쳐진 郭은 內城(내:성) 밖의 고을에 다시 쌓은 성 즉, '外城(외:성)'(the outside castle)을 뜻한다. 후에 '둘레'(circumference; girth), '테두리'(outline) 등으로도 확대 사용되다가 따로 廓(곽)자를 만들어 그러한 뜻을 나타냈다. 그래서 郭과 廓이 통용되기도 한다.

• 역순어휘

성곽 城郭 | =城廓, 내성 성, 외성 곽 [castle]
❶속뜻 두 겹의 성벽 가운데 안쪽 부분의 담을 '城'이라 하고 바깥 부분의 담을 '郭'이라 함. ❷내성(內城)과 외성(外城)을 아울러 이르는 말. ¶성곽 도시 / 성곽을 쌓다.

외:곽 外郭 | =外廓, 밖 외, 외성 곽
[outline; outer wall]
❶속뜻 성 밖[外]에 다시 둘러쌓은 외성[郭]. ❷바깥 테두리. ¶외곽 도로.

일곽 一郭 | 한 일, 성곽 곽 [block; quarter]
하나[一]의 담[郭]으로 둘러쳐 막은 곳. 한 구역.

1769 [교]

郊

들[野] 교
部 邑부 획 9획 中 郊 [jiāo]

郊자는 都城(도성)의 성문으로부터 100리까지의 땅을 지칭하기 위한 것이었으니 '땅 읍'(邑)이 표의요소로 쓰였고, 交(사귈 교)는 표음요소이니 뜻과는 무관하다. 후에 '성 밖'(the suburbs; the outskirts)이란 뜻으로 확대 사용됐다. 예전에는 성문에서 50리까지는 近郊(근:교), 50리부터 100리까지는 遠郊(원:교)로 구분했다.
속뜻훈음 성 밖 교.

교외 郊外 | 성 밖 교, 밖 외 [(in) the suburbs]
도시에서 떨어진[郊] 주변[外] 지역. ¶교외로 소풍을 갔다. 반시내(市內).

• 역순어휘

근:교 近郊 | 가까울 근, 성 밖 교
[suburbs; outskirts]
도심에서 가까운[近] 지역[郊]. ¶대도시 근교의 인구가 늘고 있다. 비교외(郊外).

원:교 遠郊 | 멀 원, 성 밖 교
[place remote from a city]

대도시에서 멀리[遠] 떨어져 있는 지역[郊]. 참고로 예전에 도성(都城) 밖 50리까지를 근교(近郊), 100리까지를 원교(遠郊)라 했다.

춘교 春郊 | 봄 춘, 성 밖 교
봄철[春]의 경치가 좋은 들[郊]이나 교외(郊外).

1770 [나]

那
어찌 나:
[部] 邑부 [劃] 7획 [中] 那 [nà]

那자는 원래 중국 서부 지역에 살던 소수 민족의 나라를 지칭하기 위한 것이었으니 '땅 읍'(邑)이 표의요소로 쓰였고, 그 왼쪽의 것은 표음요소였다고 한다. 후에 본래의 뜻으로는 더 이상 쓰이지 않고, '어찌'(why; how), '어느'(what; which) 등의 의미로 활용됐다. 조어력이 약하여 단어 용례가 거의 없다. 현대 중국어에서는 지시대명사의 하나로 애용된다.

• 역순어휘

찰나 刹那 | 절 찰, 어찌 나
[moment; instant]
[불교] 범어 'Ksana'의 한자 음역어로 '매우 짧은 동안'을 이름. ¶집을 떠나려는 찰나에 문제가 생겼다. [비]순간(瞬間).

1771 [방]

邦
나라 방
[部] 邑부 [劃] 7획 [中] 邦 [bāng]

邦자는 제후의 '나라'(a country; a land)를 지칭하기 위하여 만든 것이었으니 '땅 읍'(邑)이 표의요소로 쓰였다. 丰(예쁠 봉)이 표음요소로 쓰인 것임은 胖(배부를 방), 玤(옥돌 방)의 경우도 마찬가지다.

방화 邦畵 | 나라 방, 그림 화 [Korean film]
자기 나라[邦]에서 제작된 영화(映畵). [비]국산 영화(國産映畵). [반]외화(外畵).

• 역순어휘

만:방 萬邦 | 일만 만, 나라 방
[all nations of the world]
세계 여러[萬] 나라[邦]. ¶명성(名聲)을 만방에 떨치다. [비]만국(萬國), 만역(萬域).

연방 聯邦 | 잇달 련, 나라 방
[confederation; federation]
❶[속뜻] 연합(聯合)하여 이루어진 나라[邦]. ❷[정치] 여러 나라가 공통의 정치 이념으로 연합하여 구성된 국가. 미국, 독일, 스위스 등이 여기에 속한다.

우:방 友邦 | 벗 우, 나라 방 [friendly country]
서로 우호적(友好的)인 관계를 맺고 있는 나라[邦]. [비]우방국(友邦國).

이:방 異邦 | 다를 이, 나라 방
[alien country; foreign country]
다른[異] 나라[邦]. ¶낯설은 이방에 발을 들여놓다. [비]타국(他國).

1772 [도]

跳
뛸 도
[部] 足부 [劃] 13획 [中] 跳 [tiào]

跳자는 발로 '뛰다'(jump; leap; spring)는 뜻을 나타내기 위하여 만든 것이었으니 '발 족'(足)이 표의요소로 쓰였다. 兆(조짐 조)가 표음요소임은 桃(복숭아나무 도), 逃(달아날 도)도 마찬가지다.

도량 跳梁 | 뛸 도, 들보 량
[acted violently; do rudely]
❶[속뜻] 들보[梁] 위까지도 마구 뛰어 다님[跳]. ❷거리낌 없이 함부로 날뛰어 다님. ¶도적 떼의 도량이 날로 심해지고 있다.

도약 跳躍 | 뛸 도, 뛰어오를 약 [spring; jump]
❶[속뜻] 몸을 위로 솟구쳐 뛰어[跳] 오름[躍]. ¶높이뛰기를 하기 전에 도약하다. ❷'더 높은 단계로 발전하는 것'을 비유하여 이르는 말. ¶세계 일류 기업으로 도약하다.

1773 [약]

躍
뛸 약
[部] 足부 [劃] 21획 [中] 跃 [yuè]

躍자는 발 빠르게 '뛰다'(rush; dash)는 뜻을 나타내기 위하여 만든 것이었으니 '발 족'(足)이 표의요소로 쓰였다. 翟(꿩 적)이 표음요소였다는데 세월에 따라 음이 크게 달라졌다. 후에 일반적인 의미의 '뛰다'(run), '뛰어 오르다'(jump; leap), '오르다'(spring up; rise) 등으로 확대 사용됐다.

[속뜻훈음] ①뛸 약, ②뛰어오를 약.

약동 躍動 | 뛸 약, 움직일 동

[move lively; be quick with life]
뛰어오르듯[躍] 생기 있고 활발하게 움직임[動]. ¶봄은 만물이 약동하는 때이다.

약진 躍進 | 뛸 약, 나아갈 진
[make rapid advance]
❶속뜻 힘차게 앞으로 뛰어[躍] 나아감[進]. ❷빠르게 발전하거나 진보함. ¶한국 경제의 약진이 눈부시다 / 그는 한 달 만에 5위에서 1위로 약진했다.

• 역순어휘

도약 跳躍 | 뛸 도, 뛰어오를 약 [spring; jump]
❶속뜻 몸을 위로 솟구쳐 뛰어[跳] 오름[躍]. ¶높이뛰기를 하기 전에 도약하다. ❷'더 높은 단계로 발전하는 것'을 비유하여 이르는 말. ¶세계 일류 기업으로 도약하다.

비약 飛躍 | 날 비, 뛰어오를 약 [jump]
❶속뜻 날듯이[飛] 높이 뛰어오름[躍]. ❷급격히 발전하거나 향상됨. ¶올림픽 개최를 통해 서울은 세계적인 도시로 비약했다. ❸이론이나 말과 생각 따위가 밟아야 할 단계나 순서를 거치지 않고 앞으로 나아감. ¶그의 논리는 비약이 심하다.

활약 活躍 | 살 활, 뛸 약
[take an active part]
활력(活力)있게 뛰어다님[躍]. 눈부시게 활동함. ¶오늘 경기에서 그가 가장 큰 활약을 했다 / 경제계에서 활약하다.

1774 [부]

赴

다다를/갈[趨] 부:
部 走부 획 9획 ⊕ 赴 [fù]

赴자는 '나아가다'(go; proceed)는 뜻을 나타내기 위하여 만든 것이었으니 '달릴 주'(走)가 표의요소로 쓰였다. 卜(점 복)이 표음요소임은 訃(알릴 부), 仆(엎드릴 부)도 마찬가지다.

속뜻훈음 나아갈 부.

부:문 赴門 | 나아갈 부, 문 문
[enter the test site]
역사 과거를 보기 위해 시험장의 문(門) 안으로 들어감[赴].

부:임 赴任 | 나아갈 부, 맡길 임
[proceed to one's post]
임명(任命)을 받아 임지로 나아감[赴]. ¶새로 부임해 온 교감.

1775 [견]

遣

보낼 견:
部 辶부 획 14획 ⊕ 遣 [qiǎn]

遣자의 辶(착)은 '길을 가다'는 뜻의 표의요소이다. 나머지는 전쟁터에 내보낼 군인들을 훈련시키는 것을 나타낸 것이라고 하니 그것도 표의요소로 쓰인 것이다. 그 두 표의요소를 통하여 군대를 '보내다'(send; dispatch)는 뜻을 나타냈다. 후에 군인뿐만 아니라 사신이나 직원을 '보내다'는 일반적인 의미로 확대 사용됐다.

• 역순어휘

선견 先遣 | 먼저 선, 보낼 견 [send forward]
앞서[先] 내보냄[遣]. 미리 보냄.

소견 消遣 | 사라질 소, 보낼 견
[pass one's time; kill time]
❶속뜻 하는 일 없이 세월(歲月)을 보냄[消=遣]. 소일(消日). ❷어떤 일에 마음을 붙여 심심하지 않게 시간(時間)을 보냄.

파견 派遣 | 보낼 파, 보낼 견
[dispatch; despatch]
특별한 임무를 주어 임시로 보냄[派=遣]. ¶본사 파견 / 그는 케냐로 파견되었다.

1776 [미]

迷

미혹할 미(:)
部 辶부 획 10획 ⊕ 迷 [mí]

迷자는 길을 잃고 '헤매다'(wander about; stray about)는 뜻을 나타내기 위하여 만든 것이었으니 '길갈 착'(辶)이 표의요소로 쓰였다. 米(쌀 미)는 표음요소이니 뜻과는 무관하다.

속뜻훈음 헤맬 미.

미:궁 迷宮 | 헤맬 미, 집 궁 [labyrinth; maze]
❶속뜻 궁전(宮殿)에 들어가 길을 잃고 헤맴[迷]. ❷한 번 들어가면 빠져나오는 길을 쉽게 찾을 수 없는 곳. ❸사건, 문제 따위가 복잡하게 얽혀서 판단하거나 해결하기 어렵게 된 상태. ¶사건은 미궁에 빠졌다.

미:로 迷路 | 헤맬 미, 길 로 [maze; labyrinth]
한번 들어가면 방향을 알 수 없어 헤매게[迷] 되는 길[路]. ¶미로 속을 헤매다.

미:신 迷信 | 헤맬 미, 믿을 신 [superstition]
종교적·과학적 관점에서 사람의 마음을 홀리거나 헤매

게[迷] 되어 무작정 믿음[信]. 흔히 점복(占卜), 굿 따위가 따르는 민속신앙을 이른다.

미아 迷兒 | 헤맬 미, 아이 아 [missing child]
길을 잃고 헤매는[迷] 아이[兒]. '미로아'(迷路兒)의 준말. ¶그는 숲 속에서 미아가 되었다.

• 역순어휘

혼미 昏迷 | 어두울 혼, 헤맬 미
[stupefied; confused]
❶[속뜻] 어두워[昏] 길을 잃고 헤맴[迷]. ❷정신이 흐리어 갈피를 못 잡음. ¶혼미 상태 / 정신이 혼미하다.

1777 [반]

返

돌이킬 반 :
[部] 辶부 [劃] 8획 ㊥ 返 [fǎn]

返자는 길을 갔다가 '돌아오다'(return; come back)는 뜻을 나타내기 위하여 만든 것이었으니 '길갈 착'(辶)이 표의요소로 쓰였다. 反(되돌릴 반)은 표의와 표음을 겸하는 요소이다. 후에 '돌려보내다'(send back)는 뜻도 따로 글자를 만들지 않고 이것으로 나타냈다.

[속뜻훈음] 돌아올 반.

반:납 返納 | 돌아올 반, 바칠 납 [return]
꾸거나 빌린 것을 되돌려[返] 줌[納]. ¶도서관에 책을 반납하다.

반:송 返送 | 돌아올 반, 보낼 송
[send back; return]
도로 돌려[返] 보냄[送]. ¶주소가 틀린 편지는 반송한다. [비]환송(還送).

반:품 返品 | 돌아올 반, 물건 품 [return goods]
사들인 물품(物品) 따위를 도로[返] 돌려보냄. 또는 그러한 물품. ¶싸게 판 것은 반품할 수 없습니다.

반:환 返還 | 돌아올 반, 돌아올 환 [return]
되돌아오거나[返] 되돌려 줌[還]. ¶입장료를 반환하다.

1778 [서]

逝

갈 서 :
[部] 辵부 [劃] 11획 ㊥ 逝 [shì]

逝자는 '가다'(pass away)는 뜻을 나타내기 위하여 만들어진 것이니, '길 갈 착'(辶=辵)이 표의요소로 쓰였다. 折(꺾을 절)은 표음요소이니 뜻과는 무관하다. 글자가 만들어질 당시에는 음이 비슷했으나 후에 크게 달라졌다. '떠나다'(leave; depart), '죽다'(die)는 뜻으로도 쓰인다.

[속뜻훈음] ①갈 서, ②죽을 서.

서:거 逝去 | 죽을 서, 갈 거
[die; decease; pass away]
죽어[逝] 이 세상을 떠나감[去]. '사거'(死去)의 높임말. ¶대통령이 서거했다.

• 역순어휘

급서 急逝 | 급할 급, 죽을 서 [die suddenly]
갑자기[急] 세상을 떠남[逝]. ¶왕이 급서하자 정세가 혼란해졌다.

영:서 永逝 | 길 영, 갈 서 [pass away]
❶[속뜻] 영원(永遠)히 감[逝]. ❷'죽음'을 뜻함. [비]영면(永眠).

훙서 薨逝 | 죽을 훙, 갈 서 [die; pass away]
❶[속뜻] 죽어서[薨] 떠나 감[逝]. ❷임금이나 지위가 높은 사람의 '죽음'을 이르는 말. [비]훙거(薨去).

1779 [수]

遂

드디어 수
[部] 辶부 [劃] 13획 ㊥ 遂 [suì, suí]

遂자는 '도망가다'(fly; flee; run away)는 뜻을 나타내기 위하여 만든 것이었으니 '길갈 착'(辶)이 표의요소로 쓰였다. 그 나머지는 표음요소라는 설이 있다. 후에 '이루다'(achieve; finish)는 뜻으로 확대 사용됐다. 고전 문장에서는 '드디어'(at last; finally)라는 부사로 쓰이는데, 낱말의 구성 요소로는 그러한 뜻으로 쓰인 예는 없다.

[속뜻훈음] 이룰 수.

수행 遂行 | 이룰 수, 행할 행 [achieve; accomplish]
생각하거나 계획한 대로 일을 이루기[遂] 위해 일을 함[行]. ¶그는 자신의 업무를 성실히 수행했다.

• 역순어휘

미:수 未遂 | 아닐 미, 이룰 수 [attempt]
❶[속뜻] 뜻한 바를 아직 이루지[遂] 못함[未]. ❷[법률] 범죄에 착수하여 행위를 끝내지 못했거나 결과가 발생하지 않은 일. ¶살인미수. [비]기수(旣遂).

완수 完遂 | 완전할 완, 이룰 수
[fulfill; carry through]
뜻한 바를 완전(完全)히 이루어냄[遂]. ¶임무를 완수하다.

1780 [요]

遙

멀 요
[部] 辶부 [劃] 14획 [中] 遥 [yáo]

遙자는 길을 천천히 '거닐다'(stroll about)는 뜻을 나타내기 위하여 만든 것이었으니 '길갈 착'(辶)이 표의요소로 쓰였다. 그 나머지가 표음요소로 쓰인 것임은 謠(노래 요), 搖(흔들릴 요)도 마찬가지다. 후에 길이 '멀다'(far; distant; remote)는 뜻으로 확대 사용되기도 했다.

[속뜻훈음] ①멀 요, ②거닐 요.

요망 遙望 | 멀 요, 바라볼 망 [gaze far away]
멀리[遙] 바라봄[望]. 멀리서 바라봄.

요원 遙遠 | 멀 요, 멀 원 [be very far away]
멀고[遙] 멀다[遠]. 까마득하다. ¶목표를 달성하려면 아직 요원하다. [비]아득하다, 멀다.

• 역순어휘

소요 逍遙 | 거닐 소, 거닐 요 [walk; stroll]
마음 내키는 대로 슬슬 거닒[逍=遙].

1781 [위]

違

어긋날 위
[部] 辶부 [劃] 13획 [中] 违 [wéi]

違자는 길을 가면서 서로 '떨어지다'(be a long way off)는 뜻을 나타내기 위하여 만든 것이었으니 '길갈 착'(辶)이 표의요소로 쓰였다. 韋(어길 위)는 표음과 표의를 겸하는 셈이다. 후에 길 따위가 '어긋나다'(cross each other), 규칙 등을 '어기다'(violate the rule) 등으로 확대 사용됐다.

[속뜻훈음] 어길 위.

위반 違反 | 어길 위, 뒤엎을 반 [violate; infringe]
법령, 명령, 약속 등을 어기거나[違] 지키지 않는 것[反]. ¶주차위반 / 그는 계약을 위반해 위약금을 물었다. [비]위배(違背).

위배 違背 | 어길 위, 등질 배 [violate; break]
약속한 바를 어기고[違] 등짐[背]. ¶위배 행위 / 이것은 헌법 정신에 위배된다. [비]위반(違反).

위법 違法 | 어길 위, 법 법 [be illegal]
법(法)을 어김[違]. ¶위법단체 / 위법한 행위가 나쁜 것이지 사람이 나쁜 것은 아니다. [반]적법(適法), 합법(合法).

위화 違和 | 어길 위, 어울릴 화 [trouble]
❶[속뜻] 서로 어울림[和]에 어긋남[違]. ❷다른 사물과 조화되지 않는 일.

1782 [준]

遵

좇을 준:
[部] 辶부 [劃] 16획 [中] 遵 [zūn]

遵자는 '따르다'(follow; observe; obey)는 뜻을 나타내기 위하여 만든 것이었으니 '길갈 착'(辶)이 표의요소로 쓰였다. 尊(높을 존)이 표음요소임은 樽(술통 준), 僔(모일 준)도 마찬가지다.

[속뜻훈음] 따를 준.

준:거 遵據 | 따를 준, 의거할 거 [follow; conform to]
따르고[遵] 의거(依據)함. ¶예전에 있었던 선례를 준거하는 것이 상책이다.

준:법 遵法 | 따를 준, 법 법 [obey the law]
법령(法令)을 지킴[遵]. 법을 따름.

준:수 遵守 | 따를 준, 지킬 수 [obey; follow]
규칙이나 명령 따위를 그대로 따르고[遵] 지킴[守]. ¶교칙을 준수하다.

준:용 遵用 | 따를 준, 쓸 용
그대로 좇아서 따라[遵] 씀[用].

• 역순어휘

흠준 欽遵 | 황제 흠, 따를 준
황제[欽]의 뜻에 순순히 따름[遵].

1783 [지]

遲

더딜/늦을 지
[部] 辶부 [劃] 16획 [中] 迟 [chí]

遲자를 만든 사람들의 말을 엿들어 볼까. 대략 3,400년 전쯤이다. "'천천히 걷다'(walk slowly)는 뜻을 어떻게 나타내면 좋을까?" "글쎄" "좋은 방법이 없을까?" "야! 저기 좀 봐!" "뭘?" "저기 등에 환자를 업은 사람이 느릿느릿 걷고 있잖아!" "그래! 바로 저거야! 저 모습을 그려보자!" 그래서 등에 사람을 업고서 천천히 걷고 있는 사람의 모습을 본뜬 것이 바로 遲자의 갑골문이었다. 지금의 것으로 분석하면 '길갈 착'(辵→辶)은 표의요소이고, 사람을 등에 업은 모습이 탈바꿈한 그 나머지의 것은 표음요소임은 墀(섬돌 지)를 통하여 짐작할 수 있다. 후에 '늦다'(late; tardy; behind time), '더디다'(slow; tardy)는 뜻도 따로 글자를 만들지 않고 이것을 나타냈다.
속뜻훈음 **①늦을 지, ②더딜 지.**

지각 遲刻 | 늦을 지, 시각 각 [late]
정해진 시각(時刻)보다 늦음[遲]. ¶늦잠을 자서 학교에 지각했다.

지연 遲延 | 늦을 지, 끌 연 [delay; be overdue]
정해진 때보다 늦게[遲] 시간을 끎[延]. ¶약간의 문제가 생겨 열차의 출발이 지연되다.

지지 遲遲 | 늦을 지, 늦을 지 [very slow]
몹시 더디다[遲+遲].

지체 遲滯 | 늦을 지, 막힐 체 [delay]
늦어지거나[遲] 막힘[滯]. ¶더 이상 시간을 지체할 수 없다.

• 역순어휘

능지 凌遲 | 깔볼 릉, 더딜 지
오래오래[遲] 깔보게 함[凌].

1784 [체]

逮

잡을 체
部 辶부 劃 12획 中 逮 [dǎi, dài]

逮자는 길을 앞서가는 사람을 '따라잡다'(overtake; catch up with)는 뜻을 나타내기 위하여 만든 것이었으니, '길갈 착'(辶)이 표의요소로 쓰였다. 그 나머지 것이 표음요소로 쓰인 것이니 뜻과는 무관하다. 후에 '뒤따르다'(follow; trail)는 뜻으로도 확대 사용됐다.
속뜻훈음 **뒤따를 체.**

체포 逮捕 | 뒤따를 체, 잡을 포 [arrest; apprehend]
❶속뜻 죄인을 뒤따라가[逮] 사로잡음[捕]. ❷법률 죄인이나 죄를 저지른 의심이 있는 사람을 붙잡는 것. ¶그는 현장에서 체포됐다.

1785 [체]

遞

갈릴 체
部 辶부 劃 14획 中 递 [dì]

遞자는 서로 번갈아 '길을 가다'(go; proceed)는 뜻을 나타내기 위하여 만든 것이었으니, '길갈 착'(辶)이 표의요소로 쓰였다. 그 나머지가 표음요소임은 褫(기를 체), 虒(뇽병아리 체)도 마찬가지다. 후에 '번갈아'(alternately; by turns), '전하다'(bring; take) 등으로 확대 사용 됐다.
속뜻훈음 **전할 체.**

• 역순어휘

우체 郵遞 | 우송할 우, 전할 체 [post]
❶속뜻 편지나 소포 따위를 우송(郵送)하여 전해 줌[遞]. ❷정보통신부의 관할 아래 서신이나 기타 물품을 국내나 전 세계에 보내는 업무.

1786 [축]

逐

쫓을 축
部 辶부 劃 11획 中 逐 [zhú]

逐자는 본래 산돼지 따위를 '쫓다'(go after; track)는 뜻을 나타내기 위하여 만든 것이었으니 '길갈 착'(辶)과 '돼지 시'(豕)를 합쳐 놓은 것이다. 후에 '내쫓다'(drive out; expel), '다투다'(compete; struggle) 등으로 확대 사용됐다.

축록 逐鹿 | 쫓을 축, 사슴 록
[scramble for political power]
❶속뜻 사슴[鹿]을 쫓음[逐]. ❷'사람들이 정권, 지위 등을 얻으려고 서로 다투는 일'을 이르는 말. 참각축(角逐).

축출 逐出 | 쫓을 축, 날 출
[kick out; rout out; expel]
쫓아서[逐] 내보냄[出]. 몰아냄.

• 역순어휘

각축 角逐 | 뿔 각, 쫓을 축 [compete]
❶속뜻 사슴이 서로 뿔[角]을 받으며 쫓고 쫓김[逐]. ❷맞서서 다툼. ¶각축을 벌이다. 비싸움, 경쟁(競爭).

구축 驅逐 | 몰 구, 쫓을 축 [drive away; expel]
어떤 세력 따위를 몰아서[驅] 쫓아냄[逐]. ¶사치 풍조 구축하자는 운동이 일어났다. 비구출(驅出).

추축 追逐 | 쫓을 추, 쫓을 축 [compete; follow]
❶속뜻 적군을 쫓아냄[追]과 짐승을 쫓아냄[逐]. ❷서로 경쟁함. ❸남의 뒤를 좇아 따름. 비각축(角逐), 추수(追隨).

1787 [편]

遍

두루 편:
部 辶부 劃 13획 中 遍 [biàn]

遍자는 길이 '널리 미치다'(extend

over; range over)는 뜻을 나타내기 위하여 만든 것이었으니 '길갈 착'(辶)이 표의요소로 쓰였다. 扁(넓적할 편)은 표음요소이다. 후에 '두루'(generally; widely)라는 뜻으로 확대 사용됐다.

편력 遍歷 | 두루 편, 지낼 력
[travel about; roam; rove over]
❶[속뜻]여기저기를 두루[遍] 돌아다님[歷]. 편답(遍踏). ❷'여러 가지 경험을 함'을 비유하여 이르는 말.

편재 遍在 | 두루 편, 있을 재
[omnipresent; ubiquitous; widespread]
널리 존재함. 두루[遍] 퍼져 있음[在]. [반]편재(偏在).

• 역순어휘

보:편 普遍 | 넓을 보, 두루 편 [universalize]
널리[普] 두루 미침[遍]. ¶보편 타당성이 있어야 남을 설득할 수 있다. [비]일반(一般). [반]특수(特殊).

1788 [빈]

賓

손 빈
[部] 貝부 [劃] 14획 [中] 宾 [bīn]

賓자는 '손님'(guest)이란 뜻을 나타내기 위하여 만든 것인데, 왜 '조개=돈 패'(貝)가 표의요소로 쓰였을까. 손님에게 돈이나 귀한 물건을 예물로 주었던 옛날의 인심이 반영된 것일 듯. 상단의 것은 집[宀]에 걸어온[止] 사람[人], 즉 손님의 모습을 나타낸 것이다. 부수를 '집 면'(宀)으로 오인하는 일이 없도록 주의하자.
[속뜻훈음] 손님 빈.

• 역순어휘

국빈 國賓 | 나라 국, 손님 빈 [guest of the state]
나라[國]에서 정식으로 초대한 외국 손님[賓]. ¶중국을 국빈 자격으로 방문하다.

귀:빈 貴賓 | 귀할 귀, 손님 빈
[very important person]
귀(貴)한 손님[賓]. ¶존경하는 내외 귀빈 여러분! [비]상빈(上賓).

내:빈 來賓 | 올 래, 손님 빈 [guest; visitor]
초대를 받아 찾아온[來] 손님[賓]. ¶참석하신 내빈 여러분께 감사드립니다.

주빈 主賓 | 주될 주, 손님 빈 [guest of honor]
손님 가운데서 주(主)가 되는 손님[賓]. ¶저명한 인사들이 주빈으로 참석하다.

1789 [사]

賜

줄 사:
[部] 貝부 [劃] 15획 [中] 赐 [cì]

賜자는 윗사람이 아랫사람에게 '주다'(award; confer)는 뜻을 나타내기 위한 것이었는데, '조개=돈 패'(貝)가 표의요소로 쓰인 것을 보면 당시 사람들도 돈을 주는 예가 많았나 보다. 易(바꿀 역, 쉬울 이)이 표음요소라는 설이 있지만 다른 글자의 예는 거의 없다.

사:약 賜藥 | 줄 사, 약 약 [(the King's) bestowal of poison (as a death penalty)]
임금이 신하나 왕족에게 내리는[賜] 독약(毒藥). ¶장희빈은 결국 사약을 받고 죽었다.

• 역순어휘

선:사 膳賜 | 드릴 선, 줄 사
[make a present; send a gift]
존경, 친근, 애정의 뜻을 나타내기 위하여 남에게 선물(膳物)을 줌[賜]. ¶선생님으로부터 선사받은 물건.

어:사 御賜 | 임금 어, 줄 사
임금[御]이 신하에게 돈이나 물건을 내리는[賜] 일을 이르던 말. ¶현종은 강감찬에게 비단 100필을 어사했다.

하:사 下賜 | 아래 하, 줄 사 [Royal gift]
왕이나 국가 원수 등이 아랫사람[下]에게 금품을 줌[賜]. ¶국왕은 병사에게 토지를 하사했다.

1790 [증]

贈

줄 증
[部] 貝부 [劃] 19획 [中] 赠 [zèng]

贈자는 돈이나 귀중한 물품을 '선물하다'(give a present; present to)는 뜻을 나타내기 위하여 만든 것이었으니 '조개=돈 패'(貝)가 표의요소로 쓰였다. 曾(일찍 증)은 표음요소이니 뜻과는 무관하다. '(거저) 보내다'(give for nothing)는 뜻으로 확대 사용됐다.
[속뜻훈음] 보낼 증.

증여 贈與 | 보낼 증, 줄 여 [give; donate]
❶[속뜻]남에게 금품을 보내[贈] 줌[與]. 기증(寄贈). 증유(贈遺). ❷[법률]자기 재산을 무상으로 상대편에게 줄 의사를 나타내고, 상대편이 이를 받아들이는 일.

증정 贈呈 | 보낼 증, 드릴 정 [present]
남에게 선물이나 기념품 따위를 보내[贈] 드림[呈]. ¶사은품으로 시계를 증정하다.

• 역순어휘

기증 寄贈 | 부칠 기, 보낼 증 [donate; contribute]
돈이 될 만한 물건을 대가 없이 부쳐주거나[寄] 보내 줌[贈]. ¶장기를 기증하다.

혜:증 惠贈 | 은혜 혜, 보낼 증
[bestow; graciously give; kindly grant]
은혜(恩惠)를 베풀어 무엇을 보내줌[贈]. 혜사(惠賜).

1791 [탐]

貪

탐낼 탐
部 貝부 畫 11획 中 贪 [tān]

貪자는 '탐내다'(wish for; covet; be greedy for)는 뜻을 나타내기 위하여 만든 것인데, '조개=돈 패'(貝)가 표의요소로 쓰인 걸 보니, 물건도 물건이지만 돈을 탐내는 것이 예나 지금이나 가장 일반적이었기 때문이리라. 今(이제 금)은 표음요소로 쓰인 것이라는 설이 있는데 음 차이가 크고 다른 예가 없어 선뜻 수긍이 되지 않는다.

탐관 貪官 | 탐낼 탐, 벼슬 관 [corrupt official]
백성의 재물을 탐(貪)하는 벼슬아치[官].

탐심 貪心 | 탐낼 탐, 마음 심
[greed; cupidity; undue desire]
❶[속뜻] 탐(貪)내는 마음[心]. ❷부당한 욕심.

탐욕 貪慾 | 탐낼 탐, 욕심 욕 [greed]
지나치게 갖고자 탐(貪)내는 욕심(慾心). ¶탐욕에 눈이 멀다.

• 역순어휘

식탐 食貪 | 밥 식, 탐낼 탐 [greedy; gluttonous]
음식(飮食)을 탐(貪)냄. ¶식탐이 많다.

1792 [판]

販

팔[賣] 판
部 貝부 畫 11획 中 贩 [fàn]

販자는 돈을 벌기 위해 싼 것을 비싸게 '팔다'(sell)는 뜻을 나타내기 위하여 만든 것이었으니 '조개=돈 패'(貝)가 표의요소로 쓰였다. 反(되돌릴 반)은 版(널 판), 阪(비탈 판)의 경우와 마찬가지로 표음요소이다. 장사를 잘하는 사람은 일반 사람들과 반대로 하므로 이것이 표의요소를 겸한다는 주장도 있다. 즉, 훌륭한 장사꾼은 가물 때 우산을 만들거나 사 모으고, 비가 많이 올 때는 짚신을 만들거나 사 모으는 등 일반 사람들과 반대로 행동하므로 '反'이 표의요소라는 주장이다. 말은 틀림이 없으나, 그렇다면 版과 阪 등은 어떻게 설명할까? 표음요소가 뜻과 관련 있는 경우가 있기는 하지만, 원칙 상 뜻과는 무관하니 억측을 부리는 것은 금물이다.

판로 販路 | 팔 판, 길 로
[market (for goods); outlet]
물건이 잘 팔리는[販] 길거리[路]. ¶우리는 신제품의 판로를 찾고 있다.

판매 販賣 | 팔 판, 팔 매 [sell]
물건 따위를 팖[販=賣]. ¶할인판매 / 이 물건은 내일부터 판매된다. (반)구매(購買).

• 역순어휘

공:판 共販 | 함께 공, 팔 판
[join to marketing]
[경제] 판매 조합 따위를 통하여 공동(共同)으로 하는 판매(販賣). '공동판매'의 준말.

시:판 市販 | 저자 시, 팔 판 [sell at a market]
[경제] 상품을 시중(市中)에서 판매(販賣)함. '시중판매'의 준말. ¶이 상품은 국내에서 시판하고 있다.

외:판 外販 | 밖 외, 팔 판
[traveling sale; canvassing]
판매원이 직접 외부(外部) 고객을 찾아다니면서 물건을 팖[販]. ¶외판 사원.

직판 直販 | 곧을 직, 팔 판 [sale directly]
[경제] 유통 과정 없이 생산자가 소비자에게 직접(直接) 팖[販]. ¶농산물을 시세보다 싸게 직판하다. (비)직매(直賣).

1793 [패]

貝

조개 패:
部 貝부 畫 7획 中 贝 [bèi]

貝자는 '조개'(a shellfish; a shell)를 뜻하기 위하여 그 모양을 본뜬 것이었는데, 쓰기 편하게 하기 위하여 구상성을 포기하다 보니 조개 모양과는 영 딴판이 됐다. 설마 '눈[目]이 여덟개[八] 달린 귀신'으로 오인하지는 않겠지! 아득한 옛날에는 조개껍데기를 화폐 수단으로 사용했으므로 이것이 표의요소로 쓰인 글자들은 대개 '돈'과 관련이 있다. 낱말의 구성 요소로 쓰인 경우에도 '돈'(money)을 뜻한다.

[속뜻풀음] ①조개 패, ②돈 패.

패 : 물 貝物 | 돈 패, 만물 물
[shell goods; shellware]
❶속뜻 돈[貝]이 될 만한 값진 물건(物件). ❷산호나 호박(琥珀), 수정 따위로 만든 값진 물건.

패 : 석 貝石 | 조개 패, 돌 석
[fossil shell; shelly stone]
❶속뜻 조가비[貝]가 많이 붙어 있는 돌[石]. ❷지질시대의 조개 유해(遺骸). 흔히 퇴적암 같은 바위 속에 남아 있다.

패 : 총 貝塚 | 조개 패, 무덤 총
[shell mound]
고적 조개[貝] 껍질이 무덤[塚]처럼 쌓인 것. ¶제주도에서도 패총이 발견되었다.

1794 [례]

隷
종 례 :
部 隶부 畫 16획 中 隶 [lì]

隷자는 '붙다'(stick to; adhere to)는 뜻을 나타내기 위하여 만들어진 것이다. 오른쪽의 것은 표의요소, 왼쪽의 것은 표음요소인데 독립적으로 쓰인 예가 없기 때문에 제 구실을 못하는 셈이다. '노비'(a servant), '죄인'(a criminal; an offender)을 뜻하는 것으로도 쓰인다.

속뜻 교육 훈음 ①노비 례, ②따를 례.

예 : 서 隷書 | 노비 례, 쓸 서
예술 중국 8종 서체의 하나. 전서(篆書)보다 간략하고 해서(楷書)에 가까운 글씨체. 진나라 때 감옥 관리 정막(程邈)이 번잡한 전서를 생략하여 만든 것인데, 노예(奴隷)와 같이 천한 일을 하는 사람도 이해하기 쉽도록 한 글씨체[書]라는 뜻에서 붙여진 이름이다.

예 : 속 隷屬 | 따를 례, 속할 속
[be subordinate (to)]
❶속뜻 남의 지휘에 따르거나[隷] 그 부하에 속함[屬]. ¶예속 관계 / 예전에 노비는 주인에게 예속되어 있었다. ❷윗사람에게 매여 있는 아랫사람. ¶예속을 거느리다. 참 속례(屬隷).

• 역순어휘

노예 奴隷 | 종 노, 따를 례 [slave]
❶속뜻 남의 소유물이 되어 종[奴]으로 부림[隷]을 당하는 사람. ¶노예를 사고파는 시장. ❷인격의 존엄성마저 저버리면서까지 어떤 목적에 얽매인 사람. ¶재물의 노예가 되다. 비 노비(奴婢). 반 주인(主人).

1795 [둔]

鈍
둔할 둔 :
部 金부 畫 12획 中 钝 [dùn]

鈍자는 쇠로 만든 칼의 끝이 '무디다'(dull; blunt)는 뜻을 나타내기 위하여 만든 것이었으니 '쇠 금'(金)이 표의요소로 쓰였다. 屯(진칠 둔)은 표음요소이니 뜻과는 무관하다. 후에 '둔하다'(dull; slow-witted), '굼뜨다'(blunt) 등으로 확대 사용됐다.

속뜻 훈음 ①무딜 둔, ②둔할 둔

둔 : 각 鈍角 | 무딜 둔, 뿔 각 [obtuse angle]
수학 두 변이 이루는 꼭지가 무딘[鈍] 각(角). 90°보다는 크고 180°보다는 작은 각. 반 예각(銳角).

둔 : 감 鈍感 | 무딜 둔, 느낄 감 [dull; insensible]
무딘[鈍] 감정(感情)이나 감각. ¶그는 유행에 둔감하다. 반 민감(敏感).

둔 : 재 鈍才 | 둔할 둔, 재주 재 [dullness]
둔한[鈍] 재주[才]. 또는 재주가 둔한 사람. 반 영재(英材), 천재(天才).

둔 : 탁 鈍濁 | 무딜 둔, 흐릴 탁 [dull; blunt]
❶속뜻 소리가 굵고[鈍] 거친[濁] 것. ❷성질이 굼뜨고 흐리멍텅함.

둔 : 화 鈍化 | 무딜 둔, 될 화 [slowdown]
느리고 무디어[鈍] 짐[化]. ¶감각의 둔화 / 수출이 둔화되다 / 경제 성장을 둔화시키다.

• 역순어휘

우둔 愚鈍 | 어리석을 우, 무딜 둔 [stupid]
어리석고[愚] 둔(鈍)함. ¶그녀는 정말 우둔하다. 반 총명(聰明)하다, 똑똑하다.

1796 [예]

銳
날카로울 예 :
部 金부 畫 15획 中 锐 [ruì]

銳자는 쇠칼의 끝이 '날카롭다'(sharp; pointed)는 뜻을 나타내기 위해 만든 것이니, '쇠 금'(金)이 표의요소로 쓰였다. 兌(바꿀 태)는 표음요소인데 음이 다소 달라졌다. 후에 '날쌔다'(quick; swift)는 뜻으로 확대 사용됐다.

예 : 각 銳角 | 날카로울 예, 뿔 각 [acute angle]
수학 직각보다 각이 작아 날카로운[銳] 각(角).

예 : 리 銳利 | 날카로울 예, 날카로울 리 [be sharp]

❶속뜻 칼날 따위가 날카롭다[鋭=利]. ¶칼날이 예리하다. ❷감각이나 관찰력, 통찰력 따위가 날카로움. ¶예리한 판단력.

예:민 銳敏 | 날카로울 예, 재빠를 민 [be sensitive]
자극에 대한 반응이 날카롭고[銳] 빠르다[敏]. ¶시끄러우는 청각이 예민하다.

예:인 銳刃 | 날카로울 예, 칼날 인 [sharp blade]
날카로운[銳] 칼날[刃].

• 역순어휘

첨예 尖銳 | 뾰족할 첨, 날카로울 예 [sharp; acute]
❶속뜻 끝이 뾰족하고[尖] 서슬이 날카로움[銳]. ❷상황이나 사태 따위가 날카롭다. ¶의견이 첨예하게 대립하다.

1797 [열]

閱 훑어볼 열
部 門부 劃 15획 中 阅 [yuè]

閱자는 대문을 열고 들어가 '훑어보다'(look over; scan)는 뜻을 나타내기 위하여 만든 것이었으니 '대문 문'(門)이 표의요소로 쓰였다. 兌(바꿀 태)가 표음요소임은 悅(기쁠 열), 說(기꺼울 열)도 마찬가지다. '검사하다'(inspect; check)는 뜻으로도 쓰인다.

열람 閱覽 | 훑어볼 열, 볼 람 [read]
책이나 문서 따위를 죽 훑어보거나[閱] 살펴봄[覽]. ¶그 책은 인터넷 열람이 가능하다.

• 역순어휘

검:열 檢閱 | 검사할 검, 훑어볼 열 [inspect]
검사(檢査)하여 훑어봄[閱]. ¶검열을 강화하다 / 기사를 검열하다. 비 점검(點檢), 검사(檢査).

교:열 校閱 | 고칠 교, 훑어볼 열 [revise]
원고의 내용 가운데 잘못된 것을 바로잡아 고치며[校] 훑어봄[閱].

1798 [윤]

閏 윤달 윤:
部 門부 劃 12획 中 闰 [rùn]

閏자는 '문 문'(門)과 '임금 왕'(王) 모두 표의요소로 쓰였다. 옛날 윤달에 해당되는 한 달 동안은 왕[王]이 바깥출입을 삼가고 종묘의 대문[門] 안에만 거처한 풍속을 형상화하여 '윤달'(a leap month; an intercalary month)의 뜻을 나타냈다.

윤:년 閏年 | 윤달 윤, 해 년 [leap year]
속뜻 윤일(閏日)이나 윤달[閏月]이 든 해[年].

윤:월 閏月 | 윤달 윤, 달 월 [leap month]
윤년(閏年)에 드는 달[月]. 달력의 계절과 실제 계절과의 차이를 조절하기 위해 1년 중의 달수가 어느 해보다 많은 달을 이른다.

윤:집 閏集 | 윤달 윤, 모일 집
원본에서 빠진 글을 따로 모아[閏] 만든 문집(文集).

1799 [린]

隣 이웃 린
部 阜부 劃 15획 中 邻 [lín]

隣자는 鄰(이웃 린)의 속자였다. 최근까지도 정자인 鄰을 많이 썼는데, 컴퓨터에 한자 폰트를 만들 때 그 사실을 모르는 사람이 隣을 1수준 한자로 하고, 鄰을 2수준 한자로 등록함으로써 隣자를 많이 쓰게 됐다. 鄰자는 본래 고을의 다섯 집을 단위로 한 행정 구획을 뜻하는 것이었기에 '고을 읍'(邑)이 표의요소로 쓰였고, 왼쪽의 것이 표음요소임은 麟(기린 린), 燐(도깨비불 린) 등도 마찬가지다. 후에 '이웃'(the neighborhood)을 나타내는 것으로 확대 사용됐다. 속자인 隣의 '阝'은 '언덕 부'(阜)의 변형이니 의미 연관성이 邑보다 못하다. 표제자는 그냥 두었으나 단어를 익힐 때는 鄰으로 바꾸어 하는 것이 좋겠다.

인근 鄰近 | 이웃 린, 가까울 근 [neighborhood]
가까운[近] 이웃[鄰]. 혹은 이웃처럼 가까운 거리. ¶인근 마을 / 그 자전거는 놀이터 인근에 있었다. 비 근방(近方), 근처(近處), 부근(附近).

인접 鄰接 | 이웃 린, 닿을 접 [adjoin]
이웃[鄰]하여 맞닿아[接] 있음. ¶인접 국가 / 서울과 인접한 도시.

• 역순어휘

근:린 近鄰 | 가까울 근, 이웃 린 [neighborhood]
❶속뜻 가까운[近] 이웃[鄰]. ❷가까운 곳. ¶근린공원 / 근린상가. 비 근처(近處).

1800 [무]

霧 안개 무:
部 雨부 劃 19획 中 雾 [wù]

霧자는 '안개'(mist; fog)를 뜻하기 위한

것인데, '비 우'(雨)가 표의요소로 쓰인 것은 안개를 비의 일종으로 보았기 때문이다. 務(일 무)는 표음요소이니 뜻과는 무관하다.

무:산 霧散 | 안개 무, 흩을 산 [dissipate; vanish]
안개[霧]가 걷히듯 흩어져[散] 사라짐. 또는 그렇게 흐지부지 취소됨. ¶계획이 무산되다.

무:적 霧笛 | 안개 무, 피리 적
[fog siren; foghorn]
안개[霧]가 끼었을 때에 신호의 일종으로 등대나 배에서 울리는 고동[笛]. ¶등대 쪽에서 무적 소리가 연거푸 길게 들려왔다.

• 역순어휘

농무 濃霧 | 짙을 농, 안개 무 [dense fog]
짙은[濃] 안개[霧]. ¶농무가 호수를 뒤덮었다.

분:무 噴霧 | 뿜을 분, 안개 무 [atomize; spray]
물이나 약품 따위를 안개[霧]처럼 내뿜음[噴].

연무 煙霧 | =烟霧, 연기 연, 안개 무
[smoke and fog]
❶속뜻 연기(煙氣)와 안개[霧]. ❷지리 고운 먼지와 그을음이 공중에 떠다니어 생기는 대기의 혼탁 현상. 주로 공장에서 배출된 매연과 자동차 따위의 배기가스에 의하여 일어난다.

운무 雲霧 | 구름 운, 안개 무
[cloud and mist]
구름[雲]과 안개[霧]. ¶운무에 싸인 산꼭대기.

해:무 海霧 | 바다 해, 안개 무
[sea fog; fog on the sea]
바다[海] 위에 끼는 안개[霧]. ¶해무에 덮인 수면 / 바다의 수면에는 해무가 짙게 끼어 있었다.

1801 [령]

零

떨어질/영[數字] 령
部 雨부 劃 13획 中 零 [líng]

零자는 본래 비가 그칠 무렵에 서서히 내리는 나머지 비(餘雨), 즉 '가랑비'(a drizzle; a light rain)를 뜻하는 것이었으니 '비 우'(雨)가 표의요소로 쓰였다. 令(명령 령)은 표음요소이니 뜻과는 무관하다. 후에 '떨어지다'(fall), '없어지다'(disappear; vanish), '없음'(=영, zero) 등으로 확대 사용됐다.

속뜻 훈음 ①떨어질 영, ②영 령, ③없어질 령.

영락 零落 | 없어질 영, 떨어질 락 [ruin]
❶속뜻 풀잎이 없어지고[零] 나뭇잎이 떨어짐[落]. ❷세력이나 살림이 줄어들어 보잘것없이 됨. ¶영락한 집안. ❸조금도 틀리지 않고 들어맞다. ¶민지는 웃는 모습이 영락없이 그녀의 어머니를 닮았다. 비 틀림없다.

영상 零上 | 영 령, 위 상 [above zero]
0℃[零] 이상(以上)의 기온을 이르는 말. ¶봄이 되면서 기온은 영상으로 올라갔다. 반 영하(零下).

영세 零細 | 떨어질 령, 가늘 세 [small]
❶속뜻 힘이 떨어지고[零] 몸이 가늘어짐[細]. ❷살림이 보잘것없고 몹시 가난함. ¶영세 가정 / 이것은 자본이 영세한 기업을 돕기 위한 정책이다.

영점 零點 | 영 령, 점 점 [zero]
얻은 점수(點數)가 없음[零]. ¶한 과목이라도 영점을 받으면 낙제한다.

영패 零敗 | 영 령, 패할 패 [be shut out]
운동 경기나 시합에서 득점이 없어 0[零]점인 채로 짐[敗]. ¶영패를 모면하다.

영하 零下 | 영 령, 아래 하 [sub zero]
❶속뜻 영(零)보다 아래[下]의 수치. ❷섭씨온도계에서 눈금이 0℃이하의 온도. ¶오늘 기온은 영하 8도다. 반 영상(零上).

1802 [수]

雖

비록 수
部 隹부 劃 17획 中 虽 [suī]

雖자는 虫과 唯로 분석되는 글자다. 모양이 도마뱀[蜥蜴·석척] 비슷한 동물을 지칭하기 위하여 만든 것이었으니 '벌레 충'(虫)이 표의요소로 쓰였다. 唯(오직 유)는 표음요소라고 한다. 그 본래 뜻으로 쓰인 예는 없고, '비록'(although) 같은 접속사로 많이 쓰인다. 한문 문장에서는 많이 쓰이지만, 조어력이 매우 약하여 한자어 용례는 극히 드물다.

1803 [안]

雁

기러기 안:
部 隹부 劃 12획 中 雁 [yàn]

雁자는 '기러기'(a wild goose)를 뜻하기 위하여 만든 것이다. 가을에 왔다가 봄에 북쪽으로 다시 가는 철새, 즉 사람들에게 때(철)를 알려주는 새이므로 '사람 인'(人)과 '새 추'(隹)가 표의요소로 쓰였다. 厂(기슭 한)은 표음요소로 쓰인 것이라고 한다. 참고로 '큰기러기'는 鴻(홍, #1816)이라고 한다(예, 鴻雁/홍안-큰 기러기와 작은 기러기).

안:서 雁書 | 기러기 안, 글 서
[letter from a distance]
먼 곳에서 소식을 전하는 편지. 『한서·소무전』(漢書·蘇武傳)에 나오는데, 한무제 때 사신 소무가 흉노에게 붙잡혀 있을 당시 기러기[雁]의 다리에 편지글[書]을 매어 한나라로 보냈다는 고사에서 유래한다.

안:신 雁信 | 기러기 안, 편지 신 [letter]
❶속뜻 기러기[雁]가 전해 주는 서신(書信). ❷편지.

안:진 雁陣 | 기러기 안, 줄 진
[a wild goose'parade]
❶속뜻 줄지어[陣] 날아가는 기러기[雁]의 행렬. ❷기러기 행렬같이 진을 치던 옛 진법(陣法)의 하나.

• 역순어휘

전:안 奠雁 | 제사지낼 전, 기러기 안
[wedding ceremony]
민속 전통 혼례에서 신랑이 신부의 집에 기러기[雁]를 가지고 가서 상위에 놓고 절하는[奠] 예식.

회안 回雁 | 돌아올 회, 기러기 안
[reply; answer]
❶속뜻 돌아온[回] 기러기[雁]. ❷답장 편지.

1804 [번]

翻
번역할 번
部 羽부 劃 18획 中 翻 [fān]

翻자는 새가 날개 짓 하다, 즉 '높이 날다'(fly high)는 뜻을 위하여 만든 것이었으니 '깃 우'(羽)가 표의요소로 쓰였고, 番(갈마들 번)은 표음요소이다. 후에 '뒤집히다'(be turned over), '뒤집다'(reverse), '변하다'(be transformed into), '(다른 말로), 옮기다'(translate) 등으로 확대 사용됐다. 컴퓨터로 쓴 글에 翻을 飜으로 쓴 예가 많은 것은 飜자가 '1수준' 한자로, 翻자는 '2수준' 한자로 등록되어 있기 때문이다. 획수가 적고 균형미도 좋은 翻자를 쓰는 것이 여러모로 이로운 점이 있다.
속뜻훈음 ①옮길 번, ②뒤집을 번.

번복 翻覆 | 뒤집을 번, 뒤집힐 복
[change; turn; reverse]
❶속뜻 뒤집고[翻] 또 뒤집힘[覆]. 뒤집음. ❷이리저리 뒤쳐 고침. ¶판정을 번복하다.

번역 翻譯 | 옮길 번, 옮길 역
[translate; render]
어떤 언어로 된 글의 내용을 다른 나라말로 옮김[翻=譯].

1805 [기]

飢
주릴 기
部 食부 劃 11획 中 饥 [jī]

飢자는 밥을 충분히 못 먹다, 즉 '주리다'(be hungry; starve)는 뜻을 위하여 만든 것이었으니 '밥 식'(食)이 표의요소로 쓰였다. 几(안석 궤)가 표음요소로 쓰인 것임은 肌(피부살 기), 虮(밀기벌레 기)도 마찬가지다. '굶다'(famish; fast)는 뜻으로도 쓰인다.

기근 飢饉 | =饑饉, 주릴 기, 흉년들 근
[famine; shortage]
❶속뜻 먹을 양식이 모자라 굶주릴[飢] 정도로 흉년이 듦[饉]. ❷'최소한의 수요도 채우지 못할 만큼 심히 모자라는 상태'를 비유하여 이르는 말. ¶생필품 기근 현상. 비기아(饑餓), 고갈(枯渴).

기아 飢餓 | =饑餓, 주릴 기, 굶주릴 아
[starve; go hungry]
굶주림[飢=餓]. ¶기아에 허덕이다. 비기근(饑饉).

• 역순어휘

요기 療飢 | 병고칠 료, 배고플 기
[appease hunger]
간신히 배고픈[飢] 증세만 고칠[療] 정도로 조금 먹음. ¶아침 요기.

허기 虛飢 | 빌 허, 주릴 기 [hunger]
굶어서[飢] 속이 비어[虛] 배가 몹시 고픔. ¶우유 한 잔으로 허기를 달래야 했다.

1806 [아]

餓
주릴 아:
部 食부 劃 16획 中 饿 [è]

餓자는 밥을 '굶주리다'(go hungry; starve)는 뜻을 위하여 만든 것이었으니 '밥 식'(食)이 표의요소로 쓰였다. 我(나 아)는 표음요소이니 뜻과 무관하다.
속뜻훈음 굶주릴 아.

아:사 餓死 | 굶주릴 아, 죽을 사
[starve; die of hunger]
굶어[餓] 죽음[死].

• 역순어휘

기아 飢餓 | =饑餓, 주릴 기, 굶주릴 아
[starve; go hungry]

굶주림[飢=餓]. ¶기아에 허덕이다. [반]기근(饑饉).

1807 [포]

飽 배부를 포:
[部] 食부 [劃] 14획 [中] 饱 [bǎo]

飽자는 밥을 '배불리 먹다'(satiate oneself; eat one's fill)는 뜻을 위하여 만든 것이었으니 '밥 식'(食)이 표의요소로 쓰였다. 包(쌀 포)는 표음요소이다. 후에 '배부르다'(have a full stomach), '만족하다'(be satisfied) 등으로 확대 사용됐다.

포:만 飽滿 | 배부를 포, 찰 만 [be full of]
배부르게[飽] 먹어 배가 가득 참[滿]. 또는 그렇게 먹음. ¶포만상태.

포:식 飽食 | 배부를 포, 먹을 식
[satiate oneself; eat fill]
배부르게[飽] 먹음[食]. ¶푸짐하게 차린 저녁을 포식하고 일찌감치 곯아떨어졌다.

포:화 飽和 | 배부를 포, 고를 화 [be saturated]
❶[속뜻]배가 불러[飽] 빈틈없이 고르게[和] 가득참. ❷더 이상의 양을 수용할 수 없을 정도로 가득 참. ¶서울의 인구는 포화 상태에 이르렀다 / 용액 속에 염화나트륨이 포화해 있다.

1808 [고]

顧 돌아볼 고
[部] 頁부 [劃] 21획 [中] 顾 [gù]

顧자는 길을 가다가 머리를 돌리다, 즉 '돌아 보다'(take notice of; pay attention to; think of)란 뜻을 나타내기 위하여 만든 것이었으니 '머리 혈'(頁)이 표의요소로 발탁됐다. 雇(품살 고)는 표음요소이니 뜻과 무관하다.

고:객 顧客 | 돌아볼 고, 손 객
[customer; buyer]
❶[속뜻]자주 들러 보는[顧] 손님[客]. ❷상점 따위에 물건을 사러 자주 오는 손님. ¶고객에게 친절하게 대하라. ❸단골로 오는 손님.

고문 顧問 | 돌아볼 고, 물을 문 [adviser]
❶[속뜻]고개를 돌려[顧] 물음[問]에 응함. ❷의견을 물음. ¶고문에 응하다. ❸전문적인 지식과 풍부한 경험을 바탕으로 자문에 응하여 조언을 하는 직책. 또는 그런 직책에 있는 사람. ¶고문변호사.

• 역순어휘

일고 一顧 | 한 일, 돌아볼 고
[notice; attention; consider]
❶[속뜻]한[一]번 돌아봄[顧]. 잠깐 돌아봄. ❷관심을 두고 조금 생각하여 봄. ¶그것은 일고의 가치도 없는 일이다.

회고 回顧 | 돌 회, 돌아볼 고
[look back; reflect]
❶[속뜻]돌아[回] 봄[顧]. ❷지난 일을 돌이켜 생각함. ¶그는 사진을 보며 어린 시절을 회고했다.

1809 [빈]

頻 자주 빈
[部] 頁부 [劃] 16획 [中] 频 [pín]

頻자는 원래 무슨 뜻을 나타내기 위하여 만든 것인지 정설이 없다. '걸음 보'(步)와 '머리 혈'(頁)이 [빈]이라는 음과는 거리가 멀기 때문에 둘 다 표의요소인 것만큼은 확실하지만, 어떤 의미 상관성이 있는지 확실하지 않다. 어쨌든, '자주'(often; many times; frequently), '잦다'(frequent; repeated)는 뜻으로 쓰인다.

빈도 頻度 | 자주 빈, 정도 도 [frequency]
어떤 일이 자주[頻] 되풀이되는 정도(程度). ¶이 단어는 사용 빈도가 낮다.

빈발 頻發 | 자주 빈, 일어날 발 [occur frequently]
사건 따위가 자주[頻] 일어남[發].

빈번 頻繁 | 자주 빈, 많을 번 [frequency]
매우 잦고[頻] 많아짐[繁]. ¶이 지역은 교통사고가 빈번하게 일어나고 있다 / 해마다 이맘때면 산불이 빈번히 발생한다. [비]잦다.

1810 [수]

須 모름지기 수
[部] 頁부 [劃] 12획 [中] 须 [xū]

須자는 얼굴의 턱에 난 털, 즉 '턱수염'(a beard)을 나타내기 위하여 만든 것이다. 얼굴과 머리 모습을 본뜬 '머리 혈'(頁)과 '터럭 삼'(彡) 둘 다 표의요소로 쓰였다. 참고로, 턱수염은 須(=鬚)로, 콧수염(a mustache)은 髭(자), 귀밑에서 턱까지 잇달아 난 수염 즉 구레나룻(whiskers)은 髥(염)으로 나타냈다. '모름지기'(as a matter of course; by all means), '잠깐'(a moment), '필요하다'(necessary) 등으로 차용되는 예가 많아지자, 그 본래 뜻을 분명하게 나타내기 위하여 鬚(턱수염 수)자를 만들어냈다.

속뜻훈음 ①필요할 수, ②잠깐 수.

수유 須臾 | 잠깐 수, 잠깐 유 [little while]
잠시[須=臾]. 잠시 동안. 잠깐.

• 역순어휘 —————————— •

필수 必須 | 반드시 필, 모름지기 수 [essential]
❶속뜻 반드시[必] 그리고 모름지기[須] 해야 함. ❷반드시 필요함. 꼭 있어야 하거나 해야 함. ¶이 공연을 보려면 예약은 필수다.

1811 [파]

頗

자못 파
㊀ 頁부 ㊁ 14획 ㊥ 颇 [pō]

頗자는 머리가 한 쪽으로 '기울다'(slant; inclined; leaning)는 뜻을 위하여 만든 것이었으니 '머리 혈'(頁)이 표의요소로 쓰였다. 皮(가죽 피)가 표음요소로 쓰인 것임은 波(물결 파), 破(깨뜨릴 파), 跛(절뚝발이 파)도 마찬가지다. '자못'(ever so much; greatly)의 뜻으로도 쓰인다.

속뜻훈음 ①자못 파, ②기울 파.

파다 頗多 | 자못 파, 많을 다
[numerous; abundant]
아주[頗] 많음[多]. ¶그런 예가 파다하다.

• 역순어휘 —————————— •

편파 偏頗 | 치우칠 편, 기울 파
[one-sided; unfair]
생각 따위가 한편으로 치우쳐[偏] 기울어짐[頗]. ¶편파 보도 / 심판의 편파 판정에 항의했다.

1812 [구]

驅

몰 구
㊀ 馬부 ㊁ 21획 ㊥ 驱 [qū]

驅자는 말을 타고 '달리다'(gallop one's horse)는 뜻을 나타내기 위하여 만든 것이었으니 '말 마'(馬)가 표의요소로 쓰였다. 區(지경 구)는 표음요소이니 뜻과는 무관하다. 후에 '말을 몰다'(mount a horse), '몰아내다'(expel; drive out; hunt out) 등으로 확대 사용됐다.

속뜻훈음 ①달릴 구, ②몰 구.

구박 驅迫 | 몰 구, 다그칠 박 [treat badly; abuse]
몰아붙이고[驅] 다그침[迫]. 못 견디게 괴롭힘. ¶며느리를 구박하다. ㊥타박(打撲), 학대(虐待). ㊤공경(恭敬).

구보 驅步 | 달릴 구, 걸을 보 [run]
달리듯[驅] 빨리 걸어감[步]. 또는 그런 걸음걸이. ¶단체구보.

구축 驅逐 | 몰 구, 쫓을 축 [drive away; expel]
어떤 세력 따위를 몰아서[驅] 쫓아냄[逐]. ¶사치 풍조 구축하자는 운동이 일어났다. ㊥구출(驅出).

구충 驅蟲 | 몰 구, 벌레 충 [exterminate insects]
약품 따위로 해충이나 기생충[蟲] 따위를 몰아[驅] 없앰. ㊥살충(殺蟲).

• 역순어휘 —————————— •

선구 先驅 | 먼저 선, 달릴 구
[take the lead in; pioneer]
❶속뜻 앞장서서[先] 말을 달림[驅]. ❷'선구자'(先驅者)의 준말.

1813 [등]

騰

오를 등
㊀ 馬부 ㊁ 20획 ㊥ 腾 [téng]

騰자는 부수를 잘못 알기 쉽다. '달 월'(月)이 아니라 '말 마'(馬)가 부수이니 잘 알아두자. '(말을) 타다'는 뜻을 나타내기 위하여 만든 글자였으니 '말 마'(馬)가 표의요소로 쓰였고, 朕(나 짐)이 표음요소임은 謄(베낄 등)도 마찬가지다. 후에 '오르다'(rise; ascend), '뛰다'(jump; leap) 등으로 확대 사용됐다.

등등 騰騰 | 오를 등, 오를 등 [triumphant]
기세를 뽐내는 꼴이 아주 높다[騰+騰]. ¶기세가 등등하다. ㊥자신만만(自信滿滿)하다, 의기양양(意氣揚揚)하다.

• 역순어휘 —————————— •

급등 急騰 | 급할 급, 오를 등 [jump]
물가나 시세 따위가 갑자기[急] 오름[騰]. ¶쌀값이 급등하다. ㊥폭등(暴騰). ㊤급락(急落).

비:등 沸騰 | 끓을 비, 오를 등 [boil]
화학 액체가 끓어[沸] 오름[騰].

점:등 漸騰 | 점점 점, 오를 등 [rise gradually]
시세가 점점[漸] 오름[騰].

폭등 暴騰 | 갑자기 폭, 오를 등 [jump; soar]

물건 값 따위가 갑자기[暴] 크게 오름[騰]. ¶물가가 폭등하여 살기가 어려워졌다. [반]폭락(暴落).

1814 [소]

騷 떠들 소
[部] 馬부 [劃] 20획 [中] 骚 [sāo]

騷자는 놀란 말들이 '이리저리 뛰다'(rush here and there)는 뜻을 나타내기 위하여 만든 것이었으니 '말 마'(馬)가 표의요소로 쓰였다. 蚤(벼룩 조)가 표음요소임은 搔(긁을 소), 瘙(종기 소)도 마찬가지다. 후에 '떠들다'(make a noise; clamor), '떠들썩하다'(noisy; clamorous) 등도 따로 글자를 만들지 않고 이것으로 나타냈다.

소동 騷動 | 떠들 소, 움직일 동
[disturbance; agitation]
여럿이 떠들고[騷] 난리를 피움[動]. 여럿이 떠들어 댐. ¶건물에 불이나 한바탕 소동이 벌어졌다.

소란 騷亂 | 떠들 소, 어지러울 란
[noisy; boisterous]
시끄럽게 떠들어[騷] 어수선함[亂]. ¶시장에서 큰 소란이 있었다 / 그들은 소란스런 행동 때문에 도서관에서 쫓겨났다. [비]쟁란(諍亂).

소음 騷音 | 떠들 소, 소리 음 [noise; din]
시끄럽게 떠드는[騷] 소리[音]. ¶기계에서 엄청난 소음이 난다.

1815 [록]

鹿 사슴 록
[部] 鹿부 [劃] 11획 [中] 鹿 [lù]

鹿자는 '사슴'(a deer)을 나타내기 위하여 한 마리의 사슴이 서 있는 모양을 본뜬 것이었다. 쓰기 편하게 하다 보니 지금의 자형으로 변했다. 부수는 그 자체, 즉 제부수인데 '집 엄'(广)으로 오인하기 쉬우니 이 기회에 잘 알아두자.

녹비 鹿皮 | 본음 [녹피], 사슴 록, 가죽 피
[deerskin; buckskin]
❶[속뜻] 사슴[鹿]의 가죽[皮]. ❷사슴 가죽이 늘리는 대로 늘어나는 것처럼 '일정한 주견이 없이 남의 말을 좇아 이랬다저랬다 함'을 비유하여 이르는 말. ¶녹비에 가로 왈.

녹용 鹿茸 | 사슴 록, 녹용 용
[young antlers of the deer]
[한의] 사슴[鹿]의 새로 돋은 연한 뿔[茸]. [비]녹각(鹿角).

• 역순어휘

순록 馴鹿 | 길들 순, 사슴 록 [reindeer]
❶[속뜻] 길들인[馴] 사슴[鹿]. ❷[동물] 사슴과의 짐승. 키 1~1.4m, 몸길이 1.2~2.2m. 사슴과 비슷하나 더 크고 억세다.

청록 靑鹿 | 푸를 청, 사슴 록
❶[속뜻] 푸른색[靑]의 사슴[鹿]. ❷[동물] 몸은 여름에는 푸른빛을 띤 회색이고 겨울에는 회색을 띤 갈색의 동물.

축록 逐鹿 | 쫓을 축, 사슴 록
[scramble for political power]
❶[속뜻] 사슴[鹿]을 쫓음[逐]. ❷'사람들이 정권, 지위 등을 얻으려고 서로 다투는 일'을 이르는 말. [참]각축(角逐).

1816 [홍]

鴻 기러기 홍
[部] 鳥부 [劃] 17획 [中] 鸿 [hóng]

鴻자는 모양이 기러기 비슷한 물새인 '큰 기러기'(a big wild swan)를 뜻하기 위하여 만든 것이었으니 '새 조'(鳥)가 표의요소로 쓰였다(참고 雁 #1803). 부수를 水(물 수)로 오인하기 쉽다. 江(강 강)이 표음요소로 쓰인 것임은 澒(수은 홍)도 마찬가지다. 후에 '크다'(great)는 뜻으로 확대 사용됐다.
[속뜻훈음] 클 홍.

홍도 鴻圖 | 클 홍, 꾀할 도
❶[속뜻] 넓고 크게[鴻] 꾀한[圖] 계획. ❷임금의 계획을 이르던 말. ❸매우 넓은 판도(版圖).

홍유 鴻儒 | 클 홍, 선비 유 [great Confucianist]
❶[속뜻] 학식이 많은[鴻] 선비[儒]. ❷뭇사람의 존경을 받는 이름난 유학자. [비]거유(巨儒).

홍지 鴻志 | 클 홍, 뜻 지
[ambition; great ambition; aspiration]
마음에 품은 큰[鴻] 뜻[志]. [비]대지(大志).

1817 [구]

龜 거북 구/귀, 터질 균
[部] 龜부 [劃] 16획
[中] 龟 [guī, jūn, qiū]

龜자는 '거북'(a turtle; a tortoise)을 나타내기 위하여 거

북 모양을 본뜬 것이다. 지금의 자형에서도 머리, 등, 발, 꼬리 모양을 엿볼 수 있다. 획수가 많고 복잡하며 획순을 알기 힘들다. 획순이란 편리하게 쓸 수 있는 순서일 따름이지 철칙은 아니다. 漢(한) 나라 때 서부 지역의 나라 이름과 관련하여 쓰인 바 있고, 기타 지역 명칭으로도 쓰이는데, 이 경우에는 [구]라는 음을 쓰지만(예, 경북의 龜尾 구미), 거북이와 관련된 의미일 경우에는 반드시 [귀]로 읽어야 한다. 후에 '트다'(be cracked), '갈라지다'(crack; cleave)는 뜻으로도 쓰였는데, 이 경우에는 [균]으로 읽는다.

속뜻 훈음 ①거북 구/귀, ②갈라질 균.

귀감 龜鑑 | 거북 귀, 거울 감 [paragon; pattern; model]

❶속뜻 점치는 데 쓰이는 거북[龜]과 얼굴을 비춰보는 데 쓰이는 거울[鑑]. ❷본보기가 될 만한 언행이나 거울삼아 본받을 만한 모범(模範). ¶귀감으로 삼다.

귀갑 龜甲 | 거북 귀, 갑옷 갑 [tortoise shell]

❶속뜻 거북[龜]의 등딱지[甲]. ❷거북의 등딱지 모양과 비슷한 육각형 무늬나 모양. ㉥귀각(龜殼).

균열 龜裂 | 갈라질 균, 찢어질 렬 [crack; failure]

❶속뜻 거북의 등에 있는 무늬처럼 갈라지고[龜] 찢어짐[裂]. ¶벽에 균열이 생기다. ❷친하게 지내는 사이에 틈이 남. ¶둘 사이에 균열이 생겼다. ㉥균탁(龜坼), 분열(分裂).

제2부

제2부 실 제 : 한자 및 한자어 지도

12장. 2급 배정한자 188

[1818-2005]

1818 [인]

刃

칼날 인:
㊀ 刀부 ㊀ 3획 ㊥ 刃 [rèn]

刃자는 '칼날'(the blade of a knife)을 뜻하기 위하여 '칼 도'(刀)에 날의 위치를 가리키는 부호인 점(丶)이 첨가된 글자다. 문자학에서는 이러한 한자를 육서 가운데 지사(指事)라고 한다.

• 역순어휘

병인 兵刃 | 군사 병, 칼날 인
[bladed weapons]
칼이나 창 따위 같이 날[刃]이 있는 병기(兵器).

예:인 銳刃 | 날카로울 예, 칼날 인
[sharp blade]
날카로운[銳] 칼날[刃].

1819 [제]

劑

약제 제
㊀ 刀부 ㊀ 16획 ㊥ 剂 [jì]

劑자는 '가지런하게 자르다'(cut uniformly)는 뜻을 나타내기 위하여 '칼 도'(刀)와 '가지런할 제'(齊)를 합쳐 놓은 것이다. 물론 齊는 표음요소도 겸한다. 한약제로 쓰려면 약초를 가지런하게 자르는 일이 많았으므로 '약제'(medicine; a drug), '약 짓다'(compound medicines) 등의 뜻으로 확대 사용됐다.
속뜻 훈음 ①약제 제, ②약지을 제.

• 역순어휘

세:제 洗劑 | 씻을 세, 약제 제
[cleanser; detergent]
몸이나 기구, 의류 따위에 묻은 물질을 씻어[洗] 내는 데 쓰이는 약제(藥劑). 비누 따위. ¶세제를 많이 쓰면 환경이 오염된다. ㊥세척제(洗滌劑), 세탁제(洗濯劑).

약제 藥劑 | 약 약, 약지을 제
[medicine; drug]
여러 가지 약재(藥材)를 섞어 약을 조제(調劑)함.

조제 調劑 | 고를 조, 약지을 제
[prepare a medicine]
약학 여러 가지 약품을 적절히 조합(調合)하여 약을 지음[劑]. 또는 그런 일. ¶약국에서 감기약을 조제했다.

1820 [찰]

刹

절 찰
㊀ 刀부 ㊀ 8획 ㊥ 刹 [chà, shā]

刹자의 자형 풀이와 본래 의미는 정설이 없다. 일찍이 梵語(범:어)를 옮기는 데 활용됐던 관계로, '절'(a Buddhist temple), '불탑'(a pagoda) 등 불교 용어로 애용됐다.

찰나 刹那 | 절 찰, 어찌 나 [moment; instant]
불교 범어 'Ksana'의 한자 음역어로 '매우 짧은 동안'을 이름. ¶집을 떠나려는 찰나에 문제가 생겼다. ㊥순간(瞬間).

• 역순어휘

사찰 寺刹 | 절 사, 절 찰 [Buddhist temple]
절[寺=刹]. ¶깊은 산속에 있는 사찰에서 하룻밤을 묵었다.

1821 [승]

升

되 승
㊀ 十부 ㊀ 4획 ㊥ 升 [shēng]

升자는 용량의 단위로 열 홉에 해당되는 '되'(a doe = 0.477 U.S. gallon)를 뜻하기 위하여 그 그릇의 모양을 본뜬 것이었다. 원래의 모양은 斗(두)와 비슷했는데 두 획의 모양을 약간 달리하여 혼동을 피했다. 후에 '(피) 올리다'(upraise; elevate; lift), '오르다'(rise; ascend) 등으로 확대 사용됐는데, 이 때 昇(오를 승)과 통용된다. 조어력이 약하여 한자어 용례가 거의 없다.

1822 [훈]

勳

공 훈
㊀ 力부 ㊀ 16획 ㊥ 勋 [xūn]

勳자는 힘들여 세운 '큰 공로'(an great exploit)를 뜻하기 위하여 만든 것이었으니 '힘 력'(力)이 표의요소로 쓰였다. 熏(연기 낄 훈)은 표음요소이니 뜻과는 무관하다. 후에 일반적인 의미의 '공'(merits)을 뜻하는 것으로 확대 사용됐다. 勛(훈)은 이것의 古字(고:자)다.

훈장 勳章 | 공 훈, 글 장 [medal; decoration]
법률 훈공(勳功)이 있는 사람에게 내리는 휘장(徽章). ¶훈장을 달다 / 그는 큰 공을 세워 훈장을 받았다.

• 역순어휘

수훈 殊勳 | 뛰어날 수, 공 훈
[meritorious deed(s)]
뛰어난[殊] 공훈(功勳). ¶수훈을 세우다.

1823 [비]

匪

비적 비 :
部 匚부 劃 10획 中 匪 [fěi]

匪자의 본래 뜻은 대나무로 만든 '광주리'(a bamboo basket)를 가리키는 것이었으니 '상자 방'(匚)이 표의요소로 쓰였고, 非(아닐 비)는 표음요소로 뜻과는 무관하다. 후에 표음요소(非)의 의미인 '아니다'(not)로 쓰이기도 했고, 도둑 같은 '나쁜 무리'(a rascal; a villain; a scoundrel)를 뜻하는 것으로도 쓰였다. 그러자 본래의 뜻을 더욱 명확히 하려고추가로 만든 것이 篚(대광주리 비)다.

속뜻 훈음 **도둑 비.**

• 역순어휘

공:비 共匪 | 함께 공, 도둑 비 [red guerrillas]
❶ 속뜻 공산당(共産黨)을 도둑[匪]에 비유한 말. ❷중국에서 공산당의 지도 아래 활동하던 게릴라를 이르는 말. ¶공비를 소탕하다.

1824 [준]

准

비준 준 :
部 冫부 劃 10획 中 准 [zhǔn]

准자는 본래 準(수준기 준, #0604)의 속자였다. 중국 당 나라 때 이후로 '승인하다'(approve; admit)는 의미의 공문서 용어로 이 글자를 쓴 것에서 비롯되어 지금도 그런 뜻으로 쓰이며, 군대의 계급을 나타내는 것으로도 쓰인다. '비기다'(come out even)는 뜻으로도 쓰인다.

속뜻 훈음 **①승인할 준, ②비길 준.**

준:장 准將 | 비길 준, 장수 장 [brigadier general]
❶ 속뜻 장성(將星)급에 비기는[准] 계급. ❷ 군사 군대 계급의 하나. 소장의 아래, 대령의 위.

• 역순어휘

비:준 批准 | 따질 비, 승인할 준 [ratify]
❶ 속뜻 잘 따져[批] 보고 검토해본 후에 승인[准]함. ❷ 법률 체결된 조약에 대해 당사국에서 최종적으로 확인하여 동의하는 절차. ¶개혁안이 국회 비준을 통과했다.

1825 [염]

厭

싫어할 염 :
部 厂부 劃 14획 中 厌 [yàn]

厭자는 본래 猒(물릴 염)으로 썼다. 이것은 개[犬]가 단[甘→日], 즉 맛있는 고기[肉→月]를 실컷 먹어 더 이상 먹을 수 없는, 즉 '물리다'(get tired of; lose interest in)는 뜻을 나타낸 것이다. 후에 '언덕 한'(厂)이 덧붙여진 까닭에 대하여 정설은 없지만, 아마도 세상에 염증을 느낀 사람의 은신처였던 '언덕'을 가리킨 것으로 추정된다. 후에 '싫다'(distasteful), '싫어하다'(hate; detest) 등으로 확대 사용됐다.

염:세 厭世 | 싫어할 염, 세상 세
[be weary of life]
세상(世上)을 괴롭고 귀찮은 것으로 여겨 싫증[厭]을 냄.

염:오 厭惡 | 싫어할 염, 미워할 오 [abhorrence]
마음으로부터 싫어하여[厭] 미워함[惡]. 또는 그런 느낌. ¶염오가 치밀어 오르다.

염:증 厭症 | 싫어할 염, 증세 증 [repugnance]
싫어하는[厭] 정도가 병[症]에 가까울 정도로 심함. 싫증. ¶그녀는 베를 짜는 일에 염증이 났다.

1826 [괴]

傀

허수아비 괴 :
部 人부 劃 12획 中 傀 [kuǐ, guī]

傀자는 귀신[鬼] 같이 이상한 모양으로 꾸민 인형[人], 즉 '꼭두각시'(a puppet; a marionette)를 뜻한다. 물론 鬼(귀신 귀)가 표음요소를 겸하는 것임은 槐(홰나무 괴), 塊(흙덩이 괴)의 경우를 통하여 알 수 있다. 후에 '허수아비'(a scarecrow)를 가리키는 것으로 확대 사용됐다.

속뜻 훈음 **①꼭두각시 괴, ②허수아비 괴.**

괴:뢰 傀儡 | 꼭두각시 괴, 꼭두각시 뢰
[puppet; marionette]
❶ 속뜻 꼭두각시[傀=儡]. 나무로 만들어 줄을 매달아 노는 인형. ❷남의 지시대로 움직이는 사람을 비유하는 말.

• 역순어휘

북괴 北傀 | 북녘 북, 허수아비 괴 [North Korean puppet regime]
북한(北韓)을 소련의 허수아비[傀]라고 비난하여 이르던 말. ¶북괴는 간첩을 남파(南派)했다.

1827 [교]

僑
더부살이 교
[部] 人부 [劃] 14획 [中] 侨 [qiáo]

僑자는 '더부살이하는 사람'(a resident servant)을 뜻하기 위하여 만든 것이었으니 '사람 인'(亻)이 표의요소로 쓰였고, 喬(높을 교)는 표음요소인지라 의미와는 무관하다. '더부살이'에서 '타향살이'(a foreign country), '외국살이'(an overseas person)로 확대 사용됐다.

교민 僑民 | 더부살이 교, 백성 민
외국에 나가 살고 있는[僑] 자기 나라의 백성[民].

교포 僑胞 | 더부살이 교, 태보 포
다른 나라에 살고 있는[僑] 동포(同胞). [비]교민(僑民).

1828 [배]

俳
배우 배
[部] 人부 [劃] 10획 [中] 俳 [pái]

俳자는 '사람 인'(亻=人)이 부수이자 표의요소이다. 非(아닐 비)가 표음요소임은 排(밀칠 배)나 裵(=裴, 옷 치렁치렁할 배)도 마찬가지다. '익살극'(戱劇)이 본뜻이다. 고대 중국에서는 익살극을 잘하는 사람, 즉 '광대'(a clown; a feat actor; a comedian)를 가리켜 '俳'라고 했다.

[속뜻훈음] **광대 배.**

배우 俳優 | 광대 배, 광대 우 [player; actor]
❶[속뜻] 익살을 잘 부리는 광대[俳]와 연극을 잘하는 광대[優]. ❷[연영] 영화나 연극 등에서 극중의 인물로 꾸며 연기하는 사람. ¶그녀는 배우 지망생이다 / 주연 배우.

• 역순어휘

가배 嘉俳 | =嘉排, 아름다울 가, 광대 배
❶[속뜻] 아름다운[嘉] 놀이[俳]. ❷[역사] 신라 유리(儒理)왕때 궁중에서 하던 놀이. 음력 7월 16일부터 8월 14일까지 나라 안의 여자들이 두 편으로 나뉘어 길쌈을 하여 진 편에서 추석에 음식을 내고 춤과 노래 및 여러 가지 놀이를 하던 풍습. [비]가우(嘉優).

1829 [벽]

僻
궁벽할 벽
[部] 人부 [劃] 15획 [中] 僻 [pì]

僻자는 사람들을 '피하다'(avoid; shun)는 뜻을 나타내기 위하여 만든 것이었으니 '사람 인'(亻)이 표의요소로 쓰였다. 辟(임금 벽)은 표음요소이니 뜻과는 무관하다. 후에 '후미지다'(secluded; retired; lonely), '치우치다'(eccentric) 등으로 확대 사용됐다.

[속뜻훈음] **후미질 벽.**

벽지 僻地 | 후미질 벽, 땅 지 [isolated area]
도시에서 멀리 떨어진 으슥하고 한적한[僻] 곳[地]. ¶산간 벽지에 살다. [비]벽처(僻處), 벽촌(僻村).

벽촌 僻村 | 후미질 벽, 마을 촌 [remote village]
외진[僻] 곳에 있는 마을[村]. [비]벽지(僻地), 벽처(僻處).

1830 [병]

倂
어우를 병ː
[部] 人부 [劃] 10획 [中] 并 [bìng]

倂자의 본래 글자는 幷이다. '어우르다'(put together; unite; combine)는 뜻을 나타내기 위하여 두 사람이 다리를 묶고 함께 서있는 모습을 본뜬 것이다. 후에 '함께 하다'(join together), 다른 사람과 어깨를 '나란하다'(stand shoulder to shoulder; stand in a row)는 뜻을 더욱 분명히 하려고 '사람 인'(亻)을 추가로 덧붙였다.

병ː합 倂合 | 어우를 병, 합할 합 [merge; annex]
둘 이상의 단체, 나라 따위를 하나로 어울러[倂] 합(合)함. ¶두 나라가 병합했다.

• 역순어휘

합병 合倂 | =合幷, 합할 합, 어우를 병 [merge]
여러 사물이나 조직을 합(合)해 어우름[倂]. ¶세 개의 회사가 합병하여 하나가 되었다.

1831 [봉]

俸
녹(祿) 봉ː
[部] 人부 [劃] 10획 [中] 俸 [fèng]

俸자는 관청의 일을 받드는[奉] 사람[人]에게 수고한 대가로 주는 돈, 즉 '봉급'(salary; pay)

을 뜻하는 글자다. 奉(받들 봉)은 표음요소도 겸한다.
[속뜻훈음] ①봉급 봉, ②녹 봉.

봉:급 俸給 | 녹 봉, 줄 급 [salary; pay]
❶[속뜻] 일의 대가로 녹봉(祿俸)을 줌[給]. ❷일정한 직장에서 일의 대가로 받는 정기적인 보수. ¶이번 달 봉급이 밀렸다.

봉:록 俸祿 | 녹 봉, 녹 록
[역사] 나라에서 벼슬아치들에게 주던 곡식(穀食), 돈 따위[俸=祿]를 일컫는 말. [비]녹봉(祿俸).

• 역순어휘

녹봉 祿俸 | 복 록, 녹 봉 [stipend]
[역사] 벼슬아치에게 일 년 단위로 나누어 주던 금품[祿=俸]. [비]녹질(祿秩), 녹료(祿料), 녹조(祿租), 봉질(俸秩), 식록(食祿), 질록(秩祿).

박봉 薄俸 | 엷을 박, 봉급 봉 [small salary]
많지 않은[薄] 봉급(俸給). ¶박봉을 쪼개 저금을 하다.

연봉 年俸 | 해 년, 봉급 봉 [annual salary]
일 년(年) 동안에 받는 봉급(俸給). ¶그는 연봉이 4천만 원이다.

1832 [산]

傘

우산 산
[部] 人부 [劃] 12획 [中] 伞 [sǎn]

傘자는 '수레 덮개'를 뜻하는 繖(산)의 이체자이다. 후에 '우산'(an umbrella)을 뜻하는 것으로 더 많이 쓰였고, 그 모양이 우산과 너무 똑같아 繖을 물리치고 傘이 큰 인기를 얻게 됐다.

• 역순어휘

양산 陽傘 | 볕 양, 우산 산 [parasol; sunshade]
여자들이 볕[陽]을 가리기 위하여 쓰는 우산(雨傘) 모양의 물건. ¶양산을 쓰다.

우:산 雨傘 | 비 우, 우산 산 [umbrella]
비[雨]를 맞지 않도록 받쳐 쓰는 도구[傘]. ¶우산을 쓰다.

1833 [용]

傭

품팔 용
[部] 人부 [劃] 13획 [中] 佣 [yōng]

傭자의 모체가 되는 글자는 庸(쓸 용, #1585)다. '사람을 쓰다'(employ; hire)는 뜻을 위하여 만든 것인데, 후에 '어리석다'(foolish; stupid) '보통이다'(ordinary) 등으로 확대 사용되는 예가 많아지자, 본래의 뜻을 더욱 분명하 하려고 만든 것이 바로 傭자다. 품을 파는 사람, 즉 '품팔이'(a day laborer; a piecework laborer)의 뜻으로 쓰인다.

용병 傭兵 | 품팔 용, 군사 병 [mercenary soldier]
❶[군사] 봉급을 주어[傭] 고용한 병사(兵士). ¶용병을 모집하다. ❷스포츠에서 외국에서 돈을 주고 데려온 선수.

1834 [정]

偵

염탐할 정
[部] 人부 [劃] 11획 [中] 侦 [zhēn]

偵자는 '점쳐 묻는 사람'(a fortuneteller; a diviner)을 뜻하기 위하여 만든 것이다. '사람 인'(人)과 '점쳐 묻다'는 뜻인 貞(정)이 표의요소이다. 貞(곧을 정)은 표음요소를 겸한다. 貞자는 갑골문에서 '점치다'(tell fortune; divine)는 의미로 쓰였는데, 당시 점을 치는 사람을 貞人(정인)이라 했다. 후에 偵자가 '염탐하다'(spy upon; feel out)는 뜻으로도 확대 사용됐다.

정찰 偵察 | 염탐할 정, 살필 찰 [reconnoiter]
[군사] 적의 동태 따위를 몰래 염탐[偵]하여 살핌[察]. ¶정찰위성 / 소형비행기가 적진을 정찰하고 있다.

정탐 偵探 | 염탐할 정, 찾을 탐 [spy out]
사건이나 남의 비밀을 몰래 염탐[偵]하여 찾아냄[探]. 또는 그 일을 하는 사람. [비]탐정(探偵).

• 역순어휘

탐정 探偵 | 찾을 탐, 염탐할 정
[investigate secretly; detect]
드러나지 않은 사정을 찾아[探] 몰래 염탐하여[偵] 알아냄. 또는 그런 일을 하는 사람. ¶그는 이번 사건을 탐정에게 의뢰했다 / 실종된 사람의 행방을 탐정하다.

1835 [모]

帽

모자 모
[部] 巾부 [劃] 12획 [中] 帽 [mào]

帽자의 갑골문은 '모자'(=쓰개, a hat; a cap)를 뜻하기 위해, 위가 반듯하고 귀 보호개가 달린 모자의 모양을 본뜬 것이었다. 후에 冒로 바뀌고, '무릅쓰다'(risk; brave; run)는 뜻으로 확대 사용되는 예(참고, 冒

險·모:험)가 많아지자, 본뜻을 더욱 명확하게 하려고 '수건 건'(巾)이 덧붙인 것이 帽자다.

속뜻훈음 ①모자 모, ②쓰개 모.

모자 帽子 | 쓰개 모, 접미사 자 [hat; cap]
머리에 쓰는 쓰개[帽]를 통틀어 이르는 말.

• 역순어휘

관모 冠帽 | 갓 관, 모자 모 [official hat]
예전에 벼슬아치들이 쓰던 갓[冠] 모양의 모자(帽子). ¶말총으로 만든 관모를 샀다.

사:모 紗帽 | 비단 사, 모자 모
역사 관원이 관복을 입을 때 쓰던 검은 비단[紗]으로 만든 모자(帽子).

제:모 制帽 | 만들 제, 모자 모 [regulation cap]
학교, 관청, 회사 따위에서 쓰도록 특별히 만든[制] 모자(帽子).

철모 鐵帽 | 쇠 철, 모자 모
[steel helmet; trench helmet; steel cap]
군사 전투할 때 군인이 쓰는 강철(鋼鐵)로 만든 둥근 모자(帽子). ¶머리에 철모를 쓴 군인.

1836 [사]

唆

부추길 사
部 口부 劃 10획 中 唆 [suǒ]

唆자의 '입 구'(口)가 표의요소인 것은 확실하다. 오른편의 것이 표음요소가 아닌 것(참고, 俊 준걸 준, 浚 깊을 준)만큼은 분명하지만, 어떤 뜻으로 쓰인 표의요소인지 모르겠다. '꾀다'(decoy; lure; allure), '부추기다'(instigate; incite; egg on)는 뜻으로 쓰인다.

• 역순어휘

교:사 教唆 | 가르칠 교, 부추길 사 [instigate; incite]
나쁜 짓을 하도록 남에게 가르쳐 주거나[教] 부추김[唆]. ¶그는 부하들에게 폭력을 교사했다.

시:사 示唆 | 보일 시, 부추길 사 [inform]
❶속뜻 미리 보여주어[示] 부추김[唆]. ❷미리 알려줌.

1837 [정]

呈

드릴 정
部 口부 劃 7획 中 呈 [chéng]

呈자는 '입 구'(口)가 표의요소이고, 壬(정)이 표음요소임은 廷(조정 정)도 마찬가지다. '(입으로 말하여) 드러내다'(reveal; expose)가 본래 의미이고, 윗사람에게 '드리다'(present; donate)는 뜻으로 확대 사용됐다.

정납 呈納 | 드릴 정, 바칠 납
윗사람에게 물건을 드리거나[呈] 바침[納]. 정상(呈上). 정송(呈送).

정시 呈示 | 드릴 정, 보일 시
❶속뜻 드려서[呈] 보여줌[示]. ❷경제 어음, 수표, 증권 따위의 소지자가 인수나 지급을 요구하기 위하여 인수인 또는 지급인에게 제출하여 보임.

• 역순어휘

증정 贈呈 | 보낼 증, 드릴 정 [present]
남에게 선물이나 기념품 따위를 보내[贈] 드림[呈]. ¶사은품으로 시계를 증정하다.

헌:정 獻呈 | 바칠 헌, 드릴 정 [dedicate]
❶속뜻 바치고[獻] 드림[呈]. ❷물품을 바침.

1838 [초]

哨

망볼 초
部 口부 劃 10획 中 哨 [shào]

哨자의 본뜻은 '(입이) 비뚤어지다'(get crooked)이고 원래 음은 [소]였다. '입 구'(口)가 표의요소이고, 肖(닮을 초)가 표음요소였음은 消(사라질 소)와 逍(거닐 소)도 마찬가지다. 후에 '망보다'(keep watch)는 뜻으로도 쓰였는데, 이때는 표음요소와 똑같은 음인 [초]로 읽는다.

초계 哨戒 | 망볼 초, 경계할 계 [patrol]
적의 습격에 대비하여 엄중히 감시하여 망보고[哨] 경계(警戒)함.

초소 哨所 | 망볼 초, 곳 소 [guard post]
❶속뜻 망보는[哨] 곳[所]. ❷보초나 경계하는 이가 근무하는 시설. ¶초소를 지키다.

• 역순어휘

보:초 步哨 | 걸음 보, 망볼 초 [sentry; guard]
❶속뜻 걸어 다니며[步] 망을 봄[哨]. ❷군사 부대의 경계선이나 각종 출입문에서 경계와 감시의 임무를 맡은 병사. ¶보초를 서다. ⓑ보초병(步哨兵).

전초 前哨 | 앞 전, 망볼 초
[outpost; advance post]

군사 군대가 주둔할 때, 적을 경계하기 위하여 가장 앞[前]쪽에 배치하여 망을 보는[哨] 작은 부대. 또는 그 해당 임무.

1839 [후]

喉

목구멍 후
部 口부 劃 12획 中 喉 [hóu]

喉자는 입안의 '목구멍'(a throat)을 뜻하기 위하여 만든 것이었으니 '입 구'(口)가 표의요소로 쓰였고, 侯(과녁 후)는 표음요소이다.

후두 喉頭 | 목구멍 후, 머리 두 [larynx]
❶속뜻 목구멍[喉]의 첫머리[頭] 부분. ❷의학 인두(咽頭)와 기관(氣管) 사이의 부분. 발성과 호흡 작용 따위의 기능을 가진다. ¶후두에 염증이 생기다.

후음 喉音 | 목구멍 후, 소리 음 [guttural sound; gutturals]
언어 목구멍[喉]에서 나는 소리[音]. 내쉬는 숨으로 목젖을 마찰하여 내는 소리. 후두음(喉頭音)의 준말.

• 역순어휘

인후 咽喉 | 목구멍 인, 목구멍 후 [throat]
목구멍[咽=喉].

1840 [희]

噫

한숨쉴 희
部 口부 劃 16획 中 噫 [yī]

噫자는 입으로 '한숨짓다'(take a deep breath)는 뜻을 위한 것이었으니 '입 구'(口)가 표의요소로 쓰였다. 意(뜻 의)는 표음요소였다. '트림하다'(belch)는 뜻으로도 쓰이는데, 이 때에는 [애]로 읽는다. 다른 글자와 더불어 낱말을 구성하는 조어력이 매우 낮아 한자어 용례가 거의 없다.

1841 [권]

圈

우리[欄] 권
部 囗부 劃 11획
中 圈 [quān, juān]

圈자는 가축을 기르는 '우리'(a corral)를 나타내기 위하여 만든 것이었으니 '에운담 위'(囗)가 표의요소로 쓰였고, 卷(쇠뇌 권)은 표음요소일 따름이다. 후에 '테두리'(the brim), '범위'(an extent; a scope) 등으로 확대 사용됐다.

권내 圈內 | 우리 권, 안 내 [within the circle]
일정한 범위[圈]의 안[內]. 테두리 안. ¶합격권내에 들다 / 태풍의 권내. 반권외(圈外).

권외 圈外 | 우리 권, 밖 외 [outside the circle]
일정한 범위나 테두리[圈]의 밖[外]. 반권내(圈內).

• 역순어휘

극권 極圈 | 끝 극, 우리 권 [the polar circle]
❶속뜻 남극(南極) 또는 북극의 권역(圈域) ❷지리 지구의 남북 위도로 66°33'에서 각각 남 또는 북의 지역을 일컬음.

기권 氣圈 | 공기 기, 우리 권 [atmosphere]
지리 지구를 둘러싼 대기(大氣)가 있는 범위[圈]. '대기권'의 준말. ¶미확인 비행물체가 기권으로 진입했다.

상권 商圈 | 장사 상, 우리 권 [trading area]
경제 상업(商業)상의 세력이 미치는 범위[圈]. ¶그곳에 새로운 상권이 형성되었다.

1842 [불]

弗

아닐/말[勿] 불
部 弓부 劃 5획 中 弗 [fú]

弗자가 갑골문에도 등장되는데, 그 자형 풀이에 대하여는 정설이 없다. 꾸불꾸불한 것을 바로 펼치다, 즉 '바로잡다'(straighten)는 의미였다고 하는데 실제 그러한 뜻으로 쓰인 예가 없다. 당시부터 '(그것이) 아니다'는 부정사로 쓰였다. 주로 문장에 쓰일 따름이며, 낱말의 한 요소로 쓰인 예는 극히 적어서 상용 어휘의 예가 없다. 달러를 표시하는 부호인 '$'를 편의상 [불]로 읽고 弗로 적기도 하기 때문에 이것을 속칭 '달러 불'이라고 하기도 한다. 조어력이 매우 약하여 한자어 용례가 극히 적다.

불소 弗素 | 아닐 불, 바탕 소 [fluorine]
화학 할로겐 원소의 한 가지. 상온에서는 특유한 냄새를 가진 황록색의 기체이며 화합력이 강하다. 플루오르(fluor)를 음역한 '弗'에 '원소'를 가리키는 '素'를 덧붙여 만들었다. ¶불소가 들어간 치약.

1843 [현]

弦

시위 현
部 弓부 劃 8획 中 弦 [xuán]

弦자는 화살의 '시위'(a bow string)를

뜻하는 것이니 '활 궁'(弓)이 표의요소로 쓰였다. 玄(검을 현)은 표음요소이니 뜻과는 무관하다. 모양이 비슷한 관계로 '초승달'(a new moon; a crescent)을 지칭하기도 한다.

• 역순어휘

상:현 上弦 | 위 상, 시위 현
[first quarter of the moon]
[천문] 매달 음력 7~8일경인 상순(上旬)에 나타나는 활시위[弦] 모양의 초승달. 둥근 쪽이 오른쪽 아래로 향한다. (반)하현(下弦).

하:현 下弦 | 아래 하, 시위 현 [old moon]
[천문] 아래[下]로 엎어놓은 활시위[弦] 같은 모양의 달. 매달 음력 22~23일에 나타난다. (반)상현(上弦).

1844 [일]

壹

한/갖은 한 일
(部) 士부 (劃) 12획 ㊥ 壹 [yī]

壹자는 자형과 뜻의 연관성이 없으니 부호나 마찬가지인 셈이다. 음이 [일]이므로, 一(일)자를 대신하는 '갖은자'로 쓰였다. 즉, 一은 증서나 계약 등에 쓸 때 변조하기 쉬운 단점이 있으나, 갖은자인 壹자로 쓰면 변조를 예방할 수 있다.

1845 [만]

娩

낳을 만:
(部) 女부 (劃) 10획
㊥ 娩 [miǎn, wǎn]

娩자는 여자가 아이를 '낳다'(give birth to a baby)는 뜻을 나타내기 위하여 만든 것이었으니 '여자 여'(女)가 표의요소로 쓰였고, 免(면할 면)이 표음요소임은 晩(저물 만), 挽(당길 만)도 마찬가지다. '정숙하다'(be chaste; virtuous)는 뜻으로도 쓰인다.
[속뜻훈음] ①낳을 만, ②정숙할 만.

• 역순어휘

분만 分娩 | 나눌 분, 낳을 만 [give birth (to)]
산모가 뱃속의 아기를 몸 밖으로 분리(分離)하여 낳는[娩] 일. ¶분만의 고통이 얼마나 큰지를 남자는 모른다. (비)출산(出産), 해산(解産).

완:만 婉娩 | 예쁠 완, 정숙할 만
[simple and honest; artless]
❶[속뜻] 예쁘고[婉] 정숙함[娩]. ❷여자의 태도가 의젓하고 부드러움을 말함. 수더분함.

해:만 解娩 | 풀 해, 낳을 만 [give birth]
❶[속뜻] 해산(解産)하여 분만(分娩)함. ❷아이를 낳음. (비)해산(解産).

1846 [양]

孃

아가씨 양
(部) 女부 (劃) 10획 ㊥ 娘 [niáng]

孃자는 표의요소인 '여자 여'(女)와 표음요소인 襄(도울 양)이 합쳐진 것으로 원래는 '어머니'(mother)를 가리키는 것이었는데, 娘(아가씨 낭)자를 대신하여 쓰이다 보니 '아가씨'(a young lady)라는 뜻을 갖게 됐다. 조어력이 약하여 한자어 용례는 거의 없다.

• 역순어휘

영양 令孃 | 좋을 령, 아가씨 양
[your esteemed daughter]
남의 딸[孃]을 높여[令] 이르는 말. (비)영애(令愛).

1847 [요]

妖

요사할 요
(部) 女부 (劃) 7획 ㊥ 妖 [yāo]

妖자는 여자[女]가 고개를 약간 옆으로 삐딱하게 한 채 서 있는[夭] 모양으로 '아리땁다'(lovely), '요사스럽다'(capricious; treacherous; weird)는 뜻을 나타낸 것이다. 夭(젊을 요)는 표음과 표의를 겸하는 요소이다.
[속뜻훈음] ①요사할 요, ②아리따울 요.

요괴 妖怪 | 요사할 요, 이상할 괴 [ghost]
❶[속뜻] 요사(妖邪)스럽고 괴이(怪異)함. ❷요사스러운 귀신.

요망 妖妄 | 요사할 요, 망령될 망 [act frivolously]
❶[속뜻] 요사(妖邪)스럽고 망령(妄靈)됨. ❷언행이 방정맞고 경솔함. ¶요망을 떨다.

요사 妖邪 | 요망할 요, 간사할 사
[wickedness; craftiness]
요망(妖妄)하고 간사(奸邪)함. ¶요사를 떨다.

요술 妖術 | 요사할 요, 꾀 술 [magic]
요사한[妖] 일을 꾸미는 술법(術法). ¶요술 거울.

요염 妖艶 | 아리따울 요, 고울 염 [be fascinating]
사람을 호릴 만큼 매우 아리땁고[妖] 고움[艶]. ¶요염한 눈빛.

요정 妖精 | 아리따울 요, 도깨비 정 [fairy]
❶속뜻 아리따운[妖] 도깨비[精]. ❷사람의 모습을 한 젊고 귀여운 마녀. 서양의 동화나 전설에 많이 나온다. ¶숲 속의 요정.

1848 [임]

妊
아이밸 임:
部 女부, 총 9획 中 妊 [rèn]

妊자는 본래 妊(아이 밸 임)으로 썼다. '아이를 배다'(become pregnant)는 뜻이니 '여자 여'(女)가 표의요소로 쓰였다. 壬(임)은 표음요소이다. 壬의 음을 잘 모를까 싶어 任(맡길 임)으로 바꾸어 쓴 것이 姙자다.

임:신 妊娠 | 아이 밸 임, 아이 밸 신 [pregnant]
아이를 뱀[妊=娠]. ¶그녀는 임신 7개월이다 / 그녀는 마흔에 첫 아이를 임신했다. 비잉태(孕胎), 회임(懷妊).

• 역순어휘

불임 不妊 | 아닐 불, 아이 밸 임 [sterile; barren]
의학 임신(妊娠)되지 아니함[不]. ¶그녀는 오랫동안 불임으로 고민했다.

피:임 避妊 | 피할 피, 아이 밸 임 [prevent conception]
의학 인위적으로 임신(妊娠)을 피(避)함. ¶피임하는 약을 먹다.

1849 [희]

姬
계집 희
部 女부 획 9획 中 姬 [jī]

姬자는 중국 최초의 임금 黃帝(황제)나 주나라의 시조 后稷(후:직)의 '성'(a family name; a surname)을 나타내기 위하여 만든 것이었으니 '여자 여'(女)가 표의요소이고, 오른편의 것은 표음요소다. 중국에서 초기의 성씨는 모두 女자가 표의요소로 쓰였다(예, 姜강, 姚요, 嬴영 등, 원시 모계사회의 전통이 반영된 것이라 함). 후에 '아가씨'(a young lady), '첩'(a mistress; a concubine) 등을 나타내는 것으로 확대 사용됐다.

속뜻 훈음 **아가씨 희.**

• 역순어휘

가:희 佳姬 | 아름다울 가, 아가씨 희 [beautiful girl]
아름다운[佳] 아가씨[姬]. ¶가희가 나와 부채춤을 추었다. 비미희(美姬).

무:희 舞姬 | 춤출 무, 아가씨 희 [dancer]
춤을 잘 추거나[舞] 춤추는 일을 업으로 하는 아가씨[姬].

1850 [협]

峽
골짜기 협
部 山부 획 10획 中 峡 [xiá]

峽자는 두 산 사이에 끼어 흐르는 '물길'(waterway)을 뜻하기 위하여 만든 것이었으니 '메 산'(山)이 표의요소로 쓰였다. 夾(낄 협)은 표음과 표의를 겸하는 요소이다. 후에 '골짜기'(a ravine; a gorge)를 뜻하는 것으로 확대 사용됐다.

협곡 峽谷 | 골짜기 협, 골짜기 곡 [gorge; ravine]
좁고 험한 골짜기[峽=谷].

협만 峽灣 | 골짜기 협, 물굽이 만 [fjord]
지리 내륙으로 깊이 쑥 들어간 좁고 긴[峽] 만(灣). 비피오르드(fjord).

• 역순어휘

해:협 海峽 | 바다 해, 골짜기 협 [strait]
❶속뜻 바다[海]를 끼고 있는 골짜기[峽]. ❷지리 육지와 육지 사이에 있는 좁고 긴 바다. ¶대한 해협.

1851 [조]

彫
새길 조
部 彡부 획 11획 中 彫 [diāo]

彫자는 옥 따위에 무늬를 '새기다'(carve)는 뜻을 나타내기 위하여 만든 것이었다. 彡(터럭 삼)은 그 무늬를 가리키는 표의요소이다. 周(두루 주, #0788)자는 본래 '옥을 다듬다'는 뜻이었고 하니 표의요소인 셈이며, 雕(독수리 조)의 예에서 볼 수 있듯이 표음요소도 겸하는 셈이다. 彫자 대신에 雕를 쓰기도 한다.

조각 彫刻 | 새길 조, 새길 각 [statue; engrave]
미술 재료를 새기거나[彫=刻] 깎아서 입체 형상을 만듦. 또는 그런 미술 분야. ¶정교한 대리석 조각 / 나무로 비둘기를 조각하다. 비조소(彫塑).

조소 彫塑 | 새길 조, 빚을 소

[carving and sculpture]
미술 재료를 새기거나[彫] 빚어서[塑] 입체 형상을 만드는 미술. ¶조소는 조각(彫刻)과 소조(塑造)를 통틀어 이르는 말이다.

• 역순어휘

부조 浮彫 | 뜰 부, 새길 조 [(carved) relief]
미술 모양을 도드라지게[浮] 새김[彫]. 또는 그러한 조각. (비)돋을새김.

1852 [창]

彰

드러낼 창(:)
(部) 彡부 (畫) 14획 (中) 彰 [zhāng]

彰자는 본래 얽히고설킨 '무늬'(a pattern)나 '채색'(coloring)을 나타내기 위하여 만든 것이었으니 무늬를 가리키는 彡(터럭 삼)이 표의요소로 쓰였다. 章(글 장)은 표음요소로 쓰인 것이라 한다. 후에 '드러내다'(commend)는 뜻도 이것으로 나타냈다.

창:선 彰善 | 드러낼 창, 착할 선
[commendation for good deeds]
남의 착한[善] 행실을 드러냄[彰]. (반)창악(彰惡).

• 역순어휘

표창 表彰 | 겉 표, 드러낼 창
[reward; commend (officially)]
❶속뜻 겉[表]으로 드러냄[彰]. ❷어떤 일에 좋은 성과를 냈거나 훌륭한 행실을 한 데 대하여 세상에 널리 알려 칭찬함. ¶이 메달은 우승자를 표창하기 위한 것이다.

1853 [시]

屍

주검 시:
(部) 尸부 (畫) 9획 (中) 尸 [shī]

屍자의 본래 글자는 尸(주검 시)다. 尸자는 '주검'('시체'의 예스러운 말, a dead body; a corpse)을 뜻하기 위하여 바닥에 눕혀 놓은 모습을 본뜬 것이었다. 후에 그 의미를 더욱 명확히 하려고 '죽을 사'(死)를 덧붙인 것이 屍자다.
속뜻훈음 ①주검 시, ②시체 시.

시:신 屍身 | 주검 시, 몸 신 [dead body; corpse]
죽은 사람[屍]의 몸[身]. 송장. ¶시신을 거두어 장사 지내다.

시:체 屍體 | 주검 시, 몸 체 [dead body]
죽은 생물 또는 죽은 사람[屍]의 몸[體]. ¶시체를 영안실에 안치하다. (비)송장, 시신(屍身), 주검.

• 역순어휘

검:시 檢屍 | 검사할 검, 시체 시 [autopsy]
법률 시체(屍體)를 검사(檢査)함. ¶검시 결과 타살인 것으로 드러났다.

참:시 斬屍 | 벨 참, 주검 시 [behead corpse]
❶속뜻 시체[屍]를 벰[斬]. ❷역사 죽은 뒤에 큰 죄가 드러났을 때, 그 사람의 시체를 베거나 목을 잘라 거리에 내걸던 형벌. '부관참시'(剖棺斬屍)의 준말.

1854 [요]

尿

오줌 뇨
(部) 尸부 (畫) 7획 (中) 尿 [niào, suī]

尿자는 본래 여자의 '오줌'(urine)을 뜻하기 위하여 만든 것이었다. 尸자는 의자 따위에 앉아있을 때의 자세와 관련이 깊으며 대부분 엉덩이 부분을 강조한다(참고, 尾 꼬리 미, 屁 방귀 비, 屎 똥 시). 오줌을 엉덩이 부분[尸]에서 떨어지는 물[水]로 표현한 것이 참으로 구체적이고 기발하다. 갑골문에서는 서 있는 사람[亻]의 앞쪽으로 똑똑 떨어지는 물방울을 남자의 '오줌'으로 나타냈는데, 후에 남녀 간의 구별이 없어져 여자의 것으로 통일됐다. 즉 尿로 통칭했다.

요도 尿道 | 오줌 뇨, 길 도 [urethra]
의학 오줌[尿]을 방광으로부터 몸 밖으로 배출하기 위한 길[道].

요소 尿素 | 오줌 뇨, 바탕 소 [urea]
화학 포유류의 오줌[尿]에 들어 있는 질소 질소화합 원소(元素). 체내에서는 단백질이 분해하여 생성되고 공업적으로는 암모니아와 이산화탄소에서 합성된다. 비료, 요소 수지, 의약 따위에 쓴다.

• 역순어휘

당뇨 糖尿 | 엿 당, 오줌 뇨 [glycosuria]
의학 포도당(葡萄糖)이 많이 섞여 나오는 병적인 오줌[尿].

분뇨 糞尿 | 똥 분, 오줌 뇨
[human waste; excretion; excreta]
똥[糞]과 오줌[尿]. ¶분뇨를 비료로 만들다.

비:뇨 泌尿 | 흐를 비, 오줌 뇨 [urination]
오줌[尿]을 만들어 흘러 내보냄[泌].

1855 [니]

尼 여승 니
部 尸부, 총 5획 中 尼 [ní]

尼자는 앞사람의 뒤꽁무니를 바짝 뒤따르는 모습을 통하여 '친근하다'(intimate; friendly; close)는 뜻을 나타낸 것인데, 후에 다른 뜻으로 쓰이자, 본래의 뜻은 昵(친할 닐)자를 만들어 나타냈다. 불교 전래 이후 여자 수행자를 뜻하는 梵語(범:어) Bhiksunī(比丘尼)의 약칭으로 애용됐기에 '여승 니'라는 훈이 생겼다. 조어력이 매우 약하여 한자어 용례가 거의 없다.

• 역순어휘

비:구-니 比丘尼 | 견줄 비, 언덕 구, 중 니
불교 팔리어 '비쿠니'(bhikkuni)의 한자 음역어. 출가(出家)하여 구족계(具足戒)를 받은 여자 승려를 이른다. 반비구(比丘).

1856 [환]

幻 헛보일 환:
部 幺부 획 4획 中 幻 [huàn]

幻자는 굽은 막대기에 실패 모양(幺·작을 요)의 물건을 매달고 요술을 부리는 모습이 변한 것이다. 지금의 자형에서도 어렴풋이 짐작할 수 있다. '헛보이다'(get mistaken), '홀리다'(get tempted) 등으로 쓰인다.
속뜻훈음 ①헛보일 환, ②홀릴 환.

환:각 幻覺 | 홀릴 환, 느낄 각
[hallucination; hallucinatory image]
❶속뜻 도깨비에 홀린[幻] 것처럼 느낌[覺]. ❷심리 실제로는 자극이나 대상이 없는데도 그것이 실재(實在)하는 듯이 감각적으로 느끼거나 느꼈다고 생각하는 감각. ¶환각상태 / 환각증세.

환:등 幻燈 | 헛보일 환, 등불 등
[movie projector; magic lantern]
실제로 있는 것처럼 헛보이게[幻] 비추는 등(燈). 'magic lantern'을 의역한 말.

환:멸 幻滅 | 홀릴 환, 없어질 멸
[disillusion; disenchantment]
❶속뜻 홀리어[幻] 정신이 없어짐[滅]. ❷꿈이나 기대나 환상이 깨어짐. 또는 그때 느끼는 괴롭고도 속절없는 마음. ¶정치에 환멸을 느끼는 사람들이 많다.

환:상 幻想 | 홀릴 환, 생각 상 [fantasy; illusion]
❶속뜻 홀린[幻] 것 같은 생각[想]. ❷현실로는 있을 수 없는 일을 있는 것처럼 상상하는 일. '상상', '망상'을 뜻하는 영어 'fantasy'를 의역한 말이다. ¶환상이 깨지다 / 환상 속에 살다.

1857 [회]

迴 돌[旋] 회
部 廴부 획 9획 中 迴 [huí]

廻자는 본래 '迴'라 썼다. 辶(착)과 廴(인)은 본래 같은 자형에서 나온 것으로 의미상 차이가 없다. 모두 '가다' 또는 '길가다'는 뜻이다. 廻자의 回(돌 회)도 표의요소와 표음요소를 겸한다. '돌아가다'(revolve), '돌다'(rotate)는 뜻임을 누구나 쉽게 풀이할 수 있다.

회전 回轉 | =廻轉, 돌 회, 구를 전 [turn; revolve]
❶속뜻 돌고[回] 구름[轉]. ❷어떤 것을 축으로 물체 자체가 빙빙 돌거나 축의 둘레를 돎. ¶공중 3회전 / 지구는 태양의 주위를 주기적으로 회전한다.

• 역순어휘

순회 巡廻 | 돌 순, 돌 회 [go round; patrol]
여러 곳을 차례로 돌아다님[巡=廻]. ¶전국을 순회하며 강연을 하다.

우회 迂廻 | =迂回, 멀 우, 돌 회 [detour]
곧바로 가지 않고 멀리[迂] 돌아서[廻] 가는 것. ¶공사중이오니 우회하기 바랍니다.

윤회 輪廻 | 바퀴 륜, 돌 회 [cycle of reincarnation]
❶속뜻 바퀴[輪]처럼 끝없이 돎[廻]. ❷불교 중생이 번뇌와 업에 의하여 삼계육도(三界六道)의 생사 세계를 그치지 아니하고 돌고 도는 일.

1858 [위]

尉 벼슬 위
部 寸부 획 11획 中 尉 [wèi, yù]

尉자는 본래 尸(시), 二(이), 火(화), 又(우, =寸) 이 네 가지 표의요소가 합쳐진 것이다. 이것은 원시적인 치료법과 관련이 있다. 즉 돌덩이 두 개를 불에 달구어 손으로 집어 엉덩이의 상처 부분을 누르는 모습으로 '지지다'(cauterize; sear)는 뜻을 나타냈다. 후에 본래 뜻을 더욱 확실하게 하기 위하여 '불 화'(火)를 하나 더 첨가시켜 熨(눌러 덥게할 위, 다리미 위)자를 만들어었고, 尉는 주로 군대의 '벼슬'(official rank)이나 '계급'(rank)을 나타내는 것으로 쓰였다.

• 역순어휘

대:위 大尉 | 큰 대, 벼슬 위 [captain; lieutenant]
[군사] 국군의 위관(尉官)중 가장 높은[大] 계급. 소령(少領)의 아래, 중위(中尉)의 위.

소:위 少尉 | 적을 소, 벼슬 위 [second lieutenant]
[군사] 군인 계급의 하나. 장교 계급 중의 가장 아래[少] 계급[尉].

중위 中尉 | 가운데 중, 벼슬 위 [first lieutenant]
[군사] 위관(尉官)의 가운데[中] 계급. 소위의 위, 대위의 아래 계급.

1859 [갱]

坑

구덩이 갱
[部] 土부 [劃] 7획 [中] 坑 [kēng]

坑자는 '(흙)구덩이'(a hole in the ground; a pit)를 뜻하기 위하여 만든 것이었으니 '흙 토'(土)가 표의요소로 쓰였다. 亢(목 항)이 표음요소임은 阬(문 높은 모양 갱), 秔(메벼 갱)도 마찬가지다. 후에 '굴'(a cave; a cavern)을 뜻하는 것으로 확대 사용됐다.

갱도 坑道 | 구덩이 갱, 길 도 [tunnel; shaft]
❶[속뜻] 갱(坑) 안에 뚫은 길[道]. ¶갱도를 뚫고 들어가며 석탄을 캐다. ❷[건설] 큰 굴을 뚫을 때에 먼저 뚫고 들어가는 작은 굴길. [비]갱로(坑路), 도갱(導坑).

갱목 坑木 | 구덩이 갱, 나무 목 [pit prop]
갱이 무너지지 않도록 갱내(坑內)나 갱도에 버티어 대는 통나무[木]. ¶갱목이 부러져 갱도(坑道)가 무너졌다.

• 역순어휘

금갱 金坑 | 황금 금, 구덩이 갱 [gold mine]
[광업] 금(金)을 캐내는 구덩이[坑]. ¶산기슭에서 금갱을 발견했다. [비]금혈(金穴).

탄:갱 炭坑 | 숯 탄, 구덩이 갱 [coal mine]
[광업] 석탄(石炭)을 파내는 굴[坑]. '석탄갱'의 준말.

폐:갱 廢坑 | 버릴 폐, 구덩이 갱 [abandon a mine]
광산 따위의 갱(坑)을 더 이상 파지 않고 버려 둠[廢].

1860 [대]

垈

집터 대
[部] 土부 [劃] 8획 [中] 垈 [dài]

垈자는 '집터'(a building site)를 뜻하기 위하여 만든 것이었으니 '흙 토'(土)가 표의요소로 쓰였다. 代(대신할 대)는 표음요소이니 뜻과는 무관하다.
[속뜻훈음] 터 대.

대지 垈地 | 터 대, 땅 지 [site; plot of land]
집터[垈]로 쓰이는 땅[地]. ¶대지 면적이 300평방미터이다. [비]가대(家垈).

1861 [진]

塵

티끌 진
[部] 土부 [劃] 14획 [中] 尘 [chén]

塵자는 이런 사연을 갖고 있는 것으로 짐작된다. '먼지'(dust)나 '티끌'(a mote)을 그림 형식으로 나타내기 위해 무척 고민했으나 뾰족한 방안이 없었다. 하루는 먼지를 일으키며 막 달려가는 사슴을 보고 힌트를 얻었다. 실제로 갑골문에서는 두 마리의 사슴이 달려가는 모습으로 그 뜻을 나타냈다. 그것을 보고 '먼지'를 연상하기 어려웠으니 문제가 완전히 해결된 것은 아니었다. 그로부터 약 1,000년이 흐른 뒤에 나온 篆書(전:서) 서체에서는 세 개의 鹿(사슴 록)자로도 부족하여 그 아래에 '흙 토'(土)를 덧붙인 형태로 나타냈다. 후에 하나로 생략한 것이 오늘날까지 연명해온 塵자다. 예전에 머리 좋은 사람이 티끌은 '작은 흙'이라고 생각하여 '小'와 '土'를 상하 구조로 조합한 약자를 만들었다. 요즘 중국에서는 그것을 정식 글자로 격상시켜 쓰고 있다(참고, 위에 있는 중국 簡化字).

진토 塵土 | 티끌 진, 흙 토 [dust and dirt]
티끌[塵]과 흙[土]을 통틀어 이르는 말. ¶백골이 진토가 된들 어떻게 임금님의 은혜를 갚을까.

• 역순어휘

분진 粉塵 | 가루 분, 티끌 진 [dust; mote]
❶[속뜻] 가루[粉]와 먼지[塵]. ❷공기에 섞여 날리거나 물체 위에 쌓이는 매우 작고 가벼운 물질.

1862 [평]

坪

들 평
[部] 土부 [劃] 8획 [中] 坪 [píng]

坪자는 평평한[平]한 땅[土], 즉 '평지'(a plain)를 뜻하는 것이니 더 이상 설명이 필요가 없겠다. 물론 平(평평할 평)은 표음과 표의를 겸하는 요소이다. 요즘은 그 본래의 뜻보다는 토지 면적(size of land) 단위로 많이 쓰인다.

평당 坪當 | 평수 평, 당할 당
한 평(坪)에 대한[當] 값이나 수량.

평수 坪數 | 들 평, 셀 수
평(坪)으로 따진 넓이의 수치(數値).

• 역순어휘

건:평 建坪 | 세울 건, 평수 평 [floor space]
건설 건물(建物)이 자리 잡은 터의 평수(坪數). ¶우리 집은 건평 30평이다. ㊐건축면적(建築面積).

입평 立坪 | 설 립, 평수 평
❶속뜻 한 평(坪)을 세제곱[立]한 부피. ❷부피의 단위. 흙, 모래 따위의 부피를 잴 때 쓴다. 1입평은 가로, 세로, 높이를 각각 여섯 자로 쌓아 올린 더미의 부피이다.

1863 [형]

型 모형 형
㊊ 土부 ㊋ 9획 ㊥ 型 [xíng]

型자는 쇠그릇을 만들기 위하여 먼저 흙으로 빚어 만든 틀, 즉 '거푸집'(a mold; a cast)을 뜻하기 위하여 만든 것이었으니 '흙 토'(土)가 표의요소로 쓰였다. 刑(형벌 형)은 표음요소이니 뜻과는 무관하다. 후에 '모형'(an example; a model)을 뜻하는 것으로 확대 사용됐다.

속뜻훈음 **①모형 형, ②거푸집 형.**

• 역순어휘

구:형 舊型 | 옛 구, 모형 형 [old model]
예전[舊]에 사용됐던 모형(模型). ¶구형 세탁기 / 구형 자동차. ㊥신형(新型).

대:형 大型 | 큰 대, 모형 형 [large size]
같은 종류의 사물 가운데 큰[大] 규격의 모형(模型). ¶대형 버스 / 기업이 대형화되고 있다. ㊥소형(小型).

모형 模型 | =模形, 본뜰 모, 거푸집 형 [model]
❶속뜻 똑같은 모양(模樣)의 물건을 만들기 위한 거푸집[型]. ❷실물을 모방하여 만든 물건.

소:형 小型 | 작을 소, 모형 형 [small size; pocket size]
같은 종류의 물건 중에서 작은[小] 모형(模型). ¶소형 자동차. ㊥대형(大型).

신형 新型 | 새 신, 모형 형 [new style]
새로운[新] 모형(模型). ¶신형 컴퓨터. ㊥구형(舊型).

유:형 類型 | 비슷할 류, 모형 형 [type; pattern]
❶속뜻 비슷한[類] 모형(模型). ❷어떤 비슷한 것들의 본질을 개체로 나타낸 것. ¶그것은 두 가지 유형으로 나뉜다.

정:형 定型 | 정할 정, 모형 형 [set pattern; fixed type]
일정(一定)한 형식이나 모형(模型). ¶정형에서 벗어나다.

중형 中型 | 가운데 중, 모형 형 [medium size]
중간(中間)쯤 되는 크기의 모형(模型). ¶중형 버스.

체형 體型 | 몸 체, 모형 형 [one's figure; shape of one's body]
체격(體格)의 크기나 모형(模型). ¶체형에 맞는 옷 / 그는 키가 작고 뚱뚱한 체형이다.

1864 [과]

戈 창 과
㊊ 戈부 ㊋ 4획 ㊥ 戈 [gē]

戈자는 가늘고 긴 날에 자루가 달린 병기, 즉 '창'(a spear; a pike)을 뜻하기 위하여 그 모양을 본뜬 것이다. 쓰기 편함을 추구하다보니 모양이 크게 달라졌으나 그 날카로움을 조금은 엿볼 수 있다. 후에 '무기'(a weapon; arms), '전투'(a battle; a combat)를 일컫는 것으로 확대 사용됐다.

• 역순어휘

간과 干戈 | 방패 간, 창 과 [lance and shield; war]
❶속뜻 방패[干]나 창[戈] 같은 병기(兵器)의 총칭. ❷'전쟁'을 비유하여 이르는 말. ¶두 나라는 간과를 거두고 평화협정을 맺었다. ㊐간척(干戚), 무기(武器), 전쟁(戰爭).

병과 兵戈 | 군사 병, 창 과 [spear; war; crossing of lances]
❶속뜻 군사[兵]들이 쓰는 창[戈]. ❷무기 또는 전쟁.

1865 [대]

戴 일 대:
㊊ 戈부 ㊋ 18획 ㊥ 戴 [dài]

戴자는 '머리 위에 이다'(carry on the head)는 뜻을 나타내기 위하여 얼굴에 가면을 쓴 모습인 異(이, 참고 #0908)가 표의요소로 쓰였다. 그 나머지는 표음요소인데 음이 약간 달라졌다(참고, 裁 마름 재, 栽 심을 재). 후에 '머리에 쓰다'(put on; cover), '떠받들다'(set up) 등으로 확대 사용됐다.

[속뜻 훈음] **①떠받들 대, ②쓸 대.**

대ː관 戴冠 | 쓸 대, 갓 관 [be crowned (king)]
제왕이 왕관(王冠)을 받아 씀[戴].

• 역순어휘

추대 推戴 | 밀 추, 떠받들 대
[have a person as head]
❶[속뜻] 밀어[推] 떠받듦[戴]. ❷윗자리에 모심. ¶우리는 김 선생님을 회장으로 추대했다.

1866 [참]

斬

벨 참ː
[部] 斤부 [劃] 11획 [中] 斩 [zhǎn]

斬자는 무시무시한 사연을 갖고 있다. '수레 거'(車)와 '도끼 근'(斤)이 둘 다 표의요소로 쓰였다. 목을 '베다'(cut off head; behead) 또는 '참수'(behead; decapitate)라는 형벌을 뜻하기 위하여 만든 것이었으니 '도끼 근'이 쓰인 것은 쉽게 알 수 있겠으나 '수레 거'가 왜 쓰였는지는 쉽게 이해가 되지 않을 것이다. 그것은 머리와 팔다리(四肢)를 말 수레에 묶어 몸을 찢어 죽이는 車裂刑(거열형)을 가리키는 것이다. 요즘처럼 인권이 보장된 사회에 살고 있는 우리는 참으로 좋은 때에 태어났다는 생각이 들지 않을 수 없다. '매우'(very; exceedingly)의 뜻으로도 쓰인다.

[속뜻 훈음] **①벨 참, ②매우 참.**

참ː살 斬殺 | 벨 참, 죽일 살 [behead; decapitate]
칼로 목 따위를 베어[斬] 죽임[殺]. [비]참륙(斬戮).

참ː시 斬屍 | 벨 참, 주검 시 [behead corpse]
❶[속뜻] 시체[屍]를 벰[斬]. ❷[역사] 죽은 뒤에 큰 죄가 드러났을 때, 그 사람의 시체를 베거나 목을 잘라 거리에 내걸던 형벌. '부관참시'(剖棺斬屍)의 준말.

참ː신 斬新 | 매우 참, 새 신 [fresh; novel; original]
매우[斬] 새롭다[新]. ¶참신한 디자인 / 아이디어가 참신하다. [반]진부(陳腐)하다.

1867 [기]

棋

바둑 기
[部] 木부 [劃] 12획 [中] 棋 [qí]

棋자는 나무판에 두는 '바둑'(the game of paduk)을 뜻하기 위하여 만든 것이었으니 '나무 목'(木)이 표의요소로 쓰였다. 其(그 기)는 표음요소이니 뜻과는 무관하다. 본래 상하 구조의 '棊'로 쓰다 좌우 대칭의 구조로 바뀌었다. 바둑돌을 강조한 '碁'자로 쓰기도 한다.

기사 棋士 | =碁士, 바둑 기, 선비 사
직업적으로 바둑[棋]이나 장기를 두는 사람[士].

• 역순어휘

장ː기 將棋 | 장수 장, 바둑 기 [Korean chess]
[운동] 32짝을 붉은 글자, 푸른 글자의 두 종류로 나누어 장기판에 정해진 대로 배치하고 둘이 교대로 두면서 장군(將軍)을 막지 못하면 지는 바둑[棋]같은 놀이. ¶할아버지가 평상에서 장기를 두고 계신다.

1868 [동]

棟

마룻대 동
[部] 木부 [劃] 12획 [中] 栋 [dòng]

棟자는 굵고 긴 나무로 만든 '마룻대'(a girder; a crossbeam)를 뜻하기 위하여 만든 것이었으니 '나무 목'(木)이 표의요소로 쓰였다. 東(동녘 동)은 표음요소일 따름이다. 후에 '용마루'(he ridge), '기둥'(a pillar; a column), '건물' (a building) 등으로 확대 사용됐다.

[속뜻 훈음] **①마룻대 동, ②기둥 동.**

동량 棟樑 | =棟梁, 기둥 동, 들보 량 [the pillar]
❶[속뜻] 기둥[棟]과 들보[樑]. ❷'동량지재'(棟梁之材)의 준말.

• 역순어휘

병ː동 病棟 | 병 병, 마룻대 동 [(sick) ward]
병실(病室)이 있는 건물의 마룻대[棟]. 또는 그 건물. ¶내과 병동.

1869 [동]

桐

오동나무 동
[部] 木부 [劃] 10획 [中] 桐 [tóng]

桐자는 '오동나무'(a paulownia)를 뜻하기 위하여 만든 것이었기에 '나무 목'(木)이 표의요소로 쓰였다. 同(한가지 동)은 표음요소이니 뜻과는 무관하다.

• 역순어휘

오동 梧桐 | 오동나무 오, 오동나무 동

[paulownia tree]
식물 오동나무[梧=桐]. 잎은 넓은 심장 모양이며, 재목은 가볍고 곱고 휘거나 트지 않아 거문고, 장롱, 나막신을 만드는데 쓴다.

청동 青桐 | 푸를 청, 오동나무 동 [blue paulownia]
❶속뜻 껍질이 푸른[青] 오동(梧桐)나무. ❷식물 벽오동과의 낙엽 활엽 교목. 높이는 15미터 정도에 껍질은 녹색이며 잎은 넓고 크다.

1870 [매]

枚

낱 매(ː)
部 木부 劃 8획 中 枚 [méi]

枚자는 채찍용 막대기를 만들려고 도끼를 손에 들고[攴=攵·복] 나무[木]의 줄기를 자르는 모습을 본뜬 것이다. 그래서 '나무줄기'(the trunk of a tree) '막대기'(a stick; a rod; a pole) '채찍'(a whip)같은 의미를 나타내는 데 쓰였다. '낱낱'(each piece)의 수효를 뜻하기도 한다.

매ː거 枚擧 | 낱낱 매, 들 거
[enumerate; mention one by one]
낱낱이[枚] 들어서[擧] 말함.

매수 枚數 | 낱낱 매, 셀 수 [the number of sheets]
❶속뜻 낱낱[枚]의 모든 수(數). ❷종이나 유리 따위의 장으로 셀 수 있는 물건의 수효. ¶원고 매수를 세어 보아라.

1871 [백]

柏

측백 백
部 木부 劃 9획 中 柏 [bǎi]

柏자는 '측백나무'(an Oriental arborvitae)를 뜻하기 위하여 만든 것이었기에 '나무 목'(木)이 표의요소로 쓰였다. 白(흰 백)은 표음요소일 따름이다. 우리나라에서는 '잣나무'(a big cone pine)도 柏이라 했다. 속자인 栢으로 쓰기도 한다.
속뜻 글송 훈음 **잣나무 백.**

동백 冬柏 | =冬栢, 겨울 동, 잣나무 백
[camellia seeds]
❶속뜻 겨울[冬]에 꽃이 피는 나무. 왜 '柏'자가 쓰였는지 이유는 확실하지 않다. ❷식물 긴 타원형의 잎이 나고, 이른 봄에 붉은색 또는 흰색의 큰 꽃이 피는 교목. 열매는 기름을 짜서 머릿기름, 등잔 기름 따위로 쓴다. 비동백나무.

측백 側柏 | 곁 측, 잣나무 백 [Oriental arborvitae]
❶속뜻 길 옆[側]에 심어 놓은 잣나무[柏]같은 나무. ❷식물 측백나무과의 상록 침엽 교목. 높이는 25미터 정도이며, 잎은 작은 비늘 모양으로 밀집하여 있다.

1872 [오]

梧

오동나무 오(ː)
部 木부 劃 11획 中 梧 [wú]

梧자는 '오동나무'(a topaz tree)를 나타내기 위하여 만든 것이었기에 '나무 목'(木)이 표의요소로 쓰였고, 吾(나 오)는 표음요소일 따름이다. 후에 '책상'(a desk)을 뜻하는 것으로도 쓰였다.

오동 梧桐 | 오동나무 오, 오동나무 동
[paulownia tree]
식물 오동나무[梧=桐]. 잎은 넓은 심장 모양이며, 재목은 가볍고 곱고 휘거나 트지 않아 거문고, 장롱, 나막신을 만드는데 쓴다.

1873 [찰]

札

편지 찰
部 木부 劃 5획 中 札 [zhá]

札자는 종이가 일반화되기 전인 아득한 옛날에 글을 쓰려고 다듬어 놓은 얇고 작은 '(나무) 패'(a tag; a tablet; a plate)를 뜻하기 위하여 만든 것이었으니 '나무 목'(木)이 표의요소로 쓰였다. 乙(새 을)이 표음요소임은 扎(뺄 찰)도 마찬가지다. '쪽지'(a tag; a note)를 이르는 것으로 많이 쓰인다.
속뜻 글송 훈음 **쪽지 찰.**

• 역순어휘

개ː찰 改札 | 고칠 개, 쪽지 찰 [check tickets]
승차권이나 입장권 쪽지[札] 따위에 구멍을 뚫어[改] 탑승이나 입장을 허락함. ¶9시 부산행 열차의 개찰을 시작합니다. 비개표(改票).

명찰 名札 | 이름 명, 쪽지 찰 [nameplate]
이름[名]을 써 놓은 쪽지[札]. ¶옷에 명찰을 달다. 비이름표.

정ː찰 正札 | 바를 정, 쪽지 찰 [price tag]
물건의 정당(正當)한 값을 적은 쪽지[札]. ¶정찰 가격.

표찰 標札 | 나타낼 표, 쪽지 찰 [plate]

❶[속뜻] 어떤 표시(標示)로 붙여 놓은 쪽지[札]. ¶가방에 표찰을 붙이다. ❷거주자의 성명을 써서 문 따위에 걸어 놓는 표.

현 : 찰 現札 | 지금 현, 쪽지 찰 [cash; actual money]
현금(現金)으로 통용되는 화폐 쪽지[札]. ¶현찰로 계산하다.

1874 [부]

敷

펼 부(ː)
[部] 攴부 [劃] 15획 [中] 敷 [fū]

敷자의 본래 글자는 尃(펼 부)였던 것으로 추정된다. 손으로 '펼치다'(unfold;)는 뜻이니 '손마디 촌'(寸=又)이 표의요소로 쓰였다. 甫(클 보)는 표음요소이다. 후에 의미를 더욱 보강하기 위하여 '모 방'(方)과 '칠 복'(攴) 두 표의요소가 추가된 것이 敷자였을 것으로 추정된다. '널리 펴다'(spread widely), '분할하다'(partition), '진술하다'(state) 등으로 확대 사용됐다.

부 : 설 敷設 | 펼 부, 세울 설 [lay; construct]
다리, 철도, 지뢰 따위를 펼치듯이[敷] 설치(設置)함. ¶철도를 부설하다.

부지 敷地 | 펼 부, 땅 지 [plot of ground]
집이나 건물 따위를 짓기 위하여 펼치듯이[敷] 골라 놓은 땅[地]. ¶공장 부지를 마련하다.

1875 [게]

揭

높이 들/걸 게ː
[部] 手부 [劃] 12획 [中] 揭 [jiē]

揭자는 손으로 높이 '들다'(raise; lift up)는 뜻을 나타내기 위하여 만든 것이었으니 '손 수'(手)가 표의요소로 쓰였다. 曷(어찌 갈)이 표음요소임은 偈(쉴 게), 愒(쉴 게)도 마찬가지다. 후에 '내걸다'(hang out)는 뜻도 따로 글자를 만들지 않고 이것으로 나타냈다.
[속뜻 훈음] 내걸 게.

게 : 시 揭示 | 내걸 게, 보일 시 [notice; bulletin]
내붙이거나 내걸어[揭] 두루 보게[示] 함. ¶게시를 벽에 붙이다.

게 : 양 揭揚 | 내걸 게, 오를 양 [hoist; raise]
국기 등을 높이 내걸어[揭] 올림[揚]. ¶국기를 게양하다.

게 : 재 揭載 | 내걸 게, 실을 재 [publish; insert]
그림을 내걸거나[揭] 글을 실음[載]. ¶신문에 광고를 게재하다. [비]등재(登載).

1876 [굴]

掘

팔 굴
[部] 手부 [劃] 11획 [中] 掘 [jué]

掘자는 '파다'(dig out; excavate)는 뜻을 위하여 만든 글자다. 손 없이는 땅을 팔 수 없기에 '손 수'(手)가 표의요소로 쓰였고, 屈(굽을 굴)은 표음요소이다. 땅을 팔 때는 허리를 굽히기 때문이라고 연상해볼 수 있겠다. 한자를 보고 어떤 연상을 해보는 것은 자유이나 근거 없는 억측은 금물이다.

• 역순어휘

도굴 盜掘 | 훔칠 도, 팔 굴 [rob a grave]
광물이나 유물을 훔치기[盜] 위해 광산이나 고분을 몰래 파는[掘] 것. ¶도굴로 많은 문화재가 사라졌다.

발굴 發掘 | 드러낼 발, 팔 굴 [excavate]
❶[속뜻] 땅속에 묻혀 있는 유적 따위를 발견(發見)하여 파냄[掘]. ¶고대의 유적을 발굴하다 ❷아직 알려지지 않은 뛰어난 인재나 희귀한 물건을 찾아냄. ¶인재를 발굴하다. [반]매몰(埋沒).

채 : 굴 採掘 | 캘 채, 팔 굴
[mine; dig; exploit]
광물 따위를 캐내기[採] 위하여 땅을 팜[掘]. ¶채굴된 광석은 다른 나라로 수출된다.

1877 [랍]

拉

끌 랍
[部] 手부, 총 8획 [中] 拉 [lā, là]

拉자는 손으로 '꺾다'(break)는 뜻을 나타내기 위하여 만든 것이었으니 '손 수'(手)가 표의요소로 쓰였다. 立(설 립)이 표음요소임은 柆(나무 꺾을 랍)도 마찬가지다. 후에 '끌다'(pull; draw), '끌어가다'(carry away; kidnap; hijack) 등으로 확대 사용됐다.
[속뜻 훈음] 끌어갈 랍.

납치 拉致 | 끌어갈 랍, 보낼 치 [kidnap]
강제 수단을 써서 억지로 끌어서[拉] 데리고 감[致]. ¶항공기를 납치하다. [비]유괴(誘拐).

• 역순어휘

피 : 랍 被拉 | 당할 피, 끌어갈 랍
[be kidnapped]
납치(拉致)를 당함[被].

1878 [마]

摩

문지를 마
[部] 手부, 총 15획 [中] 摩 [mó, mā]

摩자는 손으로 '문지르다'(rub; scour; scrub)는 뜻을 나타내기 위하여 만든 것이었으니 '손 수'(手)가 표의요소로 쓰였다. 麻(삼 마)는 표음요소일 따름이다(참고, 磨 갈 마, 魔 마귀 마).

마찰 摩擦 | 문지를 마, 비빌 찰 [rub]
❶[속뜻]두 물체가 서로 닿아 문지르듯이[摩] 비벼짐[擦]. ❷이해나 의견이 서로 다른 사람이나 집단이 충돌함. ¶두 사람 사이에는 마찰이 끊이지 않는다.

• 역순어휘

안:마 按摩 | 누를 안, 문지를 마 [massage]
손으로 몸을 누르거나[按] 문지름[摩]. ¶전신 안마 / 할아버지의 어깨를 안마해 드렸다.

1879 [반]

搬

옮길 반
[部] 手부 [획] 13획 [中] 搬 [bān]

搬자의 모체는 般(반, #1360)이다. 般자는 원래 물건을 '옮기다'(carry; transport)가 본래 의미였는데 다른 뜻으로 쓰이는 예가 많아지자, 본래 뜻을 명확하게 하려고 추가로 만든 것이 搬자다. 손으로 들어 옮기는 예가 가장 흔했기 때문에 '손 수'(手)를 추가시켰나보다.
[속뜻훈음] ①옮길 반, ②나를 반.

반입 搬入 | 옮길 반, 들 입 [carry in]
물건을 옮겨[搬] 들임[入]. ¶음식물 반입 금지. [반]반출(搬出).

• 역순어휘

운:반 運搬 | 옮길 운, 옮길 반 [transport; carry]
물건을 탈것 따위에 실어서 옮김[運=搬]. ¶가방이 운반 도중 분실되었다 / 트럭으로 이삿짐을 운반하다.

1880 [삽]

插

꽂을 삽
[部] 手부 [획] 12획 [中] 插 [chā]

插자는 손으로 집어 '꽂다'(stick)는 뜻을 나타내기 위하여 만든 것이었으니 '손 수'(手)가 표의요소로 쓰였다. 臿(가래 삽)은 표음요소이니 뜻과는 무관하다(참고 唼 말 많을 삽). 후에 '끼워 넣다'(insert in) 등으로 확대 사용됐다.

삽입 插入 | 꽂을 삽, 들 입 [insert]
꽂아[插] 넣음[入]. 끼워 넣음. ¶책에 그림을 삽입하다 / 삽입 음악.

삽화 插畫 | 꽂을 삽, 그림 화 [illustrate]
[출판]신문·잡지·서적 따위에서, 문장의 내용을 보완하거나 이해를 돕도록 장면을 묘사하여 끼워[插] 넣은 그림[畫]. ¶이 책에는 삽화가 많이 들어 있다. [비]삽도(插圖).

1881 [악]

握

쥘 악
[部] 手부 [획] 12획 [中] 握 [wò]

握자는 손으로 '쥐다'(grasp; grip; hold)는 뜻을 나타내기 위하여 만든 것이었으니 '손 수'(手)가 표의요소로 쓰였다. 屋(집 옥)이 표음요소임은 齷齪(악착)의 '齷'도 마찬가지다.

악수 握手 | 쥘 악, 손 수 [shake hands]
손[手]을 마주 잡아 쥠[握]. 주로 인사, 감사, 친애, 화해 따위의 뜻을 나타내기 위하여 오른손을 잡는다. ¶악수를 나누다 / 악수를 청하다.

• 역순어휘

장:악 掌握 | 손바닥 장, 쥘 악 [hold]
❶[속뜻]손바닥[掌]에 쥠[握]. ❷판세나 권력 따위를 휘어잡음. ¶수양대군이 모든 권력을 장악하자 단종은 왕위를 내주었다.

파악 把握 | 잡을 파, 쥘 악
[grasp; understand; comprehend]
❶[속뜻]손에 꽉 잡아[把] 쥠[握]. ❷어떤 일을 잘 이해하여 확실하게 앎. ¶그는 눈치가 없어서 분위기 파악을 못한다.

1882 [조]

措

둘[置] 조
[部] 手부 [획] 11획 [中] 措 [cuò]

措자는 손으로 들어 잘 세워 '놓다'(put; place)는 뜻을 나타내기 위하여 만든 것이었으니 '손 수'(手)가 표의요소로 쓰였다. 昔(예 석)은 표음요소였다는 설이 있다(참고, 厝 둘 조, 숫돌 착).
속뜻훈음 놓을 조.

조처 措處 | 놓을 조, 처리할 처 [act; conduct]
일이나 문제 따위를 해결해 놓거나[措] 잘 처리(處理)함. ¶다시는 이런 일이 없도록 단호히 조처하겠습니다. ㊊조치(措置).

조치 措置 | 놓을 조, 둘 치 [take a measure]
일이나 문제 따위를 해결해 놓거나[措] 적절히 처치(處置)함. ¶조치를 취하다 / 단호하게 조치하다. ㊊조처(措處).

1883 [철]

撤

거둘 철
㊌ 手부 ㊐ 15획 ㊥ 撤 [chè]

撤자는 손으로 집어 '거두어들이다'(withdrawal; removal)는 뜻을 나타내기 위하여 만든 것이었으니 '손 수'(手)가 표의요소로 쓰였다. 오른쪽의 것이 표음요소임은 徹(통할 철), 澈(물 맑을 철)도 마찬가지다.

철거 撤去 | 거둘 철, 갈 거
[remove; pull down; demolish]
건물이나 시설 따위를 치우거나 거두어[撤] 감[去]. ¶저 건물은 곧 철거될 것이다.

철수 撤收 | 거둘 철, 거둘 수
[evacuate; withdraw from]
❶속뜻 거두어[撤] 들임[收]. ❷있던 곳에서 시설이나 장비 따위를 거두어 가지고 물러남. ¶군대가 철수하다 / 비가 내려서 텐트를 철수시켰다.

철폐 撤廢 | 거둘 철, 그만둘 폐 [abolish; remove]
거두어들이거나[撤] 그만둠[廢]. ¶야간 통행금지를 철폐하다.

철회 撤回 | 거둘 철, 돌이킬 회 [withdraw; recall]
벌인 일을 거두어[撤]들여 원래 상태로 돌아감[回]. ¶국회의 결정을 철회시키다.

1884 [포]

拋

던질 포ː
㊌ 手부 ㊐ 8획 ㊥ 抛 [pāo]

拋자는 '손 수'(手), '절름발이 왕'(尢), '힘 력'(力), 이 세 표의요소가 조합된 것이다. 尢(왕)이 왜 표의요소로 쓰였는지에 대하여는 정설이 없다. '버리다'(abandon)가 본뜻인데, '던지다'(throw away)는 뜻으로도 쓰인다.

포ː기 拋棄 | 던질 포, 버릴 기 [give up; abandon]
하던 일을 중도에 내던지거나[拋] 내버려둠[棄]. ¶나는 이 문제를 포기할 수 없다.

포ː물 拋物 | 던질 포, 만물 물
어떤 물체(物體)를 던짐[拋]. ¶포물선(拋物線).

1885 [락]

洛

물이름 락
㊌ 水부 ㊐ 9획 ㊥ 洛 [luò]

洛자는 원래'강'을 이름하기 위한 것이었으니 '물 수'(水)가 표의요소로 쓰였다. 各(각각 각)이 표음요소였음은 絡(헌솜 락), 烙(지질 락)도 마찬가지다. 강 이름 같은 고유명사로는 쓰이는데(예, 낙동강/洛東江), 조어력이 낮아 일반 한자어 용례는 거의 없다.

1886 [농]

濃

짙을 농(ː)
㊌ 水부 ㊐ 16획 ㊥ 浓 [nóng]

濃자는 원래물 같은 '이슬에 젖다'(be wet with dew)는 뜻을 나타내기 위하여 만든 것이었으니 '물 수'(水)가 표의요소로 쓰였다. 農(농사 농)은 표음요소이다. 후에 '짙다'(dense; thick), '진하다'(strong) 등으로 확대 사용됐다.

농담 濃淡 | 짙을 농, 맑을 담 [light and shade]
빛깔이나 맛 따위의 짙고[濃] 맑은[淡] 정도.

농도 濃度 | 짙을 농, 정도 도 [density; thickness]
액체 따위의 짙은[濃] 정도(程度).

농축 濃縮 | 짙을 농, 줄일 축
[enrichment; concentration]
액체를 진하게[濃] 졸임[縮]. 용액 따위의 농도를 높임.

농후 濃厚 | 짙을 농, 두터울 후 [thick; heavy]
❶속뜻 빛깔이 짙고[濃] 두께가 두꺼움[厚]. ❷그럴 가능성이나 요소 따위가 다분히 있다. ¶그가 범인일 가능성이 농후하다. ㊊희박(稀薄)하다.

1887 [담]

潭

못 담
㊌ 水부 ㊐ 부 ㊐ 15획 ㊥ 潭 [tán]

潭자는 원래 중국의 '강'을 이름 짓기 위

한 것이었으니 '물 수'(水)가 표의요소로 쓰였다. 覃(미칠 담)은 표음요소로 뜻과는 무관하다. 후에 '못'(a pond; a pool)을 지칭하는 것으로 확대 사용됐다.

담수 潭水 | 못 담, 물 수 [pond; pool; swamp]
못[潭]이나 늪의 물[水].

• 역순어휘

벽담 碧潭 | 푸를 벽, 못 담 [blue pond]
푸른빛[碧]이 감도는 깊은 못[潭].

1888 [만]

灣
물굽이 만
部 水부 劃 25획 中 湾 [wān]

灣자는 1000살 정도 밖에 되지 않으니 비교적 젊은 글자이다. 바닷가 '물굽이'(a bend of a stream)를 가리키기 위하여 만든 것이었으니 '물 수'(水)와 '굽을 만'(彎), 둘 다 표의요소로 쓰였다. 彎은 표음요소를 겸하기도 한다.

만류 灣流 | 물굽이 만, 흐를 류 [the Gulf Stream]
지리 큰 만의 해안을 따라 크게 휘돌아[灣] 가는 바닷물의 흐름[流]. 멕시코 만류에서 나온 말이다.

• 역순어휘

항:만 港灣 | 항구 항, 물굽이 만 [harbors]
바닷가의 굽어 들어간 곳[灣]에 만든 항구(港口). 또는 그렇게 만든 해역(海域). ¶항만시설.

협만 峽灣 | 골짜기 협, 물굽이 만 [fjord]
지리 내륙으로 깊이 쑥 들어간 좁고 긴[峽] 만(灣). 비피오르드(fjord).

1889 [목]

沐
머리감을 목
部 水부 劃 7획 中 沐 [mù]

沐자는 '머리를 감다'(wash one's hair)는 뜻을 나타내기 위하여 만든 것이었으니, '물 수'(水=氵)가 표의요소로 쓰였고, '나무 목'(木)은 표음요소이다. 나무로 불을 지펴 데운 물에 머리를 감았기 때문에 '沐'이라 했다면, 기억은 쉽겠으나 정설은 아니다.

목욕 沐浴 | 머리감을 목, 몸씻을 욕 [bath]
❶속뜻 머리를 감고[沐] 몸을 씻음[浴]. ❷온몸을 씻음. ¶하루에 한 번은 목욕을 해야 한다.

1890 [범]

汎
넓을 범:
部 水부 劃 6획 中 汎 [fàn]

汎자는 물위에 '뜨다'(float; buoy)는 뜻을 나타내기 위하여 만든 것이었으니 '물 수'(水)가 표의요소로 쓰였다. 凡(무릇 범)은 표음요소로 뜻과는 무관하다. 후에 '넓다'(wide; broad)는 뜻으로도 확대 사용됐다.

속뜻풀음 넘칠 범.

범:람 氾濫 | =汎濫, 넘칠 범, 퍼질 람 [flood; overflow]
❶속뜻 강물이 넘쳐[氾] 널리 퍼짐[濫]. ¶강이 범람하여 마을이 물에 잠겼다. ❷바람직하지 못한 것들이 많이 나돎. ¶무분별한 정보의 범람.

• 역순어휘

대범 大汎 | 큰 대, 넘칠 범 [large-hearted]
❶속뜻 물이 크게[大] 철철 넘침[汎]. ❷사물 따위가 잘지 않고 까다롭지 않음. ¶대범한 성격. 비대담(大膽), 낙락(落落).

1891 [닉]

溺
빠질 닉
部 水부, 총 13획 中 溺 [nì, niào]

溺자는 원래 중국의 한 '강'을 이름 짓기 위하여 만든 것이었는데, '(물에) 빠지다'(be drowned), '잠기다'(soak in; be submerged in) 등으로 확대 사용됐다. '물 수'(水)가 표의요소이고, 弱(약할 약)이 표음요소로 쓰였음은 愵(근심할 닉)도 마찬가지다.

익사 溺死 | 빠질 닉, 죽을 사 [drown oneself]
물에 빠져[溺] 죽음[死]. ¶홍수로 급격히 불어난 계곡물에 관광객 6명이 익사했다.

• 역순어휘

침닉 沈溺 | 가라앉을 침, 빠질 닉 [be addicted to]
❶속뜻 물에 가라앉거나[沈] 빠짐[溺]. ❷술이나 노름, 여자 따위에 빠짐. 참침몰(沈沒).

탐닉 耽溺 | 즐길 탐, 빠질 닉 [abandon oneself to; be addicted to]
어떤 일을 지나치게 즐겨서[耽] 거기에 빠짐[溺].

1892 [저]

沮

막을[遮] 저ː
部 水부 劃 8획 中 沮 [jǔ, jù]

沮자는 원래 중국의 한 '강'을 이름 짓기 위하여 만들어진 것이었으니 '물 수'(氵=水)가 표의요소로 쓰였다. 且(또 차)가 표음요소임은 姐(누이 저), 咀(씹을 저), 詛(저주할 저)도 마찬가지다. '막다'(obstruct), '방해하다'(disturb; interfere)는 뜻으로도 쓰인다.

저ː지 沮止 | 막을 저, 그칠 지
[stop; block; hold back]
막아서[沮] 중지(中止)시킴. ¶경찰은 시위대를 저지했다.

저ː해 沮害 | 막을 저, 해칠 해
[obstruct; check; impede]
막아서[沮] 못하게 하여 해(害)침. ¶저해 요인 / 비만은 키의 성장을 저해한다.

• 역순어휘

옥저 沃沮 | 물댈 옥, 막을 저
❶속뜻 물을 대거나[沃] 막음[沮]. ❷역사 우리나라의 고대 국가 중 함경도의 함흥 일대에 있던 나라. 후에 고구려에 복속되었다.

1893 [진]

津

나루 진(ː)
部 水부 劃 9획 中 津 [jīn]

津자는 강가의 '나루'(a ferry)를 뜻하기 위하여 만든 것이었으니 '물 수'(氵=水)가 표의요소로 쓰였다. 聿(원래 '붓 율'(聿)과는 다른 것이었음)은 표음요소라는 설이 있다. '끈끈하다'(sticky; gluey)는 뜻으로도 쓰인다.

속뜻훈음 ①나루 진, ②끈끈할 진.

진ː기 津氣 | 끈끈할 진, 기운 기
[stickiness; viscousness; persistency]
❶속뜻 끈적끈적한[津] 기운(氣運). ¶진기가 있는 밥을 좋아했다. ❷먹은 것이 잘 삭지 아니하여 오랫동안 유지되는 든든한 기운. ¶밥은 국수보다 진기가 많다.

진액 津液 | 끈끈할 진, 진 액 [resin; sap; juice]
생물의 몸 안에서 생겨나는 끈끈한[津] 액체(液體). 수액이나 체액 따위를 이른다.

진진 津津 | 끈끈할 진, 끈끈할 진
[brimful; overflowing]
❶속뜻 입에 착착 달라붙을[津+津] 정도로 맛이 좋다. ¶진진하게만 느껴지던 음식. ❷재미 따위가 매우 있다. ¶재미가 진진한 구경거리 / 흥미가 진진한 이야기.

• 역순어휘

송진 松津 | 소나무 송, 끈끈할 진
[(pine) resin; pitch]
소나무[松]에서 나오는 진액(津液).

요진 要津 | 요할 요, 나루 진 [a ferry point]
❶속뜻 배로 건너는 중요(重要)한 길목이 되는 나루[津]. ¶상주 나루터는 낙동강에서 매우 중요한 요진이었다. ❷요로(要路).

1894 [창]

滄

큰바다 창
部 水부 劃 13획 中 沧 [cāng]

滄자는 본래 물이 '차갑다'(cold; frigid; icy; chilly)는 뜻을 나타내기 위하여 만든 것이었으니 '물 수'(水)가 의미요소로 쓰였다. 倉(곳집 창)은 발음요소일 따름이다. 후에 깊은 바닷물의 녹색 빛깔을 뜻하는 蒼(푸를 창, #1387)과 통용되는 사례가 많다 보니 '큰바다'(the open sea; the offing)를 지칭하게도 됐다.

창랑 滄浪 | 큰바다 창, 물결 랑
[sea waves; billows]
큰 바다[滄]의 푸른 물결[浪]. 비창파(滄波).

창상 滄桑 | 큰바다 창, 뽕나무 상
[convulsions of nature]
❶속뜻 큰 바다[滄]가 변하여 뽕[桑]밭이 됨. ❷'덧없는 세상의 변천'을 이르는 말. '창해상전'(滄海桑田)의 준말.

창파 滄波 | 큰바다 창, 물결 파
[sea waves; billows]
큰 바다[滄]의 푸른 물결[波]. 비창랑(滄浪).

창해 滄海 | 큰바다 창, 바다 해
[vast blue sea; ocean]
넓고 푸른 큰 바다[滄=海]. 비창명(滄溟).

1895 [호]

濠

해자 호
部 水부 劃 부 劃 17획 中 濠 [háo]

濠자는 적군의 접근을 막기 위하여 성곽

의 둘레에 깊게 파놓은 도랑, 즉 '해자'(=도랑, a moat)를 뜻하기 위하여 만든 것이었으니 '물 수'(水)가 표의요소로 쓰였고, 豪(호걸 호)는 표음요소일 따름이다. 후에 지명이나 강 이름으로 널리 쓰이자, 그 본래의 뜻은 壕(해자 호, 도랑 호)로 나타냈다.

호주 濠洲 | 해자 호, 대륙 주 [Australia]
[지리] 오스트레일리아(Australia). 음의 일부를 옮긴 것[濠]에 섬을 뜻하는 주(洲)가 덧붙여졌다.

• 역순어휘

외:호 外濠 | 밖 외, 해자 호 [a moat; a fosse]
성(城)의 바깥[外] 둘레에 도랑처럼 파서 물이 괴게 한 곳[濠].

참호 塹濠 | =塹壕, 구덩이 참, 해자 호
[trench; dugout]
❶[속뜻] 성 둘레에 파 놓았던 구덩이[塹=濠]. ¶참호를 파고 방벽을 세우다. ❷[군사] 현대전에서 적의 공격을 막기 위해 파 놓은 구덩이. ㊟산병호(散兵壕).

1896 [활]

滑

미끄러울 활, 익살스러울 골
㊙水부 ㊐13획 ㊥滑 [huá]

滑자는 물에 '미끄러지다'(slide; glide)는 뜻을 위하여 만들어진 것이었으니 '물 수'(水)가 표의요소로 쓰였다. 骨(뼈 골)이 표음요소였음은 猾(교활할 활), 螖(방게 활)도 마찬가지다. '어지럽다'(dizzy), '익살'(a joke; a pleasantry; humor)의 뜻으로도 쓰이는데 이 때에는 [골]로 읽어야한다.

활주 滑走 | 미끄러울 활, 달릴 주 [glide; skate]
❶[속뜻] 미끄러지듯[滑] 내달림[走]. ¶스키장 신나게 활주했다. ❷항공기 따위가 뜨거나 앉을 때 땅이나 물위를 미끄러져 달리는 일. ¶착륙 활주 / 활주 속도.

• 역순어휘

원활 圓滑 | 둥글 원, 미끄러울 활
[smooth; harmonious]
❶[속뜻] 둥글고[圓] 매끄러움[滑]. ❷거침이 없이 잘되어 나감. ¶만사가 원활하게 진행되고 있다.

윤:활 潤滑 | 반들거릴 윤, 미끄러울 활
[lubricative; smooth]
반들거리고[潤] 미끄러움[滑]. ¶윤활 장치 / 모든 작업 과정이 윤활하게 돌아가고 있다.

1897 [감]

憾

섭섭할 감:
㊙心부 ㊐16획 ㊥憾 [hàn]

憾자는 마음으로 '섭섭해 하다'(regrettable; sorry)는 뜻을 나타내기 위하여 만든 것이었으니 '마음 심'(心)이 표의요소로 쓰였다. 感(느낄 감)은 표음과 표의를 겸하는 요소이다.

감:정 憾情 | 섭섭할 감, 마음 정
[ill feeling; grudge]
섭섭하게[憾] 여기는 마음[情]. 원망하거나 성내는 마음. ¶감정이 섞인 말투.

• 역순어휘

숙감 宿憾 | 묵을 숙, 섭섭할 감 [old grudge]
마음속에 오래 묵은[宿] 섭섭함[憾].

유감 遺憾 | 남길 유, 섭섭할 감 [regret; pity]
마음에 남는[遺] 섭섭함[憾]. ¶오실 수 없다니 유감입니다.

1898 [게]

憩

쉴 게:
㊙心부 ㊐16획 ㊥憩 [qì]

憩자는 원래 愒(쉴 게)의 이체자이다. '마음 심'(心)이 표의요소로 쓰였고, 揭(들 게)의 경우와 마찬가지로 曷(어찌 갈)이 표음요소로 쓰였으니 愒자가 좋은데, 획수가 많아 쓰기 힘든 憩가 많이 쓰이고 愒는 쓰이지 않는지 알다가도 모를 일이다. 憩자는 '혀 설'(舌)과 '숨 쉴 식'(息)이 조합되어 '쉬다'(rest up; take a rest)는 뜻을 나타낸 것이다.

게:류 憩流 | 쉴 게, 흐를 류
[slack water]
❶[속뜻] 흐름이 멈춘[憩] 상태의 조류(潮流). ❷[지리] 조류가 밀물에서 썰물로, 썰물에서 밀물로 바뀌기 직전에 조류의 속도가 거의 정지에 가까운 상태가 되어 해수가 거의 흐르지 않을 때의 조류. ¶게류는 하루 네 번 일어난다. ㊐게조(憩潮).

• 역순어휘

휴게 休憩 | 쉴 휴, 쉴 게
[take a rest; take time off]
일을 하거나 길을 가다가 잠깐 쉬는[休=憩] 일.

1899 [도]

悼

슬퍼할 도
㊌ 心부 ㊋ 11획 ㊥ 悼 [dào]

悼자는 마음으로 깊이 '슬퍼하다'(grieve at; feel sad)는 뜻을 위해 만든 것이었으니 '마음 심'(忄)이 표의요소로 쓰였다. 卓(높을 탁)이 표음요소임은 棹(노 도)·掉(흔들 도)의 경우도 마찬가지다. 이 글자는 특히 사람의 죽음을 슬퍼할 때 쓰인다.

• 역순어휘

애도 哀悼 | 슬플 애, 슬퍼할 도
[mourn; grieve; regret]
사람의 죽음을 슬퍼함[哀=悼]. ¶애도의 뜻을 표하다 / 전 국민이 그의 죽음을 애도했다.

추도 追悼 | 쫓을 추, 슬퍼할 도 [mourn for]
죽은 이를 추억(追憶)하며 슬퍼함[悼]. ¶전쟁 희생자들을 추도하다. ㊗추모(追慕).

1900 [야]

惹

이끌 야:
㊌ 心부 ㊋ 13획 ㊥ 惹 [rě]

惹자는 사람의 마음을 '이끌다'(attract)는 뜻을 위하여 만든 것이었으니 '마음 심'(忄)이 표의요소로 쓰였다. 若(같을 약)이 표음요소였음은 喏(예 야)도 마찬가지다. '흩트리다'(scatter; disperse)는 뜻으로도 쓰인다.

속뜻훈음 ①이끌 야, ②흩트릴 야.

야:기 惹起 | 이끌 야, 일어날 기
[bring about; cause; provoke]
일이나 사건 따위가 일어나도록[起] 이끎[惹].

야:단 惹端 | 흩트릴 야, 바를 단 [raise an uproar]
❶속뜻 바른[端] 것을 흩트림[惹]. ❷떠들썩하고 부산하게 일을 벌임. ¶밖에 눈이 왔다고 야단이다/ 명절이라 잔치한다고 온 동네가 야단났다. ❸소리를 높여 마구 꾸짖는 일. ¶야단을 맞다 / 나리는 거짓말을 하다가 어머니한테 야단맞았다. ❹난처하거나 딱한 일. ¶일이 빨리 수습돼야지, 이것 참 야단났네!

야:료 惹鬧 | 이끌 야, 시끄러울 료
[protest violently without cause]
❶속뜻 까닭 없이 트집을 잡고[惹] 함부로 떠들어 댐[鬧]. ¶야료를 부리다 / 야료를 치다 / 야료를 벌였다. ❷시비를 일으킴. '야기요단'(惹起鬧端)의 준말.

1901 [처]

悽

슬퍼할 처(:)
㊌ 心부 ㊋ 11획 ㊥ 凄 [qī]

悽자는 마음으로 '슬퍼하다'(feel a pain in heart)는 뜻을 나타내기 위하여 만든 것이었으니 '마음 심'(心)이 표의요소로 쓰였다. 妻(아내 처)는 표음요소이니 뜻과는 무관하다.

처절 悽絶 | 슬퍼할 처, 뛰어날 절
[desperate; horrible]
슬프기[悽]가 더할 나위 없음[絶]. ¶처절한 몸부림.

처참 悽慘 | 슬퍼할 처, 참혹할 참
[horrible; appalling; gruesome]
매우 슬프고[悽] 참혹(慘酷)하다. ¶사고가 난 처참한 광경.

1902 [포]

怖

두려워할 포
㊌ 心부 ㊋ 8획 ㊥ 怖 [bù]

怖자는 마음이 떨리다, 즉 '두려워하다'(fear; be afraid of)는 뜻을 위해 만든 것이었으니, '마음 심'(忄)이 표의요소로 쓰였다. 布(베 포)는 표음요소이니 뜻과는 무관하다.

포복 怖伏 | 두려워할 포, 엎드릴 복
[prostrate oneself]
무서워서[怖] 엎드림[伏].

• 역순어휘

공:포 恐怖 | 두려울 공, 두려워할 포 [fear; terror]
무서워[恐] 두려워함[怖]. ¶죽음의 공포 / 공포에 떨다.

1903 [식]

殖

불릴 식
㊌ 歹부 ㊋ 12획 ㊥ 殖 [zhí, shi]

殖자는 歹(부서진 뼈 알)이 표의요소로 쓰였지만, 의미 연관성이 불명확하다. 直(곧을 직)이 표음요소로 쓰였음은 植(심을 식), 埴(찰흙 식)도 마찬가지다. '붇다'(swell up; become soaked), '불리다'(increase) 등의 의미로 쓰인다.

속뜻훈음 ①번성할 식, ②번식힐 식.

• 역순어휘

번식 繁殖 | =蕃殖, 많을 번, 불릴 식 [breed; propagate]
❶속뜻 많이[繁] 불어남[殖]. 널리 퍼짐. ¶세균이 번식하다. ❷동물 동물이 새끼를 침.

생식 生殖 | 날 생, 불릴 식 [reproduce; generate; procreate]
❶속뜻 새끼를 낳아서[生] 수가 불어남[殖]. ❷생물 생물이 자기와 닮은 개체를 만들어 종족을 유지함. 또는 그런 현상.

양:식 養殖 | 기를 양, 불릴 식 [raise; breed]
물고기 따위를 인공적으로 길러서[養] 그 수가 불어남[殖]. ¶굴을 양식하다.

증식 增殖 | 더할 증, 불릴 식 [multiply; increase]
❶속뜻 더해져[增] 불어남[殖]. ❷늘어서 많아짐. 또는 늘려서 많게 함. ¶암세포의 증식 / 저금해둔 돈이 증식해서 큰돈이 되었다.

1904 [지]

旨
뜻 지
部 日부 畫 6획 中 旨 [zhǐ]

旨자의 匕는 '숟가락 시'(匙)의 본래 글자이고, 日은 '입 구'(口) 또는 '달 감'(甘)이 잘못 변화된 것이다. 숟가락으로 음식물을 입에다 넣으며 달게 먹음을 통하여 '맛있다'(delicious)는 뜻을 나타냈다. 후에 '맛'(taste), '의향'(an intention), '뜻'(an opinion; an idea) 등으로 확대 사용됐다.

속뜻훈음 ①뜻 지, ②맛 지.

• 역순어휘

논지 論旨 | 논할 론, 뜻 지 [point of an argument]
의론(議論)의 요지(要旨)나 취지(趣旨). ¶논지를 요약하면 다음과 같다.

요지 要旨 | 요할 요, 뜻 지 [essentials]
핵심이 되는 중요(重要)한 뜻[旨]. ¶이야기의 요지를 파악하다. 비 골자(骨子), 요점(要點).

취:지 趣旨 | 뜻 취, 맛 지 [meaning; object; purpose]
❶속뜻 깊은 뜻[趣]과 그윽한 맛[旨]. ❷이야기나 문장의 근본 뜻. ¶말씀하신 취지를 알겠습니다. ❸어떤 일의 근본 목적이나 의도. ¶본 게시판의 취지에 어긋나는 글은 삭제합니다.

1905 [왜]

歪
기울 왜
部 止부 畫 9획 中 歪 [wāi]

歪자는 본래 '비뚤다'는 뜻인 竵(화/왜)의 속자였다. 정자에 비하여 획수도 적고 바르지[正] 아니함[不]을 알 수 있는 장점이 있으므로 정자를 제치고 주인 자리를 차지하게 됐다. 歪자를 창안한 사람의 아이디어가 참으로 기발함에 놀라지 않을 수 없다. 독음은 [왜], [외], [의] 세 가지가 있지만 음에 따라 뜻이 달라지는 것은 아니다.

속뜻훈음 비뚤 왜.

왜곡 歪曲 | 비뚤 왜, 굽을 곡 [distort; twist]
❶속뜻 비뚤고[歪] 굽음[曲]. ❷사실과 다르게 해석하거나 그릇되게 함. ¶역사를 왜곡하다.

왜형 歪形 | 비뚤 왜, 모양 형 [twisted shape]
비뚤어진[歪] 모양[形].

1906 [란]

爛
빛날 란:
部 火부 畫 21획 中 烂 [làn]

爛자는 불빛이 '빛나다'(shine)는 뜻을 나타내기 위하여 만든 것이었으니, '불 화'(火)가 표의요소로 쓰였다. 闌(가로막을 란)은 표음요소일 따름이다. 후에 '무르익다'(get ripe; be fully ripened)는 뜻으로 확대 사용됐다.

속뜻훈음 ①빛날 란, ②무르익을 란.

난:상 爛商 | 무르익을 란, 헤아릴 상
무르익을[爛] 정도로 충분히 상의(商議)함. ¶난상을 거듭하다 / 난상토론을 벌이다.

• 역순어휘

능란 能爛 | 능할 능, 무르익을 란 [skillful; expert]
어떤 일을 잘하고[能] 익숙하다[爛]. ¶그는 일본어를 매우 능란하게 말한다 / 능수능란(能手能爛)하다.

찬:란 燦爛 | 빛날 찬, 빛날 란 [brilliant; shining; bright]
❶속뜻 눈부시게 빛나다[燦=爛]. ¶햇빛이 찬란하다. ❷

매우 훌륭하다. ¶찬란한 업적을 남기다.

현:란 絢爛 | 무늬 현, 빛날 란
[gorgeous; brilliant]
❶[속뜻] 무늬[絢]가 눈부시게 빛남[爛]. ❷눈부시게 빛나고 아름다움. ¶현란한 장식.

1907 [용]

熔

녹일 용
[部] 火부 [劃] 14획 [中] 熔 [róng]

熔자는 쇠붙이 따위의 고체가 높은 온도의 불에 '녹다'(melt; dissolve; fuse)는 뜻을 나타내기 위하여 만든 것이었으니 '불 화'(火)가 표의요소로 쓰였다. 容(얼굴 용)은 표음요소이니 뜻과는 무관하다. 원래 熔은 '鎔'(#2207)의 속자였다.

용융 熔融 | =鎔融, 녹일 용, 녹을 융
[fuse; melt; dissolve]
[화학] 고체가 열에 녹아서[熔=融] 액체상태가 됨. [비]융해(融解).

1908 [희]

熙

빛날 희
[部] 火부 [劃] 13획 [中] 熙 [xī]

熙자는 불빛이 '빛나다'(shine)는 뜻을 나타내기 위하여 만든 것이었으니 '불 화'(火)가 표의요소로 쓰였다. 그 상단의 것을, 臣과 己의 조합으로 잘못 알기 쉽다. 이 글자는 표음요소로 쓰였다고 하는데, 흔히 쓰이는 것이 아니다보니 표음요소 구실을 제대로 못한다. 사람의 이름이나 제왕의 年號(연호)로 애용됐으나, 조어력이 약하여 한자어 용례는 거의 없다.

1909 [초]

焦

탈 초
[部] 火부 [劃] 12획 [中] 焦 [jiāo]

焦자는 새[隹]를 불[火]에 '굽다'(roast)는 뜻을 나타내기 위해 그 모습을 본뜬 것이다. 隹(새 추)가 표음요소란 설도 있으나 그렇게 쓰인 다른 예가 없다. '태우다'(burn)는 뜻으로도 쓰인다.
[속뜻훈음] **태울 초.**

초점 焦點 | 태울 초, 점 점 [focus]
❶[속뜻] 광선을 모아 태우는[焦] 점(點). ❷사람들의 관심이나 시선이 집중되는 사물의 중심이나 문제점. ¶문제의 초점을 흐리다. ❸시선이 어떤 대상에 집중하는 것. ¶초점 없는 눈으로 바라보다. ❹[물리] 반사경이나 렌즈에 평행으로 들어와 반사·굴절한 광선이 모이는 점. 영어 'focus'의 어원은 '화로'(火爐)로, '연소점'(燃燒點)이 본뜻이다.

초조 焦燥 | 태울 초, 마를 조
[impatient; irritated; anxious]
애를 태우고[焦] 마음을 졸임[燥]. ¶자기 순서를 초조하게 기다리다.

1910 [련]

煉

달굴 련(:)
[部] 火부 [劃] 13획 [中] 炼 [liàn]

쇠를 불로 '달구다'(make hot; heat)는 뜻을 나타내기 위하여 만든 것이었으니, '불 화'(火)가 표의요소로 쓰였다. 그 나머지가 표음요소임은 鍊(불릴 련), 練(익힐 련)도 마찬가지이다.
[속뜻훈음] **불릴 련.**

연:옥 煉獄 | 불릴 련, 감옥 옥 [purgatory]
[가톨릭] 죽은 사람의 영혼이 천국에 들어가기 전에 남은 죄를 씻기 위해 불로 달구는[煉] 지옥(地獄).

연:유 煉乳 | 불릴 련, 젖 유
[condensed milk]
❶[속뜻] 불에 달구어[煉] 진하게 고아 만든 우유(牛乳). 달일 때에 설탕을 넣은 것이 가당연유(加糖煉乳)이고 넣지 않은 것이 무당연유(無糖煉乳)이다. ❷우유를 진공 상태에서 1/2~1/3 정도 농축한 것.

연:탄 煉炭 | 불릴 련, 석탄 탄 [briquette]
❶[속뜻] 반죽한 다음 불려[煉] 만든 석탄(石炭). ❷[광업] 주원료인 무연탄과 목탄 등을 섞어 굳혀 만든 연료. 잘 타게 하기 위하여 상하로 통하는 여러 개의 구멍을 뚫는다. ¶강원도에는 연탄을 때는 집이 많다.

1911 [취]

炊

불땔 취:
[部] 火부 [劃] 8획 [中] 炊 [chuī]

炊자는 불[火]을 지핀 다음 하품할 때처럼 입을 크게 벌려(欠 하품 흠) 입김을 불어넣어 '불 때다'(fire ; make a fire)는 뜻을 나타냈다. 欠을 吹(불 취)의 생략형으로 보아 표음요소로 쓰였다는 설도 있다. 후에 그렇게 해서 '밥 짓다'(cook rice)는 뜻으로 확대 사용됐다.

취ː사 炊事 | 불 땔 취, 일 사 [cook]
불을 때서[炊] 음식을 장만하는 일[事]. ¶이곳은 취사 행위가 금지되어 있다.

• 역순어휘

자취 自炊 | 스스로 자, 불 땔 취
[live apart from one's own family]
스스로[自] 밥을 지음[炊]. ¶자취 생활 / 그는 서울에서 자취하면서 대학에 다닌다.

1912 [관]

款 항목 관ː
㊥ 欠부 ㊕ 12획 ㊥ 款 [kuǎn]

款자는 '~할 뜻이 있다'(have an intention of)가 본래 의미였다고 하는데, 입을 크게 벌린 사람의 모습인 '하품 흠'(欠)이 어떤 뜻으로 쓰였는지 확실하지 않다. 왼쪽 것은 '빌미 수'(祟)의 변형인데 이것이 표음요소가 아닌 것은 확실하나 어떤 뜻을 가리키는 표의요소인지도 분명하지 않다. 후에 '정성'(a true heart; sincerity)을 가리키는 것으로 확대 사용됐다. '항목'(a head; an item), '빚'(a debt; a loan), '(글자를 새긴) 도장'(stamp), '새기다'(engrave) 등을 나타내기도 한다.
속뜻훈음 ①항목 관, ②도장 관, ③새길 관.

관ː지 款識 | 새길 관, 기록할 지 [inscription]
❶속뜻 글자 따위를 음각한 것을 '款'이라 하고 양각을 '識'라 함. ❷글씨나 그림의 표제, 작자의 이름을 이르는 말.

관ː항 款項 | 항목 관, 목 항 [an item; a point]
❶속뜻 조항[款]이나 항목(項目). ❷예산서나 결산서 따위의 내용 구분 단위인 '관'(款)과 '항'(項)을 아울러 이르는 말.

• 역순어휘

낙관 落款 | 떨어질 락, 도장 관
[writer's signature and seal]
글씨나 그림을 다 완성한[落] 뒤에 연월일, 장소, 이름 따위를 적어 넣고 도장[款]을 찍는 일.

약관 約款 | 묶을 약, 항목 관
[clause; provision; terms]
법률 계약(契約)에서 정한 하나하나의 항목[款].

정ː관 定款 | 정할 정, 항목 관
[articles of association]
법률 법인의 목적, 조직, 업무 집행 따위에 관해 정(定)해 놓은 기본 항목[款]. 또는 그것을 적은 문서.

차ː관 借款 | 빌릴 차, 항목 관 [loan]
❶속뜻 빌린[借] 금액을 나타내는 항목[款]. ❷정부가 외국으로부터 자금을 빌려 옴. ¶차관협정 / 차관 도입 / 차관 상환.

1913 [구]

歐 구라파/칠 구
㊥ 欠부, 총 15획 ㊥ 欧 [ōu]

歐자는 '토하다'(vomit; bring up; fetch up)는 뜻을 나타내기 위하여 만든 것이었으니 입을 크게 벌린 사람의 모습인 '하품 흠'(欠)이 표의요소로 쓰였다. 區(지경 구)는 표음요소이니 뜻과는 무관하다. 嘔(노래할 구)가 '토하다'는 뜻으로도 쓰인다. 근대 이후 유럽(Europe)을 歐羅巴(구라파)로 漢譯(한:역)하였고, 한 글자로 歐라 약칭하기도 한다.
속뜻훈음 ①토할 구, ②유럽 구

구미 歐美 | 유럽 구, 미국 미
[Europe and America; West]
유럽[歐羅巴]과 아메리카주[美洲]. 또는 유럽과 미국. ¶아프리카는 구미 열강의 통치를 받았다.

• 역순어휘

서구 西歐 | 서녘 서, 유럽 구 [West(ern) Europe]
지리 유럽[歐羅巴] 대륙의 서(西)쪽에 자리한 지역. '서구라파'(西歐羅巴)의 준말. ¶서구 문명. ㊥서유럽.

1914 [과]

瓜 외 과
㊥ 瓜부, 총 5획 ㊥ 瓜 [guā]

瓜자는 '오이'(a cucumber)를 나타내기 위하여 넝쿨에 달려 있는 오이 모양을 본뜬 것이다. 그러한 사실을 알고 이 글자를 다시 보면 그럴 듯해 보일 것이다. 조어력이 약하여 상용 한자어 용례가 거의 없다.
속뜻훈음 오이 과.

과년 瓜年 | 오이 과, 해 년 [marriageable age; the last year of one's term of service]
❶속뜻 여자의 열대여섯 살[年] 무렵. '瓜'자가 두 개의 '八'자로 파자(破字)되는 것에서 유래. ❷결혼하기에 적당한 여자의 나이. 옛날에는 그 나이에 딸을 시집보냈기 때문이다. ㊥과기(瓜期).

1915 [모]

矛

창 모
部 矛부 劃 5획 中 矛 [máo]

矛자는 적을 찌를 때 쓰는 '창'(a lance) 모양을 그린 것이었는데, 지금의 자형으로는 알기 힘들만큼 크게 변했다. 삐침(丿)이 없으면 予(나 여, 줄 여)자가 되니 주의해야겠다.

모순 矛盾 | 창 모, 방패 순 [contradict]
❶속뜻 창[矛]과 방패[盾]. ❷'두 사실이 이치상 어긋나서 서로 맞지 않음'을 이르는 말. ¶구조적 모순 / 이 사항은 기본 원칙에 모순된다.
하나 더!! 矛盾(모순)은 약 2,300년 전 楚(초)나라의 한 무기 장사꾼의 허풍에서 비롯됐다. 장사꾼과 구경꾼의 대화를 들어 보자.
商 : "이 방패는 너무 단단하여 어떤 창이라도 다 막아낼 수 있고, 이 창은 너무 날카로워 어떤 방패라도 다 뚫을 수 있다오."
客 : "그럼 그 창으로 그 방패를 찔러 보오!"
商 : "……"(대답을 못하고 뒷머리만 긁는다).
아무튼 속지는 말되, 때로는 속아주는 아량이 있어야 사는 재미가 난다.

1916 [순]

盾

방패 순
部 目부 劃 9획 中 盾 [dùn]

盾자는 방패로 몸을 가리고 작은 구멍에 눈(目)을 대고 적을 살피는 모습임을 지금의 자형으로도 어렴풋이나마 짐작할 수 있겠다. 방어용 무기인 '방패'(a shield)가 본뜻이고, '피하다'(avoid), '숨다'(hide)는 뜻으로도 쓰이며, '楯'(순)이라 쓰기도 한다. 조어력이 낮아 한자어 용례가 극히 적다. 矛盾이란 단어 밖에 없다(참조 #1915).

1917 [마]

痲

저릴 마
部 疒부 劃 13획 中 痲 [má]

痲자는 질병 증세의 일종이라고 할 수 있는 '저리다'(be numbed; be asleep)는 뜻을 나타내기 위하여 만든 것이었으니, 병석에 누워 있는 사람의 모습이 변화된 '병질 녁'(疒)이 표의요소로 쓰였다. 그 안의 것은 麻(삼 마)의 축약형으로 표음요소 구실을 한다. 林(수풀 림)이 표음요소로 쓰인 痳(임질 림)과 혼동하기 쉬우니 차이점을 잘 알아두자.

마비 痲痺 | 저릴 마, 저릴 비 [be paralyzed]
❶속뜻 손발이 저림[痲=痺]. ❷의학 신경이나 근육이 형태의 변화 없이 기능을 잃어버리는 상태. 감각이 없어지고 힘을 제대로 쓰지 못하게 된다. ¶근육 마비를 일으키다. ❸본래의 기능이 둔해 정지되는 일을 비유하여 이르는 말. ¶업무가 마비 상태다.

마약 痲藥 | 저릴 마, 약 약 [drug]
약학 사람의 신경을 마비(痲痺)시키는 약(藥). ¶마약에 중독되다.

마취 痲醉 | 저릴 마, 취할 취 [anesthetize]
❶속뜻 몸이 저리는[痲] 것과 술에 취(醉)하는 것. ❷수술 등을 할 때 약물 따위를 이용하여 생물체의 감각을 일시적으로 마비시키는 일. ¶마취에서 깨어났다.

1918 [암]

癌

암 암:
部 疒부 劃 17획 中 癌 [yán]

癌자는 '병질 녁'(疒)이 표의요소로 쓰였고, 喦(=嵒, 바위 암)은 표음요소임에도 의미요소를 겸한다. 본뜻인 '악성 종양'(malignant tumor)은 바위같이 딱딱하기 때문이다. 100살이 채 안 되는 매우 젊은 글자다. 중국에서는 魯迅(노신)이 1925년 9월9일에 쓴 편지글에 그 첫 용례가 보인다고 한다.

• 역순어휘

간:암 肝癌 | 간 간, 암 암 [liver cancer]
의학 간장(肝臟)에 생기는 암(癌).

발암 發癌 | 나타날 발, 암 암 [carcinogenic]
암(癌)이 생김[發]. 암을 생기게 함. ¶담배에는 발암 물질이 많다.

위암 胃癌 | 밥통 위, 암 암
[gastric cancer; cancer of the stomach]
의학 위(胃)에 발생하는 암(癌). ¶한국인은 위암 발병률이 가장 높다.

폐:암 肺癌 | 허파 폐, 암 암 [lung cancer]
의학 폐(肺)에 생기는 암(癌). ¶흡연자는 폐암에 걸릴 확률이 높다.

항:암 抗癌 | 막을 항, 암 암 [anticancer]
암(癌)세포의 증식을 막거나[抗] 암세포를 죽임. ¶항암 성분이 들어 있다 / 항암 치료를 받았다.

1919 [료]

療

병고칠 료
部 疒부 劃 17획 中 疗 [liáo]

療자는 '(병을) 치료하다'(cure; remedy)는 뜻을 나타내기 위하여 만든 것이었으니, 환자가 침대 위에 누워 있는 모습을 본뜬 것이 변화된 疒(병들어 기댈 녁)이 표의요소로 쓰였다. 그 나머지가 표음요소임은 僚(동료 료), 遼(멀 료)도 마찬가지다.

요기 療飢 | 병고칠 료, 배고플 기
[appease hunger]
간신히 배고픈[飢] 증세만 고칠[療] 정도로 조금 먹음. ¶아침 요기.

요법 療法 | 병고칠 료, 법 법
[medical treatment]
한의 병을 고치는[療] 방법(方法). ¶한방요법.

요양 療養 | 병고칠 료, 기를 양
[recuperate; convalesce]
❶속뜻 병을 치료(治療)하고 몸을 보양(保養)함. ❷휴양하면서 조리하여 병을 치료함. ¶나는 시골에서 요양 중이다.

• 역순어휘

의료 醫療 | 치료할 의, 병고칠 료
[medical treatment; medical service]
의술(醫術)로 병을 고치는[療] 일. ¶의료 봉사.

진:료 診療 | 살펴볼 진, 병고칠 료
[diagnose and treat]
의학 의사가 환자를 진찰(診察)하고 치료(治療)하는 일. ¶진료 시간 / 독거노인을 무료로 진료하다.

치료 治療 | 다스릴 치, 병고칠 료 [treat; cure]
병이나 상처를 다스려서[治] 낫게[療] 함. ¶약물 치료를 받다 / 그는 정신질환을 치료하러 병원에 갔다.

1920 [석]

碩

클 석
部 石부 劃 14획 中 硕 [shuò]

碩자는 '(머리가) 크다'(big)는 뜻을 위하여 만든 것이었으니, '머리 혈'(頁)이 표의요소로 쓰였고, 石(돌 석)은 표음요소이다. 표음요소가 부수로 지정되어 있는 특별한 글자다. 좌우 구조인 때 왼쪽 것이 부수로 우선 지정되는 관례에 따른 것이지 의미를 고려한 것은 아니다. 일반적 의미인 '크다'(big; great)는 뜻으로도 쓰인다.

석사 碩士 | 클 석, 선비 사 [Master]
❶속뜻 학식이 높은[碩] 선비[士]. ❷교육 학위의 한 가지. 대학원에서 소정의 과정을 마치고 학위 논문이 통과된 사람에게 수여하는 학위. 또는 그 학위를 받은 사람.

석학 碩學 | 클 석, 배울 학 [distinguished scholar]
연구 업적이 많은[碩] 학자(學者). ¶세계의 석학이 모여 포럼을 열었다.

1921 [애]

礙

거리낄 애
部 石부 劃 13획 中 碍 [ài]

碍의 본래 글자는 礙이다. 이것은 '거리끼다'(hindered by)는 뜻을 위하여 만든 것이니, '돌 석'(石)이 표의요소로 쓰였다. 길에 놓인 돌이 걷는 데 방해가 되므로 그렇게 했을 것이다. 疑(의심할 의)는 표음요소였다고 한다. 이것의 속자인 '碍'가 唐(당)나라 때부터 더 많이 쓰인다.

• 역순어휘

구애 拘礙 | 잡을 구, 거리낄 애 [hitch; trouble]
붙잡혀[拘] 얽매이거나 거리낌[礙]. ¶비용에 구애받다.

장애 障礙 |=障碍 막을 장, 거리낄 애
[be an obstacle]
❶속뜻 무슨 일을 하는데 가로막고[障] 거리낌[礙]이 됨. 또는 그런 일. ¶언어 장애 / 수입 규제는 무역에 장애가 되고 있다. ❷신체상의 고장. ¶위장 장애.

1922 [연]

硯

벼루 연:
部 石부 劃 12획 中 砚 [yàn]

硯자는 먹을 갈 수 있도록 매끄럽게 다듬어 놓은 돌, 즉 '벼루'(an ink-stone)를 뜻하기 위하여 만든 것이었으니 '돌 석'(石)이 표의요소로 쓰였다. 見(볼 견, 나타날 현)은 표음요소로 쓰였다고 하는데, 오히려 이것 때문에 [견]이나 [현]으로 잘못 읽기 쉬우니 조심하자.

연:갑 硯匣 | 벼루 연, 상자 갑 [ink-stone case]
벼루[硯]를 넣어 두는 납작한 상자[匣]. 벼루 이외에도 서예에 필요한 먹, 붓, 연적 따위의 도구를 넣어둔다.

연:적 硯滴 | 벼루 연, 물방울 적
[water dropper for preparing ink]
벼루[硯] 물[滴]을 담는 그릇.

연:지 硯池 | 벼루 연, 못 지
벼루[硯]의 앞쪽에 못[池]처럼 오목하게 파인 곳. 먹을 갈기 위해 물을 붓거나 간 먹물이 고이는 곳이다.

• 역순어휘

단연 端硯 | 바를 단, 벼루 연
단계석(端溪石)으로 만든 벼루[硯]. '단계연'(端溪硯)의 준말.

필연 筆硯 | 붓 필, 벼루 연
[pen and ink; literary work]
붓[筆]과 벼루[硯]를 아울러 이르는 말. ¶옛 문인들은 필연을 늘 가까이에 두고 글쓰기를 부지런히 했다.

1923 [류]

硫 유황 류
[部] 石부 [획] 12획 [中] 硫 [liú]

硫자는 돌의 일종이라고 볼 수 있는 '유황' (a sulfur)을 뜻하기 위하여 만든 것이니, '돌 석'(石)이 표의요소로 쓰였다. 오른쪽의 것이 표음요소임은 流(흐를 류), 琉(유리 류)도 마찬가지다.

유산 硫酸 | 유황 류, 신맛 산 [sulfur acid]
❶[속뜻] 유황(硫黃)이 섞인 산(酸). ❷[화학] 무색무취의 끈끈한 불휘발성 액체. 강한 산성으로 금과 백금을 제외한 대부분의 금속을 녹인다. 유기물을 분해하고 물에 섞으면 많은 열을 내면서 습기를 빨아들인다.

유황 硫黃 | 유황 류, 누를 황
[sulfur; brimstone]
[화학] 비금속 원소로 냄새가 없고 수지 광택이 있는[硫] 황색(黃色)의 결정(結晶).

1924 [자]

磁 자석 자
[部] 石부 [획] 14획 [中] 磁 [cí]

磁자는 '자석'(a magnet)을 뜻하기 위하여 만든 것인데 '돌 석'(石)이 표의요소로 쓰인 것을 보니, 당시 사람들은 그것을 돌의 일종으로 여겼던가 보다. 玆(이 자)는 표음요소이니 뜻과는 무관하다.

자:기 磁氣 | 자석 자, 기운 기 [magnetism]
[물리] 자석(磁石)이 철을 끌어당기는 힘이나 기운[氣]. ¶자기를 띠게 하다 / 자기 나침반.

자:력 磁力 | 자석 자, 힘 력 [magnetism]
[물리] 자기(磁氣)의 힘[力]. ¶이 자석은 자력이 세다. [비] 자기력(磁氣力).

자:석 磁石 | 자석 자, 돌 석 [magnet]
[광업] 자성(磁性)을 가진 광석(鑛石). 철을 끌어다니는 성질이 있는 물체.

자:성 磁性 | 자석 자, 성질 성 [magnetism]
[물리] 자기(磁氣)를 띤 물체가 쇠붙이 따위를 끌어당기거나 하는 성질(性質). ¶이 카드는 자성을 띠는 물체 옆에 두지 마시오.

자:철 磁鐵 | 자석 자, 쇠 철 [magnetic iron]
[광업] 자성(磁性)이 강한 광물[鐵]. ¶경상북도 쇠골안은 자철이 많이 산출된다.

• 역순어휘

전:자 電磁 | 전기 전, 자석 자
[electromagnetic]
[물리] 전기(電氣)와 자기(磁氣)를 아울러 이르는 말. [비] 전자기(電磁氣).

1925 [서]

瑞 상서 서:
[部] 玉부 [획] 13획 [中] 瑞 [ruì]

瑞자는 제후를 봉할 때 信標(신:표)로 주는 옥으로 만든 홀[圭]을 뜻하기 위하여 만든 것이었으니 '구슬 옥'(玉)이 표의요소로 쓰였다. '시초' 또는 '실마리'의 뜻인 耑(단)도 표의요소로 쓰인 것이다. 후에 '조짐'(symptoms; signs) '길조'(a good omen; a lucky sign) 등으로 확대 사용됐다.

서:광 瑞光 | 상서 서, 빛 광
[appear to be auspicious]
❶[속뜻] 상서(祥瑞)로운 빛[光]. ❷좋은 일이 일어날 조짐. [비] 상광(祥光), 서색(瑞色).

서:설 瑞雪 | 상서 서, 눈 설
[snow of good omen]
상서(祥瑞)로운 눈[雪].

• 역순어휘

상서 祥瑞 | 상서로울 상, 상서 서
[lucky omen; happy augury]
복되고[祥] 길한[瑞] 일. ¶상서로운 조짐. [비] 경서(慶瑞), 길상(吉祥), 길조(吉兆).

천서 天瑞 | 하늘 천, 상서 서 [lucky omen]
하늘[天]이 내리는 상서(祥瑞)로운 징조.

1926 [탁]

琢 다듬을 탁
㊀ 玉부 ㊁ 12획 ㊥ 琢 [zhuó]

琢자는 옥을 '다듬다'(refine; polish; smooth face)는 뜻을 나타내기 위하여 만든 것이었으니 '옥돌 옥'(玉)이 표의요소로 쓰였다. 玉이 표의요소(대개는 부수)로 쓰일 때 점(丶)을 생략하는 것은 王(임금 왕)이 부수로 쓰이는 예가 없어 혼동될 여지가 없기 때문이다. 豖(발 얽은 돼지 걸음 축)이 표음요소였음은 椓(칠 탁)도 마찬가지다. 후에 '쪼다'(chisel)는 뜻으로도 쓰였다. 참고로 날짐승이 부리로 '쪼다'는 뜻은 啄(쪼을 탁)자로 나타낸다.

탁마 琢磨 | 다듬을 탁, 갈 마
[polish a gem; cultivate]
❶속뜻 옥석(玉石)을 쪼아 다듬고[琢] 갊[磨]. ❷학문이나 덕행을 갈고 닦음. ㊐마탁(磨琢).

• 역순어휘

조탁 彫琢 | 새길 조, 다듬을 탁
[carve; chisel; polish]
❶속뜻 단단한 것에 새겨서[彫] 다시 잘 다듬음[琢]. ❷문장이나 글 따위를 매끄럽게 다듬음. ¶글은 조탁하는 맛에 쓴다.

1927 [굴]

窟 굴 굴
㊀ 穴부 ㊁ 13획 ㊥ 窟 [kū]

窟자는 깊고 넓은 구멍, 즉 '동굴'(a cavern; a cave)을 뜻하기 위하여 만든 것이었으니 '구멍 혈'(穴)이 표의요소로 쓰였고, 屈(굽을 굴)은 표음요소이다. '사람들이 많이 모여드는 곳'을 이르기도 하는데, 주로 나쁜 의미로 쓰인다.

• 역순어휘

동:굴 洞窟 | 구멍 동, 굴 굴 [cave; cavern]
깊고 넓은 구멍[洞] 같은 골짜기나 굴(窟). ¶박쥐는 동굴에서 생활한다.

석굴 石窟 | 돌 석, 굴 굴
[rocky cavern; stone cave]
토굴(土窟)에 대하여 바위[石]에 뚫린 굴[窟]. ㊐암굴(巖窟).

소굴 巢窟 | 집 소, 움 굴 [den; haunt]
❶속뜻 새가 사는 집[巢]과 짐승이 들끓는 굴[窟]. ❷'나쁜 짓을 하는 도둑이나 악한 따위의 무리가 활동의 본거지로 삼고 있는 곳을 일컬음. ¶이 지대는 부랑자의 소굴이다.

토굴 土窟 | 흙 토, 굴 굴 [dugout; large cave]
땅[土]속에 난 굴(窟). ¶아주 오래 전에는 토굴을 파고 살았다.

1928 [질]

窒 막힐 질
㊀ 穴부 ㊁ 11획 ㊥ 窒 [zhì]

窒자는 '(구멍이) 막히다'(stop up a hole)는 뜻을 나타내기 위하여 만든 것이었으니 '구멍 혈'(穴)이 표의요소로 쓰였다. 至(이를 지)가 표음요소임은 姪(조카 질), 桎(차꼬 질)을 보면 알 수 있다. 후에 일반적인 의미의 '막히다'(be closed; be choked)로 확대 사용됐다.

속뜻훈음 **①막힐 질, ②질소 질.**

질겁 窒怯 | 막힐 질, 겁낼 겁
[be surprised; be frightened]
뜻밖의 일에 숨이 막힐[窒] 정도로 겁을 냄[怯]. ¶개가 짖는 소리에 질겁해서 달아나다.

질산 窒酸 | 질소 질, 산소 산 [nitric acid]
화학 질소(窒素)와 산소(酸素), 수소로 된 강한 염기성 무기산의 하나.

질색 窒塞 | 막힐 질, 막힐 색 [shock; hate]
❶속뜻 몹시 놀라거나 싫어서 기(氣)가 막힘[窒=塞]. ❷몹시 싫어하거나 꺼림. ¶병원이라면 딱 질색이다.

질소 窒素 | 질소 질, 바탕 소 [nitrogen]
화학 공기의 약 5분의 4를 차지하는 무색·무미·무취의 질화물(窒化物)을 만드는 기체 원소(元素).

질식 窒息 | 막힐 질, 숨쉴 식 [be suffocated]
숨[息]이 막힘[窒]. 또는 산소가 부족하여 숨을 쉴 수 없게 됨. ¶뜨거운 열기와 고약한 냄새로 질식할 것 같다.

1929 [온]

穩 편안할 온(:)
㊀ 禾부 ㊁ 19획 ㊥ 稳 [wěn]

穩자는 본래, 벼를 빻아서 껍질을 벗겨 잘 보관하다(take custody of; keep intact)는 뜻을 나타내기 위하여 만든 것이었으니 '벼 화'(禾)가 표의요소로 쓰였다. 오른쪽 것은 '속에 넣어두다'는 뜻인 隱의 생략형이니, 이것도 표의요소로 쓰인 것이라 한다. '평온하다'(calm; quiet), '안온하다'(tranquil; peaceful) 또는 이와 의미상 관련이 있는 단어의 한 구성 요소로 많이 쓰인다.

속뜻 훈음 ①평온할 온, ②안온할 온.

온:건 穩健 | 평온할 온, 튼튼할 건 [be moderate]
생각이나 행동 따위가 평온(平穩)하고 건실(健實)함. ¶온건 계층 / 온건 개혁파 / 온건한 사상.

온:전 穩全 | 평온할 온, 온전할 전 [be intact]
❶속뜻 평온(平穩)하고 완전(完全)하다. ❷본바탕대로 고스란히 다 있다. ¶온전한 그릇이 하나도 없다. ❸잘못된 것이 없이 바르거나 옳다. ¶정신이 온전한 사람이라면 그런 짓을 할 리가 없다.

• 역순어휘

불온 不穩 | 아닐 불, 평온할 온 [rebellious; seditious]
❶속뜻 온당(穩當)하지 아니하고[不] 험악함. ¶불온한 태도 / 불온한 사상을 지니다. ❷치안(治安)을 해칠 우려가 있음. ¶불온 단체.

평온 平穩 | 평안할 평, 안온할 온 [calm; tranquil; quiet]
평안(平安)하고 안온(安穩)함. 조용하고 안온함. ¶그의 얼굴이 무척 평온했다.

1930 [교]

絞 목맬 교
部 糸부 劃 12획 中 绞 [jiǎo]

絞자는 끈으로 목을 매어 죽이는 '형벌'(a punishment; a penalty)을 뜻하기 위하여 만든 것이었으니 '실 사'(糸)가 표의요소로 쓰였다. 交(사귈 교)는 표음요소이니 뜻과는 무관하다(참고, 校 학교 교, 較 견줄 교). 후에 '목매다'(hang; hang oneself), '묶다'(bind; bundle) 등으로 확대 사용됐다.

교수 絞首 | 목맬 교, 머리 수 [strangle]
사형수의 목[首]을 매어[絞] 죽임. ㊐교살(絞殺).

1931 [망]

網 그물 망
部 糸부 劃 14획 中 网 [wǎng]

網자의 본래 글자는 罔(그물 망, #1714)이었다. 罔이 본래 의미와 달리 '없다'(there is no; do not exist)는 뜻으로도 많이 쓰이자, 본래의미를 더욱 분명하게 나타내기 위하여 '실 사'(糸)란 표의요소를 덧붙인 것이 바로 網자다. 표음요소 자형이 비슷한(岡 산등성이 강), 綱(벼리 강)과 혼동하기 쉬우니 눈 여겨 봐 두자.

망건 網巾 | 그물 망, 수건 건
상투를 튼 사람이 두르는 그물[網] 모양의 두건(頭巾). 속담 망건 쓰고 세수한다.

망라 網羅 | 그물 망, 벌릴 라 [include everything]
❶속뜻 그물[網]을 벌여 놓음[羅]. ❷촘촘한 그물로 건지듯이 빠짐없이 모음. ¶이번 회의에는 사회의 각계각층을 망라한 인사들이 참석했다.

망막 網膜 | 그물 망, 꺼풀 막 [retina]
의학 안구의 가장 안쪽에 시신경(視神經)이 그물[網]처럼 분포되어 있는 꺼풀[膜].

망사 網紗 | 그물 망, 비단 사 [gauze]
그물[網]같이 성기게 짠 비단[紗]같은 천. ¶망사 모기장.

• 역순어휘

어망 魚網 | =漁網, 물고기 어, 그물 망 [fishing net]
물고기[魚]를 잡는 데 쓰는 그물[網]. ¶강에 어망을 던져 놓고 다음날 아침에 건져올렸다.

철망 鐵網 | 쇠 철, 그물 망 [wire net; wire entanglements]
가는 쇠[鐵]를 얽어서 만든 그물[網]. ¶철망 속에 갇힌 원숭이.

1932 [문]

紊 문란할/어지러울 문(:)
部 糸부 劃 10획 中 紊 [wěn]

紊자는 실이 흐트러져 '어지럽다'(confused; disorderly)는 뜻을 위하여 만든 것이었으니 '실 사'(糸)가 표의요소로 쓰였다. 文(무늬 문)은 표음요소이다(참고, 汶 내 이름 문, 蚊 모기 문). 상하 구조를 좌우 구조로 바꾸면 다른 글자가 된다(紋 무늬 문).

문:란 紊亂 | 어지러울 문, 어지러울 란 [disordered; confused]
뒤죽박죽 뒤엉켜[紊] 어지러움[亂]. 질서가 없음. ¶공공질서를 문란하게 하다 / 문란한 생활.

1933 [방]

紡

길쌈 방

部 糸부 劃 10획 中 纺 [fǎng]

紡자는 '실을 뽑다'(spin; make yarn)는 뜻을 나타내기 위하여 만든 것이었으니 '실 사'(糸)가 표의요소로 쓰였다. 方(모 방)은 표음요소이다(참고, 防 둑 방, 放 놓을 방). '길쌈하다'(make cloth)는 뜻으로도 쓰인다.

속뜻훈음 실뽑을 방.

방모 紡毛 | 실뽑을 방, 털 모 [carding (short) wool]
수공 ❶짐승의 털[毛]에서 실을 뽑음[紡]. ❷방모사(紡毛絲).

방사 紡絲 | 실뽑을 방, 실 사 [spinning]
공업 섬유를 만들 수 있는 고분자 물질을 녹여서 가는 구멍을 통하여 실[絲]을 뽑아내는[紡] 일. 건식 방사, 습식 방사, 용융 방사 따위의 방식이 있다.

방적 紡績 | 실뽑을 방, 실낳을 적 [spinning]
동식물의 섬유를 가공하여 실을 뽑는[紡=績] 일.

방직 紡織 | 실뽑을 방, 짤 직 [spinning and weaving]
❶속뜻 실을 뽑아[紡] 피륙을 짬[織]. ❷실을 뽑아서 천을 짬. ¶방직산업 / 방직공장.

• 역순어휘

혼:방 混紡 | 섞을 혼, 실뽑을 방 [mixed spinning]
성질이 다른 섬유를 섞어서[混] 짜는[紡] 일. 또는 그 실로 짠 옷감.

1934 [봉]

縫

꿰맬 봉

部 糸부 劃 17획

中 缝 [féng, fèng]

縫자는 실로 '꿰매다'(sew; stitch)는 뜻을 나타내기 위하여 만든 것이었으니 '실 사'(糸)가 표의요소로 쓰였다. 逢(만날 봉)은 표음요소일 따름이다(蓬 쑥 봉, 烽 연기 자욱할 봉). 후에 '바느질하다'(do needlework; sew), '꿰어 맞추다'(stitch; mend; patch up) 등으로 확대 사용됐다.

봉제 縫製 | 꿰맬 봉, 만들 제 [sew]
재봉틀 따위로 박거나 꿰매어[縫] 만듦[製]. ¶봉제 인형.

• 역순어휘

가:봉 假縫 | 임시 가, 꿰맬 봉 [fit; bast]
양복을 임시로[假] 듬성듬성 시쳐 놓는 바느질[縫]. 또는 그런 옷. ¶그녀는 웨딩드레스를 가봉했다.

재봉 裁縫 | 마를 재, 꿰맬 봉 [sew; do needlework]
옷감을 말라서[裁] 바느질함[縫]. 또는 그 일. ¶어머니는 재봉을 잘하신다.

1935 [선]

繕

기울 선:

部 糸부 劃 18획 中 缮 [shàn]

繕자는 실로 떨어진 곳을 '깁다'(patch; knit up)는 뜻을 나타내기 위하여 만든 것이었으니 '실 사'(糸)가 표의요소로 쓰였다. 善(착할 선)은 표음요소일 따름이다(참고, 膳 반찬 선). 후에 '고치다'(mend; repair), '손보다'(care for; repair) 등으로 확대 사용됐다.

• 역순어휘

수선 修繕 | 고칠 수, 기울 선 [repair(s); mending]
낡거나 허름한 것을 기워서[繕] 고침[修]. ¶구두를 수선하다.

영선 營繕 | 지을 영, 기울 선 [build and repair]
건축물 따위를 새로 짓거나[營] 수리함[繕]. ¶영선계획.

1936 [섬]

纖

가늘 섬

部 糸부 劃 23획 中 纤 [xiān]

纖자는 실이 '가늘다'(thin; slender; slim)는 뜻을 나타내기 위하여 만든 것이었으니 '실 사'(糸)가 표의요소로 쓰였다. 오른쪽의 것이 표음요소임은 殲(다 죽일 섬), 孅(가늘 섬), 攕(손 길고 고울 섬)도 마찬가지다.

섬세 纖細 | 가늘 섬, 가늘 세 [be delicate]
❶속뜻 매우 자잘하고[纖] 가늘음[細]. ❷자질구레한 일에까지 아주 찬찬하고 세밀하다. ¶어머니는 모든 일을 섬세하게 처리한다.

섬유 纖維 | 가늘 섬, 밧줄 유 [fiber; textiles]
생물 가는[纖] 밧줄[維]이나 실모양의 물질. 동식물의 세포나 원형질(原形質)이 분화하여 실 모양이 된 것. ¶목화로 천연 섬유를 만들다.

1937 [소]

紹

이을 소
㉮ 糸부 ㉯ 11획 ㊥ 绍 [shào]

紹자는 떨어진 실을 '잇다'(connect; link)는 뜻을 위하여 만든 것이었으니 '실 사'(糸)가 표의요소로 쓰였다. 召(부를 소)는 표음요소이니 뜻과는 무관하다(참고, 昭 밝을 소, 沼 늪 소).

소개 紹介 | 이을 소, 끼일 개 [introduce]
❶속뜻 중간에 끼여[介] 서로의 관계를 맺어 줌[紹]. ¶우리는 친구 소개로 만났다. ❷알려지지 않은 것을 알게 해 줌. ¶책의 줄거리를 간단히 소개해 주세요.

1938 [신]

紳

띠[帶] 신:
㉮ 糸부 ㉯ 11획 ㊥ 绅 [shēn]

紳자는 실로 엮은 '큰 띠'(a band; a string)를 뜻하기 위하여 만든 것이었으니 '실 사'(糸)가 표의요소로 쓰였다. 申(납 신)은 표음요소로 뜻과는 아무런 상관이 없다(伸 펼 신, 抻 늘일 신). 그 띠는 고급관리들이 차는 것이므로 '고귀한 사람'(a noble man; a man of rank)을 지칭하기도 했다.
속뜻훈음 큰 띠 신.

신:사 紳士 | 큰 띠 신, 선비 사 [gentleman]
❶속뜻 허리에 큰 띠[紳]를 두른 선비[士]. '紳'은 옛날 중국에서 예의를 갖춰 입을 때 사용한 넓은 띠를 가리킨다. ❷점잖고 교양이 있으며 예의 바른 남자. ¶중년 신사. ❸보통의 남자를 대접하여 이르는 말. ¶신사 숙녀 여러분!

1939 [종]

綜

모을 종
㉮ 糸부 ㉯ 14획 ㊥ 综 [zōng]

綜자는 실로 피륙을 짤 때 제구의 하나인 '바디'(a reed; a hackle)를 뜻하기 위하여 만든 것이었으니 '실 사'(糸)가 표의요소로 쓰였다. 宗(마루 종)은 표음요소일 따름이다(琮 옥홀 종, 踪 자취 종). 바디가 왔다 갔다 하면서 천이 짜지므로 '모으다'(gather; get together)는 뜻을 나타내기도 했다.

종합 綜合 | 모을 종, 합할 합 [synthesize; put together]
여러 가지를 한데 모아[綜] 합(合)함. ¶종합 검진을 받아보다 / 여러 의견을 종합하다.

• 역순어휘

착종 錯綜 | 섞일 착, 모을 종 [synthesize]
여러 가지 사물이나 현상이 뒤섞여[錯] 모임[綜].

1940 [체]

締

맺을 체
㉮ 糸부 ㉯ 15획 ㊥ 缔 [dì]

締자는 실을 얽어서 '단단히 맺다'(tie up; knot)는 뜻을 나타내기 위하여 만든 것이었으니 '실 사'(糸)가 표의요소로 쓰였다. 帝(임금 제)가 표음요소로 쓰였음은 諦(살필 체), 揥(빗치개 체) 등도 마찬가지다. 후에 뒤얽혀 '풀리지 않다'(don't come untied), 또는 벗·인연·조약 따위를 '맺다'(contract; form)는 뜻으로 확대 사용됐다.

체결 締結 | 맺을 체, 맺을 결 [sign; conclude contract]
계약이나 조약을 맺음[締=結]. ¶두 나라 사이에 조약이 체결되다.

• 역순어휘

결체 結締 | 맺을 결, 맺을 체 [tie up]
단단히 졸라맴[結=締]. ¶이 조직은 동물체의 기관들을 결체하는 역할을 한다. ㊐결합(結合).

1941 [패]

霸

으뜸 패:
㉮ 雨부 ㉯ 19획 ㊥ 霸 [bà]

霸자는 霸(으뜸 패)의 속자이다. 霸는 '달 월'(月)이 표의요소이고 그 나머지는 표음요소이다. 본래 '매월 초이틀이나 초사흘에 뜨는 달'을 지칭하는 것이었다. 후에 여러 제후들이 연맹을 맺을 때 최고 '우두머리'를 지칭하는 것으로 쓰이자 '으뜸'(the first; the best)이라는 뜻도 겸하게 됐다.

패:권 霸權 | =覇權, 으뜸 패, 권세 권 [supremacy; mastery]
❶속뜻 어떤 무리의 으뜸[霸]이 되어 누리는 권세(權勢). ❷어떤 분야에서 1등을 차지함. ¶전국 대회 패권을 노리

다.

패 : 기 霸氣 | 으뜸 패, 기운 기
[spirit; vigor; ambition]
❶속뜻 어떤 무리의 으뜸[霸]이 되려는 기백(氣魄). ❷적극적으로 일을 해내려는 기운. ¶그는 젊은 패기를 앞세워 사업을 시작했다.

• 역순어휘

제 : 패 制霸 | 누를 제, 으뜸 패
[conquer; dominate]
❶속뜻 적을 누르고[制] 패권(霸權)을 차지함. ¶나폴레옹은 한때 유럽을 제패했다. ❷경기 따위에서 우승함. ¶선수들은 이제 올림픽 제패를 꿈꾸고 있다.

1942 [한]

翰 편지 한:
部 羽부 劃 16획 中 翰 [hàn]

翰자는 새의 '깃'(a feather; a plume)을 뜻하기 위하여 만든 것이었으니, '깃 우'(羽)가 표의요소로 쓰였다. 그 나머지가 표음요소임은 榦(글가리 한), 翰(흰 꿩 한) 등도 마찬가지다. 붓의 대용으로 글을 쓰는 예가 많아 '붓'(a writing brush; a paintbrush), '글'(writings; a composition), '학자'(a scholar; an erudite)를 뜻하는 것으로 확대 사용됐다.
속뜻훈음 ①붓 한, ②글 한.

한 : 림 翰林 | 글 한, 수풀 림 [Royal archivist]
❶속뜻 한묵(翰墨)에 뛰어난 사람들을 숲[林]에 비유한 말. ❷역사 신라 때, 예문관의 관직을 이르던 말.

한 : 묵 翰墨 | 붓 한, 먹 묵 [pen and ink; writing]
❶속뜻 붓[翰]과 먹[墨]. ❷'글을 쓰는 일'을 이르는 말.

• 역순어휘

공한 公翰 | 공적 공, 글 한 [official letter]
공적(公的)인 편지[翰]. ¶그들은 대사관에 공한을 보내서 협조를 부탁했다. 반 사한(私翰).

서한 書翰 | 글 서, 글 한 [letter; epistle]
소식을 전하기 위한 글[書=翰]. 비 편지(便紙).

1943 [교]

膠 아교 교
部 肉부 劃 15획 中 胶 [jiāo]

膠자는 쇠가죽을 진하게 고아서 굳힌 '갖풀'(=아교, glue)을 뜻하기 위하여 '고기 육'(肉→月)이 표의요소로 쓰였고, 翏(높이 날 료)가 표음요소로 쓰였음은 嵺(우뚝 솟을 교), 嘐(닭 울 교)도 마찬가지다.
속뜻훈음 ①갖풀 교, ②아교 교.

교착 膠着 | 아교 교, 붙을 착 [glue to; adhere to]
❶속뜻 아교(阿膠)처럼 아주 단단히 달라붙음[着]. ❷어떤 상태가 굳어 조금도 변동이나 진전이 없이 머묾. ¶교착 상태에 빠지다.

• 역순어휘

아교 阿膠 | 언덕 아, 갖풀 교
[glue (made from oxhide)]
당나귀 가죽을 진하게 고아서 굳힌 끈끈한 것[膠]. 주로 풀로 쓰는데 지혈제나 그림을 그리는 재료로도 사용한다. 중국 산동 지방의 '아'(阿)씨 성(姓)을 가진 아가씨가 유행병을 치료하기 위하여 만든 것으로, 병이 나은 사람들이 그녀에 대한 고마움을 마음속에 새기고자 '아교'(阿膠)라고 이름지었다는 설이 있다.

1944 [담]

膽 쓸개 담:
部 肉부 劃 17획 中 胆 [dǎn]

膽자는 '쓸개'(the gall bladder; the gall)를 뜻하기 위하여 만든 것이었으니 인체의 일부임을 가리키는 '살 육'(肉→月)이 표의요소로 쓰였다. 詹(이를 첨)이 표음요소로 쓰였음은 澹(담박할 담), 擔(멜 담)도 마찬가지다. 중국 고대 의술에서는 용감한 마음이나 생각이 쓸개에서 나온다고 생각했으므로 그러한 뜻으로 쓰인 예가 많다.

담 : 대 膽大 | 쓸개 담, 클 대 [bold; intrepid]
❶속뜻 담력(膽力)이 큼[大]. ❷겁이 전혀 없고 배짱이 두둑함. ¶그의 담대함에 놀랐다. 비 대담(大膽)하다.

담 : 력 膽力 | 쓸개 담, 힘 력
[pluck; courage]
❶속뜻 대담(大膽)한 정도나 힘[力]. ❷겁이 없고 용감한 기운. ¶담력을 기르다. 비 배짱.

• 역순어휘

간 : 담 肝膽 | 간 간, 쓸개 담
[one's innermost heart]
❶속뜻 간(肝)과 쓸개[膽]. ¶간담이 떨어질 뻔 했다. ❷속마음. ¶간담을 비추다.

낙담 落膽 | 떨어질 락, 쓸개 담 [be discouraged; be disappointed]
❶속뜻 너무 놀라서 간담(肝膽)이 떨어지는[落] 듯함. ❷바라던 일이 뜻대로 되지 않아 마음이 몹시 상함. ¶그렇게 낙담하지 마라. ㊥낙심(落心), 실망(失望).

대:담 大膽 | 큰 대, 쓸개 담 [bold; daring]
❶속뜻 매우 큰[大] 쓸개[膽]. ❷담력이 크고 용감함. ¶대담하게 행동하다.

웅담 熊膽 | 곰 웅, 쓸개 담 [bear's gall]
한의 바람에 말린 곰[熊]의 쓸개[膽]. ¶이 약은 웅담으로 만든 것이다.

1945 [막]

膜

막/꺼풀 막
㊀ 肉부 ㊁ 15획 ㊥ 膜 [mó]

膜자는 동식물체 내부의 근육 및 모든 기관을 싸고 있는 '(얇은) 꺼풀'(a membrane; a film.)을 뜻하기 위하여 만든 것이었으니 '고기 육'(肉→月)이 표의요소로 쓰였다. 莫(없을 막)은 뜻과 무관한 표음요소이다(幕 막 막, 漠 사막 막).

• 역순어휘

각막 角膜 | 뿔 각, 꺼풀 막 [cornea]
의학 눈알의 앞쪽에 나지막한 뿔[角]처럼 약간 볼록하게 나와 있는 투명한 꺼풀[膜]. ¶각막이 손상되다. ㊥안막(眼膜).

결막 結膜 | 맺을 결, 꺼풀 막 [conjunctiva]
의학 눈꺼풀 안과 눈알의 겉을 싸서 연결(連結)하는 무색 투명한 얇은 꺼풀[膜].

고막 鼓膜 | 북 고, 꺼풀 막 [tympanum]
의학 귓구멍 안쪽에 있는 북[鼓] 모양의 둥글고 얇은 꺼풀[膜]. 공기의 진동에 따라 이 막이 울려 소리를 듣게 한다. ¶폭탄 소리에 고막이 터지다.

늑막 肋膜 | 갈비 륵, 꺼풀 막 [pleura]
의학 폐의 표면과 흉곽의 내면을 싸고 있는[肋] 꺼풀[膜]. ㊥흉막(胸膜).

망막 網膜 | 그물 망, 꺼풀 막 [retina]
의학 안구의 가장 안쪽에 시신경(視神經)이 그물[網]처럼 분포되어 있는 꺼풀[膜].

점막 粘膜 | 끈끈할 점, 꺼풀 막 [mucous membrane; mucosa]
의학 소화관, 기도, 비뇨 생식도 따위의 안쪽을 덮고 있는 부드럽고 끈끈한[粘] 꺼풀[膜]을 통틀어 이르는 말.

1946 [부]

膚

살갗 부
㊀ 肉부 ㊁ 부 ㊂ 15획 ㊥ 肤 [fū]

膚자는 신체의 일부인 '살갗'(the skin; complexion)을 뜻하기 위하여 만든 것이니 '고기 육'(肉)이 표의요소로 쓰였다. 원래 臚(살갗 려)의 이체자이다. 虍와 田은 盧(밥그릇 로)를 줄여 쓴 것에서 유래된 것인데, [부]라는 음에서 보면 표음요소도 아니고 표의요소로도 볼 수 없는 애매한 글자다.

• 역순어휘

기부 肌膚 | 살 기, 살갗 부 [flesh; skin]
몸을 싸고 있는 살[肌]이나 살가죽[膚]. ¶그녀는 기부가 좋아서 아직 늙은 티가 나지 않는다.

피부 皮膚 | 겉 피, 살갗 부 [skin]
❶속뜻 겉[皮]면의 살갗[膚]. ❷동물 척추동물의 몸의 겉을 싸고 있는 조직. ¶아기는 피부가 부드럽다. ㊥살갗.

1947 [신]

腎

콩팥 신:
㊀ 肉부 ㊁ 12획 ㊥ 肾 [shèn]

腎자는 '콩팥'(the kidney)을 뜻하기 위하여 만든 것이었으니 인체의 일부임을 가리키는 '살 육'(肉→月)이 표의요소로 쓰였다. 상단의 것은 표음요소로 쓰인 것이라고 한다.

신:우 腎盂 | 콩팥 신, 사발 우 [pelvis of the kidney]
의학 척추동물의 콩팥[腎] 안에 있는 사발[盂]같이 빈 곳. 오줌이 세뇨관을 통하여 이곳에 모였다가 다시 수뇨관을 통하여 방광으로 빠져나간다.

신:장 腎臟 | 콩팥 신, 오장 장 [kidney]
의학 척추동물의 비뇨기와 관련된 콩팥[腎] 모양의 장기(臟器). ¶신장 이식 / 고혈압으로 신장이 나빠졌다.

• 역순어휘

보신 補腎 | 기울 보, 콩팥 신 [renew vitality]
보약(補藥)을 먹어 콩팥[腎]을 튼튼하게 하여 정력을 높임.

부:신 副腎 | 도울 부, 콩팥 신 [adrenal; suprarenal gland]
❶속뜻 콩팥[腎]의 기능을 도와 줌[副]. ❷의학 좌우의

콩팥 위에 있는 내분비샘. 피질(皮質)과 수질(髓質)로 나뉘어 있다.

1948 [지]

脂

기름 지
部 肉부 劃 10획 中 脂 [zhī]

脂자는 뼈 있는 동물의 기름진 '살코기'(lean meat; red meat)를 뜻하기 위하여 만든 것이었으니 '고기 육'(肉→月)이 표의요소로 쓰였다. 참고로, 뼈이 없는 동물의 살코기는 膏(살찔 고)라고 했다. 旨(맛있을 지)는 표음요소이다(指 손가락 지, 栺 나무 이름 지). 후에 '기름'(=비계, lard; fat), '기름진'(greasy; oily)등으로 확대 사용됐다.

지방 脂肪 | 기름 지, 기름 방 [fat]
❶속뜻 기름[脂=肪]. ❷생물 유지가 상온(常溫)에서 고체를 이룬 것. 생물체의 중요한 에너지 공급원이다.

• 역순어휘

연지 臙脂 | 연지 연, 기름 지 [rouge]
여자가 화장할 때 입술이나 뺨[臙]에 찍는 붉은 빛깔의 염료[脂]. ¶볼에 연지를 바르다.

유지 油脂 | 기름 유, 기름 지 [oils and fats]
화학 동식물에서 얻는 기름[油=脂]을 통틀어 이르는 말.

탈지 脫脂 | 벗을 탈, 기름 지 [remove fat]
기름이나 기름기[脂]를 빼어냄[脫].

1949 [태]

胎

아이밸 태
部 肉부 劃 9획 中 胎 [tāi]

胎자는 '아이를 배다'(conceive; become pregnant)는 뜻을 나타내기 위하여 만든 것이었다. '살 육'(肉→月)이 표의요소로 쓰였고, 台(별 태)는 표음요소이다(참고 殆 위태할 태, 颱 태풍 태). 후에 '태아'(an embryo; a fetus), '태'(the umbilical cord and the placenta), '조짐'(symptoms; signs) 등으로 확대 사용됐다.

하나 더!! 중국을 여행하다 보면 '充氣補胎'(충기보태)란 안내판을 곳곳에서 보게 된다. 한학자들이 그것을 보고 임신부에게 좋은 보약을 파는 곳으로 오인하였다는 일화가 있다. 사실은 빠진 바람[氣]을 넣고[充] 펑크 난 타이어[胎]를 때우는[補] 곳, 즉 '자전거방'을 가리킨다. 현대 중국어에서는 胎가 '타이어'(tire)를 뜻하기도 한다.

속뜻 훈음 ①아이 밸 태, ②태아 태.

태교 胎教 | 태아 태, 가르칠 교 [prenatal care]
뱃속의 태아(胎兒)에 대한 가르침[教]. 임산부가 마음을 바르게 하고 언행을 삼가 태아를 가르치는 일을 이른다. ¶클래식 음악으로 태교를 한다.

태기 胎氣 | 아이 밸 태, 기운 기 [signs of pregnancy]
아이를 밴[胎] 것 같은 기미(氣味). ¶아내가 태기를 보인다.

태동 胎動 | 태아 태, 움직일 동 [quicken; show signs of]
❶속뜻 태아(胎兒)가 움직임[動]. ¶아랫배에서 아기의 태동이 느껴진다. ❷어떤 일이 일어날 기운이 싹틈. ¶민족의식이 태동하다.

태몽 胎夢 | 아이 밸 태, 꿈 몽 [dream that one is going to get pregnant]
아기를 밸[胎] 징조로 꾸는 꿈[夢]. ¶어머니가 태몽을 꾸셨다고 한다.

태생 胎生 | 태아 태, 날 생 [viviparity; birth]
❶속뜻 어미의 뱃속에서 태아(胎兒)의 형태로 태어남[生]. ¶포유류는 대개 태생 동물이다. ❷어떠한 곳에 태어남. ¶그는 일본 태생이다.

태아[1] 胎兒 | 아이 밸 태, 아이 아 [unborn child]
의학 아이를 밴[胎] 어머니의 몸 안에서 자라고 있는 아기[兒]. ¶태아가 머리를 밑으로 두고 있다.

태아[2] 胎芽 | 아이 밸 태, 싹 아 [propagule; bulbil]
❶식물 태(胎)에서 자란 싹[芽]. 양분을 저장했다가 저절로 떨어져 나가 하나의 개체가 되는 싹. ❷동물 척추동물의 임신 후 2개월까지의 수정란.

태엽 胎葉 | 아이 밸 태, 잎 엽 [(coil) spring]
시계나 장난감 따위의 기계 안[胎]에 있는 잎[葉] 모양의 부속품. ¶태엽이 다 풀리자 장난감 자동차가 멈췄다.

• 역순어휘

낙태 落胎 | 떨어질 락, 태아 태 [abort]
❶의학 인위적으로 태아(胎兒)를 모체로부터 떼어냄[落]. 또는 그 태아. ¶낙태를 반대하다. ❷태아가 달이 차기 전에 죽어서 나옴. 비 유산(流産).

모:태 母胎 | 어머니 모, 아이 밸 태 [mother's womb; matrix]
❶속뜻 어미[母]의 태(胎) 안. ❷사물이 발생하거나 발전하는 데 바탕이 된 토대. ¶로마는 서양 문명의 모태가 되었다.

잉:태 孕胎 | 아이 밸 잉, 아이 밸 태 [conceive]
아이를 뱀[孕=胎]. [비]임신(妊娠).

1950 [라]

裸

벗을 라:
[部] 衣부 [劃] 13획 [中] 裸 [luǒ]

裸자는 옷을 벌거벗은 '알몸'(a naked body)을 뜻하기 위하여 만든 것이었으니 '옷 의'(衣)가 표의요소로 쓰였다. 果(실과 과)가 표음요소였다. 원래 嬴(벌거벗을 라, 아랫부분 중간의 果를 衣로 써야 하는데, 한자 폰트를 만들 때 착오로 잘못 되었음)로 쓰다가 표음요소가 대폭 간단하게 바뀐 裸로 대체됐다. 倮(알몸 라)로 쓰기도 했으나 裸만큼 인기를 얻지는 못했다. 후에 '벌거벗다'(strip oneself bare), '숨김없다'(frankly; openly) 등으로 확대 사용됐다.

[속뜻훈음] 벌거벗을 라.

나:맥 裸麥 | 벌거벗을 라, 보리 맥 [rye]
❶[속뜻] 껍질이 잘 벗어지는[裸] 보리[麥]. ❷[식물] 보리의 한 품종. 씨알이 성숙하여도 작은 껍질과 큰 껍질이 잘 벗어지는 특성이 있다. [비]쌀보리.

나:목 裸木 | 벌거벗을 라, 나무 목 [bare tree]
잎이 지고 가지만 앙상히 남은 벌거벗은[裸] 나무[木]. ¶겨울 산의 나목이 맨몸으로 찬바람을 맞고 있었다.

나:체 裸體 | 벌거벗을 라, 몸 체 [nude]
벌거벗은[裸] 몸[體]. [비]알몸.

• 역순어휘

반:라 半裸 | 반 반, 벌거벗을 라
[seminudity; half-naked body]
옷 따위를 반(半)쯤만 벗음[裸]. '반나체'(半裸體)의 준말.

전라 全裸 | 모두 전, 벌거벗을 라
[nudity; nakedness]
옷을 완전(完全)히 벗음[裸].

1951 [충]

衷

속마음 충
[部] 衣부 [劃] 10획 [中] 衷 [zhōng]

衷자는 글자의 구조와 획수에 유의해야 한다. 衣 + 中의 구조이니 총 10획이 옳은데 구조와 상관없이 쓰다 보면 9획으로 오인하기 쉽다. 속[中]에 입은 옷, 즉 '속옷'(underwear; an undergarment)이 본래 의미였으니 '옷 의'(衣)가 표의요소로 쓰였다. 中(가운데 중)이 표음요소를 겸하는 것은 忠(충성 충), 忡(근심할 충), 沖(빌 충)을 봐도 알 수 있다. 후에 '가운데'(the center; the heart), '속마음'(one's innermost feelings), '심정'(one's heart) 등으로 확대 사용됐다.

충심 衷心 | 속마음 충, 마음 심
[one's true heart]
마음속[衷]에서 우러나온 참된 마음[心]. ¶충심으로 기원하다. [비]충정(衷情).

충정 衷情 | 속마음 충, 마음 정
[one's true feeling; one's inmost heart]
속[衷]에서 우러나오는 따뜻한 마음[情]. ¶충정으로 권고하다. [비]충심(衷心).

고충 苦衷 | 괴로울 고, 속마음 충
[difficulties; predicament]
❶[속뜻] 괴로운[苦] 속마음[衷]. ❷어려운 사정. ¶다른 사람의 고충을 헤아리다.

절충 折衷 | 꺾을 절, 속마음 충
[compromise; blend]
❶[속뜻] 각자의 속마음[衷]을 조금씩 꺾어[折] 타협을 모색함. ❷어느 편으로 치우치지 않고 이것과 저것을 취사(取捨)하여 알맞게 함. ¶의견절충 / 서로의 생각을 절충하다.

1952 [박]

舶

배 박
[部] 舟부, 총 11획 [中] 舶 [bó]

舶자는 '큰 배'(a vessel; a ship)를 뜻하는 것이었으니, '배 주'(舟)가 표의요소로 쓰였다. 白(흰 백)은 뜻과 무관한 표음요소이다(참고 迫 닥칠 박, 泊 배 댈 박, 珀 호박 박).

[속뜻훈음] 큰배 박.

• 역순어휘

대:박 大舶 | 큰 대, 큰 배 박
[big win; great success; big hit]
❶[속뜻] 바다에서 쓰는 큰[大] 배[舶]. ❷'큰 물건'이나 '큰 이득'을 비유하여 이르는 말. [비]대선(大船).

선박 船舶 | 배 선, 큰 배 박
[vessel; ship]
배[船=舶]. 주로 규모가 큰 축에 드는 배를 이르는 말. ¶대형 선박을 건조하다.

1953 [정]

艇 거룻배 정
㊇ 舟부 ㊀ 13획 ㊥ 艇 [tǐng]

艇자는 좁고 긴 '거룻배'(a lighter; a sampan)를 뜻하는 것이었으니 '배 주'(舟)가 표의요소로 쓰였다. 廷(조정 정)은 뜻과 무관한 표음요소이다(참고 挺 뺄 정, 鋌 쇳덩이 정).

• 역순어휘

쾌정 快艇 | 빠를 쾌, 거룻배 정 [speedboat]
속도가 매우 빠른[快] 소형의 배[艇]. ¶바다 저쪽에서 쾌정이 나타났다.

함:정 艦艇 | 싸움배 함, 거룻배 정 [naval vessel]
군사 큰 군함(軍艦)과 작은 거룻배[艇].

1954 [함]

艦 싸움배 함:
㊇ 舟부, 총 20획 ㊥ 舰 [jiàn]

艦자는 '싸움배'(a battleship; a warship)를 뜻하기 위하여 만든 것이었으니 '배 주'(舟)가 표의요소로 쓰였다. 監(볼 감)이 표음요소임은 檻(우리 함), 轞(범벅 함)도 마찬가지다.

함:대 艦隊 | 싸움배 함, 무리 대 [fleet]
군사 여러 군함(軍艦)으로 이루어진 편대(編隊). ¶스페인은 무적 함대를 이끌고 영국으로 향했다.

함:선 艦船 | 싸움배 함, 배 선 [warships and other ships]
군함(軍艦)과 선박(船舶).

함:정 艦艇 | 싸움배 함, 거룻배 정 [naval vessel]
군사 큰 군함(軍艦)과 작은 거룻배[艇].

• 역순어휘

군함 軍艦 | 군사 군, 싸움배 함 [warship; battleship]
군사 해군(海軍)에 소속되어 있는 배[艦]. 흔히 전투에 참여하는 모든 배를 이른다.

전:함 戰艦 | 싸울 전, 싸움배 함 [warship; battleship]
전투(戰鬪)에 쓰이는 군함(軍艦). ㊐군함(軍艦).

1955 [롱]

籠 대그릇 롱
㊇ 竹부 ㊀ 22획 ㊥ 笼 [lóng]

籠자는 대나무로 만든 '삼태기'(a straw basket)를 뜻하기 위하여 만든 것이었으니 '대 죽'(竹)이 표의요소로 쓰였다. 龍(용 룡)이 표음요소임은 聾(귀머거리 롱), 朧(흐릿할 롱)도 마찬가지다. 후에 '대그릇'(bamboo ware; a bamboo bowl)의 총칭으로 확대 사용됐다. 속에 넣고 '싸다'(wrap; pack), '놀리다'(banter; tease) 등으로도 쓰인다.

농구 籠球 | 대그릇 롱, 공 구 [basketball]
❶속뜻 대바구니[籠] 같은 바스켓에 공[球]을 던져 넣는 운동 경기. ❷운동 다섯 사람씩 두 편으로 나뉘어, 상대편의 바스켓에 공을 던져 넣어 얻은 점수의 많음을 겨루는 구기 운동. ¶일요일에 친구들과 농구를 했다.

농락 籠絡 | 대그릇 롱, 묶을 락 [cajole; toy with]
❶속뜻 대그릇[籠]에 묶어[絡] 넣음. ❷남을 교묘한 꾀로 휘잡아서 제 마음대로 놀리거나 이용함. ¶농락에 놀아나다 / 농락을 부리다. ㊐희롱(戲弄).

1956 [상]

箱 상자 상
㊇ 竹부 ㊀ 15획 ㊥ 箱 [xiāng]

箱자는 대나무로 만든 '통'(=상자, a cask; a barrel)을 뜻하는 것이었으니 '대 죽'(竹)이 표의요소로 쓰였다. 相(서로 상)은 표음요소로 뜻과는 무관하다.

상자 箱子 | 상자 상, 접미사 자 [box; case]
물건을 넣어 두기 위하여 나무, 대나무, 두꺼운 종이 같은 것으로 만든 네모난 그릇[箱]. ¶물건을 상자에 담아 운반하다.

• 역순어휘

암:상 暗箱 | 어두울 암, 상자 상 [magazine]
사진기에서 렌즈로만 빛이 들어오게 한 캄캄한[暗] 상자(箱子) 모양의 장치.

1957 [갈]

葛 칡 갈
㊇ 艸부 ㊀ 13획 ㊥ 葛 [gé, Gě]

葛자는 풀의 일종이라 할 수 있는 '칡'

(arrowroot vines)을 뜻하기 위하여 만든 것이었으니 '풀 초'(艸)가 표의요소로 쓰였다. 曷(어찌 갈)은 표음요소로 뜻과는 아무런 상관이 없다(참고 渴 목마를 갈, 暍 더위 먹을 갈, 竭 다할 갈).

갈건 葛巾 | 칡 갈, 수건 건
[hood made of arrowroot fiber]
갈포(葛布)로 만든 두건(頭巾). ¶그는 갈건을 쓰고 나타났다.

갈근 葛根 | 칡 갈, 뿌리 근 [root of an arrowroot]
칡[葛] 뿌리[根]. ¶갈근을 달여 먹다.

갈등 葛藤 | 칡 갈, 등나무 등 [trouble; conflict]
❶속뜻 칡[葛] 덩굴과 등(藤)나무 덩굴이 서로 뒤얽힘. ❷'견해·주장·이해 등이 뒤엉킨 반목·불화·대립·충돌'을 비유하여 이르는 말.

갈포 葛布 | 칡 갈, 베 포 [arrowroot cloth]
칡[葛]의 줄기에서 나온 섬유질로 짠 베[布]. ¶갈포로 벽지를 만들다.

1958 [과]

菓 과자/실과 과
部 艸부 劃 12획 中 菓 [guǒ]

菓자의 본래 글자는 果(#0177)이다. 이것은 '열매'(=과일, fruit)를 뜻하기 위하여 나무에 열매가 달린 모습을 본뜬 것이었다. 후에 다른 뜻으로 많이쓰이자, 본뜻을 더욱 분명하게 나타내기 위하여 '풀 초'(艸)라는 표의요소를 덧붙인 것이 菓자다. '나무 목'을 덧붙이자니 棵(나무 이름 과)와 똑같아질 것 같아 하는 수 없이 艸를 덧붙인 것으로 추정된다.

속뜻훈음 ①과일 과, ②과자 과.

과자 菓子 | 과일 과, 접미사 자
[sweets; confectionery]
과일[菓]같은 간식용 식품[子]. ¶유밀과는 한국 전통의 과자이다.

• 역순어휘

다과 茶菓 | 차 다, 과자 과 [tea and cookies]
'차'[茶]와 '과자'(菓子). ¶다과를 내오다.

약과 藥菓 | =藥果, 약 약, 과자 과
❶속뜻 약(藥)처럼 정성을 들여 만든 과자(菓子). ❷밀가루를 기름과 꿀에 반죽하여 기름에 지진 유밀과의 한 가지. ❸감당하기 어렵지 않은 일. ¶그 정도면 약과다.

유과 油菓 | 기름 유, 과자 과
[oil-and-honey pastry]
기름[油]에 튀겨 꿀 또는 조청을 바르고 튀밥이나 깨를 입힌 과자(菓子). ¶어머니는 할머니께 유과를 드렸다.
㊐ 유밀과(油蜜菓).

제:과 製菓 | 만들 제, 과자 과 [confectionery]
과자(菓子)나 빵을 만듦[製]. ¶제과 기술 / 제과회사.

한:과 漢菓 | 한나라 한, 과자 과
❶속뜻 한(漢)나라 방식으로 만든 과자[菓]. ❷밀가루를 꿀이나 설탕에 반죽하여 납작하게 만들어 기름에 튀겨 물들인 것으로 흔히 잔칫상이나 제사상에 놓는다.

1959 [등]

藤 등나무 등
部 艸부 劃 19획 中 藤 [teng]

藤자는 '등나무'(a wistaria)를 뜻하기 위하여 만든 것이었는데, '풀 초'(艸)가 표의요소로 쓰인 것은 아마도 당시 사람들은 그것을 나무라기보다는 풀의 일종으로 여겼나 보다. 아니면 '나무 목'(木)을 상하 또는 좌우 구조로 넣기가 곤란했기 때문일 수도 있을 듯. 그 나머지는 표음요소로 뜻과 무관하다.

• 역순어휘

갈등 葛藤 | 칡 갈, 등나무 등 [trouble; conflict]
❶속뜻 칡[葛] 덩굴과 등(藤)나무 덩굴이 서로 뒤얽힘. ❷'견해·주장·이해 등이 뒤엉킨 반목·불화·대립·충돌'을 비유하여 이르는 말.

자:등 紫藤 | 자줏빛 자, 등나무 등
[claret wistaria]
식물 자줏빛[紫] 꽃이 피는 등(藤)나무.

1960 [람]

藍 쪽 람
部 艸부 劃 18획 中 蓝 [lán]

藍자는 푸른 물감 채취용으로 쓰이는 풀, 즉 '쪽'(an indigo plant)을 뜻하기 위하여 만든 것이었으니 '풀 초'(艸)가 표의요소로 쓰였다. 監(볼 감)이 표음요소임은 濫(넘칠 람), 籃(바구니 람)도 마찬가지다. 후에 그 풀에서 채취된 빛깔, 즉 '쪽빛'(indigo; deep violet blue)을 뜻하는 것으로 확대 사용됐다.

남색 藍色 | 쪽 람, 빛 색 [deep blue]
쪽[藍]과 같은 짙은 푸른빛[色].

• 역순어휘

청람 青藍 | 푸를 청, 쪽 람 [blue coloring matter]
❶속뜻 푸른[靑] 쪽[藍]빛. ❷쪽의 잎에 들어 있는 천연적인 색소. 푸른색을 내는데 쓰인다.

1961 [멸]

蔑 업신여길 멸
部 艸부 획 15획 中 蔑 [miè]

蔑자는 '풀 초'(艸)가 표의요소로 쓰였다. '艹 + 罒'은 눈썹이 치켜 올라가도록 부릅뜬 눈 모양이 잘못 바뀐 것이다. 戍(지킬 수)는 도끼나 창 같은 무기를 들고 있는 모습을 본뜬 것이다. 무기를 들고 눈을 부릅뜨고 지켜보는 모습으로 '업신여기다'(despise; slight)는 뜻을 나타낸 것이 자못 흥미롭다.

멸시 蔑視 | 업신여길 멸, 볼 시 [despise; scorn]
남을 업신여겨[蔑] 봄[視]. 깔봄. ¶가난하다고 멸시하면 안 된다. ⓑ무시(無視), 백안시(白眼視). ⓑ존경(尊敬).

• 역순어휘

경멸 輕蔑 | 가벼울 경, 업신여길 멸 [contempt; scorn]
남을 가벼이[輕]보고 업신여김[蔑]. ¶남을 경멸해서는 안 된다. ⓑ멸시(蔑視). ⓑ존경(尊敬).

능멸 凌蔑 | 깔볼 릉, 업신여길 멸 [despise; scorn]
깔보며[凌] 업신여김[蔑]. ¶감히 나를 능멸하다니!

모:멸 侮蔑 | 깔볼 모, 업신여길 멸 [despise; scorn]
깔보고[侮] 업신여김[蔑]. 모욕(侮辱)하고 멸시(蔑視)함. ¶모멸에 찬 눈초리로 바라보다 / 그를 거지라고 모멸하다.

1962 [삼]

蔘 삼 삼
部 艸부 획 15획 中 蔘 [shēn]

蔘자는 우리나라 특산품인 '인삼'(ginseng)을 나타내기 위하여 우리나라 사람들이 창안해 낸 글자다. 풀의 일종으로 보았기에 '풀 초'(艸)가 표의요소로 발탁하고, 한 음절로는 [삼]이라 하였기에 參(석 삼)을 표음요소로 취했으니 기막히게 잘 만든 것이다. 더욱이 蔘자는 인삼의 모양을 연상시키는 장점도 있다. 이렇듯 '메이드 인 코리아' 한자를 일러 國字(국자)라고 하는데, 이것 말고도 畓(논 답, #1707), 乭(이름 돌), 旕(땅 이름 엇) 등도 있다. 참고로 중국에서는 한 글자가 아니라 2음절인 '人參'[rénshēn]이란 단어로 쓴다.
속뜻훈음 **인삼 삼**.

• 역순어휘

산삼 山蔘 | 메 산, 인삼 삼 [wild ginseng]
식물 깊은 산(山)속에 저절로 나서 자란 삼(蔘). ¶심마니가 산삼을 캤다. ⓑ가삼(家蔘).

인삼 人蔘 | 사람 인, 인삼 삼 [ginseng]
식물 두릅나뭇과의 다년초로, 약용으로 재배하는 식물. 뿌리가 사람[人] 형상을 한 삼(蔘)이라 하여 붙여진 이름이다.

해:삼 海蔘 | 바다 해, 인삼 삼 [sea cucumber]
❶속뜻 바다[海]의 인삼(人蔘) 같은 동물. ❷동물 온몸에 밤색과 갈색의 반문이 있는 동물. 입 둘레에 많은 촉수가 있고 배에 세로로 세 줄의 관족(管足)이 있다.

1963 [원]

苑 나라 동산 원
部 艸부 획 9획 中 苑 [yuàn]

苑자는 임금이 사냥을 즐길 수 있도록 짐승들을 방목하고 초목을 잘 가꾸어 놓은 '동산'(a hill; a garden)을 뜻하기 위하여 만든 것이었으니 '풀 초'(艸)가 표의요소로 쓰였다. 夗(누워 뒹굴 원)이 표음요소이다(참고, 怨 원망할 원, 婉 순직할 원).
속뜻훈음 **①나라 동산 원, ②동산 원**.

• 역순어휘

금:원 禁苑 | 금할 금, 나라 동산 원 [palace garden]
❶속뜻 일반인의 출입을 금지(禁止)한 동산[苑]. ❷예전에, 궁궐 안에 있던 동산이나 후원. ⓑ비원(祕苑), 어원(御苑).

문원 文苑 | 글월 문, 동산 원 [literary world]
문인(文人)들의 사회[苑]. ⓑ문단(文壇).

비:원 祕苑 | 숨길 비, 동산 원 [palace garden]
❶속뜻 일반 사람의 출입을 금하는 신비로운[祕] 궁궐과 동산[苑]. ❷고적 서울 창덕궁 북쪽 울안에 있는 최대의 궁원. 임금의 소풍과 산책에 사용한 후원이다.

예:원 藝苑 | =藝園, 재주 예, 동산 원

[artist's society]
❶속뜻 예술(藝術)의 동산[苑]. ❷예술가들의 사회를 아름답게 이르는 말. ❸역사 전적(典籍)이 모이던 곳. ㊥예림(藝林).

필원 筆苑 | 붓 필, 동산 원 [writer's society]
❶속뜻 문필가(文筆家)들의 사회를 동산[苑]에 비유한 말. ❷옛날 명필들의 이름을 모아 적은 책.

후:원 後苑 | 뒤 후, 나라동산 원
[royal rear garden]
대궐 안의 뒤[後] 뜰에 만들어 놓은 동산[苑]. ¶왕비가 후원을 거닐고 있다.

1964 [만]

蠻

오랑캐 만
㊀ 虫부 ㊁ 25획 ㊥ 蛮 [mán]

蠻자는 고대 중국의 남방 지역에 거주하는 소수민족(a minority race; an ethnic group)을 지칭하기 위하여 만든 것이다. '벌레 충'(虫)이 표의요소로 쓰인 것은 그들을 깔보았기 때문인 듯. 그 위쪽의 것이 표음요소였음은 彎(굽을 만), 巒(뫼 만)의 경우도 같다. '오랑캐 만'이란 훈은 고대 중국인의 관념이 배어 있는 것이다. '미개인'(a savage), '야만인'(a barbarian) 같은 의미로 쓰였다.

만용 蠻勇 | 오랑캐 만, 날쌜 용 [foolhardiness]
오랑캐[蠻]같이 분별없이 함부로 날뛰는 용기(勇氣). ¶슬기로운 사람은 만용을 부리지 않는다.

만행 蠻行 | 오랑캐 만, 행할 행
[barbarity; savagery]
야만(野蠻)스러운 행위(行爲). ¶천인공노할 만행을 저지르다.

• 역순어휘 •

야:만 野蠻 | 들 야, 오랑캐 만
[savage; barbarous]
❶속뜻 들판[野]의 오랑캐[蠻]. ❷미개하여 문화 수준이 낮은 상태. 또는 그런 종족. ¶바이킹은 야만스럽게 이민족을 약탈했다.

1965 [융]

融

녹을 융
㊀ 虫부 ㊁ 16획 ㊥ 融 [róng]

融자는 따뜻한 흙에서 '김이 모락모락 피어나다'(steam; reek)는 뜻을 나타내기 위하여 그러한 모양을 본뜬 것이었다. 후에 따뜻한 흙 모양이 밥을 짓는 '솥 력'(鬲)으로 대체됐다. 김이 모락모락 피어나는 모습을 상징적인 부호로 나타낸 것이 蟲(충)으로 잘못 변화됐고, 다시 虫(훼/충)으로 간략화 되어 오늘에 이른다. '녹다'(melt; dissolve; thaw), '(녹아) 흐르다'(flow; run; stream), '화합하다'(combine) 등으로도 쓰인다.

융자 融資 | 녹을 융, 재물 자 [loan; lend]
자금(資金)을 융통(融通)함. 또는 융통한 자금. ¶학자금 융자 / 나는 은행에서 주택자금을 융자받았다.

융점 融點 | 녹을 융, 점 점
[melting point; fusing point]
화학 고체가 녹아서[融] 액체가 되기 시작하는 온도[點]. ㊥녹는점.

융통 融通 | 녹을 융, 통할 통 [lend; loan; finance]
❶속뜻 녹여[融] 잘 통(通)하게 함. ❷돈이나 물품 등을 빌려 씀. ¶제 사정이 급하니 돈을 조금만 융통해주세요.

융합 融合 | 녹을 융, 합할 합 [fusion; merger]
여럿을 녹여[融] 하나로 합(合)함. ¶양국의 상이한 문화를 융합하다.

융화 融和 | 녹을 융, 고를 화
[reconciled; harmony]
고르게[和] 잘 녹아서[融] 한 덩어리가 됨. ¶이 대회는 양국 간의 융화를 위한 것이다.

• 역순어휘 •

금융 金融 | 돈 금, 녹을 융
[finance; circulation of money]
❶속뜻 돈[金]의 융통(融通). ❷경제 자금의 수요와 공급의 관계.

용융 熔融 | =鎔融, 녹일 용, 녹을 융
[fuse; melt; dissolve]
화학 고체가 열에 녹아서[熔=融] 액체상태가 됨. ㊥융해(融解).

1966 [잠]

蠶

누에 잠
㊀ 虫부 ㊁ 24획 ㊥ 蚕 [cán]

蠶자의 갑골문은 '누에'(a silkworm)를 나타내기 위하여 그 꼬물꼬물하는 모양을 여실히 그린 것이었는데, 후에 그것을 두 개의 虫으로 대체하고 표음요소를 첨가한 것이 蠶자다(참고, 潛 자맥질 할 잠, 簪 비녀 잠). 총 획수가 24획이나 될 정도로 많아 쓰기 번거로워 蚕(지렁이 전)으로 바꾸어 쓰기도 한다.

잠사 蠶絲 | 누에 잠, 실 사 [silk thread]
누에고치[蠶]에서 뽑은 실[絲].

잠식 蠶食 | 누에 잠, 먹을 식 [encroach; eat into]
누에[蠶]가 뽕잎을 먹[食]듯이 점차 조금씩 침략하여 먹어 들어감. ¶외국 자본의 국내 시장 잠식이 우려되고 있다.

잠실 蠶室 | 누에 잠, 방 실
[silkworm-raising room]
❶ 속뜻 누에[蠶]를 치는 방[室]. ❷ 역사 중국에서 궁형에 처할 죄인을 가두던 감옥. 바람이 전혀 통하지 않는 밀실로 되어 있었다.

• 역순어휘

농잠 農蠶 | 농사 농, 누에 잠
[agriculture & sericulture]
농업(農業)과 잠업(蠶業). 농사짓기와 누에치기. ㊥농상(農桑).

양:잠 養蠶 | 기를 양, 누에 잠
[raise silkworms]
농업 누에[蠶]를 기름[養]. 또는 그 일.

춘잠 春蠶 | 봄 춘, 누에 잠
[spring breed of silkworms]
농업 봄[春]에 치는 누에[蠶]. 봄누에. ¶마을 사람들이 공동으로 춘잠을 쳐서 돈을 모았다.

1967 [학]

虐

모질 학
㊀ 虍부 ㊁ 9획 ㊥ 虐 [nüè]

虐자는 무시무시한 상황을 그린 것이다. 즉, 호랑이가 사람을 짓밟고 물어뜯는 형상이다. '호랑이 호'(虎)의 생략형인 '虍'(호)와 '사람 인'(人)의 변형이 합쳐진 것으로, '해치다'(injure; harm)가 본뜻이다. '모질다'(cruel; brutal), '사납다'(fierce) 등으로도 쓰인다.

학대 虐待 | 모질 학, 대우할 대 [cruelty]
혹독하고 모질게[虐] 대우(待遇)함. 심하게 괴롭힘. ¶동물 학대 / 아동 학대.

학살 虐殺 | 모질 학, 죽일 살 [massacre]
참혹하고 모질게[虐] 죽임[殺]. ¶전쟁 중에 많은 사람이 학살을 당했다.

학정 虐政 | 모질 학, 정치 정 [tyranny]
모질고[虐] 포악한 정치(政治). 국민을 괴롭히는 정치. ¶농민들은 학정을 견디다 못해 민란을 일으켰다.

• 역순어휘

자학 自虐 | 스스로 자, 모질 학 [torture oneself]
스스로[自] 자기를 학대(虐待)함. ¶어쩔 수 없는 일이었으니 자학하지 마라.

잔학 殘虐 | 해칠 잔, 모질 학 [cruel]
남을 마구 해치고[殘] 모질게[虐] 굶다. ¶잔학행위 / 밤에 잔학한 내용의 영화를 보면 무서운 꿈을 꾼다.

1968 [량]

輛

수레 량
㊀ 車부 ㊁ 15획 ㊥ 辆 [liàng]

輛자는 '수레'(a wagon; a cart)를 뜻하기 위하여 만든 것이다. '수레 거'(車)가 표의요소로 쓰였고, 兩(두 량)을 표음요소이다.

• 역순어휘

차량 車輛 | 수레 차, 수레 량
[car; traffic; carriage]
❶ 속뜻 열차(列車)의 한 칸[輛]. ¶차량 탈선 사고. ❷도로나 선로 위를 달리는 모든 차를 통틀어 이르는 말. ¶10톤 이상의 차량은 이 도로를 통행할 수 없다.

1969 [집]

輯

모을 집
㊀ 車부 ㊁ 16획 ㊥ 辑 [jí]

輯자는 수레의 '차체'(a car body)를 뜻하기 위하여 만든 것이었으니 '수레 거'(車)가 표의요소로 쓰였다. 咠(참소할 집)은 표음요소이다(참고 緝 낳을 집, 戢 그칠 집). '모으다'(get together; collect)는 뜻으로 많이 쓰인다.

• 역순어휘

특집 特輯 | 특별할 특, 모을 집
[special edition; supplement]
특별(特別)히 편집(編輯)함. 또는 그 편집물. ¶추석 특집 프로그램.

편집 編輯 | 엮을 편, 모을 집
[edit; compile]
❶ 속뜻 모은[輯] 것을 엮음[編]. ❷책이나 신문, 영화 필름이나 녹음테이프 따위를 일정한 방법으로 모아 정리함. ¶짜임새 있는 편집 / 그녀가 맡은 일은 교내 신문을 편집하는 것이었다.

1970 [축]

軸 굴대 축
㊀ 車부 ㊁ 12획
㊥ 轴 [zhóu, zhòu]

軸자는 수레의 '굴대'(an axle)를 지칭하기 위하여 만든 것이었으니 '수레 거'(車)가 표의요소로 쓰였다. 由(말미암을 유)가 표음요소임은 妯(동서 축), 舳(고물 축)도 마찬가지다.

축거 軸距 | 굴대 축, 떨어질 거 [wheelbase]
자동차의 앞 차축(車軸)과 뒤 차축 사이의 거리(距離).

• 역순어휘

주축 主軸 | 주될 주, 굴대 축 [main axis]
❶속뜻 몇 개의 축을 가진 도형이나 물체에서 중심을 이루는[主] 축(軸). ❷어떤 활동의 중심. ¶학생회가 주축이 되어 축제를 진행했다.

지축 地軸 | 땅 지, 굴대 축
[axis of the earth]
지리 ❶지구(地球)가 돌아가는 축(軸). 북극과 남극을 연결하는 축. ¶지구는 지축을 중심으로 자전한다. ❷대지의 중심. ¶지축을 뒤흔드는 요란한 소리.

1971 [등]

謄 베낄 등
㊀ 言부 ㊁ 17획 ㊥ 誊 [téng]

謄자는 말을 글로 '옮겨 쓰다'(make a copy of; transcribe)는 뜻을 위하여 만든 것이었으니 '말씀 언'(言)이 표의요소로 쓰였다. 그 나머지가 표음요소임은 騰(오를 등), 滕(봉할 등)도 마찬가지다. 후에 '베끼다'(copy; transcribe)는 뜻으로 확대 사용됐다.

등기 謄記 | 베낄 등, 기록할 기 [mimeograph]
원본을 베껴[謄] 적음[記]. ㊐등초(謄抄).

등록 謄錄 | 베낄 등, 기록할 록
[previous example]
베끼어[謄] 기록(記錄)함. 또는 선례(先例)를 적은 기록(記錄).

등본 謄本 | 베낄 등, 책 본 [copy; duplicate]
법률 원본(原本)을 똑같이 베낌[謄]. 또는 그런 서류. ¶등본을 떼다 / 주민등록등본.

등사 謄寫 | 베낄 등, 베낄 사
[copy; mimeograph]
❶속뜻 원본에서 베껴[謄=寫] 옮김. ❷출판 등사(謄寫)하는 기계로 찍음. ㊐등초(謄抄).

등초 謄抄 | =謄草, 베낄 등, 베낄 초 [transcribe; mimeograph]
원본에서 베껴(謄=抄) 옮김. ㊐등기(謄記).

1972 [류]

謬 그르칠 류
㊀ 言부 ㊁ 18획 ㊥ 谬 [miù]

謬자는 말이 '그르치다'(mistaken; wrong)는 뜻을 위하여 만든 것이었으니 '말씀 언'(言)이 표의요소로 쓰였다. 翏(높이 날 료)가 표음요소임은 勠(협력할 류), 漻(맑을 류)도 마찬가지다.

• 역순어휘

무류 無謬 | 없을 무, 그르칠 류 [infallibility]
오류(誤謬)가 없음[無].

오:류 誤謬 | 그르칠 오, 그르칠 류 [mistake]
❶속뜻 그르치거나[誤] 그릇됨[謬]. ❷이치에 맞지 않는 일. ¶오류를 범하다. ㊐잘못.

1973 [자]

諮 물을 자:
㊀ 言부 ㊁ 16획 ㊥ 谘 [zī]

諮자의 본래 글자는 咨(자)자이다. 咨자는 입으로 말을 주고받으며 '상의하다'(consult; confer)는 뜻을 위하여 만든 것이었으니 '입 구'(口)가 표의요소로 쓰였다. 次(버금 차)가 표음요소였음은 資(재물 자), 姿(맵시 자)도 마찬가지다. '말씀 언'(言)을 덧붙여 그 의미를 더욱 보강하기도 했다.

자:문 諮問 | 물을 자, 물을 문 [consult; inquire]
아랫사람이 윗사람에게 의견을 물음[諮=問]. ¶법률 자문 / 그는 경제 전문가에게 이 문제를 자문했다.

1974 [진]

診 진찰할 진:
㊀ 言부 ㊁ 12획 ㊥ 诊 [zhěn]

診자는 환자의 말을 듣고 증세를 '살펴보다'(examine)는 뜻을 위하여 만든 것이었으니 '말씀 언'(言)이 표의요소로 쓰였다. 오른쪽의 것이 표음요소임은 珍

(보배 진), 疹(홍역 진) 등도 마찬가지다.

속뜻훈음 **살펴볼 진.**

진:단 診斷 | 살펴볼 진, 끊을 단 [diagnose]
의학 의사가 환자의 병 상태를 살펴보아[診] 판단(判斷)하는 일. ¶의사의 진단을 받다 / 의사는 그의 병을 암으로 진단했다.

진:료 診療 | 살펴볼 진, 병고칠 료
[diagnose and treat]
의학 의사가 환자를 진찰(診察)하고 치료(治療)하는 일. ¶진료 시간 / 독거노인을 무료로 진료하다.

진:맥 診脈 | 살펴볼 진, 맥 맥
[examine the pulse]
한의 병을 진찰하기 위하여 손목의 맥(脈)을 짚어 보는[診] 일. ¶의원은 요모조모 진맥해 보더니 약을 지어 주었다.

진:찰 診察 | 살펴볼 진, 살필 찰
[examine; see a patient]
의학 의사가 여러 가지 방법으로 환자의 병이나 증상을 보고[診] 살핌[察]. ¶병원에 가서 진찰을 받다.

• 역순어휘

검:진 檢診 | 검사할 검, 살펴볼 진 [check up]
의학 병의 유무를 검사(檢査)하기 위한 진찰(診察). ¶건강 검진.

오:진 誤診 | 그르칠 오, 살펴볼 진 [misdiagnose]
의학 병을 잘못 그르치게[誤] 진단(診斷)하는 일. 또는 그런 진단. ¶그는 폐렴을 감기로 오진했다.

왕:진 往診 | 갈 왕, 살펴볼 진
[doctor's visit to a patient]
의사가 병원 밖의 환자가 있는 곳으로 가서[往] 진찰(診察)함. ¶선생님은 지금 왕진하러 가셨습니다.

청진 聽診 | 들을 청, 살펴볼 진
[auscultation; stethoscopy]
의학 의사가 환자의 몸 안에서 들리는 소리를 듣고[聽] 병증을 진단(診斷)하는 일.

타:진 打診 | 칠 타, 살펴볼 진
[examine by percussion; percuss]
❶ 의학 환자의 신체를 두드려서[打] 진찰(診察)하는 방법. ❷남의 의사를 알기 위하여 미리 떠봄. ¶그가 우리를 도울 의향이 있는지 타진해 보아야 한다.

회진 回診 | 돌 회, 살펴볼 진
[go the rounds of one's patients]
의사가 병실을 돌며[回] 진찰(診察)함. ¶회진 시간은 오전 10시이다 / 의사가 환자를 회진하다.

휴진 休診 | 쉴 휴, 살펴볼 진
[do not accept patients]
병원에서 진료(診療)를 쉼[休]. ¶오늘은 할머니의 담당 의사가 휴진이다.

1975 [첩]

諜

염탐할 첩
部 言부 劃 16획 中 谍 [dié]

諜자는 적군에 잠입하여 그네들이 하는 말을 몰래 엿듣는 '염탐꾼'(a spy)을 가리키기 위하여 만든 것이었으니 '말씀 언'(言)이 표의요소로 쓰였다. 오른쪽의 것이 표음요소임은 牒(글씨판 첩), 堞(성가퀴 첩) 등도 마찬가지다. '염탐하다'(spy)는 뜻으로 많이 쓰인다.

첩보 諜報 | 염탐할 첩, 알릴 보
[intelligence; secret information]
적의 형편을 염탐하여[諜] 알려[報]줌. ¶적 부대가 산을 넘어온다는 첩보가 들어왔다.

첩자 諜者 | 염탐할 첩, 사람 자
[spy; secret agent]
적의 형편이나 사정을 염탐하는[諜] 사람[者]. ¶우리 중에 적의 첩자가 있을지도 모른다. 비간첩(間諜).

• 역순어휘

간:첩 間諜 | 사이 간, 염탐할 첩
[spy; secret agent]
❶ 속뜻 사이[間]에 들어가 염탐함[諜]. ❷비밀을 몰래 알아내어 제공하는 사람. ¶간첩으로 의심되면 바로 신고하세요. 비첩자(諜者), 공작원(工作員), 첩보원(諜報員).

1976 [탁]

託

부탁할 탁
部 言부 劃 10획 中 托 [tuō]

託자는 '맡기다'(entrust; deposit)는 뜻을 위해 만든 글자다. 무엇을 맡길 때는 당부의 말이 빠질 수 없었을 테니 '말씀 언'(言)이 표의요소로 쓰였고, 乇(탁)은 표음요소일 따름이다. '부탁하다'(ask; beg; wish) 또는 이와 의미상 관련이 있는 낱말의 한 구성 요소로도 많이 쓰인다.

속뜻훈음 **①부탁할 탁, ②맡길 탁.**

탁아 託兒 | 맡길 탁, 아이 아 [child care]

어린 아이[兒]를 맡김[託]. ¶탁아 시설.

• 역순어휘 •

결탁 結託 | 맺을 결, 맡길 탁
[be in collusion with]
❶속뜻 서로 마음을 맺고[結] 맡김[託]. ❷주로 부정적인 어떤 일을 꾸미려고 서로 한통속이 됨. ¶권력 있는 사람들과 결탁했다.

기탁 寄託 | 부칠 기, 맡길 탁 [deposit; entrust]
물건이나 돈을 부쳐[寄] 주어 그 관리를 맡김[託]. ¶장학금을 기탁하다.

부:탁 付託 | 청할 부, 맡길 탁 [request; favor]
어떤 일을 청하여[付] 맡김[託]. ¶부탁을 들어주다.

신:탁 信託 | 믿을 신, 맡길 탁 [trust]
❶속뜻 믿고[信] 맡김[託]. ❷법률 일정한 목적에 따라 재산의 관리와 처분을 남에게 맡기는 일.

위탁 委託 | 맡길 위, 부탁할 탁 [entrust; consign]
❶법률 어떤 행위나 사무의 처리를 남에게 맡겨[委] 부탁(付託)하는 일. ¶전문 경영인에게 회사의 운영을 위탁했다. ❷남에게 사물이나 사람의 책임을 맡기는 것. ¶위탁교육.

청탁 請託 | 청할 청, 부탁할 탁
[ask; beg; request]
무엇을 해 달라고 청(請)하며 부탁(付託)함. ¶청탁을 넣다 / 빨리 처리해 줄 것을 청탁하다.

1977 [산]

酸 실[味覺] 산
(部) 酉부 (劃) 14획 (中) 酸 [suān]

酸자는 술독 같은 데에 넣고 발효시킨 것에서 나는 '신맛'(acidity; sourness)을 뜻하기 위하여 만든 것이었으니 '술독 유'(酉)가 표의요소로 쓰였다. 오른쪽의 것이 표음요소임은 狻(사자 산), 痠(저릴 산)도 마찬가지다. '산소'(oxygen) 또는 이와 의미상 연관이 있는 낱말의 한 구성 요소로도 쓰인다.

속뜻훈음 ①신맛 산, ②산소 산.

산성 酸性 | 산소 산, 성질 성 [acidity]
❶속뜻 산소(酸素)의 성질(性質). ❷화학 수용액에 서 이온화할 때, 수산 이온의 농도보다 수소 이온의 농도가 더 큰 물질. 수소 이온 농도 지수가 7미만으로 물에 녹으면 신맛을 내고 청색 리트머스 시험지를 붉게 만든다. ¶위액은 강한 산성을 띤다. (반)염기성(鹽基性).

산소 酸素 | 신맛 산, 바탕 소 [oxygen]
화학 공기의 주성분이면서 맛과 빛깔과 냄새가 없는 원소(元素). 1783년 라부아지에가 실험한 물의 분석에서 대부분 산(酸)의 성질을 가지는 기체 생성물이 나온다는 것을 발견하여 그리스어의 '신맛[酸]이 있다'는 뜻의 oxys와 '생성된다'는 뜻의 gennao를 합쳐 oxygen이라고 이름 붙였다. 기호는 'O'. ¶고지대에는 산소가 희박하다.

산화 酸化 | 산소 산, 될 화 [oxidize]
화학 어떤 물질이 산소(酸素)와 화합(化合)함. ¶철은 쉽게 산화된다. (반)환원(還元).

• 역순어휘 •

붕산 硼酸 | 붕산 붕, 산소 산 [boric acid]
화학 붕소(硼素)를 함유하는 무기산(無機酸). 진주광택이 나는 비늘 모양의 결정이나 가루.

염산 鹽酸 | 소금 염, 신맛 산 [hydrochloric acid]
화학 염화(鹽化) 수소로 만든 강한 산성(酸性) 물질. 순수한 것은 무색으로 물감, 간장, 합성수지, 조미료, 약품 따위를 만드는 데 쓴다.

유산 乳酸 | 젖 유, 신맛 산 [lactic acid]
화학 발효된 젖[乳] 속에 생기는 산(酸).

인산 燐酸 | 인 린, 신맛 산
[phosphoric acid]
화학 인(燐)을 물에 녹여 얻는 산성(酸性) 물질. 화학식은 H_3PO_4.

질산 窒酸 | 질소 질, 산소 산 [nitric acid]
화학 질소(窒素)와 산소(酸素), 수소로 된 강한 염기성 무기산의 하나.

탄:산 炭酸 | 숯 탄, 산소 산 [carbonic acid]
화학 이산화탄소(二酸化炭素)가 물에 녹아서 생기는 약한 산(酸).

황산 黃酸 | 누를 황, 산소 산 [sulfuric acid]
❶속뜻 누런[黃] 산화물(酸化物). ❷화학 무기산(無機酸)의 한 가지. 무색무취의 끈끈한 액체이며 질산 다음으로 산성이 강하다.

1978 [혹]

酷 심할 혹
(部) 酉부 (劃) 14획 (中) 酷 [kù]

酷자는 술맛이 지나치게 '진하다'(strong)는 뜻을 나타내기 위하여 만들어진 글자이니 '술 유'(酉)가 표의요소로 쓰였다. 告(알릴 고)가 표음요소였음은 음이 매우 흡사한 梏(쇠고랑 곡), 焅(가무는 기운 곡) 등을 통하여 알 수 있다. 후에 '독하다'(strong; hard), '심하다'(heavy; terrible; severe) 등으로 확대 사용됐다.
속뜻훈음 ①심할 혹, ②독할 혹.

혹독 酷毒 | 심할 혹, 독할 독 [severe; harsh]
❶속뜻 매우 심하게[酷] 독(毒)하다. ¶혹독한 훈련을 견디다. ❷마음씨나 하는 짓 따위가 모질고 독하다. ¶혹독하게 꾸짖다.

혹사 酷使 | 독할 혹, 부릴 사 [work hard]
혹독(酷毒)하게 부림[使]. ¶그는 평생 혹사당하는 노동자를 도왔다.

혹평 酷評 | 독할 혹, 평할 평 [criticize; severely]
혹독(酷毒)하게 평가(評價)함. 또는 그 비평. ¶그 소설은 혹평을 받고 있다. ⊕악평(惡評). ⊕호평(好評).

혹한 酷寒 | 심할 혹, 찰 한 [brutal cold]
몹시 심한[酷] 추위[寒]. ¶영하 25도의 혹한을 견디다.

• 역순어휘

가:혹 苛酷 | 매울 가, 독할 혹
[severe; merciless]
매우 모질고[苛] 독함[酷]. ¶가혹한 운명.

냉:혹 冷酷 | 찰 랭, 독할 혹 [cruel; heartless]
사람을 대하는 태도가 차갑고[冷] 독하다[酷]. ¶냉혹한 현실 / 그는 냉혹하기 짝이 없다. ⊕가혹(苛酷)하다.

잔혹 殘酷 | 해칠 잔, 독할 혹 [be merciless]
성질이나 하는 짓이 잔인(殘忍)하고 몹시 독하다[酷]. ¶잔혹 행위 / 잔혹한 사람.

참혹 慘酷 | 끔찍할 참, 독할 혹
[cruel; miserable; pitiable]
끔찍하고[慘] 독하다[酷]. ¶그 영화는 너무 참혹한 장면이 많다.

1979 [사]

赦
용서할 사:
部 赤부 劃 11획 中 赦 [shè]

赦자는 亦(역)과 攵(攴, 복)이 합쳐진 구조였는데, 후에 亦이 赤(적)으로 바뀌었다. 亦은 '옆구리'를, 攵은 '손을 써서 하는 행위'를 나타내는 것이었으니, 죄인의 몸을 묶어 놓은 끈을 풀어주는 것으로 볼 수 있다. '놓아주다'(let loose; set free)가 본뜻이고, '용서하다'(forgive; pardon; excuse)는 뜻으로도 쓰인다.

사:면 赦免 | 용서할 사, 면할 면
[remit a punishment; pardon]
법률 죄를 용서하여[赦] 형벌을 면제(免除)함. ¶광복절을 맞아 150명이 사면되었다.

• 역순어휘

대:사 大赦 | 큰 대, 용서할 사
[amnesty; grant an amnesty to]
법률 일정한 죄를 지은 모든[大] 죄인의 형을 사면(赦免)하는 일. '일반사면'(一般赦免)을 흔히 이르는 말.

방:사 放赦 | 놓을 방, 용서할 사 [pardon]
❶속뜻 잘못을 용서하여[赦] 놓아줌[放]. ❷가톨릭 준성사의 하나. 성직자가 십자가, 묵주 따위에 기도하여 주는 일을 이른다.

삼사 三赦 | 석 삼, 용서할 사
지난 날, 죄를 용서받을[赦] 수 있는 세[三] 가지 조건에 해당하던 사람. 7세 이하의 어린이, 80세 이상의 노인, 정신병자를 이른다.

특사 特赦 | 특별할 특, 용서할 사
[special pardon; special amnesty]
❶속뜻 특별(特別)히 사면(赦免)해 줌. ❷법률 '특별사면'(特別赦免)의 준말.

1980 [축]

蹴
찰 축
部 足부 劃 19획 中 蹴 [cù]

蹴자는 발로 '밟다'는 뜻을 나타내기 위하여 만든 것이었으니, '발 족'(足)이 표의요소로 쓰였다. 就(이룰 취)가 표음요소임은 噈(입맞출 축)과 蹴(마칠 축)도 마찬가지다. 후에 발로 '차다'(kick)는 뜻도 이것으로 나타냈다.

축구 蹴球 | 찰 축, 공 구 [soccer; football]
운동 공[球]을 주로 발로 차서[蹴] 상대편의 골에 공을 많이 넣는 것으로 승부를 겨루는 경기. ¶그 나라는 축구에 열광적이다.

축국 蹴鞠 | 찰 축, 공 국
운동 지난날 공[鞠]을 발로 차던[蹴] 놀이.

• 역순어휘

선축 先蹴 | 먼저 선, 찰 축
[kick the first ball]
운동 축구 경기 등에서 경기를 시작할 때 공을 먼저[先] 차는[蹴] 일.

일축 一蹴 | 한 일, 찰 축 [kick; turn down]
❶속뜻 한[一] 번 참[蹴]. ❷단번에 물리침. ¶그의 의견을 일축했다.

1981 [추]

趨

달아날 추
㊀ 走부 ㊁ 17획 ㊥ 趋 [qū]

趨자는 '달아나다'(run away)는 뜻을 나타내기 위하여 만든 것이었으니 '달릴 주'(走)가 표의요소로 쓰였다. 오른쪽의 것이 표음요소임은 鄒(나라 이름 추), 雛(병아리 추), 騶(말먹이는 사람 추)도 마찬가지다. 후에 일이 '향하다'(turn one's face)는 뜻도 이것으로 나타냈다.

속뜻훈음 ①달아날 추, ②향할 추.

추성 趨性 | 향할 추, 성질 성 [taxis]
식물 식물이 외부 자극의 반응에 대해 일정한 방향으로 향하는[趨] 성질(性質). ㊤주성(走性).

추세 趨勢 | 향할 추, 힘 세 [tendency; trend; tide]
어떤 현상이 일정한 방향으로 향하는[趨] 힘[勢]. 그때의 대세의 흐름이나 경향. ¶요즘은 결혼을 늦게 하는 추세다.

추향 趨向 | 달아날 추, 향할 향 [trend; tendency]
❶속뜻 대세(大勢)를 향(向)하여 나아감[趨]. ❷대세가 나아가는 방향.

• 역순어휘

귀:추 歸趨 | 돌아갈 귀, 달아날 추
[tendency; course; issue]
❶속뜻 돌아가거나[歸] 달아남[趨]. ❷일이 되어 가는 형편. ¶이번 사건의 귀추가 주목된다.

1982 [차]

遮

가릴 차(:)
㊀ 辶부 ㊁ 15획 ㊥ 遮 [zhē]

遮자는 길을 '가로막다'(block; bar)는 뜻을 나타내기 위하여 만든 것이었으니, '길갈 착'(辶)이 표의요소로 쓰였다. 庶(여러 서)는 표음요소였다고 하는데 세월에 따라 음이 다소 달라졌다. 후에 '가리다'(screen; shield)는 뜻도 따로 글자를 만들지 않고 이것으로 나타냈다.

속뜻훈음 ①가릴 차, ②막을 차.

차:광 遮光 | 가릴 차, 빛 광
[shade the light; hinder the light]
햇빛[光]이나 불빛을 가림[遮]. ¶차광 유리를 하다.

차:단 遮斷 | 막을 차, 끊을 단 [intercept; cut off]
❶속뜻 가로막아[遮] 사이를 끊음[斷]. ❷끊거나 막아서 서로 통하지 못하게 하는 것. ¶전자파 차단 / 외부와의 접촉을 차단하다.

차양 遮陽 | 가릴 차, 볕 양 [awning; peak]
❶속뜻 볕[陽]을 가림[遮]. 또는 그럴 목적으로 처마 끝에 덧대는 지붕. ¶바람이 불어 차양이 흔들렸다. ❷학생모나 군모 따위에서 모자의 앞에 대어 이마를 가리거나 손잡이 구실을 하는 조각. ¶차양이 넓은 밀짚모자. ㊤챙.

차:폐 遮蔽 | 가릴 차, 덮을 폐
[cover; shield; defilade]
❶군사 적의 관측이나 사격의 목표가 되지 않게 막아[遮] 덮음[蔽]. ❷물리 일정한 공간을 전기나 자기로부터 보호하기 위하여 차단함.

1983 [구]

購

살 구
㊀ 貝부 ㊁ 17획 ㊥ 购 [gòu]

購자는 돈을 들여 '사들이다'(purchase; buy)는 뜻을 나타내기 위하여 만든 것이었으니 '돈 패'(貝)가 표의요소로 쓰였다. 冓(짤 구)는 표음요소로 뜻과는 무관하다(참고, 構 얽을 구, 溝 봇도랑 구).

구독 購讀 | 살 구, 읽을 독 [subscribe to]
책이나 신문, 잡지 따위를 구입(購入)하여 읽음[讀]. ¶경제 신문을 구독하다.

구매 購買 | 살 구, 살 매 [purchase; buy]
물건 따위를 사들임[購=買]. ¶상품을 구매하신 고객은 사은품을 받아가세요.

구입 購入 | 살 구, 들 입 [purchase; buy]
물건을 사[購] 들임[入]. ¶매표소에서 입장권을 구입하다. ㊤매입(買入), 구매(購買). ㊦판매(販賣).

1984 [배]

賠

물어줄 배
㊀ 貝부 ㊁ 15획 ㊥ 赔 [péi]

賠자를 만든 사람들의 이야기를 들어볼까. "'물어주다'(pay for; compensate for)는 뜻을 어떻게 나타낸담?" "글세. 모양으로 나타낼 방도가 없으니 어쩐담." "아! 이렇게 하자." "어떻게? 빨리 말해 봐." "대개는 돈으로 물어주니까 貝(조개=돈 패)를 표의요소로 쓰고, 그 말의 음이 [배]이니 培(북돋울 배)의 경우와 같은 표음요소를 쓰면 되지 않을까?" "그래 그렇게 하자. 역시 자넨 나보다 머리가 좋단 말이야!" 표의요소인 貝(돈 패)이고, 오른쪽의 것이 표음요소임은 培(북돋울 배), 陪(쌓아올릴 배) 등과 같다는 말이다. 조어력이 약하여 한자어 용례가 많지 않다.

배상 賠償 | 물어줄 배, 갚을 상 [compensate]
법률 남에게 입힌 손해를 물어[賠] 갚아줌[償]. ¶피해자가 입은 손해를 배상하다. ㊊보상(補償), 변상(辨償).

1985 [세]

貰

세놓을 세ː
㊇ 貝부 ㊍ 12획 ㊥ 贳 [shì]

貰자는 돈을 받고 '빌려주다'(lend; loan)는 뜻을 나타내기 위하여 만든 것이었으니 '돈 패'(貝)가 표의요소로 쓰였다. 世(대 세)는 표음요소이니 뜻과는 무관하다(참고, 笹 조릿대 세, 齛 양 새김질할 세). 후에 '세놓다'(hire out; rent), '외상'(credit; trust) 등으로 확대 사용됐다.

셋ː-방 貰房 | 세놓을 세, 방 방
[room for rent; room to let]
남에게 세(貰)를 놓은 방(房).

• 역순어휘

방세 房貰 | 방 방, 세놓을 세 [room rent]
남의 방(房)에 세(貰)를 들고 내는 돈. ¶방세가 비싸다.

월세 月貰 | 달 월, 세놓을 세 [monthly rent]
다달이[月] 내는 집세[貰]. ¶월세로 점포를 얻다.

전세[1] 專貰 | 오로지 전, 세놓을 세
[charter; reserving]
오직[專] 어떤 사람에게만 빌려줌[貰]. ¶전세 버스

전세[2] 傳貰 | 전할 전, 세놓을 세
[lease of a house on a deposit basis]
경제 일정한 금액을 주인에게 전(傳)해 맡겨 두고 그 부동산을 일정 기간 빌려[貰] 쓰는 일. ¶그는 살던 집을 전세를 놓았다.

1986 [이]

貳

두/갖은 두 이ː
㊇ 貝부 ㊍ 12획 ㊥ 贰 [èr]

貳자는 '두 이'(二)의 갖은자이다. 금액 따위의 중요 숫자를 적을 때 변조하기 쉬운 '二' 대신에 쓰이기 때문에 '갖은 두 이'라고 훈을 하기도 한다. '弍'과 '二'가 합쳐진 것은 二의 古文(고ː문)이었다고 한다. 주로 금액을 적을 때 쓰였기에 '조개=돈 패'(貝)가 표의요소로 쓰였을 것으로 추정된다. 조어력이 매우 낮아서 한자어 용례가 거의 없다.

1987 [단]

鍛

쇠 불릴 단
㊇ 金부 ㊍ 17획 ㊥ 锻 [duàn]

鍛자는 쇠를 불리어 '두드리다'(strike; beat)는 뜻을 나타내기 위하여 만든 것이었으니 '쇠 금'(金)이 표의요소로 쓰였다. 段(구분 단)은 표음요소로 뜻과는 무관하다(참고 緞 비단 단, 椴 자작나무 단). '익히다'(practice; train), '닦다' (cultivate; train)는 뜻을 비유적으로 나타내기도 한다.

속뜻훈음 **쇠 두드릴 단.**

단련 鍛鍊 | 쇠 두드릴 단, 불릴 련 [temper; train]
❶속뜻 쇠붙이를 두드리고[鍊] 불에 달구고[鍛]를 반복하여 단단하게 함. ❷시련이나 수련 따위를 통해서 몸과 마음을 굳세게 닦음. ¶신체를 단련하다. ❸배운 것을 익숙하게 익힘. ¶새로 배운 동작을 단련하다. ❹귀찮거나 괴로운 일로 시달림. ¶역경에 단련되다. ㊊수련(修練/修鍊), 연마(鍊磨).

단접 鍛接 | 쇠 두드릴 단, 이을 접 [weld]
공업 금속의 이어 붙일 부분을 녹는점 가까이까지 달구어 누르거나 망치로 때려서[鍛] 이어 붙임[接].

단철 鍛鐵 | 쇠 두드릴 단, 쇠 철
[tempering iron; malleable cast iron]
❶속뜻 두드리어[鍛] 단단하게 한 쇠[鐵]. ❷공업 0~0.1%의 탄소를 함유한 순철에 가깝게 조성된 것. ㊊연철(鍊鐵).

• 역순어휘

연ː단 鍊鍛 | 불릴 련, 쇠 두드릴 단
[practice; exercise]
❶속뜻 쇠붙이를 불에 불린[鍊] 다음 두드려[鍛] 단단하게 함. ❷몸을 운동을 하거나 힘을 길러서 튼튼한 상태로 만드는 것. ❸마음이나 정신을 강한 의지를 갖도록 수련(修練)하는 것. ㊊단련(鍛鍊).

1988 [조]

釣

낚을/낚시 조ː
㊇ 金부 ㊍ 11획 ㊥ 钓 [diào]

釣자는 가는 쇠로 만든 '낚시 바늘'(a

fishhook; a hook)을 뜻하기 위하여 만든 것이었으니 '쇠 금'(金)이 표의요소로 쓰였다. 勺(바라 조)는 표음요소로 쓰였는데, 술을 뜰 때 쓰는 기구를 가리키는 勺(구기 작)과 혼동하기 쉽다. 후에 고기를 '낚다'(fish; angle), '낚시'(angling; fishing)를 뜻하는 것으로 확대 사용됐다. 魡(낚을 조)자 만들어내기는 하였으나 큰 인기를 얻지 못했다.

조ː어 釣魚 | 낚시 조, 고기 어 [fish; angle]
물고기[魚]를 낚음[釣].

• 역순어휘

수조 垂釣 | 드리울 수, 낚시 조 [cast a line]
낚시[釣]를 물속에 드리움[垂].

시ː조 始釣 | 처음 시, 낚시 조 [begin fishing]
얼음이 풀린 뒤 처음[始] 하는 낚시질[釣].

1989 [포]

鋪

펼/가게 포
[部] 金부 [劃] 15획 [中] 铺 [pū, pù]

鋪자는 본래 쇠붙이로 만든 '문고리'(a door ring)를 뜻하는 것이었기에 '쇠 금'(金)이 표의요소로 쓰였다. 甫(클 보)가 표음요소임은 浦(개 포), 捕(사로잡을 포) 등도 마찬가지다. 후에 문을 열고 '펴놓다'(unroll; spread), '가게'(a store; a shop)등으로 확대 사용됐다.

[속뜻 훈음] ①**가게 포**, ②**펼 포**.

포장 鋪裝 | 펼 포, 꾸밀 장 [pave; surface]
길바닥에 아스팔트 따위를 깔아[鋪] 단단히 다져 꾸미는[裝] 일. [반]비(非)포장.

• 역순어휘

점ː포 店鋪 | 가게 점, 가게 포 [store]
물건을 늘어놓고 파는 곳[店=鋪]. [비]가게, 상점(商店).

1990 [궐]

闕

대궐 궐
[部] 門부 [劃] 18획 [中] 阙 [quē, què]

闕자는 큰 대문이 달린 집, 즉 '대궐'(the royal palace)을 뜻하는 것이었으니 '대문 문'(門)이 의미요소로 쓰였다. 안쪽에 있는 것이 표음요소임은 厥(그 궐), 瘚(상기 궐)도 마찬가지다. 후에 '빠지다'(be omitted), '이지러지다'(break; wane) 등으로 확대 사용되기도 했다.

궐내 闕內 | 대궐 궐, 안 내 [royal palace]
대궐(大闕)의 안[內]. [비]궁중(宮中).

• 역순어휘

궁궐 宮闕 | 집 궁, 대궐 궐 [royal palace]
임금이 거처하는 집[宮=闕]. [비]왕궁(王宮).

대ː궐 大闕 | 큰 대, 대궐 궐 [royal palace]
임금이 거처하며 정사(政事)를 보던 큰[大] 집[闕]. [비]궁궐(宮闕), 궁전(宮殿).

1991 [규]

閨

안방 규
[部] 門부 [劃] 14획 [中] 闺 [guī]

閨자는 본래 위는 둥글고 아래는 네모난 모양의 '방 문'을 뜻하는 것이었으니 '문 문'(門)이 표의요소로 쓰였고, 圭(홀 규)는 표음요소이다. 집의 안주인이 거처하는 방의 문을 그렇게 꾸몄던 것에서 유래하여 '안방'(the women's living room; the women's quarters)이나 '부녀자'(women)와 관련된 의미로 애용한다.

규방 閨房 | 규수 규, 방 방
[woman's living room; boudoir]
❶[속뜻] 부녀자가 거처하는[閨] 방(房). ¶그녀는 청상이 되어 규방에 갇혀 생활했다. ❷안주인이 거처하는 방. ❸부부의 침실. [비]규실(閨室), 유규(幽閨), 안방, 유방(帷房).

규수 閨秀 | 안방 규, 빼어날 수
[maiden; girl from a good family]
❶[속뜻] 안방[閨] 일에 빼어난[秀] 솜씨. 또는 그런 솜씨를 가진 여자. ❷혼기에 이른 남의 집 처녀를 점잖게 이르는 말. [비]아가씨.

규원 閨怨 | 규방 규, 원망할 원
[anguish of a grass widow]
사랑하는 사람에게 버림받은 여자[閨]의 원한(怨恨). ¶규원을 표현한 작품.

규중 閨中 | 규방 규, 속 중 [woman's living room]
부녀자가 거처하는 방[閨]의 안[中]. [비]규내(閨內), 규문(閨門).

• 역순어휘

공규 空閨 | 빌 공, 규방 규
[bedchamber of a neglected wife]
오랫동안 남편이 없이[空] 아내 혼자서 사는 방[閨].

¶그녀는 공규에 홀로 누워 잠을 이루지 못하고 있었다.

홍규 紅閨 | 붉을 홍, 안방 규 [beauty's bedroom]
붉은[紅]색으로 아름답게 꾸민 여인이 거처하는 방[閨].

1992 [벌]

閥

문벌 벌
[部] 門부 [劃] 14획 [中] 阀 [fá]

閥자는 표의요소인 '대문 문'(門)과 표음요소인 伐(칠 벌)로 구성된 글자다. '지체 높은 집안'(a lineage family)이 본래 의미이고, '가문'(one's family), '공로'(merits; an exploit), '무리'(a group; a crowd) 등으로 확대 사용됐다.

[속뜻훈음] ①가문 벌, ②무리 벌.

• 역순어휘

문벌 門閥 | 집안 문, 무리 벌 [lineage; pedigree]
❶[속뜻]지체 높은 가문(家門)의 가족이나 무리[閥]. ❷대대로 내려오는 그 집안의 사회적 신분이나 지위. ¶그는 문벌 있는 집안에서 태어나다. [비]가벌(家閥), 세벌(世閥).

재벌 財閥 | 재물 재, 가문 벌 [financial combine]
[경제]재산(財産)을 많이 가진 사람의 가문[閥]. 또는 혈연으로 맺어진 자본가 집단. ¶재벌 기업.

파벌 派閥 | 갈래 파, 무리 벌
[clique; faction; coterie]
이해관계에 따라 따로따로 갈라진[派] 사람들의 무리[閥]. ¶그는 파벌 싸움에 말려들었다.

학벌 學閥 | 배울 학, 무리 벌 [academic clique]
❶[속뜻]같은 학교(學校)의 출신자나 같은 학파의 학자로 이루어진 파벌(派閥). ❷학문을 닦아서 얻게 된 사회적 지위나 신분. 또는 출신 학교의 사회적 지위나 등급. ¶학벌이 좋다 / 학벌보다는 실력을 중시한다. [비]학파(學派).

1993 [고]

雇

품팔 고
[部] 隹부 [劃] 12획 [中] 雇 [gù]

雇자는 본래 '새'(a bird)의 일종을 이름하기 위하여 만든 것이었으니 '새 추'(隹)가 표의요소로 쓰였다. 戶(지게 호)는 표음요소로 첨가된 것이다. 후에 '품을 팔다'(work for wages)는 뜻으로 차용되어 쓰였다.

고용 雇用 | 품팔 고, 쓸 용 [employ]
보수를 주고[雇] 사람을 부림[用]. ¶고용 보험 / 직원을 고용하다.

• 역순어휘

해:고 解雇 | 풀 해, 품팔 고 [dismiss]
[사회]고용(雇用) 계약을 해지(解止)함. 고용한 사람을 내보냄. ¶해고를 당하다 / 사장은 그녀를 해고했다. [반]임용(任用), 채용(採用).

1994 [자]

雌

암컷 자
[部] 隹부, 총 13획 [中] 雌 [cí]

雌자는 새의 '암컷'(a female bird; a she)을 지칭하기 위하여 만든 것이었으니 '새 추'(隹)가 표의요소로 쓰였다. 此(이 차)가 표음요소로 쓰인 것임은 紫(자주빛 자), 呰(구차할 자)도 마찬가지다. 후에 '약한 것' '둔한 것' '못생긴 것' 등으로 확대 사용됐다. 참고 雄(수컷 웅, #0494).

자복 雌伏 | 암컷 자, 엎드릴 복 [surrender]
❶[속뜻]암컷[雌]이 수컷에게 엎드림[伏]. ❷남에게 스스로 굴복함. ❸실력 있는 사람이 시기를 기다리며 가만히 숨어서 지냄. [반]웅비(雄飛).

자성 雌性 | 암컷 자, 성질 성
[feminity; femaleness]
❶[속뜻]암컷[雌]의 성질(性質). ❷[동물]난자(卵子), 대배우자(大配偶者)를 형성하는 성질이나 그것에서 유도된 형태, 생리 따위를 이르는 말.

자웅 雌雄 | 암컷 자, 수컷 웅
❶[속뜻]암컷[雌]과 수컷[雄]. 암수. ❷승부, 강약 따위를 비유적으로 이르는 말. ¶자웅을 겨루다 / 자웅을 다투다.

1995 [척]

隻

외짝 척
[部] 隹부 [劃] 10획 [中] 只 [zhī]

隻자는 '새 한 마리'(a bird)를 뜻하기 위하여 만든 것이다. 손[又]에 새[隹] 한 마리를 잡고 있는 모습을 본뜬 것이다(참고 雙 쌍 쌍). 후에 '하나'(one), '외짝'(an odd one), '척'(boat) 등의 뜻으로 확대 사용됐다.

[속뜻훈음] ①외짝 척, ②하나 척.

척신 隻身 | 외짝 척, 몸 신 [single life; celibacy]

짝이 없어 혼자[隻]인 몸[身]. ¶척신으로 살아가는 외로움을 달랠 길이 없었다.

척영 隻影 | 하나 척, 그림자 영 [only one]
❶속뜻 외따로 혼자[隻] 있는 그림자[影]. ❷오직 한 사람을 뜻하는 말.

척일 隻日 | 하나 척, 날 일 [odd day]
❶속뜻 홀[隻]수인 날[日]. ❷일진의 천간이 갑·병·무·경·임인 날. (비)기일(奇日), 강일(剛日).

척행 隻行 | 하나 척, 갈 행 [travel alone]
먼 길을 혼자서[隻] 감[行].

1996 [사]

飼

기를 사
(部) 食부 (劃) 14획 (中) 饲 [sì]

飼자는 본래 飤(밥 사)와 더불어 食(밥 사)의 이체자로 쓰였다가 후에 가축에게 '먹이를 주다'(feed), '기르다'(breed; raise)는 뜻으로 쓰이게 되면서 당당히 독립한 글자이다. 司(맡을 사)는 표음요소이니 뜻과는 무관하다.

속뜻훈음 **먹일 사.**

사료 飼料 | 먹일 사, 거리 료 [fodder; forage]
가축 따위에게 먹이는[飼] 식용 재료(材料). ¶돼지에게 사료를 주다.

사육 飼育 | 먹일 사, 기를 육 [breed; raise]
짐승 따위를 먹여[飼] 기름[育].

1997 [찬]

餐

밥 찬
(部) 食부 (劃) 16획 (中) 餐 [cān]

餐자는 음식물을 '삼키다'(swallow; gulp)는 뜻을 나타내기 위하여 만든 것이었으니 '먹을 식'(食)이 표의요소로 쓰였고, 그 나머지가 표음요소임은 粲(정미 찬)도 마찬가지다. 예전에는 '湌'(찬)이라고도 썼다. 후에 '밥'(=음식, food; refreshments), '샛밥'(between-meals refreshments) 등으로 확대 사용됐다.

• 역순어휘

만:찬 晩餐 | 저녁 만, 밥 찬 [dinner]
저녁[晩] 식사[餐]. 특별히 잘 차려 낸 저녁 식사. ¶성대한 만찬을 베풀다. (비)석찬(夕餐). (반)조찬(朝餐).

오:찬 午餐 | 낮 오, 밥 찬 [lunch]
보통 때보다 잘 차려서 손님을 대접하는 점심[午] 식사[餐]. ¶총리는 오찬 간담회를 열었다. (비)주찬(晝餐).

1998 [태]

颱

태풍 태
(部) 風부 (劃) 14획 (中) 台 [tái]

颱자는 '태풍'(a typhoon)을 한 글자로 이르기 위하여 창안된 것이었으니, '바람 풍'(風)이 표의요소로 쓰였고, 台(별 태)는 표음요소이다(참고 胎 아이 밸 태, 殆 위태할 태, 怠 게으를 태). 조어력이 약하여 한자어 용례가 거의 없다.

태풍 颱風 | 태풍 태, 바람 풍 [typhoon]
❶속뜻 크게 불어 닥치는[颱] 폭풍(暴風). ❷지리 북태평양 남서부에서 발생하여 동북아시아 내륙으로 불어 닥치는 폭풍우. ¶태풍이 한반도를 강타했다.

1999 [화]

靴

신 화
(部) 革부 (劃) 13획 (中) 靴 [xuē]

靴자는 가죽으로 만든 '구두'(shoes)를 뜻하기 위하여 만든 것이었으니 '가죽 혁'(革)이 표의요소로 쓰였고, 化(될 화)는 표음요소이다(참고 貨 재화 화). 후에 '신'(footwear; footgear)을 총칭하는 뜻으로 확대 사용됐다.

속뜻훈음 **구두 화.**

• 역순어휘

군화 軍靴 | 군사 군, 구두 화 [military boots; combat boots]
군인(軍人)용 구두[靴]. ¶군화끈을 조여 맸다.

단:화 短靴 | 짧을 단, 구두 화 [loafers]
❶속뜻 목이 짧아[短] 발목 아래로 오는 구두[靴]. ¶그는 징박은 단화를 신고 있었다. ❷굽이 낮은 여자들의 구두. ¶청바지에 단화 차림.

장화 長靴 | 길 장, 구두 화 [high boots; Wellington boots]
목이 긴[長] 신이나 구두[靴]. ¶장화를 신다. (반)단화(短靴).

제:화 製靴 | 만들 제, 구두 화 [shoemaking]
구두[靴]를 만듦[製]. ¶제화 산업 / 제화 공장.

2000 [예]

預

맏길/미리 예:

[部] 頁부 [劃] 13획 [中] 预 [yù]

預자는 머리가 '편하다'(comfortable; carefree)는 뜻을 나타내기 위하여 만들어진 것이었으니 '머리 혈'(頁)은 표의요소로 쓰였다. '줄 여'(予)는 표음요소였던 것으로 추정된다(참고 豫 미리 예, #0952). '미리'(beforehand; in advance)라는 뜻인 豫(미리 예)와 통용되었는데, 중국과 달리 우리나라에서는 '맡기다'(entrust; deposit)는 뜻으로 쓰이는 때가 많다.

예:금 預金 | 맡길 예, 돈 금 [deposit]
[경제] 일정한 계약에 의하여 은행, 우체국 따위에 돈[金]을 맡기는[預] 일. 또는 그 돈. ¶정기 예금 / 나는 은행에 돈을 예금했다.

예:입 預入 | 맡길 예, 들 입 [make a deposit]
금품을 맡겨[預] 넣어둠[入].

예:치 預置 | 맡길 예, 둘 치 [deposit]
맡겨[預] 둠[置].

2001 [마]

魔

마귀 마

[部] 鬼부 [劃] 21획 [中] 魔 [mó]

魔자는 수행을 방해하는 나쁜 귀신을 일컫는 범어의 '魔羅'(마라, māra)를 음역하기 위하여 만든 글자다. 그것을 한 글자로 약칭하는 것으로도 쓰인다. '귀신 귀'(鬼)는 표의요소이고, 麻(삼 마)는 표음요소이다(磨 갈 마, 痲 저릴 마). 두 구성 요소의 음([마]+[귀])을 한글로 적으면 뜻이 되는, 즉 '마귀'(a devil; a demon)가 되는 희한한 글자다.

마귀 魔鬼 | 마귀 마, 귀신 귀
[evil spirit; devil; demon]
요사스럽고 못된 귀신[魔=鬼]. [비] 악마(惡魔).

마녀 魔女 | 마귀 마, 여자 녀 [witch; sorceress]
❶[속뜻] 마귀(魔鬼)처럼 요사스러운 여자(女子). ❷악마처럼 성질이 사악한 여자. 유럽의 민간 전설에 자주 등장된다.

마력 魔力 | 마귀 마, 힘 력 [magical powers]
사람을 현혹하는 마귀(魔鬼)와 같은 이상한 힘[力]. ¶그 여자에게는 사람을 사로잡는 이상한 마력이 있다.

마법 魔法 | 마귀 마, 법 법 [magic]
마력(魔力)으로 불가사의한 일을 행하는 술법(術法).

마수 魔手 | 마귀 마, 손 수 [evil hand]
❶[속뜻] 악마(惡魔)의 손길[手]. ❷'남을 나쁜 길로 꾀거나 불행에 빠뜨리거나 하는 음험한 수단'을 비유하여 이르는 말. ¶침략의 마수를 뻗치다.

마술 魔術 | 마귀 마, 꾀 술 [magic arts]
❶[속뜻] 마력(魔力)으로써 하는 불가사의한 술법(術法). ❷재빠른 손놀림이나 여러 가지 장치, 속임수 따위를 써서 불가사의한 일을 해 보이는 술법. 또는 그런 구경거리. [비] 요술(妖術), 마법(魔法).

• 역순어휘

병:마 病魔 | 병 병, 마귀 마
[demon of ill health; disease]
병(病)을 악마(惡魔)에 비유하여 이르는 말. ¶그는 병마에 시달려 수척해졌다.

악마 惡魔 | 나쁠 악, 마귀 마 [devil]
❶[속뜻] 나쁜[惡] 짓을 하는 마귀[魔]. ❷[불교] 사람의 마음을 홀려 제정신을 차리지 못하게 하고 불도 수행을 방해하여 악한 길로 유혹하는 것. [비] 마귀(魔鬼). [반] 천사(天使).

2002 [매]

魅

매혹할 매

[部] 鬼부 [劃] 15획 [中] 魅 [mèi]

魅자는 본래 鬽(매)의 이체자이다. 귀신의 일종인 '도깨비'(a bogy; a goblin)를 가리키기 위하여 '귀신 귀'(鬼)와 '터럭 삼'(彡)이라는 두 표의요소를 합쳐 놓았다. 털이 많이 난 귀신을 연상케 하기 위함이었을 것이다. 후에 彡을 빼고 未(아닐 미)를 넣어 표음요소 역할을 부여한 것이 바로 '魅'다(참고 昧 새벽 매, 妹 누이 매). 후에 정신을 '호리다'(bewitch; enchant), 마음을 '끌다'(seduce; allure)는 뜻도 따로 글자를 만들지 않고 편의상 이것으로 나타냈다.

[속뜻 술술 훈음] 홀릴 매.

매력 魅力 | 홀릴 매, 힘 력
[attraction; charm]
남의 마음을 홀리어[魅] 사로잡는 야릇한 힘[力]. ¶소설에 매력을 느끼다.

매혹 魅惑 | 홀릴 매, 꼬일 혹
[fascinate; charm]
사람의 마음을 홀리고[魅] 꼬임[惑]. ¶그녀의 미소에 매혹을 느끼다 / 아름다운 풍경에 매혹되다. [비] 현혹(眩惑), 미혹(迷惑).

2003 [주]

駐

머무를 주:
(部) 馬부 (劃) 15획 ㊥ 驻 [zhù]

駐자는 달리던 말이 '정지하다'(stop; suspend)는 뜻을 나타내기 위하여 만든 것이었으니 '말 마'(馬)가 표의요소로 쓰였다. 主(주인 주)는 표음요소일 따름으로 뜻과는 무관하다(참고 注 물댈 주, 柱 기둥 주). 후에 '머무르다'(stay; put up)는 뜻도 글자를 따로 만들지 않고 이것으로 나타냈다.

주:둔 駐屯 | 머무를 주, 진칠 둔 [be stationed]
[군사] 군대가 어떤 곳에 진을 치고[屯] 머무름[駐]. ¶미군은 한국전쟁 이후로 한국에 주둔하고 있다.

주:미 駐美 | 머무를 주, 미국 미
[resident in America]
미국(美國)에 머묾[駐]. ¶주미 한국대사관.

주:재 駐在 | 머무를 주, 있을 재 [reside]
❶[속뜻] 일정한 곳에 머물러[駐] 있음[在]. ❷직무상 파견된 곳에 머물러 있음. ¶한국 주재 일본대사.

주:차 駐車 | 머무를 주, 수레 차 [park]
자동차(自動車)를 세워 둠[駐]. ¶주차 공간 / 가게 앞에 주차하지 마십시오.

주:한 駐韓 | 머무를 주, 한국 한
[stationed in Korea]
한국(韓國)에 주재(駐在)함. ¶주한 유엔군사령부.

2004 [울]

鬱

답답할 울
(部) 鬯부 (劃) 29획 ㊥ 郁 [yù]

鬱자는 원래 아무 죄도 없는 사람을 울창한 숲(林·림)속으로 데려가서 눕혀놓고 짓밟는 모습의 글자였다. 缶(장군 부)와 冖(덮을 멱)은 밟는 사람과 밟히는 사람의 모습이 각각 잘못 변화된 것이다. 하반부는 한참 후에 첨가된 것으로 표음요소라는 설이 있다. 부수는 鬯(술 이름 창)이다. '(숨이) 막히다'는 본뜻에서 '답답하다'(stuffy), '우울'(melancholy; dejection) 등으로 확대 사용됐다.
[속뜻 훈음] ①막힐 울, ②우거질 울.

울분 鬱憤 | 답답할 울, 성낼 분
[pent up feelings; resentment]
가슴이 답답하여[鬱] 성이 남[憤]. 또는 그런 울화. ¶그는 참았던 울분을 터뜨렸다.

울적 鬱寂 | 답답할 울, 고요할 적
[depressed; gloomy]
마음이 답답하고[鬱] 쓸쓸하다[寂]. ¶마음이 몹시 울적하다.

울창 鬱蒼 | 우거질 울, 푸를 창
[luxuriant; thick; dense]
나무가 빽빽하게 우거지고[鬱] 푸르다[蒼]. ¶노르웨이는 숲이 울창하다.

울화 鬱火 | 답답할 울, 불 화
[pent up anger; resentment]
가슴이 꽉 막힌 듯 답답하여[鬱] 치밀어 오른 화(火). ¶그를 보자 울화가 치밀었다.

• 역순어휘

암:울 暗鬱 | 어두울 암, 답답할 울 [gloomy; dark]
❶[속뜻] 어두컴컴하고[暗] 답답함[鬱]. ❷절망적이고 침울함. ¶암울의 세월 / 암울한 기분.

억울 抑鬱 | 누를 억, 답답할 울 [feel pent up]
❶[속뜻] 억제(抑制)를 받아 답답함[鬱]. ❷공평하지 못한 일을 당해서 원통(寃痛)하여 가슴이 답답함. ¶잘못도 없이 선생님에게 꾸중을 듣고 너무 억울해서 펑펑 울었다.

우울 憂鬱 | 근심할 우, 답답할 울 [blue; gloomy]
근심스러워[憂] 하거나 답답해[鬱] 함. 활기가 없음. ¶그는 매우 우울해 보였다.

침울 沈鬱 | 가라앉을 침, 답답할 울 [melancholy]
기분이 가라앉고[沈] 마음이 답답하다[鬱]. ¶침울한 표정을 보면 누구나 침울해진다. ㉷명랑(明朗)하다.

2005 [구]

鷗

갈매기 구
(部) 鳥부 (劃) 22획 ㊥ 鸥 [ōu]

鷗자는 바다에 사는 대표적인 새, 즉 '갈매기'(a sea gull)를 뜻하기 위하여 만든 것이었으니 '새 조'(鳥)가 표의요소로 쓰였다. 區(지경 구)는 표음요소이니 뜻과는 무관하다. 조어력이 매우 낮아 한자어 용례가 거의 없다.

제2부

제2부 실 제 : 한자 및 한자어 지도

13장. 인 · 지명용 한자 350

[2006-2355]

2006 [가]

伽

절 가
人부 7획 ⊕ 伽 [qié, jiā, gā]

梵語(범:어)를 옮기기 위하여 만든 글자로, 표의요소인 '사람 인'(亻)과 표음요소인 '더할 가'(加)로 구성되어 있다. 불교 용어나 지명으로 쓰인다.

▣ 伽藍(가람) : 절의 별칭.
▣ 伽倻山(가야산)

2007 [가]

柯

가지 가
木부 9획 ⊕ 柯 [kē]

나무로 만든 '도끼자루'를 뜻하기 위하여 만든 글자이니 '나무 목'(木)이 표의요소이고, 可(옳을 가)는 표음요소이다. 후에 '나무 가지'를 뜻하는 것으로 확대 사용됐다. 주로 인명에 많이 쓰인다.

▣ 南柯一夢(남가일몽)

2008 [가]

軻

수레/사람이름 가
車부 12획 ⊕ 轲 [kē, kě]

'굴대가 이어져 있는 수레'를 뜻하기 위하여 만든 글자이니 '수레 거'(車)가 표의요소이고, 可(옳을 가)는 표음요소이다. 인명으로 많이 쓰인다.

▣ 孟軻(맹가) : 맹자의 본명.

2009 [가]

賈

성(姓)씨 가; 장사 고
貝부 13획 ⊕贾 [gǔ, jiǎ, jià]

물건을 팔고 사는 '시장'을 뜻하기 위하여 만든 글자이니 '조개=돈 패'(貝)가 표의요소이고, 襾(덮을 아)는 표음요소였다고 한다. '시장'이나 '장사'란 뜻은 [고]로, 성씨로도 쓰일 때에는 [가]로 각각 달리 읽는다.

▣ 賈島(가도) : 당나라 때의 시인

2010 [가]

迦

부처이름 가
辶부 9획 ⊕ 迦 [jiā]

범어 '석가모니'의 [가]를 적기 위하여 만든 것으로 '길갈 착'(辶)은 표의요소이고 加(더할 가)는 표음요소이다.

▣ 釋迦牟尼(석가모니)

2011 [각]

珏

쌍옥 각
玉부 9획 ⊕ 珏 [jué]

'한 쌍의 옥'을 뜻하기 위하여 '구슬 옥'(玉) 두 개를 합쳐 놓았다. 둘 다 玉으로 써야 하는데, 부수의 경우는 관례상 한 점을 생략한다. 주로 인명에 많이 쓰인다.

2012 [간]

杆

몽둥이 간
木부 7획 ⊕ 杆 [gān, gǎn]

'나무 몽둥이'를 뜻하기 위하여 만든 글자이니 , '나무 목'(木)이 표의요소이고, 干(방패 간)은 표음요소이다. 본래 의미로 쓰이는 것보다는 주로 지명에 많이 쓰인다.

▣ 杆城(간성) : 강원도에 있는 地名.

2013 [간]

艮

괘이름 간
艮부 6획 ⊕ 艮 [gèn, gěn]

艮자는 원래 '눈 목'(目)과 '비수 비'(匕)가 조합된 것으로 '노려보다'의 뜻이다. 八掛(팔괘)의 명칭으로 쓰였고, 지명으로 쓰인다.

▣ 艮峴(간현) : 강원도에 있는 地名.

2014 [갈]

鞨

오랑캐이름(靺鞨) 갈
革부 18획 ⊕ 鞨 [hé]

가죽으로 만든 '신발'을 뜻하기 위하여

만든 것이었으니 '가죽 혁'(革)이 표의요소이고, 曷(어찌 갈)은 표음요소이다. 고대 부족 명칭으로 쓰였다.

▣ 靺鞨(말갈) : 함경도 북쪽에 살았던 부족 이름.

2015 [갑]

岬

산허리 갑
山부 8획 ㊥ 岬 [jiǎ]

'산허리'를 뜻하기 위하여 만든 글자이니, '메 산'(山)이 표의요소이고, 甲(갑을 갑)은 표음요소이다. 지금은 주로 地名으로 많이 쓰인다.

2016 [갑]

鉀

갑옷 갑
金부 13획 ㊥ 钾 [jiǎ]

쇠나 가죽 비늘로 만든 '갑옷'을 나타내기 위하여 만든 것으로 원래 '甲'으로 쓰다가 다른 뜻으로 많이 쓰이자, '쇠 금'(金)이 덧붙였다. 요즘은 人名으로 쓰인다.

2017 [강]

姜

성(姓) 강
女부 9획 ㊥ 姜 [jiāng]

중국 전설에 나오는 제왕 神農氏(신농씨)는 姜水(강수)에 살았기에 姜을 성으로 삼았다고 한다. '여자 여'(女)가 표의요소로 쓰인 것은 원시 모계사회와 관련이 있다. '양 양'(羊)은 표음요소라는 설이 있다. 성씨로 많이 쓰인다.

2018 [강]

彊

굳셀 강
弓부 16획 ㊥ 强 [jiàng]

'탄탄한 활'을 나타내기 위하여 만든 글자이니 '활 궁'(弓)이 표의요소이고, 畺(지경 강)은 표음요소이다. 후에 強(굳셀 강)자 대신에 쓰이는 예가 간혹 있었다.

2019 [강]

疆

지경 강
田부 19획 ㊥ 疆 [jiāng]

'땅의 경계'를 원래 '畺'으로 썼다. 이것은 연이어 있는 두 밭의 경계선을 그어 놓은 모양을 본뜬 것이다. 후에 '활 궁'(弓)과 '흙 토'(土)가 덧붙여졌다. 아득한 옛날에는 활을 땅의 길이를 재는 도구로도 썼다고 한다.

▣ 疆土(강토) : 국경 안에 있는 땅.

2020 [강]

岡

산등성이 강
山부 8획 ㊥ 冈 [gāng]

'산등성이'를 뜻하기 위하여 만든 글자이니 '메 산'(山)이 표의요소이다. 网(그물 망)은 표음요소였다는 설이 있다. 崗(강)은 이것의 俗字다. 地名으로 쓰인다.

▣ 岡陵(강릉) : 구릉. 산언덕.

2021 [강]

崗

언덕 강
山부 11획
㊥ 岗 [gǎng, gāng]

이것은 岡의 속자다. 본래의 글자에다 '메 산'(山)이 하나 추가됐다. 지명으로 많이 쓰인다.

2022 [개]

价

클 개 :
人부 6획 ㊥ 价 [jià, jiè, jie]

사람이 '착함'을 뜻하기 위하여 만든 글자이니 '사람 인'(亻)이 표의요소이고, 介(끼일 개)는 표음요소이다. 후에 '크다'는 뜻으로도 쓰였다. '큰 땅'을 이르기도 한다.

▣ 价川郡(개:천군) : 평남에 있는 地名.

2023 [개]

塏

높은 땅 개ː
土부 13획 ㊥ 塏 [kǎi]

'높고 건조한 땅'을 나타내기 위하여 만든 글자이니 '흙 토'(土)가 표의요소이고, 豈(어찌 개)는 표음요소이다. 인명용으로 애용한다.

▣ 李塏(이개) : 조선조 단종 때의 충신.

2024 [건]

鍵

자물쇠/열쇠 건ː
金부 17획 ㊥ 键 [jiàn]

쇠로 만든 '열쇠'를 뜻하기 위하여 만든 글자이니 '쇠 금'(金)이 표의요소이고, 建(세울 건)은 표음요소이다. 인명용으로 애용한다.

▣ 關鍵(관건) : 열쇠.
施鍵裝置(시ː건ː-장ː치) : 잠금 장치.

2025 [걸]

杰

뛰어날 걸
木부 8획 ㊥ 杰 [jié]

傑(뛰어날 걸)자를 대신하여 쓰이는 예가 많다. 옛날부터 人名으로 애용됐던 글자다. '나무 목'(木)과 '불 화'(火)로 조합된 까닭은 정설이 없다.

2026 [걸]

桀

하(夏)왕이름 걸
木부 10획 ㊥ 桀 [jié]

두 발이 나무 위에 걸쳐 있는 모습을 본뜬 것이다. 재능이 남보다 뛰어난 사람을 뜻하는 경우가 많아 '사람 인'(亻)이 덧붙여진 傑로 쓰기도 한다. 인명용으로 애용한다.

2027 [견]

甄

질그릇 견
瓦부 14획 ㊥ 甄 [zhēn]

'기와나 질그릇을 만들다'는 뜻을 나타내기 위하여 만든 글자이니 '기와 와'(瓦)가 표의요소이고, 垔(막을 인)은 표음요소이다. 인명용으로 쓰인다.

▣ 甄萱(견훤) : 후백제의 시조.

2028 [경]

炅

빛날 경
火부 8획 ㊥ 炅 [jiǒng, guì]

'해 일'(日)과 '불 화'(火)가 합쳐진 것으로 햇빛이나 불빛이 '빛남'을 나타냈다. 인명용으로 많이 쓰인다.

2029 [경]

儆

경계할 경ː
人부 15획 ㊥ 儆 [jǐng]

사람을 '경계하다'는 뜻을 나타내기 위하여 만든 글자이니 '사람 인'(亻)이 표의요소이고, 敬(공경할 경)은 표음요소이다. 인명용으로 많이 쓰인다.

▣ 儆新高等學校(경신고등학교)

2030 [경]

璟

옥빛 경ː
玉부 16획 ㊥ 璟 [jǐng]

'옥의 光彩(광채)'를 뜻하기 위하여 만든 글자이니 '구슬 옥'(玉)이 표의요소이고, 景(볕 경)은 표음요소이다. 인명용으로 애용한다.

2031 [경]

瓊

구슬 경
玉부 19획 ㊥ 琼 [qióng]

'아름다운 옥'을 나타내기 위하여 만든 글자이니, '구슬 옥'(玉)이 표의요소이고, 그 나머지는 표음요소였다고 한다. 인명용으로 많이 쓰인다.

2032 [고]

皐

언덕 고
白부 11획 ㊥ 皋 [gāo]

'흰 백'(白), '성인 대'(大), '열 십'(十)으로 구성되었는데, '白'+'本'의 형태로 바뀌었다가 다시 지금의 모습으로 변화됐다. '늪', '물가'[水涯], '높다' 등의 뜻으로 쓰인다. 지명을 나타내는 것으로도 애용한다. 아호의 뒤 글자로도 안성맞춤이다.

2033 [관]

串

꿸 관, 땅이름 곶
丨부 7획 ⊕ 串 [chuàn]

두 물건을 상하로 꿰뚫어 연결시킨 모습을 본뜬 것으로 '꿰다'는 뜻을 나타냈다. 지명으로 애용한다.

▣ 長山串(장산관), 石串洞(석관동)

2034 [관]

琯

옥피리 관
玉부 12획 ⊕ 琯 [guǎn]

옥으로 만든 '피리'를 뜻하기 위하여 만든 글자이니 '구슬 옥'(玉)이 표의요소로 쓰였다. 官(벼슬 관)은 표음요소이다. 요즘은 주로 인명용으로 애용한다.

2035 [괴]

槐

회화나무/느티나무 괴
木부 14획 ⊕ 槐 [huái]

'홰나무'를 나타내기 위한 것이었으니 '나무 목'(木)이 표의요소이고, 鬼(귀신 귀)가 표음요소임은 塊(흙덩이 괴), 愧(부끄러워 할 괴)도 마찬가지다. 지명용으로 많이 쓰인다.

▣ 槐山(괴산)

2036 [구]

邱

언덕 구
邑부 8획 ⊕ 邱 [qiū]

고을 이름을 적기 위한 것이었으니 '고을 읍'(邑→阝)이 표의요소이고, 丘(언덕 구)는 표음요소이다. 이 글자가 만들어질 당시부터 지명용으로 애용한다.

▣ 大邱(대구)

2037 [구]

玖

옥돌 구
玉부 7획 ⊕ 玖 [jiǔ]

'옥돌'을 뜻하기 위하여 만든 글자이니 '구슬 옥'(玉)이 표의요소이고, 久(오랠 구)는 표음요소이다. '아홉 구'(九)의 갖은자로도 쓰이며, 뜻이 좋고 획수가 적어 인명용으로 애용한다.

▣ 李玖(이구)

2038 [국]

鞠

성(姓)/국문할 국
革부 17획 ⊕ 鞠 [jū]

가죽으로 만든 '공'을 뜻하기 위하여 만든 글자이니 '가죽 혁'(革)이 표의요소로 쓰였으며, 匊(움켜 뜰 국)은 표음요소이다. 姓氏로도 쓰인다.

2039 [규]

圭

서옥(瑞玉)/쌍토 규
土부 6획 ⊕ 圭 [guī]

천자가 제후를 봉할 때 주는, 위는 둥글고 아래는 네모진 모양의 瑞玉(서:옥), 즉 '홀'을 본뜬 것이다. '홀 규'라고 해야 옳은데 '쌍토 규'라고도 하는 것은 '흙 토'(土) 두 개를 상하로 합쳐 놓은 것임을 알기 쉽도록 하기 위한 편법이다. 뜻이 좋고 획수가 적어 인명용으로 널리 애용한다.

2040 [규]

奎

별 규
大부 9획 ⊕ 奎 [kuí]

'두 넓적다리 사이'를 나타내기 위하여 만든 글자이다. '성인 대'(大)가 표의요소이고, 圭(홀 규)는 표음요소이다. 일찍이 28 별자리의 하나로, 白虎七宿(백호칠수)라는 별자리의 첫째 별을 지칭하므로 '별 규'라 하였다. 이 별은 文運(문운)을 맡았다고 한다. 그래서 文才(문재)가 뛰어나라는 뜻에서 남자아이의 인명용으로 애용한다.

2041 [규]

揆

헤아릴 규
手부 12획 ⊕ 揆 [kuí]

손 움큼으로 양을 '가늠하다'는 뜻을 나타내기 위하여 만든 글자이니 '손 수'(手→扌)가 표의요소이고, 癸(열째 천간 계)가 표음요소임은 葵(해바라기 규)도 마찬가지다. '법도', '벼슬', '재상' 등을 뜻하기도 한다. 높은 벼슬을 하라는 뜻에서 인명용으로 애용한다.

2042 [규]

珪

홀 규
玉부 10획 ⊕ 珪 [guī]

제후를 봉할 때 천자가 하사하는 홀을 원래는 '圭'로 나타냈다. 그것은 옥으로 만든 것이므로 '구슬 옥'(玉)을 첨가하여 그 뜻을 더욱 분명히 했다. 인명용으로 널리 쓰인다.

2043 [근]

槿

무궁화 근ː
木부 15획 ⊕ 槿 [jǐn]

'무궁화나무'를 뜻하기 위하여 만든 글자이니 '나무 목'(木)이 표의요소로 쓰였다. 堇(노란 진흙 근)은 표음요소이다. 지명용은 물론 인명용으로도 애용한다.

▣ 槿域(근ː역) : '무궁화나무가 많은 땅', '우리나라'를 달리 일컫는 말.

2044 [근]

瑾

아름다운 옥 근ː
玉부 15획 ⊕ 瑾 [jǐn]

'아름다운 옥'을 뜻하기 위하여 만든 글자이니 '구슬 옥'(玉)이 표의요소이고, 堇(근)은 표음요소이다. 여성 인명용으로 애용한다.

▣ 瑾惠(근혜), 瑾珠(근주), 瑾美(근미), 瑾玲(근영)

2045 [긍]

兢

떨릴 긍ː
儿부 14획 ⊕ 兢 [jīng]

兢자의 본래 의미와 자형 풀이에 대하여는 확실한 설이 없다. '조심하다'는 뜻이므로, 신중한 사람이 되기를 바라는 뜻에서 인명용으로 애용한다.

2046 [기]

冀

바랄 기
八부 16획 ⊕ 兢 [jīng]

고대 중국의 '북방 지역'을 이르기 위하여 만든 것으로 '북녁 북'(北)이 표의요소이고, 異(다를 이)는 표음요소라고 한다. '바라다', '희망하다'는 뜻으로 쓰이며, 인명용으로 쓰인다.

▣ 冀望(기망) : 희망. 소원.

2047 [기]

岐

갈림길 기
山부 7획 ⊕ 岐 [qí]

산 이름을 위하여 만든 글자이니, '메 산'(山)이 표의요소이고 支(가를 지)는 표음요소였다. '갈림길'을 지칭하기도 한다. 지명으로도 많이 쓰인다.

▣ 燕岐(연기) : 忠淸南道의 郡名.

2048 [기]

淇

물 이름 기
水부 11획 ⊕ 淇 [qí]

강 이름을 위하여 만든 글자이니, '물 수'(水→氵)가 표의요소이고, 其(그 기)는 표음요소이다. 인명용으로 쓰인다.

2049 [기]

琦

옥 이름 기
玉부 12획 ⊕ 琦 [qí]

'아름다운 옥'을 나타내기 위하여 만든 글자이니 '구슬 옥'(玉)이 표의요소이고, 奇(기이할 기)는 표음요소이다. 주로 여성 인명용으로 많이 쓰인다.

2050 [기]

琪

아름다운 옥 기
玉부 12획 ⊕ 琪 [qí]

'옥'의 일종을 뜻하기 위하여 만든 글자이니 '구슬 옥'(玉)이 표의요소이고 其(그 기)는 표음요소이다. 인명용으로 애용한다.

2051 [기]

璣

별이름 기
玉부 16획 ⊕ 玑 [jī]

'둥글지 않은 구슬' 또는 '작은 구슬'을 뜻하기 위하여 만든 글자이니 '구슬 옥'(玉)이 표의요소이고 幾(기미 기)는 표음요소이다. 北斗七星(북두칠성)의 셋째별을 가리킨다. 인명용으로도 쓰인다.

2052 [기]

箕

키 기
竹부 14획 ⊕ 箕 [jī]

곡식을 까불 때 쓰는 농기구인 '키'를 뜻하기 위하여 그 모양을 본뜬 其자(#1062)를 만들어 냈다. 후에 其가 다른 뜻으로 많이 쓰이자, '대 죽'(竹)을 첨가한 箕자로 그 뜻을 나타냈다. 姓氏로도 쓰인다.

▣ 箕子(기자) : 殷(은)나라의 聖人(성:인).

2053 [기]

耆

늙을 기
老부 10획 ⊕ 耆 [qí]

'늙다'는 뜻을 나타내기 위하여 만든 것으로 '늙을 로'(老)가 표의요소이고, 旨(맛있을 지)는 표음요소라는 설이 있다. '匕'가 이중으로 쓰인 매우 특이한 예다. '60세 노인'을 이르기도 하며, '힘세다'는 뜻으로도 쓰인다.

2054 [기]

騏

준마 기
馬부 18획 ⊕ 骐 [qí]

'흑청색의 말', '잘 달리는 말'을 이르기 위한 것이었으니, '말 마'(馬)가 표의요소이고, 其(그 기)는 표음요소이다. 인명용으로도 애용한다.

2055 [기]

麒

기린 기
鹿부 19획 ⊕ 麒 [qí]

상상의 동물인 仁獸(인수) '기린'을 이르기 위하여 만든 것으로, '사슴 록'(鹿)이 표의요소이고, 其(그 기)는 표음요소이다. 인명용으로 쓰인다.

▣ 麒麟(기린)

2056 [기]

沂

물 이름 기
水부 7획 ⊕ 沂 [yí]

강 이름을 위하여 만든 글자이니 '물 수'(水)가 표의요소이고, 斤(도끼 근)이 표음요소임인 祈(빌 기)도 마찬가지다. 지명용, 인명용으로 쓰인다.

2057 [기]

驥

천리마 기
馬부 27획 ⊕ 骥 [jì]

하루에 천리를 달릴 수 있다는 '말'[千里馬]을 이르기 위한 것이었으니 '말 마'(馬)가 표의요소이고, 冀(바랄 기)는 표음요소이다. 인명용으로 애용한다.

▣ 驥尾(기미) : 천리마의 꼬리, 뛰어난 사람의 뒤.

2058 [단]

湍

여울 단
水부 12획 ⊕ 湍 [tuān]

'물이 빨리 흐르는 곳'을 이르기 위한 것이었으니 '물 수'(水)가 표의요소이고 耑(시초 단)은 표음요소이다. 지명용으로 널리 쓰였다.

▣ 長湍(장단) : 경기도에 있는 地名.

2059 [당]

塘

못[池] 당
土부 13획 ⊕ 塘 [táng]

'연못의 둑'을 뜻하기 위하여 만든 글자

이니 '흙 토'(土)가 표의요소이고, 唐(당나라 당)은 표음요소이다. 후에 '연못'을 이르는 것으로 확대 사용됐고 지명에도 널리 쓰였다. 아호의 뒤 글자로도 애용한다.

▣ 池塘(지당) : 못 둑. 연못.

2060 [덕]

悳

큰 덕
心부 12획 ㊥ 德 [dé]

바른[直] 마음[心]이란 뜻이며, 德(#0339)의 옛 글자다. 인명용으로 널리 사랑을 받는 글자인데, 이름에서는 德 대신 이 글자를 쓰는 예가 흔하다. 인명용으로 좋은 글자이다.

2061 [도]

燾

비칠 도
火부 18획 ㊥ 焘 [dào, tāo]

'(빛이 널리) 비치다'는 뜻을 나타내기 위하여 만든 것이었으니, '불 화'(火)가 표의요소로 쓰였다. 음 차이가 크지만 壽(목숨 수)가 표음요소임은 禱(빌 도), 濤(큰 물결 도)도 마찬가지다. 인명용으로 애용한다.

2062 [돈]

惇

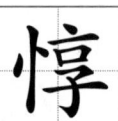

도타울 돈
心부 11획 ㊥ 惇 [dūn]

'(마음이) 도탑다'는 뜻을 나타내기 위하여 만든 것이었으니, '마음 심'(心)이 표의요소로 쓰였다. 오른쪽 것이 표음요소임은 焞(밝을 돈)도 마찬가지다. 인정이 많다는 좋은 뜻이었기에 인명용으로 널리 쓰였다.

2063 [돈]

燉

불빛 돈
火부 16획 ㊥ 炖 [dùn]

'불이 성한 모양'을 뜻하기 위하여 만든 글자이니 '불 화'(火)가 표의요소로 쓰였다. 敦(힘쓸 돈)은 표음요소이다. 인명용으로 애용한다.

2064 [돈]

頓

조아릴 돈:
頁부 13획 ㊥ 顿 [dùn, dú]

'(머리를) 조아리다'는 뜻이었으니 '머리 혈'(頁)이 표의요소이고, 屯(진칠 둔)이 표음요소임은 旽(밝을 돈)도 마찬가지다. 인명용으로도 쓰인다.

▣ 頓首(돈:수) : 머리가 땅에 닿도록 절을 함.
▣ 異次頓(이차돈) : 신라때 佛教를 일으키기 위해 순교한 스님.

2065 [돌]

乭

이름 돌
乙부 6획

이름을 적는 데 쓰기 위하여 우리나라에서 고안해낸 한자다. 예전에 인명용으로 애용한다.

▣ 甲乭(갑돌), 順乭(순돌)

2066 [동]

董

바를[正] 동:
艸부 13획 ㊥ 董 [dǒng]

董자의 본래 뜻은 확실한 설이 없다. 侗(흐리멍텅할 동)의 경우로 보면 重(무거울 중)은 표음요소인 것 같다. '바로잡다'는 뜻으로 쓰였으며, 姓氏에도 쓰였다.

▣ 董卓(동탁) : 삼국지 등장 인물.

2067 [두]

杜

막을 두
木부 7획 ㊥ 杜 [dù]

'팥배나무'를 뜻하기 위하여 만든 글자이니 '나무 목'(木)이 표의요소이고, 土(흙 토)가 표음요소임은 肚(배 두)도 마찬가지다. '막히다'는 뜻으로 쓰이고, 성씨로도 쓰인다.

▣ 杜絶(두절) : 막히거나 끊어짐.
▣ 杜甫(두보) : 唐나라 詩人.

2068 [등]

鄧

나라이름 등:
邑부 15획 ⊕ 邓 [dèng]

옛날 중국의 나라 이름에 쓰기 위하여 만든 글자이니 '고을 읍'(邑)이 표의요소이고, 登(오를 등)은 표음요소이다. 姓氏로 쓰인다.

▣ 鄧小平(등소평) : 현대 중국 정치 지도자의 이름.

2069 [래]

萊

명아주 래
艸부 12획 ⊕ 莱 [lái]

'명아주'라는 풀을 지칭하기 위하여 만든 글자이니 '풀 초'(艸)가 표의요소이고, 來(올 래)는 표음요소이다. 지명용으로 쓰인다.

▣ 東萊(동래) : 경상남도에 있는 地名.

2070 [량]

亮

밝을 량
亠부 9획 ⊕亮 [liàng, liáng]

亮자의 자형 풀이에 대하여는 정설이 없다. '밝다'는 뜻으로 쓰이며, 인명용으로 애용한다.

▣ 亮察(양찰) : 밝게 살펴 줌.
▣ 諸葛亮(제갈량) : 삼국지에 등장하는 蜀漢(촉한)의 충신.

2071 [량]

樑

들보 량
木부 15획 ⊕ 梁 [liáng]

樑자는 '들보'를 뜻하는 梁(량)자의 속자다. '나무 목'(목)이라는 표의요소가 중첩됐다.

2072 [려]

呂

성(姓)/법칙 려:
口부 7획 ⊕ 吕 [lǚ]

신선로 모양을 본뜬 것이라는 설, 등뼈 모양을 본뜬 것이라는 설 등이 있다. 성씨로 많이 쓰인다.

2073 [려]

廬

농막(農幕)집 려
广부 19획 ⊕ 庐 [lú]

'오두막집'을 뜻하기 위하여 만든 글자이니 '집 엄'(广)이 표의요소이고, 盧(밥그릇 로)가 표음요소임은 驢(나귀 려)도 마찬가지다. 지명용으로 쓰인다.

▣ 廬山(여산) : 中國 江西省에 있는 名山.

2074 [려]

驪

검은 말 려
馬부 29획 ⊕ 骊 [lí]

'검은 말'을 뜻하기 위하여 만든 글자이니 '말 마'(馬)가 표의요소이고, 麗(고울 려)는 표음요소이다. 지명용으로 쓰인다.

▣ 驪州(여주) : 경기도에 있는 地名.

2075 [려]

礪

숫돌 려:
石부 20획 ⊕ 砺 [lì]

'숫돌'을 나타내기 위하여 만든 글자이니 '돌 석'(石)이 표의요소이고, 厲(갈 려)는 표음과 표의를 겸하는 요소이다. 지명용으로도 쓰인다.

▣ 礪山(여:산) : 전라북도에 있는 地名.

2076 [련]

漣

잔물결 련
水부 14획 ⊕ 涟 [lián]

'잔물결'을 뜻하기 위하여 만든 글자이니 '물 수'(水)가 표의요소이고, 連(잇닿을 련)은 표음요소이다. 지명용으로도 쓰였다.

▣ 漣川(연천) : 경기도 북부에 있는 地名.

2077 [렴]

濂

물이름 렴
水부 16획 ⊕ 濂 [lián]

'엷은 물'을 뜻하기 위하여 만든 글자이

니 '물 수'(水)가 표의요소이고, 廉(청렴할 렴)은 표음요소이다. 지명이나 성씨 등에도 쓰였다.

▣ 濂溪(염계) : 中國 北宋의 학자 周敦頤(주돈이)의 號.

2078 [령]

玲

옥소리 령
玉부 9획 ⊕ 玲 [líng]

'옥소리'를 뜻하기 위하여 만든 글자이니 '구슬 옥'(玉)이 표의요소이고, 令(영 령)은 표음요소이다. 귀여운 딸 이름을 지을 때 애용한다.

▣ 玲瓏(영롱) : 옥이 울리는 소리. 곱고 투명한 모양.

2079 [례]

醴

단술[甘酒] 례ː
酉부 20획 ⊕ 醴 [lǐ]

'단술'[甘酒]을 뜻하기 위하여 만든 글자이니 '술 유'(酉)가 표의요소이고, 오른쪽 것이 표음요소임은 禮(예도 례)도 마찬가지다. 지명용으로도 쓰인다.

▣ 醴泉(예:천) : 경상북도에 있는 地名.

2080 [로]

鷺

백로/해오라기 로
鳥부 23획 ⊕ 鹭 [lū]

새의 일종인 '해오라기'를 지칭하기 위한 것이었으니 '새 조'(鳥)가 표의요소이고, 路(길 로)는 표음요소이다.

▣ 白鷺(백로) : 해오라기.
▣ 鷺梁津(노량진) : 서울에 있는 地名.

2081 [로]

魯

노나라/노둔할 로
魚부 15획 ⊕ 鲁 [lǔ]

접시 위에 올려놓은 생선 모양을 본뜬 것으로 '맛있음', '훌륭함'을 뜻하였다. 나라 이름과 성씨로도 쓰였다.

▣ 魯迅(노신) : 근대 중국의 저명 문학가.

2082 [로]

盧

성(姓) 로
皿부 16획 ⊕ 卢 [lú]

'밥그릇'을 뜻하기 위하여 만든 글자이니 '그릇 명'(皿)이 표의요소이고, 그 나머지는 표음요소였다는 설이 있다. 성씨로 쓰인다.

2083 [로]

蘆

갈대 로
艸부 20획 ⊕ 芦 [lú, lǔ]

풀의 일종인 '갈대'를 뜻하기 위하여 만든 글자이니 '풀 초'(艸)가 표의요소이고, 盧(밥그릇 로)는 표음요소이다.

▣ 蘆原區(노원구) : 서울에 있는 區 이름.

2084 [료]

遼

멀 료
辶부 16획 ⊕ 辽 [liáo]

'먼 길'을 뜻하기 위하여 만든 글자이니 '길 착'(辶)이 표의요소이고, 그 나머지가 표음요소임은 療(병 고칠 료), 僚(동료 료)도 마찬가지다. 지명용으로 쓰인다.

▣ 遼遠(요원) : 멀고 멈.

2085 [류]

劉

죽일/묘금도(卯金刂) 류
刀부 15획 ⊕ 刘 [liú]

쇠칼의 일종을 뜻하기 위하여 만든 글자이니 '쇠 금'(金)과 '칼 도'(刀)가 표의요소이고, 卯(묘)가 표음요소임은 留(머무를 류), 柳(버들 류)도 마찬가지다. 성씨로 애용한다. 속칭 '묘금도 류'라는 훈은 '卯+金+刀'로 破字(파:자)한 것이다.

2086 [륜]

崙

산이름 륜
山부 11획 ⊕ 仑 [lún]

산 이름을 위하여 만든 것이니 '메 산'

(山)이 표의요소이고, 侖(둥글 륜)은 표음요소이다.

▣ 崑崙山(곤륜산) : 중국의 전설에 나오는 신성한 산.

2087 [릉]

楞

네모질[四角] 릉
木부 13획 ㊥ 楞 [léng]

'네모진 나무'를 뜻하는 것이었기에 '나무 목'(木)이 표의요소이고, 오른쪽 것이 표음요소임은 愣(멍청할 릉)도 마찬가지다. '네[四]+모[方]+나무[木]'으로 나누어 볼 수도 있겠다.

▣ 楞嚴經(능엄경)

2088 [린]

麟

기린 린
鹿부 23획 ㊥ 麟 [lín]

'큰 수컷 사슴'을 뜻하기 위하여 만든 글자이니 '사슴 록'(鹿)이 표의요소이고, 오른쪽 것이 표음요소임은 燐(도깨비불 린)도 마찬가지다. 남자 인명용으로 애용되는데, 획수가 너무 많은 것이 다소 흠이다.

2089 [말]

靺

말갈(靺鞨) 말
革부 14획 ㊥ 靺 [mò]

표의요소인 '가죽 혁'(革)과 표음요소인 末(끝 말)로 구성되어 있다. 중국 고대의 부족 이름으로 쓰였다.

▣ 靺鞨(말갈) : 중국 북방 지역에 거주한 고대 부족. 당나라 이전에는 勿吉(물길)이라 하였음.

2090 [맥]

貊

맥국(貊國) 맥
豸부 13획 ㊥ 貊 [mò, háo]

표의요소인 '벌레 치'(豸)와 표음요소인 百(일백 백, 참고 陌 두렁 맥)으로 구성되어 있다. 고대 부족명으로도 쓰였다.

▣ 濊貊(예맥) : 우리나라 북쪽에 살았던 고대 부족 이름.

2091 [멱]

覓

찾을 멱
見부 11획 ㊥ 覓 [mì]

覓자의 爪(손톱 조)는 '손 우'(又)의 변형이다. 손으로 눈을 비비며 서 있는 사람의 모습을 통하여 '찾다'는 뜻을 나타낸 것이다. 지명용으로 쓰인다.

▣ 木覓山(목멱산) : 서울 남산의 옛 이름.

2092 [면]

冕

면류관 면ː
冂부 11획 ㊥ 冕 [miǎn]

예전에 大夫(대부) 이상의 벼슬아치가 머리에 쓰던 禮帽(예모)를 일컫기 위한 것이었다. 윗부분은 모자 모양을 본뜬 표의요소이고, 免(면할 면)은 표음요소이다. 인명용으로도 쓰인다.

▣ 冕旒冠(면ː류관)

2093 [면]

沔

물이름/빠질 면ː
水부 7획 ㊥ 沔 [miǎn]

강 이름을 적기 위한 것이었으니 '물 수'(水)가 표의요소이고, 丏(가릴 면)은 표음요소이다. 지명에 많이 쓰인다.

▣ 沔川(면ː천) : 충청남도 당진군에 있는 地名

2094 [면]

俛

힘쓸 면ː, 구푸릴 부ː
人부 9획 ㊥ 俛 [miǎn, fǔ]

'머리를 숙이다'는 뜻일 때에는 [부ː]로 읽으며, 俯(구부릴 부)와 같이 쓰인다. '힘쓰다'는 뜻일 때에는 [면ː]으로 읽으며, 勉(힘쓸 면)과 같이 쓰인다.

▣ 俛仰亭(면앙정) : 조선조 명종 때의 학자 宋純(송순)의 호. 본래 [부앙정]이지만 [면앙정]으로 통용되고 있다.

2095 [모]

牟

성(姓)/보리(大麥) 모
牛부 6획 ㊥ 牟 [móu, mù]

'소의 울음소리'를 뜻하기 위하여 만든 글자이니 '소 우'(牛)가 표의요소이고, 이 경우의 '厶'는 소의 입에서 나오는 소리를 상징적으로 나타낸 것이다. 성씨로도 쓰인다.

2096 [모]

茅

띠[草名] 모
艸부 9획 ㊥ 茅 [máo]

풀의 일종인 '띠'를 뜻하기 위하여 만든 글자이니 '풀 초'(艸)가 표의요소이고, 矛(창 모)는 표음요소이다. 아호의 뒤 글자로도 쓰인다.

▣ 茅屋(모옥) : 띠로 지붕을 인 집. 누추한 집.

2097 [모]

謨

꾀 모
言부 18획 ㊥ 谟 [mó]

말을 주고받으며 일을 '꾀하다'는 뜻을 나타내기 위하여 만든 글자이니 '말씀 언'(言)이 표의요소이고, 莫(없을 막)이 표음요소임은 募(모을 모)도 마찬가지다. 인명용으로 많이 쓰인다.

2098 [목]

穆

화목할 목
禾부 16획 ㊥ 穆 [mù]

'벼 이름'을 위하여 만든 글자이니 '벼 화'(禾)가 표의요소이고, 오른쪽 것은 표음요소라고 한다. 후에 '아름답다', '공경하다', '화목하다', '기쁘다', '맑다' 등 좋은 뜻으로 많이 쓰인 관계로 인명용으로 애용한다.

2099 [묘]

昴

별이름 묘 :
日부 9획 ㊥ 昴 [mǎo]

표의요소인 '해 일'(日)과 표음요소인 卯(토끼 묘)로 구성된 것이다. 28 별자리의 하나인 白虎七宿(백호칠수)의 넷째 별자리로서 일곱 개로 구성되어 있다. 인명용으로 애용한다. 昂(오를 앙)과 혼동하기 쉽다.

2100 [문]

汶

물이름 문
水부 7획 ㊥ 汶 [wèn]

강 이름을 적기 위하여 만든 글자이니 '물 수'(水)가 표의요소이고, 文(무늬 문)은 표음요소이다. 지명용으로도 쓰인다.

▣ 汶山(문산) : 경기도에 있는 地名.

2101 [미]

彌

미륵/오랠 미
弓부 17획 ㊥ 弥 [mí]

'(활줄을) 느슨하게 하다'는 뜻을 나타내기 위하여 만든 글자이니 '활 궁'(弓)이 표의요소이고, 爾(너 이)가 표음요소임은 瀰(치렁치렁할 미)도 마찬가지다. '오래다', '멀다', '넓다' 등으로 확대 사용됐다.

▣ 彌阿里(미아리), 阿彌陀佛(아미타불)

2102 [민]

旻

하늘 민
日부 8획 ㊥ 旻 [mín]

'가을 하늘'을 뜻하기 위하여 만든 글자이니 '해 일'(日)이 표의요소이고, 文(글월 문)이 표음요소임은 玟(옥돌 민)도 마찬가지다. 뜻이 좋아 인명용으로 사랑을 받고 있다.

2103 [민]

旼

화할 민
日부 8획 ㊥ 旼 [mín]

표의요소인 '해 일'(日)과 표음요소인 文(글월 문)으로 구성되어 있다. '온화하다'는 뜻으로 쓰이며 인명용으로 애용한다.

2104 [민]

玟

아름다운돌 민
玉부 8획 ㊥

옥같이 아름다운 '돌'을 뜻하기 위하여

만든 글자이니 '구슬 옥'(玉)이 표의요소이고, 文(글월 문)은 표음요소이다. 인명용으로 애용한다. '珉'과 같은 글자다.

2105 [민]

琘

옥돌 민

玉부 9획 ⊕ 琘 [mín]

바로 앞의 '玟'과 같은 뜻의 글자로, 표음요소(民 백성 민)의 기능이 100% 확실한 장점이 있다. 즉, 玟은 [문]으로 잘못 읽을 가능성이 높은 데 비하여, 琘은 그럴 가능성이 전혀 없다. 인명용으로 많은 사랑을 받고 있다.

2106 [민]

閔

성(姓) 민

門부 12획 ⊕ 闵 [mǐn]

'애도하다'는 뜻을 나타내기 위하여 만든 것으로 '문 문'(門)은 표의요소이고, 文(글월 문)은 표음요소이다. 성씨로 쓰인다.

▣ 閔泳煥(민영환) : 조선조 말 때의 憂國之士(우국지사).

2107 [반]

磻

반계(磻溪) 반/번

石부 17획

⊕ 磻 [pán, bō, bò]

활에 얹어 쏘는 '돌'을 나타내기 위하여 만든 글자이니 '돌 석'(石)이 표의요소이고, 番(갈마들 번)이 표음요소임은 潘(뜨물 반)도 마찬가지다. 磻을 [번]으로 읽기도 한다. '물이름 반'이라는 훈은 '磻溪'라는 유명한 시냇물 이름에서 유래된 것이다.

▣ 磻溪(반계) : 渭水(위수)로 흘러 들어가는 陝西省(섬서성)에 있는 시냇물로, 姜太公(강태공)이 낚시하던 곳이었다고 전함.

▣ 碌磻洞(녹번동) : 서울 恩平區에 있는 洞名.

2108 [반]

潘

성(姓) 반

水부 15획 ⊕ 潘 [pān]

'쌀뜨물'을 뜻하기 위하여 만든 글자이니 '물 수'(水)가 표의요소이고, 番(갈마들 번)이 표음요소임은 蟠(서릴 반)도 마찬가지다. 성씨로도 쓰인다.

2109 [발]

鉢

바리때 발

金부 13획 ⊕ 钵 [bō]

표의요소인 '쇠 금'(金)과 표음요소인 本(밑 본, 炦 불꽃 발)으로 구성된 글자다. 스님들의 밥그릇, 즉 '바리때'를 뜻한다.

▣ 托鉢(탁발) : 스님들의 동냥 수행.

▣ 夫鉢(부발) : 경기도 利川郡에 있는 地名.

2110 [발]

渤

바다이름 발

水부 12획 ⊕ 渤 [bó]

바다이름을 적기 위하여 만든 것이었으니 '물 수'(水)가 표의요소이고, 勃(일어날 발)은 표음요소이다.

▣ 渤海(발해) : 황해의 일부. 만주 동부 한반도 북부에 걸쳐있던 나라.

2111 [방]

旁

곁 방:

方부 10획 ⊕ 旁 [páng]

갑골문 자형은 흙을 양 옆으로 파내는 쟁기 모양을 본뜬 것으로 '옆', '곁'이란 뜻을 나타냈다. 지금의 자형에서 方(모 방)은 표음요소를 겸하는 셈이다. 성씨로도 쓰인다.

2112 [방]

龐

높은집 방

龍부 19획 ⊕ 庞 [páng]

'높다란 집'을 뜻하기 위하여 만든 글자이니 '집 엄'(广)이 표의요소이고, 龍(용 룡)이 표음요소였다는 설이 있는데 음 차이가 크다. 성씨로도 쓰인다.

▣ 龐統(방통) : 삼국지 등장 인물.

2113 [배]

裵

성(姓) 배
衣부 14획 ㊥ 裴 [péi]

'긴 옷'을 뜻하기 위하여 만든 글자이니 '옷 의'(衣)가 표의요소이고, 非(아닐 비)가 표음요소임은 徘(노닐 배)도 마찬가지다. 중국에서는 裵로 쓰지 않고 裴로 쓴다.

▣ 裵克廉(배극렴) : 조선조 개국공신.

2114 [벌]

筏

뗏목 벌
竹부 12획 ㊥ 筏 [fá]

대나무로 만든 '뗏목'을 나타내기 위하여 만든 글자이니 '대 죽'(竹)이 표의요소이고, 伐(칠 벌)은 표음요소이다.

▣ 筏橋(벌교) : 전라남도 寶城郡(보성군)에 있는 地名.

2115 [범]

范

성(姓) 범 I
艸부 9획 ㊥ 范 [fàn]

풀이름을 적기 위하여 만든 글자이니 '풀 초'(艸)가 표의요소이고, 氾(넘칠 범)은 표음요소이다. 성씨로도 쓰인다.

▣ 范成大(범성대) : 송나라 때 시인.

2116 [변]

卞

성(姓) 변 I
卜부 4획 ㊥ 卞 [biàn]

卞자의 자형 풀이에 대하여는 정설이 없다. '法度'(법도), '조급하다'는 뜻으로 쓰였고 성씨로도 쓰인다.

▣ 卞季良(변계량) : 조선조 초기의 학자.

2117 [변]

弁

고깔 변 I
廾부 5획 ㊥ 弁 [biàn]

고깔 모양을 본뜬 '厶'와 廾(두 손으로 받들 공)을 통하여 '고깔', '즐거워하다' 등의 뜻을 나타냈다. '버릴 기'(棄)의 古字(고:자)인 '弃'(기)와 혼동하기 쉽다.

▣ 弁韓(변한) : 고대 三韓(삼한) 중의 하나.

2118 [병]

昞

밝을 병 I
日부 9획 ㊥ 昞 [bǐng]

'밝을 병'(炳)과 같은 글자다. 인명용으로 炳 대신 이것을 쓰기도 한다.

2119 [병]

昺

밝을 병 I
日부 9획 ㊥ 昺 [bǐng]

'밝을 병'(炳)과 같은 글자다. 인명용으로 炳 대신 이것을 쓰기도 한다. 炳=昞=昺.

2120 [병]

柄

자루 병 I
木부 9획 ㊥ 柄 [bǐng]

도끼 따위 연장의 '(나무) 자루'를 뜻하기 위하여 만든 글자이니 '나무 목'(木)이 표의요소로 쓰였다. 丙(남녘 병)은 표음요소이다. '근본', '권력'을 뜻하기도 한다. 인명용으로 많이 쓰인다.

2121 [병]

炳

불꽃 병 I
火부 9획 ㊥ 炳 [bǐng]

'(불이) 빛나다' 또는 '밝다'는 뜻을 나타내기 위하여 만든 글자이니 '불 화'(火)가 표의요소이며, 丙(남녘 병)은 표음요소이다. 인명용으로 애용되며 昞, 昺으로 쓰기도 한다.

▣ 炳燭(병촉) : 밝은 촛불.

2122 [병]

秉

잡을 병:
禾부 8획 ⊕ 秉 [bǐng]

갑골문은 '잡다'는 뜻을 나타내기 위하여 한 포기의 벼 모양을 본뜬 '禾'(화)와 그것을 잡고 있는 손 모양을 그린 '又'(우)가 합쳐져 있다. 인명용으로도 많이 쓰인다.

▣ 秉權(병권) : 정권을 잡음.

2123 [보]

甫

클 보:
用부 7획 ⊕ 甫 [fǔ]

원래 표의요소인 '쓸 용'(用)과 표음요소인 父(아비 부/보)로 구성되었는데 후에 모양이 조금 바뀌었다. 남자에 대한 美稱(미칭)으로 많이 쓰였다. 아호의 뒤 글자로도 애용한다.

▣ 杜甫(두보) : 당나라 시인.

2124 [보]

潽

물이름 보:
水부 15획 ⊕ 潽 [pū]

강 이름을 적기 위하여 만든 글자이니 '물 수'(水)가 표의요소이고, 普(널리 보)는 표음요소이다. 인명용으로 쓰이기도 한다.

▣ 尹潽善(윤보선) : 우리나라 제2대 대통령.

2125 [보]

輔

도울 보:
車부 14획 ⊕ 辅 [fǔ]

'수레바퀴 덧방나무'를 나타내기 위하여 만든 글자이니 '수레 거'(車)가 표의요소이고, 甫(클 보)는 표음요소이다. 수레에 무거운 짐을 실을 때 바퀴에 묶어 바퀴를 튼튼하게 보조하는 것이므로 '돕다', '도움' 같은 의미를 나타내기에 안성맞춤이었다. 뜻이 좋아 인명용으로도 널리 쓰인다.

▣ 輔佐(보:좌) : 지위가 높은 사람을 도움. = 補佐.
▣ 輔弼(보:필) : 임금의 덕업을 도움.
▣ 輔國安民(보:국-안민) : 나라를 돕고 백성을 편안하게 함.

2126 [복]

馥

향기 복
香부 18획 ⊕ 馥 [fù]

'향기롭다'는 뜻을 나타내기 위하여 만든 글자이니 '향기 향'(香)이 표의요소이고, 오른쪽 것이 표음요소임은 複(겹옷 복)도 마찬가지다. 뜻이 좋아 인명용으로 애용한다.

2127 [봉]

蓬

쑥 봉
艸부 15획 ⊕ 蓬 [péng]

풀의 일종인 '쑥'을 뜻하기 위하여 만든 글자이니 '풀 초'(艸)가 표의요소이고, 逢(만날 봉)은 표음요소이다.

▣ 蓬萊山(봉래산) : 동해 신선이 산다는 전설의 산. 여름철 금강산의 별칭.

2128 [부]

阜

언덕 부:
阜부 8획 ⊕ 阜 [fù]

阜자는 수많은 글자의 표의요소로 쓰이는 部首字(부수자)인 점에서 매우 중요한 글자다. '(산) 언덕'을 나타내기 위하여 산비탈 또는 산비탈의 돌계단 모습을 본뜬 것이다. 글자의 왼쪽에 쓰일 때에는 '阝'로 쓴다. 지명용으로 쓰인다.

▣ 曲阜(곡부) : 중국 지명, 孔子의 사당이 있는 곳.

2129 [부]

釜

가마 부
金부 10획 ⊕ 釜 [fǔ]

무쇠로 만든 '가마솥'을 뜻하기 위하여 만든 글자이니 '쇠 금'(金)이 표의요소이고, 父(아비 부)는 표음요소이다. 父와 金의 중복된 두 획이 편의상 생략됐다.

▣ 釜山(부산)

▣ 釜中生魚(부중생어) : 오랫동안 밥을 짓지 못하여 솥 안에 물고기가 생김. 극도로 가난함을 형용.

2130 [부]

傅

스승 부ː
人부 12획 ⊕ 傅 [fù]

사람들끼리 서로 '돕다'는 뜻을 나타내기 위하여 만든 글자이니 '사람 인'(亻)이 표의요소이고, 오른쪽 것이 표음요소임인 賻(부의 부)도 마찬가지다. 공부를 도와주는 사람, 즉 '스승'을 뜻하기도 하고, '가까이 하다' 등으로도 쓰인다.

▣ 師傅(사부) : 스승.

2131 [분]

芬

향기 분
艸부 8획 ⊕ 芬 [fēn]

풀 따위에서 '향기가 나다'는 뜻을 나타내기 위하여 만든 글자이니 '풀 초'(艸)가 표의요소이고, 分(나눌 분)은 표음요소이다. 획수가 적고 뜻이 고와 여성 인명용으로 많이 쓰인다.

▣ 芬香(분향) : 향기.

2132 [붕]

鵬

새 붕
鳥부 19획 ⊕ 鹏 [péng]

표의요소인 '새 조'(鳥)와 표음요소인 朋(벗 붕)으로 구성된 글자로 '봉황새 봉'(鳳)의 古字(고자)다. 인명용으로 애용한다.
▣ 周世鵬(주세붕) : 조선조의 학자.

2133 [비]

丕

클 비
一부 5획 ⊕ 丕 [pī]

'크다', '으뜸' 같은 뜻을 나타내기 위하여 만든 글자이니 '한 일'(一)이 표의요소이고, 不(아닐 불)이 표음요소임은 鈈(날 있는 창 비)도 마찬가지다.

▣ 丕訓(비훈) : 큰 교훈. 큰 훈계.

2134 [비]

毗

도울 비
比부 9획 ⊕ 毗 [pí]

밭 일 따위를 '돕다'는 뜻을 나타내기 위하여 '밭 전'(田)을 표의요소로 썼다. 比(견줄 비)는 표음요소이다. '毘'로 쓰기도 한다.

▣ 毗益(비익) : 도와 이롭게 함.
▣ 毗盧峯(비로봉) : 금강산의 봉우리 이름.

2135 [비]

毖

삼갈 비
比부 9획 ⊕ 毖 [bì]

'(견주어) 삼가다'는 뜻을 나타내기 위하여 만든 글자이니 '견줄 비'(比)가 표의요소이고, 必(반드시 필)이 표음요소임은 祕(숨길 비)도 마찬가지다.

▣ 懲毖(징비) : 애써 삼감.
(참고, 『懲毖錄』-임란(壬亂) 후 柳成龍(류성용)이 지은 책.)

2136 [비]

泌

분비할 비ː/스며 흐를 필
水부 8획 ⊕ 泌 [bì]

산골짜기 옹달샘에서 물이 졸졸 '흘러내리는'(fall; drop) 모양을 나타내기 위한 것이었으니, '물 수'(氵=水)가 표의요소로 쓰였다. 必(반드시 필)은 표음요소이니 뜻과는 무관하다. '스미다'(sink in; infiltrate), '스며 나오다'(soak out; exude)는 뜻으로 쓰인다.

2137 [빈]

彬

빛날 빈
彡부 11획 ⊕ 彬 [bīn]

份(빛날 빈)의 古文(고:문)이다. '수풀 림'(林)과 '터럭 삼'(彡)이 어떤 역할을 하는지는 정설이 없다. 뜻이 좋아 인명용으로 애용한다.

▣ 彬彬(빈빈) : 文彩와 바탕이 함께 갖추어져 찬란한 모양.

2138 [빙]

馮

탈(乘) 빙/성(姓) 풍
馬부 12획 ⊕ 冯 [féng, píng]

말을 타고 '달리다'(gallop a horse; spur a horse on)는 뜻을 나타내기 위하여 만든 글자이니, '말 마'(馬)가 표의요소이고 冫(얼음 빙)은 표음요소이다. '타다'(ride), '기대다'(depend on), '뽐내다'(take pride) 등으로도 쓰인다. 성(姓)으로 쓰일 때에는 [풍]으로 읽는다.

2139 [사]

泗

물이름 사:
水부 8획 ⊕ 泗 [sì]

강 이름을 적기 위하여 만든 글자이니 '물 수'(水)가 표의요소이고, 四(넉 사)는 표음요소이다. 지명용으로 많이 쓰였다.

▣ 泗川(사천) : 중국의 지명.
泗沘(사비) : 夫餘(부여)의 옛 이름.

2140 [상]

庠

학교 상
广부 9획 ⊕ 庠 [xiáng]

표의요소인 '집 엄'(广)가 표음요소인 羊(양 양, 참고 祥 상서로울 상)으로 구성된 글자다. 글을 가르치는 '학교'를 夏(하)나라 때에는 '校'(교), 殷(은) 나라 때에는 '庠', 周(주) 나라 때에는 '序'(서)라고 각각 달리 칭하였다. 공부를 잘하라는 뜻으로 인명용으로 애용한다.

2141 [서]

舒

펼 서:
舌부 12획 ⊕ 舒 [shū]

말린 것이나 개킨 것을 '펴다'는 뜻을 나타내기 위한 것으로, 표의요소인 舍(집 사)와 予(나 여)로 구성되어 있는데 그 역할이 분명하지 않다. 予가 표음요소를 겸하는 것임은 抒(풀 서)를 통하여 짐작할 수 있다.

▣ 舒卷(서:권) : 폄과 맒. 책을 폄.
▣ 舒情(서:정) : 자기의 정서를 그려냄. =抒情, 敍情.

2142 [석]

奭

클/쌍백 석
大부 15획 ⊕ 奭 [shì]

두 손에 무언가를 들고 서 있는 어른 모습을 본뜬 것이다. '크다'는 뜻으로 쓰이며 인명용으로 애용한다.

2143 [석]

晳

밝을 석
日부 12획 ⊕ 晰 [xī]

해 따위가 '밝다'는 뜻을 나타내기 위하여 만든 글자이니 '해 일'(日)이 표의요소이고, 析(가를 석)은 표음요소이다. '晰'으로 쓰기도 한다. 뜻이 좋아 인명용으로 많이 쓰인다.

2144 [석]

錫

주석 석
金부 16획 ⊕ 锡 [xī]

금속의 일종인 '주석'을 나타내기 위하여 만든 글자이니 '쇠 금'(金)이 표의요소이고, 易(바꿀 역)이 표음요소임은 緆(고운 베 석)도 마찬가지다. 인명용으로도 많이 쓰인다.

2145 [선]

瑄

구슬 선
玉부 13획 ⊕ 瑄 [xuān]

크기가 여섯 치나 되는 '도리옥'을 나타내기 위하여 만든 글자이니 '구슬 옥'(玉)이 표의요소이고, 宣(베풀 선)은 표음요소이다. 뜻이 좋아 인명용으로 애용한다.

2146 [선]

璇

옥 선
玉부 15획 ⊕ 璇 [xuán]

'아름다운 옥'을 뜻하기 위하여 만든 글자이니 '구슬 옥'(玉)이 표의요소이고, 旋(돌 선)은 표음요소이다. 인명용으로도 쓰인다. 璿(선)과 같은 글자다.

2147 [선]

璿

도리옥 선
玉부 18획 ⊕ 璿 [xuán]

'아름다운 옥'을 뜻하기 위하여 만든 글자이니 '구슬 옥'(玉)이 표의요소이고, 오른쪽 것은 표음요소였다고 한다. 인명용으로도 쓰인다. 璇(선)과 같은 글자다.

2148 [설]

卨

사람이름 설
卜부 11획 ⊕ 卨 [xiè]

殷(은)나라 湯王(탕왕)의 조상 이름을 적는 데 쓰인 글자다. 어떤 곤충을 본뜬 것이라는 설이 있다. 요즘 젊은이들 사이에서는 탱크 모양을 닮았다고 '탱크 설'이라는 俗訓(속훈)을 달기도 한다. 어쨌든 인명용으로 많이 쓰인다.

▣ 李相卨(이상설) : 헤이그 밀사의 한 분.

2149 [설]

薛

성(姓) 설
艸부 17획 ⊕ 薛 [xuē]

'쑥'이란 풀의 일종을 이름 짓기 위한 것이었으니 '풀 초'(艸)가 표의요소이고, 그 나머지는 표음요소였다고 한다. 姓氏로 쓰인다.

▣ 薛聰(설총) : 신라 때 이두를 지었다는 사람.

2150 [섬]

陜

땅이름 섬
阜부 10획 ⊕ 陜 [shǎn]

땅 이름을 적기 위하여 고안된 것으로 '언덕 부'(阜)가 표의요소이고, 夾(숨길 섬)은 표음요소이다. 陜(땅 이름 합/좁을 협, #2320)과 자형이 너무도 비슷하여 잘못 쓰거나, 잘못 읽기 쉽다. 차이점을 눈여겨 봐 두자.

▣ 陜西(섬서) : 중국 서북부의 省(성).

2151 [섬]

蟾

두꺼비 섬
虫부 19획 ⊕ 蟾 [chán]

'두꺼비'를 지칭하기 위한 것인데, '벌레 충'(虫)이 표의요소로 쓰였다. 옛날 사람들은 그것을 벌레의 일종으로 여겼나 보다. 詹(이를 첨)이 표음요소임은 贍(넉넉할 섬)도 마찬가지다.

▣ 蟾津江(섬진강)

2152 [섬]

暹

햇살치밀/나라이름 섬
日부 16획 ⊕ 暹 [xiān]

'해가 떠오름'을 뜻하기 위하여 '해 일'(日)과 '나아갈 진'(進)을 합쳐 놓았다. 나라이름을 적는 데에도 쓰였다.

▣ 暹羅(섬라) : 1939년 이전의 태국을 이르는 'Siam'을 한자로 표기한 것.

2153 [섭]

燮

불꽃 섭
火부 17획 ⊕ 燮 [xiè]

燮자의 言은 막대기 모양이 잘못 변화된 것이다. 손[又]에 막대기를 들고 불꽃[火+火, 또는 炎]을 피우는 것으로서 '불꽃'의 뜻을 나타냈다. 후에 '불에 익히다', '화합하다', '고르다'는 뜻으로 확대 사용됐고 인명용으로도 많이 쓰인다.

2154 [성]

晟

밝을 성
日부 11획 ⊕ 晟 [shèng]

해처럼 '밝음'을 뜻하기 위하여 만든 글자이니 '해 일'(日)이 표의요소이고, 成(이룰 성)은 표음요소이다. 뜻이 좋아 인명용으로 애용한다.

2155 [소]

巢

새집 소
巛부 11획 ⊕ 巢 [cháo]

'새집'을 뜻하기 위하여 나무[木] 위에

지어진 새집 모양을 본뜬 것이다.

2156 [소]

沼 못 소
水부 8획 ⊕ 沼 [zhǎo]

'못', '늪'을 나타내기 위하여 만든 글자이니 '물 수'(水)가 표의요소이고, 召(부를 소)는 표음요소이다. 지명에도 많이 쓰인다.

▣ 德沼(덕소) : 경기도에 있는 지명.

2157 [소]

邵 땅이름/성(姓) 소
邑부 8획 ⊕ 邵 [shào]

옛날의 고을(땅) 이름을 적기 위하여 만든 글자이니 '고을 읍'(邑)이 표의요소이고, 召(부를 소)는 표음요소이다. 성씨로도 쓰인다.

▣ 邵雍(소옹) : 송나라 때의 학자.

2158 [송]

宋 송나라 송:
宀부 7획 ⊕ 宋 [sòng]

'집 면'(宀)과 '나무 목'(木), 두 표의요소로 구성된 글자로 '살다'가 본래 뜻이라고 한다. 본뜻보다는 나라이름이나 성씨로 많이 쓰였다.

▣ 宋時烈(송시열) : 조선조 때의 정치가.

2159 [수]

洙 물가 수
水부 9획 ⊕ 洙 [zhū]

강 이름을 적기 위하여 만든 글자이니 '물 수'(水)가 표의요소이고, 朱(붉을 주)가 표음요소임은 殊(죽일 수)도 마찬가지다. 인명용으로 많이 쓰인다.

2160 [수]

銖 저울눈 수
金부 14획 ⊕ 铢 [zhū]

표의요소인 '쇠 금'(金)과 표음요소인 朱(붉을 주)로 구성된 글자다. 무게 단위로 쓰였으며, 인명용으로도 쓰인다.

2161 [수]

隋 수나라 수
阜부 12획 ⊕ 隋 [suí]

고기 祭物(제:물)을 뜻하기 위하여 만든 글자이니 '고기 육'(肉→月)이 표의요소이고, 나머지는 표음요소라고 한다. 본래 뜻보다는 나라 이름과 관련된 의미로 많이 쓰인다.

▣ 隋唐(수당) : 수나라와 당나라.

2162 [순]

洵 참으로 순
水부 9획 ⊕ 洵 [xún]

강 이름을 적기 위하여 만든 글자이니 '물 수'(水)가 표의요소이고, 旬(열흘 순)은 표음요소이다. '참으로', '멀다' 등으로도 쓰이며, 인명용으로도 애용한다.

2163 [순]

淳 순박할 순
水부 11획 ⊕ 淳 [chún]

본래 뜻은 물과 관련이 있었으니 '물 수'(水)가 표의요소이고, 오른쪽 것이 표음요소임은 醇(진한 술 순)도 마찬가지다. 본래 뜻보다는 '순박하다', '깨끗하다', '맑다' 등으로 많이 쓰인다. 인명용으로도 애용한다.

2164 [순]

珣 옥이름 순
玉부 10획 ⊕ 珣 [xún]

옥의 일종을 나타내기 위하여 만든 글자이니 '구슬 옥'(玉)이 표의요소이고, 旬(열흘 순)은 표음요소이다. 여성 인명용으로 애용한다.

2165 [순]

舜

순임금 순
舛부 12획 ⊕ 舜 [shùn]

'무궁화'를 가리키기 위하여 그 모양을 본뜬 것에다 표음요소인 舛(어그러질 천)이 합쳐진 것이라 한다. 후에 인명용으로 많이 쓰이자 본뜻을 명확하게 나타내기 위하여 蕣(무궁화 순)자를 추가로 만들어 냈다.

▣ 舜英(순영) : 무궁화 꽃. 미인에 비유함.
▣ 舜임금 : 堯(요)임금의 선양을 받은 고대 전설상의 聖君(성:군).

2166 [순]

荀

풀이름 순
艸부 10획 ⊕ 荀 [xún]

풀이름을 적기 위한 글자였으니 '풀 초'(艸)가 표의요소이고, 旬(열흘 순)은 표음요소이다. 인명용으로 쓰인다.

▣ 荀子(순자) : 중국 전국시대의 철학자.

2167 [슬]

瑟

큰거문고 슬
玉부 13획 ⊕ 瑟 [sè]

여러 줄이 달려 있는 고대 현악기를 뜻하기 위하여 그 모양을 본뜬 것이었는데, 모양이 크게 달라졌다. 必(반드시 필)은 표의요소가 아니라 표음과 관련되어 후에 덧붙여진 것이다. 인명으로도 많이 쓰인다.

2168 [승]

繩

노끈 승
糸부 19획 ⊕ 绳 [shéng]

실 따위를 여러 겹으로 꼰 '노끈'를 뜻하기 위하여 만든 글자이니 '실 사'(糸)가 표의요소이고, 그 나머지가 표음요소임은 蠅(파리 승)도 마찬가지다.

▣ 繩索(승색) : 노. 새끼.

2169 [시]

柴

섶[薪] 시:
木부 9획
⊕ 柴 [chái, cī, zhài, zì]

'땔나무'를 뜻하기 위하여 만든 글자이니 '나무 목'(木)이 표의요소이고, 此(이 차)가 표음요소임은 祡(시료 시)도 마찬가지다.

▣ 柴草(시:초) : 땔감으로 쓰는 마른 풀.
▣ 柴扉(시:비) : 사립문.

2170 [식]

湜

물맑을 식
水부 12획 ⊕ 湜 [shí]

'물이 맑은 모양'을 나타내기 위하여 만든 글자이니 '물 수'(水)가 표의요소였고, 是(옳을 시)가 표음요소임은 寔(진실로 식)도 마찬가지다. 뜻이 좋아 인명용으로 많이 쓰인다.

2171 [식]

軾

수레 가로나무 식
車부 13획 ⊕ 轼 [shì]

수레 안에서 절을 할 때에 손으로 쥐는 앞턱의 가로나무를 지칭하는 것이었기에 '수레 거'(車)가 표의요소이고, 式(법 식)은 표음요소이다.

▣ 蘇軾(소식) : 당송팔대가의 한 사람. 호는 東坡(동파).

2172 [심]

瀋

즙낼/물 이름 심:
水부 18획 ⊕ 沈 [shěn]

액체의 '즙'을 뜻하기 위하여 만든 글자이니 '물 수'(水)가 표의요소이고, 審(살필 심)은 표음요소이다. 주로 강 이름이나 지명으로 쓰였다.

▣ 瀋陽(심양) : 중국 동북지방에 있는 지명.

2173 [알]

閼

막을 알
門부 16획 ㊥ 阏 [è, yān]

문을 '막다'는 뜻을 나타내기 위하여 만든 글자이니 '문 문'(門)이 표의요소이고, 於(어조사 어)는 표음요소였다는 설이 있다. 인명용으로 쓰인다.

▣ 金閼智(김알지) : 慶州(경주) 金氏(김씨)의 시조

2174 [압]

鴨

오리 압
鳥부 16획 ㊥ 鸭 [yā]

새의 일종인 '오리'를 가리키기 위한 것이었으니 '새 조'(鳥)가 표의요소이고, 甲(갑옷 갑)이 표음요소임은 押(누를 압)도 마찬가지다.

▣ 野鴨(야:압) : 물오리. 鴨綠江(압록강).

2175 [애]

埃

티끌 애
土부 10획 ㊥ 埃 [āi]

'티끌', '먼지'를 뜻하기 위한 것인데 '흙 토'(土)가 표의요소로 쓰인 것은 먼지를 작은 흙이라 생각했기 때문인 듯. 矣(어조사 의)가 표음요소임은 挨(칠 애)도 마찬가지다.

▣ 埃及(애급) : 이집트

2176 [애]

艾

쑥 애
艸부 6획 ㊥ 艾 [ài, yì]

풀의 일종인 '쑥', '약쑥'을 뜻하기 위하여 만든 글자이니 '풀 초'(艸)가 표의요소이고, 乂(벨 예)는 표음요소인데 음이 조금 달라졌다. '예쁘다'는 뜻으로도 쓰인다.

2177 [야]

倻

가야 야
人부 11획 ㊥ 倻 [yē]

우리나라의 악기 이름을 적는 데 활용된 한자다. '사람 인'(亻)이 표의요소이고, 耶(어조사 야)는 표음요소이다. 나라 이름, 산 이름을 적는 데도 쓰였다.

▣ 伽倻琴(가야금). 伽耶國(가야국). 伽倻山(가야산).

2178 [양]

襄

도울 양(:)
衣부 17획 ㊥ 襄 [xiāng]

옷깃을 '걷어 올리다'는 뜻을 나타내기 위한 '옷 의'(衣)가 표의요소이고, 나머지는 표음요소였다고 한다.

▣ 襄陽(양:양) : 강원도에 있는 지명.

2179 [언]

彦

선비 언:
彡부 9획 ㊥ 彦 [yàn]

문장에 뛰어난 '선비'를 일컫기 위한 것이었으니 彣(문채 문)이 표의요소이고, 厂(기슭 엄)은 표음요소였다고 한다. 자형이 바뀌어 그 구조를 알기 힘들게 됐다. 뜻이 좋아 남자 인명용으로 애용한다.

▣ 李彦迪(이언적) : 조선조 중종 때의 학자.

2180 [연]

姸

고울 연:
女부 9획 ㊥ 妍 [yán]

여인이 '예쁘다'는 뜻을 나타내기 위하여 만든 글자이니 '여자 여'(女)가 표의요소이고, 그 나머지가 표음요소임은 硏(갈 연)도 마찬가지다. 뜻이 좋아 여자 인명용으로 애용한다.

2181 [연]

淵

못 연
水부 12획 ㊥ 渊 [yuān]

저수지, 즉 '못'를 지칭하기 위하여 그 모습을 본뜬 것이다. 원래 '물 수'(氵)가 없었는데 뜻을 분명하게 하기 위하여 후에 첨가됐다. '깊다', '고요하다'는 뜻으로도 쓰인다. 뜻이 좋아 인명용으로도 애용한다.

▣ 淵博(연박) : 학문이나 식견 등이 깊고 넓음.
▣ 淵蓋蘇文(연개소문) : 고구려의 명장.

2182 [연]

衍

넓을 연ː
行부 9획 ⊕ 衍 [yǎn]

'물 수'(水→氵)와 '갈 행'(行), 둘 다 표의요소로 쓰였다. '물이 흐르다', '퍼지다', '넘치다'는 뜻을 그렇게 나타낸 것이 자못 흥미롭다. '지나다', '남다'는 뜻으로도 확대 사용됐다. 인명용으로도 쓰인다.

2183 [염]

閻

마을 염
門부 16획 ⊕ 阎 [yán]

'마을의 문'을 뜻하기 위하여 만든 글자이니 '문 문'(門)이 표의요소이고, 그 나머지가 표음요소임은 焰(불 당길 염)도 마찬가지다. 성씨로 쓰인다.

2184 [엽]

燁

빛날 엽
火부 16획 ⊕ 烨 [yè]

불[火]꽃[華]처럼 '빛나다'는 뜻을 나타낸다. 뜻이 좋아 남자 인명용으로 애용한다.

2185 [영]

暎

비칠 영ː
日부 13획 ⊕ 暎 [yìng]

映(비출 영)과 같은 글자인데 인명용으로 쓰일 때에는 映보다는 暎을 즐겨 쓴다. 표의요소인 '해 일'(日)과 표음요소인 英(꽃부리 영)으로 구성되었다.

2186 [영]

瑛

옥빛 영
玉부 13획 ⊕ 瑛 [yīng]

'옥빛[玉光]'을 뜻하기 위하여 만든 글자이니 '구슬 옥'(玉)이 표의요소이고, 英(꽃부리 영)은 표음요소이다. 뜻이 좋아 인명용으로 많이 쓰인다.

2187 [영]

盈

찰 영
皿부 9획 ⊕ 盈 [yíng]

그릇에 '가득 차다'는 뜻을 나타내기 위하여 만든 글자이니 '그릇 명'(皿)이 표의요소로 쓰였다. 그 나머지도 표의요소이나 뜻은 확실하지 않다.

▣ 盈德(영덕) : 경상북도에 있는 지명.

2188 [예]

芮

성(姓) 예ː
艸부 8획 ⊕ 芮 [ruì]

갓 돋아난 풀싹의 '부드럽고 가는 모양'을 뜻하기 위하여 만든 글자이니 '풀 초'(艸)가 표의요소이고, 內(안 내)가 표음요소임은 汭(물구비 예)도 마찬가지다. 성씨로 쓰인다.

2189 [예]

睿

슬기 예ː
目부 14획 ⊕ 睿 [ruì]

눈이 '밝다'는 뜻을 나타내기 위하여 만든 글자이니 '눈 목'(目)이 표의요소로 쓰였다. 그 나머지도 표의요소였다는데 무슨 뜻인지는 확실한 설이 없다. '사리에 밝다', '슬기롭다'는 뜻으로도 쓰이며, 임금에 관한 사물을 지칭할 때에도 쓰인다.

▣ 睿旨(예ː지) : 임금의 뜻.
▣ 睿宗(예ː종) : 조선조 8대왕

2190 [예]

濊

종족 이름 예ː
水부 16획
⊕ 濊 [huì, huò, wèi]

물이 '깊고 넓은 모양'을 뜻하기 위하여 만든 글자이니 '물 수'(水)가 표의요소이고, 歲(해 세)가 표음요소임은 薉(거친 풀 예)도 마찬가지다.

▣ 濊貊(예맥) : 우리나라 북쪽에 살았던 고대 부족 이름.

2191 [오]

吳

성(姓) 오
口부 7획 ⊕ 吴 [wú]

'큰 소리로 말하다'는 뜻을 나타내기 위하여 '입 구'(口)와 '큰 대'(大)가 합쳐진 것이었는데 大자의 모양이 약간 달라졌다. 나라 이름, 성씨로도 쓰인다.

▣ 吳世昌(오세창) : 3.1운동 33人 중 한 분.

2192 [오]

墺

물가 오ː
土부 16획 ⊕ 墺 [ào]

'사람이 살 수 있는 땅'을 이르는 것이었기에 '흙 토'(土)가 표의요소이고, 奧(속 오)는 표음요소이다. '물가의 언덕'을 뜻하기도 한다.

▣ 墺地利(오지리) : '오스트리아'의 한자음 표기.

2193 [옥]

沃

기름질 옥
水부 7획 ⊕ 沃 [wò]

논밭에 '물을 대다'는 뜻을 나타내기 위한 것이었기에 '물 수'(水)가 표의요소로 쓰였다. 원래 芺(엉겅퀴 요)가 표음요소인데 후에 夭(요)로 바뀌었다. 땅이 '기름지다'는 뜻으로 확대 사용됐다. 지명, 인명에 두루 쓰인다.

▣ 沃畓(옥답) : 기름진 논.
▣ 沃川(옥천) : 충청북도에 있는 지명.

2194 [옥]

鈺

보배 옥
金부 13획 ⊕ 钰 [yù]

'귀한 보배'를 뜻하기 위하여 만든 글자이니 '쇠 금'(金)과 '구슬 옥'(玉) 모두 표의요소이다. 玉은 표음요소도 겸한다. 뜻이 좋아 인명용으로 애용한다.

2195 [옹]

邕

막힐 옹
邑부 10획 ⊕ 邕 [yōng]

사방이 하천[川→巛]으로 둘러 막혀 있는 고을[邑]을 이른다. '막다', '화락하다'는 뜻으로도 쓰이고, 성씨로도 쓰인다.

2196 [옹]

雍

화(和)할 옹
隹부 13획 ⊕ 雍 [yōng]

원래 雝(옹)으로 썼고 '할미새'를 뜻하는 것이었는데, 隸書(예ː서) 서체에서 雍으로 고쳐졌고 '화락하다', '누그러지다', '학교' 등으로 확대 사용됐다.

▣ 雍熙(옹희) : 화락함.
▣ 辟雍(벽옹) : 천자가 세운 학교.

2197 [옹]

甕

독 옹ː
瓦부 18획 ⊕ 瓮 [wèng]

가마에 구워 만든 '항아리'나 '독'을 뜻하기 위하여 만든 글자이니 '기와 와'(瓦)가 표의요소이고, 雍(누그러질 옹)은 표음요소이다.

▣ 甕津(옹진) : 경기도에 있는 지명.

2198 [완]

莞

빙그레할 완/왕골 관
艸부 11획
⊕ 莞 [guān, guǎn, wǎn]

풀의 일종인 '왕골'을 뜻하기 위하여 만든 글자이니 '풀 초'(艸)가 표의요소이고, 完(완전할 완)은 표음요소이다.

▣ 莞島(완도) : 전라남도에 있는 섬.

2199 [왕]

旺

왕성할 왕
日부 8획 ⊕ 旺 [wàng]

'햇무리'(日暈)을 뜻하기 위하여 '해

일'(日)이 표의요소이고, 王(임금 왕)은 표음요소이다. 후에 '아름답다', '성하다'등으로 확대 사용됐다.

▣ 旺盛(왕ː성) : 사물이 성함.
▣ 儀旺(의왕) : 경기도에 있는 지명.

2200 [왕]

汪

넓을 왕(ː)
水부 7획 ⊕ 汪 [wāng]

물이 '넓은 모양'을 뜻하기 위하여 만든 글자이니 '물 수'(水)가 표의요소이고, 王(임금 왕)은 표음요소이다. 인명용, 성씨용으로 쓰인다.

2201 [왜]

倭

왜나라 왜
人부 10획 ⊕ 倭 [wō]

사람의 성질이 '유순함'을 뜻하기 위하여 만든 글자이니 '사람 인'(亻)이 표의요소이고, 委(맡길 위)가 표음요소임은 矮(키 작을 왜)도 마찬가지다. 우리나라나 중국에서 '일본'을 일컫던 명칭으로 많이 쓰였다.

2202 [요]

堯

요임금 요
土부 12획 ⊕ 尧 [yáo]

'우뚝할 올'(兀)과 '흙 토'(土) 세 개를 합쳐 놓은 것으로 '우뚝한 토대'나 '높다'는 뜻을 나타냈다. 후에 '요임금'의 이름으로 쓰이는 예가 많아지자, 본래 뜻은 嶢(높을 요)를 따로 만들어 나타냈다.

2203 [요]

姚

예쁠 요
女부 9획 ⊕ 姚 [yáo]

순임금의 성으로 쓰였고, '예쁘다', '날래다' 등을 나타내기도 했다. 표의요소인 '여자 여'(女)와 표음요소인 兆(조짐 조, 참고 銚 쟁개비 요)로 구성되어 있다.

2204 [요]

耀

빛날 요
羽부 20획 ⊕ 耀 [yào]

'빛나다'는 뜻을 나타내기 위하여 '빛 광'(光)이 표의요소이고, 그 나머지가 표음요소임은 曜(빛날 요)도 마찬가지다. 인명용으로도 많이 쓰인다.

2205 [용]

溶

녹을 용
水부 13획 ⊕ 溶 [róng]

'물이 질펀하다'는 뜻을 나타내기 위하여 만든 글자이니 '물 수'(水)가 표의요소이고, 容(얼굴 용)은 표음요소이다. 후에 '녹이다'로 확대 사용됐다.

▣ 溶解(용해) : 녹음. 녹임.

2206 [용]

瑢

패옥소리 용
玉부 14획 ⊕ 瑢 [róng]

'佩玉(패옥) 소리'를 뜻하기 위하여 '구슬 옥'(玉)이 표의요소이고, 容(얼굴 용)은 표음요소이다. 인명용으로 쓰인다.

2207 [용]

鎔

쇠녹일 용
金부 18획 ⊕ 鎔 [róng]

금속을 주조할 때 쓰는 '거푸집'을 뜻하기 위하여 만든 글자이니 '쇠 금'(金)이 표의요소이고, 容(얼굴 용)은 표음요소이다. '녹이다'로 확대사용 됐고, 이름에도 쓴다.

▣ 鎔鑛爐(용광로) : 광석을 녹이는 가마.

2208 [용]

鏞

쇠북 용
金부 19획 ⊕ 镛 [yōng]

쇠로 만든 '큰 종'을 나타내기 위하여 '쇠 금'(金)이 표의요소이고, 庸(쓸 용)은 표음요소이다. 요즘은 인명용으로도 쓴다.

2209 [우]

佑

도울 우ː
人부 7획 ⊕ 佑 [yòu]

다른 사람을 '돕다'는 뜻을 나타내기 위하여 만든 글자이니 '사람 인'(亻)이 표의요소이고, 右(오른쪽 우)는 표음요소이다. 뜻이 좋아 인명용으로 애용한다.

▣ 保佑(보ː우) : 보호하고 도움.

2210 [우]

祐

복(福) 우ː
示부 10획 ⊕ 祐 [yòu]

'신이 도와줌'을 뜻하기 위하여 만든 글자이니 '제사 시'(示)가 표의요소이고, 右(오른쪽 우)은 표음요소이다. 인명용으로도 쓰인다.

▣ 祐助(우ː조) : 신조(神助).

2211 [우]

禹

성(姓) 우ː
禸부 9획 ⊕ 禹 [yǔ]

벌레의 이름을 적기 위하여 벌레의 머리, 발, 꼬리 모양을 본뜬 글자이다. 본뜻으로 쓰인 예는 드물고, 성씨로 많이 쓰인다.

▣ 禹王(우왕) : 중국 夏(하)나라를 창업한 聖王(성ː왕).

2212 [욱]

旭

아침해 욱
日부 6획 ⊕ 旭 [xù]

'아침해' 또는 '해가 뜨는 모양'을 뜻하기 위하여 만든 글자이니 '해 일'(日)이 표의요소이고, 九(아홉 구)가 표음요소임은 仇(구석 욱)도 마찬가지다. 뜻이 좋아 인명용으로도 애용한다.

▣ 旭日(욱일) : 아침해.

2213 [욱]

頊

삼갈 욱
頁부 13획 ⊕ 顼 [xū]

'머리가 멍하다'는 뜻을 나타내기 위하여 만든 글자이니 '머리 혈'(頁)이 표의요소이고, 玉(구슬 옥)은 표음요소라고 한다. '정신이 빠진 것 같은 모양'을 뜻하기도 하니 인명용으로 좋지 못하다.

2214 [욱]

昱

햇빛 밝을 욱
日부 9획 ⊕ 昱 [yù]

'내일'을 뜻하기 위하여 만든 글자이니 '날 일'(日)이 표의요소이고, 立(설 립)은 표음요소였다고 한다. 후에 그 뜻은 '翌'(다음날 익)자로 나타냈고 이것은 '햇빛이 밝은 모양'을 뜻하게 됐다. 인명용으로도 많이 쓰인다.

▣ 昱昱(욱욱) : 햇빛이 밝은 모양.

2215 [욱]

煜

빛날 욱
火부 13획 ⊕ 煜 [yù]

햇빛이나 불빛이 '빛나다'는 뜻을 나타내기 위하여 만든 글자이니 '불 화'(火)가 표의요소이고, 昱(빛날 욱)은 표음과 표의를 겸하는 요소이다. 뜻이 좋아 인명용으로 애용한다.

2216 [욱]

郁

성할 욱
邑부 9획 ⊕ 郁 [yù]

고을 이름을 적기 위하여 고안한 것이었으니 '고을 읍'(邑)이 표의요소이고, 有(있을 유)가 표음요소임은 栯(산앵두 욱)도 마찬가지다. '盛(성)하다', '향기롭다'는 뜻도 나타냈고 인명용으로도 애용한다.

2217 [운]

芸

향풀 운
艸부 8획 ⊕ 芸 [yún]

향초의 하나인 '운향'을 나타내기 위하여 만든 글자이니 '풀 초'(艸)가 표의요소이고, 云(이를 운)은 표음요소이다. 藝(심을 예)의 약자로도 쓰이는데, 이 경우는 음이 다름에 유의해야 한다.

▣ 芸香(운향) : 향초의 일종. 잎을 책 속에 넣어두면 좀이 먹지 아니함.

2218 [울]

蔚

고을이름 울
艸부 15획 ㊥ 蔚 [wèi, yù]

풀의 일종인 '제비 쑥'을 나타내기 위하여 만든 글자이니 '풀 초'(艸)가 표의요소이고, 尉(벼슬 위)는 표음요소인데 음이 달라졌다.

▣ 蔚山(울산) : 경상남도에 있는 지명.

2219 [웅]

熊

곰 웅
火부 14획 ㊥ 熊 [xióng]

'곰'을 지칭하기 위하여 그 모양을 본뜬 것이다. '불 화'(火)가 부수이지만 표의요소는 아니다. 아래의 네 점(灬)은 곰의 네 발 모양이 변화된 것이다.

▣ 熊膽(웅담) : 곰쓸개.
▣ 熊津(웅진) : 公州(공주)의 옛 이름.

2220 [원]

媛

예쁜 여자 원
女부 12획
㊥ 媛 [yuán, yuàn]

재덕이 뛰어난 '예쁜 여자'를 뜻하기 위하여 만든 글자이니 '여자 여'(女)가 표의요소이고, 爰(이에 원)은 표음요소이다. 뜻이 좋아 여성 인명용으로 많은 사랑을 받고 있다.

▣ 才媛(재원) : 재주가 많고 예쁜 여자.

2221 [원]

瑗

구슬 원
玉부 13획 ㊥ 瑗 [yuàn]

고리 모양의 '옥'을 뜻하기 위하여 만든 글자이니 '구슬 옥'(玉)이 표의요소이고, 爰(이에 원)은 표음요소이다. 인명용으로 애용한다.

2222 [원]

袁

성(姓) 원
衣부 10획 ㊥ 袁 [yuán]

'옷이 긴 모양'을 뜻하기 위하여 만든 글자이니 '옷 의'(衣)가 표의요소로 쓰였다. 그 나머지는 표음요소였다고 한다. 성씨로도 쓰인다.

▣ 袁世凱(원세개) : 중국 청나라 말 때의 정치가.

2223 [위]

渭

물이름 위
水부 12획 ㊥ 渭 [wèi]

강 이름을 적기 위하여 만든 글자이니 '물 수'(水)가 표의요소이고, 胃(밥통 위)는 표음요소이다.

▣ 渭水(위수) : 중국에 있는 강 이름.

2224 [위]

韋

가죽 위
韋부 9획 ㊥ 韦 [wéi]

성[口] 주위를 같은 방향으로 돌고 있어 마주칠 수 없는 두 발자국을 통하여 '어긋나다'는 뜻을 나타낸 것이다. 후에 본래 뜻을 위하여 違(어길 위)자가 만들어졌고, 이것은 '부드러운 가죽'을 지칭하는 것으로 활용됐다. 성씨로도 쓰인다.

2225 [위]

魏

성(姓) 위
鬼부 18획 ㊥ 魏 [wèi]

표의요소인 '귀신 귀'(鬼)와 표음요소인 委(맡길 위)로 구성되어 있는데, 본래 의미에 대하여는 정설이 없다. 성씨나 나라 이름으로 쓰였다.

2226 [유]

庾

곳집/노적가리 유
广부 12획 ㊥ 庾 [yǔ]

미곡 창고, 즉 '곳집'을 뜻하기 위하여 만든 글자이니 '집 엄'(广)이 표의요소이고, 臾(잠깐 유)는 표음요소이다. 인명용으로도 쓰인다.

▣ 金庾信(김유신) : 신라의 명장 이름.

2227 [유]

兪

대답할/인월도(人月刂) 유
入부 9획 ⊕ 俞 [yú]

속이 파낸 나무로 만든 '배'를 가리키기 위하여 그 모양을 본뜬 것에다 '배 주'(舟)를 첨가한 형태의 것이었는데, 모양이 크게 달라졌다. 후에 본래 뜻과는 달리 '그러하다', '응답하다', '더욱' 등으로 쓰였고 성씨로도 쓰인다. 속칭 '인월도 유'라고 하는 것은 '人+月+刂'로 쪼갠 것에서 유래됐다.

2228 [유]

楡

느릅나무 유
木부 13획 ⊕ 榆 [yú]

'느릅나무'를 뜻하기 위하여 만든 글자이니 '나무 목'(木)이 표의요소이고, 兪(더욱 유)는 표음요소이다.

2229 [유]

踰

넘을 유
足부 16획 ⊕ 踰 [yú]

발로 걸어서 '넘다'는 뜻을 나타내기 위하여 만든 글자이니 '발 족'(足)이 표의요소이고, 兪(더욱 유)는 표음요소이다.

▣ 水踰里(수유리) : 서울에 있는 지명.

2230 [윤]

允

맏[伯] 윤:
儿부 4획 ⊕ 允 [yǔn]

갑골문에 등장할 정도로 오랜 역사를 지닌 글자이나 본래 뜻과 자형 풀이에 대하여는 정설이 없다. '성실하고 신의가 있다', '진실로', '승낙하다'는 뜻으로 쓰이며, 뜻이 좋아 인명용으로도 애용한다.

▣ 允許(윤허) : 임금이 허가함.

2231 [윤]

尹

성(姓) 윤:
尸부 4획 ⊕ 尹 [yǐn]

권력의 상징인 지팡이[丨]를 손[又]에 쥐고 있는 모양이 변화된 것이다. '다스리다', '신의', '벼슬' 등의 뜻이며, 성씨로도 쓰인다.

▣ 尹瓘(윤관) : 고려 예종 때 학자이자 장군.

2232 [윤]

胤

자손 윤
肉부 9획 ⊕ 胤 [yìn]

'살 육'(肉→月), '나눌 팔'(八), '어릴 요'(幺)가 합쳐진 것이다. 같은 핏줄을 나눈 '자손'이 본래 의미이다. '자손', '대를 잇다', '계승하다' 등으로 확대 사용됐고, 인명용으로도 쓰인다.

▣ 胤裔(윤예) : 자손.

2233 [윤]

鈗

창 윤
金부 12획 ⊕ 鈗 [ruì, yǔn]

쇠로 만든 병기 이름을 적기 위한 것이었으니 '쇠 금'(金)이 표의요소이고, 允(진실로 윤)은 표음요소이다. 인명용으로도 쓰인다.

2234 [은]

殷

은나라 은
殳부 10획
⊕ 殷 [yīn, yān, yǐn]

손[又]에 채[几]를 들고 악기를 두드리는 모양이라는 설, 손에 침을 들고 불룩한 배에 침을 놓는 모양이라는 설이 있다. '성하다', '바로잡다'는 뜻으로 쓰인다. 나라이름이나 성씨로도 쓰인다.

2235 [은]

垠

지경 은
土부 9획 ⊕ 垠 [yín]

'땅 가장자리'를 뜻하기 위하여 만든 글자이니 '흙 토'(土)가 표의요소이고, 艮(어긋날 간)이 표음요소임은 銀(은 은)도 마찬가지다. 인명용으로 쓰인다.

2236 [은]

誾

향기 은
言부 15획 ⊕ 誾 [yín]

표의요소인 '문 문'(門)과 표음요소인 '말씀 언'(言, 참고 狺 으르렁거릴 은)으로 구성된 것이다. 말이 '화기애애하다', '향내 나다'는 뜻이다. 인명용으로도 쓰인다.

▣ 南誾(남은) : 조선조의 개국공신.

2237 [응]

鷹

매 응(ː)
鳥부 24획 ⊕ 鹰 [yīng]

새의 일종인 '매'를 뜻하기 위하여 만든 글자이니 '새 조'(鳥)가 표의요소이고, 應(응할 응)은 표음요소인데 心이 편의상 생략됐다.

▣ 鷹岩洞(응암동) : 서울에 있는 동이름.

2238 [이]

伊

저[彼] 이
人부 6획 ⊕ 伊 [yī]

殷(은)나라 때 천하를 잘 다스렸던 聖人(성ː인)인 '阿衡'(아형)을 이르기 위하여 '사람 인'(亻)과 '다스릴 윤'(尹), 두 표의요소를 합친 글자다. 지명용으로도 쓰인다.

▣ 伊太利(이태리) : '이탈리아'의 한자 음역어.

2239 [이]

珥

귀고리 이ː
玉부 10획 ⊕ 珥 [ěr]

주옥으로 만든 '귀 거리 장식'을 뜻하기 위하여 '구슬 옥'(玉)에 '귀 이'(耳)를 합쳐 놓은 것이다. 耳는 표음요소도 겸한다. 인명용으로 쓰인다.

▣ 李珥(이이) : 조선조 대학자 栗谷(율곡)의 본명.

2240 [이]

怡

기쁠 이
心부 8획 ⊕ 怡 [yí]

마음이 '기쁘다'는 뜻을 나타내기 위하여 만든 글자이니 '마음 심'(心)이 표의요소이고, 그 나머지가 표음요소임은 貽(끼칠 이)도 마찬가지다. 인명용으로 애용한다.

▣ 南怡(남이) : 조선조 세조 때의 장수.

2241 [익]

翊

도울 익
羽부 11획 ⊕ 翊 [yì]

'나르는 모양'을 뜻하기 위하여 만든 글자이다. '날개 우'(羽)가 표의요소이고, 立(설 립)이 표음요소임은 翌(다음날 익)도 마찬가지다. 후에 '돕다', '삼가다'는 뜻으로도 활용됐고, 인명용으로도 쓰인다.

2242 [일]

鎰

무게이름 일
金부 18획 ⊕ 镒 [yì]

표의요소인 '쇠 금'(金)과 표음요소인 益(더할 익, 참고 溢 넘칠 일)이 조합된 글자다. '무게 단위'를 뜻하는 것으로 쓰였고, 인명용으로도 쓰인다.

2243 [일]

佾

줄춤 일
人부 8획 ⊕ 佾 [yì]

춤추는 사람의 행렬(8人1列)을 뜻하기 위하여 만든 글자이니 '사람 인'(亻)이 표의요소이고, 그 나머지는 표음요소였다고 한다. 인명용으로도 쓰인다.

▣ 八佾(팔일) : ≪論語≫(논어)의 편명.

2244 [자]

滋

불을[益] 자
水부 12획 ⊕ 滋 [zī]

물 따위가 '불어나다'는 뜻을 나타내기 위하여 만든 글자이니 '물 수'(水)가 표의요소이고, 玆(이 자)는 표음요소이다. '자라다', '맛있다' 등으로 쓰였으며 인명용으로도 쓰인다.

▣ 滋養(자양) : 기름. 영양이 됨.

2245 [장]

庄

전장(田莊) 장
广부 6획 ㊥庄 [zhuāng]

농사일을 위한 집, 즉 '농막'을 뜻하기 위하여 '집 엄'(广)과 '흙 토'(土)를 합쳐 놓은 것이다. 莊(풀 성할 장)과 통용된다.

2246 [장]

璋

(반쪽)홀 장
玉부 15획 ㊥璋 [zhāng]

옥으로 만든 '반쪽 홀'(벼슬을 상징)을 뜻하기 위하여 만든 글자이니 '구슬 옥'(玉)이 표의요소이고, 章(글 장)은 표음요소이다. 인명용으로도 쓰인다.

2247 [장]

蔣

성(姓) 장:
艸부 15획 ㊥蒋 [jiǎng]

풀의 일종인 '줄'을 뜻하기 위하여 만든 글자이니 '풀 초'(艸)가 표의요소이고, 將(장차 장)은 표음요소이다. 성씨로도 쓰인다.

▣ 蔣介石(장개석) : 중화민국의 정치가.

2248 [장]

獐

노루 장
犬부 14획 ㊥獐 [zhāng]

'노루'(a roe deer)를 뜻하기 위하여 만든 글자이니 '개 견'(犬 = 犭)이 표의요소이고, 章(글 장)은 표음요소이다. 노루가 개보다는 사슴과 비슷한 점이 많으므로 '사슴 록'과 '글 장'을 합친 麞으로 쓰기도 한다.

2249 [전]

甸

경기 전
田부 7획 ㊥甸 [diàn]

왕궁으로부터 사방 5백리의 천자 직할 토지를 지칭하기 위하여 '밭 전'(田)과 '에워쌀 포'(勹)를 합친 것이다. 그 땅을 京畿(경기)라고도 한다. 지명용으로 쓰인다.

▣ 畿甸(기전) : 서울 부근.

2250 [정]

鄭

나라 정:
邑부 15획 ㊥郑 [zhèng]

고을(주나라 厲王이 아들 友에게 준 封土) 이름을 적기 위한 것이었으니 '고을 읍'(邑)이 표의요소이고, 奠(전)은 표음요소였다고 한다. 성씨로도 쓰인다.

▣ 鄭夢周(정몽주) : 고려 말의 충신.

2251 [정]

晶

밝을 정
日부 12획 ㊥晶 [jīng]

별이 '밝음'을 뜻하기 위하여 세 개의 별 모양을 본뜬 것이다. 후에 '맑다'로 확대 사용됐으며, 뜻이 좋아 인명용으로도 애용한다.

2252 [정]

珽

옥이름 정
玉부 11획 ㊥珽 [tǐng]

옥의 일종을 이름 짓기 위한 것이었으니 '구슬 옥'(玉)이 표의요소이고, 廷(조정 정)은 표음요소이다. 인명용으로도 쓰인다.

2253 [정]

旌

기 정
方부 11획 ㊥旌 [jīng]

깃대 위에 소꼬리를 달고 다시 새털로 장식한 '기'를 뜻하기 위하여 만든 글자이니 '깃발 모양'에서 유래된 「方+人」이 표의요소이고, 生(날 생)은 표음요소였다고 한다.

▣ 旌善(정선) : 강원도에 있는 지명

2254 [정]

楨

광나무 정
木부 13획 ㊥ 桢 [zhēn]

'광나무'를 뜻하기 위하여 만든 글자이니 '나무 목'(木)이 표의요소이고, 貞(곧을 정)이 표음요소이다. 인명용으로도 쓰인다.

2255 [정]

汀

물가 정
水부 5획 ㊥ 汀 [tīng]

'물이 평평함'[水平]을 뜻하기 위하여 만든 글자이니 '물 수'(水)가 표의요소이고, 丁(넷째천간 정)은 표음요소이다. 물가의 평평한 곳을 이르기도 한다. 뜻이 좋고 획수가 적어 이름字자로는 안성맞춤이다.

2256 [정]

禎

상서로울 정
示부 14획 ㊥ 祯 [zhēn]

표의요소인 '제사 시'(示)와 표음요소인 貞(곧을 정)으로 구성되어 있다. '상서로움', '吉兆(길조)', '福(복)'같은 좋은 뜻으로 쓰이기에 인명용으로 애용한다.

▣ 孫基禎(손기정).

2257 [정]

鼎

솥 정
鼎부 13획 ㊥ 鼎 [dǐng]

'솥'을 뜻하기 위하여 세 발 달린 솥 모양을 본뜬 것이다. 인명용으로도 쓰인다.

▣ 鼎立(정립) : 솥발과 같이 세 곳에 나누어 섬.

2258 [조]

趙

나라 조:
走부 14획 ㊥ 赵 [zhào]

'달려가다'는 뜻을 위하여 만든 것이었으니 '달릴 주'(走)가 표의요소이고, 肖(닮을 초)는 표음요소였다. 본뜻보다는 나라이름이나 성씨로 많이 쓰였다.

▣ 趙光祖(조광조) : 조선조 중종 때의 학자.

2259 [조]

曺

성(姓) 조
日부 10획 ㊥ 曺 [cáo]

원래는 曰(가로 왈)자 위에 두개의 '동녘 동'(東)자가 있는 형태였다. 曺는 曹의 속자였다. 자형 풀이에 대해서는 이설이 많다. '무리', '짝', '마을', '관청'을 뜻하기도 한다. 성씨로 쓰이는 경우 중국에서는 '曹'자로, 우리나라에서는 '曺'로 각각 달리 쓴다.

▣ 曺植(조식) : 조선조 중종 때 대학자.
▣ 曹植(조식) : 중국 위나라 시인. 曹操의 아들.

2260 [조]

祚

복(福) 조
示부 10획 ㊥ 祚 [zhà, zuò]

제사를 통하여 비는 '복'을 뜻하기 위하여 만든 글자이니 '제사 시'(示)가 표의요소이고, 乍(잠깐 사)가 표음요소임은 阼(동편 층계 조)도 마찬가지다. 뜻이 좋고 쓰기 편하여 인명용으로 안성맞춤이다.

2261 [종]

琮

옥홀 종
玉부 12획 ㊥ 琮 [cóng]

옥으로 만든 '홀'을 뜻하기 위하여 만든 글자이니 '구슬 옥'(玉)이 표의요소이고, 宗(마루 종)은 표음요소이다. 인명용으로 애용한다.

2262 [주]

疇

이랑 주
田부 19획 ㊥ 畴 [chóu]

'밭이랑'을 뜻하기 위하여 만든 글자이니 '밭 전'(田)이 표의요소이고, 壽(목숨 수)가 표음요소임은 鑄(쇠 부어 만들 주)도 마찬가지다. 인명용으로도 쓰인다.

2263 [준]

埈

높을 준:
土부 10획 ⊕ 埈 [jùn, xùn]

峻, 陖과 같은 글자다. 산[山]이나 구릉[阜] 등이 '높다'는 뜻이다. 인명용으로 애용한다.

2264 [준]

峻

높을/준엄할 준:
山부 10획 ⊕ 峻 [jùn]

산이 '높고 험하다'는 뜻이니 '메 산'(山)이 표의요소이고, 오른쪽 것이 표음요소임은 浚(깊을 준)도 마찬가지다. 인명용으로도 쓰인다.

▣ 險峻(험준) : 산세가 험하고 높고 가파름.

2265 [준]

晙

밝을 준:
日부 11획 ⊕ 晙 [jùn]

날이 '밝다'는 뜻이니 '날 일'(日)이 표의요소이고, 나머지는 표음요소이다. 인명용으로도 쓰인다.

2266 [준]

浚

깊게 할 준:
水부 10획 ⊕ 浚 [jùn, xùn]

물이 '깊다'는 뜻이니 '물 수'(水)가 표의요소이고, 나머지는 표음요소이다. 인명용으로도 쓰인다.

2267 [준]

濬

깊을 준:
水부 17획 ⊕ 浚 [jùn]

물이 잘 흐르도록 도랑을 '파다'는 뜻을 위하여 '물 수'(水)와 '깊을 예'(睿)를 합쳐 놓은 것이다. 인명용으로도 쓰인다.

2268 [준]

駿

준마 준:
馬부 17획 ⊕ 骏 [jùn]

잘 달리는 '좋은 말'을 뜻하기 위하여 만든 글자이니 '말 마'(馬)가 표의요소이고, 나머지는 표음요소이다. 인명용으로 쓰인다.

2269 [지]

址

터 지
土부 7획 ⊕ 址 [zhǐ]

'땅', '터'를 뜻하는 것이니 '흙 토'(土)가 표의요소이고, 止(발 지)는 표음요소이다. 뜻이 좋고 쓰기 쉬워 인명용으로 많이 쓰인다.

2270 [지]

芝

지초 지
艸부 8획 ⊕ 芝 [zhī]

神草(신초)라는 '영지'(靈芝)를 일컫기 위한 것이었으니 '풀 초'(艸)가 표의요소이고, 之(갈 지)는 표음요소이다. 뜻이 좋고 획수도 간단하여 인명용으로 좋은 글자이다.

2271 [직]

稙

올벼 직
禾부 13획 ⊕ 稙 [zhī]

일찍 심어 빨리 익는 벼, 즉 '올벼'를 뜻하는 것이니 '벼 화'(禾)가 표의요소이고, 直(곧을 직)은 표음요소이다. 인명용으로 쓰인다.

2272 [직]

稷

피[穀名] 직
禾부 15획 ⊕ 稷 [jì]

'기장'같은 곡물을 뜻하는 것이니 '벼 화'(禾)가 표의요소이고, 나머지가 표음요소임은 樱(나무 이름 직)도 마찬가지다. 인명용, 지명용으로 쓰인다.

▣ 稷山(직산) : 충청남도 천안시에 있는 지명.

2273 [진]

秦

성(姓) 진
禾부 10획 ⊕ 秦 [qín]

절구공이를 들고 벼이삭을 빻는 모습에서 유래된 글자다. 나라이름, 지명, 성씨를 적는 데 쓰였다.

2274 [진]

晉

진나라 진 :
日부 10획 ⊕ 晋 [jìn]

두 개의 화살이 통에 꼽혀 있는 모습에서 유래된 글자다. 나라이름, 지명, 성씨를 적는 데 쓰였다.

▣ 晉州(진주) : 경상남도에 있는 지명.

2275 [찬]

燦

빛날 찬 :
火부 17획 ⊕ 灿 [càn]

'빛나다'는 뜻이니 '불 화'(火)가 표의요소고, 粲(정미 찬)은 표음요소이다. 뜻이 좋아 인명용으로 애용한다.

2276 [찬]

鑽

뚫을 찬
金부 27획
⊕ 钻 [zuān, zuàn]

쇠로 '뚫다'는 뜻이니 '쇠 금'(金)이 표의요소이고, 贊(도울 찬)은 표음요소이다. 인명용으로도 쓰인다.

2277 [찬]

璨

옥빛 찬 :
玉부 17획 ⊕ 璨 [càn]

'옥 빛'을 뜻하기 위하여 만든 글자이니 '구슬 옥'(玉)이 표의요소이고, 粲(정미 찬)은 표음요소이다. 인명용으로 애용한다.

2278 [찬]

瓚

옥잔 찬
玉부 23획 ⊕ 瓒 [zàn]

'옥으로 만든 잔'을 뜻하기 위하여 만든 글자이니 구슬 옥'(玉)이 표음요소이고, 贊(도울 찬)은 표음요소이다.

2279 [창]

敞

시원할 창
攴부 12획 ⊕ 敞 [chǎng]

'칠 복'(攴)이 표의요소이고, 尙(오히려 상)이 표음요소임은 淌(큰 물결 창)도 마찬가지다. '높이 축성한 토대', '높다', '시원하다'는 뜻으로 쓰인다.

▣ 高敞(고창) : 전라북도에 있는 지명.

2280 [창]

昶

해길 창 :
日부 9획 ⊕ 昶 [chǎng]

'낮이 길다'는 뜻을 나타내기 위하여 '해 일'(日)과 '길 영'(永)을 합쳐 놓은 것임을 쉽게 알 수 있다. '화창하다'는 뜻인 暢자와 음이 같아 그 뜻으로도 쓰인다. 뜻이 좋고 획수도 많지 않아 인명용으로 크게 사랑받고 있는 글자다.

2281 [채]

采

풍채 채 :
釆부 8획 ⊕ 采 [cǎi, cài]

'따다'는 뜻을 나타내기 위하여 손[又→爪]으로 나무[木]의 열매나 잎을 따는 모습을 그린 것이다. 후에 '모습', '무늬' 등으로 쓰는 예가 많아지자, 본래 뜻은 따로 '採(채)'자를 만들어 나타냈다.

▣ 風采(풍채) : 사람의 겉모습.

2282 [채]

埰

사패지(賜牌地) 채 :
土부 11획 ⊕ 埰 [cài]

땅에다 묻은 '무덤'을 뜻하는 것이니 '흙 토'(土)가 표의요소이고, 采(딸 채)는 표음요소이다. 고대 고급 관리의 '食邑'(식읍)이나 '領地'(영지)를 가리키기도 했다.

2283 [채]

蔡

성(姓) 채 :
艸부 15획 ⊕ 蔡 [cài]

'들 풀'을 뜻하기 위하여 만든 글자이니

'풀 초'(艸)가 표의요소이고, 祭(제사 제)가 표음요소임은 瘵(앓을 채)도 마찬가지다. 성씨로 많이 쓰인다.

▣ 蔡濟恭(채제공) : 조선조 때 유명한 재상.

2284 [척]

陟

오를 척
阜부 10획 ⊕ 陟 [zhì]

언덕[阜]을 오르는 발걸음[步]을 통하여 '오르다'는 뜻을 나타낸 글자다. 지명용으로 쓰인다.

▣ 陟降(척강) : 오름과 내림.

2285 [천]

釧

팔찌 천
金부 11획 ⊕ 钏 [chuàn]

쇠로 만든 '팔찌'를 뜻하니 '쇠 금'(金)이 표의요소이고, 川(내 천)은 표음요소이다.

2286 [철]

喆

밝을/쌍길(吉) 철
口부 12획 ⊕ 哲 [zhé]

哲(#1077)과 같은 글자다. 속칭 '쌍길 철'이라고 하는 것은 두 개의 吉(길할 길)자가 합쳐진 것을 두고 한 것이다. 인명용으로 많이 애용한다.

2287 [철]

澈

맑을 철
水부 15획 ⊕ 澈 [chè]

물이 '맑음'을 뜻하는 것이니 '물 수'(水)가 표의요소이고, 나머지가 표음요소임은 徹(통할 철), 撤(거둘 철)도 마찬가지다. 뜻이 좋아 인명용으로 애용한다.

▣ 鄭澈(정철) : 조선 선조 때의 정치가이자 시인.

2288 [첨]

瞻

볼 첨
目부 18획 ⊕ 瞻 [zhān]

눈을 들어 '쳐다보다'는 뜻을 위한 것이니 '눈 목'(目)이 표의요소이고, 詹(이를 첨)은 표음요소이다.

▣ 瞻星臺(첨성대) : 경주에 있는 신라시대의 천문 관측대.

2289 [초]

楚

초나라 초
木부 13획 ⊕ 楚 [chǔ]

원래 '수풀 림'(林)과 '발 족'(足)의 조합형으로 '우거지다'는 뜻을 나타냈다. 후에 足이 疋(발 소)로 바뀌어 표음요소 역할을 했다고 한다. 나라 이름이나 성씨로 쓰였다.

2290 [촉]

蜀

나라이름 촉
虫부 13획 ⊕ 蜀 [shǔ]

'누에'를 지칭하기 위하여 누에의 머리와 몸체 모양을 본뜬 것이었다. 나라 이름으로 쓰였다.

▣ 蜀漢(촉한) : 劉備(유비)가 세운 왕조 이름.

2291 [최]

崔

성(姓)/높을 최
山부 11획 ⊕ 崔 [cuī]

산이 '높고 크다'[高大]는 뜻을 위한 것이었으니 '메 산'(山)이 표의요소이고, 隹(새 추)가 표음요소였다고 한다. 성씨로 쓰인다.

▣ 崔致遠(최치원) : 신라 말기의 대학자.

2292 [추]

楸

가래 추
木부 13획 ⊕ 楸 [qiū]

'개오동나무'를 가리키니 '나무 목'(木)이 표의요소이고, 秋(가을 추)는 표음요소이다. 지명용으로 쓰인다.

2293 [추]

鄒

추나라 추
邑부 13획 ⊕ 邹 [zōu]

고을 이름을 적기 위한 것이었으니 '고을 읍'(邑)이 표의요소이고 芻(꼴 추)는 표음요소이다. 성씨로도 쓰인다.

▣ 鄒魯之鄉(추로지향) : 孔孟(공맹)의 고향.

2294 [춘]

椿

참죽나무 춘
木부 13획 ⊕ 椿 [chūn]

'참죽나무'를 뜻하니 '나무 목'(木)이 표의요소이고, 春(봄 춘)은 표음요소이다. 인명용으로도 쓰인다.

2295 [충]

沖

온화할 충
冫부 6획
⊕ 沖 [chōng, chòng]

물이 '솟구치다'는 뜻이니 '물 수'(水)가 표의요소이고, 中(가운데 중)이 표음요소임은 忡(근심할 충)도 마찬가지다. '온화하다'는 뜻으로도 쓰이며, 음이 같아 衝(찌를 충) 대신 쓰이기도 한다. '冲'도 같은 글자다. 인명용으로도 쓰인다.

▣ 崔沖(최충) : 고려 때의 학자.

2296 [취]

聚

모을 취ː
耳부 14획 ⊕ 聚 [jù]

여러 사람이 '모이다'는 뜻을 나타내기 위하여 만든 글자이니 3 개의 '사람 인'(人)이 표의요소이고, 取(취)는 표음요소이다. '모으다', '무리', '마을'로 확대 사용됐다. 인명용으로도 쓰인다.

▣ 聚落(취락) : 마을.

2297 [치]

峙

언덕 치
山부 9획 ⊕ 峙 [zhì, shì]

산처럼 '우뚝 솟다'는 뜻이니 '메 산'(山)이 표의요소 이고, 寺(절 사)가 표음요소임은 痔(치질 치)도 마찬가지다. '언덕', '서다', '쌓다' 등으로 확대 사용됐다.

▣ 對峙(대치) : 맞섬.
▣ 大峙洞(대치동) : 서울에 있는 동 이름.

2298 [치]

雉

꿩 치
隹부 13획 ⊕ 雉 [zhì]

'꿩'을 뜻하는 것이니 '새 추'(隹)가 표의요소이고, 矢(화살 시)는 표음요소라고 한다. '鴙'(꿩 치)로 쓰기도 한다.

▣ 雉岳山(치악산) : 강원도 원주에 있는 산.

2299 [탄]

灘

여울 탄
水부 22획 ⊕ 滩 [tān]

'여울'을 가리키니 '물 수'(水)가 표의요소이고, 難(어려울 난)이 표음요소임은 攤(펼 탄)도 마찬가지다. 지명에 많이 쓰인다.

▣ 玄海灘(현해탄), 新灘津(신탄진)

2300 [탐]

耽

즐길 탐
耳부 10획 ⊕ 耽 [dān]

귀가 커서 축 '처짐'을 뜻하기 위하여 만든 글자이니 '귀 이'(耳)가 표의요소이고, 冘(머뭇거릴 유)가 표음요소임은 眈(노려볼 탐)도 마찬가지다. 후에 '빠지다', '즐기다'로 확대 사용됐다.

▣ 耽溺(탐닉) : 무슨 일에 푹 빠짐.
▣ 耽羅(탐라) : 제주도의 옛 이름.

2301 [태]

兌

바꿀/기쁠 태
儿부 7획 ⊕ 兑 [duì]

'기뻐하다'는 뜻을 나타내기 위하여 입[口]가에 주름일 생길 정도로[八] 웃음을 지으며 서 있는 사람[儿=亻] 모습을 그린 것이었다. 후에 '바꾸다' 등으로 달리 쓰이는 예가 많아지자, 본래의 뜻은 悅(열, #1238)자를 따로 만들어 나타냈다. 인명용으로도 많이 쓰인다.

▣ 兌換(태환) : 바꾸다.

2302 [태]

台

별 태
口부 5획 ⊕ 台 [tái, tāi]

'말하다', '기쁘다', '자신'을 뜻할 때에는 [이]로, '별', '높은 지위'를 뜻 할 때에는 [태]로 읽는다. 인명용으로 애용한다.

2303 [파]

坡

언덕 파
土부 8획 ⊕ 坡 [pō]

산 '비탈', '고개'를 뜻하는 것이니 '메 산'(山)이 표의요소이고, 皮(가죽 피)가 표음요소임은 破(깨뜨릴 파)도 마찬가지다. 지명에 많이 쓰인다.

▣ 坡州(파주) : 경기도에 있는 지명.

2304 [판]

阪

언덕 판
阜부 7획 ⊕ 阪 [bǎn]

산 '언덕'이나 '둑'을 뜻하는 것이니 '언덕 부'(阜)가 표의요소이고, 反(되돌릴 반)이 표음요소임은 版(널 판)도 마찬가지다. 지명에 많이 쓰인다.

▣ 大阪(대판) : 일본에 있는 지명.

2305 [팽]

彭

성(姓) 팽
彡부 12획 ⊕ 彭 [péng]

'북 두드리는 소리'를 뜻하기 위하여 북을 세워놓은 모양과 소리가 울리는 것을 상징하는 부호[彡]로 구성되어 있다. '힘차다'로 확대 사용됐고 성씨로도 쓰인다.

2306 [편]

扁

작을 편
戶부 9획 ⊕ 扁 [biǎn, piān]

문 위에 걸어 놓은 '현판'을 뜻하기 위하여 '지게문 호'(戶)와 '책 책'(冊)을 합쳐 놓았다. 후에 '납작하다', '작다' 등으로 확대 사용됐다.

▣ 扁額(편액) : 그림 또는 글씨를 써서 방안이나 문 위에 걸어 놓은 널조각.

2307 [포]

葡

포도 포
艸부 13획 ⊕ 葡 [pú]

'풀 초'(艸)가 표의요소이고 匍(길 포)는 표음요소이다. '포도'의 [포] 음절을 표기하는 데 활용됐다.

2308 [포]

鮑

절인물고기 포 :
魚부 16획 ⊕ 鲍 [bào]

절이거나 말린 '물고기'를 뜻하기 위하여 만든 글자이니 '고기 어'(魚)가 표의요소이고, 包(쌀 포)는 표음요소이다.

▣ 大口鮑(대구포) : 대구를 말린 것.
▣ 鮑石亭(포석정) : 경주에 있는 신라의 고적지.

2309 [표]

杓

북두자루 표
木부 7획 ⊕ 杓 [sháo, biāo]

술을 뜰 때 쓰는 구기[勺·작]의 나무자루[木]를 가리킨다. 북두칠성 모양과 비슷하여 '북두자루'라고도 한다. 인명용으로도 많이 쓰인다.

2310 [필]

弼

도울 필
弓부 12획 ⊕ 弼 [bì]

'돕다'는 뜻인데 자형과 어떤 상관이 있는지에 대해서는 정설이 없다. 뜻이 좋아 인명용으로 애용한다.

▣ 輔弼(보ː필) : 일을 도움.

2311 [감]

邯

조(趙)나라 서울 한/사람 이름 감
邑부 8획 ⊕ 邯 [hán]

중국의 고을 이름을 짓기 위하여 만든 글자이니 '고을 읍'(邑→阝)이 표의요소이고, 甘(달 감)은 표음요소이다. 우리나라에서 [감]으로도 읽는 것은 표음요소의 음으로 오인한 결과다. 중국 운서에는 근거가 없는 음이다.

▣ 邯鄲(한단) : 중국의 지명.
▣ 姜邯贊(강감찬) : 고려 초기 때 저명 장군(0948~1031)

2312 [항]

亢

높을 항
亠부 4획 ⊕ 亢 [kàng]

'목'을 나타내기 위하여 목을 쭉 빼 들고 서 있는 사람의 모습을 그린 것이었다. 후에 '높다', '굳세다' 등으로 확대 사용되는 예가 많아지자 그 본래의 뜻은 頏(목 항)으로 나타냈다. 인명용으로 쓰인다.

2313 [항]

沆

넓을 항(ː)
水부 7획 ⊕ 沆 [hàng]

'수면이 넓은 모양'을 뜻하기 위하여 만든 글자이니 '물 수'(水)가 표의요소이고, 亢(목 항)은 표음요소이다. 인명용으로 쓰인다.

2314 [행]

杏

살구 행ː
木부 7획 ⊕ 杏 [xìng]

'살구나무'를 뜻하니 '나무 목'(木)이 표의요소이다. 口(입 구)가 왜 쓰였는지에 대하여는 정설이 없다.

▣ 杏堂洞(행당동) : 서울에 있는 동 이름.

2315 [혁]

赫

빛날 혁
赤부 14획 ⊕ 赫 [hè]

불이 붉게 '빛나다'는 뜻을 위해 '붉을 적'(赤)을 두 개 겹쳐 놓았다. 인명용으로 많이 쓰인다.

▣ 朴赫居世(박혁거세) : 신라의 시조.

2316 [혁]

爀

불빛 혁
火부 18획 ⊕ 爀 [hè]

赫의 俗字(속자)로, '불 화'(火)를 첨가하여 뜻을 더욱 분명하게 했다. 인명용으로 쓰인다.

2317 [현]

峴

고개 현ː
山부 10획 ⊕ 岘 [xiàn]

산 이름을 적기 위한 것이었으니 '메 산'(山)이 표의요소이고, 見(나타날 현)은 표음요소이다. '고개'를 뜻하기도 하며 땅 이름에 많이 쓰인다.

▣ 阿峴洞(아현동) : 서울에 있는 동 이름.

2318 [현]

炫

밝을 현ː
火부 9획 ⊕ 炫 [xuàn]

'빛나다'는 뜻이니 '불 화'(火)가 표의요소이고, 玄(검을 현)은 표음요소이다. 인명용으로 많이 쓰인다.

2319 [현]

鉉

솥귀 현
金부 13획 ⊕ 铉 [xuàn]

'솥귀의 고리'를 뜻하니 '쇠 금'(金)의 표의요소이고, 玄(검을 현)은 표음요소이다. 예전에 임금을 솥에 비유하고 세 정승을 '三鉉'이라고 했다. 그래서 '정승'같은 높은 벼슬을 하라는 뜻에서 인명용으로 애용됐다.

2320 [합]

陜

좁을 협/땅이름 합
阜부 10획 ⊕ 郏 [jiá, xiá]

언덕진 땅 이름을 짓기 위하여 만든 글자이다. '언덕 부'(阜)가 표의요소이고, 夾(낄 협)은 표음요소이다. '좁다'는 뜻으로 쓰일 때에는 [협]으로 읽는다. 陝(고을 이름 섬, #2150)과 자형이 너무도 비슷하여 잘 못 쓰거나, 잘못 읽기 쉽다. 이 기회에 잘 눈여겨 봐 두자.

▣ 陜川(합천) : 경상남도에 있는 지명.

2321 [형]

瀅

물맑을 형:
水부 18획 ⊕ 滢 [yíng]

'물이 맑고 깨끗함'을 뜻하기 위하여 만든 글자이니 '물 수'(水)가 표의요소이고, 瑩(밝을 영)은 표음요소이다. 인명용으로 쓰인다.

2322 [형]

炯

빛날 형
火부 9획 ⊕ 炯 [jiǒng]

'빛남'을 뜻하기 위하여 만든 글자이니 '불 화'(火)가 표의요소이다. 나머지가 표음요소임은 泂(멀 형)도 마찬가지. 인명용으로 많이 쓰인다.

2323 [형]

邢

성(姓) 형
邑부 7획 ⊕ 邢 [xíng]

고을(땅) 이름을 적기 위한 것이었으니 '고을 읍'(邑)이 표의요소이고, 나머지가 표음요소임은 刑(형벌 형)도 마찬가지다. 나라이름이나 성씨로도 쓰인다.

2324 [형]

馨

향기 형
香부 20획 ⊕ 馨 [xīn]

'향기'를 뜻하기 위하여 만든 글자이니 '향기 향'(香)이 표의요소이고, 나머지는 표음요소였다고 한다. 인명용으로 애용한다. 획수가 다소 많은 것이 흠이다. .

2325 [영]

瑩

밝을 형/옥돌 영
玉부 15획 ⊕ 莹 [yíng]

'옥빛'(jade color)을 뜻하기 위하여 만든 글자이니, '구슬 옥'(玉)이 표의요소로 쓰였다. 그 나머지는 螢(개똥벌레 형)의 생략형으로 표음요소 역할을 한다. '밝다'(bright), '맑다'(clear; clean), '빛나다'(sparkle) 등으로도 쓰인다.

2326 [호]

昊

하늘 호:
日부 8획 ⊕ 昊 [hào]

사람의 머리 위[天]에 해[日]가 있는 곳, 즉 '넓은 하늘'을 뜻하는 것이다. 뜻이 좋고 획수가 적어 인명용으로 안성맞춤이다.

▣ 昊天罔極(호천망극) : 넓고 큼이 하늘같이 한이 없음. 부모의 은혜를 형용할 때 쓰인다.

2327 [호]

晧

밝을 호:
日부 11획 ⊕ 皓 [hào]

해가 떠서 '밝음'을 뜻하기 위하여 만든 글자이니 '해 일'(日)이 표의요소이고, 告(알릴 고)가 표음요소임은 浩(클 호)도 마찬가지다. 뜻이 좋고 획수도 많지 않은 편이므로 인명용으로 애용한다. 皓(흴 호)와 같은 글자다.

2328 [호]

皓

흴(白) 호:
白부 12획 ⊕ 皓 [hào]

晧(밝을 호)와 같은 글자다. 표의요소

가 '흰 백'(白)으로 바뀐 차이밖에 없다. 인명용으로 쓰인다.

2329 [호]

澔 넓을 호:
水부 15획 ㊥ 浩 [hào]

浩(넓을 호, #1224)와 같은 글자다. 표음요소가 告(고)에서 皓(호)로 개선된 것은 장점이나 그 때문에 획수가 많아진 것은 약점이다. 인명용으로 쓰인다.

2330 [호]

壕 해자 호
土부 17획 ㊥ 壕 [háo]

성에 함부로 침입하지 못하도록 그 둘레에 파놓은 못, 즉 '해자'를 뜻하기 위하여 만든 글자이다. '흙 토'(土)는 표의요소이고, 豪(호걸 호)는 표음요소이다.

2331 [호]

扈 따를 호:
戶부 11획 ㊥ 扈 [hù]

고을(나라) 이름을 위하여 만든 것이었으니 '고을 읍'(邑)이 표의요소이고, 戶(지게 호)는 표음요소이다. 성씨로도 쓰인다.

2332 [호]

鎬 호경 호:
金부 18획 ㊥ 镐 [gǎo, hào]

물을 데우는 데 쓰는 '그릇'을 뜻하는 것이니 '쇠 금'(金)이 표의요소이고, 高(높을 고)가 표음요소임은 蒿(쑥 호)도 마찬가지다. 인명용으로 애용한다.

▣ 鎬京(호경) : 주나라 서울.

2333 [호]

祜 복(福) 호
示부 10획 ㊥ 祜 [hù]

제사를 통하여 비는 '복'을 뜻하기 위하여 만든 글자이니 '제사 시'(示)가 표의요소이고, 古(옛 고)가 표음요소임은 岵(산 호)도 마찬가지다. 뜻이 좋고 획수도 적어 인명용으로 애용한다.

2334 [홍]

泓 물깊을 홍
水부 8획 ㊥ 泓 [hóng]

'물이 깊은 모양'을 뜻하는 것이니 '물 수'(水)가 표의요소이고, 弘(넓을 홍)은 표음요소이다. 뜻이 좋고 획수도 적어 인명용으로 많이 쓰인다.

2335 [화]

嬅 탐스러울 화
女부 15획 ㊥ 嬅 [huà]

'용모가 아름다운 여자'를 나타내기 위하여 만든 글자이니 '여자 여'(女)가 표의요소이고, 華(꽃 화)는 표음요소인데 의미도 겸한다고 볼 수 있다. 여자 인명용으로 애용한다.

2336 [화]

樺 벚나무/자작나무 화
木부 16획 ㊥ 桦 [huà]

'자작나무'를 뜻하니 '나무 목'(木)이 표의요소이고, 華(꽃 화)는 표음요소이다.

2337 [환]

桓 굳셀 환
木부 10획 ㊥ 桓 [huán]

'나무 팻말'을 뜻하기 위하여 만든 글자이니 '나무 목'(木)이 표의요소이고, 亘(베풀 선)이 표음요소임은 峘(높을 환)도 마찬가지다. '굳세다'는 뜻도 있고 인명용으로도 애용한다.

▣ 桓雄(환웅) : 우리나라 건국 시조.

2338 [환]

煥 빛날 환:
火부 13획 ㊥ 焕 [huàn]

'빛나다'는 뜻을 나타내기 위하여 만든 글자이니 '불 화'(火)가 표의요소이고, 나머지가 표음요소임은 換(바꿀 환)도 마찬가지다. 인명용으로 많이 쓰인다.

2339 [황]

晃

밝을 황
日부 10획
㊥ 晃 [huǎng, huàng]

'해 일'(日)과 '빛 광'(光)을 합쳐서 '밝다'는 뜻을 나타냈다. 뜻이 좋고 획수도 적어 인명용으로 애용한다. '晄'으로 쓰기도 한다.

2340 [황]

滉

깊을 황
水부 13획 ㊥ 滉 [huàng]

'물이 깊고 넓은 모양'을 뜻하기 위하여 만든 글자이니 '물 수'(水)가 표의요소이고 晃(밝을 황)은 표음요소이다. 인명용으로 애용한다.

▣ 李滉(이황) : 조선조의 학자 退溪(퇴계)의 이름.

2341 [회]

檜

전나무 회:
木부 17획 ㊥ 桧 [guì, huì]

'노송나무'를 뜻하기 위하여 만든 글자이니 '나무 목'(木)이 표의요소이고 會(모일 회)는 표음요소이다. 인명용으로 쓰인다.

▣ 檜巖寺(회암사) : 경기도에 있는 절.

2342 [회]

淮

물이름 회
水부 11획 ㊥ 淮 [huái]

강 이름을 짓기 위하여 만든 것이었으니 '물 수'(水)가 표의요소이다. 隹(새 추)는 표음요소였다고 한다.

▣ 淮陽(회양) : 강원도에 있는 지명.

2343 [후]

后

임금/왕후 후:
口부 6획 ㊥ 后 [hòu]

최초 자형은 여자가 아이를 낳는 모양을 본뜬 것으로 '(아이를) 낳다'가 본뜻이었는데, 후에 왕자를 생산하는 '왕후'를 가리키는 것으로 확대 사용됐다. 모양이 많이 바뀌어 원래 모습과 멀어졌다.

2344 [훈]

熏

연기낄 훈
火부 14획 ㊥ 熏 [xūn, xùn]

연기가 '피어오르다'는 뜻을 나타내기 위하여 '검을 흑'(黑)과 '싹날 철'(屮)을 합쳐 놓은 것이었다. 후에 모양이 약간 달라졌다. 인명용으로 쓰인다.

2345 [훈]

壎

질나팔 훈
土부 17획 ㊥ 埙 [xūn]

흙을 구어 만든 '질나팔'이란 악기를 뜻하기 위하여 만든 글자이니 '흙 토'(土)가 표의요소이고, 熏(연기 낄 훈)은 표음요소이다. 인명용으로 쓰인다.

2346 [훈]

薰

향풀 훈
艸부 18획 ㊥ 薰 [xūn, xùn]

'향기로운 풀'을 뜻하기 위하여 만든 글자이니 '풀 초'(艸)가 표의요소이고, 熏(연기 낄 훈)은 표음요소이다. 인명용으로 쓰인다.

2347 [휘]

徽

아름다울 휘
彳부 17획 ㊥ 徽 [huī]

'굵은 줄'을 뜻하기 위하여 만든 글자이니 '실 사'(糸)가 표의요소이고, 微(작을 미)가 표음요소임은 徽(힘센 고기 휘)도 마찬가지다. '착하고 아름답다'는 뜻으로도 쓰인다. 인명용으로도 애용한다.

▣ 徽文中學校(휘문중학교).

2348 [휴]

烋

아름다울 휴
火부 10획 ⊕ 烋 [xiū]

불빛이 '아름다움'을 뜻하기 위하여 만든 글자이니 '불 화'(火)가 표의요소이고, 休(쉴 휴)는 표음요소이다. 인명용으로 쓰인다.

2349 [흉]

匈

오랑캐 흉
勹부 6획 ⊕ 匈 [xiōng]

'가슴'을 뜻하기 위하여 만든 글자이다. 勹(쌀 포)가 표의요소로 쓰인 것은, 가슴으로 무엇을 감싸는 예가 많았기 때문인 듯 하다. 凶(흉할 흉)은 표음요소이니 뜻과는 무관하다. 후에 '오랑캐'를 지칭하는 것으로 많이 쓰이자, 본래 뜻은 胸(가슴 흉, #1350)자를 따로 만들어 나타냈다.

▣ 匈奴(흉노) : 몽골지방에 살았던 고대 유목민족.

2350 [흠]

欽

공경할 흠
欠부 12획 ⊕ 钦 [qīn]

원래 피곤하여 '입을 크게 벌리는 모양'을 뜻하기 위하여 만든 글자이었다. '하품 흠'(欠)이 표의요소이고, 金(쇠 금)이 표음요소였다고 한다. 표의요소의 음이 더 가까운 매우 희귀한 예다. 부수를 '쇠 금'(金)으로 오인하기 쉽다. 후에 '공경하다', '선망하다'는 뜻으로 확대 사용됐다. 인명용으로 애용한다.

2351 [희]

嬉

아름다울 희
女부 15획 ⊕ 嬉 [xī]

여자가 '아름다움'을 뜻하기 위하여 만든 글자이니 '여자 여'(女)가 표의요소이고, 喜(기쁠 희)는 표음요소이다. '즐거이 놂'을 뜻하기도 한다. 인명용으로도 쓰인다.

2352 [희]

熹

빛날 희
火부 16획 ⊕ 熹 [xī]

불로 '굽다'는 뜻을 나타내기 위하여 만든 것이었으니 '불 화'(火)가 표의요소이고, 喜(기쁠 희)는 표음요소이다. '熺'로 쓰기도 한다. 후에 '왕성하다', '밝다', '빛나다'는 뜻으로 확대 사용됐다. 인명용으로도 애용한다.

▣ 朱熹(주희) : 朱子(주자)의 본명.

2353 [희]

憙

기뻐할 희
心부 16획 ⊕ 憙 [xǐ, xī]

마음이 '기쁘다'는 뜻을 나타내기 위하여 만든 글자이니 '마음 심'(心)이 표의요소이고, 喜(기쁠 희)는 표음과 표의를 겸하는 요소이다. 인명용으로 많이 쓰인다.

2354 [희]

禧

복(福) 희
示부 17획 ⊕ 禧 [xǐ]

'복'(福) '길상'(吉祥)을 뜻하기 위하여 만든 글자이니 '제사 시'(示)가 표의요소이다. 제사 때 복을 빌었던 풍습이 반영되어 있다. 喜(기쁠 희)는 표음요소이다. 인명용으로 애용한다.

▣ 新禧(신희) : 새해의 복.

2355 [희]

羲

복희 희
羊부 16획 ⊕ 羲 [xī]

'兮'(어조사 혜)와 '義'(옳을 의)로 이루어져 있는데, 자형 풀이는 정설이 없다. 일찍이 인명으로 쓰였다. 획수가 많고 복잡한 점이 흠이다.

▣ 伏羲(복희) : 중국 고대 전설상의 제왕.

제3부 부 록

제3부 부 록 1

〈사자성어 속뜻풀이〉

(1) 이 자료는 한국어문교육연구회가 선정한 사자성어(총 424개)를 8급부터 2급까지 급수별로 정리한 것이다.

(2) 각 성어에 대하여 ①일련번호, ②사자성어의 독음과 한자, ③각 글자별 급수, ④속뜻 훈음, ⑤속뜻풀이, ⑥의미풀이 등 6개 항목으로 나누어 설명해놓았다.

(3) 각 글자의 해당 급수는 숫자로 표시되어 있다. 6급은 '60'으로, 6급Ⅱ은 '62'로 표시하였다(다른 급수도 동일 방식).

(4) 각각의 성어에 대하여 속뜻 훈음 및 속뜻 풀이를 중심으로 소리 내어 읽어 보면서 익히면 기억이 잘된다. 특히 무슨 뜻인지를 아는 것에 그치지 말고, 왜 그런 뜻이 되는지 그 이유(속뜻)를 알아보면 재미가 생김은 물론이고 창의성 계발에 필요한 사고력 증진에도 도움이 된다.

(5) 어떤 성어가 이에 포함되어 있는지를 알아보기 편하도록 말미에 가나다순 색인을 실어 놓았다.

8급 사자성어

001 **[십중팔구]** 十$_{80}$中$_{80}$八$_{80}$九$_{80}$ | 열 십, 가운데 중, 여덟 팔, 아홉 구

❶속뜻 열[十] 가운데[中] 여덟[八]이나 아홉[九] 정도. ❷거의 대부분 또는 거의 틀림없음. ㊐十常八九(십상팔구).

7급 사자성어

002 **[동문서답]** 東$_{80}$問$_{70}$西$_{80}$答$_{70}$ | 동녘 동, 물을 문, 서녘 서, 답할 답

❶속뜻 동(東)쪽이 어디냐고 묻는데[問] 서(西)쪽을 가리키며 대답(對答)함. ❷묻는 말에 대하여 아주 엉뚱하게 대답함.

003 **[안심입명]** 安$_{72}$心$_{70}$立$_{72}$命$_{70}$ | 편안할 안, 마음 심, 설 립, 목숨 명

❶속뜻 마음[心]을 편안(便安)하게 하고 운명(運命)에 대한 믿음을 바로 세움[立]. ❷불교 자신의 불성(佛性)을 깨닫고 삶과 죽음을 초월함으로써 마음의 편안함을 얻음.

004 **[일일삼추]** 一$_{80}$日$_{80}$三$_{80}$秋$_{70}$ | 한 일, 날 일, 석 삼, 가을 추

❶속뜻 하루[一日]가 세[三] 번 가을[秋]을 맞이하는 것, 즉 3년 같음. ❷매우 지루하거나 몹시 애태우며 기다림.

6급 II 사자성어

005 **[요산요수]** 樂$_{62}$山$_{80}$樂$_{62}$水$_{80}$ | 좋아할 요, 메 산, 좋아할 요, 물 수

❶[속뜻] 산(山)을 좋아하고[樂] 물[水]을 좋아함[樂]. ❷산이나 강같은 자연을 즐기고 좋아함.

006 **[백년대계]** 百$_{70}$年$_{80}$大$_{80}$計$_{62}$ | 일백 백, 해 년, 큰 대, 꾀 계

❶[속뜻] 백년(百年)를 내다보는 큰[大] 계획(計劃). ❷먼 장래에 대한 장기 계획.

007 **[백면서생]** 白$_{80}$面$_{70}$書$_{62}$生$_{80}$ | 흰 백, 낯 면, 글 서, 사람 생

❶[속뜻] (밖에 나가지 않아서) 하얀[白] 얼굴[面]로 글[書]만 읽는 사람[生]. ❷세상일에 경험이 없는 사람.

008 **[작심삼일]** 作$_{62}$心$_{70}$三$_{80}$日$_{80}$ | 지을 작, 마음 심, 석 삼, 날 일

❶[속뜻] 마음[心]으로 지은[作] 것이 삼일(三日) 밖에 못 감. ❷결심이 오래 가지 못함.

6급 사자성어

009 **[구사일생]** 九$_{80}$死$_{60}$一$_{80}$生$_{80}$ | 아홉 구, 죽을 사, 한 일, 날 생

❶[속뜻] 아홉[九] 번 죽을[死] 고비를 넘기고 다시 한[一] 번 살아남[生]. ❷죽을 고비를 여러 차례 넘기고 겨우 살아남.

010 **[동고동락]** 同$_{70}$苦$_{60}$同$_{70}$樂$_{62}$ | 함께 동, 쓸 고, 함께 동, 즐길 락

❶[속뜻] 괴로움[苦]을 함께[同]하고 즐거움[樂]도 함께[同] 함. ❷괴로움도 즐거움도 함께 함.

011 **[문전성시]** 門$_{80}$前$_{72}$成$_{62}$市$_{72}$ | 문 문, 앞 전, 이룰 성, 시장 시

❶[속뜻] 문(門) 앞[前]에 시장(市場)을 이룸[成]. ❷집으로 찾아오는 사람이 많음.

[故事] 옛날 중국에 한 어린 황제가 등극했다. 그는 사치와 향락에 빠져 나랏일을 돌보지 않았다. 한 충신이 거듭 간언하다가 황제의 미움을 사고 말았다. 그 무렵 그 충신을 미워하던 간신 하나가 황제에게 '그의 집 문 앞에 시장이 생길 정도로 사람들이 많이 드나든다'는 말을 하여 그를 모함했다. 결국 그 충신은 옥에 갇히고 말았다.

012 **[백전백승]** 百$_{70}$戰$_{62}$百$_{70}$勝$_{60}$ | 일백 백, 싸울 전, 일백 백, 이길 승

❶[속뜻] 백(百) 번 싸워[戰] 백(百) 번 모두 이김[勝]. ❷싸울 때마다 번번이 다 이김.

013 **[불원천리]** 不$_{72}$遠$_{60}$千$_{70}$里$_{70}$ | 아니 불, 멀 원, 일천 천, 거리 리

❶[속뜻] 천리(千里) 길도 멀다고[遠] 여기지 아니함[不]. ❷먼 길을 기꺼이 달려감.

014 **[인명재천]** 人$_{80}$命$_{70}$在$_{60}$天$_{70}$ | 사람 인, 목숨 명, 있을 재, 하늘 천

❶[속뜻] 사람[人]의 목숨[命]은 하늘[天]에 달려 있음[在]. ❷사람이 오래 살거나 일찍 죽는 것은 다 하늘의 뜻이라는 말.

015 **[전광석화]** 電$_{72}$光$_{62}$石$_{60}$火$_{80}$ | 번개 전, 빛 광, 돌 석, 불 화

❶[속뜻] 번갯불[電光]이나 부싯돌[石]의 불[火]이 반짝이는 것처럼 몹시 짧은 시간. ❷'매우 재빠른 동작'을 비유하여 이르는 말.

016 **[팔방미인]** 八$_{80}$方$_{72}$美$_{60}$人$_{80}$ | 여덟 팔, 모 방, 아름다울 미, 사람 인

❶[속뜻] 모든 면[八方]에서 아름다운[美] 사람[人]. ❷여러 방면에 능통한 사람. ❸누구에게나 잘 보이도록 처세를 잘하는 사람. ❹'깊이는 없이 여러 방면에 조금씩 손대는 사람'을 조롱하여 이르는 말.

017 **[화조월석]** 花$_{70}$朝$_{60}$月$_{80}$夕$_{70}$ | 꽃 화, 아침 조, 달 월, 저녁 석

❶[속뜻] 꽃[花]이 핀 아침[朝]과 달[月] 뜨는 저녁[夕]. ❷'경치가 좋은 시절'을 이르는 말. [비] 朝花月夕(조화월석).

5급 II 사자성어

018 **[견물생심]** 見$_{52}$物$_{72}$生$_{80}$心$_{70}$ | 볼 견, 만물 물, 날 생, 마음 심

❶[속뜻] 물건(物件)을 보면[見] 그것을 가지고 싶은 욕심(慾心)이 생김[生]. ❷어떠한 실물을 보게 되면 그것을 가지고 싶은 욕심이 생김.

019 **[경천애인]** 敬$_{52}$天$_{70}$愛$_{60}$人$_{80}$ | 공경할 경, 하늘 천, 사랑 애, 사람 인

❶[속뜻] 하늘[天]을 공경(恭敬)하고 사람[人]을 사랑함[愛]. ❷하늘이 내린 운명을 달게 받고 남들을 사랑하며 사이좋게 지냄.

020 **[다재다능]** 多$_{60}$才$_{62}$多$_{60}$能$_{52}$ | 많을 다, 재주 재, 많을 다, 능할 능

❶[속뜻] 많은[多] 재주[才]와 많은[多] 능력(能力) ❷재능이 많음.

021 **[양약고구]** 良$_{52}$藥$_{62}$苦$_{60}$口$_{70}$ | 좋을 량, 약 약, 쓸 고, 입 구

❶[속뜻] 좋은[良] 약(藥)은 입[口]에 씀[苦]. ❷먹기는 힘들지만 몸에는 좋음.

022 **[만고불변]** 萬$_{80}$古$_{60}$不$_{72}$變$_{52}$ | 일만 만, 옛 고, 아니 불, 변할 변

❶[속뜻] 오랜 세월[萬古]이 지나도 변(變)하지 않음[不]. ❷영원히 변하지 아니함. '진리'를 형용하는 말로 많이 쓰인다. [비] 萬代不變(만대불변), 萬世不變(만세불변).

023 **[무불통지]** 無$_{50}$不$_{72}$通$_{60}$知$_{52}$ | 없을 무, 아닐 불, 통할 통, 알 지

❶[속뜻] 무엇이든지 다 통(通)하여 알지[知] 못하는[不] 것이 없음[無]. ❷무슨 일이든지 환히 잘 앎. [비] 無不通達(무불통달).

024 **[문일지십]** 聞$_{62}$一$_{80}$知$_{52}$十$_{80}$ | 들을 문, 한 일, 알 지, 열 십

❶[속뜻] 한[一] 가지를 들으면[聞] 열[十] 가지를 미루어 앎[知]. ❷사고력과 추리력이 매우 빼어남. 또는 매우 총명한 사람.

025 **[북창삼우]** 北$_{80}$窓$_{62}$三$_{80}$友$_{52}$ | 북녘 북, 창문 창, 석 삼, 벗 우

❶[속뜻] 서재의 북(北)쪽 창(窓)에 있는 세[三] 벗[友]. ❷'거문고, 술, 시(詩)'를 일컬음.

026 **[안분지족]** 安$_{72}$分$_{62}$知$_{52}$足$_{72}$ | 편안할 안, 나눌 분, 알 지, 넉넉할 족

❶[속뜻] 자기 분수(分數)를 편안(便安)하게 여기며 만족(滿足)할 줄 앎[知]. ❷자기 분수에 맞게 살며 만족스럽게 잘 삶.

027 **[어불성설]** 語$_{70}$不$_{72}$成$_{62}$說$_{52}$ | 말씀 어, 아니 불, 이룰 성, 말씀 설

❶[속뜻] 말[語]이 되지[成] 못하는[不] 말[說]. ❷말이 조금도 사리(事理)에 맞지 않음.

028 **[우순풍조]** 雨$_{52}$順$_{52}$風$_{62}$調$_{52}$ | 비 우, 따를 순, 바람 풍, 고를 조

❶[속뜻] 비[雨]와 바람[風]이 순조(順調)로움. ❷농사에 알맞게 기후가 순조로움. [비] 風調雨順(풍조우순).

029 **[유명무실]** 有$_{70}$名$_{70}$無$_{50}$實$_{52}$ | 있을 유, 이름 명, 없을 무, 실제 실

❶[속뜻] 이름[名]만 있고[有] 실속[實]이 없음[無]. ❷겉은 그럴듯하지만 실속은 없음. [비] 虛名無實(허명무실).

030 **[이심전심]** 以$_{52}$心$_{70}$傳$_{52}$心$_{70}$ | 부터 이, 마음 심, 전할 전, 마음 심

❶[속뜻] 마음[心]으로부터[以] 마음[心]을 전(傳)함. ❷서로 마음이 잘 통함. [비] 心心相印(심심상인).

031 **[주객일체]** 主$_{70}$客$_{52}$一$_{80}$體$_{62}$ | 주인 주, 손 객, 한 일, 몸 체

❶[속뜻] 주인(主人)과 손님[客]이 서로 한[一] 덩어리[體]가 됨. ❷주체와 객체가 하나가 됨. 서로 손발이 잘 맞음.

5급 사자성어

032 **[격물치지]** 格$_{52}$物$_{72}$致$_{50}$知$_{52}$ | 바로잡을 격, 만물 물, 이를 치, 알 지

❶속뜻 사물(事物)의 이치를 바로잡아[格] 높은 지식(知識)에 이름[致]. ❷주자학에서 '사물의 본질이나 이치를 끝까지 연구하여 후천적인 지식을 닦음'을 이르고, 양명학에서 '자기 생각의 잘못을 바로잡고 선천적인 양지를 닦음'을 이름.

033 **[교학상장]** 敎$_{80}$學$_{80}$相$_{50}$長$_{80}$ | 가르칠 교, 배울 학, 서로 상, 자랄 장

❶속뜻 가르치고[敎] 배우는[學] 일이 서로[相] 자라게[長] 함. ❷가르치고 배우는 것이 서로 도움이 됨. ❸가르치면서 배우고, 배우면서 가르친다.

034 **[금시초문]** 今$_{60}$始$_{72}$初$_{50}$聞$_{62}$ | 이제 금, 비로소 시, 처음 초, 들을 문

❶속뜻 바로 지금[今] 비로소[始] 처음[初] 들음[聞]. ❷처음 들음.

035 **[낙목한천]** 落$_{50}$木$_{80}$寒$_{50}$天$_{70}$ | 떨어질 락, 나무 목, 찰 한, 하늘 천

❶속뜻 나무[木]의 잎이 다 떨어진[落] 뒤의 추운[寒] 날씨[天]. ❷나뭇잎이 다 떨어지고 난 겨울의 춥고 쓸쓸한 풍경. 또는 그런 계절.

036 **[낙화유수]** 落$_{50}$花$_{70}$流$_{52}$水$_{80}$ | 떨어질 락, 꽃 화, 흐를 류, 물 수

❶속뜻 떨어지는[落] 꽃[花]과 흐르는[流] 물[水]. ❷가는 봄의 경치. ❸'살림이나 세력이 약해져 아주 보잘것없이 됨'을 비유하여 이르는 말.

037 **[능소능대]** 能$_{52}$小$_{80}$能$_{52}$大$_{80}$ | 능할 능, 작을 소, 능할 능, 큰 대

❶속뜻 작은[小] 일에도 능(能)하고 큰[大] 일에도 능(能)함. ❷작아질 수도 있고 커질 수도 있음. ❸모든 일에 두루 능함.

038 **[마이동풍]** 馬$_{50}$耳$_{50}$東$_{80}$風$_{62}$ | 말 마, 귀 이, 동녘 동, 바람 풍

❶속뜻 말[馬]의 귀[耳]에 동풍(東風)이 불어도 아랑곳하지 아니함. ❷남의 말을 귀담아듣지 아니하고 지나쳐 흘려버림. (비)牛耳讀經(우이독경).

039 **[백년하청]** 百$_{70}$年$_{80}$河$_{50}$淸$_{62}$ | 일백 백, 해 년, 물 하, 맑을 청

❶속뜻 백년(百年)을 기다린들 황하(黃河) 물이 맑아질까[淸]. ❷'아무리 바라고 기다려도 실현될 가망이 없음'을 비유하여 이르는 말.

040 **[불문가지]** 不$_{72}$問$_{70}$可$_{50}$知$_{52}$ | 아니 불, 물을 문, 가히 가, 알 지

❶속뜻 묻지[問] 않아도[不] 가(可)히 알[知] 수 있음. ❷스스로 잘 알 수 있음.

041 **[불문곡직]** 不$_{72}$問$_{70}$曲$_{50}$直$_{52}$ | 아니 불, 물을 문, 굽을 곡, 곧을 직

❶속뜻 그름[曲]과 옳음[直]을 묻지[問] 아니함[不]. ❷옳고 그름을 따지지 아니함.

042 **[유구무언]** 有$_{70}$口$_{70}$無$_{50}$言$_{60}$ | 있을 유, 입 구, 없을 무, 말씀 언

❶속뜻 입[口]은 있으나[有] 할 말[言]이 없음[無]. ❷변명이나 항변할 말이 없음.

043 **[전무후무]** 前$_{72}$無$_{50}$後$_{72}$無$_{50}$ | 앞 전, 없을 무, 뒤 후, 없을 무

❶속뜻 이전(以前)에도 없었고[無] 이후(以後)에도 없음[無]. ❷지금까지 없었고 앞으로도 있을 수 없음. (비)空前絶後(공전절후).

044 **[조변석개]** 朝$_{60}$變$_{52}$夕$_{70}$改$_{50}$ | 아침 조, 변할 변, 저녁 석, 고칠 개

❶속뜻 아침[朝]에 변(變)한 것을 저녁[夕]에 다시 고침[改]. ❷계획이나 결정 따위를 일관성이 없이 자주 고침. (비)朝改暮變(조개모변), 朝變暮改(조변모개), 朝夕變改(조석변개).

045 **[추풍낙엽]** 秋$_{70}$風$_{62}$落$_{50}$葉$_{50}$ | 가을 추, 바람 풍, 떨어질 락, 잎 엽

❶속뜻 가을[秋] 바람[風]에 떨어지는[落] 잎[葉]. ❷'세력이나 형세가 갑자기 기울거나 시듦'을 비유하여 이르는 말.

4급 II 사자성어

046 **[각자무치]** 角$_{60}$者$_{60}$無$_{50}$齒$_{42}$ | 뿔 각, 사람 자, 없을 무, 이 치

❶속뜻 뿔[角]이 강한 짐승[者]은 이빨[齒]이 약함[無]. ❷한 사람이 모든 재주나 복을 다 가질 수는 없음. ❸누구나 장점과 단점이 있게 마련임.

047 **[강호연파]** 江$_{72}$湖$_{50}$煙$_{42}$波$_{42}$ | 강 강, 호수 호, 연기 연, 물결 파

❶속뜻 강(江)이나 호수(湖水) 위에 연기(煙氣)처럼 뽀얗게 이는 잔물결[波]. ❷대자연의 아름다운 풍경.

048 **[견리사의]** 見$_{52}$利$_{62}$思$_{50}$義$_{42}$ | 볼 견, 이로울 리, 생각할 사, 옳을 의

❶속뜻 눈앞의 이익(利益)을 보면[見] 의리(義理)를 먼저 생각함[思]. ❷의리를 중요하게 여김. ⓑ見危授命(견위수명). ⓟ見利忘義(견리망의).

049 **[결초보은]** 結$_{52}$草$_{70}$報$_{42}$恩$_{42}$ | 맺을 결, 풀 초, 갚을 보, 은혜 은

❶속뜻 풀[草]를 묶어[結] 은혜(恩惠)에 보답함[報]. ❷죽어 혼령이 되어서라도 은혜를 잊지 않고 갚음. ⓑ刻骨難忘(각골난망), 白骨難忘(백골난망).

故事 중국 춘추시대에 진(晋)나라 위무자(魏武子)의 아들 과(顆)의 이야기다. 그는 아버지가 세상을 떠나자 젊은 서모를 살려주어 다시 시집을 갈 수 있도록 하였다. 훗날 위과(魏顆)가 장수가 되어 전쟁에 나갔다. 그는 자신을 쫓던 적장이 탄 말이 어느 무덤의 풀에 걸려 넘어지는 바람에 적장을 사로잡아 큰 공을 세우게 되었다. 그날 밤 꿈에 서모 아버지의 혼령이 나타나 말하였다, 옛날의 은혜를 갚고자 풀을 엮어 놓았다고.(출처 『左傳』)

050 **[경세제민]** 經$_{42}$世$_{72}$濟$_{42}$民$_{80}$ | 다스릴 경, 세상 세, 건질 제, 백성 민

❶속뜻 세상(世上)을 다스리고[經] 백성[民]을 구제(救濟)함. ❷백성의 살림을 잘 보살펴 줌. ⓒ經濟.

051 **[공전절후]** 空$_{72}$前$_{72}$絶$_{42}$後$_{72}$ | 빌 공, 앞 전, 끊을 절, 뒤 후

❶속뜻 이전(以前)에 없었고[空], 이후(以後)에도 없을 것임[絶]. ❷지금까지 없었고 앞으로 있을 수도 없음. ⓑ前無後無(전무후무).

052 **[구우일모]** 九$_{80}$牛$_{50}$一$_{80}$毛$_{42}$ | 아홉 구, 소 우, 한 일, 털 모

❶속뜻 여러 마리 소[九牛]의 털 중에서 한[一] 가닥의 털[毛]. ❷대단히 많은 것 가운데 없어져도 아무 표시가 나지 않는 극히 적은 부분.

053 **[권모술수]** 權$_{32}$謀$_{32}$術$_{62}$數$_{70}$ | 권세 권, 꾀할 모, 꾀 술, 셀 수

❶속뜻 권세(權勢)를 꾀하기[謀] 위한 꾀[術]나 셈[數] ❷목적 달성을 위하여 수단과 방법을 가리지 아니하는 온갖 모략이나 술책.

054 **[권불십년]** 權$_{42}$不$_{72}$十$_{80}$年$_{80}$ | 권세 권, 아닐 불, 열 십, 해 년

❶속뜻 권세(權勢)는 십 년(十年)을 가지 못함[不]. ❷아무리 높은 권세라도 오래가지 못함. ⓑ花無十日紅(화무십일홍), 勢不十年(세불십년).

055 **[극악무도]** 極$_{42}$惡$_{52}$無$_{50}$道$_{72}$ | 다할 극, 악할 악, 없을 무, 길 도

❶속뜻 더없이[極] 악(惡)하고 인간의 도리(道理)를 지키는 일이 없음[無]. ❷대단히 악하게 굴고 함부로 막 함.

056 **[기사회생]** 起$_{42}$死$_{60}$回$_{42}$生$_{80}$ | 일어날 기, 죽을 사, 돌아올 회, 살 생

❶속뜻 죽을[死] 뻔 하다가 일어나[起] 다시[回] 살아남[生]. ❷죽다가 살아남.

057 **[난형난제]** 難$_{42}$兄$_{80}$難$_{42}$弟$_{80}$ | 어려울 난, 맏 형, 어려울 난, 아우 제

❶속뜻 형(兄)이 낫다고 하기도 어렵고[難], 아우[弟]가 낫다고 하기도 어려움[難]. ❷'누가 더 낫다고 할 수 없을 정도로 둘이 서로 비슷함'을 비유하여 이르는 말. ⓑ莫上莫下(막상막하), 伯仲之間(백중지간).

058 [노발대발] 怒$_{42}$發$_{62}$大$_{80}$發$_{62}$ | 성낼 노, 일으킬 발, 큰 대, 일으킬 발

❶속뜻 성[怒]내기를[發] 크게[大] 함[發]. ❷크게 성을 냄.

059 [논공행상] 論$_{42}$功$_{62}$行$_{60}$賞$_{50}$ | 논할 론, 공로 공, 행할 행, 상줄 상

❶속뜻 공(功)을 잘 따져 보아[論] 알맞은 상(賞) 내림[行]. ❷공로에 따라 상을 줌.

060 [다다익선] 多$_{60}$多$_{60}$益$_{42}$善$_{50}$ | 많을 다, 많을 다, 더할 익, 좋을 선

❶속뜻 많으면[多] 많을수록[多] 더욱[益] 좋음[善]. ❷양적으로 많을수록 좋음.

061 [독불장군] 獨$_{52}$不$_{72}$將$_{42}$軍$_{80}$ | 홀로 독, 아닐 불, 장수 장, 군사 군

❶속뜻 혼자서는[獨] 장군(將軍)이 되지 못함[不]. ❷남과 의논하고 협조해야 함. ❸무슨 일이든 자기 혼자서 처리하는 사람'을 비유하여 이르는 말.

062 [등하불명] 燈$_{42}$下$_{72}$不$_{72}$明$_{62}$ | 등불 등, 아래 하, 아닐 불, 밝을 명

❶속뜻 등잔(燈盞) 밑은[下] 밝지[明] 아니함[不]. ❷가까이 있는 것이 도리어 알기 어려움.

063 [등화가친] 燈$_{42}$火$_{80}$可$_{50}$親$_{60}$ | 등불 등, 불 화, 가히 가, 친할 친

❶속뜻 등잔(燈盞)의 불[火]과 가히[可] 친(親)하게 할 만함. ❷가을밤이면 날씨가 서늘하여 등불을 밝혀 글 읽기에 알맞음. '가을'을 형용하는 말로 많이 쓰인다.

064 [무소불위] 無$_{50}$所$_{70}$不$_{72}$爲$_{42}$ | 없을 무, 것 소, 아닐 불, 할 위

❶속뜻 못[不] 할[爲] 것[所]이 아무 것도 없음[無]. ❷하지 못하는 일이 없음. ㊥無所不能(무소불능).

065 [박학다식] 博$_{42}$學$_{80}$多$_{60}$識$_{52}$ | 넓을 박, 배울 학, 많을 다, 알 식

❶속뜻 널리[博] 배우고[學] 많이[多] 앎[識]. ❷학문이 넓고 아는 것이 많음.

066 [백전노장] 百$_{70}$戰$_{62}$老$_{70}$將$_{42}$ | 일백 백, 싸울 전, 늙을 로, 장수 장

❶속뜻 수없이 많은[百] 싸움[戰]을 치른 노련(老鍊)한 장수(將帥). ❷세상일을 많이 겪어서 여러 가지로 능란한 사람. ㊥百戰老卒(백전노졸).

067 [백중지세] 伯$_{32}$仲$_{32}$之$_{32}$勢$_{42}$ | 맏 백, 버금 중, 어조사 지, 기세 세

❶속뜻 첫째[伯]와 둘째[仲]를 가리기 어려운 형세(形勢). ❷서로 실력이 비슷하여 우열을 가리기 힘든 형세. ㊟伯仲勢.

068 [부귀재천] 富$_{42}$貴$_{50}$在$_{60}$天$_{70}$ | 넉넉할 부, 귀할 귀, 있을 재, 하늘 천

❶속뜻 부유(富裕)함과 귀(貴)함은 하늘[天]의 뜻에 달려 있음[在]. ❷사람의 힘으로는 부귀를 어찌할 수 없음.

069 [부부유별] 夫$_{70}$婦$_{42}$有$_{70}$別$_{60}$ | 남편 부, 아내 부, 있을 유, 나눌 별

❶속뜻 남편[夫]과 아내[婦]는 맡은 일의 구별(區別)이 있음[有]. ❷남편과 아내는 각기 해야 할 일이 다름.

070 [비일비재] 非$_{42}$一$_{80}$非$_{42}$再$_{50}$ | 아닐 비, 한 일, 아닐 비, 두 재

❶속뜻 같은 현상이나 일이 한[一]두[再] 번이나 한둘이 아니고[非] 많음. ❷매우 많이 있거나 흔함.

071 [빈자일등] 貧$_{42}$者$_{60}$一$_{80}$燈$_{42}$ | 가난할 빈, 사람 자, 한 일, 등불 등

❶속뜻 가난한[貧] 사람[者]이 부처에게 바치는 등(燈) 하나[一]. ❷부자의 등 만 개보다도 더 공덕(功德)이 있음. ❸'참마음의 소중함'을 비유하여 이르는 말.

072 [사생결단] 死$_{60}$生$_{80}$決$_{52}$斷$_{42}$ | 죽을 사, 살 생, 결정할 결, 끊을 단

❶속뜻 죽느냐[死] 사느냐[生]를 결단(決斷)내려고 함. ❷죽음을 무릅쓰고 끝장을 내려고 대듦.

073 [생불여사] 生$_{80}$不$_{72}$如$_{42}$死$_{60}$ | 날 생, 아닐 불, 같을 여, 죽을 사

❶속뜻 삶[生]이 죽음[死]만 같지[如] 못함[不]. ❷몹시 곤란한 지경에 빠짐.

074 [설왕설래] 說$_{52}$往$_{42}$說$_{52}$來$_{70}$ | 말씀 설, 갈 왕, 말씀 설, 올 래

❶ 속뜻 말[說]을 주거니[往] 말[說]을 받거니[來] 함. ❷옳고 그름을 따지느라 옥신각신함. (비) 言去言來(언거언래), 言往說來(언왕설래).

075 [시시비비] 是$_{42}$是$_{42}$非$_{42}$非$_{42}$ | 옳을 시, 옳을 시, 아닐 비, 아닐 비

❶ 속뜻 옳은[是] 것은 옳다고[是] 하고 그른[非] 것은 그르다고[非] 하는 일. ❷옳고 그름을 따지며 다툼. ❸서로의 잘잘못.

076 [시종여일] 始$_{62}$終$_{50}$如$_{42}$一$_{80}$ | 처음 시, 끝 종, 같을 여, 한 일

❶ 속뜻 처음부터[始] 끝까지[終] 한결[一]같음[如]. ❷처음부터 끝까지 변함이 없음.

077 [신상필벌] 信$_{62}$賞$_{50}$必$_{52}$罰$_{42}$ | 믿을 신, 상줄 상, 반드시 필, 벌줄 벌

❶ 속뜻 공이 있는 자에게는 믿을만하게[信] 상(賞)을 주고, 죄가 있는 사람에게는 반드시[必] 벌(罰)을 줌. ❷상과 벌을 공정하고 엄중하게 하는 일을 이르는 말.

078 [실사구시] 實$_{52}$事$_{72}$求$_{42}$是$_{42}$ | 열매 실, 일 사, 구할 구, 옳을 시

❶ 속뜻 실제(實際)의 일[事]에서 올바름[是]을 찾아냄[求]. ❷사실에 토대를 두어 진리를 탐구하는 일. ❸정확한 고증을 바탕으로 하는 과학적·객관적인 학문 태도.

079 [안빈낙도] 安$_{72}$貧$_{42}$樂$_{62}$道$_{72}$ | 편안할 안, 가난할 빈, 즐길 락, 길 도

❶ 속뜻 가난함[貧]을 편안(便安)하게 여기며 사람의 도리(道理)를 즐겨[樂] 지킴. ❷가난함에도 불구하고 사람의 도리를 잘 함.

080 [안하무인] 眼$_{42}$下$_{72}$無$_{50}$人$_{80}$ | 눈 안, 아래 하, 없을 무, 사람 인

❶ 속뜻 눈[眼] 아래[下]에 다른 사람[人]이 없는[無] 것으로 여김. ❷다른 사람을 업신여김.

081 [약육강식] 弱$_{62}$肉$_{42}$强$_{60}$食$_{72}$ | 약할 약, 고기 육, 굳셀 강, 먹을 식

❶ 속뜻 약(弱)한 자의 살[肉]은 강(强)한 자의 먹이[食]가 됨. ❷강한 자가 약한 자를 희생시켜서 번영함. ❸약한 자가 강한 자에 의하여 멸망됨.

082 [어동육서] 魚$_{50}$東$_{80}$肉$_{42}$西$_{80}$ | 고기 어, 동녘 동, 고기 육, 서녘 서

❶ 속뜻 생선[魚] 반찬은 동쪽[東]에 놓고 고기[肉] 반찬은 서쪽[西]에 놓음. ❷제사상을 차릴 때, 반찬을 진설하는 위치를 일컬음.

083 [언어도단] 言$_{60}$語$_{70}$道$_{72}$斷$_{42}$ | 말씀 언, 말씀 어, 길 도, 끊을 단

❶ 속뜻 말[言語]할 길[道]이 끊어짐[斷]. ❷어이가 없어서 말하려 해도 말할 수 없음.

084 [여출일구] 如$_{42}$出$_{70}$一$_{80}$口$_{70}$ | 같을 여, 날 출, 한 일, 입 구

❶ 속뜻 한[一] 입[口]에서 나온[出] 것 같음[如]. ❷여러 사람의 하는 말이 한 사람의 말처럼 꼭 같음. (비) 異口同聲(이구동성).

085 [연전연승] 連$_{42}$戰$_{62}$連$_{42}$勝$_{60}$ | 이을 련, 싸움 전, 이을 련, 이길 승

❶ 속뜻 연(連)이은 싸움[戰]에 연(連)이어 이김[勝]. ❷싸울 때마다 계속하여 이김. (비) 連戰連捷(연전연첩).

086 [온고지신] 溫$_{60}$故$_{42}$知$_{52}$新$_{62}$ | 익힐 온, 옛 고, 알 지, 새 신

❶ 속뜻 옛것[故]을 익히고[溫] 새것[新]을 앎[知]. ❷옛것을 앎으로써 새것을 앎.

087 [우왕좌왕] 右$_{72}$往$_{42}$左$_{72}$往$_{42}$ | 오른 우, 갈 왕, 왼 좌, 갈 왕

❶ 속뜻 오른쪽[右]으로 갔다[往]가 다시 왼쪽[左]으로 갔다[往]함. ❷이리저리 왔다 갔다 하며 나아갈 바를 종잡지 못하는 모양.

088 [우이독경] 牛$_{50}$耳$_{50}$讀$_{62}$經$_{42}$ | 소 우, 귀 이, 읽을 독, 책 경

❶ 속뜻 쇠[牛]의 귀[耳]에 대고 책[經]을 읽어[讀]줌. ❷아무리 가르치고 일러주어도 알아듣지 못함. (비) 牛耳誦經(우

이송경), 馬耳東風(마이동풍).

089 **[유비무환]** 有$_{70}$備$_{42}$無$_{50}$患$_{50}$ | 있을 유, 갖출 비, 없을 무, 근심 환

❶[속뜻] 준비(準備)가 돼 있으면[有] 근심할[患] 것이 없음[無]. ❷사전에 준비가 돼 있으면 걱정할 일이 생기지 아니함.

090 **[이열치열]** 以$_{52}$熱$_{50}$治$_{42}$熱$_{50}$ | 써 이, 더울 열, 다스릴 치, 더울 열

❶[속뜻] 열(熱)로써[以] 열(熱)을 다스림[治]. ❷'힘에는 힘으로', '강한 것에는 강한 것으로 상대함'을 비유하는 말.

091 **[인과응보]** 因$_{50}$果$_{62}$應$_{42}$報$_{42}$ | 까닭 인, 열매 과, 응할 응, 갚을 보

❶[속뜻] 원인(原因)에 대한 결과(結果)가 마땅히[應] 갚아짐[報]. ❷[불교] 과거 또는 전생에 지은 일에 대한 결과로, 뒷날의 길흉화복(吉凶禍福)이 주어짐.

092 **[인사유명]** 人$_{80}$死$_{60}$留$_{42}$名$_{72}$ | 사람 인, 죽을 사, 머무를 류, 이름 명

❶[속뜻] 사람[人]은 죽어도[死] 이름[名]은 남음[留]. ❷삶이 헛되지 않으면 그 명성은 길이 남음. [비]豹死留皮(표사유피), 虎死留皮(호사유피).

093 **[일거양득]** 一$_{80}$擧$_{50}$兩$_{42}$得$_{42}$ | 한 일, 들 거, 두 량, 얻을 득

❶[속뜻] 한[一] 번 움직여서[擧] 두[兩] 가지를 얻음[得]. ❷한 번의 노력으로 두 가지 효과를 거둠. [비]一石二鳥(일석이조).

094 **[일맥상통]** 一$_{80}$脈$_{42}$相$_{52}$通$_{60}$ | 한 일, 맥 맥, 서로 상, 통할 통

❶[속뜻] 한[一] 가지[脈]로 서로[相] 통(通)함. ❷어떤 상태, 성질 따위가 서로 통하거나 비슷해짐.

095 **[일석이조]** 一$_{80}$石$_{60}$二$_{80}$鳥$_{42}$ | 한 일, 돌 석, 두 이, 새 조

❶[속뜻] 하나[一]의 돌[石]로 두[二] 마리의 새[鳥]를 잡음. ❷한 번의 노력으로 여러 효과를 봄. [비]一擧兩得(일거양득).

096 **[일언반구]** 一$_{80}$言$_{60}$半$_{62}$句$_{42}$ | 한 일, 말씀 언, 반 반, 글귀 구

❶[속뜻] 한[一] 마디 말[言]과 반(半) 구절(句節)의 글. ❷아주 짧은 글이나 말.

097 **[일의대수]** 一$_{80}$衣$_{60}$帶$_{42}$水$_{80}$ | 한 일, 옷 의, 띠 대, 물 수

❶[속뜻] 한[一] 줄기의 띠[衣帶]와 같은 강물[水]. ❷겨우 냇물 하나를 사이에 둔 가까운 이웃. [비]指呼之間(지호지간).

098 **[일취월장]** 日$_{80}$就$_{40}$月$_{80}$將$_{42}$ | 날 일, 이룰 취, 달 월, 나아갈 장

❶[속뜻] 날[日]마다 뜻을 이루고[就] 달[月]마다 나아감[將]. ❷발전이 빠르고 성취가 많음. [비]日將月就(일장월취).

099 **[일파만파]** 一$_{80}$波$_{42}$萬$_{80}$波$_{42}$ | 한 일, 물결 파, 일만 만, 물결 파

❶[속뜻] 하나[一]의 물결[波]이 많은[萬] 물결[波]을 일으킴. ❷한 사건으로 인하여 다른 사건이 잇달아 생기거나 번짐.

100 **[자업자득]** 自$_{72}$業$_{62}$自$_{72}$得$_{42}$ | 스스로 자, 일 업, 스스로 자, 얻을 득

❶[속뜻] 자기(自己)가 저지른 일의 업(業)을 자신(自身)이 받음[得]. ❷자기의 잘못에 대한 벌을 자신이 받음. [비]自業自縛(자업자박).

101 **[자초지종]** 自$_{72}$初$_{50}$至$_{42}$終$_{40}$ |부터 자, 처음 초, 이를 지, 끝 종

❶[속뜻] 처음[初]부터[自] 끝[終]까지 이름[至]. ❷처음부터 끝까지 모든 과정. [비]自頭至尾(자두지미).

102 **[자강불식]** 自$_{72}$强$_{60}$不$_{72}$息$_{42}$ | 스스로 자, 굳셀 강, 아니 불, 쉴 식

❶[속뜻] 스스로[自] 굳세게[强] 되기 위하여 쉬지[息] 않고[不] 노력함. ❷게으름을 피지 않고 스스로 열심히 노력함.

103 **[조족지혈]** 鳥$_{42}$足$_{72}$之$_{32}$血$_{42}$ | 새 조, 발 족, 어조사 지, 피 혈

❶[속뜻] 새[鳥] 발[足]의 피[血]. ❷'매우 적은 분량'을 비유하여 이르는 말.

104 **[종두득두]** 種$_{52}$豆$_{42}$得$_{42}$豆$_{42}$ | 심을 종, 콩 두, 얻을 득, 콩 두

❶[속뜻] 콩[豆]을 심으면[種] 콩[頭]을 얻음[得]. ❷원인이 같으면 결과도 같음.

105 **[죽마고우]** 竹$_{42}$馬$_{50}$故$_{42}$友$_{52}$ | 대 죽, 말 마, 옛 고, 벗 우

❶속뜻 대나무[竹]로 만든 말[馬]을 타고 함께 놀던 오랜[故] 친구[友]. ❷어릴 때부터 함께 놀며 자란 벗. (비) 竹馬之友(죽마지우).

106 **[중구난방]** 衆$_{42}$口$_{70}$難$_{42}$防$_{42}$ | 무리 중, 입 구, 어려울 난, 막을 방

❶속뜻 여러 사람[衆]의 입[口]은 막기[防] 어려움[難]. ❷많은 사람들이 떠들어대는 것은 막기 어려움.

107 **[지성감천]** 至$_{42}$誠$_{42}$感$_{60}$天$_{70}$ | 이를 지, 진심 성, 느낄 감, 하늘 천

❶속뜻 지극(至極)한 정성(精誠)이 있으면 하늘[天]도 감동(感動)함. ❷지극 정성으로 일을 하면 남들이 도와줌.

108 **[진퇴양난]** 進$_{42}$退$_{42}$兩$_{42}$難$_{42}$ | 나아갈 진, 물러날 퇴, 두 량, 어려울 난

❶속뜻 앞으로 나아가기[進]와 뒤로 물러나기[退], 둘[兩] 다 모두 어려움[難]. ❷어찌할 수 없는 곤란한 처지에 놓임. (비) 進退維谷(진퇴유곡).

109 **[천인공노]** 天$_{70}$人$_{80}$共$_{62}$怒$_{42}$ | 하늘 천, 사람 인, 함께 공, 성낼 노

❶속뜻 하늘[天]과 사람[人]이 함께[共] 성냄[怒]. ❷누구나 분노를 참을 수 없을 만큼 증오스러움. ❸도저히 용납될 수 없음. (비) 神人共怒(신인공노).

110 **[촌철살인]** 寸$_{80}$鐵$_{50}$殺$_{42}$人$_{80}$ | 마디 촌, 쇠 철, 죽일 살, 사람 인

❶속뜻 한 마디[寸]의 쇠[鐵]만으로 사람[人]을 죽임[殺]. ❷짧은 경구(警句)로 사람의 마음을 감동시킴.

111 **[출장입상]** 出$_{70}$將$_{42}$入$_{70}$相$_{52}$ | 날 출, 장수 장, 들 입, 재상 상

❶속뜻 전쟁에 나가서는[出] 장수(將帥)가 되고 조정에 들어와서는[入] 재상(宰相)이 됨. ❷문무(文武)를 겸비하여 장상(將相)의 벼슬을 모두 지냄.

112 **[충언역이]** 忠$_{42}$言$_{60}$逆$_{42}$耳$_{50}$ | 충성 충, 말씀 언, 거스를 역, 귀 이

❶속뜻 충성(忠誠)스러운 말[言]은 귀[耳]에 거슬림[逆]. ❷바르게 타이르는 말일수록 듣기 거북함. (비) 忠言逆於耳(충언역어이), 良藥苦於口(양약고어구).

113 **[탁상공론]** 卓$_{50}$上$_{72}$空$_{72}$論$_{42}$ | 탁자 탁, 위 상, 빌 공, 논할 론

❶속뜻 탁자(卓子) 위[上]에서만 펼치는 헛된[空] 이론(理論). ❷실현 가능성이 없는 이론이나 주장. (비) 机上空論(궤상공론).

114 **[풍전등화]** 風$_{62}$前$_{72}$燈$_{42}$火$_{80}$ | 바람 풍, 앞 전, 등불 등, 불 화

❶속뜻 바람[風] 앞[前]의 등불[燈火]. ❷'매우 위험한 처지에 놓여 있음'을 비유하여 이르는 말. ❸'사물이 덧없음'을 비유하여 이르는 말. (비) 風前燈燭(풍전등촉).

115 **[호의호식]** 好$_{42}$衣$_{60}$好$_{42}$食$_{72}$ | 좋을 호, 옷 의, 좋을 호, 밥 식

❶속뜻 좋은[好] 옷[衣]을 입고 좋은[好] 음식(飮食)을 먹음. ❷잘 입고 잘 먹음. 그런 생활. (반) 惡衣惡食(악의악식).

4급 사자성어

116 **[각골통한]** 刻$_{40}$骨$_{40}$痛$_{40}$恨$_{40}$ | 새길 각, 뼈 골, 아플 통, 한할 한

❶속뜻 뼈[骨]에 새겨지도록[刻] 아픈[痛] 원한(怨恨). ❷뼈에 사무치는 깊은 원한. (비) 刻骨之痛(각골지통).

117 **[감불생심]]** 敢$_{40}$不$_{72}$生$_{80}$心$_{70}$ | 감히 감, 아닐 불, 날 생, 마음 심

❶속뜻 감히[敢] 마음[心]을 내지[生] 못함[不]. ❷감히 엄두도 내지 못함. (비) 焉敢生心(언감생심).

118 **[감언이설]]** 甘$_{40}$言$_{60}$利$_{62}$說$_{52}$ | 달 감, 말씀 언, 이로울 리, 말씀 설

❶속뜻 달콤한[甘] 말[言]과 이로운[利] 말[說]. ❷남의 비위를 맞추는 달콤한 말과 이로운 조건만 들어 그럴듯하게

꾸미는 말.

119 **[거안사위]** 居$_{40}$安$_{72}$思$_{50}$危$_{40}$ | 살 거, 편안할 안, 생각 사, 두려울 위

❶속뜻 편안(便安)하게 살[居] 때 앞으로 닥칠 위험(危險)을 미리 생각함[思]. ❷미래의 일이나 위험을 미리 대비함.

120 **[경천근민]** 敬$_{52}$天$_{70}$勤$_{40}$民$_{80}$ | 공경할 경, 하늘 천, 부지런할 근, 백성 민

❶속뜻 하늘[天]을 공경(恭敬)하고 백성[民]을 위한 일을 부지런히[勤] 힘씀. ❷하늘이 부여한 사명을 경건하게 받아들이고 백성을 위하여 부지런히 노력함.

121 **[경천동지]** 驚$_{40}$天$_{70}$動$_{72}$地$_{70}$ | 놀랄 경, 하늘 천, 움직일 동, 땅 지

❶속뜻 하늘[天]이 놀라고[驚] 땅[地]이 움직임[動]. ❷세상이 몹시 놀라거나 기적 같은 일이 발생함을 이르는 말.

122 **[계란유골]** 鷄$_{40}$卵$_{40}$有$_{70}$骨$_{40}$ | 닭 계, 알 란, 있을 유, 뼈 골

❶속뜻 청렴하기로 소문난 정승이 선물로 받은 달걀[鷄卵]에 뼈[骨]가 있었음[有]. ❷'운수가 나쁜 사람은 모처럼 좋은 기회를 만나도 역시 일이 잘 안됨'을 비유하여 이르는 말.

故事 조선시대 청렴하기로 소문난 황희 정승은 평소에 여벌옷이 없어서 옷이 빨리 마르기를 기다릴 정도였다. 이를 잘 아는 세종대왕은 하루 날을 잡아 그날 사대문 안으로 들어오는 모든 물품을 황희 정승에게 보내라고 명했다. 그런데 그날따라 하필 비바람이 몰아쳐 사대문 안으로 들어오는 장사꾼이 아무도 없었다. 도성 문이 닫힐 무렵 어느 노인이 계란 한 꾸러미를 들고 들어왔다. 황희 정승이 그것을 받아보니 모두 곯아 있어서 먹을 수가 없었다.

123 **[고립무원]** 孤$_{40}$立$_{72}$無$_{50}$援$_{40}$ | 외로울 고, 설 립, 없을 무, 도울 원

❶속뜻 고립(孤立)되어 도움[援]을 받을 데가 없음[無]. ❷홀로 외톨이가 됨.

124 **[고진감래]** 苦$_{60}$盡$_{40}$甘$_{40}$來$_{70}$ | 쓸 고, 다할 진, 달 감, 올 래

❶속뜻 쓴[苦] 것이 다하면[盡] 단[甘] 것이 옴[來]. ❷고생 끝에 즐거운 일이 생김. ⓑ興盡悲來(흥진비래).

125 **[골육상잔]** 骨$_{40}$肉$_{42}$相$_{52}$殘$_{40}$ | 뼈 골, 고기 육, 서로 상, 해칠 잔

❶속뜻 부자(父子)나 형제 등 혈연관계[骨肉]에 있는 사람끼리 서로[相] 해치며[殘] 싸우는 일. ❷같은 민족끼리 해치며 싸우는 일. ⓑ骨肉相爭(골육상쟁), 骨肉相戰(골육상전).

126 **[구절양장]** 九$_{80}$折$_{40}$羊$_{42}$腸$_{40}$ | 아홉 구, 꺾일 절, 양 양, 창자 장

❶속뜻 아홉[九] 번 꼬부라진[折] 양(羊)의 창자[腸]. ❷'꼬불꼬불하며 험한 산길'을 비유하여 이르는 말.

127 **[군신유의]** 君$_{40}$臣$_{52}$有$_{70}$義$_{42}$ | 임금 군, 신하 신, 있을 유, 옳을 의

❶속뜻 임금[君]과 신하(臣下) 간에는 의리(義理)가 있어야[有] 함. ❷임금과 신하 사이의 도리는 의리에 있음. 오륜(五倫)의 하나.

128 **[근주자적]** 近$_{60}$朱$_{40}$者$_{60}$赤$_{50}$ | 가까울 근, 붉을 주, 사람 자, 붉을 적

❶속뜻 붉은[朱] 것을 가까이[近] 하는 사람[者]은 붉게[赤] 된다. ❷사람은 그가 늘 가까이하는 사람에 따라 영향을 받아 변하는 것이니 조심하라는 말.

129 **[금과옥조]** 金$_{80}$科$_{62}$玉$_{42}$條$_{40}$ | 쇠 금, 법 과, 구슬 옥, 조목 조

❶속뜻 금(金)이나 옥(玉) 같은 법률의 조목[科]과 조항[條]. ❷소중히 여기고 꼭 지켜야 할 법률이나 규정. 또는 절대적인 것으로 여기어 지키는 규칙이나 교훈.

130 **[기상천외]** 奇$_{40}$想$_{42}$天$_{70}$外$_{80}$ | 이상할 기, 생각할 상, 하늘 천, 밖 외

❶속뜻 기이(奇異)한 생각[想]이 하늘[天] 밖[外]에 이름. ❷상상할 수 없을 만큼 생각이 기발하고 엉뚱함.

131 **[낙락장송]** 落$_{50}$落$_{50}$長$_{80}$松$_{40}$ | 떨어질 락, 떨어질 락, 길 장, 소나무 송

❶속뜻 가지가 축축 늘어질[落落] 정도로 키가 큰[長] 소나무[松]. ❷매우 크고 우뚝하게 잘 자란 소나무.

132 [난공불락] 難$_{42}$攻$_{40}$不$_{72}$落$_{50}$ | 어려울 난, 칠 공, 아닐 불, 떨어질 락

❶속뜻 공격(攻擊)하기가 어려워[難] 좀처럼 함락(陷落)되지 아니함[不]. ❷공격하여 무너뜨리기 어려울 만큼 수비가 철저함.

133 [난신적자] 亂$_{40}$臣$_{52}$賊$_{40}$子$_{72}$ | 어지러울 란, 신하 신, 해칠 적, 아들 자

❶속뜻 나라를 어지럽히는[亂] 신하(臣下)와 어버이를 해치는[賊] 자식[子]. ❷못된 신하나 자식.

134 [대경실색] 大$_{80}$驚$_{40}$失$_{60}$色$_{70}$ | 큰 대, 놀랄 경, 잃을 실, 빛 색

❶속뜻 크게[大] 놀라[驚] 얼굴빛[色]이 제 모습을 잃음[失]. ❷얼굴이 하얗게 변할 정도로 크게 놀람.

135 [대동소이] 大$_{80}$同$_{70}$小$_{80}$異$_{40}$ | 큰 대, 같을 동, 작을 소, 다를 이

❶속뜻 대체(大體)로 같고[同] 조금[小]만 다름[異]. ❷서로 큰 차이 없이 비슷비슷함.

136 [만시지탄] 晩$_{32}$時$_{72}$之$_{32}$歎$_{40}$ | 늦을 만, 때 시, 어조사 지, 한숨지을 탄

❶속뜻 시기(時期)가 뒤늦었음[晩]을 원통해 하는 탄식(歎息). ❷적절한 때를 놓친 것에 대한 한탄. (비)後時之歎(후시지탄).

137 [명경지수] 明$_{62}$鏡$_{40}$止$_{50}$水$_{80}$ | 밝을 명, 거울 경, 그칠 지, 물 수

❶속뜻 밝은[明] 거울[鏡]이 될 만큼 고요하게 멈추어[止] 있는 물[水]. ❷맑고 고요한 심경(心境).

138 [목불식정] 目$_{60}$不$_{72}$識$_{52}$丁$_{40}$ | 눈 목, 아닐 불, 알 식, 고무래 정

❶속뜻 아주 쉬운 '고무래 정'[丁]자도 눈[目]으로 알아보지[識] 못함[不]. ❷한자를 전혀 모름. 또는 그런 무식한 사람. (비)不識一丁字(불식일정자), 目不知書(목불지서).

139 [무위도식] 無$_{50}$爲$_{42}$徒$_{40}$食$_{72}$ | 없을 무, 할 위, 헛될 도, 먹을 식

❶속뜻 하는[爲] 일이 없이[無] 헛되이[徒] 먹기[食]만 함. ❷일은 하지 않고 공밥만 먹음. (비)遊手徒食(유수도식).

140 [미사여구] 美$_{60}$辭$_{40}$麗$_{42}$句$_{42}$ | 아름다울 미, 말 사, 고울 려, 글귀 구

❶속뜻 아름답게[美] 꾸민 말[辭]과 아름다운[麗] 문구(文句). ❷내용은 없으면서 형식만 좋은 말. 또는 그런 표현.

141 [박람강기] 博$_{42}$覽$_{40}$强$_{60}$記$_{72}$ | 넓을 박, 볼 람, 굳셀 강, 기록할 기

❶속뜻 책을 널리[博] 많이 보고[覽] 잘[强] 기억(記憶)함. ❷독서를 많이 하여 아는 것이 많음. (비)博學多識(박학다식).

142 [백가쟁명] 百$_{70}$家$_{72}$爭$_{50}$鳴$_{40}$ | 일백 백, 사람 가, 다툴 쟁, 울 명

❶속뜻 많은[百] 사람들[家]이 다투어[爭] 울어댐[鳴]. ❷많은 학자나 문화인 등이 자기의 학설이나 주장을 자유롭게 발표, 논쟁, 토론하는 일.

143 [백절불굴] 百$_{70}$折$_{40}$不$_{72}$屈$_{40}$ | 일백 백, 꺾을 절, 아닐 불, 굽을 굴

❶속뜻 백(百) 번 꺾여도[折] 굽히지[屈] 않음[不]. ❷어떠한 어려움에도 굽히지 않음. (비)百折不撓(백절불요).

144 [사필귀정] 事$_{72}$必$_{52}$歸$_{40}$正$_{72}$ | 일 사, 반드시 필, 돌아갈 귀, 바를 정

❶속뜻 모든 일[事]은 반드시[必] 바른[正] 길로 돌아감[歸]. ❷일의 잘잘못이 언젠가는 밝혀져서 올바른 데로 돌아감. ❸옳은 것이 결국에는 이김.

145 [살신성인] 殺$_{42}$身$_{62}$成$_{62}$仁$_{40}$ | 죽일 살, 몸 신, 이룰 성, 어질 인

❶속뜻 자신의 몸[身]을 죽여[殺] 인(仁)을 이룸[成]. ❷옳은 일을 위하여 자기 몸을 바침.

146 [선공후사] 先$_{80}$公$_{62}$後$_{72}$私$_{40}$ | 먼저 선, 여럿 공, 뒤 후, 사사로울 사

❶속뜻 공(公)적인 일을 먼저[先] 하고 사사로운[私] 일은 뒤[後]로 미룸. ❷자기 일은 뒤로 미루고 공적인 일을 먼저 함.

147 [송구영신] 送$_{42}$舊$_{52}$迎$_{40}$新$_{62}$ | 보낼 송, 옛 구, 맞이할 영, 새 신

❶[속뜻] 묵은해[舊]를 보내고[送] 새해[新]를 맞이함[迎]. ❷새로운 마음으로 새해를 맞이함. [준]送迎.

148 **[신언서판]** 身$_{62}$言$_{60}$書$_{62}$判$_{40}$ | 몸 신, 말씀 언, 쓸 서, 판가름할 판

❶[속뜻] 중국 당나라 때 관리를 등용하는 시험에서 인물평가의 기준으로 삼았던 몸가짐[身]·말씨[言]·글씨[書]·판단(判斷)의 네 가지. ❷인물을 선택하는 데 적용한 네 가지 조건: 신수, 말씨, 문필, 판단력. (출처『唐書』)

149 **[악전고투]** 惡$_{52}$戰$_{62}$苦$_{60}$鬪$_{40}$ | 나쁠 악, 싸울 전, 쓸 고, 싸울 투

❶[속뜻] 매우 열악(劣惡)한 조건에서 고생스럽게[苦] 싸움[戰鬪]. ❷어려운 여건에서도 힘써 노력함.

150 **[약방감초]** 藥$_{62}$房$_{42}$甘$_{40}$草$_{70}$ | 약 약, 방 방, 달 감, 풀 초

❶[속뜻] 한약방(韓藥房)에서 어떤 처방이나 다 들어가는 감초(甘草). ❷'모임마다 불쑥불쑥 잘 나타는 사람', 또는 '흔하게 보이는 물건'을 비유하여 이르는 말.

151 **[언중유골]** 言$_{60}$中$_{80}$有$_{70}$骨$_{40}$ | 말씀 언, 가운데 중, 있을 유, 뼈 골

❶[속뜻] 말[言] 가운데[中]에 뼈[骨]가 있음[有]. ❷예사로운 말 속에 별도의 뜻이 들어 있음.

152 **[여필종부]** 女$_{80}$必$_{50}$從$_{40}$夫$_{70}$ | 여자 녀, 반드시 필, 좇을 종, 지아비 부

❶[속뜻] 아내[女]는 반드시[必] 남편[夫]을 따라야 함[從]. ❷아내는 남편의 의견을 잘 따라야 함.

153 **[연목구어]** 緣$_{40}$木$_{80}$求$_{42}$魚$_{50}$ | 가장자리 연, 나무 목, 구할 구, 고기 어

❶[속뜻] 서까래[緣/椽] 나무[木]에 올라가서 물고기[魚]를 구(求)하려 함. ❷'도저히 불가능한 일을 하려 함'을 비유하여 이르는 말. (출처『孟子』) [비]上山求魚(상산구어).

154 **[오곡백과]** 五$_{80}$穀$_{40}$百$_{70}$果$_{62}$ | 다섯 오, 곡식 곡, 일백 백, 열매 과

❶[속뜻] 다섯[五] 가지 곡식(穀食)과 백(百)가지 과일[果]. ❷여러 종류의 곡식과 과일에 대한 총칭.

155 **[옥골선풍]** 玉$_{42}$骨$_{40}$仙$_{52}$風$_{62}$ | 옥 옥, 뼈 골, 신선 선, 모습 풍

❶[속뜻] 옥(玉) 같이 귀한 골격(骨格)과 신선(神仙) 같은 풍채(風采). ❷귀티가 나고 신선 같이 깔끔한 풍채.

156 **[위기일발]** 危$_{40}$機$_{40}$一$_{80}$髮$_{40}$ | 위태할 위, 때 기, 한 일, 터럭 발

❶[속뜻] 머리털[髮] 하나[一]에 매달려 있어 곧 떨어질 것 같은 위기(危機). ❷'당장에라도 끊어질듯 한 위태로운 순간'을 형용하는 말. [비]危如一髮(위여일발).

157 **[유유상종]** 類$_{52}$類$_{52}$相$_{52}$從$_{40}$ | 비슷할 류, 무리 류, 서로 상, 좇을 종

❶[속뜻] 비슷한[類] 종류(種類)끼리 서로[相] 친하게 따름[從]. ❷비슷한 사람들끼리 서로 친하게 지냄.

158 **[이구동성]** 異$_{40}$口$_{70}$同$_{70}$聲$_{42}$ | 다를 이, 입 구, 같을 동, 소리 성

❶[속뜻] 각기 다른[異] 입[口]에서 같은[同] 소리[聲]를 냄. ❷여러 사람의 말이 한결같음. [비]異口同音(이구동음).

159 **[이란격석]** 以$_{52}$卵$_{40}$擊$_{40}$石$_{60}$ | 부터 이, 알 란, 칠 격, 돌 석

❶[속뜻] 계란(鷄卵)으로[以] 돌[石]을 침[擊]. ❷'아무리 하여도 소용없는 일'을 비유하는 말.

160 **[이용후생]** 利$_{62}$用$_{62}$厚$_{40}$生$_{80}$ | 이로울 리, 쓸 용, 두터울 후, 살 생

[속뜻] 기구를 편리(便利)하게 잘 쓰고[用] 먹을 것과 입을 것을 넉넉하게[厚] 하여 삶[生]의 질을 개선함.

161 **[이합집산]** 離$_{40}$合$_{60}$集$_{62}$散$_{40}$ | 떨어질 리, 합할 합, 모일 집, 흩어질 산

[속뜻] 헤어졌다[離] 합치고[合] 모였다[集] 흩어졌다[散]함. 헤어졌다 모였다 함.

162 **[일각천금]** 一$_{80}$刻$_{40}$千$_{70}$金$_{80}$ | 한 일, 시각 각, 일천 천, 쇠 금

❶[속뜻] 15분[一刻]같이 짧은 시간도 천금(千金)과 같이 귀중함. ❷짧은 시간도 귀하게 여겨 헛되이 보내지 않아야 함.

163 **[일벌백계]** 一$_{80}$罰$_{42}$百$_{72}$戒$_{40}$ | 한 일, 벌할 벌, 일백 백, 주의할 계

❶[속뜻] 첫[一] 번째 죄인을 엄하게 벌(罰)함으로써 후에 백(百) 사람이 그런 죄를 경계(警戒)하여 짓지 않도록 함. ❷다른

사람들에게 경각심을 불러일으키기 위하여 본보기로 첫 번째 죄인을 엄하게 처벌함.

164 **[일사불란]** 一$_{80}$絲$_{42}$不$_{72}$亂$_{40}$ | 한 일, 실 사, 아니 불, 어지러울 란

❶**속뜻** 한[一] 줄의 실[絲]같이 흐트러지지[亂] 않음[不]. ❷'질서나 체계 따위가 조금도 흐트러진 데가 없음'을 비유하여 이르는 말.

165 **[일희일비]** 一$_{80}$喜$_{40}$一$_{80}$悲$_{42}$ | 한 일, 기쁠 희, 한 일, 슬플 비

❶**속뜻** 한[一] 번은 슬픈[悲] 일이, 한[一] 번은 기쁜[喜] 일이 생김. ❷슬픔과 기쁨이 번갈아 나타남. ❸한편으로는 슬프고 한편으로는 기쁨.

166 **[자화자찬]** 自$_{72}$畵$_{60}$自$_{72}$讚$_{40}$ | 스스로 자, 그림 화, 스스로 자, 기릴 찬

❶**속뜻** 자기(自己)가 그린 그림[畵]을 스스로[自] 칭찬(稱讚)함. ❷자기가 한 일을 자기 스스로 자랑함. (준) 自畵讚.

167 **[장삼이사]** 張$_{40}$三$_{80}$李$_{60}$四$_{80}$ | 성씨 장, 석 삼, 성씨 리, 넉 사

❶**속뜻** 장삼(張三)이라는 사람과 이사(李四)라는 사람. ❷평범한 보통 사람을 이르는 말. ❸**불교** '사람에게 성리(性理)가 있음은 알지만, 그 모양이나 이름을 지어 말할 수 없음'을 비유하는 말. (출처 『傳燈錄』) (비) 甲男乙女(갑남을녀).

168 **[적재적소]** 適$_{40}$材$_{52}$適$_{40}$所$_{70}$ | 알맞을 적, 재목 재, 알맞을 적, 곳 소

❶**속뜻** 알맞은[適] 재목(材木)을 알맞은[適] 곳[所]에 씀. ❷사람이나 사물을 제 격에 맞게 잘 씀.

169 **[주마간산]** 走$_{42}$馬$_{50}$看$_{40}$山$_{80}$ | 달릴 주, 말 마, 볼 간, 메 산

❶**속뜻** 달리는[走] 말[馬] 위에서 산천(山川)을 구경함[看]. ❷이것저것을 천천히 살펴볼 틈이 없이 바삐 서둘러 대강대강 보고 지나침. ❸제대로 살펴보지 못함.

170 **[진충보국]** 盡$_{40}$忠$_{42}$報$_{42}$國$_{80}$ | 다할 진, 충성 충, 갚을 보, 나라 국

❶**속뜻** 충성(忠誠)을 다하여서[盡] 나라[國]의 은혜를 갚음[報]. ❷나라를 위하여 충성을 다함. (비) 竭忠報國(갈충보국).

171 **[천려일득]** 千$_{70}$慮$_{40}$一$_{80}$得$_{42}$ | 일천 천, 생각할 려, 한 일, 얻을 득

❶**속뜻** 천(千) 번을 생각하다보면[慮] 하나[一] 정도는 얻을[得] 수도 있음. ❷아무리 어리석은 사람일지라도 많은 생각을 하다 보면 한 가지쯤은 좋은 방법을 찾을 수 있음. (반) 千慮一失(천려일실).

172 **[천려일실]** 千$_{70}$慮$_{40}$一$_{80}$失$_{60}$ | 일천 천, 생각할 려, 한 일, 잃을 실

❶**속뜻** 천(千) 번을 생각하더라도[慮] 하나[一] 정도는 잃을[失] 수도 있음. ❷아무리 슬기로운 사람일지라도 많은 생각을 하다 보면 한 가지쯤은 실책이 있게 마련임. (반) 千慮一得(천려일득).

173 **[천생연분]** 天$_{70}$生$_{80}$緣$_{40}$分$_{62}$ | 하늘 천, 날 생, 인연 연, 나눌 분

❶**속뜻** 하늘[天]에서 생겨난[生] 이 연분(緣分). ❷하늘이 맺어준 인연. (비) 天生因緣(천생인연), 天定緣分(천정연분).

174 **[천재일우]** 千$_{70}$載$_{32}$一$_{80}$遇$_{40}$ | 일천 천, 실을 재, 한 일, 만날 우

❶**속뜻** 천년[千載] 만에 한[一] 번 맞이함[遇]. ❷좀처럼 만나기 어려운 기회.

175 **[천차만별]** 千$_{70}$差$_{40}$萬$_{80}$別$_{60}$ | 일천 천, 어긋날 차, 일만 만, 나눌 별

❶**속뜻** 천(千) 가지 차이(差異)와 만(萬) 가지 구별(區別). ❷서로 크고 많은 차이점이 있음.

176 **[천편일률]** 千$_{70}$篇$_{40}$一$_{80}$律$_{42}$ | 일천 천, 책 편, 한 일, 가락 률

❶**속뜻** 천(千) 편(篇)의 시가 하나[一]의 음률(音律)로 되어 있음. ❷여러 시문의 격조가 모두 비슷하여 개별적인 특성이 없음. ❸개별적인 특성이 없이 모두 엇비슷함.

177 **[허장성세]** 虛$_{42}$張$_{40}$聲$_{42}$勢$_{42}$ | 빌 허, 베풀 장, 소리 성, 기세 세

❶**속뜻** 헛된[虛] 말을 펼치며[張] 큰 소리[聲]만 치는 기세(氣勢). ❷실력이 없으면서 허세(虛勢)만 떨침.

178 **[회자정리]** 會$_{62}$者$_{60}$定$_{60}$離$_{40}$ | 모일 회, 사람 자, 반드시 정, 떨어질 리

❶속뜻 만난[會] 사람[者]은 언젠가는 헤어지도록[離] 운명이 정(定)해져 있음. ❷'인생의 무상함'을 비유하여 이르는 말.

179 **[흥진비래]** 興$_{42}$盡$_{40}$悲$_{42}$來$_{70}$ | 일어날 흥, 다할 진, 슬플 비, 올 래

❶속뜻 즐거운[興] 일이 다하면[盡] 슬픈[悲] 일이 닥침[來]. ❷기쁨과 슬픔이 교차함. ❸세상일은 돌고 돎. (비)苦盡甘來(고진감래).

3급II 사자성어 ……………………………………………………………………………………

180 **[가인박명]** 佳$_{32}$人$_{80}$薄$_{32}$命$_{70}$ | 아름다울 가, 사람 인, 엷을 박, 운명 명

❶속뜻 아름다운[佳] 사람[人]은 기박(奇薄)한 운명(運命)을 타고남. ❷미인은 대개 불행하다는 말.

181 **[각골명심]** 刻$_{40}$骨$_{40}$銘$_{32}$心$_{70}$ | 새길 각, 뼈 골, 새길 명, 마음 심

❶속뜻 뼈[骨]에 새기고[刻] 마음[心]에 아로새겨[銘] 둠. ❷마음에 깊이 새겨서 영원히 잊지 않도록 함.

182 **[감지덕지]** 感$_{60}$之$_{32}$德$_{52}$之$_{32}$ | 느낄 감, 어조사 지, 베풀 덕, 어조사 지

❶속뜻 감사(感謝)하고 은덕(恩德)으로 여김. ❷분에 넘치는 것 같아서 매우 고맙게 여기는 모양.

183 **[갑남을녀]** 甲$_{40}$男$_{72}$乙$_{32}$女$_{80}$ | 천간 갑, 사내 남, 천간 을, 여자 녀

❶속뜻 갑(甲)이라는 남자(男子)와 을(乙)이라는 여자(女子). ❷평범한 보통 사람들. (비)張三李四(장삼이사).

184 **[개과천선]** 改$_{50}$過$_{52}$遷$_{32}$善$_{50}$ | 고칠 개, 지나칠 과, 바뀔 천, 착할 선

❶속뜻 잘못[過]을 고치어[改] 착한[善] 마음으로 바꿈[遷]. ❷허물을 고치고 옳은 길로 들어섬.

185 **[개세지재]** 蓋$_{32}$世$_{72}$之$_{32}$才$_{62}$ | 덮을 개, 세상 세, 어조사 지, 재주 재

❶속뜻 온 세상(世上)을 뒤덮을[蓋] 만큼 뛰어난 재능(才能). ❷세상을 마음대로 다스릴 만한 뛰어난 재능. 또는 그런 재능을 지닌 사람.

186 **[격세지감]** 隔$_{34}$世$_{72}$之$_{32}$感$_{60}$ | 사이 뜰 격, 세대 세, 어조사 지, 느낄 감

❶속뜻 세대(世代)가 크게 차이나는[隔] 느낌[感]. ❷많은 진보와 변화를 겪어서 딴 세상처럼 여겨지는 느낌. ❸딴 세상 같은 느낌. (준)隔世感. (비)今昔之感(금석지감).

187 **[견마지로]** 犬$_{40}$馬$_{50}$之$_{32}$勞$_{52}$ | 개 견, 말 마, 어조사 지, 일할 로

❶속뜻 개[犬]나 말[馬] 정도의 하찮은 힘[勞]. ❷'윗사람에게 충성을 다하는 자신의 노력'을 낮추어 이르는 말.

188 **[견인불발]** 堅$_{40}$忍$_{32}$不$_{72}$拔$_{32}$ | 굳을 견, 참을 인, 아닐 불, 뽑을 발

❶속뜻 마음이 굳고[堅] 참을성[忍]이 있어서 뽑히지[拔] 아니함[不]. ❷마음이 굳어 흔들리지 아니함.

189 **[결자해지]** 結$_{52}$者$_{60}$解$_{42}$之$_{32}$ | 맺을 결, 사람 자, 풀 해, 그것 지

❶속뜻 맺은[結] 사람[者]이 그것을[之] 풀어야[解] 함. ❷일을 저지른 사람이 그 일을 해결해야 함.

190 **[겸인지용]** 兼$_{32}$人$_{80}$之$_{32}$勇$_{62}$ | 겸할 겸, 사람 인, 어조사 지, 날쌜 용

❶속뜻 다른 사람[人] 몫까지 겸(兼)하여 감당할 수 있는 용기(勇氣). ❷혼자서 능히 몇 사람을 당해 낼만한 용기

191 **[경거망동]** 輕$_{50}$擧$_{50}$妄$_{32}$動$_{72}$ | 가벼울 경, 들 거, 헛될 망, 움직일 동

❶속뜻 가벼이[輕] 몸을 들거나[擧] 함부로[妄] 움직임[動]. ❷경솔하게 함부로 행동함.

192 **[경국지색]** 傾$_{40}$國$_{80}$之$_{32}$色$_{70}$ | 기울 경, 나라 국, 어조사 지, 빛 색

❶속뜻 나라[國]를 기울게[傾] 할 정도의 미색(美色). ❷국정을 게을리 함으로써 나라가 위태로워질 정도로 임금을 홀리는 미녀. (비)傾城之色(경성지색).

193 **[고군분투]** 孤$_{40}$軍$_{80}$奮$_{32}$鬪$_{40}$ | 외로울 고, 군사 군, 떨칠 분, 싸울 투

❶속뜻 수가 적어 외로운[孤] 군대(軍隊)이지만 용맹을 떨치며[奮] 싸움[鬪]. ❷적은 인원으로 어려운 일을 악착스럽게

해냄.

194 [고대광실] 高$_{62}$臺$_{32}$廣$_{52}$室$_{80}$ | 높을 고, 돈대 대, 넓을 광, 집 실

❶속뜻 높은[高] 돈대[臺] 위에 넓게[廣] 지은 집[室]. ❷규모가 굉장히 크고 높고 넓게 잘 지은 집.

195 [고식지계] 姑$_{32}$息$_{42}$之$_{32}$計$_{62}$ | 잠시 고, 숨쉴 식, 어조사 지, 꾀 계

❶속뜻 잠시[姑] 숨 쉴[息] 틈을 얻기 위한 계책(計策). ❷근본적인 해결책이 아니라 임시 변통을 위한 대책.

196 [고육지책] 苦$_{60}$肉$_{42}$之$_{32}$策$_{32}$ | 괴로울 고, 몸 육, 어조사 지, 꾀 책

❶속뜻 자기 몸[肉]을 고통(苦痛)스럽게 하는 것 까지 무릅쓴 계책(計策). ❷자기희생까지도 무릅쓸 정도로 애써 꾸민 계책. ㊟苦肉策. ㊥苦肉之計(고육지계).

197 [고장난명] 孤$_{40}$掌$_{32}$難$_{42}$鳴$_{40}$ | 홀로 고, 손바닥 장, 어려울 난, 울 명

❶속뜻 한[孤] 손[掌]으로는 쳐서 울리게 하기[鳴] 어려움[難]. ❷'혼자서는 일을 이루기 어려움'을 비유하여 이르는 말. (출처 『傳燈錄』) ㊥獨掌不鳴(독장불명).

198 [곡학아세] 曲$_{50}$學$_{80}$阿$_{32}$世$_{72}$ | 굽을 곡, 배울 학, 아첨할 아, 세상 세

❶속뜻 곧지 않고 굽은[曲] 학문(學問)으로 세상(世上)에 아부(阿附)함. ❷바른 길에서 벗어난 학문으로 권력자에게 아첨하여 출세를 하려고 함.

199 [과유불급] 過$_{52}$猶$_{32}$不$_{72}$及$_{32}$ | 지나칠 과, 오히려 유, 아닐 불, 미칠 급

❶속뜻 지나침[過]은 미치지[及] 못함[不]과 같음[猶]. ❷중용(中庸)이 중요함을 이르는 말.

200 [교언영색] 巧$_{32}$言$_{60}$令$_{52}$色$_{70}$ | 꾸밀 교, 말씀 언, 좋을 령, 빛 색

❶속뜻 듣기 좋게 꾸며낸[巧] 말[言]과 보기 좋게[令] 가꾼 안색(顔色). ❷아첨하는 말과 알랑거리는 태도.

201 [구곡간장] 九$_{80}$曲$_{50}$肝$_{32}$腸$_{40}$ | 아홉 구, 굽을 곡, 간 간, 창자 장

❶속뜻 아홉[九] 굽이[曲]의 간(肝)과 창자[腸]. ❷'깊은 마음속 또는 시름이 쌓인 마음속'을 비유하여 이르는 말.

202 [국태민안] 國$_{80}$泰$_{32}$民$_{80}$安$_{72}$ | 나라 국, 침착할 태, 백성 민, 편안할 안

❶속뜻 나라[國]가 태평(泰平)하고 백성[民]이 편안(便安)함. ❷나라가 태평하고 국민의 생활이 넉넉함.

203 [군계일학] 群$_{40}$鷄$_{40}$一$_{80}$鶴$_{32}$ | 무리 군, 닭 계, 한 일, 학 학

❶속뜻 무리[群]를 이룬 많은 닭[鷄] 가운데 우뚝 서 있는 한[一] 마리의 학(鶴). ❷'많은 사람 가운데서 뛰어난 인물'을 비유하여 이르는 말.

204 [군웅할거] 群$_{40}$雄$_{50}$割$_{32}$據$_{40}$ | 무리 군, 뛰어날 웅, 나눌 할, 의거할 거

❶속뜻 많은[群] 영웅(英雄)들이 각각 일정한 토지를 나누어[割] 차지함[據]. ❷많은 영웅들이 서로 한 지방씩을 차지하여 세력을 다툼.

205 [군위신강] 君$_{40}$爲$_{42}$臣$_{52}$綱$_{32}$ | 임금 군, 할 위, 신하 신, 벼리 강

❶속뜻 임금[君]은 신하(臣下)의 벼리[綱]같은 모범이 되어야[爲] 함. ❷임금이 신하에게 모범을 보임. 또는 그렇게 하여할 도리.

206 [궁여지책] 窮$_{40}$餘$_{42}$之$_{32}$策$_{32}$ | 궁할 궁, 남을 여, 어조사 지, 꾀 책

❶속뜻 궁(窮)한 나머지[餘] 생각다 못하여 짜낸 계책(計策). ❷막다른 골목에서 그 국면을 타개하려고 생각다 못해 짜낸 대책. ㊥窮餘一策(궁여일책).

207 [극기복례] 克$_{32}$己$_{52}$復$_{50}$禮$_{72}$ | 이길 극, 자기 기, 되돌릴 복, 예도 례

❶속뜻 자기(自己) 욕심을 이기고[克] 예의(禮儀) 바르게 되돌아[復] 옴. ❷지나친 욕심을 누르고 예의범절을 갖춤.

208 [근묵자흑] 近$_{60}$墨$_{32}$者$_{60}$黑$_{50}$ | 가까울 근, 먹 묵, 사람 자, 검을 흑

❶속뜻 먹[墨]을 가까이[近] 하는 사람[者]은 검어지기[黑] 쉬움. ❷'나쁜 사람을 가까이 하면 물들기 쉬움'을 비유하여 이르는 말. ⓗ近朱者赤(근주자적).

209 **[금란지계]** 金$_{80}$蘭$_{32}$之$_{32}$契$_{32}$ | 쇠 금, 난초 란, 어조사 지, 맺을 계

❶속뜻 쇠[金]같이 단단하고 난초[蘭]같이 향기롭게 맺은[契] 사이. ❷단단하고 향기로운 벗 사이의 우정. ⓗ金蘭之交(금란지교), 水魚之交(수어지교), 斷金之交(단금지교), 布衣之交(포의지교).

210 **[금석지교]** 金$_{80}$石$_{60}$之$_{32}$交$_{60}$ | 쇠 금, 돌 석, 어조사 지, 사귈 교

❶속뜻 쇠[金]나 돌[石]같이 굳고 변함없는 사귐[交]. ❷굳고 변함없는 우정. 또는 그런 약속.

211 **[금성탕지]** 金$_{80}$城$_{42}$湯$_{32}$池$_{32}$ | 황금 금, 성 성, 끓을 탕, 못 지

❶속뜻 황금(黃金)으로 된 성(城) 주위에 펄펄 끓는[湯] 물로 못[池]을 만들어 놓음. ❷'방어 시설이 아주 튼튼한 성'을 형용하는 말. ⓗ難攻不落(난공불락).

212 **[금의야행]** 錦$_{32}$衣$_{60}$夜$_{60}$行$_{60}$ | 비단 금, 옷 의, 밤 야, 갈 행

❶속뜻 비단[錦]으로 만든 옷[衣]을 입고 밤[夜]길을 다님[行]. ❷'아무 보람이 없는 행동을 자랑스레 함'을 비꼬아 이르는 말.

213 **[금의옥식]** 錦$_{32}$衣$_{60}$玉$_{42}$食$_{72}$ | 비단 금, 옷 의, 옥 옥, 밥 식

❶속뜻 비단[錦]으로 만든 옷[衣]과 옥(玉) 같이 귀한 음식(飮食). ❷사치스러운 생활을 비유하여 이르는 말. ⓗ好衣好食(호의호식).

214 **[금의환향]** 錦$_{32}$衣$_{60}$還$_{32}$鄕$_{42}$ | 비단 금, 옷 의, 돌아올 환, 시골 향

❶속뜻 비단[錦]으로 만든 옷[衣]을 입고 고향(故鄕)에 돌아옴[還]. ❷'성공하여 고향으로 돌아옴'을 비유하는 말.

215 **[금지옥엽]** 金$_{80}$枝$_{32}$玉$_{42}$葉$_{50}$ | 쇠 금, 가지 지, 옥 옥, 잎 엽

❶속뜻 금(金)으로 된 가지[枝]와 옥(玉)으로 된 잎[葉]. ❷'임금의 자손' 또는 '귀한 자손'을 높여 비유하는 말.

216 **[기고만장]** 氣$_{72}$高$_{62}$萬$_{80}$丈$_{32}$ | 기운 기, 높을 고, 일만 만, 길이 장

❶속뜻 기세(氣勢)의 높기[高]가 만장(萬丈) 정도나 됨. ❷'일이 뜻대로 잘되어 뽐내는 기세가 대단함'을 비유하는 말.

217 **[길흉화복]** 吉$_{50}$凶$_{52}$禍$_{32}$福$_{52}$ | 길할 길, 흉할 흉, 재화 화, 복 복

❶속뜻 운이 좋고[吉] 나쁨[凶]과 재앙[禍]과 복[福]. ❷'운수'를 풀어서 달리 이르는 말.

218 **[내우외환]** 內$_{72}$憂$_{32}$外$_{80}$患$_{50}$ | 안 내, 근심할 우, 밖 외, 근심 환

❶속뜻 국내(國內)에서 발생된 걱정거리[憂]와 국외(國外)로부터 들어온 근심거리[患]. ❷나라 안팎에서 일어난 어려움.

219 **[내유외강]** 內$_{72}$柔$_{32}$外$_{80}$剛$_{32}$ | 안 내, 부드러울 유, 밖 외, 굳셀 강

❶속뜻 속[內]은 부드러우나[柔] 겉[外]으로는 굳세게[剛] 보임. ❷마음이 부드러운데도 겉으로 보기에는 강하게 보임. ⓗ外剛內柔(외강내유).

220 **[노갑이을]** 怒$_{42}$甲$_{40}$移$_{42}$乙$_{32}$ | 성낼 노, 천간 갑, 옮길 이, 천간 을

❶속뜻 갑(甲)에게 성내야[怒] 하는 것을 을(乙)에게 옮김[移]. ❷당사자가 아닌 엉뚱한 사람에게 화를 내거나 분풀이를 함.

221 **[노기충천]** 怒$_{42}$氣$_{72}$衝$_{32}$天$_{70}$ | 성낼 노, 기운 기, 찌를 충, 하늘 천

❶속뜻 성난[怒] 기세(氣勢)가 하늘[天]을 찌를[衝] 것 같음. ❷성이 잔뜩 나 있음.

222 **[누란지위]** 累$_{32}$卵$_{40}$之$_{32}$危$_{40}$ | 포갤 루, 알 란, 어조사 지, 위태할 위

❶속뜻 포개놓은[累] 알[卵]처럼 몹시 위태(危殆)로움. 또는 그런 형세. ❷'몹시 위태로움'을 비유하여 이르는 말. ⓗ累卵之勢(누란지세).

223 **[단기지계]** 斷$_{42}$機$_{40}$之$_{32}$戒$_{80}$ | 끊을 단, 베틀 기, 어조사 지, 경계할 계

❶[속뜻] 짜던 베틀[機]의 날을 끊어[斷] 훈계(訓戒)함. ❷'중도에 포기하면 헛일임'을 비유하여 이르는 말.

[故事] 맹자가 서당에서 공부를 하다가 도중에 집에 돌아오자, 어머니가 짜던 베를 끊어 아들을 훈계한 데서 유래한다.

224 **[단도직입]** 單$_{42}$刀$_{32}$直$_{72}$入$_{70}$ | 홑 단, 칼 도, 곧을 직, 들 입

❶[속뜻] 홀로[單] 칼[刀]을 휘두르며 적진으로 곧장[直] 쳐들어[入] 감. ❷'서론적인 말을 늘어놓지 아니하고 곧바로 본론에 들어가 요점을 말함'을 비유하여 이르는 말.

225 **[대기만성]** 大$_{80}$器$_{42}$晩$_{32}$成$_{62}$ | 큰 대, 그릇 기, 늦을 만, 이룰 성

❶[속뜻] 큰[大] 그릇[器]을 만들자면 시간이 오래 걸려 늦게[晩] 이루어짐[成]. ❷'크게 될 사람은 성공이 늦음'을 비유하여 이르는 말. (출처 『老子』)

226 **[대성통곡]** 大$_{80}$聲$_{42}$痛$_{40}$哭$_{32}$ | 큰 대, 소리 성, 아플 통, 울 곡

❶[속뜻] 큰[大] 소리[聲]로 목이 아프도록[痛] 욺[哭]. ❷큰 소리로 슬피 욺.

227 **[동가홍상]** 同$_{70}$價$_{52}$紅$_{40}$裳$_{32}$ | 같을 동, 값 가, 붉을 홍, 치마 상

❶[속뜻] 같은[同] 값[價]이면 붉은[紅] 치마[裳]를 고름. ❷값이 같으면 좋은 물건을 가짐.

228 **[동분서주]** 東$_{80}$奔$_{32}$西$_{80}$走$_{42}$ | 동녘 동, 달릴 분, 서녘 서, 달릴 주

❶[속뜻] 동(東)쪽으로 달렸다가[奔] 서(西)쪽으로 달렸다가[走] 함. ❷여기저기 분주하게 다님. [비] 東西奔走(동서분주), 東行西走(동행서주), 東馳西走(동치서주).

229 **[동상이몽]** 同$_{70}$床$_{42}$異$_{40}$夢$_{32}$ | 한 가지 동, 평상 상, 다를 이, 꿈 몽

❶[속뜻] 같은[同] 잠자리[床]에서 다른[異] 꿈[夢]을 꿈. ❷'겉으로는 같은 행동을 하면서도 속으로는 각각 딴 생각을 함'을 비유하여 이르는 말.

230 **[등고자비]** 登$_{70}$高$_{62}$自$_{72}$卑$_{32}$ | 오를 등, 높을 고, 스스로 자, 낮을 비

❶[속뜻] 높은[高] 자리에 오르려면[登] 자기(自己)부터 낮춰야[卑] 함. ❷'지위가 높아질수록 자신을 낮춤'을 이르는 말. (출처 『中庸』)

231 **[막상막하]** 莫$_{32}$上$_{72}$莫$_{32}$下$_{72}$ | 없을 막, 위 상, 없을 막, 아래 하

❶[속뜻] 더 낫고[上] 더 못함[下]의 차이가 거의 없음[莫]. ❷서로 비슷하여 우열을 가리기 어려움. [비] 難兄難弟(난형난제).

232 **[막역지우]** 莫$_{32}$逆$_{42}$之$_{32}$友$_{52}$ | 없을 막, 거스를 역, 어조사 지, 벗 우

❶[속뜻] 마음에 거슬림[逆]이 없는[莫] 친구[友]. ❷허물없이 서로 친한 친구. [비] 水魚之友(수어지우), 知己之友(지기지우), 斷金之交(단금지교).

233 **[만경창파]** 萬$_{80}$頃$_{32}$蒼$_{32}$波$_{42}$ | 일만 만, 넓을 경, 푸를 창, 물결 파

❶[속뜻] 한없이 넓은[萬頃] 바다나 호수의 푸른[蒼] 물결[波]. ❷넓은 바다나 호수의 아름다운 물결.

234 **[망양지탄]** 亡$_{50}$羊$_{42}$之$_{32}$歎$_{40}$ | 잃을 망, 양 양, 어조사 지, 한숨지을 탄

❶[속뜻] 넓은 들판에서 양(羊)을 잃었는데[亡] 길이 많고 복잡하여 어디로 갔는지 모름을 한탄(恨歎)함. ❷'어떤 일을 해결할 방법을 찾지 못하여 한탄함'을 비유하여 이르는 말. [준] 亡羊歎. [비] 多岐亡羊(다기망양).

235 **[면종복배]** 面$_{70}$從$_{40}$腹$_{32}$背$_{42}$ | 낯 면, 좇을 종, 배 복, 등 배

❶[속뜻] 겉으로는[面] 따르는[從] 체하면서 속[腹]으로는 배반(背反)함. ❷겉으로만 복종하는 척함. [비] 陽奉陰違(양봉음위).

236 **[멸사봉공]** 滅$_{32}$私$_{40}$奉$_{52}$公$_{62}$ | 없앨 멸, 사사로울 사, 받들 봉, 여럿 공

❶[속뜻] 사심(私心)을 버리고[滅] 공공(公共)의 일을 받듦[奉]. ❷공무(公務)를 함에 있어 개인적인 마음을 버림.

237 **[명실상부]** 名$_{70}$實$_{52}$相$_{52}$符$_{32}$ | 이름 명, 실제 실, 서로 상, 맞을 부

❶[속뜻] 이름[名]과 실제(實際)가 서로[相] 잘 부합(符合)함. ❷이름난 것과 같이 실제로 매우 잘함.

238 **[명약관화]** 明$_{62}$若$_{32}$觀$_{52}$火$_{80}$ | 밝을 명, 같을 약, 볼 관, 불 화

❶[속뜻] 분명(分明)하기가 불[火]을 보는[觀] 것과 같음[若]. ❷매우 명백(明白)함. 뻔함.

239 **[명재경각]** 命$_{70}$在$_{60}$頃$_{32}$刻$_{40}$ | 목숨 명, 있을 재, 잠깐 경, 시각 각

❶[속뜻] 목숨[命]이 짧은 시간, 즉 경각(頃刻)에 달려 있음[在]. ❷거의 죽게 되어 곧 숨이 끊어질 지경에 이름.

240 **[목불인견]** 目$_{60}$不$_{72}$忍$_{32}$見$_{52}$ | 눈 목, 아닐 불, 참을 인, 볼 견

❶[속뜻] 차마[忍] 눈[目]뜨고 볼[見] 수 없음[不]. ❷눈으로 차마 볼 수 없음.

241 **[무릉도원]** 武$_{42}$陵$_{32}$桃$_{32}$源$_{40}$ | 굳셀 무, 언덕 릉, 복숭아나무 도, 수원 원

❶[속뜻] 무릉(武陵)에서 복숭아[桃] 꽃잎이 흘러내려오는 근원지(根源地). ❷'세상과 따로 떨어진 별천지'를 비유하는 말. [故事] 중국 진(晉)나라 때 무릉 땅의 한 어부가 배를 저어 가다가 복숭아꽃잎이 흘러내려오는 근원지를 찾아 올라가다가 참으로 아름답고 살기 좋은 곳을 발견하였다는 이야기가 도연명(陶淵明)의 『桃花源記』(도화원기)에 나온다.

242 **[물실호기]** 勿$_{32}$失$_{60}$好$_{42}$機$_{40}$ | 말 물, 잃을 실, 좋을 호, 기회 기

❶[속뜻] 좋은[好] 기회(機會)를 놓치지[失] 말라[勿]! ❷좋은 기회를 놓치지 않음.

243 **[박장대소]** 拍$_{40}$掌$_{32}$大$_{80}$笑$_{42}$ | 칠 박, 손바닥 장, 큰 대, 웃을 소

❶[속뜻] 손바닥[掌]을 치며[拍] 크게[大] 웃음[笑]. ❷손뼉을 치며 한바탕 크게 웃음.

244 **[발본색원]** 拔$_{32}$本$_{60}$塞$_{32}$源$_{40}$ | 뽑을 발, 뿌리 본, 막힐 색, 근원 원

❶[속뜻] 뿌리[本]를 뽑고[拔] 근원(根源)을 막아버림[塞]. ❷폐단이나 문제의 근원을 아주 뽑아서 없애 버림.

245 **[백계무책]** 百$_{70}$計$_{62}$無$_{50}$策$_{32}$ | 일백 백, 꾀 계, 없을 무, 꾀 책

❶[속뜻] 백(百)가지 꾀[計]를 부려 보아도 뾰족한 대책(對策)이 없음[無]. ❷온갖 방법을 다 생각해 봐도 좋은 대책이 없음. [비] 計無所出(계무소출).

246 **[부위부강]** 夫$_{70}$爲$_{42}$婦$_{42}$綱$_{32}$ | 지아비 부, 할 위, 부인 부, 벼리 강

❶[속뜻] 남편[夫]은 부인(婦人)의 벼리[綱]가 되어야[爲] 함. ❷남편은 부인을 잘 감싸야 함.

247 **[부위자강]** 父$_{70}$爲$_{42}$子$_{70}$綱$_{32}$ | 아버지 부, 할 위, 아들 자, 벼리 강

❶[속뜻] 아버지[父]는 자식(子息)의 벼리[綱]가 되어야[爲] 함. ❷부모는 자식을 잘 감싸야 함.

248 **[부지기수]** 不$_{72}$知$_{52}$其$_{32}$數$_{70}$ | 아닐 부, 알 지, 그 기, 셀 수

❶[속뜻] 그[其] 수(數)를 알지[知] 못함[不]. ❷헤아릴 수 없을 정도로 매우 많음.

249 **[부화뇌동]** 附$_{32}$和$_{62}$雷$_{32}$同$_{70}$ | 붙을 부, 화할 화, 천둥 뢰, 한가지 동

❶[속뜻] 남에게 빌붙어[附] 화합(和合)하며 우레[雷]같이 큰 소리로 동조(同調)함. ❷줏대 없이 남의 의견에 따라 움직임.

250 **[불치하문]** 不$_{72}$恥$_{32}$下$_{72}$問$_{70}$ | 아니 불, 부끄러울 치, 아래 하, 물을 문

❶[속뜻] 자기보다 아래[下]인 사람에게 묻는[問] 일을 부끄러워하지[恥] 아니함[不]. ❷ 자기보다 못한 사람에게도 물어 볼 정도로 마음을 열고 지냄.

251 **[불편부당]** 不$_{72}$偏$_{32}$不$_{72}$黨$_{42}$ | 아니 불, 치우칠 편, 아닐 부, 무리 당

❶[속뜻] 어느 한쪽으로 치우치지[偏] 아니하고[不] 어느 한 편과 무리[黨] 짓지 아니함[不]. ❷어느 편으로 치우치지 않고 매우 공평함.

252 **[빙탄지간]** 氷$_{50}$炭$_{50}$之$_{32}$間$_{72}$ | 얼음 빙, 숯 탄, 어조사 지, 사이 간

❶속뜻 얼음[氷]과 숯[炭] 같은 사이[間]. ❷'서로 함께 있을 수 없는 사이'를 비유하여 이르는 말.

253 **[사분오열]** 四$_{80}$分$_{62}$五$_{80}$裂$_{32}$ | 넉 사, 나눌 분, 다섯 오, 찢어질 렬

❶속뜻 넷[四]으로 나눠지고[分] 다섯[五]으로 찢어짐[裂]. ❷여러 갈래로 갈기갈기 찢어지여 분열됨.

254 **[사상누각]** 沙$_{32}$上$_{72}$樓$_{32}$閣$_{32}$ | 모래 사, 위 상, 다락 루, 집 각

❶속뜻 모래[沙] 위에[上] 세운 높은 건물[樓閣]. ❷'겉모양은 번듯하나 기초가 약하여 오래가지 못하는 것' 또는 '실현 불가능한 일' 따위를 비유하여 이르는 말.

255 **[산자수명]** 山$_{80}$紫$_{32}$水$_{80}$明$_{62}$ | 메 산, 자주빛 자, 물 수, 밝을 명

❶속뜻 산(山)은 자줏빛[紫]으로 물들고 물[水]은 매우 맑음[明]. ❷경치가 아름다움.

256 **[삼라만상]** 森$_{32}$羅$_{42}$萬$_{80}$象$_{40}$ | 수풀 삼, 늘어설 라, 일만 만, 모양 상

❶속뜻 수풀[森]같이 빽빽하게 늘어서[羅] 있는 여러 가지[萬] 사물의 모습[象]. ❷우주 속에 빽빽하게 존재하는 온갖 사물과 모든 현상.

257 **[삼순구식]** 三$_{80}$旬$_{32}$九$_{80}$食$_{72}$ | 석 삼, 열흘 순, 아홉 구, 먹을 식

❶속뜻 30일[三旬] 동안 아홉[九] 끼만 먹음[食]. ❷집이 가난하여 식사를 제대로 못하고 굶음.

258 **[삼종지도]** 三$_{80}$從$_{40}$之$_{32}$道$_{72}$ | 석 삼, 따를 종, 어조사 지, 길 도

❶속뜻 따라가야[從]할 세[三] 가지 길[道]. ❷여자가 지켜야 하는 세 가지 도리. 어려서는 아버지를 따라야하고, 시집가서는 남편을 따라야하고, 남편이 죽은 뒤에는 아들을 따라야 하는 것을 말한다. (비)三從依託(삼종의탁).

259 **[상전벽해]** 桑$_{32}$田$_{42}$碧$_{32}$海$_{72}$ | 뽕나무 상, 밭 전, 푸를 벽, 바다 해

❶속뜻 뽕나무[桑] 밭[田]이 변하여 푸른[碧] 바다[海]가 됨. ❷'세상일이 크게 변함'을 비유하여 이르는 말. (준)桑碧, 桑海. (비)碧海桑田(벽해상전), 桑海之變(상해지변), 桑田滄海(상전창해), 滄海桑田(창해상전), 滄桑(창상).

260 **[선견지명]** 先$_{80}$見$_{52}$之$_{32}$明$_{62}$ | 먼저 선, 볼 견, 어조사 지, 밝을 명

❶속뜻 앞일을 먼저[先] 내다보는[見] 밝은[明] 지혜. ❷닥쳐올 일을 미리 아는 슬기로움.

261 **[설상가상]** 雪$_{62}$上$_{72}$加$_{50}$霜$_{32}$ | 눈 설, 위 상, 더할 가, 서리 상

❶속뜻 눈[雪] 위[上]에 서리[霜]가 더해짐[加]. ❷난처한 일이나 불행한 일이 잇따라 일어남. (비)雷聲(뇌성)에 霹靂(벽력). (반)錦上添花(금상첨화).

262 **[속수무책]** 束$_{52}$手$_{72}$無$_{50}$策$_{32}$ | 묶을 속, 손 수, 없을 무, 꾀 책

❶속뜻 손[手]이 묶여[束] 있어 어찌할 방책(方策)이 없음[無]. ❷아무런 방법이 없어 꼼짝 못함.

263 **[수구초심]** 首$_{52}$丘$_{32}$初$_{50}$心$_{70}$ | 머리 수, 언덕 구, 처음 초, 마음 심

❶속뜻 여우는 죽을 때 태어나 살던 언덕[丘]을 향해 머리[首]를 두어 처음[初] 마음[心]으로 돌아감. ❷'고향을 그리워하는 마음'을 비유하여 이르는 말. (비)狐死首丘(호사수구).

264 **[수복강녕]** 壽$_{32}$福$_{52}$康$_{42}$寧$_{32}$ | 목숨 수, 복 복, 편안할 강, 편안할 녕

❶속뜻 오래 살고[壽] 복(福)을 누리며 건강(健康)하고 평안함[寧]. ❷건강하게 오래 삶.

265 **[수불석권]** 手$_{72}$不$_{72}$釋$_{32}$卷$_{40}$ | 손 수, 아닐 불, 놓을 석, 책 권

❶속뜻 손[手]에서 책[卷]을 놓지[釋] 않음[不]. ❷늘 책을 들고 지냄. ❸독서를 매우 좋아함.

266 **[수신제가]** 修$_{42}$身$_{62}$齊$_{32}$家$_{72}$ | 닦을 수, 몸 신, 다스릴 제, 집 가

❶속뜻 몸[身]을 닦고[修], 그런 후에 집[家]을 다스림[齊]. ❷자기 수양을 하고 집안을 잘 돌봄.

267 **[수어지교]** 水$_{80}$魚$_{50}$之$_{32}$交$_{60}$ | 물 수, 고기 어, 어조사 지, 사귈 교

❶속뜻 물[水]과 물고기[魚] 같은 관계의 사귐[交]. ❷'아주 친밀하여 떨어질 수 없는 사이'를 비유하여 이르는 말. ❸임금

과 신하 또는 부부의 친밀함을 이르는 말. ⊕水魚之親(수어지친).

268 **[수주대토]** 守$_{42}$株$_{32}$待$_{60}$兎$_{32}$ | 지킬 수, 그루 주, 기다릴 대, 토끼 토

❶속뜻 나무 그루터기[株]를 지키고[守] 앉아 토끼[兎]가 걸려 죽기를 기다림[待]. ❷'우연을 필연으로 믿는 어리석음'을 비유하여 이르는 말.

故事 옛날 중국 송나라의 한 농부가 밭을 갈다가 우연히 토끼가 달려와 나무그루에 부딪혀 죽은 것을 잡았다. 그런 일이 있은 후로 농사는 팽개치고 나무그루에 지켜 앉아 또 토끼가 달려와 부딪혀 죽기를 기다렸으나, 토끼는 얻지 못하고 세상 사람들의 비웃음만 샀다는 이야기가 『韓非子』(한비자)의 五蠹篇(오두편)에 나온다.

269 **[숙호충비]** 宿$_{52}$虎$_{32}$衝$_{32}$鼻$_{52}$ | 잘 숙, 범 호, 찌를 충, 코 비

❶속뜻 자고 있는[宿] 호랑이[虎]의 코[鼻]를 찌름[衝]. ❷'화(禍)를 스스로 불러들이는 일'을 비유하여 이르는 말.

270 **[시종일관]** 始$_{62}$終$_{50}$一$_{80}$貫$_{32}$ | 처음 시, 끝 종, 한 일, 꿸 관

❶속뜻 처음[始]부터 끝까지[終] 일관(一貫)되게 함. ❷처음부터 끝까지 한결같음.

271 **[식자우환]** 識$_{52}$字$_{70}$憂$_{32}$患$_{50}$ | 알 식, 글자 자, 근심할 우, 근심 환

❶속뜻 글자[字]를 아는 것[識]이 도리어 근심거리[憂=患]가 됨. ❷차라리 몰랐으면 좋았을 것임.

272 **[신출귀몰]** 神$_{62}$出$_{70}$鬼$_{32}$沒$_{32}$ | 귀신 신, 날 출, 귀신 귀, 없어질 몰

❶속뜻 귀신(鬼神)처럼 나타났다[出] 사라졌다[沒] 함. ❷자유자재로 출몰하여 변화를 짐작할 수 없음.

273 **[심사숙고]** 深$_{42}$思$_{50}$熟$_{32}$考$_{50}$ | 깊을 심, 생각 사, 익을 숙, 생각할 고

❶속뜻 깊이[深] 생각하고[思] 푹 익을[熟] 정도로 충분히 생각[考]함. ❷신중을 기하여 곰곰이 생각함.

274 **[심산유곡]** 深$_{42}$山$_{80}$幽$_{32}$谷$_{32}$ | 깊을 심, 메 산, 그윽할 유, 골짜기 곡

❶속뜻 깊은[深] 산[山]의 고요한[幽] 골짜기[谷]. ❷산속의 아름다움.

275 **[아전인수]** 我$_{32}$田$_{42}$引$_{42}$水$_{80}$ | 나 아, 밭 전, 끌 인, 물 수

❶속뜻 자기[我] 밭[田]에 물[水]을 끌어댐[引]. ❷자기에게만 이롭게 되도록 생각하거나 행동함.

276 **[양상군자]** 梁$_{32}$上$_{72}$君$_{40}$子$_{72}$ | 들보 량, 위 상, 임금 군, 접미사 자

❶속뜻 들보[梁] 위[上]에 있는 군자(君子). ❷'도둑'을 완곡하게 이르는 말.

故事 옛날 중국 후한의 진식(陳寔)이라는 사람이 자기 집 대들보에 앉아 있는 도둑을 보고 손자들에게, 저 대들보 위에 있는 자가 본래는 군자(君子)였다고 말하니, 그 도둑이 감격하여 뛰어내려와 잘못을 뉘우치므로 용서해 주었다는 이야기가 『後漢書』(후한서)에 나온다.

277 **[어두육미]** 魚$_{50}$頭$_{60}$肉$_{42}$尾$_{32}$ | 물고기 어, 머리 두, 고기 육, 꼬리 미

❶속뜻 물고기[魚]의 머리[頭]와 짐승 고기[肉]의 꼬리[尾]. ❷생선은 머리 부분이, 고기는 꼬리 부분이 맛있다고 꼬드기는 말.

278 **[어부지리]** 漁$_{50}$夫$_{70}$之$_{32}$利$_{62}$ | =漁父之利, 고기잡을 어, 사나이 부, 어조사 지, 이로울 리

❶속뜻 어부(漁夫)가 이득(利得)을 챙김. ❷두 사람이 이해관계로 서로 싸우는 사이에 엉뚱하게 제3자가 이익을 가로챔을 이르는 말. ⊕蚌鷸之爭(방휼지쟁), 犬兎之爭(견토지쟁).

故事 도요새와 무명조개가 서로 다투고 있을 때, 지나가던 어부가 보고 둘 다 잡아 갔다는 이야기가 『戰國策』(전국책)에 나온다.

279 **[억조창생]** 億$_{50}$兆$_{32}$蒼$_{32}$生$_{80}$ | 억 억, 조 조, 푸를 창, 날 생

❶속뜻 수많은[億兆] 세상 사람들[蒼生]. ❷온 세상 모든 사람. ⊕萬戶衆生(만호중생).

280 **[억강부약]** 抑$_{32}$強$_{60}$扶$_{32}$弱$_{62}$ | 누를 억, 굳셀 강, 도울 부, 약할 약

❶[속뜻]강(強)한 자를 억누르고[抑] 약(弱)한 자를 도와줌[扶]. ❷세상 사람들을 공평하게 함.

281 **[엄처시하]** 嚴$_{40}$妻$_{32}$侍$_{32}$下$_{72}$ | 엄할 엄, 아내 처, 모실 시, 아래 하

❶[속뜻]엄(嚴)한 아내[妻]를 모시고[侍] 지냄[下]. ❷아내에게 쥐여 사는 사람을 비웃는 말.

282 **[여리박빙]** 如$_{42}$履$_{32}$薄$_{32}$氷$_{50}$ | 같을 여, 밟을 리, 엷을 박, 얼음 빙

❶[속뜻]엷은[薄] 얼음[氷]을 밟는[履] 것과 같음[如]. ❷'아슬아슬하고 위험한 일'을 비유하여 이르는 말.

283 **[역지사지]** 易$_{40}$地$_{70}$思$_{50}$之$_{32}$ | 바꿀 역, 땅 지, 생각 사, 그것 지

❶[속뜻]처지(處地)를 바꾸어[逆] 그것[之]을 생각함[思]. ❷상대편의 처지에서 생각해 봄.

284 **[오거지서]** 五$_{80}$車$_{72}$之$_{32}$書$_{62}$ | 다섯 오, 수레 거, 어조사 지, 책 서

❶[속뜻]다섯[五] 수레[車]에 실을 만한 책[書]. ❷많은 책을 읽은 다음 잘 간직함. [비]汗牛充棟(한우충동).

285 **[오합지졸]** 烏$_{32}$合$_{60}$之$_{32}$卒$_{52}$ | 까마귀 오, 만날 합, 어조사 지, 군사 졸

❶[속뜻]까마귀[烏]가 모인[合] 것처럼 질서가 없는 병졸(兵卒). ❷훈련이 안되어 무질서한 병졸. [비]烏合之衆(오합지중), 瓦合之卒(와합지졸).

286 **[용두사미]** 龍$_{40}$頭$_{60}$蛇$_{32}$尾$_{32}$ | 용 룡, 머리 두, 뱀 사, 꼬리 미

❶[속뜻]용(龍)의 머리[頭]가 뱀[蛇]의 꼬리[尾]로 됨. ❷'시작은 대단하였으나 끝이 흐지부지함'을 비유하여 이르는 말.

287 **[용미봉탕]** 龍$_{40}$尾$_{42}$鳳$_{32}$湯$_{32}$ | 용 룡, 꼬리 미, 봉새 봉, 국 탕

❶[속뜻]용(龍)의 꼬리[尾]와 봉황(鳳凰)을 넣고 끓인 탕국[湯]. ❷'맛이 매우 좋은 음식'을 비유하여 이르는 말.

288 **[우유부단]** 優$_{40}$柔$_{32}$不$_{72}$斷$_{42}$ | 넉넉할 우, 부드러울 유, 아니 부, 끊을 단

❶[속뜻]마음이 넉넉하고[優] 부드럽기[柔]는 하지만 무언가 결단(決斷)을 내리지는 못함[不]. ❷어물어물 망설이기만 하지 딱 잘라 결단을 내리지 못함.

289 **[유방백세]** 流$_{52}$芳$_{32}$百$_{70}$世$_{72}$ | 흐를 류, 꽃다울 방, 일백 백, 세대 세

❶[속뜻]향기[芳]가 백대[百世]에 걸쳐 흐름[流]. ❷꽃다운 이름이 후세에 길이 전함.

290 **[유유자적]** 悠$_{32}$悠$_{32}$自$_{72}$適$_{40}$ | 멀 유, 멀 유, 스스로 자, 다닐 적

❶[속뜻]멀리 떠나[悠悠] 한가로이 자기[自] 마음대로 다님[適]. ❷속세를 벗어나 한가로이 지냄.

291 **[은인자중]** 隱$_{40}$忍$_{32}$自$_{72}$重$_{70}$ | 숨길 은, 참을 인, 스스로 자, 무거울 중

❶[속뜻]숨기고[隱] 참으며[忍] 스스로[自] 신중(愼重)히 함. ❷마음 내키는 대로 하지 않고 신중히 처신함. [반]輕擧妄動(경거망동).

292 **[인면수심]** 人$_{80}$面$_{70}$獸$_{32}$心$_{70}$ | 사람 인, 낯 면, 짐승 수, 마음 심

❶[속뜻]사람[人]의 얼굴[面]에 짐승[獸]같은 마음[心]. ❷사람으로서 지켜야 할 도리를 하지 못하는 짐승같은 사람. ❸배은망덕하게 행동하는 사람.

293 **[일구월심]** 日$_{80}$久$_{32}$月$_{80}$深$_{42}$ | 해 일, 오랠 구, 달 월, 깊을 심

❶[속뜻]날[日]이 오래되고[久] 달[月]이 깊어감[深]. ❷세월이 흘러 오래될수록 자꾸만 더해짐.

294 **[일도양단]** 一$_{80}$刀$_{32}$兩$_{42}$斷$_{42}$ | 한 일, 칼 도, 두 량, 끊을 단

❶[속뜻]한[一] 칼[刀]에 둘[兩]로 자름[斷]. ❷머뭇거리지 않고 과감히 처리함.

295 **[일이관지]** 一$_{80}$以$_{52}$貫$_{32}$之$_{32}$ | 한 일, 부터 이, 꿸 관, 그것 지

❶[속뜻]하나[一]의 이치로써[以] 모든 것[之]을 꿰뚫음[貫]. ❷하나의 이치로 모든 것을 꿰뚫음.

296 **[일일지장]** 一$_{80}$日$_{80}$之$_{32}$長$_{80}$ | 한 일, 날 일, 어조사 지, 어른 장

❶[속뜻]하루[一日] 먼저 태어난 어른[長]. ❷나이가 조금 많음. ❸조금 나음. 또는 그런 사람.

297 **[일장춘몽]** 一$_{80}$場$_{72}$春$_{70}$夢$_{32}$ | 한 일, 마당 장, 봄 춘, 꿈 몽

속뜻 한[一] 번[場] 봄[春]의 꿈[夢]. ❷'헛된 영화나 덧없는 일'을 비유하는 말.

298 **[일촉즉발]** 一$_{80}$觸$_{32}$卽$_{32}$發$_{62}$ | 한 일, 닿을 촉, 곧 즉, 일어날 발

❶속뜻 한[一] 번 닿기만[觸] 해도 곧[卽] 폭발(爆發)함. ❷금방이라도 일이 크게 터질듯함.

299 **[일편단심]** 一$_{80}$片$_{32}$丹$_{32}$心$_{70}$ | 한 일, 조각 편, 붉을 단, 마음 심

❶속뜻 한[一] 조각[片] 붉은[丹] 마음[心]. ❷변치 않는 참된 마음.

300 **[일필휘지]** 一$_{80}$筆$_{52}$揮$_{40}$之$_{32}$ | 한 일, 붓 필, 휘두를 휘, 어조사 지

❶속뜻 한[一] 번 붓[筆]을 들어 휘두름[揮]. ❷글씨를 단숨에 힘차고 시원하게 쭉 쓰는 모양.

301 **[임기응변]** 臨$_{32}$機$_{40}$應$_{42}$變$_{52}$ | 임할 림, 때 기, 응할 응, 변할 변

❶속뜻 어떤 시기(時機)가 닥치면[臨] 그에 부응(副應)하여 변화(變化)함. ❷그때그때의 형편에 따라 알맞게 일을 처리함.

302 **[입신양명]** 立$_{72}$身$_{62}$揚$_{32}$名$_{72}$ | 설 립, 몸 신, 드러낼 양, 이름 명

❶속뜻 입신(立身)하여 이름[名]을 세상에 날림[揚]. ❷출세하여 이름을 세상에 떨침.

303 **[자격지심]** 自$_{72}$激$_{40}$之$_{32}$心$_{70}$ | 스스로 자, 격할 격, 어조사 지, 마음 심

❶속뜻 스스로[自]를 격(激)하게 다그치는 마음[心]. ❷스스로 부족함을 느껴 분발하려는 마음.

304 **[자중지란]** 自$_{72}$中$_{80}$之$_{32}$亂$_{40}$ | 스스로 자, 가운데 중, 어조사 지, 어지러울 란

❶속뜻 자기(自己) 편 중(中)에서 일어나는 분란(紛亂). ❷자기 편 내부에서 일어난 싸움질.

305 **[전화위복]** 轉$_{40}$禍$_{32}$爲$_{42}$福$_{52}$ | 옮길 전, 재화 화, 할 위, 복 복

❶속뜻 재화(災禍)가 바뀌어[轉] 도리어 복(福)이 됨[爲]. ❷위기를 극복하여 좋은 기회가 됨.

306 **[절치부심]** 切$_{52}$齒$_{42}$腐$_{32}$心$_{70}$ | 벨 절, 이 치, 썩을 부, 마음 심

❶속뜻 이[齒]를 갈며[切] 속[心]을 썩임[腐]. ❷몹시 분하여 갖은 노력을 다함.

307 **[점입가경]** 漸$_{32}$入$_{70}$佳$_{32}$境$_{42}$ | 점점 점, 들 입, 아름다울 가, 지경 경

❶속뜻 점점[漸] 들어갈수록[入] 아름다운[佳] 경지(境地)에 이름. ❷갈수록 경치가 좋아짐. ❸일이 점점 재미있어짐.

308 **[족탈불급]** 足$_{72}$脫$_{40}$不$_{72}$及$_{32}$ | 발 족, 벗을 탈, 아닐 불, 미칠 급

❶속뜻 발[足] 벗고[脫] 뛰어가도 따라잡지[及] 못함[不]. ❷'능력이나 역량, 재질 따위가 도저히 따라가지 못할 정도임'을 비유하여 이르는 말.

309 **[존망지추]** 存$_{40}$亡$_{50}$之$_{32}$秋$_{70}$ | 있을 존, 망할 망, 어조사 지, 때 추

❶속뜻 살아남느냐[存] 망(亡)하느냐 하는 아주 절박한 때[秋]. ❷생존이 달려 있는 절박한 시기.

310 **[종횡무진]** 縱$_{32}$橫$_{32}$無$_{50}$盡$_{40}$ | 세로 종, 가로 횡, 없을 무, 다할 진

❶속뜻 남북[縱]으로 동서[橫]로 다니며 다함[盡]이 없음[無]. ❷자유자재로 행동하여 거침이 없는 상태.

311 **[좌불안석]** 坐$_{32}$不$_{72}$安$_{72}$席$_{60}$ | 앉을 좌, 아니 불, 편안할 안, 자리 석

❶속뜻 앉아도[坐] 편안(便安)하지 않는[不] 자리[席]. ❷가만히 앉아 있지 못하고 안절부절 걱정함.

312 **[좌정관천]** 坐$_{32}$井$_{32}$觀$_{52}$天$_{70}$ | 앉을 좌, 우물 정, 볼 관, 하늘 천

❶속뜻 우물[井] 속에 앉아[坐] 하늘[天]을 봄[觀]. ❷견문과 안목이 좁아 마음이 옹졸함.

313 **[좌지우지]** 左$_{72}$之$_{32}$右$_{72}$之$_{32}$ | 왼 좌, 그것 지, 오른쪽 우, 그것 지

❶속뜻 왼쪽[左]으로 했다 다시 오른쪽[右]으로 했다 함. ❷제 마음대로 다루거나 휘두름.

314 **[좌충우돌]** 左$_{72}$衝$_{32}$右$_{72}$突$_{32}$ | 왼 좌, 부딪힐 충, 오른쪽 우, 부딪힐 돌

❶속뜻 왼쪽[左]에 부딪쳤다가[衝] 다시 오른쪽[右]에 부딪침[突]. ❷닥치는 대로 마구 치고받고 함. (비)左右衝突.

315 **[주경야독]** 晝$_{60}$耕$_{32}$夜$_{60}$讀$_{62}$ | 낮 주, 밭갈 경, 밤 야, 읽을 독

❶[속뜻]낮[晝]에는 밭을 갈고[耕] 밤[夜]에는 글을 읽음[讀]. ❷어려운 여건 속에서도 꿋꿋이 공부함.

316 **[주지육림]** 酒$_{40}$池$_{32}$肉$_{42}$林$_{70}$ | 술 주, 못 지, 고기 육, 수풀 림

❶[속뜻]술[酒]이 못[池]을 이루고 안주로 쓸 고기[肉]가 숲[林]을 이룸. ❷'호사스런 술잔치'를 비유하여 이르는 말. 중국 은나라 주(紂)왕이 못을 파 술을 채우고 숲의 나뭇가지에 고기를 걸어 놓고 술잔치를 즐겼다는 고사에서 유래(출처『史記』).

317 **[중과부적]** 衆$_{42}$寡$_{32}$不$_{72}$敵$_{42}$ | 무리 중, 적을 과, 아닐 불, 대적할 적

❶[속뜻]수적으로 많고[衆] 적은[寡] 경우 서로 대적(對敵)하지 못함[不]. ❷적은 수로는 많은 수를 이길 수 없음.

318 **[지리멸렬]** 支$_{42}$離$_{40}$滅$_{32}$裂$_{32}$ | 가를 지, 떼놓을 리, 없앨 멸, 찢을 렬

❶[속뜻]갈라지고[支] 흩어지고[離] 없어지고[滅] 찢김[裂]. ❷이리저리 흩어져 없어짐.

319 **[지명지년]** 知$_{52}$命$_{70}$之$_{32}$年$_{80}$ | 알 지, 목숨 명, 어조사 지, 해 년

❶[속뜻]천명(天命)을 아는[知] 나이[年]. ❷ 쉰 살의 나이. 『논어 · 위정편』(論語·爲政篇)의 '五十而知天命'에서 유래.

320 **[진퇴유곡]** 進$_{42}$退$_{42}$維$_{32}$谷$_{32}$ | 나아갈 진, 물러날 퇴, 오직 유, 골 곡

❶[속뜻]앞으로 나가도[進] 뒤로 물러서도[退] 오직[維] 깊은 골짜기[谷] 뿐임. ❷어떻게 할 수 없는 매우 난처한 경우에 처함. [비] 進退兩難(진퇴양난).

321 **[차일피일]** 此$_{32}$日$_{80}$彼$_{32}$日$_{80}$ | 이 차, 날 일, 저 피, 날 일

❶[속뜻]이[此] 날[日] 저[彼] 날[日]. ❷'약속이나 기한 따위를 미적미적 미루는 태도'를 비유한 말. [비] 此月彼月(차월피월).

322 **[천고마비]** 天$_{70}$高$_{62}$馬$_{50}$肥$_{32}$ | 하늘 천, 높을 고, 말 마, 살찔 비

❶[속뜻]하늘[天]이 높고[高] 말[馬]이 살찜[肥]. ❷가을이 좋은 계절임을 비유적으로 이르는 말. [비] 秋高馬肥(추고마비).

323 **[천양지차]** 天$_{70}$壤$_{32}$之$_{32}$差$_{40}$ | 하늘 천, 땅 양, 어조사 지, 다를 차

❶[속뜻]하늘[天]과 땅[壤]처럼 큰 차이(差異). ❷사물이 서로 엄청나게 다름. [비] 天壤之判(천양지판), 雲泥之差(운니지차).

324 **[철두철미]** 徹$_{32}$頭$_{60}$徹$_{32}$尾$_{32}$ | 통할 철, 머리 두, 통할 철, 꼬리 미

❶[속뜻]처음[頭]부터 끝[尾]까지 모두 통함[徹]. ❷전혀 빼놓지 않고 샅샅이. ❸처음부터 끝까지 철저함.

325 **[취생몽사]** 醉$_{32}$生$_{80}$夢$_{32}$死$_{60}$ | 취할 취, 살 생, 꿈 몽, 죽을 사

❶[속뜻]술에 취해[醉] 살다가[生] 꿈을 꾸다[夢] 죽음[死]. ❷멍청하게 살다가 허망하게 죽음.

326 **[치지도외]** 置$_{42}$之$_{32}$度$_{60}$外$_{80}$ | 둘 치, 그것 지, 법도 도, 밖 외

❶[속뜻]내버려두고[置] 도외시(度外視)함. ❷관심을 두지 않음.

327 **[칠거지악]** 七$_{80}$去$_{50}$之$_{32}$惡$_{52}$ | 일곱 칠, 물리칠 거, 어조사 지, 나쁠 악

❶[속뜻]내쫓을[去] 수 있는 이유가 되는 일곱[七] 가지의 나쁜[惡] 행실. ❷예전에 아내를 내쫓을 수 있는 일곱 가지 나쁜 행실.

328 **[타산지석]** 他$_{50}$山$_{80}$之$_{32}$石$_{60}$ | 다를 타, 뫼 산, 어조사 지, 돌 석

❶[속뜻]다른[他] 산[山]의 돌[石]. ❷다른 사람의 별 것 아닌 언행이 자기의 덕을 닦는 데 도움이 됨. 다른 산에 있는 하찮은 돌이라도 자기의 옥(玉)을 가는 데 도움이 된다는 말이『詩經』(시경)에 나온다.

329 **[태산북두]** 泰$_{32}$山$_{80}$北$_{80}$斗$_{42}$ | 클 태, 메 산, 북녘 북, 말 두

❶속뜻 태산(泰山)과 북두칠성(北斗七星). ❷'사람들에게 존경을 받는 사람'을 비유하여 이르는 말.

330 **[파사현정]** 破$_{42}$邪$_{32}$顯$_{40}$正$_{72}$ | 깨뜨릴 파, 간사할 사, 드러낼 현, 바를 정

❶속뜻 사악(邪惡)한 것을 깨뜨리고[破] 올바른[正] 것을 드러냄[顯]. ❷불교 사견(邪見)과 사도(邪道)를 깨고 정법(正法)을 드러내는 일. 삼론종의 근본 교의이다.

331 **[파안대소]** 破$_{42}$顔$_{32}$大$_{80}$笑$_{42}$ | 깨뜨릴 파, 얼굴 안, 큰 대, 웃을 소

❶속뜻 얼굴[顔]이 일그러질[破] 듯 크게[大] 웃음[笑]. ❷크게 웃음. 또는 그런 모습. (비) 破顔一笑(파안일소).

332 **[파죽지세]** 破$_{42}$竹$_{42}$之$_{32}$勢$_{42}$ | 깨뜨릴 파, 대 죽, 어조사 지, 형세 세

❶속뜻 대나무[竹]가 단번에 쭉 쪼개지는[破] 형세(形勢). ❷맹렬하고 거침없는 기세.

333 **[표리부동]** 表$_{62}$裏$_{32}$不$_{72}$同$_{70}$ | 겉 표, 속 리, 아니 불, 같을 동

❶속뜻 겉[表]과 속[裏]이 같지[同] 아니함[不]. ❷마음이 음흉하고 불량함.

334 **[피골상접]** 皮$_{32}$骨$_{40}$相$_{52}$接$_{42}$ | 가죽 피, 뼈 골, 서로 상, 닿을 접

❶속뜻 살갗[皮]과 뼈[骨]가 서로[相] 맞닿아[接] 있음. ❷몸이 몹시 여윔. 또는 그런 몸.

335 **[피차일반]** 彼$_{32}$此$_{32}$一$_{80}$般$_{32}$ | 저 피, 이 차, 한 일, 돌 반

❶속뜻 저것이나[彼] 이것[此]이나 하나로[一] 돌아감[般]. ❷두 편이 서로 같음.

336 **[하석상대]** 下$_{72}$石$_{60}$上$_{72}$臺$_{32}$ | 아래 하, 돌 석, 위 상, 돈대 대

❶속뜻 아랫[下]돌[石]로 윗[上]대[臺]를 굄. ❷임시변통으로 이리저리 둘러맞춤.

337 **[학수고대]** 鶴$_{32}$首$_{52}$苦$_{60}$待$_{60}$ | 학 학, 머리 수, 괴로울 고, 기다릴 대

❶속뜻 학(鶴)처럼 머리[首]를 쭉 빼고 애태우며[苦] 기다림[待]. ❷간절한 마음으로 애타게 기다림.

338 **[항다반사]** 恒$_{32}$茶$_{32}$飯$_{32}$事$_{72}$ | 늘 항, 차 다, 밥 반, 일 사

❶속뜻 차[茶]를 마시는 일이나 밥[飯]을 먹는 것처럼 항상(恒常) 있는 일[事]. ❷흔하게 늘 있는 일. ❸일이 자주 발생됨. (준) 恒事, 茶飯事.

339 **[현모양처]** 賢$_{42}$母$_{80}$良$_{52}$妻$_{32}$ | 어질 현, 어머니 모, 좋을 량, 아내 처

❶속뜻 어진[賢] 어머니[母]이면서 착한[良] 아내[妻]. ❷남편과 자식 모두에게 잘하는 훌륭한 여자. (비) 良妻賢母(양처현모).

340 **[호연지기]** 浩$_{32}$然$_{70}$之$_{32}$氣$_{72}$ | 클 호, 그러할 연, 어조사 지, 기운 기

❶속뜻 바르고 큰[浩] 그러한[然] 모양의 기운(氣運). ❷하늘과 땅 사이에 가득 찬 넓고 큰 원기. ❸한량없이 넓고 거침없이 큰 기개.

341 **[홍노점설]** 紅$_{40}$爐$_{32}$點$_{40}$雪$_{62}$ | 붉을 홍, 화로 로, 점 점, 눈 설

❶속뜻 벌겋게[紅] 단 화로(火爐)에 떨어지는 한 점(點)의 눈[雪]. ❷풀리지 않던 이치 따위가 눈 녹듯이 단번에 깨쳐짐. ❸큰 것 앞에서 맥을 못 추는 매우 작은 것. (비) 紅爐上一點雪(홍로상일점설).

342 **[흥망성쇠]** 興$_{42}$亡$_{50}$盛$_{42}$衰$_{32}$ | 일어날 흥, 망할 망, 가득할 성, 쇠할 쇠

❶속뜻 흥(興)하고 망(亡)하고 성(盛)하고 쇠(衰)함. ❷흥성과 쇠망의 기복.

343 **[희로애락]** 喜$_{40}$怒$_{42}$哀$_{32}$樂$_{62}$ | 기쁠 희, 성낼 노, 슬플 애, 즐거울 락

❶속뜻 기쁨[喜]과 노여움[怒]과 슬픔[哀]과 즐거움[樂]. ❷사람의 온갖 감정.

3급 사자성어 ……………………………………………………………………

344 **[가담항설]** 街$_{42}$談$_{50}$巷$_{30}$說$_{52}$ | 거리 가, 말씀 담, 골목 항, 말씀 설

❶속뜻 거리[街]에 떠도는 말[談]과 골목[巷]에 떠도는 이야기[說]. ❷길거리에 떠도는 소문이나 이야기. 세상의 풍문.

345 **[각골난망]** 刻$_{40}$骨$_{40}$難$_{42}$忘$_{30}$ | 새길 각, 뼈 골, 어려울 난, 잊을 망

❶속뜻 뼈[骨] 속 깊이 새겨[刻] 놓아 잊기[忘] 어려움[難]. ❷은혜에 대한 고마움이 뼈 속 깊이 사무쳐 잊히지 아니함.

㊐ 白骨難忘(백골난망), 刻骨銘心(각골명심). ㊥ 刻骨痛恨(각골통한).

346 **[각주구검]** 刻$_{40}$舟$_{30}$求$_{42}$劍$_{32}$ | 새길 각, 배 주, 구할 구, 칼 검

❶속뜻 강물에 칼을 빠뜨린 곳을 배[舟]에다 표시해[刻] 두었다가 나중에 그 표시를 보고 칼[劍]을 찾으려고 함[求].

❷'어리석고 미련함'을 비유하여 이르는 말.

故事 楚나라 사람이 배를 타고 놀다가 칼을 물에 떨어뜨렸는데, 떨어뜨린 위치를 뱃전에 표시를 해 놓았다가 후에 배가 앞으로 옮겨간 것은 생각 않고 그 표시를 해 놓은 뱃전 밑의 물속에서 칼을 찾으려다 허탕을 쳤다는 미련한 사람의 이야기가 『呂氏春秋』(여씨춘추)에 전한다.

347 **[감개무량]** 感$_{60}$慨$_{30}$無$_{50}$量$_{50}$ | 느낄 감, 슬퍼할 개, 없을 무, 헤아릴 량

❶속뜻 마음에 사무치는 느낌[感慨]이 헤아릴[量] 수 없음[無]. ❷감동이나 느낌이 한이 없음.

348 **[거안제미]** 擧$_{50}$案$_{50}$齊$_{32}$眉$_{30}$ | 들 거, 책상 안, 가지런할 제, 눈썹 미

❶속뜻 밥상[案]을 들어[擧] 눈썹[眉]과 가지런하도록[齊] 하여 남편 앞에 가지고 감. ❷남편을 깍듯이 공경함.

349 **[걸인련천]** 乞$_{30}$人$_{80}$憐$_{30}$天$_{70}$ | 빌 걸, 사람 인, 가엾을 련, 하늘 천

❶속뜻 거지[乞人]가 하늘을[天] 불쌍히 여김[憐]. ❷자기 분수에 넘치는 일을 하는 부질없는 사람. 또는 그런 일.

350 **[견강부회]** 牽$_{30}$強$_{60}$附$_{32}$會$_{62}$ | 끌 견, 굳셀 강, 붙을 부, 모일 회

❶속뜻 억지로[強] 끌어다[牽] 대어[附] 조리에 닿도록[會] 함. ❷가당치도 않은 말을 함부로 함. 또는 그런 일.

351 **[계명구도]** 鷄$_{40}$鳴$_{40}$狗$_{30}$盜$_{40}$ | 닭 계, 울 명, 개 구, 훔칠 도

❶속뜻 닭[鷄] 울음소리[鳴]를 잘 내는 사람과 개[狗]같이 남의 물건을 잘 훔치는[盜] 사람. ❷남을 잘 속이는 하찮은 재주. 또는 그런 재주를 가진 사람.

故事 옛날 중국에 맹상군이라는 사람이 큰 위기에 처하자, 닭 울음소리를 잘 내는 사람과 개같이 물건을 잘 훔치는 사람을 이용하여 죽을 고비를 넘긴 이야기가 『史記』(사기)에 전한다.

352 **[고침안면]** 高$_{62}$枕$_{30}$安$_{72}$眠$_{32}$ | 높을 고, 베개 침, 편안할 안, 잠잘 면

❶속뜻 베개[枕]를 높게[高] 하여 편안(便安)하게 잠[眠]. ❷편안하게 잠을 잘 잠.

353 **[교각살우]** 矯$_{30}$角$_{62}$殺$_{42}$牛$_{50}$ | 바로잡을 교, 뿔 각, 죽일 살, 소 우

❶속뜻 소의 뿔[角]을 바로잡으려다[矯] 소[牛]를 죽임[殺]. ❷잘못된 점을 고치려다 방법이나 정도가 지나쳐 오히려 일을 그르치게 됨.

354 **[구밀복검]** 口$_{70}$蜜$_{30}$腹$_{32}$劍$_{32}$ | 입 구, 꿀 밀, 배 복, 칼 검

❶속뜻 입[口]에는 꿀[蜜]이 있고 배[腹] 속에는 칼[劍]이 있음. ❷말은 달콤하게 하지만 속으로는 해칠 생각을 하고 있음.

355 **[구상유취]** 口$_{70}$尙$_{32}$乳$_{40}$臭$_{30}$ | 입 구, 오히려 상, 젖 유, 냄새 취

❶속뜻 입[口]에서 아직[尙] 젖[乳] 냄새[臭]가 남. ❷말이나 행동이 어리고 유치함.

356 **[권선징악]** 勸$_{40}$善$_{50}$懲$_{30}$惡$_{52}$ | 권할 권, 착할 선, 혼낼 징, 악할 악

❶속뜻 착한[善] 일을 권장(勸奬)하고 악(惡)한 일을 징계(懲戒)함. ❷착한 사람을 높이고 악한 사람을 벌함.

357 **[금상첨화]** 錦$_{32}$上$_{72}$添$_{30}$花$_{70}$ | 비단 금, 위 상, 더할 첨, 꽃 화

❶속뜻 비단[錦] 위[上]에 꽃[花]을 더함[添]. ❷'좋은 일 위에 또 좋은 일이 더하여짐'을 비유하여 이르는 말. ㊥ 雪上

加霜(설상가상).

358 **[녹양방초]** 綠$_{60}$楊$_{30}$芳$_{32}$草$_{70}$ | 초록빛 록, 버들 양, 꽃다울 방, 풀 초

❶ 속뜻 푸른[綠] 버드나무[楊]와 향기로운[芳] 풀[草]. ❷아름다운 여름철의 자연경관.

359 **[당구풍월]** 堂$_{62}$狗$_{30}$風$_{62}$月$_{80}$ | 집 당, 개 구, 바람 풍, 달 월

❶ 속뜻 서당(書堂)의 개[狗]가 풍월(風月)을 읊음. ❷아무리 무식한 사람이라도 유식한 사람들과 함께 오래 생활하다보면 유식해짐.

360 **[도탄지고]** 塗$_{30}$炭$_{50}$之$_{32}$苦$_{60}$ | 진흙 도, 숯 탄, 어조사 지, 괴로울 고

❶ 속뜻 진흙탕[塗]에 빠지고 숯불에[炭] 타는 듯한 고통(苦痛). ❷'몹시 곤궁하여 고통스러운 지경'을 비유하는 말.

361 **[독야청청]** 獨$_{52}$也$_{30}$靑$_{80}$靑$_{80}$ | 홀로 독, 어조사 야, 푸를 청, 푸를 청

❶ 속뜻 홀로[獨] 푸르디[靑] 푸름[靑]. ❷홀로 절개를 굳세게 지키고 있음.

362 **[동병상련]** 同$_{70}$病$_{60}$相$_{52}$憐$_{30}$ | 같을 동, 병 병, 서로 상, 가엾을 련

❶ 속뜻 같은[同] 병(病)에 걸린 환자끼리 서로[相] 가엾게[憐] 여김. ❷똑같이 어려운 처지에 있는 사람끼리 서로 동정하고 도움.

363 **[망극지은]** 罔$_{30}$極$_{42}$之$_{32}$恩$_{42}$ | 없을 망, 다할 극, 어조사 지, 은혜 은

❶ 속뜻 끝이[極] 없이[罔] 넓고 큰 은혜(恩惠). ❷한없는 은혜.

364 **[망연자실]** 茫$_{30}$然$_{70}$自$_{72}$失$_{60}$ | 아득할 망, 그러할 연, 스스로 자, 잃을 실

❶ 속뜻 자신[自]의 넋을 잃어버린[失] 듯이 멍함[茫然]. ❷넋을 잃고 어리둥절함.

365 **[문전걸식]** 門$_{80}$前$_{72}$乞$_{30}$食$_{72}$ | 문 문, 앞 전, 빌 걸, 먹을 식

❶ 속뜻 문(門) 앞[前]에서 빌어[乞] 먹음[食]. ❷이집 저집 돌아다니며 빌어먹음.

366 **[방약무인]** 傍$_{30}$若$_{32}$無$_{50}$人$_{80}$ | 곁 방, 같을 약, 없을 무, 사람 인

❶ 속뜻 곁[傍]에 아무 사람[人]도 없는[無] 것같이[若] 행동함. ❷거리낌 없이 함부로 행동함.

367 **[배은망덕]** 背$_{42}$恩$_{42}$忘$_{30}$德$_{52}$ | 등질 배, 은혜 은, 잊을 망, 베풀 덕

❶ 속뜻 은혜(恩惠)를 저버리고[背] 은덕(恩德)을 잊음[忘]. ❷은혜를 잊고 배신함.

368 **[백골난망]** 白$_{80}$骨$_{40}$難$_{42}$忘$_{30}$ | 흰 백, 뼈 골, 어려울 난, 잊을 망

❶ 속뜻 죽어 백골(白骨)이 되어도 잊기[忘] 어려움[難]. ❷남에게 큰 은덕을 입어 고마움을 표할 때 쓰는 말.

369 **[백팔번뇌]** 百$_{70}$八$_{80}$煩$_{30}$惱$_{30}$ | 일백 백, 여덟 팔, 답답할 번, 괴로울 뇌

❶ 속뜻 108[百八]가지의 번뇌(煩惱). ❷ 불교 육관(六官:눈·코·귀·입·몸·뜻)에 고(苦)·락(樂)·불고불락(不苦不樂)이 있어 18가지가 되며, 여기에 탐(貪)·무탐(無貪)이 있어 36가지가 되는데, 이것을 각각 과거·현재·미래에 적용시키면 108가지가 된다고 한다.

370 **[붕우유신]** 朋$_{30}$友$_{52}$有$_{70}$信$_{62}$ | 벗 붕, 벗 우, 있을 유, 믿을 신

❶ 속뜻 벗[朋=友] 사이는 믿음이[信] 있어야함[有]. ❷친구 사이에 지켜야할 도리. 즉, '믿음'을 말한다. 오륜(五倫)의 하나.

371 **[사고무친]** 四$_{80}$顧$_{30}$無$_{50}$親$_{60}$ | 넉 사, 돌아볼 고, 없을 무, 친할 친

❶ 속뜻 사방(四方)을 둘러보아도[顧] 친척(親戚)이라곤 아무도 없음[無]. ❷의지할 만한 사람이 전혀 없음.

372 **[새옹지마]** 塞$_{32}$翁$_{30}$之$_{32}$馬$_{50}$ | 변방 새, 늙은이 옹, 어조사 지, 말 마

❶ 속뜻 변방[塞] 노인[翁]의 말[馬]. ❷인생의 길(吉)·흉(凶)·화(禍)·복(福)은 늘 바뀌어 예측할 수 없음을 이르는 말. ㊥塞翁得失(새옹득실), 人間萬事塞翁之馬(인간만사새옹지마).

[故事]옛날 중국 북방의 한 노인이 기르던 암말이 달아났는데, 얼마 뒤 그 말이 숫말을 데리고 돌아왔다. 어린 아들이 그 말을 타다가 떨어져 절름발이가 되었으나, 훗날 그로 인하여 전쟁터에 불려 나가는 일을 면하여 목숨을 보전하게 됐다는 이야기가 『淮南子』(회남자)라는 책에 나온다.

373 **[소인묵객]** 騷$_{30}$人$_{80}$墨$_{32}$客$_{52}$ | 풍류 소, 사람 인, 먹 묵, 손 객

❶[속뜻]풍류[騷]를 읊는 사람[人]과 먹[墨]을 다루는 사람[客]. ❷시인과 서예가, 화가 등 풍류를 아는 사람을 통칭하는 말.

374 **[소탐대실]** 小$_{80}$貪$_{30}$大$_{80}$失$_{60}$ | 작을 소, 탐낼 탐, 큰 대, 잃을 실

❶[속뜻]작은[小] 것을 탐(貪)내다가 큰[大] 것을 잃음[失]. ❷작은 욕심을 내다가 큰 것을 잃게 됨.

375 **[순망치한]** 脣$_{30}$亡$_{50}$齒$_{42}$寒$_{50}$ | 입술 순, 잃을 망, 이 치, 찰 한

❶[속뜻]입술[脣]이 없어지면[亡] 이[齒]가 차갑게[寒] 됨. ❷'이해관계가 서로 밀접하여 한쪽이 망하면 다른 한쪽도 어렵게 됨'을 비유하여 이르는 말.

376 **[승승장구]** 乘$_{32}$勝$_{60}$長$_{80}$驅$_{30}$ | 탈 승, 이길 승, 길 장, 말 몰 구

❶[속뜻]싸움에 이긴[勝] 여세를 타고[乘] 계속[長] 몰아침[驅]. ❷승리의 여세로 계속 이김. ❸계속 좋은 일이 많이 생김.

377 **[식소사번]** 食$_{72}$少$_{70}$事$_{72}$煩$_{30}$ | 먹을 식, 적을 소, 일 사, 번거로울 번

❶[속뜻]먹을[食] 것은 적고[少] 할 일[事]은 많음[煩]. ❷소득 없이 할 일만 많음.

378 **[애걸복걸]** 哀$_{32}$乞$_{30}$伏$_{40}$乞$_{30}$ | 슬플 애, 빌 걸, 엎드릴 복, 빌 걸

❶[속뜻]애처롭게[哀] 빌고[乞] 엎드려[伏] 빎[乞]. ❷소원이나 요구 따위를 간절히 빎.

379 **[양두구육]** 羊$_{42}$頭$_{60}$狗$_{30}$肉$_{42}$ | 양 양, 머리 두, 개 구, 고기 육

❶[속뜻]양(羊)의 머리[頭]를 걸어 놓고 개[狗]고기[肉]를 팜. ❷겉보기만 그럴듯하게 보이고 속은 변변하지 아니함. [비] 羊質虎皮(양질호피).

380 **[영고성쇠]** 榮$_{42}$枯$_{30}$盛$_{42}$衰$_{32}$ | 꽃필 영, 쇠할 고, 번성할 성, 쇠퇴할 쇠

❶[속뜻]꽃이 핌[榮]과 나무가 말라죽음[枯] 그리고 번성(繁盛)함과 쇠(衰)함. ❷개인이나 사회의 흥성하고 쇠망함. [비]興亡盛衰(흥망성쇠).

381 **[오리무중]** 五$_{80}$里$_{70}$霧$_{30}$中$_{80}$ | 다섯 오, 거리 리, 안개 무, 가운데 중

❶[속뜻]오(五) 리(里)나 되는 짙은 안개[霧] 속[中]. ❷먼 데까지 낀 안개 속에서 길을 찾기 어려움. ❸무슨 일에 대하여 알 길이 없음.

382 **[오비삼척]** 吾$_{30}$鼻$_{50}$三$_{80}$尺$_{32}$ | 나 오, 코 비, 석 삼, 자 척

❶[속뜻]내[吾] 코[鼻]가 석[三] 자[尺]. ❷내 문제의 해결에 여념이 없어 남의 일은 거들떠볼 시간이 없음.

383 **[오비이락]** 烏$_{32}$飛$_{42}$梨$_{30}$落$_{50}$ | 까마귀 오, 날 비, 배 리, 떨어질 락

❶[속뜻]까마귀[烏] 날자[飛] 배[梨]가 떨어짐[落]. ❷우연의 일치로 오해를 받게 됨.

384 **[오상고절]** 傲$_{30}$霜$_{32}$孤$_{40}$節$_{50}$ | 오만할 오, 서리 상, 외로울 고, 지조 절

❶[속뜻]오만[傲]할 정도로 서리[霜]에도 굴하지 아니하고 외로이[孤] 절개(節槪)를 지킴. ❷'국화'(菊花)를 달리 이르는 말.

385 **[왈가왈부]** 曰$_{30}$可$_{50}$曰$_{30}$否$_{40}$ | 가로 왈, 옳을 가. 가로 왈, 아닐 부

❶[속뜻]어떤 이는 옳다고[可] 말하고[曰] 어떤 이는 아니라고[否] 말함[曰]. ❷어떤 일에 대하여 옳거니 옳지 않거니 옥신각신함.

386 **[요지부동]** 搖$_{30}$之$_{32}$不$_{72}$動$_{72}$ | 흔들 요, 어조사 지, 아닐 부, 움직일 동

❶[속뜻] 흔들어도[搖] 움직이지[動] 아니함[不]. ❷흔들어도 꼼짝달싹 하지 않음.

387 **[원화소복]** 遠$_{60}$禍$_{32}$召$_{30}$福$_{52}$ | 멀 원, 재앙 화, 부를 소, 복 복

❶[속뜻] 화(禍)를 멀리하고[遠] 복(福)을 불러들임[召]. ❷화를 물리치고 복을 받음.

388 **[유아독존]** 唯$_{30}$我$_{32}$獨$_{52}$尊$_{42}$ | 오직 유, 나 아, 홀로 독, 높을 존

❶[속뜻] 오직[唯] 자기[我]만이 홀로[獨] 존경(尊敬)을 독차지함. ❷불교에서 쓰는 '天上天下, 唯我獨尊'에서 온 것이다. '唯我獨尊'의 '我'는 개인의 '나'를 뜻하는 것이 아니라 '우리', 즉 '모든 인간'을 지칭한다고 한다. 고대 인도의 카스트(Caste)제도라는 계급주의를 타파하려는 깊은 의도가 깔려 있다. 따라서 이 말은 모든 인간의 존귀함을 뜻하는 것이므로 더 이상 '자기 자신만의 존귀함'으로 오해하면 안 된다.

389 **[음풍농월]** 吟$_{30}$風$_{62}$弄$_{32}$月$_{80}$ | 읊을 음, 바람 풍, 놀 농, 달 월

❶[속뜻] 바람[風]을 읊고[吟] 달[月]을 가지고 놂[弄]. ❷자연에 대해 시를 짓고 흥취를 자아내며 즐김.

390 **[이전투구]** 泥$_{32}$田$_{42}$鬪$_{40}$狗$_{30}$ | 진흙 니, 밭 전, 싸울 투, 개 구

❶[속뜻] 진흙[泥] 밭[田]에서 싸우는[鬪] 개[狗]. ❷자기의 이익을 위하여 비열하게 다툼.

391 **[일련탁생]** 一$_{80}$蓮$_{32}$托$_{30}$生$_{80}$ | 한 일, 연꽃 련, 맡길 탁, 날 생

❶[속뜻] 죽은 뒤 함께 극락왕생(極樂往生)하여, 하나[一]의 연대(蓮臺)에 생(生)을 의탁함[托]. ❷좋든지 나쁘든지 행동과 운명을 같이 함.

392 **[일어탁수]** 一$_{80}$魚$_{50}$濁$_{30}$水$_{80}$ | 한 일, 물고기 어, 흐릴 탁, 물 수

❶[속뜻] 한[一] 마리의 물고기[魚]가 물[水]을 흐리게[濁] 함. ❷한 사람의 잘못으로 여러 사람이 피해를 보게 됨.

393 **[자포자기]** 自$_{72}$暴$_{42}$自$_{72}$棄$_{30}$ | 스스로 자, 사나울 포, 스스로 자, 버릴 기

❶[속뜻] 스스로[自]를 해치고[暴] 스스로[自]를 버림[棄]. ❷절망 상태에 빠져서 모든 것을 포기함.

394 **[조령모개]** 朝$_{60}$令$_{50}$暮$_{30}$改$_{50}$ | 아침 조, 명령 령, 저물 모, 고칠 개

❶[속뜻] 아침[朝]에 명령(命令)을 내렸다가 저녁[暮]에 다시 고침[改]. ❷법령을 자꾸 고쳐서 갈피 잡기가 어려움. [비] 朝令夕改(조령석개).

395 **[조삼모사]** 朝$_{60}$三$_{80}$暮$_{30}$四$_{80}$ | 아침 조, 석 삼, 저물 모, 넉 사

❶[속뜻] 아침[朝]에 세[三] 개 저녁[暮]에 네[四] 개를 줌. ❷간사한 꾀로 남을 속여 희롱함. ❸똑같은 것을 가지고 간사한 말주변으로 남을 속임.

[故事] 중국 송나라에 원숭이를 기르는 사람이 있었는데 원숭이들에게 도토리를 아침에 세 개 저녁에 네 개 준다고 하니 원숭이들이 모두 성을 내므로, 다시 아침에 네 개 저녁에 세 개를 주겠다니까 모두 좋아했다는 이야기가 『列子』(열자)에 나온다.

396 **[지록위마]** 指$_{42}$鹿$_{30}$爲$_{42}$馬$_{50}$ | 가리킬 지, 사슴 록, 할 위, 말 마

❶[속뜻] 사슴[鹿]을 가리켜[指] 말[馬]이라고 함[爲]. ❷윗사람을 농락하여 권세를 마음대로 함. ❸'모순된 것을 끝까지 우겨서 남을 속이려는 짓'을 비유하여 이르는 말.

[故事] 진(秦)나라의 조고(趙高)가 승상이 자리에 올라 반대파를 골라내기 위하여 이런 꾀를 생각해 냈다. 영문을 모르는 어린 황제(皇帝)에게 사슴을 바치며 그것을 말이라고 하자, 신하들 가운데 말이 아니라 사슴이라고 직언하는 자들이 있었다. 그 사람들을 가려내어 자기 말을 믿지 않는 자라고 여겨 처벌하였다는 이야기가 『史記』(사기)에 전한다.

397 **[천신만고]** 千$_{70}$辛$_{30}$萬$_{80}$苦$_{60}$ | 일천 천, 매울 신, 일만 만, 괴로울 고

❶[속뜻] 천(千) 가지 고생[辛]과 만(萬) 가지 괴로움[苦]. ❷온갖 고생을 다 함. [비] 千苦萬難(천고만난), 千難萬苦(천

난만고).

389 **[취사선택]** 取$_{42}$捨$_{30}$選$_{50}$擇$_{40}$ | 가질 취, 버릴 사, 가릴 선, 고를 택

❶속뜻 가질[取] 것과 버릴[捨] 것을 가리고[選] 고름[擇]. ❷버릴 것은 버리고 취할 것은 취함.

399 **[탐관오리]** 貪$_{30}$官$_{42}$汚$_{30}$吏$_{32}$ | 탐할 탐, 벼슬 관, 더러울 오, 벼슬아치 리

❶속뜻 탐욕(貪慾)이 많고 행실이 더러운[汚] 벼슬아치[官=吏]. ❷자기 욕심만 챙기는 공무원.

400 **[포복절도]** 抱$_{30}$腹$_{32}$絶$_{42}$倒$_{32}$ | 안을 포, 배 복, 끊을 절, 넘어질 도

❶속뜻 배[腹]를 안고[抱] 기절(氣絶)하여 넘어짐[倒]. ❷기절할 정도로 크게 웃음. (준)抱腹. (비)捧腹絶倒(봉복절도).

401 **[포식난의]** 飽$_{30}$食$_{72}$暖$_{42}$衣$_{60}$ | 배부를 포, 먹을 식, 따뜻할 난, 옷 의

❶속뜻 배부르게[飽] 먹고[食] 따뜻하게[暖] 옷을 입음[衣]. ❷입을 옷과 먹을 음식이 넉넉함. (비)暖衣飽食(난의포식).

402 **[필부필부]** 匹$_{30}$夫$_{70}$匹$_{30}$婦$_{42}$ | 필 필, 사나이 부, 필 필, 여자 부

❶속뜻 평범한 남자[匹夫]와 평범한 여자[匹婦]. ❷평범한 사람들. (비)甲男乙女(갑남을녀).

403 **[함흥차사]** 咸$_{30}$興$_{42}$差$_{40}$使$_{60}$ | 다 함, 일 흥, 보낼 차, 보낼 사

❶속뜻 함흥(咸興)으로 심부름을 보낸 사람[差使]. ❷심부름을 가서 오지 아니하거나 늦게 온 사람.

故事 조선의 太祖(태조)가 아들 태종에게 임금 자리를 물려주고 함흥으로 가서 은거하고 있을 때, 사신을 보내어 서울로 오시라고 하자 태조가 그 사신들을 죽이거나 혹은 잡아 가두어 돌려보내지 아니하여 돌아오는 사신이 한 명도 없었다는 이야기에서 유래된 말이다.

404 **[헌헌장부]** 軒$_{30}$軒$_{30}$丈$_{32}$夫$_{70}$ | 추녀 헌, 추녀 헌, 어른 장, 사내 부

❶속뜻 기골이 추녀[軒軒]같이 장대한 대장부(大丈夫). ❷외모가 준수하고 풍채가 당당한 남자.

405 **[형설지공]** 螢$_{30}$雪$_{62}$之$_{32}$功$_{62}$ | 반딧불 형, 눈 설, 어조사 지, 공로 공

❶속뜻 반딧불[螢]과 눈[雪] 빛 아래에서 공부하여 세운 공(功). ❷등불을 밝힐 수 없을 정도로 가난한 생활에서도 고생을 무릅쓰고 학문을 닦은 보람.

406 **[혼정신성]** 昏$_{30}$定$_{60}$晨$_{30}$省$_{62}$ | 어두울 혼, 정할 정, 새벽 신, 살필 성

❶속뜻 날이 어두워진[昏] 저녁에는 잠자리를 정(定)해 드리고 아침[晨]에는 밤새 안부를 살핌[省]. ❷자식이 아침저녁으로 부모의 안부를 물어며 보살펴 드림. (준)定省. (비)冬溫夏凊(동온하정).

407 **[홍익인간]** 弘$_{30}$益$_{42}$人$_{80}$間$_{70}$ | 넓을 홍, 더할 익, 사람 인, 사이 간

❶속뜻 널리[弘] 많은 사람들[人間]을 이롭게[益] 함. ❷세상의 모든 사람들을 도와 줌. 단군의 건국이념.

408 **[화사첨족]** 畵$_{60}$蛇$_{32}$添$_{30}$足$_{72}$ | 그릴 화, 뱀 사, 더할 첨, 발 족

❶속뜻 뱀[蛇]을 그리는[畵] 데 발[足]을 덧붙여[添] 넣음. ❷쓸데없는 일을 하여 일을 그르침. (준)蛇足.

2급 사자성어

409 **[간담상조]** 肝$_{32}$膽$_{20}$相$_{52}$照$_{32}$ | 간 간, 쓸개 담, 서로 상, 비칠 조

❶속뜻 간(肝)과 쓸개[膽]를 서로[相] 비쳐[照] 보임. ❷속마음을 터놓고 가까이 사귐.

410 **[과전이하]** 瓜$_{20}$田$_{42}$李$_{60}$下$_{72}$ | 오이 과, 밭 전, 오얏 리, 아래 하

❶속뜻 오이[瓜] 밭[田]과 자두[李] 밭 아래[下]. ❷남에게 혐의를 받기 쉬운 장소 혹은 그러한 경우.

411 **[남부여대]** 男$_{72}$負$_{40}$女$_{80}$戴$_{20}$ | 사내 남, 질 부, 여자 녀, 일 대

❶속뜻 남자[男]는 등에 짐을 지고[負] 여자[女]는 머리에 물건을 임[戴]. ❷가난한 사람들이 집을 떠나 떠돌아다님. 또는 그런 모습.

412 **[남가일몽]** 南$_{80}$柯$_{20}$一$_{80}$夢$_{32}$ | 남녘 남, 나뭇가지 가, 한 일, 꿈 몽

❶속뜻 남쪽[南]으로 뻗은 가지[柯] 아래에서 낮잠을 자다가 꾼 한[一] 꿈[夢]. ❷꿈과 같이 헛된 한때의 부귀영화. 중국 당 나라 때 순우분이라는 사람이 나무 아래에서 잠을 자다가 오랫동안 부귀영화를 누리는 꿈을 꾸었다는 이야기에서 유래된 말이다.

413 **[노심초사]** 勞$_{52}$心$_{70}$焦$_{20}$思$_{50}$ | 일할 로, 마음 심, 태울 초, 생각 사

❶속뜻 애[心]를 쓰고[勞] 속을 태우며[焦] 골똘히 생각함[思]. ❷몹시 애를 태움.

414 **[단순호치]** 丹$_{32}$脣$_{30}$皓$_{22}$齒$_{42}$ | 붉을 단, 입술 순, 흴 호, 이 치

❶속뜻 붉은[丹] 입술[脣]과 하얀[皓] 이[齒]. ❷매우 아름다운 여자의 얼굴. ㊊朱脣皓齒(주순호치), 皓齒丹脣(호치단순).

415 **[두문불출]** 杜$_{22}$門$_{80}$不$_{72}$出$_{70}$ | 막을 두, 문 문, 아니 불, 날 출

❶속뜻 문(門)을 닫아걸고[杜] 밖을 나가지[出] 아니[不] 함. ❷외부와 소식을 끊고 홀로 지냄.

416 **[불구대천]** 不$_{72}$俱$_{30}$戴$_{20}$天$_{70}$ | 아닐 불, 함께 구, 일 대, 하늘 천

❶속뜻 하늘[天]을 함께[俱] 이지[戴] 못함[不]. ❷이 세상에서 같이 살 수 없을 만큼 큰 원한을 가짐. ㊊不俱戴天之讐(불구대천지수), 不共戴天之讐(불공대천지수).

417 **[불철주야]** 不$_{72}$撤$_{20}$晝$_{60}$夜$_{60}$ | 아니 불, 거둘 철, 낮 주, 밤 야

❶속뜻 밤[夜]과 낮[晝]을 가리지[撤] 아니함[不]. ❷밤낮 없이 노력함.

418 **[붕정만리]** 鵬$_{22}$程$_{42}$萬$_{80}$里$_{70}$ | 붕새 붕, 거리 정, 일만 만, 거리 리

❶속뜻 붕새[鵬]가 날아가는 거리[程] 만큼 머나먼[萬] 거리[里]. ❷앞길이 아득히 멂. ❸장래가 밝지만 멀고 멂.

419 **[삼고초려]** 三$_{80}$顧$_{30}$草$_{70}$廬$_{22}$ | 석 삼, 돌아볼 고, 풀 초, 초막 려

❶속뜻 초막[草廬]에서 사는 귀인을 세[三] 번이나 찾아감[顧]. ❷인재를 맞아 들이려고 끈질기게 노력함. 중국 삼국시대 촉한(蜀漢)의 임금인 유비(劉備)가 시골에서 은거하던 제갈량(諸葛亮)을 초빙하기 위하여 그의 초막을 세 번이나 찾아 간 이야기에서 유래된 말이다.

420 **[설부화용]** 雪$_{62}$膚$_{20}$花$_{70}$容$_{42}$ | 눈 설, 살갗 부, 꽃 화, 얼굴 용

❶속뜻 눈[雪]처럼 흰 피부[膚]와 꽃[花]처럼 아름다운 얼굴[容]. ❷미인의 아름다운 용모.

421 **[섬섬옥수]** 纖$_{20}$纖$_{20}$玉$_{42}$手$_{72}$ | 가늘 섬, 가늘 섬, 옥 옥, 손 수

❶속뜻 가냘프고[纖纖] 고운[玉] 손[手]. ❷곱고 예쁜 여자의 손.

422 **[신체발부]** 身$_{62}$體$_{62}$髮$_{40}$膚$_{20}$ | 몸 신, 몸 체, 터럭 발, 살갗 부

❶속뜻 몸[身=體]과 머리털[髮]과 살갗[膚]. ❷몸의 모든 부분.

423 **[창해일속]** 滄$_{20}$海$_{72}$一$_{80}$粟$_{30}$ | 큰바다 창, 바다 해, 한 일, 조 속

❶속뜻 큰 바다에[滄=海] 떠 있는 한[一] 알의 좁쌀[粟]. ❷'매우 작음' 또는 '보잘것없는 존재'를 비유하여 이르는 말. ㊊大海一滴(대해일적).

424 **[청출어람]** 青$_{80}$出$_{70}$於$_{30}$藍$_{20}$ | 푸를 청, 날 출, 어조사 어, 쪽 람

❶속뜻 푸른[青] 색은 쪽[藍] 풀에서[於] 나왔음[出]. ❷'제자나 후배가 스승이나 선배보다 나음'을 비유하여 이르는 말. '푸른 물감을 쪽 풀에서 채취했는데, 그것이 쪽 풀보다 더 푸르다'(青出於藍, 而青於藍/청출어람, 이청어람)는 말이 『荀子』(순자) 권학(勸學)편에 나온다.

사자성어 가나다 순 색인

제3부 부록 2

〈일자다음〉

하나의 한자가 두 가지 이상의 음으로 읽히고, 음이 달라짐에 따라 뜻도 달라지는 것을 일러 '일자다음'(一字多音) 또는 '파음자'(破音字)라고 한다. 사실 이것은 결과론적으로 말한 것이다. 각각의 음과 뜻에 따라 각기 다른 한자를 만들어 냈어야 마땅할 것을, 귀찮다거나(?) 글자 수가 너무 많아질 것을 염려하는 등의 이유로 말미암아 이미 만들어진 글자로 대용하다보니 그러한 현상이 생기게 됐다. 총목 색인을 활용하여 낱낱 글자의 풀이를 찾아보면 더욱 상세한 설명을 볼 수 있다. 취직시험에서 독음을 쓰라는 문제로 출제되는 예가 많으니 미리미리 잘 대비해 두자.

【ㄱ/ㄴ/ㄷ】

降
내릴 **강** 降雨[강우]- '비가 내림'
昇降[승강]- '오르고 내림'
항복할 **항** 降伏[항복]- '적의 힘에 눌려 굽힘'
投降[투항]- '적에게 항복함'

更
다시 **갱** 更生[갱생]- '거의 죽을 지경에서 다시 살아남'
更年期[갱년기]- '성숙기에서 노년기로 접어드는 시기'
고칠 **경** 更張[경장]- '사회적, 정치적으로 묵은 제도 따위를 고치어 새롭게 함'

車
수레 **거** 自轉車[자전거]- '타고 앉아서 바퀴를 돌려서 가게 된 수레'
수레 **차** 汽車[기차]- '증기의 힘으로 가는 열차'

見
볼 **견** 見學[견학]- '보고 배움'
뵈올 **현** 謁見[알현]- '높고 귀한 이에게 뵘'

契
맺을 **계** 契約[계약]- '서로가 지켜야 할 의무에 관한 약속'
부족이름 **글** 契丹[글안]- '거란'

金 쇠 금 金石[금석]- '쇠붙이와 돌. 金石文字의 준말'
성 김 金君[김군]

奈 어찌 나 奈落[나락]- (梵語)구원할 수 없는 마음의 구렁텅이.
어찌 내 奈何[내하]- '어찌함'

內 안 내 內科[내과]- 내장기관에 생긴 병을 치료하는 부문.
內外[내외]- '안과 밖'
여관(女官) 나 內人[나인]- '궁녀'

茶 차 다 茶菓[다과]- '차와 과자'
茶室[다실]- '찻집'
俗音 차 茶禮[차례]- '명절을 맞아 낮에 지내는 간략한 제사'

丹 붉을 단 丹靑[단청]- '옛날 식 집의 벽이나 천장에 여러 가지 빛깔로 그린 그림'
꽃이름 란 牧丹[모란]- '마니리아재빗과에 딸린 갈잎좀나무'

糖 엿 당 糖尿[당뇨]- '당분이 많이 섞여 나오는 오줌'
麥芽糖[맥아당]- '엿당'
사탕 탕 砂糖[사탕]- '맛이 달고 물에 잘 녹는 식료품'
雪糖[설탕]- '가루사탕'

度 법도 도 度量[도량]- '너그러운 마음과 깊은 생각'
制度[제도]- '사회의 규범'
헤아릴 탁 度支部[탁지부]- '대한제국 때, 재정을 맡았던 중앙관청'

讀 읽을 독 讀書[독서]- '책읽기'
多讀[다독]- '많이 읽음'
구절 두 句讀[구두]- '구둣법'
吏讀[이두]- '옛적 우리말을 적는 방식의 하나'

洞 골 동 洞窟[동굴]- '깊고 넓은 큰 굴'
洞里[동리]- '지방 행정구역인 동과 이'
밝을 통 洞察[통찰]- '환히 살피어 온통 밝힘'

【ㄹ/ㅂ/ㅅ】

樂 즐길 락 樂觀[낙관]- '일이 잘 되어 갈 것을 봄'
樂園[낙원]- '아무런 괴로움이나 고통이 없이 살기 좋은 곳'
풍류 악 樂器[악기]- '음악 기구'
樂隊[악대]- '음악대'
좋아할 요 樂山樂水[요산요수]- '산수의 경치를 좋아함'

復 다시 부 復活[부활]- '죽었다가 다시 살아남'
復興[부흥]- '쇠퇴하던 것이 다시 일어나거나 일어나게 함'
회복할 복 復權[복권]- '잃거나 정지되었던 권리나 자격을 도로 찾음'
回復[회복]- '되찾거나 되돌이킴'

北 북녘 북 北方[북방]- '북쪽'
달아날 배 敗北[패배]- '싸움에 지고 달아남'

分 나눌 분 分離[분리]- '서로 나뉘어서 떨어짐'
兩分[양분]- '둘로 나눔'
푼 푼 五分[오푼]

不 아닐 불 不可[불가]- '옳지 않은 것'
不利[불리]- '이롭지 아니함'
아닐 부 不當[부당]- '이치에 맞지 않거나 마땅하지 아니하다
不正[부정] (ㄷ, ㅈ음 뒤에서)- '옳지 아니함'

寺 절 사 寺刹[사찰]- '절'
관청 시 司僕寺[사복시]- '고려이후 궁중의 가마나 목장 일을 맡아보는 관아'

殺 죽일 살 殺傷[살상]- '죽이거나 상하게 함'
打殺[타살]- '남에게 당한 죽음'
빠를 쇄 殺到[쇄도]- '빨리 또는 세차게 몰려 옴'
감할 쇄 減殺[감쇄]- '덜어서 없앰'

塞 변방 새 要塞[요새]- '국방상 중요한 곳에 구축해 놓은 견고한 방어 시설'
막힐 색 閉塞[폐색]- '닫아 막음'

索 찾을 색 思索[사색]- '깊이 생각함'
索引[색인]- '찾아보기'

노 **삭** 鐵索[철삭]- '철사로 꼬아 만든 줄'

說 말씀 **설** 說教[설교]- '종교의 교의를 설명함'
달랠 **세** 遊說[유세]- '여러 곳에 돌아다니며 제 뜻을 말하는 일'
기쁠 **열** 說樂[열락]- '기뻐하고 즐거워함'

省 살필 **성** 反省[반성]- '자기의 언행에 대해 잘못이 없는가를 돌이켜 살핌'
덜 **생** 省略[생략]- '줄임'

率 거느릴 **솔** 統率[통솔]- '온통 몰아서 거느림'
비율 **률** 比率[비율]- '어떤 수나 양에 대한 다른 수나 양의 비'

數 셈 **수** 數學[수학]- '셈에 관한 학문'
자주 **삭** 頻數[빈삭]- '매우 잦다'
數尿症[삭뇨증]- '오줌이 자주 마려운 병'

宿 잘 **숙** 宿食[숙식]- '잠자는 일과 먹는 일'
별자리 **수** 星宿[성수]- '모든 별자리의 별들'

拾 주울 **습** 收拾[수습]- '어수선하게 흐트러진 물건을 주워 거두어 가든하게 정돈함'
拾得物[습득물]- '남이 잃어버린 것을 주워서 얻은 물건'
열 **십** 拾萬[십만]- '十' 의 변조를 막기 위해 씀.

識 알 **식** 知識[지식]- '알고 있는 내용'
기록할 **지** 標識[표지]- '눈에 잘 뜨이도록 해 놓은 표시'

【ㅇ/ㅈ】

惡 악할 **악** 惡毒[악독]- '흉악하고 독살스럽다'
미워할 **오** 憎惡[증오]- '몹시 미워함'

若 만약 **약** 萬若[만약]- '만일', '있을지도 모르는 경우'
반야 **야** 般若經[반야경]- '반야바라밀을 설법한 불경들의 총칭'

於 어조사 **어** 於是乎[어시호]- '이제야 또는 이에 있어서'
탄식할 **오** 於乎[오호]- '감탄하는 소리'

易 쉬울 **이** 容易[용이]- '쉽다'
바꿀 **역** 交易[교역]- '주로 나라와 나라 사이에서, 물건을 팔고 삼'

刺
찌를 **자** 刺客[자객]- '사람을 몰래 찔러 죽이는 사람'
찌를 **척** 刺殺[척살]- '칼 따위로 사람을 죽임'

狀
문서 **장** 賞狀[상장]- '상의 뜻으로 주는 글발'
모양 **상** 狀態[상태]- '놓여 있는 모양이나 형편'

著
나타날 **저** 著名[저명]- '이름이 널리 나 있다'
지을 **저** 著書[저서]- '지은 책'
붙을 **착** 到著(着)[도착]- '다다름'

切
끊을 **절** 切開[절개]- '째어서 엶'
온통 **체** 一切[일체]- '모든 것 또는 온갖 것'

辰
별 **진** 壬辰年[임진년]
때 **신** 生辰[생신]- '생일의 높임말'

則
곧 **즉** 然則[연즉]- '그러면'
법칙 **칙** 規則[규칙]- '다 같이 지키기로 작정한 법칙'

徵
부를 **징** 徵兵[징병]- '나라가 국민 가운데에서 군사를 강제로 뽑음'
음률이름 **치** 徵音[치음]-고대 음률의 일종

【ㅊ/ㅋ/ㅌ/ㅍ/ㅎ】

參
참여할 **참** 同參[동참]- '어떤 모임이나 일에 함께 참가함'
석 **삼** '三' 의 변조를 막기 위해 씀.

差
다를 **차** 差別[차별]- '차등이 있게 구별함'
어긋날 **치** 參差[참치]- '길이가 달라 들쭉날쭉하여서 가지런하지 아니함'

宅
집 **택** 家宅[가택]- '집'
俗音 **댁** 宅內[댁내]- '남의 집을 높임'

布
베 **포** 布木[포목]- '베와 무명'
펼 **포** 公布[공포]- '일반인에게 널리 알림'
보시 **보** 布施[보시]- '자비심으로 남에게 재물이나 불법을 베풂'

暴 사나울 **폭** 暴力[폭력]- '함부로 거칠고 사나운 짓을 하는 힘'
모질 **포** 暴惡[포악]- '사납고 악함'
橫暴[횡포]- '성질이나 행동이 몹시 사납다'

皮 가죽 **피** 皮革[피혁]- '가죽'
俗音 **비** 鹿皮[녹비]- '사슴 가죽'

行 다닐 **행** 行進[행진]- '여러 사람이 발맞춰 앞으로 걸어 나감'
행실 **행** 行實[행실]- '실지로 드러난 행동'
항렬 **항** 行列[항렬]- '친족집단에서 세대 관계를 나타내는 서열'

畫 그림 **화** 畫廊[화랑]- '그림을 걸어놓고 전람하기 좋게 만든 방'
그을 **획** 畫順[획순]- '글씨를 쓸 때 획을 긋는 순서'

제3부 부록 3

〈잘못 읽기 쉬운 한자〉

한자로만 써놓은 경우 잘못 읽기 쉬운 한자어가 많이 있다. 글자 모양이 비슷한 다른 글자로 오인하거나, 표음요소의 음으로 혼동하거나, 일자다음(一字多音) 현상을 모르는 등등의 이유가 있을 수 있다. 아래에 열거한 것은 그러한 대표적인 예를 제시하여 잘못 읽기 쉬운 원인을 자세히 설명해 놓은 것이다. 아래에 열거된 총 67개 단어는 두 글자 모두가 2급 범위 내에 속하는 것들이니 반드시 알아둘 필요가 있다. 한자능력 검정시험은 물론이고 한자와 관련된 각종 시험에서 출제될 확률이 매우 높기 때문이다.

減殺 **[감쇄]** '줄다'는 뜻.
(※)감살 ▷殺(죽일 살)자가 '빠르다' '매우'라는 의미로 사용될 때는 [쇄].

降雨 **[강우]** '비가 내리다'는 뜻.
(※)항우 ▷降(항복할 항)자가 '떨어지다' '내리다'는 의미로 사용될 때는 [강].

句讀 **[구두]** '문장이 끊어지는 곳에 찍는 점'이란 뜻으로 사용될 때는 [두].
(※)구독 ▷'읽다'는 뜻일 경우에는 [독]. 참고, 購讀[구독]-'사서 읽음'

拘碍 **[구애]** '거리끼다'는 뜻.
(※)구득 ▷碍(거리낄 애)자는 得(얻을 득)자와 모양이 비슷하여 오인하기 쉽다.

龜鑑 **[귀감]** '본보기'라는 뜻.
(※)구감 ▷龜(거북 귀)자는 지명으로 사용될 때만 [구]. 예) 龜尾[구미]

龜裂 **[균열]** '금이 가고 갈라지다'는 뜻.
(※)구열 ▷龜(거북 귀)자가 '트다'는 의미로 사용될 때는 [균].

琴瑟 **[금슬]** '부부의 사이'를 뜻함.
(※)금실 ▷사투리 발음에 기인하여 [금실]로 잘못 읽기 쉬움.

誇示 **[과시]** '자랑하여 보이다'는 뜻.
(※)오시 ▷誇(자랑할 과)자를 誤(그릇할 오)자로 오인하여 잘못 읽을 수 있다.

教唆 **[교사]** '남을 선동하여 못된 일을 하게 함'.
(※)교준 ▷唆(부추길 사)자를 俊(준걸 준)자와 자형이 비슷하니 주의.

內人 **[나인]** '궁녀'
(※)내인 ▷'궁녀'라는 뜻으로 사용될 때만 內자를 [나]로 읽으니 주의해야 함.

裸體 [나체] '벌거벗은 몸'이란 뜻.

(※)과체 ▷裸(벌거숭이 나/라)자의 발음요소인 果(실과 과)로 잘못 읽기 쉽다.

拉致 [납치] '강제로 붙들어 감'이란 뜻.

(※)입치 ▷拉(잡아끌 납/랍)자는 발음요소인 立[입/립]으로 읽기 쉽다.

茶菓 [다과] '차와 과자'.

(※)차과 ▷茶자의 원래 음은 [다]이고, [차]는 속음임.

冬眠 [동면] '겨울잠'이란 뜻.

(※)동민 ▷眠(잠잘 면)자는 발음요소인 民(백성 민)으로 잘못 읽을 수 있다.

媒介 [매개] '중간에서 관계를 맺어 주는 일'이란 뜻.

(※)모개 ▷媒(중매 매)자의 발음요소인 某(아무 모)로 잘못 읽기 쉬움.

魅力 [매력] '마음을 끄는 힘'이란 뜻.

(※)괴력 ▷魅(도깨비 매)자를 魁(으뜸 괴)와 혼동하기 쉬움.

木瓜 [모과] '모과나무 열매'라는 뜻.

(※)목과 ▷한자 발음대로 읽지 않고 [모과]로 읽음.

拜謁 [배알] '높은 어른을 뵙다'는 뜻.

(※)배갈 ▷謁(아뢸 알)자의 발음요소인 曷(어찌 갈)로 잘못 읽기 쉽다.

反田 [번전] '논을 밭으로 만들다'는 뜻.

(※)반전 ▷反(되돌릴 반)자가 '뒤집다'는 의미로 사용될 때는 [번].

報酬 [보수] '근로에 대한 소득'이라는 뜻.

(※)보주 ▷酬(갚을 수)자의 발음요소인 州(고을 주)로 잘못 읽기 쉽다.

頻數 [빈삭] '빈번하다'는 뜻.

(※)빈수 ▷數(셀 수)자가 '자주'라는 의미로 사용될 때는 [삭]으로 읽음.

詐欺 [사기] '남을 속여 해치다'는 뜻.

(※)작기 ▷詐(속일 사)자를 作(지을 작)자와 혼동하기 쉽다.

商賈 [상고] '상인'이란 뜻.

(※)상가 ▷賈자가 '장사'를 뜻할 때는 [고]로 읽음. 價(값 가)와 혼동하기 쉽다.

睡眠 [수면] '잠을 자다'는 뜻.

(※)수민 ▷眠(잠잘 면)자의 발음요소인 民(백성 민)으로 인해 잘못 읽기 쉽다.

謁見 [알현] '지위가 높은 사람에게 뵈다'는 뜻.

(※)알견 ▷見(볼 견)자가 '윗사람을 뵙다'는 의미일 때는 [현]으로 읽는다.

哀悼 [애도] '사람의 죽음을 서러워함'이란 뜻.

(※)애탁 ▷悼(슬퍼할 도)자의 발음요소인 卓(높을 탁)으로 혼동하기 쉽다.

惹起 [야기] '끌어 일으킴'이란 뜻.

(※)약기 ▷惹(이끌 야)자의 발음요소인 若(같을 약)으로 잘못 읽기 쉽다.

役割 [역할] '구실'

(※)역활 ▷사투리 음에 기인하여 [역활]이라 잘못 읽기 쉽다. 참고 活(살 활).

厭惡 [염오] '싫어서 미워함'이란 뜻.

(※)염악 ▷惡(악할 악)자가 '미워하다'라는 의미일 때는 [오]로 읽는다.

惡寒 [오한] '몹시 춥고 괴로운 증세'라는 뜻. 참고, 惡漢[악한]-못된 놈.
(※)악한 ▷惡(악할 악)자가 '괴롭다'의미일 때는 [오]로 읽는다.
瓦解 [와해] '사물이 뿔뿔이 헤어짐'이란 뜻.
(※)호해 ▷瓦(기와 와)자를 互(서로 호)로 혼동하기 쉽다.
歪曲 [왜곡] '비뚤게 함'이란 뜻.
(※)의곡 ▷[외곡] [의곡]이라고도 읽지만 [왜곡]이 바른 독음.
遊說 [유세] '돌아다니며 자기 의견을 퍼뜨림'이란 뜻.
(※)유설 ▷說(말씀 설)이 '달래다'는 의미일 때는 [세]로 읽는다.
流暢 [유창] '말하는 것이 거침이 없음'이란 뜻.
(※)유장 ▷暢(펼 창)자를 場(마당 장)으로 혼동하기 쉽다.
吟味 [음미] '감상하다'는 뜻.
(※)금미 ▷吟(읊을 음)자의 발음요소인 今(이제 금)으로 잘못 읽을 수 있음.
凝結 [응결] '엉기다'이란 뜻.
(※)의결 ▷凝(엉길 응)자의 발음요소인 疑(의심할 의)로 잘못 읽을 수 있다.
溺死 [익사] '물 속에 빠져 죽음'이란 뜻.
(※)약사 ▷溺(빠질 닉)자의 발음요소인 弱(약할 약)과 혼동할 수 있다.
一切 [일체] '모두'
(※)일절 ▷切(끊을 절)가 '모두'라는 의미로 쓰일 때는 [체]로 발음한다.
沮喪 [저상] '기가 꺾임'이란 뜻.
(※)조상 ▷沮(막을 저)자의 음을 阻(험할 조), 祖(조상 조)와 혼동하기 쉽다.
傳播 [전파] '전하여 널리 퍼뜨림'이란 뜻.
(※)전번 ▷播(뿌릴 파)자의 발음요소인 番(갈마들 번)으로 오인하기 쉽다.
措置 [조치] '일을 처리함'이란 뜻.
(※)석치 ▷措(둘 조)자의 발음요소인 昔(예 석)으로 오인할 수 있다.
憎惡 [증오] '미워함'이란 뜻.
(※)승악 ▷憎(미워할 증)자를 모양이 비슷한 僧(중 승)으로 혼동하기 쉽다.
斬新 [참신] '가장 새로움'이란 뜻.
(※)점신 ▷斬(벨 참)자를 漸(점점 점)으로 혼동하여 잘못 읽을 수 있다.
尖端 [첨단] '시대의 思潮에 앞장서는 일'이란 뜻.
(※)열단 ▷尖(뾰족할 첨)자는 劣(못할 열/렬)자와 혼동하기 쉽다.
追悼 [추도] '죽은 사람을 생각하여 슬퍼하다'는 뜻.
(※)추탁 ▷悼(슬퍼할 도)자의 발음요소인 卓(높을 탁)과 혼동하기 쉽다.
醜態 [추태] '추악한 꼴'이란 뜻.
(※)취태 ▷醜(추할 추)자를 醉(취할 취)자와 혼동하여 잘못 읽기 쉽다.
秋毫 [추호] '가을에 돋아난 작은 털' → '매우 작거나 적음'을 형용함.
(※)추모 ▷毫(가는 털 호)자를 의미요소인 毛(털 모)와 혼동할 수 있다.
衷心 [충심] '속에서 진정으로 우러나오는 마음'이란 뜻.
(※)애심 ▷衷(속마음 충)자를 모양이 비슷한 哀(슬플 애)와 혼동하기 십상이다.

稱訟 [칭송] '공덕을 일컬어 기림'이란 뜻.

(※)칭공 ▷訟(송사할 송)자의 발음요소인 公(공변될 공)자와 혼동하기 쉽다.

洞察 [통찰] '환하게 살핌'이란 뜻.

(※)동찰 ▷洞(골 동)자가 '꿰뚫다'는 의미로 사용될 때는 [통].

派遣 [파견] '사명을 띄워서 사람을 보냄'이란 뜻.

(※)파유 ▷遣(보낼 견)자를 모양이 비슷한 遺(끼칠 유)자와 혼동하기 쉽다.

覇權 [패권] '한 단체의 우두머리가 가진 권력'이란 뜻.

(※)파권 ▷覇(으뜸 패)자는 罷(방면할 파)자와 혼동할 가능성이 높다.

敗北 [패배] '싸움에 짐'이란 뜻.

(※)패북 ▷北(북녘 북)자가 '배반하다' '달아나다'는 의미로 사용될 때는 [배].

閉塞 [폐색] '막히다'는 뜻.

(※)폐새 ▷塞(막힐 색)자가 '막히다'는 의미로 사용될 때는 [색].

捕捉 [포착] '붙잡음'이란 뜻.

(※)포촉 ▷捉(잡을 착)자를 促(재촉할 촉)자로 오인하기 쉽다.

標識 [표지] '어떤 사물을 나타내는 표시'라는 뜻.

(※)표식 ▷識(알 식)자가 '표시하다'는 의미일 때는 [지].

虐政 [학정] '가혹한 정치'라는 뜻.

(※)허정 ▷虐(사나울 학)자를 모양이 비슷한 虛(빌 허)자로 혼동하기 쉽다.

割引 [할인] '가격을 깎아주다'는 뜻.

(※) 활인 ▷사투리 음에 기인하여 [활인]이라 잘못 발음할 수도 있다.

行列 [항렬] '친족집단에서의 세대(世代) 관계 표시의 서열'.

(※)행렬 ▷行(갈 행)이 '서열' '대열'이란 의미로 사용될 때는 [행].

降伏 [항복] '적에게 굴복함'이란 뜻.

(※)강복 ▷降(내릴 강)자가 '항복하다'는 의미로 사용될 때는 [항].

降將 [항장] '항복한 장수'라는 뜻.

(※)강장 ▷降(항복할 항)이 '떨어지다' '내리다'는 의미로 사용될 때는 [강].

享樂 [향락] '즐거움을 누림'이란 뜻.

(※)형락 ▷享(누릴 향)자는 모양이 비슷한 亨(형통할 형)자와 혼동하기 쉽다.

嫌惡 [혐오] '싫어하고 뜻.

(※)겸악 ▷미워하다'는 惡(악할 악)자가 '미워하다'는 의미로 사용될 때는 [오].

忽然 [홀연] '갑자기'라는 뜻.

(※)총연 ▷忽(소홀히 할 홀)자는 悤(바쁠 총)자와 비슷하여 혼동하기 쉽다.

滑走 [활주] '미끄러져 달아나다'는 뜻.

(※)골주 ▷滑(미끄러울 활)자의 발음요소인 骨(뼈 골)자로 혼동하기 쉽다.

橫暴 [횡포] '제멋대로 굴며 몹시 난폭함'이란 뜻.

(※)횡폭 ▷暴(사나울 포)자를 暴行(폭행)의 暴으로 혼동하기 쉽다.

毁損 [훼손] '헐어서 못쓰게 함'이란 뜻.

(※)은손 ▷毁(헐 훼)자를 모양이 비슷한 殷(성할 은)자와 혼동하기 쉽다.

제3부

부 록 4

〈잘못 쓰기 쉬운 한자〉

한자는 글자 수가 매우 많다는 특성을 지니고 있다. 글자 수가 많다보니 그들 중에는 모양이 매우 흡사한 것들이 많을 수밖에 없다. 그래서 한자로 문장을 쓰는 경우, 또는 한자로 옮겨 쓰라는 시험 문제를 받았을 때 잘못을 범하기 쉽다. 그러한 유형의 문제에 대비하기 위하여 잘못 쓸 소지가 높은 한자들을 한 군데 모아 정리해 두었다. 즉 한자 모양이 비슷하여 혼동하기 쉬운 것 총 204쌍 474자에 대하여 낱말 예를 부기해 두었다. 자형 차이를 잘 식별하면서 해당 단어를 써보면 쉽고 효과적으로 익힐 수 있을 것이다. 모두 2급 범위 내에 속하는 것이니 특정 글자에 대하여 궁금한 점이 있으면 총목 색인에 의거 본문을 찾아보자. 한자 쓰기 문제에 단골로 출제되는 것들이니 한꺼번에 익혀두면 유용할 것이다.

【ㄱ】

• 佳 아름다울 가 (佳人 가인)
住 살 주 (住宅 주택)
往 갈 왕 (往來 왕래)

• 假 거짓 가 (假面 가면)
暇 겨를 가 (休暇 휴가)

• 刻 새길 각 (彫刻 조각)
核 씨 핵 (核心 핵심)
該 그 해 (該當 해당)

• 閣 누각 각 (樓閣 누각)
閤 쪽문 합 (守閤 수합)

• 干 방패 간 (干城 간성)
于 어조사 우 (于先 우선)

• 減 덜 감 (減少 감소)
滅 멸망할 멸 (滅亡 멸망)

• 甲 첫째천간 갑 (甲乙 갑을)
申 펼 신 (申告 신고)
由 말미암을 유 (理由 이유)
田 밭 전 (田畓 전답)

• 渴 목마를 갈 (渴症 갈증)
謁 아뢸 알 (拜謁 배알)

• 鋼 굳셀 강 (鋼鐵 강철)
綱 벼리 강 (綱領 강령)
網 그물 망 (魚網 어망)

• 腔 빈속 강 (腹腔 복강)
控 당길 공 (控除 공제)

• 概 평미레 개 (概觀 개관)
慨 분개할 개 (憤慨 분개)

• 客 손 객 (客室 객실)
容 얼굴 용 (美容 미용)

• 坑 구덩이 갱 (坑道 갱도)
抗 겨룰 항 (抵抗 저항)

• 巨 클 거 (巨大 거대)
臣 신하 신 (君臣 군신)

• 擧 들 거 (選擧 선거)
譽 기릴 예 (名譽 명예)

• 儉 검소할 검 (儉素 검소)
險 험할 험 (險難 험난)

檢 검사할 검 (點檢 점검)

• 件 물건 건 (要件 요건)
伴 짝 반 (同伴 동반)

• 建 세울 건 (建築 건축)
健 건강할 건 (健康 건강)

• 犬 개 견 (猛犬 맹견)
大 큰 대 (大將 대장)
丈 어른 장 (方丈 방장)
太 클 태 (太極 태극)

• 堅 굳을 견 (堅實 견실)
竪 세울 수 (竪立 수립)
緊 굳게얽을 긴 (緊密 긴밀)

• 決 결단할 결 (決定 결정)
快 쾌할 쾌 (豪快 호쾌)

• 境 경계 경 (終境 종경)
意 뜻 의 (謝意 사의)

• 更 고칠 경 (變更 변경)
吏 벼슬 리 (吏房 이방)

• 頃 잠깐 경 (頃刻 경각)
頂 정수리 정 (頂上 정상)
項 목덜미 항 (項目 항목)

• 經 지날 경 (經歷 경력)
徑 지름길 경 (直徑 직경)

• 季 철 계 (季節 계절)
李 자두 리 (行李 행리)
秀 빼어날 수 (優秀 우수)

• 階 섬돌 계 (階段 계단)
陸 뭍 륙 (陸地 육지)

• 苦 괴로울 고 (苦難 고난)
若 만약 약 (萬若 만약)

• 孤 외로울 고 (孤獨 고독)
派 물갈래 파 (黨派 당파)

• 曲 굽을 곡 (曲折 곡절)
典 법 전 (典據 전거)

• 困 곤할 곤 (疲困 피곤)
囚 가둘 수 (囚人 수인)
因 인할 인 (因緣 인연)

• 攻 칠 공 (攻擊 공격)
切 끊을 절 (切斷 절단)
巧 공교로울 교 (技巧 기교)

• 寡 적을 과 (多寡 다과)
裏 속 리 (表裏 표리)

• 科 과정 과 (科目 과목)
料 헤아릴 료 (料量 요량)

• 橋 다리 교 (鐵橋 철교)
僑 교포 교 (僑胞 교포)

• 拘 잡을 구 (拘束 구속)
抱 안을 포 (抱擁 포옹)

• 郡 고을 군 (郡廳 군청)
群 무리 군 (群衆 군중)

• 卷 쇠뇌 권 (卷末 권말)
券 문서 권 (食券 식권)

• 勸 권할 권 (勸善 권선)
觀 볼 관 (觀覽 관람)
歡 기뻐할 환 (歡待 환대)

• 貴 귀할 귀 (富貴 부귀)
責 꾸짖을 책 (責望 책망)

• 斤 근 근 (斤量 근량)
斥 물리칠 척 (排斥 배척)

• 級 등급 급 (昇級 승급)
吸 마실 흡 (呼吸 호흡)

• 己 몸 기 (自己 자기)
已 이미 이 (已往 이왕)
巳 여섯째지지 사 (乙巳 을사)

• 肯 즐길 긍 (肯定 긍정)
背 등 배 (背信 배신)

• 棄 버릴 기 (棄兒 기아)
葉 잎 엽 (落葉 낙엽)

【ㄴ】

• 難 어려울 난 (困難 곤란)
離 떠날 리 (離別 이별)

• 納 들일 납 (納入 납입)
紛 어지러울 분 (紛爭 분쟁)

• 奴 종 노 (奴隸 노예)
如 같을 여 (如一 여일)

【ㄷ】

• 端 단정할 단 (端正 단정)
瑞 상서로울 서 (瑞光 서광)

• 旦 아침 단 (元旦 원단)
且 또 차 (且置 차치)

• 代 대신할 대 (代用 대용)
伐 칠 벌 (討伐 토벌)

• 待 기다릴 대 (期待 기대)
侍 모실 시 (侍女 시녀)

• 貸 빌릴 대 (轉貸 전대)
賃 품삯 임 (賃金 임금)

• 戴 일 대 (負戴 부대)
載 실을 재 (積載 적재)

• 刀 칼 도 (短刀 단도)
力 힘 력 (努力 노력)

• 都 도읍 도 (首都 수도)
部 나눌 부 (部分 부분)

• 徒 걸어다닐 도 (徒步 도보)
徙 옮길 사 (移徙 이사)

• 讀 읽을 독 (讀書 독서)
贖 바칠 속 (贖罪 속죄)
續 이을 속 (繼續 계속)

• 燈 등잔 등 (燈火 등화)
證 증거 증 (確證 확증)

【ㄹ】

• 卵 알 란 (鷄卵 계란)
卯 토끼 묘 (卯時 묘시)

• 郎 사나이 랑 (郎君 낭군)
朗 밝을 랑 (淸朗 청랑)

• 旅 나그네 려 (旅行 여행)
施 베풀 시 (實施 실시)
旋 돌 선 (周旋 주선)

• 歷 지낼 력 (經歷 경력)
曆 책력 력 (陽曆 양력)

• 綠 초록빛 록 (綠色 녹색)
緣 인연 연 (因緣 인연)
錄 기록할 록 (記錄 기록)
祿 복 록 (祿俸 녹봉)

• 憐 가련한 련 (憐憫 연민)
鄰 이웃 린 (鄰近 인근)

• 領 거느릴 령 (首領 수령)
頒 나눌 반 (頒布 반포)
頌 칭송할 송 (頌歌 송가)

• 論 말할 론 (討論 토론)
倫 인륜 륜 (倫理 윤리)
輪 바퀴 륜 (輪廻 윤회)
輸 실어낼 수 (輸出 수출)

• 栗 밤나무 률 (生栗 생률)
粟 조 속 (粟豆 속두)

• 理 다스릴 리 (倫理 윤리)
埋 묻을 매 (埋沒 매몰)

【ㅁ】

• 漠 사막 막 (沙漠 사막)
模 법 모 (模範 모범)

• 幕 장막 막 (天幕 천막)
墓 무덤 묘 (墓地 묘지)
暮 저물 모 (日暮 일모)
募 모을 모 (募集 모집)
慕 사모할 모 (思慕 사모)

• 末 끝 말 (末路 말로)
未 아닐 미 (未來 미래)

• 忘 잊을 망 (忘却 망각)
妄 허망할 망 (妄言 망언)
妾 첩 첩 (愛妾 애첩)

• 綿 솜 면 (綿布 면포)
錦 비단 금 (錦衣 금의)
• 免 면할 면 (免除 면제)
兎 토끼 토 (兎皮 토피)

• 眠 쉴 면 (睡眠 수면)
眼 눈 안 (眼目 안목)

• 明 밝을 명 (明快 명쾌)
朋 벗 붕 (朋友 붕우)

• 鳴 울 명 (悲鳴 비명)
嗚 탄식할 오 (嗚咽 오열)

• 侮 업신여길 모 (侮辱 모욕)
悔 뉘우칠 회 (悔改 회개)

• 沐 목욕할 목 (沐浴 목욕)
休 쉴 휴 (休息 휴식)

• 戊 다섯째천간 무 (戊時 무시)
戍 수자리 수 (戍樓 수루)
戌 개 술 (甲戌年 갑술년)

• 微 작을 미 (微笑 미소)
徵 부를 징 (徵集 징집)

• 密 빽빽할 밀 (秘密 비밀)
蜜 꿀 밀 (蜜蜂 밀봉)

【ㅂ】

• 拍 손뼉칠 박 (拍手 박수)
柏 측백나무 백 (冬柏 동백)
泊 배댈 박 (宿泊 숙박)

• 迫 핍박할 박 (逼迫 핍박)
追 쫓을 추 (追憶 추억)

• 薄 엷을 박 (薄明 박명)
簿 장부 부 (帳簿 장부)

• 博 넓을 박 (博士 박사)
傅 스승 부 (師傅 사부)
傳 전할 전 (傳受 전수)

• 飯 밥 반 (白飯 백반)
飮 마실 음 (飮料 음료)

• 倣 본뜰 방 (模倣 모방)
做 지을 주 (看做 간주)

• 排 밀칠 배 (排他 배타)
俳 광대 배 (俳優 배우)

• 番 차례 번 (番號 번호)
審 살필 심 (審査 심사)

• 罰 벌줄 벌 (罰金 벌금)
罪 죄 죄 (犯罪 범죄)

• 辯 말잘할 변 (辯論 변론)
辨 분별할 변 (辨別 변별)

• 普 넓을 보 (普通 보통)
晋 나라 진 (晋州 진주)

• 奉 받들 봉 (奉養 봉양)
奏 아뢸 주 (演奏 연주)

• 復 다시 부 (復興 부흥)
돌아올 복 (復習 복습)
複 겹옷 복 (複式 복식)

• 婦 아내 부 (主婦 주부)
掃 쓸 소 (淸掃 청소)

• 奮 떨칠 분 (興奮 흥분)
奪 빼앗을 탈 (奪取 탈취)

• 佛 부처 불 (佛敎 불교)
拂 떨 불 (支拂 지불)

• 貧 가난할 빈 (貧弱 빈약)
貪 탐할 탐 (貪慾 탐욕)

• 氷 얼음 빙 (解氷 해빙)
永 길 영 (永久 영구)

【ㅅ】

• 士 선비 사 (紳士 신사)
土 흙 토 (土地 토지)

• 仕 벼슬 사 (奉仕 봉사)
任 맡길 임 (任務 임무)

• 使 부릴 사 (使用 사용)
便 편할 편 (簡便 간편)

• 師 스승 사 (恩師 은사)
帥 장수 수 (將帥 장수)

• 思 생각할 사 (思想 사상)
恩 은혜 은 (恩惠 은혜)

• 捨 버릴 사 (取捨 취사)
拾 주울 습 (拾得 습득)

• 社 모일 사 (會社 회사)
祀 제사 사 (祭祀 제사)

• 唆 부추길 사 (敎唆 교사)
俊 준걸 준 (俊秀 준수)

• 象 코끼리 상 (象牙 상아)
衆 무리 중 (衆生 중생)

• 塞 변방 새 (要塞 요새)
寒 찰 한 (寒食 한식)

• 牲 희생 생 (犧牲 희생)
姓 일가 성 (姓氏 성씨)
性 성품 성 (性格 성격)

• 恕 용서할 서 (容恕 용서)
怒 성낼 노 (憤怒 분노)

• 暑 더울 서 (暴暑 폭서)
署 관청 서 (官署 관서)

• 書 글 서 (書房 서방)
晝 낮 주 (晝夜 주야)
畵 그림 화 (畵家 화가)

• 宣 베풀 선 (宣傳 선전)
宜 마땅할 의 (便宜 편의)

• 釋 풀 석 (解釋 해석)
譯 통변할 역 (譯官 역관)
澤 못 택 (恩澤 은택)
擇 가릴 택 (選擇 선택)

• 析 쪼갤 석 (分析 분석)
折 꺾을 절 (折枝 절지)

• 晳 밝을 석 (明晳 명석)
哲 밝을 철 (哲學 철학)

• 惜 아낄 석 (惜別 석별)
借 빌 차 (借用 차용)

• 雪 눈 설 (殘雪 잔설)
雲 구름 운 (雲霧 운무)

• 涉 건널 섭 (干涉 간섭)
陟 오를 척 (三陟 삼척)

• 授 줄 수 (授受 수수)
援 구원할 원 (救援 구원)

• 遂 이룩할 수 (完遂 완수)
逐 쫓을 축 (驅逐 구축)

• 須 반드시 수 (必須 필수)
順 순할 순 (順從 순종)

• 俗 속될 속 (俗世 속세)
裕 넉넉할 유 (餘裕 여유)
浴 목욕할 욕 (沐浴 목욕)

• 送 보낼 송 (放送 방송)
迭 바꿀 질 (更迭 경질)

• 衰 쇠할 쇠 (衰退 쇠퇴)
衷 속마음 충 (衷心 충심)
哀 슬플 애 (哀惜 애석)
表 드러날 표 (表現 표현)

• 熟 익을 숙 (未熟 미숙)
熱 더울 열 (發熱 발열)

• 勝 이길 승 (勝利 승리)
騰 오를 등 (騰落 등락)

• 僧 중 승 (高僧 고승)
憎 미워할 증 (憎惡 증오)
增 불을 증 (增加 증가)

• 識 알 식 (識見 식견)
織 짤 직 (織物 직물)
職 맡을 직 (職位 직위)

• 伸 펼 신 (伸張 신장)
仲 버금 중 (仲秋節 중추절)

• 失 잃을 실 (失敗 실패)
矢 화살 시 (弓矢 궁시)
夭 일찍죽을 요 (夭折 요절)

• 深 깊을 심 (夜深 야심)
探 더듬을 탐 (探究 탐구)

【ㅇ】

• 雅 우아할 아 (優雅 우아)
稚 어릴 치 (幼稚 유치)

• 仰 우러를 앙 (信仰 신앙)
抑 누를 억 (抑制 억제)

• 謁 아뢸 알 (謁見 알현)
揭 들 게 (揭示 게시)

• 厄 재앙 액 (厄運 액운)
危 위태할 위 (危險 위험)

• 讓 사양할 양 (辭讓 사양)
壤 흙 양 (土壤 토양)
孃 여자애 양 (令孃 영양)
壞 무너질 괴 (崩壞 붕괴)
懷 품을 회 (懷抱 회포)

• 與 줄 여 (授與 수여)
輿 수레 여 (輿論 여론)
興 일어날 흥 (興亡 흥망)

• 延 끌 연 (延期 연기)
廷 조정 정 (朝廷 조정)

• 沿 좇을 연 (沿革 연혁)
治 다스릴 치 (政治 정치)
浴 목욕할 욕 (浴室 욕실)

• 鹽 소금 염 (鹽田 염전)
監 볼 감 (監督 감독)

• 營 경영할 영 (經營 경영)
螢 반딧불 형 (螢光 형광)

• 汚 더러울 오 (汚染 오염)
汗 땀 한 (汗蒸 한증)

• 烏 까마귀 오 (烏石 오석)
鳥 새 조 (鳥類 조류)
島 섬 도 (孤島 고도)

• 穩 평온할 온 (穩健 온건)
隱 숨길 은 (隱語 은어)

• 瓦 기와 와 (瓦解 와해)
互 서로 호 (相互 상호)

• 宇 집 우 (宇宙 우주)
字 글자 자 (文字 문자)

• 園 동산 원 (庭園 정원)
圍 주위 위 (周圍 주위)

• 威 위엄 위 (威力 위력)
咸 다 함 (咸集 함집)

• 惟 생각할 유 (思惟 사유)
推 밀 추 (推進 추진)

• 遺 남길 유 (遺物 유물)
遣 보낼 견 (派遣 파견)

• 幼 어릴 유 (幼年 유년)
幻 허깨비 환 (幻想 환상)

• 玉 구슬 옥 (珠玉 주옥)
王 임금 왕 (帝王 제왕)
壬 북방 임 (壬辰 임진)

• 泣 울 읍 (泣訴 읍소)
位 자리 위 (位置 위치)

• 凝 엉길 응 (凝結 응결)
疑 의심할 의 (疑心 의심)

【ㅈ】

• 暫 잠시 잠 (暫時 잠시)
漸 점점 점 (漸次 점차)
慚 부끄러울 참 (無慚 무참)

• 栽 심을 재 (栽培 재배)
裁 마를 재 (裁縫 재봉)

• 積 쌓을 적 (積載 적재)
績 실낳을 적 (成績 성적)

• 滴 물방울 적 (硯滴 연적)
摘 딸 적 (摘發 적발)

• 亭 정자 정 (亭子 정자)
享 누릴 향 (享樂 향락)
亨 형통할 형 (亨通 형통)

• 帝 임금 제 (帝王 제왕)
常 항상 상 (常識 상식)

• 弟 아우 제 (兄弟 형제)
第 차례 제 (第一 제일)

• 兆 조짐 조 (前兆 전조)
北 북녘 북 (北極 북극)

• 早 일찍 조 (早起 조기)
旱 가물 한 (旱害 한해)

• 照 비출 조 (照明 조명)
熙 빛날 희 (熙笑 희소)

• 潮 조수 조 (潮流 조류)
湖 호수 호 (湖畔 호반)

• 措 둘 조 (措處 조처)
借 빌 차 (借款 차관)

• 燥 마를 조 (乾燥 건조)
操 잡을 조 (操心 조심)

• 佐 도울 좌 (補佐 보좌)
佑 도울 우 (天佑 천우)

• 柱 기둥 주 (支柱 지주)
桂 계수나무 계 (桂皮 계피)

• 陳 늘어놓을 진 (陳列 진열)
陣 줄 진 (陣地 진지)

【ㅊ】

• 捉 잡을 착 (捕捉 포착)
促 재촉할 촉 (督促 독촉)

• 責 꾸짖을 책 (責望 책망)
靑 푸를 청 (靑史 청사)

• 撤 거둘 철 (撤收 철수)
徹 통할 철 (徹底 철저)

• 招 부를 초 (招魂 초혼)
紹 이을 소 (紹介 소개)
昭 밝을 소 (昭明 소명)

• 追 따를 추 (追究 추구)
退 물러갈 퇴 (退進 퇴진)

• 推 밀 추 (推薦 추천)
堆 쌓을 퇴 (堆肥 퇴비)

• 蓄 쌓을 축 (貯蓄 저축)
畜 기를 축 (家畜 가축)

• 充 가득할 충 (充滿 충만)
允 허락할 윤 (允許 윤허)

• 衝 부딪칠 충 (衝突 충돌)
衡 저울 형 (均衡 균형)

• 側 곁 측 (側近 측근)
測 헤아릴 측 (測量 측량)

• 浸 적실 침 (浸透 침투)
侵 침노할 침 (侵入 침입)

• 枕 베개 침 (枕床 침상)
沈 빠질 침 (沈默 침묵)
沒 빠질 몰 (沒入 몰입)

【ㅌ/ㅍ/ㅎ】

• 他 다를 타 (他人 타인)
地 땅 지 (地球 지구)

- 濁 흐릴 탁 (淸濁 청탁)
  燭 촛불 촉 (華燭 화촉)
  獨 홀로 독 (孤獨 고독)

- 彈 탄알 탄 (彈丸 탄환)
  禪 봉선 선 (參禪 참선)

- 脫 벗을 탈 (脫衣 탈의)
  稅 구실 세 (稅金 세금)
  悅 기쁠 열 (喜悅 희열)
  說 말씀 설 (說明 설명)
  달랠 세 (遊說 유세)
  設 베풀 설 (施設 시설)

- 湯 끓일 탕 (湯藥 탕약)
  渴 목마를 갈 (渴症 갈증)

- 弊 폐단 폐 (弊端 폐단)
  幣 비단 폐 (幣帛 폐백)
  蔽 가릴 폐 (隱蔽 은폐)

- 抱 안을 포 (抱擁 포옹)
  泡 거품 포 (水泡 수포)
  胞 태보 포 (細胞 세포)

- 捕 사로잡을 포 (捕手 포수)
  浦 개 포 (浦口 포구)
  鋪 펼 포 (店鋪 점포)
  補 기울 보 (補充 보충)

- 爆 터질 폭 (爆發 폭발)
  瀑 폭포 폭 (瀑布 폭포)

- 恨 한탄할 한 (怨恨 원한)
  限 한정할 한 (限界 한계)

- 幸 다행할 행 (幸福 행복)
  辛 매울 신 (辛辣 신랄)

- 鄕 시골 향 (京鄕 경향)
  卿 벼슬 경 (卿相 경상)

- 護 보호할 호 (保護 보호)
  穫 거둘 확 (收穫 수확)
  獲 얻을 획 (獲得 획득)

- 刑 형벌 형 (死刑 사형)
  形 모양 형 (形式 형식)
  刊 책 펴낼간 (刊行 간행)

- 會 모을 회 (會談 회담)
  曾 일찍 증 (曾祖 증조)

- 悔 뉘우칠 회 (悔改 회개)
  梅 매화나무 매 (梅花 매화)
  侮 업신여길 모 (侮辱 모욕)
  海 바다 해 (海洋 해양)

- 侯 제후 후 (諸侯 제후)
  候 물을 후 (氣候 기후)
  喉 목구멍 후 (喉音 후음)

- 吸 마실 흡 (呼吸 호흡)
  吹 불 취 (鼓吹 고취)
  次 버금 차 (次席 차석)

제3부 부록 5

〈약자 일람표〉

《한자능력검정시험2급》(한국어문교육연구회)에 열거된 약자(略字)는 총300자이며, 5급Ⅱ 이상에서 약자 문제가 각 3문항씩 출제된다. 이에 대비하기 편하도록 (1) 가나다순, (2) 급수순 으로 각각 열거해 놓았다.

(1) 가나다 순 색인

[가]	價	価	52
[가]	假	仮	42
[각]	覺	覚	40
[감]	減	减	42
[감]	監	监	42
[감]	鑑	鑑	32
[개]	個	个	42
[개]	蓋	盖	32
[개]	槪	概	32
[개]	慨	慨	30
[거]	擧	挙/擧	50
[거]	據	拠	40
[검]	檢	検	42
[검]	儉	倹	40
[검]	劍	剣	32
[격]	擊	撃	40
[견]	堅	坚	40
[결]	缺	欠	42
[경]	輕	軽	50
[경]	經	経	42
[경]	徑	径	32
[계]	繼	継	40
[계]	繫	繋	30
[곡]	穀	穀	40
[관]	觀	観	52
[관]	關	関	52
[관]	寬	寛	32
[관]	館	舘	32
[광]	廣	広	52
[광]	鑛	鉱	40
[괴]	壞	壊	32
[구]	區	区	60
[구]	舊	旧	52
[구]	句	勾	42
[구]	龜	亀	30
[구]	歐	欧	20
[국]	國	国	80
[권]	權	権	42
[권]	勸	勧	40
[귀]	歸	帰	40
[기]	氣	気	72
[기]	器	器	42
[기]	旣	既	30
[기]	棄	弃	30
[긴]	緊	紧	32
[녕]	寧	寍	32
[뇌]	腦	脳	32
[뇌]	惱	悩	30
[단]	團	団	52
[단]	單	単	42
[단]	斷	断	42
[담]	擔	担	42
[담]	膽	胆	20
[당]	當	当	52
[당]	黨	党	42
[대]	對	対	62
[대]	臺	台	32
[덕]	德	徳	52
[도]	圖	図	62
[도]	燾	焘	21
[독]	讀	読	62
[독]	獨	独	52
[독]	毒	毒	42
[등]	燈	灯	42
[락]	樂	楽	62
[란]	亂	乱	40
[람]	濫	滥	30
[람]	覽	覧	40
[람]	藍	蓝	20
[래]	來	来	70
[량]	兩	両	42
[량]	涼	凉	32
[량]	輛	輌	20
[려]	麗	麗	42
[려]	勵	励	32
[려]	廬	庐	21
[련]	練	練	52
[련]	戀	恋	32
[련]	聯	联	32
[련]	鍊	錬	32
[렵]	獵	猟	30
[령]	靈	灵/霊	32
[례]	禮	礼	60
[로]	勞	労	52

[로]	爐	炉	32
[로]	蘆	芦	21
[록]	錄	录	42
[롱]	籠	篭	20
[룡]	龍	竜	40
[루]	樓	楼	32
[루]	淚	涙	30
[리]	離	难	40
[림]	臨	临	32
[만]	萬	万	80
[만]	滿	満	42
[만]	灣	湾	20
[만]	蠻	蛮	20
[매]	賣	売	50
[맥]	麥	麦	32
[모]	貌	皃	32
[몽]	夢	梦	32
[묘]	廟	庙	30
[묵]	墨	墨	32
[묵]	默	黙	32
[미]	彌	弥	21
[박]	迫	廹	32
[발]	發	発	62
[배]	拜	拝	42
[배]	輩	輩	32
[번]	繁	繁	32
[변]	變	変	52
[변]	邊	辺	42
[병]	竝	並	30
[병]	屛	屏	30
[병]	倂	併	20
[보]	寶	宝	42
[부]	富	冨	42
[부]	敷	旉	20
[불]	佛	仏	42
[불]	拂	払	32
[사]	寫	写	50
[사]	師	师	42
[사]	辭	辞	40
[살]	殺	殺	42
[삽]	揷	挿	20
[상]	狀	状	42
[상]	桑	桒	32
[상]	嘗	甞	30
[서]	緖	緒	32
[서]	敍	叙	30
[석]	釋	釈	32
[선]	船	舩	50
[선]	禪	禅	32
[섬]	纖	繊	20
[섭]	攝	摂	30
[섭]	燮	变	21
[성]	聲	声	42
[세]	歲	岁	52
[소]	燒	焼	32
[속]	續	続	42
[속]	屬	属	40
[수]	數	数	70
[수]	收	収	42
[수]	壽	寿	32
[수]	獸	獣	32
[수]	隨	随	32
[수]	帥	帅	32
[수]	搜	捜	30
[숙]	肅	粛	40
[습]	濕	湿	32
[승]	乘	乗	32
[승]	繩	縄	21
[신]	腎	肾	20
[실]	實	実	52
[쌍]	雙	双	32
[아]	兒	児	52
[아]	亞	亜	32
[악]	惡	悪	52
[암]	巖	岩	32
[압]	壓	圧	42
[애]	礙	碍	20
[약]	藥	薬	62
[양]	壤	壌	32
[양]	讓	譲	32
[양]	孃	嬢	20
[여]	餘	余	42
[엄]	嚴	厳	40
[여]	與	与	40
[역]	譯	訳	32
[역]	驛	駅	32
[연]	硏	研	42
[연]	鉛	鈆	40
[연]	淵	渕	21
[연]	姸	妍	21
[염]	鹽	塩	32
[영]	榮	栄	42
[영]	營	営	40
[예]	藝	芸	42
[예]	豫	予	40
[예]	譽	誉	32
[온]	溫	温	60
[온]	穩	稳	20
[요]	謠	謡	42
[요]	遙	遥	30
[요]	搖	揺	30
[요]	堯	尭	21
[울]	鬱	欝	20
[원]	遠	逺	60
[원]	員	貟	42
[위]	圍	囲	40
[위]	爲	為	40
[위]	僞	偽	32
[은]	隱	隠	40
[응]	應	応	42
[의]	醫	医	60
[의]	宜	冝	30
[이]	貳	弍	20
[일]	壹	壱	20
[자]	者	者	60
[잔]	殘	残	40
[잠]	蠶	蚕	20
[잡]	雜	雑	40
[장]	將	将	42
[장]	壯	壮	40
[장]	裝	装	40
[장]	奬	奨	40
[장]	莊	荘	32
[장]	藏	蔵	32
[장]	臟	臓	32
[장]	蔣	蒋	21
[재]	哉	哉	30
[쟁]	爭	争	50
[전]	戰	戦	62
[전]	傳	伝	52
[전]	錢	銭	40
[전]	轉	転	40
[절]	節	節	52
[절]	竊	窃	30
[점]	點	点	40
[정]	定	定	60
[정]	靜	静	40
[정]	淨	浄	32
[제]	濟	済	42
[제]	齊	斉	32
[제]	劑	剤	20
[조]	條	条	40
[졸]	卒	卆	52
[종]	從	従	40
[종]	縱	縦	32
[주]	晝	昼	60
[주]	鑄	鋳	32
[준]	準	準	42
[즉]	卽	即	32
[증]	增	増	42
[증]	證	証	40
[증]	曾	曽	32

[증]	蒸	𦯶	32
[지]	遲	遅	30
[진]	珍	珎	40
[진]	盡	尽	40
[질]	質	貭	52
[징]	徵	徴	32
[찬]	讚	讃	40
[찬]	贊	賛	32
[찬]	瓚	瓉	21
[찬]	鑽	鑚	21
[참]	參	参	52
[참]	慘	惨	30
[처]	處	処	42
[천]	淺	浅	32
[천]	賤	賎	32
[천]	踐	践	32
[천]	遷	迁	32
[철]	鐵	鉄	50
[청]	聽	聴	40
[청]	廳	庁	40
[체]	體	体	62
[체]	遞	逓	30
[촉]	觸	触	32
[총]	總	総	42
[총]	聰	聡	30
[충]	蟲	虫	42
[충]	沖	冲	20
[취]	醉	酔	32
[치]	齒	歯	42
[칭]	稱	称	40
[타]	墮	堕	30
[탄]	彈	弾	40
[태]	兌	兊	21
[택]	擇	択	32
[택]	澤	沢	32
[토]	兔	兎	32
[패]	霸	覇	20
[폐]	廢	廃	32
[학]	學	学	80
[함]	艦	艦	20
[허]	虛	虚	42
[헌]	獻	献	32
[험]	險	険	40
[험]	驗	験	42
[현]	賢	賢	42
[현]	顯	顕	40
[현]	縣	県	30
[협]	峽	峡	20
[합]	陜	陕	21
[형]	螢	蛍	30
[혜]	惠	恵	42
[호]	號	号	60
[화]	畫	画	60
[확]	擴	拡	30
[환]	歡	歓	40
[향]	鄕	郷	42
[회]	會	会	62
[회]	懷	懐	32
[효]	效	効	52
[효]	曉	暁	30
[훈]	勳	勲	20
[흑]	黑	黒	50
[흥]	興	兴	42
[희]	戲	戯	32

(2) 급수 순 색인

80	[국]	國	国
80	[만]	萬	万
80	[학]	學	学
72	[기]	氣	気
70	[래]	來	来
70	[수]	數	数
62	[대]	對	対
62	[도]	圖	図
62	[독]	讀	読
62	[락]	樂	楽
62	[발]	發	発
62	[약]	藥	薬
62	[전]	戰	戦
62	[체]	體	体
62	[회]	會	会
60	[구]	區	区
60	[례]	禮	礼
60	[온]	溫	温
60	[원]	遠	逺
60	[의]	醫	医
60	[자]	者	者
60	[정]	定	㝎
60	[주]	晝	昼
60	[호]	號	号
60	[화]	畫	画
52	[가]	價	価
52	[관]	觀	観
52	[관]	關	関
52	[광]	廣	広
52	[구]	舊	旧
52	[단]	團	团
52	[당]	當	当
52	[덕]	德	徳
52	[독]	獨	独
52	[련]	練	練
52	[로]	勞	労
52	[변]	變	変
52	[세]	歲	岁
52	[실]	實	実
52	[아]	兒	児
52	[악]	惡	悪
52	[전]	傳	伝
52	[절]	節	節
52	[졸]	卒	卆
52	[질]	質	貭
52	[참]	參	参
52	[효]	效	効
50	[거]	擧	挙/舉
50	[경]	輕	軽
50	[매]	賣	売
50	[사]	寫	写
50	[선]	船	舩
50	[쟁]	爭	争
50	[철]	鐵	鉄
50	[흑]	黑	黒
42	[가]	假	仮
42	[감]	減	减
42	[감]	監	监
42	[개]	個	个
42	[검]	檢	検
42	[결]	缺	欠
42	[경]	經	経
42	[구]	句	勾
42	[권]	權	権
42	[기]	器	器
42	[단]	單	単
42	[단]	斷	断
42	[담]	擔	担
42	[당]	黨	党
42	[독]	毒	毒
42	[등]	燈	灯
42	[량]	兩	両

42	[려]	麗	丽
42	[록]	錄	录
42	[만]	滿	満
42	[배]	拜	拝
42	[변]	邊	辺
42	[보]	寶	宝
42	[부]	富	冨
42	[불]	佛	仏
42	[사]	師	师
42	[살]	殺	殺
42	[상]	狀	状
42	[성]	聲	声
42	[속]	續	続
42	[수]	收	収
42	[압]	壓	圧
42	[여]	餘	余
42	[연]	硏	研
42	[영]	榮	栄
42	[예]	藝	芸
42	[요]	謠	謡
42	[원]	員	貟
42	[응]	應	応
42	[장]	將	将
42	[제]	濟	済
42	[준]	準	凖
42	[증]	增	増
42	[처]	處	処
42	[총]	總	総
42	[충]	蟲	虫
42	[치]	齒	歯
42	[향]	鄕	郷
42	[허]	虛	虚
42	[험]	驗	験
42	[현]	賢	贒
42	[혜]	惠	恵
42	[흥]	興	兴
40	[각]	覺	覚
40	[거]	據	拠
40	[검]	儉	倹
40	[격]	擊	撃
40	[견]	堅	坚
40	[계]	繼	継
40	[곡]	穀	穀
40	[광]	鑛	鉱
40	[권]	勸	勧
40	[귀]	歸	帰
40	[란]	亂	乱
40	[람]	覽	覧
40	[룡]	龍	竜
40	[리]	離	难
40	[사]	辭	辞
40	[속]	屬	属
40	[숙]	肅	粛
40	[엄]	嚴	厳
40	[여]	與	与
40	[연]	鉛	鈆
40	[영]	營	営
40	[예]	豫	予
40	[위]	圍	囲
40	[위]	爲	為
40	[은]	隱	隠
40	[잔]	殘	残
40	[잡]	雜	雑
40	[장]	裝	装
40	[장]	壯	壮
40	[장]	獎	奨
40	[전]	轉	転
40	[전]	錢	銭
40	[점]	點	点
40	[정]	靜	静
40	[조]	條	条
40	[종]	從	従
40	[증]	證	証
40	[진]	盡	尽
40	[진]	珍	珎
40	[찬]	讚	讃
40	[청]	廳	庁
40	[청]	聽	聴
40	[칭]	稱	称
40	[탄]	彈	弾
40	[험]	險	険
40	[현]	顯	顕
40	[환]	歡	歓
32	[감]	鑑	鑑
32	[개]	蓋	盖
32	[개]	槪	概
32	[검]	劍	剣
32	[경]	徑	径
32	[관]	寬	寛
32	[관]	館	舘
32	[괴]	壞	壊
32	[긴]	緊	紧
32	[녕]	寧	寍
32	[뇌]	腦	脳
32	[대]	臺	台
32	[량]	涼	凉
32	[려]	勵	励
32	[련]	鍊	錬
32	[련]	戀	恋
32	[련]	聯	联
32	[령]	靈	灵/霊
32	[로]	爐	炉
32	[루]	樓	楼
32	[림]	臨	临
32	[맥]	麥	麦
32	[모]	貌	皃
32	[몽]	夢	梦
32	[묵]	墨	墨
32	[묵]	默	黙
32	[박]	迫	廹
32	[배]	輩	軰
32	[번]	繁	繁
32	[불]	拂	払
32	[상]	桑	桒
32	[서]	緖	緒
32	[석]	釋	釈
32	[선]	禪	禅
32	[소]	燒	焼
32	[수]	壽	寿
32	[수]	帥	帅
32	[수]	獸	獣
32	[수]	隨	随
32	[습]	濕	湿
32	[승]	乘	乗
32	[쌍]	雙	双
32	[아]	亞	亜
32	[암]	巖	岩
32	[양]	壤	壌
32	[양]	讓	譲
32	[역]	譯	訳
32	[역]	驛	駅
32	[염]	鹽	塩
32	[예]	譽	誉
32	[위]	僞	偽
32	[장]	臟	臓
32	[장]	莊	荘
32	[장]	藏	蔵
32	[정]	淨	浄
32	[제]	齊	斉
32	[종]	縱	縦
32	[주]	鑄	鋳
32	[즉]	卽	即
32	[증]	曾	曽
32	[증]	蒸	蒸
32	[징]	徵	徴
32	[찬]	贊	賛
32	[천]	淺	浅
32	[천]	賤	賎
32	[천]	踐	践
32	[천]	遷	迁
32	[촉]	觸	触
32	[취]	醉	酔

32	[택]	擇	択
32	[택]	澤	沢
32	[토]	兔	兎
32	[폐]	廢	廃
32	[헌]	獻	献
32	[회]	懷	懐
32	[희]	戲	戯
30	[개]	慨	慨
30	[계]	繫	繋
30	[구]	龜	亀
30	[기]	棄	弃
30	[기]	旣	既
30	[뇌]	惱	悩
30	[람]	濫	滥
30	[렵]	獵	猟
30	[루]	淚	涙
30	[묘]	廟	庙
30	[병]	竝	並
30	[병]	屛	屏
30	[상]	嘗	甞
30	[서]	敍	叙
30	[섭]	攝	摂
30	[수]	搜	捜
30	[요]	搖	揺
30	[요]	遙	遥
30	[의]	宜	冝
30	[재]	哉	㦲
30	[절]	竊	窃
30	[지]	遲	遅
30	[참]	慘	惨
30	[체]	遞	逓
30	[총]	聰	聡
30	[타]	墮	堕
30	[현]	縣	県
30	[형]	螢	蛍
30	[확]	擴	拡
30	[효]	曉	暁
21	[도]	燾	焘
21	[려]	廬	庐
21	[로]	蘆	芦
21	[미]	彌	弥
21	[섭]	燮	变
21	[승]	繩	縄
21	[연]	姸	妍
21	[연]	淵	渊
21	[요]	堯	尭
21	[장]	蔣	蒋
21	[찬]	瓚	瓉
21	[찬]	鑽	鑚
21	[태]	兌	兊
21	[합]	陜	陝
20	[구]	歐	欧
20	[담]	膽	胆
20	[람]	藍	蓝
20	[량]	輛	輌
20	[롱]	籠	篭
20	[만]	灣	湾
20	[만]	蠻	蛮
20	[병]	倂	併
20	[부]	敷	旉
20	[삽]	揷	挿
20	[섬]	纖	繊
20	[신]	腎	肾
20	[애]	礙	碍
20	[양]	孃	嬢
20	[온]	穩	稳
20	[울]	鬱	欝
20	[이]	貳	弍
20	[일]	壹	壱
20	[잠]	蠶	蚕
20	[제]	劑	剤
20	[충]	沖	冲
20	[패]	霸	覇
20	[함]	艦	艦
20	[협]	峽	峡
20	[훈]	勳	勲

제3부

부 록 6

〈한문 명언록〉

한문 고전에 등장되는 명언 가운데 현대 지성인의 피가 되고 살이 될 수 있는 명문 70개를 엄선하여 우리말로 옮겨 놓고 원문을 함께 적어 놓았다. 원문이 33구, 44구, 55구에 해당되는 것만을 골라 놓은 것은 외우기 편함을 위해서이다. 우리말 문장은 글자 수가 많지만 뜻을 알기가 쉽고, 한문 문장은 글자 수가 적어 뜻을 알기는 어렵지만 통째로 외우기 쉽다는 장점이 있다. 두 장점을 적절히 활용하는 예지가 요구된다. 마음에 들거나 가슴이 뭉클해지는 것을 만나면 원문과 더불어 깊이 새겨 두면 매우 유용할 때가 있을 것이다. 인성 교육을 위한 명언록이 생활신조, 좌우명 등으로 널리 활용되면 좋겠다.

1. 33구(3言 對句)

01 **중책을 맡으면, 책임도 무거워진다.**

任重者，責亦重。 － 《東周列國志》
임 중 자 , 책 역 중 .

02 **착한 일일랑 머뭇거리지 말고, 문제가 있거들랑 잠재워두지 말라.**

無留善，無宿問。 － 《荀子》·大略篇
무 유 선 , 무 숙 문 .

03 **자만하면 손해를 보고, 겸손하면 이익을 본다.**

滿招損，謙受益。 － 《尙書》·大禹謨篇
만 초 손 , 겸 수 익 .

04 **부지런함은 빈곤을 이기고 조심성은 화근을 이긴다.**

力勝貧，謹勝禍。 － 劉向 《說苑》
역 승 빈 , 근 승 화 .

05 **노여움은 옮기지 말고, 잘못은 거듭하지 말라.**

不遷怒，不貳過。 － 《論語》·雍也篇
불 천 노 , 불 이 과 .

06 싸움에서 이기기는 쉬우나, 이긴 성취를 지켜내기는 어렵다.
戰勝易，守勝難。 － 《吳子》・圖國篇
전승이, 수승난.

07 눈으로 보지 않으면 마음에 번뇌가 생기지 않는다.
眼不見，心不煩。 － 《紅樓夢》
안불견, 심불번.

08 미워하는 사람이 많으면 위험하다.
惡之者，多則危。 － 《荀子》・正論篇
오지자, 다즉위.

2. 44구(4言 對句)

09 지위가 높아지면 몸이 위험해지고, 재물이 많아지면 목숨이 위태로워진다.
位尊身危，財多命殆。 － 《後漢書》
위존신위, 재다명태.

10 덕망은 높을수록 안전하고, 권세는 높을수록 위험하다.
道高益安，勢高益危。 － 《史記》・日者列傳
도고익안, 세고익위.

11 도가 한 자 높아지면, 마는 한 길 높아진다.
道高一尺，魔高一丈。 － 《初刻拍案驚奇》
도고일척, 마고일장.

12 복은 쌍으로 오지 아니하고, 화는 홀로 다니지 아니한다.
福無雙至，禍不單行。 － 《水滸傳》
복무쌍지, 화불단행.

13 일은 사람에 달려 있고, 성공은 하늘에 달려 있다.
謀事在人，成事在天。 － 《三國演義》
모사재인, 성사재천.

14 착한 사람은 말재주가 적고, 말재주만 많은 사람은 착하지 못하다.
善者不辯，辯者不善。 － 《老子》
선자불변, 변자불선.

15 군자는 의리를 높이 사고, 소인은 이득을 높이 산다.
君子尙義，小人尙利。 － 宋・邵雍 〈義利吟〉
군자상의, 소인상리.

16 이득은 남보다 뒤에 얻고, 책임은 남보다 앞서 메라.

利居衆後，責在人先。 - 韓愈 〈送窮文〉

이거중후, 책재인선.

17 명령으로 남을 거느리는 것은 몸소 앞장서는 것만 못하다.

以令率人，不若身先。 - 歐陽修

이령솔인, 불약신선.

18 만족을 알면 욕을 당하지 않고, 멈출 때를 알면 위태롭지 않다.

知足不辱，知止不殆。 - 《老子》

지족불욕, 지지불태.

19 이득이 있는 곳으로 천하가 쏠린다.

利之所在，天下趨之。 - 蘇洵 〈上皇帝書〉

이지소재, 천하추지.

20 덕으로 회유할 수는 있지만, 힘으로 굽히기는 어렵다.

可懷以德，難屈以力。 - 《魏氏春秋》

가회이덕, 난굴이력.

21 덕을 쌓은 집에는 정녕 재앙이 닥치지 않는다.

積德之家，必無災殃。 - 陸賈 《新語》

적덕지가, 필무재앙.

22 글 스승은 구하기 쉬워도, 사람 스승은 만나기 어렵다.

經師易求，人師難得。 - 《北周書》・盧誕傳

경사이구, 인사난득.

23 천리 길 행차도 발 아래에서 시작된다.

千里之行，始於足下。 - 《老子》

천리지행, 시어족하.

24 부끄러움을 모르면 못하는 짓이 없다.

不知恥者，無所不爲。 - 歐陽修

부지치자, 무소불위.

25 지혜로운 자는 시름하지 아니하며, 일을 많이 하면 걱정이 적어진다.

智者不愁，多爲少憂。 - 漢・樂府詩 〈滿歌行〉

지자불수, 다위소우.

26 작은 일을 경시하지 말라. 작은 틈새가 큰 배를 가라앉힌다.

勿輕小事，小隙沈舟。 - 《關尹子》

물경소사, 소극침주.

27 성공한 곳에 오래 머물지 말라.

成功之下，不可久處。 - 《史記》・列傳篇

성공지하, 불가구처.

28 죽기를 무릅쓰면 살고, 살기를 바라면 죽는다.
必死則生，幸生則死。 – 《吳子》・治兵篇
필사즉생, 행생즉사.

29 충직한 말은 귀에 거슬리고, 달콤한 말은 귀에 쏙 들어온다.
忠言逆耳，甘詞易入。 – 張九齡
충언역이, 감사이입.

30 여러 말을 들으면 밝게 되고, 한 쪽 말만 들으면 어둡게 된다.
兼聽則明，偏聽則暗。 – 《資治通鑑》
겸청즉명, 편청즉암.

31 힘센 짐승은 무리를 짓지 아니하고, 날쌘 새들은 쌍으로 날지 아니한다.
猛獸不群，鷙鳥不雙。 – 《淮南子》・說林訓
맹수불군, 지조불쌍.

32 좋은 일은 까닭 없이 찾아오지 아니하고, 재난은 헛되어 떠나지 아니한다.
善不妄來，災不空發。 – 《後漢書》
선불망래, 재부공발.

33 한 손만을 흔들면 아무리 빨라도 소리를 내지 못한다.
一手獨拍，雖疾無聲。 – 《韓非子》・功名篇
일수독박, 수질무성.

34 커다란 옥은 아끼지 않아도 되지만, 짧은 시간은 반드시 아껴야 한다.
尺璧非寶，寸陰是競。 – 《千字文》
척벽비보, 촌음시경.

35 뜻이 있는 여인은 남자보다 낫다.
有志婦人，勝於男人。 – 明・馮夢龍
유지부인, 승어남인.

36 술이 지나치면 망언이 나오고, 즐거움이 지나치면 슬픔이 생긴다.
酒極則亂，樂極則悲。 – 《史記》・滑稽列傳
주극즉란, 낙극즉비.

37 병균은 입을 통해 들어가고, 재앙은 입을 통해 나온다.
病從口入，患自口出。 – 中國 格言
병종구입, 환자구출.

38 어진 이는 경솔하게 절교하지 아니하고, 지혜로운 이는 경솔하게 남을 원망하지 아니한다.
仁不輕絶，知不輕怨。 – 《戰國策》・燕策
인불경절, 지불경원.

39 재물을 천만금 모아도 책 한 권 읽기만 못하다.
積財千萬，無過讀書。 – 《顏氏家訓》・勉學篇
적재천만, 무과독서.

40 공훈은 뜻에 달려 있고, 사업은 부지런함에 달려 있다.
功崇惟志，業廣惟勤。 – 《尚書》
공숭유지, 업광유근.

41 자리만 지키며 공밥 먹으면 공을 세워 이름을 떨치기 어렵다.
尸位素餐，難以成名。 – 曹植
시위소찬, 난이성명.

42 백성을 안정하게 하는 방법은 재물을 풍부히 하는 데 달려 있다.
安民之術，在於豊財。 – 《三國志》
안민지술, 재어풍재.

43 낡은 생각을 버려야, 새로운 뜻이 찾아온다.
濯去舊見，以來新意。 – 宋・朱熹
탁거구견, 이래신의.

44 백성들의 입을 막는 것이 강물을 막는 것보다 어렵다.
防民之口，甚於防川。 – 《國語》・周語
방민지구, 심어방천.

45 한 가지만 잘못해도, 만 가지 선행이 빛을 잃는다.
一爲不善，衆善皆亡。 – 《三國志注》
일위불선, 중선개망.

46 하늘에는 두 태양 없고, 땅에는 두 임금 없다.
天無二日，土無二王。 – 《禮記》
천무이일, 토무이왕.

47 생각을 잘 한 다음에 움직여야 하고, 움직임은 때에 맞아야 한다.
慮善以動，動惟厥時。 – 《尚書》
려선이동, 동유궐시.

48 흐르는 물은 썩지 않고, 돌고 도는 지도리엔 좀이 슬지 아니한다.
流水不腐，戶樞不蠹。 – 《呂氏春秋》
유수불부, 호추불려.

49 소매가 길어야 춤이 잘 되고, 돈이 많아야 장사가 잘 된다.
長袖善舞，多錢善賈。 – 《韓非子》
장수선무, 다전선고.

50 선인들의 말씀 있었거니, 나무꾼한테도 물어야 한다고.
先民有言，詢於芻蕘。 – 《詩經》・大雅・板
선민유언, 순어추요.

51 여럿이 한 마음이면 성도 쌓을 수 있고, 여럿이 한 입이면 쇠도 녹일 수 있다.
衆心成城，衆口鑠金。 – 《國語》
중심성성, 중구삭금.

3. 55구(5言 對句)

52 남에게는 완벽하기를 구하지 말고, 자기에게는 작은 흠도 꼭꼭 살펴라!
與人不求備，檢身若不及。 －《尚書》
여인불구비, 검신약불급.

53 한 겨울 추위가 혹독하지 않고서 어찌 봄날의 화창함이 있으랴!
嚴冬不肅殺，何以見陽春。 － 唐・呂溫
엄동불숙살, 하이견양춘.

54 여우도 죽을 때는 태어난 언덕 쪽으로 머리를 돌리거늘, 사람이 어찌 고향을 잊을 손가!
狐死歸首丘，故鄕安可忘。 － 曹操
호사귀수구, 고향안가망.

55 벌을 줄 때에는 강한 자를 회피하지 말고, 상을 줄 때에는 친한 자를 편애하지 말라.
罰不諱强大，賞不私親近。 －《戰國策》
벌불휘강대, 상불사친근.

56 엎지른 물은 거두어 담을 수 없고, 흘러간 구름은 다시 찾을 수 없다.
覆水不可收，行雲難重尋。 － 李白 〈代別情人〉
복수불가수, 행운난중심.

57 윗물이 맑으면 아랫물도 맑고, 윗물이 흐리면 아랫물도 흐리다.
源淸則流淸，源濁則流濁。 －《荀子》・君道篇
원청즉유청, 원탁즉류탁.

58 같은 욕심을 가진 사람들은 서로 미워하고, 같은 근심을 가진 사람들은 친하게 지낸다.
同欲者相憎，同憂者相親。 －《戰國策》・中山策
동욕자상증, 동우자상친.

59 양보는 여유로움에서 생겨나고, 싸움은 부족함에서 비롯된다.
讓生於有餘，爭起於不足。 － 漢・王充
양생어유여, 쟁기어부족.

60 비쌀 때에는 분토같이 여겨 팔아버리고, 쌀 때는 주옥같이 여겨 사들여라.
貴出如糞土，賤取如珠玉。 －《史記》・貨殖列傳
귀출여분토, 천취여주옥.

61 입은 화가 들어오는 문이고, 혀는 몸이 잘려지는 칼이다.
口是禍之門，舌是斬身刀。 － 明・馮夢龍
구시화지문, 설시참신도.

62 구름처럼 흩어지길 잘하지 말고, 달처럼 둥글어지길 자주 하여라!.
莫如雲易散，須似月頻圓。 － 宋・晏殊 〈臨江仙〉
막여운이산, 수사월빈원.

63 충성하려는 마음이 있어야 윗사람을 섬길 수 있고, 베풀려는 아량이 있어야 아랫사람을 거느릴 수 있

忠足以勤上，惠足以存下。 － 唐・韓愈

충 족 이 근 상 , 혜 족 이 존 하 .

64 숲 속에서 땔나무를 팔지 않고, 호수에서 물고기를 팔지 않는다.

林中不賣薪，湖上不鬻魚。 － 《淮南子》・齊俗訓篇

임 중 불 매 신 , 호 상 불 죽 어 .

65 강한 적을 이기려면 먼저 자기를 이겨야 한다.

能勝强敵者，先自勝者也。 － 《商君書》・畵策篇

능 승 강 적 자 , 선 자 승 자 야 .

66 권세가 기운 다음에는 귀하다 말을 말고, 가세가 기운 다음에는 친하다 말을 말라!

勢敗休云貴，家亡莫論親。 － 《紅樓夢》

세 패 휴 운 귀 , 가 망 막 론 친 .

67 말이 화려하면 충성이 없고, 꽃이 화려하면 열매가 없다.

靡辭無忠誠，華繁竟不實。 － 漢・孔融

미 사 무 충 성 , 화 번 경 부 실 .

68 벼슬하는 데는 공평함보다 나은 것이 없고, 재물 앞에서는 청렴함보다 나은 것이 없다.

臨官莫如平，臨財莫如廉。 － 劉向 《說苑》

임 관 막 여 평 , 임 재 막 여 렴 .

69 있으면서 족함을 모르면, 가지고 있는 것까지 잃게 된다.

有而不知足，失其所以有。 － 《史記》

유 이 부 지 족 , 실 기 소 이 유 .

70 지극히 성실한 것으로 길을 삼고, 지극히 어진 것으로 덕을 쌓으라.

以至誠爲道，以至仁爲德。 － 蘇東坡 〈道德〉

이 지 성 위 도 , 이 지 인 위 덕 .

제3부

부 록 7

〈급수별 한자 일람표〉

8급에서 2급까지 2,005자, 인명 및 지명용 350자, 총 2,355자를 급수별로 배열하여 한 눈에 알 수 있도록 일람표를 만들어 놓았다. 급수별로 한자를 학습하거나 시험문제를 출제할 때 참고하면 안성맞춤이다. 특히 맨 뒤에 있는 인명 및 지명용 한자 350자는 한자 이름을 지을 때 매우 유용하다. 자세한 의미를 알고 싶으면 일련번호나 쪽수를 참고하여 찾아보면 된다.

8급 한자 50

7Ⅱ급 한자 50

7급 한자 50

6Ⅱ급 한자 75

0152	[리]	利	p 299
0153	[공]	功	p 300
0154	[용]	勇	p 300
0155	[반]	半	p 301
0156	[반]	反	p 301
0157	[금]	今	p 303
0158	[대]	代	p 303
0159	[작]	作	p 305
0160	[신]	信	p 307
0161	[광]	光	p 308
0162	[공]	公	p 309
0163	[공]	共	p 311
0164	[행]	幸	p 312
0165	[각]	各	p 312
0166	[화]	和	p 313
0167	[도]	圖	p 314
0168	[약]	弱	p 315
0169	[시]	始	p 316
0170	[형]	形	p 316
0171	[정]	庭	p 318
0172	[대]	對	p 318
0173	[당]	堂	p 320
0174	[성]	成	p 321
0175	[전]	戰	p 322
0176	[신]	新	p 324
0177	[과]	果	p 326
0178	[업]	業	p 327
0179	[락]	樂	p 328
0180	[방]	放	p 330
0181	[재]	才	p 331
0182	[주]	注	p 332
0183	[소]	消	p 332
0184	[청]	清	p 333
0185	[급]	急	p 334
0186	[의]	意	p 335
0187	[서]	書	p 337
0188	[회]	會	p 339
0189	[명]	明	p 340
0190	[작]	昨	p 342
0191	[동]	童	p 342
0192	[성]	省	p 343
0193	[발]	發	p 343
0194	[사]	社	p 346
0195	[신]	神	p 347
0196	[단]	短	p 348
0197	[반]	班	p 349
0198	[구]	球	p 349
0199	[리]	理	p 350
0200	[현]	現	p 352
0201	[용]	用	p 353
0202	[계]	界	p 356
0203	[창]	窓	p 356
0204	[과]	科	p 357
0205	[선]	線	p 358
0206	[표]	表	p 359
0207	[문]	聞	p 360
0208	[제]	第	p 361
0209	[등]	等	p 361
0210	[약]	藥	p 363
0211	[술]	術	p 364
0212	[각]	角	p 365
0213	[신]	身	p 366
0214	[계]	計	p 368
0215	[독]	讀	p 369
0216	[부]	部	p 369
0217	[운]	運	p 371
0218	[설]	雪	p 372
0219	[집]	集	p 373
0220	[음]	飮	p 374
0221	[음]	音	p 374
0222	[풍]	風	p 376
0223	[제]	題	p 378
0224	[고]	高	p 379
0225	[체]	體	p 381

6급 한자 75

0226	[별]	別	p 386
0227	[교]	交	p 387
0228	[경]	京	p 388
0229	[승]	勝	p 388
0230	[사]	使	p 389
0231	[례]	例	p 390
0232	[구]	區	p 391
0233	[석]	席	p 392
0234	[고]	古	p 393
0235	[합]	合	p 394
0236	[향]	向	p 396
0237	[원]	園	p 397
0238	[강]	強	p 397
0239	[태]	太	p 399
0240	[실]	失	p 399
0241	[정]	定	p 401
0242	[다]	多	p 403
0243	[야]	夜	p 404
0244	[도]	度	p 404
0245	[식]	式	p 406
0246	[손]	孫	p 407
0247	[대]	待	p 408
0248	[재]	在	p 408
0249	[본]	本	p 409
0250	[박]	朴	p 411
0251	[리]	李	p 412

5Ⅱ급 한자 100

0352	[류]	流	p 502
0353	[성]	性	p 504
0354	[악]	惡	p 506
0355	[념]	念	p 508
0356	[정]	情	p 509
0357	[필]	必	p 510
0358	[랑]	朗	p 511
0359	[망]	望	p 511
0360	[세]	歲	p 512
0361	[력]	歷	p 513
0362	[상]	相	p 513
0363	[착]	着	p 515
0364	[적]	的	p 516
0365	[산]	産	p 517
0366	[복]	福	p 518
0367	[지]	知	p 519
0368	[당]	當	p 520
0369	[종]	種	p 522
0370	[량]	良	p 523
0371	[구]	舊	p 523
0372	[결]	結	p 524
0373	[약]	約	p 525
0374	[련]	練	p 526
0375	[신]	臣	p 527
0376	[요]	要	p 527
0377	[능]	能	p 528
0378	[절]	節	p 529
0379	[필]	筆	p 531
0380	[견]	見	p 531
0381	[관]	觀	p 532
0382	[과]	課	p 533
0383	[변]	變	p 534
0384	[설]	說	p 536
0385	[식]	識	p 537
0386	[조]	調	p 537
0387	[과]	過	p 539
0388	[주]	週	p 540
0389	[재]	財	p 541
0390	[질]	質	p 541
0391	[책]	責	p 543
0392	[관]	關	p 543
0393	[륙]	陸	p 544
0394	[우]	雨	p 545
0395	[운]	雲	p 546
0396	[수]	首	p 546
0397	[양]	養	p 547
0398	[순]	順	p 548
0399	[류]	類	p 548
0400	[선]	鮮	p 549

5급 한자 100

0401	[재]	再	p 552
0402	[초]	初	p 552
0403	[칙]	則	p 553
0404	[망]	亡	p 554
0405	[가]	加	p 555
0406	[랭]	冷	p 555
0407	[거]	去	p 556
0408	[탁]	卓	p 557
0409	[원]	原	p 557
0410	[건]	件	p 559
0411	[건]	健	p 559
0412	[배]	倍	p 560
0413	[억]	億	p 560
0414	[령]	令	p 560
0415	[위]	位	p 561
0416	[정]	停	p 562
0417	[타]	他	p 563
0418	[가]	可	p 563
0419	[길]	吉	p 564
0420	[선]	善	p 564
0421	[창]	唱	p 565
0422	[고]	固	p 566
0423	[인]	因	p 566
0424	[사]	寫	p 567
0425	[완]	完	p 567
0426	[한]	寒	p 568
0427	[도]	島	p 569
0428	[옥]	屋	p 569
0429	[서]	序	p 569
0430	[건]	建	p 570
0431	[단]	壇	p 571
0432	[료]	料	p 571
0433	[교]	橋	p 572
0434	[말]	末	p 572
0435	[사]	査	p 573
0436	[안]	案	p 574
0437	[판]	板	p 574
0438	[개]	改	p 575
0439	[구]	救	p 576
0440	[패]	敗	p 577
0441	[비]	比	p 577
0442	[거]	擧	p 578
0443	[기]	技	p 579
0444	[기]	汽	p 580
0445	[빙]	氷	p 580
0446	[어]	漁	p 580
0447	[욕]	浴	p 581
0448	[조]	操	p 581
0449	[타]	打	p 582
0450	[하]	河	p 583
0451	[호]	湖	p 583

4Ⅱ급 한자 250

4급 한자 250

3Ⅱ급 한자 500

3급 한자 317

1770 [나] 那 p 1190
1771 [방] 邦 p 1190
1772 [도] 跳 p 1190
1773 [약] 躍 p 1190
1774 [부] 赴 p 1191
1775 [견] 遣 p 1191
1776 [미] 迷 p 1191
1777 [반] 返 p 1192
1778 [서] 逝 p 1192
1779 [수] 遂 p 1192
1780 [요] 遙 p 1193
1781 [위] 違 p 1193
1782 [준] 遵 p 1193
1783 [지] 遲 p 1193
1784 [체] 逮 p 1194
1785 [체] 遞 p 1194
1786 [축] 逐 p 1194
1787 [편] 遍 p 1194
1788 [빈] 賓 p 1195
1789 [사] 賜 p 1195
1790 [증] 贈 p 1195
1791 [탐] 貪 p 1196
1792 [판] 販 p 1196
1793 [패] 貝 p 1196
1794 [례] 隷 p 1197
1795 [둔] 鈍 p 1197
1796 [예] 銳 p 1197
1797 [열] 閱 p 1198
1798 [윤] 閏 p 1198
1799 [린] 鄰 p 1198
1800 [무] 霧 p 1198
1801 [령] 零 p 1199
1802 [수] 雖 p 1199
1803 [안] 雁 p 1199
1804 [번] 翻 p 1200
1805 [기] 飢 p 1200
1806 [아] 餓 p 1200
1807 [포] 飽 p 1201
1808 [고] 顧 p 1201
1809 [빈] 頻 p 1201
1810 [수] 須 p 1201
1811 [파] 頗 p 1202
1812 [구] 驅 p 1202
1813 [등] 騰 p 1202
1814 [소] 騷 p 1203
1815 [록] 鹿 p 1203
1816 [홍] 鴻 p 1203
1817 [구] 龜 p 1203

2급 한자 188

1818 [인] 刃 p 1206
1819 [제] 劑 p 1206
1820 [찰] 刹 p 1206
1821 [승] 升 p 1206
1822 [훈] 勳 p 1206
1823 [비] 匪 p 1207
1824 [준] 准 p 1207
1825 [염] 厭 p 1207
1826 [괴] 傀 p 1207
1827 [교] 僑 p 1208
1828 [배] 俳 p 1208
1829 [벽] 僻 p 1208
1830 [병] 倂 p 1208
1831 [봉] 俸 p 1208
1832 [산] 傘 p 1209
1833 [용] 傭 p 1209
1834 [정] 偵 p 1209
1835 [모] 帽 p 1209
1836 [사] 唆 p 1210
1837 [정] 呈 p 1210
1838 [초] 哨 p 1210
1839 [후] 喉 p 1211
1840 [희] 噫 p 1211
1841 [권] 圈 p 1211
1842 [불] 弗 p 1211
1843 [현] 弦 p 1211
1844 [일] 壹 p 1212
1845 [만] 娩 p 1212
1846 [양] 孃 p 1212
1847 [요] 妖 p 1212
1848 [임] 姙 p 1213
1849 [희] 姬 p 1213
1850 [협] 峽 p 1213
1851 [조] 彫 p 1213
1852 [창] 彰 p 1214
1853 [시] 屍 p 1214
1854 [뇨] 尿 p 1214
1855 [니] 尼 p 1215
1856 [환] 幻 p 1215
1857 [회] 廻 p 1215
1858 [위] 尉 p 1215
1859 [갱] 坑 p 1216
1860 [대] 垈 p 1216
1861 [진] 塵 p 1216
1862 [평] 坪 p 1216
1863 [형] 型 p 1217
1864 [과] 戈 p 1217
1865 [대] 戴 p 1217
1866 [참] 斬 p 1218
1867 [기] 棋 p 1218
1868 [동] 棟 p 1218
1869 [동] 桐 p 1218

1972 [류] 謬 p 1246
1973 [자] 諮 p 1246
1974 [진] 診 p 1246
1975 [첩] 諜 p 1247
1976 [탁] 託 p 1247
1977 [산] 酸 p 1248
1978 [혹] 酷 p 1248
1979 [사] 赦 p 1249
1980 [축] 蹴 p 1249
1981 [추] 趨 p 1250
1982 [차] 遮 p 1250
1983 [구] 購 p 1250
1984 [배] 賠 p 1250
1985 [세] 貰 p 1251
1986 [이] 貳 p 1251
1987 [단] 鍛 p 1251
1988 [조] 釣 p 1251
1989 [포] 鋪 p 1252
1990 [궐] 闕 p 1252
1991 [규] 閨 p 1252
1992 [벌] 閥 p 1253
1993 [고] 雇 p 1253
1994 [자] 雌 p 1253
1995 [척] 隻 p 1253
1996 [사] 飼 p 1254
1997 [찬] 餐 p 1254
1998 [태] 颱 p 1254
1999 [화] 靴 p 1254
2000 [예] 預 p 1255
2001 [마] 魔 p 1255
2002 [매] 魅 p 1255
2003 [주] 駐 p 1256
2004 [울] 鬱 p 1256
2005 [구] 鷗 p 1256

인·지명용 한자 350

2006 [가] 伽 p 1258
2007 [가] 柯 p 1258
2008 [가] 軻 p 1258
2009 [가] 賈 p 1258
2010 [가] 迦 p 1258
2011 [각] 珏 p 1258
2012 [간] 杆 p 1258
2013 [간] 艮 p 1258
2014 [갈] 鞨 p 1258
2015 [갑] 岬 p 1259
2016 [갑] 鉀 p 1259
2017 [강] 姜 p 1259
2018 [강] 彊 p 1259
2019 [강] 疆 p 1259
2020 [강] 岡 p 1259
2021 [강] 崗 p 1259
2022 [개] 价 p 1259
2023 [개] 塏 p 1260
2024 [건] 鍵 p 1260
2025 [걸] 杰 p 1260
2026 [걸] 桀 p 1260
2027 [견] 甄 p 1260
2028 [경] 炅 p 1260
2029 [경] 儆 p 1260
2030 [경] 璟 p 1260
2031 [경] 瓊 p 1260
2032 [고] 皐 p 1260
2033 [관] 串 p 1261
2034 [관] 琯 p 1261
2035 [괴] 槐 p 1261
2036 [구] 邱 p 1261
2037 [구] 玖 p 1261
2038 [국] 鞠 p 1261
2039 [규] 圭 p 1261
2040 [규] 奎 p 1261
2041 [규] 揆 p 1262
2042 [규] 珪 p 1262
2043 [근] 槿 p 1262
2044 [근] 瑾 p 1262
2045 [긍] 兢 p 1262
2046 [기] 冀 p 1262
2047 [기] 岐 p 1262
2048 [기] 淇 p 1262
2049 [기] 琦 p 1262
2050 [기] 琪 p 1263
2051 [기] 璣 p 1263
2052 [기] 箕 p 1263
2053 [기] 耆 p 1263
2054 [기] 騏 p 1263
2055 [기] 麒 p 1263
2056 [기] 沂 p 1263
2057 [기] 驥 p 1263
2058 [단] 湍 p 1263
2059 [당] 塘 p 1263
2060 [덕] 悳 p 1264
2061 [도] 燾 p 1264
2062 [돈] 惇 p 1264
2063 [돈] 燉 p 1264
2064 [돈] 頓 p 1264
2065 [돌] 乭 p 1264
2066 [동] 董 p 1264
2067 [두] 杜 p 1264
2068 [등] 鄧 p 1265
2069 [래] 萊 p 1265
2070 [량] 亮 p 1265
2071 [량] 樑 p 1265

2174 [압] 鴨 p 1277
2175 [애] 埃 p 1277
2176 [애] 艾 p 1277
2177 [야] 倻 p 1277
2178 [양] 襄 p 1277
2179 [언] 彦 p 1277
2180 [연] 姸 p 1277
2181 [연] 淵 p 1277
2182 [연] 衍 p 1278
2183 [염] 閻 p 1278
2184 [엽] 燁 p 1278
2185 [영] 暎 p 1278
2186 [영] 瑛 p 1278
2187 [영] 盈 p 1278
2188 [예] 芮 p 1278
2189 [예] 睿 p 1278
2190 [예] 濊 p 1278
2191 [오] 吳 p 1279
2192 [오] 墺 p 1279
2193 [옥] 沃 p 1279
2194 [옥] 鈺 p 1279
2195 [옹] 邕 p 1279
2196 [옹] 雍 p 1279
2197 [옹] 甕 p 1279
2198 [완] 莞 p 1279
2199 [왕] 旺 p 1279
2200 [왕] 汪 p 1280
2201 [왜] 倭 p 1280
2202 [요] 堯 p 1280
2203 [요] 姚 p 1280
2204 [요] 耀 p 1280
2205 [용] 溶 p 1280
2206 [용] 瑢 p 1280
2207 [용] 鎔 p 1280
2208 [용] 鏞 p 1280
2209 [우] 佑 p 1281
2210 [우] 祐 p 1281
2211 [우] 禹 p 1281
2212 [욱] 旭 p 1281
2213 [욱] 頊 p 1281
2214 [욱] 昱 p 1281
2215 [욱] 煜 p 1281
2216 [욱] 郁 p 1281
2217 [운] 芸 p 1281
2218 [울] 蔚 p 1282
2219 [웅] 熊 p 1282
2220 [원] 媛 p 1282
2221 [원] 瑗 p 1282
2222 [원] 袁 p 1282
2223 [위] 渭 p 1282
2224 [위] 韋 p 1282
2225 [위] 魏 p 1282
2226 [유] 庾 p 1282
2227 [유] 兪 p 1283
2228 [유] 楡 p 1283
2229 [유] 踰 p 1283
2230 [윤] 允 p 1283
2231 [윤] 尹 p 1283
2232 [윤] 胤 p 1283
2233 [윤] 鈗 p 1283
2234 [은] 殷 p 1283
2235 [은] 垠 p 1283
2236 [은] 誾 p 1284
2237 [응] 鷹 p 1284
2238 [이] 伊 p 1284
2239 [이] 珥 p 1284
2240 [이] 怡 p 1284
2241 [익] 翊 p 1284
2242 [일] 鎰 p 1284
2243 [일] 佾 p 1284
2244 [자] 滋 p 1284
2245 [장] 庄 p 1285
2246 [장] 璋 p 1285
2247 [장] 蔣 p 1285
2248 [장] 獐 p 1285
2249 [전] 甸 p 1285
2250 [정] 鄭 p 1285
2251 [정] 晶 p 1285
2252 [정] 珽 p 1285
2253 [정] 旌 p 1285
2254 [정] 楨 p 1286
2255 [정] 汀 p 1286
2256 [정] 禎 p 1286
2257 [정] 鼎 p 1286
2258 [조] 趙 p 1286
2259 [조] 曺 p 1286
2260 [조] 祚 p 1286
2261 [종] 琮 p 1286
2262 [주] 疇 p 1286
2263 [준] 埈 p 1287
2264 [준] 峻 p 1287
2265 [준] 晙 p 1287
2266 [준] 浚 p 1287
2267 [준] 濬 p 1287
2268 [준] 駿 p 1287
2269 [지] 址 p 1287
2270 [지] 芝 p 1287
2271 [직] 稙 p 1287
2272 [직] 稷 p 1287
2273 [진] 秦 p 1287
2274 [진] 晉 p 1288
2275 [찬] 燦 p 1288

제3부

부록 8

〈가나다순 한자 색인〉

한자 자전(옥편) 기능을 겸하기 위하여 총 2,355자에 대하여 가나다 순 색인을 만들어 놓았다. '좋을 호'(好) 자가 궁금한 경우 이 색인을 찾아보면 "[호] 好 0544 4급Ⅱ P 598" 라고 나온다. 일련번호는 0544이며, 4급(Ⅱ)에 속하며 598쪽에 상세한 풀이가 있다는 뜻이다. 어떤 한자의 자세한 의미나 구조, 유래 등이 궁금할 때 찾아보기에 안성맞춤이다.

[면]	沔	2093	인지명	p 1267
[면]	俛	2094	인지명	p 1267
[멸]	滅	1200	3급Ⅱ	p 997
[멸]	蔑	1961	2급	p 1243
[명]	名	67	7급Ⅱ	p 180
[명]	命	112	7급	p 249
[명]	明	189	6급Ⅱ	p 340
[명]	鳴	998	4급	p 918
[명]	銘	1456	3급Ⅱ	p 1096
[명]	冥	1515	3급	p 1119
[모]	母	19	8급	p 90
[모]	毛	574	4급Ⅱ	p 672
[모]	模	838	4급	p 837
[모]	慕	1231	3급Ⅱ	p 1009
[모]	謀	1410	3급Ⅱ	p 1079
[모]	貌	1441	3급Ⅱ	p 1091
[모]	募	1513	3급	p 1118
[모]	冒	1517	3급	p 1120
[모]	侮	1529	3급	p 1123
[모]	某	1609	3급	p 1144
[모]	暮	1680	3급	p 1164
[모]	帽	1835	2급	p 1209
[모]	矛	1915	2급	p 1230
[모]	牟	2095	인지명	p 1268
[모]	茅	2096	인지명	p 1268
[모]	謨	2097	인지명	p 1268
[목]	木	15	8급	p 84
[목]	目	268	6급	p 426
[목]	牧	621	4급Ⅱ	p 705
[목]	睦	1285	3급Ⅱ	p 1029
[목]	沐	1889	2급	p 1223
[목]	穆	2098	인지명	p 1268
[몰]	沒	1201	3급Ⅱ	p 997
[몽]	夢	1113	3급Ⅱ	p 963
[몽]	蒙	1375	3급Ⅱ	p 1066
[묘]	妙	795	4급	p 817
[묘]	墓	828	4급	p 833
[묘]	卯	1542	3급	p 1126
[묘]	廟	1582	3급	p 1137
[묘]	苗	1738	3급	p 1180
[묘]	昴	2099	인지명	p 1268
[무]	無	462	5급	p 590
[무]	務	506	4급Ⅱ	p 623
[무]	武	629	4급Ⅱ	p 710
[무]	舞	945	4급	p 890
[무]	茂	1376	3급Ⅱ	p 1066
[무]	貿	1446	3급Ⅱ	p 1093
[무]	戊	1601	3급	p 1142
[무]	霧	1800	3급	p 1198
[묵]	墨	1136	3급Ⅱ	p 973
[묵]	默	1498	3급Ⅱ	p 1112
[문]	門	33	8급	p 113
[문]	問	113	7급	p 250
[문]	文	125	7급	p 262
[문]	聞	207	6급Ⅱ	p 360
[문]	紋	1324	3급Ⅱ	p 1045
[문]	紊	1932	2급	p 1234
[문]	汶	2100	인지명	p 1268
[물]	物	83	7급Ⅱ	p 204
[물]	勿	1063	3급Ⅱ	p 945
[미]	米	275	6급	p 434
[미]	美	278	6급	p 436
[미]	味	535	4급Ⅱ	p 644
[미]	未	579	4급Ⅱ	p 676
[미]	尾	1116	3급Ⅱ	p 964
[미]	微	1125	3급Ⅱ	p 968
[미]	眉	1699	3급	p 1169
[미]	迷	1776	3급	p 1191
[미]	彌	2101	인지명	p 1268
[민]	民	25	8급	p 99
[민]	敏	1618	3급	p 1146
[민]	憫	1664	3급	p 1159
[민]	旻	2102	인지명	p 1268
[민]	旼	2103	인지명	p 1268
[민]	玟	2104	인지명	p 1268
[민]	珉	2105	인지명	p 1269
[민]	閔	2106	인지명	p 1269
[밀]	密	547	4급Ⅱ	p 653
[밀]	蜜	1742	3급	p 1181
[박]	朴	250	6급	p 411
[박]	博	509	4급Ⅱ	p 626
[박]	拍	854	4급	p 845
[박]	薄	1377	3급Ⅱ	p 1066
[박]	迫	1433	3급Ⅱ	p 1087
[박]	泊	1644	3급	p 1153
[박]	舶	1952	2급	p 1240
[반]	半	155	6급Ⅱ	p 301
[반]	反	156	6급Ⅱ	p 301
[반]	班	197	6급Ⅱ	p 349
[반]	盤	1282	3급Ⅱ	p 1027
[반]	般	1360	3급Ⅱ	p 1059
[반]	飯	1481	3급Ⅱ	p 1106
[반]	叛	1521	3급	p 1121
[반]	伴	1530	3급	p 1123
[반]	返	1777	3급	p 1192
[반]	搬	1879	2급	p 1221
[반]	磻	2107	인지명	p 1269
[반]	潘	2108	인지명	p 1269
[발]	發	193	6급Ⅱ	p 343
[발]	髮	996	4급	p 917
[발]	拔	1178	3급Ⅱ	p 988
[발]	鉢	2109	인지명	p 1269

부수 한자(214) 일람표 (본문 32쪽에서 인용)

1획

*	[001]	一	한 일
	[002]	丨	뚫을 곤
	[003]	丶	점 주
	[004]	丿(乀)	삐칠 별
	[005]	乙	새 을
	[006]	亅	갈고리 궐

2획

*	[007]	二	두 이
	[008]	亠	두돼지 해
*	[009]	人(亻)	사람 인
	[010]	儿	어진사람 인
*	[011]	入	들 입
*	[012]	八	여덟 팔
	[013]	冂	먼데 경
	[014]	冖	덮을 멱
	[015]	冫	얼음 빙
	[016]	几	안석 궤
	[017]	凵	입벌릴 감
*	[018]	刀(刂)	칼 도
*	[019]	力	힘 력
	[020]	勹	쌀 포
	[021]	匕	비수 비
	[022]	匚	상자 방
	[023]	匸	감출 혜
*	[024]	十	열 십
*	[025]	卜	점 복
	[026]	卩(㔾)	병부 절
	[027]	厂	언덕 한
	[028]	厶	사사 사
*	[029]	又	또 우

3획

	[030]	囗	에워쌀 위
*	[031]	口	입 구
*	[032]	土	흙 토
*	[033]	士	선비 사
	[034]	夂	뒤져올 치
	[035]	夊	천천히걸을 쇠
*	[036]	夕	저녁 석
*	[037]	大	큰 대
*	[038]	女	여자 녀
*	[039]	子	아이 자
	[040]	宀	집 면
*	[041]	寸	마디 촌
*	[042]	小	작을 소
	[043]	尢	절름발이 왕
	[044]	尸	주검 시
	[045]	屮	싹날 철
*	[046]	山	뫼 산
	[047]	巛(川)	내 천
*	[048]	工	장인 공
*	[049]	己	몸 기
	[050]	巾	수건 건
*	[051]	干	방패 간
	[052]	幺	작을 요
	[053]	广	집 엄
	[054]	廴	끌 인
	[055]	廾	받들 공
	[056]	弋	주살 익
*	[057]	弓	활 궁
	[058]	彐(彑)	돼지머리 계
	[059]	彡	터럭 삼
	[060]	彳	자축거릴 척

4획

*	[061]	心(忄 㣺)	마음 심
*	[062]	戈	창 과
*	[063]	戶	지게 호
*	[064]	手(扌)	손 수
*	[065]	支	지탱할 지
	[066]	攴(攵)	칠 복
*	[067]	文	글월 문
*	[068]	斗	말 두
*	[069]	斤	도끼 근
*	[070]	方	모 방
*	[071]	无(旡)	없을 무
*	[072]	日	날 일
*	[073]	曰	가로 왈
*	[074]	月	달 월
*	[075]	木	나무 목
	[076]	欠	하품 흠
*	[077]	止	그칠 지
	[078]	歹(歺)	뼈 알
	[079]	殳	창 수
	[080]	毋	말 무
*	[081]	比	견줄 비
*	[082]	毛	터럭 모
*	[083]	氏	각시 씨
*	[084]	气	기운 기
*	[085]	水(氵)	물 수
*	[086]	火(灬)	불 화
	[087]	爪(爫)	손톱 조
*	[088]	父	아비 부
	[089]	爻	점괘 효
	[090]	爿	나무조각 장
*	[091]	片	조각 편
*	[092]	牙	어금니 아
*	[093]	牛	소 우
*	[094]	犬(犭)	개 견

5획

*	[095]	玄	검을 현
*	[096]	玉(王)	구슬 옥
*	[097]	瓜	오이 과
*	[098]	瓦	기와 와
*	[099]	甘	달 감
*	[100]	生	날 생
*	[101]	用	쓸 용
*	[102]	田	밭 전
	[103]	疋	발 소
	[104]	疒	병들 녁
	[105]	癶	어그러질 발
*	[106]	白	흰 백
*	[107]	皮	가죽 피
	[108]	皿	그릇 명
*	[109]	目	눈 목
*	[110]	矛	창 모
*	[111]	矢	화살 시
*	[112]	石	돌 석
*	[113]	示(礻)	보일 시
	[114]	禸	발자국 유

* [115] 禾 벼 화
* [116] 穴 구멍 혈
* [117] 立 설 립

6획

* [118] 竹 대 죽
* [119] 米 쌀 미

[120] 糸 실 사

[121] 缶 장군 부

[122] 网(罒⺳) 그물 망

* [123] 羊 양 양
* [124] 羽 깃 우
* [125] 老(耂) 늙을 로
* [126] 而 말이을 이

[127] 耒 쟁기 뢰

* [128] 耳 귀 이

[129] 聿 붓 율

* [130] 肉(月) 고기 육
* [131] 臣 신하 신
* [132] 自 스스로 자
* [133] 至 이를 지

[134] 臼 절구 구

* [135] 舌 혀 설

[136] 舛 어그러질 천

* [137] 舟 배 주

[138] 艮 괘이름 간

* [139] 色 빛 색

[140] 艸(艹) 풀 초

[141] 虍 호랑이 호

[142] 虫 벌레 충

* [143] 血 피 혈
* [144] 行 다닐 행
* [145] 衣(衤) 옷 의

[146] 襾 덮을 아

7획

* [147] 見 볼 견
* [148] 角 뿔 각
* [149] 言 말씀 언
* [150] 谷 골 곡
* [151] 豆 콩 두

[152] 豕 돼지 시

[153] 豸 발없는벌레 치

* [154] 貝 조개 패
* [155] 赤 붉을 적
* [156] 走 달릴 주
* [157] 足 발 족
* [158] 身 몸 신
* [159] 車 수레 거
* [160] 辛 매울 신
* [161] 辰 별 진

[162] 辵(辶) 쉬엄쉬엄갈 착

* [163] 邑(阝) 고을 읍
* [164] 酉 닭 유

[165] 釆 분별할 변

* [166] 里 마을 리

8획

* [167] 金 쇠 금
* [168] 長 길 장
* [169] 門 문 문

[170] 阜(阝) 언덕 부

[171] 隶 미칠 대

[172] 隹 새 추

* [173] 雨 비 우
* [174] 靑 푸를 청
* [175] 非 아닐 비

9획

* [176] 面 얼굴 면
* [177] 革 가죽 혁

[178] 韋 가죽 위

[179] 韭 부추 구

* [180] 音 소리 음

[181] 頁 머리 혈

* [182] 風 바람 풍
* [183] 飛 날 비
* [184] 食 밥 식
* [185] 首 머리 수
* [186] 香 향기 향

10획

* [187] 馬 말 마
* [188] 骨 뼈 골
* [189] 高 높을 고

[190] 髟 머리털 표

* [191] 鬥 싸울 투

[192] 鬯 술 창

[193] 鬲 솥 력

* [194] 鬼 귀신 귀

11획

* [195] 魚 고기 어
* [196] 鳥 새 조

[197] 鹵 소금 로

* [198] 鹿 사슴 록
* [199] 麥 보리 맥

[200] 麻 삼 마

12획

[201] 黃 누를 황

[202] 黍 기장 서

* [203] 黑 검을 흑

[204] 黹 바느질할 치

13획

[205] 黽 맹꽁이 맹

* [206] 鼎 솥 정
* [207] 鼓 북 고

[208] 鼠 쥐 서

14획

* [209] 鼻 코 비
* [210] 齊 가지런할 제

15획

* [211] 齒 이 치

16획

* [212] 龍 용 룡
* [213] 龜 거북 귀

17획

[214] 龠 피리 약

※ 번호 앞에 '*'표시가 있는 것(총 132 자)은 낱글자로 쓰이는 빈도가 비교적 높은 것입니다.
이 214개 한자, 혹은 적게는 132개만 알아도 대단한 위력을 지닙니다. 수백, 수천의 한자들이 이것에서 비롯됐기 때문입니다.